연정교육문화연구소 연구총서 22권

(한글판)
淵淵堂文稿
연 연 당 문 고

普亭 金正會 著
보정 김정회 저

감수 : 연정 김경식
번역 : 호당 이정길
　　　박 정 양
　　　남원 이형성

도서출판 조은

題字 | 보정 선생 둘째 손부 아당 정연숙 (雅堂 鄭淵淑) 씀

청년진영(靑年眞影)   노년진영(老年眞影)

보정선생 생가와 입구

연연당 문고

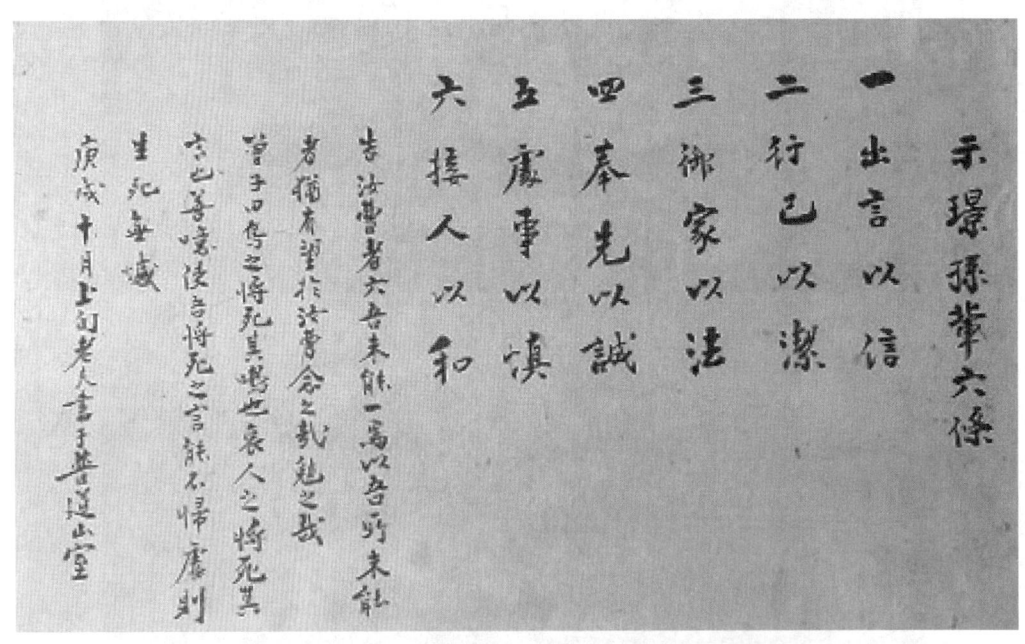

시경손배 육조 (示璟孫輩六條) - 손자들에게 담긴 훈계서
(보정 선생께서 돌아가신 날 아침에 쓰셨다.)

강학지소 만수당 전경(講學之所 晩睡堂 全景)

보정 선생 경모비(景慕碑)

시혜물망비

묘소
(전남 장성군 북이면 달성리 전록)

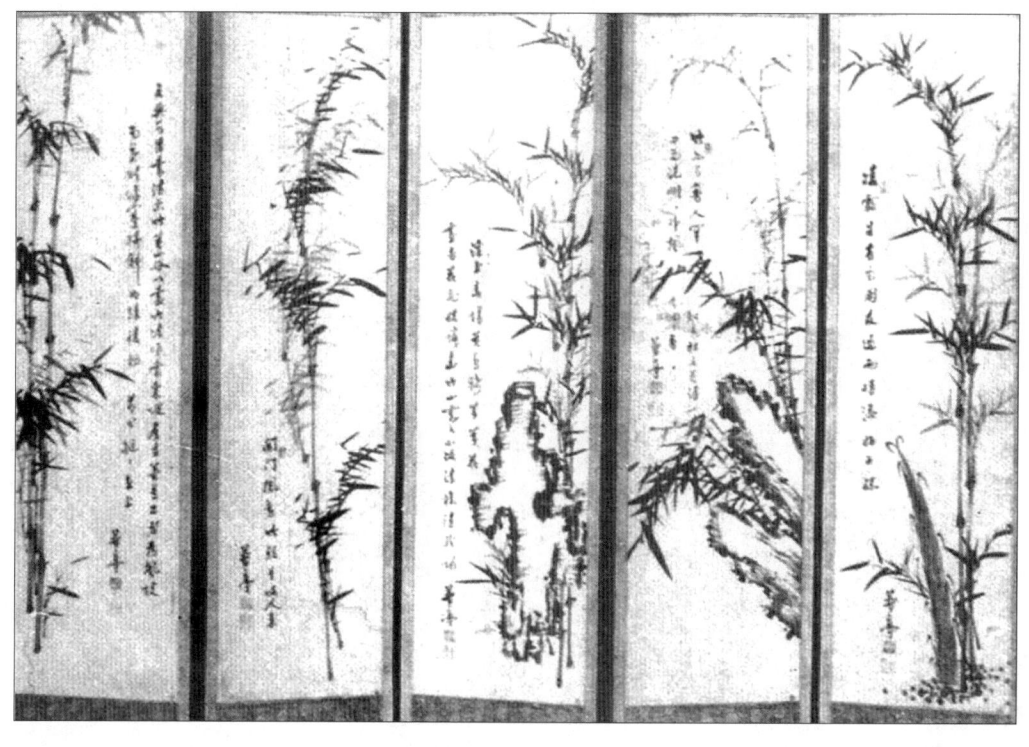

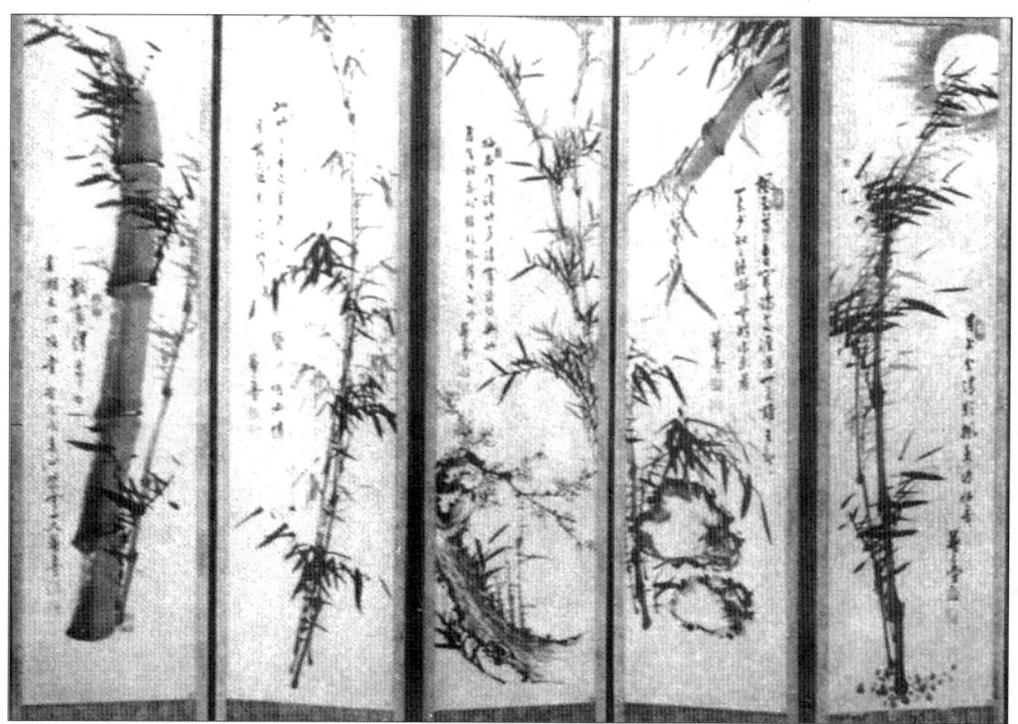

십죽병(十竹屛)

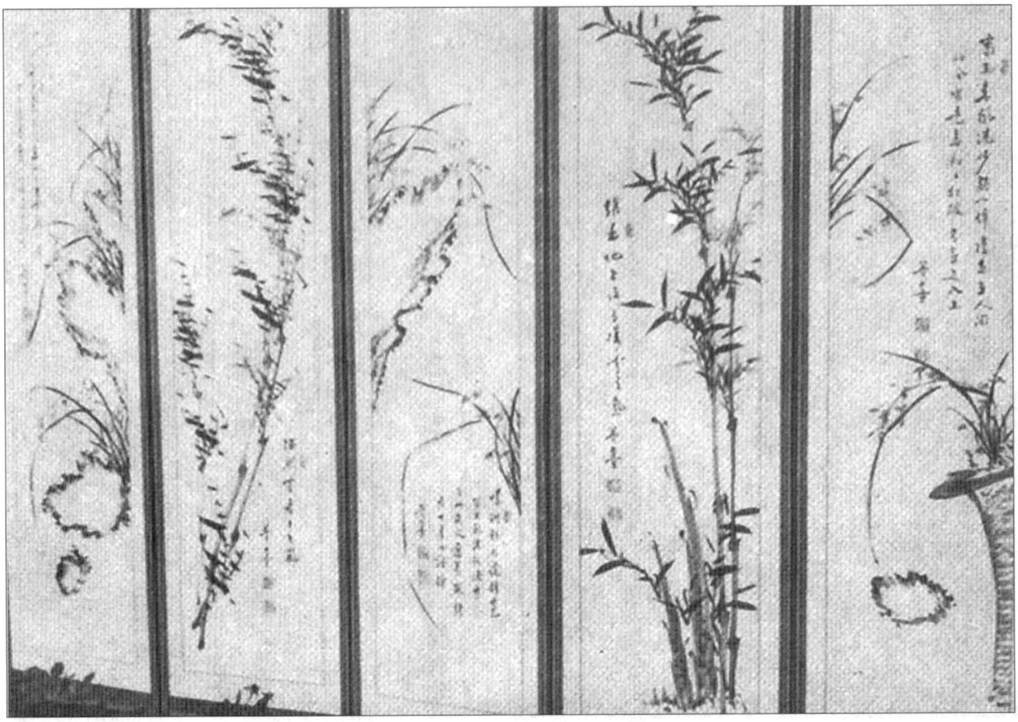

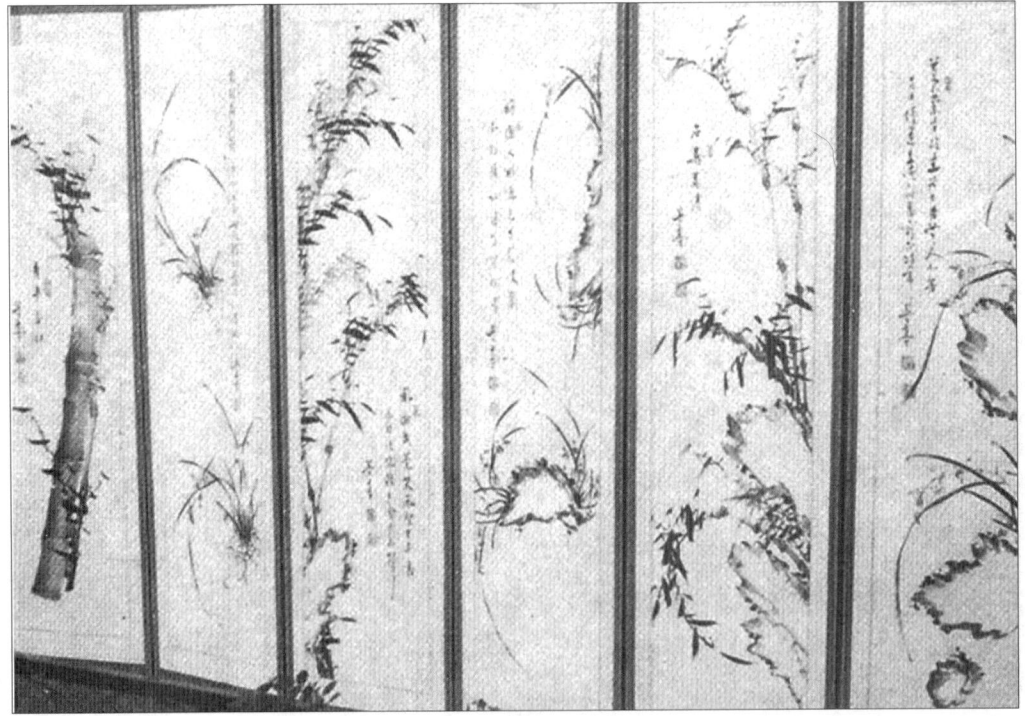

난죽병(蘭竹屛)

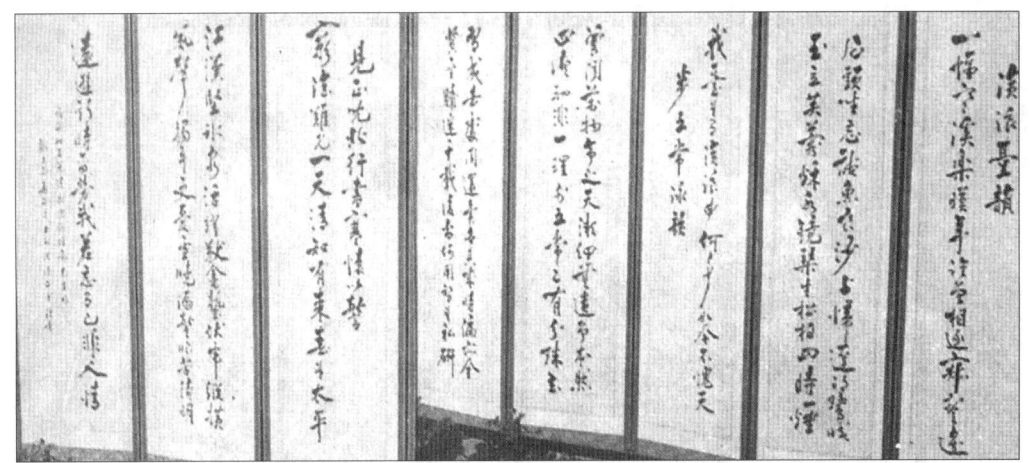
병서(屛書)

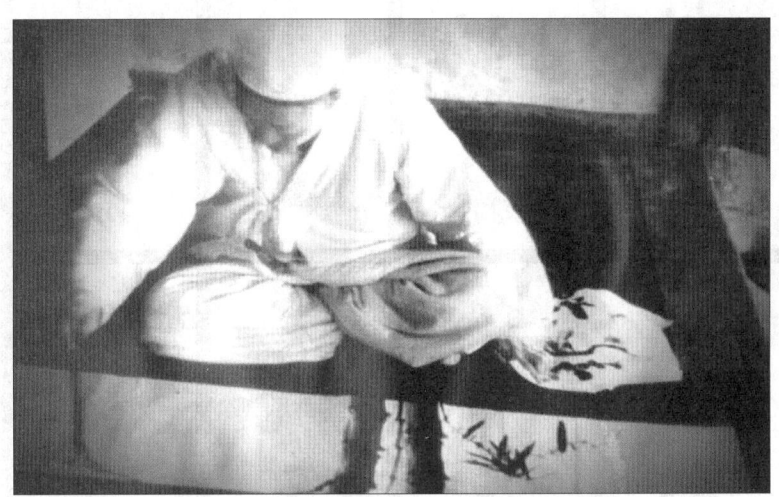
묵죽도를 치는 보정선생

성균관대학교에 보관중인 보정선생(普亭先生)의 묵죽도

친필 8폭 병풍 (병풍의 내용은 〈朱子十丈夫歌〉중 八節까지 쓴 것임)

보정(普亭)선생 친필 8폭 병풍 번역

1. 靑天白日 廓乎昭明 丈夫之心鏡(청천백일 확호소명 장부지심경)
   푸른 하늘의 해가 온 세상을 두루 밝게 비치는 것은 장부의 심경이요.

2. 泰山喬嶽 崒乎高大 丈夫之氣像(태산교악 줄호고대 장부지기상)
   큰 산, 높은 봉우리가 우뚝 솟아 드높은 것은 장부의 기상(氣像)이요.

3. 花爛春城 萬化方暢 丈夫之新容(화란춘성 만화방창 장부지신용)
   꽃들이 만발한 봄 언덕에 온갖 생물이 나고 자라 뻗어나는 것은 장부의 신선한 풍모(風貌)요.

4. 雪滿窮巷 孤松特立 丈夫之志節(설만궁항 고송특립 장부지지절)
   온 천지가 눈으로 덮인 때 홀로 우뚝 선 푸른 소나무는 장부의 지조(志操)요.

5. 北海南溟 浩無涯岸 丈夫之局量(북해남명 호무애안 장부지국량)
   북쪽 바다 남쪽 바다가 끝없이 넓고 넓은 것은 장부의 포부요,

6. 光風霽月 淨無塵埃 丈夫之胸襟(광풍제월 정무진애 장부지흉금)
   비 갠 뒤 시원한 바람과 밝은 달이 티 없이 깨끗한 것은 장부의 흉금이요.

7. 鳳翔千仞 飢不啄粟 丈夫之廉隅(봉상천인 기불탁속 장부지염우)
   봉황이 천 길 높이 날을 때 아무리 배가 고파도 좁쌀을 쪼아 먹지 않는 것은 장부의 품행과 지조(志操)요.

8. 鴻鳴水國 飛必含蘆 丈夫之戒謹(홍명수국 비필함로 장부지계근)
   울면서 날아가는 큰기러기가 물 위를 날을 때는 반드시 갈대를 물고 나는 것은 장부의 경계하고 삼가 함이라.

月到天心處
風來水面時
一般清意味
料得少人知

친필(親筆)

淸夜吟(청야음)

소강절(邵康節)

(서기 1011~1077, 본명 소옹(邵雍), 시호 강절(康節) 중국 송(宋)나라 성리학자, 상수(象數)학자, 시인)

月到天心處(월도천심처)
風來水面時(풍래수면시)
一般淸意味(일반청의미)
料得少人知(요득소인지)

〈역해(譯解)〉

맑은 밤에 읊다

달이 하늘 한 가운데에 있고
바람이 물 위로 불어올 때,
달과 바람 맑음이 매 일반인데
이를 헤아려 아는 자가 적구나!

　이 시는 유학자가 성리학적(性理學的) 깨닮음을 표현한 이른바 설리시(說理詩)이다. 불자(佛子)의 깨달음을 적은 오도송(悟道頌)과 같은 것이다. 이런 종류의 설리시(說理詩)들은 성리학(性理學)의 영향으로 중국 송대(宋代)에 성행한 시풍(詩風)이다.

月到天心處
　맑게 개어 고요한 밤에 휘영청 밝은 달, 그 "맑음"이 최고조에 이르고(天心處),
風來水面時
　살랑살랑 부는 맑은 바람이 잔잔하고 맑은 수면에 불어 올 때, 사람들은 맑고 상쾌한 기분을 느낄 수 있다.
一般淸意味

그런데 달의 맑음이나 바람과 물의 맑음이나 "맑음"의 의미는 매일반인데,

料得少人知
그것을 헤아려 아는 자가 적구나.

  작가는 달과 바람의 공통적 속성을 "맑다"로 보고 있다. 그리고 자신의 마음이 수양을 통해 맑을 때, 그 맑고 상쾌한 경지를 체득할 수 있고, 그런 경지가 인간에게 얼마나 복된 상태인지를 헤아려 아는 사람이 적다는 뜻이다. 작가는 시 말미에서, "헤아려 아는 자들이 적구나!" 하면서 탄식을 하고 있다.
  결국, 이 시는 맑은 달과 맑은 바람, 맑은 물을 보고, 사람도 그것처럼 〈마음(정신)이 맑아야〉 최고 심안(心安)의 경지에서 기쁨을 맛볼 수 있음을 역설(力說)하고, 아울러 진리의 본질과 그 작용을 헤아려 그것을 체득한 사람들이 드물다는 것을 탄식하는 시(詩)이다.

〈시부역해자(詩賦譯解者) 이호당(李湖嵢)〉

昨夜江邊春水生
蒙衝巨艦一時輕
向來枉費推移力
此日中流自在行

친필(親筆)

昨夜江邊(작야강변)

주자(朱子)

昨夜江邊春水生(작야강변춘수생)
蒙衝巨艦一時輕(몽충거함일시경)
向來枉費推移力(향래왕비추이력)
此日中流自在行(차일중류자재행)

역해(譯解)

지난밤 강가에 봄비가 내려
강물이 불어나니,
거대한 돌격전함(突擊戰艦)이
일시(一時)에 가벼워졌네.
그 전엔 옮기려고 아무리 애를 써도
경비만 낭비했는데,
이날에는 강(江) 가운데서
저절로 떠다니는구나!

이 시는 중국 남송의 주자(朱子)가 지은 〈때의 중요성〉을 강조한 시이다. 시상(詩想)에 적합하도록 보정 김정회(普亭 金正會) 선생이, 원문의 모(毛)를 시(時)로 바꾸어서 쓴 것이다.

(감상)

아무리 좋은 배도 물이 없으면 쓸모가 없다. 고단한 현실을 마른 강(江)이라 한다면, 배를 띄울 수 없듯이, 고단한 현실을 헤쳐나 갈 수 없으나, 참고 때를 기다리면 어느 때고 비가 내려 배를 띄울 수 있듯이 현실을 타개(打開)할 수 있음을 시사(示唆)

하는 시(詩)이다.

  그러므로 자기자신의 강물이 얕아 큰 배를 띄울 수 없다고 한탄만 말고, 강물이 불어나기를 기다리는 지혜가 필요하다. 배를 띄울 결정적인 순간은 언제나 오는 것이다. 수십 년 동안 한 번도 일어 나지 않던 일이 내일 당장 일어날 수도 있는 것이 현실세상이다.

  부단히 정진하면 언젠가는 봄비를 만나 아름다운 꽃도 피울 수 있고, 큰배를 띄워먼 바다로 나갈 수도 있다. 아직 때가 오지 않았지만 때가 올 때까지 기다려야 한다. 그 《때》는 요란하게 오지 않고 어느 날 갑자기 도둑처럼 오는 것이다. 꾸준히 실력을 쌓으며 광복의 그날을 기다리자는 것일까?

〈시부역해자(詩賦譯解者)이호당(李湖嵣)〉

현판의 글씨

수정(水亭)
(고창군 고창읍 도산리 136. 도산서당 경내 소재)

회천정사(晦泉精舍)
부군 회천 김재종(晦泉 金在鍾) 선생 종사
(고창군고창읍 도산 리 136. 도산서당 경내 소재)

도암사(道巖祠)
소재. 영모당 김질(永募堂 金質)의 사당
(고창군공음면칠암리갑촌 소재)

현판의 글씨

녹등재(鹿嶝齋)
(고창군 공음면 장곡리 소재)

경모재(敬慕齋)
(경기도 안양시 동안구 관양동 329-1 소재)

축간 시조(祝刊 時調)

友松 李公鎭
(광산이씨 대종회장)

淵亭知己大端情 祖考父終韓譯評
積善傳家餘慶事 棠儒學統尤稱聲
巨星三代戒均尚 各本詩書畫帖呈
華贍自然含攝理 高鄉厚德達揚名

祝 譜書畫叢刊 李公鎭贈詩 庚子仲夏 南齋 李南熙

詩書發刊祝詩

淵亭知己大端情　연정지기대단정
祖考文終韓譯評　조고문종한역평
積善傳家餘慶事　적선전가여경사
崇儒學統尤稱聲　숭유학통우칭성
巨星三代成均出　거성삼대성균출
各本詩書畵帖呈　각본시서화첩정
華贍自然含攝理　화섬자연함섭리
故鄕厚德遠揚名　고향후덕원양명

2020.11.1. 友松 李公鎭

시서발간을 축하합니다.

연정친구여! 그뜻이 대단하시네요!
할아버지 시문고를 드디어 한역하여 냈군요.
적선을 전하는 집안은 경사가 남아있고
숭유학문하는 전통에 칭찬하는 소리 드높도다.
큰 선비 세 분께서(祖, 父, 孫) 삼대에 걸쳐 성균관 출신이고
시서화첩을 각본으로 들어냈음이리,
시서의 문장이 빼어나고 그림은 자연의 섭리를 머금었으며,
고창고향의 두터운 음덕 멀리 이름을 떨치리로다.

2020.11.1. 우송 이공진 배상

축간 시조(祝刊 時調)

星谷 盧 業
(세계전통시인협회 한국본부 부이사장)

湖南의 精氣 솟은 方丈山 고운 자리
道山 땅 하늘 높이 呱呱聲 우렁찼네.
安東 金 翼元公 後孫 淵淵堂 降誕일세.

松沙의 學統 이어 經書에 通達한 후
庚戌國恥 鬱憤으로 새 時代 길을 찾아
成均館 儒生이 되어 新舊學文 涉獵했네.

海岡의 門下에서 글씨 그림 익히고서
文人畵 一家 이뤄 書畵展에 特選하고
風竹畵 出品하는 날 書畵界가 驚歎했네.

西歐文物 받아들여 나라를 구하고자
普通學校 設立도와 입학식을 거행하고
曾祖考 晩睡堂에서 先代遺業 이어갔네.

日帝 꾐 거절하고 금강산 유람하며
名詩와 高談峻論 세상에 남기고서
世俗에 妥協치 않는 敬天愛民 普亭이여!

축간사(祝刊辭)

어찌 삼절(三絶)이라 이르지 않을 수 있으리오
― 보정 선생 문집 한글판 발간에 부쳐

장성원(張誠源)
(제15,16대 국회의원)

삼절(三絶)이라고 한다. 세 가지 기예에 뛰어난 사람을 가리키는 말이다. 조선조 세종대왕 때 안견(安堅), 강희안(姜希顔), 최경(崔涇)이 모두 시·서·화에 뛰어나 삼절이라고 불렸다.

시·서·화에 문외한인 범인이 감히 이 분야를 언급하는 것은 실로 부끄럽고 가소로운 일이나 보정 김정회(普亭 金正會) 선생도 바로 '삼절'이라고, 주저함이 없이 세상에 말하고자 한다.

굳이 깊은 연찬이 없다 하더라도 선생의 시·서·화 유작(遺作)들을 찬찬히 감상하노라면 보통 사람의 안목으로도 '삼절'이라고 부를 만한 경지에 다다라 있음을 감식할 수 있을 것이다.

우선 시를 보자. 연연당문고(淵淵堂文稿) 제1권 시편과 제2권 부편, 모두 2백61편의 방대한 시부(詩賦)를 음송하면 선생의 시상(詩想)이 얼마나 광대하고 심오한 것인가를, 시어를 얼마나 자유자재로 구사했던가를 금세 알 수 있다.

자연을 읊을 때는 간결한 시어로 봄 여름 가을 겨울이 가고 오고 있음을 묘사한다. 가을이 오고 있음을 이렇게 반가워한다. 「무심코 하늘을 쳐다보니 / 확 트여 맑기도 하네. / 가을이 오는 소식을 / 그대는 알지 못하는가? / 한 줄기 서풍이 / 나뭇가지 흔드는 그 소리를」

일제 36년 고난의 시절을 살아야 했던 선생은 오히려 통쾌한 언어로 기염을 토하기도 한다. 「다행히도 무궁화 피는 / 삼천 리 강산에 태어나 / 금강산 일만 이천 봉을 / 흔쾌히 굽어보는구나.」

세종조 3절 중 인재(仁齋, 강희안의 호)의 시가 당대(唐代) 유종원의 시와 비견할 만하다 했으나 보정 선생은 유종원과 인재보다 훨씬 더 많은 시편을 남겨놓았다. 안견과 최경의 시작품은 전해지는 것이 별로 없다.

다음, 글씨는 어떤가. 인재의 글씨가 왕조(王趙, 왕희지와 조맹부를 가리킴)를 겸하였다는 극찬을 받아왔다. 그러나 정작 인재의 글씨를 상고할 만한 필적이 두세 군데 비문 밖에 없으니 제대로 평가하기가 어렵다.

보정 선생이 누구의 서법을 익혔는지는 알 수 없으나 서체는 조선조 전기의 서풍 중에서도 한석봉의 것에 가까운 것으로 보인다. 주자의 시 「昨夜江邊(작야강변)」을 써놓은 글씨를 보거나, 송나라 시인 소강절의 「淸夜吟(청야음)」이라는 시를 써놓은 것을 보면 석봉의 글씨를 대하는 듯한 느낌을 받게 된다.

안평대군의 일필휘지(一筆揮之)처럼 유려하고 호쾌한 느낌은 덜한 대신 한 자 한 자가 단려하고 정성과 힘이 실려 있다. 서예에는 무론 붓을 든 이의 기품이 배어 있다. 보정 선생은 글씨를 기예로 썼다기보다도 품성과 지혜와 도덕을 닦기 위해서 서도에 정진했던 것이 아닌가 싶다.

화는 어떤가. 그림을 놓고 볼진대 안견의 산수화나 최경의 인물화가 세상에 널리 알려져 있다. 인재의 그림 또한 산수, 인물 가릴 것 없이 송대(宋代)의 유명 화가 곽희 수준에 이른다는 칭송을 받았다.

보정 선생 역시 그림에도 빼어난 재능을 발휘했다. 일본 문전(文展)에 풍죽화(風竹畵)를 출품, 특선에 뽑힘으로써 "풍죽은 당대 제일"이라는 서화계의 성가를 얻었다. 해방 이후 국전에서도 입선했으나 국전의 혼탁한 운영에 실망한 나머지 화필을 계속해서 들지 않은 것은 아쉬운 일이다. 묵죽 한 폭이 지금 성균관대학교 도서관에 소장돼 있다.

선생은 이렇듯 시·서·화 두루 출중하게 겸비한 '삼절'이라 하지 않을 수 없다. 명리를 탐내지 않고 향리에 은거하면서 강호지락(江湖之樂)을 즐기고 학덕(學德)을 닦은 유학자요, 시인이요, 서화가였다.

선생이 별세하신 지 어언 50년, 선생이 남기신 시문서화(詩文書畵)가 우리말로 번역되고 새로 편찬되는 것은 참으로 경하할 일이다. 선생의 시 가운데 이런 시가 있다. 「청산이 눈앞에 다가오는 / 늦가을을 맞았으니, / 모름지기 책을 지어 / 대대로 전하리라.」

집안 대대로 가보로 전해질 책들, 아니 우리의 문화유산인 선생의 작품들이 조금도 산일(散逸)됨이 없도록 정성을 기울여 시문서화를 집대성한 선생의 장손 김경식(金璟植) 박사의 노고를 치하한다. 한글판 문집 발간을 축하한다.

2020년 11월 일

축간사(祝刊辭)

김종회(金鍾會)
(전 모양농산 사장)

    누대(累代)에 걸쳐 고창의 향토인(鄕土人)으로 살아온 본인의 지기(知己)인 교육사학자(敎育史學者)요, 저술가(著述家)인 연정(淵亭) 김경식(金璟植) 박사가 금 번 조부(祖父) 보정(普亭) 선생의 유고(遺稿)인 〈연연당문고(淵淵堂文稿)〉을 한글 번역본을 출간하게 되었습니다. 이에 본인은 이번 출간을 우선 심축(心祝) 하오며, 번역본이 세상에 빛을 볼 때까지의 과정을 지켜본 본인으로서는 김 박사의 노고에 찬사와 경의를 보내면서, 많은분들이 읽고 생각하고 기리도록 충심으로 일독(一讀)을 권하는 바입니다.

    본인은 어렸을 때부터 청년기에 이르기까지 보정선생을 자주 뵈어 왔습니다. 선생의 유고를 출판함에 있어 본인은 선생의 발자취를 우선 기리어 보고자 합니다. 선생께서는 서기 1903년 전북 고창군 고창읍 도산리에서 태어나셨습니다. 선생은 안동 김씨(安東金氏)의 후예로서, 조선조 개국공신 익원공(翼元公) 김사형(金士衡 서기1340~1407)를 중세조로 하여 대효(大孝)인 영모당(永慕堂) 김질(金質 서기 1492~1555), 증조부(曾祖父)에 유학자(儒學者 만수당(晩睡堂) 김영철(金榮喆 서기1842~1911)로 이어져, 유학자(儒學者)인 회천 김재종(晦泉 金在鍾 ; 서기 1880~1938)공을 아버지로 하여 누대(累代)로 선비의 가문에서 태어났습니다, 선생은 서기 1908년 6세부터 종조(從祖)인 항제(恒齊) 김순묵(金純黙)에게 글을 배워 가학(家學0으로 학문을 익히고, 송사(松沙) 기우만(奇宇萬)선생의 학문적 그늘에서 그의 학통을 이어받았습니다.
    서기 1931년에는 호남의 젊은 유생(儒生)대표로 발탁되어 명륜전문학원(明倫專門學院:성균관대학교 전신)에 입학하여 신·구학문을 섭렵(涉獵)하며, 북학(北學) 등에 전념하셨습니다. 한편 선생은 명륜전문학원에서 수학하는 동안 조석으로 해강 김규진(海崗 金奎鎭) 선생을 사사(師事)하여 고결한 숨결이 서려 있는 문인화를 잘 그려 서화에서 일가를 이룬 시서화 삼절(詩書畵 三絶)이라고도 하였다, 서기1938년 일본문인전(日本文人展)에서 풍죽화(風竹畵)를 출품하여 특선으로 수상하기도 하였습니다.

선생은 스승 해강으로부터 보정(普亭)의 풍죽(風竹)은 당대 제일이라는 칭송을 받았으며, 이후로 해강은 풍죽화를 그리지 않았다고 하는 숨겨진 일화도 있습니다. 당시 선생의 풍죽화는 선비정신이 배어 있어 당시 조선은 물론 일본의 서화계에 까지 신선한 충격을 주었다고 합니다.

선생은 서기1934년에는 도산보통학교 신축에 필요한 부지(토지)를 희사하였고, 독단으로 별관 3칸의 건축비를 부담했으며, 교사 신축 준공이 있기까지 임시 교사로 당신의 증조고 정사인 만수당(晚睡堂)를 활용하도록 하기도 하였습니다.

서기 1939년 대흉년으로 주위 인근의 어려운 빈민들에게 곳간 문을 활짝 열어 널리 구제하였음은 주민들이 선생의 덕행을 기리어 건립한 송덕비(頌德碑)가 말해주고 있습니다.

선생은 서기 1941년에는 경학원(經學院) 강사로 피선되었습니다. 선생은 그 해에 조선의 지식인 유람단에 동행하여 왜(倭)국의 실정과 문물을 살폈던 바, 그때 교토(京都) 부근을 유람할 때 왜국(倭國;日帝)을 "해국(海國)" 즉, "바다 나라"라고 표현한 촌철살인(寸鐵殺人)적인 풍자시를 짓기도 하였다. 이에 선생의 깊은 뜻이 숨어 있다. 당시 인솔자인 일제 고등계 형사인 왜인 경찰이 그 '해국(海國)'를 '내국(內國)'으로 바꿀 수 없냐고 하자, 정색하며 거절하여 그 왜인 경찰을 놀라게 했으며, 그 때의 그 시가 국내 동아일보에 게제되어 수 많은 선비들은 그 시를 암송하며 그 기개(氣槪)를 칭송하였습니다.

보정선생은 학문하는 유학(儒學)의 선비로서 시서화(詩書畵)를 벗하여 심산유곡을 청유하면서 일제강점기의 역경을 이겨 냈으며, 광복 직후에는 상경하여 인촌 김성수, 근촌 백관수, 몽양 여운형 선생 등과 교유하며 시국(時局)을 논하기도 하였으며, 김구선생 귀국 환영회를 준비하기도 했다. 그러나 좌·우 대립이 격화되어 크게 실망하고 낙향하였고, 이후 수차례에 걸쳐 정부의 출사(出仕)를 권유 받았으나 모두 사양하고 은거(隱居)하셨습니다.

선생은 연하인 당숙 도강 김재규(道岡 金在圭 ;恒齊 金純默의 둘째아들)와 일상에 대하여 대화를 나누고 의논하였으며, 광복 후 한가위 날을 택하여 차례를 마치고, 수십 명의 소작인들을 모두 모아 주연을 베풀고 즉흥시 다음과 같은 한 수를 읊고,

"皆爲自由平等何 上下階級之何有哉(개위자유평등 상하계급지하유재)"(모두가 자유롭고 평등한 세상이 되었는데, 어찌 상하의 계급이 있겠는가!)

선생은 모두 술을 들게 하고는 소작인 각자가 경작하던 전답을 나누어 준 후, 서해

의 절해고도(絶海孤島) 상왕등도(上旺登島)에 들어가, 한적한 금서(琴書)를 벗 삼아 은거하시다가 1년 후 조모상을 당하여 귀가하셨습니다..

선생의 가문은 누대(累代)로 시서(詩書)와 도의(道義)를 숭상하는 선비의 집안으로 세속의 부귀공명과는 거리가 먼 언제나 은은한 묵향 속에 덕향(德香)을 풍기는 고귀한 가풍을 이어가는 명문가입니다. 선생이 태어나셨고 사시던 고가(古家)는 전라북도 문화재 민속자료 제29호로 지정되었다, 현재 선생의 장손인 연정 김경식 박사는 대학교수로 재직하다 정년 퇴임한 후 '연정문화연구소'를 설립, 운영하면서 이 고가를 굳건히 지키면서, 5대째 내려오는 농사를 지으며 부단히 학문연구와 저술활동을 이어가고 있습니다.

보정 선생께서 서거하신 후 8년 만에(서기 1978년) 지기(知己)와 문우(文友)들이 뜻을 모아 선생의 유고문집 〈연연당문고(淵淵堂文稿)〉 10권을 발간하였으나, 모두 한문으로 쓰여 있어 한문에 익숙하지 못한 후학들은 선생의 학문과 예술을 접하기가 무척 어려웠습니다. 이에 초손(肖孫) 김경식 박사는 대학 정년 후 문고발간 40여년이 되는 서기 2020년을 한글 번역본 발간을 목표로 기획하여 우선 1차적으로 서기 2018년 1권 시(詩)와 2권 부(賦)를 단행본으로 엮어 〈매처(梅妻)를 찾아가네〉라는 이름으로 발간하였고, 2차로 이번에 선생의 문고 한글 번역본을 내 놓게 되었습니다.

한자문화의 퇴조 속에 〈연연당문고〉가 제대로 읽히지 못하고, 그대로 서가에서 사장될 수 있었으나, 연정 김경식 박사의 지극한 효성으로 한글 번역본이 발간되어, 햇볕을 보게 되었습니다., 요즘 같은 물질만능 세대에 후손들과 고창인 등 현대를 살아가는 세대들은 일제 강점기의 암울했던 한 시대를 살다 가신 고창출신의 거유(巨儒)요, 시인이자 서화가인 고매한 선배의 작품을 가까이서 접하게 되었으니, 참으로 다행한 일이요, 경하스러운 일이며, 보정시문학의 부활이라 하겠습니다.

다시 한번 〈연연당문고〉의 한글 번역본의 출간을 심축 하오며, 선생의 가문에 여경(餘慶)이 있기를 빌어마지 않습니다.

서기 2020년 11월 일
김종회 삼가 쓰다.

축간사(祝刊辭)

박태수(朴泰洙)
(중국; 연변대학 사범학원 원 교수)

　보정 김정회 선생의 유고 《연연당문고》 번역본이 드디어 출판을 보게 되었다. 이 경하스러운 날에 더없는 기쁨과 더불어 참으로 감개무량하다.

　보정 선생은 저의 망년지교이고 형님으로 부르는 선생의 장손인 연정 김경식 박사를 통해 알게 되었다. 저의 아버지 고향은 전북 정읍시 흑암리(현암마을)이고, 고창읍 도산리 마을에서 살고 있는 김경식 박사의 댁과 멀지 않다. 하여 1995년 중국 연길에서 처음 만난 날부터 같은 고향이라며 동생처럼 친근하게 대해 주었고, 특히 학문의 길에서 더욱 가깝게 되었다. 형님인 김 박사는 중국의 같은 동포인 조선족의 교육사 연구에 남 다른 열정과 지식을 가지고 있다. 김 박사께서 2004년에 쓴 《재중한민족전교육전개사》(상·하권; 1,500여 면)는 우리 조선족 교육사에서 하나의 금자탑을 이루었다. 형님 김 박사님은 기회가 닿으면 고창에도 와 보라고 초청하였다. 2010년 2월 저는 고향 정읍 현암마을에 갔던 걸음에 형처와 당시 제주대학교 대학원의 박사과정에 있는 자식과 함께 형님댁을 방문하였다. 그때 처음으로 형님 김박사께서 살고 계시는 집이 보정 김정회 선생의 고가로서 문화재(전라북도 민속재료29호)인 것을 알게 되었고, 또 형님의 소개로 서재에서 역사 유물들인 보정선생의 일부 증서와 친필 및 서화들을 보면서 형님 댁은 누대의 선비 가문이라는 것도 알게 되었다.

　형님 김경식 박사는 저명한 교육철학·교육사학자·수필가로서, 그는 학문에 대한 진지한 태도, 끊임없는 탐구정신과 重情重義의 인연과 우애 정신을 갖고 있을 뿐만 아니라 또한 선조에 효성이 지극한 분이시다. 조고 보정선생의 유고문집 《연연당문고》 원본이 출간(1978년)되여 37년째 되는 해인 2015년 1월, 김 박사는 몇 년전부터 세웠던 한문(漢文)으로만되여 있는 《연연당문고》의 한글판 번역기획을 실행하기 위해, 중국 연변에 오셨다. 번역인 박정양 교수(연변대학 조선언어문학학부 교수, 연변대학 도서관 관장)를 찾아 논의한 후 그해 2월 1일, 《연연당문고》 번역 약정서를 맺었다. 그 때로부터 만 5년이 지났다. 그간 나는 약정서 입회인 한 사람으로서 형님 김 박사와 전화와 이메일로 수시로 연락하면서, 번역고의 전달과 의견교환 등 역할을 해 왔다. 이 과정에서 나는 보정 김정회 선생을 점차 깊이 느끼게 되었다. 처음 제일 깊은 느낌이 한국에 이렇게 훌륭하시고 거룩하신 분도 계셨구나 였다.

  28만 자의 한자 유고를 남긴 대학자이시고, 목죽도(墨竹圖)를 대표로한 저명한 서예가이시기도 하며 259수의 고시(古詩)를 남긴 도산처사(道山處士) 보정 선생의 한문 유고가 한글로 번역 출판되어, 이 세상에 남게 되었으니, 이젠 더 많은 사람들이 보정 선생의 연박한 학식, 굽힐줄 모르는 민족절개와 민족애를 알게 될 것이고, 이 책과 더불어 만고의 귀감이 되어 길이길이 빛을 낼 것으로 확신하고 있다. 이제 뵙지도 못 했지만 우리 민족의 대석학 보정 김정회 선생의 영현께 이번 선생의 유고 한글 번역본 간행을 머리 숙여 축하의 말씀을 드린다.

서기 2020년 11월 삼가 쓰다.

간행사(刊行辭)

불초손(不肖孫) 김경식(金璟植)
(연정교육문화연구소장, 동인계원)

이제사 보정 김정회(普亭 金正會) 선생의 유고문집인 〈연연당문고(淵淵堂文稿)〉의 우리말 완역본이 햇볕을 보게 되었습니다.

〈연연당문고〉가 발간 된 것은 선생께서 떠나신 지 8년 후인 서기 1978 년이었습니다.

〈연연당문고〉 중 제1권과 제2권에 수록된 시(詩) 260수와 부(賦) 두 수의 우리말 번역본은 《매처(梅妻)를 찾아가네》라는 이름으로 서기 2018 년 11월에 이미 발간한 바 있습니다.

《연연당문고》 전편을 번역하기로 기획한 것은 서기 2015년 이었습니다만 우여 곡절 끝에 이제사 〈연연당문고〉가 발간 된지 40여 년 만에야 우리말 완역본을 발간하게 되었으니, 선생의 불초손(不肖孫)인 필자로서는 조고(祖考)께는 죄송스럽고, 필자 자신으로는 심히 부끄러울 따름입니다.

보정 김정회(普亭 金正會:서기1903~1970) 선생은 전북 고창읍 도산리 출신으로, 본관은 안동(安東)이며, 조선조 개국공신인 익원공 김사형(翼元公 金士衡)을 중시조로 하여 유학자 영모당 김질(永慕堂 金質)로 이어지는 선비 가문의 후예로, 가학(家學)으로 글을 읽으셨고, 증조고(曾祖考:晚睡堂 金榮喆)의 친구이며 선고(先考)인 회천 김재종(晦泉 金在鍾)의 스승이신 송사 기우만(松沙 奇宇萬)선생의 학문적 그늘에서 학문을 연마했습니다.

그 뒤 일제(日帝)에 의한 주권상실기(主權喪失期)에 힘이 없어 나라를 송두리째 빼앗긴 그 상황에서 새로운 학문을 익혀야 힘을 길러 나라를 찾을 수 있다는 젊은 패기의 꿈을 안고 서기 1931년 명륜전문학원(明倫專門學院:성균관대학교 진신)에 입학하여 2년간 신구(新舊)의 학문을 섭렵하면서 특히 북학(北學)에 전념하며, 당대 석학들과 교류하는 한편, 해강 김규진(海岡 金圭鎭)을 사사(師事)하여 문인화(文人畵)를 익혔으며, 특히 풍죽화(風竹畵)는 일가를 이루어 서기 1938년 3월 전일본 서화전(日本書畵展)에 풍죽(風竹)으로 특선을 수상함으로써 일본은 물론 당시 나라 잃은 이 땅의 서화계에 신선한 충격을 주기도 하였습니다.

　선생은 또 주권상실기에 고향에서 흉년이 들 때면 주위 인근 마을까지 구휼(救恤)에 힘썼음은 물론 조국의 독립을 위해서는 교육을 통하여 인재가 양성되어야 한다는 신념하에 서기 1934년 갑술년 5월 2일에 도산보통학교를 설립하는데 많은 토지를 희사하였고, 교사(校舍)를 신축하는 동안 증조고 정사인 만수당(晩睡堂)에서 본교의 입학식을 갖고 1년 동안 수업진행에 협조하기도 하였으며, 그 뒤 교사 1동을 신축하기도 했습니다. 서기 1941년 (신사년)에는 성균관의 경학원(經學院) 강사에 선임 되어, 후진 교육에도 힘썼으며, 일제에 의한 주권상실기라는 나라 없는 민족적 비애 속에서 학문에 전념하며, 시(詩)로써 자연을 노래하고 나라 없는 설움을 토로했고, 서화(書畫)로써 송백의 굿굿한 기상을 표출했습니다.

　선생의 시(詩) 중 경술국치에 순국하신 일유재 장태수(一逌齋 張泰秀:서기 1841-1910) 선생의 정사(精舍)에서 여러 계원들과 모였을 때, 《남강정사에 모여》라는 제하에

"일찍이 맺은 우리 계(契)는 천하명산을 찾자는 것, 풍파 많은 고해(苦海)에서 우리 모두 한 배를 탓구나!"

라든가, 2차 대전 말기 일제징병과 학도병 독려라는 찬조강연이 내정되어 있음을 미리 알고는 친구 몇몇과 금강산으로 들어가 심산유곡을 헤매며 잃어버린 산하(山河)를 노래하고, 그 첩첩산중에서 나라꽃인 무궁화(無窮花)의 그리움까지 토로했던 일, 또는 하는 수 없이 일본유람의 일원이 되었을 때, 배 위에서 지었던 싯귀에서 '일본(日本)'을 '해국(海國)'라 표현하여, 일제고등계 형사의 수정 요구를 엄중히 거절한 사연 등, 선생은 왜 한 배를 탔다 했고, 왜 심산유곡에서 국화인 무궁화를 볼 수 있구나! 라고 했고, 어째서 일본을 해국(海國) 즉 바다나라라고 표현했을까? 또한 선생의 글씨는 항상 대쪽 같이 곧았고, 왜 바람에 시달리는 《풍죽(風竹)》을 그리도 즐겨 그렸을까? 우리는 다만 선생의 고매하고 탄솔(坦率)한 정신세계의 단면을 그려 볼 수 있을 뿐인 것입니다.

　광복 후에는 경사(京師)에 나아가 당대의 민족지도자들과 교류하며 시국을 논하기도 하였으나, 극심한 좌우 대립에 환멸을 느껴 귀향한 후, 광복 직후의 무질서 속에서 날

뛰는 인근 완력배의 위협에 굴하지 않고 피하여 한 때는 서해 고도인 상왕등도(上旺登島)에서 생활하며 아이들에게 글을 가르치기도 했습니다. 또한 광복 후 고창여중학교 창립에 많은 토지를 희사하는 등 교육을 지원하기도 했습니다. 선생은 상왕등도 시절을 제외하고는 도산 본가에 머물면서 평생을 학문과 서화(書畵)에 세월을 보내셨습니다. 이 불초손(不肖孫)이 평생동안 조고(祖考)를 지켜본 바로는 평생 인의(仁義)의 실현에 정진하시면서 중용적(中庸的)인 삶을 사시지 않으셨나 그렇게 생각됩니다. 그것은 제가 보아온 주권상실기라는 일제 말기와, 광복 후 3년, 그 처절했던 6.25 남침의 참화, 그리고 그 후의 사회 변동기를 겪으면서 조고(祖考)의 모습을 측근에서 모시며 보았왔기 때문입니다.

불초손 장손(長孫)인 필자는 형제숙질 중 그 누구보다도 조고의 사랑을 많이 받아왔으며 당시 조고께서 일상생활에서 많은 감화를 주신 것으로 기억됩니다. 광복 후 초등학교 1학년 1학기만 마치고 조고를 따라 서해고도 상왕등도에서 잠깐 살 때, 필자는 거기서 한문공부를 시작했고, 조고(祖考)의 따뜻한 사랑과 교육을 받기 시작했습니다.

그 때 거주하던 바닷가 집 마당 바로 밑으로 펼쳐진 망망대해를 바라보며, 조고께서 항상 "널리 보고 깊게 생각하라."하시던 그 말씀들이 생생하게 떠올라, 조고에 대한 그리움이 더욱 간절하기만 합니다. 또한 이 말씀들은 오늘날 필자의 학문적 연구방법에도 원초적인 자리를 잡고 있습니다. 그리고 일상생활에서 항상 우애와 겸손 등 '사람됨'을 강조하시며 특히나 언행(言行)을 삼가라 하시던 교훈(敎訓)들, 어느 하나라도 능히 실천하지 못한 채, 어느덧 구순(九旬)을 향하고 있으니, 참으로 한스럽기만 합니다.

조고(祖考)께서 천명을 다하신 것이 향년 68세였지만, 조손(祖孫)간의 같이 한 생활은 32년 간이었습니다. 그 기간을 회고하여 본다면, 그 실마리는, 어느 날 조고께서 본가에 잠시 들렸다가 다시 상왕등도로 가던 차디 찬 그 겨울 바다 어느 날 밤, 칠흑 같은 망망대해 한 가운데서 거친 풍랑을 만나 배가 심하게 요동칠 때, 겁에 질려 울고 있던 필자를 조고께서는 꼭 껴안고 무슨 글을 큰 소리로 줄곧 외우셨는데, 후에 안 사실이지만 그 글은 다름 아닌 주자(朱子)가 지은 '중용장구서(中庸章句序)'였습니다. 그 글을 계속 반복하시던 조고(祖考)의 모습이 평생 필자의 뇌리를 지배하고 있습니다. 그 날 밤 간신이 섬에 도착하여 내리자마자 그 배는 갑자기 들이닥치는 격랑에 그만 파선되고 말았습니다만 제가 생후 처음 들은 '중용(中庸)'이라는 말은 서해고도

(孤島)로 가던 날 밤, 격랑 (激浪)에 요동치던 그 범선 위였습니다.

　불초손인 저의 눈에 비친 청장년기를 일제강점이라는 민족적 비애 속에서 보냈던 조고(祖考)의 삶은, 항상 인의(仁義)의 실천과 중용(中庸)을 중시했으며 특히 형제간 우애와 겸손함을 중시한 탄솔한 선비의 삶이었습니다.
　이제서야 조고의 유고문집인 〈연연당문고〉 한글완역본을 간행하고 보니, 조고의 가르침에 조금이라도 보답하는 심정인 것 같아 기쁘기 한량없습니다.
　이 《연연당 문고》 한글판을 접하시는 분들께서는 암울했던 민족적 시련기 속에서 몸부림쳤던 한 고매한 선비의 정신을 기억해 주시고, 반목질시와 혼란이 계속되는 요즘 세태에 일말의 울림이 된다면 불초손(不肖孫)으로서 더 바랄 것이 없겠습니다.

　끝으로 본 완역서를 간행 함에 있어 고마운 마음을 전할 분들이 있습니다.
　그동안 심혈을 쏟으며 번역에 참여해준 한시(漢詩)·고전번역가 호당 이정길(湖嶪 李正吉) 문우(文友), 중국연변대학(延邊大學) 박정양(朴定陽)교수, 전남대학교 연구교수 이형성(李炯性) 박사와 축시(祝詩)와 축간사(祝刊辭)를 써 주신 외우(畏友) 세계전통시인협회 한국본부 부이사장 성곡 노업(星谷 盧業), 제15·16대 국회의원 장성원(張誠遠), 연변대학 대학원 박태수(朴泰洙) 원교수, 간행기획에 수고하시고 축시를 써 주신 동인계(同人契)의 좌장(座長)인 광산이씨 대종회장 우송 이공진(友松 李公鎭), 전 모양농산 사장 춘강 김총회(春岡 金鍾會), 전 경주 동국대학교 총장 해운 최규철(海雲 崔圭喆), 전 중고교감 운호 오종대(雲湖 吳鍾大), 전남대학교 학술연구교수 남원 이형성(南原 李炯性) 등 계원, 그리고 보정선생에 관한 소중한 글을 써 주신 경북대학교 사범대학 박균섭(朴均燮) 교수, 중국의 동북조선민족교교육과학연구소 남일성(南日成) 원교수, 연변대학 전 도서관장 박정양(朴定陽) 원교수, 끝으로 출판을 맡아 주신 김화인(金華寅) 사장과 편집에 수고 하신 여러분들께 고마운 마음을 전합니다.

서기 2020년 11월　일

전북 고창읍 도산리 보도산(普道山) 아래
연정교육문화연구소장
불초손(不肖孫) 연정 김경식(淵亭 金璟植) 씀

목차 – 淵淵堂文稿

축간 시조(祝刊 時調) 이공진(李公鎭) ·· 20
축간 시조(祝刊 時調) 노업(盧業) ·· 22
축간사(祝刊辭) 장성원(張誠源) ··· 23
축간사(祝刊辭) 김종회(金鍾會) ··· 26
축간사(祝刊辭) 박태수(朴泰洙) ··· 29
간행사(刊行辭) 불초손(不肖孫) 김경식(金璟植) ································ 31

보정 김정회 선생에 대한 회고(懷古)

1. 보정 선생 〈연연당문고〉의 기저에 맥맥이 흐르는 애국·애민의 정신 – 남일성 ······ 64
2. 보정 선생의 공부와 학문의 세계 – 박균섭 ································· 72
3. 번역 후기 – 박정양 ·· 87

보정 김정회 선생 약전 ·· 101

– 연연당문고

연연당문고 서언 ·· 105

연연당문고(淵淵堂文稿) 제1권 시편(詩篇)

1. 노량진 사육신묘(死六臣墓)를 참배하며. ····································· 115
2. 월미도(月尾島)에서 ··· 116
3. 봄을 배웅하다 ··· 118
4. 단오절(端午節) ·· 119
5. 우리에게 밀, 보리 주신 노래 ··· 120
6. 임용재(任龍宰)만가(挽歌) ·· 123
7. 석류꽃 ··· 124
8. 이것이 가을 소리구나 ··· 125
9. 맑게 갠 가을 날 ·· 125

10. 가을 겨울 글짓기가 가장 어렵구나 ·· 127
11. 봄눈(春雪) ·· 130
12. 정월대보름(上元節) ·· 130
13. 도연명(陶淵明)의 귀거래사(歸去來辭)를 읽고 ······························ 131
14. 수연(壽宴) 축시(祝詩) ·· 134
15. 개성 선죽교(善竹橋)를 거닐며 ··· 135
16. 송농(松儂)에게 ·· 136
17. 생일 날 아침에 ·· 140
18. 난(蘭)을 그리다 ·· 141
19. 갑술년 설날새벽 ·· 142
20. 추석(秋夕) 달밤에 ·· 143
21. 류참봉 손자 첫돌을 축하하며 ·· 144
22. 백양사(白羊寺)를 거닐며 ··· 145
23. 방학초(房鶴樵)가 찾아와 화답(和答)하다 ····································· 147
24. 광한루(廣寒樓)에 올라 ··· 150
25. 남원의 춘향사당을 지나며 ·· 152
26. 단비가 주룩주룩 쏟아져 ·· 153
27. 유두일(流頭日)에 두 어른 내방(來訪) ··· 153
28. 조가암(趙嘉庵)씨 수연축시(壽宴祝詩) ··· 156
29. 병석(病席)에서 일어나 ··· 158
30. 쾌차(快差)한 후 읊다 ··· 159
31. 막내아우 순회(舜會)군에게 ··· 160
32. 선운사(禪雲寺) 가회(佳會) ·· 163
33. 도솔암(兜率庵) 운(詩韻)을 따서 ·· 164
34. 사가집(四佳集) 회시(懷詩)의 운(韻)을 사용하여 ························ 165
35. 사가집(四佳集) "偶作"의 운을 따서 ·· 166
36. 삼가 사가정(四嘉亭) 운(韻)을 따서 ··· 168
37. 기동사(箕東社) 원운(原韻)을 차운(次韻)하여 ······························ 169
38. 관동(鸛洞)에서 계사(禊事)를 치루며 ·· 171
39. 추석 달밤에 순회 아우에게 ·· 173
40. 서울 여행(旅行)에서 ·· 175
41. 늦가을을 뜻밖에 맞아 ·· 176
42. 가을밤 느낌을 읊다(秋夜感吟) ··· 178
43. 맏손자(孫子) 첫돌잔치에 ··· 178

44. 운곡정사(雲谷精舍)원운(原韻)을 따서 ············ 179
45. 박금호(朴錦湖) 고승(高僧)께 ············ 181
46. 남강정사(南崗精舍)에 모여 ············ 182
47. 아우 장회와 밤을 새며 ············ 184
48. 강천사(剛泉寺)에 들어가며 ············ 185
49. 연대암(蓮臺庵) ············ 187
50. 석우정(石愚亭) 운(韻)을 따서 ············ 189
51. 수정(水亭)의 아름다운 이야기 ············ 190
52. 창랑대(滄浪臺) 낚시 약속 ············ 192
43. 쌍은정(雙隱亭) 주인 방문 ············ 193
54. 익원공(翼元公) 부조묘(不祧廟)제사(祭祀) ············ 194
65. 우중대화(雨中對話) ············ 196
56. 한중만필(閒中漫筆) ············ 198
57. 추석날에 ············ 199
58. 은선암(隱仙庵)에 머물며 ············ 200
59. 이튿날 제월정(霽月亭)에 올라 ············ 201
60. 삼호정(三湖亭)에서 부르짖다 ············ 202
61. 신사년(辛巳年) 칠석(七夕)날에 ············ 203
62. 회천정사(晦泉精舍)에서 ············ 205
63. 수촌(手寸) 어른과 태강(台江) 친구 상봉 ············ 206
64. 곽연루(郭然樓) 즉흥시(卽興詩) ············ 208
65. 일본(日本)에서 ············ 209
66. 남산(嵐山) 아래 배 띄우고 ············ 211
67. 일본 동경(東京)에서 ············ 211
68. 일본 나라(奈良)에서 ············ 212
69. 일본에서 귀국선(歸國船)을 타고 ············ 212
70. 금강산 시(詩) ············ 214
71. 장안사(長安寺)에 들어서며 ············ 215
72. 표훈사(表訓寺)에서 ············ 217
73. 진주담(眞珠潭)을 지나며 ············ 218
74. 명경대(明鏡臺) ············ 219
75. 연화담(蓮花潭) ············ 220
76. 만폭동(萬瀑洞) ············ 221
77. 마하연(摩訶衍)을 지나며 ············ 222

78. 비로봉(毘盧峰)에 올라 ··· 224
79. 비사문(毗沙門)을 지나며 ·· 225
80. 구룡연(九龍淵)에서 감탄하여 부르짖다 ·· 225
81. 무룡교(舞龍橋)를 건너며 ·· 227
82. 옥류동(玉流洞) ·· 228
83. 망군대(望軍坮) ·· 229
84. 만물상(萬物相) ·· 230
85. 수렴폭포(水簾瀑布) ·· 232
86. 만상계(萬相溪) ·· 233
87. 해금강(海金剛) ·· 234
88. 해만물상(海萬物相) ·· 235
89. 추도(秋島)에서 감동하여 읊다 ·· 237
90. 삼일포(三日浦) ·· 238
91. 아침에 외금강(外金剛)을 떠나며 ··· 239
92. 고저역(庫底驛) ·· 241
93. 삼방협(三防峽)에 하루 밤 묵으며 ··· 241
94. 한강교(漢江橋)를 건너서 ·· 242
95. 귀향(歸鄕) ·· 243
96. 공효자(孔孝子)의 시운(詩韻)을 따서 ·· 244
97. 황매천(黃梅泉)의 시운(詩韻)을 따서 ·· 246
98. 방옹(放翁) 시운(詩韻)을 따서 우연히 읊다 ··· 248
99. 연이어 방옹(放翁)의 시운(詩韻)을 따서 ·· 250
100. 신사년(辛巳年) 눈 내린 달밤에 ··· 252
101. 신사년 제야(除夜)에 회포를 적다 ··· 253
102. 삼종숙(三從叔)의 시(詩)에 보운(步韻)하여 ·· 254
103. 내소사(來蘇寺)에서 ·· 256
104. 청련암(靑蓮庵) ·· 260
105. 실상사(實相寺) ·· 261
106. 용소폭포(龍沼瀑布) ·· 262
107. 월명암(月明庵) ·· 263
108. 채석강(采石江)에서 부르짖다 ··· 265
109. 개암사(開巖寺) ·· 266
110. 연당(蓮塘)에서 ·· 268
111. 관동(鸛洞)의 가을 이야기 ··· 268

112. 순회(舜會) 아우에게 ··· 269
113. 월담(月潭) 방문 ··· 270
114. 운곡(雲谷)으로 가는 도중에 ··· 272
115. 낙산일민(駱山逸民)의 운(韻)을 따서 ····································· 272
116. 와병(臥病) 중인 친구 곡운(谷雲)에게 ·································· 275
117. 보도산방(普道山房) 계사(禊事) ··· 275
118. 임오년(壬午年)생일날 ··· 277
119. 농가(農家)생활 ·· 280
120. 막내아우 순회(舜會)귀국 ··· 281
121. 추자(秋字) 운(韻)을 얻어 ··· 282
122. 농촌잡가(農村雜歌) 7장 ·· 284
123. 노하당(蘆下堂) 운을 따서 ··· 288
124. 곡운(谷雲) 시(詩)에 화답(和答)하여 ···································· 289
125. 또 무제시(無題詩)의 운(韻)을 따서 ····································· 290
126. 관동계사(鸛洞禊事) ··· 291
127. 개암사(開巖寺)에 들르다 ··· 293
128. 친구 이동범 내방(來訪) ··· 294
129. 수정(水亭) 연꽃 감상 ··· 295
130. 비 내리는 밤 서울에서 ··· 296
131. 순회(舜會) 막내아우 배웅 ··· 297
132. 세심장(洗心莊) 제목(題目)으로 부치다 ································· 298
133. 삼짇날 어머님 장수기원(長壽祈願) ·· 299
134. 친구 이송농(李松儂)을 만나 읊다 ·· 300
135. 선운사(禪雲寺) 피서(避暑) ·· 301
136. 갑신년(甲申年) 적벽유람(赤壁遊覽)을 약속하다 ··················· 303
137. 복천(福川)을 지나며 ··· 304
138. 월산점(月山店)에 체류하다 ·· 305
139. 적벽(赤壁) 유람(遊覽) ·· 206
140. 와천(瓦川)에서 묵으며 ·· 308
141. 물염정(勿染亭)에 올라 ·· 309
142. 망미정(望美亭)의 옛 운(運)을 따서 ····································· 311
143. 삼가 소요암(逍遙庵)의 원운(原韻)을 따서 ··························· 312
144. 두 사문(斯文) 시(詩)에 화답하여 ·· 314
145. 용계(龍溪) 경절당(敬節堂) 체류 ··· 314

146. 안덕사(安德寺)에 오르다 ·· 316
147. 막내아우에게 보내는 절구(絶句) 일곱 수(首) ····························· 317
148. 태강(台江) 방문 길에 송오(松吾)를 만나 ··································· 320
149. 벗들과 더불어 다시 안덕사(安德寺)에 들러다 ····························· 321
150. 막내 동생 군영(軍營) 시(詩)에 화답(和答) ································· 323
151. 무령(武靈)떠나 산점(山店)에 투숙(投宿) ····································· 325
152. "억제간운백일면(億弟看雲白日眠)" 칠자(七字) 분운(分韻)으로 ··· 327
153. 막내 동생 시(詩)에 화운(和韻)하여 ··· 330
154. 늦은 봄 와룡계사(臥龍禊事)수행 ·· 332
155. 막내 동생이 귀향(歸鄕)하여 ·· 333
156. 용천사(龍泉寺)에서 ·· 338
157. 효당(曉堂) 김문옥(金文鈺) 방문하다 ··· 339
158. 봉래(蓬萊)로 가는 길에 ·· 341
159. 종숙(從叔) 초산(樵山)의 수연축시(壽宴祝詩) ····························· 342
160. 섬마을 즉흥시(卽興詩) ·· 344
161. 설매(雪梅)에 물어보다 ·· 345
162. 설매(雪梅)가 답하다 ·· 346
163. 중용(中庸)을 읽고 ·· 347
164. 왕도(旺島)에서 섣달그믐날 밤에 ··· 349
165. 상원(上院)에서 봄을 전별하며 ·· 354
166. 독서유감(讀書有感) ·· 355
167. 단오(端午)에 삼호정(三湖亭)에 모여 ·· 356
168. 삼가 삼호정(三湖亭) 원운(原韻)을 따서 ····································· 358
169. 익원공(翼元公) 신도비(神道碑) ··· 359
170. 옛 친구 찾아 가네 ·· 360
171. 탄운정(灘雲亭) 팔경(八景) ·· 369
172. 효당(曉堂)의 방문 시(詩)에 화답(和答) ······································ 376
173. 월담(月潭)이 보낸 시에 화답(和答) ·· 376
174. 봄날 전별(餞別) 시(詩)에 화답(和答) ··· 377
175. 두 형(兄)들 병문안에 감사하며 ·· 378
176. 병중(病中) 시름을 달래는 두 수(首) ·· 380
177. 죽순(竹筍)을 보니 기뻐 적다 ·· 382
178. 삼가 유석운(柳石雲) 공(公)의 만가(輓歌)를 짓다 ····················· 384
179. 친구 나덕촌(羅德村)을 곡(哭)함 ·· 389

180. 이송오(李松吾)를 방문하다 ································· 392
181. 화엄사(華嚴寺) 찾는 길에 ································· 393
182. 본 고을 사또 관사(官舍)에서 봄을 전별하며 ················ 394
183. 여름 맞이 시회(詩會)에서 ································· 395
184. 이오재(李寤齋) 수연(壽宴)에 ······························ 397
185. 종숙(從叔)과 격포(格浦)에서 숙박하다 ····················· 398
186. 경암(敬庵) 시회(詩會) 운(韻)에 화답(和答) ················ 400
187. 청녕당(淸寧堂)의 운(韻)을 따서 ··························· 401
188. 수정(水亭)에서 연꽃 감상 ································· 402
189. 향산(香山) 이동환(李東煥)과 이별하며 ····················· 404
190. 남산사(南山祠) 유허지(遺墟址)를 지나며 ··················· 406
191. 추강어부(秋江漁夫) ······································· 408
192. 시사(詩社)의 운(韻)을 따서 ································ 409
193. 친구 조방운(曹傍雲)의 초대에 가다 ························ 411
194. 적벽가(赤壁歌) ··· 412
195. 시회(詩會)의 운(韻)을 따서 ································ 416
196. 새봄에 음사(吟社)의 운을 따서 ···························· 418
197. 낙양(洛陽) 시회(詩會)의 운(韻)을 따서 ···················· 419
198. 효당의 시(詩)에 보운(步韻)하여 ···························· 420
199. 이송농(李松儂)의 운(韻)을 따서 ··························· 422
200. 초가을 음사(吟社)의 운(韻)을 따서 ························ 423
201. 내소사(來蘇寺) 현판(懸板) 운(韻)을 따 읊다 ··············· 424
202. 선운사(禪雲寺)의 아회(雅會) ······························ 426
203. 김후은(金後隱) 회갑연 차운(次韻) ························· 427
204. 녹음 속 아회(雅會) ······································· 429
205. 삼가 추목재(追睦齋)의 원운(原韻)을 따서 ·················· 430
206. 삼가 청계(淸溪精舍)의 원운(原韻)을 따서 ·················· 432
207. 수계(修禊) 차운(次韻) ···································· 434
208. 중추(仲秋)에 임공사(臨空寺) 유람 ························· 435
209. 고창 향교(鄕校) 시회(詩會)에서 ··························· 437
210. 방호산(方壺山) 음사(吟社)의 운(韻)을 따서 ················ 439
211. 성두(星斗) 시회(詩會) ···································· 440
212. 이향산(李香山) 수연(壽宴) 시의 운(韻)을 따서 ············· 441
213. 담재(澹齋)의 세모(歲暮) 시에 화답 ························ 443

214. 계명산(雞鳴山)을 유람하며 ·· 444
215. 재종숙(再從叔)을 모시고 ·· 446
216. 음사(吟社)의 신춘(新春) 운(韻)을 따서 ································ 446
217. 삼가 용파정(龍坡亭) 운(韻)을 따서 ···································· 448
218. 임공사(臨空寺)에 숙박하며 ·· 450
219. 삼가 경재(敬齋)선생의 만가(挽歌)를 짓다 ···························· 451
220. 봉덕(鳳德) 시회(詩會) 차운(次韻) ···································· 453
221. 수산(壽山) 오공(吳公) 만가(挽歌) ···································· 454
222. 만포(晚圃) 박해우(朴海佑) 공(公)을 축하함 ························· 456
223. **송농(松儂)이 백양사(白羊寺)로 초대하여** ························· 459
224. 요월정(邀月亭)에 올라 ·· 460
225. 초연정(超然亭)에 올라 ·· 462
226. "지감(志感)" 운(韻)을 차운(次韻)하여 ································ 464
227. 광양서씨(光陽徐氏) 세덕사(世德祠)의 운(韻)을 따서 ··············· 467
228. 의사(義士) 하석환(河錫煥)을 기리다 ·································· 468
229. 박송강(朴松岡) 수연(壽宴) 시(詩)에 차운(次韻) ···················· 470
230. 용산정(龍山亭)에 차운(次韻)하여 ······································ 471
231. 유공(劉公) 만가(挽歌) ··· 472
232. 월담(月潭), 취헌(醉軒) 두 형을 봉별(奉別)하며 ···················· 475
233. 방호산(方壺山)의 용추폭포(龍湫瀑布)를 구경하다 ·················· 480
234. 낙원(樂園) 시회(詩會)의 운을 따서 ··································· 482
235. 친구 정삼은(丁三隱) 수연축시(壽宴祝詩)의 운을 따서 ············· 483
236. 월은(月隱) 유공(劉公) 만가(挽歌) ···································· 484
237. 강재(剛齋) 김공(金公)을 곡(哭)하며 ·································· 486
238. 전후(戰後) 처음 동계(東溪)에 들어 ··································· 488
239. 춘원(春園)의 원래 운(韻)을 따서 ······································ 489
240. 월담(月潭)이 부친 시(詩)에 사의(謝意)를 표하며 ··················· 491
241. 계묘년(서기 1963년) 손자 경식(曔植)이 편지를 보내와 ············ 495
242. 양단(陽壇) 참향(叅享)에 화답(和答)하여 ······························ 496
243. 박동(朴東箕) 수연(壽宴)시(詩)에 차운(次韻)하여 ··················· 497
244. 삼가 경절당(敬節堂) 시(詩)에 차운(次韻)하여 ······················· 498
245. 죽순(竹筍) 돋는 것을 보고 ·· 499
246. 회헌(悔軒) 임공(林公) 만가(挽歌) ···································· 500
247. 후은(後隱) 안공(安公) 만가(挽歌) ···································· 502

248. 보인계(輔仁禊)에 차운(次韻)하여 ………………………………………… 505
249. 촌(村)에 살며 붓 가는대로 쓰다 ……………………………………… 506
250. 풍영계(風詠契)에 차운(次韻)하여 …………………………………… 507
251. 호산당(湖山堂) 원운(原韻)에 차운(次韻)하여 ……………………… 509
252. 서룡산(徐龍山)을 만나 화답(和答)하다 ……………………………… 511
253. 송운(松雲), 성재(誠齋) 두 벗들이 방문하여 ………………………… 512
254. 순정효황후(純貞孝皇后) 승하(昇遐) 일에 …………………………… 513
255. 사봉정사(師峯精舍)의 원운(原韻)을 차운(次韻)하여 ……………… 516
256. 송은정(松隱亭) 시(詩)에 차운(次韻)하여 …………………………… 518
257. 풍영계(風詠契) 시(詩)에 화답(和答)하여 …………………………… 519
258. 삼가 노산사(蘆山祠) 시(詩)에 차운(次韻)하여 ……………………… 520
259. 삼가 만호정(挽湖亭)의 시에 차운하여 ……………………………… 522
260. 금초(錦初) 김공(金公)의 만장(挽章) 〈추만(追挽)〉. …………………… 523

연연당문고(淵淵堂文稿) 제2권 부편(賦篇)

1. 해제(解題) ………………………………………………………………… 529
2. 작품(作品) 역해(譯解) …………………………………………………… 542

연연당문고(淵淵堂文稿) 제3권 서(書)

오후석선생전 상서 계해 8월(上吳後石先生書 癸亥八月) ……………… 569
오후석선생전 상서 갑자 정월(上吳後石先生 甲子正月) ………………… 570
백수당선생전 상서 임오 12월(上白遂堂先生 壬戌十二月) ……………… 571
백수당선생전 상서 임신 시월(上白遂堂先生 壬申十月) ………………… 573
유추포선생전 상서 계유 7월(上柳秋圃先生 癸酉七月) ………………… 575
정무정선생전 상서 계유(上鄭茂亭先生 癸酉) …………………………… 577
강거산 어르신님께 올리는 글 을유(上巨山姜丈 乙酉) …………………… 579
민단운 참판께 올리는 글 경신(上閔叅判丹雲 庚辰) …………………… 579
김경암 어르신 전 상서 무인(上敬菴金丈 戊寅) ………………………… 580
이육봉 어르신께 올리는 답서 을묘(答六峯李丈 己卯) ………………… 581
정규산 어르신께 올리는 답서 경신(答桂山鄭丈 庚辰) ………………… 582
송념재 상사께 올리는 편지 무인(上宋上舍念齋 戊寅) ………………… 583
송상사께 올리는 답서 경신(答宋上舍 庚辰) …………………………… 584

희제 일가 조부께 올리는 편지 계미(上希齋族祖 癸未)	585
우송 족장께 올리는 답서 문연(答寓松族丈 文演)	586
조흠재 어르신께 올리는 글(上欽齋曹丈)	587
김정술 어르신께(上靜窩金丈)	588
오도호 어르신께 올리는 글 기묘(上道湖吳丈 己卯)	590
오도호 어르신께 올리는 답서(答道湖吳丈)	591
민영재 어르신께 올리는 답서(答英齋閔丈)	593
민영재 어르신께 올리는 답서(答英齋閔丈)	594
신율봉 어르신께 올리는 편지 신사(上栗峰申丈 辛巳)	595
유석운 어르신에게 올리는 편지 기묘(上石雲柳丈 己卯)	596
이신암 어르신에게 올리는 답서 을축(答愼菴李丈 乙丑)	598
김동곡 어르신께 올리는 편지(上東谷金丈)	599
김동곡 어르신께 올리는 답서(答東谷金丈)	602
도은 숙부에게 올리는 편지 신사(上道隱叔父 辛巳)	604
도은 숙부에게 올리는 편지 임오(上道隱叔父 壬午)	604
김호송 어르신께 올리는 답서(答湖松金丈 權容)	605
송삼호에게 주는 답서(答宋三乎)	606
유수송께 종성(與柳秀松 鍾聲)	607
유현곡에게 을유(與柳玄谷 乙酉)	608
유현곡에게 주는 답서(答柳玄谷)	609
해은 삼종숙께 올리는 글 무인(與海隱三從叔 戊寅)	610
해은 삼종숙께 올리는 답서 정해(答海隱三從叔 丁亥)	611
나남계에게 주는 답서 인환 을묘(答羅南溪 仁煥己卯)	612
모 시냇가에 사는 족형에게 올리는 답서 영회(答某溪族兄 永會)	613
이창하에게 주는 답서 제주(答李昌廈 濟州)	614
김월담에게 보내는 편지 재석 정축(與金月潭 載石 丁丑)	615
김월담에게 보내는 답서 정축(答金月潭 丁丑)	616
김월담에게 보내는 답서 무인(答金月潭 戊寅)	617
김월담에게 보내는 답서 기묘(答金月潭 己卯)	618
김월담에게 보내는 답서 경진(答金月潭 庚辰)	619
김월담에게 보내는 편지 경진(與金月潭 庚辰)	621
김월담에게 보내는 답서 경진(答金月潭 庚辰)	622
김월담에게 보내는 편지 경진(與金月潭 庚辰)	623
김월담에게 보내는 답서 경진(答金月潭 庚辰)	624

김월담에게 보내는 답서 경신(答金月潭 庚辰) · 624
김월담에게 보내는 답서 신사(答金月潭 辛巳) · 625
김월담에게 보내는 편지 신사 12월(與金月潭 辛巳十二月) · 629
김월담에게 보내는 편지 임오(與金月潭 壬午) · 630
김월담에게 보내는 답서 계미(答金月潭 癸未) · 631
김월담에게 보내는 답서 갑신(答金月潭 甲申) · 632
김월담에게 보내는 편지 을유(與金月潭 乙酉) · 634
김월담에게 보내는 답서 갑신(答金月潭 甲申) · 636
김월담에게 보내는 편지 갑신(與金月潭 甲申) · 637
김월담에게 보내는 답서(答金月潭) · 639
김월담에게 보내는 답서(答金月潭) · 640
김월담에게 보내는 편지(與金月潭) · 641
김월담에게 보내는 편지 을유 삼월(與金月潭 乙酉三月) · 642
김월담에게 보내는 답서 을유(答金月潭 乙酉) · 643
김월담에게 보내는 편지 무술(與金月潭 丙戌) · 645
김월담에게 보내는 답서 병술(答金月潭 丙戌) · 646
김월담에게 보내는 편지 병술(與金月潭 丙戌) · 648
김월담에게 보내는 답서 정해(答金月潭 丁亥) · 650
김월담에게 보내는 편지 정해(與金月潭 丁亥) · 650
김월담에게 보내는 답서 정해(答金月潭 丁亥) · 651
김월담에게 보내는 답서 정해(答金月潭 丁亥) · 653
김월담에게 보내는 편지 신묘(與金月潭 辛卯) · 657
김월담에게 보내는 답서 병신(答金月潭 丙申) · 658
김월담에게 보내는 답서 계묘(答金月潭 癸卯) · 659
김월담에게 보내는 답서 갑진 삼월(答金月潭 甲辰三月) · 660
김월담에게 보내는 편지 갑진 삼월(與金月潭 甲辰三月) · 661
김월담에게 보내는 답서 갑진(答金月潭 甲辰) · 662
김월담에게 보내는 편지 을사(與金月潭 乙巳) · 664
김월담에게 보내는 편지 을사(與金月潭 乙巳) · 665
김월담에게 보내는 편지 병오 정월(與金月潭 丙午正月) · 667
김월담에게 보내는 편지 정미 정월(與金月潭 丁未正月) · 668
김월담에게 보내는 편지 정미(與金月潭 丁未) · 670
기로선에게 보내는 답서 무진 구월(答奇老善 戊辰九月) · 671
자형 임종혁에게 보내는 답서 신미(答姊兄林鍾爀 辛未) · 672

45

별지(別紙)

나대강에게 보내는 답서 의환○경진(答羅台江 義煥○庚辰) ························· 674
나대강에게 보내는 답서(答羅台江) ·· 675
나대강에게 보내는 답서 신사 오월(答羅台江 辛巳五月) ····························· 677
나대강에게 보내는 편지 신사 칠월(與羅台江 辛巳七月) ····························· 677
나대강에게 보내는 답서(答羅台江) ·· 679
나대강에게 보내는 답서(答羅台江) ·· 680
나대강에게 보내는 편지(與羅台江) ·· 682
나대강에게 보내는 편지(與羅台江) ·· 682
나대강에게 보내는 답서(答羅台江) ·· 684
김취헌에게 보내는 답서 수중○계묘 시월(答金醉軒 壽中○癸卯十月) ············ 685
이춘전 혁에게 보내는 답서(答李春田 爀) ·· 686
박강재에게 보내는 답서 기현○갑진(答朴强齋 璂鉉○甲辰) ························ 686
김효당에게 보내는 편지 문옥○을유 삼월 팔일(與金曉堂 文鈺○乙酉三月八日) ········ 687
김효당에게 보내는 답서 을유 오월(答金曉堂 乙酉五月) ····························· 689
김효당에게 보내는 편지 병술 십일월(與金曉堂 丙戌十一日) ······················· 692
김효당에게 보내는 답서 병술 십일월(答金曉堂 丙戌十一月) ······················· 693
김효당에게 보내는 답서 정해 시월(答金曉堂 丁亥正月) ····························· 695
김효당에게 보내는 답서 정해(答金曉堂 丁亥) ·· 698
김효당에게 보내는 답서 정해(答金曉堂 丁亥) ·· 700
김효당에게 보내는 편지 정해(與金曉堂 丁亥) ·· 701
김효당에게 보내는 편지 정해(與金曉堂 丁亥) ·· 703
김효당에게 보내는 답서 정해(答金曉堂 丁亥) ·· 704
김효당에게 보내는 답서 갑오(答金曉堂 甲午) ·· 705
김효당에게 보내는 답서 갑오(答金曉堂 甲午) ·· 707
김효당에게 보내는 편지 갑오(與金曉堂 甲午) ·· 709
김효당에게 보내는 답서 을미(答金曉堂 乙未) ·· 710
김효당에게 보내는 편지 병신(與金曉堂 丙申) ·· 711
김효당에게 보내는 답서 병신(答金曉堂 丙申) ·· 713
김효당에게 보내는 답서 정유(答金曉堂 丁酉) ·· 715
김효당에게 보내는 답서 무술(答金曉堂 戊戌) ·· 716
김효당에게 보내는 답서 무술(答金曉堂 戊戌) ·· 717
김효당에게 보내는 답서(答金曉堂) ·· 719
김효당에게 보내는 답서 기해 칠월(答金曉堂 己亥七月) ····························· 720

정일재에게 보내는 편지 홍채 을사(與鄭逸齋 泓采乙巳) ·· 721
정일제에게 보내는 답서(答鄭逸齋) ·· 723
장련하에게 보내는 답서 자형 도규(答張蓮下 姊兄燾圭) ·· 724
장련하에게 보내는 편지(與張蓮下) ·· 725
송술암에게 보내는 편지 재성○병술(與宋述菴 在晟○丙戌) ·· 726
송술암에게 보내는 답서(答宋述菴) ·· 728
송술암에게 보내는 답서(答宋述菴) ·· 729
송술암에게 보내는 편지(與宋述菴) ·· 730
최설송에게 보내는 답서 규상○무인(答崔雪松 圭祥○戊寅) ·· 732
정태환에게 보내는 편지(與鄭泰煥) ·· 733
남백환에게 보내는 답서(答南伯煥) ·· 734
한철수에게 보내는 답서(答韓哲洙) ·· 734
오정렬에게 보내는 편지(與吳正烈) ·· 735
홍석희에게 보내는 답서(答洪錫熹) ·· 736
홍승춘에게 보내는 답서(答洪承春) ·· 737
김제남에게 보내는 편지(與金在南) ·· 738
백용규 송하에게 보내는 답서(答白松下龍圭) ·· 739
무성서원 유회소에 보내는 답서(答武城書院儒會所) ·· 740
포충사 통고서에 주는 답서(答褒忠祠通告書) ·· 741
문견선, 문영범에게 보내는 답서(答文見善文永範) ·· 742
로산사 유회소에 보내는 편지(與蘆山祠儒會所) ·· 743
전중현에게 보내는 답서(答全中鉉) ·· 743
이수원에게 보내는 답서(答李壽源) ·· 744
이향산에게 보내는 편지 동환(與李香山 東煥) ·· 745
이향산에게 보내는 답서(答李香山) ·· 747
서한주에게 보내는 답서 임인(答徐漢周 壬寅) ·· 747
서한주에게 보내는 답서(答徐漢周) ·· 748
서한주에게 보내는 편지(與徐漢周) ·· 749
서한주에게 보내는 답서(答徐漢周) ·· 750
김고당에게 보내는 답서 규태(答金顧堂 奎泰) ·· 751
김고당에게 보내는 편지(與金顧堂) ·· 752
김고당에게 보내는 편지(與金顧堂) ·· 753
기장헌에게 보내는 편지 노장(與奇莊軒 老章) ·· 754
이송농에게 보내는 답서 동범○정축(答李松儂 東範○丁丑) ·· 755

이송농에게 보내는 답서 기묘(答李松儂 己卯) ·············· 756
이송농에게 보내는 답서 갑신(答李松儂 甲申) ·············· 759
이송농에게 보내는 편지(與李松儂) ·············· 760
이송농에게 보내는 편지(與李松儂) ·············· 761
이송농에게 보내는 답서(答李松儂) ·············· 761
오천경에게 보내는 답서 근호○병인(答吳天卿 根浩○丙寅) ·············· 763
오천경에게 보내는 편지 신미(與吳天卿 辛未) ·············· 764
오천경에게 보내는 답서 계유(答吳天卿 癸酉) ·············· 765
김담재에게 보내는 편지 봉문(與金澹齋 鳳文) ·············· 767
김담재에게 보내는 답서(答金澹齋) ·············· 768
김담재에게 보내는 답서(答金澹齋) ·············· 769
최매석에게 보내는 편지 병하(與崔梅石 炳夏) ·············· 770
유청강에게 보내는 답서 태윤(答柳靑江 泰胤) ·············· 771
유청강에게 보내는 편지(與柳靑江) ·············· 772
유청강에게 보내는 편지(與柳靑江) ·············· 773
유청강에게 보내는 답서(答柳靑江) ·············· 775
이상길에게 보내는 답서(答李相吉) ·············· 776
김로재에게 보내는 편지 봉수(與金蘆齋 鳳洙) ·············· 777
김재현에게 보내는 답서(答金在炫) ·············· 778
송재립에게 보내는 답서(答宋在立) ·············· 779
김담운에게 보내는 답서 매서 상일(答金湛雲 妹壻相一) ·············· 780
고인석에게 보내는 답서(答高仁錫) ·············· 781
박영봉에게 보내는 답서(答朴永鳳) ·············· 781
종숙 재형께 올리는 편지(與從叔在炯) ·············· 783
변영호에게 보내는 답서(答卞榮濩) ·············· 783
배성수에게 보내는 답서(答裵聖洙) ·············· 784
매서 김용수에게 보내는 답서(答妹壻金龍洙) ·············· 785
김용수에게 보내는 편지(與金龍洙) ·············· 786
김용수에게 보내는 답서(答金龍洙) ·············· 786
김용수에게 보내는 편지(與金龍洙) ·············· 786
김황수에게 보내는 편지(與金黃洙) ·············· 788
조동섭에게 보내는 편지(與趙東燮) ·············· 789
조병렬에게 보내는 편지 정축(與曺秉烈 丁丑) ·············· 789
이상기에게 보내는 답서 임오(答李相淇 壬午) ·············· 790

김원득에게 보내는 답서(答金源得)	791
김두연에게 보내는 답서(答金斗演)	792
본졸 신상우에게 보내는 편지(與本倅申祥雨)	794
손평기에게 보내는 답서(答孫坪琦)	795
임종수에게 보내는 답서(答林鍾秀)	796
박래윤에게 보내는 답서(答朴來允)	798
이은우에게 보내는 답서(答李殷雨)	799
배운기 상인에게 보내는 편지(與裵上人雲起)	799
김보월 상인에게 보내는 답서(答金上人步月)	800
아우 순회에게 보내는 답서 무인(答舍弟舜會 戊寅)	801
순회에게 보내는 편지 임오(與舜會 壬午)	801
순회에게 보내는 편지 임오(與舜會 壬午)	802
순회에게 보내는 편지 이하는 학도병으로 징병된 다음 오간 편지임○갑신 (與舜會 此以下學兵被徵後往复○甲申)	803
순회에게 보내는 답서 갑신(答舜會 甲申)	804
순회에게 보내는 답서 갑신(答舜會 甲申)	805
아들 병수에게 보내는 편지 기묘(寄丙洙兒 己卯)	806
사위 이신에게 보내는 답서 정축(答李㙉新 丁丑)	807
손자 경식에게 보내는 답서 을사(答璟植孫 乙巳)	807
손자 경에게 보내는 답서 을유(答璟孫 己酉)	808
손자 경에게 보내는 편지 경술 정월(寄璟孫 庚戌正月)	810
최일석에게 보내는 편지(與崔日錫)	811
최병덕에게 보내는 답서(答崔炳德)	812
손평기에게 보내는 편지(與孫坪琦)	812
정동초 철환에게 보내는 편지(答鄭東樵喆煥)	813
문기룡에게 보내는 답서(答文基龍)	814
조병남에게 보내는 답서(答趙炳南)	815
여운사에게 보내는 답서 창현(答呂雲沙 昌鉉)	815
정동초에게 보내는 답서(答鄭東樵)	817
고광송에게 보내는 답서(答高光松)	818
김념재 호신에게 보내는 답서 정미 정월(答金念齋鎬愼丁未正月)	820
정관일에게 보내는 답서 진도(答鄭貫一 鎭道)	821
위의재에게 보내는 편지 석한(與魏毅齋 錫漢)	821
김부동에게 보내는 답서(答金富東)	822

이도형에게 보내는 편지(與李道衡) ········· 823
정동초에게 보내는 답서(答鄭東樵) ········· 824
정동초에게 보내는 답서(答鄭東樵) ········· 825
김담재에게 보내는 편지(與金澹齋) ········· 826
최일석에게 보내는 답서(答崔日錫) ········· 826
최일석에게 보내는 답서 三(與崔日錫 三) ········· 828
홍성남에게 보내는 답서 석희(答洪城南 錫憙) ········· 829
양주혁에게 보내는 답서(答楊柱赫) ········· 830
유종용에게 보내는 편지(與柳鍾龍) ········· 831
김성섭에게 보내는 편지 원근 二 계미 팔월(與金性涉 源根 二 癸未八月) ········· 831

연연당문고(淵淵堂文稿) 제4권 잡저(雜著)

《중용》강설(中庸講說) ········· 835
《대학》강설(《大学講說》) ········· 904
사자언지설(四子言志說) ········· 937
백이, 숙제론(夷齊說) ········· 939
수왈미학론(雖曰未學說) ········· 940
입지론(立志說) ········· 943
"구방심"론(求放心說) ········· 946
《무이산의 뱃노래》를 읽고(讀武夷櫂歌) ········· 947
붓이 가는 데로(漫笔) ········· 948
"한문철폐설" 변론(漢文撤廢說辨) ········· 950
최복설(衰服說) ········· 955
묻는 말에 대답하노라(答人问) ········· 959
원인(原人)을 이어(續原人) ········· 965
후회의 뜻을 밝히며 유태윤에게(原悔贈柳泰胤) ········· 966
의혹에 대한 분변 어릴 때 작업(辨疑 少日課作) ········· 968
도학과 문장은 둘이 아니다 과작(道學文章非二道辨 課作) ········· 970
상앙론 과작(商鞅論 課作) ········· 971
시의 효율론 과작 (詩之効力說 課作) ········· 973
온고지신론 과작(溫故知新說 課作) ········· 974
"남의 것을 취하여 선하게 된다."에 관하여 과작(取於人以爲善說 課作) ········· 975
"근검은 무가보"론 과작(勤儉無價寶說 課作) ········· 977

명륜당 견문록(明倫堂見聞錄) ·· 979
도암사 중건 통고문 종중을 대신하여 짓노라(道巖祠重建通文 代宗中作) ··················· 980
송사연보 간행소의 간단한 통보(松沙年譜刊所簡通) ·· 982
알림(輪告文) ·· 983
명천대천 수계문(名山大川修禊文) ·· 984
백범선생을 환영하여 종중을 대신하여 지음(白凡先生歡迎文 代宗中作) ······················ 986
초부의 물음에 답하노라(樵夫問) ·· 988
운암상인에게 글을 적어 주며(書贈雲巖上人) ··· 992
농사일로 아들 병아에게 알리노라(農說示丙兒) ··· 993
글을 써서 아들 병수에게 주노라(書示丙洙兒) ··· 995
글을 써서 김종섭에게 주노라(書贈金鍾燮) ·· 996
삼기설을 김구현 금포에게 주노라(三奇說贈金錦圃九鉉) ·· 997
환갑날에 아들, 조카, 손자들에게 알리노라(周甲日示諭子姪及孫兒輩) ······················· 999
조수훈에게 주는 글(書贈趙守勳) ··· 1001
사익설을 전동일에게 보내며(四益說贈田東日) ·· 1003
기름지고 메마른 땅에 관한 설법을 김재도에게 보내며(沃瘠說贈金在度) ··················· 1005
모생을 책망하며(責毛生說) ·· 1006
온고지신 넉 자를 적어 조카 정수에게 주며(溫故知新四字書示晶洙姪) ······················· 1008
영춘 해석(迎春解) ··· 1009
일곱 손자의 이름을 두고(七孫名說) ··· 1011
글로 김형범군을 보내며(書贈金炯範君) ··· 1013
동정록(東征錄) ·· 1013
서유록(西遊錄) ·· 1030
계로와 산옹의 문답(溪山問答) ··· 1035

연연당문고(淵淵堂文稿) 제5권 서(序)

낙산풍유집 서(駱山風雅集序) ··· 1043
적벽유 서(遊赤壁序) ··· 1046
명산대천계 서(名山大川禊序) ··· 1049
도은숙부 육십일세수 서(道隱叔父六十一壽序) ··· 1052
죽림단유계 서(竹林壇儒契序) ··· 1054
성일계 서(誠一契序) ··· 1056
전주매천시집중간 서(箋註梅泉詩集重刊序) ·· 1058

51

육기지 서(六奇誌序)	1059
안동김씨대동보감 서(安東金氏大同譜鑑序)	1061
고부인수 서(高夫人壽序)	1063
항재유고 서(恒齋遺稿序)	1065
안동김씨파보중간 서(安東金氏派譜重刊序)	1067
현무재공파보 서(賢武齋公派譜序)	1069
변송오옹육십일세수 서(邊松塢翁六十一壽序)	1070
월담 도형 육십일세수 서(月潭道兄六十一壽序)	1072
김고당육십일세수 서(金顧堂六十一壽序)	1073
우송집 서(友松集序)	1076
경재유고 서(敬齋遺稿序)	1077
탄운유고 서(灘雲遺稿序)	1079
숭모계 서(崇慕契序)	1080
남경계 서(南庚契序)	1081
이존계안 서(二存禊案序)	1083
탐라로 돌아가는 박송강군을 바래는 서문(送朴君松岡歸耽羅序)	1084
박강재를 보내며 쓴 서언(送朴强齋序)	1085
남평 문씨 세보 서언(南平文氏世譜序)	1087
죽산 안씨 대동보 서언(竹山安氏大同譜序)	1089
원유록 서언(遠遊錄序)	1091
보인계서(輔仁契序)	1093
육이계서언(六二契序)	1095
방호금사시집서(方壺唫社詩集序)	1097
방호음사 시집 재간 서(方壺吟社詩集再刊序)	1099
서로 돌아가는 장회를 바래며 쓴 서(送章會西歸序 丁未十月)	1101
만호정고금문헌편집 서(挽湖亭古今文獻編輯序)	1102
대강유고 서(台江遺稿序)	1104
설헌집 서문(雪軒集序)	1105
김가승 서문(金家乘序)	1107
미국유학 손자영식전송 서문(送永植孫遊學美國序)	1109
축린계 서문(祝麟契序)	1109
무진음사시고 서문(武珍吟社詩稿序)	1111

연연당문고(淵淵堂文稿) 제6권 기(記)

읍궁암기(泣弓巖記) · 1115
창랑대기(滄浪臺記) · 1117
보도산실기(普道山實記) · 1119
익원공부조묘이건기(翼元公不祧廟移建記) · 1122
고창 공북루 중수기(高敞拱北樓重修記) · 1124
농와정기(農窩亭記) · 1127
물한정 중건기(勿閑亭重建記) · 1130
유회정기(有懷亭記) · 1132
용파정기(龍坡亭記) · 1134
학남정사기(鶴南精舍記) · 1135
경선재중건기(敬先齋重建記) · 1137
가묘기(家廟記) · 1139
평산재기(平山齋記) · 1141
안덕사유람기(遊安德寺記) · 1144
우산기(愚山記) · 1146
상덕헌기(尙德軒記) · 1147
노산사기(蘆山祠記) · 1151
오산기(梧山記) · 1153
모양기노사중수기(牟陽耆老社重修記) · 1156
임공사 중건기(臨空寺重建記) · 1158
대참사중건기(大懺寺重修記) · 1160
송암 산장기(松菴山莊記) · 1162
만산기(晚山記) · 1165
월담기(月潭記) · 1166
도암속기(道庵續記) · 1168
극재기(克齋記) · 1170
양재기(陽齋記) · 1171
녹등재중건기(鹿嶝齋重建記) · 1173
춘곡서실기(春谷書室記) · 1175
학고서실기(學古書室記) · 1177
대강기(台江記) · 1179
계석기(溪石記) · 1182

남계기(南溪記)	1183
외당기(畏堂記)	1184
추원재기(追遠齋記)	1185
담재기(澹齋記)	1187
경암기(敬庵記)	1189
위은기(渭隱記)	1190
청강기(靑江記)	1192
송농기(松儂記)	1193
취헌기(醉軒記)	1195
심재기(心齋記)	1197
자하기(紫霞記)	1197
학천기(學川記)	1199
춘호기(春乎記)	1200
향산서실기(香山書室記)	1201
진수헌기(進脩軒記)	1203
수송정기(秀松亭記)	1205
영화재기(永華齋記)	1207
죽파서실기(竹坡書室記)	1209
해초기(海初記)	1210
용연서실기(龍淵書室記)	1211
유림당기(有臨堂記)	1213
용산재중건기(龍山齋重建記)	1215
국헌기(菊軒記)	1217
운계기(雲溪記)	1219
운초기(雲樵記)	1220
난계기(蘭溪記)	1221
농은정기(農隱亭記)	1222
희양서실기(希陽書室記)	1224
춘강기(春江記)	1225
동초기(東樵記)	1227
인곡기(仁谷記)	1229
춘원정기(春園亭記)	1230
성남서실기(城南書室記)	1231
풍락정중건기(豐樂亭重建記)	1233

여송재기(麗松齋記) ······ 1234
양천기(陽川記) ······ 1236
춘호유거기(春湖幽居記) ······ 1237
소해헌기(笑海軒記) ······ 1238

발문(跋文) ······ 1239
  담포유고발문(澹圃遺稿跋) ······ 1239
  영가세적발문(永嘉世蹟跋) ······ 1240
  만수유고 뒤에 삼가 적으며(敬題晚睡遺稿後) ······ 1241
  만수당 편액 뒤에 삼가 적으며(書晚睡堂扁額後) ······ 1242
  선세의 유묵 뒤에 적으며(題先世遺墨後) ······ 1243
  항제선생의 친필 천자문 뒤에 적으며(題恒齋先生書千字文後) ······ 1245
  선군의 손수 베낀 병풍 첩자 뒤에 제사를 적으며(題先君手書屛帖後) ······ 1245
  선군의 필적 뒤에 쓴 제사(題先君筆蹟後) ······ 1246
  《오암유고》 발문(梧巖遺稿跋) ······ 1246
  《성암유고》 발문(惺庵遺稿跋) ······ 1250
  《사위유고》 발문(史謂遺稿跋) ······ 1251
  《쌍산금사수창집》 발문(雙山唫社唱酬集跋) ······ 1252
  원당필적 뒤에 적으며(書阮堂筆蹟後) ······ 1254
  재차 적으며(再書) ······ 1255
  《삼희당 법첩》 뒤에 적으며(書三希堂法帖後) ······ 1256
  해강의 《난죽보》 발문(海岡蘭竹譜跋) ······ 1258
  다시 적으며(再書) ······ 1260
  사임당이 그린 포도 그림 병풍 발문(師任堂畵葡萄屛跋) ······ 1260
  《조선고적도보》 뒤에 적으며(題朝鮮古蹟圖譜後) ······ 1261
  《조선역사》 뒤에 적으며(題朝鮮歷史後) ······ 1263
  박의사 도경 추모비 뒤에 적으며(書朴義士道京追慕碑後) ······ 1264
  《체화첩》 발문(棣華帖跋) ······ 1266
  계군이 동경으로부터 보내온 한 수의 절구 뒤에 적으며(題季君自東京寄來詩一絶後) ······ 1267
  변군 영호가 편지로 붓을 선사한 후에 적으며(爲卞君榮頀書贈筆後) ······ 1268
  연파유고 발문(蓮坡遺稿跋) ······ 1269
  《육십만세체험록》 뒤에 적으며(書六十萬歲體驗錄後) ······ 1270
  박물관기 뒤에 적으며(書博物舘記事後) ······ 1271

염재 송공의 호접도 위에 적으며(題念齋宋公蝴蝶圖後) ·········· 1272
홍용강군의 병풍첩 뒤에 적으며(題洪龍岡君屛帖後) ············ 1273
유당제액(題額) 뒤에 적으며(書裕堂題額後) ······················· 1273
《고당집》 발문(顧堂集跋) ·································· 1274
당계 김공의 《어석보현실록》 발문(棠溪金公 御賜寶硯實錄跋) ·········· 1275
《가산서원지》 발문(佳山書院誌跋) ································ 1277
흠재문고 발문(欽齋文稿跋) ·· 1278

연연당문고(淵淵堂文稿) 제7권 명(銘)

명, 잠, 찬, 상량문, 제문(銘, 箴, 贊, 上樑文, 祭文)

명(銘) ··· 1283
서상암명 유서(書牀巖銘 有序) ···································· 1283
비란당명 유서(否闌堂銘 有序) ···································· 1284
가장고연명 소서(家藏古硯銘 小序) ································ 1285
용지연명 소서(龍池硯銘 小序) ···································· 1286
옥장도명 소서(玉刀銘 小序) ······································ 1287
소명 소서(梳銘 小序) ·· 1287
주천명 소서(珠泉銘 小序) ·· 1288
우헌명 소서(愚軒銘 小序) ·· 1289
필명 병서(筆銘 並序) ·· 1290
필명 소서(筆銘 小序) ·· 1290
금명(琴銘) ··· 1292

잠언(箴) ··· 1293
계주잠(戒酒箴) ··· 1293
방학불방심잠언(放學不放心箴) ····································· 1294

찬(贊) ··· 1295
사우찬(四友贊) ··· 1295
모영(毛穎, 붓) ··· 1295
도홍(陶泓, 벼루) ··· 1295

진현(陳玄, 먹) ··· 1296
　　저생(楮生, 종이) ··· 1296
　　열효찬(烈孝贊) ·· 1297
　　계서 유공 효행찬(溪西柳公孝行贊) ··· 1298

혼서(婚書) ·· 1299
　　병수 혼서(丙洙婚書) ·· 1299
　　정수혼서(晶洙婚書) ·· 1300
　　장손 경식의 혼서(長孫璟植婚書) ··· 1301

상량문(上樑文) ·· 1302
　　익원공 부조묘 이건 상량문(翼元公不祧廟移建上樑文) ·································· 1302
　　도암사 중건 상량문(道巖祠重建上樑文) ··· 1305
　　신사상량문 대작(新舍上樑文 代作) ·· 1309
　　호산재상량문(壺山齋上樑文) ·· 1312
　　남강정사상량문(南岡精舍上樑文) ··· 1315
　　경선재중건상량문(敬先齋重建上樑文) ·· 1319
　　양지재상량문(養志齋上樑文) ·· 1322
　　선운사 향운전 중건 상량문(禪雲寺香雲殿重建上樑文) ································· 1325
　　낙고정상량문(樂古亭上樑文) ·· 1328
　　기산재상량문(箕山齋上樑文) ·· 1331
　　운곡사상량문(雲谷祠上樑文) ·· 1334

축문(祝文) ·· 1337
　　도암사 봉안 영모당, 은송당, 현무재 세 선생 축문
(道巖祠奉安永慕堂 隱松堂, 賢武齋三先生文) ·· 1337
　　서산 기우제문(西山祈雨祭文) ·· 1338
　　주부자 팔백 년 기념제 축문(朱夫子八百年紀念祭祝文) ······························ 1339
　　사직단기양제 축문(社稷壇祈禳祭祝文) ··· 1340
　　노산사봉안문(蘆山祠奉安文) ·· 1340
　　서강사봉안 남원백 벽송 윤공문(瑞岡祠奉安南原伯碧松尹公文) ·················· 1341
　　함안백 행촌 윤공 봉안문(咸安伯杏村尹公奉安文) ······································· 1342
　　영평부원군 문현 윤공 봉안문(鈴平府院君文顯尹公奉安文) ························· 1342

제문(祭文) ··· 1344
  제 정호천선생 문(祭鄭梧川先生文) ··· 1344
  제 종조 항재선생문(祭從祖恒齋先生文) ·· 1345
  재 제문(再祭文) 원 목록에서 누락되었으므로 원문에 근거하여 보충함. ············· 1349
  제 제서 후벽림공 문(祭娣壻後碧林公文) ······································ 1350
  제 만취 유공 문(祭晚翠柳公文) ·· 1352
  제 족조 희재선생 문(祭族祖希齋先生文) ······································ 1353
  제 성암 나공 문(祭惺菴羅公文) ·· 1354
  제흠재조공문(祭欽齋曹公文) ·· 1356
  제삼종조금파공문(祭三從祖錦坡公文) ······································ 1358
  제 춘포 김공 문(祭春圃金公文) ·· 1360
  인암 금공 제문(祭忍菴金公文) ·· 1361
  남계 나형 제문(祭南溪羅兄文) ·· 1363
  자은 김공 제문(祭芝隱金公文) ·· 1364
  나형 대강 제문(祭羅兄台江文) ·· 1365
  재차 지은 제문(再祭文) ·· 1368
  망제 순회 제문(祭亡弟舜會文) ·· 1369
  매서 반호 김군 제문(祭妹壻槃湖金君文) ···································· 1372
  구호 김군 제문(祭龜湖金君文) ·· 1373
  청강 유군 재문(祭靑江柳君文) ·· 1374
  월초 조군 제문(祭月樵曹君文) ·· 1376
  효당 김공 제문(祭曉堂金公文) ·· 1378
  유인 정씨 제문(祭孺人鄭氏文) ·· 1379
  망실 이씨 제문(祭亡室李氏文) ·· 1381
  신촌 전공 제문(祭新村全公文) ·· 1382
  유인 강씨 제문(祭孺人姜氏文) ·· 1384
  고당 김공 제문(祭顧堂金公文) ·· 1386

연연당문고(淵淵堂文稿) 제8권 비문(碑文)

비문(碑文) ··· 1391
  전첨 김공 단비(典籤金公壇碑) ·· 1391
  노하 임공 유허 비명 병서(蘆下林公遺墟碑銘 序幷) ················ 1392
  열부 유씨 기행비(烈婦柳氏紀行碑) ··· 1394

효부 박씨 기행비(孝婦朴氏紀行碑) ··· 1395
월담 김공 유허 비문 병서(月潭金公遺墟碑銘 并序) ··· 1397
유인 조씨 기적비(孺人曹氏紀蹟碑) ··· 1398
초남배씨공유인김씨효행비명 병서(楚南裵公孺人金氏孝行碑銘 并序) ··············· 1399
방장 기로사 기적비(方丈耆老社紀蹟碑) ··· 1401
경모비 오신곡선생(景慕碑 吳愼谷先生) ··· 1403
절부 공씨 기행비(節婦孔氏紀行碑) ··· 1405
열부 김씨 기행비명(烈婦金氏紀行碑銘) ··· 1407
절부 서씨 기행비(節婦徐氏紀行碑) ··· 1408
경모비 김남애선생(景慕碑金南崖先生) ··· 1409
효자 가선대부 문공 기행비(孝子嘉善大夫文公紀行碑) ··· 1411
의사 박공 추모비(義士朴公追慕碑) ··· 1413
이천 서씨 헌성 기적비(利川徐氏獻誠紀績碑) ··· 1415
농은 김공 효행비(農隱金公孝行碑) ··· 1416
정재 고공 기적비(靜齋高公紀績碑) ··· 1417
윤씨 네 세대 열효비(尹氏四世烈孝碑) ··· 1418
이씨의 모친 광산 김씨 기행비(李母光山金氏紀行碑) ··· 1421
경헌 정공 홍행 비명 유서(敬軒鄭公孝行碑銘 有序) ··· 1422
열부 김씨 기적비(烈婦金氏紀蹟碑) ··· 1424

묘갈명(墓碣銘) ·· 1426
종성부사 김공 묘갈명 병서(鍾城府使金公墓碣銘 并序) ··· 1426
해주판관 김공 묘갈명 병서(海州判官金公墓碣銘 并序) ··· 1427
장사랑 조공 묘갈명(將仕郞趙公墓碣銘 并序) ··· 1429
무민옹 조공 묘갈명 병서(无憫翁趙公墓碣銘 并序) ··· 1431
오천처사 정공 묘지명 병서(梧川處士鄭公墓碣銘 并序) ··· 1432
의금부도사 죽계공 묘갈명 병서(義禁府都事竹溪金公墓碣銘 并序) ····················· 1435
왕자사부 죽오당 김공 묘갈명(王子師傅竹梧堂金公墓碣銘) ··································· 1437
통덕랑 김공 묘갈명(通德郞金公墓碣銘) ··· 1439
열부 유인 최씨 묘갈명 병서(烈婦孺人崔氏墓碣銘 并序) ······································· 1442
경재 정공 묘갈명 병서(敬齋丁公墓碣銘 并序) ··· 1444
수산 오공 묘갈명 병서(壽山吳公墓碣銘 并序) ··· 1446
경재 김공 묘갈명 병서(敬齋金公墓碣銘 并序) ··· 1450
통덕랑 정공 묘갈명 병서(通德郞鄭公墓碣銘 并序) ··· 1452

송파 유공 묘갈명 병서(松波柳公墓碣銘 并序) ··· 1454
참의를 추증한 김공 묘갈명 병서(贈叅議金公墓碣銘 并序) ················· 1456
율정 조공 묘갈명 병서 계묘(栗亭曹公墓碣銘 并序) ··························· 1458
통정대부통문관전한유백당문공묘갈명병서(通政大夫 弘文舘典翰 流百堂 文公墓碣銘
并序) ·· 1460
통훈대부사복시정우은문공묘갈명병서(通訓大夫司僕寺正愚隱文公墓碣銘 并序) ········· 1462
송강 의사 안공 묘갈명 병서(松岡義士安公墓碣銘 并序) ···················· 1465
낙포처사 문공 묘갈명 병서(樂圃處士文公墓碣銘 并序) ······················ 1467
후운당 김공 묘갈명 병서(後雲堂金公墓碣銘 并序) ··························· 1470
첨중추 송천 김공 묘갈명 병서(僉中樞松泉金公墓碣銘 并序) ··············· 1472
승정원 좌승지 월암 김공 묘갈명 병서(承政院左承旨月菴金公墓碣銘 并序) ········· 1475
통훈대부의금부도사김공묘갈명 병서(通訓大夫義禁府都事金公墓碣銘 并序) ········· 1477
통정대부 첨추 김공 묘갈명 병서(通政大夫僉樞金公墓碣銘 并序) ········ 1479
우송처사 표공 묘갈명 병서(友松處士表公墓碣銘 并序) ······················ 1481
운헌처사 박공 묘갈명 병서(雲軒處士朴公墓碣銘 并序) ······················ 1483
통정대부 부호군 애련당 고공 묘갈명 병서(通政大夫副護軍 愛蓮堂 高公 墓碣銘
并序) ·· 1486
취산 이공 묘갈명 병서(翠山李公墓碣銘 并序) ··································· 1488
죽포 이공 묘갈명(竹圃李公墓碣銘) ·· 1490
덕은 김공 묘갈명 병서(德隱金公墓碣銘 并序) ··································· 1492
삼림처사 서공 묘갈명 병서(森山處士徐公墓碣銘 并序) ······················ 1494
구암거사 백공 묘갈명 병서(龜巖居士白公墓碣銘 并序) ······················ 1496
중추원 의관 회계 김공 묘갈명 병서(中樞院議官晦溪金公墓碣銘 并序) ········· 1499
대강 나공 묘갈명 병서(台江羅公墓碣銘 并序) ··································· 1501
성균관 진사 권공 묘갈명 병서(成均進士權公墓碣銘 并序) ·················· 1504
자헌대부 지사 김공 묘갈명 병서(資憲大夫知事金公墓碣銘 并序) ········ 1506
일재 하공 묘갈명 병서(逸齋河公墓碣銘 并序) ··································· 1509
일신재 조공 묘지명 병서(日新齋趙公墓碣銘 并序) ···························· 1511

묘표(墓表) ··· 1513

학생 송공 묘표(學生宋公墓表) ·· 1513
호은거사 김공 묘표(湖隱處士金公墓表) ·· 1514
학생 송공 묘표(學生宋公墓表) ·· 1517
백천 김공 묘표(白川金公墓表) ·· 1518

학생 하공 묘표(學生河公墓表) …………………………………… 1519
단인 이씨표문(端人李氏表) ……………………………………… 1521
학생 김공 묘표(學生金公墓表) …………………………………… 1523
가선대부 동지중추부사 예천 안공 묘지명(嘉善大夫同知中樞府事 禮川 安公墓表) 1525
명사 김공 묘표(明史金公墓表) …………………………………… 1527
송평 김공 묘표(松坪金公墓表) …………………………………… 1529
후계 김공 묘표(後溪金公墓表) …………………………………… 1531
춘파선생 묘표(春坡金公墓表) …………………………………… 1532
경암 김공 묘표(敬庵金公墓表) …………………………………… 1535
모암 안공 묘표(慕庵安公墓表) …………………………………… 1537
성재 김공 묘표(醒齋金公墓表) …………………………………… 1538
만은 안공 묘표(晚隱安公墓表) …………………………………… 1540
강암 안공 묘표(剛菴安公墓表) …………………………………… 1542
소경원 참봉 서공 묘표(昭慶院叅奉徐公墓表) …………………… 1544
양지천묘표(陽支阡墓表) ………………………………………… 1546
가선대부 김공 묘표(嘉善大夫金公墓表) ………………………… 1549
지운 송공 묘표(止雲宋公墓表) …………………………………… 1551
송아 성공 묘표(松阿成公墓表) …………………………………… 1553
소송 박공 묘표(小松朴公墓表) …………………………………… 1555
부사과 박공 묘표(副司果朴公墓表) ……………………………… 1557
종조 학생 부군 묘표(從祖學生府君墓表) ………………………… 1559
만포 황공 묘표(晚圃黃公墓表) …………………………………… 1561
사헌부지평 조공 묘표(司憲府持平趙公墓表) …………………… 1563
계남 유공 묘표(桂南柳公墓表) …………………………………… 1564
학생 유공 묘표(學生柳公墓表) …………………………………… 1566
학정 유공 묘표(鶴汀庾公墓表) …………………………………… 1567
증 사복시정 김공 묘표(贈司僕寺正金公墓表) …………………… 1568

연연당문고(淵淵堂文稿) 제9권 행장(行狀)

조고 미재처사부군 행장(祖考薇齋處士府君行狀) ……………… 1573
조비 유인 고씨 행장(祖妣孺人高氏行狀) ………………………… 1577
종조 항재부군 가장(從祖恒齋府君家狀) ………………………… 1581
선고 회천부군 가장(先考晦泉府君家狀) ………………………… 1592

호수 김공 행장(湖叟金公行狀) ··· 1602
가선대부 동지중추부사 관란재 김공 행장(嘉善大夫同知中樞府事觀瀾齋金公行狀) ············ 1604
취석 김공 행장(醉石金公行狀) ··· 1608
희재선생 김공 행장(希齋先生金公行狀) ·· 1612
지산 정공 행장(池山鄭公行狀) ··· 1617
수촌 이공 행장(水村李公行狀) ··· 1619
농은 임공 행장(農隱林公行狀) ··· 1622
월초 사가 조군 행장(月樵史家曺君行狀) ·· 1625
유인 설씨 행록(孺人薛氏行錄) ··· 1630
효렬부 김씨 행록(孝烈婦金氏行錄) ·· 1632
옥산 김공 행장(玉山金公行狀) ··· 1634
유인 유씨 행록(孺人柳氏行錄) ··· 1636
후계 김공 행장(後溪金公行狀) ··· 1638
취산 이공 행장(翠山李公行狀) ··· 1641
신암 김공 행장(新庵金公行狀) ··· 1644
청계 처사 김공 행장(清溪處士金公行狀) ·· 1648
석계 안공 행장(石溪安公行狀) ··· 1650
금초 거사 김공 행장(錦初居士金公行狀) ·· 1654
연빙헌 김공 행장(淵氷軒金公行狀) ·· 1659

연연당문고(淵淵堂文稿) 제10권 전(傳)

김의 장군전(金義將傳) ·· 1667
백범 김공전(白凡金公傳) ·· 1671
유인 박씨전(孺人朴氏傳) ·· 1676
조열부전(曺烈婦傳) ··· 1679
열부 박씨전(烈婦朴氏傳) ·· 1681
효열부 이유인전(孝烈婦李孺人傳) ··· 1682
열부 남유인전(烈婦南孺人傳) ·· 1685
유인 이씨전(孺人李氏傳) ·· 1687
열부 설씨전(烈婦薛氏傳) ·· 1689
천안 전씨 부부효렬전(天安全氏夫婦孝烈傳) ··· 1691

연연당문고(淵淵堂文稿) 부록(附錄)

가장(家狀) ·· 1697
행장(行狀) ·· 1704
묘갈명(墓碣銘) ··· 1712
경모비(景慕碑文) ··· 1718
또(又) ··· 1720
발문(跋文) ·· 1721
또(又) ··· 1722

발문(한글판) ·· 1725

* 보정 김정회 선생에 대한 회고(懷古)

1. 보정선생 《연연당문고》의 기저에 맥맥이 흐르는 애국·애민의 정신

남일성(南日成)
(중국 : 동북조선민족교육과학연구소 원 교수)

지루했던 고고지성(呱呱之聲) 속에서 태어난 보정(普亭)선생의 한글판 〈연연당문고〉의 출간은 문화적인 연원이 깊은 한 문벌(門閥) 가문의 희사(喜事)일 뿐만 아니라, 자라나는 후대의 금후 성장과 바르지 못한 사회 기풍을 바로 잡고, 미풍(美風)을 계승 발양 하는데 대해서도 자못 도움이 되리라 생각하는 바이다.

보정(普亭)선생은 한 편의 글에서 "없었던 형제간이 생겨났다면 그 즐거움은 더 어디에 비길 건가?"라고 감개하여 말한 바 있다. 나와 보정선생의 장손 김경식(金璟植) 박사와는 생면부지로 만나 학문적으로 사귀어 온지도 어언 25년이나 된다. 그사이에 우리는 학문적 쟁점에 대해서는 호상 엄중하기도 하며, 친형제처럼 서로 아껴 두터운 사이가 되었다. 지나가는 사람과 옷자락을 스쳐도 인연(因緣)이라 한다면, 그것도 25년간이나 서로 아끼는 사이가 되었으니, 어찌 깊은 인연이 아니겠으며, 즐거움뿐이겠는가? 그 소중함은 더 이를 데가 없다.

평소 김경식 박사를 통하여 그 할아버지 보정(普亭)선생에 관한 이야기를 얼마간 들어왔으나, 연전에 선생의 《연연당문고(淵淵堂文稿)》에 접하면서부터 그 하나하나의 글자에 담긴 여운과 그윽한 정취에 깊이 감명되고 매혹되지 않을 수 없었다.

선생은 유학(儒學)을 가업으로 대대로 이어 내려온 문벌가문에 태어나 구학(舊學)이 폐기에 이르고 신학(新學)이 한창 설레이는 시기에 조선의 마지막 유학자(儒學者)들의 그 한 사람으로 등장하였다.

달은 하늘 높이 휘영청 솟고
바람은 수면 위로 가만히 스칠 제

아마 그 청정의 뜻을
　　헤아리는 이 많지 않더라.

　선생의 이 무제시(無題詩)의 참된 뜻은 오백년 조선조의 사직(社稷)이 무너지고 세속이 어지러울 때 남이야 알건 모르건 오직 맑고 깨끗한 마음가짐으로 이 세상을 살아가려는 선생의 삶의 굳은 결의를 말해주는 것이라고도 할 수 있다.
　하지만 선생은 그저 경서(經書)나 외우거나 기껏 하여 불우한 마음으로 시부(詩賦)나 읊는 그러한 고루한 선비들의 관행과는 달리, 일찍이 이익(李瀷), 박지원(朴趾源), 정약용(丁若鏞) 등이 제창한 실학사상(實學思想)을 계승 발양하여, 조선사회의 현실로부터 실제적인 학문을 적극 주장하고 실천하였다.
　선생은 지금 "세상 형편이 날로 구차해지고, 선비들이 날로 허위에 물젖고 있어 이른바 박식하다고 소문이 자자한 자들에게서 마저 정작 실제로 행할 수 있는 것을 찾아보려 하여도 전혀 찾아 볼 수 없고, 굉장하다고 하는 자들에게서조차 진정한 조예를 찾아 볼 수 없다."고 '인암 김공의 제문(祭忍菴金公文)'에서 개탄한 바 있다. 그러면서 또 '학천기(學川記)'에서는 "배움에서 무엇이 진귀한가? 그 행(行)이 중요하다. 행(行)에서는 무엇이 진귀한가? 실제적인 것이 진귀하다. 배우면서도 행하려 하지 않고 실제적인 못 된다면 배워서 무슨 소용이 있을 건가?"라고 하여, 배움의 의의와 그 필요성, 바로 배운다는 그 자체에 있는 것이 아니라 실제로 행하며, 실제문제를 해결하는데 있다는 것을 분명하게 밝혔다. 이것이 당시 조선사회의 현실로부터 선생이 실제로 감응(感應)한 실사구시(實事求是)의 실학(實學)이 아니겠는가!

　선생은 또 "글(文)이란 도(道)를 떠나서는 하나의 텅 빈 그릇에 불과하다."고 하면서, 속유(俗儒)들의 들뜨고 화려하고 아름답게 꾸미는 문풍(文風)은 숭상할 바가 아니라고 하였다. 글에서도 배움에 있어서와 마찬가지로 마땅히 실제적인 것을 추구하여야 한다고 주장하였다. 배우고 실천함에 있어서는 "무엇보다도 마음을 바로잡아야 한다," 즉 덕성(德性)을 강조하였다.

　선생의 이와같이 참다운 진솔(眞率)한 정신은 또 친구 사이에서도 그대로 행하여져야 한다고 주장하였다. "어떤 사람은 나를 찬미하기는 하지만 들뜬 찬사를 분에 넘치도록 하였고, 어떤 사람은 나를 책망하기는 하지만 사리를 밝혀 말해주면서 함께 노력하자고 면려하였다. 나를 찬미하는 사람이 나를 진정으로 사랑하는 사람이라 할 수 없고, 나를 책망하는 사람은 나를 너무나도 아끼고 사랑하고 있는것이다."(答高光松)고 하였다. 선생은 이와같이 친구사이만이 아니라 자기를 가르치고 이끌어준 덕망이 높은 스승이라 할지라도 말은 삼가면서 사리는 분명하게 밝혔다. 선생은 사람들 사이에 이와같이 인(仁)으로 서로 면려하고, 올바른 의(義)로 서로 사리를 밝혀 함께 덕목(德目)을 이루도록 하여야 한다고 강조하였다. 그 속에는 실사구시(實事求是)란 태도와 뜨거운 인정미가 넘친다.

일찍이 라이샤워(Edwin Reischauer)와 페어뱅크(Jonn Fairbank)가 말 했드시 "조선은 사실 전근대시기에 있어서는 때로는 중국보다 더 유교적(儒敎的)이였고, 중국보다 더 유교적인 전통을 보였다."고 찬사를 아끼지 않았다. 공자(孔子)는 사람이 세상에 살면서 가장 소중한 덕목이 인의(仁義)라고 하였다. 조선인은 예로부터 사람에게 있어서 가장 아름다운 덕성(德性)이 인정(人情)이라고 하였다. 바로 이러한 전통으로 하여 예로부터 세인들에게 조선은 "예의지국(禮儀之國)", "군자(君子)의 나라", "아침의 나라"로 불리어 왔다. 일찍이 세계 각지를 돌아본 러시아의 한 여행가는 조선인의 인간성을 두고 다음과 같이 찬미하였다. "나는 세계 각지를 여행하여 보았지만, 조선인처럼 매력적인 성격을 가진 국민을 찾아보기 어렵다. 그들의 손님 접대, 쉽사리 보는 정직한 성격, 어린이 같은 순진성은 너무나도 매혹적이다. 그들과 함께 있노라면 마치 어린애가 된 듯한 느낌이 든다."고 하였다.

하지만 정치와 도의가 어지러워지고 쇠퇴되면서 예로부터 전해 내려오던 미풍양속(美風良俗)이 짓밟히고, 질박(質朴)함이 사라지고, 허위(虛威)가 판을 치는 현실 앞에서 선생은 "음(陰)이 다 하였는데도 양(陽)이 나타나지 않는 법이 없으며, ……미풍(美風)도 떨치지 않을 수 없고, 악풍(惡風)을 버리지 않을 수 없다."고 질호(疾呼)하였다. 지금 세속(世俗)에서는 심지어 초상(初喪)이나 제사(祭事)에서도 세태(世態)가 변했다지만 정성(精誠)이 없고 극히 형식에 치우쳐 버리는 악습으로 되어가고 있다. 내가 정사(政事)를 보게 된다면 이러한 폐단부터 바로 잡을 것이라고 선언하였다. 그러면서 젊은이들이 동네 노인들을 자기 집 노인으로 간주하게 되면, 효제(孝悌)의 행실이 흥하게 될 것이고, 동네 아이들을 제집 아이처럼 대하게 되면 인애(仁愛)의 풍기가 이로부터 흥하게 될 것이다."라고 하였다.

선생은 "효(孝)는 백행(百行)의 원천이다.", "효성과 우애는 행실 가운데서도 으뜸으로 된다."고 거듭 말하였거니와 또 솔선하여 그렇게 하였다. 선생은 부모에게 효성을 다하고, 형제와 이웃 간에 아낌없는 우애를 보여주었다.

　선생은 평상시에 이웃에게 미안쩍은 일이 있지 않았나 하면서 그들에게 베풀기에 성의를 다하였다. 일제 강점기 거의 혼자 힘으로 동네에 도산초등학교를 세울 때, 광복 후에 고창여중학교를 설립할 때, 수많은 토지를 선뜻 내놓았으며, 흉년에는 사람들이 기아에 허덕일 때 곡간의 곡식을 털어 구제하기도 하였다.

　선생은 또 사람들이 자기 민족의 역사를 망각하고 있는 현상에 대해서는 특히 강조하여 자적하였다. "진(秦)나라니, 한(漢)나라니, 송(宋)나라니 하는 것은 나무꾼이나 목동들까지도 입만 벌리면 말할 수 있지만, 본국(本國)의 일에 들어서는 한다 하는 나이든 석학들까지도 깜깜부지이다. 이것은 우리 동방(東邦;우리나라)의 하나의 큰 폐단이자 비극이다."(題朝鮮歷史後;조선역사의 뒤에 적으며)라고 하였다.

　선생은 일생에서 주옥같은 많은 시(詩)를 남겼는데, 그러한 시에서 늘 세상을 근심하고 이즈러 가는 세속(世俗)을 가슴 아파하는 정서를 담곤 하였다.

　　짤막한
　　육신(六臣)비석
　　청산을 짓누르고,
　　황량한 수풀은
　　한낮에도 차갑구나.

　　한강물 유유히
　　끝없이 흐르는데,
　　아!
　　만고에 흐르는 피눈물
　　마를 길 없네!
　　　　　－ 사육신(死六臣墓)를 참배하며 －

　시(詩)에서는 자연(自然)을 빌어 더더욱 암담해 가는 사회현실과 만백성들이 겪고 있는 고통을 토로하였다. 뿐만아니라 다른 시에서는 관리들이 농민들에 대한 기만행위와 약탈행위에 대해서도 폭로하였다. 또 다른 시에서는 가난한 백성들이 보리고개를 넘기 힘 드는데 자신의 생활은 좀 풍요로워 양심에 가책을 느끼기도 하였다. 선생은 이와같이 말뿐만 아니라 실제로 행하는 것으로 인애(仁愛)정신을 다하였다.

선생은 특히 나라의 일맥이 끊어지는 관두(關頭)에 철천지원수 일제 침략자들과 맞서 과감히 싸운 의병(義兵)들을 높이 칭송하여 그들을 깊이 추모하였다. "을사(乙巳)에 간신들이 하늘을 팔고 땅마저 팔아버리니, 백성들은 무엇을 우러러 보아야 하는가?……진정 놈들에게 허리를 굽히지 않으면 단 하루를 살아도 영광이 있을 것이다.."라고 하며, 의병을 규합하여 놈들에게 불벼락을 안기며 싸우다 장렬히 순직한 김의장(金義將)을 추모하는 글에서 "보잘것 없는 한 몸으로 무너져 가는 천지강상(天地綱常)을 부축하였으니, 세상에 산 시간이 서른 한 해 밖에 되지 않아도 천대 만대의 죽지 않고 살아있을 것이다."(金義將軍傳)라고 높이 칭송하며 그의 정신을 기리었다.
의병 박도경(朴道京)공에 대해서는 그의 사적을 일찌감치 알지 못한 것을 너무나도 애석하게 여기었다. 박공(朴公)은 마지막 한 대의 포에 홀몸으로 놈들과 싸우다가 체포되어 다른 의병과 함께 형장에 끌려가게 되었다. 놈들이 마지막으로 무슨 할 말이 없느냐고 묻자, 손을 드리운 사람은 묵묵부답이고, 손을 비비는 사람은 제발 살려만 달라고 애걸하였는데, 박공만은 포를 쏘는 자세를 취하면서, 너희 놈들을 모조리 죽여 버리는 것이 소원이라고 표하였다고 한다. 후에 이 사실을 알게 된 선생은 "애석하도다! 이 기이한 업적을 알았더라면, 응당 대서특필하여 한 권의 책에 머물지 않았을 것이다."라고 하며, 그의 불굴의 정신과 기개를 높이 평가하였다.
"'육십만세(六十萬歲) 체험록' 뒤에 적으며"에서는 3·1운동의 의성(義聲)은 사해(四海) 밖으로 울려 퍼져서, 천하의 사람들로 하여금 우리 대한(大韓)이 비록 나라가 이미 폐허(廢墟)로 변하였다고 하여도, 민심(民心)은 죽지 않아 의성(義聲)이 터져 나오고 있다는 것을 널리 알리게 하였다고 하면서 민족정신(民族精神)과 애국(愛國)의 투지를 극구 찬미하였다.

뿐 만 아니라 일제(日帝) 관리가 선생을 귀화(歸化)시켜 놈들의 일에 협찬하도록 하려고 할 때, 선생은 이에 아랑곳하지 않고 친구 몇몇을 대동하고 금강산 유람을 떠나 심산유곡을 헤매며 시작(詩作)으로 나라 잃은 울분을 달랬던 바, 그 모습에서 우리는 선생의 반일정신(反日情神)을 읽을 수 있다. 광복 후 국토가 둘로 동강나자 "동족상잔(同族相殘)의 날이 머지않아 다가 올 것이다."라고 가슴을 치며 애국(愛國) 애족(愛族)의 회포를 토로하기도 하였다.

또한 광복(光復)의 대사(大事)를 위하여 밤낮으로 분전하였고, 광복 후에는 남북통일의 협상을 위하여 천리 길을 마다하지 않고 뛰어다녔으나 피살된 백범 김구(白凡 金九)선생을 추모하는 글에서는 "일은 비록 성사하지 못하였으나, 백성들은 그의 덕목을 길이 그리고 군자들은 의리에 길이 열복할 것이다."라고 하며, 시종 변함없는 그의 애국(愛國)·애족정신(愛族精神)을 기리었다. 이렇듯, 우리는 선생의 가슴 속의 애국, 애민의 숨결을 깊이 느끼지 않을 수 없다.

예로부터 글은 바로 그 사람이라고 불려 왔다. 누구나 선생의 글월에 한 번 접하노라면 풍산(豐山)선생이 말한 바와 같이, 선생의 글은 치밀하면서도 풍부하고, 기묘하면서도 심오하고, 웅위(雄偉)로운 기운을 담고 있어 문자의 위력을 다시 한번 감수하게 된다. 그와 같이 빛 뿌리는 글월을 통하여 우리는 선생의 그 대 바른 성미와 호걸다운 시원한 자태, 중후한 인품과 예의 바른 행동거지, 더욱이 정의감이 넘치는 정신과 순수하고 단아한 성정에서 더 없이 매혹되지 않을 수 없게 된다.

선생은 십오 세 이전에 《주역(周易)》을 읽었듯이, 사서오경(四書五經)은 물론 제자백가(諸子百家)의 책까지도 읽어보지 않은 것이 없으리만큼 학식이 깊고 박식하였으나, 사람들이 다투어 영화와 입신출세를 쫓는 세속에서 그것을 헌 신짝 같이 여기며, 담담한 마음가짐으로 언제나 겸허하게 충(忠)·효(孝)와 인애(仁愛)를 행하는 것을 근본으로 삼았으며, 가난한 사람들을 마음에 두고 그들에까지 베풀기에 인색함이 없었다. 그러기에 사람들은 뛰어난 학자로서 그를 우러러 숭상하였을 뿐만 아니라, 언제나 질박(質樸)하고 인간미가 넘치는 인간, 보정(普亭)을 더욱 우러르고 사랑하였으리라는 것은 의심 할 바 없다. 선생은 풍부한 학식과 만민의 귀감이 될 수 있는 덕성에 비범한 재질까지 갖추고 있었음에도 국운(國運)이 다하고 학문이 지리멸렬하는 때에 태어나, 그 덕성과 재질을 다 펼치지 못하고 한낱 숲 속과 물가에서 시들고 말았으니, 후학으로서 그 애석함을 어찌 이루 다 말할 수 있으랴!

서기 2020년 10월 일

중국 연길에서
남일성 삼가 쓰다.

부록

너무나 아쉬어

　보정 선생의 주옥같은 글월을 한 번 그냥 덮어 놓고 지나치기에는 너무나도 아쉬어 그 가운데서 애석한 마음으로 선생의 금강산 기행 중에서 쓴 시 한 수시 한 수와 짧막한 명(銘) 세 편이나마 다시 한번 외워 본다.

(시) 진주담(眞珠潭)을 지나며

　산은 첩첩 물결 겹겹
　천첩 만겹 뻗었는데,
　수색은 어른어른
　산색은 푸르청청
　오색영롱 하나니,

　조물주 조화를
　뉘라서 알아볼까?
　만이천봉 봉마다
　구슬 같은 봉이라네.
　　　　　　　　　- 금강산 기행 시중에서 -

(명)
금명(琴銘)

그대의 성음이 부드러우니 성정은 바르게 키울 수 있고
그대의 음성이 맑으니 움트는 사의(邪意)를 금할 수 있네.

　저선생(楮先生; 종이)
빙설 같은 자세에 모든 것을 포용하나니, 그 한 몸이 결백하나니 글월을 받아내고, 모든 것을 포용하니 만장 문장 싣게 되네.

고연명(古硯銘; 옛 벼루 명)

얼마나 단단한지 엷어질 만무하고, 얼마나 고요한지 천년만년 영원하리, 겉 모양은 모가 나서 의리가 넘치고, 가운데는 비었으니 지혜가 몰리었네. 비록 완물(玩物)이라고는 하지만, 거기에서 본받을 바 없지 않는 것이 많다네.

2. 보정 선생의 공부와 학문의 세계

박 균 섭(朴均燮)
(경북대학교 교수)

1. 만수당(晩睡堂)과 도산서당(道山書堂)

보정 김정회(普亭 金正會, 1903～1970) 선생은 전라북도 고창군에서 1903년에 태어나 불혹의 중장년이 될 때까지 일제 강점기의 암울한 시대를 살아냈다. 일제강점기 나라 잃은 시대를 통과하면서 전도 유망한 유교 지식인의 길을 걷는다는 것, 그것은 여러 유혹을 뿌리치면서 살아가는 일이자 지식인으로서의 사회적 책임을 자각하고 비판정신을 추구하는 삶의 과정이기도 했다. 그 대표적인 장면은 보정 선생이 29세 되던 해인 1931년에 전라북도의 유생 대표로 유일하게 선발되어 서울에 올라와 성균관대학교의 전신인 명륜전문학원에 입학하여 선구의 학문을 두루 섭렵하고 전국에서 모인 석학들과 학문을 교류했던 일이다.[1]

보정 선생은 조국의 독립을 위해서는 새로운 서구 문물을 받아들여야 선진대열에 오를 수 있고 나라도 되찾을 수 있다는 신념을 가지고 1934년 5월 2일에는 도산보통학교 설립에 많은 토지를 희사하였고, 교사(校舍)를 신축하는 동안 증조의 정사(精舍)인 만수당(晩睡堂)에서 도산보통학교 입학식을 갖고 1년 동안 수업을 진행하는 데 협조하였다. 이 무렵 송사 기우만(松沙 奇宇萬, 1846～1916)의 『연보』 작성에도 참여하였다.

1941년에는 성균관의 경학원 강사에 선임되었고, 일제 강점자들의 유교 지식인 양성 프로그램에 따른 일본 유람에도 참여하여 당시 일본의 사정과 서양문화 수입 양상을 관찰하기도 하였다. 그러나 그 이상의 유교 지식인의 본분을 잃을 수도 있는 일에는 동참하지 않았다. 독립운동사의 시선으로 보자면 보정 선생은 유교지식인의 길을 걷되, 공자-맹자 사상의 핵심과 본연에 충실한 삶을 살았고 이는 일본식 변형 유교인 황도유학과는 선을 긋는 앎과 삶의 세계를 보여주었다고 말할 수 있다.

---

[1] 조선총독부는 성균관을 경학원으로 격하시키고, 1930년에는 경학원 내 부설교육기관으로 명륜학원을 설치하였다. 1939년에는 명륜전문학원으로, 1942년에는 명륜전문학교로, 그러다가 1944년에는 명륜연성소로 명칭이 변경되었다. 그러므로 보정 선생이 다녔던 학교 명칭은 정확히 말하자면 경학원 부설 명륜학원이었다.

태평양전쟁 중에 일제 강점당국은 보정 선생에게 유도(儒道)를 진작시키는 순회강연을 강요하였다. 하지만 이는 말이 유도의 진작이지 실상은 충군애국-진충보국이라는 가짜 유교를 내세워 학도병지원과 징용을 독려하는 프로그램이었다. 이때는 이광수, 최남선 등이 선배격려단(先輩激勵團)의 이름으로 조선의 청년·학도를 전쟁이라는 죽음의 땅에 내몰던 시기이기도 했다. 보정 선생은 일제의 요청을 완강히 거절하고 벗들과 더불어 20일간의 금강산 기행을 훌쩍 떠나기도 하였다. 금강산에 들러 비로봉, 명경대, 연화담, 만폭동, 옥류동, 만물상, 해금강 등 금강산 일대를 모두 유람하고 20여 편의 명시들을 남겼으며, 명사들과 더불어 시회(詩會)를 열고 암울한 시절의 울분을 달랬다.

전라북도 고창군 고창읍 도산리 도산마을 136번지에 있는 선고의 정사인 회천정사(晦泉精舍)와 증조고의 정사인 만수당(晩睡堂)은 서당교육과 근대교육을 연결해주는 중요한 역할을 한 곳이다. 이곳은 보도산(普道山) 아래에 있어서 그 산의 이름을 따서 '도산(道山)'이라 한다. 이곳에 있는 도산서당은 '섬뜸서당'이라고도 하며, 경내 입구에 세워진 〈普亭金正會先生景慕碑〉를 비롯하여 솟을대문과 전형적인 반가(班家)의 규모로 만수당, 회천정사, 정자, 연지 등이 자리 잡고 있다.

이곳의 유래는 17세기 후반 영조 때 진사 오도항(吳道恒)이 도산서당을 지어 아이들을 교육하던 곳으로, 그의 사위 정택신(鄭宅臣)이 물려받아 집과 함께 관리하며 살았다. 그 후 만수당 김영철(晩睡堂 金榮喆, 1842~1911. 보정 선생의 증조부)이 매수하여 옛 서당을 헐고 신축하기를 원하자 장손인 회천 김재종(晦泉 金在鍾, 1880~1938. 보정 선생의 부친)이 1907년 새롭게 건립하고 조부의 호를 따서 '만수당'이라 편액하였다. 김영철은 1895년 명성황후가 무도한 왜인들에게 시해된 을미사변이 일어나자 송사 기우만(松沙 奇宇萬, 1846~1916)이 의병을 일으킬 때 같이 모의했고, 고창의 책임자로 추대되기도 하였고, 만년에 만수당을 일으켜 향리의 자제를 가르쳤다. 도산서당(=섬뜸서당)은 한 고을의 대표서당으로 후대에까지 많은 선비가 이곳에서 배출되어 향촌의 발전에 큰 업적을 남겼다.

만수당의 장손 회천 김재종도 이곳에서 대를 이어 지역 일대의 정신적 지주로 활동했다. 회천 선생은 사숙(私塾)에서 글을 배우며 숙부인 항재 김순묵(恒齋 金純黙, 1866~1935. 보정 선생의 종조부)의 지도를 받다가 20세에 〈만수당기〉를 남긴 송사 기우만의 문하에서 경사(經史)를 섭렵하여 시문이 유려했다. 또한 고창에 고등보통학교를 설립할 때 설립위원이 되어 기금을 희사하고, 도산초등학교를 설립할 때에는 임야 2천여 평을 대지(垈地)로 내놓았다. 도산서당은 도산초등학교가 개교할 때 교사

(校舍)를 구하기 전 1학기동안 수업을 하던 곳으로 서당교육과 근대교육을 연결해주는 과도기의 교육기관이었다. 그러한 내력을 평가받아 전라북도 고창군 향토문화유산 2호로 등재되었다.

2. 유교사상의 본연과 우환의식

매천 황현(梅泉 黃玹, 1855~1910)은 1910년 8월 29일, 나라가 일본에 넘어가자 조선왕조 500년 역사에서 나라가 망한 날 죽어가는 선비 하나 없다면 이 얼마나 통탄할 일인가를 지적하고 자결했던 인물이다. 이 땅에서 보수의 길을 걷는다는 것의 어려움에 대해, 그 책임과 자격에 대해 상징성을 확실하게 보여준 인물이라고 말할 수 있다. 보정 선생은 매천 황현의 시 세계에 대한 접근과 해석을 통해 유교 지식인의 앎과 삶의 지향을 보여주기도 하였다. 대표적인 경우로, 매천 황현의 〈산거즉사(山居卽事)〉에 운을 따서 지은 시를 들여다 볼 필요가 있다.

〈山居卽事〉— 매천 황현	〈韻用黃梅泉山居卽事〉— 보정 김정회
늦은 봄 시냇물이 이끼처럼 푸른데 [溪潭春暮水如苔]	밟는 이 아무도 없어 마당에는 이끼가 가득하고 [無人踏破滿庭苔]
바위틈 꽃들은 아직도 피지 않네 [猶有岩花未盡開].	사립문이 달려있어도 열어놓을 필요도 없네 [縱設蓬門不必開]
소는 풀냄새만 맡으며 뜯지를 않고 [牛嗅草香還不齕]	점심을 금하고 모은 쌀을 관청에 갖다 바치고 [當午禁炊供官米]
꾀꼬리는 자주 깊숙한 숲으로 날아오네 [鶯尋樹密卽頻來].	열흘 넘어 처음으로 이웃집 술잔으로 취해 보구 나 [兼旬始醉借隣盃]
이웃 편지는 바둑판 빌리자는 글의 답장이고 [鄰書答借床頭局]	추위가 두려운 돼지들은 북데기 속을 깊이 파고들고 [怕寒豚蟄深深入]
산나물로 가양주 안주를 삼는구나 [山菜佐傾家釀盃].	날 저물자 닭들은 하나하나 찾아와 횃대에 오르네 [向暮鷄棲一一來]
학문하는 것이 농사 밖의 일이 아니라 해도 [學問縱非耕牧外]	글 읽는 아이들은 하늘 천 따 지 독음은 알아들으나 [穉輩解音天地字],
고인 같은 재주는 참으로 얻기 어렵도다 [最難得似古人才].	다만 성실하다 하겠으나 재주 있다 말 할 수는 없구나 [但言敦愨不言才].

시절의 고단함을 느낄 수 있는 시가 아닐 수 없다. 어디에서도 미래에 대한 장밋빛

희망은 드러나지 않는다. 그것은 바로 "글 읽는 아이들은 하늘 천 따 지/독음은 알 아들으나,/다만 성실하다 하겠으나/재주 있다 말할 수는 없구나"라는 말에서 짐작할 수 있다. 그 재주, 글 공부가 각 개인은 물론 공동체나 사회를 위해 쓸모를 갖는 것이어야 함에도 불구하고 세상은 그러한 사회적 정체성과 정상적인 삶의 기반을 잃어버린 현실이기에 조용히 소리 없이 묻어나는 한탄임을 알 수 있다. 말하자면 공부가 희망이 되는 세상을 태어나서 살아가면 좋으련만 전혀 그러지를 못한 현실을 지적한 것이다. 공부가 개인의 삶은 물론 공동체-국가를 위한 공부로 발전할 수 있다는 기대를 갖기도 어렵다. 이는 유교 학문이 수기·수신·수양을 통해 치인의 뜻을 구현하는 것이어야 하건만 그러한 이상을 펼칠 수 없는 현실에서, 어떤 학문을 통해 어떤 세상을 만들 것인가에 관한 문제의식은 매우 절실하고도 엄중한 질문이 아닐 수 없다.

유교 학문의 핵심은 수기치인학이며, 그 근간은 친친(親親)-인민(仁民)-애물(愛物)에 있다. 친친=사친=애친의 지향을 들여다볼수록 이는 효심과 우애의 구조로 되어있음을 알게 된다. 보정 선생의 앎과 삶의 세계는 그야말로 유교사상의 핵심, 효심-우애의 구조로 구성된 것을 알 수 있다. 일제강점기/주권강탈기를 거치면서, 막내 아우 순회에 대한 애틋한 마음을 담은 글들이 눈에 띄는 것도 그러한 사연과 사정을 말해준다고 할 것이다.

보정 선생의 막내아우 김순회는 당시 일본 중앙대에 유학 중 학도병으로 징병 되기에 이르렀다. 전주로 가는 막내아우 순회를 배웅하는 장면, 그것은 효심-우애의 정서적 감정이 집약적으로 묻어나는 경우라고 말할 수 있다.

> 꼭두새벽 아우를 배웅하러 전주로 달리는데[曉頭送汝赴豐沛]
> 사방이 온통 빗물이 차고 옷은 눈발에 흠씬 젖었구나[雨滿江湖雪滿衣]
> 눈물을 머금고 마주 보며 무슨 별말이 있겠는가[含淚相看無別語].
> 그저 훗날에 기쁜 얼굴로 돌아오라는 말밖에[但言異日喜顏歸].
> 　　　　　　　　　　　　　〈送舜會向全州 時學兵徵兵〉

보정 선생의 막내아우에 대한 근심 걱정은 몇 번이나 아우의 꿈을 꾸는 형의 마음에 그대로 묻어나 있다. 막내아우에 대한 얘기는 계속된다. 막내아우에게 보내는 절구 일곱 수 중의 일부를 보면 다음과 같다.

> 아, 아우는 오늘쯤 형을 만나지 못하고[嗟君今日不遇兄]

망망한 바다 건너 만 리 밖에서 군대로 끌려가게 되었구나[萬里滄溟使入營]
……
이곳은 흉년 굶주림과 부역으로 인해 여간 고달픈 상황이 아니다만[饉凶賦役何曾苦]
아우는 살벌한 전쟁터에 나가 총칼을 들고 있겠네[弟在兵戈城壘間]
어린 조카 녀석들은 제 아비의 한도 모른 채[穉輩不知乃爺恨]
우리 아빠 이 다음에 훈장차고 돌아온다고 자랑을 하는구나[誇言異日佩符還]
가을이 와서 몇 번이나 아우의 꿈을 꾸고[秋來幾度做君夢]
깨어나도 마음속으로 꿈속 흔적을 그려본다네[覺後暗思夢裏痕].

(〈寄季君七絕[九月五日]〉)

막내아우의 군영 시에 대한 화답은 계속된다. 갑신년(1944) 가을 막내 동생이 일본 군영에서 두 편의 시를 부쳐와 그에 대한 화답시를 작성하였다. 시에 나오는 "바다건너 서쪽"이란 일본에서 보면 우리나라는 서쪽이기에 하는 말이다. 막내아우의 고향과 가족에 대한 기억을 소환하는 데는 회정(회천정사+수정)이 중요한 풍경으로 작용한다. 막내아우가 보내온 시([甲]: 1944년 가을)와 이에 대한 화답시([乙]: 1945년 3월)는 다음과 같다.

[甲]: 흰 눈 속에 차가운 솔 한그루 서 있는데[雪裏寒松立]
　　　바다 건너 서쪽에선 외로운 기러기 울고 있네[水西孤雁鳴]
　　　아득히 먼 회천정사와 수정 아래에서[遙憶晦亭下]
　　　피리 소리 나팔 소리 들리는 것 같구나[將聞塤篪聲]. (〈季君寄詩〉)
[乙]: "차마 꽃 피는 걸 볼 수도 없고[不忍看花笑]
　　　새소리 들을 마음도 없네[無心聽鳥鳴]
　　　몸을 소중히 하라는 스무자의 시에서[珍重二十字]
　　　피리 소리 나팔 소리 듣는 것 같구나[如聞塤篪聲].

(〈季君寄詩一絕和韻[乙酉三月]〉)

1945년 3월 22일, 드디어 막내 동생이 귀향하였다. 그 귀향, 그 기쁨을 읊은 시를 통해 보정 선생은 그동안 어떤 세계관과 인생관을 갖고 세상을 살아왔는지를 알 수 있다. 유교적 세계관을 기반으로 삼는 가운데, 모든 앎과 삶의 가치는 부모형제라는 가치를 구현하는 것이었음을 더더욱 확인하게 된다. 태평양전쟁이라는 파멸과 죽음의 터널을 통과하지 않을 수 없는 현실에서 부모형제라는 가치를 넘어서는 또 다른, 더 이상의 가치는 없다는 것을 보여준다.

"삼년이란 세월동안 비바람 몰아치는 살벌한 전쟁터에서 보냈구나[三載兵戈風雨邊]"
"예전에 정자 길에서 헤어질 때 어찌 뜻했으랴[回思昔日離亭路] 올봄에 살아 돌아와 이렇게 기쁜 얼굴로 마주 대할 줄을[那意今春喜對顔]."
"고관대작 부러워하지 않고 신선도 부러워하지 않으니[不羨高官不羨仙] 천륜의 지극한 즐거움으로 천년을 보전하리라[天倫至樂保千年]."
"옛날부터 꽃과 새들 모두 수심이 많아[昔年花鳥揔愁過] 취하면 울고 깬 후엔 노래하네[醉裏能啼醒後歌]. 새들 역시 어여쁨을 더하고 꽃들은 더욱 요염해지니[鳥亦增姸花益艶] 화창한 봄빛이 많이도 치우쳐 우리 집을 비추는구나[春光偏向我家多]"
"맏이는 나팔 불고 동생은 피리 불어 우애가 돈독하고[伯也吹塤仲也箎] 풍류는 이미 아우의 시로부터 비롯되었네[風流已自季君詩]. 오늘날 우리 형제의 절절한 정의를 더욱 깨닫는다[伊今倍覺友于切]. 영원히 사이좋은 형제간의 우애인데 잠시동안의 이별이 어찌 상심이 되겠는가[永好何傷暫別離]."

(《季君歸來誌喜十絶[乙酉三月二十二日]》)

일제 강점기 나라 없는 존재로 태어나 살아가는 모든 사람들에게 우리는 어떤 가르침, 어떤 배움을 지향하고 추구할 것인가에 대한 기준을 잃어버렸다고 말할 수 있다. 그것이 유교 학문, 수기치인학이라는 유교적 가르침과 배움의 단서를 놓고 보더라도, 어떻게 살 것인가, 삶의 목표는 무엇인가에 대한 가르침도 그리고 스스로 배워가는 삶도 녹록치 않은 일이 되고 만다. 그 기준과 방향이 잘못 잡히게 된다면 결국은 그것은 실패한 삶, 두고두고 명예롭지 못한 삶으로 전락하고 말 것이다. 보정 선생의 앎과 삶의 세계는 그야말로 유교사상의 핵심, 효심-우애의 구조로 구성된 것을 알 수 있다.

3. 유교적 가르침의 체득과 실천

보정 선생의 경우, 유교 학문의 전체적인 맥락에 유의하는 가운데, 유교사상의 핵심을 짚어내는 공부를 제시하였다. 유교사상 일반을 놓고 볼 때, 『중용』 공부라고 하여 특별한 얘기를 덧붙일 일은 아니겠지만, 『중용』의 핵심을 짚어내는 방식으로 유교사상의 지향점, 유교 공부의 핵심을 간파한 가르침을 제시하였다.

"솔개가 날고 물고기 뛰노는 것이 모두 하늘의 이치요[鳶飛魚躍皆天理]
잎이 지고 꽃피는 것이 또한 자연의 이치로다[葉落花開是自然].
후학들은 모르리라 도는 바로 가까이에 있다는 것을[後學不知道在邇].
입만 열면 높고 멀어 행하기 어려운 것들만 거론하며 겉돌고만 있구나
[但言高遠難行邊]"　　　　　　　　　　　　　　〈讀中庸偶吟一絶〉

이는 유교공부의 본연을 정밀한 언어로 집약한 논점이다. 유교사상 일반에서 성리학의 지향에 이르기까지의 논점은 바로 도는 "높고 먼데 있어 행하기 어려운 것[高遠難行]"이 아니라 삶의 순간과 그 연속 동작이 펼쳐지는 "가까이에 있다[道在邇]"는 말이다. 도는 행하기 어려운 것이 아니고 누구나 언제 어디서나 쉽게 행할 수 있는 것이라는 뜻이다. 그런데 세상 사람들은, 그리고 가르침과 배움의 세계에 들어선 후학들은 한사코 도는 높고 먼데 있는 것, 그리하여 이 감당할 수 없는 가르침과 배움을 나와 무관한 삶의 범주로 밀어내고 마는 한계를 갖는다. 그들의 가르침과 배움에 작동하는 따라붙는 결핍, 한계, 약점이라는 것이 사실상 근거 박약한 얘기라는 것을 보여준다. 이처럼 유교 지식인들의 주체적이지 못한, 성찰이 결여 된 공부세계는 결국 『중용』 공부를 친일 지식인들이 즐겨하는 공부로 내몰고 말았다는 점을 지적할 수 있다. 친일 지식인들은 물론 조선총독부 관변/관제학자들은 『중용』의 시의(時宜)-시중(時中)의 개념을 통해 일제의 침략과 강점을 시의적절한 현실로 받아들이고 이에 순응하는 자세를 보임으로써 효도의 완성에 이바지하는 것이 공부의 의미라고 왜곡과 굴절을 감행하기도 했다. 그야말로 식민교육은 결코 교육이 아님을, 식민교육의 성공은 한국교육의 실패임을 보여주는 씁쓸한 장면이 아닐 수 없다. 이 처럼 유교사상이 유교 자체에 대한 학술적 내용보다는 유교를 이용하여 일제의 통치를 합리화하는데도 악용되었던 상황을 유의한다면, 보정 선생의 유교 학문의 세계는 그러한 욕망의 굴레를 벗어난 학문의 본연을 보여준 중요한 사례로 꼽을 수 있다.

보정 선생은 1년간 휴양차 머물렀던 왕도(旺島. 전북 부안군 위도면 상왕등리)에서 느낀 소회를 시로 남긴 바 있다. 그런데 이 시는 그냥 자연풍광과 서정일반을 편안한 마음으로 읊은 시가 아님을 알 수 있다.

"칼날에 피 한 방울 묻히지 않고 싸워 이긴 저 36년간의 원수 왜적들[不刃卅六年讐賊].

그만 삼천리 강토를 송두리째 집어삼키고 말았으니[完璧三千里山河]
곳곳에서 영웅호걸들이 일어나 저마다 성웅이라 하는데[豪雄蜂起俱予聖]
천하의 공론은 요즈음 어떻게 돌아가는 것인가[天下公談近若何]."

〈旺島除夜寫懷十絶 聊寄台靑兩兄〉

36년간의 원수 왜적들은 "칼날에 피 한 방울 묻히지 않고 이긴 자들[兵不血刃]"이다. 그것은 나라를 팔아넘긴 이 땅의 내부의 적, 가짜 지식인, 가짜 선비에 대한 성찰의 지점을 보여주는 것이기도 하겠다. 문제는 그렇게 나라를 망하게 만들고도 정신을 제대로 차리지 못한 자들에 대한 얘기를 보여주는 것으로 보인다. 곳곳에서 영웅호걸들이 일어나 저마다 성웅이라고 나서는 것[俱予聖=俱曰予聖]도 그리 장밋빛 희망을 보여주는 장면은 아닌 것으로 보인다. 어느 그믐날 밤, 왕도에서의 회포를 보인다는 이 시에서, 우리는 소위 지도자급으로 등장하는 사람들이 보이는 행태/행보라는 것이 지식을 이용하여 그들의 권력 욕망을 채우는 방편으로 움직이는 현실을 벗어나기 힘들다는 점을 지적하고 있는 것이다. 천하의 공론, 그 그럴듯한 지침이라는 것도 욕망의 법칙에 의해 왜곡·굴절되는 모습을 쉽게 목도할 수 있다. 세상 돌아가는 국면은 어쩌면 늘상 예사롭지가 않은 것이다. 어쩌면 우리는 역사에서 교훈을 얻지 못한다는 것, 그것이 바로 역사의 교훈인지도 모르겠다. 지식인의 주체성에 입각한 삶, 이는 스스로의 선택과 결단을 통해 담보할 수 있어야 할 것이다. 그렇지 못한다면, 그러한 지식과 학문은 언제든지 허무주의로 흐를 수도 있다.

보정 선생을 통해, 독립운동사의 흔적을 짚어볼 수 있는 한 인물을 만날 수 있는데, 그 인물은 바로 하석환(?~1918)이다. 하석환은 조선 말기와 일제강점기의 효자이며 의인으로 이름난 인물로, 충청북도 음성군 삼성면 덕정리에서 살았던 인물이다. 먼저 한국학중앙연구원의 『향토문화전자대전』에 실린 하석환에 대한 인물담(영웅담)에는 시묘살이하는 하석환을 호랑이가 지켜주었다는 내용에, 후반부는 나라를 위해 절개를 굽히지 않는 충신·의인으로서의 하석환의 인물됨이 그려져 있다.

하석환(?~1918)은 조선 말기와 일제 강점기에 음성군 삼성면 덕정리에서 살았던 인물이다. 효자이며 의인으로 널리 알려져 있다. 음성군 삼성면 덕정리에서 채록하여 1982년에 출간한 『내고장 전통가꾸기-음성군-』에 수록하였다. 2005년에 출간한 『음성의 구비문학』에도 실려 있다. 하석환은 어렸을 때부터 효자로 소문이 났는데, 1905년(광무 9) 아버지의 상을 당하였다. 아버지의 묘를 쓴 곳이 깊은 산중이어서 시묘살이 중에 온갖 짐승들이 괴롭혀서 여간 딱하지 않았다. 그런데 어느 날부턴가 커다란 호랑이가 찾아와서 신변을 보호해 주었다고 한다. 1910년 한일합방이 되자, 하석환은 대문에 "李生家之民 河錫煥(이씨왕조의 백성 하석환)"이라는 문패를 달고 두문불출하며 세금 또한 내지 않았다. 그리하여 음성경찰서에서, "너는 대일본제국의 신민으로 천황폐하의 홍은을 감사히 여기지 않으니 고약한 놈이다. 너 같은 놈은 죽어 마땅하다." 하면서 으름장을 놓고 협박하며 고문까지 하였으나 하석환은 조금도 굴하지 않았다. 결국 유치장에 갇히게 되었는데, 하석환은 그날부터 아무것도 먹지 않고 단식투쟁을 하였다.……결국 경찰서장은 하석환이 혹시나 유치장에서 죽으면 민심이 동요할 것을 걱정하고 집으로 돌려보냈다. 그러나 얼마 후 하석환의 집으로 사람들이 모여드는 등 민심이 예사롭지 않게 돌아가자, 경찰서장은 또다시 하석환을 잡아다 유치장에 가두었다. 그렇다고 일제에 고분고분해질 하석환이 아니었다. 이렇게 두서너 번 가두고 풀어 주던 경찰서장은 결국 하석환을 내버려 두기에 이르렀다. 하지만 그 후 몇 해 뒤인 1918년 결국 병으로 세상을 뜨고 말았다.(음성문화원, 〈하석환의 절개〉, 『음성신문』 2017년 12월 4일)

보정 선생은 나라를 위해 절개를 굽히지 않는 충신·의인으로서의 하석환의 인물됨에 주목하였다. 보정 선생의 하석환의 삶에 대한 찬사는 다음과 같다.

아 슬프다. 나라 안에 섬나라 왜적들[島夷]이 창궐하여 정치질서가 그만 무너지고 말았구나. 위로는 대대로 나라의 녹을 먹던 세도가들[世祿家] 중에 임금을 배반하고 나라를 팔아먹는 매국노들[叛君販國者]이 꼬리를 물고 잇달아 나타났도다. 이 때에 하공은 멀리 떨어진 지방의 벼슬 없는 선비의 한 사람에 불과했지만 맨손으로 왜적들에 항거하였으며 호적에도 올리지 않았고 세금도 내지 않았으며 의연하게 "대한유씨(大韓遺氏)" 넉자를 자신의 대문에 써 붙였으니 이 얼마나 장한 일인가. 그러나 어찌 근본 없이 이런 일을 해낼 수가 있었겠는가. 양친부모 살아생전에는 정성을 다하여 봉양하였고 세상을 떠나자 무덤 옆에 여막을 지어놓고 6년이나 시묘살이를 함으로써 이미 근본이 세워졌으니 어찌 도가 생겨나지 않을 수 있겠는가. 이에 절구 한 수로 뒤를 이어 이르노라.

  온 나라가 쓸쓸하게 시들어갈 때[四海蕭凋日]
  홀로 "大韓家"라 표방하였구나[獨標大韓家].

불쌍하도다. 대대로 벼슬하는 저 세신이라는 소인배들[憐彼世臣輩]
머잖아 알리라 부끄러워 죽는 자 많음을[知應愧死多].

(〈贊河義士錫煥〉)

보정 선생은 갑신년(1944)의 어느 날 전라남도 화순의 적벽(赤壁)을 유람하면서 자신의 소회를 피력하였다. 이 시는 1677년 겨울, 농암 김창협(農巖 金昌協, 1651~1708)이 전라남도 영암에서 부친을 뵙고 귀향하는 길에 적벽에 들러 지은 시를 차운한 것이다. 적벽은 전라남도 화순군에 위치한 명승지이다. 때가 때이니만큼 적벽을 유람하면서 느낀 소회란 산수 자연의 형용에 그칠 수는 없는 노릇이었다.

〈赤壁〉— 농암 김창협	〈遊赤壁謹次金農巖先生韻〉— 보정 김정회
잇닿은 봉우리들 푸른 하늘 치솟고 [連峯無數上靑天]	적벽 위쪽은 푸른 하늘에 맞닿았고 [赤壁之上接靑天]
그 아래 쪽빛 물결 한 줄기 감아 도네 [下有滄浪一道川]	아래쪽은 긴 냇물이 감도네. [赤壁之下繞長川]
깎아지른 험한 바위 귀신 모습 영락없고 [削出層巖類神鬼]	천년 전에는 소동파의 청풍과 명월이었는데 [蘇子千年風與月]
맺혀 서린 산안개 구름 연기 흡사하이 [結爲空翠似雲烟]	갑신년 오늘에는 안개 속에 비가 내린다. [甲申此日雨和烟]
소나무 전나무들 못 속에 다 비치었고 [松杉盡向潭中寫]	기운 처마 같은 적벽 형세가 당장에도 무너질 듯 위험하고 [勢如簷角危將倒]
해와 달은 그야말로 돌 위에 매달린 듯 [日月疑從石上懸]	책장처럼 겹겹이 포개진 암벽은 줄줄이 매달린 듯 보인다. [疊似卷頭看更懸]
높은 비탈 저 위에 둥지 튼 학 있다 하니 [見說陰厓有巢鶴]	뜬구름 같은 세상 틈을 내기 쉽지 않지만, [浮世偸閒非易事]
깊은 밤 잠자리에 깃옷 신선 꿈을 꾸리 [夜深應夢羽衣仙]	남방의 절승지에 장유를 하니 신선이 다 된듯하구나. [壯遊南國我能仙]

보정 선생이 적벽의 절경을 바라보면서 "천 년 전에는 소동파의 청풍과 명월이었는데 갑신년 오늘에는 안개 속에 비가 내린다."고 하였다. 이는 어느 하루의 기상 상태를 형용한 것이 아닌 전쟁과 죽음과 파멸의 그림자로 휩싸이고 얼룩진 불안의 인문현상/사회현실을 지적한 것임을 알 수 있다. 전라남도 화순의 적벽을 유람하면서 그 감상을 노래한 것이겠으나 "기운 처마 같은 적벽 형세가 당장에도 무너질 듯 위험하고

책장처럼 겹겹이 포개진 암벽은 줄줄이 매달린 듯 보인다"고 표상한 데서도 알 수 있듯이 그것은 유교 지식인으로서의 길을 걷는 것이 얼마나 불편한 진실을 마주 할 수밖에 없는 현실인지를 잘 보여준다고 하겠다.

평생 유교사상의 본연과 핵심을 추구했던 보정 선생은 무엇보다도 공자의 제자 증점의 학문적·사상적 지향에 주목하였다. 공자의 제자 증점은 『대학』을 저술한 증자의 아버지를 일컫는다. 공자가 제자들에게 장차의 포부를 물었을 때 말석에 앉았던 증점이 "늦은 봄에 봄옷이 만들어지면 관을 쓴 어른 대여섯 명과 아이들 예닐곱 명을 데리고 기수(淇水)에 가서 목욕하고 기우제 드리는 무대에서 바람 쏘인 뒤에 노래하며 돌아오겠습니다"라고 자신의 뜻을 밝히자, 공자는 "나는 증점과 함께 하겠다"는 뜻을 피력했다(『論語』, 「先進」). 보정 선생은 공자-증점의 대화 장면을 고산사 담대헌(高山祠澹對軒)으로 옮겨와서 이를 다음과 같이 형용하였다.

> 봄옷을 입고 봄 술을 들며 봄바람을 읊으니[春衣春酒詠春風]
> 뜻은 뭇생물이 생을 즐기는데 있네[志在鳶飛魚躍中]
> 공자가 찬탄했던 증점이 누누이 말석에 앉았으니[亟席喟然點也末]
> 우리나라에서는 태산처럼 우러러 사모하는구나[高山仰止海之東].
> 아무리 큰 공명이라도 푸르게 너울대는 연잎들과 바꾸지 않으며[功名不換荷裳綠]
> 감나무 감들이 붉어지는 내력을 시를 통해 읊고자 하네[詩句堪題柿業紅]
> 해마다 봄가을에는 흥겹고 좋은 일이 많으니[三九年年多勝事]
> 늙음이 찾아와도 흥이 나는대로 다시 호걸이 되는구나[老來謾興更豪雄].
> 〈風詠契韻 高山祠澹對軒〉

고산사 담대헌(高山祠澹對軒)은 역사·사회적으로 특별함이 묻어나는 강학공간이었다. 고산서원(高山書院)은 우리나라 성리학 6대가의 한 사람이자 위정척사운동의 중심인물 노사 기정진(蘆沙 奇正鎭, 1798~1879)의 학덕을 기리기 위해 지은 서원으로 1878년 노사 기정진이 강학했던 담대헌을 강당으로 삼아 1927년 영호남 유림들의 공동 발의로 건립한 것이다. 한말의 거유 노사 기정진을 주벽으로 그의 문인 정재규, 조성가, 김록휴, 조의곤, 이최선, 기우만을 배향하고, 이후 김석구와 정의림을 추가로 배향하였으며, 1978년 장판각을 새로 지어 거경재(居敬齋)에 있던 문집과 목판을 옮겨 보관하였다. 강당 뒤로 사당인 고산사가 있다. 노사 기정진의 학통을 계승한 직계 제자만도 영호남을 중심으로 전국에 걸쳐 548명이며 그의 학통을 계승한 방계

제자를 포함하면 6,000여명이나 된다[김경식 감수, 이정길 번역·주해, 『보정 김정회 선생 시집 매처를 찾아가네』, 서울: 도서출판 동경, 2018, pp.620-621.].

보정 선생은 순종황제의 황후 순정효황후(純貞孝皇后, 1894~1966)에 대해서도 특별한 기억과 감회를 보여주었다. 순정효황후는 해풍부원군(海豊府院君) 윤택영(尹澤榮)의 딸이다. 황태자비 민씨가 1904년(광무 8)에 승하하자, 1906년(광무 10) 12월 13세의 나이로 황태자비가 되었고, 이듬해 1907년(융희 1)에 순종이 황위에 즉위하면서 황후가 되었다. 순정효황후는 1966년 창덕궁 낙선재(樂善齋)에서 72세의 나이로 승하하였다. 보정 선생은 순정효황후 승하에 대한 안타까운 심정을 뇌문(誄文: 생전의 공덕을 칭송하는 글)을 통해 피력하였다(1966.1.13.).

"……그 옛날 경술년에 국치의 변을 당해 나라가 망하자 세상의 운수는 어찌 그리도 험난하고 고달팠던가. 종묘사직은 황폐한 터에 빈집이 되었고 나라를 망친 적신들은 그 틈을 타 기세 등등하게 활개를 쳤구나.……강산이 비록 예전과 달라졌어도 자애로운 그 덕은 끝내 잊기 어려우니 초야에 살고있는 선비 하나가 백일하에 슬픔을 억누르고 뇌문(誄文)을 쓰고 있구나."

〈純貞孝皇后昇遐後述懷 丙午正月十三日〉

순정효황후의 일화에는 힘없는 나라의 슬픔을 꺼져가는 불빛처럼 안고 가는 애절함이 묻어있다. 1910년 국권이 강탈될 때 병풍 뒤에서 어전회의가 진행되는 것을 엿듣고 있다가 친일매국노들이 순종에게 합방조약에 날인할 것을 강요하므로 황후가 이를 저지하고자 치마 속에 옥새(玉璽)를 감추고 내놓지 않았으나 매국노 윤덕영(순정효황후의 백부)에게 빼앗겼다. 타인은 지옥이라 했던가. 순정효황후에게 백부 윤덕영이야말로 자신의 삶은 물론 조선이라는 세상을 지옥에 빠트리는 여러 무리 중의 한 사람이었다. 만년에 울분과 비운을 달래려고 불교에 귀의해 대지월(大地月)이라는 법명을 받았다. 순정효황후는 유릉(裕陵)에 순종과 합장되었다.

4. 성찰과 전망의 장

보정 선생은 1932년 30세 되던 해에 경학원 부설 명륜학원에 재학 중이었다. 이때 작성한 〈감춘부〉는 유학의 심층을 헤아리는 특별함이 있다. 주자의 〈감춘부〉의 운을 따서 읊은 부(次韻賦)인데, 일찍이 뇌계 유호인(㵢溪 俞好仁, 1445~1494), 기재 신광한(企齋 申光漢, 1484~1555), 우암 송시열(尤菴 宋時烈, 1607~1689) 등도 주자의 〈감춘부〉에 차운하여 부를 지은 일이 있다. 일찍이 주자는 〈감춘부〉를 통해 옛 성현의 가르침을 따라 수기·수신·수양의 길을 향하고 있지만 꽃다운 봄날은 마냥 흘러가고 구중궁궐의 군주는 불러줄 줄을 모른다고 한탄하였다.

> 성인의 시대 멀어지고 성인의 말씀 매몰되니[聖旣遠而言堙兮]
> 시운의 흥망성쇠를 어찌한단 말인가[奈時運之隆替]
> 돌아보니 은사가 사는 곳이 그윽하고 아름다워[睠林泉之窈窕兮]
> 내 장차 처음에 품은 뜻을 반드시 성취하고 말리라[將遂吾之初志].
> ……
> 아, 내가 옛 어진 선현을 본받으려 하는데[謇吾法夫先哲兮],
> 그들이 남긴 유훈이 참으로 명명백백하구나[惟昭昭其遺訓].
> 내 장차 성인의 도에 미치지 못할까 두려워[余惟若將不及兮]
> 한 자 한 치 날마다 힘써 매진하리라[斯邁征於尺寸]
> 종자기 같은 지기를 만나기 어려워 개탄도 하지만[慨子期之難遇兮]
> 묵묵히 나의 수수한 거문고를 지키리라[默然守吾素琴].
> 더구나 나는 이미 거문고의 즐거움을 지녔으니[紛吾旣有此樂兮]
> 비록 아홉 번을 죽는다 해도 같은 마음이로다[雖九死其一心]. ……
> 　　　　　　　　　　　　　　　　　(〈感春賦 敬次晦菴夫子韻[壬申]〉)

　옛날 중국 진(晉)나라에 거문고의 달인 유백아(俞伯牙)라는 사람이 있었다. 어느 날 자신이 태어난 초(楚)나라에 사신으로 가게 되어 오랜만에 고향을 찾았다. 휘영청 밝은 달빛을 바라보며 거문고를 연주하였다. 그 거문고 소리를 몰래 엿듣는 사람이 있었다. 그가 바로 지음(知音)의 경지에 이른 고향 친구 종자기(鐘子期)였다. 유백아가 달빛을 생각하며 거문고를 연주하면 종자기는 달빛을 바라보았고 유백아가 강물을 생각하며 거문고를 연주하면 종자기도 강물을 바라보았다. 종자기는 거문고 소리만 듣고도 유백아의 속마음을 읽어 냈던 것이다. 결국 유백아는 자신의 소리를 알아주는 종자기와 의형제를 맺었다. 하지만 이듬해에 유백아가 다시 고향땅을 찾았을 때 종자기는 이 세상 사람이 아니었다. 유백아는 친구 종자기의 묘를 찾아 마지막으로 거문고를 연주하고는 거문고 줄을 끊어버렸다. 세상에는 이제 자신의 거문고 소리를 제대로 들어주고 알아줄 사람이 없었기 때문이다.

보정 선생은 성인의 시대 멀어지고 성인의 말씀 매몰된 세상, 시운의 흥망성쇠를 어찌할 수 없는 세상을 살면서도, 그래도 유교공부를 통한 일관된 삶을 살아가는 노력을 게을리 하지 않았다. 유교적 가르침의 본연을 통해 알 수 있듯이, 어디에 몸을 두고 살든지 공자-맹자 이래의 선현[先哲]이 남긴 명명백백한 가르침을 이어간다는 처음에 품은 뜻을 얼마든지 성취할 수 있기 때문이다. 선현의 가르침을 한 자 한 치 날마다 힘써 체인하는 과정, 거기에 응당 유백아-종자기로 대표되는 벗과 우정을 나누는 공부도 포함된 것이었다. 보정 선생은 이처럼 〈감춘부〉를 통해 유교 지식인의 길을 제대로 걷겠다는 포부 가득한 공부론을 펼쳐 보였다.

〈冬至賦〉는 보정 선생이 1942년 불혹의 나이 40세 때에 지는 부이다. 〈동지부〉는 『주역』의 근간에 대한 얘기부터 시작한다. "한번 닫고 한 번 열면 이른바 역이 되는데[一闔一闢之謂易兮] 구태여 하도낙서라는 것을 거론할 필요가 있겠는가[尙何待夫圖書]"라는 말이나 "일음일양을 일컬어 도라고 하는데[一陰一陽之謂道兮] 또 무슨 홀수 짝수의 묘리를 거론한단 말인가[又何竢乎奇耦妙]"라는 말에서 알 수 있듯이 『주역』 해석의 기본 지향을 상수역(象數易)보다는 의리역(義理易)에서 찾았음을 알 수 있다. 그것은 개인과 공동체를 향해 도덕·윤리의 근본을 제시한 것이며, 삶의 현실을 극복하고 미래에 대한 전망을 보여주는 가르침이기도 했다. 『주역』 복괘(復卦)의 메시지, "멀리 가지 않고 돌아온다면[不遠復] 후회하는 일이 없을 것이요[无祗悔] 크게 길할 것이다[元吉]"는 가르침은 우리 모두를 향해, 성찰과 관조의 삶은 왜 필요한 것인지 중요한 것인지를 근엄하게 가르치는 장면이기도 하다.

> 미친 듯이 몰아치는 사나운 파도를 도저히 막아낼 힘이 없다면[狂瀾不可力挽兮]
> 일심으로 참된 근원 하나만은 굳건히 보전해야 하리라[保眞源於一心].
> 뭇 욕심에서 선의 실마리가 싹이 트고[善端萌於衆欲兮]
> 음의 무리 속에서 양이 생겨나듯[比陽生於群陰]
> 불타기 시작할 때의 그 시초의 불과 같고[夫猶火之始燃兮]
> 또한 금방 솟아나기 시작한 샘물과 같은 것이로다[亦如泉之始達].
> 우산의 나무들이 베어져 벌거숭이가 된 그 산의 모습을 보라[牛山木其濯濯兮].
> 모름지기 맑디맑은 밤기운을 배양해야 하리라[養夜氣以澄澈].
> 그러면 또다시 선의 의리로 돌아가[復有反善之義兮]
> 멀리 가지 않고 돌아온다면 길하고 이로움이 있으리라[不遠復而吉利].
>
> (〈冬至賦[壬午至日]〉)

〈동지부〉에서는 유교적 도덕과 윤리의 근간을 말하면서 스승 공자와 제자 안연에 대한 얘기를 배치한 것도 유의할 장면이다. 제자가 스승으로부터 배운 바 그 핵심은 "노여움을 남에게 옮기지 않고 같은 잘못을 반복하지 않는 일[怒不遷而過不貳]"이었다. 이를 보정 선생은 "안연이 스승 공자에게 배운 것을 이제 내가 다시 배우고자 한다[學顏子之所學兮]"고 했다. 그것은 수기·수신·수양을 넘어 어떤 세상을 살아갈 것인가에 대한 성찰과 전망을 제시한 것이기도 하다. 그 성찰과 전망은 "아마도 반성하는데 조금은 도움이 되리라[庶裨補於反省]"는 조심스러운 관점을 통해 확인할 수 있다.

어렵고 힘든 세상을 살면서도 우리는 희망을 버려서는 안 될 것이다. 그 희망을 대하는 유교 지식인의 자세는 『주역』 박괘(剝卦)의 석과불식(碩果不食)의 메시지를 통해 확인할 수 있다. 석과불식의 메시지는 큰 재앙과 몰락의 위험에 처하더라도 절체절명의 소중한 가치를 잘 지킨다면 다음 세상을 건설하는 전화위복의 계기가 될 수 있다는 희망의 유교학이 될 것이다. 사회구성원 모두가 석과불식의 의미를 공유하고 실천할 때 개인·공동체·국가의 난제를 풀어갈 수 있다. 지금 우리에게 필요한 것은 불원복의 메시지와 석과불식의 메시지를 바탕으로 한 희망의 유교학이 될 것이다.

참고문헌
김경식 감수, 이정길 번역·주해, 『보정 김정회 선생 시집 매처를 찾아가네』, 서울: 도서출판 동경, 2018.

3. 번역 후기

박정양(朴正陽)

(중국 : 연변대학 조선언어문학부 교수)

　근간에 《연연당문고(淵淵堂文稿)》가 곧 출판에 교부될 것이므로 이 기회를 빌어 문고에 관한 글 한 편을 적어달라는 한국 김경식 교수의 부탁을 받게 된 나는 한편으로는 원래는 출판에 교부하려는 의도가 없는 번역본이 출판에 교부되어 몇 년 동안의 흘린 심혈이 마침내 보정 김정회 선생의 문고가 김씨 문중과 한국 사회에 길이 전해 가는 데 자그마한 기여라도 하겠다고 여기고 기꺼운 마음을 금할 수가 없다. 다른 한편으로는 줏대 있고 박식하며 자신의 사상을 실천하기 위하여 일생을 바친 석학에 관해 후생이 함부로 붓을 들어 평을 한다는 것이 너무나도 분수에 넘치지 않는가 하는 생각으로 마음속으로 자못 무거운 감을 느끼지 않을래야 않을 수 없다. 그래서 몇 번이나 생각하여 보자는 구실을 대며 밀어보려고 하였지만, 생각하여 보니 보정 선생의 글이 어려운 세파에 부대끼면서도 성실하게 효성을 위주로 하여 새로운 길을 탐구하며 민족애를 드러내고 사려 깊게 살아온 인생의 기록으로 사람들의 인생살이에 많은 도움이 있으리라고 생각하고 번역자로서 더는 거절하지 못하고 비록 글이 서툴지만 떠오르는 생각을 몇 글자 적으려고 한다.

김 교수님과의 인연

　2015년 연변대학 사범학원 박태수 교수의 소개로 얼마 전에 연변대학 도서관 관장직에서 퇴임하고, 연변대학 조선언어문학학부에서 교수의 신분으로 퇴직한 나는 할아버지 문집의 번역을 위해 연변대학을 방문하고 나를 찾아주신 김경식 교수님과 첫 대면이 있게 되었고, 《연연당문고(淵淵堂文稿)》의 번역에 관련된 여러 가지 문제들을 논의하였다.
　처음에 나는 중국 고문을 많이 접촉하였으므로 《연연당문고》 번역을 그리 어렵게 여기지 않았지만, 나라가 다르고 시대가 다른데다가, 한자(漢字)로 30여 만자가 넘고 번역본으로는 백만 자가 넘으며, 한문으로 된 《연연당문고》 원문(原文)을 모두 내가 타자하고 또 구두점까지 찍어가며 번역을 진행하여야 하였으므로 생각 밖으로 많은 애로에 부닥쳤다. 대학 강단에서 강의도 하고 다른 일도 보아야 하였으므로 시간을 쪼개어 써도 시원치않는데 그만 실수로 컴퓨터의 건판을 잘못 눌러 반이나마 진행된 초고 전부가 없어졌을 때는 너무나 허무하여 손맥이 완전히 풀린 적도 없지 않아 있었다.

그렇지만 우리의 만남은 인연(因緣)이라고 되풀이하시며 용기와 기운을 주시는 김 교수님의 몸에서는 선조에 대한 효성과 인생에 대한 진지한 태도, 학자적인 탐구정신과 하면 끝까지 해내고야 만다는 끈질긴 인내력이 내비치고 있었다. 인연이란 무엇인가? 바로 인간의 정이며, 인간 사이의 신뢰와 의리이며, 한 인간이 다른 한 인간에 대한 책임과 의무이다. 바로 이러하기 때문에 나도 찾아온 인연을 아끼고 소중하게 여기면서 2017년 번역 초고를 완성한 이후 다시 원고를 수정하기 시작하였고 교수님의 부탁으로 그의 증조할아버지의 문집 《회천유고(晦泉遺稿)》의 한어 원문의 타자와 구두점 찍기, 번역을 맡아 보게 되었다. 그렇지만 2018년 여름 건강 상태가 좋지 않았기에 손을 떼고 있다가 건강 상태가 얼마간 회복된 후 다시 손을대여 금년 6월에야 비로소 《회천유고(晦泉遺稿)》 번역 초고를 완성하고, 7월에 수정을 마치게 되었다.

그렇지만 능력과 여러 가지 제한으로 번역에서 미비한 점들이 많으리라고 생각하며 널리 양해를 구함과 동시에 나를 믿어주신 김 경식 교수님께 감사를 드리며, 《회천유고》와 《연연당문고》의 번역본 출판을 열렬히 축하하는 바이다.

학자다운 탐구정신

글이란 바로 작자 자신이다. 시(詩), 부(賦), 서(書), (잡기(雜記), 서(序), 기(記), 명잠찬상냥제문(銘箴贊上樑文祭文), 비문(碑文)과 묘갈명(墓碣銘), 행장(行狀), 전(傳) 등 도합 십 권으로 이루어지고 마감에 부록이 첨부된 《연연당문고(淵淵堂文稿)》는 바로 학자이고 서예가이며 시인인 보정 선생의 일생과 정감세계에 대한 기록으로 "태어날 때에는 국조(國祚;국운)가 이미 다 진한 세상으로 바뀌게 되었고, 거기에 따라서 학술도 지리멸렬되었"[1]던 시기의 절개를 지킨 문인들의 생활 모습과 정신 세계를 훌륭하게 반영하고 있으므로, 한국 근대 사회생활과 풍모를 연구하는데 있어서 귀중한 사료적 가치가 있다.

보정 선생은 이름이 정회(正會), 자가 중립(仲立), 호가 보정(普亭)이다. 안동 김씨(安東 金氏)인 그는 효행으로 조정에서 정여(旌閭)로 표창하고, 사림(士林)에서 도암

---
[1] 풍산 홍석희의 淵淵堂文稿序에서 인용.

사(道巖祠)를 세워 배향한 가문에서, 고종(高宗) 계묘(癸卯 ; 1903년) 10월 28일 전북 고창읍 도산리에서 태어났고, 경술(庚戌;1970년) 10월 11일 정침(正寢)에서 세상을 뜨니 향년 예순여덟이었다.

보정 선생은 《임오(1942) 생신날 아침에 회포를 적노라(壬午生朝述懷)》라는 시에서 "옛날 내가 처음 태어나던 날/ 집안의 경사라 굉장했지.…조부모님 애지중지 귀여워하시고/ 금이야 옥이야 알뜰살뜰 보살폈네./ 내 이름을 '정회(正會)라 하고/ 우리 가문 창성하길 기대하셨네./ 일곱 살에 나던 해 학숙에 들어가니/ 사숙 스승 자못 엄히 글공부 시켰네…나이 스물 약관에도 책만 번지며/ 제자백가 학설들을 두루 읽었네."[2]라고 자신의 어린 시절을 회고하였고, 환갑날인 계묘 10월 28일 《월담(月潭)이 보내온 시에 사의를 표하며(謝月潭寄來詩)》에서는 "소시 적에 고대 서적 얼마간 읽고서는/망녕되게 성현이 될 날 닥쳐오길 기대했네(少日讀破古人籍, 妄意聖賢可期臻)"라고 소시 적에 품고 있던 뜻인 소지(素志)를 털어놓았다. 이에 그는 고을 안의 "케케묵은 유학자라는 모자를 벗고 유지 지사의 행렬에 들어 광복의 꾀를 꾸미려고"[3] 기사(己巳;1929) 봄에 북으로 경사(京師; 서울)에 글공부를 떠나 해내(海內)의 여러 석학들과 함께 간담을 털며 견문을 넓히고 학식을 높여 명성이 경사와 시골에 명성을 날렸다.

"장한 포부(壯志)"를 지닌[4] 보정 선생의 학술사상(學術思想)은 독자적인 탐구정신을 보여주고 있다. 그의 철학논문인 《중용강설(中庸講說)》과 《대학강설(大學講說)》은 비록 주희(朱熹)의 《중용장구집주(中庸章句集注)》와 《대학장구집주(大學章句集注)》에 근거하여 논한 해석이지만, 자신 견해의 발휘도 적지 않다. 그는 서문에서 "《중용》 한 편은 자사자(子思子)가 부자(夫子)의 뜻을 서술하면서 자기의 일가 지언(一家之言)을 세운 것으로, 거의 끊어져 가는 성인(聖人)의 학설을 계승하고, 미래 학자들의 무궁한 길을 개척하려고 펴낸 것이다. 요, 순 삼대 때에는 이 도가 마치도 중천에 솟아있는 태양처럼 밝아 《중용(中庸)》은 지을 필요조차 없었다. 자사(子思) 때에 이르러 이단(異端) 학설이 활개를 치면서 홍수나 맹수들보다도 더 심하게 생민(生民;백성)들을 해치었다. 자사는 도학(道學, 儒學)이 전해지지 못할까 근심하고 또 사악한 학설이 참다운 학설을 어지럽히는 것을 질책하기 위해 '중용(中庸)'이란 두

---

2) 원문은 "昔我初降日, 家慶想應多° … 重堂愛而重, 金耶又玉耶° 肇錫余名正, 期以昌吾家° 七歲初入學, 塾師嚴課程° …弱冠猶托籍, 披閱百家書°"이다.
3) 종숙 재규의 家狀에서 인용.
4) 《次詩社韻》에 "壯志未成今白髮"이라는 시구가 있다.

글자를 내세웠다."라고 말하였는데, 언어가 간결하면서 뜻이 명백하게 드러나고 있다.

'중용(中庸)'이란 두 글자를 정자(程子)는 "치우치지 않는 불편(不偏)을 '중(中)'이라고 하고, 변하지 않는 '불역(不易)'를 용(庸)이라고 한다. '중(中)'이란 천하의 정도(正道)이고, '용(庸)'이란 천하의 정리(定理)이다"라고 해석하였고, 주희(朱熹)는 한 걸음 더 나아가 "치우치지도 기대지도 않는 불편불의(不偏不倚), 지나치지도 못 미치지도 않는 무과불급(無过不及)을 중(中)이라 이르고 평상(平常)함을 용(庸)이라 이른다."고 하였는데, 보정은 "치우치지도 기대지도 않는 불편불의(不偏不倚), 지나치지도 못 미치지도 않는 무과불급(無过不及)을 중(中)이라 이르고, 평상(平常)함을 용(庸)이라 이른다."고 하였으니, 그가 따른 것은 주희의 학설이다. 그렇지만 본문을 해석함에 있어서 보정은 자기의 독특한 관점을 간혹 제기하기도 하였다. "중용"의 첫 마디가 "인간이 지니고 있는 자연적인 천부(天賦)인 천명(天命)을 성(性)이라 하고, 본성에 순응하는 솔성(率性)을 도(道)라고 하며, 도를 닦는다는 수도(修道)를 교(教)라고 한다."라고 하였는데, 보정은 이를 이렇게 해석하면서 "성, 도, 교(性道教) 이 세 글자는 전반 문장의 벼리인데 그중에서도 도가 세 마디 말의 벼리로 된다. 요, 순 이래로 전해 내려오던 심법(心法)이 이 때에 이르러서야 어떠한 여지도 남기지 않고 밝게 밝혀졌으니, 이는 이른 바의 성인들이 밝혀내지 않은 것을 밝혀낸 것으로 된다."라고 하였는데, 어떤 사람이 "주자가 '성(性)이 바로 이(理)이다.'라고 하였사옵니다. 그렇다면 이(理)라고 하지 않고 성(性)이라고 한 것은 무엇 때문이옵니까?"라고 물었다. 보정의 《中庸講說》과 《大學講說》은 많은 부분이 문답 형식으로 되어있는데, 그 물음과 대답이 바로 주희의 설법과 일정한 차도(差度)를 보이는 것들이다.

보정 선생은 논설문에서도 남과 다른 독특한 견해를 제기하여 뛰어난 사고력을 보여 주었다. 《사자언지설(四子言志說)》에서 공자가 제자인 자로, 염유, 공서화, 점이 자기들의 포부를 이야기하자 공자는 위연히 한숨을 쉬며 "오여점야(吾與點也, 나는 점의 뜻에 동감이다.)."라고 말하였다. 후학들은 모두 증점의 즐기는 방법을 흠모하면서 기타 세 사람의 뜻을 비루하다고 여기였지만, 보정은 그렇지 않다고 생각하면서 세상이 말세에 접어들었으니 "점만은 사물의 구애를 초월하여 자기가 품은 뜻에 즐기고 있다. 이리하여 부자가 점이 품은 뜻이 자기와 같다고 탄식을 한 것이지, 그가 한 말을 흠모하여 찬양한 것은 아니다. '오여점야(吾與點也)'는 스스로 도가 끝까지 행하지 못할 것이라고 탄식을 하고 그가 나와 함께 즐기는 것을 허락한다는 것이다. 주자(朱子)가 여기에 '그의 유연한 흉금이 곧게 대지와 만물과 상하와 합류되어 제각기 자신의 미묘함을 이룬 것이 슬쩍 말속에 내비친 것이다.'라고 주해를 달았는데, 이것은 그의 뜻과 기상을 미루어보아 이야기한 것이지 부자가 그것을 각별히 찬탄했다고 말한 것은 아니다. 주자가 또 말하지 않았던가? 공연히 증점의 즐거움만 흠모한다면 공부를 그만두고 구체적인 일에 뛰어들어 무엇인가 얻어내는 사람보다도 못할 것이다. 여기에서 주자가 비친 비판의 뜻도 보아낼 수 있다. 그렇지만 이것은 나의 우견이 이러하다는 것이지, 그의 뜻을 알아맞혔다는 것은 아니다. 만약 구원에서 말썽이 생긴다고 하면 가서 삼자대면이라고 할 생각이다. "문장이 해학적이면서도 남과 다른 기발한 상상과 면밀한 사색을 더듬어 볼 수 있는 대목이다.

굽힐 줄 모르는 민족절개와 민족애

보정 선생의 민족적 절개는 역사상 절의를 지킨 인물에 대한 숭상과 일제를 반대하여 싸우다 희생된 의병 사적에 대한 가송, 그리고 일제 및 그 앞잡이들과 합작하지 않은 실천에서 보아낼 수 있다.

보정 선생의 일생은 한 지식인이 일제 강점기에 일제와 합작하지 않고 자연에 몸을 맡기고 살아가던 평범하면서도 평범하지 않은 일생이다. 때문에 그는 경성(京城;서울)에 있는 동안 여가를 빌어 해강 김규진(海岡 金圭鎭)에게서 서예를 배워 스스로 일가를 이루어 풍죽(風竹) 한 폭은 전일본문인전에서 특선(特選)을 하였지만, 그것을 영광으로 생각하지 않고, 성실과 효성으로 부모를 모셨고 전후로 상을 당하자 슬픔으로 몸을 해쳤고 선조의 묘각을 혼자 힘으로 세웠고 또 제전(祭田)을 도암사에 헌납하였다. 기묘(1939년)에 큰 흉근이 들었을 때 보정 선생은 곳간을 털어 구제하였다고 향(鄕)에서는 비석을 세워 공덕을 노래하였고, 학교를 세울 때 보정 선생은 수천 평이나 되는 땅을 통쾌하게 내어놓았다. 계(契)를 묶고 명산대천을 유람하기도 하고, 불사(佛寺)를 찾아다니며 문화유산을 감상하기도 하고, 전원생활을 맛보기도 '동정록(東征錄)'과 '서유록(西遊錄)'과 같은 기행문, '읍궁암기(泣弓巖記)', '창랑대기(滄浪臺記)'와 같은 기(記)와 문(文)을 많이 남기었는데, 그 속에는 역사 유적 답사를 통하여 민족절개를 보여준 작품이 있다. '신미(1931)년 봄 성균관 벗들과 노호(鷺湖)의 사육신묘를 배알하며'에서는 "짤막한 육신(六臣)빗돌 청산을 짓누르고/ 황량한 수풀은 한낮에도 차갑구나/ 한강물 유유히 끝없이 흐르는데/아! 만고에 흐르는 피눈물 미를 길 없네.(短石靑山重, 荒林白日寒。江流流不盡, 萬古 淚無乾)"라고 조선조 단종(端宗)의 복위를 도모하다 목숨을 바친 의 충절과 의기를 추모하였고, '임신(1932) 년

91

가을에 성균관의 벗들과 함께 개성 선죽교를 거닐며'에서는 "텅 빈 만월대 달빛 홀로 밝은데/ 누대(樓臺)의 유람객들 만 가지 정회(情懷)를 억누를 수 없네./ 군데군데 얼룩진 선죽교의 피 얼룩들/ 오백년 왕씨강산(王氏江山) 아우르는 충절(忠節)의 결정체로다.(滿月坮空月自明,登臨遊子不勝情。 斑斑善竹橋邊血,王氏江山總結精。)"라고 고려왕조를 위해 목숨을 바친 정몽주의 절개를 노래하였는바, 이러한 추모와 노래는 일제의 강점하에서 민족적 절개를 완곡적으로 보여주었다고 할 수 있다.

뿐만 아니라 보정 선생은 기회있을 때마다 구체적 행동으로 자기의 민족적 절개를 보여주었다. 한 번은 전라북도 지사 김 아무개가 한 번 만나 뵙기를 청하였지만 보정 선생은 그가 자기의 마음을 사서 왜(倭)에 귀화하여 일에 협찬하게 하려고 하려다는 속셈을 짐작하고 그날로 순창의 월담 김 재석의 집으로 피신하였었고 그는 보정 선생이 출타한 것을 알고 "내가 보정에게 또 당했구나!"했다 하며 , 그 후 지사가 몸소 선생의 집을 방문하였을 때, 보정 선생은 하는 수 없이 나와 영접은 하였지만 다시는 인사차로 그를 방문하지 않았을 뿐만 아니라 그와의 관계를 단절하였다. 왜놈의 앞잡이로 된 그를 미워하였기 때문이다. 신사(辛巳;1941)년 그가 일본으로 관광을 떠나 교토 부근의 세토내해(瀨戶內海)를 구경할 때 《남산(嵐山) 아래에 배 띄우고》라는 제목으로 "바다나라(海國) 풍경 속에 으뜸이라 불리는 곳/ 강나루에 짙푸른 두 산이 마주 보고 서있네/ 만선(滿船)의 작은 배, 석양 속에 지나치고 /산색(山色) 비긴 파도소리 만고의 추색(秋色)일세(海國風煙最勝頭, 雙山對翠一江頭。 扁舟滿載 斜陽去, 岳色波聲萬古秋)"라는 시를 짓자, 왜인이 시의 첫 구절 중 '바다나라(海國)'에서 '바다 해(海)'자를 '안 내(內)'자로 고치라는 청을 했다. '바다 해(海)'자를 써서 '해국(海國)'이라면, 그것은 이른바 한일합방(韓日合邦)과 관계가 없는 하나의 섬나라가 되지만, 만약 '안 내(內)'자를 써서 '내국(內國)'이 되면 한일합방 속의 본토로 되기 때문이다. 보정 선생이 정색을 하며 엄숙한 어조로 불응하자 왜인은 풀이 죽어 더는 입을 열지 않았다. 보정 선생의 불요불굴하고 아부하지 않는 기개를 엿볼 수 있는 대목이다.

보정 선생의 일제 통치기에 엿보였던 민족적 절개는 광복을 이룩한 이후에는 강한 애국심으로 변하였고, 문장에서 자유로이 피력할 수 있었다. 이리하여 그는 《박의사 도경 추모비 뒤에 적으며(書朴義士道京 追慕碑後)》에서, 기성재(奇省齋)가 호남에서 의병을 일으키자 그 막하로 달려간 박도경(朴道京)이 성제가 순국하자 한 대의 포에 홀몸으로 이리떼처럼 덮쳐드는 놈들과 맞서 싸우다가 끝내 포위에 들어 전사한 영웅 업적을 기술하고는 "공의 뛰어난 절개와 탁월한 의기는 어떻게 극도로 되는 비밀

사진첩에 깊이 파묻혀 있다가 나중에 세상에 갑자기 드러날 수가 있었을까? 나는 원래부터 밝아지거나 어두움에는 그 때가 따로 있다는 것을 알고 있었다."라고 평을 달았고, 《김의장군전(金義將軍傳)》에서 의병장 김재화(金在華)가 무신(1908)년에 의병을 일으키고 무장, 정읍, 부안, 해창에서 활동하다가 청련암에서의 장렬한 최후를 마친 일을 서술하고는 "보잘것없는 한 몸으로 무너지는 무거운 천지 강상을 부축이었으니, 비록 세상에 산 시간이 서른 한해밖에 되지는 않아도 천추만대에 죽지 않고 살아 있을 것이다."라고 평을 하였고, 《백범 김공전(白凡 金公傳)》에서는 김 구 선생이 나이 열아홉부터 반일 활동을 시작하여 갖은 고생을 하다가 중국으로 건너가 광복의 대사를 꾸미고 임시정부 주석으로 천거 된 과정과 광복을 맞아 귀국한 후 남북의 협상을 위하다가 암살당한 일을 서술하고는 "오늘 우리 삼천리강산과 삼천만 생령들이 왜놈의 그물에서 벗어나게 된 것은 도대체 누구의 힘에 의해서인가? 그의 고심 혈성과 일편단심 즉 이른 바의 천지와 함께 서도 끄떡없고 귀신에게 질의해도 의심할바 없는 것이 아니겠는가?"라고 평을 달았다.

　보정 선생의 사상에서 무엇보다도 중시를 돌려야 할 것은 이데올로기를 벗어난 민족애이다. 일제의 유린을 받을 데로 받아온 보정은 일제에 대해서는 이를 갈며 저주하였기에, 이를 바탕으로 하여 이데올로기의 쟁론을 벗어난 민족애를 지니고 민족 상쟁으로 번져지는 민족의 분단을 반대하였는바, 당시 좌우익으로 분열되어 가던 시기에 이와 같은 입장을 취한다는 것은 그의 독자적인 사고방식과 원대한 안광에서 비롯되었음을 알 수 있다. 《박물관기》 뒤에 적으며(書博物舘記事後)》에서는 김 월당이 경인(1950)년 민족박물관에 들어갔다가 "우연히 벽상에 언연(偃然)히 이토우(伊藤)와 그 뒤를 이은 일곱 총독들의 사진이 결려 있는 것을 보고 정색을 하며 욕설을 퍼부은 일을 기술하고는 "십년 괴수의 사진을 하루아침에 싹 뜯어내게 하였으니 얼마나 장한가 … 공의 그날의 그 거동은 장안 거리의 만으로 헤아리는 사람들의 목소리를 대표한 것으로 되며 혀끝 하나가 도끼보다도 더 퍼렇게 날이 선 것으로 된다."고 찬탄을 보내고 있다.

　일제에 대한 이러한 불타는 적개심으로 하여 그는 일본이 항복했다는 소식을 접하자 만면에 희색을 띠고 "내 진작 그놈들이 망할 날이 정녕 있다는 것을 알고 있었네. 이제부터는 우리의 건국 계획을 서둘러야지."라는 말을 남기고 즉각 행장을 챙겨 서울로 올라가 여러 친구를 방문하였지만 나라의 명인지사라는 사람들과 그들 주위에서는 모두 의견 분기로 인해 좌파니, 우파니 하고 갈라져 아무리 해도 하나로 통일할 수가 없는 상황이었다. 동족애를 지닌 그는 장원한 안광으로 심사숙고한 끝에 며칠간 통곡을 하고는 집으로 돌아와 "국론이 지금까지 정해지지 않았으니, 국토가 둘로 나누어지고 말 것이다. 동족상잔의 날이 멀지않아 눈앞으로 다가올 것이다."라고 말하였는데, 당시 외세의 세력 하에서 당파 싸움이 고조를 이룰 대로 이루어지는 상황에서 이와 같은 언사를 던진다는 것은 그 담이 얼마나 대단하였는지를 알 수 있다.

남북 분단의 현실과 동족상잔의 내일을 차마 지켜볼 수 없었던 그는 "나는 장차 은거 하겠다."는 말을 남기고, 민주주의를 접수하여 가배절에 수십 명 소작인과 시녀들에게 땅과 돈을 나눠주어 자유와 평등을 얻도록 처사하고는 가산을 버리고 왕도로 들어갔다가. 한 해가 지나 조모의 상을 당하자 할 수 없이 본래의 가택으로 돌아오게 되었고, 그 후로는 갈건(葛巾)에 죽장을 짚고 꽃동산과 약포 사이를 오가면서 무릇 세상의 빈부요 귀천이요 시비요 훼예요 하는 것에 대해서는 마치도 듣는 척도 하지 않았거니와 본 척도 하지 않았다.[5]

한사코 명구를 지으려는(佳句死無休) 시적 세계

보정 선생의 산문은 "실용(實用)할 수 있는 학문을 위주로 하고, 쓸데없고 허위적인 글이거나 문체는 아예 일소해버렸기에, 대부분 근본에 노력하는 뜻이 깃들어 있고 들뜨고 화려한 언사가 보이지 않으며"[6] 분석이 투철하고, 언어가 예리하고 간결하고 세련되었다. 그렇지만 승국의 말세에 태어나 일제의 통치하에서 생활하였으므로 뜻을 이루지 못한 그는 숲속과 샘터로 정취를 날렸으며 또 일본이 망하자 이데올로기로 하여 민족분단과 민족상잔을 막을 길이 없는 그는 계를 묶고 사를 세우며 고당 진규태, 효당 김문옥, 송농 이동범 제공들과 함께 봉래산과 적벽 등지를 오르내리며 서로 뜻을 맞추고 문장을 탁마(琢磨)하였다. 이로 말미암아 그의 시는 고아한 풍도와 안일한 운치로 하여 낭만적인 색채가 흘러넘치며 진토(塵土) 밖에 노니는 신선세계를 방불케 한다.

보정 선생의 시는 유가(儒家)의 학설에만 구애되지 않고, 불교와 도교 그리고 새로운 과학기술에 대한 접수를 보여주고 있다. '중용을 읽고 우연히 읊은 절구 한 수(讀中庸偶吟一絶)'에서 "하늘에 새매 날고 물에 고기 놀아도 모두가 하늘이 내려 준 천리일지고/ 잎이 지고 꽃이 핀다하더라도 전부다 스스로 그렇게 되는 자연이리라/ 후학들은 모르리라. 도가 바로 눈앞에 있다는 것을/ 이리하여 입을 열면 높고 멀어 실

---

5) 종숙 재규의 家狀에서 인용.
6) 풍산 홍석희의 淵淵堂文稿序에서 인용.

행 못할 경지만 찾네(鳶飛魚躍皆天理, 葉落花開是自然。 後學不知道在邇, 但言高遠難行邊)"라고 하여 자신의 중용사상을 보여주었고 '계유 생일 아침에 회포를 읊네(癸酉;1933)生朝述懷)'에서는 "품은 뜻 못 이루고 시대가 변해/《춘추》한 부 손에 들고 등잔불 마주 하네(素志未成時已變, 陽秋一部對燈紅)"라고 《춘추》를 놓지 않으려는 자신의 벽호를 토로 하였으며, '일찍 일어나 가을 추(秋)자 운을 얻어(早起得秋字)'에서 "그대여 인생의 비전과 밀계를 도대체 얼마나 알고 있느냐/ 행실은 돈독하고 언사는 충성스러워야 만이 동네와 주현을 다스릴 수 있다오.(秘傳神訣君知否, 行篤言忠可里州)"라고 행독언충(行篤言忠)을 강조하였다. 그렇지만 보정의 시에는 내소사(來蘇寺), 강천사(剛泉寺), 백양사(白羊寺), 남산사(南山寺), 화엄사(華嚴寺), 안덕사(安德寺), 소요암(逍遙庵), 선운사(禪雲寺), 개암사(開巖寺), 월명암(月明庵), 실상사(實相寺), 청련암(靑蓮庵) 등 십여 개의 불사 이름이 나타나며, 어느 하나의 불사라도 세속과 달라 독자의 가슴을 울리지 않은 것이 없다. '선운가회(禪雲佳會)'에서 "강가 정자 지나가니 산정 정자 맞아주고/ 바깥세상 맑은 강산 꿈에서 날 깨워주네/ 천하의 영웅호걸 귀밑머리 희끗해도/ 진세에서 처음으로 청안을 바로 뜨네/ 천년의 신선 종적 스님 만나 담론하고/ 사월의 꾀꼴 소리 그대 함께 귀로 듣네/ 도솔천 숲속 길로 걸음 옮길 제/ 백운 아래 냇물 흘러 혼신이 시원쿠나."[7]라고 적었으니, 선운사에서 겪는 일은 세상사가 아니라 선계에서의 생활이란 감이 들며, '도솔암에서 시운을 정하고(兜率庵 拈韻)'에서는 "산 이름 귀에 쟁쟁 물을 필요 어디 있소/ 날짐승도 낯이 익어 날아가지 않는구려/ 구름 속에 잠긴 바위 볼수록 돋보이니/ 세상사람 이 같으면 옷섶 여미며 따라 서리"[8]에서는 불계로 향하고 있는 마음을 드러내고 있으며, '석우정의 운을 따서(次石愚亭韻)'에서는 "세상사람 다 취해도 나 홀로 말똥말똥/ 세상사람 설쳐대도 나 홀로 한적한 기분/ 깊은 밤 베개에서 천 갈래 물흐름 듣고/ 책상 앞의 서적에서 만 줄기 산 푸른 기운 일어보누나/ 화답하기 어려운 양춘백설 나 홀로 부르며/ 참됨을 수양하다 황정경도 때때로 읊조린다네/ 강남의 풍경은 이로부터 좋을시구/ 굳은 절조 골자야 형체에 관계 없이 뜻 얻는데 있었고나."[9]라고 장생불로(長生不老)의 신선술의 접수도 보여 지고 있다.

보정 선생의 시에는 전원생활에 대한 묘사도 있다. '밀 보리 남겨 주었네(貽我來牟

---

7) 원문은 "江亭過盡又山亭, 物外江山使我醒。海內豪雄頭己白, 塵中世界眼初靑。千年仙跡逢僧話, 四月鶯聲與子聽。 更向兜天林外路, 白雲流水一身輕。"이다.
8) 원문은 "山名慣耳何須問, 禽鳥識顏故不飛。石出雲端看更屹, 有人如此願摳衣"이다.
9) 원문은 "世人皆醉我獨醒, 世人奔忙我獨停。枕外夜聽千澗淨, 案頭朝挹萬山靑。寡和獨能歌白雪, 養眞 偶或誦黃庭 江南 風月從今好, 介石中心是忘形"이다.

歌)'에서는 보릿고개를 넘기 어려워하는 백성들에게 풍년의 희소식을 전해주며, 골고루 내리는 봄비를 적었고, '농가의 생활(田家記事)'에서는 혼정신성하며 중화 음을 익히는 아이들과 시를 읊조리고 나서 논갈이 준비로 쟁기를 손질하는 농부의 생활을 보여주었고, '농촌 잡가7장(農村雜歌七章)'에서는 대흉년을 맞은 연분에 방아를 찧어 쌀자루 굽을 내며 조세를 바치는 농부, 술을 빚으며 생계를 유지하는데 된서리 내리듯이 내리는 아전의 세금 재촉, 물레질에 길쌈에 솜씨가 좋지만 솜 무지를 조세로 바치고, 과년한 처녀로 늙어가는 가난한 시골 처녀 등을 묘사한 다음, 빚진 시를 여태까지 갚지 못하고 영화와 치욕을 분수 밖의 일로 간주하고 청풍과 명월의 주인이 되어 백 년 인생을 언제나 취해 살아 가고자 하는 선비의 생활을 신선이 부럽지 않은 생활이라고 묘사하고 있다. 참으로 눈물 속에서도 웃음이 나는 낭만적인 생활이다.

　보정 선생의 시에서, 수량이 가장 많은 것은 계의 동료들과 수창 하는 화답시와 금강산, 봉래, 적벽 등을 유람하고 남긴 산수시 그리고 동료들의 죽음을 슬퍼하는 만가인데, 그 가운데서 성취가 가장 높은 것은 산수시이다. '비로봉에 올라(登毗盧峯)'에서 "비로봉 상상봉에 우뚝 서니/기묘한 절경(絶景)들이 참으로 형용하기 어렵구나./ 다행이도 무궁화 피는 삼천리 강산에 태어나 금강산 일만 이천 봉을 흔쾌(欣快)히 굽어보는구나./거울처럼 맑은 기운 엄숙하고 활짝 트인 바다 끝이 없으니 빼어난 그 정기(精氣)들 조화를 이루었네./ 아! 오늘에야 알았구나, 천하가 사뭇 작았다는 것을! 호남(湖南)에서 온 유람객, 비로소 가슴이 열리는구나,"[10]는 비로봉의 장관과 천하를 굽어보며 느낀 통쾌함을 하나로 응결시켜 그대로 시원하게 드러내고 있다. 특히 "대행이도 무궁화 피는 삼천리 강산에 태어나 금강산 일만 이천 봉을 흔쾌히 보는구나,"는 구절에서는, 우리의 국화 무궁화가 피는 내 조국에 태어난 것을 자랑으로 이야기하는 대목에서 보정 선생의 나라 사랑하는 마음의 한구석을 들여다볼 수 있다.

　보정 선생의 시는 상상이 기발하고 언어가 소박하며, 낭만적인 기운이 다분하다. '봄을 전별하며(餞春)'에서의 "며칠 동안 몰아친 비바람이 오늘 아침 풀렸으나, 그만 봄이 따라 가버리니 애석하구나,/숲속 꽃은 풍우에도 질 줄 몰라 사랑스러운데, 강변 풀은 푸르기만 더하니 원망스럽네./ 그 누가 물시계에 쉬지 말고 물을 부어, 모름지기 이 순간이 영원했으면 좋으련만./ 재잘거리는 꾀꼬리소리 무슨 뜻을 품었는지, 멀리서 찾아들어 사람과 놀자하네.(風雨許多日, 今朝解惜春. 林花憐未落, 江草恨增新. 誰復添殘漏. 幸須永此辰.)"이란 묘사는 상상이 새롭고 기묘하며, '석류

---

10) 원문은 "一上毗盧最高頂, 奇奇怪怪揔難容. 幸生槿域三千里, 快看蓬萊萬二峯. 鏡來淑氣滄溟闊, 玉立精神造化鍾. 今日方知天下小, 湖南遊子始開胸."이다.

화(石榴花)'에서 "만 떨기 붉은 꽃은 여름 따라 뾰조록뾰조록/ 파아란 가지에서 제각기 제 모습 드러내누나/ 가을이 찾아오면 빨간 모습 드러내고자/ 춘풍 불 제 휘장에 갖은 아양 다 부리네(萬朶絳囊入夏尖,碧油枝上影纖纖。秋來應抱丹衷子,肯向春風媚畵簾)"라는 묘사는 석류화의 깜찍한 형상이 눈앞에 선히 떠오르게 한다.

　보정 선생의 시는 사물의 특징을 잘 관찰하고 소박하고 생동한 언어로 형상적으로 표현하고 있어 매우 평이한 감을 주고 있다. 그렇지만 평이하다는 말은 세속적이다는 말과 달리, 도연명의 시처럼 아주 세련되었다는 말이다. 시 '눈 내리는 밤에 종재 문회와 함께 사가집의 감회시에 느낌이 있어 그 시운을 따라(雪夜與從弟玟會閱四佳書懷詩有感用其韻)'을 분석해 보고자 한다.

　　일찍이 숨어사는 임천(林泉)에 뜻을 두니,
　　시끄러운 인간사에 머리를 긁적이네.

　　대명천지(大明天地)호시절에
　　태어남은 이미 늦었다만,
　　아름다운 글귀를 짓는데는
　　쉼 없이 사력(死力)을 다하리라.

　　뜨락의 소나무가지
　　석자(三尺)나 눈이 쌓이고,
　　울타리 국화가 만발하니
　　가을날씨 완연 한데.

　　초라한 오두막 등잔불 밑에서,
　　집안살림 나라 걱정 세세히
　　담론(談論)하는구나.

　　林泉曾所志, 世事入搔頭。
　　明時生也晚, 佳句死無休.
　　庭松三尺雪, 籬菊十分秋.
　　茅屋靑燈下, 細論家國愁°

이 시는 어려운 글자가 없고 매우 소박하여 겉보기에는 아무런 전고가 없는 것 같지만, 실제상에서는 거의 구절마다 그 출처를 가지고 있다. '소두(搔頭)'는 《서경유기(西京雜記)》 권2에 "한무제가 이부인의 궁에 들려 옥비녀를 뽑아 들고 머리를 긁어주었다(武帝 過 , 就取玉簪搔頭)"는 기재가 있다. '명시(明時)'는 청명한 정치란 말로, 《역·혁(易·革)》에서 나온 말이다. '가구사무휴(佳句死無休)'는 두보의 시 《江上値水如海勢聊短述》에 나오는 시구로, 원문은 "爲人性僻耽佳句, 语不惊人死不休"인데, 보정 선생은 두 구절로 된 이 시련의 출구에서 '佳句' 두글자를 따오고, 대구에서 死不休 석자를 따오면서, 아니 不자를 없을 無자로 바꾸어 새로운 하절로 만들었다. '庭松'은 원래 당나라 시인 백거이가 지은 시의 제목으로 널리 전해진 시인데, 보정 선생은 시의 제목을 곧게 시구의 한 단어로 이용하였다. 籬菊는 陶潛의 '飮酒' 시의 제5수에 나오는 시구인데, 원문은 "採菊東籬下, 悠然見南山." 두 구절인데 보정 선생은 출구 "採菊東籬下"에서 울타리 籬자와 국화 菊자를 따내고, 순서를 바꾸어 籬菊으로 만든 단어를 사용하였다. "茅屋靑燈"에서 茅屋은 이엉을 얹은 초가집을 말하고, 靑燈은 당나라 시인 韋應物의 '寺居獨夜寄崔主簿' 시의 "坐使靑燈曉, 還傷夏衣薄。"라는 구절에서 나온 단어이다. 이 두 단어를 합쳐 "茅屋靑燈"으로 사용한 작품은 원나라 시인 陸文圭의 "君欲从之游, 靑灯茅屋底。"라는 시 구절이다. 보정 선생은 바로 이렇게 중국의 걸출한 시인들인 두보, 백거이, 도연명, 위응물의 시어를 자신의 한편의 시에 이용하여 새로운 시세계를 보여 주었고 시구가 비록 아주 소박해 보이게 하였지만, 사실상 풍부한 내용을 담도록 하여 시의 의미지를 높이고 있으며 세련된 감을 주고 있다.

　　이외에도 보정 선생은 중국 시인들의 시를 자기의 시에 적합하도록 고쳐서 사용하기도 하였다. 예하면 '월미도에 올라(登月尾島)'에서 "해지는 저녁 무렵 장안성은 어디 메냐/ 명월이고 돌아가선 청유시(淸遊詩) 읊으리라(日暮長安何處是, 歸將明月賦淸遊)"에서 "日暮長安何處是"는 당나라 시인의 '黃鶴樓'의 "日暮鄕关何處是？烟波江上使人愁"라는 구절에서 鄕关 두 글자를 長安 두 글자로 바꾸어놓았을 뿐이며, '중추절 달밤에 순회에게 (中秋月夕 寄舜會)' 하는 시에서 "붓 들고 답하자니 달빛이 너무나 밝아/ 명절날 맞을 때면 너의 생각 갑절 나네(欲作回書月長照,每逢佳節倍相思。)"라는 구절의 출구는 당나라 시인 王維의 '九月九日憶山東兄弟'의 "獨在異鄕爲異客, 每逢佳節倍思親。"라는 시련의 출구를 옮기면서, 思親 두 글자를 相思 두 글자로 바꾸어 놓았을 따름이며, '비를 맞으며 해은 삼종숙과 이야기를 나누는데 마침 운곡이 찾아 왔네(雨中與海隱三從叔對話谷雲適來)'에서 "이 속에 참된 뜻 깃들어 있어/ 영화도 치욕도 자연에 맡긴다네(箇中眞樂在,榮辱摠天然°)"라는 시련의 출구는 도연명의 '飮酒' 제5수의 "此中有眞意, 欲辨已忘言。"라는 시련의 출구를 변화시킨 것이다. 그러나 시구의 한, 두 글자를 바꾸어놓거나 일부를 변화시켜 놓음으로 하여 시의 의경이 더욱 세련되고, 시의 정감 상태가 더욱 생동하게 표현 되었다.

보정 선생의 시는 해학적으로 적은 것들도 적지 않다. 예하면 '임오 생신날 아침에 회포를 적노라(壬午(1942)生朝述懷)'에서 "일곱 살에 나던 해 사숙에 들어가니/사숙 스승 자못 엄히 글 공부 시켰네. /하루에 근근이 한 두 글자 배웠었건만/ 종일토록 제대로 외우지 못했네. / 배나무와 밤나무만 찾아다니며 /방종하고 제멋대로 장난만 쳤었지/…하늘에 오른 용을 언감생심 바랐으랴만/ 부끄럽고 어리석게 둔재(一猪)가 되었구나(七歲初入學, 塾師嚴課程。纔受一兩句, 終日誦不明。但覓梨與栗, 放佚自在行。…登龍那可望, 靦然洒一猪)"라는 해학적인 수법은 두보의 시를 방불케 한다.

보정 선생은 '학동에서 계를 묶으며(修禊于鶴洞)'에서 "계를 묶고 글 짓는 일 부질없으니/ 개운한 심정으로 마음을 비워 보세(修禊修文亦多事, 不如相忘胸懷空。)"라고 아무런 구속도 받지 않아야 아름답고 순수한 자신의 정감을 발로 할 수 있다고 지적하였는데, 이 말은 아마도 자신의 창작을 말한 것이 아닌가 싶다.

필자는 이상에서와 같이 《연연당문고》를 번역하면서 몇 몇 작품을 통하여 보정 선생을 그려보았다. 필자의 안목이 좁아서인지는 모르겠으나, 이곳 동북 3성에서도 보정 선생이 살다간 그 시기에 있어서, 보정 선생과 같은 학자요 시인이며 문학가요 민족과 국가를 위하는 참다운 모습을 찾아보지 못하였다. 번역본 《연연당문고》를 통하여 이 시대를 살아가는 젊은 이들이 많은 가르침을 받았으면 하는 기대를 해 보며 끝을 맺는다.

보정(普亭)
김정회(金正會) 선생
약전(略傳)

* 보정 선생은 서기 1903년, 음 10월 28일, 전북 고창군 고창읍 도산리(道山里)에서, 부(父) 회천(晦泉) 김재종(金在鍾)과 모(母) 광산김씨(光山金氏)김수형(金壽衡)의 따님 성녀와의 사이에 3남 6녀 중 장남(長男)으로 출생함. 선생은 안동김씨(安東金氏) 익원공파(翼元公派), 조선(朝鮮) 개국공신(開國功臣) 익원공(翼元公) 김사형(金士衡 : 서기 1340~1407)과 대효(大孝)인 영모당(永慕堂) 김질(金質 : 서기1492~1555)의 직계후손(直系後孫)으로, 증조부(曾祖父)는 유학자(儒學者) 만수당 김영철(金榮喆 : 서기 1842~1911)이며, 부(父)는 유학자(儒學者) 회천(晦泉) 김재종(金在鍾 : 서기 1880~1938) 누대(累代)로 선비의 가문(家門)으로 이어지고 있다.

* 서기 1908년, 6세부터 종조(從祖)인 항재(恒齋) 김순묵(金純黙)에게 글을 배움

* 서기 1918년, 노사 기정진의 제자인 후석 오준선(後石 吳駿善) : 서기 1851~1931)의 문하에서 학문에 전념하엿음. 후석의 문하로 가게된 것은 부군 회천(晦泉)의 각별한 부탁에 의한 것이였음.

* 서기 1920년, 함평(咸平) 이재영(李載榮)의 따님 점효(点孝)여사와 혼인(婚姻)하여 1남 1녀, 그후 진주(晋州) 강선환(姜善煥)의 따님 효순(孝順)여사와 혼인하여 3남 3녀를 두었다.

* 서기 1929년 상경(上京)하여 서기 1931년에 호남(湖南)의 젊은 유생(儒生) 대표로 발탁되어 동년 4월 1일 서울 명륜전문학원〈성균관대 전신(前身)〉에 입학하여, 신구(新舊)학문 수학(修學) 및 북학(北學)을 연구함

* 서기 1931년부터 조, 석으로 해강(海岡) 김규진(金圭鎭)의 서화(書畫)연구소에 들어가 서화(書畫)를 배움

* 서기 1933년 3월 24일, 명륜전문학원 제2회 졸업

* 서기 1934년, 귀향하여 도산보통학교(道山普通學校) 설립에 많은 토지를 희사하고 일부 교사 건물을 단독으로 건축하였음. 또한 도산보통학교 개교시 만수당에서 개교식을 갖고 교사(校舍) 신축이 있기까지 수개월간 교사(校舍)로 사용하게 하였음.

* 서기 1936년, 회천정사(晦泉精舍 ; 부군(父君)의 정사) 건립.

* 서기 1938년 음 10월 25일, 부친상(父親喪), 선대(先代)의 사당(祠堂)인 경선재(敬先齋)와 증조부 만수당(晩睡堂)의 묘각(墓閣)인 양지재(養志齋)를 건립하고, 묘를 돌보는 제전(祭田)을 마련함.

* 서기 1938년, 일본문전(日本文展)에 풍죽화(風竹畵)를 출품하여 특선을 수상함, 이 무렵 스승 해강(海岡)으로부터 "풍죽(風竹)은 당대 제일"이라는 칭송을 받았으며, 묵죽(墨竹) 수작(秀作) 한 폭이 지금 성균관대학교 도서관에 보관되어 있음
* 서기 1939년, 대흉년으로 곳간 문을 활짝 열어 굶주리는 빈민들을 널리 구제함. 동민들이 선생의 덕행(德行)을 기려 송덕비(頌德碑)를 건립함

* 서기 1940년, 태평양전쟁 중 일제(日帝)가 강권(強勸)하는 '유도(儒道)를 진작(振作)'하는 순회강연의 요청을 거절함, 말이 '유도(儒道) 진작(振作)'이지 실은 진충보국(盡忠輔國)이란 미명(美名)아래, 학도병지원과 징용을 독려하는 것이라 완강히 거절하고, 벗들과 20일간의 금강산(金剛山) 유람을 떠남.

* 서기 1941년, 경학원(經學院) 강사(講師)로 피선, 이해에 조선지식인 일본유람단에 동행하여, 왜국(倭國)의 실정과 문물을 살폈으며, 그때 교토 근방 유람중 그는 일본에서 〈海國風光 崔勝頭〉(해국풍광 최승두)〈섬나라 풍광이 으뜸이로다.〉라는 시(詩)를 짓자, 일인(日人)이 이를 보고 海(해)자를 〈內(내)〉자(字)로 고치라고 요청했다. 이는 일본이 조그만 섬나라로 주변국이 아닌 중심인 나라 곧 내국(內國)임을 나타내기 위한 속셈이었다. 그러나 보정(普亭)선생은 정색(正色)을 하고 단호히 거절했다. 그 때 그가 지은 촌철살인(寸鐵殺人)의 이 풍자시가 동아일보에 발표되자, 국내의 많은 유학자들이 모두 음송(吟誦)하며 그의 높은 지기(志氣)를 장하게 여기고 칭송했다.
* 서기 1942년, 만수당 경내 수정(水亭)에서 벗들과 명사(名士)들을 초청해 시회(詩會)를 열고 고담준론(高談峻論)을 나눔
* 서기 1945년 10월 상경하여 인촌(仁村) 김성수(金性洙), 근촌(芹村) 백관수(白寬洙), 몽양(夢陽) 여운형(呂運亨) 등과 교유(交遊)하며, 김구(金九)선생 환영회를 준비함, 그러나 좌우대립이 격화되어 크게 실망하고, 몇 달 뒤 낙향함, 이후 수차례 정부의 출사(出仕)를 권유받았으나 모두 사양하고 은거(隱居)함

광복후 고창여중(高敞女中) 설립에 많은 전답을 희사하고, 초창기부터 서기 1970년 작고할 때까지 동교 재단이사를 역임함.

* 서기 1946년 2월 ~ 서기 1947년 2월까지 서해(西海)의 절해고도(絕海孤島) 전북 부안 상왕등도에서 은거하다가 조모상을 당하여 귀향함.

* 서기 1956년, 국전(國展)에 서화(書畫)를 출품하여 입선했으나, 혼탁한 국전(國展)의 실상에 환멸을 느끼고 이후 국전(國展)과 결별하고, 벗들과 명산대천을 찾아 청유(淸遊)하며 서화와 거문고를 벗하며 은거(隱居)함

* 서기 1970년 음력 10월 11일 별세(別世), 향년 68세, 고창 문인장(文人葬)으로 장례함. 묘소, 전남 장성(長城)의 누대(樓臺) 뒷산 기슭 선영(先塋)에 곤좌(坤坐)로 현당(玄堂)을 마련했다가 서기 2015년 전남 장성군 북이면 달성리 선영하에 이장함.

* 서기 1973년, 사우(士友)들이 만수당(晚睡堂)〈도산서당(道山書堂)〉 앞에 경모비(景慕碑)를 건립함

* 서기 1978년, 유고문집(遺稿文集)《연연당문고(淵淵堂文稿)》 10권 1책이 발간됨

연연당문고

서언(序言)

연연당문고(淵淵堂文稿) 서언(序言)

공자(孔子)의 여러 제자(弟子)들 중 안회(顔回), 자로(子路) 등 학문과 덕행(德行)이 뛰어난 십철(十哲)들은 말할 것도 없고, 그를 따르는 3천여 학도(學徒)들이 모두가 성(性)과 천도(天道)를 터득하고 공자의 문하생(門下生)이 된 것은 아니지만, 그들이 성인(聖人)의 학도(學徒)가 되었다는 그 자체가 훌륭한 일이다.

조선조(朝鮮朝)가 처음 흥기(興起)할 때 대제학(大提學) 등 여러 중신(重臣)들은 일찍이 고려(高麗)의 신하(臣下)로서 사림(士林)의 이념(理念)인 국태민안(國泰民安)의 중책(重責)을 이야기하지 않는 사람들이 없었다.

이런 두 가지 측면에서 보면 선비로서, 위로는 성인(聖人)의 시대에 태어나지 못하고 아래로는 공교롭게도 나라가 큰 액운(厄運)을 당했을 때에 태어났다면 그 정상(情狀)도 가히 애처로운 일이 아닐 수 없다.
나의 벗인 보정(普亭) 김중립(金中立/중립은 김정희의 字)이 바로 그러한 사람이 아니겠는가!

우리나라는 유학(儒學)이 융성(隆盛)하면서 부터 고대 중국의 공자(孔子) 맹자(孟子)로 부터 정호(程顥), 정이(程頤)와 주자(朱子)의 학풍(學風)을 이어가면서 많은 선비들이 모여들어 나라의 안정을 유지하여왔다. 그런데 보정(普亭)이 태어날 무렵에는 국운(國運)이 이미 다 기울고 그에 따라 학문도 지지부진(遲遲不進)하던 때였다.

보정(普亭)은 천성(天性)이 영명(英明)하여 가친(家親)으로부터 시(詩)와 예(禮)를 익힘에 있어 스스로 분발하여 매진(邁進)함이 비범(非凡)하였다. 더구나 원대한 뜻을 지녀 성인(聖人)의 학문에서 스승을 구하고, 마음이 넓어 밖에서는 의연(依然)한 행동에 어떤 거리낌도 없었다. 주로 시(詩)를 읊고 거문고를 타는 벗들과 조석(朝夕)으로 만났으며, 변화무쌍한 세월의 불안한 날들이 안정이 되면, 시와 술로써 은둔생활을 하겠다고 하였으니, 참으로 세상을 울리는 경종(警鐘)이요 진정한 거인(巨人)의 모습이었다.

만약 보정(普亭)이 성인(聖人)의 시대에 태어나 공자(孔子)의 문하(門下)에서 교유(交遊)했다면 "나는 증석(曾皙)의 생각에 동감(同感)이다."라는 공자(孔子)의 탄식(歎息)이 어찌 증석(曾皙)에게만 쏠릴 수 있었겠는가!

또한 보정(普亭)이 고려 말의 명망 높은 선비였다면 조선왕조가 아무리 고관대작(高官大爵)으로 그를 회유(懷柔)했을지라도, 고결한 절개를 지켜 그윽한 숲속에서 숨어 살려는 그의 정취(情趣)를 빼앗지는 못했을 것이다. 혼탁한 세월이라 엄숙하고 경건한 제례(祭禮)풍속마저도 도둑맞아버렸고 인재양성(人才養成)의 즐거움마저도 사라져버린 오늘날, 보정(普亭)의 성균관(成均館)의 학창(學窓)생활이 어찌 즐거울 수만 있었겠는가?

고대 중국의 전국(戰國)시대 초(楚)나라 굴원(屈原)이 반대파의 모함으로 쫓겨나 비분강개(悲憤慷慨)한 심정을 읊은 "이소(離騷)"의 "소쩍새가 일찍 울까 저어한다."는 내용처럼, 분하고 억울한 마음을 떨쳐버리고, 그는 사물의 이치를 깊이 연구하는 학문 탐구의 곳간을 가득 채우고자 결심하였다.

뿐만 아니라 저 버러지 같은 흉악한 왜적들을 완강하게 응징(膺懲)하고자 험난한 현해탄을 건너가기도 했고, 또한 왜적들의 실정(實情)을 살필 때도, 그는 이미 뛰어난 자질(資質)과 풍부한 학식으로 명성을 떨치고 있던 터라, 촌철살인(寸鐵殺人)의 예리(銳利)한 풍자시(諷刺詩)로 왜인(倭人)들의 간담(肝膽)을 서늘하게 했던 것이다. 그러나 시의(時宜)가 여의(如意)치 않아 왜적(倭敵)을 응징(膺懲)한다는 당초의 뜻을 통쾌(痛快)하게 펴지는 못했으니 어찌하랴?

다만 고대 중국 주(周)나라의 도(道)가 쇠퇴하자 경(磬)을 치는 악사(樂士) 양(襄)이 바닷가로 몸을 피하고, 북을 치는 악사(樂士) 방숙(方叔)이 황하(黃河)로 몸을 숨긴 것처럼, 능히 응징(膺懲)하지 못한 것을 한탄하며 은거(隱居)하니, 이는 참으로 한 조각 붉은 충정(忠情)의 발로(發露)라, 만인(萬人)의 심금(心襟)을 울리기 족하였다.

그러나 그가 한 번 몸을 속세(俗世)에 드러낼 때는 호탕한 풍모(風貌)에 뜻을 드날리며, 유행(流行)이나 세속(世俗)을 쫓지 않고 고상(高尙)하고 겸허(謙虛)한 언행(言行)으로 주위를 압도했으며, 창날 앞에서 쌀을 이는 듯 위급한 상황에 처해서도, 칠척(七尺)의 체구(體軀)를 능히 보존하고, 태연히 초심(初心)을 그대로 간직하였으니,

아, 이것이야말로 공자(孔子)께서 말한, "단단하지 않은가? 갈아도 얇아지지 않으니! 희지 아니한가? 검게 물들여도 검어지지 않으니!(子曰: 不日堅乎, 磨而不磷 不日白乎, 涅而不緇)"라는 처신이니, 참으로 장쾌(壯快)한 일이 아닐 수 없다.

    나는 무진년(1928년) 가을 고산(高山) 서원에서 처음 26살의 보정(普亭)을 만나 술자리를 같이했는데도, 마치 오래 사귄 친구처럼 반갑고 기뻤다. 그는 일찍이 가친(家親)에게서 글을 익히는 한편, 송사(松沙) 기우만(奇宇萬)을 사숙(私淑)하며 정진(精進)했던 것이다. 그때는 세상이 참으로 어지러워 날이갈수록 더욱 격렬하고 혼탁(混濁)한 양상이라 보정(普亭)과는 편지 한 장 없이 격조(隔阻)하였지만 "영서일점통(靈犀一點通)"이란 말처럼 마음만은 서로가 잘 통했던 것이다.
    그러다가 광복(光復)이후 정해년(1947년)에 이십년 전의 상봉에 이어 두 번째로 서로 만나게 되었는데, 함께 배를 타고 가던 도중 풍랑을 만났지만 끝내 같이 강 언덕에 오른 심정으로 함께 축하인사를 나눈 일도 있었고, 또 나를 위해 내 서재에 일찍이 시(詩) 한편을 지어주었는데, 그 끝에 "지팡이 짚고 짚신을 신고 한 번 찾아오겠다."는 뜻을 적었던 것이다.
    그런데 난데없이 부고(訃告)가 날아들어, 지팡이 짚고 짚신 신고 찾아 오겠다는 그 만남의 약속(約束)보다 부고장(訃告狀)이 먼저 도착했으니, 아! 뒤에 남아있는 이 범부(凡夫)야 어찌 세상을 잃은 듯 깊은 슬픔에 잠기지 않을 수 있으리오!

    사우(士友)들과 문인(門人)들이 그의 유고 문집(遺稿文集)을 출간하려고 그의 종숙(從叔) 김재규(金在규)와 김원근(金源根)군이 나를 찾아와 이 고결한 선비의 유고문집(遺稿文集)의 서문(序文)을 맡아달라고 부탁하였다.

    아, 진실로 보정(普亭)의 글은 섬세하면서도 정성이 지극하고, 웅장(雄壯)하면서도 호쾌(豪快)하고 심오한 기운을 함축하고 있어, 그 찬란한 광채가 하늘높이 빛나며, 문장(文章)의 운율(韻律)은 마치 옛 대가(大家)들의 문체(文體)를 방불(彷佛)케 하니, 어찌 나와 같은 하찮고 어리석은 자가 감히 보정(普亭)의 글을 논(論)할 수가 있겠는가!

    보정(普亭)이 겪은 순경(順境)과 역경(逆境)의 인생역정(人生歷程)은 그의 영예(榮譽)를 길이 빛낼 것이며, 일평생 지켜온 대의(大義)를 위해 목숨을 바치는 그의 굳은 절개(節槪)는 수천권의 독서의 힘에서 나왔을 것이다.

　그의 글을 읽어 보면 문장(文章)이 각별히 자상(仔詳)하고 서술(敍述)은 빈틈없이 엄격(嚴格)하고 치밀(緻密)하여, 나는 정성(精誠)을 모아 경건(敬虔)하게 이 글을 쓰게 되었다.

　아! 만약 이 연연당문고(淵淵堂文稿)가 없었다면 비록 그의 일생(一生)이 아무리 아름답다고 하여도 그 누가 그의 일생(一生)을 읽어볼 수 있고, 또 길이 대(代)를 이어가며 후세(後世)에 전할 수 있겠는가?

　이 문집(文集)을 읽는 독자제현(讀者諸賢) 께서도 그런 점에 유의(留意)하시어 보정(普亭)의 본원적(本源的)이고도 깊은 뜻이 담긴 이 문집(文集)을 읽어 주시기를 바라는 바이다.

무오년(서기 1978년)
청화절(淸和節)〈음력 四月)〉

풍산(豊山) 홍석희(洪錫憙)가 서문을 쓰다

淵淵堂文稿序

　孔門諸子十哲尙矣, 三千之徒, 未必盡能與聞於性與天道而遊於聖人之門 故其爲聖人之徒則優矣。朝鮮之初興, 文衡諸家曾是勝國之世臣, 負重於士林, 靡始不講獻靖之義者也。觀於斯二者, 士而上不能生於聖人之世, 下而
　適丁於國家百六之運者, 其情亦云戚矣。吾友普亭金中立亦其人者非耶? 我東儒學之盛, 溯洙泗而接洛閩, 濟濟乎, 王國以寧矣。逮中立之生也, 國祚告訖, 學術隨而蔑裂焉。中立稟英邁之資, 自聞詩禮於庭趨, 已踔廣不群有遠志。終能求師於聖人卷裡, 宏於中而肆於外。鏗瑟之徒, 爲朝暮遇。自靖滄桑之日, 將詩酒爲度年計, 以若嘐嘐也, 亭亭也。游於聖人之門, 則'吾與'之喟歎, 未必獨在於點也。生於勝國之末, 而顯揚則太史之職奪不得林泉之趣矣。若其殷栓已竊, 青衿逖而薄遊芹宮, 豈曰樂哉?
　恐鶗鴂之先鳴, 與一時之憤悱, 充窮理明善之府庫也。蠢爾涅齒, 頑於膺懲航渡

玄海, 可云殆矣。而其於觀風, 則亦可以是薄有外觀之人言。然俊才 茂學早馳譽
於中外, 至於要轄, 鏟不得何?
恨末能學磬襄入海、方叔入河者, 寔鳴其赤衷也。然以豪宕之風, 昂揚之志
危行言遜, 能保七尺之軀於劍炊矛淅之場, 而天君之泰然若夫厥初。嗚呼!
斯之謂不磷磷於磨涅, 壯矣哉! 余以戊辰秋,
始晤中立於高山書院。樽俎之間, 歡若舊交。以其聞於趨庭者,
同爲松門私淑也。自是世亂, 如水益深, 火益烈。魚雁亦阻,
所照者靈犀而已。光復後丁亥, 續二十年前舊會, 相不禁同舟遇風,
共登彼岸之賀。中立又嘗爲余記書室,
篇末致以一笻一鞋相訪之意。蘭報奄, 先於鷄黍之期, 在後沙石,
安得不悵然如失乎! 士友及門人將刊遣集, 其徒叔在圭與金君源根,
踵余託以玄晏之役。噫, 中立之文纖悉曲盡, 而雄偉浩噩, 燁燁乎其光彩,
颺颺乎其聲韻, 髣髴於古昔大家體制。豈余鹵茂之所敢論者?
惟其素履夷險, 能永其譽, 生平大節而讀書之力也,
就其文尤祥。其用工之嚴密,
故特表之如右。嗚呼! 靡是文章雖美, 孰肯讀之而可傳於遠耶?
覽者其亦知本源之深固矣。
歲戊午 淸和節 豊山 洪錫憙 序

* 십철(十哲): 공자(孔子) 문하(門下)에서 가장 뛰어난 열 명의 제자들, 안회, 자건, 백우, 중궁, 자유(子有), 자공, 자로, 자아, 자유(子游), 자하 등
* 문형(文衡): 조선시대 대제학(大提學)의 다른 이름
* 승국(勝國): 바로 전대(前代)의 왕조, 여기서는 고려(高麗)왕조를 지칭
* 사림(士林): 유림(儒林), 유학을 공부하는 선비로서 벼슬하는 사대부를 일컬음

* 정란(靖亂): 어지러운 상황을 안정시킴
* 백육지운(百六之運): 큰 액운(厄運)
* 수사(洙泗): 공자(孔子)학풍
* 낙민(洛閩): 정호(程顥), 정이(程頤)와 주자(朱子)의 학풍
* 국조(國祚): 국운(國運)

* 준이열치(蠢爾涅齒): 버러지 같은 왜적들을 일컫는 말, 왜인(倭人)들의 옛 풍습으로 이

빨을 검게 칠하는 풍습이 있었는데, 열치(涅齒) 또는 카메구로 (鐵漿黑)라 했다.

* 방숙유하양도해(方叔踰河襄蹈海): 방숙(方叔)과 양(襄)은 주(周)나라의 악사(樂士)로, 주(周)나라의 도(道)가 쇠락(衰落)하자 세상을 피해 숨어버렸다.〈논어(論語)〉

* 굴원(屈原): BC 343~BC 278, 고대 중국의 전국시대 초기 초(楚)나라의 정치가이자 시인, "이소(離騷)"는 반대파의 모함으로 추방당한 후 유랑(流浪) 중에 쓴 부(賦)로, 내용은 조정에서 쫓겨나 임금을 만날 기회를 잃은 시름을 읊은 것이다. 중국 문학사에 대표적인 장편 서사시(敍事詩)로 낭만주의 문학의 원류로 평가받고 있다. 대표작으로 이소(離騷)와 더불어 유명한 어부사(漁父詞)가 있다.

* 굴원(屈原)의 이소(離騷): "나이 더 늦기 전에 계절이 다 가기 전에, 소쩍새 먼저 울까 두려워라! (恐鵜鴂之先鳴兮)(공제결지선명혜)
* 창날 앞에서 쌀을 이는 듯(矛頭淅米劍頭炊): '세설신어(世說新語)'의 '배조(排調)편'에 나오는 말로, 환경의 위태로움을 형용하는 말이다. 중국 남군공(南郡公) 환현(桓玄)과 형주 자사(荊州刺史) 은중감 (殷仲堪)이 이야기를 하다가 위태로운 환경을 비유하게 되었다. 환현이 "창날 앞에서 쌀을 일고 칼끝에서 밥을 짓는다(矛頭淅米劍頭炊)"라고 비유하자 은중감이 "백세노인이 마른 나뭇가지를 타구나(百歲老翁攀枯枝)"라고 대답하였다 한다.

* 천군(天君): 사람의 마음
* 마열(磨涅): 논어(論語) 양화(陽貨)편에 나오는 말이다. 공자께서 말씀하셨다. "그래, 그런 말을 했다. 단단하지 아니한가? 갈아도 얇아지지 않으니. 희지 아니한가? 검게 물들여 도 검어지지 않으니"(子曰: 然. 有是言也. 不曰堅乎, 磨而不磷 不曰白乎, 涅而不緇.)

* 사숙(私淑): 직접 가르침을 받지는 않았으나 마음속으로 그 분을 본받아서 학문을 닦음.
* 난보(蘭報): 부고(訃告)
* 청화절(淸和節): 음력 사월(四月)
* 계서지교(鷄黍之交): 친구와의 "만남의 약속"을 이르는 말,
* 영서일점통(靈犀一點通): 영력(靈力)이 있는 무소뿔은 하나의 구멍이 있어서 뿌리에서 끝까지 통한다는 뜻으로, '두 사람의 마음이 잘 통함'을 비유적으로 이르는 말

* 고산서원(高山書院): 전남기념물 제 63호, 장성군 진원면 소재. 한말 위정척사파의 거두 (巨頭) 기정진(奇正鎭)이 1878년에 정사(精舍)를 지어 담대헌 (澹對軒)이라 하고 학문을 강론하던 곳이다. 후손들이 1927년 고산서원 (高山書院)이라는 편액을 걸었다. 사당에는 기정진(奇正鎭)을 주향(主享)으로 이최선(李最善), 기우만(奇宇萬), 조의곤 (曺毅坤), 김록휴 (金錄休), 조성가(趙性家), 정재규(鄭載圭) 등 5위가 배향되었다. 노사문집(蘆沙文集)과 노사집(蘆沙集) 12편을 비롯하여 많은 유물이 보관되어 있다.
* 아사(雅士): 맑고 깨끗한 선비 또는 풍류객(風流客)을 멋스럽게 이르는 말.

〈위 번역주해 호당(湖嵤) 李正吉〉

연연당문고 권1
시(詩)

감수 : 연정 김경식(淵亭 金璟植)
　　　(연정교육문화연구소장)
번역 : 호당 이정길(湖嶝 李正吉)
　　　(한시·주역 연구가)

1. 노량진 사육신묘(死六臣墓)를 참배하며

― 신미년(서기 1931년) 봄 성균관 벗들과 함께 ―

짤막한
육신(六臣)빗돌
청산을 짓누르고,
황량한 수풀은
한낮에도 차갑구나.

한강물 유유히
끝없이 흐르는데,
아!
만고에 흐르는 피눈물
마를 길 없네!

1. 辛未春與泮宮諸友往鷺湖拜六臣墓

短石靑山重, 荒林白日寒。
江流流不盡, 萬古淚無乾。

* 노량진(露梁津)사육신묘(死六臣墓) : 서울특별시 유형문화재 제8호. 서울특별시 동작구 노량진동에 있다. 사육신묘(死六臣墓)는 조선의 6대 임금인 단종(端宗)의 복위(復位)를 도모하다 서기 1456년(세조 2) 목숨을 바친 6명의 신하(臣下)인 "사육신(死六臣)"의 무덤으로, 무덤 앞에는 석자쯤 되는 짤막한 돌에 "성씨지묘(成氏之墓), 박씨지묘(朴氏之墓)" 등 여인네 무덤처럼 새긴 초라한 표석(表石)이 서있다. 이후 서기 1681년(숙종 7) 숙종이 이곳을 공식적으로 인정하고 이곳에 민절서원을 세웠고, 정조 6년(서기 1782)에는 신도비를 세웠으며, 현대에 와서 서기 1955년 5월 육각(六角)의 사육신비(死六臣碑)를 세웠다. 서기 1978년에는 국책사업으로 묘역을 확장하고 사육신(死六臣)의 위패를 모신 의절사, 불이문, 홍살문, 비각을 새로 지어 충효사상(忠孝思想)의 실천도량으로 정화(淨化)되어 오늘에 이르고 있다.

〈노량진에 육신묘(六臣墓)가 생기게 된 것은, 사육신(死六臣)을 능지처참하는 거열형(車裂刑)에 처하고 효수된 목을 사흘간 장안에 걸어두었다가 한강 가에 버렸는데, 생육신(生六臣) 중의 한사람인 김시습(金時習)이 그 유해(遺骸)를 수습하여 이곳에 묻어준 때문이라고 전해지고 있다. 묘(墓)가 평민들 묘와 같은 규모이고, 비석(碑石)이라고 할 수 없는 짤막한 표석(表石)에는 "성씨지묘(成氏之墓)" 등등 여인들 무덤처럼 성(姓)만 적혀있다. 원래 이 묘역에는 성삼문, 박팽년, 이개, 유응부의 묘만 있었는데, 나중에 육신묘로 조성하면서 하위지, 유성원의 묘를 만들었고 최근에는 김문기(金文起)의 묘도 만들었다.〉

〈참고〉 사육신(死六臣)사건(병자사화(丙子士禍)라고도 함): 사육신(死六臣)은 조선 세조 2년(서기 1456)에, 숙부인 수양대군(세조)에게 왕위를 찬탈 당한 단종(端宗)의 복위를 꾀하다 발각되어 처형당한 성삼문(成三問)·박팽년(朴彭年)·하위지(河緯地)·이개(李塏)·유성원(柳誠源)·유응부(俞應孚) 등 6명을 가리킨다. 이들 외에도 70여 명이 모반 혐의로 처형되거나 유배되는 등 큰 화를 입었다.

* 반궁(泮宮): 성균관(成均館)과 문묘(文廟)를 통틀어 이르는 말
* 노호(露湖): 노량진 앞 잔잔한 한강물

2. 월미도(月尾島)에서

천지는 남(南)으로 트이고
바닷물은 서(西)로 흘러,
스무 살 장부(丈夫)의 울적한 심사,
일시(一時)에 씻어주네.

가랑비 내려도 벼랑으로
약초(藥草)캐러 오는 이도 있고,
저녁바람 불어오자 기녀(妓女)들은
목란주(木蘭舟) 위에 있네.

활짝 개인 만리창공(萬里蒼空)

뭇 봉우리 드러나고,
천길 바다 떨어지는 조류(潮流)에
올망졸망 섬들이 떠오르네.

날 저물어 불야성(不夜城)을 이룬
장안(長安)이 어디 메인가?,
밝은 달을 데리고 돌아가,
시(詩)를 지으며 청유(淸遊)를
즐겨보세.

2. 登月尾島

乾坤南坼海西流,　二十男兒一滌愁。
細雨人來芳草岸,　晩風妓上木蘭舟。
雲開萬里峯峯出,　潮落千尋島島浮。
日暮長安何處是,　歸將明月賦淸遊。

* 월미도(月尾島): 인천시 중구에 속한 육계도.(육지와 연결된 섬), 인천시 중심지에서 서쪽으로 약 1km 거리에 있다. 남쪽에 있는 소월미도와 함께 인천 내항의 방파제 역할을 한다. 섬의 모양이 반달의 꼬리처럼 휘어져 있다고 하여 월미도(月尾島)라고 한다. 섬의 최고지점은 94m이다. 서기 1882년 인천개항을 전후해 외세(外勢)의 각축장이 되었으며, 대한제국 말기에는 장미섬(Rose Island)이라는 명칭으로 외국에까지 알려지게 되었다.

일제강점기에는 군사기지로 사용되었고, 6·25전쟁 때는 인천상륙작전의 전초기지로 중요시되면서 미군기지로 이용되기도 했다. 1962년에 석축제방으로 매립되면서 해안도로를 건설해 인천의 관광코스가 되었다. 1988년부터 본격적으로 인천항 방파제 주변의 여러 시설물을 정비하면서 시민의 휴식처와 문화공간으로 활용할 수 있도록 조성했다.

* 목란주(木蘭舟): 돛을 달지 않는 작은 거룻배를 일컫는 시어(詩語), 목란(木蘭)〈목련(木蓮)〉으로 만들었으므로 목란주(木蘭舟)라고 한다. 〈참고〉나룻배는, 나루와 나루를 연락하는 배이고, 거룻배

는 어느 곳이든 돌아다니는 작은 배를 말한다.
* 장안(長安): 서울
* 방초(芳草): 향기로운 풀, 여기서는 약초(藥草)를 뜻함
* 청유(淸遊): 속되지 않고 시를 지으며 고상하게 노는 것
* 만리창공: 끝없이 푸른 하늘

3. 봄을 배웅하다

며칠 동안 몰아친 비바람이
오늘 아침 풀렸으나,
그만 봄이 따라 가버리니
애석하구나.

숲 속 꽃은 풍우에도
질 줄 몰라 사랑스러운데,
강변 풀은 푸르기만 더하니
원망스럽네.

그 누가 물시계에
쉬지 말고 물을 부어,
모름지기 이 순간이
영원했으면 좋으련만.

재잘거리는 꾀꼬리소리
무슨 뜻을 품었는지,
멀리서 찾아들어 사람과
놀자 하네.

3. 餞春

風雨許多日, 今朝解惜春。
林花憐未落, 江草恨增新。
誰復添殘漏。幸須永此辰。
鶯聲如有意, 故向遠遊人。

* 임화(林花): 숲속 꽃
* 잔루(殘漏): 물시계

4. 단오절(端午節)

여러 해
형창(螢窓)의 생활 중에,
아름다운 계절에다
단오절(端午節)을 맞아,

전날에 부모님께
글을 올리지 않아,
고향산천 바라보며
편지를 부치네.

손님 맞는 창포 술은
푸르게 빛나고,
때를 만난 약초밭은
향기로운데,

북적대는 강 나루터
앞 다투어 소란하고,

강물은 유유히 남녘으로
흐르는구나.

4. 端陽

螢窓多歲月, 佳節又端陽。
獻帖非前日, 寄書望故鄉.
蒲觴迎客綠, 藥圃待時香。
亂渡爭先後, 江流入楚長。

* 단오(端午) : 음력 5월 5일, 수릿날, 천중절(天中節), 단양절(端陽節) 등 여러 이름이 있다. 예로부터 5월 5일은 가장 양기가 센 날이라고 해서 명절로 쳤다. 옛날에는 이날 약초를 캐고 창포물에 머리를 감기도 하며, 창포주나 약주를 마셔 재액(災厄)을 예방했다. 그네뛰기, 씨름, 탈춤 등 다양한 민속놀이도 있었다.
* 형창(螢窓): '형창설안(螢窓雪案)'의 줄인 말, 즉 반딧불이 비치는 창과, 흰 눈에 비치는 책상이라는 뜻으로, 역경 속에서도 학문에 힘씀을 비유한 말
* 입초장(入楚長): 초(楚)나라로 길게 흘러들다. 즉, 고대 중국 춘추전국시대에 양자강 중류 일대를 차지한 큰 나라인 초(楚)로 흘러든다는 것은, 남쪽으로 길게 흐른다는 뜻이다.

5. 우리에게 밀, 보리 주신 노래
― 이아래모가(貽我來牟歌) ―

보라,
저 들녘의 무성한 밀과 보리를!
이는 오로지 어지신 하늘이
우리에게 내려주신 것이로다.

하늘이 굶주리는 백성을
이토록 어여삐 여기시니,

만백성이 배불리 먹어야 하거늘
영 그렇지가 못하구나.

마냥 봄이 되면 묵은 양식
모자라 바닥이 드러나고,
골짜기의 햇보리는
아직도 까마득하니,
아! 참으로 어려웠구나,
이 보릿고개 넘는 것이!

그런데 지금
그대는 보지 못하는가?
넓은 벌에 끝없이 출렁이는
저 황금물결을!
밀 보리 늦지 않게 모두
서둘러 거두어야 하리.

또 그대는 보지 못하는가?
집집마다 밥 짓는 푸른 연기를!
이제는 어딜 가나 풍년소식
저절로 커져만 가는구나.

훈훈한 남쪽 바람
맺힌 한(恨)을 풀어주고,
바야흐로 화생(化生)의
조화(造化)가 한창이로다.

상제(上帝)의 명(命)으로
만백성을 기른

후직(后稷)의 공덕(功德),
진실로 감격하여 우러러보며,

들판 길 걸어 갈 때,
음산하게 내려 들판을
기름지게 하는 빗줄기들이,
내 땅 너 땅 가리지 않고
고루고루 내리는구나!

5. 貽我來牟歌

芃芃兮來牟, 惟我仁天賜。
念此下民艱, 厚吾之生不。
不備舊穀將窮, 新穀遠溝墢, 難免卽此時。
君不見黃雲忽動千疇浪, 大麥小麥摠不遲。
又不見靑煙散出萬人家, 豊年消息自是大。
南風之薰兮可解慍, 化化生生將未艾。
於皇受厥明, 感戴率育功。
我行其野陰雨膏, 無此疆爾界惠澤同。

* 이아래모가(貽我來牟歌): 이 시(詩)〈부(賦)〉는, "후직(后稷)을 상제(上帝)에 배향(配享)하여 제사(祭祀)하는 노래"인 《시경》 '주송편(詩經周頌篇)'의 사문일장(思文一章)을 읽고 쓴 시(詩)이다. 후직(后稷)은 신농씨(神農氏)와 함께 중국에서 농사(農事)의 신(神)으로 숭배되고 있는 전설적인 인물이다. "「시경(詩經)」 사문일장(思文一章)"의 내용은, 후직(后稷)의 덕(德)이 가히 하늘에 비견되어, 상제(上帝)의 명령을 받아 만백성에게 밀, 보리의 종자(種子)를 하사(下賜)하여 두루두루 백성을 기르게 했다는 내용이다.
* 미애(未艾): 이제 막 한창이다. 바야흐로 힘차게 발전하고 있다.
* 감대(感戴): 감격하여 우러러 받들다.

6. 임용재(任龍宰)만가(挽歌)
− 동문(同門) 임용재(任龍宰)를 애도(哀悼)하며, 절구 2수 −

그대 찾아오니 벗이 생겼고
그대 떠나가니 벗을 잃었네.

어찌 친구야 없으랴만
그대만한 친구는 없었다네.

하늘이 주신 아름다운
그 품성(禀性)!
어찌 그리도 바삐 떠나는가?

하늘에는 정녕 옥루(玉樓)가
있다고 하지 않았는가?
석양에 해로가(薤露歌)에 실어
그대를 보낸다네.

6. 挽同研友任龍宰二絕

君來吾有友, 君去吾無友.
豈無他友哉, 未有如君友.
美質自天得, 命途何太忙.
玉樓眞有否, 薤露送斜陽.

* 만가(挽歌): 죽은 사람을 애도하는 노래
* 품성(禀性): 천성으로 타고난 성품
* 해로가(薤露歌): 상여가 나갈 때 부르는 만가(挽歌)
* 옥루(玉樓): 시인묵객(詩人墨客)이 죽으면 간다는 하늘의 누각(樓閣)
* 유부(有否): 있다고 하지 않았는가?

7. 석류꽃

만 꽃송이 자루 기워
뾰족이 여름에 피고,
푸른 빛깔 자르르한
가지 위 그 자태!
곱기도 하여라.

가을바람 불어오면,
빨간 씨앗 알알이
품속에 품고,
봄바람에 춤추듯
갖은 아양 다 부리네.

7. 石榴花

萬朶絳囊入夏尖, 碧油枝上影纖纖。
秋來應抱丹衷子, 肯向春風媚畫簾。

* 석류(石榴): 석류나뭇과에 속한 낙엽 활엽 교목. 높이는 3미터 정도, 잎은 마주나고 긴 타원형 혹은 달걀 모양으로 광택이 난다. 5~6월에 짙은 홍색의 육판화(六瓣花)가 가지 끝이나 잎겨드랑이에서 피고, 열매는 10월에 익으며 불규칙하게 갈라져서 연한 붉은색의 투명한 씨알을 드러낸다. 나무껍질과 뿌리, 열매의 껍질은 말려서 약재(藥材)로 쓴다. 인도와 페르시아가 원산지, 아열대 지방에서 널리 재배하는데, 우리나라의 중부와 남부에서 재배한다.

* 영섬섬(影纖纖): 자태가 곱다는 뜻
* 긍향(肯向): ~하는 것을 즐거워 한다는 뜻.
* 미화렴(媚畫簾): "주렴에 아양 떠는 그림을 그리다" 즉 "갖은 아양을 다 부린다"는 뜻.

8. 이것이 가을 소리구나

곧 밤을 맞아 세찬
바람소리에 갑자기 놀라,
무심코 하늘을 쳐다보니
확 트여 맑기도 하네.

가을이 오는 소식을
그대는 알지 못하는가?
한 줄기 서풍(西風)이
나뭇가지 흔드는 그 소리를!

8. 此秋聲也

方夜忽驚蕭颯聲, 但看玉宇廓然淸。
秋來消息君知否, 一陣西風撼樹生。

* 옥우(玉宇): 천제(天帝)가 사는 집, 곧 하늘. 우주를 뜻함
* 곽연(廓然): 확 트이다.

9. 맑게 갠 가을 날

자디잔 티끌 한 점
도무지 물들지 않아,
완연한 가을하늘
비단 폭을 펼친 듯,
먼 산봉우리 태연히
솟아있고,

차가운 연못물은
고요해 흐르지 않네.

제철 맞은 등자각(藤子閣),
달빛 가득한 사공루(謝公樓).

아, 도처의 풍광(風光)
절경(絕景)인데,
송옥(宋玉)은 어찌하여
가을은 쓸쓸하고
서글프다 했을꼬?

9. 秋晴

纖塵都不染, 一練十分秋。
遠岫澹然出, 寒潭靜不流。
節逢藤子閣, 月滿謝公樓。
隨處風光好, 如何宋玉愁。

* 사공루(謝公樓): 중국 5세기 남제(南齊)의 시인 사조(謝朓)가 지은 누각
* 등자각(藤子閣): 등나무 줄기가 얽혀 있는 누각(樓閣)
* 수처(隨處): 도처에, 어디서나.
* 풍광(風光): 경치
* 절경(絕景): 뛰어나게 아름다운 경치, 절승(絕勝)
* 송옥(宋玉): 중국 전국시대 말, 서기 3C, 초(楚)나라 궁정시인으로 명성을 날림
* 수수(愁愁)롭다: 쓸쓸하고 서글프다.

10. 가을 겨울 글짓기가 가장 어렵구나
- 추동(秋冬)무렵 글짓기가 가장 어렵구나.
(秋冬之際 最難爲意), 소동파(蘇東坡)의 말,
이 여덟 글자를 분운(分韻)으로 하여 시(詩)를 짓다 -

세상살이하는 길에
비분강개(悲憤慷慨)가 많지만,
나는 또 이 가을의 감회가 새롭네.

옛사람들 일찍이 나보다 먼저
가을을 노래했으니,
아득한 초(楚)나라 송옥(宋玉)은
'비애(悲哀)의 가을'이라 읊었구나.

단풍국화 다 같이 곱지만,
남모르게 슬며시 가을을 보내고
겨울을 맞이하는데,
지난 봄 여름날 나는 멋대로
함부로 가을겨울을 지껄였으니
부끄럽기 짝이 없도다.

초조하고 번잡한 생각에 빠져,
넓고 넓은 이 세상에
어디로 가야 할지 헤매는데,
그 누가 올곧은 주장을 하는지?
술잔을 멈추고, 그것을 꼭 한 번
물어보고 싶구나.

두견새 애처롭게 울음 울고,
구름 가 기러기 떼 울부짖고 가는데,

먼 태행산(太行山) 구름들을 바라보니,
때마침 봉우리에서 배회하고 있네.

한성(寒聲)하는 소리가 〈한성(寒聲): 혹한(酷寒)에 하는 발성연습〉
서남(西南)에서 들려와,
먼 길 떠난 나그네가
제일 먼저 그곳을 물어보고,
철따라 느끼는 감회(感懷)가
계절마다 흥겹지만,
이 철에 이 감회가 제일이구나.

가을 달밤 밝은 달도
차마 그냥 볼 수 없었는데,
또다시 길고 긴 겨울밤을 맞으니,
정녕 혼자 보내기 어렵네.
동지섣달 기나긴 밤,
설명할 말조차 부족하니,
이 시름 보내기가 참으로
난감하구나.
마음에 짐을 진지 삼십 년,
만사에 무엇 하나 이룬 것 없으니,
그 세월이 참으로 아깝지만,
오는 세월이나 마음을 다잡아,
해야 할 일들을 모두 다 이루리라.

세상사람 원래 나와 같지 않으니,
누가 있어 나의 뜻을 알아주랴!
그러므로 시(詩)를 지어 노래하면서,
유유히 나의 뜻을 천고(千古)에
전하리라.

10. 秋冬之際最難爲意

出東坡語 八字分韻

世路多慷慨, 我懷又是秋。　古人先穫我, 宋玉已悲秋.
楓菊等可愛, 居然秋復冬。　昔予春夏日, 漫說是秋冬。
耿耿繁慮積, 茫茫迷所之。　孰能主張是, 停杯一問之。
鵾鳩發哀音, 徵雁叫雲際。　遙望太行雲, 徘徊正此際。
寒聲西南來, 遠客聞之最。　感時而興懷, 此懷此時最。
秋月看不忍, 且遣冬夜難。　夜長不足說, 最是遣愁難。
負心三十載, 萬事無一爲。　光陰眞可惜, 來者庶可爲。
世人元非吾, 有誰識吾意。　因歌遂賦詩, 悠悠千古意。

* 분운(分韻): 운자(韻字)를 정하고 여러 사람이 나누어 집어서 그 운자로 한시를 지음
* 소동파(蘇東坡): 11세기 중국 송대(宋代)의 유명시인, 본명은 소식(蘇軾), 아버지 소순(蘇洵), 동생 소철(蘇轍)과 함께 '3소'(三蘇)라고 일컬어지며, 이들은 모두 당송팔대가(唐宋八大家)에 속함. 소동파(蘇東坡)는 조정의 정치를 비방하는 내용의 시(詩)를 썼다는 죄(罪)로 황주(黃州)로 유배(流配)되었는데, 이 때 농사짓던 땅을 '동쪽 언덕'이라는 뜻의 〈동파(東坡)〉로 이름 짓고 스스로 호(號)를 삼았다.
　소동파(蘇東坡)는 구양수(歐陽修) 등에 의해서 기틀이 마련된 송시(宋詩)를 더욱 발전시켰다. 구양수(歐陽修) 이전의 시(詩)가 대개 비애(悲哀)를 주제로 한데 비해서 구양수는 평안하고 고요한 심정을 주로 읊었고, 소동파(蘇東坡)는 이에서 벗어나 훨씬 적극적, 자각적인 관점을 취했다. 또한 소동파(蘇東坡)는 작가(作家)의 마음이 자연스럽게 묻어나와야만 훌륭한 문장(文章)이 된다는 청년기의 생각을 평생토록 일관했다.

* 세로(世路): 세상을 살아가는 길, 인생행로, 세상경험, 처세의 길.
* 비분강개(悲憤慷慨): 의롭지 못한 것을 보고 슬프고 분해서 의기(義氣)가 북받침
* 감회(感懷): 지난 일을 더듬어보며 느끼는 생각이나 정(情)
* 송옥(宋玉): 중국 전국시대 말, 서기전 3C, 초(楚)나라 궁정시인으로 명성을 날림
* 풍국(楓菊): 단풍과 국화
* 한성(寒聲): 한중(寒中)〈소한(小寒)부터 대한(大寒) 사이〉에 큰 소리로 경전(經傳)을 읽거나 가곡(歌曲)을 부르거나 하여 음성훈련을 하는 것, 즉 혹한(酷寒)의 발성연습

11. 봄눈(春雪)

바람 따라 풀풀히
흩날리다가
햇볕보자 사륵사륵
사라지구나.

산봉우리 잔설(殘雪)은
보이지 않는데,
골짜기를 흐르는 물소리
호쾌(豪快)하게 들리네.

11. 春雪

飂飂隨風下, 點點向日消。
不見山頭白, 但聞澗聲豪。

* 호쾌(豪快): 크고 활발하여 시원시원함.

12. 정월대보름(上元節)

세상사람 마음속은
대보름달 바라는데
중추가절(仲秋佳節)
오늘 밤이 정월 대보름!

집집마다 마을마다
등불을 달고

생황(笙篁)에 풍악소리
다리(橋)마다 울리네.

내 고향은
천리 밖 머나 먼 곳,
은하수 새벽녘에
밝게 빛나네.

푸른 하늘 보름달아
네게 묻노니,
보내고 맞이한 게
몇 번이나 되느뇨?

12. 上元

人心新歲月, 佳節于今宵。
燈火家家市, 笙歌處處橋。
鄕山千里遠, 星漢五更昭。
試問靑天月, 幾回送且邀。

* 상원(上元): 음력 정월대보름, 멸절
* 중추가절(仲秋佳節): 가을이 한창인 좋은 계절, 음력 팔월(八月)
* 생황(笙簧): 아악(雅樂)에 쓰는 관악기, 입으로 분다.

13. 도연명(陶淵明)의 귀거래사(歸去來辭)를 읽고

고개 돌려 천하를 돌아보니,
세상만사 모두가
돌아감만 못하구나.

내가 머물 전원(田園)은
어디 메인가?
세상살이 하는 길이
이제는 달라졌네.

거문고도 술잔도
모두를 잊은 신세(身世),
세상의 공명(功名)마저
초의(草衣)와 바꾸었네.

국화(菊花)꽃잎에 맺힌
영롱하고 차가운 그
이슬방울처럼,
청사(靑史)에 적어놓아
그윽한 그 뜻을 조금은
밝히리라.

13. 賦得陶元亮歸去來

回頭一天下, 萬事不如歸。
田園何處是, 世路伊今非。
身勢忘琴酒, 功名換草衣。
菊英寒露滴, 寫史闡幽微。

* 부득(賦得): 시(詩)를 읽고 읊다.
* 도연명(陶淵明)의 귀거래사(歸去來辭): 중국의 시인 도연명의 대표작. 관직을 버리고 떠나면서 읊은 시로, 노장(老莊)사상의 영향을 받아 전원에서 자연과 함께 지내는 삶의 아름다움을 노래한 시(詩)이다.
〈귀거래사(歸去來辭) 내용〉
  도연명이 41살 때 마지막 관직을 사직하고 고향으로 가는 소회를 운문으로 쓴 작품이다. 초사체(楚辭體)의 형식을 따른 전문은 모두 240여 자(字)이며, 각운(脚韻)이 다른 네 개의 장으로 구성되어 있다. "귀거래혜(歸去來兮, 돌아가노라)"로 시작되는 첫째 장은 관리생활을 떠나 고향으로 돌아가는 심경을 읊었고, 둘째 장은 집에 도착한 기쁨을 노래하고 있다. 셋째 장은 고향에서의 생활과 그곳에서 느낀 철학을 담고 있으며, 마지막 장은 자연 속에서 자연의 섭리에 몸을 맡겨 살아가려는 자신의 다짐과 소감을 드러내고 있다. "귀거래혜"라는 감탄사가 중간에 반복되면서 가슴에서 우러나오는 감정의 흐름을 잘 나타내고 있으며, 입신양명(立身揚名)에 눈이 멀어 권력에 아부하고 황금을 좇아 타락하는 관료사회에 대한 반작용으로, 전원에서 자연을 접하는 아름다움과 섭리에 따라 살아가는 기쁨을 잘 표현하고 있다. 이 작품은 이후 도연명의 대표작으로 꼽히면서 송말원초(松末元初)에 뛰어난 시문(詩文)을 모은 《고문진보(古文眞寶)》에도 수록되어 이후 한문학을 대표하는 명작(名作)으로 전해 내려왔다. 〈고문진보〉는 14세기에 조선에도 전해져서 조선의 선비들이 문장을 사숙(私淑)하는 교본(敎本)이 되었다.

* 도연명(陶淵明)(서기 365~427): 자(字)는 원량(元亮) 또는 연명(淵明), 호(號)는 오류(五柳)이다. 3C 중엽 중국 동진(東晉)말기 부터 4C 초 송(宋)나라 초기에 걸쳐 생존한 중국 대표적 시인이다. 당대 이후는 6조(六朝)최고의 시인으로 명성이 높았다. 그의 시풍은 당대(唐代)의 맹호연(孟浩然)과 왕유(王維) 등 많은 시인들에게 영향을 끼쳤다. 도연명은 강주(江州) 심양군(尋陽) 출생으로 그 지방에서 뿌리를 내린 시골 선비 집안 출신으로 은둔 생활을 하던 아버지의 외동아들이었는데, 29세 때 고향 강주의 교육장(敎育長)이 된 후 여러 관료생활을 했으나, 선비의 감성과 기개가 있어 틀에 박힌 관료생활에 적응하지 못하여 사임하고 향리로 돌아가 이후 20여 년 동안 이어지는 은둔생활에 들어갔다. 술을 좋아하여 가세가 곧 기울었지만 그곳에서 많은 관료, 지식인과 친교를 맺게 되었는데, 이들은 이후 송나라의 장관과 문단의 지도자가 되어 도연명(陶淵明)의 이름과 작품이 후세에 전해지는데 공을 세웠다. 도연명의 시문으로 현재 남아 있는 것은 4언시(四言詩) 9수, 5언시 115수, 산문 11편이다. 주요 작품으로 《오류선생전》, 《도화원기》, 《귀거래사》 등이 있다.

* 세로(世路): 세상을 살아가는 길
* 초의(草衣): 혼탁한 세상을 버리고 숨어사는 사람을 비유적으로 이르는 말

14. 수연(壽宴) 축시(祝詩)

― 정송리(鄭松里)옹(翁) 77세 고령축수(高齡祝壽) ―

일찍이 어린 시절에
재기(才氣)를 드날렸고,

만년(晚年)의 큰 영명(令名)은
일세(一世)의 스승이라.

남극(南極)의 수성(壽星)이
더불어 장수(長壽)를 다투고,

강당(講堂)에 모이는 날마다
옥골선풍(玉骨仙風) 풍채(風采)를
우러러보네.

14. 壽鄭松里七十七高齡

早年才氣展當時, 老大令名一世師。
南極有星爭與壽, 鱣堂日日仰風儀。

* 영명(大令名): 좋은 명성과 명예
* 수성(壽星): 남극성(南極星), 장수(長壽)별, 이 별을 보면 장수(長壽)한다고 한다.
  * 전당(鱣堂): 강의(講義)하는 강당(講堂)을 말한다. 중국 고대의 한(漢)나라 양진(楊震)이 강의를 하던 강당 앞에, 새가 전어(鱣魚) 세 마리를 물고 날아와 머리를 조아렸다 한다.
  〈《後漢書》卷54 楊震列傳 참조〉
* 풍의(風儀): 풍채(風采), 겉으로 드러나 보이는 인상
* 남극장수성: 동아시아 별자리에서 두 번째로 밝은 별, 남극성(南極星) 역할도 하고, 예부터 무병장수를 상징하는 별이다. 토정(土亭) 이지함이 이 별을 보려고 한라산을 세 번이나 오를 만큼 귀히 여겼던 별이다. 이 별을 보면 장수(長壽)한다고 하여, 지금도 이 별을 보기 위해 서귀포에서는 장수성 축제가 열리고 있다.

* 옥골선풍(玉骨仙風): 살빛이 희고 고결하며 백발(白髮)을 날리는 신선(神仙)같은 풍채

15. 개성 선죽교(善竹橋)를 거닐며
– 임신년(서기1932년) 가을 성균관 벗들과 함께 –

텅 빈 만월대(滿月臺)
달빛 홀로 밝은데,
누대(樓臺)의 유람객들
만 가지 정회(情懷)를
억누를 수 없네.

군데군데 얼룩진
선죽교(善竹橋) 피 얼룩들,
오백년 왕씨강산(王氏江山) 아우르는
충절(忠節)의 결정체로다.

15. 壬甲秋與泮宮諸友往松京過善竹橋

滿月坮空月自明, 登臨遊子不勝情
斑斑善竹橋邊血, 王氏江山總結精。

* 선죽교(善竹橋): 북한 개성시에 있는 돌다리이다. 고려 말 충신 정몽주가 이성계를 문병 갔다가 돌아올 때, 이성계의 아들 이방원이 보낸 조영규 등에게 피살된 곳이다. 다리 위 돌에 붉은 반점이 정몽주의 피 얼룩이라 전하며, 옆에 비각이 있는데 그의 사적을 새긴 비석 2개가 그 안에 있다. 서기 1971년 북한 문화재로 지정되었다. 정몽주의 피 얼룩은 후일 한국의 독립운동가 백범(白凡) 김구(金九)가 서기 1947년 그곳을 방문할 때까지도 남아있었다고 한다.

선죽교(善竹橋)의 옛 이름은 선지교이다. 개성시 선죽동 자남산 동쪽 기슭의 작은 개울에 있으며, 서기 919년 고려 태조가 송도의 시가지를 정비할 때 하천정비의 일환으로 축

조한 것이다. 고려 말 정몽주가 조영규 등에 철퇴를 맞아 숨진 사건 이후에 유명해진 것으로 생각된다. 서기 1780년(정조 4) 정몽주의 후손인 개성유수 정호인(鄭好仁)이 주위에 돌난간을 설치하고 별교를 세워 보호했다. 다리 동쪽에는 "선죽교(善竹橋)"라는 다리 이름을 한석봉이 쓴 비가 있고, 다리 서쪽에는 비각 안에 서기 1740년(영조 16) 어필(御筆)인 포충비와, 서기 1872년(고종 9) 어필(御筆)인 표충비가 있다.

* 정회(情懷): 가슴에 사무쳐 오는 생각과 감정(感情)

16. 송농(松儂)에게

– 계유년(서기1933년) 봄 일본(日本)에 있는 송농(松儂)
이동범(李東範)에게 절구(絶句) 10수(首)를 부치다. –

그대와 서울에서 이별한 후
새 봄이 또 왔네.
바위틈에 핀 꽃 개울 가 산새들,
그들은 누굴 위해 꽃피우고
지저귀는가?
그대 편지 열어보니 옥 같은
그대 얼굴 대한 듯 하고,
해외의 신기한 소식들이
새롭기만 하다네.

손꼽아 헤어보니
어느덧 성큼 봄이 다가와,
앞들에선 벌써 답청(踏靑)하는
사람들이 지나갔다네.
남쪽 산 북쪽 산 산들이 다들
한 결 같이 봄기운이라,
매화꽃 볼들이 발그레
부끄러이 홍조(紅潮)를 띠고,

버들개지 새록새록 눈을 떠 새롭네.

오늘 아침
새봄을 한 가지 꺾어,
아득히 떨어진
옛 벗에게 주려 하건만,
주려해도 줄 수 없어
던져버리고,
머리 돌려 오로지 한 생각,
그대 향한 그리움이
몇 번이나 새롭다네.

작년 봄은 우리 함께
물가에서 놀았는데,
올봄은 속절없이
이별(離別)인이 되었구나,
이별 후 그리움이 만남의
기쁨보다 더하다고 했던가,
아득히 떨어진 한차례 이별,
그 또한 인연이라 새롭다네.

날마다 하는 일이 청춘을
노래하는 일이라,
스스로가 태고의 복희(伏羲)시대
사람이라 한다네.
한차례 감로(甘露)가 내리더니
또 한 차례 봄비가 내려,
울긋불긋 온갖 꽃이 만발하여
번갈아 새롭네.

해 뜨는 바다건너 먼 일본 땅,

그 곳에도 온통 봄빛이겠지?
이 땅에도 새봄은 돌아왔건만,
막상 와야 할 사람은 아직도
돌아오지 않는구나.
동해바다 건너와
우리 서로 만나는 그 날이 오면,
응당 알 수 있겠지?
비단자루 가득 채운 또 다른
신선(新鮮)한 시어(詩語)들을!

울긋불긋 만발한 온갖 꽃들,
모두가 봄이로다!
절반은 시흥(詩興)을 부르고
절반은 그리운 이를 부르는데,
시(詩)가락은 다 지었네만
도무지 그리운 이를 만나지 못했으니,
형형색색 만발한 꽃들이야
피든지 말든지,
제성대로 맡길 수밖에!
서른 해나 청춘을 헛되이
보냈는데도,
사람들은 나를 보고
옛 사람이라 이르는구나.
옛 사람을 배우려 했으나
끝내 배우지 못하고,
억지로 분바르고 화장하여,
천하절색 월(越)나라 서시(西施)의
찡그리는 모습을 본받는 아낙들처럼,
고인(古人)을 색다르게
흉내 내는 꼴이 되고 말았다네.

그대는 가히 청춘을
저버리지 않는 사람이라네.
동서남북 큰 뜻을 품고
장유(壯遊)하는 사람이니!
사마문장(司馬文章)을
지금에 와 다시 보니,
서까래처럼 쭉쭉 뻗은
그 필력(筆力)이 몇 층이나
새롭구나.

"봄이 와도 봄같이 않다"는
말을 하지 말게 나!
봄을 희롱하는 자들이야말로
바로 봄을 해치는 자들이라네.
아득히 핀 저 들꽃들의
한량없는 그 눈물들이,
이별의 한(恨)을 뿌리치려는
내 마음처럼 새롭게 보이는구나.

16. 癸酉春寄李松儂

東範十絶 時松儂在日本

一別漢城春復春	巖花澗鳥屬誰人	開緘如對顏如玉	海外奇音從此新
屈指光陰已半春	前郊已過踏靑人	山南山北多相似	梅腮初紅柳眼新
今朝手折一枝春	欲贈天涯一故人	欲贈未能還自擲	回頭一念幾番新
去歲同遊泮水春	如今堪作別離人	別後相思勝相見	天涯一別亦緣新
行行日日樂靑春	自謂羲皇上世人	一番甘露一番雨	萬紫千紅次第新
遙憶扶桑萬里春	春歸莫作未歸人	知應東渡相逢日	滿載錦囊語更新
百百紅紅總是春	半邀詩興半懷人	詩已成兮人不見	紅紅白白任他新
虛負光陰三十春	世人謂我古之人	欲學古人終不得	强粧脂粉効嚬新

君可謂之不負春 西南東北壯遊人 司馬文章今復見 如椽筆勢幾層新
休道春來不似春 玩春人是傷春人 無限野花無限淚 不應離恨似吾新

* 복희씨(伏羲氏): 고대중국의 전설적 황제, 삼황 중 한사람, 처음으로 백성에게 고기잡이, 농경, 목축을 가르치고, 팔괘(八卦)와 문자를 만들었다고 함.
* 감로(甘露): 생물에 이로운 이슬
* 답청(踏靑): 봄에 파랗게 난 풀을 밟으며 거니는 것
* 반수(泮水): 물 가
* 부상(扶桑): 동쪽바다 해 뜨는 곳, 여기서는 일본을 이르는 말
* 금낭(錦囊): 비단주머니
* 분바르고 화장하여 찡그리는 여인: 고대 중국의 월(越)나라 천하미인 서시(西施)가 우물가에서 찡그리는 모습이 더 요염하다 하여, 여자들이 많이 찡그렸다는 고사(故事)에서 나온 말로, 본질을 모르면서 억지로 본받는 사람을 야유하고 비하(卑下)하는 말.
* 장유(壯遊): 큰 뜻을 품고 먼 곳에 감
* 사마문장(司馬文章): 사마상여(司馬相如)의 문장(文章)을 말한다.
* 사마상여(司馬相如): 고대 중국 전한(前漢)의 대문장가, 자는 장경(長卿). 그의 문장(文章)은 한(漢), 위(魏), 육조(六朝) 문인(文人)들의 모범이 되었다. 대표작, 자허지부(子虛之賦)

17. 생일 날 아침에
– 계유년(서기 1933년) 생일 날 아침에 회포를 읊다 –

오늘은 나의 생일
시월바람 불어오고,
평소의 염원(念願)은
천지간에 큰 뜻인데,

시대가 이미 변해
품은 뜻 못 다 이뤄,
양추(陽秋) 한권 펼쳐놓고
등잔불 마주 하네.

17. 癸酉生朝述懷

我生是日小春風 素志桑蓬天地中
素志未成時已變 陽秋一部對燈紅

* 소춘(小春): 음력 10월을 달리 이르는 말
* 상호봉시(桑弧蓬矢): 남자가 큰 뜻을 세움을 이르는 말. 옛날 중국에서 사내아이가 태어나면 뽕나무로 만든 활과 쑥대로 만든 화살을 천지사방에 쏘아 큰 뜻을 이루기를 빌던 풍속에서 유래한 말이다.
* 양추(陽秋): 운어양추(韻語陽秋)를 말함, '운어양추'(韻語陽秋)는 중국 송(宋)나라 갈립방(葛立方)이, 시(詩)와 부(賦)에 대한 "마음속의 품평(品評)"을 광범위하게 수집하여 편찬한 유명한 책으로, 전해오는 시어(詩語)들이 많이 들어 있다.

18. 난(蘭)을 그리다

한 폭 난(蘭)을
닷새 만에 그려내니,
그 때서야 비로소
묵향(墨香)이 퍼지면서,
붓끝에서 꽃이 피었네.

완물상지(玩物喪志)를
내 비로소 알았는데,
인간들은 무엇을
예술(藝術)이라 여기는가?

18. 寫蘭

一幅畵蘭五日成 墨香初散筆花始
始知玩物能喪志 何事人間做藝名

* 묵향(墨香): 먹의 향기
* 완물상지(玩物喪志): 진기한 것을 가지고 노는데 정신이 빠져 중요한 뜻을 잃음이나, 또는 쓸데없는 물건을 가지고 노는데 정신이 팔려, 정작 소중한 자기의 본마음을 잃어버리는 일을 일컫는 사자성어(四字成語).

〈역자주(譯者註)〉
　저자(著者)는 당시 서, 화(書畵)로 유명한 해강(海岡) 김규진(金圭鎭)의 문하에서 글씨와 그림을 연마하여 시, 서, 화(詩, 書, 畵)에 일가를 이루었으며 사군자(四君子)에 뛰어났다. 특히 일본문전(日本文展)에 풍죽(風竹)을 출품하여 특선으로 입상하여 일본 서화계에 크게 주목 받았으며, 저자(著者)의 풍죽(風竹)은 당대 제일인자라고 칭송받았다.
　이 시에서 저자(著者)는 그림을 그릴 때 단순히 외형을 묘사하는 것이 아니라, 그 외형에 대한 작가 내면의 마음상태가 붓을 통해 밖으로 나타났을 때만이, 진정한 예술로 본 것이다.

19. 갑술년 설날새벽
― 갑술년(서기 1934년)설날 새벽 아들들을 거느리고 중당(重堂)에 절을 하며 ―

한가락 닭울음소리
만방에 봄소식 알리고,
집집마다 축복소리
참된 마음 드러나네.

규방에선 정숙하게
조정례(朝廷禮)처럼 올리고
모두들 뜰 가운데 늘어서서
새해축하 절을 올리는구나.

19. 甲戌元日曉頭率兒輩 拜於重堂

一唱鷄聲萬國春 家家祝福見心眞,
閨門肅似朝廷禮 羅列中庭拜賀新.

* 중당(重堂): 상대방 조부모, 도교(道敎)에서는 자신의 조부모(祖父母)를 뜻함
* 조정례(朝廷禮): 조정(朝廷)의 관작(官爵) 서열(序列)에 대한 예절
* 정숙(正肅): 바르고 엄숙(嚴肅)함
* 규방(閨房): 부녀자가 거처하는 방, 안방, 큰방

20. 추석(秋夕) 달밤에
– 추석날 달밤에 "농(濃)"자를 운(韻)으로 삼아 –

달빛은 담담하고
매화그림자 짙은데,
때때로 서리 맞은 기러기 떼,
앞산 봉우리 지나는 소리
들리는구나.

고금의 허다한 일은
모두 중론을 따른다 해도,
내 품은 이 뜻만은,
천 번 만 번 다짐하고
또 다짐하리라.

20. 月夕得濃字

月影淡淡梅影濃 時聞霜雁過前峰

縱論今古許多事 此意千重復萬重

* 월영(月影)(月影): 달의 그림자, 달빛, 달의 모습
* 상안(霜雁): 서리 맞은 기러기
* 중론(衆論): 여러 사람들의 주장(主張),

21. 류참봉 손자 첫돌을 축하하며

하늘이 내려준 기린아 손자
온 집안의 기쁨이라,
봄바람 감도는 고결한 그 모습
더더욱 빛나네.

용강(龍江)의 강물이
끝없이 흐르듯,
옹(翁)의 집안 여경(餘慶)이
길이길이 이어가길,
멀리서 진심으로 축하한다네.

21. 祝柳參奉得孫初度

天錫麟孫喜滿堂 春風玉樹倍增光.
龍江江水流無盡 遙賀翁家餘慶長.

* 천석(天錫): 하늘이 내려주다.
* 기린아(麒麟兒): 슬기와 재주가 뛰어나 장래가 촉망되는 젊은이, 유망주, 기대주 등
* 옥수(玉樹): 고결한 풍채를 형용함. 이 시에서는 손자의 해맑은 모습.
* 옹(翁): 노인(老人)을 높여 부르는 말
* 여경(餘慶): 남에게 좋은 일을 많이 한 보답으로, 그 자손이 누리게 되는 경사스러운 일

* 요하(遙賀): 멀리서 축하하다. 〈요하(遙賀)의 다른 뜻: 설, 동지(冬至), 또는 국왕의 탄신일(誕辰日) 등에 사신(使臣)이나 지방수령이 전패(殿牌)에 절하며 임금에게 하례(賀禮)를 올리던 일. 전패(殿牌)는 조선시대 왕의 초상(肖像)을 대신하여 왕의 상징으로 나무에 "전(殿)"자를 새겨 지방관청에 둔 것으로, 지방에 간 관리나 그곳 수령이 전패에 배례하였음〉

22. 백양사(白羊寺)를 거닐며
– 사월 초파일에 익우(益友)들과 백양사를 거닐며 –

예전에 왔을 때는
단풍이 옅었는데,
오늘에 다시 와보니
녹음이 우거졌네.
해마다 이 산과의 약속을
저버리지 않았으니,
한평생 스스로 떠도는
운수납자(雲水衲子)심정이로다.

꾀꼬리 지저귀는 사월이
백양사에 짙었으니,
속세 떠난 절간을 차례로 찾아드네.
구름이 따르지 않아도
선인(仙人)은 떠나가고,
절간에 오르니 티끌 묻은 내 마음,
씻어내라 하는구나.

만학천봉(萬壑千峰)에
녹음(綠陰)이 짙었으니,
그대 노래 나의 술잔,
서로가 그리워 찾는구나.

노래 소리 끝나고
취흥(醉興)이 깨고 나면 알리라,
달빛과 맑은 물에 불심(佛心)이
비치는 것을!

누각(樓閣) 밖에 흐르는
두 물줄기 맑고도 얕은데,
포옹(圃翁)이 남긴 유적(遺蹟)
그 누가 찾아낼까?
한편의 시(詩)가락도
천고(千古)에 중하나니,
당시의 시상(詩想)을 얻어
읊조리고 싶네.

유유히 가버린 지난 일들
구름같이 깊었는데,
흰 구름과 흐르는 물을
몇 번이나 찾았던고?
하늘은 늙지 않고 달빛은 영원한데,
두견새 울음 속에 만고인심
서려있구나.

22. 四月八日與諸益遊白羊寺

昔我登臨紅葉淺 重來是日綠陰深
年年不負此山約 自許生平雲水心
黃鸝四月白羊深 物外雲門次第尋
雲物不隨仙子去 登臨使我滌塵心
萬壑千峰蒼翠深 君歌我酒暮相尋
知應歌罷酒醒後 月色清流照佛心

樓外雙流淸不深 圃翁遺蹟憑誰尋
一篇詩律重千古 想得當年題詠心
往事悠悠雲共深 白雲流水幾回尋
諸天不老月長在 杜宇聲中萬古心

* 백양사(白羊寺): 전남 장성군 북하면 약수리 백암산(白巖山)에 있는 절. 대한불교조계종 제18 교구 본사이다. 7C 백제 여환(如幻)이 창건, 백양사(白羊寺)라고 하였다. 수차례 중건을 거쳐 서기 1917년 송만암(宋曼庵)이 중건하여 오늘에 이르고 있다. 백양사는 일제강점기 31본산 중 하나였으며, 현재 부속 말사(末寺) 26개소를 관장하고 있는 대찰이다. 대웅전 뒤편의 팔정도(八正道)를 상징한 팔층탑(八層塔)에는 석가모니의 진신사리(眞身舍利) 3과가 안치되어 있으며, 부도전에는 백양사에서 배출한 서산대사 휴정(休靜), 송운대사유정(惟政) 등 18승려의 사리와 유골을 모신 탑과 비(碑)가 있다. 백양사 소요대사 부도는 서기 2002년에 보물 제1346 호로 지정되었다.
* 익우(益友): 이로운 벗
* 운수(雲水): 운수납자(雲水衲子)의 준말, 즉 돌아다니는 승려를 무상한 구름과 물에 비유하여 이르는 말
* 물외(物外): 세상 밖
* 선자(仙子): 선인(仙人), 신선
* 만학천봉(萬壑千峰): 첩첩이 겹쳐진 깊고 큰 골짜기와 많은 산봉우리
* 포옹(圃翁): 밭농사 짓는 늙은이
* 제천(諸天): 하늘세계, 모든 천상계(天上界),

23. 방학초(房鶴樵)가 찾아와 화답(和答)하다

〈제1수〉
청유(淸遊)를 즐기는데
가지마다 녹음도 우거지고,
지저귀는 새들도 잔화(殘花)들도,
저들의 한철이로다.

양춘백설가(陽春白雪歌)를 아는 자 드문데,
젊은 유생(儒生) 백발노인 모임이라니,
그 인연(因緣)이 참으로 기특하구나.

오로지 좋은 일 베풀고자
선방(仙方)을 알려주니,
몹시도 고마워하는데
스스로 약을 지어 먹어보면
그 약효(藥效) 더디지 않음을
알게 되리라.

담소(談笑)가 끝나도록
도무지 속된 티가 나지 않으니,
이제 헤어지면 각자가
서로 그리워 어찌 할꼬!

〈제2수〉
제비 꾀꼬리 마음껏
지저귀고 노래 부르고,
벽계산간(碧溪山間) 맑은 기운
인간세상 밝게 비추네.

책상머리 보감(寶鑑)에는
청사(靑史)에 남을 글이 있고,
문 밖의 옥답(沃畓)으로
맑은 물이 넘쳐흐르네.

부초(浮草)같은 세상에
다행히도 지기(知己)를 만나,
십년 세월 마침내 글 읽는
선비가 되었네.

야당화(野棠花) 다 피고나면
작약(芍藥)이 피기 시작하고,
종일토록 부는 훈풍(薰風)이
온 집안을 맑게 하는구나.

23. 房鶴樵見訪和吟

其一
淸遊又是綠陰枝 啼鳥殘花彼一時
白雪陽春知者寡 靑衿晧首會緣奇
仙方多謝施惟博 親劑從看效不遲
談笑了無煙火氣 那堪別後各相思

其二
鷰語鶯歌各盡情 溪山淑氣照人明
案頭寶鑒靑篇在 門外良田白水橫
浮世幸逢知己友 十年竟作讀書生
野棠開盡芍花始 永日薰風一室淸

* 청유(淸遊): 속되지 않고 시를 짓고 깨끗이 노는 것
* 양춘백설가(陽春白雪歌): 남이 흉내 내기 어려운 고상한 시가(詩歌)로 고대 중국의 전국 시대 초(楚)나라의 고아(高雅)한 가곡(歌曲)을 말한다. 일반적으로 고상하고 아취 있는 곡이나 아름다운 시(詩)를 뜻하는 말로도 쓰인다.
* 청금호수(靑衿晧首): 젊은 유생과 백발노인
* 선방(仙方): 신비한 효험이 있는 영약(靈藥)처방
* 연화기(煙火氣): 속된 기운, 속된 티
* 벽계산간(碧溪山間): 푸른 시내가 흐르는 산골
* 안두(案頭): 책상머리
* 보감(寶鑑): 본보기나 모범이 될 만 한 것을 적은 보배로운 책
* 청편(靑篇): 청사(靑史)에 남을 문장(文章)들
* 백수횡(白水橫): 맑은 물이 넘쳐흐르다.

* 지기(知己) : 지기지우(知己之友)의 준말, 서로 마음이 잘 통하는 친구
* 야당(野棠) : 야당화, 들에는 야당화, 산에는 산당화, 바닷가는 해당화,
* 작화(芍花) : 작약(芍藥), 함박꽃

24. 광한루(廣寒樓)에 올라

광한루 열한 굽이
정상에 올라보니,
삼신산(三神山)이
연못 동쪽 끝에
자그맣게 솟아있고,

오작교(烏鵲橋) 옆에는
봄풀이 푸르고,
교룡성(交龍城)밖에는
저녁구름 걷히는구나.

수많은 두려움 속
지난 일이 처량한데,
가인(佳人)만나 이별한 지
몇 천 년이 흘렀는고?

선녀들은 가버리고
달빛만 교교(皎皎)한데,
남녘의 생황(笙簧)소리
밤마다 구슬프구나.

24. 登廣寒樓

一上廣寒十一樓, 三山宛在水東頭。
烏鵲橋邊春草綠, 蛟龍城外暮雲收。
往事凄凉多浩怊 佳人逢別幾千秋。
列仙已去月長照, 南國笙歌夜夜愁。

* 광한루(廣寒樓): 전라북도 남원시 천거동에 있는 조선 중기의 목조 누각. 보물 제281호. 조선시대 정승 황희가 남원에 유배(流配)가서(서기 1418년), 현재보다 규모가 작은 누를 지어 광통루(廣通樓)라 했는데, 서기 1434년 남원부사 민여공(閔汝恭)이 증축했고, 서기 1444년(세종 26) 전라관찰사 정인지(鄭麟趾)에 의해서 광한루(廣寒樓)라 불리게 되었다. 광한루란 말은 달 속의 선녀가 사는 월궁인 광한전(廣寒殿)의 '광한청허루'(廣寒淸虛樓)에서 따온 것이다. 서기 1461년 신임부사인 장의국(張義國)이 요천강(蓼川江) 물을 끌어다 연못을 조성하고 4개의 홍예로 구성된 오작교(烏鵲橋)를 화강암과 강돌로 축조하여 월궁의 모습을 갖추게 되었다. 그 후 서기 1584년 송강 정철(鄭澈)에 의해 수리될 때 봉래·방장·영주의 삼신산(三神山)을 연못 속에 축조하므로 광한루, 오작교와 더불어 월궁과 같은 선경을 상징하게 되었다. 그 뒤 정유재란으로 전소된 것을 서기 1638년(인조 16)에 중건하여 지금에 이르렀고, 춘향전(春香傳)에 의해 많이 알려졌다.

* 교룡성(蛟龍城): 교룡산성은 예로부터 남원의 대표적인 풍수지리의 중심지로 삼한시대부터 치열한 전쟁터로써 전쟁 유적으로 널리 알려진 곳이다. 천년사찰 선국사와 동학과 불교의 성지로 알려진 덕밀암이라는 교룡산 정상부근의 암자가 유명하다. 남원시에는 남원성이라는 도심지역의 주성(主城)과 외곽을 둘러싼 교룡산성 유적이 있다. 고래로 군사적 요충지이고, 조선시대 정유재란 때 남원성 전투에서 왜군에 크게 패하면서 남원성은 초토화되었다. 그 후 동학전쟁과 6.25 전쟁에서 수많은 사람들이 목숨을 잃은 곳이기도 하다.
* 가인(佳人): 아름다운 여인. 곧 월궁 속 선녀들
* 교교(皎皎): 새하얗고 밝다.
* 생황(笙簧): 입으로 부는 관악기(管樂器)로 국악기(國樂器) 일종.

25. 남원의 춘향사당을 지나며

춘향사당 밖 연못물에는
아직도 향기가 남아 있고,
무수한 백일홍 꽃잎에
석양(夕陽)빛이 비치네.

두 여자 품는 사내들
부끄러워 죽을 지경인데,
천추(千秋)에 맵고 굳은
여인의 절개(節槪)는,
살아 더욱 빛나구나!

25. 過南原春香祠

春香祠外水猶香, 無數海棠照夕陽。
懷二男兒多愧死, 千秋苦節倍生光。

* 춘향사당 : 춘향의 절개를 기리기 위해 세워진 춘향의 영정각(影幀閣)으로, 서기 1931년 광한루의 동쪽에, 남원을 상징하는 배롱나무(백일홍)와 곧은 절개를 상징하는 대숲에서 광한루(廣寒樓)를 바라보며 북문의 동쪽 끝에 세워졌다. 서기 1931년 6월 20일(음력 5월 5일) 단오날에 춘향사당 준공식을 거행하면서, 국내 최초로 여성이 제관(祭官)으로 참여하는 춘향제를 지냈다. 춘향사당의 출입문은 단심문(丹心門)이다. 사당 정면에 전서체로 쓴 '열녀춘향사(烈女春香祠)'라는 현판을 걸었다. 춘향영정은 서기 1961년 김은호가 그린 영정으로 최초 초상 앞에 같이 안치하여 보관하였다. 현재 춘향영정은 사본이 춘향사당에 전시되어 있으며, 진본은 매년 춘향제의 시가지 가두행진 때 이동하는 차량 속에서만 볼 수 있다. 매년 춘향제를 지내고 있으며 그 햇수가 벌써 77년을 헤아리고 있다.
* 고절(苦節): 어떤 고난에도 굽히지 않는 굳은 절개(節槪)

26. 단비가 주룩주룩 쏟아져
− 4월 28일, 단비가 주룩주룩 쏟아져 기뻐서 적노라 −

지난 해 이맘때는
가뭄이 심하더니,
올해 이 날에는 단비가
주룩주룩 쏟아지네.

이른 봄부터 무럭무럭 자란
보리도 이미 풍년이니,
농촌의 일들마다 어느 하나
어긋남이 없구나.

26. 四月二十八甘霖沛然誌喜也

去歲此時旱其甚, 今年此日雨霏霏。
麥豐已自前春大, 事事農村一不違。

* 감림(甘霖): 오랜 가뭄 끝에 내리는 단비
* 전춘(前春): 바로 전에 지나간 봄

27. 유두일(流頭日)에 두 어른 내방(來訪)
− 유두일에 김인재(金忍齋), 이우산(李愚山) 두 어른 내방(來訪) −

시골 노인 물가 아이
기꺼이 동무가 되니,
나라밖에 소문이 나도
서로가 들으려하지 않네.

거문고 흐르는 물소리에
청안(靑眼)이 열리고,
붓 끝에 이는 청풍(淸風)
적운(赤雲)을 깨뜨리네.

동(東)과 남(南)의 두 손님
우연히 만난 게 아니지.
일 년 삼백 일을 각기 반씩
나누었구나.

한가한 숲 생활이 취미인데
도리어 고요하지가 않고,
굳게 사귄 벗들은 서로가
죽군(竹君)으로 대하는구나.

〈2수〉
아름다운 꽃과 나무
뜨락에 가득 한데,
때맞추어 부는 맑은 바람
속세(俗世)가 아니로다.

운 좋게 찾아온 두 노인과
밤새도록 담소(談笑)를 이어가니,
고당(高堂)에서도 며칠은
한가(閑暇)하겠네.

상전벽해(桑田碧海)가 어찌
이야기꺼리만 되랴!,
시서화문(詩書畵文) 모두에
좋은 소재(素材)로다.

돈 한 푼 들지 않고
차지한 별천지(別天地)인데,
눈앞에 끝없이 펼쳐진 풍경
계곡 물도 좋고 산도 좋구나.

27. 流頭日金忍齋李愚山二丈來訪

野叟溪童甘作羣, 流言海外莫相聞。
琴中流水開靑眼, 筆下淸風破赤雲。
二客東南非偶合, 一年三百已平分。
林居閑趣還無寂, 石友之間對竹君。

其二
嘉花嘉木滿庭環, 時有淸風不世間。
幸因兩老聯宵話, 能做高堂數日閑。
桑田海水何須說, 詩畫書文摠所關。
不用一錢占別界, 眼前無限好溪山。

* 유두일(流頭日): 명절(名節)의 하나인 음력 6월 15일을 가리키는데, 옛날 풍속에 이날은 일가나 친지들끼리 서로 어울려, 물 맑은 계곡에 가서 머리를 감고 몸을 씻어서 액(厄)을 떨어버리고, 유두면(流頭麪), 밀전병 등의 음식을 만들어 먹고 놀았다고 한다.
* 청안(淸眼): 좋은 마음으로 남을 보는 눈
* 적운(赤雲): 붉은 구름
* 석우(石友): 바위처럼 굳게 사귄 친구
* 죽군(竹君): 대나무를 높인 말, (소동파(蘇東坡) 시(詩) 〈녹균헌(綠筠軒) 참조〉)
* 고당(高堂): 여기서는 내방(來訪)하신 두 분의 집을 높여 부르는 말
* 상전벽해(桑田碧海): 넓은 뽕밭이 푸른 바다처럼 변했다는 것으로, 세상일이 덧없이 변했음을 비유하는 말.

28. 조가암(趙嘉庵)씨 수연축시(壽宴祝詩)

― 함남 북청(咸南 北靑) ―

울긋불긋 채의(彩衣)입은
수연(壽宴)잔치,
세상에 이런 사람 없네.
먼저 팔순(八旬) 어르신께
경하(慶賀) 말씀 아룁니다.

오야(五夜)샛별 보시고
남극 수성(壽星)보시어
팔순(八旬)장수(長壽)누리시니,
천년 묵은 소철나무
북청(北靑)에서 봄을 맞네.

바야흐로 가야금 비파소리 어울리고
나팔소리 피리소리 즐거우니,
지란옥수(芝蘭玉樹) 좋은 향기
사현(謝玄)맹종(孟宗) 이웃이로다.

보시오들!
문성천(文城川)으로 흘러드는
저 물줄기처럼,
끝없이 이어지는 경복(景福)이
그와 더불어 새로워지는 것을!

28. 祝趙嘉庵壽宴韻　咸南北靑

彩衣宴甲世無人 先賀高堂已八旬
五夜明星南極老 千年鐵樹北靑春
琴瑟方翕塤箎樂 蘭玉相芳謝孟隣
試看文城川上水 源源景福與之新

* 채의(彩衣): 울긋불긋 무늬 있는 옷.
* 수연(壽宴): 장수(長壽) 축하잔치
* 오야(五夜): 오후 7시부터 다음날 오전 5시까지의 하룻밤을, 갑야(甲夜), 을야(乙夜), 병야(丙夜), 정야(丁夜), 무야(戊夜)의 다섯으로 나누어 부르는 말. *명성(明星): 샛별, 금성(金星)
* 남극로(南極老): 남십자성(南十字星)의 다른 이름. 수성(壽星), 장수(長壽)별, 이 별을 보면 장수한다고 함.

* 철수(鐵樹): 우리나라에서는 소철나무라 함. 꽃이 피면 부귀영화를 누린다고 함.
* 난옥(蘭玉): 지란옥수(芝蘭玉樹) 준말, 남의 훌륭한 자제(子弟)를 예찬하는 말.
* 사맹(謝孟): 사현(謝玄)과 맹종(孟宗), 사현(謝玄)은 중국 동진(東晉)의 명장(名將), 맹종(孟宗)은 중국 삼국시대 오(吳)나라의 효자(孝子)이다. 겨울에 어머니가 죽순이 먹고 싶다하여, 대밭을 찾아 간절히 기도한 끝에 죽순이 올라와 어머니께 바쳤다고 하며, 오늘날 '맹종죽(孟宗竹)'의 유래가 되었다.
* 문성천(文城川): 북청(北靑)에 있는 시내(川)
* 경복(景福): 큰 복(福)
* 여지신(與之新): 그것과 더불어 새로워지다.

29. 병석(病席)에서 일어나

— 무인년(서기 1938년) 10월 15일, 병석에서 일어나 우연히 지은 시(詩) —

병석에 누웠을 때는
벼가 익지 않았는데,
오늘 아침 문을 여니
눈발이 날리는구나.

지팡이에 의지해
조심조심 걸으니,
사람마다 권하는 약(藥)
많기도 하네.

석 달이나 근심 끼친 백발이
가련키도 하다만,
좋은 날 기쁨 속에 기린아(麒麟兒)
손자(孫子) 하나 얻었구나.

이 몸이 하루 속히
훌훌 털고 일어나,
운수명산(韻水名山)을 찾아
발길 가는대로 내맡기리라.

29. 病餘偶吟 戊寅 十月十五日

昔我病時稻未熟 今朝開戶雪華奇.
徐行牛是扶筇力 衆話何多勸藥辭.
三朔貽憂憐鶴髮 吉辰供喜獲麟兒.
此身若得能蘇快 韻水名山任所之.

* 병여(病餘): 병을 앓고 난 뒤, 병이 막 나으려 하는 상태
* 우음(偶吟): 우연히 읊음
* 학발(鶴髮): 하얗게 센 머리, 백발(白髮)
* 운수명산(韻水名山): 운치(韻致) 있는 물과 이름난 산
* 임소지(任所之): 가는대로 내맡기다.

30. 쾌차(快差)한 후 읊다
― 쾌차한 후 인재(忍齋)어른의 시를 받들어 읊다 ―

시월 날씨
봄날처럼 포근한데,
앓은 후 정신이
새롭게 드는구나.

썩은 잎 묵은 뿌리
기력(氣力)돕지 못하지만,
질욕(窒慾)없는 편한 마음
이것이 진정한 정수(精髓)로다.

가을 등불 아래 글 읽는 다짐은
공염불(空念佛)이 되었지만,
다시 날을 잡아 등산화 신고
가까운 명승지를 찾으리라.

지난 날 추억이 삼삼하구나,
일찍이 온화하고도
강직한 자리에서,
좌경우사(左經右史) 진지하게
논변(論辯)하던 그 일들이!

30. 病後奉忍齋丈吟

小春天氣暖如春, 病後精神更覺新。
朽葉陳根非補力, 安心窒慾是精眞。
秋燈虛負讀書約, 雲屐更期探勝隣。
追憶曾年閣侃席, 左經右史語誖誖。

* 질욕(窒慾): 징분질욕(懲忿窒慾)의 준말, 분한 생각을 경계하고 욕심을 막음
* 정수(精髓): 뼈 속에 있는 골수(骨髓)
* 소춘(小春): 음력 10월
* 좌경우사(左經右史): 왼편에 사서오경(四書五經) 오른편에 역사(歷史)책을 둠
* 운극(雲屐): 구름처럼 가벼운 나막신, 옛날 등산화.
* 논변(論辯): 사리(事理)의 옳고 그름을 말함

31. 막내아우 순회(舜會)군에게
– 무인년(서기 1938년) 섣달그믐날 밤에 회포(懷抱)를
적어 막내아우 순회(舜會)에게 부침, 5수 –

〈부모님 그리며〉
작년 제야(除夜)에는
어른 뫼시고 시 읊었건만,
올해 이날 밤엔 홀로
상심(傷心)만 하는구나.

풍물(風物)은 그대론데
어버이는 아니 계셔,
꺼져가는 잔등(殘燈)을 보니
눈물이 옷깃을 적시네.

〈순회(舜會)에게〉
작년 제야(除夜)에는 아우와 함께
시(詩)를 읊었건만,
이제는 해마다 이 날 밤엔
멀리 두고 그리는 심정이 되었네.

만리(萬里)나 떨어져
서로가 보고파도 못 보는데,
정겨운 어저께 편지 글자마다
옥(玉)같은 목소리구나.

〈느낌을 읊음〉
지난 일 돌아보니
아련한 꿈길 같은데,
잔설(殘雪)과 한매(寒梅)
모두가 우수(憂愁)로구나.

물시계(종루(鐘漏))가
세월을 재촉한다 한탄을 마오.
무인년 한 해가 나에게는
원수(怨讐)같은 세월이었네.

〈스스로 경계함〉
삼십 육년 세월이
유수(流水)처럼 흘러가고,
해야 할 일 만사(萬事)가
태산같이 쌓였구나.

물시계야,
재촉 말고 오늘 밤을 영원히
붙잡아 다오!

무인(戊寅)세월 한 번 가면
다시 오지 않는다네.

〈장회에게〉
형제끼리 마주 앉아
닭 울기를 기다릴 제,
설빔 입은 아이들이
차례대로 오는구나.

길흉화복(吉凶禍福)이
원래 정해져 있다지만,
나는 알겠노라,
길운(吉運)이 새봄을 데리고
돌아온다는 것을!

31. 戊寅除夜述懷寄舜會君　五首

去歲此宵侍側吟, 今年此夕獨傷心.
風物不殊親不在, 殘燈相對淚沾衿.（右思親）
去歲此宵共君吟, 年年此夕遠懷心
萬里相見不相見, 情函昨日玉如音.（右屬舜會）
回頭往事渾如夢, 殘雪寒梅摠是愁,
鍾漏相催且莫恨, 戊寅日月於余讐.（右感吟）
三十六年流似水, 百千萬事積如山.
鍾漏莫催永今夕、戊寅日月去無還.（右自警）
弟兄共對待鷄唱,, 彩袖孩童第次來,
否泰相乘元有定, 從知吉運伴春回.（右屬章會）

* 제야(除夜): 섣달 그믐날 밤(12월 31일 밤)
* 풍물(風物): 경물(景物), 계절 따른 경관(景觀)

* 상심(傷心): 슬픔이나 걱정 따위로 마음을 상함
* 잔등(殘燈): 깊은 밤에 꺼질락 말락 하는 희미한 등잔불
* 순회(舜會): 저자의 막내아우, 당시 일본 동경 중앙대학 유학 중
* 장회(章會): 저자의 둘째아우,
* 한매(寒梅): 찬 겨울에 피는 매화
* 종루(鐘漏): 시각을 알리는 종소리가 나는 물시계.
* 상최(相催): 서로 재촉함
* 부태상승(否泰相乘): 길흉화복(吉凶禍福)이 서로 작용함

32. 선운사(禪雲寺) 가회(佳會)

강변 정자(亭子) 다 지나니
또다시 산속의 정자(亭子)라,
세상 밖의 강산(江山)이
나를 깨닫게 하는구나.

이 땅의 영웅호걸들
백발(白髮)이 되어서야,
티끌 속 속세(俗世)에서
비로소 청안(淸眼)이 열리는구나.

천 년의 신선(神仙)자취
스님 만나 얘기하며,
사월(四月)의 꾀꼬리 소리
그대들과 더불어 듣는다네.

다시 도솔천(兜率天) 향하여
숲속 밖 오솔길로 걸으니,
흰 구름 흐르는 물에
일신(一身)이 가벼워지네.

32. 禪雲佳會

江亭過盡又山亭, 物外江山使我醒。
海內豪雄頭已白, 塵中世界眼初靑。
千年仙跡逢僧話, 四月鶯聲與子聽。
更向兜天林外路, 白雲流水一身輕。

* 선운사(禪雲寺): 전북 고창군에 있는 명승고찰. 대한불교 조계종 제24교구 본사, 6세기말 백제에서 창건, 한편 선운사 사적기에 의하면 신라 진흥왕이 왕위를 버리고 이곳에 와서 선운사를 창건했다고도 한다. 진흥왕은 진흥굴 윗산에 중애암을, 만월대 아래에 도솔암을 각각 세웠다고도 한다. 정유재란 때 불탄 것을 광해군 6년 (서기 1614)에 재건. 한때 89암자 24굴 189요를 갖춘 대찰(大刹)이었다. 선운사 대웅전, 도솔암 마애불, 동백숲, 장사송, 6층 석탑, 범종, 약사여래불상, 만세루, 백파율사비, 선운사 사적기 등 보물 5점, 천연기념물 3점, 기타 지방문화재 등 총 19점의 지정 문화재가 있다. 특히 5천여 평에 3천여 그루의 동백 숲은 장관을 이룬다.
* 가회(佳會): 좋은 모임
* 청안(淸眼): 사물을 좋게 보는 맑은 눈
* 도솔천(兜率天): 불교에서 욕계(慾界) 6천(六天) 중 제4천(四天), 이곳은 미륵보살이 살며 석가모니불의 교화(敎化)를 받지 못한 중생을 위해 설법(說法)한다고 한다. 도솔천은 미륵보살이 사는 정토(淨土)로 알려져 있다. 미륵보살이 도솔천에 살다가, 석가모니불이 열반에 든 후 먼 훗날에 중생구제를 위해 〈미륵불(彌勒佛)〉이 되어 온다고 한다. 그래서 미륵불을 미래불(未來佛)이라고 한다.

33. 도솔암(兜率庵) 운(詩韻)을 따서

산 이름이 귀에 익었으니
어찌 물어보겠는가?
새들도 낯이 익어 날아가지 않네.

구름 속에 드러난 바위들

다시 봐도 의연(毅然)하니,
세상에 이런 사람 있으면
옷자락을 들어 올려,
경의(敬意)를 표하리라.

33. 兜率庵拈韻

山名慣耳何須問, 禽鳥識顔故不飛。
石出雲端看更屹, 有人如此願摳衣。

* 도솔암(兜率庵): 고창 선운산에 있는 암자, 도솔암 위에 나는 듯이 솟은 천마봉과 만월대에서 바라보는 도솔천(兜率川)도 비경(祕境)으로 꼽힌다.
* 염운(拈韻): 운(韻)을 따옴
* 의연(毅然): 의지가 강하고 굳세어 끄떡없음
* 구의(摳衣): 옷자락을 치켜든다는 뜻으로, 윗분에게 경의(敬意)를 표하는 것

34. 사가집(四佳集) 회시(懷詩)의 운(韻)을 사용하여
– 눈 내리는 밤 사촌 동생 문회(玟會)와 더불어 사가집(四佳集)을 보고
'회시(懷詩)'에 느낌이 있어 그 운(韻)을 사용하여 시를 짓다 –

일찍이 숨어사는
임천(林泉)에 뜻을 두니,
세상만사 머리만 긁적이네.

대명천지(大明天地) 호시절에
태어남은 이미 늦었다만,
아름다운 글귀를 짓는 데는
쉼 없이 사력(死力)을 다하리라.

뜨락의 소나무가지
석자(三尺)나 눈이 쌓이고,
울타리 국화(菊花)가 만발하니
가을 날씨 완연한데,

초라한 오두막 등잔불 밑에서,
집안 살림 나라 걱정 세세히
담론(談論)하는구나.

34. 雪夜與從弟玫會閱四佳書懷詩有感用其韻

林泉曾所志, 世事入搔頭。
明時生也晚, 佳句死無休。
庭松三尺雪, 籬菊十分秋。
茅屋靑燈下, 細論家國愁。

* 《사가집(四佳集)》: 조선 초기의 문신(文臣) 서거정(徐居正)의 시문집(詩文集), 서거정은 조선초기의 대표적인 지식인으로 세종시대의 문풍(文風)진흥에 크게 기여했다.,
* 임천(林泉): 숲과 샘, 은사(隱士)가 사는 곳, 물러나 은거하는 곳
* 청등(靑燈): 푸른빛을 내는 등잔불

35. 사가집(四佳集) "偶作"의 운을 따서
― 다시 사가집(四佳集) "우작(偶作)"의 운을 따서―

인적(人跡) 드문 고요한 밤
시(詩)를 지어 혼자 읊네.

장부(丈夫)의 큰 뜻 이루자면
모름지기 적자심(赤子心)을

지녀야 하리.

시(詩)를 지으면 마땅히
주옥문(珠玉文)이 되어야 하니,
책을 사는데 어찌
천금(千金)인들 아끼랴!

추운 밤
쓸쓸히 비치는 등잔불
못내 꺼지지 않고,
비바람은 성긴 숲으로
질정 없이 부는구나.

35. 復用四佳偶作韻

夜靜無人到, 詩成獨自吟。
欲作丈夫事, 須存赤子心。
下筆當成玉, 買書那惜金。
寒燈耿不滅, 風雨向疎林。

* 우작(偶作): 우연히 읊다.
* 적자심(赤子心): 변함없는 선비의 마음
* 하필(下筆): 시나 글을 지음
* 수존(須存): 모름지기~생각을 가지다.
* 주옥문(珠玉文): 주옥(珠玉)같이 훌륭한 시문(詩文),
* 한등(寒燈): 추운 밤 쓸쓸히 비치는 등잔불

36. 삼가 사가정(四嘉亭) 운(韻)을 따서
― 남원(南原) 세심정(洗心亭)은 고주사의 별장 ―

은산(隱山) 아래 동쪽에
세심정(洗心亭)이 자리 잡아,
봄가을 손님접대 흥겨워 즐겁네.

티끌세상 떠난 산수(山水)
제월(霽月)이 찾아들고,
속기(俗氣)벗은 송죽(松竹)에
봄바람이 부는구나.

진실로 구름들의 운치(韻致)는
시시각각 다르다는 것을 안다만,
그 모두가 다같이
한가로운 정(情)에 따름을
그 누가 알리오.

시시비비(是是非非)를
어찌 말을 하겠는가?
밤낮으로 흐르는 계곡물소리가
내 먹은 귀에 부치는 소리라네.

36. 謹次四嘉亭韻 南原洗心亭 高主事別庄

隱山山下洗心東, 興在春秋送迎中。
泉石絶塵來霽月, 松筠不俗又春風。
固知雲物有時異, 誰識閑情隨獻同。
是是非非何足說, 澗聲日夕付於聾。

* 사가정(四嘉亭): 전북고창군 아산면 반암리 마명마을 앞 반암교 건너 산 아래 있는 정자, 나주사람 삼우당(三遇堂) 오재욱(吳在郁)이 서기 1944년 건립. 사가(四嘉)의 명칭은 4가지 아름다움 즉 인강어화(仁江漁火), 가인석조(佳人夕照), 소요귀운(逍遙歸雲), 옥녀명월(玉女明月)로, 사가정(四嘉亭)주변의 아름다운 풍광 4가지를 일컬음.
* 천석(泉石): 샘물과 돌이 어우러진 자연경관, 산수(山水)
* 제월(霽月): 비 개인 후 밝은 달, 거리낌 없는 개운한 심정을 비유함.
* 고지(固知): 진실로 ~을 알다.
* 운물(雲物): 운치 있는 구름들
* 한정(閑情): 유유자적한 심정
* 하족설(何足說): 어찌 말하겠는가?

37. 기동사(箕東社) 원운(原韻)을 차운(次韻)하여

향기로운 풀들은
누굴 위해 푸른가?
숨어 사는 그윽한 꽃들,
스스로 붉게 피는구나.

아, 천추(千秋)에 이어갈
유학(儒學)의 강명(講明)!
만 가지 학문(學問) 중에
홀로 우뚝 하도다.

37. 次箕東社原韻

芳草爲誰綠, 幽花也自紅。
講明千載下, 獨立萬山中。

* 원운(原韻): 원래의 시(詩)의 운(韻)
* 차운(次韻): 남이 지은 시(詩)의 운(韻)을 따서 지음

* 기동사(箕東社): 전북 고창군 아산면에 있는 정자(亭子). 전북 고창군 아산면에는 정자(亭子)가 많다. 기동사(箕東社), 남강정사(南岡精舍), 두암초당(斗巖草堂), 망향정(望鄉亭), 봉강정사(鳳岡精舍), 사가정(四嘉亭), 삼호정(三湖亭), 서호정(西湖亭), 세강정(世講亭), 송죽정(松竹亭), 송파정(松坡亭), 쌍은정(雙隱亭), 야은정(野隱亭), 용강정(龍岡亭), 운곡정사(雲谷精舍), 이매정(二梅亭), 일신정(日新亭), 청금정(聽琴亭) 등이 있다.

그 중에 대동리 인천강(仁川江) 상류에 있는 "기동사(箕東社)"는 율봉(栗峰) 신현중(申鉉中: 서기 1877~1942)이 지은 것이다. 신현중은 고종(高宗)이 붕어하자 덕산(德山)에 단(壇)을 설치하고 일제(日帝)에 복수(復讐)를 결심했다. 이후 평량갓을 쓰고 상인의 모습으로 평생을 지내다가, 만년 서기 1930년에 부흥산(賦興山)에 들어가 기동사(箕東社)를 지어 "단기강산(檀箕江山) 한선일월(韓鮮日月)"〈단군기자의 강산이요, 대한조선의 일월이라〉이라 크게 써서 석각(石刻)하여 세우고 후학(後學)을 양성하였던 뜻깊은 곳이다. 신현중은 개항기(開港期)의 대쪽 같은 선비로, 역시 개항기(開港期)의 선비인 전남 장성출신 송사(松沙) 기우만(奇宇萬 서기 1846~1916)의 문인(文人)으로, 서기 1919년 43세 때 프랑스 파리 '만국평화회의'에 보내는 파리장서(巴里長書)와 동포에게 고하는 글을 짓고 일경(日警)에 구속되기도 했다. 자(字)는 경일(景一), 호는 율봉(栗峯)이다. 서기 1877년(고종 14)에 성균박사(成均博士)에 천거되었으나 나가지 않았고, 대성문학원(大聖文學院)의 강사로 불렀으나 또한 나가지 않았다. 부친이 병에 걸리자 손가락을 잘라 피를 흘려 넣어 3일 동안 연명하게도 하였다. 경술국치(한일강제병탄, 서기 1910. 8. 29)를 당하자 의병을 일으키려다 미수에 그치고 통곡하였다. 그의 사후(死後) 기동사(箕東社)뒤에 영광단(永光壇)과 서산단(西山壇)을 세우고 봉향(奉享)했으며, 기산서원을 건립하여 충효(忠孝)를 추모하였다.

〈참고〉
훗날 기두연이 기동사에 들러 짧고도 긴 회포를 읊었는데, 그 시(詩)가 현판에 씌어있다.

秋色雙洋碧 (가을빛 망망대해 모두 푸르고)
春心萬古紅 (춘심(春心)은 만고에 붉도다.)
綱常天不老 (삼강오륜은 저절로 늙지 않으니)
生死一心中 (생사(生死)는 오로지 일심(一心)에 있네.)
〈위 시에서 홍(紅)과 중(中)을 차운(次韻)하여 저자(著者)가 시를 지음〉

* 방초(芳草): 향기로운 풀

* 유화(幽花): 숨어서 피는 그윽한 꽃
* 만산(萬山): 수많은 산들, 여기서는 수많은 학문(學問)이란 뜻
* 유학(儒學): 공자(孔子), 맹자(孟子)사상을 근본으로 하고 사서오경(四書五經)을 경전(經典)으로 삼아 정치, 도덕의 실천을 중시하는 전통적인 학문, 공맹학(孔孟學)
* 강명(講明): 연구하고 조사하여 사리를 밝힘

38. 관동(鸛洞)에서 계사(禊事)를 치루며

고대(古代)의 난정(蘭亭)은
오늘날의 관동(鸛洞)이라,
계(禊)를 위해 오는 이들
이제 보니 하나같이 똑같구나.

한창 청흥(淸興)이 일어
섬계설(剡溪雪)을 찾은
왕자유(王子猷)이런가?
좋은 때를 만나서 하고 싶은
일을 묻는 공자(孔子)의 물음에,
무우풍(舞雩風)을 거론(擧論)한
증석(曾晳)이런가?

인생살이 헤아려보니
길어도 고작 삼만 육천일,
뜻은 언제나 명산(名山)과
운수(韻水)에 두었네.

계사(禊事)를 치루고
글 짓는 일 또한 많으나,
서로가 가슴속에 품은 생각을

털어버리고 잊는 것만 못하리.

38. 修禊于鸛洞

古蘭亭是今鸛洞, 來者視今亦與同.
淸興正逢剡溪雪, 嘉期更問舞雩風.
人生三萬六千日, 志在名山韻水中.
修禊修文亦多事, 不如相忘胸懷空.

* 계사(禊事): 계제(禊祭)를 지내는 행사, 〈계(禊)〉는 삼짇날(음력 3월 3일)에 지기(知己)들이 모여 상수(上水)에서 목욕한 후, 재앙을 제거하고 복(福)을 구하며 심신(心神)을 단련(鍛鍊)하는 일종의 수련(修鍊)행사이다.
* 왕희지(王羲之)의 난정(蘭亭): 〈난정(蘭亭)〉은 고대 중국 동진(東晉)시대의 절강성(浙江省) 회계군(會稽郡) 소흥시(紹興市)에 있던 정자(亭子)이다. 4C 중국 진(晉)나라의 서성(書聖) 왕희지(王羲之)가, 영화(永和) 9년 3월 3일에 문사(文士) 41인과 함께 회계산(會稽山)에 있는 〈난정(蘭亭)〉에 모여 술을 마시며 시를 지어 시집(詩集)을 만들고 왕희지(王羲之)가 그 시집(詩集)의 서문(序文)을 썼는데, 그 서문이 바로 서예계(書藝界)에서 너무나 유명한 행서체(行書體)의 〈난정시서문(蘭亭詩序文)〉이다. 서문의 주요내용은, 영원한 것은 없으며, 흥취가 가면 슬픔이 온다는 탄식과 현실에 대한 낙천적(樂天的)인 삶의 자세를 적은 것이다.

* 정봉(正逢): 한창 ~을 만나다.
* 청흥(淸興): 맑은 흥(興)과 운치(韻致)
* 운치(韻致): 고상하고 우아한 품위가 있는 멋, 풍치(風致)
* 명산운수(名山韻水): 이름난 산과 운치(韻致)있는 물
* 무우풍(舞雩風): 기우제(祈雨祭)를 지내는 무우대(舞雩臺)에 부는 바람

* 왕자유(王子猷): 진나라 학자, 서화에 능함, 본명, 왕휘지(王徽之)(서기 338?~386) (신필(神筆) 왕희지(王羲之)의 5째 아들). 왕휘지가 산음현(山陰縣)에서 살고 있을 때 밤새 큰 눈이 내려, 잠에서 깬 그는 술 생각이 간절하여 하인을 부르려고 방문을 열었는데 사방이 온통 은빛세상이었다. 쌓인 눈에 취한 그는 마당을 서성이며 좌사(左思·서기 250?~305?)의 '초은시(招隱詩)'를 읊조리다가 갑자기 친구인 대안도(戴安道)가 보고

싶었다. 대안도는 가까운 섬계(剡溪)에 살고 있었다. 그는 곧장 밤에 친구를 찾아 작은 배를 타고 하룻밤이 지나서 도착한 그는 친구의 대문 앞까지 갔다. 그런데 갑자기 들어가지 않고 그만 돌아서고 말았다. 곁에서 이를 지켜본 사람이 의아해서 묻자 왕자유가 말하기를 "나는 본래 흥(興)이 올라서 왔다가 흥이 다해 돌아가는 것이니, 어찌 반드시 친구 대안도를 만나야만 하리오!"라고 했다. 순수한 청흥(淸興)에 이끌려 사는 왕자유의 호방하고 자유분방한 기질을 엿볼 수 있다.

* 대안도(戴安道): 중국 진나라의 학자, 본명은 대규(戴逵), 안도(安道)는 자(字)이다. 칠현금의 명수(名手)였고, 서화(書畵)에도 능하였다.
* 왕자유(王子猷)가 친구 대규(戴逵)〈자(字) 안도(安道)〉를 눈 오는 밤에 갑자기 보러간 고사(故事)에서 "승흥이행(乘興而行: 흥이 일어나 감)"이란 고사성어(故事成語)가 나왔고, 또 대규(戴逵)가 살던 섬계(剡溪)를 따서, "섬계흥(剡溪興: 섬계에서의 흥)" "섬계회도(剡溪廻棹: 섬계에서 배를 돌림)" 그리고 "섬계설(剡溪雪: 섬계의 눈)" 등의 고사성어가 나왔다.
* 증석(曾晳): 공자(孔子)의 제자(弟子)이며, 《대학(大學)》을 저술한 증자(曾子)의 아버지이다.

「논어(論語)」 선진(先進)편에 있는 내용〉공자(孔子) 왈, "만약 너희들이 등용되는 좋은 때를 만나면 무엇을 하고 싶으냐? 각자의 뜻을 말해 보아라." 말석에 앉아 있던 증석(曾晳)이 맨 마지막에 대답했다. "저는 늦봄에 봄옷이 다 되면, 갓 쓴 자 5~6 명과 동자(童子) 6~7명을 데리고 기수(沂水)에서 목욕하고 무우대(舞雩臺)에서 바람 쐬고 노래하다 돌아오겠나이다." 공자(孔子)가 탄식하며 말했다. "내 너와 뜻을 같이 하겠노라!"

39. 추석 달밤에 순회 아우에게

푸른 하늘 보름달
아우는 아니 보는가?
이역만리 날아온 편지를
읽고 또 읽네.

답장을 쓰려하니
달빛이 너무 밝아,

해마다 명절 때면
그리움이 배(倍)가 되네.

39. 中秋月夕寄舜會

靑天有月君看否, 萬里來書我讀之。
欲作回書月長照, 每逢佳節倍相思。

* 순회(舜會): 저자(著者)의 막내아우, 당시 일본 동경 중앙대학 법과 유학 중

〈부록〉

화운(和韻) 〈아우가 보낸 답시〉

푸른 하늘 보름달
한가위가 좋으나,
편지 한 장 못 부친
지난 일이 한스럽네.

중양절(重陽節)이 또다시
머지않았으니,
갓 익은 산수유(山茱萸)로
그리움 전하리다.

附: 和韻

靑天有月仲秋好, 恨未前時一問之。
又是重陽不多日, 茱萸初熟寄相思。

* 화운(和韻): 남이 지은 시(詩)의 운자(韻字)를 써서 답시(答詩)를 지음.

* 중양절(重陽節): 음력 9월 9일, 양수(陽數)(홀수)가 두 번 겹쳐 복을 받는데서 유래함. 설날, 삼짇날, 단오, 칠석과 더불어 명절로 지냄. 중양절에는 붉은 산수유 열매를 머리에 꽂고 산에 올라가 시를 짓고 하루를 즐기는 풍습이 있었는데 이를 등고(登高)라 했음. 추석 때 햇곡식으로 차례(茶禮)를 못 지낸 집은 이 날에 차례를 지내기도 한다.

40. 서울 여행(旅行)에서

서둘러 행장을 꾸려
이른 새벽에 나서니,
일마다 틈새를 바랐지만
잠시도 짬이 없네.

가을바람 나그네가
서강(西江)을 건너가니,
해질녘 구름은
북악(北岳)으로 돌아가네.

빼앗긴 나라,
거친 잡초 우거진 고궁(古宮)은
쓸쓸하고 적막한데,
푸른 연기 수많은 집과 건물,
얼마간은 번화한 모양이로다.

십여 년 간 서울생활에
아는 사람도 많은데,
옛 친구들이 때때로
비 맞으며 찾아오는구나.

40. 長安旅次

行李匆匆曉出關, 欲閒事事暫無閒。
秋風客渡西江水、落日雲歸北岳山。
荒草古宮寂寞裏, 靑煙萬戶繁華間。
長安十載多相識, 故友時時帶雨還。

* 장안(長安): 중국 산서성(山西省) '서안(西安)'의 옛 이름, 여기서는 우리나라 '서울'
* 여차(旅次): 여행 중에 머무는 곳이라는 뜻으로, 주로 아랫사람에게 보내는 편지에 쓰는 말, 여행 중의 숙박지 또는 여행도중이라는 뜻

* 서강(西江): 한강의 서쪽 지역으로 봉원천(창천)과 한강이 합류하는 지역을 가리킨다. 서호(西湖)라고도 하며, 서울에서 가장 아름답고 번화한 지역이다.

* 북악산(北岳山): 북악산은 높이 342m의 화강암으로 이루어진 서울의 주산(主山)이다. 서쪽의 인왕산(仁王山, 338m), 남쪽의 남산(南山, 262m), 동쪽의 낙산(駱山, 125m)과 함께 서울의 네 개의 산 중 하나로, 북쪽의 산으로 일컬어졌다.〈명칭 유래〉남산(南山)에 대칭하여 북악(北岳)이라 칭했다. 조선시대까지 백악산(白岳山), 면악산(面岳山), 공극산(拱極山), 북악산(北岳山) 등으로 불렸다.

〈역자(譯者)주〉: 이 시(詩)는 40여 년간 일제강점기를 견뎌온 저자(著者)가, 과거 명륜전문학원에서 수학(修學)하고 강설(講說)할 때의 감회와, 일제(日帝)에 나라를 빼앗겨 헐리고 부셔져 쑥대밭이 된 대한제국의 궁궐(宮闕)을 바라보는 비감(悲感)을 적은 시(詩)이다.

41. 늦가을을 뜻밖에 맞아

늦봄이 떠나가고
늦가을을 맞이하니,
그 사이 흐른 세월

한 해의 절반이구나.

청산이 눈앞에 다가오는
늦가을을 맞았으니,
모름지기 책을 지어
대대로 전(傳)하리라.

아름다운 모임을 다시
보름날로 기약했으니,
뜬구름 같은 인생살이
선천(先天) 후천(後天),
공허(空虛)한 소리들을
또 이야기해보세.

저녁 숲속 매미소리에
조금은 서늘한 바람이 일고,
술 익는 앞마을에는
저녁연기 피어오르네.

41. 秋杪偶合

春暮相離秋杪合, 中間歲月半如年。
近以靑山爲眼界, 須將黃卷作家傳。
佳會更期三五節, 浮生空說後先天。
晩林蟬語微凉動, 酒熟前村帶夕烟。

* 추초(秋杪): 늦가을
* 우합(偶合): 뜻밖에 맞이함
* 황권(黃卷): '책'을 달리 이르는 말, 옛날 책이 좀먹는 것을 막기 위해 종이를 황벽나무 잎으로 물들인 데서 나온 말

42. 가을밤 느낌을 읊다(秋夜感吟)

낙엽 질 때 등잔불 밑에서
선친(先親)의 글을 읽네.
남은 것 열에 하나
구름처럼 흩어져도,

영금편옥(零金片玉)이라,
짧아도 보배로운 글이니,
밤중까지 홀로 안고
말았다가 펴는구나.

42. 秋夜感吟

黃葉靑燈讀父書, 存亡十一散雲餘。
零金片玉猶爲寶, 獨抱中宵卷復舒。

* 영금편옥(零金片玉): 부스러기 금(金)과 조각 보옥(寶玉)이란 말로, 짧아도 보배로운 글이라는 뜻이다.

43. 맏손자(孫子) 첫돌잔치에
– 손자 경식(璟植)의 돌잔치에 선친이 지은
조카 정수(晶洙)의 첫돌 시운(詩韻)을 따서 –

오늘 아침은
손자 경식(璟植)의 첫돌!
다투어 밀려드는 하객들 발길에
뜨락이끼 망가지네.

기억도 생생해라!
지난해 손자가 태어나던 날,
선친(先親)께서 이르신 그 말씀,
"길운(吉運)이 오리라!"

43. 璟孫初度日, 用先君晶姪初度韻

喜看今朝初度回, 賀賓爭到破庭苔.
記得去年懸弧日, 先君謂我吉運來.

* 손자(孫子): 저자(著者)의 맏손자로, 본《연연당문고(淵淵堂文稿)》번역본(飜譯本)을 출판하는, 연정(淵亭) 김경식(金璟植)박사를 말함.
* 초도일(初度日): 첫 돌이 되는 날, 수일(晬日)이라고도 함
* 현호일(懸弧日): 사내아이가 태어난 날

44. 운곡정사(雲谷精舍) 원운(原韻)을 따서

홀로 거문고와 독서를
즐긴 지 수십 년,
자양산(紫陽山)기슭에서
흰 구름을 벗 삼았네.

기이한 절경(絶景)들을
모두 하늘이 지었으니,
운곡(雲谷)이란
아름다운 마을이름을
어찌 우연이라 하겠는가?

가을바람 불어오는

소나무 계수나무 숲속
아담한 초가삼간 하나,
봄비 내려 뽕과 삼(麻)은
몇 리나 내(川)를 이뤄
일렁이네.

숲속 초가에 오르자
비로소 깨닫는 맑고도
상쾌한 생각들,
아, 발아래 오붓한 저 마을,
밥 짓는 연기 하나 없는
별천지로구나!

44. 次雲谷精舍原韻

獨樂琴書幾十年, 紫陽山下白雲邊。
景多奇絶皆天作, 地得嘉名豈偶然。
秋風松桂三間屋, 春雨桑麻數里川。
登臨始覺淸凉意, 別有乾坤不食烟。

* 운곡정사(雲谷精舍): 전북 고창군 아산면 운곡리에 있는 정사(精舍), 운곡정사(雲谷精舍)는 일제강점기 서기 1935년 봄에 회산 유면규(晦山 柳冕圭 서기 1878~1948)가 건립했다. 58세 된 유면규가 운곡정사(雲谷精舍)를 짓고 「근사록(近思錄)」과 「심경(心經)」을 탐독하면서 학동들에게 소학(小學)을 비롯하여 경전(經傳)을 가르치고 군자(君子)의 도(道)를 강조했다.

또한 이 마을의 지명(地名)인 〈운곡(雲谷)〉은 중국 남송(南宋)의 유학자(儒學者)인 주희(朱熹, 서기 1130~1200)를 가리킨다. 호가 회암(晦庵) 또는 운곡산인(雲谷山人)인 주희(朱熹)의 사상(思想)을 닮고자 유면규(柳冕圭)는 다시 운곡노인(雲谷老人)이라 호를 짓고 이곳에 운곡정사(雲谷精舍)를 지어 주자(朱子)의 영정(影幀)을 봉안하였다. 정사(精舍)는 정신수양, 학문장려 목적으로 지은 집을 일컫는다.

* 자양산(紫陽山): 자양산(紫陽山)이라는 이름을 가진 산들이 전국에 많이 분포해 있다. 여기서는 전북 고창군 아산면에 있는 자양산을 가리키고 있다.

〈참고〉
* 금서(琴書): 거문고(가야금)와 독서(讀書)
* 운곡(雲谷): 구름이 자욱한 골짜기
* 송계: 소나무와 계수나무
* 청량(淸凉): 맑고 상쾌함

45. 박금호(朴錦湖) 고승(高僧)께

지난날은 나와 함께
녹음 속에 은밀히 지냈는데,
오늘은 달 밝은 눈 속에서
서로 만나네.

향내 짙은 옷깃에는
자하(紫霞)기운(氣運) 감돌고,
추수(秋水) 같은 얼굴에는
옥호정기(玉壺精氣)서렸구나.

취향(趣向)이 같을진대
어찌 선속(禪俗)을 가려
논(論)하랴!
흥이 나면 서로가
산(山)과 들을 즐긴다네.

오늘 모인 그대들

신선(神仙)인연 두터우니,
천만 겹 속세(俗世)시름
훌훌히 털어보세.

45. 贈朴上人錦湖

昔我相棲綠陰密, 今我相逢雪月明.
衿帶香雲紫霞氣, 顔如秋水玉壺精.
趣合何論禪俗別, 興來各說野山情.
多君是日仙緣厚, 萬疊塵愁分外淸.

* 상인(上人): 지덕(智德)을 갖춘 승려(僧侶)의 높임 말
* 향운(香雲): 구름같이 피어오르는 향불의 연기
* 자하(紫霞): 보랏빛 노을, 신선(神仙)이 사는 곳에 서리는 노을을 일컬음.
* 추수(秋水): 가을철의 맑고 서늘한 물
* 옥호정기(玉壺精氣): 옥(玉)으로 만든 항아리처럼 맑고 빛나는 정기(精氣)
* 선속(禪俗): 불교의 참선(參禪)의 세계와 속세(俗世)
* 흥취(興趣): 마음이 끌릴 만큼 좋은 멋이나 취미
* 선연(仙緣): 신선(神仙)과의 인연(因緣)

46. 남강정사(南崗精舍)에 모여

― 기묘년(서기 1939년) 칠석날에 남강정사(南崗精舍)에 모여 ―

아름다운 우리 모임
해마다 봄가을 두 번이라,
올 칠석(七夕)날에도
청유(淸遊)를 즐겨보세.

일찍이 맺은 계(契)는

천하명산을 찾자는 것,
풍파 많은 고해(苦海)에서
우리 모두 한 배를 탔구나.

한가로이 마주앉아
바둑 두며 술 마시니,
시름은 말이 없고
아취(雅趣)소리 뿐일세.

남강(南岡)땅엔 이로부터
현주(賢主)가 있게 되니,
울창한 숲속에
누각(樓閣)하나 그윽하구나.

46. 己卯七夕會于南崗精舍

佳會年年春復秋, 今年七七又淸遊。
天下名山曾結契, 風前苦海已同舟。
共對閒碁兼對酒, 但言雅趣不言愁。
南岡自是有賢主, 蒼翠中間一閣幽。

* 남강정사(南岡精舍): 전북 김제시 금구면 상신리 서도에 있는 주택. 전라북도기념물 제64호. 한일병탄(韓日竝呑) 때 단식자결한 항일투사(抗日鬪士) 일유재(一逌齋) 장태수(張泰秀)의 생가(生家)로, 자연석을 2단 쌓기로 기단을 만든 후 지은 초가(草家)이다. 장태수는 서기 1861년(철종 12)문과에 급제한 후 관직에 나아갔으나 서기 1910년 한일병탄이 되자 나라를 지키지 못한 것이 임금에게 불충하고 조상에게 불효한 것이라 하여, 동포에게 주권의 회복을 호소하는 고결문(告訣文)을 남기고 단식(斷食)을 시작한 지 20여 일이 지난 11월 27일 이곳에서 숨을 거두었다.
* 청유(淸遊): 속되지 않고 시를 짓고 깨끗이 노는 것

* 아취(雅趣): 아담하고 우아한 정취(情趣)
* 현주(賢主): 현명한 주인

47. 아우 장회와 밤을 새며
- 기묘년(서기 1939년) 섣달그믐밤에 아우 장회와 밤을 세며 -

초려(草廬)에서 밤을 새며
새 새벽을 기다릴 제,
등잔 앞에 마주할
한 사람이 모자라네.

지나간 삼 백 육십일을
되돌아보니,
바람서리 다 지나니
눈비가 내렸구나.

머지않아 봄기운
머금은 종소리 울리겠지,
해마다 이른 봄에
활짝 피는 매화꽃,
갈수록 새롭네.

원컨대 조부모님,
부디 강녕(康寧)하시고
장수하시길!
남극의 장수(長壽)별이
티 없이 맑게 비치는구나.

47. 己卯除夜與章會守歲

草廬未寐待淸晨, 相對燈前少一人。
回思三百六旬日, 過盡風霜雨雪辰。
鐘含春意聲將發, 梅放年華色更新。
但願重堂康且壽, 南方星彩淨無塵。

* 중당(重堂): 조부모(祖父母)를 지칭함
* 초려(草廬): 자기 집을 낮추어 일컫는 말, 또는 볏짚, 갈대 등으로 지붕을 이은 집
* 남극장수성: 수성(壽星), 이 별을 보면 장수한다고 함

48. 강천사(剛泉寺)에 들어가며
― 월담(月潭)과 함께 강천사에 들어가며 ―

진리 찾아 반나절
높은 누각(樓閣) 올라서니,
수많은 청산(靑山)이
흩어졌다 모여드네.

떠도는 구름그림자 담담히
아지랑이처럼 아른거리고,
들쑥날쑥 떨어지는 계곡물소리,
냉랭한 가을을 재촉하네.

삼현(三賢)이 떠난 후
구두산(龜頭山)이 우뚝하고,
두 나그네 찾아드니
새들 소리 흘러나오네.

연화대(蓮花臺)오르는 길
다시 접어 올라가니,
하늘 높이 부는 바람
쉴 새 없이 옷소매를 떨치는구나.

〈제2수〉
미투리와 지팡이로
청춘을 벗 삼으니,
평범한 유람객이 아니로다.

명산을 찾는데 어찌
천금인들 아까우랴?
천하절경 오늘따라
더더욱 새롭구나!

신선(神仙)인연이라 밤중까지
시(詩)를 지어 이어가니,
언젠가는 처지(處地)다른 두 나그네,
서로 이웃되길 바라네.

비로소 숲 속에 비 개이자
봉우리는 더욱 빼어나고,
진기하고 야릇한 금수(禽獸)들
또한 천진난만하구나.

48. 與月潭入剛泉寺

尋眞半日上高樓, 無數靑山散且收。
徘徊雲影淡如靄, 錯落溪聲冷欲秋。
三賢去後龜頭屹, 二客來時鳥語流。

更向蓮花坮上路, 天風拂袖政無休。

其二
芒鞋藤杖伴靑春, 不是尋常遊賞人。
名山那可千金惜, 佳景從今一倍新。
仙緣半夜各言志, 雲樹他年願結隣。
林雨初晴峯益秀, 珍禽異獸亦天眞。

* 강천사(剛泉寺): 전북 순창군 팔덕면 청계리 강천산(剛泉山)에 있는 절. 대한불교조계종 제2교구 본사인 선운사(禪雲寺)의 말사, 9세기말 신라의 도선(道詵)이 창건하였다. 그러나 임진왜란 때 전소(全燒)하여 훗날 중건함, 역사적으로 이 절에는 비구승보다 비구니들이 많이 머물고 있었다. 현존하는 문화재로는 대웅전 앞에 있는 전라북도 유형문화재 제92호인 오층석탑과 금강문(金剛門), 제27호인 〈삼인대(三印臺)〉 등이 있으며, 금강문은 절 주위의 풍치가 금강산과 비슷하다 하여 붙인 이름이라 전한다.

* 삼현(三賢): 3명의 현자(賢者). 여기서는 강천사(剛泉寺) 삼인대(三印臺) 고사(故事)의 주인공인 세 사람 즉, 순창군수 김정(金淨), 담양부사 박상(朴祥), 진안현감 유옥(柳沃) 등 세 사람을 일컫는다.

* 천풍(天風): 하늘 높이 부는 바람
* 연화대(蓮花臺): 연꽃모양으로 만든 불상(佛像)의 자리
* 언지(言志): 자기 뜻을 이야기 한다는 뜻으로, 시(詩)를 달리 이르는 말
* 운수(雲樹): 산천을 유람하는 친구는 구름(雲)과 같고, 벼슬하는 친구는 관직에 매여 있는 나무와 같다는 것으로, 운(雲)과 수(樹)는 두 친구의 현실을 상징한 것.

49. 연대암(蓮臺庵)

눈보라 몰아치는
깊은 산 속,
혼자서 옛 암자 찾아 왔네.

산골짝 맑은 계곡 건너기
무려 아홉 번,
꼬불꼬불 오솔길은 또
얼마나 얽혀 도는지.

안개노을 하계(下界)로
드리울 즈음,
낭랑한 범어(梵語)소리
절간에서 울려오고,

높은 산 천만 경관(景觀)
이곳에 이르니,
시원히 트여 눈앞에
펼쳐지는구나.

49. 蓮臺庵

滿山風雪裏, 獨向古庵來。
淸溪凡九渡, 細路幾重回。
烟霞飛下界, 梵語出高垈。
夷岫萬千景, 豁然到此開。

* 연대암(蓮臺庵): 전북 순창군 강천사(剛泉寺) 소속 암자(庵子). 신라 말 서기 887년에 도선국사(道詵國師)가 불교전파를 위해 전국을 수행하면서 풍수적으로 빼어난 지역을 찾아 불사(佛事)를 하던 중, 순창군 팔덕면 청계리 광덕산(廣德山) 줄기에 강천사(剛泉寺)를 창건하였다.

* 하계(下界): 인간이 사는 세계
* 범어(梵語): 고대 인도어, 산스크리트, 여기서는 범어(梵語)로 된 저녁 염불소리

50. 석우정(石愚亭) 운(韻)을 따서

세상사람 다 취(醉)해도
나 홀로 깨어 있고,
세상사람 다 바빠도
나 홀로 한가하네.

깊은 밤 베개 너머론
천 줄기 계곡의
맑은 물소리 듣고,
이른 아침 책상머리에선
만산(萬山)의 푸른 정기
끌어 모우네.

화답(和答)하는 자 드문
백설가(白雪歌)를 홀로 부르며,
천성(天性)을 함양하거나
황정경(黃庭經)을 암송하네.

강남(江南)의 풍월(風月)이야
이제 좋은 시절 맞겠지만,
굳은 절의(節義)의 중심은
바로 득의망형(得意忘形)에 있다네.

50. 次石愚亭韻

世人皆醉我獨醒, 世人奔忙我獨停。
枕外夜聽千澗淨, 案頭朝挹萬山靑。
寡和獨能歌白雪, 養眞偶或誦黃庭。
江南風月從今好, 介石中心是忘形。

* 석우정(石愚亭): 전북고창군 무장면 강남리에 있는 정자(亭子), 석우(石愚) 김동후(金東候 서기 1893~1970)가 서기 1939년에 지었으나 서기 2007년에 사라지고 지금은 없다. 석우정(石愚亭)이 있을 때는 날마다 문인(文人)들이 모여 많은 시문(詩文)을 남겼는데 석우정제영록(石愚亭題詠錄) 2권1책이 남아 있다.

* 양진(養眞): 천성(天性)을 함양(涵養)함.
* 함양(涵養): 능력이나 성품을 기르고 닦음
* 우혹(偶或): 혹은, 또는
* 황정경(黃庭經): 중국 위진시대 도가(道家)들의 양생(養生)과 수련의 원리를 적은 책
* 풍월(風月): 청풍명월(淸風明月), 음풍농월(吟風弄月)의 준말. 맑은 바람과 밝은 달에 대하여 시(詩)를 짓고 즐겁게 노는 것.
* 개석(介石): 절개(節槪)가 돌같이 단단하다는 뜻, 곧 굳게 절의(節義)를 지킴을 이르는 말.
* 절의(節義): 절개와 의리
* 백설가(白雪歌): 양춘백설(陽春白雪歌), 남이 흉내 내기 어려운 고상한 시가(詩歌)로 고대 중국의 전국시대 초(楚)나라의 고아(高雅)한 가곡(歌曲)을 말한다. 일반적으로 고상하고 아취 있는 곡이나 아름다운 시(詩)를 뜻하는 말로도 쓰인다.
* 득의망형(得意忘形): 득의망형(得意忘形)이란 뜻을 얻어 형상을 잊어버린다는 뜻으로, 즉 자기가 어떤 모양을 하고 있는지 자신마저도 잊어버린다는 말로서, 매우 기뻐하여 정상적인 상태를 벗어나는 것을 이르는 말이다.

51. 수정(水亭)의 아름다운 이야기

엣 곡조를 오늘날 곡(曲)처럼
스스로도 받아드리지 않지만,
오늘 다행이도 백아(伯牙)와
종자기(鍾子期)를 만났네.

붉은 꽃 흰 꽃 어우러져
티 없이 맑은 연꽃들,
옅거나 깊게 어른거리는

숲 그림자도
못물에 비껴 짙은데,
옷차림은 형형색색
옛 모습 변했어도,
한바탕 시(詩)이야기는
지난겨울 얘기를 이어가니,

동이 술 사양 말고 흠뻑
취흥(醉興)을 돋구어보세.
밝은 달은 동산에 떠 있고
바람은 솔잎에 걸려 있다오.

51. 水亭嘉話

舊調如今自不容, 牙期此日幸相逢。
間紅間白荷花淨, 或淡或深林影濃。
萬國衣冠變諸夏, 一場詩話續前冬。
莫辭樽酒十分醉, 月在東山風在松。

* 수정(水亭): 저자(著者)의 증조고의 정사인 만수당(晩睡堂) 경내에 있는 연못의 정자(亭子)이름
* 백아(伯牙)와 종자기(鍾子期)의 고사(故事): 옛 중국 진(晉)나라에 거문고의 달인 백아(伯牙)가 어느 날 달빛을 바라보며 거문고를 뜯었는데, 그 소리를 몰래 듣던 사람이 고향친구 종자기(鍾子期)이었다. 놀랍게도 종자기는 "지음(知音)〈음을 알아들음〉"의 경지였다.
　백아가 달빛을 생각하고 거문고를 뜯으면, 종자기는 달빛을 바라보았고, 백아가 강물을 생각하며 거문고를 뜯으면, 종자기도 강물을 바라봤다. 거문고 소리만 듣고도 백아의 속마음을 읽어냈던 것이다. 결국 백아는 자신의 소리를 알아주는 종자기와 의형제를 맺었다. 이듬해 백아가 다시 그를 찾았을 때는 종자기는 이미 죽고 없었다. 백아는 친구의 묘를 찾아 마지막 한 곡을 뜯고는 거문고 줄을 끊어버렸다. 그리고 다시는 거문고를 타지 않았다. 이 세상에 자기의 거문고 소리를 제대로 듣고 알아줄 사람이 없었기 때문이다. 이것이 이른바 '백아절현(伯牙絶絃)〈백아가 거문고 줄을 끊다.〉'이란 유명한 고사(故事)이다.

52. 창랑대(滄浪臺) 낚시 약속
– 오산(梧山), 곡운(谷雲)과 창랑대(滄浪臺)에서 낚시약속을 하다 –

비로소 오랜 구름 개이니
들 빛이 산뜻하게 새로워,
만나는 사람마다 즐겁고
넉넉한 기색이네.

해질녘 다리 가에서
산주(山酒)를 의논하고,
누각의 맑은 바람을 타고
이웃으로 낚시가자 약속하네.

아. 반무(半畝)나 되는
무성한 솔과 삼나무(衫)는
몇 해나 되었는고?
십년 동안 둔한 글쟁이로
청춘을 그르쳤구나!

섬 앞의 연못물은
거울처럼 맑아,
잎이고 꽃이고 연(蓮)은
티끌 한 점,
받아들이지 않네.

52. 梧山谷雲約釣于滄浪臺

洞靄初晴野色新, 相逢無非樂豊人。
橋頭斜日謨山酒, 垽上淸風約釣隣。
半畝松衫嗟幾歲, 十年書釰誤靑春。

嶋前潭水明如許, 荷葉荷花不受塵。

* 창랑대(滄浪臺): 저자(著者)의 종조부(從祖父)인 항재(恒齋) 김순묵(金純黙)이 살고 있는 도산(道山) 마을 동남쪽이 허(虛)하고 하여 쌓은 대(臺).

* 산주(山酒): 육산육해(肉山肉海), 즉 고기와 술이 매우 많음을 비유하는 말
* 반무(半畝): 1무(畝)의 반(半)(50평), 토지면적 단위, 사방 6척(尺)이 1보(步)〈1평〉, 100보(步)가 1무(畝)〈100평〉

53. 쌍은정(雙隱亭) 주인 방문
― 유석운(柳石雲) 어른을 모시고 쌍은정 주인 방문 ―

서서히 서쪽으로 걸으며
몇 리 밖 마을을 찾아드니
자손들이 농사짓고 글을 읽는
명문(名門)이 살고 있네.

옛날 의관(衣冠) 볼 수 있는
별천지 마을이라
지척(咫尺)인 속세의 티끌소리마저
가로막혀 들리지 않구나.

두어 칸짜리 오두막
바람 좋고 달 밝으니
한 무(畝)나 되는 소나무 그늘에서   * 1무: 100평
시를 읊고 술통을 비우는구나..

맥량(麥涼)에 보리밭 일렁이고
해질녘 초부(樵夫)들 노래 가락
구성지게 퍼질 때

신선(神仙)처럼 옷소매 펄럭이며
황혼(黃昏)녘에 돌아오네.

53. 奉柳丈石雲訪雙隱亭主人

緩步西行數里村, 子畊孫讀是名門。
別天能見衣冠舊, 尺地隔聞塵俗喧。
茅屋二間風與月, 松陰一畝咏而樽。
麥涼浮動樵歌晚, 歸袖翩仙帶夕昏。

* 맥량(麥涼):보리가 익을 무렵 서늘한 바람이 부는 날씨
* 쌍은정(雙隱亭): 전북고창 아산면 중월리 태봉산(台峰山)기슭에 있는 정자(亭子), 유재연(柳載淵), 유재덕(劉載德)형제의 소요처(逍遙處)로 지었다. 이들은 사촌으로 우애가 매우 돈독하였으며, 호가 월은(月隱), 동은(東隱)으로 '쌍은(雙隱)'이라는 정자(亭子)이름을 사용했다.
* 지척(咫尺): 아주 가까운 거리
* 초부(樵夫): 나무꾼

54. 익원공(翼元公) 부조묘(不祧廟) 제사(祭祀)

– 익원공(翼元公) 부조묘(不祧廟)에 제사를
지낸 후 제종(諸宗)과 화답(和答)하며 –

숲속에 매미소리 없으면
맑은 가을 아닐지니
뒤집혀 놀란 세월
고개 몇 번 들었던고?

천년 제사 이어 오니
화수(花樹)가 즐거운데

마음 열어 세태(世態)를
담론(談論)하니
상전벽해(桑田碧海)
격변세상 걱정이라네.

크고 작은 명산(名山)에
새로이 돌을 쌓고
아늑했던 옛 텃밭에
누각(樓閣)이 들어섰네.

뜰의 난초(蘭草) 거듭나고
조부모 장수(長壽)하시니
집안 경사(慶事) 어찌하여
분수 밖에 찾으리오.

54. 翼元公不祧廟享紀後與諸宗和吟

林蟬無語不淸秋, 歲月飜驚幾擧頭。
享祀千年花樹樂, 論心是日海桑愁。
小大名山新築石, 窈然舊圃已成樓。
庭蘭層出重堂壽, 家慶何須分外求

* 익원공(翼元公): 고려 말 조선 초기의 문신(文臣) 김사형(金士衡)의 시호(諡號).
* 김사형(金士衡): 신라 경순왕 후손, 본관 안동(安東), 자(字) 평보(平甫), 호(號) 낙포(洛圃), 시호(諡號)는 익원(翼元)이다. 조선 태조 이성계를 도와 개국 일등공신에 문하우시중, 상락백(上洛伯)에 봉해졌다. 서기 1396년 대마도를 정벌했으며, 관직에 있을 때 한번도 탄핵을 받지 않았다. 서기 1401년 태종 때 좌정승, 서기 1402년 상락부원군에 봉해진 후 사직했다.

* 부조묘(不祧廟): 불천위(不遷位)의 대상이 되는 신주(神主)를 둔 사당, 불천위(不遷位)는 공신이나 덕망 높은 자를 국가에서 정해, 사당에서 영구히 제사지내도록 허락된 신위

(神位)
* 화수(花樹): 동성동본 종족(宗族)들, 그 친목모임을 화수회(花樹會)라 함
* 세태(世態): 세상 돌아가는 상태나 형편
* 상전벽해(桑田碧海): 세상일의 변천이 심함을 비유하는 말
* 포전(圃田): 텃밭

55. 우중대화(雨中對話)
— 우중(雨中)에 해은(海隱) 삼종숙(三從叔)과
대화(對話) 중 마침 운곡(雲谷)이 찾아옴 —

해 지자 집집마다
밥 짓는 연기
처량하게 내리는
가을비 가에 앉아

거나한 술잔에
그대는 바로 호걸,
벼 익는 들판에
신선(神仙)놀음도 많구나.

풍월(風月)은 원래
주인이 따로 없어
금서(琴書)에 금전(金錢)을
아끼지 않네.

진정한 즐거움이
그 가운데 있으니
영화도 치욕도 모두
하늘에 달렸다네.

〈제2수〉
날마다 동쪽 언덕지나
숲속 정자(亭子) 찾는데
빈번하게 오고가도
힘든 줄을 모른다네.

굽이진 연못에 뜬 연잎은
동전만 하다 점점 커지고
조그만 뜰에 옮긴 국화는
한 자 남짓 자랐네.

고개 돌려 바라본 강산
옛 모습이 아니니
평생의 의기(意氣)를
호기(豪氣)부리다 잃고 말았네.

빗소리 무릅쓰고
여러 친구 날 찾아와
가을쟁반 푸른 과일에
막걸리를 올리는구나.

55. 雨中與海隱三從叔對話谷雲適來

落日萬家烟, 蒼凉秋雨邊。
酒酣君是傑, 稻秀野多仙。
風月元無主, 琴書不惜錢。
箇中眞樂在, 榮辱摠天然。

其二
林亭日日過東皐, 頻去頻來不覺勞。

曲沼浮蓮錢稍大, 小園移菊尺餘高。
回首山河非復舊, 平生意氣失於豪。
多君訪我雨聲裏, 碧果秋盤進白醪。

* 삼종숙(三從叔): 아버지의 팔촌(八寸)형제, 삼당숙(三堂叔), 구촌(九寸)아저씨
* 풍월(風月): 청풍명월(淸風明月), 맑은 바람과 밝은 달
* 금서(琴書): 거문고(가야금)와 책
* 곡소(曲沼): 굽이 진 부정형의 연못
* 의기(意氣): 적극적인 마음과 장한 기상(氣像)
* 호기(豪氣): 씩씩하고 호방한 기상
* 추반(秋盤): 가을 쟁반
* 벽과(碧果): 푸른 과일
* 백료주(白醪酒): 막걸리

56. 한중만필(閒中漫筆)

반은 꽃모종
반은 채소를 심어
새 정자 주변은
조금도 빈곳이 없네.

제일 어여쁜 건
등가(藤架)에 가득한
푸른 등 넝쿨,
올봄에 심었는데 벌써
열 자 넘어 자랐네.

56. 閒中漫筆

半畝蒔花半畝蔬, 新亭寸土自無虛。
最憐滿架蒼藤樹, 種在今春已丈餘。

* 한중만필(閒中漫筆): 한가할 때 생각나는 대로 자유롭게 글을 씀
* 등가(藤架): 등나무 줄기가 오르도록 만든 시렁
* 1장(丈): 10자

57. 추석날에
– 중추(仲秋)에 곡운(谷雲)과
함께 태강(台江)을 방문하다 –

좋은 명절 만났으니
어찌 취하지 않으랴.
그대 시(詩) 나의 주량(酒量)
누가 더 센지 겨루어보세.

가을바람 맞으며 또다시
유교(柳橋)를 건너보니
이야말로 맑은 냇물
세파(世波)가 아니로구나.

57. 仲秋與谷雲訪台江

嘉節相逢不醉何, 君詩我酒較誰多。
秋風再渡柳橋上, 爲是淸溪不世波。

* 곡운(谷雲), 태강(台江): 저자(著者)친구의 아호(雅號)
* 유교(柳橋): 버드나무를 배경으로 세운 다리
* 세파(世波): 모질고 거친 세상살이의 어려움

58. 은선암(隱仙庵)에 머물며
– 해은(海隱), 월담(月潭)과 함께 은선암(隱仙庵)에
머물며 함께 읊은 시(詩) 한 수 –

산에 숨고 바다에
숨는다고 누가 일러
신선(神仙)이라 하는가?

벼랑을 등진 암자(庵子),
온종일 보아도
의연(依然)한 모습이네.

신선(神仙)들은
산을 떠나 바다 떠나
머물지 않는다만

도처의 인간들은
나름대로 부산하게
즐기는구나.

58. 與海隱月潭宿隱仙庵共賦一絶

隱山隱海孰云仙, 盡日看來看又然。
仙不在於山海外, 人間到處樂吾天。

* 은선암(隱仙庵): 전남 영광군 법성포(法聖浦)에 있는 암자. 법성포에서 영광으로 이어진 해안도로 산길의 절벽에 있다. 은선암(隱仙庵)이란 뜻은 "신선(神仙)이 숨어 산다"는 의미를 가진다. 규모는 그리 크지 않지만 절벽을 등지고 앉아 바다를 바라보는 풍경이 일품이다. 16세기 무렵에 지어졌다고 한다. 본래 법성포에 '마천사'라는 명당 터에 자리 잡은 절이 있었는데, 법성포의 유력 문중에서 그 자리를 차지하기 위해 스님들을 쫓아내자 은선바위 아래 자리 잡은 곳이 현재의 은선암(隱仙庵)이라고 한다. 저녁 무렵 은은하게 들리는 은선암의 종소리는 법성포 12경(景) 중의 하나이다. 대웅전 뒤편으로 은선봉이 높게 솟아 있다.
* 의연(毅然): 의지가 강하고 굳세어 끄떡없음

59. 이튿날 제월정(霽月亭)에 올라

백리 서호(西湖)에
제일가는 정자(亭子)라
하늘 바다 끝이 없고
산봉우리 어지러이 푸르구나.

간밤 선림(仙林)의 참된 인연
참으로 소중하니
어부들 피리소리 따라 해가 기울고
짧은 노(櫓)는 더욱 경쾌하구나.

비 개인 천 줄기 강물
찾는 이 명월(明月)인데
백 천년 흐르는 저 달빛!
가슴 저며 읊조린 명인(名人)이
그 몇이나 되는고?

산도 좋고 물도 좋아
모두가 기관(奇觀)이니

남아장부(男兒丈夫) 이곳에 와
속된 꿈 깨어보리.

59. 翌日登霽月亭

百里西湖第一亭, 海天無際亂峯靑。
仙林昨夜眞緣重, 漁笛斜陽短棹輕。
霽色千江來者月, 流光百載幾人名。
於山於水多奇觀, 到此男兒塵夢醒。

* 제월정(霽月亭): 전남 영광군 법성포 성안 밑에 있던 정자. 서기 1957년 이곳 주민들이 다시 월랑대, 제월정을 복구하였으나 그것 마저 서기 1974년 화재로 소실되어 지금은 주춧돌만 남아 있다.
* 선림(仙林): 선객(仙客)들이 모여 수행(修行)하는 것을 울창한 나무에 비유한 것
* 기관(奇觀): 보기 드문 기이한 광경, 매우 훌륭한 경치

60. 삼호정(三湖亭)에서 부르짖다

올봄에는 몇 번이나
청유(淸遊)를 즐겼던가!
삼호정(三湖亭) 앞 강물
사월에 가장 맑게 흐르네.

작은 어선(漁船) 피리소리
아담한 섬(洲)은 포근하고
숲속 꾀꼬리 소리
온 골짜기에 그윽하구나.

술잔이 있는 강산(江山)

어디나 명승지(名勝地)요
시(詩)지으면 세상어디나
바로 명루(名樓)가 된다네.

옛 현자(賢者) 떠났지만
뜨락 그늘 두터우니
백대를 이어오는 유풍(遺風)
쉬지 않고 고취(鼓吹)시키네.

60. 三湖亭口呼

統計今春幾度遊, 三湖四月最淸流。
扁舟漁笛長洲暖, 綠樹鶯聲萬谷幽。
有酒江山皆勝境, 題詩天地是名樓。
昔賢已去庭陰厚, 百世遺風吹不休。

* 삼호정(三湖亭): 19세기 고창군 아산면 용계리 옥천 조씨 3형제인, 조현동(호 仁湖), 조후동(호 德湖), 조석동(호 石湖) 형제가, 인천강변에 세워 시(詩)와 독서로 소요(逍遙)하던 정자(亭子), 3형제는 조선후기 문신(文臣) 조덕린의 현손(玄孫)으로 모두 학행(學行)이 뛰어나 삼호(三湖)라 칭함
* 명루(名樓): 이름난 누각(樓閣)
* 유풍(遺風): 예부터 내려오는 풍습
* 고취(鼓吹): 힘을 내도록 격려함

61. 신사년(辛巳年) 칠석(七夕)날에

– 신사년(서기 1941년) 칠석날에 친구 류태윤(柳泰胤)을 방문하다 –

지팡이 길 십리(十里)에
반은 고갯길

청풍(淸風)은 온종일
솔숲(松林))에 있구나.
견우직녀 두 별이
오늘 밤 합궁하는 기약일(期約日)인데
세상만사 무심한 이 자리는
한가롭기만 하네.

서로가 잔 들고 노래하며
읊조린 시(詩)가락들
어느 산 어느 등성인지
이미 낯이 익어 삼삼하다네.

이 자리 주인공은
와룡산(臥龍山)에 숨어 살며
마음대로 구름을 갈아
명월(明月)을 낚고 있구나.

61. 辛巳七夕訪柳友泰胤

十里行筇半踏山, 淸風盡日在松間。
二星有約今宵合, 萬事無心此席閒。
相酬相唱各言志, 某岫某岡已慣顔。
主人高臥臥龍上, 釣月畊雲任往還

* 칠석(七夕): 칠석(七夕)은 한국, 중국, 대만, 일본의 민간전설의 날로 명절로 친다. 견우(牽牛)와 직녀(織女)가 1년에 한 번 만나는 날로, 칠석날로도 불린다. 한국, 중국, 대만 등에서는 음력 7월 7일이지만, 일본은 양력 7월 7일이다.이날은 은하수 동쪽에 있는 견우(牽牛)와 서쪽에 있는 직녀(織女)가, 까마귀와 까치가 놓은 오작교(烏鵲橋)에서 1년에 한 번 만나는 날이라고 전하여진다. 이날 민간에서는 명절 음식으로 밀국수, 밀전병, 호박부침, 백설기 등을 만들어 먹었다고 한다. 또 처녀들은 견우와 직녀 두 별을 보고 절하

며 바느질 솜씨가 늘기를 기원하고, 많은 사람이 이날 밤 견우와 직녀를 소재로 삼아 시(詩)를 짓기도 한다.

* 언지(言志): 시(詩)의 다른 이름
* 고와(高臥): 베개를 높이고 편히 눕는다는 뜻으로, 속세(俗世)를 벗어나 숨어 지내는 것을 이르는 말

62. 회천정사(晦泉精舍)에서
― 정사(精舍)에서의 성대한 모임 ―

오늘밤
신정(新亭)에 뜬 달
진정한 신월(新月)이라
모인 사람 모두가
마음 맞는 사람들이네.

주옥(珠玉)같은
티 없는 품성(稟性)에
문장은 가을 물결처럼 맑아
숫제 속기(俗氣)를
용납(容納)지 않구나.

아이들의 아침 공부
집안 서당(書堂)에서 하고
여름 내내 나는 농사이야기
이웃을 위한 들농사 이야기라네.

비로소 긴 장마 개어
연꽃은 화려하고 맑게 비치고

하룻밤 기이한 인연(因緣)
거듭 진정(眞情)임을 깨닫는다네.

62. 精舍高會

此夜新亭月正新, 相逢總是意中人。
人皆美玉元無玷, 文似秋波不受塵。
兒讀課朝家有塾, 農談過夏野爲隣。
長霖初霽荷華淨, 一夕奇緣更覺眞。

* 신정(新亭): 저자(著者)집안의 도산서당(道山書堂): 고창군 문화유산 제2호 안에 새로 있는 '회천정사(晦泉精舍)'
* 품성(稟性): 선천적으로 타고난 성품
* 신월(新月): 음력 초하루부터 며칠 동안 뜨는 달
* 속기(俗氣): 속세(俗世)의 공통된 기풍(氣風)

63. 수촌(手寸) 어른과 태강(台江) 친구 상봉
― 이튿날 또 이수촌 어른과 나태강 친구를 만나다 ―

나는 술을 권하고
그대는 시를 지으니
이것이야 말로
'푸른 갈대숲에 이슬이
내리는 때' 로구나

대지의 가을소리
오동잎이 먼저 듣고
천지에 가득한 상쾌한 기운
휘영청 달빛조차 느리구나.

가슴에 품은 평소의 뜻
백절불굴(百折不屈)정신이고
거문고 소리 맑게 흐르니
오늘 처음
지음지기(知音知己) 만났다네.

이틀 밤 아름다운 이야기
오랜 독서(讀書)보다 나으니
옛 역사 새로 엮은 듯
두루두루 기특하구나.

63. 翌日又逢李丈水村羅友台江

我能勸酒子能詩, 政是葭蒼露白時.
大地秋聲桐葉早, 滿天爽氣月華遲.
胸中素志百無屈, 琴上淸音初遇知.
佳話兩宵猶勝讀, 新篇古史一般奇.

* 푸른 갈대숲에 이슬이 내리는 때(政是葭蒼露白時): 금상첨화(錦上添花)격으로 절호의 좋은 때,《운정유집(雲庭遺集)》의 칠언율시(七言律詩)에 나오는 구절,「운정유집(雲庭遺集)」은 조선후기 경북 관찰사 장승원(張承遠)의 시문집(詩文集).
* 지음지기(知音知己): 자기가 타는 거문고 음(音)을 알아주는 가장 친한 친구
* 백절불굴(百折不屈): 백번을 꺾여도 굽히지 않고 이겨나감
* 소지(素志): 평소에 지닌 뜻

64. 곽연루(郭然樓) 즉흥시(卽興詩)
― 신사년 가을 필암서원(筆巖書院)에서 정향(丁享)에
참배하고 곽연루(郭然樓)에 올라 즉흥시를 읊다 ―

곽연루(郭然樓)에 오르니
문수산(文殊山)이 빼어나고
곽연루(郭然樓) 밑으로는
필천(筆川)이 흐르네.

이 나라 사도(斯道)의
진정한 발원지(發源地)가
바로 이곳에 있으니
문수산(文殊山)과 필천(筆川),
천추만대 길이 빛나리!

64. 辛巳秋參拜筆巖書院丁享登廓然樓口占

廓然樓上文山秀, 廓然樓下筆川流。
斯道眞源於此在, 文山筆水萬千秋。

* 필암서원(筆巖書院): 전남 장성군 황룡면 필암리에 있는 서원(書院). 조선 중기의 문신(文臣)이자 성리학(性理學)대가(大家)로 호남에서 유일하게 문묘(文廟)에 종사(從祀)된 하서(河西) 김인후(金麟厚)의 학덕(學德)을 기리기 위해 서기 1590년(선조 23) 호남 선비들이 그의 고향 마을 인근 장성읍 서쪽 기산리(岐山里)에 세운 서원(書院)이다. 정유재란으로 소실되었으나, 지방 사림(士林)들의 노력으로 서기 1624년 기산리(岐山里) 서쪽 증산동(甑山洞)에 다시 짓고, 서기 1672년 현재의 위치인 필암리(筆岩里)로 옮겼다. 서기 1662년 "필암서원"(筆巖書院)이라 현판(懸板)을 달았다. 서기 1796년(정조 20) 김인후(金麟厚)를 문묘(文廟)에 종사(從祀)하였으며, 서기 1871년(고종 8) 흥선대원군의 서원철폐령에도 철폐되지 않은 전국의 47개 서원 중 하나이다. 필암서원은 조선시대 서원의 기본 구조를 모두 갖추고 있는 전형적인 서원으로, 보물 제587호로 지정된 필암서원문서일

괄(筆巖書院文書一括) 및 인종(仁宗)이 하서(河西)선생에게 하사한 『묵죽도(墨竹圖)』와 『하서유묵(河西遺墨)』 등 60여건의 중요자료가 여전히 남아 있다.
* 정향(丁享): 음력 2월과 8월 중 첫 번째 정일(丁日)에 지내는 제사(祭祀)로, 공자(孔子)를 모신 사당(祠堂)의 제사(祭祀)이다.

* 곽연루(廓然樓): 필암서원(筆巖書院)의 누각(樓閣)이름, 정면 3칸 측면 3칸에 팔작지붕을 얹은 2층 문루(門樓)건물로 기세가 당당한 인상을 준다. 바깥쪽으로는 아래층에 모두 활짝 열 수 있는 널문이 달렸고, 안쪽은 툭 트이고 2층에 마루가 깔렸다. 측면에는 바깥쪽 두 칸씩에 널문이 달리고 2층으로 올라가는 계단이 붙어있다.

* 사도(斯道): 유가(儒家)에서, 유교의 도리나 도덕 따위를, '이 도리' 또는 '이 도덕'이라는 의미로 스스로 이르는 말. 일반적으로 성현(聖賢)의 길, 공맹(孔孟)의 가르침을 말함.

* 문수산(文殊山): 전북 고창군 고수면과 전남 장성군 서삼면에 걸쳐 있는 산. 높이 621m. 전라남도와 전라북도의 경계를 이루는 노령산맥 중의 산으로 북쪽의 방장산(方丈山, 734m)과 남쪽의 고성산(古城山, 546m)·태청산(太淸山, 593m) 등과 함께 북동에서 남서방향으로 뻗어 있다. 이 산지는 북서계절풍에 의하여 운반되는 황해의 습기가 부딪쳐 우리 나라에서 가장 많은 적설량을 나타내고 있다. 북서쪽에는 문수사(文殊寺)가 있는데 이 절의 대웅전(大雄殿)과 문수전(文殊殿)은 각각 전라북도 유형문화재 제51호와 제52호로 지정되어 있으며, 부근에 그 말사(末寺)인 양진암(養眞庵)과 내원암(內院庵) 등이 있다. 남쪽 사면에는 관불암(灌佛庵)이 있으며 부근에는 불당골 [佛堂洞]·취암(鷲巖)·승계(僧溪) 등의 불교에 관계되는 지명이 많다. 문수산(文殊山)이라는 지명은 문수사(文殊寺)가 창건되면서 붙여진 이름이다.

65. 일본(日本)에서
― 신사년(서기 1941년) 가을 일본(日本)에서 읊다 ―

하늘같은 푸른 바다
파도치는 이 가을 날
동쪽 바다 뱃머리 위

붉은 태양 떠오르네.

사천 리 밖에 있는
형형색색 절승(絶勝)들
삼십 년 만에 가장 먼
이방(異邦)유람이로다.

교목(喬木)들 무성한
진정한 부국(富國)같아
농가(農家)도 어부집도
모두가 명루(名樓)와 같네.

굳게 잠긴 성문(城門)
저들 강산 수호(守護)하고
기마병 나팔소리에
이방(異邦)의 나그네
수심(愁心)만 깊어가네.

65. 辛巳秋往日本吟

碧海如天波是秋, 扶桑旭日上船頭。
四千里外多形勝, 三十年來最遠遊。
喬木豐林眞富國, 農家漁屋盡名樓。
城門深鎖山河固, 騎笛聲中客子愁。

* 신사년(辛巳年): 서기 1941년, 이 무렵 저자(著者)의 막내아우가 일본 중앙대학 법과에 유학 중이었음.
* 교목(喬木): 8m이상 자라는 곧고 키 큰 나무, 삼(杉)나무, 소나무, 향나무 등
* 부상(扶桑): 해가 뜨는 동쪽 바다
* 명루(名樓): 유명한 누각(樓閣)

66. 남산(嵐山) 아래 배 띄우고
- 교토 부근 -

바다나라 풍경 중
으뜸이라 불리는 곳
강나루에 짙푸른 두 산(山)이
마주 보고 서있네.

만선(滿船)의 작은 배
석양 속에 지나가고
산색(山色) 비낀 파도 소리
만고의 추색(秋色)일세.

66. 泛舟嵐山下 京都附近

海國風煙最勝頭, 雙山對翠一江頭。
扁舟滿載斜陽去, 岳色波聲萬古秋。

* 남산(嵐山)(아라시야마): 일본 쿄토 서부에 있는 산, 일본제일의 벚꽃과 단풍 명소(名所)
* 강두(江頭): 강(江)가 나루 근처
* 산색(山色): 산의 경치, 산의 빛깔

67. 일본 동경(東京)에서
- 동경여관에서 잠간 병아(丙兒)를 만나다 -

끝없는 가을 하늘
길게 뻗은 산과 바다
장부(丈夫)의 소지상봉(素志桑蓬)

사방에 있구나.

만리타국 부자상봉(父子相逢)
무슨 별 말 있겠는가?
부지런히 학업(學業)닦고
돌아오란 말밖에!

67. 東京客舘暫見丙兒

秋天無際海山長, 素志桑蓬在四方。
萬里相逢無別語, 但言勤業早還鄕。

* 병아(丙兒): 저자(著者)의 장남 병수(丙洙), 당시 일본에서 유학 중
* 소지상봉(素志桑蓬): 평소에 지닌 상봉지지(桑蓬之志), 즉 남자가 세상을 위해 공을 세우고자 하는 큰 뜻

68. 일본 나라(奈良)에서
— 나라현에서 고향 사람 류진(柳津)을 만나다 —

해외에서 갑자기 만나
놀랍고도 반가우니
늘 보는 옛 친구보다
더더욱 정겹구나.

술잔을 멈추고
고향소식 묻는다만
나 역시 집 떠난 지
한 달쯤 흘렀다오.

68. 奈良縣逢故鄉人 柳津

海外忽逢喜若驚, 尋常故友倍多情。
停盃問我鄉山信, 我亦離家月一傾。

* 류진(柳津): 고창출신의 교육자, 정치인, 호 남정(南汀), 서울대 영문교수, 국회의원 2선
* 나라현(奈良縣): 우리나라의 고대문화(특히 백제문화)가 많이 전파된 곳, 일본고대 아스카 문화(비조문화(飛鳥文化)의 중심지

69. 일본에서 귀국선(歸國船)을 타고
― 9일 배를 타고 적다.(일본에서 귀국하며) ―

귀향선(歸鄕船)에 올라
고국(故國)을 물으니
푸른 파도 만 리 길이라니
내나라 내 강산이 눈앞에
더욱 또렷이 떠오르네.

아들은 공부하고 싶다하여
섭섭히 헤어지고
막내 동생은 혈육의 정으로
몇 마디 소식을 보내왔구나.

비단 폭 같은 가을빛
섬 앞에 해가 뜨자
구름 그림자 높이 날고
기러기는 하늘을 등지고
날아가네.

새로 지은 아득한
수정(水亭)이 그리운데
국화 떨기는 어찌 되었을꼬?
올해도 중양절(重陽節)을
또 헛되이 보내고 말았구나!

69. 九日舟中作 自日本歸

滄波萬里問歸船, 故國江山歷歷邊˚
我欲做工因惜別, 季能遺語信相連˚
秋光如練嶋前日, 雲影齊高雁背天˚
遙憶新亭幾叢菊, 重陽虛負又今年˚

* 신정(新亭): 저자(著者)의 고창읍 도산리 서당인 만수당 경내에 새로 지은 수정(水亭).
* 중양절(重陽節): 옛 명절의 하나, 음력 9월 9일 최고 양수(陽數)인 9가 겹친 날, 예부터 이날을 중양절(重陽節), 또는 중구일(重九日)이라 하여 명절로 쳤다. 중양이란 음양사상에 따라 양수(홀수)가 겹쳤다는 뜻이며, 중구란 숫자 '9'가 겹쳤다는 뜻이다

70. 금강산 시(詩)

신사년(서기 1941년) 여름 5월(음력)에 금강산(金剛山) 유람(遊覽)을 준비했다. 친동생 장회와 친구 유태윤, 강봉영이 먼저 떠나 정읍(井邑) 역전(驛前)에서 기다리기로 했다. 이튿날 아침 나는 사촌 동생 문회와 팔짱을 끼고 여정(旅程)에 올랐다.

명승구역 체류를 약속하고
앞뒤로 길을 떠나니
단출한 행장(行裝)에
책 한권 손에 들었네.

철마(鐵馬)는 길게 울고
바람결에 소매 떨쳐
마음은 이미 해산(海山)에
가있구나.

70. 金剛山詩

辛巳夏五月將行金剛, 弟章會, 柳友泰胤, 姜友奉永,
前期先發留待于井邑 驛前,
翌朝余與從弟珉會君, 聯袂發程°
名區留約後先發, 蕭灑行裝手一篇°
征馬長啼風拂袖, 此心已在海山邊°

* 철마(鐵馬): 기차를 말에 비유함
* 해산(海山): 금강산과 해금강
 〈이하 70번~92번까지 23수는 모두 금강산 시(詩)〉

71. 장안사(長安寺)에 들어서며
 – 단발령(斷髮令)지나 장안사(長安寺) 들어서며 –

금강산은 살아있는 그림
마치 병풍첩(屛風疊)과 같아
처음 한 첩 펼쳐보니
비단 폭에 붉은 수를 놓은 듯,

청류수(淸流水) 감도는
흰 바위에 사람들이 몰려들고
녹음 짙은 청산에 절간이
자리 잡았네.

천리 밖 먼 유람(遊覽)길에
형제들은 즐겁고
몇 해나 기약(期約)했던
유람계(遊覽契) 벗들도
서로가 즐거워하네.

안내하던 노(老)스님이
우리 의중(意中) 알아채고
손짓으로 불러가며 곧바로
명경대(明鏡臺)로 향하구나.

71. 過斷髮嶺入長安寺

金剛活畫如屛疊, 一疊初開錦繡紅.
人來白石淸流上, 寺在靑山綠樹中.
遠遊千里弟兄樂, 宿約多年友契同.
先路老僧能解意, 招招直向鏡坮東.

* 단발령(斷髮嶺): 단발령은 강원도 창도군 창도읍(옛 김화군 통화면)과 금강군 내강리(옛 회양군 내금강면) 사이에 위치한 고개이름으로, 금강산으로 들어가는 초입에 해당한다. 많은 화가(畫家)들이 같은 제목의 작품을 그렸고, 정선(鄭敾)의 작품도 여러 점이 있다.
  고개의 높이는 해발 834미터이고, 신라 말 마의태자(麻衣太子)가 이 고개에서 삭발하였다 하여 '단발령(斷髮嶺)'이라 하였다.
* 장안사(長安寺): 강원도 회양군 장양면 장연리의 금강산 장경봉(長慶峯)에 있었던 절. 신라 법흥왕 때 창건되었다는 설(說)과, 6세기 중엽 고구려의 승려 혜량(惠亮)이 신라에 귀화하면서 왕명으로 창건하였다는 설(說)이 있다.
* 활화(活畫): 살아 움직이는 듯한 생동감 있는 그림
* 유람계(遊覽契): 명승지 유람을 목적으로 하는 친목계(親睦契)
* 만경대(萬景臺): 후술(後述)한 '만경대' 참조

72. 표훈사(表訓寺)에서
― 표훈사(表訓寺)에서 전경(全景)을 바라보며 ―

천하제일 금강산!
명산(名山)절경(絶景)이
우리나라에 다 있구나.
백옥(白玉)같은 봉우리
명주(明珠)같은 폭포들,

기암괴석(奇巖怪石)은
불보살(佛菩薩)도 같고
신선(神仙)도 같고,
신(神)이 깎았는가,
귀신이 새겼는가!

그 옛날 상평(尙平)의
나막신 여행(旅行)도,
사마천(司馬遷)의 유람(遊覽)도,
다만 장강(長江) 회하(淮河)와
오악(五嶽)에 그쳤을 뿐이로구나.

72. 表訓寺望全景

天下第一金剛, 名勝盡在東國。
白玉前峯後峯, 明紬上瀑下瀑。
佛亦可, 仙亦宜; 神如剜, 鬼如刻。
尙平屐, 子長遊, 只在江淮五嶽。

* 표훈사(表訓寺): 금강산 내금강 만폭동에 있는 절, 금강산 사대(四大)사찰 중 유일하게 남아 있는 사찰, 7세기 말 신라의 표훈대사(表訓大師)가 창건했으며 현존하는 건물은 조

선 세종 때 재건축한 후 수차례 중수(重修)한 것이다.
* 상평(尙平): 중국 후한(後漢)의 고사(高士), 은둔(隱遁)생활과 명산(名山)을 유람하며 주역(周易)과 노자(老子)에 정통한 도인(道人)이었다.
* 자장(子長): 사마자장(司馬子長) 곧 전한(前漢)의 사마천(司馬遷), 사마천의 자(字)가 자장(子長), 사마천은 젊어서 중국천하를 여행했으며, 정치적사건에 휘말려 궁형(宮刑)〈거세하는 형벌〉을 받고는 죽을 때까지 역사(歷史)서술에 몰두하여 유명한 '사기(史記)'를 지어 중국 역사서술의 규범이 되었다.
* 명주(明珠): 빛이 고운 아름다운 구슬
* 오악(五嶽): 중국의 다섯 명산(名山), 태산 회산 형산 항산 숭산
* 장강(長江): 중국 양자강
* 회수(淮水): 화하(淮河), 중국 중부지방을 흐르는 강, 남북의 문화가 교차하는 지역, 귤이 회수(淮水)를 넘으면 탱자로 변한다는 말이 있음, 중국의 명산 중의 명산인 황산(黃山)이 있고, 고대 인물인 관중, 장량, 조조, 주유와 송대(宋代)의 정호 정이, 주자(朱子), 명대(明代)의 포청천, 명(明)을 건국한 주원장, 그리고 청(淸)대의 이홍장 등 수많은 인물이 회수(淮水)가 흐르는 안휘성 출신이다.

73. 진주담(眞珠潭)을 지나며

산(山) 첩첩 수(水) 겹겹
천 첩 만 겹 뻗어있고
물빛 산색(山色) 반짝반짝
참으로 영롱하네.

천변만화(千變萬化)
조물주(造物主)의 조화(造化),
그 누가 알겠는가?
일만 이천 봉우리마다
옥봉(玉峯)이로다.

73. 過眞珠潭

山水千重又萬重, 水光山色正玲瓏.
化翁造化誰能識, 一萬二千摠玉峰.

* 진주담(眞珠潭): 만폭동(萬瀑洞) 계곡에 있음 〈만폭동(萬瀑洞): 후술(後述)〉
* 화옹(化翁): 조물주(造物主)
* 천변만화(千變萬化): 한없이 변화함

74. 명경대(明鏡臺)

거울 같은 수석(水石)
사람을 환히 비추고
수만 개 구슬 같은 물방울이
위아래서 비명(悲鳴)을 지르네.

팔담(八潭)기암(奇巖) 돌고 돌며
보고 또 보아도 싫지가 않으니
명산(名山) 오른 오늘 하루
청흥(淸興)을 이길 수 없네.

74. 明鏡臺

鏡臺水石照人明, 萬玉千珠上下鳴.
轉八轉奇看不厭, 登山一日不勝淸.

* 명경대(明鏡臺): 금강산 절경(絕景) 중 하나, 강원도 금강군 내강리에서 25km 정도에 있는 황천강 골짜기의 백천동(百川洞)에 위치한 선돌형태의 바위기둥, 높이 50~60m 너비 10m 이상이다. (북한천연기념물 제231호)

* 명경대(明鏡臺)의 전설
　염라대왕이 명부(冥府)로 사람들을 불러들여 살아서 지은 죄를 심판하고 있었다. 죄지은 사람은 지옥, 선행(善行)을 많이 한 사람은 극락(極樂)으로 보내는 심판이었다. 한데, 염라대왕 앞에 불려나온 사람들은 한결같이 선행(善行)만 주장했다. 그래서 염라대왕은 사람의 평생을 환히 들여다 볼 수 있는 "거울"을 만들었다. 누구든 그 거울 앞에 서면 과거(過去)가 훤히 드러났다. 그 후 염라대왕은 사람이 죽으면 심판을 받고, 평생 지은 업(業)이 그대로 비치는 "거울〈명경(明鏡)〉"이 있음을 널리 알리려고, 금강산에다 심판하는 모습을 바위로 만들어 인간들에게 경각심을 일깨웠다. 염라대왕은 금강산 장안사(長安寺)남쪽에 냇물을 만들어, 이승에서 저승으로 건너가는 냇물이라 하여 '황천강'(黃泉江)이라 명했고, 그 냇물 위에 앞뒤의 모양이 똑같은 거울모양의 큰 바위를 세웠는데 그게 바로 '명경대'(明鏡臺)이다.

* 팔담(八潭): 8개의 못(웅덩이)으로 이루어진 곳, 구룡폭포(九龍瀑布)를 보고 나서 무용교를 건너 상팔담(上八潭)으로 간다. 상팔담은 바로 〈선녀와 나무꾼〉의 전설이 깃든 곳이다. 상팔담에 직접 갈 수는 없지만, 구룡대라고 하는 곳에서 상팔담을 내려다볼 수 있다.
　'팔담(八潭)'은 8개의 못으로 이루어져 있는데, 금강산에 팔담(八潭)이 2군데가 있다. 하나는 내금강 쪽에 있다. 내금강 쪽은 내팔담(內八潭), 구룡폭포 위쪽에 있는 팔담을 상팔담(上八潭)이라 한다. 8개의 못이 서로 이어져서 물이 흘러내려오다가 마지막에 구룡폭포(九龍瀑布)로 이어지고, 구룡폭포의 아래에 구룡연(九龍淵)이라는 못에 물이 고여 다시 아래로 흐른다.

* 기암(奇巖): 기이하게 생긴 바위들
* 청흥(淸興): 속되지 않는 맑은 흥취(興趣)

75. 연화담(蓮花潭)

　　　연꽃 같은 산봉우리
　　　푸른 물에 거꾸로 비치고
　　　골골마다 옥 같은 물이 흘러
　　　맑은 웅덩이를 이루었네.

다리 하나 건너자
또 한 다리 건너고
수많은 장관(壯觀)에
웅덩이 또한 얼마나
많은가!

75. 蓮花潭

山似蓮華倒碧潭, 玉流處處盡成潭。
一橋渡又一橋渡, 壯觀較多第幾潭。

* 연화담(蓮花潭): 금강산의 내금강 명경대(明鏡臺) 구역인 수렴동에 있는 연꽃모양의 못(웅덩이), 지금은 북한지역이다.

76. 만폭동(萬瀑洞)

천하 절경 금강산
익히 들어 왔다만
오늘에야 비로소
만폭동을 보는구나.

옥쇄(玉碎)하는 물방울들
청산에 뿌려지고,
우레 같은 폭포소리
백일(白日)하에 터지네.

오악(五嶽)을 오르자는
평생의 소원
우연히도 오늘 사선인연(四仙因緣)

맺게 되었네.

또다시
팔담(八潭)찾아 떠나가니
천 겹 만 겹 모두가
별천지(別天地) 그로구나.

76. 萬瀑洞

昔聞金剛好, 今見萬瀑川。
玉碎靑山裏, 雷鳴白日邊。
平生五嶽志, 偶得四仙緣。
更向八潭去, 重重別有天。

* 만폭동(萬瀑洞): 만폭동은 지금은 북한의 천연기념물 제455호로 지정되었다고 한다. 금강문에서부터 화룡담까지 약 1km 구간을 포괄하는 만폭동은, 금강산 중에서도 계곡의 절경을 대표하는 구역으로, 수많은 폭포들과 소(沼:웅덩이)들이 있다고 하여 만폭동(萬瀑洞)이란 이름이 붙었다고 한다.
* 옥쇄(玉碎): 옥처럼 아름답게 부셔짐
* 오악(五嶽): 한국의 오악(五嶽), 백두산. 금강산. 묘향산. 지리산. 북한산
* 사선(四仙): 1300여 년 전 신라의 네 국선(國仙)〈화랑의 우두머리〉, 곧 영랑(슈郎), 술랑(述郎), 남랑(南郎), 안상(安詳)을 말함

77. 마하연(摩詞衍)을 지나며

넝쿨 잡고 안개 뚫고
지팡이 짚고 가는 나그네
백옥 같은 물줄기가
날아 흐르다 떨어지네.

덧없는 세상살이
열흘 말미 훔쳐다가
젊은 시절 못지않게
장한 유람(遊覽)하는구나.

깊고 깊은 산속 5월,
꽃들은 아직 이르고
구름 걷힌 봉우리마다
기암괴석(奇巖怪石)
셀 수도 없네.

아, 천하명승지에서
천륜간의 이 즐거움!
형제들은 끼리끼리
앞을 서고 뒤를 따르네.

77. 過摩訶衍

攀藤穿靄客筇遲, 白白飛流到處垂.
浮世幸偸一旬暇, 壯遊政及少年時.
山深五月花猶早, 雲捲千峯石益奇.
此樂天倫形勝地, 兄兄弟弟後先隨.

* 마하연(摩訶衍): 금강산 백운동 마하연, 7세기 말 신라 의상대사가 창건, 화엄(華嚴) 십대사찰에 드는 대찰(大刹)이었으나, 지금은 절터만 남아 있음, 19세 율곡(栗谷)이 마하연(摩訶衍)에서 1년여 수도(修道)했음
* 천봉만학: 수많은 봉우리와 산골짜기
* 천륜(天倫): 부모자식, 형제자매의 혈연적 관계 또는 마땅히 지켜야 할 도리

78. 비로봉(毘盧峰)에 올라

비로봉 정상(頂上)에 올라서니
기묘한 절경(絶景)들이
참으로 형용(形容)하기 어렵구나.

다행히도 무궁화 피는
삼천 리 강산에 태어나
금강산 일만 이천 봉을
흔쾌(欣快)히 굽어보는구나.

거울처럼 맑은 기운 엄습하고
활짝 트인 바다 끝이 없으니
빼어난 그 정기(精氣)들
조화(造化)를 이루었네.

아!
오늘에야 알았구나,
천하(天下)가 사뭇 작다는 것을!
호남(湖南)에서 온 유람객,
비로소 가슴이 열리는구나.

78. 登毗盧峯

一上毗盧最高頂, 奇奇怪怪摠難容。
幸生槿域三千里, 快看蓬萊萬二峯。
鏡來淑氣滄溟闊, 玉立精神造化鍾。
今日方知天下小, 湖南遊子始開胸。

* 비로봉(毗盧峯): 금강산 최고봉, 해발 1638m, 이 비로봉을 중심으로 외금강, 내금강,

해금강으로 구분함
* 금강산 사계절의 이름: 봄 – 금강산, 여름 – 봉래산, 가을 – 풍악산, 겨울 – 개골산

79. 비사문(毗沙門)을 지나며

구름다리 공중에
건들건들 달려있고
백층계단 늠름하게
올라가기 어렵구나.

층층계단 다 오르자
휘파람이 또렷하고
만수천산(萬水千山)이
차례차례 드러나는구나.

79. 過毘沙門

雲棧懸懸半天外, 凜然難足百層垇。
層層踏罷劃然嘯, 萬水千山次第開。

* 비사문(毘沙門): 불교용어, 불법(佛法)수호신인 사천왕(四天王) 중 북방을 수호하는 다문 천왕(多聞天王)의 다른 이름,
* 반천(半天): 공중(空中)
* 만수천산(萬水千山): 수많은 물줄기와 산봉우리

80. 구룡연(九龍淵)에서 감탄하여 부르짖다

그대는 보지 못했는가?

구룡연(九龍淵) 물이
천상(天上)에서 내려와
한 폭의 흰 비단으로
서늘한 가을이 되고자 함을!

또 그대는 보지 못했는가?
이 비로봉 상상봉이
천상(天上)에 닿으니
웅장한 봉우리들
모두 고개 숙이는 것을!

높이 오를수록
용솟음치는 기운(氣運)
맑은 기(氣) 끌어 모아
만고(萬古)시름 말끔히
씻어보네.

금강산 열흘 유람(遊覽)
절경(絶景) 모두 보았으니
평생(平生)에 최고 장유(壯遊)라
장담(壯談)하리라.

80. 九龍淵戱呼

君不見九龍之水來天上, 一條白練凜欲秋。
又不見毗盧高頂接天上, 峻峯雄巒盡低頭。
登高增吾百倍氣, 挹淸滌蕩萬古愁。
入山十日無遺勝, 自許生平最壯遊。

* 구룡연(九龍淵): 금강산 구룡폭포 바로 아래에 있는 웅덩이, 유점사에서 53불(佛)과 싸

우다 패하여 도망친 9마리의 용이 숨어 산다는 전설이 있는 웅덩이다. 설악산 대승폭포, 개성의 박연폭포와 더불어 우리나라 삼대(三大)폭포의 하나가 구룡폭포이다.

말의 귀처럼 생긴 바위 틈으로 떨어지는 구룡폭포는 사람의 가슴을 시원하게 뚫어준다. 구룡폭포의 장대한 물줄기가 오랜 세월 동안 암반을 조금씩 깎아 만든 폭포(瀑布) 바로 아래에 있는 웅덩이가 바로 구룡연(九龍淵)이다.

* 구룡폭포(九龍瀑布), 구룡연(九龍淵)과 화가 최북(崔北): 최북(崔北)은 조선후기의 산수화의 대가(大家)이다. 강세황, 심사정, 정선과 더불어 조선 산수화의 사대가(四大家)로 불린다. 최북은 "금강산을 보기 전에는 천하의 산수(山水)를 말하지 말라!"고 한 옛사람들의 말뜻을 비로소 깨닫고, 금강산의 아름다움을 화폭에 재현하는 것을 평생의 목표로 삼았다. 금강산의 봉우리들이 안개와 구름 속에 휘감긴 모습으로 생동감 있게 묘사

한 그의 그림은, 기성(旣成)의 필법에 구애되지 않고, 아름다운 자연에 대한 자신의 정서적체험을 유연한 필치로 그려낸 특색 있는 작품들로써, 당대는 물론 후세에도 널리 사랑을 받고 있다.

* 장유(壯遊): 장한 뜻을 품고 먼 곳을 유람하는 것

81. 무룡교(舞龍橋)를 건너며

지팡이로 나르듯 가볍게
무룡교(舞龍橋)를 건너자
굽이굽이 흐르는 계곡물소리
이미 귀에 익었구나.

서른아홉 꿈같은 세월 만에
비로소 금강산 일만 이천
절승(絶勝)에 눈을 떴구나.

바위에 기댄 노목(老木)들
그루마다 스님 상(像)이요

지천인 풀들과 하찮은 꽃들도
반쯤은 약초(藥草)라네.

만약 한 조각 땅덩이를 얻어
옮길 수만 있다면
산도 물도 나누어 나의
정자(亭子)에 갖다놓고 싶구나.

81. 渡舞龍橋

龍橋飛渡一筇輕, 曲曲流聲已慣聽。
三十九年夢如度, 萬千二景眼初醒。
欹巖老樹皆僧像, 凡草閑花半藥名。
若使片區移可得, 分山分水置吾亭。

* 무룡교(舞龍橋): 외금강(外金剛)의 좁은 골짜기에 있는 인공철교, 수렴폭포 등이 있는 구룡동(九龍洞)을 연결한다.
* 절승(絕勝): 경치가 뛰어나게 좋음
* 범초(凡草): 늘려 있는 예사 풀들,
* 한화(閑花): 쓸모없는 꽃, 호박꽃, 시든 꽃

82. 옥류동(玉流洞)

옥류동(玉流洞) 바위들
모두 옥돌과 같은데
무수한 명주(明珠)를 뿌려놓고
숫제 거두질 않는구나.

아, 티끌세상에서 신선인연

쉬 맺을 수만 있다면
장부(丈夫)들이여,
구태여 제후(諸侯)에 봉(封)해지길
바라 무엇 하겠는가!

82. 玉流洞

玉流洞裏石如玉, 萬斛明珠散不收。
塵世仙緣容易得, 男兒何必覓封候。

* 옥류동: 외금강 구룡연(九龍淵)구역에 있는 절경지(絶景地), 천연기념물 제410호
* 만곡(萬斛): 아주 많은 분량
* 명주(明珠): 고운 빛이 나는 좋은 구슬
* 제후(諸侯): 옛날 봉건시대에 영토를 가지고 왕처럼 영토 내 백성을 지배하던 사람

83. 망군대(望軍垈)

온종일 오르고 올라
하늘자락에 매달린 것 같은데
수많은 연꽃 같은 봉우리들
눈앞에 늘어서 있네.
까마득한 천년 세월
신선(神仙)들은 가버렸고
지난 일들 되돌아보니
처량(凄凉)하기만 하구나.

83. 望軍坮

登登盡日可攀天, 萬朶芙蓉列眼前。
千載寥寥仙已去, 回頭往事政凄然。

* 망군대(望軍坮): 내금강의 망군대구역에 있는 기암괴석(奇巖怪石)들로 이루어진 산봉우리, 높이 1,331m, 망군대에 올라 혈망봉을 바라보면 장관(壯觀) 중의 장관(壯觀)이다.

* 도열(堵列): 죽 늘어서 있는 것
* 요요(寥寥): 적막하고 공허한 모양, 매우 적다, 까마득하다.
* 부용(芙蓉): 연꽃
* 만타(萬朶): 수많은 꽃송이
* 처량(凄涼): 마음이 구슬퍼질 정도로 쓸쓸함.

84. 만물상(萬物相)
〈그때 비구름이 갑자기 몰려왔다〉

삼라만상(森羅萬象)이 한 결 같이
바위들로 의연히 솟아나
신(神)이 깎고 귀신이 새겼는지
고졸(古拙)하고도 신기하구나.

수많은 기암괴석(奇巖怪石)들이
아련히 그리워하는 곳
내달리고 날아다니는
갖가지 짐승들 변신(變身)이
참으로 환상적이로구나.

나는 비로소 알았다네,

본래 익살 많은 조물주(造物主)가
일부러 비구름을 시켜
참모습 숨겨놓았음을!

시(詩)는 시대로 그림은 그림대로
지을 수 없고 그려내기 어려우니,
아, 인간도 신선도 불보살도
하늘마저도,
그 모두가 가련함을 견디는구나!

84. 萬物相 時雲雨驟至

萬象森然一巖立, 神剜鬼刻舊兼新。
千奇百怪依俙地, 走獸飛禽變幻身。
始識化翁本多戲, 故教雲雨暗藏眞。
詩不能詩畫難畫, 人仙天佛摠堪憐。

* 만물상(萬物相): 금강산의 산악미를 대표하는 절경, 구룡연(九龍淵)이 여성미(女性美)라면, 만물상(萬物相)은 남성미(男性美)를 대표함, 기암기석, 아름다운 폭포와 계곡, 울창한 숲이 어울려 천하절경(天下絕景)을 자랑한다. 모든 상(相)이 보는 위치, 시간 방향과 나이와 보는 관점에 따라 다른 형상이 생겨 일만 가지나 된다 하여 '만물상'이라는 이름이 붙여졌다.
  만물상 위치: 온정리에서 온정령을 따라 오르다가 육화암을 지나면 나타나는 골짜기가 바로 만물상이다. 기묘한 바위와 어우러진 봉우리들이 모두 모여 있다.

  귀면암, 삼선암, 절부암, 안심대, 망장천, 만물초, 하늘문, 천선대, 천녀화장호, 망양대 등 이루 헤아리기 어려울 정도의 기암괴석(奇巖怪石)과 봉우리들이 즐비한 곳이다.
  만물상은 특정한 봉우리가 아니고 온정령 북쪽 금강산의 오봉산 일대 기암군을 한꺼번에 일컫는 말이다. 세상만물의 모양을 모두 한곳에 옮겨 놓은 것 같은 모습이어서 만물상(萬物相)이라고 불렀다. 옛날 사람들은 만물상을 두고 하느님이 만물을 창조할 때 먼저 시험 삼아 만든 표본이라는 뜻에서 만물초(萬物草)라고 부르기도 했다. 이곳은 화강암의 수직절리(결이 세로로 난 것)로 인해 수많은 봉우리들이 뾰족뾰족한 자태를 가지고 있다. 만물상의 전모를 모두 보려면 구름과 안개가 만물상 바위봉우리들을 감돌아주는 때를 기다려야 한다.

* 삼라만상(森羅萬象): 세상의 모든 만물과 현상들
* 기암괴석(奇巖怪石): 기이하고 괴상한 바위들
* 의연(毅然): 의지가 강하고 굳셈
* 고졸(古拙): 기교는 없으나 예스럽고 소박한 멋이 있음
* 총감련(摠堪憐): "모두가 가련함을 견디다." 의 뜻. 쉽게 말하면 "주눅이 들었다."는 뜻, 즉 그만큼 만물상의 경치가 천하절경이라는 뜻이다. '憐'은 가엽게 여기다. 어여삐 여기다. 사랑하다. 등 여러 뜻이 있음
* 의희지(依俙地): 아련히 그리워하는 곳.
* 화옹(化翁): 조물주(造物主)
* 인선천불(人仙天佛): 인간, 신선, 하늘, 불보살
* 취지(驟至): 별안간 닥치다.

84. 수렴폭포(水簾瀑布)

물줄기 날아내려 퍼지니
하얀 비단 폭 같고
때마침 부는 맑은 바람
물결무늬 남실남실

그 가운데 눌러앉아
온갖 모양 지어내니
산광수색(山光樹色)이
다들 수렴폭포로 모여드는구나.

84. 水簾瀑布

飛流平鋪石如練, 時有淸風捲紋波。
坐占箇中千萬狀, 山光樹色入簾多。

* 수렴폭포: 금강산 옥류동(玉流洞)의 명경대(明鏡臺)에 있는 폭포(瀑布)
* 산광수색(山光樹色): 산(山)빛과 나무색

86. 만상계(萬相溪)

구룡폭포 안개비
만상계곡 이룬다는데
아직도 못 가봐서 온갖 한(恨)
슬픔을 더했는데

오늘 와서 보고나니
별다른 것이 아니라
구룡폭포(九龍瀑布) 안개비가
바로 만상계를 이룬 것이라네.

86. 萬相溪

九龍烟雨萬相溪, 未到千般恨益悽。
到得看來無別事, 九龍烟雨萬相溪。

* 만상계: 금강산 육화암(六花岩)에서 만상정(萬相亭)까지 4.1km에 이르는 육화암 상류 계곡.

　온정리에서 온정령으로 난 길을 따라 금강산 온천지구를 지나 한하계로 들어서면 왼쪽으로 온정천에 맑은 물이 흘러내리고 그 뒤로 상관음봉(1137m), 중관음봉(875m), 하관음봉으로 이어지는 관음연봉이 병풍을 두른 듯 에워싸고 있다. 오른쪽으로 수정봉, 문수봉이 이어진다. 이들 산봉우리 사이에 이루어진 약 10㎞ 구간을 한하계라 부르며, 좁게는 온정리에서 육화암(六花岩)까지의 약 6㎞ 구간만을 한하계라 하고, 육화암의 상류계곡 약4.1㎞를 '만상계(萬相溪)'라 따로 부르기도 한다.

* 천반(千般): 가지가지
* 간래(看來): 보니까
* 지득(至得): ~하기에 이르다

87. 해금강(海金剛)

금강산 첩첩산중 모두 밟고
천만가지 절경(絶景)을
한 자루에 담았네.

조그만 유람선(遊覽船) 또다시
바다 절승(絶勝) 구경 가니
안개노을만 가득 싣고
수심(愁心)일랑 싣지 않으리.

87. 海金剛

踏盡蓬萊千萬疊, 萬千奇觀一囊收.
扁舟又向海中景, 只載烟霞不載愁.

* 금강산 구역: 외금강, 내금강, 해금강 3대구역으로 나눈다.
  〈외금강〉: 강원도(북한)고성군·금강군·통천군의 경계에 있는 산. 비로봉을 중심으로 남북으로 솟은 중앙 연봉들과, 해안을 따라 길게 펼쳐진 해금강 사이에 있는 명승지역이다.
  수많은 봉우리, 구룡동 등의 이름난 계곡, 폭포와 담소, 울창한 숲 등이 있다. 구룡동

구룡폭포는 우리나라 3대 폭포의 하나이다. 옥녀봉의 아름다운 연봉을 배경으로 하여 높고 넓은 벼랑에서 떨어지는 폭포수는 매우 웅장하며 세차다. 아래에는 9마리 용(龍)이 살았다는 깊이 13m의 구룡연이 있고, 폭포 위에는 8개의 맑고 푸른 못 상팔담(上八潭)이 있다.

〈내금강〉: 강원도(북한)고성군·금강군·통천군의 경계에 있는 산. 동쪽으로는 외금강 지역과 접하며 서쪽은 금강천 유역에 이르는 서부지역이다. 수많은 폭포·담(웅덩이)·녹음·기암절벽이 조화를 이룬 절경이다. 만폭동(萬瀑洞)은 계곡미의 상징이라 경치가 뛰어나며, 백운대(白雲臺)는 계곡미와 산악미를 다 갖춘 명승지이며, 명경대(明鏡臺)는 울창한 수림, 우뚝 솟은 암벽과 거울처럼 매끈한 암벽이 유명하며 수렴폭포가 있다.

〈해금강〉: 강원도(북한) 고성군·금강군·통천군의 경계에 있는 산. 고성군 동해 기슭의 수원단에서 옥교암에 이르는 4km의 해안절경을 해금강(海金剛)이라 한다. 해돋이가 유명하다. "삼일포(三日浦)"는 온정리에서 12km 떨어진 곳에 있는 석호이다. 특히 풍화와 침식에 의해 형성된 배바위, 사공바위, 동자바위, 잉어바위 등 온갖 기묘한 생김새를 가진 "해만물상(海萬物相)"이 무척 유명하다. 총석정(叢石亭)은 해금강 남쪽에 위치하며, 바다 기슭에 높이 솟은 암석기둥과 기묘한 모습의 동굴들이 아름답다.

* 하(煙霞): 안개와 노을, 또는 고요한 산수(山水)의 경치를 비유하는 말

88. 해만물상(海萬物相)

만고강산(萬古江山) 유람을
하루에 다한 셈이라,
금강산 지리산도 보고
한라산까지 다 본 셈이구나.

진시황(秦始皇)한무제(漢武帝) 이야기는
이미 묵은 행적(行蹟)이고,
이름난 문장가(文章家) 시인(詩人)들은
과연 몇 명이나 금강산을 그렸던고?

바위 옆 기화요초(琪花瑤草)
봄날이 한창이고
누대(樓臺) 위 흰 구름과 달빛
영원하리라.

이참에 느긋이 신선인연(神仙因緣)
두터이 하고자 하나
하늘에서 비가 내릴 것 같아
잠시도 머물지 않는 귀선(歸船)부터
먼저 잡아야겠구나.

88. 海萬物相

萬古江山一日遊, 蓬萊方丈又瀛洲。
秦皇漢武已陳跡, 詞客騷人幾擧頭。
瑤草巖邊春不老, 白雲臺上月千秋。
仙緣欲厚天將雨, 且把歸船暫不留

* 해만물상(海萬物相): 해금강 바다위에 솟은 천태만상의 바위들, 바다 위에 바위가 있고, 바위 위에 소나무가 자라는 신기한 풍경도 있다.
* 한국의 삼신산(三神山): 봉래산(금강산), 방장산(지리산), 영주산(한라산)
* 진시황(秦始皇)과 한(漢武帝): 중국을 통일한 진시황(BC 3C)은 서복(徐福)에게 명하여 불로초(不老草)를 구하러 한반도 삼신산(三神山)으로 떠나보냈다. 서불은 진시황의 명을 받아 신선이 사는 한반도 삼신산(三神山)〈금강산, 지리산, 한라산〉을 찾아 신선(神仙)을 만나 불로초(不老草)를 구하려는 목적으로 3천명이라는 인원을 이끌고 원정길에 올랐다는 기록이 있다. 또 한(漢)나라 무제(武帝)(기원전 2C)도 불로초(不老草)를 구하기 위해 한반도 삼신산(三神山)으로 사신(使臣) 파견했다는 전설이 있다.

* 사객소인(詞客騷人): 문장가와 시인
* 기화요초(琪花瑤草): 아름다운 꽃과 풀
* 춘불로(春不老): "봄이 늙지 않는다."라는 말은, "봄이 한창"이라는 뜻, 〈예(例)〉 허균

(許筠)작 "해산선몽요(海山仙夢謠)"의 한 구절, 瓊草漫山春不老(경초만산 춘불로)" 온갖 기묘한 풀이 산에 가득하고 봄이 한창이라 "
* 귀선(歸船): 돌아가는 배
* 차파(且把): 우선 ~을 잡다..。

89. 추도(秋島)에서 감동하여 읊다

동해(東海)의 동쪽 끝이라
눈을 뻔쩍 뜨고 보니
파광산색(波光山色)이
내 마음을 끄는구나.

노중련(魯仲連)이 가버린 후에도
천추(千秋)에 비친 저 달!
범상(凡常)한 유람객(遊覽客)에도
골고루 비추어 주네.

89. 秋島感吟

東海東頭眼更新, 波光山色總精神。
魯連去後千秋月, 付與尋常遊賞人。

* 동두(東頭): 동쪽 막바지, 동쪽 끝
* 파광산색(波光山色): 파도의 반짝이는 빛과 산(山)의 경치
* 총정신(總精神): 마음을 끌다.
* 유상인(遊賞人): 명승지를 유람하며 감상하는 사람
* 범 상(凡常): 평범한, 보통의.
* 노중련(魯仲連): 서기전 3세기, 중국 전국시대 제(齊)나라 사람. 고매한 선비, 웅변가. 용기와 높은 절개, 밀양 노씨(魯氏)의 시조. 빼어난 안목과 언변을 지닌 인물이다. 벼슬아

치 들이 오로지 입신양명(立身揚名)을 위해 혓바닥을 놀렸던 것과 달리, 사심(私心) 없이 천하를 위해 유세(流說)한 은자(隱者)다. 노중련은 나이 열두 살 때 유명한 논객과 설전을 벌여 제압했으며, 장성한 뒤에도 벼슬자리를 구하지 않고, 천하를 주유(周遊)하며 어려운 사람을 도우며 살았으며, 말년에는 멀리 우리나라 동해(東海)로 와서 살았다고 한다.

〈참고〉
"노중련(魯仲連)"이라는 제목의 매월당 김시습(金時習)의 시(詩) 일부를 소개한다.

一言解紛不受封 일언해분부수봉 : 말 한마디로 분쟁 해결하고도 봉작을 받지 않았으니
可堪稱爲天下士 가감칭위천하사 : 가히 천하의 선비라 일컬어도 마땅하리라.
不肯帝秦不仕齊 부긍제진부사제 : 진(秦)을 제국(帝國)이라 않고 제나라에 벼슬도 않고
嘉遯海上終不起 가둔해상종부기 : 가둔(嘉遯)후 바다(동해)로 멀리 가서 끝내 나오지 않았네. 〈가둔(嘉遯): 찬사를 받으면서 물러남〉
磊磊落落丈夫心 뢰뢰낙낙장부심 : 거침없이 드높은 장부(丈夫)의 기개(氣槪),
萬古千秋猶不滅 만고천추유부멸 : 천추만고 영원히 멸(滅)하지 않으리라.
孰能與之配高風 숙능여지배고풍 : 누가 능히 그와 더불어 고매한 풍도(風道)를 짝하리오.
茫茫滄海一輪月 망망창해일륜월 : 망망대해에 두둥실 떠오른 둥근 달이어라!
〈번역: 본 역자(譯者)〉

90. 삼일포(三日浦)

삼일포에서 삼일동안
즐겁게 보내는데
사선대(四仙臺)에서 사선(四仙)들과
함께 노는 것 같네.

산하(山河)의 지난 자취
누구한테 물어볼까?
신선(神仙)도 가고 누대(樓臺)도 비었는데
무심한 강물만 절로 흐르네.

90. 三日浦

三日浦中三日樂, 四仙坮上四仙遊°
山河往蹟憑誰問, 仙去臺空水自流°

* 삼일포: 관동팔경(關東八景)의 하나로 외금강에 있는 호수, 남북한 모두에서 가장 아름다운 호수로 꼽히는 곳이다. 이름의 유래도 신라의 사선(四仙)인 영랑, 술랑, 남석랑, 안상랑이 하루 동안 머물기 위해 왔다가, 아름다움에 취해 3일을 머물렀다 해서 삼일포(三日浦)라는 이름이 생겼다. 구불구불한 해안선과 소나무 가득한 언덕, 그리고 평평한 들판과 어울려 무척 아름답다. 물빛은 바닥까지 들여다 보일만큼 맑은데, 연화대, 봉래대, 장군대, 세 곳의 전망대와 송림(松林)이 있다. 둘레 8km, 깊이 13m, 주위에 36개 산봉우리가 있다.

* 사선(四仙): 신라(新羅)시대 화랑도의 총 우두머리인 국선(國仙) 네 사람, 곧 영랑, 술랑, 남석랑, 안상랑 등은 이곳에 와서 심신(心身)을 수련하다가 만년(晩年)에는 신선(神仙)이 되었다는 전설이 있다. 이들을 사선(四仙)이라 한다.

91. 아침에 외금강(外金剛)을 떠나며

동해 바다 앞에서
다른 물 말하기 어렵고
금강산 보고나면 다른 산은
안중(眼中)에도 없다네.

연꽃 같은 봉우리들
푸른 하늘 밖으로 펼쳐있고
거울 같이 맑은 물결
만 리 길 잔잔히 흐르네.

아득한 삼한시대 의관처럼
옛것 따른다면
신선마을 해와 달은
누굴 위해 한가로이
비출꼬?

풍진(風塵) 속 십년 세월
유유히 보낸 나그네,
다행히 기연(奇緣)을 빌어,
단번에 차버리고 돌아오네.

91. 朝發外金剛

東海水前難爲水, 金剛山後更無山。
玉芙散出靑天外, 鏡浪平流萬里間。
韓代衣冠從此舊, 仙區日月爲誰閑。
風塵十載悠悠客, 幸借奇緣一蹴還。

* 외금강: 금강산 3대 구역의 하나, 강원도(북한)고성군·금강군·통천군의 경계에 있는 산. 비로봉을 중심으로 남북으로 솟은 중앙 연봉들과, 해안을 따라 길게 펼쳐진 해금강 사이에 있는 명승지역이다. 수많은 봉우리, 구룡동 등의 이름난 계곡, 폭포와 담소, 울창한 숲 등이 있다. 구룡동의 구룡폭포는 우리나라 3대 폭포의 하나이다. 옥녀봉의 아름다운 연봉을 배경으로 하여 높고 넓은 벼랑에서 떨어지는 폭포수는 매우 웅장하며 세차다. 아래에는 9마리 용이 살았다는 깊이 13m의 구룡연이 있고, 폭포 위에는 8개의 맑고 푸른 웅덩이인 상팔담이 있는 절승지이다.

* 옥부(玉芙): 옥 같은 연꽃, 여기서는 연꽃 같은 산봉우리를 뜻함
* 풍진(風塵): 세상에서 일어나는 힘겨운 일들
* 기연(奇緣): 기이한 인연(因緣), 여기서는 신선인연을 뜻함.

92. 고저역(庫底驛)

서행(西行)하여 통천(通川)에 닿으니
홀연히 눈앞이 환해지고,
고향 떠난 이천 리 길 밖
일신(一身)이 홀가분하네.

귀향길 여러 명승지를
어찌 헛되이 하랴!
가리키는 곳, 저 멀리 강기슭
총석정(叢石亭)이로구나.

* 고저역: 강원도 통천군 고저읍에 있는 동해북부선 역으로, 송전과 통천사이 6.9km, 현재는 북한지역이다.
* 허부(虛負): 헛되이 보냄

92. 庫底驛

西去通川眼忽明, 二千里外一身輕。
歸程虛負諸名勝, 指點江頭叢石亭。

93. 삼방협(三防峽)에 하루 밤 묵으며

삼방협(三防峽)의 5월 날씨
가을날처럼 쌀쌀한데
약수(藥水)감천(甘泉)이
구석구석 흘러나오네.

아직도
속세(俗世)를 아니 떠난 이 몸,
스스로 부끄럽다만
오르락내리락에 쌓인 피로
하루 저녁 풀어보는구나.

93. 宿三防峽

三山五月冷如秋, 藥水甘泉曲曲流。
自愧此身未離俗, 降陟餘勞一夕休

* 삼방협: 강원도 평강에서 안변으로 향하는 경원선 길목에 있음. 삼방협은 상방 중방 하방을 합한 말. 삼방협은 북방 적군을 막은 천혜(天惠)의 협곡(峽谷)이다. 얼마나 험한지 기차가 지날 때는 화차(貨車)칸을 앞뒤에 달아 지그재그로 오르내린다. 중방협에 "궁예"의 묘가 있다고 한다.
* 약수감천(藥水甘泉): 약수(藥水)와 물맛 좋은 샘
* 강척(降陟): 오르락내리락 함°

94. 한강교(漢江橋)를 건너서
– 왕십리역을 지나 해거름에 한강교를 건너가다 –

열흘간 명산(名山)에 들었다가
귀향길 강나루 근처에서
우연히 시(詩) 한 수 읊네.

옛 궁궐, 향기로운 풀들
모두가 사라지고
성곽(城郭)의 잔해(殘骸)들만
밥 짓는 연기 속에 침몰하는구나.

그 몇 번이던가?
신선(神仙)세계 꿈 꾼 것이,
스스로 부끄럽구나,
어질고 슬기로운 삶을
다짐했던 그 마음이!

옛 성중(城中)에는
옛날부터 아는 사람 많아
밤이 되자 술병을 들고
서로가 찾아 나서네.

94. 過往十里驛暮渡漢江橋

十日入山屐, 江頭偶一吟。
故宮芳草沒, 殘郭暮烟沈。
幾度神仙夢, 自慚仁智心。
城中多舊識, 携酒夜相尋。

* 잔해(殘骸): 부서지거나 못쓰게 되어 남은 물건
* 고궁(故宮), 성중(城中)은 모두 '전주성(全州城)'을 말함,

95. 귀향(歸鄕)

밤기차(汽車)로 한강을 건너
옛 성〈전주(全州)〉으로 향하는데
여행 중 귀찮던 궂은비가
남쪽으로 오니 개는구나.
열흘간 온갖 해산절경(海山絕景)
유람(遊覽)을 즐겼다만

이문(里門)에서 기다리는
집안 식구 달래기가 어렵겠구나.

95. 歸鄕

夜渡漢江向故城, 客中苦雨南來晴。
一旬多少海山景, 難慰層堂倚閭情。

* 해산절경: 바다와 산의 절경(絶景)
* 고우(苦雨): 궂은 비, 귀찮은 비, 장마 비
* 이문(里門): 동네 어귀에 세운 문

96. 공효자(孔孝子)의 시운(詩韻)을 따서

세월도 효자(孝子)집을
편애(偏愛)하는가?
서리 밟고 이슬 밟는 그 심정
오죽했을꼬?

몸 부치던 초려(草廬)를
종신(終身)토록 그리워하니
풍수지감(風樹之感) 그 슬픔을
어찌 하루라도 잊었겠는가!

수달의 달제(獺祭)가
봄물의 맑음을 먼저 전하고
까마귀의 반포지효(反哺之孝)에
저녁 숲이 향기롭구나.

나무꾼 목동들에 한마디 전하니
서로가 삼가며 조심들 하오.
상재지향(桑梓之鄕) 분명한 이곳이
바로 우리가 사는 고향이라네.

96. 次孔孝子原韻

歲月偏憐孝子堂, 履霜履露最難當。
草廬可寓終身慕, 風樹何曾一日忘。
祭獺報先春水潔, 慈烏返哺夕林芳。
寄語樵牧能相戒, 桑梓居然是我岡。

* 초려(草廬): 여막(廬幕), 무덤을 지키려고 상주가 무덤 옆에 짓고 기거하던 초막
* 풍수지감(風樹之感): 효도(孝道)를 다하지 못한 채 어버이를 여읜 자식의 슬픔을 이르는 말〈비슷한 말〉풍수지탄(風樹之嘆), 풍수지회(風樹之懷),
* 달제(獺祭): '수달의 제사'라는 뜻, 예기월령(禮記月令)에서 나온 말이다. 수달은 포획한 물고기를 물가에 벌려놓곤 하는데, 그 모양이 마치 제상을 차려서 제사(祭祀)를 지내는 것 같다고 해서 나온 말이다.

* 반포지효(反哺之孝): 자식이 자라서 어버이의 은혜에 보답하는 효성(孝誠)을 말한다. 까마귀는 새끼가 알을 까고 나온 후 예순 날을 먹여준다. 그 다음 새끼가 자라서 다시 늙은 어미에게 예순 날 동안 먹이를 먹여준다. 이것은 새끼 까마귀가 자라난 이후 어미가 늙어 제 힘으로 먹이를 찾지 못하면 새끼 까마귀가 어미를 먹여 살린다는 뜻으로 '반포지효(反哺之孝)'라 한다. 〈본초강목(本草綱目)〉
* 상재지향(桑梓之鄕): 조상의 무덤이 있는 고향이나, 고향의 집을 비유적으로 이르는 말
* 초목(樵牧): 나무꾼과 목동

97. 황매천(黃梅泉)의 시운(詩韻)을 따서
– 황매천(黃梅泉)의 '산거즉사(山居卽事)' 운을 따서 –

밟는 이 아무도 없어
마당에는 이끼가 가득하고
사립문이 달려있어도
열어 놓을 필요도 없네.

점심을 굶고 모은 쌀을
관청에 갖다 바치고
열흘 넘어 처음으로
이웃집 술잔으로 취해보구나.

추위가 두려운 돼지들은
북데기 속을 깊이 파고들고
날 저물자 닭들은 하나하나 찾아와
횃대에 오르네.

글 읽는 아이들은 하늘 천 따 지
독음(讀音)은 알아들으나,
다만 성실하다 하겠으나
재주 있다 말할 수는 없구나.

97. 韻用黃梅泉山居卽事

無人踏破滿庭苔, 縱設蓬門不必開。
當午禁炊供官米, 兼旬始醉借隣盃。
怕寒豚蟄深深入, 向暮鷄棲一一來。
穉輩解音天地字, 但言敦慤不言才。

* 황현(黃玹): 대한제국 말기 선비로 시인, 문장가, 역사가, 우국지사이며 독립 유공자이다.

본관은 장수(長水). 호는 매천(梅泉). 전남 광양 출신. 황시묵(黃時默)의 아들이다. 서울에 와서 문명 높던 강위(姜瑋), 이건창(李建昌), 김택영(金澤榮) 등과 깊이 교유하였다. 서기 1883년(고종 20) 과거(擧科) 초시(初試)에 응시했을 때, 그가 1등으로 뽑혔으나 시험관이 시골 출신이라는 이유로 2등으로 내려놓자, 조정의 부정부패를 절감한 그는 회시(會試)와 전시(殿試)에 응시하지 않고 벼슬의 뜻을 버리고 귀향하였다.

당시 나라는 임오군란(壬午軍亂), 갑신정변(甲申政變)을 겪은 뒤 청국(淸國)의 간섭 하에 수구(守舊)정권의 부정부패가 극심했다. 그는 구례에서 서재를 마련해 3,000여 권의 서책을 쌓아 놓고 독서, 시문과 역사연구에 열중하였다. 서기 1894년 동학농민운동, 갑오개혁, 청일전쟁이 연이어 일어나자 급박한 위기감을 느끼고, 후손들을 위해 《매천야록(梅泉野錄)》, 《오하기문(梧下記聞)》을 저술하였다. 서기 1905년 11월 일제(日帝)가 을사늑약(乙巳勒約)을 강제체결하자 통분을 금하지 못하고, 당시 중국에 있는 김택영과 함께 국권회복운동을 위해 망명을 시도하다가 실패하였다. 서기 1910년 8월 29일 일제(日帝)에 의해 강제로 나라를 빼앗기자 통분해 절명시(絕命詩) 4수를 남기고 다량의 아편을 먹고 자결(自決)하였다. 서기 1962년 건국훈장독립장 추서. 저서 《매천집》《매천시집》《매천야록》《오하기문》《동비기략(東匪紀略)》

* 겸순(兼旬): 순(旬)〈10일〉을 겸한다는 뜻으로, 기간이 열흘 이상 걸림을 이르는 말

〈참고〉

"山居卽事(산속에 지내며)"

― 매천(梅泉) 황현(黃玹) ―

溪潭春暮水如苔 늦은 봄 시냇물이 이끼처럼 푸른데
猶有岩花未盡開 바위틈 꽃들은 아직도 피지 않네.
牛嗅草香還不齕 소는 풀냄새만 맡으며 뜯지를 않고
鶯尋樹密卽頻來 꾀꼬리는 자주 깊숙한 숲으로 날아오네.
鄰書答借床頭局 이웃편지는 바둑판 빌리자는 글의 답장이고
山菜佐傾家釀盃 산나물로 가양주(家釀酒)안주를 삼는구나.
學問縱非耕牧外 학문하는 것이 농사 밖의 일이 아니라 해도
最難得似古人才 고인(古人)같은 재주는 참으로 얻기 어렵도다.

98. 방옹(放翁) 시운(詩韻)을 따서 우연히 읊다

풍랑(風浪)만난 작은 배
피안(彼岸)은 아득해 기약 없는데
사공(沙工)조차 노 젓는 기술
말이 아니네.

높이 단 돛대 강풍에 펄럭이고
구름 낀 하늘은 아득만 한데
외로운 작은 배에 물이 차고
장대비가 쏟아지는구나.

회남왕(淮南王)유안(劉安)은
기이(奇異)한 절경(絕景)을
모두 볼 여가(餘暇)도 없었는데,
어떻게 적벽(赤壁)에서
신선(神仙)꿈 이룰 수 있었을까?

후회(後悔)가 되는구나,
오늘 아침 일찍이 작은 배 한척
정박(碇泊)시키지 못한 것이!
아무려나
다른 날 물결이 잔잔할 때
시(詩)를 읊으며 돌아가리라.

98. 寓吟次放翁韻

風舟彼岸渺無期, 況又梢工術亦非。
懸帆颷揚雲漠漠, 孤篷漲濕雨霏霏。

南淮未暇盡奇觀, 赤壁何能夢羽衣。
恨不今朝宜早泊, 安流他日咏而歸。

* 우음(偶吟): 얼핏 떠오르는 생각을 시가(詩歌)로 읊는 것
* 방옹(放翁): 중국 남송(南宋)의 시인 육유(陸游)의 호. 당시 재상인 진회(秦檜)가 金과의 강화(講和)를 주장할 때 그는 우국충정으로 강화를 극력 반대했기 때문에 등용되지 못하다가 진회가 죽은 뒤에야 효종(孝宗)의 부름을 받아 출사(出仕)했다.
 뛰어난 시인으로 역대 최다의 시(詩)을 남겼으며, 특히 도연명(陶淵明)의 자연을 즐기는 시풍(詩風)을 가장 숭상했다. 그는 또 85세의 장수를 누렸고, 《검남시고(劍南詩稿)》 등 많은 저서가 있다.

* 《회남자(淮南子)》: 서기 120년경인 중국 한나라 초기에 편찬된 백과전서, 신화, 전설에 관한 연구자료의 보고이다. 회남왕(淮南王)인 유안(劉安)이 편찬한 것으로 알려져 있다. 회남(淮南)은 회하(淮河)의 남쪽 지방을 가리키는 지명이다. 원래 내편 21권과 외편 33권으로 이루어졌는데, 이 가운데 내편만이 오늘날까지 전해진다.

《회남자》의 내용은 도가(道家)의 무위자연(無爲自然) 사상(思想)을 포함해 천문, 지리 등의 자연현상과 정치, 군사, 처세를 포함한 인간세상을 통일적으로 설명하려는 것인데, 유가(儒家), 법가(法家), 음양가(陰陽家) 등의 학설(學說)이 혼재해 있다. 많은 전설과 사화(史話), 우화(寓話)를 인용한 문장이 재미있고, 그 중에는 신화(神話), 민중의 지혜를 이야기한 설화(說話)도 많다. 중국 한(漢)나라 때의 중앙과 지방의 대립을 반영한 유가(儒家)와 도가(道家)의 사상투쟁을 잘 표현한 책이다. 그러나 현재까지는 그 사상적 가치는 평가받지 못하고, 신화와 전설을 중심으로 한 민속학(民俗學)의 연구자료로 중시되고 있을 뿐이다.
 또한 《회남자(淮南子)》는 《여씨춘추(呂氏春秋)》와 함께 제자백가(諸子百家) 중 잡가(雜家)의 대표작이다. 한편으로는 노자사상(老子思想)을 중심으로 제자백가(諸子百家)를 통합하려 한 전한(前漢) 황로학(黃老學)의 결정체로 보기도 한다.

* 회남왕(淮南王)유안(劉安): 한고조(漢高祖) 유방(劉邦)의 손자로, 아버지 유장(劉長)이 모반(謀反)에 연루되어 유배(流配)를 가던 도중 절식(絶食)으로 죽었다. 유안(劉安)은 그 한(恨)으로 반역의 뜻을 품고 무제(武帝)때 반란을 꾀했으나 발각되어 체포되기 전에 자살(自殺)했다. 일류 문화인이었던 그는 생전에 많은 학자들을 신하로 두었다. 그 무렵 중

앙에서는 유교(儒敎)중심의 사상통일화 움직임이 강했으므로, 유안(劉安) 밑으로는 빈객(賓客)과 방술가(方術家) 등 도가(道家)학자들이 많이 모여들었다. 그런 학자들의 협력으로 여러 대가(大家)의 학설(學說)을 종합하여, 자연질서와 인간세상을 일관된 질서(秩序)로 파악하려는 의도(意圖) 아래 『회남자(淮南子)』를 편찬하기도 했다. 유안(劉安)이 신선(神仙)이 되었다는 전설(傳說)이 전해진다.

* 우의(羽衣): 새의 깃으로 만든 옷, 신선(神仙)이나 선녀(仙女)가 입었다고 한다.
* 초공(梢工): 배로 물건을 실어 나르는 일을 업으로 하는 사람
* 피안(彼岸): 대안(對岸), 이르고자 하는 경지(境地), 동경하는 경지, 이상적 경지

* 적벽(赤壁): 후베이성[湖北省] 푸치현[蒲圻縣] 서북부 양쯔강[揚子江] 남안에 있다. 깎아지른 듯한 절벽이 강변에 웅장하게 솟아 있으며 지세(地勢)가 매우 험준하다. 서기 208년 손권과 유비의 연합군 5만 명이 조조에 대항하여, 수륙(水陸) 양쪽에서 조조의 20만 대군과 싸워 화공(火攻)으로 대승을 거둔 곳이다. 이로부터 위(魏)·촉(蜀)·오(吳)의 3국이 정립되었다. 강변 바위에는 해서(楷書)로 '赤壁'이라 새겨져 있는데, 세로 150㎝, 가로 104㎝ 힘이 넘치는 필세로 쓴 이 글자는 주유(周瑜)가 쓴 것이라고 전해진다.

99. 연이어 방옹(放翁)의 시운(詩韻)을 따서

대대로 물려받은
청전고물(青氈故物)
누구와 더불어 얘기할꼬?
이제는 나란히 문을 내고
연이은 집에서 대를 이어
농촌에 사는구나.

내 장차 숨어 살
도원(桃源)은 어디인가?
몇 해 동안 오악(五嶽)을
두루 올랐고

자식들 혼사(婚事)도 이미
다 마쳤는데,

막내아우 먼 이국(異國)땅에서
편지 올려 아뢰는구나,
"아버님, 조부님, 집안 선조(先祖)님
꿈속에 다 함께 오셨다 가셨습니다!"

얽히고설킨 세상만사
까맣게 잊어버리는 것이
그나마 세상사는 좋은 방책이라,
이제 서창(西窓)으로 가
기쁘게 손자들을 가르치리라.

99. 連次放翁韻

舊業靑氈孰與論, 幷門連屋世居村。
桃源何處吾將隱, 五嶽多年已畢婚。
萬里季君書上信, 一堂父祖夢中痕。
頓忘千累是良策, 且向西窓喜課孫。

* 청전(靑氈): 청전고물(靑氈故物)을 뜻함. "진서(晉書) 왕헌지전(王獻之傳)"에 있는 고사(故事), "하루는 황헌지〈서성(書聖) 왕희지의 5째 아들〉가 잠을 자고 있는데, 도둑떼가 침입해 도둑질을 했지만 그는 꼼짝도 하지 않았다. 도둑이 침상에 올라 청전(靑氈)〈푸른 담요〉을 훔치려고 할 때에 왕헌지가 눈을 뜨고 말했다. '청전(靑氈)은 우리 가문의 대물린 보배이니 그대로 둘 수 없을까?'라고 말하자 도둑들은 잠을 깬 왕헌지를 보고 깜짝 놀라 물건을 버리고 줄행랑을 쳤다. 후세에 청전고물을, 대물림 가보(家寶)나 종사하는 가업을 가리켰다.

* 구업(舊業): 옛날부터 행해온 일.
* 오악(五嶽): 백두산, 묘향산, 금강산, 북한산, 지리산을 가리킨다. 중국 오악(五嶽)은,

태산(泰山), 화산(華山), 형산(衡山), 항산(恒山), 숭산(嵩山)
* 양책(良策): 좋은 방책
* 막내 동생: 저자(著者)의 막내 동생 순회(舜會), 당시 일본 중앙대학에 유학 중이었음
* 도원(桃源): 무릉도원, 이상향, 별천지, 도연명의 '도화원기'에 나오는 가상의 선경(仙境)

100. 신사년(辛巳年) 눈 내린 달밤에

— 신사년(서기 1941년) 섣달 스무 사흗날 밤 꿈에 선친께서
붓 서른 자루를 하사하셨다. 꿈을 깨니 달빛이 눈 내린 뜰에 가득하여
풍수지회(風水之懷)를 더욱 금할 수 없어 시 한 수를 읊다. —

꿈속에서 선친(先親)께
여러 번 절을 올렸는데
깨어보니 선친(先親)생각
더욱 간절하구나.

꿈속에서 붓을 내린
진정(眞情)한 뜻은,
어버이를 더럽히지 않도록
학문에 힘써라! 는
권학(勸學)의 뜻이로다.

100. 辛巳十二月二十三日夜夢先君賜筆三十枝, 夢破, 雪月滿庭, 益不禁風樹之懷, 因吟一絶

夢中累拜親, 覺後倍思親。
丁寧賜筆意, 勸學毋忝親。

* 풍수지회: 풍수지탄(風樹之嘆), 살아생전 어버이께 효도 못한 것을 한탄하는 것, "한시외전(韓詩外傳)"에 나오는 말

"樹欲靜而風不止 子欲養而親不待"
(수욕정이풍부지 자욕양이친부대)
나무는 고요하고자 하나 바람이 그치지 않고,
자식은 봉양하고자 하나 부모는 기다려 주지 않는다.

101. 신사년 제야(除夜)에 회포를 적다.

오늘 이 밤이 한 해를 보내고
추위를 보내는 섣달그믐 밤이라
다들 시(詩)를 짓고 말없이
등불을 바라보네.

거울을 보며 무례(無禮)와
오만(傲慢)을 없애려고
구레나룻 흰털을 뽑고
독서로 공부하며 가슴 속
단심(丹心)을 단련하는구나.

되돌아보니 지난날이 그릇되고
오늘날이 옳음을 깨달았고
먼저 고난(苦難)을 겪은 뒤에야
얻는 것이 있음을 비로소 알았도다.

마땅히 과정(過庭)이 있어야
반의지희(斑衣之戱)의 즐거움도 있고
거북과 연꽃처럼 장수(長壽)를 누리며
강녕(康寧)하고 편안하리라.

101. 辛巳除夜述懷

此夜送年兼送寒, 詩成無語共燈看.
對鏡謾除鬢上白, 覽書課鍊胸中丹.
回顧昨非覺今是, 始知後獲在先難.
過庭惟有斑衣樂, 千載龜蓮康且安.

* 제야(除夜): 제석(除夕), 섣달그믐 밤
* 오만(傲慢): 건방지고 거만함
* 과정(過庭): 과정지훈(過庭之訓), 공자가 자식을 편애(偏愛)하지 않고, 제자들과 같이 가르쳤는데, 뜰을 지나며 가르쳤다고 하여, 과정지훈(過庭之訓) 또는 추정(趨庭)이라고 함
〈「논어(論語)」에, 공자(孔子)의 아들 공리(孔鯉)가 빠른 걸음으로 뜰을 지나는데 공자가 그에게 시(詩)를 배우고 예(禮)를 배우라고 하였다. 후세에서는 '과정(過庭)'을 부친의 훈육을 받음을 비유하였다.〉

* 반의(斑衣): 반의지희(班衣之戲), 색동옷을 입고 하는 놀이, 즉 지극한 효도, 늙도록 다하는 효도를 뜻함, '반의'는 어린 아이의 색동옷을 말함, 노래자(老萊子)는 중국 오나라 사람으로 효성이 지극하였다. 나이 일흔이 되었어도 늙었다고 하지 않았다. 일찍 색동옷을 입고 부모님 앞에서 재롱을 피우고 춤을 추면서 부모를 즐겁게 해주었다고 한다.

* 단심(丹心): 속에서 우러나오는 정성스러운 마음
* 구련(龜蓮): 거북과 연꽃, 장수(長壽)를 상징함

102. 삼종숙(三從叔)의 시(詩)에 보운(步韻)하여
– 해은(海隱)삼종숙(三從叔)이 상처(喪妻)한 후 시(詩) 두 수를 보내와, 보운(步韻)으로 작시(作詩)하여 올리다 –

옛 거문고에 깃든 높은 지조(志操)
종자기(鍾子期)가 알아주었는데
오늘날 거문고에 흐르는 물소리를

누구에게 물어볼꼬?

남화고분곡(南華鼓盆曲)을
암송하며 거문고 줄을 끊은
해은(海隱)삼종숙(三從叔)의 시(詩)에
먼 곳에서 화답(和答)하는구나.

신시(新詩)신복(新福)에
신년(新年)을 맞이하여
오래도록 잠 못 이루는
만감(萬感)이 어떠하신지?

이제부터 향기로운 꽃소식이
가까워지니
뜨락의 매화(梅花)가지 제일 먼저
꽃소식을 전하는구나.

102. 海隱三從叔喪耦後寄惠二絕, 步韻以呈

琴中古操子期知, 流水如今更問誰。
爲誦南華鼓盆曲, 遙和海隱斷絃詩。
新詩新福迎新年, 百感如何久不眠。
自是芳華消息近, 庭梅枝上最先傳。

* 보운(步韻): 시를 지을 때 남의 시에 화합(和合)하여 연(聯)마다 원운(原韻)을 사용함
* 상우(喪耦): 상처(喪妻), 아내가 죽음
* 풍조(風操): 높은 지조(志操)
* 지조(志操): 신념을 끝까지 굽히지 않는 꿋꿋한 의지(意志), 기개(氣槪)

* 종자기(鍾子期): 옛 중국 진(晉)나라에 거문고의 달인 백아(伯牙)가, 휘영청 밝은 달빛

을 바라보며 거문고를 뜯었는데, 그 소리를 몰래 듣는 사람이 고향 친구 종자기(鍾子期)였다. 놀랍게도 종자기는 "지음(知音)"의 경지이었다. 백아가 달빛을 생각하며 거문고를 뜯으면, 종자기는 달빛을 바라보았고, 백아가 강물을 생각하며 거문고를 뜯으면, 종자기도 강물을 바라 봤다. 거문고 소리만 듣고도 백아의 속마음을 읽어냈던 것이다. 결국 백아는 자신의 소리를 알아주는 종자기와 의형제를 맺었다. 이듬해 백아가 다시 종자기(鍾子期)를 찾았을 때는 죽고 없었다. 백아는 친구의 묘를 찾아 마지막 한 곡을 뜯고는 거문고 줄을 끊어버렸고 다시는 거문고를 타지 않았다. 이 세상에 자기 거문고 소리를 제대로 들어줄 사람이 없었기 때문이었다. 이것이 이른바 '백아절현(伯牙絕絃)'의 고사(故事)이다.

* 남하고분곡(南華鼓盆曲): 장자(莊子)가 단지를 두드리며 부른 노래, 장자(莊子)의 아내가 죽자 그의 벗인 혜자(惠子)가 문상(問喪)을 갔는데, 그때 장자(莊子)는 부(缶)〈단지〉를 치며 노래를 부르고 있었다고 한다. 후세에 아내를 잃었거나 혹은 그 비통한 심정을 비유하였다. 부(缶)는 술, 간장, 물 등을 담는 단지, 진(秦)의 사람들은 장단을 치는 타악기로 썼다.

* 남화(南華): 남화진인(南華眞人), 즉 장자(莊子)을 뜻함, 중국 당(唐)의 현종이 장자(莊子)에게 추존한 이름, 장자(莊子)가 저술한 '장자(莊子)'는 도가(道家)의 시조인 노자(老子)가 쓴 도덕경(道德經)보다 더 분명하여 이해하기 쉽다. 무위자연(無爲自然)의 노장(老莊)사상은 중국불교의 발전과 중국의 산수화와 시가(詩歌)에도 지대한 영향을 미쳤다.

* 해은(海隱): 저자(著者)의 삼종숙(三從叔), 9촌 아저씨

103. 내소사(來蘇寺)에서
- 정지상(鄭知常)의 시(詩) 원운(原韻)을 차운(次韻)하여 -

봉래산 만첩봉(萬疊峰)처럼
서로 서려 뒤얽힌 뿌리
머리 돌려 은하수 바라보니
잡을 수도 있겠구나.

천년 세월 흐르는 물에

신선(神仙)자취 뚜렷하고
4월 신록(新綠) 숲속으로
유람객이 찾아드네.

티끌세상 떠난 사람, 어찌
청전학(靑田鶴)을 부러워하랴!
세상을 해코지하는
해질녘 원숭이들 소리
듣지를 마오.

일찍이 천하명산 유람을
기약(期約)해놓았으니
밤새워 흐르는 산골 물소리가
시끄러운 속세의 소리를
한 결 같이 막아주는구나.

103. 來蘇寺次鄭知常原韻

蓬萊萬疊互盤根, 回首星河堪可捫。
流水千年仙有跡, 新林四月客登門。
出塵何羨靑田鶴, 傷世休聽落日猿。
天下名山曾有約, 澗聲一夜隔塵喧。

* 원운(原韻): 원작(原作)의 시운(詩韻)
* 화답(和答): 상대의 시(詩)나 노래에 응하여, 시(詩)나 노래로 대답하는 것
* 만첩봉: 무수히 얽혀있는 산봉우리
* 청전학(靑田鶴): 벼가 푸릇푸릇하게 자란 논에서 노는 학(鶴)
* 호반근(互盤根): 서로 얽히고 서려 뒤얽힌 뿌리

* 봉래산(蓬萊山): 금강산의 다른 이름, 여기서는 내소사(來蘇寺)가 있는 변산을 가리킴.
* 변산(邊山): 전북 부안군에 있는 산. 바깥쪽이 해안선과 맞닿아 있어 산과 바다가 어

우러진 풍경으로 유명하다. 변산을 중심으로 일대가 국립공원으로 지정되어 있다. 높이 508m산과 바다가 어우러진 독특한 풍경이 특징이다. 최고봉은 의상봉(508m)이며 신선봉(486m), 쌍선봉(459m) 등의 여러 개의 기암 봉우리을 가지고 있다. 변산은 호남 5대 명산의 하나로 능가산(楞伽山), 영주산(瀛洲山), 봉래산(蓬萊山) 등 여러 이름으로 불린다.

* 내소사(來蘇寺): 전북 부안군 진서면 석포리 변산반도 남단에 있는 절, 대한 불교조계종 제24교구 본사인 선운사(禪雲寺)의 말사(末寺)이다. 7세기 신라의 혜구(惠丘)가 창건하고 17세기에 중건, 20세기 초에 수축(修築)하여 오늘에 이르고 있다. 현재 이 절의 중요 문화재로는 고려 동종(銅鐘)등 지정된 보물 4점이 있고, 부속암자는 지장암과 절 뒤쪽 1.5km 지점에 청련암(靑蓮庵)이 있다.

* 정지상(鄭知常): 고려 중기 문신, 고려 최고시인. 호 남호(南湖), 현존 작품은 한시 등 25편이 있다. 이미 고려 때부터 《파한집》《동국이상국집》 등등에 그의 작품이 수록되었고, 조선시대 《동문선》 등 대부분의 문헌들이 "고려 대표시인"으로 꼽는다. 대표작 '송인대동강'은 매우 유명하다.

〈참고〉

〈送人大同江)〉 (대동강에서 배웅하다)

雨歇長堤草色多　비 그친 긴 둑에 풀빛 짙은데,
送君南浦動悲歌　그대 보내는 남포에 슬픈 노래 흐르구나.
大同江水何時盡　대동강 푸른 물이 어느 때 다 마르랴!
別淚年年添綠波　이별 눈물 해마다 보태네, 푸른 물결에!
〈번역: 본문 역자(譯者)〉

〈참고〉
* 내소사(來蘇寺) "정지상(鄭知常)의 원운시(原韻詩):

"題邊山蘇來寺"

古徑寂寞縈松根　天近斗牛聊可捫.

浮雲流水客到寺 紅葉蒼苔僧閉門.
秋風微凉吹落日 山月漸白啼淸猿.
奇哉尨眉一老衲 長年不夢人間喧.

"변산 소래사"

적막한 옛길에 얼기설기 얽힌 솔뿌리들,
하늘이 가까워 북두칠성 견우성도 만질 듯하구나.

뜬구름 흐르는 물 같은 나그네가 절간을 찾아드니,
붉은 단풍 푸른 이끼 못 떠나게 스님은 빗장을 거네.

가을바람 스산하게 불어오고 저녁 해 서산에 떨어지니,
산에 뜬 달 밝아오고 잔나비 우짖는 소리 카랑카랑하구나.

기이하도다! 눈썹이 터부룩한 한 늙은 노스님,
오랜 세월 꿈에조차 없었구나, 시끄런 인간들 소리는!

〈번역: 본문 역자(譯者)〉

〈연연당문고 원문〉

來蘇寺次鄭知常原韻

蓬萊萬疊互盤根 回首星河堪可捫。
流水千年仙有跡 新林四月客登門。
出塵何羨靑田鶴 傷世休聽落日猿。
天下名山曾有約 澗聲一夜隔塵喧。

* 정지상의 변산소래사 시(詩)에서, "근(根), 문(捫), 문(門), 원(猿), 훤(喧)" 다섯 자(字)

가, 저자(著者)의 내소사(來蘇寺) 시(詩)에 차운(次韻)됨. (소래사는 훗날 내소사(來蘇寺)로 명칭이 바뀜)

〈역자주(譯者註)〉

본 내소사(來蘇寺)시(詩)에서 보듯, 「연연당문고(淵淵堂文稿)」 저자(著者)인 보정선생(普亭先生)의 시(詩)의 품격(品格)은, 이미 대가(大家)의 반열이라 높고 고매(高邁)하다. 만상(萬象)에 대한 관조(觀照)와 시상(詩想)의 전개, 시어구사(詩語驅使), 표현기법 등 모든 면에서 대가(大家)의 풍모(風貌)가 명징(明澄)하게 드러난다.

뿐만 아니라 보정선생(普亭先生)의 통섭(通涉)행적은 참으로 경탄(驚歎) 그 자체이다.

유수한 동양의 성현군자들과 이름난 시인묵객들과 소지(素志)로 통섭(通涉)하고, 우리의 산수(山水)를 중히 여기는 기개(氣槪) 높은 애국지사요 거유(巨儒)이자 대시인이다. 관중규표(管中窺豹)하며 곡학아세(曲學阿世)하는 시류(時流)의 부유(腐儒)들과는 거리가 먼, 유불선 삼도(儒佛仙 三道)를 섭렵하며 특히 노장(老莊) 도가(道家)의 신선사상(神仙思想)에 심취하여 거유(巨儒)이면서도 그야말로 자유분방한 대자유인이요, 탄솔(坦率)한 인품(人品)의 선비라 하겠다.

"서산에 아침이 오니, 그 기운이 상쾌하도다(西山朝來致有爽氣)."

라고 말한 왕자유(王子猷)처럼, 부귀영화를 추구하는 진세(塵世)를 탈속(脫俗)하고 선계(仙界)를 동경하는 선인(仙人)다운 풍모가 시구절(詩句節)곳곳에서 역력히 드러나고 있다.

104. 청련암(青蓮庵)

청련암(青蓮庵)
어디에 자리 잡았는가
온갖 향기로운 수풀 위에
높이 솟았네.

삼라만상(森羅萬象)이
처음 눈을 뜰 때
맑은 물줄기가 말끔히
마음을 씻어주네.

하늘에 맞닿은
광활한 푸른 바다
골짜기에 가득한
흰 구름이 깊었네.

내 이미 여러 해
불법(佛法)을 들어왔으니,
오히려 부처님 가르침을
내가 해설(解說)해주는구나.

104. 靑蓮庵

靑蓮何處在, 高出衆香林。
萬象初開眼, 淸流可滌心。
連天蒼海濶, 滿谷白雲深。
聽佛已多歲, 我猶解梵音。

* 청련암(靑蓮庵): 청련암은 내소사(來蘇寺)의 산내 암자로, 6세기 백제의 초의선사(草衣禪師)가 창건하고, 서기 1928년 중수(重修), 서기 1984년 혜산선사가 해체 복원하여 현재에 이르고 있다. 일제강점기에 송진우(宋鎭禹), 김성수(金性洙), 백관수(白寬洙) 등의 애국독립지사가 소년시절 이곳 청련암(靑蓮庵)에서 공부하기도 했다. 청련암은 능가산 관음봉과 세봉 사이 해발 250m에 있는 암자인데, 청련암에서 내려다보이는 경치가 일품이다.
* 향림(香林): 향기로운 숲
* 범음(梵音): 부처의 가르침

105. 실상사(實相寺)

지난날
실상사(實相寺)에 왔을 땐

내 나이 약관(弱冠) 스물.

구름 자욱한 봉우리
변함이 없는데
옛날의 그 선사(禪師)는
보이지 않구나.

105. 實相寺

昔日實相寺, 少年二十時。
雲山無變態, 不見舊禪師。

* 실상사(實相寺): 전북 남원시 산내면 입석리 지리산 소재, 대한불교조계종 제 17교구 본사인 금산사(金山寺)의 말사(末寺), 9세기 신라 홍척국사가 구산선문의 하나인 실상산 문을 열면서 창건했다. 15세기 화재로 전소된 뒤 200년 동안 폐허로 있었으나, 17세기 벽암대사가 중수했으나 소실, 19세기 말에 중건(重建)하여 오늘에 이르고 있다. 현존건 물은 보광전 등 5채의 전각과 국보1점, 보물4점이 있다. (국보 제10호 백장암 3층 석탑)

106. 용소폭포(龍沼瀑布)

한 줄기 빙옥(氷玉)이
공중에 걸렸다가
인간 세상에 내려와
백리천(百里川)이 되었구나.

봉래산(蓬萊山)절경(絶景)이
이곳에도 있으니
풍진(風塵)세월 십년에
한나절 신선(神仙)이 되었네.

106. 龍沼瀑

一條氷玉掛中天, 去作人間百里川。
蓬萊奇觀於斯在, 十載風塵半日仙。

* 용소폭포(龍沼瀑布): 전북 임실 백련산(白蓮山) 수동마을에 있는 폭포, 전주와 순창사이의 국도변에 위치함. 〈역자주(譯者註)〉 용소폭포라는 지명이 전국에 여러 개 있으나, 여기서는 임실 백련산의 용소폭포인 듯하다.
* 빙옥(氷玉): 얼음이 옥(玉) 같음, 맑고 깨끗해 티가 없음에 비유
* 백리천(百里川): 백리나 될 만큼 매우 긴 내(川)를 이르는 말
* 풍진세월: 혼탁하고 어지러운 세월
* 봉래산(蓬萊山): 여기서의 봉래산은, 전북 부안에 있는 "변산(邊山)"을 말함

107. 월명암(月明庵)

예전에 풍악사(楓嶽寺)를
유람(遊覽)했는데 또다시
봉래구곡(蓬萊九谷)에 드네.

속세 십년이 꿈속 같은데
불등(佛燈)은 한 결 같이
밤을 맑게 비추는구나.

성인(聖人)의 말씀은
푸른 하늘에 있는데
밥 짓는 연기는
인간세계에서 일어나구나.

신선(神仙)이 돌아가도

쌍선봉(雙仙峰)은 우뚝하고
만고(萬古)에 밝은 달은
길이 빛나는구나.

107. 月明庵

昔遊楓嶽寺, 又作蓬萊行。
塵世十年夢, 佛燈一夜淸。
人語靑天在, 烟雲下界生。
仙歸雙岫屹, 萬古月長明。

* 월명암(月明庵): 전북 부안군 산내면 중계리 변산 쌍선봉(雙仙峰)에 있는 절. 대한불교 조계종 제24교구 본사인 선운사(禪雲寺)의 말사(末寺). 7세기 말 신라 고승 부설(浮雪)이 창건. 조선 선조 때 고승 진묵(震默)이 중창하여 17년 동안 머물면서 많은 제자를 양성하였고, 그 후 수차례 중건을 거쳐, 1956년 원경(圓鏡)이 중건한 것이 오늘에 이르고 있다. 대둔산 태고사(太古寺), 백암산 운문암(雲門庵)과 함께 호남의 3대 영지(靈地)로 손꼽히는 곳이다. 봉래선원(鳳萊禪院)이라는 수도선원이 있어서 근대고승인 행암(行庵), 용성(龍城), 고암(古庵), 해안(海眼), 소공(簫空)등이 수도한 참선도량으로 유명하다. 부속 암자로는 쌍선봉 쪽으로 약 100m 거리에 있는 묘적암(妙寂庵)이 있다. 절의 앞쪽으로 의상봉(義湘峰)과 가인관음봉(佳人觀音峰) 등의 암봉(巖峰)들이 아름다움을 다투고, 법왕봉(法王峰)에 올라 바라보는 일몰(日沒)광경이 빼어나다.

* 봉래구곡(蓬萊九谷): 전라북도 부안군 변산면 중계리에 있는 9곳에 아름다운 절경지, 망포대에서 발원한 물줄기는 내변산의 아름다운 절경의 암반을 따라 구비 구비 흘러 직소폭포에서 그 힘찬 용트림을 하고, 그 기백은 다시 백천과 합류해 잠두마을의 암지까지 20여km 의 긴 물줄기가 아홉 곳에 아름다운 절경을 만들어 놓았으니 이곳을 "봉래9곡"이라 한다.

* 연운(煙雲): 구름처럼 피어나는 연기,
* 하계(下界): 인간세계,
* 불등(佛燈): 불전에 바치는 등불, 암흑을 비추는 불법(佛法)을 등불에 비유함

108. 채석강(采石江)에서 부르짖다

서남쪽 한 끝에 자리 잡은
채석강(采石江),
바닷물 아득히 하늘에 닿았는데
하늘은 낮고 바다는 광활하여
가히 연(燕)과 통할 수 있겠네.

어지러이 솟은 봉오리들
희미하게 구름밖에 솟았고
황혼녘 고국 땅은 어슴푸레
넓고도 아득하구나.

고래를 몰아가며 오래 머무니
천고(千古)의 명월이 밝게 비추고
고깃배는 한 결 같이
강(江)안개만 가득 실었네.

진정한 신선세계를 찾아
모두 봉래도(蓬萊島)에 들어서니
하나하나 빛나는 구슬 같은 경관들이
오색(五色)으로 이어졌구나.

108. 采石江上口呼

地盡西南海接天, 天低海濶可通燕。
亂峯隱約齊雲外, 故國蒼茫落日邊。
鯨駕長留千古月, 漁舟滿載一江烟。
尋眞同入蓬萊島, 箇箇明珠五色連。

* 채석강(采石江): 전북 부안군 변산면 격포리에 소재한 절승지(絕勝地), 〈전북기념물 제28호, 변산반도국립공원〉 변산반도 서쪽 끝의 격포항(格浦港) 우측 닭이봉(鷄峰)일대의 1.5km의 층암절벽과 바다를 총칭하며 변산팔경 중의 하나인 채석범주(彩石帆舟)가 바로 이곳이다. 당나라 시인인 이태백이 술을 마시며 놀았다는 중국의 '채석강'과 흡사하다고 하여, '채석강'이라는 이름으로 불리게 되었다고 한다.

* 연(燕)나라: 중국 춘추시대(春秋時代)의 주나라 제후국이자, 전국시대의 전국칠웅(戰國七雄) 가운데 하나. 연나라의 영토는 동쪽으로 고조선(古朝鮮)에 이르고, 남쪽으로 역수(易水)까지 이르러 영토가 이 천리에 달했다. 소왕 때에 장수 진개(秦開)가 고조선(古朝鮮)을 침략하여 랴오닝 성 지역까지 영토를 확장하였다. 연의 장수 위만(衛滿)이 위만조선(衛滿朝鮮)을 건국했다는 기록도 있다.

* 창망(蒼茫): 어슴푸레하면서 넓고 아득함
* 명주(明珠): 고운 빛이 나는 구슬
* 봉래도(蓬萊島): 신선(神仙)이 산다는 전설상(傳說)의 섬인 삼신도(三神島)의 하나, 〈역자주〉 저자(著者)는 채석강(采石江)을 전설상의 '봉래도'라고 상상함
* 삼신도(三神島): 봉래도, 방장도, 영주도
* 진경선계(眞景仙界): 진정한 신선세계

109. 개암사(開巖寺)

안개 노을 마시는 데는
술잔이 소용없는데
금강산 열흘 유람 함께 할
신선친구 찾아왔네.

푸르게 솟은 석봉(石峯)
무던히 우뚝하고
연못물은 거울같이
맑고 깨끗하구나.

신성한 곳은 절간이
모두 차지하고 말았으니
지팡이를 짚고
구름 낀 숲을 지나
속세로 돌아오는구나.

올해도 강산유람 약속을
어김없이 지켜내고
조만간 귀로에 오를 테니
당분간은 재촉을 하지 마오.

109. 開巖寺

呼吸烟霞不用盃, 蓬萊十日伴仙來。
石峯聳翠釼心屹, 潭水澄淸鏡面開。
靈境無非僧舍占, 雲林故許俗笻回。
今年又踐江山約, 早晚歸程且莫催。

* 개암사(開巖寺): 전북 부안군 상서면 감교리에 있는 절. 대한불교조계종 제24교구 본사인 선운사의 말사로 7세기 초 백제의 묘련이 창건한 고찰이다. 개암이라는 이름은 기원전 3세기말 변한(弁韓)의 문왕이 진한(辰韓)과 마한(馬韓)의 난을 피하여 이곳에 도성을 쌓을 때, 우(禹)와 진(陳)의 두 장군으로 하여금 좌우 계곡에 왕궁을 짓게 하였는데, 동쪽을 묘암(妙巖), 서쪽을 개암이라고 한 데서 비롯되었다. 7세기 말 신라의 원효와 의상이 이곳에 이르러 우금암(禹金巖) 밑 굴속에 머물면서 중수했다. 능가경(楞伽經)으로 많은 사람을 교화했기 때문에 산의 이름을 '능가산'이라 부르게 되었다. 수차례의 중창을 거쳐 1993년 완전 복원하여 오늘에 이르고 있다. 대웅보전은 보물 제292호로 지정되었다.

* 석봉(石峯): 개암사에서 바라보이는 바위산
* 승사(僧舍): 절간, 승려들이 불상을 모셔놓고 불도를 닦으며 불교교리를 펴는 곳
* 영경(靈境): 신성한 곳
* 운림(雲林): 구름 낀 수풀

110. 연당(蓮塘)에서
– 연당(蓮塘)을 제목으로 재미로 읊다. –

연(蓮)은 꽃도 좋고
잎도 좋아 어여쁜데
꽃은 솟으려 하고
잎은 드리우고자
다투네.

연못에는
모든 게 또렷이
거꾸로 선 모습인데
번득이며 비치는
붉은 꽃 푸른 잎이
물결에 어지럽구나.

110. 蓮塘戲題

荷花荷葉兩相好, 花欲爭高葉欲低。
歷歷池中皆倒影, 映翻紅綠乱無齊。

* 연당(蓮塘) : 연꽃을 심은 못

111. 관동(鸛洞)의 가을 이야기

십리 벽계산간(碧溪山間)에
낯익은 곳이 드문지라
거문고와 술로 지낼 백년계획

모두가 잘못 된 것이로구나!

비록 무심(無心)한 자 아닐지라도
국화꽃 노랗게 피기를 기다려
그대들과 더불어 돌아가리라.

111. 鸛洞秋話

十里溪山面亦稀, 百年琴酒計全非。
雖然不是無心者, 第待花黃與子歸。

* 관동(鸛洞): 벗들과 계사(禊事)를 치르던 곳, 계사(禊事)는 음력 3월3 일 삼짇날에 부정을 씻고 요사(妖邪)를 떨쳐버리는 계제(禊祭)를 지내는 행사
* 계산(溪山): 벽계산간(碧溪山間)의 준말, 푸른 시내가 흐르는 산골

112. 순회(舜會) 아우에게
– 동경에 있는 막내아우 순회가 야외에서 절승(絶勝)을 견학하고
시 한 수를 보내와, 세상얘기를 하며 그 시운(詩韻)을 따서 –

이별의 회포(懷抱)를 떨쳐버렸다면
동(東)과 서(西)를 가리지 말게나.
하늘에 떠 있는 밝은 달은
동서(東西)가 모두 한가지라네.

밝은 달 쳐다보며 아무리
아우를 그리워해도 볼 수 없으니
머나 먼 장유(壯遊)길에
오로지 편지 한 통으로
서로의 마음을 통할 뿐이네.

112. 季弟舜會在東京見學于野外諸勝寄示一絶聊和其韻

離懷不必計西東, 明月中天兩地同。
見月思君君不見, 壯遊萬里一書通。

* 료화(聊和): 세상 이야기를 하다.
* 이회(離懷): 헤어져 있는 동안 마음에 품은 회포
* 장유(壯遊): 장한 뜻을 품고 먼 길을 가는 것, 당시 저자의 막내아우는 일본 동경 중앙대학에 유학 중이었음

113. 월담(月潭) 방문
― 월담(月潭)을 방문했으나 만나지 못하다 ―

노란 국화 붉은 단풍
멀리서 약속이나 한 듯
추풍(秋風)타고 말 달리듯 하나
만산(萬山)이 붉게 타는
가을빛 한창 때까지는 아직도
갈 길이 많이 남았다네.

하룻밤 명산(名山)에서
제봉(題鳳)만 하고 떠나는데
황국(黃菊)과 붉은 단풍
모두가 예사로울 뿐이구나.

113. 訪月潭不遇

黃花丹葉遙相約, 馬背秋風路政長。
一夜名山題鳳去, 黃花丹葉總尋常。

* 월담(月潭): 저자(著者)의 사돈(査頓)이자 친구

* 제봉(題鳳): "사람을 만나러 갔다가 만나지 못하고 돌아오다." 라는 뜻.

〈제봉고사(題封故事)〉
 죽림칠현(竹林七賢)으로 알려진 혜강(嵇康, 3C)은 거문고를 잘 타고, 그림과 시문도 잘 했다. 혜강은 제갈량과 사마중달이 서로 겨루고 있던 중국 삼국시대 사람이다. 의협심 강한 혜강을 자주 찾아갔던 인물은 여안(呂安)이었다. 혜강과 여안은 늘 서로를 그리워하였다. 어느 날 여안이 먼 길을 수레를 타고 혜강의 집엘 갔는데 때마침 혜강은 집에 없었다. 이때 혜강의 형인 혜희(嵇喜)가 대문 밖으로 나와 여안을 집안으로 맞이하려 하였으나, 여안이 들어가지 않고 대문에 '봉(鳳)자'를 써 붙여놓고 가버렸다. 혜강이 집에 돌아와서 그 뜻을 알고 기뻐하였다. "鳳"을 써 붙인 뜻은 "봉(鳳)은 그냥 평범한 새일 뿐이다." 라는 뜻이다.

 이는 봉(鳳)자를 파자(破字)한 것인데, 봉(鳳)자 안의 새 조(鳥) 날아가면 남는 게 几(궤)자가 된다. 여기에 丶(점)이 남아 있으니 凡(범)자가 된다. 즉 범조(凡鳥) '평범한 새'가 되는 것이다. 봉을 만나러 왔다가 평범한 새를 만났다고 한 여안(呂安)의 기지(機智)가 재미있고 또 이를 당장 알아본 혜강 역시 대단하다. 혜강의 형인 혜희를 만나러 온 게 아님을 넌지시 비추고 있다. 나는 그대(혜희)를 만나러 온 게 아니니 다음에 오겠다는 뜻이다. 그리하여 후세에 "제봉(題鳳)"은 '사람을 만나러 갔다가 만나지 못하고 돌아오다.' 라는 뜻으로 사용되고 있다.

114. 운곡(雲谷)으로 가는 도중에

골짜기가 조용해
사슴들이 올만도 하고
계곡물이 맑으니
고기떼가 많겠구나.

석양(夕陽)에 나무꾼들이
산길을 내려가는데
어린놈이 나뭇짐을
소달구지에 반쯤이나
실었네.

114. 雲谷途中

峽靜能來鹿, 溪淸可數魚。
夕樵山下路, 童負半牛車。

* 운곡(雲谷): 전북 고창군 아산면 용계리 운곡마을. 지금은 운곡저수지의 건설로 수몰되었다.

115. 낙산일민(駱山逸民)의 운(韻)을 따서

서산(西山)에 올라 숨어산다 하여
도성의 동산(東山)에 올라
숨어사는 것이 어찌 방해를 받으랴만,
한 해가 다 가도록 주인에게
물어보는 자 하나 없네!

옛날 중국의 송(宋)나라 때는
춘추(春秋)를 경관(景觀)이 좋은
누각(樓閣)에 올라 읽었는데,
이 나라 대한(大韓)의 학창시절은
책 더미 속에서 다 보내는구나.

황국(黃菊)에 맺힌 이슬
반쯤이나 옷을 적시고
정원은 쓸쓸하여 수죽(脩竹)에
싸늘한 바람이 이네.

채채가(採採歌)를 다 끝내고
홀로 술잔을 기우리는데
백년심사(百年心事)같이 할 자
그 누가 있는고?

115. 次駱山逸民韻

陟西何妨隱城東, 竟歲無人問主翁。
宋代春秋樓以上, 韓窓日月卷之中。
衣巾半染黃花露, 庭戶蕭然脩竹風。
採採歌終因擧酒, 百年心事有誰同。

* 낙산(駱山): 서울특별시 종로구·동대문구·성북구에 걸쳐 있는 산. 산의 모양이 낙타의 등과 같아 낙타산 또는 낙산(駱山)이라 불리게 되었다. 서울 도성(都城)의 동산(東山)에 해당하여 서쪽의 인왕산(仁旺山)에 대치되는 산이다. 산 전체가 화강암으로 이루어졌다.
* 낙산일민(駱山逸民): 낙산(駱山)에 숨은 현자(賢者)라는 뜻
* 낙산일민(駱山逸民)의 저자 송주헌(宋柱憲, 서기 1872~1950)은, 전남 고흥 사람으로 호가 삼호재(三乎齋)이다. 송주헌은 구한말 거유(巨儒)인 송병순(宋秉璿)선생의 가르침을 받고 학문의 대성을 이룩하였다. 서기 1895년 국모가 일제(日帝)에 의해 시해(弑害)

되고〈을미사변? 군대해산과 단발령이 내려지자, 의병을 일으켜 일본의 명성황후(明成皇后) 시해(弑害)에 대한 온 국민의 울분(鬱憤)을 호소했다. 또 서기 1919년에 고종황제 장례일에 전국의 유림대표로 일제(日帝)에 항거하는 상소문을 올린 일로 서대문감옥에 수감되어 8개월간 옥고를 치렀다. 그 후 고사연구회(古史研究會)를 조직하여 조선독립운동사(朝鮮獨立運動史)를 편집하였다. 왜병들의 감시가 심해지자 유림대표로 선정되어 독립선언문(獨立宣言書)을 가지고 정안립(鄭安立)등과 함께 서기 1919년 12월 일본으로 건너가 일본정부에 항의하면서 조선독립을 주장하였다. 그러나 애석하게도 광복 후 한국전쟁(6.25전쟁)의 와중에 서기 1950년에 생을 마감하였다. 서기 1992년 건국훈장 애족장 추서. "낙산일민"이란 시는 그의 문집 삼호재집에 실려 있다.

* 척서(陟西): 척서(陟西)란 서산(西山)에 오른다는 뜻이다. 이 시에서는 도성(都城)(서울)의 서산(西山) 즉 인왕산(仁旺山)을 말한다. 도성(都城)의 동산(東山)은 곧 낙산(駱山)이다. 그래서 "陟西何妨隱城東"의 뜻은, "서산(西山)〈인왕산〉에 올라 숨어산다고 하여, 동산(東山)〈낙산〉에 숨어사는 것이 어찌 방해를 받겠느냐?"의 뜻이다. 그런데 여기서 저자(著者)가 "서산(西山)"을 내세워 특히 강조하는 까닭은, 절의(節義)를 상징하는 고대 중국의 백이와 숙제의 "채미가(採薇歌)"에 "서산(西山)"이 등장하기 때문이다. 즉 백이와 숙제가 수양산(首陽山)의 고사리를 캐어먹다 죽으면서 부른 채미가(採薇歌)에 나오는 가사(歌詞), "저 서산(西山)에 오름이여! 고사리를 캐었도다!(陟彼西山兮, 採其薇矣)"라고 한 데서, 서산(西山)이 부각되었기 때문이다.
* 《춘추(春秋)》: 유교 5경 가운데 하나. '춘추'는 '춘하추동'을 줄인 것으로, 사건의 발생을 연대별, 계절별로 구분하던 고대의 관습에서 유래했다. 이 책은 공자가 서기전 722년부터 죽기 직전인 서기전 479년까지 그의 모국인 노(魯)나라의 12제후가 다스렸던 시기의 주요 사건들을 기록한 책이다.
* 황국(黃菊): 빛이 노란 국화, 황화(黃花)
* 수죽(脩竹): 가늘고 긴 대(竹)
* 심사(心事): 시름, 염원 등
* 채채가(採採歌): 캐고 캐는 노래, 즉 "뜻을 캐는 노래", 채채가(採採歌)는 채채가(采采歌)라고도 표기한다. 시(詩)의 내용을 보아 저자(著者)가 지은 '채채가(採採歌)'가 분명히 존재할 것 같은데 지금은 남아있지 않다. 저자(著者)의 문집인 연연당문고(淵淵堂文稿)에도 누락된 것으로 보아 문고발간 이전에 분실된 듯하다.〈역자주(譯者註)〉

116. 와병(臥病) 중인 친구 곡운(谷雲)에게

한차례 병이 들어 누워있어도
그대는 병이 아니라고 되새기겠지?
오늘 아침 서로가 마주보고
시(詩)로써 담론하니 기쁘다네.

무릇 온갖 몸조리방법이 있다 해도
모름지기 급하게 서둘지 않아야 하네.
나 역시 그대보다 먼저 겪어봤으니,
그것이 가히 의원(醫員)의
가료(加療)처럼 될 것이네.

116. 寄金友谷雲病中

含蓼一來君記否, 今朝相對喜論詩。
節調凡百湏無急, 我亦先經可作醫。

* 곡운(谷雲) : 저자(著者)의 친구 아호(雅號)
* 와병(臥病) : 병으로 자리에 누움
* 함요(含蓼) : 매운 약초인 '여뀌'를 머금다. 즉 병중(病中)에 있다는 뜻
* 가료(加療) : 병이나 상처를 낫게 함

117. 보도산방(普道山房) 계사(禊事)
- 임오년(서기 1942년) 소춘(小春) 보도산방(普道山房)에
모여 계사(禊事)를 수행하다 -

숨은 봉우리 솟아올라 짙푸르고
비단 같은 물줄기는 맑고 깨끗한데

동에서 남에서 오는 이들 모두가
서생(書生)들이로구나.

삼천 리 강산을 두루 답사한
장유객(壯遊客)이요
탈속(脫俗)한 은사(隱士)들이니,
지척의 그 어떤 아성(牙城)인들
무슨 방해가 되겠는가?

그대들에게 묻노니,
예전에 폭설(暴雪)이 내린 달밤
왕자유(王子猷)의 그 흥취(興趣),
얼마나 도도했던가?
이 강산(江山)이 나로 하여금
소춘(小春)을 부르게 한다네.
우리가 등산임수(登山臨水)하는 것은
그저 풍광(風光)들만 구경하자는 게 아닐지니,
여러 해 세상 곳곳을 유람(遊覽)하고보니
세상만사가 홀가분하구나.

117. 壬午小春者會于普道山房修禊事也

晦岫靑蒼錦水明, 東南來者盡書生。
壯遊遍踏三千里, 高隱何妨咫尺城。
雪月問君前夜興, 江山使我小春鳴。
登臨非爲風光役, 湖海多年萬事輕。

* 소춘(小春): 음력 10월을 달리 이르는 말. 24절기 중 '소설(小雪)'에는 살얼음이 얼기 시작하여 겨울기분이 들면서도, 따사로운 햇살이 있어서 '소춘(小春)'이라고도 한다. 음력으로 10월에 해당한다.

* 보도산방(普道山房): 저자(著者)의 사랑채. 전북 고창읍 도산리 고택(古宅)
* 회수(晦峀): 숨은 산봉우리, 잘 알려지지 않은 산봉우리
* 수명(水明): 물이 햇빛에 비치어 맑고 깨끗함
* 탈속(脫俗): 속세(俗世)를 떠남
* 은사(隱士): 숨어사는 선비
* 아성(牙城): 매우 중요한 근거지
* 폭설(暴雪): 한꺼번에 많은 양의 눈이 내리는 것
* 등산임수(登山臨水): 산에 오르기도 하고 물가에 가기도 함
* 풍광(風光): 자연이나 세상의 모습, 경치
* 호해(湖海): 세상, 강호(江湖)
* 계사(禊事): 계제(禊祭)를 지내는 행사, 계(禊)는 음력 3월 3일 삼짇날에 상수(上水)에서 재앙을 제거하고 복(福)을 구하는 연중행사의 하나.
* 수명(水明): 물이 햇빛에 비치어 맑고 깨끗이 보임
* 장유(壯遊): 장한 뜻을 품고 먼 곳에 가다.
* 고은(高隱): 출가(出家)하다, 속세(俗世)를 버리다.
* 왕자유(王子猷)의 흥취(興趣): 중국 동진(東晉)의 왕자유(王子猷)(왕희지의 다섯째 아들)가 산음에 있을 때 밤에 큰 눈이 내렸다. 잠에서 깬 그는 문을 열고 술을 마시다가 눈 내린달밤이 대낮처럼 훤한 것을 보자, 강 대안(對岸)에 있는 친구 대안도(戴安道)가 불현듯 그리워 당장 쪽배를 타고 밤에 강을 건너가, 대안도가 있는 방 문고리를 잡았다가는 도로 놓아버리고 되돌아 왔다. 남들이 이상해 그 까닭을 물으니, "흥이 나서 찾아왔는데, 흥이 다하니 돌아섰다."고 말하였다 한다.(세설신어(世說新語 참조)

118. 임오년(壬午年) 생일날

— 임오년(서기 1942) 생일날 아침에 회포(懷抱)를 적다 —

옛날 내가 처음 태어나던 날,
집안의 경사(慶事)라 굉장했지.
마을사람들 축하하러 몰려들었고
태어난 지 삼일 날 외가(外家)에선
미역국과 떡을 차려놓고 축하연을 벌였지.
조부모님은 애지중지하시며

금이야 옥이야 보살피시고,
내 이름을 '정회(正會)'라고
좋은 이름을 지어주시며
우리 가문 번창(繁昌)하길 바랐다네.

일곱 살에 처음으로 입학(入學)해보니
글방 스승님은 엄하게 가르쳤는데도
하루에 겨우 한 두 구절 익혔을 뿐
종일토록 똑똑히 외우지 못했고
다만 배나무와 밤나무를 찾아다니며
거리낌 없이 멋대로 장난을 치기도 했고,
십여 년 세월 동안 제(齊)는 정벌했지만
노(魯)에 이르러는 이룬 것 하나도 없었네.

스무 살 약관(弱冠)이 되어 줄곧 책에만 의탁해
제자백가(諸子百家)를 두루 살펴보았으나
"구슬은 돌려주고 구슬 함(函)만 지키는 격"이 되어
공연히 쉴 새 없이 흐르는 세월만 낭비하고 말았으니,
등용(登龍)을 어찌 바랄 수 있었겠는가?
아, 참으로 낯 두껍게도 한 마리 돼지가 되고 말았네!
우리 집은 형제들이 많기는 하지만
나처럼 쓸모없어 버릴 자는 하나도 없구나.

어느 새 불혹(不惑)의 나이 마흔이 되었지만
마침내 세상에 이름 없는 사람이 되어버려
어버이와 조부모의 기대에 어긋나고 말았으니
살아생전 효도를 다 못한 통한이 갈수록 새롭구나!
지난날 잘못을 어찌 우물쭈물 말할 수 있겠는가?
오는 날들이나 정신을 바짝 차려 착실히 해야지.
오늘 생일날 아침 감개(感慨)가 하도 많아
흰 눈을 마주하며 감회(感懷)를 세세히 적어보네.

118. 壬午生朝述懷

昔我初降日, 家慶想應多。鄕里來相賀, 三朝湯餅羅。
重堂愛而重, 金耶又玉耶。肇錫余名正, 期以昌吾家。
七歲初入學, 塾師嚴課程。纔受一兩句, 終日誦不明。
但覓梨與栗, 放佚自在行。伐齊十許載, 至魯一無成。
弱冠猶托籍, 披閱百家書。還珠守虛櫝, 徒能費居諸。
登龍那可望, 靦然迺一豬。吾行多昆季, 廢棄莫吾如。
奄當年四十, 竟作無聞人。虛負父祖望, 風樹恨益新。
昨非何須說, 來者可着神。今朝多感慨, 對雪我懷陳.

* 삼조(三朝): 딸이 시집가서 첫아기를 낳으면, 삼일 째 되는 날 아침에 친정어머니가 미역 국, 떡, 국수 등을 차려놓고 아기탄생을 축하하고 무병성장을 기원하는 풍습
* 탕병(湯餠): 끓인 국과 떡, 국수
* 조석(肇錫): 좋은 이름을 지어줌
* 약관(弱冠): 남자의 나이 20세를 말함
* 불혹(不惑): 나이 40세를 말함

* 환주수허독(還珠守虛櫝): "구슬은 돌려주고 텅 빈 구슬 상자만 지킨다."는 뜻이다. 이는 초나라 사람이 정나라에서 구슬을 파는데, 목련나무로 좋은 구슬 함을 만들어 그 속에 구슬을 넣어 팔았다. 정나라사람이 그 구슬 함을 사고서는, 구슬을 꺼내어 값을 치렀다고 한다. 즉 이 고사(故事)는 안목(眼目)이 없고 경중(輕重)을 가리지 못하는 어리석은 행위를 비유한 것이다.〈한비자(韩非子〉

* 거제(居諸): 쉬지 않고 흐르는 세월
* 일저(一豬): 한 마리 돼지, 어리석고 재간 없음을 표현 말
* 제자백가(諸子百家): 중국 춘추전국시대(서기전 770~221)에는 많은 사상가(諸子)와 학설(百家)들이 쏟아져 나왔는데, 이들을 제자백가(諸子百家)라 한다. 이때 공자, 맹자, 노자, 장자, 묵자 등의 대학자와 유가, 법가, 도가, 묵가, 오행가 등의 철학사상이 수없이 등장했다.

* 벌제십허재 지노일무성(伐齊十許載, 至魯一無成): "십여 년간 제(齊)나라는 정벌했지만, 노(魯)나라에 이르러서는 이룬 것 하나 없다."라는 뜻이다. 이는 10여 년간 제(齊)나라의 묵자(墨子), 관중(管仲), 포숙(鮑叔), 순자(荀子), 추연(騶衍), 귀곡자(鬼谷子)〈소진, 장의의 스승〉등 제(齊)의 여러 선철(先哲)들은 독파(讀破)했지만, 노(魯)나라의 공자(孔子), 맹자(孟子), 증자(曾子) 등 유가사상(儒家思想)에 이르러서는, 뚜렷한 자신의 주장이 없다는 뜻.
* 등룡(登龍): 용(龍)이 되어 하늘로 오름, 즉 출세한다는 뜻
* 감개(感慨): 감격하여 마음속에 깊이 사무치는 느낌

119. 농가(農家)생활

아침마다 다채로운 옷을 입고
부모님께 문안인사 올리는데
병풍에 그려진 연구송학(蓮龜松鶴)이
모두 장수(長壽)의 상징이로다.

아이들 글 읽는 소리 가만히 들어보면
모두가 한문(漢文)의 독음(讀音)인데
손자와 더불어 장난치고 있을 때는
손자의 말이 가지런하지가 않네.

만평(萬坪)이나 되는 전답(田畓)을
두 동생에게 나누어주면서도
약초 단방(單方)으로 손수 약을 지어
한기(寒氣)가 든 아내에게
의원(醫員)노릇을 하는구나.

시흥(詩興)이 일면 시를 지어 읊조리니
이것이 곧 우리 가문의 기록물이 되리라.
이제 또 봄갈이 준비로 낡은 쟁기를

손질해야겠구나.

119. 田家記事

衣彩朝朝堂上問,　蓮龜松鶴壽同躋。
靜聽兒讀音皆漢,　時與孫嬉話不齊。
百畝黍禾分二弟,　單方草卉醫寒妻。
詩成便是家庭錄,　又備春疇理舊犁。

* 무(畝): 이랑, 옛날 전답의 면적 단위, 사방 6척(尺)이 1보(步), 100보(步)를 1무(畝), 1무(畝)는 오늘날 100평(坪)에 해당, 100무는 1만평
* 서화(黍禾): 기장(밭곡식)과 벼, 즉 밭과 논을 일컬음
* 연구송학(蓮龜松鶴): 연꽃, 거북, 소나무, 학,
* 단방(單方): 한 가지 약재(藥材)만으로 처방하는 것
* 변시(便是): "다른 것이 아니라 이것이 곧"이라는 뜻

120. 막내아우 순회(舜會) 귀국
− 막내아우 순회가 일본 동경(東京)에서 집으로 돌아오다 −

이른 새벽
대문을 두드리고 들려오는
반가운 발자국 소리
아우가 배를 타고 돌아오는
엊저녁 꿈이 신통하게 들어맞았네.

만리창공(萬里蒼空)을 바라보니
구름이 태양에 비끼는데
열흘의 휴가(休假)를 얻어
청춘(靑春)의 몸으로 돌아왔구나.

새로 꾸민 거실(居室)은 비로소
주인이 생겨 벗들이 몰려들고
신기한 장난감도 많아 아녀자들이
사이좋게 따라 다니네.

외국생활의 온갖 힘든 일은
도무지 물어볼 생각도 않고,
단지 장래의 마음먹은 일들만
거듭거듭 이야기 하는구나.

120. 家弟舜會自東京歸庭

曉頭剝啄跫音喜, 昨夜登舟夢亦眞。
萬里看雲倚白日, 一旬得暇伴靑春。
新居有主友朋萃, 珍玩多奇兒女親。
海外風塵都不問, 只將心事語諄諄。

* 만리창공(萬里蒼空): 끝없이 펼쳐진 푸른 하늘
* 풍진(風塵): 세상에서 일어나는 힘겨운 일
* 심사(心事): 마음속으로 생각하는 일

121. 추자(秋字) 운(韻)을 얻어
― 일찍 일어나 가을 추(秋)자 운(韻)을 얻어 ―

농사짓고 글을 읽은 지
뜻밖에 마흔 해나 되어
산천을 둘러보며 지난 세월
하나하나 되새겨보네.

샘물소리는 그냥그대로
옛사람 자취가 남아 있고
제자주(帝子洲)엔 기러기
그림자가 무수히 많구나.

문밖에는 조세(租稅)독촉이
성화(星火)같이 시급한데
책 속에 연봉(年俸)이 있다하여
독서로만 세월을 흘러 보냈네.

그대는 정녕 아시는가?
비전(祕傳)하는 신(神)의 비결(祕訣)을!,
행독경언충신(行篤敬言忠信)이라야
마을과 주현을 다스릴 수 있다는 것을!

121. 早起得秋字

畊讀居然四十秋, 山河往事每回頭。
泉聲猶帶先人跡, 雁影偏多帝子洲。
門外催租星火急, 書中有祿歲華流。
秘傳神訣君知否, 行篤言忠可里州。

* 거연(居然): 뜻밖에, 의외로, 확연히
* 유대(猶帶): 그냥 그대로
* 제자주(帝子洲): 제왕의 자식이 놀던 섬
* 녹봉(祿俸): 옛날 관리들에게 1년 또는 계절 단위로 지급한 금품, 오늘날 연봉,
* 세화(歲華): 흐르는 시간, 세월
* 비전(祕傳): 비밀히 전해오는 것
* 비결(祕訣): 숨겨두고 혼자만 쓰는 좋은 방법
* 행독언충(行篤言忠): 행독경언충신(行篤敬言忠信)의 준말, 공자(孔子)의 말, 행동은 신중하고 진지해야 하고, 말은 반드시 충실하고 믿음직해야 한다는 것

* 주현(州縣): 오늘날 도(道)와 시군읍면(市郡邑面)

122. 농촌잡가(農村雜歌) 7장

벼 포기에 가뭄과 병(病)이 들어
이제 겨우 무릎을 지나는데,
그 누가 알 것인가?
벼이삭 한 알 한 알이 농부의
애틋한 손길이 쌓여 영근다는 것을.
가을걷이 다하고 셈해보니
작년수확 3분의 1 정도라
작년에는 상농(上農)이었는데
올해는 하농(下農)이 되었구나.

나는 노래하고 너는 방아를 찧고
노래 소리 방아소리 서로 섞여
요란하구나.
열 말 되는 누런 좁쌀
아직도 찧을 것이 남았으니
산 위에 솟은 저 반달
어느새 옆으로 기울어졌네.

징소리 크게 울리며
사람 떼를 지어 몰려드니
오늘 아침 또다시
괴이한 일 벌어지고 말았네.
전대(纏帶)를 다 털어
조세(租稅)를 바쳐도
고생했단 말을 하기는커녕

오히려 우리 동네 부담이
옆 동네보다 가볍다 지껄이는구나.

사립문을 달고 사는 처지라
술 빚는 것이 생업(生業)이니
기장도 벼도 아니 심고
삼(麻)도 심지 않는다네.
북창으로 들려오는
술 거르는 소리가
가느다란 빗줄기 소리 같은데
문 앞에선 밀주(密酒)를 수색하는
관리(官吏)들의 소리가
서릿발을 더하는구나.

가난한 시골 처녀는
말(馬)처럼 성숙하여
베 짜기에 바느질 솜씨 좋아
규방의 좋은 모범이 되건만
첫날 밤 금침(衾枕)을 장만 못해
또 한해 혼사(婚事)가 늦어지는데,
척박한 땅에 자란 솜뭉치까지
모조리 관청에서 다 뺏어가는구나.

남촌 북촌 자영농부들은
이미 조세(租稅)를 다 바쳐
이제부턴 농가(農家)의 생활이
신선(神仙)도 부럽지 않는데,

가장 걱정거리는 빚진 시(詩)를
아직도 갚지 못한 것이니
시서(詩書)를 담론하는 자리에서

만량이 어찌 부(富)가 되겠는가?

그대는 보지 못했는가?
영웅호걸이 모두 청산(靑山)으로 가고
산은 산대로 푸르고
구름은 구름대로 한가로운 것을!

또 그대는 보지 못했는가?
세월은 유수(流水)같이 바쁘게 흐르고
반짝이는 뭇별들은 지난 시절
그 얼굴이 아니라는 것을!

영화(榮華)가 무엇이고 치욕이 무엇이냐?
그 모두가 분수(分數) 밖의 일이니,
누구를 기리고 누구를 헐뜯던지
내 어찌 상관하랴!

청풍명월(淸風明月)예로부터
주인이 따로 없으니,
인생살이 백년세월,
늘 취흥(醉興)에 젖는 것만
못하리라.

122. 農村雜歌七章

病旱禾莖纔過膝, 誰知粒粒積人工。
秋來總等三之一, 去歲上農今下農。

爾勸我歌我爾杵, 歌聲相雜杵聲多。
十斗黃粱餘幾許, 半輪山月已橫斜。

鳴金大號衆皆聚, 又是今朝怪事生。
傾囊供租休說苦, 吾村擔負亦云輕。

蓬門計活釀爲業, 不種黍禾不種麻。
窓北漉聲如雨細, 窓前吏索似霜加。

窮村處女大如馬, 善織善針閨範嘉。
袞節未成年且晩, 薄田棉朶盡官家。

南村北村稅已畢, 田家自是不羨仙。
最是詩債未能償, 萬錢何富詩書邊。

君不見英雄豪傑盡靑山, 山自蒼蒼雲自閑。
又不見雙丸奔馳若流水, 星星非復舊時顔。
說榮說辱皆分外, 誰譽誰毀我何關。
淸風明月從古無定主, 不如長醉百年間。

* 상농(上農): 동네에서 수확이 제일 많은 농가
* 전대(纏帶): 허리에 두르거나 어깨에 메게 된 것으로, 돈이나 물건을 넣는 자루
* 봉문(蓬門): 쑥으로 지붕을 이은 문이라는 뜻으로, 가난한 사람이나 숨어사는 사람의 집을 이르는 말.
* 서화(黍禾): 기장과 벼
* 휴설(休說): 말하지 말라, ~은커녕.
* 밀주(密酒): 허가 없이 몰래 술을 담그는 것.
* 시서(詩書): 시(詩)와 글씨, 시경(詩經)과 서경(書經)
* 장취(長醉): 늘 술에 취해 있음

123. 노하당(蘆下堂) 운을 따서

노산(蘆山) 아래
저 초가(草家) 한 채
물끄러미 바라보니,
구름이 걸쳐있는 숲
아무래도 심상치 않네.

고반(考槃) 백년세월에
숨겨 놓은 수양처(修養處)라.
긍구당(肯構堂)을 세운 후
시(詩)와 예(禮)를 이어가는
장소가 분명하구나.

맑게 갠 경치가 오래 머물러
방장산에 밝은 달이 비치고
우리의 신선인연(神仙因緣),
보랏빛 노을 속 술잔의
취흥(醉興)에서 비롯된다네.
사시장철 현송(絃誦)소리,
어디에서 오는지 아시는가?
저 울창한 솔숲에서 울려오고
계수나무 옆에서 흘러온다네.

123. 次蘆下堂韻

瞻彼蘆山草一堂, 雲林自是不尋常。
考槃百載藏修地, 肯搆後承詩禮場。
晴景長留方丈月, 仙緣始醉紫霞觴。
四時絃誦知何處, 松樹之間桂樹傍。

* 노하당(蘆下堂): 한말(韓末) 전북 고창의 유학자(儒學者)인 임노성(林魯聲)의 호(號), 노하당운집(蘆下堂韻集)1책과 노하당(蘆下堂)수창시집(酬唱詩集)이 남아 있다.
* 자하(紫霞): 보랏빛 노을
* 방장(方丈): 방장산(方丈山), 여기서는 전북 부안에 있는 변산(邊山)을 뜻함.
* 방장산(方丈山)은 여러 뜻을 가지고 있다.
1. 지리산을 뜻하기도 하고, 2. 바다 속에 신선이 산다는 삼신산(三神山) 중 방장산(方丈山)을 뜻하기도 하고, 3. 또 전북 부안에 있는 변산(邊山)을 뜻하기도 한다.
* 현송(絃誦): 거문고를 타면서 시를 읊음
* 고반(考槃): 시경(詩經)〈위풍(衛風)〉의 편명(篇名)으로, "속세를 떠나 숨어 살며 자신만의 즐거움에 잠긴다."는 뜻을 가지고 있다..
* 긍구당(肯構堂): 조상(祖上)의 뜻을 길이 이어 받는 집

124. 곡운(谷雲) 시(詩)에 화답(和答)하여
– 곡운(谷雲)이 병석에서 보낸 시(詩)에 화답하여 –

몸을 소중히 해야 한다는
그대의 경인구(驚人句)에서
원기(元氣)가 돌아옴을
비로소 느낀다네.

그대 진심이
내 마음 맑게 비추니
그대 위해 청안(靑眼)이
열리는 것 같다네.

밤마다 고서(古書)로
긴 밤을 보내니
새봄도 새 책력(冊曆)따라
오고 있다네.

뜨락의 매화(梅花)들이여!
부디 다 피지 말아다오.
훌훌 털고 일어난 그대와 더불어
마음껏 돌아다니게!

124. 和谷雲病中寄詩

珍重驚人句, 始知元氣回。
丹心使我照, 靑眼爲君開。
夜以古書遣, 春從新曆來。
庭梅休盡放, 與子共徘徊。

* 경인구(驚人句): 사람을 놀라게 하는 글귀
* 진중(珍重): 몸을 소중히 하다.
* 청안(靑眼): 사물을 좋은 마음으로 보는 눈
* 책력(册曆): 1년간의 기상변화를 적은 책

125. 또 무제시(無題詩)의 운(韻)을 따서

천지간에 무엇 하나
버릴 것이 없는데
이 마음이 비록 작으나
온전히 지니기 어렵구나.

헛된 생각으로
이 세상의 세월을 살아왔는데
머리 돌려 산하(山河)를 보니
옛 모습과 다르네.

수많은 시서(詩書)를
북학(北學)에 기약했으니
뜬구름 같은 부귀영화
한바탕 헛된 꿈이었네.

제목 없는 시(詩)는
제목 있는 말을 하게 되는 법,
미소(微笑)로 매처(梅妻)를 찾아가니
지분(脂粉)으로 곱게 단장했다네.

125. 又次無題詩

天地間無一物遺, 此心雖小亦難持。
空懷歲月生今世, 回首山河異昔時。
萬卷詩書期北學, 浮雲富貴夢南枝。
無題便作有題語, 笑向梅妻粧粉脂。

* 몽남지(夢南枝): 남가일몽(南柯一夢)을 뜻함, 남쪽 가지 아래의 한바탕 꿈, 허망한 꿈을 뜻하는 말로, "한 때의 헛된 부귀영화"를 비유하는 말
* 매처(梅妻): 매화를 아내로 삼음, 매처학자(梅妻鶴子)에서 나온 말,
 "매처학자(梅妻鶴子): 매화를 아내로 삼고 학(鶴)을 아들로 삼음. 이는 속세를 떠나 산에 숨어 사는 선비를 일컫는 말, 또는 유유자적(悠悠自適)한 생활을 비유하는 말임.
* 지분(脂粉): 연지(臙脂)와 분(粉)

126. 관동계사(鸛洞禊事)
― 관동에서 계사(禊事)를 치르고
담산문천(談山問川)이라 제목을 달다 ―

멀리서 또다시 편지가 오고

제비들이 돌아오기 시작하는데
비가 내렸다 그쳤다 변덕스런 날씨
낮 그늘을 재촉하네.

금란(金蘭)같은 우리 우정(友情)
더없이 향기롭고 말소리조차 어울려
벗 생각 그리움이 언제나 푸르러
정의(情義)를 북돋워주는구나.
그 누가 산수(山水)를
즐기지 않는 시(詩)를 읊겠는가?
오직 그대는 우리 모두
동량재(棟樑材)라 말한다네.

술잔을 멈추고
봄날 정경(情景)살펴보니
복숭아 자두가 먼저 피고
더러는 피지 않았네.

126. 脩禊于鸛洞題曰談山問川

書雁重來燕始回, 乍得乍雨午陰催。
金蘭有馥聲相應, 雲樹含靑義以培。
言志孰非山水樂, 惟君共許棟樑材。
停盃點檢春間事, 桃李初開或未開。

* 계사(禊事): 계제(禊祭)를 지내는 옛 풍속, 삼짇날(음력3월3일)에 흐르는 물에 목욕한 후, 액을 막고 복(福)을 비는 제사.
* 담산문천(談山問川): "산과 이야기하고 내에 물어보다."의 뜻
* 안서(雁書): 먼 곳에서 소식을 전하는 편지

* 사득사우(乍得乍雨): 비가 내렸다 그쳤다 오락가락하는 변덕스러운 날씨
* 오음(午陰): 낮 그늘
* 금란(金蘭): 금란지교(金蘭之交)의 준말, 쇠와 같이 단단하고 난초같이 향기로운 사귐
* 운수지회(雲樹之懷): 친구를 그리워하는 생각
* 동량재: 기둥과 대들보가 되는 재목, 유망한 인재를 일컫는 말
* 정의(情義): 인정과 의리
* 정경(情景): 감흥(感興)과 경치

127. 개암사(開巖寺)에 들르다
― 부풍현(扶風縣)에서 귀로에 개암사(開巖寺)에 들르다 ―

두 번째 개암사에 들러보니
경치는 지난해와 같구나.

놀랍게도 스님은 나를 알아보는데
붓이 아직도 서툴러 부끄럽네.

말을 타고 명산(名山)속으로 들어가니
떠돌며 지저귀는 꾀꼬리들
푸른 나무속에 있네.

진경(眞景)을 찾다 보니
귀로(歸路)가 늦었는데
우연히 마주친 불등(佛燈)이
붉게 비치는구나.

127. 扶風縣歸路歷入開巖寺

重到開巖寺, 風光去歲同。

驚僧能記面, 愧筆未專功。
匹馬名山裏, 流鶯綠樹中。
尋眞歸路晚, 偶對佛燈紅。

* 부풍현(扶風縣): 전북 부안(扶安)의 옛 지명.
* 풍광(風光): 경치
* 개암사(開巖寺): 전북 부안군 상서면 감교리에 있는 절. 대한불교조계종 제24교구 본사인 선운사(禪雲寺)의 말사(末寺)로 백제 7세기 초 묘련이 창건한 백제고찰이다.

* 불등(佛燈): 부처님 앞에 바치는 등불
* 진경(眞景): 실제의 경치
* 유앵(流鶯): 숲속 나무를 옮겨 다니며 지저귀는 꾀꼬리, 거침없이 지저귀는 꾀꼬리
* 필마(匹馬): 한 필의 말
* 괴필(愧筆): "붓이 부끄럽다."는 말은, 알아보도록 충분히 묘사(描寫)하지 못했다는 말

128. 친구 이동범 내방(來訪)

몇몇이 떠나가고
또 몇 사람이 찾아 왔는가?
사십년 세월 속 세상물정에
비로소 눈을 뜨는구나!

온종일 비바람 속
숲속 정자(亭子)에서
정다운 이야기 끝나지 않아
또다시 술잔을 부르는구나.

128. 李友東範來訪

幾人去又幾人來, 四十年中眼始開。
盡日林亭風雨裏, 談情未了更呼盃。

* 진일(盡日): 온종일
* 임정(林亭): 숲속에 있는 정자(亭子)

129. 수정(水亭) 연꽃 감상

날마다 수정(水亭)에 올라
연꽃송이들을 바라보니
반쯤 핀 것은 적고
아직 피지 않은 것이 많구나.

크고 작은 꽃봉오리들이
층층으로 솟아올라
오십평(五十坪) 네모진 연못이
온통 연꽃 천지로구나.

129. 水亭賞蓮

課日登亭數蓮朶, 半開猶少未開多。
小峯大峯層層出, 半畝方塘都是花。

* 수정(水亭): 저자(著者)의 증조고 정사인 만수당 옆에 있는 연못 위에 있는 정자(亭子)
* 과일(課日): 하루도 빠짐없이, 매일, 날마다
* 반무(半畝): 50평, 1무(畝)가 100평

130. 비 내리는 밤 서울에서
― 비 내리는 밤 서울에서 이유우(李逌雨)와 함께 이영규(李泳珪)를 방문(訪問)해 소음(小飮)하다 ―

그대 가문(家門)의 향기로운
덕성(德性)은 대대로 전해져,
뜨락 난초, 울타리 국화가
그 모두 어여쁨을 견디는구나!

나라 안에서 만나는 사람
오직 친구들뿐이니
속세를 떠나 성동(城東)에
숨어 사는 것이야말로
완전한 계책(計策)이로다.

기억(記憶)하는가?
지난날은 우리 함께 달맞이 갔었는데
어찌하여 오늘은
하늘에 호소하며 헐뜯어야 하는가?

쓸쓸하게 비 내리는 서울의
밤 이야기,
기쁘고 반가운 얘기가 아니라
한스럽고 서글픈 얘기가
되고 말았구나!

130. 長安雨夜與李逌雨訪李泳珪少飮

馨德君家世世傳, 庭蘭籬菊摠堪憐。
相逢海內人惟舊, 高隱城東計萬全。

記否昔年同望月, 如何今日謾呼天。
蕭蕭話雨長安夜, 不是欣然却悵然。

* 총감련(摠堪憐): 여기서는 "모두 어여쁨을 견디다."의 뜻, 즉 모두가 무척 어여쁘다는 뜻
* 은거(隱居): 세상을 피해 숨어 사는 것
* 고은(高隱): 속세를 떠남, 출가(出家)함
* 성동(城東): 도성(都城)의 동쪽
* 만전지계(萬全之計): 아주 안전하거나 완전한 계책
* 흔연(欣然): 기쁘거나 반가워 기분이 좋음
* 창연(悵然): 한탄하고 슬퍼함

131. 순회(舜會) 막내아우 배웅
― 전주(全州)로 가는 순회 아우를 배웅하며,
그때 아우는 학도병으로 징병(徵兵)되었다 ―

꼭두새벽 아우를 배웅하려
전주(全州)로 달리는데
사방이 온통 빗물이 차고
옷은 눈발에 흠씬 젖었구나.

눈물을 머금고 마주보며
무슨 별말이 있겠는가?
그저 훗날에 기쁜 얼굴로
돌아오라는 말밖에.

131. 送舜會向全州 時學兵徵兵

曉頭送汝赴豐沛, 雨滿江湖雪滿衣。
含淚相看無別語, 但言異日喜顔歸。

* 순회: 저자의 막내아우, 당시 막내아우는 일본 중앙대에 유학 중 학도병으로 징병됨
* 풍패(豐沛): 전주(全州)를 뜻함, 제왕의 고향, 곧 조선태조 이성계의 관향인 전주(全州)
* 강호(江湖): 온 세상, 사방팔방,

132. 세심장(洗心莊)제목(題目)으로 부치다

세심장(洗心莊) 위로는
서기(瑞氣)어린 바위가 우뚝하고,
세심장(洗心莊) 밑으로는
울창한 솔밭이 펼쳐졌구나.

원컨대, 저 맑은 한줄기 물이,
인간세상 온갖 명리심(名利(心)을
깨끗이 씻어주길 바라노라!

132. 寄題洗心莊

洗心莊上瑞石屹, 洗心莊下萬松林。
願將一派淸流水, 滌盡人間名利心。

* 세심장(洗心莊): 마음을 씻는 산장(山莊)
* 서기(瑞氣): 상서(祥瑞)로운 기운,
* 상서(祥瑞): 복되고 좋은 일이 일어날 징조
* 송림(松林): 소나무 숲
* 명리심(名利心): 명성과 재물을 얻고자하는 마음

133. 삼짇날 어머님 장수기원(長壽祈願)

– 갑신년(서기 1944년) 삼짇날 어머님 장수(長壽)를 빌다 –

봄옷도 다 짓고
봄 술도 모두 익었으니
조부모님께 먼저
술잔을 올리네.

온갖 꽃이 미소를 머금은
삼월 삼짇날!
예순 여섯 어머님 만수무강
축원(祝願)한다네.

토끼띠 아우가 동해건너
건강히 돌아오는 일은
나중으로 미루고,
온 가족이 다모여
오리가 물을 만난 것처럼
모두가 기뻐하는구나.

금강(錦江)은 끝없이 흐르고
오봉(梧峰)은 수려한데
장수성(長壽星)과 금성(金星)은
밤마다 하늘에 매달려 빛나는구나.

133. 甲申三月三日壽母詩

春服初成春酒爛, 重堂之上獻盃先。
百花含笑三三日, 萬壽無量六六年。
留待卯君東渡好, 共歡鳧藻一家全。

錦流不盡梧峯秀, 南極明星夜夜懸。

* 중당(重堂): 조부모
* 축원(祝願): 소원성취를 비는 일
* 부조(鳧藻): 오리가 물을 만난 것처럼 아주 좋아함
* 유대(留待): 나중일로 하다
* 장수성(長壽星): 남극노인성, 남극부근에 있으며, 이 별을 보면 장수(長壽)한다고 한다.
* 묘군(卯君): 토끼띠 아우, 당시 일본에 유학 중인 저자(著者)의 막내아우가 토끼띠

134. 친구 이송농(李松儂)을 만나 읊다

백리에 뻗은 호수와 봉우리들
인연(因緣)도 기이한데,
청유(淸遊)에다 가지마다
녹음(綠陰)도 짙었네.

갖가지 이름 모를 나무를
많이 심고 가꾸어
어느새 푸른 잎이 달린
생 울타리가 되었구나.

나와의 약속은 오는 칠월
남쪽에서 청유(淸遊)를
즐기자는 것인데,
그대와 함께 북학(北學)을
논(論)한지가 그 언제였던가?

거문고를 품은 지 십년이지만
멋진 연주(演奏)는 끝내 어려우나,
오늘 아침 거문고의 물 흐르는 소리를

종자기(鍾子期)처럼 들어주게나.

134. 逢李友松儂吟

百里湖山緣且奇, 淸遊又是綠陰枝。
多栽種種無名樹, 已作靑靑有葉籬。
約我南遊來七月, 共君北學昔何時。
抱琴十載終難奏, 流水今朝聽子期。

* 청유(淸遊): 속되지 않고 시를 읊으며 고상하게 노는 것
* 북학(北學): 조선 시대, 영조와 정조 때의 일부 실학자(實學者)들이 중국 청나라의 학술과 문물을 배우려 한 학문적 경향

* 종자기(鍾子期): 옛 중국 진(晉)나라에 거문고의 달인 백아(伯牙)가, 어느 날 휘영청 밝은 달빛을 바라보며 거문고를 뜯었는데 그 소리를 몰래 듣는 사람이 종자기(鍾子期)였는데 놀랍게도 종자기는 "지음(知音)"의 경지였다. 백아가 달빛을 생각하며 거문고를 뜯으면, 종자기는 달빛을 바라보았고, 백아가 강물을 생각하며 거문고를 뜯으면, 종자기도 강물을 바라 봤다. 거문고 소리만 듣고도 백아의 속마음을 읽어냈던 것이다. 결국 백아는 자신의 소리를 알아주는 종자기와 의형제를 맺었고, 이듬해 백아가 다시 그를 찾았을 때는 종자기는 죽고 없었다. 백아는 종자기의 묘를 찾아 마지막 한 곡을 뜯고는 거문고 줄을 끊어버렸다. 그리고 다시는 거문고를 타지 않았다. 이 세상에 자기 거문고 소리를 제대로 들어줄 사람이 없었기 때문이다. 이것이 이른바 "백아절현(伯牙絕絃)"〈백아가 거문고 줄을 끊음〉의 고사(故事)이다.

135. 선운사(禪雲寺) 피서(避暑)

해마다 녹음이 짙으면
이곳을 찾았으니
산골 물 바위 이름
묻지 않아도 알고 있다네.

오동나무 전보다
석자너머 자랐고,
종소리는 옛날처럼 오경(五更)에
느리게 울리는구나.

꿈속의 농사일은
속되다고 말하지만,
숲속의 새소리는 조용히 들으면
도(道)를 담은 시(詩)와 같네.

일찍이 이름난 냇가에서
계사(禊事)수행을 기약했는데
밤중에 산속에 비가 내리니
기이함을 더하는구나.

135. 避暑于禪雲寺

年年相訪綠陰時, 澗號巖名不問知。
桐樹較前三尺過, 鍾聲依舊五更遲。
夢關稼事猶云俗, 靜聽林禽似道詩。
修禊大川曾有約, 夜來山雨亦添奇。

* 선운사(禪雲寺): 전북 고창군 아산면에 있는 명승고찰 총 19점의 지정문화재가 있다.
* 오경(五更): 새벽 3~5시 사이
* 계사(禊事): 음력 3월3일 삼짇날에 흐르는 물에 몸을 씻고 액을 물리치고 복을 비는 제사를 지내는 행사
* 대천(大川): 이름난 시내(川)

136. 갑신년(甲申年) 적벽유람(赤壁遊覽)을 약속하다

- 갑신년(서기 1944년) 음력 7월 14일에 태강, 청강 두 친구와
더불어 이송오를 방문하여, 음력 16일에 적벽유람을 약속하다 -

비단결 같은 냇물 머리에
백룡(白龍)이 높이 일어나니,
풍경은 예전과 다름없이
옛 유람(遊覽) 때와 같구나.

서원(書院)에는 현자(賢者)들이 많아
초동(草洞)마을이라 칭하고,
강산은 비단에 수놓은 것 같아
이곳을 나주(羅州)라고 부르는구나.

갈매기와 벗하며 멀리 소식을 전하니
이것이 나의 즐거움인데,
닭을 잡고 기장 밥 짓는 일을 잠시 멈추고
부녀자들과 더불어 일을 꾀하네.

저 부러운 숲속 매미들
온종일 소리를 질러대니,
속세의 근심소리 들리지 않아
맑고 상쾌할 뿐이로구나.

136. 甲申七月小望與台江, 靑江, 二友訪李松吾, 有旣望赤壁之約也

白龍高起錦流頭, 風景依然似昔遊。
院宇多賢稱草洞, 江山如繡是羅州。

鷗盟遠寄吾之樂, 鷄黍且休婦與謀。
羨彼林蟬終日語, 只聞淸爽不聞憂。

* 원우(院宇): 서원(書院), 조선시대 선비들이 모여 학문을 강론하고, 대학자나 충절로 죽은 사람들을 제사지내던 곳
* 초동(草洞): 전남 나주에서 서쪽으로 20리쯤 떨어진 곳에 산수가 수려한 '초동(草洞)'이라는 마을이 있다. 이 마을에서 이유근, 장이길 등 8명이 과거에 급제했는데, 바로 《여지승람(輿地勝覽)》에서 말한 '팔문관(八文官)'이 이들이다. 여덟 명의 공(公)들이 마을의 북쪽 보산(寶山) 밑에 정사(精舍)를 짓고, 강습하고 후진을 훈도하여 지금까지 수백여 년이 지났는데도, 사람들이 우러러 칭송하며 또한 여덟 집안의 후손들은 공들이 남긴 규범을 잘 지키고 서로 힘을 모아 정사(精舍)를 잘 관리하였다. 공들은 현명하여 하서(河西) 김인후(金麟厚)와 고봉(高峯) 기대승(奇大升)의 문하에서 인정을 받았으며, 박순(朴淳), 정철(鄭澈), 윤두수(尹斗壽) 등과 의기(意氣)가 서로 맞아 존경을 받았다.
* 구맹(鷗盟): 갈매기와 사귄다는 뜻으로, 속세를 떠나 자연을 즐기는 것을 말함
* 지문(只聞): ~할 뿐이다.

137. 복천(福川)을 지나며

복천(福川)의 산과 물
사람을 맑게 비추니
다소간의 운림(雲林)은
속세의 정(情)을 떠났구나.

집집마다 약초 심은 밭에는
영초(靈草)들이 푸르고
향기로운 바람 그치지 않고
석양(夕陽)빛이 밝구나.

137. 過福川

福川山水照人淸, 多少雲林超俗情。
藥圃家家靈草綠, 香風不盡夕陽明。

* 운림(雲林): 구름이 걸쳐 있는 숲
* 영초(靈草): 약재로 뛰어난 효력이 있는 약초(藥草)
* 약포(藥圃): 약초를 시는 밭

138. 월산점(月山店)에 체류하다
― 비가 내려 적벽(赤壁) 근처 오리(五里)쯤 되는 월산점에 체류하다 ―

빈 집에 한나절을 머무는데
밥 짓는 것도 더디니,
요즈음 빨래하는 늙은 여자들
역시 무지(無知)하구나.

비 내리는 창가에 나란히 앉아
젖은 옷을 걱정하는데
지척의 적벽(赤壁)경관(景觀)
아직도 도착하지 못했구나.

138. 滯雨月山店距赤壁五里而近

半日空堂烟火遲, 近來漂母亦無知。
雨窓幷坐交愁濕, 咫尺江山未到時。

* 표모(漂母): 빨래하는 늙은 여자
* 적벽(赤壁): 전남 화순군 이서면 창랑리, 보산리, 장항리 일대 걸쳐 있는 명승지. 전남

기념물 제60호. 중국 양자강 상류의 '적벽(赤壁)'과 비슷하다고 이름이 붙여졌다.

139. 적벽(赤壁) 유람(遊覽)
- 적벽(赤壁)을 유람하며 삼가 김농암(農巖)선생의 운을 따서 -

적벽(赤壁) 위쪽은
푸른 하늘에 맞닿았고
아래쪽은 긴 냇물이 감도네.

천 년 전에는 소동파(蘇東坡)의
청풍(淸風)과 명월(明月)이었는데
갑신년(서기 1944년) 오늘에는
안개 속에 비가 내리는구나.

기운 처마 같은 적벽(赤壁)형세가
당장에도 무너질 듯 위험하고
책장처럼 겹겹이 포개진 암벽은
줄줄이 매달린 듯 보이네.

뜬구름 같은 세상
틈을 내기 쉽지 않지만,
남방의 절승지(絶勝地)에
장유(壯遊)를 하니
신선(神仙)이 다된 듯하구나.

139. 遊赤壁謹次金農巖先生韻

赤壁之上接靑天, 赤壁之下繞長川。
蘇子千年風與月, 甲申此日雨和烟。

勢如簷角危將倒, 疊似卷頭看更懸。
浮世偸閒非易事, 壯遊南國我能仙。

* 농암(農巖): 김창협(金昌協)의 호(號), 17세기말 조선후기 대표 학자, 문학가. 대사간(大司諫) 역임. 청풍부사였던 부친이 진도에서 사사(賜死)되자, 벼슬을 버리고 경기도 포천에 은거. 훗날 부친이 신원(伸寃)된 뒤에 대제학, 예조판서에 임명되었으나 모두 사양하고 더 이상 벼슬에 나아가지 않았다. 송시열(宋時烈)의 문인으로 평소 온화한 성품이나 학문과 의리를 밝힘에 있어서는 선입견에 얽매이지 않았다. 따라서 그는 강론 중에 상대의 견해가 옳다고 여겨지면 곧바로 자신의 주장을 철회했다.

 문장(文章)과 시(詩)는 자신 만의 고상한 품격(品格)을 이루었다. 학문은 퇴계와 율곡의 설(說)에 대하여 절충적인 태도를 견지하였으나, 이기설(理氣說)에 있어서는 율곡보다는 퇴계의 설에 가까우며 글씨도 훌륭했다. 숙종의 묘정(廟庭)에 배향(配享)됨, 양주의 석실서원(石室書院), 영암의 녹동서원(鹿洞書院)에 제향(祭享)되었다. 시호는 문간(文簡). 저서는 농암집(農巖集) 등 수 권이 있다.

* 소동파(蘇東坡): 11세기 중국 송(宋)나라 시인, 본명은 소식(蘇軾), 호(號)는 동파(東坡), 아버지 소순, 동생 소철과 함께 '3소'(三蘇)라고 일컬어지며, 이들은 모두 8대가(唐宋八大家)에 속함. 소동파는 조정의 정치를 비방하는 내용의 시를 썼다는 죄로 황주로 유배 되었는데, 이 때 농사짓던 땅을 동쪽 언덕이라는 뜻의 '동파(東坡)'로 이름 짓고 스스로의 호(號)를 삼았다. 소동파는 구양수·매요신 등에 의해서 기틀이 마련된 송시(宋詩)를 더욱 발전시켰다. 구양수·매요신 이전의 시(詩)가 대개 비애(悲哀)를 주제로 해왔던 데 비해서, 이 두 사람은 평안하고 고요한 심정을 주로 읊었고, 소동파(蘇東坡)는 이에서 벗어나 훨씬 적극적이고 자각적인 관점을 취했다. 또한 작가의 마음이 자연스럽게 묻어나와야만 훌륭한 문장이 된다는 청년기의 생각을 평생토록 일관했다.

* 투한(偸閒): 한가한 시간을 훔친다는 뜻으로, 바쁜 가운데 틈을 내는 것을 이르는 말.
* 장유(壯遊): 장한 뜻을 품고 먼 길을 떠남
* 적벽(赤壁): 앞의 시(詩) 참조

140. 와천(瓦川)에서 묵으며

명산(名山) 밑에는
명인(名人)이 사는 법
사람과 명산(名山),
모두가 새롭구나.

맑고 상쾌한 땅 한 뙈기 빌려서
산남수북(山南水北), 좋은 곳에
이웃으로 살고 싶네.

140. 宿瓦川

有名山下有名人, 人與名山俱是新。
願借一區淸爽地, 山南水北好爲隣

* 와천(瓦川): 전남 화순군 동복면 와천리에 있는 하천(河川), 동복면에는 섬진강 수계(水系)인 동복천을 중심으로 수려한 자연경관과 함께 찬란한 문화유산이 많이 있는데, 그 중에서도 이서면의 적벽이 으뜸이다. 노루목(獐項), 창랑(滄浪), 물연(勿染), 보간(寶山) 등 네 곳의 적벽(赤壁)은 천연자원으로서도 빼어날 뿐만 아니라 수많은 시인묵객들이 풍광(風光)을 읊었다. 특히 한산사의 저녁종소리(寒山暮鐘), 금모래에 내리는 기러기 떼(金沙落鴈), 학 여울에 돌아가는 돛대(鶴灘歸帆), 선대의 활쏘기 놀이(仙臺觀射), 적벽의 밤 풍경, 낙화놀이(赤壁落火), 부암 앞의 고기잡이 구경(浮巖觀漁), 고소대의 맑은 바람(姑蘇淸風), 설당의 밝은 달빛(雪堂明月) 등 노루목 적벽중심의 팔경시(八景詩)가 으뜸이다. 그러나 서기 1969년과 1984년 두 차례에 걸쳐 북면 와천리(瓦川里) 와촌(瓦村)마을은 다른 마을과 함께 물에 잠겨 수몰(水沒)되었다.

* 산남수북(山南水北): 산(山)은 남쪽을 바라보고, 수(水)는 북쪽을 바라봐야 한다는 것, 풍수의 기본인 배산임수(背山臨水)〈뒤에는 산, 앞에는 하천이 흐르는 곳〉가 바로 산(山)은 남쪽을 바라보고, 수(水)는 북쪽을 바라보는 곳이다. 다시 말하면 남향(南向)터를 말하는 것으로, 이런 곳의 산과 물 사이에 명당이 있다는 것이다. 풍수가 아니라도 4계절이

뚜렷한 우리나라의 경우에는, 남향집은 여름에는 일조량이 적고 겨울에는 반대로 일조량이 많아 포근하여 좋다.

141. 물염정(勿染亭)에 올라

    티끌과 오물이 이 언덕을
    더럽히지 못하니
    강호(江湖)의 지난 일들,
    어부와 도공(陶工)에 물어보네.

    감돌던 두 줄기 산골 물
    마침내 한 줄기로 흐르고
    떼 지어 솟은 뭇 봉우리들
    서로가 높아지려 다투는구나.

    남쪽으로 오니
    청산에 내리는 빗줄기로
    많이 머물게 되지만,
    가을걷이 끝나고 국화주 맛보려
    또다시 오리라.

    천고의 미담(美談)에는
    내가 먼지 월계수 가지를 꺾었지만
    그 당시 독차지하는 데는
    별로 힘들이지 않았다네.

141. 登勿染亭

塵穢未能染此皐, 江湖往事問漁陶。
環廻雙澗終歸一, 簇出群峯競欲高。
南來多滯靑山雨, 秋後更圖黃菊醪。
美談千古桂先折, 占得當年不費勞。

* 물염정(勿染亭): 전남 화순군 이서면 창량리에 있는 정자(亭子). 화순군 향토 문화유산 제3호로 화순적벽에서 3km 상류에 위치한다. 물염정(勿染亭)은 물염(勿染) 송정순(宋廷筍)이 16세기 중엽에 건립한 정자(亭子)이다. '물염(勿染)'은 세상 어느 것에도 물들지 않고 티끌 하나 속됨 없이 살겠다는 뜻이다. 정자 안에는 김인후, 이식, 권필 등 조선시대 선비들이 지은 시문(詩文)이 붙어 있다. 이 물염정(勿染亭)은 김삿갓이 즐겨 찾던 정자로도 유명하다. 서기 1850년에 두 번째로 화순을 찾은 김삿갓은 52세 되던 서기 1857년부터는 아예 동복면에 안주(安住)하면서 방랑생활을 마감했다. 그리고 1863년 동복면 구암리의 정시룡의 사랑방에서 한 많은 생을 마감했다. 병풍처럼 둘러친 물염적벽의 기암절벽과 소나무 숲의 운치, 그리고 깊은 계곡과 단애(斷崖)의 풍치를 정자(亭子)에서 바라보면, 마치 신선(神仙)이 놀던 선경(仙境)속으로 빠져들게 할 만큼 멋진 절경(絶景)이다. 최근에는 김삿갓(본명 김병연)과 관련, 그의 석상(石像)과 시비(詩碑)가 물염정(勿染亭) 입구에 조성되어 관광객의 흥미를 더하고 있다.

망초꽃에 둘러싸인 망미정(望美亭)은 병자호란 때 의병장으로 활동했던 정지준이 인조가 청태종 앞에 무릎을 꿇었다는 소식에 분개해 정자(亭子)를 짓고 은둔생활을 했던 곳으로 수몰(水沒)로 인해 이곳으로 옮겨왔다.

* 계선절(桂先折): 먼저 월계수 가지를 꺾다. 즉 월계관을 썼다는 뜻, 장원을 했다는 뜻
* 강호(江湖): 사방각지, 속세를 떠난 은사(隱士)들이 사는 자연

142. 망미정(望美亭)의 옛 운(韻)을 따서

만고에 같은 하늘이라
해와 달을 우러러보았는데
근래에는 춘추(春秋)를 읽을
정자(亭子)가 없네.

옛 사람 이미 떠나고
정채(精彩)만 남았으니,
십리청강(十里淸江)에
조각배 하나 떠있구나.

142. 次望美亭原韻

萬古同天看日月, 近年無地讀春秋。
昔人己去留精彩, 十里淸江一葉舟。

* 망미정(望美亭): 전남 화순군 이서면 장학리, 적벽을 바라보며 서 있는 정자. 길이 가파르고 칡넝쿨로 우거졌다. 병자호란(丙子胡亂)때 의병장 정지준(鄭之準)이 지었다. 정지준은 병자호란(丙子胡亂)때 임금이 남한산성에 피신했다는 소식에 의병을 끌어 모아 적진(敵陣)을 뚫었으나 임금이 청태종(淸太宗)에게 항복했다는 소식을 듣고, 통곡하다가 고향 적벽으로 돌아와 주자(朱子)의 무이구곡(武夷九曲)의 뜻을 취해서, 창량과 적벽사이에 정자를 짓고 은둔하기 시작했다. 그는 이곳 망미정에서 친우들과 더불어 학문에 전념하다가 죽었다. 처음 망미정은 적벽 강가에 있었으나 동복댐이 건설되면서, 서기 1983년 현 위치로 옮겨 후손들이 보존하고 있다.

* 《춘추(春秋)》: 유교 5경 가운데 하나. '춘추'는 '춘하추동'을 줄인 것으로, 사건의 발생을 연대별, 계절 별로 구분하던 고대의 관습에서 유래했다. 이 책은 공자가 서기전 722년부터 죽기 직전인 서기전 479년까지 그의 모국인 노(魯)나라의 12제후가 다스렸던 시기의 주요사건들을 기록한 책이다.

* 정채(精彩): 정교하고 묘한 광채, 활발한 기상(氣象)
* 십리청강(十里淸江): 십리나 뻗은 맑은 강(江)

143. 삼가 소요암(逍遙庵)의 원운(原韻)을 따서

한 폭의 그림 같은
자욱이 구름 낀 산(山),
즐거움이 바로 산속에 있고,
아들은 경(經)을 읽고
손자는 사서(史書)를 읽으니
모두가 어긋남이 없네.

포근한 날씨
연못의 고기들은 거품을 내뿜고,
강설(講說)하던 거목(巨木)은
녹음이 짙어 어린 새들이
날기를 익히는구나.

부드럽고 온화한 가문(家門)이라
언제나 봄기운이 늙지 않고
형제는 화목하여 팔순으로
장수(長壽)를 누리니
예로부터 드문 일이로다.

티끌세상 시끄러운 소리,
깊고 고요한 대숲 밖 멀리서
가로막혀 들리지 않고
아침저녁 찾아오는
밝은 달 맑은 바람,

제 뜻대로 돌아가는구나.

143. 謹次逍遙庵原韻

一幅雲山樂此依, 子經孫史摠無違。
硯池日暖魚吹沫, 講樹陰深鳥習飛。
愷悌門庭春不老, 塤篪八十古來稀。
塵喧遠隔幽篁外, 月夕風朝任意歸。

* 원운(原韻): 원시(原詩)의 운(韻)
* 소요암(逍遙庵)〈소요사(逍遙寺)〉고창군 부안면 용산리에 있는 사찰이다. 용산리의 서쪽 해안가에 우뚝 솟아 있는 산이 소요산인데, 이 소요산의 동쪽 기슭에 자리잡고 있는 사찰이 소요사다. 소요사의 정확한 창건 연대는 알 수 없으나, 6세기 백제의 소요대사(逍遙大師)가 창건하였다는 설이 있다. 그 뒤 통일신라말기 도선선사(道詵禪師)가 도를 깨친 다음 일시 수도(修道)한 곳으로도 알려져 있다. 조선시대에 소요사에서는 이름난 승려들이 대대로 배출되었다. 그러다 정유재란 때에 모든 것이 불타버렸는데 광해군 때에 대웅전(大雄殿)이 중창(重創)되었으나 6.25전쟁 때 또다시 소실되어, 서기 1961년에 승려 현학(玄鶴)에 의해 대웅전이 재건되어 오늘에 이르고 있다. 서기 1975년 대한불교 태고종(太古宗)에 등록되었다.

* 운산(雲山): 구름이 낀 산, 구름에 잠긴 산
* 유황(幽篁): 깊고 고요한 죽림(竹林)〈대나무 숲〉
* 연지(硯池): 연못
* 개제(愷悌): 온화하다. 부드럽다. 사근사근하다
* 훈호(塤篪): 질나발과 피리, 즉 형은 질나발을 불고 아우는 화답(和答)해 피리를 분다는 것으로, '형제의 화목(和睦)함'을 뜻함
* 문정(門庭): 대문(大門)과 중문(中門) 사이의 뜰, 즉 집안이나 가문(家門)을 뜻함

144. 두 사문(斯文) 시(詩)에 화답하여
– 김두연과 김원근 두 사문(斯文)의 시운(詩韻)에 화답하여 –

오직 그대들은
지금 세상에 거침없는
시선(詩仙)들인데
아직도 남강(南江)의 달밤
뱃놀이를 함께 못해
한스럽네.

세상 어느 곳인들
아름다운 경치가 없으랴만,
우리들은
우리들이 유람하는 곳에서
우리의 하늘을 즐기는구나.

144. 和金斗演金源根兩斯文韻

惟君今世擅詩仙, 恨未南江共月船。
何處能無佳水石, 吾人遊地樂吾天。

* 사문(斯文): 이 글, 이 학문, 이 도(道)란 의미로, 유교(儒敎)의 학문, 도의, 문화 또는 유학자 등을 아울러 일컫는 말.
* 수석(水石): 물과 돌로 이루어진 자연경치

145. 용계(龍溪) 경절당(敬節堂) 체류
– 중양절 이튿날 유석천, 탄운, 김만산, 유현곡,
나태강, 유청강과 함께 용계(龍溪)에 들어갔다가

비가 내려 김씨 경절당(敬節堂)에서 체류하다 −

구시월 가을 경치는
국화꽃 일색인데
산에 든 지 한 나절 만에
시끄러운 속세소리 뜸하구나.

신선인연 두터이 하려는데
때마침 장마 비가 내리니
즐거운 모임에 명승지라
둘 다 기대에 어긋나지 않았네.

145. 重陽翌日與柳石川, 灘雲, 金晩山, 柳玄谷, 羅台江, 柳靑江入龍溪, 滯雨于 金氏敬節堂

九十秋光摠菊時, 入山半日俗喧稀。
仙緣欲厚天長雨, 雅會名區兩不違。

* 용계(龍溪): 전북 고창군 아산면 용계리, 전북에서 가장 오래된 고려청자(靑瓷) 가마터가 발굴된 곳이다. 여러 가지의 청자(靑瓷)와 '태평임술이년(太平壬戌二年)'이라고 새겨진 기와 조각이 출토되었다. 사적(史蹟)의 정식명칭은 '고창 용계리 청자요지(靑瓷窯址)'

* 중양절(重陽節): 음력 9월 9일. 최고의 양수(陽數) 9가 겹친 날, 예부터 이날을 중양절(重陽節), 또는 중구일(重九日)이라 했다. 중양(重陽)이란 양(陽)의 수(홀수)가 겹쳤다는 뜻이며, 중구(重九)란 숫자 '9'가 겹쳤다는 뜻이다.
* 아회(雅會): 풍치(風致)가 있고 우아(優雅)한 시(詩)짓는 모임

146. 안덕사(安德寺)에 오르다
― 이튿날 아침 날이 개어 안덕사(安德寺)에 오르다 ―

생각지도 못 했구나,
고창 땅에 이런 명산(名山)
있을 줄을!
한 구역의 자연경치
흰 구름에 잠겨있네.

어디서 온 노스님이
먼저 자리를 잡아 놓고,
천금(千金)으로 산다 해도
아까워 돌려주지 않는구나.

146. 翌朝天晴, 因登安德寺

不意牟陽有此山, 一區泉石白雲間。
何來老衲先吾著, 可買千金不惜還。

* 안덕사(安德寺): 전북 고창군 아산면에 있었다는 사찰(寺刹), 지금은 절터만 남아 있다. 서기 1970년대까지 존속했던 사찰임이 분명하지만 정확한 창건 연대와 폐사(廢寺)시기는 알 수 없다. 현재 이곳에는 초석(楚石)과 함께 기와편, 자기편, 토기편 등이 산재해 있으며 고려시대 창건된 것으로 추정되고 있다.
* 모양(牟陽): 고창군(高敞)의 옛 지명(地名)
* 천석(泉石): 샘과 바위가 어우러진 자연경치

147. 막내아우에게 보내는 절구(絕句) 일곱 수(首)
9월 5일

울타리 국화 노랗게 피고
단풍은 붉게 물드는데
아득한 바다와 하늘에는
가을바람 몰아치겠지?
편안하다는 글을 보고 매우 기뻐
어머님께 풀이하여 읽어드렸다네.

먼 일본에서 비로소 편지가 날아와
보고 또 보며 수없이 읽었더니
편지지가 닳아 보푸라기가 이는구나.
글씨는 변함없이 옛 모습 그대로이니,
구양순(歐陽詢)글씨를 열심히 익혀
이제는 의젓한 법첩(法帖)이 되었구나.

아, 아우는 오늘쯤 형을 만나지 못하고
망망한 바다 건너 만 리 밖에서
군대로 끌려가게 되었구나!
큰 형을 기쁘게 하는 일은 어려운 일이 아니지만,
군대에서 자기주장을 끝내 굽히지 않고
"어떻게 굳게 지키느냐?" 하는 것은 매우 어려운 일이니,
스스로 가야 할 길을 열어가길 바라네.

이곳은 흉년 굶주림에 부역(賦役)까지 닥치다보니
여간 고달픈 생활이 아니다만,
아우는 살벌한 전쟁터에 나가 총칼을 들고 있겠지?
어린 조카 녀석들은 제 아비의 한(恨)도 모른 채
무슨 일이 있을 때마다 툭하면 자랑을 하는구나.

"우리 아빠 이다음에 훈장차고 돌아온다고!"

가을이 와서 몇 번이나 아우의 꿈을 꾸고
깨어나도 마음속으로 꿈속 흔적을 그려본다네.
지난겨울 아우를 그렇게 쉽게 떠나보낸 일이
도리어 후회(後悔)가 되지만,
인간 세상 가는 곳마다 또 그 나름대로
즐거운 곳이 있을 것이네.

오래 동안 헤어져야 형제간의 참된 정을
알게 되는 듯, 때때로 책상머리에 놓인
우애(友愛)깃든 아우의 편지를 펼쳐본다네.
이 몸은 할미새의 습성(習性)에도 못 미쳐
날아가고 날아 올 때 한 줄로 가지런히
줄을 지어 날지를 못하는구나.

한가할 때 새로 지은 아우의 살림집을 찾아가
감나무와 배나무 두서너 그루를 손수 심어 놓았다네.
언젠가 아우가 집에 돌아온 후 과일들이 익을 때면,
올봄 묘목을 처음 심던 그 이야기를 함께 나누리라.

147. 寄季君七絶 九月五日

籬菊欲黃楓欲紅, 海天漠漠政秋風。
書來多喜平安字, 展讀慈前譯以通。

一葉遠書雁始回, 看過百遍紙毛開。
字形不改舊時樣, 摹得歐陽法帖來。

嗟君今日不遇兄, 萬里滄溟使入營。

爲豫爲伯非難事, 墨守如何自道名。

饉凶賦役何曾苦, 弟在兵戈城壘間。
稚輩不知乃爺恨, 誇言異日佩符還。

秋來幾度做君夢, 覺後暗思夢裏痕。
却悔前冬容易送, 人間到處有桃源。

久別眞知兄弟情, 時看棣帖案頭橫。
此身不及鴒原迹, 飛去飛來作一行。

試向新家閑隙地, 手栽柿梨兩三枝。
如君歸後能成實, 共說今春始種時。

* 막막(漠漠): 막막하다. 아득하다.
* 안서(雁書): 먼 곳에서 소식을 전하는 편지
* 묵수(墨守): 자기의 의견이나 주장을 굽히지 않고 굳게 지킴
* 자도명(自道名): 스스로 길을 열다.
* 패부(佩符): 병부(兵符)를 찬다는 뜻으로, 곧 고을 원님의 지위에 있음을 이르는 말, 여기서는 무공훈장을 뜻함
* 이일(異日): 무슨 일이 있는 날을 뜻함
* 부역(賦役): 의무적으로 지는 노동일
* 병과(兵戈): 무기
* 도원(桃源): 중국 시인 도연명(陶淵明)의 '도화원기'에 나오는 가상의 선경(仙境)인 별천지를 뜻하는 말이나, 여기서는 생활하기 '즐거운 곳'이라는 뜻,
* 체첩(棣帖): 체악지정(棣鄂之情)이 베인 편지라는 뜻, 즉 "화려하게 만발한 산앵두나무 꽃의 정(情)"이라는 뜻으로, "형제간의 두터운 우애(友愛)가 베인 편지"를 이르는 말.
* 법첩(法帖): 습자용 본보기나 감상용으로 쓰기 위해 선인(先人)의 글씨를 그대로 베낀 책
* 구양순(歐陽詢): 5C말~6C초 중국 당(唐)나라의 서예대가(書藝大家), 해서(楷書)의 규범인 '구양순체'를 완성했으며, 우리나라에 널리 전파되었다.
〈참고〉 비슷한 이름의 '구양수(歐陽修)'는, 11C 중국 북송(北宋)의 문장가요 정치가이며 당송팔대가(唐宋八大家) 중 한 사람이다. 유명한 시인 소동파(蘇東坡)가 그의 제자이다.

148. 태강(台江) 방문 길에 송오(松吾)를 만나

서로 만나
속마음을 털어놓는데
그 누가 "비애(悲哀)의 가을"이
아니라고 하겠는가?

반나절 솔숲에 난
오솔길을 걷는데
바람이 없는데도 섬에는
낙엽이 지네.

술좌석에 와보니
호걸풍이 많은데
모습들을 살펴보니
모두가 중의 머리 같구나.

도무지 이런 즐거움을
모르는 속물(俗物)들은,
우리들의 청유(淸遊)를
비웃기라도 하겠지.

148. 逢松吾訪台江

相逢說肝膽, 誰有不悲秋。
半日松間路, 無風葉下洲。
臨杯多傑味, 顧影摠僧頭。
俗子不知樂, 能嘲吾輩遊。

* 태강(台江), 송오(松吾): 저자(著者)친구의 아호(雅號)

* 간담(肝膽): 간과 쓸개, 곧 속마음을 뜻함
* 비애(悲哀): 슬픔과 설움
* 속물(俗物): 교양이 없고 식견이 좁아, 세속적인 일에만 급급한 사람
* 청유(淸遊): 속되지 않고, 시를 지으며 고상하게 노는 것

149. 벗들과 더불어 다시 안덕사(安德寺)에 들러다

바위들은 빛나고
봉우리는 우뚝한데
나무꾼노래에 채지가(採芝歌)가
반쯤이나 섞였구나.

동전만큼 작은 하늘이지만
신선(神仙)이 사는 곳이라
맑은 계곡(溪谷) 물이
구슬 같은 물방울이 되어 달아나니
과연 별천지의 물결이로다.

구월(九月)의 노란 국화(菊花)
굵은 빗방울에 냉랭하지만
백년 청안(靑眼)은 이 밤에
더욱 뛰어나는 것 같구나.

오직 그대가 아낙들과 일을 꾀해
닭과 술을 장만했지만,
이런 명승지의 어진 주인과
어찌 비교(比較)를 하겠는가!

제2수
계곡물 따르다가
바위에 앉아 생각하니
만사(萬事)가 이제사
선명해지는구나.

냇물은 끊어질 듯 이어지고,
풀이 돋은 오솔길은 사라졌다
다시 살아나네.

이름난 산은
어진 주인 만나기 어렵고
옛 친구는 또다시
우정(友情)을 들먹이네.

좁고 험한 골짜기의
많고 적은 절경(絕景)들,
하늘을 비추는 단풍나무
참으로 명랑하구나.

149. 與諸友復入安德寺

石勢磷磷峰勢峨, 樵歌半雜採芝歌。
天如錢小壺中地, 澗似珠跳世外波。
九月黃花疎雨冷, 百年青眼此宵多。
惟君鷄酒謀諸婦, 賢主名區較若何。

其二
溪行又石坐, 事事今來淸。澗流斷復續, 草逕沒還生。
名山難得主, 舊雨再論情。多少峽中景, 照天楓樹明。

* 채지가(採芝歌): 전라감사 이서구(李書九)의 작(作)이라고 전해온다. 이서구는 조선후기 순조 때의 문신으로 대제학, 우의정을 지냈다. 정조 때 박제가, 이덕무, 유득공과 더불어 한학(漢學) 4대가로 일컬어진다. 채지가는 남조선 뱃노래 등 6장으로 구성되어 있으며, 그 내용이 대부분 다가올 미래의 사건을 예언(豫言)한 것들이다. 격암유록(格庵遺錄) 등과 같이 한자(漢字)로만 되어있지 않고 대부분 한글로 되어있어, 후세의 백성들을 위해 누구나 읽기 쉽게 되어 있다.
* 소우(疎雨): 굵은 빗줄기, 큰 빗방울
* 청안(靑眼): 남을 좋은 마음으로 보는 눈
* 호중지(壺中地): 선경, 신선이 사는 곳, 별천지, 〈동학 해월선생문집 3권16장 74편 참조〉
* 구우(舊雨): 옛 친구

150. 막내 동생 군영(軍營) 시(詩)에 화답(和答)

– 갑신년(서기 1944년) 가을 막내 동생이 일본 군영에서
시 두 수를 부쳐와 그 보운(步韻)으로 화답(和答)하다 –

망망대해 만리(萬里) 밖에서
건너온 아우의 시(詩)가락에
너무 기뻐 한바탕 웃으며
가을바람 속에 읊어보네.

수년간 전쟁으로
서로가 볼 수 없으니
편지 날아오는 하늘가만
되돌아보곤 하는구나.

샛노란 국화, 휘영청 밝은 달,
둘 다 좋은 모습이지만
아우에게 보내려고 국화
한 가지를 꺾었네만,

안타깝게도 아우에게 보낼 수 없어
스스로 국화향기 감상하며
하늘 가득한 밝은 달빛 아래
홀로 추색(秋色)을 읊어보는구나.

150. 甲申秋季君自日本兵營寄詩二絕, 步韻以和

詩渡滄溟萬里外, 家兄一笑詠秋風。
兵戈數載不相見, 却望天涯雁路通。
黃花皓月兩相好, 欲贈黃花折一枝。
未可贈君還自賞, 滿天皓月獨吟時。

* 보운(步韻): 시를 지을 때, 남의 시에 화합(和合)하여 연(聯)마다 원운(原韻)을 사용함.
* 원운(原韻): 원시(原詩)의 운(韻)
* 화답(和答): 남의 시(詩)에 화목하게 어울리도록〈화합(和合)〉대답하는 것
* 추색(秋色): 가을을 느끼게 하는 경치, 가을빛

부록: 막내 동생이 보낸 시

하늘 가득 우레 소리 사납더니
갑자기 처량하게 비가 내리는데
여러 갈래 수많은 병사들이
열풍(烈風)처럼 일어나네.

망망한 서해 바다
구름 짙은 곳에서
오로지 편지 한 장으로
내 뜻을 전할 수밖에 없네.
고향산천 꿈 깨면

맑은 밤 혼자 우두커니
서 있는데
개인 달밤 텅 빈 마당
나뭇가지 그림자 어지럽구나.

인생고락(人生苦樂) 말해본들
무슨 소용 있으랴!
봄이 가면 가을이 오듯
오가며 제각각 한 철인 것을.

附 : 季君寄詩

滿空亂爆急凄雨, 連路千兵起烈風.
茫茫西海雲深處, 惟有一書意自通.
鄕山夢罷淸宵立, 霽月空庭亂影枝.
人生苦樂何須道, 春去秋來各一時.

* 연로천병(連路千兵) : 여러 갈래의 수많은 병사들
* 열풍(烈風) : 맹렬히 부는 바람
* 인생고락(人生苦樂) : 인생살이의 괴로움과 즐거움

151. 무령(武靈) 떠나 산점(山店)에 투숙(投宿)
– 석양(夕陽)에 무령(武靈)을 떠나 중도에 산점(山店)에 투숙하다 –

빙판길이 얼음계단이라
이번 행차 무엇 하나
쉬운 게 없는데,
허물어진 굴뚝에도 방은
따뜻하다 말하고

싱거운 막걸리 값도
갑절이나 비싸구나.

당나귀는 청산의
눈길을 밟아 가고
닭들은 초가 등잔
켜질 때 우는데,

하인이 고(告)하여
잠자리에서 일어나니,
바람은 잠잠하고
새벽공기 상쾌하구나.

151. 夕發武靈, 中途投宿山店

氷路政凌層, 此行無一能。
廢突名猶煖, 薄醪加倍增。
驢踏靑山雪, 鷄鳴白屋燈。
僕夫告余起, 風定曉空澄。

* 무령(武靈): 전남 영광군의 옛 지명
* 산점(山店): 산중의 객점(客店), 객점은 나그네가 길을 가다가 음식을 사 먹거나 잠시 머무는 집을 이르던 말, 오늘날 여인숙, 작은 규모의 여관
* 백옥(白屋): 초라하고 허술한 초가집
* 복부(僕夫): 하인으로 부리는 남자

152. "억제간운백일면(憶弟看雲白日眠)" 칠자(七字) 분운(分韻)으로

- "억제간운백일면(憶弟看雲白日眠)" 일곱 자(字)를 분운(分韻)으로 시(詩)를 지어, 막내아우 순회(舜會)에게 애오라지 부치다 –

기러기 그림자들
수동(水東)저수지를 갈라놓고
할미새는 날아와 언덕으로
달아나는구나.
어느 때고 하루에도 서너 번씩,
아우를 그리워하지 않은 적이
있었던가!

제2수
아우의 시(詩),
차마 읽지 못할레라.
한자 한자마다
눈물방울 더해지니,
이 땅에서 그 누가
내 내 마음 알아주는
지음(知音)이 될꼬?
오로지 아득한 곳에 있는
아우뿐이로구나.

제3수
요새(要塞)밖은 초수(楚囚)가
제일 고달프고,
인간 세상은 촉도(蜀道)가
가장 험난하다네.
한가롭게 지내자니

정신을 잃을 것 같아,
때때로 먼 산을 보고
또 보는구나.

제4수
언제 만 리 길이 멀다고
한 적이 있었던가?
몸은 떨어져 있지만
동기(同氣)간의 정(情)은
떨어지지 않았다네.
동쪽 밝은 달을 바라보면
알 수 있으리라,
그 누가 하늘 덮은 먹구름을
쓸어버릴지를!

제5수
생각을 오래하는 건
좋은 계책이 아니라
갑자기 잊어버리는 것,
이것이 상책이라
세상 보는 눈 아직도
청안(靑眼)이 못되는데
거울 속 귀밑머리
이미 백발을 더했구나.

제6수
옥구슬 같은 아우의 목소리
아끼지 말게나.
편지로도 뜻을 전할 수 있으니.
손자애가 또 생각이 났는지
나한테 물어보네,

"우리 삼촌 언제쯤 돌아 와요?"

제7수
강물 위 하늘에서
첫눈이 내리고
바닷가 수루(戍樓)는
저물녘 구름 가에 있네.
꿈속에라도
서로 만나고 싶다만,
걱정이 하도 많아
밤잠을 못 이루는구나.

152. 億弟看雲白日眠七字分韻, 聊寄季君舜會

其一
雁影隔水東, 鴿飛在原北。
一日三四時, 何時不相億。

其二
君詩不堪吟, 一字添一涕。
海內誰知音, 天涯惟有弟。

其三
塞外楚囚苦, 人間蜀道難。
閑居如有失, 時復遠山看。

其四
萬里何曾遠, 身分氣不分。
知應東望月, 孰有掃陰雲。

其五

窮思非良謀, 頓忘是上策。
眼世未能靑, 鬢鏡已添白。

其六

莫惜玉如音, 書中志可述。
兒孫亦有心, 向我問歸日。

其七

江天初雪下, 海戍暮雲邊。
夢裏欲相見, 愁多亦不眠。

* 분운(分韻): 여럿이 모여 시(詩)를 지을 때 운자(韻字)를 정하고, 각자가 나누어 집어서 그 잡힌 운자(韻字)로 시(詩)를 지음
* 료기(聊寄): 애오라지 부치다, 마음에 부족하나마 그런대로 부치다.
* 수동(水東): 고창읍과 인접한 북쪽 부안면 수동리, 천연기념물 제 454호인 "팽나무"가 있고 큰 수동저수지가 있음,
* 상억(相億): 그리워하다, 그리움,
* 지음(知音): 자기를 알아주는 참다운 벗을 이르는 말
* 초수(楚囚): 죄인이나 포로를 비유하는 말
* 촉도(蜀道): 중국 사천 성으로 통하는 매우 험한 길, 세상살이의 어려움을 비유하는 말
* 청안(靑眼): 남을 좋은 마음으로 보는 눈(眼)
* 수루(戍樓): 적군의 동정을 살피기 위해 지은 망루

153. 막내 동생 시(詩)에 화운(和韻)하여

– 막내 동생이 보낸 절구 한 수의 운(韻)에 화운(和韻)하여 –
〈을유년(서기 1945년) 3월〉

차마
꽃 피는 걸 볼 수도 없고

새소리 들을 마음도 없네.

몸을 소중히 하라는
스무 자(字)의 시(詩)에서
피리 소리 나팔 소리
듣는 것 같구나.

153. 季君寄詩一絕和韻 乙酉三月

不忍看花笑, 無心聽鳥鳴。
珍重二十字, 如聞塤箎聲。

* 화운(和韻): 남이 지은 시의 운자(韻字)를 써서 답시(答詩)를 지음

〈부록: 막내 동생이 보내온 시〉

흰 눈 속에 차가운
솔 한그루 서 있는데,
바다 건너 서쪽에선
외로운 기러기 울고 있네.

아득히 먼
회천정사(晦泉精舍) 아래에서
피리 소리 나팔 소리
들리는 것 같구나.

附: 季君寄詩

雪裏寒松立, 水西孤雁鳴。

> 遙憶晦亭下, 將聞塤箎聲。

* 한송(寒松): 엄동설한의 소나무
* 수서(水西): 바다건너 서쪽, 일본에서 보면 우리나라는 서쪽, 당시 저자의 막내아우는 일본 중앙대학에 유학 중이었음
* 회천정사: 저자의 고택(古宅) 안에 있는 저자 선고(先考)의 정자(亭子)

154. 늦은 봄 와룡계사(臥龍禊事) 수행
― 늦은 봄 보름날에 와룡(臥龍)에서 계사(禊事)를 수행하며 ―

온 세상이 어두운 먼지로 자욱한데
한 곳만은 밝고 명랑하구나.
지금 같은 세상에 누군들
불평불만을 지껄이지 않겠는가?

산들바람 속 즐거운 연사(舊社)에는
오로지 그대가 주인공이 되고,
물이 따뜻한 용지(龍池)는
바로 동네 이름이로구나.

복사꽃 만발한 춘삼월(春三月)
사람들은 모두 취흥(醉興)에 젖고,
벗들 생각 수년 만에
드디어 계사(禊事)를 이루었네.

춘정(春情)이 무한하면
한(恨) 또한 무한하여,
청산에는 온종일 뭇 새들이
지저귀는구나.

154. 暮春之望修禊于臥龍

四海暗塵一境明, 如今孰不不平鳴。
風輕鶯社君惟主, 水暖龍池洞有名。
桃花三月人皆醉, 雲樹多年契已成。
無限春情無限恨, 靑山盡日百禽聲。

* 와룡(臥龍): 전북 고창군 아산면에 있는 마을.
* 계사(禊事): 계제(禊祭)를 지내는 행사. 계제(禊祭)는 음력 3월 3일 삼짇날에 깨끗한 물에 목욕하고 재앙을 제거하고 복을 구하는 제사의식으로 연중행사의 하나.
* 연사(鶯社): 화창한 봄날에 모여서 즐겁게 회식(會食)하는 연회
* 사해(四海): 온 세상
* 운수(雲樹): 운수지회(雲樹之懷), 친구를 그리워하는 마음
* 춘정(春情): 여기서는, 봄의 깊은 정서를 자아내는 흥취(興趣)

155. 막내 동생이 귀향(歸鄕)하여
― 막내 동생이 귀국하여 돌아오자 절구 열 수로 기쁨을 표하다 ―
〈을유년(서기 1945년) 3월 22일〉

만 리 밖에서 부친 편지
이토록 늦게 오니
산이며 바다가 얼마나 아득한지
짐작조차 어렵구나.
전날 밤 좋은 꿈을 꾼 후
만나는 사람마다 말했다네,
"동해 바다 아득한 저 멀리서
우리 아우 귀향(歸鄕)하는
함선(艦船)에 오르는 시간을
알았다고!"

사내아이 계집아이 앞 다투어 달려와
기쁜 소식 전해 주니,
너무나 갑작스런 상봉이라 말없이
눈물만 주룩주룩 흐르는구나.
마주보고 서있어도 꿈속처럼
아련한 그 모습,
삼년이란 세월을 비바람 몰아치는
살벌한 전쟁터에서 보냈구나.

아득한 하늘가를
바라보는 두 눈빛, 정녕
일촌단심(一寸丹心)분명하니,
맵고 시고 달고 쓴 맛을
내 어이 상관하리오.
돌이켜 생각하면,
예전에 정자(亭子)길에서 헤어질 때
어찌 뜻했으랴!
올봄에 살아 돌아와 이렇게
기쁜 얼굴로 마주 대할 줄을!

백발의 조모님은 놀라서
눈마저 의심하고,
어린 아이들은 아빠를 불러가며
뒤를 따라 가는구나.
이제야 선조들의 음덕(蔭德)이
더더욱 두터움을 느끼며,
온 집안 한데 모여 서로 기뻐하며
방안 가득 화목함이 넘치는구나.

귀국하는 아우를 호송하는 범선이
무사히 바다를 건너오고,

아우에겐 "대천(大川)을 건너면 이롭다"는
주역(周易)의 운(運)〈이섭천(利涉川)〉이 따랐으니,
인간의 길흉화복(吉凶禍福)은 모두
하늘에 정해져 있음을 알게 되었네.
온 동네가 떠들썩하게 달려와서
모두가 축하하며 하는 말이,
"이것은 사람의 힘이 아닌 하늘의 운수로다!"

고관대작 부러워하지 않고
신선(神仙)도 부러워하지 않으니,
천륜(天倫)의 지극한 즐거움으로
천년을 보전하리라!
천만겁 지난 세월 굳이 말해 무엇 하리!
서로 보며 한바탕 크게 웃고
세월이 새로워짐을 바라보네.

쇠를 달구고 옥돌을 쪼면
진기한 기물(器物)이 만들어지고
눈서리 속 송죽(松竹)의 절개(節槪)가
더더욱 푸르구나.
예로부터 영웅호걸들,
갖은 고난 무릅쓰고 이겨낸 후에야
비로소 찬란한 명성을 드날렸다네.

옛날부터 꽃과 새들
모두 수심(愁心)이 많아
취(醉)하면 울고 깬 후엔 노래하네.
새들 역시 어여쁨을 더하고
꽃들은 더욱 요염(妖艷)해지니,
화창한 봄빛이 많이도 치우쳐
우리 집을 비추는구나.

맏이는 나팔 불고 동생은 피리 불어
우애가 돈독(敦篤)하고,
풍류는 이미 아우의 시(詩)로부터 비롯되었네.
오늘날 우리 형제의 절절한 정의(情誼)가
더욱 깨달아지고,
영원히 사이좋은 형제간의 우애(友愛)인데,
잠시 동안 이별이 어찌 상심(傷心)이
되었겠는가?

해마다 삼짇날이 되면
가슴에 품은 사람 생각이 많은데,
꽃이 지고 신록이 짙어도
역시 경사스런 날이로다.
장수주(長壽酒) 첫 향기가
온 집안에 가득하고
대청에서 어른들께 함께 잔을 올리며
백년청춘을 기원하는구나.

155. 季君歸來誌喜十絶 乙酉三月二十二日

萬里寄書來雁遲, 或山或海渺難知.
前宵喜夢向人話, 認是東溟登艦時.

兒女爭先消息傳, 忽逢無語淚漣漣.
依俙如對夢中景, 三載兵戈風雨邊.

兩望天涯一寸丹, 辛酸甘苦莫相關.
回思昔日離亭路, 那意今春喜對顔.

鶴髮層堂驚且疑, 穉兒呼父後相隨.

今來益感先蔭厚, 相顧相懽一室宜。
護送歸帆利涉川, 定知禍福在於天。
傾村奔走來相賀, 運也此非人力然。
不羨高官不羨仙, 天倫至樂保千年。
萬千往劫何須說, 一笑相看歲月新。

鍊金琢玉器能成, 雪竹霜松節益淸。
從古豪雄多疙困, 先經然後始揚名。

昔年花鳥摠愁過, 醉裏能啼醒後歌。
鳥亦增姸花益艷, 春光偏向我家多。

伯也吹塤仲也篪, 風流已自季君詩。
伊今倍覺友于切, 永好何傷暫別離。

每當三日倍懷人, 新綠殘紅亦吉辰。
壽酒初香香滿室, 上堂共獻百年春。

* 일촌단심(一寸丹心): 한 토막의 붉은 마음이라는 뜻으로, 자기의 참된 마음을 겸손하게 이르는 말.
* 안서(雁書): 먼 곳에서 부치는 편지
* 범선(帆船): 돛을 단 배
* 이섭천(利涉川): 《주역》 대축괘(大畜卦), 《주역》 26번째 산천대축괘, "大畜, 利貞, 不家食吉, 利涉大川"(대축은 곧음이 이롭고, 집에서 밥을 먹지 않음이 길하고, 큰 내를 건너는 것이 이롭다.)
* 하수설(何須說): "굳이 말해 무엇 하겠느냐?"의 뜻
* 천륜(天倫): 부모자식, 형제자매 간에 마땅히 지켜야 할 도리

156. 용천사(龍泉寺)에서
― 김월담과 함께 용천사를 유람하며 삼가 이일제의 운(韻)을 따라 ―

구름 뚫고 옛 절 찾아
달을 데리고 벼랑에 붙은
층층대를 오르네.

용(龍)이 살다 승천한
용천(龍泉)은 푸르게 맑아
천자(千尺)나 깊은 듯 하고,
학(鶴)이 깃든 숲속에는
명루(名樓) 하나 솟아 있네.

근원(根源)을 찾자는 마음
모두가 살아 있으니,
속세 떠나 숨어 살 곳이
많고도 넓어라!

백리 강산(江山)이
모두가 장관(壯觀)이라,
맑은 바람 맞으며 그대와 더불어
배회(徘徊)하고 싶구나.

156. 與金月潭遊龍泉寺謹次李一齋韻

穿雲尋古寺, 帶月上層隈。
龍窟深千尺, 鶴林第一臺。
覓源心共活, 遯迹地多恢。
百里湖山壯, 臨風與子徊。

* 김월담(金月潭): 선비인 김월담은 저자의 사돈
* 용천사(龍泉寺): 전북 순창군에 있는 강천사(剛泉寺)를 용천사라고도 한다. 이 절은 대한불교조계종 제18교구 본사인 백양사(白羊寺)의 말사(末寺). 7세기 백제 무왕 때 행은존자(幸恩尊者)가 창건함. 용천사라는 이름은 현재 대웅전 층계 밑에 있는 사방 1.2m 가량의 샘에서 유래되었다. 전설에 의하면 서해로 통하는 이 샘에 용이 살다가 승천했다고 용천(龍泉)이라 불렀으며, 용천 옆에 지은 절이라 하여 용천사라고 한다. 정유재란 때 전소, 그 뒤 중건, 6.25전쟁 때 인민군 방화로 전소되어, 서기 1996년에 대웅전을 새로 지어 오늘에 이른다. 문화재는 전남 유형문화재 제84호인 석등(石燈)과 해시계가 있다. 용천사는 "꽃무릇 군락지"로 유명하다.

* 이항(李恒): 호는 일재(一齋), 기대승과 함께 호남을 대표하는 5학(五學)의 한 사람으로 이기일원론(理氣一元論)을 주장함. 사헌부 장령 때 병으로 사퇴함. 이조판서에 추증되었고 태인 남고서원에 제향(祭享). 기대승(奇大升), 김인후(金麟厚), 노수신(盧守愼) 등과 서한을 통하여 학문을 논했다. 저서에는 '일재집'이 있고 시호는 문경이다.

* 차운(次韻): 한시(漢詩)를 지을 때, 남의 시운(詩韻)을 따서 시(詩)를 지음
* 학림(鶴林): 학이 깃든 숲
* 은둔(隱遁): 세상을 피해 숨음
* 배회(徘徊): 목적 없이 이리저리 돌아다님

157. 효당(曉堂) 김문옥(金文鈺) 방문하다

지금 이 땅에서 그대를 유독(惟獨)
기재(奇才)라 칭하니,
문장은 한유(韓愈)와 유종원(柳宗元)이요
시 가락은 이백(李伯)과 두보(杜甫)의
반열(班列)이라네.

서로가 인생살이 낙엽 지는
늦가을에 만났으나,

마음만은 엄동(嚴冬)에 더욱 푸른
송백(松柏)에 맡겨두길 바라네.

역력(歷歷)한 강산(江山)은
옛 모습으로 돌아오고
밝고 밝은 일월(日月)은
어느 때고 다시 뜬다네.

술잔을 마주하고
천고(千古)를 꿰뚫어 담론(談論)하니
창밖의 굵은 빗줄기,
희부연 실타래처럼 내리는구나.

157. 金曉堂 文鈺見訪

君今海內獨稱奇, 韓柳其文李杜詩.
半世相逢秋晚節, 中心願托歲寒枝.
歷歷江山還舊域, 昭昭日月更何時.
對酒縱論千古事, 窓前疎雨白如絲.

* 효당 김문옥(曉堂 金文鈺, 서기 1901~1960): 자(字)가 성옥(聖玉)으로 본관은 광산이다. 경남 합천에서 태어나 15세 전에 사서오경을 마치고 율계 정기(栗溪 鄭琦, 서기 1879~1950) 문하에 들어가 고당 김규태와 동문수학함. 그는 스승으로부터 노사 기정진(蘆沙 奇正鎭)의 학통을 이어받아, 당시에 위당 정인보(爲堂 鄭寅普), 현산 이현규(玄山 李玄圭)와 함께 한말 3대 경학문장가로 추앙 받았으며, 일제강점기에 독립투사를 은닉한 죄로 순창감옥에서 3개월간 옥고를 치르기도 했다. 만취(晚翠) 위계도(魏啓道) 등 호남의 많은 제자들을 양성하는 등, 동백정에 몇 년 간을 기거하면서 후학을 가르치기도 했다. 16권 9책으로 된 《효당문집》이 그의 후손과 문인들에 의해 발간되었는데, 그 문집에는 "동백정차판상운(冬柏亭次板上韻)" 등의 시가 실려 있다.
* 한유(韓愈), 유종원(柳宗元): 8세기 중국 당(唐)나라 문장가, 당송(唐宋) 8대가에 속함
* 이백(李伯): 당나라 최대 시인으로 '시선(詩仙)'으로 일컬어짐. 자는 태백(太白)이며

호는 청련거사(靑蓮居士), 두보(杜甫)와 함께 '이두(李杜)'로 일컬어지는 중국 최고의 시인이다.
* 두보(杜甫): 두자미(杜子美)라고도 한다., 이백과 함께 당나라 최고의 시인, 정치가. '시성(詩聖)'이라고 불린다. 자는 자미(子美), 호는 소릉(少陵), 장편 고체시를 확립했으며, 그의 시 대부분이 당시의 사회상을 비판하여 "시로 쓴 역사"라는 의미의 '시사(詩史)'라고도 불린다. 주요 작품으로는 북정(北征), 추흥(秋興), 춘망(春望) 등이 있다.
* 역력(歷歷)하다: 훤히 알 수 있게 분명하고 또렷하다.

158. 봉래(蓬萊)로 가는 길에

봉래(蓬萊)가는 백리길
한 결 같이 가을빛인데,
단풍철 만날 때마다
돌아본 적 몇 번이던가!

하늘 밝게 비추는 단풍나무들,
삼신산(三神山) 시들게 하고,
물 점(點) 찍는 갈대꽃들,
구월(九月)강물에 떠내려가네.

파도에 떠있는
외로운 쪽배 하나,
일찌감치 붙들어 매어두고,
신선(神仙)사는 좋은 땅에
오래 머물고 싶구나.

이번 유람 길 내 어찌
무심하게 보낼 수 있으랴!
숲속에 들어 안개비 그치기를
기다린다네.

158. 蓬萊途中

百里蓬瀛一樣秋, 每逢嘉節幾回頭。
照天楓樹三山老, 點水蘆花九月流。
波上孤舟宜早繫, 壺中吉地欲淹留。
此行豈是無心者, 第待平林烟雨收。

* 봉래(蓬萊): 일반적으로 금강산을 일컫는 말이나, 여기서는 전북 부안에 있는 변산(邊山)을 가리킨다.
* 변산(邊山): 전북 부안군에 있는 산. 바깥쪽이 해안선과 맞닿아 있어 산과 바다가 어우러진 독특한 풍경으로 유명하다. 변산(邊山)을 중심으로 그 일대가 국립공원으로 지정되어 있다.
* 삼산(三山): 중국전설에 나오는 신선(神仙)이 산다는 세 개의 삼신산(三神山), 곧 봉래산(蓬萊山), 방장산(方丈山), 영주산(瀛洲山), 우리나라에서는 중국전설을 본떠 금강산을 봉래산, 지리산을 방장산, 한라산을 영주산이라 부르기도 한다.
* 가절(佳節): 좋은 계절, 여기서는 단풍철
* 연우(煙雨): 안개처럼 뿌옇게 내리는 비
* 호중길지(壺中吉地): 신선(神仙)이 산다는 좋은 땅
* 엄류(淹留): 오래 머물다.

159. 종숙(從叔) 초산(樵山)의 수연축시(壽宴祝詩)

생신날이 때마침 태평시절이라
적(敵)들은 물러가고
군인 아들 돌아왔으니
만사(萬事)가 다 좋구나.

이 땅에 새봄이 돌아와
백화(百花)가 만발하고

정원의 춘란(春蘭)도 피고
봄 술도 익었으니,
서로가 품격(品格)을 갖추었네.

하오나 이 몸은 다만
서해의 무량수(無量水)와
남산불로송(南山不老松)처럼
장수(長壽)를 비는 시(詩)를 지어
멀리서 축하할 따름이로다.

지난해 훤당(萱堂)의
향수연(享壽宴)을 먼저 차렸으니,
장수(長壽)별 수성(壽星)이
효자가문(孝子家門)에 치우쳐
비치고 있구나.

159. 壽樵山從叔

弧辰適値太平時, 賊退兒還萬事宜。
槿域春回花政發, 蘭庭酒爛彩相隨。
只將西海無量水, 遙祝南山不老詩。
去歲萱堂先享壽, 壽星偏向孝門垂。

* 호신(弧辰): 편지에서 '생신'을 이르는 말
* 적치(適値): 때마침~하다.
* 근역(槿域): 무궁화가 많은 땅, 곧 우리나라를 일컫는 말
* 풍격(風格): 풍채와 태도
* 훤당(萱堂): 편지글에서 남의 어머니를 높여 부르는 말, 자당(慈堂)
* 향수연(享壽宴): 오래 사는 복을 누리는 것을 축하하는 잔치
* 무량수(無量水): 무한한 물.
* 수성(壽星): 남극 장수(長壽)별

* 남산불로송(南山不老松): 중국 해남도 장수촌에는 남산사(南山寺)가 있고 5,600년이나 된 〈남산불로송(南山不老松)〉이라는 노송(老松)이 있어, "복(福)은 동해(東海)에 빌고 장수(長壽)는 남산(南山)에 빈다."는 속담이 생겨났음

160. 섬마을 즉흥시(卽興詩)

끝없이 넓은 바다
산봉우리 하나,
외로운 갯마을이
흰 구름에 걸려있네.

순박한 풍습이 남아
옷차림이 예스럽고
생업(生業)이 단조로워
세월이 한가롭구나.

눈 더미 속에서 찾아낸
영초(靈草)들이 푸르고,
봄을 맞는 돌이끼들은
산뜻하게 아롱졌네.
별천지(別天地)풍경이
무릉도원(武陵桃源)과 비슷한데
때때로 만선(滿船)의 고깃배가
피리를 불며 돌아오는구나.

160. 島村卽事

萬里滄波一片山, 孤村懸在白雲間.
淳風不盡衣冠舊, 生業無多歲月閑.

披雪深看靈草綠, 迎春新味石苔斑。
別天相似桃源路, 時有漁船弄笛還。

* 이 시는 전북 부안군의 서해의 상왕등도(上旺登島)에서 지은 시이다.
* 만리창파: 끝없이 넓은 바다
* 영초(靈草): 영험한 효험이 있는 약초
* 무릉도원(武陵桃源): 고사성어(故事成語)로 이상향(理想鄕)을 가리키는 말이다. '무릉도원'에는 다음과 같은 이야기가 전한다. 옛날에 한 선비가 있었는데 집안이 너무나 가난하여 글공부를 하고 싶어도 할 수가 없었다. 북풍이 세차게 부는 어느 날, 선비는 눈덩이를 뭉쳐서 담을 쌓고 그 안에 들어앉아 해바라기를 하다가 그만 깜박 잠이 들고 말았다. 선비는 어느덧 산속 깊은 곳에 들어가게 되었는데, 그 곳은 복숭아꽃이 만발하고 온갖 산새들이 우짖는 무릉(武陵)이란 곳이었다. 선비는 그곳에 있는 초당(草堂)에서 배고픔과 시름을 잊은 채 글공부에 전념할 수 있었다. 그렇게 행복에 젖어 있다가 깨어보니 한바탕 꿈이었다. 이로부터 '무릉도원'이란 사람들이 행복을 누리고 살 수 있는 이상향을 가리키는 말로, 영어의 '유토피아(utopia)'와 같은 뜻이다.

161. 설매(雪梅)에 물어보다

고요한 깊은 산속
눈 더미 뚫고 솟아
매화(梅花) 한 가지
피었네.

저무는 세 밑
호수도 하늘도 차가우니
유람하는 이들도
다시 오지 않는구나.

그윽한 설매향(雪梅香)을
그 누가 감상하랴!

단아(端雅)하게 꾸몄으나
도무지 중매(中媒)를
할 수가 없네.

봄바람이 설매(雪梅)를
무한히 연모(戀慕)한다만
헛되이 늙어만 갈뿐이니
이를 어찌 하려나?

161. 問雪梅

山深萬籟寂, 穿雪一枝開。
歲晏湖天冷, 遊人不復來。
暗香誰可賞, 淡餙未能媒,
春風無限好, 空老亦何哉。

* 설매(雪梅): 눈 속에 피어 있는 매화, 설중매(雪中梅)
* 만뢰(萬籟): 자연 속에서 나는 온갖 소리
* 암향(暗香): 그윽이 풍기는 향기, 흔히 매화의 향기를 뜻함.

162. 설매(雪梅)가 답하다

피는 것도 지는 것도
모두가 자연의 이치인데,
보는 사람 없어도
후회(後悔)하지 않는다오.

내 본래 복사꽃
오얏꽃의 자질이 아니니,

어찌, 화려한 자태를
본받으랴!

흰 눈을 반찬으로
얼음을 저녁밥 삼아,
향기를 머금고
다만 스스로를 사랑할
뿐이라오.

오로지 밝은 달빛만이
내 마음을 알아주니,
맑게 갠 밤, 서로의 모습을
마주한다네.

162. 雪梅答

開落各天時, 無人亦不悔。
本非桃李姿, 肯效繁華態。
饌雪氷爲飧, 含香只自愛。
惟有月明知, 淸宵影相對。

* 천시(天時): 때를 따라 변화하는 자연현상

163. 중용(中庸)을 읽고
— 중용(中庸)을 읽고 우연히 읊은 절구 한 수 —

솔개가 날고
물고기가 뛰노는 것
이 모두 하늘의 이치이고,

잎이 지고 꽃피는 것
또한 자연의 이치로다.

후학(後學)들은 모르리라,
도(道)는 바로
가까이에 있다는 것을!
그럼에도 불구하고
입만 열만 높고 멀어,
행하기 어려운 것들만
거론하며 겉돌고만
있구나.

163. 讀中庸偶吟一絕

鳶飛魚躍皆天理,
葉落花開是自然。
後學不知道在邇,
但言高遠難行邊。

* 《중용(中庸)》: 《유교 경전》. 《대학》, 《논어》, 「맹자」와 더불어 사서(四書)라고 한다. 중국 송나라 때 주희(朱熹)가 「예기(禮記)」 49편 가운데 대학(大學)과 중용(中庸)을 떼어내어, 「논어(論語)」, 「맹자(孟子)」와 함께 사서(四書)라 이름을 붙였다. 이 후 사서(四書)는 유교의 근본경전으로 반드시 읽어야 하였다. 「중용」은 주희(朱熹)가 다시 33장으로 가다듬어 독립된 경전으로 분리시켰다. 「중용」의 저자는 이설(異說)이 있으나, 공자(孔子)의 손자 자사(子思)의 저작으로 전해진다. ≪중용≫을 흔히 유교의 개론서라 일컫는데, 첫머리에 "하늘이 명(命)한 것을 성(性)이라 하고, 성(性)을 따르는 것을 도(道)라 하고, 도(道)를 닦는 것을 교(敎)라 한다"라고 하였는데, 이 대목은 유교의 출발점과 그 지향처(指向處)를 제시하고 있다.

사람이 사람답게 삶을 누리자면 끊임없이 배워야 하고, 그 배움에는 길(道)이 있고, 길은 바로 본성(本性)에 바탕하며, 본성(本性)은 태어나면서 저절로 갖추어진 것이라는 뜻이다. 또한 「중용」은 33장으로 되어 있는데, 그 내용을 전반부와 후반부로 나누어서 설명할 수 있다. 전반부에서는 주로 중용사상을 말하고, 후반부에서는 성(誠)에 대해 설명하고 있다. 중(中)이란 한쪽으로 치우치지 않음을 일컫는 것이고, 용(庸)이란 떳떳함을 뜻하는 것이라고 주희는 설명하였다.
* 천리(天理): 자연법칙

164. 왕도(旺島)에서 섣달그믐날 밤에
― 왕도(旺島)에서 그믐날 밤에 회포를 적은 절구 열 수를,
태강(台江), 청강(淸江) 두 형에게 애오라지 부치다―

거문고와 시서(詩書)로
마흔 해를 보낸 이 몸,
어떻게 헛되이 타향살이
나그네가 되겠는가?
오늘 밤이 바로 올겨울의
마지막 날 밤이니,
멀리서 조모님의 새봄맞이를
축원하는구나.

일엽편주 외로이
바다에 떠 있는데,
구름 낀 막막한 하늘은
어느 때 걷히려나?
사양(師襄)이 가버린 후
묻는 이 하나 없으니,
오로지 파도소리만이
만고(萬古)의 수심(愁心)에
시름겨워 하는구나.

예부터 연(燕)나라 조(趙)나라엔

큰 뜻 품은 선비가 많았다는데,
아득히 멀리 떨어진
한쪽 모퉁이 땅에서
몰아치는 비바람에
슬픈 노래 부르는구나.
이제사 비로소 알게 되었네!
명승지(名勝地)는
밖에서 찾는 것이 아니라,
오직 인간 세상에 덕(德)을 심은
가문(家門)에 있다는 것을!

칼날에 피한방울
묻히지 않고 싸워 이긴
저 36년간의 원수(怨讐)
왜적(倭賊)들!
그만 삼천리강토를 송두리째
집어삼키고 말았으니,
곳곳에서 영웅호걸들이 일어나
저마다 성웅(聖雄)이라 하는데,
천하의 공론(公論)은 요즈음
어떻게 돌아가는 것인가?

문밖은 수만리 망망한 바다,
달팽이집 같은
초라한 오두막에서
살아가는 법을 뱁새와
굴뚝새에게 배우지만,
아이들 손자들이
'하늘 천(天)' '높을 고(高)'를
큰 소리로 읽고 있으니,
머나먼 낙도(落島)에 있어도

쓸쓸하지 않구나.

어부아들 더벅머리 나무꾼들도
하루에 세 시간 글공부 하려
책을 끼고 줄줄이 앞 다투며
사립문을 향해오는데,
요즈음 나에게는 외람되게
호(號)도 많이 생겼으니,
어떤 자는 장자(長者)님 하고
또 어떤 이는 스승님이라 부른다네.

삼동(三冬)을 살아야함에도
생계(生計)조차 멀리하고,
「중용(中庸)」을 겨우 반쯤을 읽었는데,
거울을 보니 백발만 한 올씩 늘어가니,
부끄러운 심사(心事)로 구차한
오막살이 신세를 탄식할 뿐이로구나.

세월은 유수(流水)같이 흐르는데,
한갓 헛된 이름만 훔쳤으니
스스로 부끄럽기 짝이 없네.
다만 옛 친구들 몇 명과
함께 어울렸으니,
봄철에는 산에 오르고
가을에는 바다를 유람하던
지난날의 청유(淸遊)가
생각 날 뿐이로구나.

용지연(龍池淵) 길이 흐르고
관산(鸛山)에는 달 밝은데,
풍류를 즐기던 형과 아우

두 벗들을 회상(回想)하며,
망망한 서해바다 낙도(落島)에서
초라한 오두막에 등잔불 밝히고
새벽 닭 울기를 기다리는구나.

그대들에게 묻노니,
요즘은 무슨 일로 즐기는지?
아마도 죽통(竹筒)에는
시(詩)가락이 가득하고,
술항아리에는 잘 익은 술이
가득 차 있겠지?
밤중에 시(詩)를 지어도 더불어
이야기할 사람 아무도 없어,
날아가는 기러기 손짓으로 불러
태강(台江) 청강(淸江) 두 벗에게
지은 시(詩)를 부치는구나.

164. 旺島除夜寫懷十絕, 聊寄台靑兩兄

四十琴書此一身, 如何謾作他鄕人.
直從今夜窮陰盡, 遙祝重堂春更新.

一葉扁舟海上浮, 雲天漠漠幾時收.
師襄去後無人問, 惟有波聲萬古愁.

燕趙古稱志士多, 天涯風雨動悲歌.
始知勝境非求外, 只在人間種德家.

不刃卅六年讎賊, 完璧三千里山河.
豪雄蜂起俱予聖, 天下公談近若何.

門外滄溟卽萬里, 蝸廬計活學鷦鷯。
兒孫大讀天高字, 絶域江山不寂寥。

漁兒樵堅課三時, 爭向蓬門挾冊隨。
近日普亭多猥號, 或稱長者或稱師。

三冬棲息計全疎, 纔讀中庸半部書。
對鏡只添一莖白, 愧將心事欸窮廬。

歲華荏苒水同流, 徒竊虛名也自羞。
只爲故人猶比數, 春山秋海憶前遊。

龍池淵永鸛山明, 遙想風流二弟兄。
獨在茫茫西海上, 靑燈白屋待雞鳴。
問君所樂近何事, 詩滿傳筒酒滿缸。
題罷中宵無與語, 手招征雁寄雙江。

* 료기(聊寄): 애오라지 부치다. 즉 마음에 들지 않으나 그런대로 부치다.
* 왕도(旺島): 상왕등도(上旺登島)라고도 한다. 전북 부안군 위도면 왕등리에 속한 섬. 면적 0.57㎢, 부안군에서 서쪽으로 약 34km 지점. 동쪽에 모괴도, 열도 등의 무인도가 있다. 섬 전체가 하나의 산을 이루며, 북서쪽 해안은 파도의 영향이 강하여 해식애가 발달해 있다. 주민은 대부분 어업이고 약초(藥草)도 재배하고 흑염소를 방목한다. 연근해 일대는 봄과 여름에 제주난류가 북상하여 난류성 어족(魚族)이 풍부하고, 광어, 농어, 우럭, 돔 등이 잡힌다. 저자(著者)는 20여 가구가 거주하던 상왕등도에서 1년간 완력배들의 위협을 피하여 휴양(休養)차 거주하였다.

* 궁음(窮陰): 겨울의 마지막 즉 음력 12월을 말함
* 중당(重堂): 남의 조부모, 도교(道敎)에서는 자신의 조부모를 뜻함
* 사양(師襄): 고대 중국 노(魯)나라의 악관(樂官)으로 위대한 음악가였으며, 공자(孔子)에게 금(琴, 거문고)을 가르침
* 공담(公談): 사사롭지 않고 공평한 말

* 불인(不刃): 병불혈인(兵不血刃)의 준말, 즉 칼날에 피 한 방울 묻히지 않고 싸워 이김
* 구여성(俱予聖): 구왈여성(俱曰予聖), 즉 저마다 성웅(聖雄)이라고 말함(시경(詩經 참조)
* 성웅(聖雄): 많은 사람들이 드높이 받들어 존경하는 영웅
* 장자(長者): 덕망이 있고 경륜 많으며 나이가 지긋한 자
* 삼동(三冬): 겨울 엄동설한 3달
* 백옥(白玉): 초라한 오두막
* 죽통(竹筒): 굵은 대나무를 잘라 만든 붓을 꽂아두는 필통.
* 제파(題罷): 시(詩)를 지음

165. 상원(上院)에서 봄을 전별하며

향기로운 봄철을
별천지에서 다 보내고,
이제는 흰 구름 가에서
놀자는 오랜 약속 손짓하네.

아쉽구나,
아직도 가지에 그냥 남은
붉은 꽃이!
놀랍구나,
이미 자욱이 안개서린
연록(軟綠)의 잎 새들이!

돌이켜보니 봄바람이
빚을 많이 졌지만,
옷깃 헤쳐 한나절 붙잡고
차마 떠나가지 말라
애원하는구나.

호수와 봉우리에 흩어진

봄바람의 자취를
오로지 그대만은 알지니,
백발늙은이 미친 짓이
정녕 우연(偶然)이 아니라오.

165. 上院餞春

過盡芳辰又別天, 招招宿約白雲邊。
爲惜殘紅猶着樹, 忽驚軟綠已凝烟。
回首東風多負逋, 披衿半日强留連。
湖山散迹惟君識, 白髮眞狂非偶然。

* 상원사(上院寺): 전북 고창군 고창읍 월곡리 방장산에 있는 절. 대한불교조계종 제24교구 본사인 선운사(禪雲寺)의 말사(末寺)이다. 6C 신라 진흥왕으로부터 절을 창건하라는 밀명을 받고 고봉(高峰), 반룡(盤龍) 두 법사가 당시 백제 땅인 이곳에 창건했다고 한다. 조선시대 억불(抑佛)정책으로 인근 말사(末寺)와 암자들이 거의 폐사되었으나 이 절만은 존속했다. 그 후 몇 차례 중수(重修)를 거쳐 서기 1947년 승려 송용헌(宋龍憲)이 다시 중수(重修)하여 오늘에 이르고 있다. 건물로는 대웅전을 비롯하여 칠성각, 종각이 있다.
* 숙약(宿約): 오래 전의 약속
* 잔홍(殘紅): 지고 남은 꽃
* 연록(軟綠): 연한 녹색
* 부포(負逋): 원래의 뜻은 "관청 곡식을 축낸다."는 뜻, 여기서는 빚을 졌다는 뜻,
* 호산(湖山): 호수와 산(山)

166. 독서유감(讀書有感)

한 결 같이
등잔불 함께 하며
만권시서(萬卷詩書)읽어가니,
아무리 생각해도

태산준령(泰山峻嶺)을
오르는 것 같네.
간신이 한 층을 오르면
또 한 층이 나타나니,
정상에 올라야만
이 기분이 맑아지려나?

166. 讀書有感

萬卷詩書共一燈,
看看定似泰山登。
一層纔了一層又,
絶頂登時此氣澄。

* 독서유감: 책을 읽다 느끼는 바가 있음
* 시서만권(詩書萬卷): 매우 많은 책

167. 단오(端午)에 삼호정(三湖亭)에 모여

내 사랑하는
호수와 봉우리들
수려하고도 그윽하여,
끝없는 풍연(風煙)속을
지팡이 짚고 두루두루
밟는구나.

꾀꼬리 소리 숲에서 나고,
어부의 피리소리
아래 위 섬에서 들려오네.

십년이 지나도 이런 경치
잊기 어려운데
오늘 단오 날에 우연히
그대들과 함께 머무는구려.

옛 현자(賢者)들 이미 떠나고
이름난 정자(亭子)만 우뚝한데,
강(江)물이 푸르고
강(江)구름 자욱하니,
봄이 가고 또다시 가을이
오는구나.

167. 端陽會于三湖亭

我愛湖山淸且幽, 風烟不盡一笻頭。
鶯聲在彼中間樹, 漁笛生於上下洲。
十載難忘如此好, 端陽偶得共君留。
昔賢已去名亭屹, 江草江雲春復秋°

* 단오(端午): 음력 5월5일, 수릿날, 천중절, 단양절(端陽節) 등의 다양한 이름이 있다. 예로부터 5월 5일은 가장 양기(陽氣)가 센 날이라고 해서 명절로 쳤다. 옛날에는 이날 약초를 캐고 창포물에 머리를 감기도 하며, 창포주나 약주를 마셔 재액(災厄)을 예방했다. 그네뛰기, 씨름, 탈춤 등 다양한 민속놀이도 있었다. 오늘날도 단오를 쇠는 곳이 더러 있어, 해서(海西)지방에서는 봉산탈춤 등 탈놀이도 하며, 강릉에서는 단오굿판이 전승되고 있다. 1월 1일, 3월 3일, 5월 5일, 7월 7일, 9월 9일 등 홀수의 월(月)과 일(日)이 겹치는 날은 양기(陽氣)가 가득 찬 길일(吉日)로 쳐왔는데, 그 가운데 5월 5일을 가장 양기(陽氣)가 센 날이라고 해서 으뜸 명절로 지내왔다. 숫자에서 짝수를 음수(陰數), 홀수를 양수(陽數)라 한다.
* 삼호정(三湖亭): 전북 고창군 아산면 계산리에 있는 정자. 고창에서 선운사(禪雲寺)로 가는 중간쯤인 아산면 원평(인천장)에서 200m정도 선운사 방면으로 가다보면 큰 대로변에 있어 이곳을 지나는 이는 누구나 다 볼 수 있다. 좌측에는 '인천강'이 흐르고 강 건

너 편에는 두루미 서식지가 보여 운치를 더해주고 있고, 주변의 송림(松林)은 사시사철 휴식처를 제공하고 있다. 서기 1827년에 산자수명한 고창의 인천강, 덕천강, 석천강가에 옥천 조씨(趙氏) 삼형제가 살았다. 조현동(趙顕東) 호는 인호(仁湖), 조후동(趙垕東) 호가 덕호(德湖), 조석동(趙錫東) 호가 석호(石湖), 이들 호(號)의 호(湖)자가 모두 셋이어서 정자이름을 삼호정(三湖亭)이라고 지었다고 한다.

* 풍연(風煙): 멀리 보이는 공중에 서린 흐릿한 기운
* 청유(淸幽): 풍경이 수려하고 그윽함

168. 삼가 삼호정(三湖亭) 원운(原韻)을 따서

세 현자(賢者) 당시에도
맑고 그윽한 경치를 차지하여
산색(山色)도 파도소리도
정자(亭子) 앞에 펼쳐졌으리.

구름들은 예와 다름없고
제향(祭享)을 올리는 곳이라,
경관(景觀)은 크고 작은 섬들이
독차지했구나.

옛 풍습 사라지지 않아
시서(詩書)에 남아 있고,
세 현자(賢者)떠났지만,
초목(草木)에는 지금도
맑은 풍채 남아있네.

나무마다
아름다운 형제우애,
봄기운은 늙지 않고,
뜨락의 그늘은 영원히

바뀌지 않으리라.

168. 謹次三湖亭原韻

三賢當日占淸幽, 岳色波聲一檻頭。
雲物依然俎豆地, 江山獨擅弟兄洲。
遺風未遠詩書在, 精采于今草木留。
樹樹棣華春不老, 庭陰無改萬千秋。

* 원운(原韻): 원래 시(詩)의 운(韻)
* 삼현(三賢): 삼호정을 세운 인호, 덕호, 석호 등 옥천 조(趙)씨 3형제를 가리킴
* 의연(依然)히: 예전과 다름없이, 전과 같이
* 조두지(俎豆地): 제향(祭享)을 지내는 곳,
* 제향(祭享): 나라에서 지내는 제사, 제사(祭祀)의 높임말
* 강산(江山): 강과 산, 여기서는 자연의 경치를 뜻함
* 독천(獨擅): 제 마음대로 행동함
* 유풍(遺風): 예부터 전해오는 풍습
* 미원(未遠): 멀리 가지 않다. 사라지지 않다.
* 정채(精采): 맑은 풍채
* 체화(棣華): 우애가 돈독한 형제, 아름다운 형제우애.
* 춘불로(春不老): 봄이 늙지 않음, 즉 항상 화창한 봄날이라는 뜻

169. 익원공(翼元公) 신도비(神道碑)

― 익원(翼元)선조(先祖)의 신도비(神道碑)가 새로 완성되다 ―

하늘 솟은 송백(松柏)들
오백년 세월인데,
오늘에야 신도비(神道碑)를
새로이 새겼구나.

구름처럼 모인 후손들
가지런히 절하는 날,
복사꽃 만발하고
천지기운 왕성하도다!.

169. 翼元先祖神道碑新成

喬松老栢半千春,
神道于今顯刻新。
萬億雲孫齊拜日,
桃花天氣政氤氳。

* 신도비(神道碑): 임금과 종이품이상(장관급이상) 고관들의 무덤 근처 길가에 세운 비석으로, 죽은 이의 평생의 공적(功績) 등을 기록함
* 익원공 김사형(翼元公 金士衡): 익원공 김사형 (서기 1333~1407)은 문신(文臣)으로 고려 공민왕 때 문과에 급제하여 높은 벼슬을 하고, 이성계를 도운 조선개국공신이다. 조선 태조 5년(서기 1397)에 대마도를 토벌하기도 하였다. 묘소는 경기 양평군 양서면 목왕리 산 49.
* 송백(松柏): 소나무와 잣나무
* 운손(雲孫): 대수(代數)가 아주 먼 후손(後孫)들
* 제배(齊拜): 가지런히 절을 올림
* 인온(氤氳): 천지기운이 합하여 왕성함

170. 옛 친구 찾아 가네
― 효당(曉堂)의 오칠언(五七言) 고시(古詩)에 화답하며 ―

옛 친구 찾아 가네
옛 친구 찾아 가네,
저기 저 바닷가로
옛 친구 찾아 가네,

음산한 가을비 모두 그치고
화창하고 맑은 날씨
상쾌하구나!

강변 단풍 서리 내려
반 너머 졌었지만,
들국화 활짝 피어
향기 듬뿍 머금어,
온갖 경치 보고픈 마음
불쑥 불쑥 솟구쳐,
오랜 숙원(宿願) 풀어보려
유람(遊覽)길에 올랐네.

두 서너 벗들 불러들여
행장(行裝)은 지팡이 하나,
맨 먼저 영산강(榮山江)달려가니,
송자(松字)붙은 벗들이 〈송농(松儂), 송오(松梧) 벗들〉
함께 하러 따라 나섰네.

해질녘 벌교 땅 들어서니
곳곳 풍경 너무도 아름다운데,
문득 포구 위 한 마을
손가락으로 가리키니,
아, 글 읽는 소리 낭랑한
저기 저 벼랑!

글소리 따라 몰래 몰래 갔더니
이곳이 바로 효당(曉堂)이
머무는 곳이라,
숲 아래 서생(書生)에 물었더니

스승님은 광산(光山)으로
갔다는구나.

광산(光山)이 비록
하늘에 있지는 않지만,
길 가까이 물을 곳도 없어,
서로가 망연자실(茫然自失)
한숨만 쉬는구나.

서생(書生)들 예절(禮節)이 반듯해
술상 내고 자반 낀 밥상도 차려와
흔쾌히 먹은 후,
모두가 송촌실(松村室)에 묵으며
효당의 책들을 죄다 훑어보았는데,
이제 겨우 하루를 놀았을 뿐이지만,
주인공이 없으니 부랴부랴
차바퀴를 돌릴 수밖에.
우린들 어찌
다른 벗들이 없으랴만,
그대 효당 같은 참된 벗은
진실로 만나기 어렵다네.

여보게, 친구!
우리가 떠났다 원망 말고,
나의 장한가(長恨歌)소리
한 번 들어보게나.

장한(長恨), 장한(長恨),
또한 장한(長恨)이라!
호사(好事)는 예부터
다마(多魔)라 했는데,

창상일별(滄桑一別)한 후
아득한 포구에서
우리 서로 찾아 헤매었지?
대나무 숲 보이지만
주인공이 간 데 없어,
구름 낀 숲들도 그 모두
시름겨워하는구나!

지음(知音)을 끝내
만나지 못한다면,
이 삼척(三尺)거문고를
누굴 위해 뜯을꼬?
거문고 뜯는 소리 알아 줄 이
오로지 효당(曉堂)뿐이라,
그대와 벗하길 한강수처럼
갈망(渴望)하는 이 심정,
내 어이할꼬?

내 비록 둔하고 어리석지만,
세속(世俗)의 때 묻은 글들은
아예 읽지 않는다네.
오직 그대에게 마는
청아(淸雅)한
문장(文章)들이 있으니,
천상(天上)의 꽃송인 듯
기이한 향기를 내뿜는구려.

몸에서 빛나는 광염(光焰)이
하늘 높이 치솟으니,
온갖 닭 무리 속에서 우뚝,
학(鶴)처럼 섰구려.

천리마에 껴 붙어서
먼 길을 가려는 내 꼴이니, 〈대가(大家)에 붙어서 깊은 도리를 탐구하려 하니〉
제 분수 모른다고 스스로
쓴웃음이 나오는구려.

그 옛날 내가 한강(漢江)의
서호(西湖)에 머물 때
그대는 오류(五柳)선생 댁에 있었고,
오늘날은 내가 고향땅에 머무니
그대 또한 남해(南海)의
궁벽(窮僻)한 곳에 머무는구려.

그대와 이별한 후
세 가지를 헤아려보았다네.
어찌하면 주름살 펼 수 있을까?
그대와 한 시대에 태어나
기쁘지 아니한가?
그대와 이웃에 살고
소원(所願) 또한 같지 않은가?

한 사람은 봉우리 남쪽에
또 한 사람은 시냇물
북쪽에 살고 있어
향긋한 꽃그늘 자리를
반반씩 나누어 가졌으니,
산새들의 기뻐하는 소리에 맞춰
두 골짜기도
화답(和答)을 하는구려.

오로지 그대가
나의 노래 감상하고

그대 시를 내가 읽어내니,
나는 구름이 되고
그대는 용(龍)이 되길
바란다네.

다행히 우리 서로
그런 좋은 때를 만나면,
위에서 아래에서
서로가 서로를 따르며
화기 애애 즐겁게 어울려 보세나.

그대는 보지 못했는가?
동서고금 이별과 상봉이
그 모두 분수(分數)가
있다는 것을!
또한 우리 서로 십년세월이나
만나지 못한다면,
시름에 잠길 수밖에 없다는 것을.

그대는 또 보지 못했는가?
강물은 유유히 흘러가고
세월은 유수(流水)같이 흘러,
벌써 두견이 구슬피 우는
가을이 되었다는 것을!

적은 시(詩)에 해학(諧謔)이
반이나 섞였으니,
눈 내리는 섣달, 우리 서로
방장산(方丈山)에 다시 모여,
동기상구(同氣相求)해가며
멋진 청유(淸遊)즐겨 보세나.

170. 訪故人故人和曉堂五七古詩

訪故人, 訪故人, 于彼海之上。
時秋陰雨盡, 天朗氣淸爽。
江楓半染霜, 野菊全含芳。蔚興四方志, 宿願我欲償。
招招二三子, 行裝手一杖。直向榮江上, 松友與之偕。
暮入筏橋市, 風光隨處佳。指點浦上村, 書聲彼巖崖。
暗從書聲去, 知是曉堂居。林下問書生, 云師光山去。
光雖不在天, 途左問無處。茫然如有失, 相顧但欷噓。
諸生能知禮, 進酒食有魚。信宿松村室, 盡讀曉堂書。
纔作一日遊, 翩然復回車。豈無他友哉, 洵美莫子如。
且休君之怨, 聽我長恨歌。長恨又長恨, 好事古多魔。
一別滄桑後, 相尋極浦外。見竹不見主, 雲林摠愁態。
知音終難遇, 尺琴誰與彈。哿矣惟曉堂。奈此渴交漢。
普亭雖駑駘, 不許世人文。惟君文章在, 天葩吐奇芬。
光焰萬丈高, 如鶴立雞群。附驥欲致遠, 自笑不量分。
昔我西湖日, 君在五柳宅。今我鄕山時, 君又南海僻。
別離動參商, 何由攄積憲。旣喜生幷世, 同鄰又願欲。。
一在山之南, 一在水之北。花陰分半榻, 禽語和兩谷。
我歌君惟賞, 君詩我能讀。且願我爲雲, 曉堂變爲龍。
幸或得其時, 上下相追從。
君不見古今離合亦數有, 十不載見使愁人。
又不見江河之水去悠悠, 雙丸若流鶗鴂秋。
寫詩半雜謔諧語, 方丈雪月更相求。

* 효당(曉堂) 김문옥(金文玉): 김문옥(金文鈺. 서기 1901~1960)은 문숙공 김주정의 후예로 자는 성옥(聖玉)이요 호는 효당(曉堂)이다. 서기 1901년 경남 합천에서 부 김기추와 모 현풍 곽씨의 차남으로 태어나 학문과 교육에 평생을 몸 바쳐 선구적 역할을 하였으며 호남지역의 학풍과 예속(禮俗)을 진작하여 근대 한학계의 대학자가 되었다. 성리학자 노사(蘆沙) 기정진(奇正鎭)의 학통(學統)을 이어받은 정기(鄭 琦)선생의 수제자이다.

13세 때에는 이미 사서삼경을 독파하였다. 서기 1933년 33세 때 부모가 모두 작고한 후 이듬해 가족을 이끌고 전남 화순(和順) 절산리로 이거(移居)하니 사방에서 선비들이 구름같이 찾아와 수학(受學)하였다. 48세 때인 서기 1948(戊子)년 여순 반란 때에는 문하생들을 이끌고 김제 와룡리(金提 臥龍里)로 잠시 거처를 옮겨 강학(講學)하니, 또한 글을 배우러 오는 자들이 항상 문에 가득하였다. 난리 통의 객지에서 온갖 고난을 다 겪으면서도, 보정(普亭) 김정회(金正會) 등 시붕(詩朋)들과 더불어 울적한 회포를 풀다가 다음 해 세모(歲暮)에 다시 화순(和順)으로 돌아왔다.

  효당 김문옥은 34세 때 전남 화순으로 이거한 후에는 학문과 문장에 더욱 정진하여 그 명성이 중국에까지 널리 알려졌으며, 국내의 명사(名士)인 현산 이현규(李玄圭), 위당 정인보(鄭寅普)선생과 함께 3대문장가로 널리 칭송되었다. 일제강점기에는 일본교육을 회피하고 단발령을 거부하는 등 일제만행에 강력히 저항함에 외부 출입이 자유롭지 못하였으며, 서기 1933년에는 만해 한용운(韓龍雲)선생을 비롯한 많은 일제저항운동인사들을 접견하고 불순한 세력과 일제 항거를 도모한다는 이유로 왜경에게 체포되어 임실과 순창 구치소에 6개월 구금되었다. 당시 순창경찰서 경찰관인 홍순태는 공(公)을 다른 방으로 데려가 가위를 들고 공의 두발을 깎으려고 하자, 공은 그 가위를 빼앗으며 "우리나라 오백년의 정신이 이 두발에 있는데 네가 한국 사람으로서 왜경이 되어 우리나라의 정신을 없애려고 하니 내가 두발을 보존하는 혼령이 될지언정 두발 없는 사람이 되지는 않을 것이다." 라고 하자 그는 황급히 밖으로 나갔다.

  효당 김문옥은 여순반란사건과 6.25사변의 격전 속에서도 민족자주정신과 유교사상을 고취하기 위해 호남을 중심으로 교육에 열중하여, 윤정복(尹丁鍑), 라갑주(羅甲柱), 위계도(魏啓道) 등 200여명의 문생(門生)을 양성하였다. 그 후 공은 국내의 유명 인사(人士)인 벽초 홍명희(洪命憙), 위당 정인보(鄭寅普), 세민 안재홍(安在鴻), 산강 변영만(卞榮晚), 해려 임종영(林鐘榮), 회봉 하겸진(河謙鎭), 과제 이교우(李教宇), 창계 김 수(金 銖), 전북 고창의 보정 김정회(金正會), 전남 나주의 송농 이동범(李東範) 등 여러 친우(親友)들과 학문을 교류하고 친교(親交)하다가 60세에 운명하였다. 문집 9책 16권과 시 586수를 남겼으며 호남의 유림들과 문생들이 공의 학덕과 유풍을 기리기 위해 전남 화순군 남면 절산리에 도남서원(道南書院)을 건립하여 매년 음력 3월 26일 향사(享祀)하고 있다.

* 영산강(榮山江): 한강, 낙동강, 금강과 함께 우리나라의 4대강에 속한다. 전라남도 담양군 용면 용연리 용추봉(龍湫峯, 560m)에서 발원하여 광주시, 나주시, 영암군 등을 지나 서해로 흐르는 강이다. 총 길이는 약 150km.

* 벌교(筏橋): 전남 보성군 동부에 있는 읍. 북동부를 제외한 대부분이 500m 내외의 산

지, 백이산, 장군봉, 태봉 등이 솟아 있다. 읍의 동부지역이 남해와 접해 넓은 평야가 발달해 있다. 원예재배가 활발하고 꼬막 채취와 염전이 발달했다. 천연기념물 제90호인 은행나무가 있다. 남해고속도로를 비롯하여 순천, 여수, 목포 등으로 통하는 국도가 있는 교통의 요지로서 농산물 집산지이다.

* 서생(書生): 유학을 공부하는 사람
* 광산군(光山郡): 서기 1935년 10월 1일부터 서기 1987년 12월 31일까지, 전남에 있었던 군(郡)이었으나 현재는 광주광역시에 편입되었다.
* 망연자실(茫然自失): 어찌할 줄을 몰라 정신이 나간 듯이 멍함
* 송촌실(松村室): 거주하는 방(房)의 이름
* 장한가(長恨歌): 9세기 초 중국 당나라 백거이(白居易)가 지은 장편 서사시, 당 현종이 양귀비를 그리워하는 심정을 읊은 노래, 장한(長恨)의 뜻은 '오래도록 사무쳐 잊지 못할 마음'이란 뜻이다.
* 호사다마(好事多魔): 좋은 일에는 방해되는 일이 많다는 뜻
* 창상(滄桑): 상전벽해(桑田碧海), 즉 세상일이 덧없이 변천함이 심함을 비유하는 말
* 보정(普亭): 저자(著者)의 아호(雅號)
* 군계일학(群鷄一鶴): 평범한 사람 중에 뛰어난 사람을 이르는 말
* 치원(致遠): 도리를 깊이 탐구하는 것

* 서호(西湖): 한강 줄기 가운데 서강(西江)에서 마포(麻浦)에 이르는 한강유역, 호수처럼 넓고 잔잔하여 붙여진 이름이다. 많은 물산이 모이던 곳이다.

* 오류(五柳)선생: 〈역자주(譯者註)〉 오류(五柳)선생은 원래 중국 도연명(陶淵明)을 가리키나, 여기서는 전남 곡성군 곡성읍 신기리에 있는 유한모(柳漢模)의 강학 터였던 오류정(五柳亭)의 오류당(五柳堂)유한모 선생을 가리키는 듯하다. 당시 효당 선생은 전남의 수려한 각 지역을 편력했다. 유한모의 자는 자응(子膺)이고 호(號)는 청계(淸溪), 또는 오류당(五柳堂)이다. 타고난 성품이 강직하고도 덕(德)이 많아 사람들이 공경하고 앙모했다고 알려지고 있다. 〈오류(五柳)〉는 도연명(陶淵明)으로 더 잘 알려진 진(晉)나라 도잠(陶潛 서기 365년~427)이 집 앞에 버드나무 다섯 그루를 심어 놓고 자칭 '오류선생'이라 하면서 〈오류선생전(五柳先生傳)〉을 지었다. 술을 좋아했으며, 시문을 잘 지어 숨어 사는 은사(隱士)들에게 우상(偶像)이기도 했다. 그리하여 후세에 〈오류선생(五柳先生)〉은, 지조(志操)가 고상한 숨어 사는 선비를 가리킬 때 쓰는 표현이 되었다.

* 궁벽(窮僻): 매우 구석지고 으슥한 곳

* 동기상구(同氣相求): 기운(氣運)이 비슷한 것들이 서로 도움을 준다는 뜻
* 설월(雪月): 음력 12월의 다른 이름
* 해학(諧謔): 익살스럽고 풍자적인 말이나 유머
* 이합(離合): 모였다가 흩어지는 것, 상봉했다가 이별을 하는 것

* 방장산(方丈山): 전북 정읍시와 고창, 전남 장성의 경계에 솟아 있는 산. 내장산의 서쪽 줄기를 따라 뻗친 능선 중 가장 높이 솟은 봉우리이다. 지리산, 무등산과 함께 호남의 삼신산(三神山)으로 추앙받아왔으며 주위의 이름난 내장산, 선운산, 백암산에 둘러싸여 있으면서도 기세가 당당함을 자랑하고 있다. 해발 734m 이지만 산 아래 고창벌판이 해발 100m밖에 되지 않아 표고차가 많고 경사가 심하다. 또한 방장산(方丈山) 정상을 포함해 다섯 개의 봉우리를 오르락내리락하며 올라야하기 때문에 산행(山行)이 만만치는 않다. 지금은 하산 후 석정온천에서 온천욕을 하여 산행의 피로도 풀 수 있다. 창(倉)을 지켜주는 영산(靈山)으로서 신라 말에는 산림이 울창하고 산이 넓고 높아 부녀자들이 도적떼들에게 산중으로 납치되어 지아비를 애타게 그리워하는 망부가(望夫歌)인 방등산가(方登山歌)가 전해오고 있다. 옛 문헌에 의하면 방등산은 그 이후 반등산으로 변하여 부르게 되었으며, 근래에 와서는 산이 크고 넓어 모든 백성을 포용한다는 의미에서 다시 방장산(方丈山)으로 고쳐서 부른 것으로 전해오고 있다.

한국의 삼신산(三神山)인 봉래산(금강산), 방장산(지리산), 영주산(한라산)의 하나인 방장산(方丈山) 곧 지리산과는 또 다른 고창의 〈방장산(方丈山)〉이다. 방장산에는 천년고찰인 상원사(上院寺)와 방장사가 있으며 근래에 세운 미륵암이 있다. 또한 수심이 깊어 용이 승천하였다는 용추폭포가 흐른다. 정상에 오르면 선경(仙景)에 이르며 고창읍을 비롯하여 광활한 야산과 멀리 서해 바다가 보이며, 동쪽으로는 광주 무등산까지 보인다. 전북과 전남을 양분하는 산으로서 산세가 웅장하고 자연휴양림인 점 등을 고려하여 산림청 100대 명산에 선정되었다

171. 탄운정(灘雲亭) 팔경(八景)

〈제1경, 방장산(方丈山) 새벽달〉
높고 험한 방장산
솟는 달도 더디지만,

밤이 깊어가니
나무그림자 또렷하구나.
시끄러운 속세(俗世)소리
잠시나마 잦아드니,
산의 모습 고요한데
감도는 한줄기 맑은 빛,
나는 스스로 알고 있다네.

〈제2경, **회암산(晦巖山) 맑은 바람**〉
내 사랑하는 회암산(晦巖山)
예전처럼 푸르고,
천년을 내려오는
자양(紫陽)이란 이름,
우연히도 중국의 자양산(紫陽山)과
똑같구나.

아침저녁 우러러 보아도
볼수록 높이 솟아오르고,
오로지 맑게 부는 바람은
속세(俗世)물정이 아니로다.

〈제3경, **서산(西山)에서 고사리를 캐다**〉
저 서산(西山)에 올라
고사리를 캐고 캐니,
흰 구름 흩어져 다 날아가고
이슬방울에 옷이 젖네.
채미가(採薇歌)를 다 불러도
화답(和答)하는 사람 없어,
석양빛 옆에 끼고 훨훨 날아
신선(神仙)처럼 내려오는구나.

〈제4경, 인강(仁江)어부(漁夫) 피리소리〉
인강(仁江)의 강물
유유히 흘러가고,
양쪽 언덕 복사꽃이
십리에 만발했네.

비껴 부는 바람에 보슬비 내려
돌아오는 배 돌리기 늦어지는데,
한 가락 어부의 피리 소리,
강 물결에 가득 실려 흘러가네.

〈제5경, 태봉(台峯)의 낙조(落照)〉
어지러운 숲 그림자
홀연히 당(堂)에 비껴,
고개 돌려 바라보니
산봉우리에 석양빛
아름답게 비치네.

안개구름 뒤덮인 숲밖에는
이슬 맺힌 풀들이 고개를 숙이고,
두서넛 더벅머리 초동(樵童)들은
소몰이에 바쁘구나.

〈제6경, 고산(高山)청람(晴嵐)〉
높은 산 한쪽이
청람(晴嵐)을 가로막고,
눈앞의 망망한 벌판
남(南)으로 활짝 트였네.

울창한 나무들이
짙푸름을 자랑하면서도,

사시장철 널리 화창하고
맑은 기운 듬뿍 머금었구나.

〈제7경, **옛 섬의 백일홍**〉
옛 섬 머리에
백일홍 붉게 피고,
보내고 맞이하는 귀양살이
나그네들,
시름겨워 몸부림 친 적
몇 번이던가?

유유히 흘러간 지난 일들
누구에게 물어보랴.
산은 산대로
제 스스로 푸르고,
강물은 강물대로
제 스스로 흐르는구나.

〈제8경, **문사(文寺)의 저녁 종소리)**〉
바라보는 풍경이
안개노을 속 별천지라,
미투리에 신선인연(神仙因緣)
몇 번이나 찾아들었던가?

장문성 밖 한산사(寒山寺)
저녁예불 범종소리 맴놀이가,
저 멀리 석양(夕陽)가로
하염없이 흘러 떨어지는구나.

171. 灘雲亭八景

(方丈曉月)
方丈嵯峨月上遲, 玲瓏樹影夜分時。
塵喧暫息山容靜, 一片淸光我自知。

(晦巖淸風)
我愛晦山依舊靑, 紫陽千載偶同名,
暮朝瞻仰仰彌屹, 惟有淸風不世情。

(西山採薇)
陟彼西山採採薇, 白雲飛盡露沾衣,
採薇歌歇無人和, 歸路翩僊帶夕暉。

(仁江漁笛)
仁江江水去悠悠, 兩岸桃花十里洲。
細雨斜風歸棹晚, 一聲漁笛滿江流。

(台峯落照)
參差林影忽升堂, 回看峯頭夕照長。
露草氍毹煙樹外, 兩三樵竪叱牛忙。

(高山晴嵐)
高山半面遮晴嵐, 眼界茫茫大野南。
萬翠千蒼都輸態, 一般淑氣四時含。

(古島日紅)
百日花紅古島頭, 送迎謫客幾時愁。
悠悠往事憑誰問, 山自蒼蒼水自流。

(文寺暮鍾)
望裏烟霞別有天,芒鞋幾度覓仙緣。
長文城外寒山寺, 遠落鍾聲夕日邊。

〈역자주(譯者註): 이 시(詩)의 현판(懸板)이 현재 탄운정에 걸려 있다.〉

* 탄운정(灘雲亭): 전북 고창군 고창읍 주곡리 사계마을 입구에 있는 정자(亭子)이다. 유제풍(柳齊豊)이 부친 유춘석(서기 1879~1955)의 만년 휴식을 위해 서기 1953년에 지었고, 보정(普亭) 김정회(金正會)가 팔경(八景)을 나타내는 시(詩)를 지었다. 마을 입구에 자리한 탄운정(灘雲亭)이란 현판 글씨의 묵직한 필체가 눈에 든다.정자주인 탄운(灘雲) 유춘석(石雲 柳春錫)(서기 1879~1955)은 고창군 고수면 봉산리 출신으로 극기(克己)로 분노를 다스리고 엄격하게 자신을 다스렸으며, 독서와 글을 짓는 습성을 생활화하니 향리가 모두 본받았다. 그는 43세 때인 서기 1895년(고종 32) 아버지를 두고 죽는 것은 불효라고 통곡하면서, 전재(全齋) 임헌회(任憲晦)의 제자로 전우(田愚)와 종유했던 43세에 죽은 경당(敬堂) 유상준(柳相浚)과, 서기 1905년 을사늑약으로 조선이 일제에 외교권을 뺏기게 되자 을사오적처단, 을사조약폐기, 의(義)로써 궐기하여 나라를 구할 것 등을 당부하는 유서를 남기고 자결한 연재 송병선(淵齋 宋秉璿) 등과 교유했으며, 간재 전우(艮齋 田愚)의 문하(門下)에도 출입하여 학행(學行)이 뛰어났고 전우(田愚)선생을 사사(師事)했다.

* 방장산(方丈山): 앞의 시(詩) 참조
* 야분시(夜分時): 밤이 깊은 때
* 회암산: 전북 고창군 아산면에 있는 회시봉이 있는 산.

* 자양산(紫陽山): 중국 휘주(徽州)에 있는 산, 일찍이 은군자(隱君子)들이 그곳에서 많이 살았으며, 노자(老子)의 사당이 있었다. 주자(朱子) 아버지가 어려서 무원(婺源)에 살 때 가서 놀던 곳이라, 마음속으로 잊지 못하고 '자양서당(紫陽書堂)'이라는 인장(印章)을 새겨 쓰면서 그곳으로 돌아갈 생각을 하루도 잊지 않았지만 끝내 돌아가지 못하고 죽었다. 이에 주자(朱子)가 그 뜻을 받들어 집 대청에 '자양서당'이라는 이름을 내걸었다고 한다.
* 자양산(紫陽山): 전북 고창군 아산면에 있는 산.
* 고산(高山): 전북 고창군 성송면에 있는 산. 해발 527m.

* 문사(文寺): 문수사(文殊寺), 전북 고창군 고수면 칠성길 135 (고수면)에 있는 절, 문수사는 전북 고창과 전남 장성과의 사이에 놓여 있는 문수산(621m)중턱에 자리 잡고 있다. 계곡 물이 맑고 숲이 좋은데도 인적이 드물어 오염이 전혀 되지 않은 곳이다.

* 채미가(採薇歌): 고사리를 캐는 노래. 곧 절의(節義)를 지키는 지사(志士)의 노래이다. 중국 주(周)나라 무왕(武王)때, 백이(伯夷)와 숙제(叔齊)는 절의(節義)의 상징이다. 그들은 주(周)나라에 살면서, 불의의 황실이 다스리는 주나라 곡식을 먹는 것은 부끄러운 일이라 하고, 수양산(首陽山)에 들어가 고사리를 뜯어 먹으며 연명하다가, 굶어 죽을 무렵 다음과 같은 노래를 지어 불렀다고 한다.

> 저 서산에 올라 고사리를 뜯도다.
> 장부(丈夫)로서 용맹(勇猛)을 버렸으니,
> 그 잘못을 모르는구나!
> 신농(神農), 우(虞), 하(夏)가 홀연히 가버렸으니,
> 나는 어디로 갈꼬?
> 아, 슬프도다! 떠나가련다.
> 이제 목숨이 다하였구나!

* 십리주(十里洲): 십리에 펼쳐져 있다.
* 인강(仁江): 전북 고창군 아산면을 흐르는 강, 인천강(仁川江)이라고도 한다.
* 연수(煙樹): 연기, 안개구름에 쌓여 멀리 뿌옇게 보이는 나무들
* 청람(晴嵐): 화창한 날에 아른거리는 아지랑이, 화창하게 갠 날씨,
* 숙기(淑氣): 봄철의 화창하고 맑은 기운
* 적객(謫客): 귀양살이 하는 사람
* 맥놀이: 절간의 큰 범종소리가 크게 들렸다 작게 들렸다 하는 현상

〈역자주(譯者註)〉
　제3경의 "서산채미(西山採薇)"는 분수를 알고 자신을 낮추는 일이, 결코 부끄러운 일이 아닌, 참 인간적인 삶의 절대적 행위임을 함축하고 있는 것이다.
* 탄운정시: 전라도 대표 유생(儒生)으로 선발되어 서울 명륜학원(현 성균관대학교 전신)에서 학문을 마쳤으며, 원광대학교에서 고문학 한문학 강의를 하였던 담재(澹齋) (김봉문(金鳳文, 서기 1906~1978)이 탄운정(次灘雲亭韻)에서 읊은 시(詩)도 전하고 있다.
　저자(著者)인 보정(普亭) 김정회(金正會)와 송농(松儂) 이동범(李東範) 그리고 담재(澹

齋) 김봉문(金鳳文) 등은 명륜(明倫)전문학원 동창(同窓)으로 본 시집(詩集)에 많이 등장하는 선비들이다.

172. 효당(曉堂)의 방문 시(詩)에 화답(和答)

내 술 한 병을 기우리며
300리 길을 멀다않고 달려온,
그대의 노고(勞苦)를
진정으로 위로한다네.

전란(戰亂)으로
이별한 후 첫 만남인데,
겨울의 찬 달빛이
흉금(胸襟)을 비추는구나.

172. 曉堂見訪和韻

傾我一壺酒, 勞君十舍行.
相逢亂離後, 寒月照襟明.

* 십사(十舍): 300리, 1사(舍)가 30리.
* 전란(戰亂): 서기 1950년 6월 25일에 발발한 '6.25 한국전쟁'
* 한월(寒月): 겨울의 차가운 달
* 흉금(胸襟): 마음속에 품은 생각

173. 월담(月潭)이 보낸 시에 화답(和答)

눈 내린 달밤, 한밤중 꿈속,
아득히 구름 낀 산봉우리들,

이 모두가
천리정경(千里情景)들인데,

달랑 편지 한 통만 날아와
감개(感慨)가 다분하니,
그 누군들 불평하며 투덜대지
않으리오.

173. 和月潭寄詩

雪月中宵夢, 雲山千里情。
書來多感慨, 孰不不平鳴。

* 월담: 월담은 저자(著者)의 바깥사돈이자 친구
* 감개(感慨): 마음속에 깊이 사무치는 느낌
* 정경(情景): 감흥과 경치

174. 봄날 전별(餞別) 시(詩)에 화답(和答)
— 경재(敬齋), 담재(澹齋) 두 형의 봄을 전별하는 시에 화답(和答)하여 —

정작 봄을 보내자니,
청춘(青春)이 좋음을
비로소 깨닫는데,
기로(岐路)에서 방황하는 자
그 얼마나 되는가?

다행히 올해는 또
윤삼월을 만났으나,
느닷없이 사양(斜陽)이 비칠 테니,

또다시 시름이 새로워지네.

아쉽고 섭섭한 꽃 꿈이
깊은 뜰을 온통 붉게 물들이고,
나무들마다 꾀꼬리 지저귀고
연록(軟綠)으로 물들어 가는데.

만약 봄의 신명(神明)이
사람의 말귀를 알아듣는다면,
나의 백년 강녕(康寧)을
간곡하게 당부(當付)해보리라.

174. 和敬澹二兄餞春詩

送春始覺愛靑春, 歧路徊徨政幾人。
　幸逢今歲閏三又, 忽到斜陽愁再新,
　依依花夢紅沈院, 樹樹鶯聲綠化隣。
　若使東君能解語, 叮嚀約我百年身。

* 동군(東君): 봄의 별칭, 봄의 신(神)
* 윤삼월(閏三月): 윤달인 3월을 이르는 말이다. 하루하루가 모두 길일(吉日)인 윤삼월에는, 이장(移葬)도 하고 수의(壽衣)를 만들기도 한다.
* 사양(斜陽): 해질 무렵 비스듬히 비치는 햇빛
* 신명(神明): 하늘과 땅의 신령
* 침원(沈院): 깊은 뜰
* 강녕(康寧): 나이가 지긋한 사람이 몸이 건강하고 마음이 편안한 것

175. 두 형(兄)들 병문안에 감사하며
- 병이 깊어가는 중 경재, 담재 두 형이 병문안을 와,

절구 두 수를 지어 마음속 깊이 감사의 뜻을 표하며 -

오월(五月) 맑은 바람이
오히려 두려우니,
사마상여(司馬相如)신세가
내 삶을 느끼게 하는구나.

지팡이 짚고 찾아온
두 형들이 약보다 나으니,
병상에 눕고 보니 진정으로
옛 친구 우정을 알겠네.

옛 친구 나를 보고
봄 술에 난 병이라며,
소매에서 청동 잔을 꺼내어
약술을 찾는데.

지는 꽃이 아직도 남아있어
원망스러우나,
꽃들이 다지지 않았으니
내 어찌 술을 마다하리오!

175. 病淹中敬澹二兄見訪二絕鳴謝

五月淸風猶可怕, 馬卿身世感吾生。
二笻來訪賢於藥, 病枕眞知故友情。
故人謂我病春酒, 袖出靑銅藥餌求。
我怨殘花今尙在, 花如不盡酒無休。

* 명사(鳴謝) : 마음속 깊이 느껴 감사를 표함

* 마경(馬卿): 자(字)가 장경(長卿)인 한(漢)나라의 문장가 사마상여(司馬相如)를 말함. 사마상여(司馬相如)의 자는 장경(長卿)이므로, 성에서 마(馬)자를 따고 자에서 경(卿)자를 따서 합하여 부른 것이다. 그는 소갈병(消渴病)〈당뇨병〉이 있어 언제나 병을 칭탁하고 한가롭게 살았다.〈漢書 卷五十七 司馬相如傳〉

* 사마상여(司馬相如): (서기전 179~117), 중국 전한시대 유명한 시부(詩賦)작가. 사천성 청도인, 자는 장경(長卿). 문학과 검술을 독학한 후 한(漢)의 경제(景帝)때 무기상시(武騎常侍)에 임명되었으나 병으로 사직했다. 그 후 양(梁)나라 효왕(孝王)에게 가서 유명한 자허부(子虛賦)를 지었다. 29편의 부(賦)와 4편의 산문(散文)이 남아 있다.

* 격양가(擊壤歌): 풍년이 들어 농부가 태평세월을 즐기는 노래
* 춘주(春酒): 청명(淸明)〈양력4월 5~6일경〉이 든 무렵에 담근 술
* 약이(藥餌): 약물과 음식물을 아울러 이르는 말

176. 병중(病中) 시름을 달래는 두 수(首)

서쪽 논밭사정을
아이머슴에 물었더니,
논물이 내(川)와 같아
물 천지라네.

약사발은 보기도 싫은데
집사람은 자꾸만 권하고,
모내기 날을 잡아
촌 노인들에 통지하네.

대밭의 죽순(竹筍)은
응당 허리 넘어 자랐겠고,
처마 밑 제비들은
오랜 병석(病席)의 내 단짝

친구가 되어주네.

술 끊은 지 열흘이 넘으니
사람이 저절로 속물(俗物)이 되어가고,
평소에 참된 공부 모자란 것이
참으로 후회스럽다네.

병으로 신음하며
수십 일을 병상에서 내려가지 못해,
사방에서 떠도는 격양가(擊壤歌)를
누워서 듣는다네.

매실(梅實)이 누렇게 익어
한 통 술이 별미(別味)가 되고,
집집마다 파란 연기
보리 수확 끝났겠네.

몸을 움직일 때마다,
비위를 거스르는 것이 많으나
잊는 것이 상책이라,
많은 일이 세속(世俗)을 따르니
그저 내버려둘 수밖에.
지은 시(詩)의 반(半)이
시골 사는 기록인데,
정원 나무꼭대기에선 또다시
매미들이 울어대고 있구나.

176. 病中排憫二首

西疇消息問家僮, 田水如川上下豐。
厭看藥椀山妻勸, 爲揀秧期野老通。
園筍應過半腰强, 簷鸎偶親久臥中。
廢酒兼旬人自俗, 悔從平昔乏眞工。

吟病數旬不下樓, 臥聽擊壤四隣浮。
一樽別味黃梅熟, 萬屋靑烟大麥收。
動必違心忘爲上, 事多循俗任他流。
詩成半是野居錄, 又有鳴蟬庭樹頭。

* 산처(山妻): 자기 아내 낮춤말
* 가동(家童): 열대여섯 살 아래의 집안의 사내 하인
* 원순(園筍): 죽림(竹林)에 돋은 죽순(竹筍)
* 순속(循俗): 세속(世俗)을 따르다.
* 임타류(任他流): 남에게 맡겨 내버려두다.

177. 죽순(竹筍)을 보니 기뻐 적다
― 대(竹)를 심고 몇 달도 안 되어 죽순을 보니 기뻐 절구 두 수를 짓다 ―

매년 늦은 봄에
대나무를 새로 심지만,
심는 족족 말라 죽어
재미가 없었는데,

올봄에도 또 그러려니
시험 삼아 심어보니,

이제야 비로소
싱 푸른 두 그루에서
죽순(竹筍)이 솟아올랐네.

올해 마침내
대나무를 심어보고서야
그 재배법을 알았으니,
흙 채로 옮겨 심어야
새 뿌리가 잘 자라 죽순이
나온다네.

내 어릴 적 일찍이
탁타전(槖駝傳)을 읽었지만,
입으로 소리 내어 읽는 것이
어찌 실 경험을 따를 수 있겠는가?

177. 種竹未幾月, 見筍, 志喜二絕

每當春暮種新竹, 隨種隨枯興已消。
又向今春仍試種, 靑靑雙本出筍高。

今歲方知栽竹法, 不除舊土護新根。
童時嘗讀槖駝傳, 口誦何如實驗論。

* 청청(靑靑): 푸르고 싱싱함
* 방지(方知): ~해봐야 안다

* 탁타전(槖駝傳):「종수탁타전(種樹槖駝傳)」을 말함, 8세기 중국 당나라 대문호로 당송팔대가(唐宋八大家)의 한 사람인 유종원(柳宗元)의 작품으로, 「고문진보(古丈眞寶)」에 실린 것이다

〈대강 줄거리〉
　곽탁타(郭槖駝)의 본명은 모르고 다만 곱사이기 때문에 그 모습이 낙타와 비슷하다고 하여 〈탁타(槖駝)〉라고 불렀다. 그가 그 별명을 듣고 "그 매우 좋은 이름이고 내게 꼭 맞는 이름이다."하면서 본래 이름을 버리고 '탁타'라 하였다.
　탁타(槖駝)의 직업은 '나무 가꾸는 일'인데 부자들이 정원수를 돌보려고 다투어 그를 불러 들였다. 탁타가 심은 나무는 옮겨 심더라도 죽는 법이 없었고 잘 자라 열매도 많이 열렸다.

　사람들이 그의 나무 심는 법을 보고 그대로 흉내를 내어도 탁타와 같지 않았다.
　사람들이 그 까닭을 묻자, "나는 나무를 오래 살게 하거나 열매가 많이 열게 할 능력은 없다. 다만 나무의 본성(本性)에 따라 그 본성이 잘 발휘되게 할 뿐이다. 나무의 본성(本性)은 그 뿌리는 펴지기를 원하며, 평평하게 흙을 북돋워주기를 원하고, 또 원래의 흙을 원하며, 단단하게 다져주기를 원하는 것이다. 그리고 일단 심고 난 후에는 움직이지도 말고 염려하지도 말 일이다. 다시 돌아보지 않고 내버려두어야 한다.
　심기는 자식처럼 하고 관리는 내버린 듯이 해야 한다. 그래야 나무의 천성(天性)이 온전하고 그 본성(本性)을 잃지 않게 된다. 그러므로 나는 그 성장을 방해하지 않을 뿐이며 감히 잘 자라게 하거나 무성하게 할 수는 없는 것이다. 또 그 결실(結實)을 방해하지 않을 뿐이며, 열매가 일찍 맺고 많이 열리게 할 수는 없는 것이다.
　그러나 다른 사람들은 그렇지가 않다. 뿌리는 급하게 접히게 심고 또 흙은 대부분 거름기가 많은 새 흙으로 바꾼다. 흙 북돋우기도 지나치게 많이 하거나 또는 대충대충 한다. 비록 심기는 잘 심었다 하더라도, 사랑이 지나치고 근심이 너무 심하여, 아침에 와서 보고는 저녁에 와서 또 만져보는가 하면, 갔다가는 다시 돌아와서 살핀다. 심한 사람은 손톱으로 껍질을 찍어보고 살았는지 죽었는지 조사하고 뿌리를 흔들어보고 잘 다져졌는지도 살펴본다. 그렇게 하면 나무는 그만 본성(本性)을 잃게 되는 것이다. 비록 나무를 사랑해서 하는 일이지만, 그것은 오히려 나무를 해치는 일이 되고 마는 것이다.
　나는 다만 그렇게 하지 않을 뿐, 달리 내가 나무에게 무엇을 할 수가 있겠는가?

178. 삼가 유석운(柳石雲) 공(公)의 만가(輓歌)를 짓다

　아, 슬프도다,
　석운(石雲)옹(翁)이여!

우리 고향의 귀감(龜鑑)이었으니,
영민하고 지혜로움은 천부의 자질(資質)이요,
시(詩)와 예(禮)를 가풍(家風)으로 이었고,
일찍부터 고매(高邁)한
스승의 문하(門下)에서 교유(交遊)하며
걸출(傑出)하여 우두머리로 칭송받았고,
누차 스승의 자리에서 몽매함을 깨우치니,
문하생 모두가 추앙(推仰)하였도다.

고금(古今)을 통달하여 박식(博識)하고
둑이 터진 강물처럼 거침이 없어,
담소(談笑)하는 좌중을 압도하였고,
덕행(德行)을 보면 마음의 병(病)에서
소생(蘇生)을 하듯 심취(心醉)하였으며,
일을 처리할 땐 조리(條理)로써 이겨내며
넓은 세상에 유인(游刃)처럼 칼질이 능란하니,
사문(斯文)에 큰일이 있을 때마다 모두가
공(公)의 한 말씀을 준거(準據)로 삼았다네.

옛날 아버님 살아생전(生前) 두 분은
도의(道義)로 맺어져 교유(交遊)하며,
가려운 곳 긁어주고 아픔을 나누면서
서로가 흉허물 없이 친형제처럼
편하게 대하였으니,
선대(先代)의 그런 돈독한 인연이
외람되게 불초한 이 몸에까지 베풀어져,
자식처럼 조카처럼 용기(勇氣)를 주시며
봄날같이 따뜻이 사랑을 베풀었다네.

만년(晩年)에는 탄운정(灘雲亭)을 지어 놓고
소요(逍遙)하며 천명(天命)을 즐기시고,

백발이 성성해도 강령(康寧)하시어
성현(聖賢)의 책 읽기에 게으르지 않았으며,
훌훌히 티끌세상 벗어나
황하(黃河)의 지주(砥柱)처럼 우뚝 솟아,
청풍명월(淸風明月) 가슴에 품어
안개노을 즐기는 성품(性品)이 되셨구나.
속세(俗世)와는 서로가 영 맞지 않아
끝내 임천(林泉)에서 일생을 마치고,
홀로 양춘가(陽春歌)를 불러보았지만
화답(和答)한 자(者) 그 누구였던가?
올 가을 정자(亭子)에서 배알(拜謁)할 때
풍류(風流)는 조금도 쇠(衰)하지 않아,
우렁찬 목소리로 귀래사(歸來辭)를
낭송(朗誦)하였다네.

연로(年老)할수록 덕(德)은 더욱 깊어져
여든이고 아흔이고 장수(長壽)하길 바랐지만,
갑자기 병(病)이 들어 몇 달 만에
부음(訃音)이 세상에 가득하고 말았으니,
우리 붕당(朋黨) 끝내 복(福)이 없어
어디에서 귀감(龜鑑)을 찾을 수 있겠는가!
저번 달 한차례 급히 병문안을 했을 때,
운신(運身)마저 제대로 하지 못하시더니…

나의 숙부(叔父) 떠났다는 소식 듣고
두 손을 꼭 잡고 눈물을 흘렸으니,
흘러 간 지난날을 되새겨 보니
세상만사 참으로 유유(悠悠)하도다.
영령(英靈)이시여!
부디 여한(餘恨)을 남기지 마소서,
네 아들이 한결같은 마음이라

조상(祖上)음덕(蔭德) 이제 막 피어나고,
가문(家門)엔 준재(俊才)들이
즐비하나니!

이 세상 그 누가 천년을 살리오?
가히 백세(百世)의 장수향(長壽香)을
남기시고 영령(英靈)은 떠나시니,
가슴속 품은 억념(憶念)
만시(輓詩)로 지어 올리는데,
서쪽으로 기우는 무심한 달조차
처량(凄凉)하게 저무는구나.

178. 謹輓柳公石雲

嗚呼石雲翁, 矜式鄕邦中。英慧得天質, 詩禮承家風。
早遊淵門下, 傑然稱其雄, 累蒙師席與, 諸子咸推崇。
博洽今與古, 沛若決江河。談笑傾一座, 覿德能蘇痾。
臨事以理勝, 恢恢若遊刃。斯文有大議, 待公一言準。
昔我先君世, 爲結道義交。痛癢無間隔, 相視便同胞。
猥以先好篤, 施及不肖身。提撕若子姪, 荷愛座上春。
晩築灘雲亭, 逍遙樂天命。白首康且寧, 不懈讀賢聖。
灑然脫世塵, 屹若中流石。風月同衿懷, 煙霞成性癖。
世與我相違, 終老林泉下, 獨立歌陽春, 誰有相和者。
今秋拜亭上, 風流少不衰。聲如出金石, 朗誦歸來辭。
晩暮德益邃, 耄耋庶可期, 一疾遽兼朔, 訃音滿江湖。
吾黨終無祿, 典型於何考。前月一遍候, 起臥不自由。
聞予喪叔父, 執手涙如流。撫念疇昔日, 萬事正悠悠。
英靈且莫恨, 四孝洒一心。餘蔭方未艾, 叢叢玉樹林。
人孰千齡壽, 可遺百世芳。誄詩寫胸臆, 落月轉凄凉。

* 만가(輓歌): 죽은 사람을 애도하는 시가(詩歌)
* 긍식(矜式): 모범으로 삼음
* 유춘석(柳春錫): 호는 석운(石雲) 또는 탄운(灘雲)이고 탄운정(灘雲亭)의 주인이다.

　탄운정(灘雲亭)은 전북 고창군 고창읍 주곡리 사계마을 입구에 있다. 유제풍(柳齊豊)이 부친 석운(石雲)유춘석(柳春錫)(서기 1879~1955)의 만년 휴식을 위해 서기 1953년 지었고, 보정(普亭) 김정회(金正會)가 탄운정의 팔경(八景)을 나타내는 시를 지었다. 정자(亭子)주인의 선조(先祖)인 석탄(石灘) 유운(柳澐)은 16세기 말엽 서울에서 태어나 낙향하여 아버지 춘영과 터를 잡아 거주하면서 마을이 이루어져 400여년이 이어지고 있다. 마을 입구에 자리한 탄운정(灘雲亭)이란 현판 글씨의 묵직한 필체가 눈에 든다.

　석운 유춘석(石雲 柳春錫)은 고창군 고수면 봉산리에서 태어나 극기(克己)로 분노를 다스리고 엄격하게 자신을 다스렸으며, 독서와 글을 짓는 습성을 생활화하니 향리가 모두 본받았다. 간재(艮齋) 전우(田愚)의 문하에도 출입하여 학행(學行)이 뛰어났고 전우(田愚)선생을 사사(師事)했다.

* 회회(恢恢): 매우 넓고 광대함
* 사문(斯文): 유교문화(儒敎文化), 유교의 도의(道義), 유학자(儒學者)를 일컫는 말
* 유인(遊刃): 《장자(莊子)》의 양생주편(養生主篇)에서 유래되는 고사성어(故事成語)인 유인 유여(遊刃有餘)이다. 유인유여(遊刃有餘)란 "칼날을 놀리는 데 여유가 있다."라는 뜻으로 일처리가 매우 익숙하고 솜씨가 좋음을 비유하는 말이다.
* 지주(砥柱): 중국 황하(黃河) 중류의 급류(急流)속에 자리 잡은 기둥모양의 커다란 바위. 격류 속에 우뚝 솟아 있으나 꼼짝도 않으므로, 혼탁한 난세(亂世)에 처하여도 의연하게 절개(節槪)를 지키는 선비의 비유로 쓰임
* 성벽(性癖): 오랫동안 몸에 배어 굳어진 버릇
* 임천(林泉): 숲과 샘, 은둔(隱遁)하는 자가 사는 곳

* 양춘가(陽春歌): "따뜻한 봄날의 노래" 중국 당(唐)나라 이백(李白)이 지은 시가(詩歌)
〈참고〉
"陽春歌"(따뜻한 봄날의 노래)

長安白日照春空, (장안백일조춘공) 장안의 밝은 햇살 봄 하늘을 비추고,
綠楊結烟垂嫋風. (녹양결연수뇨풍) 안개 속에 드리운 푸른 버들 바람에 하늘하늘.
披香殿前花始紅, (피향전전화시홍) 피향전(披香殿) 앞뜰 꽃 붉게 필 때면,
流芳發色繡戶中. (유방발색수호중) 향기롭고 찬란한 집안에 있네.

繡戶房中相經過, (수호방중상경과) 찬란한 집안 방에 서로가 들렀다가고,
飛燕皇后輕身舞, (비연황후경신무) 황후 조비연의 날렵한 춤사위에,
紫宮夫人絕世歌. (자궁부인절세가) 자궁부인 절세(絕世)의 노랫소리 흐르니,
聖君三萬六千日, (성군삼만륙천일) 어진 임금 삼만 육천 날 백 년 동안,
歲歲年年奈樂何? (세세년년내락하) 해마다 그 즐거움이 어떠하겠는가?

* 피향전(披香殿): 한(漢)나라 궁전으로 장안 경순궁(慶善宮) 안에 있다.
* 조비연(趙飛燕): 궁녀출신으로 한(漢) 성제의 두 번째 황후.
* 자궁부인(紫宮夫人): 음악가 이정연(李延年)의 누이로 한무제(漢武帝)가 총애함
* 귀래사(歸來辭): 귀거래사(歸去來辭), 중국의 진(晉)나라시인 도연명(陶淵明)의 대표작 가운데 하나. 관직을 버리고 떠나면서 읊은 시로, 노장(老莊)사상의 영향을 받아 전원에서 자연과 함께 지내는 삶의 아름다움을 노래했다. 도연명은 중국 강주 출생으로, 뒤늦게 관리가 되어 십여 년을 봉직했으나 끝내 관직을 그만두었다. 이후 남촌에 은둔하면서 문단과 교류했다.
* 부음(訃音): 사망을 알리는 것
* 붕당(朋黨): 비슷한 학문을 하는 사람들끼리 이룬 집단
* 여음(餘蔭): 조상이 쌓은 공덕으로 그 자손이 받는 복(福), 조상음덕
* 옥수(玉樹): 아름다운 나무라는 뜻으로, 재주가 뛰어난 사람을 비유함, 준재(俊才)
* 뇌시(誄詩): 망자(亡者)의 생전공덕을 칭송하며 애도(哀悼)하는 시(詩), 만시(輓詩)
* 억념(憶念): 단단히 기억해서 잊지 않음
* 낙월(落月): 서쪽으로 지는 달

179. 친구 나덕촌(羅德村)을 곡(哭)함

지난 날 병문안 때도 의심스럽더니,
아, 신통하다는 그 처방도 기어코
제때에 효험이 없었구나!
다만 어질면 반드시 장수(長壽)한다는
저 푸른 하늘만 믿었는데,
전주(全州)에 온지 십일 만에

부음(訃音)이 뒤따르는구나.

부모님 걱정하지 않도록
언제나 효성(孝誠)으로 섬기고,
병중(病中)에도 오히려 스스로
기뻐하는 기색(氣色)이었는데,
그대 같은 효자(孝子)가 끝내
환난(患難)을 면하지 못하다니,
이런 일, 참으로 천추(千秋)에
알 수 없는 일이로구나.

백발(白髮)에도 상종(相從)하며
갈수록 더더욱 자주 만나
시예(詩禮)를 담론하던 우리의 학문은,
오로지 새롭기만 했고.
운치 있는 물과 명산(名山)을
몇 번이나 찾아들어 청유(淸遊)를 즐겼으니,
한 단계 정련(精鍊)된 순금이요
아름다운 옥(玉)같은 사람이었네.

우리들 사문(斯文)에서
뜻밖의 불행이 올해에도 찾아와
붕당(朋黨)의 명사(名士)들이
하나 둘 차례로 떠나가니,
청산의 잔설(殘雪)을 밟고
관습(慣習)따라 보내고 나니,
흐르는 눈물이 마를 날 없어
저마다 하염없이 애틋한
정한(情恨)을 쏟는구나.

세상만사 유유히

구름같이 날아가 버렸으니,
풍류문아(風流文雅)가
온전한 계책이 아니로구나.
태강(台江)은 일손을 놓아버렸고
덕촌(德村)은 먼 길을 떠나갔으니,
이제 적막한 강촌(江村)으로
누구와 더불어 돌아갈꼬!

179. 哭羅友德村五絶

寢門一訪我曾疑, 嗟已神方未及時。
只信彼蒼仁必壽, 完山十日訃車隨。

萱草高堂常愛日, 病中猶自色怡怡。
如君孝子終難免, 此事千秋不可知。

白首相從較益頻, 論詩論禮業惟新。
幾回韻水名山裏, 一段精金美玉人。

斯文陽九在今歲, 吾黨名流次第零。
慣送青山殘雪路, 淚無乾日各關情。

萬事悠悠雲共飛, 風流文雅計全非。
台江不作德村逝, 寂寞江村誰與歸。

* 완산(完山): 전주(全州)의 옛 지명
* 훤초(萱草): 원추리, 망우초(忘憂草) 즉 근심을 잊게 한다는 풀
* 고당(高堂): 남의 부모 높임말
* 애일(愛日): 부모를 효(孝)로써 섬김을 이르는 말
* 잔설(殘雪): 녹지 않고 남아 있는 눈

* 풍류문아(風流文雅): 풍류와 시를 짓고 읊는 고상하고 훌륭한 운치
* 태강(台江), 덕촌(德村): 저자(著者)의 친구
* 정련(精鍊): 광석에서 금속만을 뽑아냄
* 강촌(江村): 강가의 마을

180. 이송오(李松吾)를 방문하다

온 나라 안에서 오로지
그대만을 찾아 헤맸는데,
수많은 대나무들 푸르게 우거져
그윽한 경지를 이루었네.

해마다
세세히 보살피고 가꾸어
승사(勝事)가 많으니,
어느 강산(江山)인들 청유(淸遊)를
못할 곳이 없게 되었구나.

180. 訪李松吾

我於海內惟君求, 萬竹靑靑一境幽。
點檢年年多勝事, 江山無處不淸遊。

* 점검(點檢): 낱낱이 검사함
* 승사(勝事): 뛰어난 사적(事蹟) 또는 훌륭한 일
* 청유(淸遊): 속되지 않고 시를 지으며 고상하게 노는 것

181. 화엄사(華嚴寺) 찾는 길에
― 김효당과 여러 벗들의 숙약(宿約)을 지키며 ―

300리 길 남쪽으로
별천지(別天地) 찾아와,
신선마을 고르던 중
비로소 한 곳을 찾아내었네.

높은 산사(山寺) 범종소리
백운(白雲)가로 퍼지고,
빼어난 지세(地勢) 흐르는 물가엔
꽃들이 만발했네.

뜬 구름 같은 세상살이
한나절의 겨를마저 낼 수 없어,
명산(名山)을 찾자는 그 약속
어언간 삼년이 되었구나.
고서(古書)에 따르면
봉성(鳳城)〈구례(求禮)〉에는
기걸(奇傑)들이 많다는데,
천년 비전(祕傳)이 결코
우연(偶然)이 아니로구나.

181. 華嚴寺途中　與金曉堂諸友宿約

十舍南來別有天, 仙鄕物色始牽連。
寺高鍾出白雲上, 地勝花明流水邊。
浮世偸閒無半日, 名山留約已三年。
鳳城從古多奇傑, 千世祕傳不偶然。

* 숙약(宿約): 오래 전에 한 약속
* 화엄사(華嚴寺): 전남 구례군 마산면에 있는 고찰. 구례읍에서 동쪽 5.4km 떨어진 곳, 지리산 자락에 있다. 천년고찰로 6C 백제 성왕 때에 연기조사가 창건. 화엄경(華嚴經)의 화엄 두 글자를 따서 붙였다고 한다. 그 후 도선국사(道詵國師)가 다시 증축(增築)하였으나 임진왜란 때 소실(燒失), 17C 조선 인조 때에 벽암선사(碧巖禪師)가 7년 만에 다시 세웠다.

  각황전을 비롯하여 국보 4점, 보물 5점, 천연기념물 1점, 지방문화재 2점등 많은 문화재와 20여동의 부속 건물이 배치되어 있다.

* 봉성(鳳城): 구례군의 옛 지명
* 십사(十舍): 300리 길, 1사(舍)가 30리
* 유약(留約): 뒷일을 미리 약속하여 둠
* 기걸(奇傑): 기상이나 풍채가 남다른 호걸
* 비전(祕傳): 비밀리에 전해오는 책

182. 본 고을 사또 관사(官舍)에서 봄을 전별하며

– 정유년(서기 1957년) 본 고을 사또의 운석관사(雲石官舍)에서 봄을 전별하며 –

세상사 급변하여 몇 번이나
큰 재난을 겪었는데,
세상 풍광(風光)보내고 나니
또다시 봄이 시작되는구나.

농촌에 살다보니 시선(詩仙)모임
빠진 적이 여러 번 쌓였는데,
뜻밖에도 관청에서 우리들을 오라고
초대(招待)를 하네.

가히 춘삼월 경관(景觀)을
오랫동안 잡아 둘 수만 있다면,

반드시 만 잔의 술잔을
아끼지 않으리라.

올해는 다행히
무서리가 늦게 내려,
다 피지 못한 바위틈의 꽃들,
아직도 피어날 여지가 있겠구나.

182. 丁酉餞春于本倅雲石官舍

世事蒼黃幾劫灰, 風光又是送春始。
野居累失詩仙會, 官閣能招我輩來。
可使長留三月景, 也應不惜萬鍾盃。
今年幸賴繁霜晚, 猶有巖花未盡開。

* 본쉬(本倅): 자기 고을의 원님을 이르는 말
* 창황(蒼黃): 어찌 할 사이도 없이 매우 급작스러운 것
* 겁회(劫灰): 대 재난을 겪은 흔적
* 관사(官舍): 관리가 살도록 관청에서 지은 집
* 시선(詩仙): 시 짓는 일에 몰두하여 세상사를 잊은 사람
* 암화(巖花); 바위틈의 꽃
* 만종배(萬鍾盃): 매우 많은 술잔
* 유유(猶有): 아직 ~할 여지가 있다.

183. 여름 맞이 시회(詩會)에서

불콰하게 취한 백발노인
청춘을 배웠는가?
대대로 풍류를 즐기니

좋은 주인이로세.

일 년 간 꽃피는 사정을 보니
붉은 색이 점점 바래지는데,
사월(四月) 꾀꼬리 노래에
신록(新綠)이 새롭구나.

장유(壯遊)가 하필이면
중국의 양강(揚江) 회수(淮水)를
찾자는 것인가?
속세(俗世)를 떠나버리니,
도시의 티끌조차 방해받지 않는다네.

그 옛날 중국 당(唐)나라
백거이(白居易)의 시사(詩社)를
오늘에 다시 보며,
향긋한 풀냄새를 따라 밟으니,
어느 듯 수동(水東)에 이르렀구나.

183. 次詩會迎夏韻

白頭強醉學靑春, 次第風流好主人。
花事一年紅漸褪, 鶯歌四月綠初新。
壯遊何必江淮跡, 高隱不妨城市塵。
洛社香山今復見, 踏來芳草水東隣。

* 시회(詩會): 시인 또는 시의 애호가들의 모임
* 시사(詩社): 시인들이 조직한 문화단체
* 화사(花事): 꽃이 피는 상황
* 강회(江淮): 중국 양자강(揚子江, 揚江)과 회수(淮水)

* 장유(壯遊): 큰 뜻을 품고 먼 길을 가는 것
* 고은(高隱): 속세를 버리는 것.
* 향산낙사(香山洛社): 중국 당나라 시인 향산 백거이(香山 白居易)가 만든 낙사(洛社)로 일종의 시사(詩社)이다. 우리나라 노인의 모임은 고려의 최당(崔讜)에서 비롯되었다. 고려 중엽 최당은 향산(香山) 백거이(白居易)가 만든 낙사(洛社)의 유풍(遺風)을 본받아 시사(詩社)를 만들었다. 향산낙사에서는 그저 나이만 중시하였을 뿐, 관직의 등급은 따지지 않았다. 우리나라의 경우는 반드시 나이가 차고 관직이 2품에 올라야 참여할 수 있었다.
* 수동(水東): 고창군 부안면 수동리, 큰 수동저수지가 있다.

184. 이오재(李寤齋) 수연(壽宴)에

회갑(回甲)이 때마침
음력 시월 아침이라,
봉래(蓬萊)바다 백발신선과
날마다 친해지네.

남극장수별과 금성(金星)이
한밤중에 찾아오고,
서산(西山)의 상쾌한 기운,
맑은 새벽 마주 하네.

수많은 풍상(風霜)에도
의관(衣冠)은 여전하고,
자나 깨나 한 결 같은 학문탐구,
새롭기만 한데,

수많은 저서(著書) 또한
백세(百世)에 전(傳)해지려니,
세상에서 이런 청렴(淸廉)한 복(福)을,
누가 일러 가난하다 하겠는가!

184. 次李寤齋壽韻

弧辰適値小春辰, 蓬海仙翁日與親。
南極明星來半夜, 西山爽氣對晴晨。
風霜屢劫衣冠舊, 寤寐常存志業新。
且富著書能百世, 世間淸福孰云貧。

* 선옹(仙翁): 백발 신선(神仙)
* 지업(志業): 학업(學業)에 뜻을 둠
* 오매불망(寤寐不忘): 자나 깨나 잊지 않음
* 소춘(小春): 음력 10월의 다른 이름
* 봉해(蓬海): 봉래도(蓬萊島)가 있다는 바다.
* 봉래도: 신선(神仙)이 산다는 전설의 섬, 삼선도의 하나, 삼선도는 봉래도, 방장도, 영주도.
* 호신(弧辰): 편지글에서 생신(生辰)을 뜻함
* 청렴(淸廉): 성품과 행실이 고결하고 탐욕이 없음.

185. 종숙(從叔)과 격포(格浦)에서 숙박하다
- 도강(道岡) 종숙(從叔)과 더불어 성묘(省墓)하고,
변산(邊山)을 가려고 격포(格浦)에서 숙박하다 -

봉래산(蓬萊山)밑에 잠시 머물며
전란 후 처음으로 서해풍광 구경하는데,
백년을 내려오는 선영(仙塋)들이
그만 참화(慘禍)를 겪은 곳이
눈에 들어오니,
도대체 일생 동안 송독(誦讀)한 책이
그 무슨 책들인지 묻고 싶구나.

들쭉날쭉한 석문(石門) 앞은
파도소리 우렁차고,
망망대해(茫茫大海)푸른 바다
달그림자 허허롭네.

유유히 흘러간 지난 일들
감개(感慨)가 무량(無量)한데,
천애(天涯)의 외로운 섬들,
고향(故鄕)처럼 사는구나.

185. 與道岡從叔省楸邊山因宿格浦

蓬萊山下暫停車, 西海風光亂後初.
百歲楸松經劫火, 一生誦讀問何書.
石門錯落波聲壯, 水國蒼茫月影虛.
往事悠悠多感慨, 天涯孤島幷州居.

* 종숙(從叔): 아버지의 사촌형제, 당숙(堂叔)이라고도 한다.
* 성추(省楸): 조상 산소를 찾아 돌보는 것, 성묘(省墓)
* 변산(邊山): 전북 부안군에 있는 산. 바깥쪽이 해안선과 맞닿아 있어 산과 바다가 절경, 변산을 중심으로 그 일대가 국립공원으로 지정되어 있다. 높이 508m, 최고봉은 의상봉이며 신선봉, 쌍선봉 등 여러 개의 기암 봉우리가 있다.

* 격포(格浦): 전북 부안군 변산면 격포리, 변산반도 맨 서쪽에 있다. 우리나라 '아름다운 어촌 100개소' 중 한 곳으로, 서기 1986년 1종항으로 승격. 위도, 고군산군도, 홍도와 연계된 해상교통의 중심지다. 서해 청정해역의 수산물이 많아, 봄 주꾸미 산란철과 가을 전어 철 에는 수많은 관광객들로 붐빈다. 노을풍경이 아름답기로 유명함.

* 추송(楸松): 가래나무와 소나무를 말하는데, 이 나무들은 산소주위에 도래솔로 심어 선영(仙塋) 즉 산소(山所)를 뜻하기도 한다.
* 겁화(劫火): 불교용어, 온 세계가 파멸할 때에 일어난다는 큰 불, 여기서는 6.25 전란

의 참화(慘禍)를 뜻함
* 송독(誦讀): 글을 소리 내어 읽거나 외우는 것
* 병주(幷州): 제2의 고향을 말한다. 병주(幷州)는 중국 산서성의 주(州)이름인데, 당(唐)의 시인 가도(賈島)가 병주(幷州)에 오래 살다 떠난 후 시를 지어 그곳을 고향처럼 그리워했다는 고사(故事)에서 유래, 제2의 고향을 병주고향이라 하고, 그러한 정황을 병주지정(幷州之情)이라 한다.
* 석문(石門): 자연적으로 문처럼 생긴 바위
* 천애고도(天涯孤島): 아득히 멀리 떨어진 외로운 섬
* 감개무량(感慨無量): 마음 속 감동이나 느낌이 끝이 없음
* 망망대해(茫茫大海): 한없이 크고 넓은 바다

186. 경암(敬庵) 시회(詩會) 운(韻)에 화답(和答)

밑에는 청계수(淸溪水)
위에는 산봉우리,
내 벗은 그 중간에
둥지를 틀었구나.
오천 여권 장서(藏書)를 둔
책 부잣집인데,
반백년을 내려오는 이 자리가
참으로 느긋하네.

취중에도 기개(氣槪)만은
변방태수 군대처럼 꿋꿋하고,
시(詩)를 읊는 자리에선 ,
지팡이 짚고 티끌세상 돌아옴을
허락하지 않는다네.

늘그막에 만나 서로 오가며
허튼 날이 없으니,

나무마다 지저귀는 새들마저
용케도 얼굴을 알아보는구나.

186. 和敬庵詩會韻

下有淸溪上有山, 故人棲息在中間。
五千卷蓄其家富, 半百年來此席閑。
醉裏猶存太守戎, 吟邊不許塵筇還。
相過晩節無虛日, 樹樹嚶禽亦識顔。

* 석한(席閑): 자리에 익숙해지다, 자리에 느긋하다.
* 유존(猶存): 아직도 꿋꿋하다.
* 환속(還俗): 속세(티끌세상)로 돌아 옴
* 만절(晩節): 늘그막 시절, 황혼시절

187. 청녕당(淸寧堂)의 운(韻)을 따서

세상 모두 혼탁해도
한 곳만은 맑으니,
사방 경치가 옛 순천(順天)
그대로구나.

해마다 향기로운 풀들은
누굴 위해 푸르고,
청산(靑山)의 모습들은
누굴 위해 밝게 비치는가?

산수의 경치가 오늘날에
확연히 바뀌었으니,

구름 걸린 숲들의 명성도
응당 두 배로 늘었으리.

등산임수(登山臨水)가
모두 그대들의 힘이라
깊이 감사를 드리고,
나팔소리 퍼져갈 때
석양(夕陽)이 비끼는구나.

187. 次淸寧堂韻

四海烟塵一境淸, 風光猶帶舊昇平。
年年芳草爲誰綠, 面面靑山照眼明。
泉石居然今改觀, 雲林自是倍增名。
登臨多謝諸公力, 盡角聲中夕日橫。

* 연진(煙塵): 연기와 먼지, 속세의 혼탁함을 비유.
* 승평(昇平): 전남 순천(順天)의 옛 지명
* 운림(雲林): 구름이 걸쳐 있는 숲
* 등림(登臨): 등산임수(登山臨水)의 준말, 곧 명산에 오르고 물가에 가서 경치를 즐김
* 천석(泉石): 산수(山水)의 경치
* 거연(居然): 남모르게 슬며시 확연히, 뜻밖에
* 유대(猶帶): 그냥 그대로
* 자시(自是): 당연히, 이로부터,
* 진각(盡角): 나팔소리, 풍각(風角)〈음악을 속되게 이르는 말〉

188. 수정(水亭)에서 연꽃 감상

연꽃과 연잎을 보니
가을이 다가왔고,

대숲 가엔 조금은
서늘한 기운이 이네.

물에 비친 붉은 꽃잎
옥로(玉露)맺혀 단장하고,
바람 맞은 푸르고 넓은 연잎
향연(香煙)을 풍기네.

해마다 작은 못가에서
홀로 연꽃을 감상하니,
한 고을의 많은 선비들
줄을 이어 수정(水亭)을
찾아오네.

천고(千古)의 세월 동안 어느 누가
주돈이(周敦頤)만 했던가?
이제 와서 내 감히 장담하노라,
내가 능히 그렇게 할 수 있다고!

188. 水亭賞蓮

荷花荷葉近秋天, 且有微涼竹樹邊。
倒水紅粧凝玉露, 迎風翠盖散香烟。
年年獨賞小池畔, 濟濟相尋一郡蓮。
千古何人同茂叔, 而今自許我能然。

* 수정(水亭): 저자(著者) 집안에 있는 연못가의 정자(亭子)
* 홍장(紅粧): 연지 등으로 붉게 하는 화장(化粧)
* 옥로(玉露): 맑고 깨끗한 이슬
* 향연(香煙): 향(香)이 타서 나는 향기로운 연기

* 취개(翠盖): 푸른 잎
* 무숙(茂叔): 주돈이(周敦頤)의 자(字)이다. 주돈이는 11C 중국 송대(宋代)의 철학자, 자(字)는 무숙(茂叔), 주염계(周濂溪)라고도 한다. 중국사상 가운데 거의 천년 동안 국가 이념인 이학(理學)(성리학)의 토대를 마련했으며 또한 유교를 다시 체계화했다. 거의 평생을 고위관직에 있으면서도 철학연구에 몰두했다. 유교사상을 재구성하면서 도가(道家)와 《주역(周易)》에 바탕을 두었다. 2권의 주요저서 중 태극도설(太極圖說)은 250여 자로 된 짧은 책인데, 여기에서 "만물의 근원은 태극(太極)이며, 태극(太極)이 실제로 만물을 형성한다."는 사상에 근거한 형이상학을 제시했다. 우주에 대한 창조물의 진화적 과정을 설명한 주역(周易)의 개념과도 결합시켰다. 즉 태극(太極)에서 음(陰), 양(陽)이 생겨나고, 음양(陰陽) 상호작용으로 5행(五行)(木火土金水)이 생겨나고, 음양 5행이 합하여 하나가 됨으로써, 건(乾)과 곤(坤), 즉 남성적인 것과 여성적인 것이 생겨나고, 바로 여기에서 차례로 만물이 발생하여 진화(進化)를 하는 것이다. 그런데 이와 같은 음양5행의 과정에서 사람만이 '가장 빼어남'을 얻는다. 그리고 사람이 외부의 대상에 반응할 때 사람의 생각과 행위에서 선악(善惡)의 구분이 생겨난다는 것이다.

　총 40장으로 이루어진 《통서通書》는 유교교리를 재해석해 성리학 핵심사상을 마련했다. 즉 성인(聖人)은 외부의 대상에 반응할 때, 5상(五常, 仁·義·禮·智·信)과 주정(主靜)에 따라서 행한다. 사람의 도덕성의 기초는 신중함(愼)에 있고, 신중함을 통해 사람은 선악을 구분하며 자신을 완전하게 하는 힘을 얻을 수 있다. 이처럼 간단명료하고 체계적인 형이상학을 통해 유교의 기초를 세웠는데, 이는 이후 성리학을 체계화하는 데 큰 영향을 끼쳤다. 그의 사상은 이후 주희(朱熹:주자)가 보다 체계적으로 성리학(性理學)을 전개하는 데 바탕이 되었다. 그의 영향으로 《주역(周易)》은 이후 주자(朱子)와 그 밖의 남송(南宋)의 성리학자들에 의해 위대한 유교 경전(經傳)으로 존중받게 되었다.

* 제제(濟濟): 많은 사람
* 이금(而今): 이제 와서, 오늘에 와서
* 자허(自許): 내 장담하건데,

189. 향산(香山) 이동환(李東煥)과 이별하며

그대를 맞이하고 보내는 누각에서,
그대와 이별하는 오늘 아침

지난 청유(淸遊)가 기억나네.

구름 걸린 멧부리,
절승지(絕勝地)찾는 숱한 모임,
그 몇 번이던가?
백년인생이 이렇게
평수상봉(萍水相逢)에
흘러가는구나.

백발 늘그막에
친구가 되는 것도 좋으니,
황국단풍(黃菊丹楓)가을철에
다시 만나기를 기약하세.

짐이라곤 오로지
수많은 사서(史書)들뿐,
쪽배하나 가득 싣고
무지개 달빛 출렁이는
강주(江洲)를 떠나는구나.

189. 別李香山東煥

迎君樓復送君樓, 折柳今朝憶舊遊。
幾度雲山多勝會, 百年萍水此中流。
好將白首交於晚, 更待黃花約以秋。
行李惟藏千卷史, 扁舟虹月滿江洲。

* 운산(雲山): 구름이 걸친 경치 좋은 산
* 청유(淸遊): 속되지 않고 시를 짓고 고상하게 노는 것
* 행이(行李): 짐, 수화물

* 절류(折柳): 배웅, 중국 한나라 때 떠나는 이에게 버들가지를 꺾어주며 재회를 기약했다는 고사(故事)에서 비롯됨, 절지(折枝)라고도 함
* 평수(萍水): 이리저리 떠돌아다님
* 평수상봉(萍水相逢): 서로 잘 알지 못하던 사람들끼리 물에 떠다니는 부평초(萍)같이 우연(偶然)히 만남을 비유해 이르는 말이다.
* 호장(好將): ~하는 게 좋으리. ~하는 게 좋으니
* 강주(江洲): 강(江)가운데 있는 모래섬, 강의 모래톱

190. 남산사(南山祠) 유허지(遺墟址)를 지나며

옥천(玉川)동쪽 남원(南原)에서
속세(俗世)떠나 숨어 산 선생(先生)들,
천추에 밝게 드러난 충효의 그 명성(名聲)
일월(日月)과 같구나.

백이숙제(伯夷叔齊)서산(西山)에서
건상유족(褰裳濡足)할 때,
햇고사리 돋아나 연명하며
절의(節義)를 지켰고,
엄광(嚴光)이 황제의 간청(懇請)마저
뿌리치고 동강(桐江)에서 유유히 낚시질로
지조(志操)를 지켰듯이,
선생들의 충절(忠節)이 빛나는구나.

시들어 바람에 흩날리며
내려오는 옛 역사를
가물거리는 등잔 밑에서 읽으니,
폐허가 된 옛터의 거친 풀밭을
준마(駿馬)들이 줄달음을
치는 것 같네

저 푸른 산(山)을 쳐다보니
그 푸른 기상은 늙지를 않는데,
오늘날 '행로난(行路難)'에 얽힌
한(恨)맺힌 소리는 끝이 없구나.

190. 過南山祠遺墟

先生高蹈玉川東, 昭揭千秋日月同。
西峀蹇裳新蕨露, 桐江拂袖一絲風。
飄零遺史殘燈下, 駿奔舊墟荒草中。
瞻彼藍山青不老, 至今行路恨無窮。

* 이 시에서의 〈선생(先生)〉들은, 옥천(玉川)동쪽 남원(南原)에서 속세에 초연하며, 왜란(倭亂)이 일어나자 의병(義兵)으로 장렬히 순절(殉節)하여 충효(忠孝)의 표상으로 길이 남아, 남산사(南山祠)에 배향된 김축, 김두남, 김지남 선생들을 일컬음
* 유허지(遺墟址): 오랜 세월에 쓸쓸히 남아 있는 옛터
* 고도(高蹈): 숨어 삼, 은거(隱居)
* 옥천(玉川): 전남 순창군의 옛 지명

* 남산사(南山祠): 전북 고창군 해리면 송산리에 있는 김유신, 김축, 김두남, 김지남을 제사 지내던 조선 후기의 사당. 서기 1830년(순조 30)에 창건했다.

* 건상(蹇裳): 건상유족(蹇裳濡足)의 준말, 치마를 걷어 올리고 신발을 벗고 물에 들어가 발을 적신다는 뜻이 '건상유족'이다. 즉 무엇을 얻기 위해서는 최소한의 대가(代價)를 치러야 한다는 것으로, 아무런 대가(代價)를 치루지 않고 얻어지는 것은 아무 것도 없다는 교훈이다,

* 동강(桐江)의 엄광(嚴光): 중국 고대 후한(後漢)의 은사(隱士) 엄광(嚴光)은 자(字)가 자릉(子陵)이다. 후한(後漢)의 개국(開國)황제인 광무제(光武帝) 유수(劉秀)와는 어릴 적 동문수학(同門修學)한 절친한 동무였다. 훗날 유수가 황제가 되어 여러 번 엄광(嚴光)을 중용(重用)하려 했으나, 그는 끝내 뿌리치고 달아나 부춘산(富春山)에 은거(隱居)하며 동강

(桐江)에서 낚시를 즐겼다고 한다. 후세에서는 엄광(嚴光)을 권력에 빌붙지 않고 유유자적한 삶을 추구하는 본보기로 삼았다.

* 일사풍(一絲風): 낚싯대(조간〈釣竿〉)
* 신궐(新蕨): 햇고사리
* 서수(西峀): 서쪽 산
* 행로난(行路難): 중국 고대 한(漢)나라의 민요인데, 후대의 문인(文人)들이 그 내용을 모방하여 인생행로의 어려움을 표현한 잡곡(雜曲)가사(歌詞) 중 하나이다. 이백의 '행로난' 삼수(三首)가 유명하다.
* 유사(遺史): 예부터 전해오는 역사(歷史)
* 준마(駿馬): 매우 잘 달리는 말
* 구허(舊墟): 옛날에 성곽이나 건물이 있었던 곳

191. 추강어부(秋江漁夫)

강북에도 강남에도
마침 가을이라,
갈매기는 짝을 지어
강 위에 떠도네.

훌훌히 멀리 떠나
살 곳도 없지 않은데.
마음 비운 한 평생
섬 하나에 맡겼구나.

도롱이에 초록 삿갓
굵은 빗줄기 차갑지만,
물풀 바람 밝은 달이
속세 먼지 거두어가네.

조그만 쪽배를 타고
물가로 옮겨가니,
칠리(七里)되는 청산 아래
옛 나루터 있었네.

191. 秋江漁父

江北江南政是秋, 白鷗作伴泛中流。
飄然長往非無地, 淡泊生涯付一洲。
綠笠翁簑疎雨冷, 蘋風蓼月俗塵收。
扁舟移向別灘去, 七里青山古渡頭。

* 추강(秋江): 가을 강(江)
* 표연(飄然): 모든 것 떨쳐버려 얽매인 것 없이 매우 가벼움
* 장왕(長往): 멀리 떠나 숨어 사는 것, 은거(隱居)
* 담박(淡泊): 마음이 담담하고 욕심이 없는 것, 공명(功名)에 무심한 것, 마음을 비움
* 빈풍(蘋風): 마름(수초)에서 이는 바람
* 요월(蓼月): 밝은 달
* 도롱이: 비올 때 입는 옛 우의(雨衣), 사의(簑衣)라고도 한다. 또 지방에 따라 도랭이, 되롱이 등의 방언이 있다. 도롱이는 짚이나 띠 같은 풀로 촘촘하게 잇달아 엮어 들이치는 빗물이 스며들어가지 않게 하고, 줄거리 끝부분은 그대로 드리워 끝이 너덜너덜하게 만들어 빗물이 안으로 스며들 겨를이 없이 줄기를 따라 땅으로 흘러내리게 하였다.
* 별탄(別灘): 배를 대기 위해 별도로 만든 물가
* 도두(渡頭): 강이나 내 또는 좁은 바닷목에서 배가 건너다니는 곳, 나루터.

192. 시사(詩社)의 운(韻)을 따서

좋은 계절에
노소(老少)가 함께 만나,
어디서나 청유(淸遊)를 즐기려

서로가 잡아끄는구나.
임천(林泉) 오솔길 따라
조심조심 물가로 달려가,
변덕 심한 세상 바람도 많아
일찌감치 돛을 매네.

장한 뜻 못 이룬 채
백발(白髮)이 되었지만,
동심(童心)들은 옛 그대로
아롱다롱 무지개 빛깔이네.

곡식들이 새로 익어
집집마다 넉넉하니,
국화 피는 가을철에
빠른 기별 기다리노라.

192. 次詩社韻

嘉節相逢少長咸, 淸遊隨處共携摻。
林泉開逕將安駕, 桑海多風早繫帆。
壯志未成今白髮, 童心猶似昔紅彩。
稻粱新熟家家富, 第待黃花更寄巹。

* 가절(嘉節): 아름다운 계절
* 시사(詩社): 시인들이 조직한 문화단체
* 임천(林泉): 숲과 샘, 고요하고 아름다운 경치를 비유하는 말로 은사(隱士)가 사는 곳
* 홍채(紅彩): 아롱다롱한 무지개 색
* 황화(黃花): 국화(菊花)의 다른 이름
* 수처(隨處): 어디서나
* 상해(桑海): 상전벽해(桑田碧海), 세상일이 덧없이 변천이 심함을 비유하는 말
* 유사(猶似): 그대로

* 제대(第待): 기다리다.

193. 친구 조방운(曺傍雲)의 초대에 가다
― 경암과 담제와 함께 친구 조방운의 초대에 달려가다 ―

저녁때 천하제일 다리를 지나
마을 동문(洞門)에 이르자,
보이는 대나무가 쓸쓸하구나.

수많은 깊은 골 숲에는
가을소리 한창이고,
구름 걷힌 청산에는
아름다운 집들 높이 솟았네.

일찍이 북학(北學)을 공부할 때
한 숙소에 머문 날 많았으니,
동강(東岡)은 당연히
글 읽는 밤이 되겠네.

마음은 진작부터 방장산에
가 있는데,
더구나 이런 좋은 날에
술상까지 부르는구나.

193. 與敬菴澹齋赴曺友傍雲之招

晚過斗南第一橋, 洞門已見竹蕭蕭。
林深萬壑秋聲壯, 雲盡千山玉宇迢。
北學曾多同舘日, 東岡自是讀書宵。

心神長在方壺裏, 況復良辰酒以招.

* 담재(澹齋): 호남 한학(漢學)의 대가인 김봉문(金鳳文·서기 1906~1978) 선생, 저자의 친구로 고창군 아산면 출신이다. 생전에 발간된 「한국의열록(義烈錄)」과 사후 간행된 「호남인물지」는 그의 기념비적 저작들이다. 서기 1935년 전라도 대표유생으로 뽑혀 서울의 명륜학원(현 성균 관대 전신)에서 수학했으며, 당시 명륜학원은 경쟁이 매우 치열해 전북에서는 졸업생이 담재(6회)와 김정회(金正會·2회)선생 등 2명뿐이었다.
* 두남(斗南): 북두칠성 남쪽 즉 온 천하를 뜻함
* 동문(洞門): 마을 어귀에 세운 문
* 옥우(玉宇): 아름다운 집,
* 동강(東岡): 동쪽 언덕이란 뜻, 10C 중국 당(唐)의 소동파(蘇東坡)가 조정의 정치를 비방 하는 내용의 시를 썼다는 죄(罪)로 황주로 유배(流配)되었는데, 그 때 그가 농사짓던 땅을 "동쪽언덕"이라는 뜻의 "동파(東坡)"로 이름 짓고 스스로 호(號)를 삼았다는 고사에서 따와 동쪽 언덕 즉, 동강(東岡)에 독서당(讀書堂)을 지어 밤늦게 글을 읽는 다는 뜻이다.
* 방호(方壺): 신선(神仙)이 산다는 삼신산(三神山)의 하나로 방장산을 뜻함, 여기서는 전북 고창군에 있는 방장산(方丈山)을 뜻함

194. 적벽가(赤壁歌)
― 효당, 고당, 송농, 담재 각각 장편 고시(古詩) 한 수씩 읊다 ―

강상(江上)절벽, 강상(江上)절벽,
백길 천 길 만 길이로구나!

허리 굽혀 물맛을 보려니
떨어질 듯 아찔하고,
구름 낀 하늘을 가르는 그 기상,
점잖고도 정숙(靜淑)하네.

한 질 한 질 이룬 무늬

만권 책을 쌓은 듯하고,
신(神)이 찍고 귀신이 깎은 듯
상상조차 할 수 없고,

머리는 일월(日月)을 이고
배(腹)에는 안개노을 휘감아,
발 씻는 맑은 물길 몇 리에
뻗었구나!

끝없는 단풍나무
공중에서 늙어가고,
이따금 학(鶴)과 매가
소리를 지르네.

그대는 보지 못했는가?
겹겹 벼랑 위 사람들이
거문고에 시(詩)를 읊조리고,
서로가 어울려 화답(和答)하는
모습을!

또 그대는 보지 못했는가?
물속에 거꾸로 비친
벼랑의 모습 위로,
물고기와 새우들이 일일이
헤엄치는 모습을!

듣건 데
천 년 전 소동파(蘇東坡)가
적벽(赤壁)에서 놀았다지만,
웅장한 이곳 장관(壯觀)에
어찌 비하랴!

또 듣건 데
퉁소 잘 부는 두 객(客)의
이야기가 전해오지만,
어찌 우리처럼 모두가
음율(音律)을 숭상하고
즐거워했겠는가!

예전에 이곳에 왔을 때는
안개비가 내려 어두웠는데,
오늘에 다시 와서 유람하니
하늘 또한 명랑(明朗)하네.

만약 비단 병풍 천 폭에
그림을 그린다면,
폭마다 노 젓는 노를 따라
제각각 화면을 바꾸리라.

어떻게든
일폭삼분경(一幅三分景)을
얻을 수만 있다면,
내 초당(草堂)으로 옮겨
금장(錦帳)을 만들고 싶구나.

보정(普亭)은 자칭(自稱)
청광객(淸狂客)이라,
거나하게 취해서 노래하고
춤추다가 삿대에 기대는데,

푸른 물결에 떠도는
석양(夕陽)속 작은 배,
가을바람 가득 싣고

제 성대로 떠다니는구나!

194. 赤壁歌 曉堂顧堂松儂滄齋, 各賦長篇古詩

江上壁, 江上壁, 百丈千丈又萬丈。
俯吸江水如將墜, 直磨雲霄儼其像。
帙帙成紋堆萬卷, 神斧鬼剜不可想。
頭戴日月腹烟霞, 濯足淸波數里長。
無端楓樹半空老, 有時鶴鵑中間吭。
君不見千疊壁間有人在, 琴韻話詩互答響。
又不見水中赤壁皆倒影, 一一魚鰕游其上。
我聞千載蘇仙壁, 不應如此雄而壯。
又聞二客能吹簫, 何如吾人音皆賞。
昔我來時烟雨暗, 此日重遊天且朗。
若爲繡屛可千幅, 幅幅隨棹各輸狀。
安得一幅三分景, 移我草堂作錦帳。
普亭自謂淸狂客, 酣歌醉舞倚蘭槳。
滄波泛泛斜陽裏, 滿載秋風任所性。

* 적벽(赤壁): 전남 화순에 있는 적벽. 전남기념물 제60호. 중국 양쯔강 중류에 있는 적벽과 비슷하다고 이름이 붙여졌다. 동복천(同福川)의 상류인 창랑천(滄浪川)과 무등산에서 발원한 영신천이 합류되어 강 유역에 수려한 절벽이 있다. 그 중 동복댐 상류의 장항리에 있는 이서적벽(二西赤壁)과 창랑리에 있는 창랑적벽, 그리고 물염적벽(勿染赤壁) 등이 유명하다. 이서적벽은 노루목적벽이라고도 하는데, 댐건설 전까지는 화순적벽의 대표로 꼽혔다. 물염적벽(勿染赤壁)은, 물염(勿染) 송정순(宋庭筍)이 '티끌세상에 물들지 말라'는 뜻으로 세운 '물염정(勿染亭)'이란 정자가 있다. 이곳 적벽은 또 김삿갓이 최후를 마친 절경지로도 유명하다. 창랑적벽은 웅장한 느낌을 준다. 잔잔한 강 위로 적벽의 바위빛이 교차되어 동양화를 그려 놓은 것 같다. 여름송림과 가을단풍이 어울려 더욱 장관이다.

* 강상절벽(江上絶壁): 강 위의 절벽

* 운소(雲霄): 구름 낀 하늘, 높은 하늘
* 엄전하다: 정숙하고 점잖다.

* 소동파(蘇東坡): 소동파의 아버지 소순(蘇洵), 동생 소철(蘇轍)과 함께 '3소'(三蘇)라고 일컬어지며, 이들은 모두 당송팔대가(唐宋八大家)에 속함. 소동파(蘇東坡)는 조정의 정치를 비방하는 내용의 시를 썼다는 죄(罪)로 황주로 유배(流配) 되었는데, 이 때 농사짓던 땅을 동쪽 언덕이라는 뜻의 '동파(東坡)'로 이름 짓고 스스로 호를 삼았다. 소동파(蘇東坡)는 구양수(歐陽修) 등에 의해서 기틀이 마련된 송시(宋詩)를 더욱 발전시켰다. 구양수(歐陽修)이전의 시가 대개 비애(悲哀)를 주제로 해왔던 데 비해서 구양수(歐陽修)는 평안하고 고요한 심정을 주로 읊었고, 동파(東坡)는 이에서 벗어나 훨씬 적극적이고 자각적인 관점을 취했다. 동파는 작가의 마음이 자연스럽게 묻어나와야만 훌륭한 문장이 된다는 청년기의 생각을 평생토록 일관했다. 본명은 소식(蘇軾)이다.

* 두 객(客)이 통소 불던 이야기: 소사(蕭史)와 농옥(弄玉)을 가리킴. 소사는 통소를 잘 불어 봉황소리를 낼 줄 알았다. 진목공의 딸인 농옥도 통소에 능하였다. 이에 진목공은 딸을 소사에게 시집을 보냈고 둘은 통소로 화답하며 행복하게 살면서 봉황루를 짓고 봉황의 울음소리를 본받았다. 그러자 봉황이 떼를 지어 내려왔고 그들 내외는 봉황을 타고 날아 신선(神仙)이 되었다고 한다. 〈한조 유향 《열선전·卷上·蕭史 참조〉
* 금장(錦帳): 비단 을로 만든 휘장이나 장막
* 초당(草堂): 볏 집과 풀 등으로 지붕을 엮은 주택
* 청광객(淸狂客): 마음이 깨끗해 청아하지만, 하는 짓이 상식에 어긋나는 사람
* 창파(滄波): 푸른 물결
* 일폭삼분경(一幅三分景): 한 폭에 그려진 세 경치
* 안득(安得): 어떻게~할 수 있다면
* 사양리(斜陽裏): 저녁놀 속
* 난장(蘭槳): 백목련나무로 만든 삿대

195. 시회(詩會)의 운(韻)을 따서

겨우 한 달이 지났는데
갑자기 또 만나러,
옛 친구 지팡이가 대문을

두드리네.

아, 천하 남아(男兒)
기상(氣像)은 어디 가고
늙어 감을 한탄하니,
평생에 호연지기(浩然之氣) 벗이라
차마 받아주기 어렵구나!

구슬이 구르듯 흐르는 계곡물은
동남수(東南水)로 합해지고,
정원에 늘어선 기암괴석(奇巖怪石),
크고 작은 봉우리를 이루었네.

나무 심어 가꾼 지 십년 세월
아름다운 꽃들과 풀은 없으나,
정원 가득한 수죽(脩竹)들이
푸른 솔과 더불어 노는구나.

195. 次詩會韻

纔經一月輒相逢, 剝啄門前故友笻。
天下男兒嗟己老, 生平浩氣也難容。
弄珠溪合東南水, 怪石庭排小大峯。
種樹十年無別卉, 滿園脩竹與蒼松。

* 시회(詩會): 시인들이 모여 시를 짓고 감상하는 모임
* 수죽(脩竹): 가늘고 긴 대나무
* 재경(纔經): 겨우 지나다.
* 차기로(嗟己老): 자신의 늙음을 한탄함.
* 호연지기(浩然之氣): 사람의 마음에 차 있는 너르고 크고 올바른 기운(氣運).
* 기암괴석(奇巖怪石): 기이하고 괴상하게 생긴 돌

196. 새봄에 음사(吟社)의 운을 따서

버들개지 눈 뜨고
발그레한 매화 볼이
거의 사람 같은데,
이른 봄을 데리고
옛 친구 사립문을 찾아가네.

따뜻한 연못에는
비늘을 반짝이는 물고기들이
처음으로 나오고,
어린 솔개들은
봄바람에 나래 펴고
날기를 익히네.

이 세상을 따져보면
전쟁 많은 역사(歷史)인데,
그대 집에 오는 자들은
그 모두 유생(儒生)들이구나.

땅덩이는 삼팔(三八)로 갈라지고
명절(名節)은 삼일절(三一節)이라,
뜻있는 남아장부(南兒丈夫),
비분강개(悲憤慷慨)않는 자 드물구나.

196. 吟社次新春韻

柳眼梅腮具體微, 伴春始問故人扉。
放鱗暖沼魚初出, 展翼東風鳶習飛。
此世論之多亂史, 君家來者盡儒衣。

地分三八節三一, 有志男兒不慨稀。

* 음사(吟社): 시인(詩人)들이 결성한 동인(同人)조직
* 동풍(東風): 봄바람
* 비분강개(悲憤慷慨): 슬프고 분해서 의분(義憤)이 북받침
* 구체미(具體微): 거의 사람 같다는 뜻
* 유생(儒生): 유학(儒學)을 공부하는 선비

197. 낙양(洛陽) 시회(詩會)의 운(韻)을 따서

올봄에 고기 노는 꿈을 꾸니
풍년의 조짐이고,
보리풀은 푸릇푸릇
비도 개고 여유롭구나.

십년 간 온 세상을
함께 유람하며 감상했으니,
매화 버들 봄바람이,
숨어 사는 곳을 용케도
찾아오네.

청명(淸明)에 모이자고
일찍 날을 잡았는데,
낙양시사(洛陽詩社)에 모여
다시 글을 바치네.
마을 모습 예전 같아
사람들이 속되지 않고,
우거진 대숲 속에
초가 한 채 자리 잡았구나.

197. 次洛陽詩會韻

豐兆今春夢有魚, 靑靑胎麥雨晴餘。
江湖十載同遊賞, 梅柳東風訪隱居。
題以淸明曾卜日, 會于洛社更投書。
村容依舊人無俗, 萬竹之間草一廬。

* 낙사(洛社): 낙양시사(洛陽詩社)를 가리킴, 즉 서울의 시회(詩會)란 뜻
* 복일(卜日): 점을 쳐서 좋은 날을 뽑음

198. 효당의 시(詩)에 보운(步韻)하여
― 효당이 보낸 시에 보운(步韻)하여 증정(贈呈)하다 ―

꾀꼬리 소리
원망(怨望)하고부터
술잔 들기 싫어졌고,
연꽃을 보살피려 날마다
누대(樓臺)에 오르네.

철에 따라 쌓인 회포(懷抱)
태산 같아 격조(隔阻)한데,
시(詩)를 겸한 편지가
바다 건너 왔네.

금옥 같은 그 글들은
천하 선비 솜씨지만,
조충서(鳥蟲書)로 글재주를 부림은
도량 좁은 재주로 보이네.

이태백(李太白)이 떠난 후로
강남(江南)에 뜬 달은,
가을바람 몰아 와서
우리들을 재촉하는구나.

198. 曉堂寄詩一篇, 步韻以呈

一自怨鶯懶擧盃, 荷花爲事日登坮。
懷隨時積如山隔, 書與詩兼渡海來。
金玉其文天下士, 鳥蟲弄墨斗筲才。
靑蓮去後江南月, 能使秋風吾輩催。

* 보운(步韻): 남의 시에 화합(和合)하여 연(聯)마다 원운 원(原韻)을 사용하는 것
* 일자(一自): ~부터
* 누대(樓臺): 누각, 여기서는 저자의 집안에 있는 수정(水亭)을 가리킴
* 격조(隔阻): 오랫동안 소식이 끊김
* 조충서(鳥蟲書): 팔체서의 하나. 새와 벌레 따위의 형상을 본뜬 글씨체이다. 충서(蟲書), 혹은 충전(蟲篆)이라고도 한다. 전서의 변체(變體)로 문자가 흡사 새와 곤충의 형태를 하고 있다. 중국 춘추전국 시대에 나타났는데, 대부분 무기나 종(鐘)위에 주조되어 남았다. 한(漢)대에 이르러서는 도장의 글씨로 발전하였다. 이런 글씨체는 작은 곡선의 장식과 새의 형상을 지니고 있어 각별한 정취를 느낄 수 있다.
* 청련거사(靑蓮居士): 이백(李白)의 호(號)
* 강남(江南): 여기서는 "남쪽 먼 곳"의 뜻
* 두재(斗才): 두소지재(斗筲之才)의 준말, 두(斗) 1말, 소(筲)는 1말 2되들이의 용기, 즉 도량이 좁거나 보잘 것 없는 재주를 뜻함
* 농묵(弄墨): 글재주를 부리다.

199. 이송농(李松儂)의 운(韻)을 따서
― 이송농(李松儂)의 운(韻)을 빌어 증정(贈呈)하다 ―

평생에 가장 기쁜 일은
옛 친구와 술잔을 나누는 일인데,
명산(名山)을 찾아 그대와 함께
누대(樓臺)에 놀던 일을 회상하네.

갈 갈이 찢긴 적막한 강산
머물 곳이 없는데,
한줄기 맑은 바람 스치면서
시(詩) 한 수를 데려왔네.

스무 해 동안 북학(北學)을 하며
일찍이 동계(同契)에 들었지만,
스스로 남쪽 땅에 머리를 두고
홀로 마음껏 재주를 부리는구나.

부럽구나, 그대여!
천고(千古)의 아름다움을 성취하고자,
휴일에도 짧은 채찍 휘두르며
재촉을 하는구나.

199. 次呈李松儂

平生最好故人盃, 遙想名山共一臺。
岑寂支離無處往, 淸風颼拂伴詩來。
廿年北學曾同契, 自首南州獨擅才。
羨子做成千古美, 欲將暇日短鞭催。

* 요상(遙想): 회상(回想)하다.
* 북학(北學): 조선시대, 영조와 정조 때의 일부 실학자(實學者)들이 중국 청나라의 학술과 문물을 배우려 한 학문적 경향.
* 동계(同契): 마을 또는 동리의 복리증진과 상호부조를 위하여 공유재산을 마련하고 관리 하는 자치조직으로 대동계(大洞契), 이중계(里中契), 동중계(洞中契), 동리계(洞里契), 촌계 (村契)라고도 한다.
* 주성(做成): 성취하다.
* 잠적지리(涔寂支離): 갈 갈이 찢어지고 적막함

200. 초가을 음사(吟社)의 운(韻)을 따서

저녁 숲속 매미소리
청진(淸眞)을 알려주고,
천지(天地)를 둘러보니
옛 봄이 생각나네.

늙어도
사냥놀이 생각이 움터오니,
이제는 글 읽는 선비소리
차마 듣기 싫구나.

연잎 위
일그러진 이슬자국
너무 무거워 보이고,
수풀사이 이는 소리들
서늘한 느낌이 새롭네.

주인에게 묻노니,
요즘 즐기는 일이 무엇이뇨?
나는 밤마다 신선인연 꿈을

자주 꾼다네.

200. 吟社早秋韻

晩林蟬語報淸眞, 回首乾坤感昔春。
老去還萌遊獵思, 今來厭聽讀書人。
珠傾荷上露痕重, 聲在樹間凉意新。
爲問主翁何所樂, 仙緣夜夜夢中頻。

* 음사(吟社): 시인(詩人)들이 결성한 동인(同人)조직
* 유렵(遊獵): 놀러 다니면서 하는 사냥, 사냥놀이
* 청진(淸眞): 진정한 맑은 기운

201. 내소사(來蘇寺) 현판(懸板) 운(韻)을 따 읊다
- 김효당, 고당, 박만포, 최지춘, 이송농 여러 벗들과 더불어 내소사(來蘇寺)를 유람하며 현판(懸板)의 운(韻)을 따서 읊다 -

바다 속 뿌리에서 솟아난
봉래산(蓬萊山),
이끼 낀 푸른 절벽, 붉은 벼랑
어루만질 수도 있겠네.

향(香)피우는 향탑(香塔),
차가운 범종소리가
오늘날의 절간 모습인데,
겁운(劫雲)과 성난 바위들이
마치 옛 영문(營門)처럼
보이는구나.

선인(仙人)이 가버린 후,
천년 학(鶴)은 사라지고,
석양에 나그네 찾아들자
원숭이들 소리 요란하네.

만세루(萬歲樓)앞에
잠시 차를 멈추는데,
굽이굽이 흐르는 산골 물소리가
새소리와 더불어 시끄럽구나.

201. 與金曉堂, 顧堂, 朴晩圃, 崔芝村, 李松儂諸友遊來蘇寺次板上韻

蓬壺出自海中根, 蒼壁丹崖堪可捫。
香塔寒鍾今佛宇, 劫雲怒石舊營門。
仙人去後千年鶴, 客子來時夕日猿。
萬歲樓前車暫駐, 澗流曲曲與禽喧。

* 내소사(來蘇寺): 전북 부안군 변산반도 남단에 있는 절.
* 봉호산(蓬壺山): 봉래산(蓬萊山)을 뜻한다. 금강산을 봉래산이라고도 하는데, 여기서는 전북 부안군에 있는 봉래산, 즉 〈변산(邊山)〉을 말한다. 바깥쪽이 해안선과 맞닿아 있어 산과 바다가 어우러진 풍경으로 아주 유명하다. 변산을 중심으로 일대 지역이 국립공원으로 지정되어 있다. 변산(邊山)은 호남 5대 명산(名山)의 하나로 능가산(楞伽山), 영주산(瀛洲山), 봉래산(蓬萊山) 등 여러 이름으로 불리고 있다.
* 청벽단애(蒼壁丹崖): 이끼 낀 푸른 벼랑과 붉은 낭떠러지, 곧 높고도 아름다운 경치란 뜻, 또한 인품이 고상하고 보기 힘든 사람을 만난 것을 의미할 때도 쓰임.
* 향탑(香塔): 향을 피우는 탑
* 한종(寒鍾): 쓸쓸하고 차가운 범종소리
* 겁운(劫雲): 재앙이 낀 듯 험상궂은 구름
* 영문(營門): 군대의 병영의 문

* 감가문(堪可捫): 만질 수도 있구나, 잡을 수도 있구나.
* 객자(客子): 나그네. 손님

* 만세루(萬歲樓): 선운사 만세루(禪雲寺萬歲樓), 전북 유형문화재 제 53호. 도솔산 북쪽 기슭에 위치한 선운사는 신라 진흥왕이 처음 짓고 검단선사가 다시 지었다고 한다. 15세기 조선 성종 때 10여 년에 걸친 공사로 건물 189채 나 되는 대찰(大刹)이 되었다. 경내에 있는 "만세루"는 앞면 9칸·옆면 2칸의 맞배지붕이다. 천왕문을 들어서면 바로 보이는 만세루는 뒷면의 대웅전과 마주보며 개방되어 있어 설법(說法)하는 강당으로 활용하였다. 기둥은 모두 자연 그대로의 둥근 기둥을 사용하였으며, 특히 모서리 기둥은 큰 자연목을 껍질만 벗기고 다듬지 않은 채 그대로 사용하여 단순한 구조와 장엄한 형태를 보이고 있다.

202. 선운사(禪雲寺)의 아회(雅會)

백방으로 두루 찾아
만난 이 언덕,
봄 동네(春城) 찾는 유람객들,
모두가 영웅호걸 같구나.

복사꽃 만발한 양 언덕엔
붉은 꽃비까지 흩날리고,
강변 버들 푸르게 강물에 비껴
파도에 넘실대네.

시가(詩歌)에서 어찌
기교(技巧)의 우열을 논하랴!
청주(淸酒)탁주(濁酒) 가득 실은
수레나 불러들 보세.

범종소리 울리고 나니

동천(洞天)은 또다시 적막한데,
누각 밖 쌍봉(雙峯)은
천길 만길 솟아 있구나.

202. 禪雲寺雅會

百遍相尋此一皐, 春城遊客盡英豪。
桃花兩岸紅添雨, 楊柳長江綠映濤。
言志奚論工拙句, 呼車滿載聖賢醪。
洞天更寂鍾鳴後, 樓外雙峰萬仞高。

* 아회(雅會): 글을 짓기 위해 모이는 모임
* 선운사(禪雲寺): 전북 고창군 아산면에 있는 명승고찰. 대한불교 조계종 제24교구 본사
* 동천(洞天): 산수(山水)로 둘러싸인 절승지, 신선이 산다는 절승지(絕勝地)
* 창안(蒼顔): 늙은이
* 언지(言志): 시(詩)의 다른 이름
* 성현료(聖賢醪): 성(聖)은 청주, 현(賢)은 탁주를 뜻함
* 료(醪): 막걸리

203. 김후은(金後隱) 회갑연 차운(次韻)

생신(生辰)날이
때마침 녹음 철이라,
곳곳에 꾀꼬리 노래
축하소리 새롭구나.

일찍이 남아장부
천하(天下) 큰 뜻 품었는데,

백년인생 어느새
유수(流水)같이 흘러,
이제는 거문고에 술잔을
좋아하네.

잔치에 모인 하객(賀客)들
그 모두 명사(名士)들인데,
한 고을의 중론(衆論)은 바로
복노인(福老人)이라 하네.

구름 속 높은 멧부리들
길이 늙을 줄 모르고,
슬하(膝下)에
준재(俊才)들이 총총하니,
집안 가득 봄날이 넘치는구나.

203. 次金後隱晬辰韻

弧辰適値綠陰辰, 隨處流鶯賀語新。
早愜桑蓬天下志, 好將琴酒百年身。
此筵來者皆名士, 一郡論之是福人。
雲裏高山長不老, 叢叢玉樹滿家春。

* 쉬신(晬辰): 처음 맞는 생신, 즉 회갑을 뜻함
* 호신(弧辰): 편지글에서 쓰는 생신(生辰)을 뜻함
* 적치(適値): 때마침 ~하다.
* 상봉(桑蓬): 상봉지지(桑蓬之志), 즉 남자가 공(功)을 세우려는 큰 뜻
* 호장(好將): ~하는 것이 좋으리, ~하기를 좋아 하다의 뜻
* 옥수(玉樹): 재주가 뛰어난 젊은이, 준재(俊才)

204. 녹음 속 아회(雅會)

산남수북(山南水北),
명당(明堂)터에 자리 잡은
온통 푸른 마을이라,
나무마다 산새들이 지저귀며
친구를 부르고,

풍치 있는 산수(山水)는
더욱 새롭게 마음을 비추는데,
정원은 씻은 듯 그림같이
명랑하구나.

서려있는 엷은 노을은
선경(仙境)인 듯 환상적이고,
맑게 부는 바람 또한
속세(俗世)의 것이 아니로구나.

나는 바라노라!
천만 량의 엽전(葉錢)을
골고루 나누어,
김매는 농부와 더불어 다 함께
사방에서 살아갈 것을!

204. 綠陰雅會

山南水北盡靑城, 樹樹嚶禽喚友生。
泉石增新心上照, 庭園如洗畵中明。
却疑淡靄幻仙境, 且有淸風非世情。
我願均分千萬葉, 耘夫與共四郊中。

* 산남수북(山南水北): 산(山)은 남쪽을 바라보고, 수(水)는 북쪽을 바라본다는 뜻으로, 풍수지리에서 논하는 전형적인 명당(明堂)의 입지조건이다.

* 풍수지리(風水地理): 우리 조상들이 국토를 바라보던 대표적인 인식 체계로는 풍수지리가 있다. 풍수지리는 산수의 형세와 방위 등의 환경적인 요인을, 인간의 길흉화복(吉凶禍福)과 관련지어 좋은 터전을 찾는 사상이다. 풍수지리는 중국에서 시작되어 신라말 도선(道詵)에 의해 도입된 것으로 알려졌지만, 농생활을 기반으로 삼고 산과 하천을 신성시하는 우리의 생각과 조화를 이루면서 풍수는 전통적인 국토인식의 사상으로 발달하였다.

* 명당(明堂): 생기(生氣)가 주변으로 퍼져나가 만들어지는 길지(吉地) 즉 좋은 땅이 명당이고, 밝은 곳이 좋은 기운을 가진 땅이다.

　혈(穴)은 생기(生氣)가 결집하는 장소이며, 이 생기가 주변으로 퍼져나가 만들어지는 좋은 땅이 곧 명당(明堂)이 되며, 음랭하고 습한 곳은 좋지 못한 땅이며, 밝고 따뜻한 곳이 좋은 땅, 곧 명당이 된다. 전통적으로 볕이 잘 드는 남향집을 선호하는 이유도, 밝고 따뜻한 장소를 의미하는 명당과 관련한 풍수지리로 설명할 수 있다.

* 아회(雅會): 글을 짓는 모임
* 환우생(喚友生): 벗들을 부르다.
* 천석(泉石): 바위와 물이 어우러진 풍치 있는 자연경치.
* 각의(却疑): ~이 ~인 듯하다.
* 선경(仙境): 신선(神仙)이 사는 곳
* 심상(心上): 마음속
* 담애(淡靄): 엷은 노을
* 운부(耘夫): 김매는 잡부

205. 삼가 추목재(追睦齋)의 원운(原韻)을 따서

온 세상이 풍운으로 혼탁한데
이곳만은 맑게 개었으니,
달과 바위 자연경관이

사람을 밝게 비추네.

산마다 울창한 푸른 숲은
추운 겨울 송백(松柏)의
기상(氣像)이요,
온화한 집안 분위기는
봄날의 정취(情趣)로다.

대대로 남몰래 이어오는
향기로움은 지극한 효심(孝心)이요,
사계절 거문고에 시 읊는 소리
가문(家門)을 잇는 소리로구나.

인강(仁江)물 끝없이 흐르고
용강정(龍岡亭) 수려하니,
자자손손(子子孫孫)이
한 결 같이 참되리라.

205. 謹次追睦齋原韻

擧世風雲此獨晴, 月巖水石照人明。
遍山蒼翠歲寒色, 滿室湛和春有情。
百代苾芬多孝思, 四時絃誦繼家聲。
仁江無際龍岡秀, 子子孫孫一迺誠。

* 추목재(追睦齋): 재실(齋室) 이름
* 풍운(風雲): 세상이 크게 변하려는 기운을 비유하는 말
* 세한송백(歲寒松柏): 엄동설한의 소나무와 잣나무처럼 어떤 역경에도 지조를 굽히지 않음

* 정취(情趣): 깊은 정서를 자아내는 흥취
* 현송(絃誦): 거문고를 타면서 시를 읊음
* 인강(仁江): 전북 고창군 아산면 반암리 등을 흐르는 강
* 용강(龍岡): 용강정(龍岡亭), 전북 고창군 성송면(星松面) 계당리(溪堂里)에 있는 정자. 용강정(龍岡亭)은 후학을 교도하여 자손과 후학의 사표가 되었던 주계(珠溪) 강운영(康雲永 서기 1863~1946)이 만년에 지은 서재 겸 강학(講學)터였다. 38세 때 모친상을 당하자 3년 동안 지성으로 시묘(侍墓)하니 마을사람들이 효자라 칭하였으며, 또 마을에 어려운 일을 당하는 사람이 있으면 달려가 도와주었던 마을의 정신적 지주였다. 용강정기(龍岡亭記)를 지었으며 저서로 「주계유고(珠溪遺稿)」 1권이 있다.
* 거세(擧世): 온 세상
* 세한(歲寒): 추운 겨울, 엄동설한
* 복분(宓芬): 남모르는 향기, 좋은 명성

206. 삼가 청계(淸溪精舍)의 원운(原韻)을 따서

이곳 경치가 너무도 맑아,
일찍이 아름답게 물러나
은거(隱居)할
마음을 품고 있었네.

먼발치 엄연한 산봉우리
기운차게 솟아 있어,
흐르는 계곡물소리와 더불어
옷깃을 상쾌하게 하구나.

밝고 밝은 해와 달은
마음속을 비쳐주고,
야릇한 안개노을은
세상 밖의 경관이로다.

우러러 사모하는 유풍(遺風)은

천년을 내려오고,
구름 걸린 수풀은 예로부터
사람이 이름지어주길 기다리네.

206. 謹次淸溪精舍原韻

一區泉石十分淸, 嘉遯胸籌早已成。
遐躅儼然山立氣, 爽衿長與澗流聲。
大明日月心中照, 特地烟霞世外晴。
仰止遺風千載下, 雲林自古待人名。

* 청계정사(淸溪精舍): 전북 고창읍 상갑리 마을 입구에 자리하고 있으며, 조선 후기 고창 지역에 낙향한 17C 유학자 청계(淸溪) 강순(姜洵)을 흠모하는 이들이 지은 정사(精舍)이며 서기 1934년 중건(重建)했다. 다른 동네 정자와 달리 대문이 활짝 열렸다. 강순(姜洵)은 서기 1607년 서울에서 출생했다. 장성하여서는 선(善)과 의(義)를 좋아하고 몸가짐과 집안 다스리기를 법도에 따라 하였으며, 남을 먼저하고 자신을 뒤로하여 벗들이 그 행실을 추앙하고 문중이 그 의리에 모두 탄복하였다. 인조 때 병자호란(胡亂)이 일어나자 강순(姜恂)은 동지들과 집안 장정 100여 명을 모아 근왕병(勤王兵)을 일으켜 남한산성으로 가던 중 굴욕적인 항복을 했다는 소식을 듣고 통분함을 참지 못하고 막연히 남쪽으로 이주(移住)하러 내려와 전북 고창군에서 살게 되었다.
* 원운(原韻): 원래 시(詩)의 운(韻)
* 가둔(嘉遯): 주위의 칭송을 들으며 물러남
* 은거(隱居): 세상을 피해 숨어 사는 것
* 흉주(胸籌): 가둔흉주(嘉遯胸籌), 아름답게 물러나 은거(隱居)할 생각을 함.
* 앙지(仰止): 우러러 사모하다.
* 유풍(遺風): 예부터 전해오는 풍습
* 운림(雲林): 구름이 걸친 숲
* 연하(烟霞): 안개와 노을, 고요한 산수(山水)의 경치를 비유하는 말
* 세외청(世外晴): 세상 밖의 갠 날씨, 즉 아주 맑게 개었다는 뜻
* 엄연히: 누구도 부정 못할 정도로 명백히
* 하촉(遐躅): 먼발치
* 천재(千載): 천년 세월

207. 수계(修禊) 차운(次韻)

일이 있어 연당(蓮塘)에 갈 땐
하루도 빠짐없이
수정(水亭)에 오르는데,
마침 시흥(詩興)이 일어
시(詩)를 지을 때는,
글 솜씨를 비교할 필요는 없다네.

허리춤에 닿게 자란
반가운 곡식들은
들판에 넘쳐나고,
몇 백 평 시원한 그늘이
정원에 드리워지네.

시(詩)에 동감하지 않는 자
그 누구인가?
숨어 살아도 멀리서 벗들이 찾아오니,
이 또한 즐겁구나!

흥망성쇠 세상살이 참으로
미혹(迷惑)한 갈림길이 많은데,
한줄기 시원한 샘물이
내 가슴을 맑게 씻어주네.

207. 次修禊韻

有事蓮塘課日登, 題詩不必較其能。
半腰嘉穧野如溢, 數畝淸陰園欲凝。
言志誰非同感者, 隱居亦樂遠來朋。

炎凉世路多岐惑, 一派寒泉使我澄。

* 차운(次韻): 남이 지은 시의 운자(韻字)를 따서 시를 짓는 것.
* 수계(修禊): 계사(禊事)를 수행하는 것, 즉 계제(禊祭)를 지내는 행사이다. 계제는 음력 3월 3일 삼짇날 깨끗한 물에 목욕 후 재앙제거와 복을 비는 연중행사의 하나이다.
* 연당(蓮塘): 연(蓮)을 심은 연못
* 과일(課日): 하루도 빠짐없이, 매일
* 수정(水亭): 연당 옆에 있는 정자(亭子)이름, 저자(著者)의 집안에 있음
* 언지(言志): 시(詩)의 다른 이름
* 염량(炎涼): 더위와 서늘함, 흥망성쇠를 뜻하기도 함.
* 원욕응(園欲凝): 정원에 드리워지다.
* 반요(半腰): 허리 중간, 중도
* 가색(嘉穡): 기쁜 곡식, 농사
* 청음(淸陰): 서늘한 그늘, 송죽(松竹) 등의 그늘
* 흥망성쇠(興亡盛衰): 흥하고 망하고 번성하고 쇠퇴함
* 세로(世路): 세상을 살아가는 길, 인생행로
* 미혹(迷惑): 무엇에 홀리듯 정신이 헷갈려서 갈팡질팡함

208. 중추(仲秋)에 임공사(臨空寺) 유람

세상의 별천지(別天地)를
세상 밖에서 찾아보니,
온 산(山)에 가득한 정채(精彩)
모두 선림(禪林)에 다 있네.

이제부터 청운(靑雲)의 꿈
꾸지 않고 이곳에 와 산다면,
어느 누가 태고심(太古心)으로
돌아가지 않겠는가?

맥놀이 범종소리
공중으로 울려 퍼지고,
망망대해(茫茫大海) 푸른 물결
눈 속으로 드는구나.

천길 깎아지른 바위에는
옛사람의 자취 남았으니,
여러 날 내린 비에
남은 이끼 다치게 하지 말지니.

208. 仲秋遊臨空寺

別有乾坤世外深, 滿山精彩摠禪林。
從今不作靑雲夢, 到此誰非太古心。
落落鍾聲天半出, 茫茫海色眼中臨。
千仞石壁留先跡, 宿雨殘苔且莫侵。

* 임공사: 전북 고창군 고창읍 석정리의 임공사(臨空寺)는, 고창군의 방장산 동남쪽 기슭 바위 아래에 있었던 사찰(寺刹)로 신라 때 창건했다고 한다. 지금은 그 자리에 방장사(方丈寺)가 있다. 일제강점기인 서기 1917년에 도안(道安)이 중창했고, 서기 1934년에 소실된 것을 서기 1958년 다시 건립하였다. 현재의 사찰 건물은 서기 1965년에 법륜(法輪)이 지었다고 한다.

* 중추(仲秋): 음력 8월의 다른 이름, 중추절은 추석을 말한다.
* 정채(精彩): 생기가 넘치는 활발한 기상,
* 선림(禪林): 불교 선종(禪宗)의 사찰

* 태고심(太古心): 태고적 요순(堯舜)의 태평시대로 돌아가려는 마음
* 숙우(宿雨): 간밤의 비 또는 여러 날 내리는 비
* 천반(天半): 공중(空中)
* 낙락종성(落落鐘聲): 맥놀이 범종소리

* 맥놀이 소리: 주기적으로 세어졌다 약해졌다 하면서 울리는 소리
* 잔태(殘苔): 남아 있는 이끼
* 차막침(且莫侵): 당분간 ~하지 마라

209. 고창 향교(鄕校) 시회(詩會)에서

잔편(殘篇) 옛 책들을
좀 벌레에 맡겨버릴망정,
한 해가 저무는 세밑에
어찌 혼자 지내겠는가?

일찍이 천하의 명산(名山)
유람을 기약했건만,
남아장부 장한 뜻이
끝내 허사(虛事)로 돌아가고
말았구나.

수많은 가문의 족보(族譜)를
문헌으로 고증(考證)하고는,
거문고와 술이 있는
주연(酒筵)에 초대하여,
한편의 글을 짓게 하네.

울타리 밑 국화는
아직도 꿋꿋하고,
단(壇) 옆의 은행나무
낙엽지고 시드는데,
음(陰)시월 경관(景觀)이
이것 말고 또 어떤 것이
있으리오.

209. 高敞鄉校詩會

殘編斷策付衣魚, 歲晏江湖奈索居。
天下名山曾有約, 男兒壯志竟歸虛。
徵諸文獻千家族, 招以琴樽一葉書。
籬菊猶存壇杏老, 小春物色更何如。

* 향교(鄉校): 옛 조선시대 중등교육기관, 교궁(校宮), 재궁(齋宮)이라고도 한다.
* 고창향교: 전북 고창군 고창읍에 있는 향교(鄕校), 고창향교는 고려 공민왕 때 학당사(學堂祠)라는 이름으로 설립되어 16C 초 조선시대 고창향교로 명칭을 변경. 16C 말 현 위치로 이전했음. 현재는 교육적 기능은 없어지고 봄, 가을에 석전(釋奠)봉행과 초하루와 보름에 분향(焚香)을 올리고 있다. 고창향교의 특징은 다른 향교보다 많은 전적(典籍)이 소장되어 있는 점이다. 서기 1982년 조사결과 80종 464책 서적이 보관되고, 그 중 향안(鄕案), 청금록(靑衿錄)등은 지방사(地方史) 연구 주요자료이며, 그 밖에 이 지방 학자들의 문집이 다수 소장되었. 고창향교의 대성전(大成殿)은 전북문화재자료 제98호로 지정됨.

* 잔편(殘篇): 잔편단간(殘篇斷簡)의 준말, 즉 떨어지고 빠지고 해서 완전치 못한 책들
* 단책(斷策): 결단해야 할 방책
* 의어(衣魚): 좀 벌레
* 세안(歲晏): 세밑, 연말(年末)
* 색거(索居): 홀로 살다. 외따로 살다.
* 금준(琴樽): 거문고와 술통, 문인(文人)들의 술자리
* 징제(徵諸): 고증(考證)하다
* 유존(猶存): 아직도 꿋꿋함
* 단행로(壇杏老): 단(壇) 옆의 은행나무가 낙엽이 진다는 것
* 소춘(小春): 음력 10월
* 물색(物色): 여기서는 경치, 경관의 뜻

210. 방호산(方壺山) 음사(吟社)의 운(韻)을 따서

그대는 성동(城東)에 살고
나는 길 남쪽에 살고 있으니,
몇 리의 안개노을 길을
날마다 서로가 찾네.

일생에 유람한 산수(山水)
가을 꿈에 많이 뵈고
수많은 시서(詩書)에 고담(古談)과
더불어 즐기는구나.

술잔 위 노란국화
이슬을 머금었고,
바위 앞 붉은 단풍,
반쯤 갠 날씨에 아지랑이
아른거리네.

타작마당 구월(九月)이 되어
가을걷이 모두 마쳤으나,
앞날을 내다보며
살아갈 생각을 하니,
걱정스러워 견딜 수 없구나.

210. 次方壺吟社韻

君在城東我道南, 數里煙霞日相深。
一生山水多秋夢, 萬卷詩書與古談。
盃上黃花因帶露, 巖前紅樹半晴嵐。
築場九月西成畢, 遐想悠悠政政不堪。

* 방호산(方壺山): 삼신산(三神山)의 하나, 여기서는 고창에 있는 방장산을 뜻함
* 음사: 시인(詩人)들의 동인조직
* 시서(詩書): 시와 글씨
* 고담(古談): 옛이야기
* 청람(晴嵐): 화창한 날에 아른거리는 아지랑이
* 대로(帶露): 이슬을 머금다.
* 축장(築場): 타작마당
* 서성(西成): 추수, 가을걷이
* 요상(遙想): 멀리 내다보는 생각을 함
* 유유(悠悠): 걱정하다.
* 정불감(政不堪): 견딜 수 없다, 참을 수 없다, ~할 수 없다.

211. 성두(星斗) 시회(詩會)

송죽(松竹)의 푸른 기상
주렴에 어른거리고,
그대 노래 나의 악기
서로 겸하여 좋구나.

현인군자 헐뜯고 기리는 일이야
흔히 있는 일이지만,
안개노을 탐(耽)하는 것은
염치(廉恥)에 해롭지 않으리라.

뜬 구름 같은 세상의 공명(功名)이야
먹줄 밖의 하찮은 일이니,
백년의 호연지기(浩然之氣)가
술잔 속에 더해지는구나.

한 나절 틈을 내어

많은 풍미(風味)를 맛보니,
향긋한 들나물 산나물
물리도록 포식을 하네.

211. 星斗詩會

左竹右松綠映簾, 君歌我筑好相兼。
貶褒蘭蕙猶云直, 貪惑烟霞不害廉。
浮世功名繩外在, 百年豪氣酒中添。
乘閑半日多風味, 野蔌山珍飽且厭。

* 성두(星斗): 전북 고창군 고창읍 성두마을을 가리키고 있다.
* 시회(詩會): 시(詩)의 애호가들이 모여 시를 짓고 감상하는 모임
* 좌죽우송(左竹右松): 왼쪽에 대나무 오른 쪽에 소나무
* 축(筑): 악기 이름, 거문고 비슷한 대로 만든 악기
* 난혜(蘭蕙): 난초와 혜초, 현인군자(賢人君子)에 비유
* 폄포(貶褒): 헐뜯거나 포상하는 것
* 유운직(猶云直): 그것도 바르다 할 것이거늘,
* 탐혹(貪惑): 탐하여 정신이 헷갈림
* 불해렴(不害廉): 염치에 해롭지 않다.
* 승외(繩外): 먹줄 밖, 하찮은 것, 거들떠보지 않는 것
* 호연지기(浩然之氣): 공명정대하여 조금도 부끄러운 바 없는 도덕적 용기를 뜻하거나 또는 사람의 마음에 가득 차 있는 너르고 크고 올바른 기운을 뜻함
* 승한(乘閑): 틈을 내다.
* 풍미(風味): 음식의 고상한 맛
* 산진(山珍): 산에서 나는 진미의 나물

212. 이향산(李香山) 수연(壽宴) 시의 운(韻)을 따서

큰 인물이

우리 땅에 났으니,
하늘이 향산(香山)을
이 문중에 내리셨네.

삼척검이 우는 것은
의기(義氣)를 돕기 위함이요,
다섯 수레 가득 쌓인 서적은
문풍(文風)을 떨치기 위함이네.

나는 오늘 세상의 흔한
축하 말을 따르지 않을지니,
다만 오래오래 세상을 돕는
공덕(功德)쌓길 바랄뿐이로다.

신선(神仙) 사는 이 골짝,
한량없이 좋은 봄빛
무한히 내리비치고,
소철(蘇鐵)마다 꽃이 피어
사방 이웃 알리는구나.

212. 次李香山壽筵韻

泰山仁水擅吾東, 天以香翁降此中。
三尺釰鳴扶義氣, 五車書積振文風。
我非斯日隨人賀, 只爲長年補世功。
仙院春光無限好, 鐵花樹樹四隣通。

* 수연(壽宴): 장수(長壽)를 축하하는 잔치
* 태산인수(泰山仁水): 큰 인물
* 문풍(文風): 글을 숭상하는 풍습

* 공덕(功德): 공로와 덕행(德行)
* 선원(仙院): 신선이 산다는 산골
* 철화(鐵花): 소철의 꽃
* 소철(蘇鐵): 열대성 상록관목으로 꽃이 잘 피지 않아, 천년에 한 번 피고, 소철 꽃이 만발 하면 장수(長壽)한다는 전설이 있다.
* 지위(只爲): 다만 ~할 뿐

213. 담재(澹齋)의 세모(歲暮) 시에 화답
― 담재(澹齋)의 세모감회(歲暮感懷)에 화답하여 증정(贈呈)하다 ―

금옥 같은 그 음성
숨어 살려는 내 마음을
깨뜨리니,
폭설(暴雪)에 비친 달빛
청유(淸遊)를 재촉하네.

공연히 좀 벌레와 벗해
삼천 여권 책을 파다보니,
세월이 유수(流水)같아
어느새 놀랍게도 육십 년이
흘러버렸네.

세월의 모습은
생직(生織)보다 더 엷어,
봄빛이 저절로 새어나와
고목(古木)이 된 매화등걸
우듬지를 비추는구나.

내 몸과 세상사(世上事)

둘을 잊어버리는 것이,
인생살이 좋은 계책이니,
지금 이 시간부턴 시름 따윈
말하지 않으리라!

213. 和呈澹齋歲暮寄懷詩

金玉其音破我幽, 許多雪月負淸遊。
蠹魚空伴三千卷, 隙駟飜驚六十秋。
歲色薄於生織面, 春光漏自古梅頭。
兩忘身世眞良策, 把筆從今不道愁。

* 회시(懷詩): 감회(感懷)를 읊은 시(詩)
* 아유(我幽): 유은지병(幽隱之病), 즉 숨어살고자 하는 마음의 병(病)
* 설월(雪月): 눈과 달, 눈 위에 비친 달빛
* 청유(淸遊): 속되지 않고 시를 지으며 고상하게 노는 것
* 극사(隙駟): 틈새를 지나는 4마리 말들이 끄는 마차라는 말이니, 곧 세월이 매우 빠름을 뜻하는 말,
* 번경(飜驚): 깜짝 놀람
* 생직(生織): 정련하지 않은 생사(生絲)로 짠 것
* 우듬지: 나무 꼭대기 쪽으로 난 가지
* 신세(身世): 여기서는 일신(一身)과 세상사(世上事)를 뜻함
* 불도수(不道愁): 시름을 따르지 않다.

214. 계명산(雞鳴山)을 유람하며

– 무술년(서기 1958년) 봄날 효당, 고당, 만포, 향산, 경암, 담재 등 여러 벗들과 함께 동호(東湖)의 계명산(雞鳴山)을 유람하며 모두 절구 한 수씩 읊다 –

계명산(雞鳴山) 푸른 기운
하늘 높이 치솟고,

그 아래 넓은 물결,
노중련(魯仲連)과
노는 것 같네.

곳곳의 풍연(風煙)은
정해진 주인이 없으니,
배(船)를 불러 저 동호(東湖)가로
또다시 건너가네.

214. 戊戌春與曉堂顧堂晚圃香山敬庵澹齋 諸友遊東湖之鷄鳴山, 共賦一絶

鷄鳴山氣直磨天, 其下滄溟與魯連。
隨處風烟無定主, 呼船更渡彼湖邊。

* 계명산(鷄鳴山): 전북 고창군 심원면 만돌리 해변에 인접해 있는 해발 150m 높이의 산.
* 동호(東湖): 전북 고창군 해리면 서해안에 인접해 있는 동호리, 여기에는 염전이 발달했음. 동호리 해변에는 동호정(東湖亭)이 있음. 이곳에는 옛날 많은 문인들이 다녀갔다. 그 유명한 점필재(佔畢齋) 김종직(金宗直) 선생도 다녀간 바 있다.
* 풍연(風煙): 멀리 보이는 공중에 서린 흐릿한 기운, 바람과 안개를 함께 이르는 말.

* 노중련(魯仲連): 빈천을 선택해 자유롭게 살다간 노중련(魯仲連), 노중련(魯仲連)은 고대 중국 제나라 사람이다. "부귀(富貴)를 위해 굽히기보다는, 차라리 빈천해도 세상을 경시하며 마음대로 살겠다." 이 글은 사마천〈사기23편 노중련 추양열전(魯仲連 鄒陽列傳)〉에 나오는 말로, 노중련이 전공(戰功)을 세워 제나라 왕이 벼슬을 주려 하자 사양하고 동해 바닷가로 떠나면서 남긴 말이다. 노중련(魯仲連)은 거창하고 탁월한 계획을 좋아하였다. 고관(高官) 대작(大爵)을 좋아하지 않았고 높은 지조(志操)와 절의(節義)를 지킨, 중국 전국시대 (戰國時代)에 지혜가 뛰어난 선비로 알려져 있다.

215. 재종숙(再從叔)을 모시고

― 시은(市隱) 재종숙(再從叔)을 모시고 아침 일찍 천원역(川原驛)을
떠나 김제(金堤)를 거쳐 공주(公州)로 내려가며 ―

아득한 하늘가
멧부리 몇 몇 푸르고,
하늘이 내려앉으니
산색(山色)이 사라지네.

삼백리 길 황금들판
다 지나가니,
누른 가을빛깔
두루두루 펼쳐지네.

215. 奉市隱再從叔早發川原驛過金堤下公州

天涯渺邈數山碧, 天欲低首山欲無。
過盡稻田三百里, 淡黃秋色一般鋪。

* 천원역(川原驛): 전북 정읍시 입암면 접지리에 위치한 호남선의 철도역
* 김제(金堤): 전북 중서부에 있는 도시, 전주, 군산, 익산과 인접하며 광활한 평야지대로 논농사가 발달함, 벽골제, 모악산, 금산사 등 관광지가 많다.
* 공주(公州): 충남 중앙부에 있는 도시, 공산성과 송산리 고분군이 유네스코에 백제유적지로 등재되었다.

216. 음사(吟社)의 신춘(新春) 운(韻)을 따서

동풍(東風)이 건 듯 불어
겨울눈을 몰아가는데,

동요(童謠)를 채집(採集)하러,
늙은 농부에게 물어보네.

우습기는 하지만,
마치 칠년 숙병(宿病)에 이제야
약쑥을 장만하는 꼴이 되어,
해를 가리는 그늘을 보려고
비로소 솔을 심는다네.

올해 처음
천지를 진동하는 우레 소리에
칩거하는 무리들 크게 놀라고,
한차례 큰 비가 쏟아져 강산을
옛 모습으로 다듬었는데,

새해에 서로 만나
덕담(德談)으로 축복하고,
은근히 시(詩)화제를 꺼내놓고,
엷고 짙게 담론을 하는구나.

216. 次吟社新春韻

東風馳去六花冬, 試採童謠問老農。
堪笑七年今蓄艾, 爲看蔽日始栽松。
初雷天地驚群蟄, 一雨江山治舊容。
新歲相逢相祝福, 殷懃詩話淡而濃。

* 동풍(東風): 봄바람, 봄에 동쪽에서 부는 바람.
* 시채(試採): 시험적으로 채집하는 것
* 육화(六花): 눈(雪)의 다른 이름

* 칠년 숙병: "칠년 숙병(宿病)"이란 말은 맹자(孟子)에 나오는 말이다. 「孟子·離婁上」에 "지금 임금이 되려는 사람은 마치도 칠년 숙병에 삼년 묵은 쑥을 얻어 뜸을 뜨려는 것과 비슷한데, 만약 마련해 두지 않았다면 종신토록 얻지 못할 것이다."라는 구절이 있는데, 본래의 뜻은 몇 년 동안 쑥을 준비하였다가 숙병(宿病)을 치료한다는 것인데, 후세에서는 "평소에 장기간 저축하여 두었다가 급할 때에 사용한다."는 뜻으로 사용하고 있다.
* 감소(堪笑): 우습기는 하지만,
* 칩거(蟄居): 활동하지 않고 집안에만 틀어박혀 있음
* 담이농(淡而濃): 엷으면서도 진하게

217. 삼가 용파정(龍坡亭) 운(韻)을 따서

물 맑고 산 좋은
제일가는 고개라,
늘그막에 이곳에 살며
즐기는바가 무엇인지,
물어보고 싶네.

비구름을 부리는 경륜이라
용(龍)이 되어 바다에 숨어,
강호(江湖)의 맹주(盟主)가 되니
백사장에 백로(白鷺)가
내려앉는구나.

세상에 날 알아주는
지기(知己) 적다고 세상에
말하지 마오.
책 속에는 원래부터
마음 맞는 지기(知己)가
수두룩하다오.

맑고 깨끗한 임천(林泉)이
속세의 티끌을 막아주니,
가을바람에 홀로 서서
휘파람 불며 노래하네.

217. 謹次龍坡亭韻

勝水佳山第一坡, 暮年所樂問居何。
經綸雲雨龍潛海, 盟主江湖鷺下沙。
宇內休言知己少, 卷中自有會心多。
林泉瀟灑塵烟隔, 獨立秋風嘯也歌。

* 용파정(龍坡亭): 전남 장성군 황룡면 황룡강변에 있는 정자, 김태호(金泰鎬)(서기 1889~1952)가 일제강점기에 지었다. 이 정자의 현판에는 고당(顧堂) 김규태(金奎泰)(서기 1902~1966)의 시가 걸려 있다. 고당(顧堂)선생은 경북 현풍 출신의 유학자이자 한학자, 서예가로 이승만 대통령의 한학, 서예 스승이며, 서기 1930년 정인보, 한용운과 교류하며 암울했던 시대에 전남 구례로 옮겨, 수암정(修巖亭)이란 서재(書齋)를 짓고 은거하며 학문을 닦다가 생을 마감한 선비이다. 고당 김규태와 저자(著者)는 막역한 벗이다.

* 파(坡): 고개, 재
* 임천(林泉): 숲과 샘, 은사(隱士)가 사는 곳
* 강호(江湖): 여기서는 속세를 떠난 선비가 사는 자연을 뜻함,
* 맹주(盟主): 맹약을 맺은 사람들의 우두머리
* 우내휴언(宇內休言): 온 세상에 말하지 않음
* 회심(會心): 마음먹은 대로 되어 만족함
* 소쇄(瀟灑): 기운이 맑고 깨끗함
* 자유(自有): 저절로 ~ 있다. 본래 ~이 있다.

218. 임공사(臨空寺)에 숙박하며
- 월담, 취헌 두 형을 모시고 월하 군과 함께 임공사(臨空寺)에 숙박하며 -

흰 구름 속에 들어서니
범종소리 더불어
계곡 물소리 들리네.

여섯 가지 번뇌의 씨앗이
도무지 다가오지 못하니,
잠자리 꿈속마저 온통
맑아지는 것 같구나.

218. 奉月潭醉軒二兄及月下君宿臨空寺

步入白雲上, 鍾聲與澗聲。
六塵都不近, 夢寐十分淸。

* 임공사: 전북 고창군 고창읍 석정리에 있었던 사찰, 임공사(臨空寺)는 고창군의 방장산(方丈山)의 동남쪽 기슭 바위 아래에 있었던 사찰로 신라 때 창건했다고 전한다. 지금은 그 자리에〈방장사(方丈寺)〉가 있다. 일제강점기 1917년에 도안(道安)이 중창했고, 서기 1934년에 소실(燒失)된 것을 서기 1958년 다시 건립하였다. 현재의 사찰 건물은 서기 1965년에 법륜(法輪)이 지었다고 한다.

* 육진(六塵): (불교용어) 중생의 마음을 더럽히는 것 6가지, 색성향미촉법(色聲香味觸法) 6가지, 곧 눈으로 보는 것, 귀로 듣는 것, 냄새를 맡는 것, 맛을 보는 것, 육체로 느끼는 것, 마음으로 아는 것 등 6가지이다.
* 보입(步入): ~에 들어서다, ~속에 빠지다.

219. 삼가 경재(敬齋)선생의 만가(挽歌)를 짓다

- 천상사문(天喪斯文) 네 글자(字)를 운(韻)으로 나누어
삼가 김공(金公) 경재(敬齋)선생의 만가(挽歌)를 짓다 -

책속에서 보낸 여든 한 해,
초당(草堂) 앞엔 만첩 골짜기,
번잡한 속된 세상 꿈에도 찾지 않고,
오로지 청빈(淸貧)으로
천명(天命)을 즐겼도다!

덕행(德行)을 보면 심취(心醉)했고,
충언(忠言)을 들으면 그 향기에
옷깃이 젖었는데,
아, 이런 철인(哲人)이 그만
서거(逝去)하고 말았으니,
우리 사도(斯道)도 그와 함께
떠나가야만 하는 것인가!

빈 대들보에 처량하게
비치는 달빛 아래, 눈물을 뿌리며
남기신 시(詩)를 낭송(朗誦)하니,
한 글자 한 토막 글귀가
그 모두 보물(寶物)들이라,
사도(斯道)의 전형(典型)이
그 속에 있구나.

일찍이 가르침을 받던
때를 돌이켜보면,
남 달리 많은 사랑을 받은
기억이 되살아나 가슴이

미어지는데,

석양(夕陽)이
푸른 산 밑으로 떨어지고,
가을바람 속에서 쓸쓸히
뇌문(誄文)을 기록하는구나.

219. 以天喪斯文, 四字分韻, 謹挽敬齋先生金公

書中八十一, 萬壑艸堂前。
紅塵夢不到, 簞瓢樂吾天。
覸德心如醉, 聽言衿襲香。
哲人嗟己逝, 斯道與之喪。
空樑凄月白, 揮淚誦遺詩。
隻字猶云寶, 典型其在斯。
憶曾承誨席, 荷愛異於群。
夕日蒼山下, 秋風寫誄文。

* 경재(敬齋) 김명철(金明喆): 자(字) 자순(子舜), 호는 경재(敬齋), 본관은 청주(淸州)이다. 김명철(金明喆 서기 1878~1958)이 강학(講學)하던 평산재(平山齋)가 고창에 있었으나 지금은 사라지고, 보정(普亭) 김정회(金正會)가 쓴 기문(記文)이 남아 있다. 고종 15년(서기 1878)에 고수면 조산리(造山里)에서 출생, 어려서부터 문리(文理)가 숙달했고, 성장하자 송사(松沙) 기우만(奇宇萬)의 문하(門下)가 되어, 경전(經傳)을 섭렵하고 시문(詩文)도 뛰어났다. 그는 자기 자신의 본질을 밝히기 위한 학문이라는 "위기지학(爲己之學)"에 큰 뜻을 두고 성리학(性理學)의 오묘한 뜻을 추구하니, 학덕(學德)이 드러나 의리(義理)와 공사(公私)의 구별을 엄격히 하여 학행(學行)이 알려지자 사방에서 후학들이 글을 배우러 모여들어 평생 동안 100명이 넘는 제자를 가르쳤다. 그러나 재물을 탐내지 않아 생활이 넉넉지 못하니, 문도(門徒)들이 협찬하여 서재를 건립하여 '평산재(平山齋)'라 이름 짓고, 평생을 산림에 은거하며 도학(道學)으로 여생을 보냈다. 보정 김정희 선생은 선고(先

考)와 같이 송사의 문인이며, 친구인 경재 선생을 초빙하여 광복 후 서기 1946년 가을부터 서기 1948년 봄까지 회천정사에서 경식(璟植), 명식(明植) 두 손자에게 한문을 가르쳤다. 저서(著書)로 《경재유고(敬齋遺稿)》 1책이 있다.

* 단표(簞瓢): 대나무로 만든 도시락과 바가지
* 단표누항(簞瓢陋巷): 청빈 소박한 생활
* 심취(心醉): 깊이 빠져 마음을 빼앗김
* 철인(哲人): 학식이 높고 사리에 밝은 사람
* 서거(逝去): 지위가 높은 사람이나 존경하는 사람의 죽음을 높여 이르는 말.
* 사도(斯道): 유교의 도리, 도덕 등 공맹(孔孟)의 가르침을 이르는 말
* 뇌문(誄文): 망자의 생전 공덕을 칭송하고 애도하는 글, 만사(挽詞)

220. 봉덕(鳳德) 시회(詩會) 차운(次韻)

사방의 청산(靑山)을 감도는
한 줄기 강물,
강산(江山)의 맑은 기운이
서창(書窓)을 비치네.

어진 동네 골라서 거주하니
번쩍이는 봉황의 기상에도,
이웃들은 놀라지 않고
털 복숭이 얼굴을 반기는구나.

방호산(方壺山)유람을 기약하니
속(俗)된 자태 하나 없고,
금옥(金玉)같은 목소리는
시(詩)가락 뽑아내는 굴뚝이로다.

정원 매화 대문 앞 버들은

벌써 반 너머 봄날이 지났고,
온종일 향긋한 바람이
술항아리에서 발산(發散)되는구나.

220. 次鳳德詩會韻

四面靑山一帶江, 江山淑氣映書窓。
里仁擇處覽輝鳳, 隣近不驚親面尨。
契以方壺無俗態, 音如金玉摠詩腔。
庭梅門柳春過半, 盡日香風散酒缸。

* 차운(次韻): 남의 시운(詩韻)을 따서 시(詩)를 지음
* 숙기(淑氣): 자연의 맑은 기운
* 서창(書窓): 서재(書齋)의 창문 또는 서재(書齋)를 뜻함
* 봉덕(鳳德): 전북 고창군 아산면 봉덕마을이다.
봉덕마을 출신 덕산 김형곤(德山 金瑩坤: 서기 1909~1993) ; 송사(松沙)의 재전(再傳)인 덕산 선생은 한시(漢詩)에 조예가 깊어 종종 본가에서 시회(詩會)를 열었다.
* 면방(面尨): 털 복숭이, 털보, 삽살개 같은 얼굴
* 방호산: 전남 고창에 있는 방장산(方丈山)
* 시강(詩腔): 시(詩)가락

221. 수산(壽山) 오공(吳公) 만가(挽歌)

– 삼가 수산(壽山) 오공(吳公)에게 드리는 만가(挽歌) –

남녘의 명망 높은 선비라면
유독 공(公)을 칭하는데,
여든 해를 내려오며 오로지
예법(禮法)으로 사셨구나.

이제부터 공(公)의 명성(名聲)

산봉우리처럼 장수(長壽)하며,
야귀재(夜歸齋) 위에서
유풍(遺風)으로 읍(揖)하리다.

옛날 우리 부친 살아생전에
두 분 함께 주역(周易)을 전수받았고,
대지팡이 걸음으로 도산당(道山堂)을
찾기도 했다네.

아, 소자(小子)가 빈번히
공(公)의 가르침 받았으니,
대를 이어 내려오는 그 교부(交孚)를
어찌 감히 잊을 수 있겠는가!

221. 謹挽壽山吳公

南州高士獨稱公, 八十年來禮法中.
從此令名山與壽, 夜歸齋上挹遺風.
昔與先君同受易, 竹翁脚下道山堂.
嗟余小子頻承誨, 累世交孚那敢忘.

* 수산(壽山)오공(吳公): 오병수(吳秉壽 서기 1883~1961)를 말한다. 자는 극경(極卿), 호는 수산(壽山), 본관은 함양(咸陽)이다. 서기 1883년(고종 20년) 고창군 아산면 죽산(竹山)에서 태어나 일찍이 종숙 호산(壺山) 오도원(吳道源)에게서 배우고 스스로 독학(篤學)하여 경전(經傳)의 깊은 뜻을 깨쳤다. 특히 심성이기(心性理氣)와 태극음양오행(太極陰陽五行)의 논설에 이르러서는 털끝만한 데까지 분석하여 앞 사람들이 발견 못한 곳을 발견함으로서 나주 출신 석전(石田) 이병수(李炳壽), 육봉(六峯) 이종택(李鍾宅) 등 당시 석학(碩學)들이
오병수(吳秉壽)를 호남독보(湖南獨步)로 극찬했다.
　전북 고창 무장(茂長)의 〈야귀재(夜歸齋)〉는 오병수(吳秉壽)가 만년에 마을 남쪽 조용한 곳에 재실을 지어 밤낮으로 강학(講學)을 하고 저술하는 공간이었다. 고창출신 우헌(愚

軒) 임기만(林基萬, 서기 1878~1962)이 이곳에 들러 읊은 시에서 야귀당(夜歸堂)이라고 불렀다.

　여기서 야귀(夜歸)는 "낮에는 들에서 일하고 밤에 돌아와 공부한다."는 뜻으로 소학(小學) 중에 "朝出耕 野歸讀 古人書(조출경 야귀독 고인서)"라는 구절에서 유래한 것이다.

* 석여(昔與): 그 때
* 유풍(遺風): 전해 내려오는 풍속
* 읍(揖)하다: 상대방에게 공경의 뜻을 나타내는 예의 한 가지
* 선군(先君): 선고(先考), 돌아가신 아버지
* 고사(高士): 명망 높은 선비
* 도산당(道山堂): 저자(著者)의 고택(古宅)
* 죽옹(竹翁): 대지팡이 짚은 노인
* 승회(承誨): 가르침을 받다.
* 교부(交孚): 서로 성의껏 마음이 맞아 교유(交遊)하는 것

222. 만포(晩圃) 박해우(朴海佑) 공(公)을 축하함

　- 여남산지수(如南山之壽) 다섯 글자를 운(韻)으로
　　나누어 만포(晩圃) 박해우(朴海佑) 공(公)을 축하하며 -

만포(晩浦),
그대에게 말을 전하네.
요즈음 즐기는 일이 무엇인가?
일찍이 부귀공명 고삐를
팽개쳐버리고,
돌아와 고인(古人)들의
책을 읽었네.

구례(求禮)에서 구름을 갈고,
섬진강 남쪽 기슭에서
달을 낚아 올리는구나.
그 누가 다투랴?

소반에 담긴 음식 먹는 즐거움을!
토양(土壤)도 비옥하고
샘물 또한 감미롭네.

사귄 친구
모두가 천하의 선비들이라,
이 땅의 명산(名山)을
두루두루 편력(遍歷)하고,
도광양회(韜光養晦)로
예순 한 해 수행(修行)하며,
영욕(榮辱)을 상관하지 않구나.

그런데 그 "밭농사" 짓는
그 일의 권리는 누가
가지는가?
내 오늘 그것을 꼭 한 번
물어보고 싶다네.
봄에는 꽃이 피고
가을에는 열매를 맺고,
총총한 자식들이
기특하기도 하구나.

그 무엇이든 쌓으면 반드시
갚음이 있으니,
내 비로소 믿는다네,
어질면 장수(長壽)한다는 것을!
방장산(方丈山)에는
좋은 신선친구들이 많으니
우리 자하주(紫霞酒)를 마시며
늘 취흥(醉興)에 겨워 보세나.

222. 如, 南, 山, 之, 壽五字分韻, 以祝晚圃朴公海佑

寄語晚圃子, 所樂近何如。早脫名利韁, 歸讀古人書。
耕雲鳳城下, 釣月鴨江南。誰爭盤中樂, 土肥泉亦甘。
盡交天下士, 遍觀海內山。晦養六旬一, 榮辱摠無關。
圃上何所有, 我今一問之。春華秋又實, 玉樹叢叢奇。
有積必有應, 始信仁者壽。方丈多仙侶, 長醉紫霞酒。

* 봉성(鳳城): 전라남도 북동단에 있는 구례군(求禮郡)의 옛 지명(地名)이다.
* 구례군(求禮郡): 지리산국립공원을 끼고 있고, 명승고적이 많아 관광지로 주목받고 있는 곳이다. 이 군은 산지원예농업과 관광산업을 주된 수입원이다. 행정구역은 구례읍 등 1개읍 7개면 69개 동리가 있고, 군청소재지는 전라남도 구례군 구례읍 봉성로(鳳城路) 이다.

* 압강(鴨江): 여기서의 압강(鴨江)은 '압록강'이 아니라, 전라남도 곡성군 오곡면 압록리 (섬진강로 1097)를 흐르는 섬진강을 말한다. 압록리(鴨綠里)에 전라선의 압록역(鴨綠驛)이 있다. 압록강(鴨綠江)과는 아무런 관련이 없다.
* 양회(養晦): 도광양회(韜光養晦)를 말한다. 즉 "자신의 재능을 밖으로 드러내지 않고 인내 하면서 기다린다."는 뜻의 고사성어(故事成語)이다. 한자를 그대로 풀이하면 "칼날의 빛을 칼집에 감추고 어둠 속에서 힘을 기른다."는 뜻이다. 원래는 삼국지연의에서 유비(劉備)가 조조(曹操)의 식객(食客)으로 있으면서 자신의 재능을 숨기고 은밀히 힘을 기른다는 것을 뜻하는 말이다. 과거 중국의 덩샤오핑(등소평)시절 '중국의 대외정책'을 가리키는 말로 자주 인용했다.

* 남안(南岸): 강이나 바다의 남쪽 기슭
* 영욕(榮辱): 영광과 치욕
* 밭농사: 여기서는 '자식농사' 곧 부부간의 방사(房事)를 뜻함
* 옥수(玉樹): 옥(玉)같은 나무들, 곧 재능이 뛰어난 인재를 말함
* 자하주(紫霞酒): 신선(神仙)들이 마신다는 술
* 선려(仙侶): 동행하거나 함께 노는 사람을 칭찬하여 이르는 말

* 경운(耕雲釣月): 구름을 갈고 달을 낚음
* 방장산(方丈山): 전북 정읍시와 고창, 전남 장성의 경계에 솟아 있는 산.

223. 송농(松儂)이 백양사(白羊寺)로 초대하여

– 임인년(서기 1962년) 4월 15일 송농(松儂)이 백양사(白羊寺)로 초대해 곧바로 달려갔더니, 여덟 군(郡)의 많은 선비들이 모여 있었다 –

백리풍광(百里風光)이
별천지인데,
선비들이 나를 부르네.

흐르는 계곡물 울며 부셔져
천산(千山)의 구슬이 되고,
푸른 숲 기운이 서리어
골짜기마다 안개를 이루는구나.

이 땅에서 만나는 친구들
모두가 옛 친구에 새 친구들인데,
술통 앞에 한바탕 웃는 모습
성현(聖賢)의 풍모(風貌)로세.

밝은 달밤 두견이 소리에
하소연이 서려있으니,
명루(名樓)의 흥망성쇠(興亡盛衰)
몇 년이나 지났는가?

223. 壬寅四月十五日, 松儂招我於白羊寺, 直刻赴山, 八郡多士畢集

百里風光別有天, 多君招我白雲邊。
澗流鳴碎千山玉, 林翠凝成萬谷烟。
海內相逢新與舊, 樽前一笑聖兼賢。
夜月鵑聲如有訴, 名樓興廢幾經年。

* 백양사(白羊寺): 전남 장성군 북하면 약수리 백암산(白巖山)에 있는 절. 대한 불교조계종 제18 교구 본사(本寺)이다. 서기 632년 백제(百濟)의 여환(如幻)이 창건, 백양사라고 하였다. 수차례 중건을 거쳐 서기 1917년 송만암(宋曼庵)이 중건(重建)하여 오늘에 이르고 있다. 백양사 (白羊寺)는 일제강점기 31본산 중 하나였으며, 현재 부속 말사(末寺)가 26개다. 전라남도 유형문화재 제43호인 백양사 대웅전은 서기 1917년 송만암이 백양사를 중건할 때 건립한 것으로 내부에는 석가여래삼존불과 새로 모신 10척 높이의 불상, 그 왼편에 용두관음 탱화가 봉안 되어 있다.

* 풍모(風貌): 풍채와 용모
* 명루(名樓): 유명한 누각(樓閣)
* 흥폐(興廢): 흥망성쇠(興亡盛衰), 흥하고 망함

224. 요월정(邀月亭)에 올라

— 요월정(邀月亭)에 올라 황주(黃洲)선생의 운(韻)을 사용하여 —

정원의 화초들,
봄가을 거듭하며 비구름에 다듬기
몇 번이던가?

명문가(名門家)의 글재주는
천년을 이어오고,

양쪽 기슭 청산(靑山)은
백리(百里)에 뻗었네.

한나절 부는 맑은 바람
뜨락 나무 찾아들고,
휘영청 밝은 달은
팔강(八江) 누각(樓閣)비추네.

누각의 처마를 쳐다보니
현인(賢人)의 자취에
가슴이 설레는지라,
가히 남도(南道)의 으뜸가는
절승(絶勝)유람지(遊覽地)로다.

224. 登邀月亭用黃洲先生韻

庭艸庭花春復秋, 今雲古雨幾重修。
故家文藻千年地, 兩岸靑山百里洲。
半日淸風來院樹, 滿天明月八江樓。
瞻楣多感群賢迹, 自許南州最勝遊。

* 요월정(邀月亭): 전남 장성군 황룡면 황룡리에 있는 정자(亭子)이다. 요월정(邀月亭)은 기가 막힌 경관을 가진 곳에 위치한다. 문필봉(文筆峰)이 3개나 보이는 언덕 위에 자리잡아, 소쇄원(瀟灑園)과 더불어 조선후기 호남의 문사(文士)들이 즐겨 찾는 명소(名所)이다. 요월정은 전남 기념물 제70호로서 조선시대의 공조좌랑이었던 김경우가 낙향하여 황룡 강변에 정자를 짓고 소나무와 배롱나무를 심어 산수(山水)를 벗한 곳이다. 당대의 명사인 김인후(金麟厚), 기대승(奇大升) 등이 이곳에서 시를 읊었으며, 시(詩)의 현판이 걸려 있다.

후손 김경찬이 이 정자의 경치를 찬양하여 "조선제일황룡리"라고 현판(懸板)하자 조정에서 "장성황룡이 조선제일이면 한양은 어떠냐?"라고 묻자 "한양은 천하제일"이라고 해서 화를 면했다고 한다. 황룡정에서 100미터쯤 오르면 곧 요월정이다. 서기 1592년 임진왜란 때는 여인 들이 왜구로 부터 절개를 지키기 위해 요월정 앞 바위에서 강으로 몸을 던졌는데, 배롱나무 꽃잎과 같았다고 하여 절벽을 낙화암이라 이름 지어 그들의 고귀한 뜻을 후세에 남겼다.

* 팔강루(八江樓): 팔강(八江)강변에 세워진 누각, 곧 "모든 강변의 누각(樓閣)"을 뜻함
* 팔강(八江): 중국 양자강(揚子江)의 다른 이름이다. 우리나라 팔강(八江)은 한강(漢江)이 만들어 낸 8개의 강(江)들 곧, 한강, 서강, 용산, 마포, 망원, 두모포, 서빙고, 뚝섬 등 샛강들을 일컫는다.

* 문조(文藻): 글 짓는 재주, 문장의 멋
* 고가(故家): 여러 대에 걸쳐 지체 높게 잘살아 온 집안
* 자허(自許): 스스로 인정함, 자기 힘으로 할 만하다고 여김.
* 절승(絶勝): 경치가 빼어남

225. 초연정(超然亭)에 올라
— 여덟 군(郡)의 선비들과 함께 초연정(超然亭)에 올라 원래의 운을 따서 —

초연정(超然亭)은 옛 중국의
난정(蘭亭)과 같은 곳이라,
우뚝 우뚝 솟은 푸른 멧부리들
눈으로 드네.

구름이 머물고 안개가 깃들이는
진정한 신선(神仙)의 세계라,
흔한 풀들과 하찮은 꽃들마저
반쯤은 영초(靈草)로구나.

봉황(鳳凰)은 날아가고
세 봉우리 남았으니,
제일가는 물가를 찾으려는

백로와 갈매기들의
굳은 맹약(盟約)깊었네.

다행히 봄 동산에는
빼어난 장관(壯觀)이 많아,
맑게 갠 밤하늘,
남쪽나라 문창성(文昌星)이
움직이는구나.

225. 與八郡多士登超然亭次原韻

超然亭是古蘭亭, 立立群峯入眼靑。
宿雲棲霧眞仙界, 凡艸閑花半藥靈。
鳳凰飛去餘三岫, 鷗鷺盟深第一汀。
幸賴春園多壯觀, 天晴南國動文星。

* 초연정(超然亭): 전남 순천 송광사(松廣寺)에서 주암호 위로 가로놓인 신평교를 건너면 모후산 자락에 이르고, 이 모후산 자락 깊숙한 계곡 한쪽 높다란 암반 위에 초연정이 있다.

초연정 앞에는 깊은 계곡이 있고, 뒤로는 커다란 바위와 송림으로 둘러싸여 마치 은둔자 들이 사는 안식처 같다. 초연정은 원래 승려가 운영하던 암자(庵子)였는데, 19세기 초반에 조진충이 재실(齋室)로 사용했으며, 19세기 후반 오늘날 초연정으로 개칭되었다고 한다.

* 난정(蘭亭): 중국 동진(東晉)의 절강성 회계군 소흥시(紹興市)에 있던 정자(亭子)이다. 4C 중국 진(晉)나라 왕희지(王羲之)가 삼짇날에 문사(文士) 41인과 함께 회계산(會稽山)의 〈난정(蘭亭)〉에 모여 술을 마시며 시를 지어 시집을 만들고, 왕희지가 그 시집의 서문을 썼는데, 그 서문(序文)이 바로 서예(書藝)에서 그 유명한 「난정시서문(蘭亭詩序文)」이다. 서문의 내용은 우선 계절에 따라 변하는 자연경치를 쓰고 모인 사람들의 감상을 적었다. 그리고 영원한 것은 없으며, 흥취(興趣)가 가면 슬픔이 온다는 탄식을 표현했다. 마지막 에는 서문을 지은 연유를 밝혔고, 삶과 죽음, 장수와 요절을 구분하지 않는 것을 황당

한 것으로 판단해, 당시 성행하던 허무주의(虛無主義)사상을 비판하며, 현실에 대한 낙천적 (樂天的)인 자세를 중시했다.

* 한화(閑花): 하찮은 꽃, 쓸모없는 꽃
* 문성(文星): 문운(文運)을 맡은 별, 문창성(文昌星) 혹은 문곡성(文曲星)을 가리킴
* 숙운서무(宿雲棲霧): 구름이 머물고(잠자고) 안개가 깃들임
* 장관(壯觀): 훌륭하여 볼만한 광경

226. "지감(志感)" 운(韻)을 차운(次韻)하여
– 삼가 월담(月潭)의 "지감(志感)" 운(韻)을 차운하여, 서문이 있음 –

　대한제국 광무(光武) 을사년(서기 1905년)에 나라에는 을사늑약(乙巳勒約)이라는 대변고가 생겨, 면암(勉菴) 최익현(崔益鉉)선생이 담양 용추산(龍湫山)에서 의병을 모집할 때, 김성암 선생이 기송사, 고록천 등과 함께 의로운 동맹을 맺으려 담양 용추산으로 달려가 산 고개 화개동에 도착하였다. 의로운 북소리는 크게 울렸지만 수가 적어 대적할 수는 없었다.
　비록 뜻을 이루지는 못했으나, 그 외로이 충성을 다하는 일편단심만은 천지 신명(天地神明)도 헤아려 줄 것이다. 그 후 고종의 밀칙(密勅)으로 정삼품 (正三品)으로 특진하였다. 서기 1945년 광복이 된 후에 착한 손자(孫子)인 재석(載石)이 나에게 "구함개제주(具銜改題主)"를 부탁함으로 그 때에 지은 감음시(感吟詩)가 있어, 그 운을 따서 경모(景慕)하며 사숙(私淑)하는 뜻을 시(詩)로 적어 부친다.

　　　　　산하(山河)를 돌아보니
　　　　　석양(夕陽)빛이 어스름한데,
　　　　　시골에서 밀서(密書)를 부치고
　　　　　전란(戰亂)의 현장으로 달려가네.

　　　　　의(義)로운 죽음이냐? 삶이냐?
　　　　　거듭 숙고(熟考)하여 마침내 의(義)를 택해
　　　　　용소단(龍沼團)에 들어가니,

비 오듯 흐르는 선혈(鮮血)이
도리어 차갑기만 하구나!

백발에 포로(捕虜)가 되어
감옥살이 하지만
명성(名聲)은 더더욱 드러나,
나라 위한 일편단심(一片丹心)
그 절의(節義)가 유유(攸攸)하도다.

은밀히 내린 화함(華銜)이라
임금의 은혜가 막중(莫重)하니,
아름답고 빛나는 정신
산천초목도 기뻐하는구나.

226. 謹次月潭志感韻 有序

　光武乙巳, 國有協約之變。崔勉菴先生召募義士于潭陽之龍湫山中, 時金 省菴先生與奇松沙、高鹿泉諸先生同赴義盟, 直到嶺之花開洞。義鼓大振, 衆寡難敵, 事雖未諧。其孤忠赤腔, 可質神明。後有密勅特陞以正三品。乙酉光復後, 肯孫載石具銜改題主。時有感吟詩, 仍步其韻, 以寓高景之私。

　　　　回顧山河夕照殘, 投書林下赴邦難。
　　　　熊魚判定秤星轉, 龍沼團盟血雨寒。
　　　　白首南冠名益烈, 丹心北闕義攸安。
　　　　華銜密降天恩重, 精采能令艸木懽。

* 지감(志感): 느낌을 적음.
 *차운(次韻): 남이 지은 시(詩)의 운(韻)자를 따서 시를 지음.
* 늑약(勒約): 억지로 강제적으로 맺은 조약
* 용소단(龍沼團): 서기 1905년 을사늑약(乙巳勒約) 직후 담양(潭陽) 용소(龍沼)지방에서

면암 최익현 선생이 결성된 항일의병단(抗日義兵團)

* 정삼품(正三品): 조선시대 당상관(堂上官) 고위직 품계
* 밀칙(密勅): 황제가 몰래 내리는 명령
* 감음(感吟): 무엇에 감동하여 시를 지음
* 초손(肖孫): 어진 손자(孫子)
* 구함(具銜): 자신의 성명이나 직함 아래에 도장 대신 직접 글자를 씀〈자서(自書), 싸인〉
* 개제주(改題主): 망자(亡者)의 신주(神主)의 글자를 고쳐 쓰는 것

* 잉보(仍步): 차운(次韻) 즉 원운(原韻)을 따와 시(詩)를 짓는 것
* 경모(景慕): 마음속으로 우러러 사모함
* 사숙(私淑): 가르침을 직접 받지는 않았으나 그 사람의 인격이나 학식을 본으로 삼고 배움
* 임하(林下): 은퇴해 거주하는 곳, 시골
* 투서(投書): 몰래 보내는 비밀문서
* 방난(邦難): 전란(戰亂) 등으로 나라가 어려움

* 웅어(熊魚): 맹자(孟子)가 이르기를 "물고기도 내가 좋아하는 것이요, 웅장(熊掌)도 내가 좋아하는 것이지만, 두 가지를 겸하지 못할 바엔 웅장(熊掌)을 택하겠다. 삶[生]도 내가 좋아하는 것이요, 의(義)도 내가 좋아하는 것이지만, 두 가지를 겸하지 못할 바엔 의(義)를 취하겠다."라고 한데서 나온 말이다.〈孟子 告子上〉
* 혈우(血雨): 살상으로 인한 심한 유혈, 비처럼 흐르는 피
* 적강(赤腔): 일편단심(一片丹心)
* 북궐(北闕): 경복궁(景福宮)
*유유(攸攸)하다: 여유가 있고 태연하다. 유안(攸安):
* 석조잔(夕照殘): 석양빛이 희미하게 비치다.

* 칭성(秤星): 저울눈금
* 남관(南冠): 포로가 되어 타국의 감옥살이 하는 사람
* 화함(華銜): 직함을 임시로 올려 사용케 하는 것
* 능령(能令): 능히 ~ 하는구나.
* 정채(精采): 뛰어나다. 훌륭하다

227. 광양서씨(光陽徐氏) 세덕사(世德祠)의 운(韻)을 따서

흰 구름은 북쪽에 있고
흰 눈 쌓인 가지는 동쪽에 있는데,
조손(祖孫)이 함께 제사를
지내는구나.

당년의 음덕(蔭德)은 훌륭한
스승의 가르침에 젖는 것이고,
천고(千古)에 날린 명성(名聲)은
청풍(淸風)을 모으는구나.

음력 2월과 8월 두 계절에
간소하나 정결(淨潔)하게 제사를 드리니,
산고수장(山高水長) 길이 빛나
사모(思慕)하여 우러러보네.

더구나 "평천(平泉)"의 고사(故事)처럼
선대(先代)의 얼을 이어받아 행하니,
뜨락의 꽃들과 나무들마다
일편단심 한 조각 붉은 마음
비치는구나!

227. 光陽徐氏世德祠韻

白雲其北玉龍東, 祖祖孫孫祭祀同。
流澤當年沾化雨, 令名千古挹淸風。
蘋蘩惟潔春秋仲, 山水長靑景仰中。
況是平泉能紹述, 庭花樹樹照心紅。

* 세덕사(世德祠): 대대로 덕(德)을 이어 받는다는 광양서씨의 사당
* 옥룡(玉龍): 흰 눈이 쌓인 나뭇가지를 비유적으로 이르는 말
* 당년(當年): 일이 있는 바로 그 때
* 유택(流澤): 대대로 내려오는 음덕(蔭德)
* 화우(化雨): 스승의 훌륭한 가르침, 만물을 잘 자라게 하는 비
* 빈번(蘋蘩): 변변치 못한 제수(祭需)

* 산고수장(山高水長): 덕행(德行)이나 지조(志操)의 높고 깨끗함을, 높은 산과 긴 강물에 비유하여 이르는 말.
* 황시(況是): 더구나 하물며
* 평천(平泉): 절대로 남에게 넘겨서는 안 되는 소중한 경지(境地)을 뜻함.
* 평천(平泉)의 고사(故事): '호남의 3대 정원'은 담양의 소쇄원, 보길도의 부용동, 백운동 별서(別墅)정원이다. 다산(茶山)과 인연 깊은 백운동 별서정원은, 400여 년 전 이담로가 말년에 둘째 손자 이언길을 데리고 들어와 은거하며 짓고 가꾼 별장이자 정원이다.
　월출산의 암봉(巖奉)인 옥판봉 아래 초가삼간을 짓고, 마당에는 계곡물을 끌어들여 아홉 굽이 물길을 만들었다. 기기묘묘한 바위는 그대로 두고, 주위에는 100여 그루의 홍매화를 심었다. 이담로는 세상을 뜨며 "평천(平泉)의 경계를 남긴다."는 유언을 남겼다. 이는 중국 당나라 재상(宰相) 이덕유가, 들판 근처에 지은 한적한 별서(別墅)인 "평천장(平泉莊)"을 두고 자손에게 "절대로 남에게 넘겨서는 안 된다"고 당부해서 나온 말이다. 백운동 별서 정원 5대 주인 이시헌은 전남 강진에 유배(流配)와 있던 다산 정약용의 막내 제자가 됐다.
* 소술(紹述): 선대(先代)의 일을 이어받아 행함
* 심홍(心紅): 일편단심

228. 의사(義士) 하석환(河錫煥)을 기리다

아, 슬프도다!
나라 안에 섬나라 왜적들이 창궐하여 정치질서가 그만 무너지고 말았구나!
　위로는 대대로 나라의 녹을 먹던 세도가들 중에 임금을 배반하고 나라를 팔아먹는 매국노(賣國奴)들이 꼬리를 물고 잇달아 나타났도다. 이때에 하공(河公)은 멀리 떨어진 지방의 벼슬 없는 선비의 한 사람에 불과했지만, 맨손으로 왜적들에 항거하였

으며, 호적에도 올리지 않았고 세금도 내지 않았으며, 의연하게 "대한유씨(大韓遺氏)" 넉자를 자신의 대문에 써 붙였으니 이 얼마나 장한 일인가!
그러나 어찌 근본(根本)없이 이런 일을 해낼 수가 있었겠는가?
양친부모 살아생전에는 정성을 다하여 봉양하였고, 세상을 떠나자 무덤 옆에 여막(廬幕)을 지어놓고 육년이나 시묘(侍墓)살이를 함으로써 이미 근본이 세워졌으니, 어찌 도(道)가 생겨나지 않을 수 있겠는가? 이에 절구(絶句) 한 수(首)로 뒤를 이어 이르노라.

온 나라가 쓸쓸하게
시들어 갈 때,
홀로 "대한가(大韓家)"라
표방(標榜)하였구나!

불쌍하도다!
대대로 벼슬하는 저
세신(世臣)이라는 소인배들!
머잖아 알리라,
부끄러워 죽는 자 많음을!

228. 贊河義士錫煥

嗚乎! 國家當島夷猖獗, 彝倫斁矣。上自世祿家, 叛君販國者踵相接也。河公以遐土一布衣, 隻手抗敵, 不入籍, 不納稅, 毅然以大韓遺氏四字, 自榜其門, 何其壯也。然此豈無所本而然哉? 方其生養兩庭, 喪廬墓六載。本旣立矣, 道安得不生乎? 繼以一絶曰:

四海蕭凋日, 獨標大韓家。
憐彼世臣輩, 知應愧死多。

* 창궐(猖獗): 못된 세력들이 걷잡을 수 없이 퍼짐
* 여막(廬幕): 시묘(侍墓)살이 하기 위해 무덤 옆에 지은 움막

* 시묘(侍墓): 부모의 거상 중에 여막을 짓고 3년간 무덤을 모시는 일
* 대한유씨(大韓遺氏): 대한에 남은 자
* 대한가(大韓家): 대한(大韓)의 집
* 세신(世臣): 세록지신(世祿之臣)의 준말, 대대로 임금을 섬기며 벼슬살이 하는 신하
* 이륜(彛倫): 정치의 규범
* 하사(遐士): 서울에서 멀리 떨어져 있는 선비
* 지응(知應): 응당 ~한 줄 알다

229. 박송강(朴松岡) 수연(壽宴) 시(詩)에 차운(次韻)

백발이 성성해도 앞장을 서서,
동남으로 분주히 다닌 지가
육십 년이구나.
소철(蘇鐵)에 꽃이 피어
봄이 돌아오니 세월이 새롭고,
장부(丈夫)의 큰 뜻 흐뭇한데
산천은 옛 모습 그대로네.

손가락에 피를 내어 부친 목숨
사흘을 이어가며,
지극정성 위급상황 구해내니,
일시에 현인(賢人)이 되었다네.

백록담(白鹿潭)은 영원하고
한라산은 우뚝 솟아,
서로가 수덕(壽德)을 누린다 하니
이것이 바로 신선이로구나.

229. 壽朴松岡韻

盈頭白雪爲其先, 奔走東南六十年。
鐵樹春回新歲月, 桑蓬志愜舊山川。
血指延親三日命, 赤腔求狀一時賢。
鹿潭淵永瀛州屹, 壽德相稱是曰仙。

* 수연(壽宴): 장수(長壽)를 축하하는 잔치
* 상봉지(桑蓬志): 남자가 세상을 위해 큰 공을 세우려는 큰 뜻
* 적강(赤腔): 단심(丹心), 지극(地極)정성
* 영주산(瀛洲山): 한라산
* 수덕(壽德): 장수하는 덕

230. 용산정(龍山亭)에 차운(次韻)하여

누각이 용강(龍岡)의
으뜸자리 차지했으니,
늘그막에 편안히 놀며
즐길 곳을 홀로 찾는구나.

진성(眞性)을 길러
산처럼 고요하니,
까닭모를 수심(愁心)이
다 사라지고 산골 물처럼
스스로 흐르네.

꽃향기 절로 나니
술자리 찾아가고,
뭇별들이 치우쳐 책을 읽는

누각(樓閣)을 비추네.

복사꽃 만발한 도원(桃園)이
별천지에 있지 않으니,
이웃의 숲이라도 빌려와
짝을 짓고 싶구나.

230. 次龍山亭韻

占得龍岡第一頭, 暮年逸樂獨相求。
養來眞性山同靜, 滌盡閑愁澗自流。
桃園不是別天在, 願借鄰林與結儔。
花氣自生行酒處, 奎星偏照讀書樓。

* 용강(龍岡): 전북 고창군 부안면 용산동
* 진성(眞性): 사물이나 현상의 본래 성질
* 한수(閑愁): 까닭모를 수심(愁心)
* 불시(不是): ~이 아니다.

231. 유공(劉公) 만가(挽歌)
— 삼가 농은(農隱) 유공(劉公)에게 드리는 만가(挽歌) —

시(詩)와 서(書)는 대대(代代)로
전승(傳承)하는 가업(家業)이고,
효도와 우애는 하늘에서 부여받은
자성(自性)이었네.
부귀공명(富貴功名)은
모두가 분수 밖의 것이라,
숲과 샘 자연경치 거닐며

조용히 사셨구나.

군평(君平)이 세상을 버리듯
스스로 속세를 버리고,
영원히 옛날 옛적 갈천씨(葛天氏)의
백성이 되었네.
지난 날 배알(拜謁)할 때는
얼굴엔 화색이 돌고
윤기(潤氣)가 흘렀으며,

자애롭고 온화한
표정이 넘쳐나고,
뜻을 말할 때는 정성스럽고
간절함이 묻어나,
꾸밈없이 의젓한
어진 자의 모습이라
가히 백년장수를
기약할 수 있었는데,

어찌하여
한 번 질환이 나더니
갑자기 문선(文仙)의
수행(修行)을 하시는고?
인강(仁江)에 달이 지고,
처량한 구름이 옛 성(城)을
떠도는구나.

사도(斯道)의 전형(典型)이
어디에 있는가?
농은(農隱) 두 글자
편액(扁額)에 남아 있고,

지금까지 남긴
가르침이 막중하여,
자손들은 모두
뛰어나게 현명하다네.

더구나
둘째 아드님은 나의 벗으로,
재능과 학식을 모두 갖추었으니,
영령(英靈)이시여,
부디 한탄하지 마소서!
남기신 은덕(恩德)이 바야흐로
자자손손 끝없이 이어가리니!

231. 謹輓農隱劉公

詩書傳家業, 孝友自性天。 功名皆分外, 逍遙林下泉。
自棄君平世, 永作葛天民。 昔余拜床日, 顔如渥丹圓。
慈和溢於表, 致意政惓惓。 粹然仁者像, 可期壽百年。
云胡一疾作, 遽爲修文仙。 落月仁江上, 凄雲古城邊。
典型何處在, 農隱二字扁。 至今遺教重, 子孫摠俊賢。
況又次胤友, 才學兩相全。 英靈莫作恨, 餘庥方綿綿。

* 군평(君平): 군평은 한(漢)나라 때 촉(蜀)의 은사(隱士)인 엄준(嚴遵)의 자(字)이다. 그는 세상을 버리고 끝내 세상에 나가지 않고 성도(成都)의 시장에서 점치는 것을 업으로 삼아 생계를 유지하였다. 노자(老子)를 전공하여 생도들을 가르치고 십여만 언(言)의 '노자지귀'(老子指歸)를 저술하기도 하였다. 〈漢書 卷七十二〉

그는 시장에서 매일 점을 쳐서 하루 먹을 만큼만 벌면 즉시 문을 닫고 노자(老子)를 읽거나 저술을 하였으며, 관리들과는 일체 교류하지 않았고 종신토록 벼슬길에 나아가지 않았다. 훗날 '군평기세(君平棄世)'〈군평이 세상을 버림〉라는 고사성어가 생겼다. 〈太平御覽 卷509〉

* 갈천씨(葛天氏): 전설에 나오는 원고(遠古)〈아주 오랜 옛날〉때 사람. 그가 다스릴 때는 말하지 않아도 사람들이 믿었고, 교화(敎化)하지 않아도 백성들이 잘 실천했다고 한다. 이 시대의 음악(音樂)은 3명이 소꼬리를 잡고서 노래하는 식인데, 모두 8곡이 있었다고 한다.〈呂氏春秋・古樂〉〈帝王世紀〉

* 문선(文仙): 문장(文章)의 신선(神仙), 문선(文仙): 사마천, 시선(詩仙): 이태백 등
* 권권(惓惓): 간절하게
* 수연(粹然): 꾸밈없음, 솔직함
* 치의(致意): 자기의 뜻을 남에게 알림
* 운호(云胡): 어찌하여
* 거위(遽爲): 갑자기
* 황우(況又): 게다가, 더구나
* 윤우(胤友): 어른께 편지할 때 그의 장성한 아들을 일컫는 말
* 여휴(餘庥): 남은 은덕(恩德)
* 면면(綿綿): 끝없이 이어지는 모양, 자손이 번성한 모양

232. 월담(月潭), 취헌(醉軒) 두 형 봉별(奉別)하며
― 오언고시(五言古詩)로 월담(月潭), 취헌(醉軒) 두 형을 봉별(奉別)하다 ―

백리 길 멀리서 서로 그리워하다가,
어느 날 불현듯 찾아왔구나.
외따로 홀로 살아 적막에 잠기지만,
청안(淸眼)으로 그대 옷자락을 잡는구나.

어떻게 무더위를 식혀드릴까?
맑은 바람 부는 수만 그루
녹음(綠陰)이 제격이요,
무엇으로 그 갈증을 풀어드릴까?
옥구슬 소리 나는 바위 틈
샘물이 제격이라네.

맑은 바람 끌어 모아
더위를 쓸어버릴 수 있고,
샘물을 길어다가
옷깃을 씻을 수 있네.
열흘 동안 서로가 지켜보며,
세 솥발처럼 마주 앉아
진심(眞心)으로 이야기 하는구나.

아름다워라, 월담(月潭) 그대여!
속된 선비들 혹 뛰어난다 말하지 마오.
따뜻하고 인정미 넘치는 인자한 모습,
한 덩어리 봄날이 앉은 것 같네

하늘과 사람의 현묘(玄妙)한
이치를 담론(談論)하고,
고금(古今)의 인물(人物)들을
자유롭게 논변(論辨)하니,
온 종일 들어도 싫증나지 않으며,
진지(眞摯)하고도 다정하구나.

취헌(醉軒)옹(翁)은 그 무엇에도
구애받지 않는 선비로서,
백발에도 건장한 체구요,
입을 열면 노래 가락 절로 나오고,
그 묘한 곡조는 가히 귀신도
곡(哭)할 지경이로다.

간간이 우스개로 잡담하며
마주 앉아 풍진세상을 웃어도 보고,
삼시 세 끼 아내가 밥상을 전달하면
사방에서 친구들이 모여드는구나.

보리는 지금 십상팔구 여물었고,
염교 나물을 무쳤더니 맛이 새로우니,
손님대접을 어찌 푸대접하겠는가?
상전벽해(桑田碧海)라 급변하는 세상이
참으로 가련하기 그지없구나.

우리 함께 사귄 날을 되돌아보며
손꼽아 헤어보니 어언 서른 해라,
봄가을 흥취(興趣)따라 사방을 누비며,
명산(名山)과 바닷가를 유람한 적이
그 몇 번이던가?

전쟁으로 헤어진 뒤 서로가 찾으며
화복(禍福)은 하늘에 맡겨 버렸고,
믿는 것은 오로지 그대들이 있음으로
나를 이끌고 단전(丹田)을 지키는 것이네.

돌아보니 나는 재주 없는 자이라
어려서 옛 서적을 읽기는 했지만,
'매독환주(買櫝還珠)' 고사(故事)처럼
구슬은 돌려주고 빈 궤짝만 지키는 꼴이니,
궤짝은 크다 만은 속은 텅 비었네.

혹 어떤 자는 나더러
조충(鳥蟲)을 잘 그린다고 하지만,
처음 뜻한 바가 아니라 부끄러울 따름이니,
그 회한(悔恨)을 어찌 다 말로
할 수 있겠는가?
이제는 머리까지 백발이 되어
궁지(窮地)에 몰리니 슬프기만 하네.

오로지 술이
진정한 현자(賢者)요 성인(聖人)이라,
근심걱정 떨치라고 나를 재촉 하는구나.
한잔 들고 또 한잔을 드니,
부귀영화가 뜬구름처럼 떠도네.

장주몽접(莊周夢蝶)도 꿈속 환상(幻想)이요,
범초존망(凡楚存亡)도 자유에 맡겨버리고,
때는 한 밤중에 달빛도 좋으니,
달을 상대로 노래 부르며 주고받는구나.

달이 지고 술마저 동이 났으나
진준투할(陳遵投轄)이라,
수레바퀴 굴대빗장을 우물에 던져 넣지 못했으니,
작별하는 마당에 한 마디 부치는 부탁은,
해마다 이곳에 와서 청유(淸遊)를 즐겨보세!

232. 五古詩奉別月潭, 醉軒二兄

百里遙相億, 一日能來臨。索居政涔寂, 靑眼執子襟。
何以勞其署, 淸風萬樹陰。何以解其喝, 石泉玉如音。
挹風能掃暑, 汲泉可濯襟。相守一旬日, 鼎坐話眞心。
猗歟月潭子, 俗士莫或倫。粹盎仁者像, 如坐一團春。
玄談天人理, 縱論古今人。聽者終不厭, 肫肫且諄諄。
醉翁不羈士, 白首康莊身。吐舌能爲律, 妙調可泣神。
間雜諧與謔, 相對笑風塵。三時婦傳飯, 有友自四隣。
麥今十八九, 韲薤味或新。享賓何太薄, 滄桑堪可憐。
回念結交日, 屈指三十春。春秋四方興, 幾度海山邊。
亂離相追逐, 禍福聽於天。所恃惟子在, 導我保丹田。
顧吾不才者, 幼少讀古書。還珠只守櫝, 枵然內自虛。

或稱鳥蟲末, 愧負所志初. 悔恨曷可及, 頭白悲窮廬.
惟酒眞賢聖, 使我足消憂. 一酌又一酌, 富貴雲共浮.
周蝶幻一夢, 凡楚任自由. 時夜月正好, 對月相唱酬.
月落酒又盡, 井轄未能投. 臨別寄一語, 年年做此遊.

* 봉별(奉別): 윗분과의 작별(作別)
* 청안(淸眼): 모든 사물을 좋게 보는 맑은 눈
* 염교: 쪽파 비슷한 향신 채소
* 단전(丹田): 심신(心身)의 정기(精氣)가 모이는 곳이다. '단(丹)'은 약(藥)을 뜻하며, '단전(丹田)'은 인체에서 가장 귀중한 약을 만들어내는 장소로서의 밭[田]이라는 의미이다. 따라서 단전은 생명력, 활동력의 원천이며, 생식력, 성장력의 기본이 되는 곳이기도 하다. 단전의 위치는 일반적으로 상단전, 중단전, 하단전으로 분류한다. 상단전은 뇌 부분, 중단전은 심장에서 명치부분, 하단전은 배꼽아래 부분이다. 보통 단전이라고 할 때는 배꼽아랫배 부근의 하단전을 가리킨다. 하단전은 모든 경락이 모이는 곳으로서 원기를 저장하는 곳이며 기 흐름의 요체이다. 또한 생명력을 배양하는 곳이다.

* 매독환주(買櫝還珠): 상자는 사고 구슬은 돌려준다는 뜻. 고대 중국 楚(초)나라 사람이 木蘭(목란: 목련)으로 만든 상자에 찬란한 장식을 하여, 그 속에 구슬(진주)을 넣어 파는데, 鄭(정)나라 어떤 자가 그 구슬상자를 사고는 구슬은 돌려주었다는 고사(故事). 이는 진짜 귀한 것은 천히 여기고, 천한 것을 귀히 여김을 비유하는 고사이다. 또는 화려한 겉모습에 현혹되어 중요한 본질을 놓치는 어리석음을 비유하는 고사이기도 하다. 〈韓非子(한비자)〉
* 회한(悔恨): 후회하고 한탄함

* 장주몽접(莊周夢蝶): "장자의 나비 꿈"이라는 유명한 고사(故事)이다. 장자(莊子)의 본 이름이 주(周), "어느 날 잠이 든 장자는 꿈에 나비가 되어 꽃 사이를 날아다니다가 꿈에서 깨고 보니 자신은 나비가 아니라 장자(莊子)였다. 그리하여 장자는 생각에 잠겼다. 아까 꿈에 나비가 되었을 때에는 나는 내가 장자인지 몰랐다. 그런데 지금 꿈에서 깨어보니 나는 분명 장자가 아닌가? 그렇다면 지금의 나는 정말 장자인가? 아니면 나비가 꿈에서 깨어나 장자가 된 것인가? 지금의 나는 과연 진정한 나인가? 아니면 나비가 나로 변한 것인가?

이 이야기는 진정한 자아(自我), 또는 정체성(正體性)에 대한 질문을 던지게 만들며, 더 나아가 일체의 만물이 "너와 나"의 구별 없이 다 하나가 아닌가? 라는 생각에 이르게 하는것이다. 훗날 장자는 제자들에게, 자신이 죽으면 죽은 몸을 들판에 두라고 했다. 땅에 묻어도 결국은 짐승이나 벌레의 먹이가 될 뿐이라는 것이다.

* 범초존망(凡楚存亡): 고대 중국 춘추시대 강대국인 초(楚)나라와 그의 속국인 범(凡)나라 에 관한 고사성어이다. 초왕(楚王)이 범군(凡君)과 함께 앉았을 때, 초왕의 좌우에서 '범 나라는 망한다.'고 말하자, 범군이 말하기를, '우리 범 나라가 망한다 해도 내 자신의 존재를 잃는 것은 아니다. 그렇다면 초나라가 존재하는 것도 결국 존재하는 것이 되지 못하니, 이것으로 본다면 범 나라가 애당초 망한 것이 아니요, 초나라도 애당초 존재한 것이 아니다 고 했다. 여기에서 유래된 말로, 존망(存亡)의 이치를 판정하기 어려움을 말한 것이다. 즉 강대국인 초(楚)나라 임금과 약소국인 범(凡)나라 임금이 "사생존망"에 대하여 얘기를 나눈 데서 온 말로, 강자(强者)와 약자(弱者)의 뜻으로 쓰임.〈莊子田子方〉

* 진준투할(陳遵投轄): 옛 풍습, 손님이 집에 가득 모이면 대문을 닫아 빗장을 걸고 손님이 타고 온 수레의 굴대빗장을 우물에 던져 넣어, 아무리 급한 일이 있어도 가지 못하게 했다. 《漢書 卷92 遊俠傳 陳遵》
* 색거(索居): 홀로 외따로 살다
* 수앙(粹盎): 온윤(溫潤)한 모습, 따뜻하고 인정이 있음.
* 괴부(愧負): 부끄러워하다. 겸연쩍어하다.
* 궁려(窮廬): 궁지에 몰리다.

233. 방호산(方壺山)의 용추폭포(龍湫瀑布)를 구경하다

― 경암(敬菴), 담재(澹齋) 두 벗들과 함께
방호산(方壺山)의 용추폭포(龍湫瀑布)를 구경하다 ―

만학천봉(萬壑千峰)
하나같이 가을빛인데,
푸른 절벽 등넝쿨이
폭포(瀑布)에 걸려있네.

해마다 먼 유람(遊覽)길에
여비(旅費)를 낭비(浪費)했다만,
이제야 방호산(方壺山)의
제일 절경(絕景)을 보는구나.

233. 與敬菴, 澹齋二友, 觀方壺龍湫瀑沛

萬壑千巖一樣秋, 藤蘿蒼壁掛長流。
年年枉費遠遊力, 始見方壺最勝頭。

* 만학천봉: 첩첩이 겹쳐진 깊고 큰 골짜기와 많은 산봉우리
* 방호(方壺): 삼신산의 하나, 삼신산은 중국전설에 나오는 봉래산(蓬萊山), 방장산(方丈山), 영주산(瀛洲山)을 말한다. 방장산이 곧 방호(方壺)산이다.
　지리산은 예로부터 두류산(頭流山), 남악산(南岳山), 방호산(方壺山), 방장산(方丈山)등으로 불려왔다. 이 시(詩)에 나오는 방호(方壺)는 그 지리산(방장산)이 아니라, 전북 정읍시와 고창, 전남 장성의 경계에 솟아 있는 "또 다른 방장산(方丈山)"을 말한다.

* 용추(龍湫)폭포: 전북 고창군 신림면 가평리에 있는 폭포. 20척의 웅장한 폭포로 가평리 신기마을 뒷산 방장산(方丈山)〈방호산〉 서북쪽에 있다. 그 높이는 20여척에 달하고 폭포수가 떨어지는 곳엔 둘레가 20여척에 달하는 용소(龍沼)라고 하는 맑은 못이 있다. 평년 강수량에도 폭포의 웅장한 모습을 볼 수 있고 경관이 아담하고 바위들은 미끄러운 원형욕조처럼 보인다. 또한 폭포수가 그 가운데로 쏟아져 마치 선녀탕 같은 기분을 연상케 한다. 상류로 오르면 한 여름에도 수면 위로 냉기가 흘러 발을 담그고 2-3분을 넘기기 힘들 정도로 차갑다. 가파른 협곡에서 볼 수 있는 아름다운 경치이다. 별로 높지는 않지만 봉우리가 많고 경사 가파른 협곡들로 이루어져 있어 경치가 아름다우며 주위는 온통 바위와 숲으로 우거져 있어 밖에서도 잘 보이지 않는다.

* 등라(藤蘿); 등나무 줄기
* 왕비(枉費): 낭비, 허비

234. 낙원(樂園) 시회(詩會)의 운을 따서
– 추흥(秋興)에 낙원(樂園) 시회(詩會)의 운을 따서 –

국화주(菊花酒)에 나물안주라,
비록 티끌세상이라 해도
어느 구석 즐길 둥지는 있었네.

날씨가 맑아지고
이슬 서리 내리니,
벼들이 서로 엉켜 논두렁이
파묻히려 하고,

지금 세상 아무리 둘러봐도
갈 곳이 없는지라,
수많은 선비들이 일시에
두메산골을 찾아드는구나.

가을이 되니 또다시 집집마다
음식 풍미(風味) 별다르고.
정원 가득 감과 밤이
주렁주렁 매달려 드리워졌네.

234. 秋興次樂園詩會韻

黃花爲酒菜爲肴, 縱在塵寰亦樂巢。
天氣易晴霜露際, 田疇欲沒稻粱交。
顧今四海往無處, 爲此一時多隱郊。
又是家家風味別, 滿庭柿栗盡垂梢。

* 추흥(秋興): 가을의 흥취(興趣)

* 종재(縱在): 비록 ~라 해도
* 은교(隱郊): 은밀히 숨겨진 시골
* 풍미(風味): 음식의 고상한 맛
* 시회(詩會): 시인과 시(詩)애호가들의 모임

235. 친구 정삼은(丁三隱) 수연축시(壽宴祝詩)의 운을 따서

같은 해 같은 달
음력 시월에 태어났는데,
부럽구나, 그대 복록(福祿)!
늙을수록 더욱 새로워지네.

산 앵두꽃 피는 정원 속
가지마다 활기차고,
마당에 늘어선 자제(子弟)들은
하나같이 참된 모습이구나.

삼각지(三角地)엔 예로부터
유학(儒學)선비가 많았는데,
영성(靈城)정씨(丁氏) 일가친척도
모두가 강녕(康寧)노인 칭송하네.

지금 이 시간부터 별천지(別天地)
가는 길을 찾고자 하는데,
혹여 두 강물 중간쯤에서
이웃으로 받아 주시려는지?

235. 次祝丁友三隱壽筵韻

幷歲而生又小春, 羨君福祿晚尤新。
棣華園裏枝枝活, 蘭玉庭前箇箇眞。
三角古多經術士, 靈城咸頌吉康人。
從今欲覓桃源路, 二水中間倘許隣。

* 당체화: 산 앵두나무 꽃, 형제의 우애(友愛)를 상징함
* 경술사(經術士): 유교경전을 연구하는 선비
* 삼각지(三角地): 서울 용산구 한강로 1가에 있는 지역. 한강, 서울역, 이태원 쪽으로 가는 세 길이 있어 붙여진 이름이다. 서기 1906년 러일전쟁 후 일제에 의해 경부선 철도와 한강로가 만들어낸 삼각모양의 지형을 일컬었다. 서기 1939년에 로터리가 형성되고, 서기 1967년 입체교차로 설치됐으나 서기 1994년에 철거되었다.
* 영성(靈城): 충남 천안시의 옛 지명, 전남 영광의 옛 지명이란 설도 있음.
* 난옥(蘭玉): 훌륭한 자제(子弟)
* 당허(倘許): ~해 주시려는지?, ~해 주신다면

236. 월은(月隱) 유공(劉公) 만가(挽歌)
― 삼가 월은(月隱) 유공(劉公)에게 드리는 만가(挽歌) 네 수(首) ―

우리 고을 오복(五福)갖춘 사람은
공(公)을 첫손에 꼽는데,
더럽고 비린 속세(俗世)
신물 나게 보아온지라,
하루아침 갑자기 신선이 되었구나.

시서(詩書)를 이어받아
가업(家業)으로 삼고,
효도(孝道)와 우애(友愛)는

하늘에 뿌리를 두었으니,
하늘의 보답이 어긋나지 않아
자손들이 준수(俊秀)하고
현명(賢明)하구나.

옛날 쌍은정(雙隱亭)에 올랐을 땐
간곡하고 진솔하게 말씀하셨는데,
오늘 홀로 정자(亭子)에 오르니
바람소리 처량하고 구슬퍼,
이리저리 서성이며 사도(斯道)의
전형(典型)을 또다시 생각해보네.

부음(訃音)이 세상에 알려지던 날,
사림(士林)에선 모두가 깊은
슬픔에 잠겼는데,
하물며 선친(先親)과는
호학독신(好學篤信)하는
정의(情誼)가 두터웠으니,
고개 돌려 눈물이 비 오듯
흐르는구나.

236. 謹挽月隱劉公四絶

吾鄉數完福, 屈指公居先。
厭見腥塵界, 一朝遽化仙。
詩書傳爲業, 孝友根於天。
天報應無爽, 子孫俊且賢。
昔登雙隱亭, 呫詔儘丁寧。
獨上風淒切, 徘徊想典型。
訃滿江湖日, 士林悵莫追。

矧吾先好篤, 回首淚漣洏。

* 오복(五福): 유교에서 말하는 5가지의 복(福), 수壽), 부(富), 강녕(康寧), 유호덕(攸好德), 고종명(考終命) 즉 오래 사는 것, 부유한 것, 건강한 것, 덕(德)을 쌓는 것을 낙으로 삼는 것(베푸는 것), 병 없이 편안히 죽는 것.
* 시서(詩書): 시(詩)와 글씨
* 준수(俊秀): 인물이 뛰어남

* 쌍은정(雙隱亭): 전북 고창군 아산면 중월리 태봉산(台峰山 110.8m) 기슭에 유재연(柳載淵), 유재덕(劉載德) 형제가 지은 정면 2칸의 측면 1칸 규모의 정자(亭子). 이들은 사촌형제로 우애가 매우 돈독하였으며 호가 월은(月隱), 동은(東隱)으로 '쌍은(雙隱)' 이라는 정자(亭子)이름을 사용했다.
* 사도(斯道): 유가(儒家)에서 이르는 유교의 도덕(道德)
* 부음(訃音): 사망 소식
* 사림(士林): 유학계(儒學界)
* 호학독신(好學篤信): 학문을 좋아하고 진실되고 정성스럽게 믿음
* 정녕(丁寧): 거짓 없이, 진실 되게

237. 강재(剛齋) 김공(金公)을 곡(哭)하며

옛날 소년시절 나는 어깨에
책 보따리를 매고 공(公)을 따랐는데,
공(公)은 솔선수범하며
단호하게 잘못을 지적해주었고,
성현(聖賢)의 길로 어서 돌아오라
기대(期待)를 했다네.

공(公)은 본래 노둔(駑鈍)하고 유약(柔弱)하여
강직한 성품으로 구제하는데 힘써보았으니,
지성(至誠)이면 가히 금석(金石)도 뚫는다했던가?

마치 강둑이 터진 듯이 그 기세(氣勢) 굳세었구나!

동강(東岡)에서 은거생활 고수하며
아침저녁 소요암(逍遙庵)을 거닐고,
형은 나팔을 동생은 피리 불며,
서로가 시가(詩歌)를 주고받고 읊조리며
백발인생을 마음껏 즐기었구나.

난리(6.25전쟁) 후에 한 번 찾아갔더니
이야기마다 말뜻이 더욱 깊었고,
주자(朱子)의 상주문(上奏文)을 낭송하니,
천년 세월 내려오며
묵묵히 뜻이 통한 심정이었네.

봉산(鳳山)봉우리에
부질없이 구름이 떠있고,
용강의 달빛도 헛되이 흐르는데,
우리 붕당(朋黨)에 누가 있어
다시 이 자리에 있겠는가?
강물은 목이매고 봉우리는
제 스스로 시름에 잠기는구나.

237. 哭剛齋金公五絶

昔我少年時, 携書肩隨之。
切偲垂箴規, 期以聖賢歸。
君本魯而柔, 用弦濟以剛。
誠可透金石, 沛然若決江。
固守東岡波, 晨夕逍遙庵。
塤箎相酬唱, 皓首樂且湛。

亂後一相尋, 話話語更深。
朗誦晦翁奏, 千載默契心。
鳳岀雲空鎖, 龍江月亦流。
吾黨誰復在, 水咽山自愁。

* 소요암(逍遙庵): 소요사(逍遙寺), 고창군 부안면 용산리에 자리하고 있는 사찰이다. 용산리 서쪽 해안가에 우뚝 솟아 있는 산이 소요산인데, 이 소요산의 동쪽 기슭에 자리하고 있는 사찰이 바로 소요사(逍遙寺)다. 소요사의 정확한 창건연대는 알 수 없다. 고창군 내에 있는 다른 사찰들과 마찬가지로 설화로 전해지고 있을 뿐인데, 백제 위덕왕 대에 해당하는 6세기 말에 소요대사(逍遙大師)가 창건했다고 한다. 그 후 통일신라 말에 도선(道詵)선사(禪師)가 득도(得道)후 일시 수도한 곳으로도 알려졌다. 조선시대 들어 소요사(逍遙寺)에서 많은 고승(高僧)들이 대대로 배출되었다. 6·25전쟁 때 소실되었다가 1961년 승려 현학(玄鶴)에 의해 대웅전이 재건되었다. 1975년 대한불교 태고종(太古宗)에 등록되었다.

* 절시(切偲): 절시마탁(切偲磨濯), 곧 단호하고 굳세게 잘못을 지적함.
*동강(東岡): 벼슬에 나가지 않고 물러나 있는 곳
*은거(隱居): 세상을 피해 숨어 삼
*훈지상화(壎箎相和): 형은 나팔을 불고 아우는 화답하여 피리를 분다는 뜻으로, 형제간의 화목(和睦)함을 말한다.
* 회옹상주문(晦翁上奏文): 주자(朱子)가 정부에 올린 상주문.

238. 전후(戰後) 처음 동계(東溪)에 들어

― 전쟁(6.25) 후 처음 동계(東溪)에 들어
시를 지어 조카 수식(壽植)에게 증정함 ―

외삼촌 고택(故宅)이
어디인가 물으니,
감나무 밤나무 사이
대숲 가에 있다네.

처음 낳은 손자(孫子)가
다행히 대를 이어
백년 가업(家業) 이어가고,
새로이 두어 칸 초가를 짓고
옛 농토를 가꾸는구나.

238. 亂後始入東溪贈壽植姪

渭陽故宅問何處, 柿栗之間竹樹邊。
昌孫幸繼百年業, 新搆數椽理舊田。

* 위양(渭陽): 외삼촌(外三寸)을 뜻하는 말
* 고택(故宅): 예전에 살던 집
* 창손(昌孫): 맨 먼저 낳은 손자(孫子), 주손(胄孫)

239. 춘원(春園)의 원래 운(韻)을 따서

주인 영감이 독지가(篤志家)라고
세상 사람이 다 말하지만,
나는 포상(褒賞)할 것은 밝히고
혼미(昏迷)한 것은 경고(警告)하기를
바라노라.

한 치의 풀들은 해마다
바람에 흔들리는 나무를 한탄하고,
근심에 찬 마음은 곳곳마다
격변하는 세상이라 떠들썩하네.

정신은 맑고 상쾌하여

초승달 같고,
화기(和氣)는 순수(純粹)하여
열 말 들이 술통같이 푸짐하구나.

죽을 때까지 그리워한 것은,
평생 편액(扁額)을 만들어
게시(揭示)하는 일이었으니,
따뜻한 봄볕도 치우쳐
효려문(孝廬門)을 비추는구나.

239. 次春園原韶

主翁篤志世皆言, 我願明褒警彼昏.
寸草年年風樹恨, 愁雲處處海桑喧.
精神灑落三分月, 和氣醇然十斗樽.
終慕一生扁以揭, 春暉偏向孝廬門.

* 독지가(篤志家): 뜻있는 일에 도움을 주고 협조하는 사람
* 수운(愁雲): 근심스러운 기색(氣色)
* 해상(海桑): 상전벽해(桑田碧海), 즉 세상의 변화가 격심함을 비유하는 말
* 쇄락(灑落): 상쾌하고 깨끗함
* 삼분월(三分月): 초승달
* 화기(和氣): 인자하고 환한 얼굴빛
* 종모(終慕): 죽을 때까지 그리워하다.
* 편액(扁額): 그림, 글씨 등의 액자
* 효려(孝廬): 상제(喪制)가 거처하는 곳

240. 월담(月潭)이 부친 시(詩)에 사의(謝意)를 표하며

- 계묘년(서기 1963년) 10월 28일은 나의 예순 하나 회갑(回甲) 날 아침이라, 나의 친구 월담(月潭)이 16운시(韻詩)를 보내와, 삼가 보운(步韻)하여 감사의 뜻을 표한다. -

음력시월 소춘(小春)이라
봄날처럼 포근한데,
울타리 국화(菊花)
아직도 그대로니 좋은 때로다.
나에게 보낸 한 수 한 수
주옥같은 시 가락이라,
상쾌한 기분으로 다시 한 번
펼쳐보게 하는구나.

설령 당송(唐宋)의 시(詩)들이
격조(格調)가 높다고 해도,
참된 시 가락과는 크게 어긋나니,
그 헛된 명성(名聲)을 어찌 하리오?
덧없는 세월 유수처럼 빠른데,
문득 오늘 회갑을 맞고 보니
온갖 감회(感懷)가 새롭구나.

백발 노모(老母)께선 다행히
무병(無病)강녕(康寧)하시니,
색동옷 입고 기뻐하며 몸 낮추어
시중을 들어 드린다네.
그 옛날 사내로 태어나던 그날을
더듬어 생각해보면,
미역국과 떡으로 잔치를 열어
사방 이웃들을 대접하였고,

소시 적엔 날마다 옛 책들을
독파(讀破)하고는,
망령되게 성현(聖賢)에
이를 수 있다고 기대했는데,
평소의 품은 뜻을 펴지도 못하고
이미 머리는 백발이 되었으니,
예순하고도 또 한 철의 봄을
허송하고 말았구나.

회한(悔恨)이 태산보다 더 높이 쌓여
오히려 멧부리가 작아졌으니,
인생의 길흉화복(吉凶禍福)은 원래부터
인과(因果)에 달렸음을 알겠고,
지난날의 잘못을 지금에야
비로소 깨달았으니,
가는 곳마다 산(山)은 높고
강물은 맑기도 하구나.

재실(齋室)을 깨끗이 청소하니
속(俗)된 티끌세상과 거리가 멀어지고,
옛 서적 단편들만 남았다만
모두가 우리 집안 보물이로다.
이제는 묻는 사람 하나 없고
나 또한 묻지 않으니,
오로지 거문고와 송백(松柏)이 있어
스스로 정신을 일깨우도다.

이제 기운이 쇠락(衰落)하여
북창삼우(北窓三友)〈거문고, 술, 시(詩)〉
벗을 하며 속세(俗世)를 떠나 사니
스스로 태고(太古)적 복희(伏羲)시대

사람이라 이르는구나.
누가 명예롭고 누가 치욕(恥辱)인지,
이제와 굳이 말해 무엇 하리오.
이제부터 동작진(銅雀津)나루를
결코 건너가지 않으리라!

우리 붕당(朋黨)에 천만다행으로
월담(月潭)원로(元老)가 계시어,
때때로 잘못을 바로잡아 주시고
부단히 정진(精進)하라! 신신당부
하시는구나.
모두들 술잔을 멈추고 행주곡(行酒曲)
한가락 들어보세.

월담(月潭) 옹(翁)이 또
선로석고박주타의도(船櫨席鼓箔酒柁檥艃)
아홉 자(字)를 운(韻)으로 하여 지은
행주곡(行酒曲) 한가락을 보내왔으니,
천 겹 만 겹 옷깃을 풀어헤치고,
차례차례 무한(無限)회포(懷抱) 풀어보세.

240. 謝月潭寄來詩

癸卯十月二十八日, 余六十一生朝也。
吾友月潭先生惠寄十六韻, 謹步其韻 以謝。

小春十月如春暖, 籬菊尙存亦良辰。
投我以詩詩如玉, 令人爽氣一番振。
縱然高調駕唐宋, 其奈虛譽大非眞。

荏苒歲月流波迅, 奄當是日百感新。
堂上鶴髮幸無恙, 斑衣喜作侍下身。
追想先甲懸弧日, 湯餠開宴動四隣。
少日讀破古人籍, 妄意聖賢可期臻。
素志未成頭已白, 虛送六旬有一春。
悔尤山積山猶小, 禍福元來有果因。
始悟昨非覺今是, 隨處江山嵩且溵。
灑掃先堂塵俗遠, 陳篇斷策爲吾珍。
無人問我我無問, 惟有松琴自精神。
頹然高臥北窓下, 自謂羲皇上世人。
孰榮孰辱何須說, 從今不渡銅雀津。
吾黨幸存月潭老, 有時規箴政申申。
停盃試聽行舟曲,月潭又以船艫席鼓箔酒柁櫨舭九字
起詞作行舟曲寄示萬疊衿懷次第伸。

* 보운(步韻): 남의 시(詩)에 화합(和合)하여 연(聯)마다 원운(原韻)을 사용하는 것
* 월담(月潭): 저자(著者)의 사돈(査頓)이자 친구
* 선당(先堂): 종갓집 또는 재실(齋室)
* 복희씨(伏羲氏): 삼황오제(三皇五帝)의 첫머리에 꼽는 중국 고대의 전설상의 제왕 또는 신. 그물을 만들어 사람들에게 고기잡이를 가르치고 팔괘(八卦)를 만들었다고 전한다.

* 북창삼우(北窓三友): 거문고, 술, 시(詩)
* 고와(高臥): 벼슬을 하지 않고 세속을 벗어나 은거(隱居)함
* 쇠락(衰落): 기운이나 힘이 줄어들어 약해짐
* 동작진(銅雀津): 동작도(銅雀渡), 혹은 동재기 나루터라고도 한다. 서울동작구 동작동에 있던 나루터로서, 현재는 반포아파트 서편 이수천 입구에 해당하는 곳이다. 조선 후기에 발달한 도선장(渡船場)으로, 예전에는 수심이 깊었다고 한다. 이곳은 남태령을 넘어 과천(果川)을 지나 수원(水原)으로 가는 길목이었다. 동작대교의 건설로 그 기능이 상실되었다.

"동작진(銅雀津)나루터를 건너가지 않는다."는 말은, 번화하고 유혹이 많은 서울의 유흥가를 가지 않겠다는 뜻이다.

* 행주곡(行酒曲): 술을 권하는 노래, 권주가(勸酒歌)

241. 계묘년(서기 1963년) 손자 경식(曔植)이 편지를 보내와

– 계묘년(서기 1963년) 섣달그믐에 손자 경식(曔植)이 충청병영(忠淸兵營)에서 편지를 보내와 절구(絶句) 한 수를 읊고, 이날 밤 등잔 아래에서 초서로 적다 –

천리(千里)밖에서
부처 온 편지를 보니
네 얼굴 보는 것 같아,
유유(悠悠)히 온갖 감회(感懷)가
가슴속에서 이는구나.

바라 건데 힘껏 노력하여
맡은 직무 잘 수행하고,
봄바람과 더불어 건강히
돌아오길 기다리겠노라.

241. 癸卯除日, 環孫書自忠淸兵營來, 因吟一絶, 是夜燈下走草

千里一書見汝顔, 悠悠百感摠相關。
願言努力能修職, 第待春風與好還。

* 주초(走草): 초서(草書)로 흘려 쓰다.

242. 양단(陽壇) 참향(叅享)에 화답(和答)하여

저 찬 계곡(溪谷)에
국화주(菊花酒) 술잔을 올리니,
중천(中天)의 밝은 달이
다시 빛나는구나.

어진 손자(孫子)가 능히
선조의 소중한 유물을 계승하니,
"산고수장(山高水長)"이 바로
이 집안의 유운(遺韻)이라네.

242. 和陽壇叅享

酌彼寒溪薦菊香, 中天皓月且揚光.
肖孫能繼靑氊業, 遺韻山高水又長.

* 양단(陽壇): 전남 담양 '소쇄원'에서 볕이 가장 잘 든다는 곳
* 참향(叅享): 향례(享禮)에 참석하는 것
* 향례(享禮): 서원(書院)에서 춘추(春秋)로 지내는 제사, 봄: 음력2월 중 정일(丁日), 가을: 음력8월 중 정일(丁日).
* 청전(靑氊): 푸른 빛깔의 짐승의 털로 아무런 무늬도 없이 짠 담요인데, 여기서의 청전(靑氊)은 "청전구물(靑氊舊物)"의 준말로, "으뜸가는 선조의 소중한 유물"이라는 뜻이다. 고대 중국 진(晉)나라 왕헌지(王獻之)의 집에 좀도둑이 들었을 때, 다른 물건을 훔칠 때는 모른척하고 누워 있다가, 탑상에 올라 청전(靑氊)에 손을 대려 하자 "그 청전(靑氊)은 우리 집안의 오래된 유물이니 그냥 놔둘 수 없겠는가?"라고 말하여, 도둑을 깜짝 놀라게 했다는 고사(故事)에서 나온 말이다. 《진서(晉書) 卷80 王獻之列傳》

* 초손(肖孫): 어진 손자(孫子)
* 유운(遺韻): 고인(故人)들의 남기신 운치(韻致), 정취 등을 말함

* 산고수장(山高水長): 덕행이나 지조가 높고 깨끗함을, 산의 높음과 강물의 긴 흐름에 비유하여 한없이 오래 전하여 내려오는 것을 비유하는 말

* 소쇄원(瀟灑園): 양산보(梁山甫: 서기 1503~1557)가 스승인 조광조(趙光祖)가 유배(流配)되자 세상을 버리고 고향으로 내려와 깨끗하고 시원하다는 의미를 담아 조성한 곳으로, 자연과 인공을 조화시킨 조선중기 정원 가운데 대표적인 것이다. 한편, 양산보(梁山甫)의 호가 소쇄옹(瀟灑翁)이었기에 원(園)의 이름을 〈소쇄원〉이라 한 것이라고 한다.〈명승 제40호〉

243. 박동기(朴東箕) 수연(壽宴)시(詩)에 차운(次韻)하여
– 충북 청주 –

사립문 노옹(老翁)이 남긴
기풍(氣風)이 여기 있나니,
청류동(淸流洞)에 사는 것이
대(代)물림 터전이로구나.

오늘날의 신선(神仙)은 바로
이 집 주인 노옹(老翁)과 같으니,
예로부터 장수(長壽)는 마땅히
어질 인(仁)에 있음이로다.

오월 밤하늘의 샛별과
남극 장수(長壽)별이 빛나고,
두 자녀들은 색동옷 입고
북당(北堂)〈안방〉에서 춤을 추네.

한 줄기 햇살이
화양(華陽)마을에 비치는데
멀리서 축하시(祝賀詩)로 대체하오니,

부디 강릉(岡陵)처럼 장수(長壽)하소서!.

243. 次朴東箕壽韻 忠北淸州

華老遺風政在斯, 淸流洞裏世傳基。
如今仙是主翁見, 從古壽於仁者宜。
五月明星南極夜, 二蘭彩舞北堂時。
線陽一脉華陽上, 遙賀岡陵替以詩。

* 청류동(淸流洞): 충북 청주의 청류동 계곡, 동악산(動樂山)은 지방기념물로 지정된 삼남(三南)제일의 암반계류이다. 7C 신라 원효가 도림사(道林寺)와 길상암(吉祥庵)을 세울 때 하늘의 풍악소리에 산이 춤을 췄다고 하여 동악산(動樂山)이라 한다. 그 후 9C 말기에 도선(道詵)이 중건한 이 절에는 조선시대 서산대사, 사명대사 등 대사(大師)들이 모여 숲을 이루었다. 가장 이름난 곳은 도림사 계곡으로 알려진 "청류동 계곡"으로 계곡자체가 지방 기념물 제101호로 지정되었다.

* 북당(北堂): 주부가 거처하는 방
* 화양(華陽): 전북 김제시 만경읍 몽산리에 있는 자연마을
* 이란(二蘭): 두 자녀(子女)
* 선양일맥(線陽一脉): 햇살 한줄기
* 강릉(岡陵): 언덕과 구릉, 수연(壽宴) 축하시(祝賀詩)의 관용어(慣用語)로 "강릉(岡陵)처럼 장수하시길 빕니다."의 뜻.

244. 삼가 경절당(敬節堂) 시(詩)에 차운(次韻)하여

천년(千年)을 내려오는
운림(雲林)이 더더욱 새롭고,
거문고에 시(詩)읊는 소리
변함없이 은거(隱居)를 즐기는구나.

해마다 늙지도 않고 정정하니
사람마다 우러러 사모(思慕)하고,
제사를 돕는 제관(祭官)들
모두가 글 읽는 선비들이로구나.

244. 謹次敬節堂韻

雲林千載倍增新, 絃誦依然舍瑟春。
仰止年年靑不老, 裸將盡是讀書人。

* 운림(雲林): 구름이 걸쳐 있는 숲
* 현송(絃誦): 거문고를 타면서 시를 읊음
* 사슬춘(舍瑟春): 속세를 떠나 은거(隱居)한다는 뜻.
* 은거(隱居): 속세를 떠나 숨어 삶
* 나장(裸將): 제사를 돕는 제관(祭官)
* 의연(依然)하다: 변함없다. 여전하다. 전과 다름없다.

245. 죽순(竹筍) 돋는 것을 보고
― 청명(淸明)에 죽순(竹筍) 돋는 것을 보고 기쁨을 적다 ―

대나무는 심기는 쉽지만
키우기는 어려운데,
해마다 뿌리를 북 돋우니
드디어 대나무가 되는구나.

수많은 죽순이 하룻밤에
앞 다투어 돋아나니,
큰 놈은 서까래 깜이요
작은 놈은 낚싯대 깜이로다.

245. 淸明日見筍, 誌喜

種竹非難養竹難, 培根歲歲是琅玕。
千筍一夜爭先出, 大者如椽小者竿。

* 청명(淸明): 24절기의 하나, 양력 4월 5~6일경
* 낭간(琅玕): 청낭간(靑琅玕)을 말한 것으로 대나무를 칭한다. 낭간(琅玕)은 원래 아름다운 옥돌로 빛이 푸른 옥(靑玉)과 같은데, 대나무는 이와 비슷하므로 청낭간 또는 낭간이라 한 것이다.

246. 회헌(悔軒) 임공(林公) 만가(挽歌)

오호(嗚呼)라, 회헌(悔軒)공(公)이여!
충직(忠直) 온후(溫厚)한 성품은
하늘에서 부여받았고,
일찍부터 가정훈육(訓育)을 물려 받아
일평생 효성과 형제우애가 온전하구나.
엄한 아버지를 섬기듯 형을 섬기며
어린아이처럼 형을 따르고,
형을 위해 전답과 집을 팔고,
함께 잠자고 밥상을 같이 하며
서로 떨어지지 않는구나.

생일잔치 못 차리게 하니
요아(蓼莪)시편(詩篇) 그 뜻대로
부모님이 더욱 그리워지는데,
이것이 종신토록 부모에 대한
사모(思慕)의 정(情)이니,
슬픔에 북받쳐 눈물만 하염없이

줄줄이 흐르는구나.

오로지 마음은 자식에게
의(義)를 가르치는데 있었으니,
큰 아들은 이미 성공하여
명성(名聲)을 얻었으나,
어찌 자루속의 금덩이가
족(足)한 부(富)라고 하겠는가?
여록(餘祿)만이 바야흐로
영화(榮華)라 일컫는다네.

서로가 한 번 부르면 들리는
가까운 곳에 살아 빈번히 만나
술병을 들고 다녔고,
보내고 맞이함에 상도(常度)가 있었으니,
흘러가는 금강(錦江)물이
바로 호계(虎溪)였다네.

하늘이시여!
주옥(珠玉)같은 시부(詩賦)는
넉넉하게 내려주시다가
어찌하여 수명(壽命)만은
인색(吝嗇)하나이까?
한편의 뇌문(誄文)으로 어찌
북받치는 슬픔을 다 담으리오.
홀로 석양(夕陽)가를 서성이며
배회(徘徊)할 따름이구나.

246. 挽悔軒林公

嗚乎悔軒子, 忠厚得諸天。 早襲家庭訓, 一生孝友全。
事兄如嚴父, 撫兄如嬰兒。 爲兄賣田宅, 枕案不相離。
弧辰禁設宴, 因廢蓼莪詩。 是謂終身慕, 悽悵淚漣洏。
專心在義敎, 長胤已成名。 籯金奚足富。 餘祿方稱榮。
相居一喚地, 逢輒酒壺提。 送迎有常度, 錦流是虎溪。
天乎豐以賦, 胡乃嗇其年。 一誄那能盡, 徘徊夕日邊。

* 호신(弧辰): 편지글 등에서 생신(生辰)을 이르는 말
* 요아시(蓼莪詩):「시경(詩經)」 '소아(小雅)편'에 나오는 것으로, 부모를 잃은 자식이 부모의 봉양을 뜻대로 하지 못한 것을 슬퍼하여 읊은 시(詩)
* 인폐(因廢): 인인폐언(因人廢言)의 준말, 말한 사람에 따라 그 가치를 판단하다.
* 여록(餘祿): 기대하지 않았던 여분의 소득
* 상도(常度): 정상적인 법도(法度)

* 호계(虎溪): 중국 여산(廬山)에 있는 계곡으로 다음과 같은 고사가 있다. 옛날 혜원법사(慧遠法師)가 손님을 배웅할 때 이곳을 지나는데, 갑자기 호랑이 울음소리가 들려 호계(虎溪)라 이름 지었다. 당시 도연명(陶淵明)은 율리산에 살았고, 산남의 육수정(陸修靜)도 도(道)를 아는 선비였다. 혜원법사가 이 두 사람을 배웅하면서 함께 이야기를 나누다 도취한 나머지 자기도 모르는 사이에 호계(虎溪)를 지나쳐 버리고는 모두 크게 웃어 댔다. 혜원법사는 평소에 자기는 평생 호계(虎溪)를 벗어나지 않는다고 큰소리쳤던 것이다. 오늘날 전해지는 호계삼소도(虎溪三笑圖)는 이에 근거한 것이다.
* 뇌문(誄文): 망자(亡者)의 생전 공덕을 칭송하고 애도하는 글, 만가(挽歌)

247. 후은(後隱) 안공(安公) 만가(挽歌)

형은 고련(古蓮) 남쪽에 살고
나는 금강(錦江) 북쪽에 살아
그 거리가 십리가 넘지만,

좋은 철이 되면 서로 좋아 쫓아다녔네.

우정을 나눈 지가 서른 해가 되었지만,
일찍이 한 번도 겉모습을 꾸민 적이 없었고,
일견(一見) 집안을 돌보는 가장(家長)으로,
일가친척 구족(九族)까지 두루두루 화목하였네.

또한 보건데 어질게 처세(處世)하여
만나는 사람마다 모두 기쁘게 따랐으며.
즐기는 일이 무엇인지 물으면,
노옹학(蘆翁學)을 독실하게 믿는 것이라네.

유편(遺編)을 가죽 끈이 세 번 끊어지도록
몇 번이고 열심히 읽었어도,
자나 깨나 손에서 책을 놓지 않았고,
본원탐구(本源探求)에 마음을 쏟았으니,
그토록 탁월한 식견(識見)을 지닌 까닭이 되었도다.

서로가 증봉(甑峯)〈시루봉〉아래
청유(淸遊)를 바라고 있었으니,
이택(麗澤)의 자질(資質)이라 따르고자 했는데,
우리의 인연(因緣) 끝내 이어가지 못하고,
급작스런 부음(訃音)에 궂은 소식만 전해오네.

영준(英俊)들은 모두 황천으로 떠나버렸으니,
뒤에 남은 돌들을 어찌 할 거냐?
천고(千古)의 통한(痛恨)을 가슴 깊이 안고,
한줄기 동풍(東風) 속에 하염없이 통곡만 하는구나.

247. 輓安公後隱

兄在古蓮南, 我居錦流北。 相距十里强, 時節好追逐。
交誼三十載, 曾不修邊幅。 見其居家矣, 雍睦合九族。
又見處世仁, 接之咸悅服。 所樂問何事, 篤信蘆翁學。
遺編幾三絶, 寤寐手不釋。 用心本源地, 所以如彼卓。
相望甑峯下, 欲從資麗澤。 此緣終未遂, 訃車忽傳惡。
英俊盡泉下, 奈此在後石。 悠悠千古恨, 東風一來哭。

* 노옹학(蘆翁學): 노사(蘆沙) 기정진(奇正鎭)의 학문사상
* 기정진(奇正鎭): 노사 기정진(奇正鎭), 19세기 조선 후기의 성리학자. 한국 성리학의 6대가의 한 사람, 위정척사파(衛正斥邪派)의 정신적 지주였다.
　기정진의 학풍(學風)은, 백가(百家), 예악, 형정(刑政), 병기, 천문・지리 등에 이르기까지 깊은 경지에 이르렀다. 특히 이기설(理氣說)에 있어서는 이이(李珥) 이후에 많은 학자들이 신봉하던 주기설(主氣說)을 비판하고 주리설(主理說)을 주장했다. 그러나 다른 주리파 들과는 달리 이(理)와 기(氣)를 이원(二元)으로 대립시켜 이해하지 않고, 일원적(一元的)으로 기(氣)를 이(理) 속에 포함되는 "분(分)의 개념"으로 파악하여 이일분수(理一分殊) 라는 "이체이용(理體理用)"의 논리로 일관했다. 이에 유리론자(唯理論者)가 되어, 송시열(宋時烈)계열과 대립했다. 한편 과학기술을 서양에서 배운다는 것은 있을 수 없다는 논리를 주장하며, 기정진은 이항로(李恒老)와 함께 위정척사파의 지주가 되었다. 서경덕, 이퇴계, 이이, 이진상, 임성주(任聖周)와 함께 성리학의 6대가로 꼽힌다. 그의 학문은 호남 전역에서 그 뿌리를 내려, 김석구(金錫龜), 정재규(鄭載圭), 정의림(鄭義林) 등에 이어졌다. 손자 기우만(奇宇萬)은 가학(家學)을 이어받고, 서기 1895년(고종 32)전남에서 의병(義兵)을 일으켜 서기 1906년까지 일본군과 싸웠다. 저서《노사집》, 시호는 문간이다.

* 유편(遺編): 죽은 사람이 남긴 책
* 위편삼절(韋編三絕): 위편이란 잘 다진 소가죽 끈으로 죽간(竹簡)들을 꿰어놓았다는 뜻이고, 삼절(三絕)이란 가죽 끈이 3번 끊어졌다는 뜻으로, 열심히 글을 읽었다는 것을 형용한 것이다.《사기(史記)》《공자세가(孔子世家)》에 "주역을 읽다보니 소가죽 끈이 세 번이나 끊어졌다"는 기록이 있다.
* 이택(麗澤): 벗끼리 서로 도와 학문을 연마하는 것

* 증봉(甑峯): 전북 정읍에 있는 시루봉
* 영준(英俊): 영민하고 준수함

248. 보인계(輔仁禊)에 차운(次韻)하여
- 나주(羅州) 능동(陵洞)에서 -

산 넘고 물 건너
백리 길 찾아드니,
옛 친구 새 친구
차곡차곡 정이 깊네.

이 땅의 문인(文人)모임
그대가 맹주(盟主)되고,
거문고 유수(流水)소리
내가 지음(知音)이 되리.

사시사철 최고 절(節)은
청화절(淸和節)이라,
이 자리 어느 누가
태고심(太古心)이 아니랴!

더없이 아름다운 동남쪽
절승지(絕勝地)에서
벗들끼리 격려하고
덕(德)을 닦으니,
등림(登臨)하는 오늘에야
비로소 흉금을 여는구나.

248. 次輔仁禊韻　羅州綾洞

湖山百里一相尋, 舊契新交次第深。
海內文盟君爲主, 琴中流水我知音。
四時最好淸和節, 此席誰非太古心。
盡美東南仁以輔, 登臨是日始開襟。

* 보인계(輔仁禊): 벗들끼리 서로 격려하고 덕(德)을 닦는 계사(禊事), 계사(禊事)란 음력 3월3일 삼짇날에 깨끗한 물에 목욕재개하고, 재앙을 물리치고 복(福)을 비는 계제(禊祭)를 지내는 행사를 말함
* 지음(知音): 마음이 서로 통하는 절친한 벗
* 태고심(太古心): 아득한 옛날의 순수한 마음
* 청화절(淸和節): 음력 4월의 다른 이름
* 등림(登臨): 등림임수(登臨臨水)의 준말, 높은 산에 오르기도 하고 물가에 가기도 하는 것

249. 촌(村)에 살며 붓 가는대로 쓰다

두 물줄기 만나는 곳이
바로 우리 마을이라,
낚시꾼 나무꾼 벗들이 되어,
날마다 더불어 기뻐하네.

오곡(五穀)을 추수하여
집안에다 들여놓으니,
짙은 구름 그치고 달이 나와
온 집안을 비추는구나.

자리에 함께 앉아 한담하며
농사짓기 누에치는 법도 얘기하고,
책상에 기대어 잡념을 떨치고

사랑과 모욕에 대해서도
진지하게 담론해보네.

문득 천리 밖에서
날아온 편지를 열어보니,
"평안(平安)" 두 자가 보이니
아마도 서울에서 공부하는
맏손자 편지로구나.

249. 村居信筆

雙流合處是吾村, 釣侶樵朋日與懽.
百穀齊成秋入室, 密雲中斷月生門.
幷茵閑說畊桑法, 隱机俱忘寵辱論.
忽見魚書千里外, 平安二字在京孫.

* 신필(信筆): 붓 가는대로 글을 쓰는 것
* 은궤(隱机): 책상에 기대다.
* 구망(俱忘): 모두 잊다.
* 병인(幷茵): 자리에 함께 앉음
* 어서(魚書): 편지
* 총욕(寵辱): 사랑받음과 모욕당함

250. 풍영계(風詠契)에 차운(次韻)하여
― 고산사(高山祠) 담대헌(澹對軒)에서 ―

봄옷을 입고 봄 술을 들며
봄바람을 읊으니,
뜻은 뭇 생물이 생을 즐기는데 있네.

공자(孔子)가 탄식했던 증점(曾點)이
누누이 말석(末席)에 앉았으니,
우리나라에서는 태산처럼 우러러
사모(思慕)하는구나.

아무리 큰 공명(功名)이라도
푸르게 너울대는
연잎들과 바꾸지 않으며,
감나무 감들이 붉어지는 내력을
시가(詩歌)로 읊고 싶네.

해마다 춘삼월과 구월 달 가을에는
흥겹고 좋은 일이 많으니,
늙음이 찾아와도 흥이 나는 대로
다시 호걸(豪傑)이 되는구나.

250. 風詠契韻　高山祠澹對軒

春衣春酒詠春風, 志在鳶飛魚躍中。
亟席喟然點也末, 高山仰止海之東。
功名不換荷裳綠, 詩句堪題柿業紅。
三九年年多勝事, 老來謾興更豪雄。

* 고산사(高山寺) 담대헌(澹對軒): 고산서원은 우리나라 성리학 6대가의 한 사람이자 위정 척사운동의 중심인물인 노사(蘆沙) 기정진(奇正鎭)의 학덕을 기리기 위해 지은 서원으로, 서기 1878년 노사가 강학을 했던 담대헌(澹對軒)을 강당으로 삼아, 서기 1927년 영·호남 유림들의 공동 발의로 건립한 것이다. 한말의 거유(巨儒) 노사 기정진(奇正鎭)을 주벽(主壁)으로 그의 문인(門人) 정재규(鄭載圭), 조성가(趙性家), 김록휴 (金祿休), 조의곤 (曺毅坤), 이최선(李最善), 기우만(奇宇萬)의 배향하고, 이후 김석구(金錫龜)와 정의림(鄭義林)을 추가로 배향했으며, 서기 1978년 장판각(藏板閣)을 새로 지어 거경재(居敬齋)에 있던 문집과 목판을 옮겨 보관하고 있다. 강당 뒤로 사당인 고산사(高山祠)가 있다.

노사 기정진의 학통을 계승한 직계 제자만도 영호남을 중심으로 전국에 걸쳐 548명이며, 그의 학통을 계승한 방계제자를 포함하면 6,000여명이나 된다.

* 풍영계(風詠契): 음풍영월계(吟風詠月契)의 준말, 맑은 바람을 읊고 명월을 즐긴다는 뜻, 자연경관을 시가(詩歌)로 노래하며 즐기자는 친구들의 계모임이다.

* 증석(曾晳): 공자의 제자, 이름은 점(點)이다. 「대학(大學)」을 저술한 증자(曾子)의 아버지. 공자가 제자들에게 포부를 물었을 때 말석에 앉았던 증석이 대답했다.
 "늦은 봄에 봄옷이 만들어지면 관을 쓴 어른 대여섯 명과 아이들 육칠 명을 데리고 기수에 가서 목욕 하고 기우제 드리는 무우대에서 바람 쏘인 뒤에 노래하며 돌아오겠습니다."라고 자신의 뜻을 밝히자, 공자가 탄식을 하며 "나는 점과 함께 하겠다."라고 하였다. 이는 요순(堯舜)의 기상을 지닌 증석(曾晳)의 말에 동의한다는 뜻이다. 〈論語, 先進편 참조〉

* 위연(喟然): 탄식하는 모양
* 고산앙지(高山仰止): 높은 산처럼 우러러 사모함(시경(詩經, 소아(小雅)편)
* 연비어약(鳶飛魚躍): 솔개가 날고 물고기가 뛴다는 뜻으로, 온갖 생물(生物)이 생(生)을 즐김을 비유적으로 이르는 말
* 승사(勝事): 벗들과 명승지 유람하며 주연(酒宴)을 갖는 일 등 흔히 좋은 일이란 뜻.
* 삼구연연(三九年年): "해마다 춘3월과 가을철 9월"이라는 뜻
* 감제(堪題): ~하고 싶구나, (시를) 읊고 싶구나.

251. 호산당(湖山堂) 원운(原韻)에 차운(次韻)하여

구름노을 가득한 골짜기에
자리 잡은 초당(草堂) 하나,
늘그막 온갖 심사(心事)를,
누가 있어 길이 이야기 할꼬?

관직에서 물러나고 보니

물어보는 이 하나 없고,
천지간의 슬픈 노래들도
세월과 더불어 잊혀져가네.

기르는 대나무들 참하게도
천고(千古)에 푸르고,
꽃모종 내는 일을 이어가니,
사시절(四時節)이 향기롭네.

아름다운 수염 바람에 휘날려
선인(仙人)의 풍채인 듯,
산수(山水)의 맑은 경치에
참으로 잘 어울리는구나.

251. 次湖山堂原韻

萬谷雲霞一艸堂, 暮年心事屬誰長。
江湖散迹人無問, 天地悲歌世與忘。
養竹堪憐千古碧, 蒔花更續四時香。
美髥風表疑仙骨, 山水淸眞可以當°

* 원운(原韻): 원래 시(詩)의 운(韻)
* 차운(次韻): 남이 지은 시의 운(韻)을 따서 시를 지음
* 호산당(湖山堂): 전북 고창군 성송면에 있는 정자(亭子). 조선 후기 1792년 절충장군인 경상좌도 수군절도사 강응환(姜膺煥)이 관직에 물러나 낙향해 출생지인 성송면 암치리의 구황산 아래의 호수(湖水) 위에 그의 부친을 봉양하기 위해 세운 정자이다.
* 초당(草堂): 짚, 억새 등으로 지붕을 이은 작은 집
* 강호산적(江湖散迹): 관직에서 물러나는 것
* 감련(堪憐): 몹시 어여쁘다, 몹시 사랑스럽다.
* 선골(仙骨): 비범한 풍채, 신선 같은 풍모
* 속수(屬誰): 누가 있어~할 것인가?의 뜻

252. 서룡산(徐龍山)을 만나 화답(和答)하다

옅은 노을이 걷히니
저녁 경치 맑은데,
강호유람 더불어 속인 적이
몇 번이던고?

격변하는 한 세상에
지기(知己)가 누구인가?
다년간 벗들이 그리울 땐,
매번 인편에 말을 전하네.

뜻을 두는 일은 선업(先業)을
크게 드러내는 일이라,
의관이 속세의 티끌에
물들지 않아,
일신(一身)이 가볍구나.

오로지
그대가 가을바람 속에
나를 방문해주니,
벽 가운데 푸른 등
걸어놓고 마주 앉아,
밤새도록 정회(情懷)를
풀어 보세나.

252. 逢徐龍山和韻

淡靄初收晚景晴, 江湖謾興幾番生。

滄桑一世誰知己, 雲樹多年每寄聲。
志事能揚先業大, 衣巾不染俗塵輕。
惟君訪我秋風裏, 半壁靑燈對盡情。

* 화운(和韻): 남이 지은 시의 운자(韻字)를 써서 화답시(和答詩)를 지음
* 담애(淡靄): 엷은 빛깔의 노을
* 만경(晩景): 해질 무렵의 경치
* 강호(江湖): 강과 호수, 사방각지, 세간(世間), 은사(隱士)가 사는 조용한 시골
* 만여(謾與): 더불어 속이다.
* 상전벽해(桑田碧海): 세상이 크게 변한 것을 비유하는 말
* 매기성(每寄聲): 매번 인편(人便)으로 말을 전하다.
* 선업(先業): 대대로 물러 받은 사업, 가업(家業)
* 운수(雲樹): 운수지회(雲樹之懷)의 준말, 친구를 그리워하는 생각
* 정회(情懷): 정(情)과 회포(懷抱)

253. 송운(松雲), 성재(誠齋) 두 벗들이 방문하여

- 나송운(羅松雲), 성재(誠齋) 임한두(林漢斗) 두 벗들이
  방문(訪問)하여 운(韻)자를 뽑아 시(詩)를 짓다 -

적막강산 세밑 하늘아래
지팡이 짚은 두 나그네,
함박눈 맞으며 내천 땅 밟았네.

신구(新舊) 교분(交分),
깊은 정 옅은 정 가릴 것 없이,
한 나절의 청담(淸談)이
십년 독서(讀書)와 같구나.

253. 羅松雲, 誠齋 林漢斗諸友見訪, 拈韻

寂寞江湖歲晏天, 客筇帶雪踏來川。
舊交新誼無深淺, 半日淸談讀十年。

* 염운(拈韻): 운(韻)자를 뽑아 시를 지음
* 대설(帶雪): 눈(雪)을 맞음.
* 청담(淸談): 속되지 않은 맑고 고상한 이야기

254. 순정효황후(純貞孝皇后) 승하(昇遐) 일에
― 순정효황후(純貞孝皇后) 승하(昇遐) 후 회포(懷抱)를 적다 ―
〈병오년(서기 1966년) 음력 1월 13일(양력 2.3)〉

진실로 만백성의 국모(國母)로서
황후(皇后)의 덕(德)은 두터웠고,
높고 큰 국모(國母)로서의
지녀야 할 도리(道理)는 존경스러웠도다.
어릴 적에 사가(私家)에 있을 때는,
효성이 지극하고 유순(柔順)하여
그 명성이 대궐에까지 닿았네.

황후가 되어서도 황후의 도리에
어긋남이 없고 온갖 처신이 어여쁘니,
궁정(宮庭)에선 헐뜯고 이간질하는
말이 없어졌고,
온 나라에 골고루 황은(皇恩)을 내리니
백성들은 모두가 은혜를 입었다네.

그 옛날 경술년(庚戌年)(서기 1910년)에

국치(國恥)의 변(變)(한일병탄조약)을 당해
나라가 망하자, 세상의 운수는 어찌 그리도
험난하고 고달팠던가?
종묘사직은 황폐한 터에 빈집이 되었고,
나라를 망친 적신(賊臣)들은 그 틈을 타
기세등등하게 활개를 쳤구나.

원통한 한(恨)을 품고 살아온 육십 년 세월,
그동안 상전벽해(桑田碧海) 격변 세상
몇 번이나 뒤집혀졌던가?
천신만고(千辛萬苦) 갖은 고난 다 겪어도
나라 위한 일편단심(一片丹心)고이 간직하셨네!

자미성(紫微星)이 홀연히 떨어지니,
차마 승하(昇遐)소식 들을 수가 없어
어버이 상(喪)을 당한 듯 목 놓아 통곡(慟哭)하니,
두려워 떨리는 심정을 걷잡을 수 없구나.

강산(江山)이 비록 예전과 달라졌어도
자애로운 그 덕(德)은 끝내 잊기 어려우니,
초야(草野)에 살고 있는 선비 하나가,
백일하(白日下)에 슬픔을 억누르고
뇌문(誄文)을 쓰고 있구나.

254. 純貞孝皇后昇遐後述懷 丙午正月 十三日

允矣坤德厚, 巍乎母儀尊。自幼孝且順, 令譽達天門。
衆美侔周后, 宮庭無間言。寶區均霑澤, 黎庶咸戴恩。
往昔白狗變, 世運何其屯。宗社墟而屋, 賊臣政騰喧。
含寃六十載, 滄桑幾度翻。千辛又萬苦, 丹心一片存。

紫微星忽落, 忍見訃車奔。慟如喪考妣, 跼蹐不可捫。
江山縱異昔, 慈德終難諼, 草野一布韋, 白日寫誄文。

* 순정효황후(純貞孝皇后): 조선왕조 마지막 황제인 순종의 황후(서기 1894년~1966년), 본관 해평(海平). 해풍부원군(海豊府院君) 윤택영(尹澤榮)의 딸이다. 첫 황태자비 민씨가 1904년 사망하자, 서기 1906년 12월, 13세에 황태자비에 책봉되었고, 이듬해 순종이 즉위하자 황후가 되었다. 서기 1907년에 여학(女學)에 입학하여 황후궁에 여시강(女侍講)을 두었다.

  서기 1910년 일제(日帝)에 강제로 국권(國權)이 강탈될 때, 병풍 뒤에서 어전회의가 진행되는 것을 엿듣고 있다가 친일(親日) 매국노(賣國奴)들이 순종에게 합방조약에 날인할 것을 강요 하므로, 황후(皇后)가 이를 저지하고자 치마 속에 옥새를 감추고 완강히 저항하며 내놓지 않았으나, 숙부(叔父)인 친일(親日) 매국노(賣國奴) 윤덕영(尹德榮)에게 강제로 빼앗겼다. 만년(晩年)에 울분과 비운을 달래려고 불교에 귀의해, '대지월(大地月)'이라는 법명(法名)을 받았다. 낙선재(樂善齋)에 기거하다 72세 때 심장마비로 승하하셨다. 유릉(裕陵)에 순종과 합장되었다. 〈순종실록(純宗實錄), 매천야록(梅泉野錄)참조〉

* 모의(母儀): 여기서는 국모(國母)로서의 지녀야 할 도리.
* 백구변(白狗變): 경술년 국치(國恥)의 변(變)을 말한다. 즉 서기 1910년 경술년(庚戌年)은 흰 개띠 해이다. 이 해 8월 29일에 강제적으로 한일병탄조약(韓日倂吞條約)이 체결되어 나라가 망해 서기 1945년 8.15까지 일제(日帝)의 식민통치를 받게 되었다.

* 종사(宗社): 종묘사직(宗廟社稷) 즉 황실과 나라를 아울러 이르는 말
* 적신(賊臣): 나라와 황제를 배신한 역적(逆賊)
* 60년 세월: 순정효황후가 12세에 입궁(入宮)하여 72세 승하할 때까지의 기간이 60년임.
* 자미성(紫微星): 자미원에 있는 별 이름, 자미원(紫微垣)은 별자리 이름이다. 고대의 별자리는 28수(宿)외에 삼원(三垣)으로 구분했다. 즉 자미원(紫微垣), 태미원(太微垣), 천시원(天市垣)이다. 자미원이란 황하유역 북쪽 하늘의 북극성(北極星)을 기준으로 그 주위에 운집해 있는 성운(星雲)집단을 말한다.
* 한민족과 자미원: 한민족은 오래전부터 하늘나라 임금이 거처하는 곳은 북극의 중심에 위치한다고 여겼다. 바로 〈자미궁(紫微宮)〉이라는 궁궐이다. 그 궁궐 담을 자미원(紫微垣) 이라 불렀다. 〈자미궁(紫微宮)〉은 임금의 가족이 사는 곳이며, 하늘을 다스리기 위한

신하와 장군들이 포진하고 있듯이 모두 170여개의 별들로 이루어졌는데, 이러한 별들이 북극성(北極星) 주위에 포진되어 있다. 북극성(北極星)은 하늘에서 일 년 내내 볼 수 있는 항성(恒星)이기 때문에 하늘나라 임금이 사는 자미궁(紫微宮)의 중심으로 생각했고, 바로 이 자미원을 중심으로 태미원, 천시원, 그리고 계절에 따라 하늘을 도는 28수를 다스린다고 여겼던 것이다.

* 환구(寰區): 천하, 온 세상
* 중미(衆美): 여러 아름다운 장점들
* 천문(天門): 대궐문의 존칭
* 포위(布韋): 선비
* 뇌문(誄文): 죽은 사람을 애도하여 지은 글, 만사(輓詞), 만가(輓歌)

255. 사봉정사(師峯精舍)의 원운(原韻)을 차운(次韻)하여

그대에게 묻노니,
무슨 일로 푸른 산에 사는가?
장한 뜻 유연(悠然)하여
초려(草廬)에 누웠네.

숲의 광채(光彩)는
천만 겁 지난 후 더더욱 빛나고,
샘물의 향기로움은
온갖 고초 겪은 후에야
비로소 깨닫는구나.

솔바람 불어오는 정원에서
남몰래 비파를 타고,
창문을 통해 나월(蘿月)에
비춰가며 책을 읽네.

경륜(經綸)을 지니고

진정으로 숨어 사는 자,
일찍이 가슴속 깊이 스스로
"웅어(熊魚)"를 판단해놓았구나.

255. 次師峯精舍原韻

問君何事碧山居, 壯志悠然臥草廬。
林彩倍增千劫後, 泉香始覺萬辛餘。
松風園裏暗生瑟, 蘿月牕間堪照書。
負抱經綸眞隱者, 胸中早自判熊魚。

* 역자주(譯者註): 이 시(詩)는 "사봉정사운(師峯精舍韻)"이라는 시(詩)에서, "居, 廬, 餘, 書, 魚" 등 5字를 저자(著者)가 차운(次韻)하여 지은 시(詩)이다.)
* 원운(原韻): 원래 시(詩)의 운(韻)
* 차운(次韻): 원운(原韻)을 따서 시를 지음
* 보운(步韻): 남의 시(詩)에 화합(和合)하여 연(聯)마다 원운(原韻)을 사용함
* 염운(拈韻): 운자(韻字)를 골라 뽑아 시(詩)를 지음
* 분운(分韻): 여러 명이 모여 시를 지을 때 운자(韻字)를 정하고, 각자가 나누어 집어서 그 잡힌 운자(韻字)로 시를 지음.
* 유연(悠然): 침착하고 여유가 있음
* 초려(草廬): 짚, 갈대 따위로 지붕을 이은 작은 집

* 웅어(熊魚): 「孟子, 告子 上」에 나오는 말. 맹자(孟子)가 이르기를 "어(魚)도 내가 좋아하는 것이요, 웅장(熊掌)도 내가 좋아하는 것이지만, 두 가지를 겸하지 못할 바엔 웅장(熊掌)을 택하겠다. 삶[生]도 내가 좋아하는 것이요, 의(義)도 내가 좋아하는 것이지만, 둘을 다 취하지 못하면 의(義)를 취하리라" 라고 말한 데서 온 말이다.

* 나월(蘿月): 담쟁이덩굴 사이로 바라보이는 달
* 부포(負抱): 지니고 있음

256. 송은정(松隱亭) 시(詩)에 차운(次韻)하여

산수(山水)마다
모두가 명승(名勝)이라,
여든 해를 숨어 살며
글을 읽고 농사지었네.

상쾌하고 싸늘한 샘물소리
구슬이 구르듯 하고,
울창한 푸른 숲들은
사방을 에워쌓았구나.

격변하는 세상에 쟁기질은
억겁의 세월에도 변함이 없고,
시(詩)를 읊는 자리에는
피리소리 거문고소리가
저절로 울리네.

엄동설한에 서로를 지켜주는
지기(知己)가 그 누구이던가?
솔가지에 걸린 달과
솔바람이 들어오니,
온 집안이 맑아지는구나!

256. 次松隱亭韻

水水山山摠可名, 隱居八十讀而畊。
一區爽冷泉鳴玉, 四面靑蒼樹繞城。
耒下元無桑海劫, 吟邊自有管絃聲。
歲寒相守誰知己, 松月松風入戶淸。

* 송은정(松隱亭): 전남 함평군 엄다면 송로리 송촌마을에 있는 정자. 나주(羅州) 정광렬(鄭光烈)의 만년의 쉼터였다. 서기 1812년에 지어 무안군 성동에서 옮겼으며, 그는 처사(處士)의 삶을 누리며 시를 읊으며 유유히 살다가 죽었다.
* 은거(隱居): 속세를 떠나 숨어 사는 것
* 송월송풍(松月松風): 솔가지에 걸린 달과 솔바람
* 음변(吟變): 시를 읊는 자리
* 관현성(管絃聲): 관악기와 현악기 소리, 즉 피리소리와 거문고 소리
* 세한(歲寒): 설 전후의 추위라는 뜻으로, 매우 심한 한겨울의 추위

257. 풍영계(風詠契) 시(詩)에 화답(和答)하여
― 병오년(서기 1966년) 가을 이송농의 장원에서 ―

많은 선비들이 나를
금강(錦江)기슭으로 초대하니,
대나무 숲은 의연(依然)하고
지난번 유람(遊覽)하던
감회(感懷)가 새롭네.

하늘이 서생(書生)들을
별천지로 몰아대니,
이곳은 어진 주인 만나
명성 높은 누각이 되었구나.

황국단풍(黃菊丹楓) 고운 시절
다들 취흥(醉興)에 젖어있고,
백발(白髮)의 세월도
물과 함께 흘러가네.

시흥(詩興)일어 짓는 시(詩),
어찌 갑을(甲乙)을 논하랴?

가을바람 가을 달이 서로 좋아
머무는구나.

257. 和風詠契韻 丙午秋李松儂庄

多君招我錦江頭, 萬竹依然感舊遊.
天放書生來別界, 地逢賢主是名樓.
黃花時節人皆醉, 白首光陰水共流.
言志何須論甲乙, 秋風秋月好相留.

* 풍영계(風詠契): 음풍영월계(吟風詠月契)의 준말. 맑은 바람을 읊고 명월을 즐긴다는 뜻으로, 자연경관을 시가(詩歌)로 노래하며 즐기는 친구들의 계모임
* 황국단풍: 노란 국화와 붉은 단풍
* 시흥(詩興): 시를 짓고 싶은 마음
* 언지(言志): 시(詩)의 다른 이름
* 하수(何須): 구태여 ~할 필요가 있는가?

258. 삼가 노산사(蘆山祠) 시(詩)에 차운(次韻)하여

옛 동네 안개노을이
별천지(別天地)인데,
등림(登臨)할 때마다
마음이 유연해지네.

시(詩)와 예(禮)의 위업(偉業)을
받들어 이어감은,
집집마다 가업(家業)이 되었고,
운림(雲林)을 길이 보존함은
대대로 전해지는 전통이로다.

우러러 보는 유풍(遺風)은
천년을 내려와,
지금 그 정채(精彩)가
뭇 봉우리 앞에 있네.

창창(蹌蹌)한 선비들이
귀의(歸依)하는 사당(祠堂)에,
봄가을 향(香)을 지펴
오현(五賢)제사(祭祀) 지내는구나.

258. 謹次蘆山祠韻

古洞烟霞別有天, 登臨每覺意悠然。
丕承詩禮家家業, 永保雲林世世傳。
仰止遺風千載下, 至今精采萬山前。
蹌蹌多士依歸地, 香火春秋是五賢。

* 노산사(蘆山祠): 서기 1826년(순조 26)에 고려후기 명신(名臣) 김연(金璉)을 주벽으로, 김석원(金錫元), 김기서(金麒瑞), 김경희(金景熹), 심진(沈搢) 등 오현(五賢)을 기리기 위해 세운 사당이다. 주벽인 김연은 광산김씨 양간공파(良簡公派) 파조(派祖)로, 형부상서 광정 대부(匡靖大夫) 등을 역임하였다.

* 등림(登臨): 등산임수(登山臨水)의 준말, 산에 오르기도 하고 물가에 가기도 함
* 시례(詩禮): 시(詩)와 예절(禮節)
* 정채(精采): 생기가 넘치는 상태
* 운림(雲林): 구름이 걸친 아름다운 수풀
* 창창(蹌蹌): 행동에 위엄과 질서가 있는 모양
* 비승(丕承): 위업(偉業)을 받들어 계승하다.
* 오현(五賢): 노산사(蘆山祠)에 모신 김연(金璉) 등 다섯 분의 현인(賢人)들.

259. 삼가 만호정(挽湖亭)의 시에 차운하여

남쪽지방 풍류(風流)는
이 언덕이 차지했으니,
옛 현자(賢者)의 정자(亭子)가
영평(永平)땅에 있었네.

세월이 흘러가도 산천은 그대로니,
바위에 이끼 끼고 구름은 흩어져,
흐르는 세월이 장구(長久)하구나.

천년세월 높은 명성(名聲),
청사(靑史)에 전해지지만,
고가(故家)의 물러 받은 가업(家業)은,
농사와 누에치는 일이라네.

연호(鷰湖)는 끝이 없고
응봉(鷹峯)은 수려하니,
뜰 안의 향화방초(香花芳草)
대대손손(代代孫孫) 향기로우리.

259. 謹次挽湖亭韻

南國風流擅此岡, 昔賢亭子永平鄉。
時移星換山河舊, 岩老雲空歲月長。
千載令名垂汗竹, 故家遺業問農桑。
鷰湖無際鷹峰秀, 庭艸庭花世世香。

* 만호정(挽湖亭): 전남 기념물 제145호, 전남 나주시 봉황면 철천리에 있는 정자(亭子).

만호정은 나주지역의 대표적인 정자로 서씨・정씨・윤씨의 3성씨가 관리하며 향약(鄕約)과 동약(洞約)을 시행하였던 곳이다. 〈만호정기(挽湖亭記)〉외에도 71편의 제영시가 전한다.

구전(口傳)에는 마을 앞까지 밀려들어오던 영산강 물이 점점 멀어져 가는 것을 당긴다는 뜻에서 "만호정(挽湖亭)"이라 붙였다고 한다.

만호정은 고려 때 창건되었다고 전하나 그 유래와 사적은 확실히 밝혀지지 않았다. 창건 당시의 명칭은 무송정(茂松亭)이라 하였다가 어느 때인가 쾌심정(快心亭)으로 이름이 바꿨다. 임진왜란이 끝난 후 다행히 그때까지 적화의 피해를 입지 않고 홀로 외진 모퉁이에 남아있던 정자를 중건할 것을 결의하고 영평정(永平亭)으로 이름을 고쳤다. 이후 정자가 퇴락하자 영조 50년(서기 1774) 영건도유사 서홍조 등이 주축이 되어, 집집마다 쌀을 거두어 재원을 마련하여 정자를 고치고 "만호정"이라 이름을 바꾸었다. 현재의 정자 모습은 당시의 중건 상태 그대로 이어오고 있다.

* 영평(永平): 나주시 봉황면 칠천리 철야마을의 옛 지명
* 고가(故家): 여러 대(代)동안 지체 높게 살아온 집안, 옛 집
* 유업(遺業): 선대(先代)로부터 물러 받은 업(業)
* 영명(令名): 높은 명성
* 운공(雲空): 구름이 흩어짐
* 수한죽(垂汗竹): 청사(靑史)에 전해지는 것.
* 향화방초(香花芳草): 향기로운 꽃과 풀

260. 금초(錦初) 김공(金公)의 만장(挽章) 〈추만(追挽)〉

– 현자서의(賢者逝矣) 넉 자를 운(韻)으로 나누어 금초(錦初)
김공(金公)의 만장(挽章)을 쓰다 〈추만(追挽)〉 –

아, 금초(錦初) 그대여!
대대로 미풍양속 전하고 떠났구나.
낮에는 농사짓고 밤에는 글 읽으니,
이것이 바로 효자요 현자(賢者)로다.

아, 슬프다, 금초(錦初) 그대여!

나물 먹고 물마시고 초가에 살아도
즐거움이 그 가운데 있으니,
오늘날 그 같은 자 누가 있으랴!

아, 금초(錦初) 그대여!
덕이 있고 문예에 뛰어났는데,
정녕 알기 어려운 것은
하늘의 뜻이련가?
인생길 중도에서 그렇게도 급하게
훌훌히 떠나가고 말았구나!

아, 슬프고 슬프구나,
금초(錦初) 그대여!
마땅히 청사(靑史)에 전할
비통(悲痛)한 조문(弔文)을
이제 내가 써야 하겠구나.
남긴 유업(遺業)은 세 아들이
훌륭히 이어가려니,
그대 영령(英靈) 위로하기에
족(足)할 것이로다.

260. 賢, 者, 逝, 矣四字分韻, 追挽錦初金公

嗚呼錦初子, 世世美風傳。 朝夜耕而讀, 方稱孝且賢。
嗚呼錦初子, 蔬食艸廬下。 樂亦在其中, 如今誰似者。
嗚呼錦初子, 有德有文藝。 天意政難知, 中途遽爾逝。
嗚呼錦初子, 史應作哀誄。 三胤善繼承, 足慰英靈矣。

* 추만(追挽): 장사를 지낸 뒤 추후(追後)에 보내는 만장(挽章)
* 사응(史應): 역사에 전하다.

* 초려(草廬): 자기 집을 낮추어 일컫는 말, 초가 또는 짚, 억새 등을 지붕을 이은 작은 집
* 뇌문(誄文): 조문(弔文), 만장(挽章), 망자의 생전공덕 기리고 명복을 빌며 애도하는 글
* 유업(遺業): 선대로부터 물러받은 사업.

연연당문고 권2
부(賦)

감수 : 연정 김경식(淵亭 金璟植)
　　　(연정교육문화연구소장)
번역 : 호당 이정길(湖嵣 李正吉)
　　　(한시 · 주역 연구가)

1. 해제(解題)

부(賦)는 한문체(漢文體)의 한 가지이다. 글귀 끝에 운(韻)을 달고 흔히 대(對)를 맞추는 형식이다. 부(賦)는 고대 중국의 굴원(屈原 : 서기전 343경~289경)의 〈이소 離騷〉에서부터 발달한 형식인데, 중국 한대(漢代)(서기전 206~서기 220)에 와서 보다 주관적(主觀的)이고 서정적(抒情的)인 〈소(騷)〉와는 대조적으로, 묘사와 해설(解說)을 위해 많이 사용되었다.

그 운율(韻律)은 소(騷)에 비해 자유롭고 운(韻)의 양식은 덜 제한적(制限的)이었다. 긴 행(行), 중간의 휴지(休止), 균형 잡힌 대구(對句)의 요소들을 갖는다. 운(韻)의 사용은 부(賦)를 순수한 산문(散文)영역에서 제외시키고, 시(詩)와 산문(散文)의 중간에 놓는 요소(要素)이다. 부(賦)의 형식은 수백 년이 지나 중국 송대(宋代)(10C~13C)의 구양수(歐陽修)와 소동파(蘇東坡)에 이르러 그 수준이 현격히 높아졌다. 이들은 부(賦)를 시(詩)보다 산문(散文) 쪽에 더 가깝게 했으며, 철학적 관심사를 표현하는 데 주로 이용했다.

한국의 경우는 신라 최치원(崔致遠)의 부(賦)가 처음이며, 「동문선(東文選)」에는 김부식(金富軾)의 부(賦)를 필두로 이규보(李奎報), 이인로(李仁老), 최자(崔滋), 이색(李穡) 등의 작품이 실려 있다. 조선시대에도 부(賦)는 별다른 발전을 보지 못했다. 이행(李行), 강희맹(姜希孟), 김종직(金宗直), 이산해(李山海), 이정구(李廷求) 등의 작품이 간혹 보이나, 내용에 있어서 천편일률적이다. 영·정조 이후에는 과거시험에 출제되면서 부(賦)가 성행했으나, 그 형식이 옛 시문(詩文) 중의 한 구절을 따서 부제(副題)를 삼아 1구(句) 6언(言)으로 30구(句)나 60구(句)를 채우되, 운(韻)을 달지 않고, 매 구절(句節) 넷째 글자마다 '허자(虛字)'를 넣어 짓는 것이다. 그러나 역시 형식에 치중해 내용이 빈약했고, 부(賦)로써 인재(人材)를 등용하는 것에 비판(批判)이 일어 큰 발전이 없었다.

19세기 한말(韓末)에 부(賦)가 다시 등장했으나 곧 사라졌다. 보정(普亭)선생의 《연연당문고(淵淵堂文稿)》에서는 '감춘부(感春賦)'와 '동지부(冬至賦)' 등 2편의 부(賦)가 실려 있다.

1) 작품내용

(1) 감춘부(感春賦)

감춘부(感春賦)는 저자(著者)가 30대 초, 서울 명륜전문학원 재학시(在學時)에 읊은 부(賦)이다. 당시 저자(著者)는 혼자 전북(全北)의 젊은 유생(儒生) 대표로 선발되어 성균관

대학교의 전신(前身)인 명륜전문학원에 입학하여, 젊은 엘리트들과 교유(交遊)하며 신문물(新文物)을 접하고 특히 북학(北學)에 관심을 두어 탐구했다. 이후 명륜전문학원 제2회로 졸업하고 훗날 경학원 강사(講師)로 재직(在職)하기도 했다. 당시 명륜전문학원은 경쟁이 치열하여 전체 졸업생 중 전북(全北) 출신은 제2회 졸업생인 저자(著者)와 제6회 졸업생인 담재(澹齋) 김봉문(金鳳文) 등 단 2명뿐이었다. 이 부(賦)는 주자(朱子)가 지은 감춘부(感春賦)의 운(韻)을 따서 읊은 차운부(次韻賦)이다.

〈감춘부(感春賦) 내용〉

제1련: 공자(孔子)가 따랐던 이상적(理想的)인 주(周)나라의 대도(大道)를 따르며 수신(修身)하겠다는 맹약(盟約)을 함
제2련: 성인(聖人)의 도(道)가 매몰된 소인배(小人輩)세상에서는 은거(隱居)하겠다는 다짐
제3련: 큰 뜻을 품고 서울로 유학하여 독서하며, 고인(古人)을 벗하겠다는 심정을 읊음
제4련: 성현(聖賢)이 되는데 추호도 부족함이 없도록 정진(精進)하려는 결심을 읊음

제5련: 지기(知己)를 만나기 어려움을 개탄(慨歎)하면서, 거문고와 시가(詩歌)를 벗함
제6련: 송죽(松竹)의 기개(氣槪)를 지닌 벗들과의 교유(交遊)를 바라지만, 지기(知己)는 좀처럼 만날 수 없고 유수(流水)같은 세월만 흘러 안타까운 심정(心情)을 읊음
제7련: 하늘의 해라도 붙잡아 세월을 묶어두고 싶으나, 오히려 해의 여신(女神)은 해를 숨겨두고 자신의 귀고리를 만들어 몸단장을 하며 조롱한다는 것
제8련: 마지막 연(聯)으로, 만사(萬事)가 여의치 않으나 성인군자(聖人君子)를 본받아 기어이 결백한 수행(修行)하며, 뜻을 펴고 말겠다는 젊은 선비의 결기를 피력한 연(聯)이다.

〈참고〉〈주자(朱子)가 지은 감춘부(感春賦)의 내용〉
천하(天下)에 도(道)를 펼만한 경륜(經綸)을 지녔음에도 불구하고 세상길이 험난(險難)하여 나가지 못하고 은거(隱居)하면서, 옛 성현(聖賢)의 가르침을 음송(吟誦)하는데, 꽃다운 봄날은 마냥 흘러가고, 구중궁궐의 임금님은 불러줄 줄을 모름을 한탄(恨歎)하는 내용으로, 《주자대전(朱子大全)》 1권에 실려 있다. 유호인(俞好仁), 신광한(申光漢), 송시열(宋時烈) 등도 주자(朱子)의 감춘부(感春賦)에 차운(次韻)하여 부(賦)를 지은 일이 있다.

(2) 동지부(冬至賦)

동지부(冬至賦)는 저자(著者)가 40세 불혹(不惑)의 나이에 지은 부(賦)이다. 심오(深奧)

한 철학사상(哲學思想)이 가득하여 매우 난해(難解)하다. 그러므로 동지부(冬至賦)를 이해하려면 우선 「주역(周易)」에 대한 기초적인 지식이 필요하며, 또한 동지(冬至)와 관련된 《주역(周易)》의 24번째 괘(卦)인 "복괘(復卦)"〈지뢰복(地雷復)〉와 그 전(前)의 23번째인 박괘(剝卦)〈산지박(山地剝)〉에 대한 소양(素養)이 절대적으로 필요함으로 반드시 참고자료를 참고하기 바란다. 본 동지부(冬至賦)를 읽을 때 난해(難解)한 어휘는, 간단한 것은 본문 옆에 작은 글씨로 뜻을 달았고, 내용(內容)이 긴 것은 각주(脚註)란에 상세히 기재했으니 참고하기 바란다.

〈작품내용〉

제1련: 태일(太一)에서 천지(天地)가 생기고 온갖 사물의 형상이 생겼음을 읊음. 태일(太一)은 천지만물의 생성(生成)근원 또는 우주(宇宙)의 본체(本體)를 이르는 말로서, 태극(太極)이나 도(道)와 같은 개념이다. 《여씨춘추(呂氏春秋)》에서는 태일(太一)에서 양의(兩儀)와 음양(陰陽)이 생겼다고 하여 이것을 태극(太極)과 같은 것으로 보고 있다.

제2련: 역리(易理)가 엄연히 있는데, 또 무슨 하도낙서(河圖洛書)니 홀수 짝수의 수리역학(數理易學)이니 운운(云云)하는가? 소강절(邵康節)의 상수역(象數易)을 비판함.

제3련: 음양(陰陽)의 기(氣)가 상응(相應)하여 모든 변화를 일으키며, 처음과 끝(始終)이 없고 흥망성쇠(興亡盛衰)를 서로 주고받는다는 것.

제4련: 《주역》 산지박(山地剝) 괘(卦)의 의미(意味)를 설파(說破)함, 산지박괘(山地剝卦)는 주역(周易) 64괘 가운데에서 가장 어려운 상황을 나타내고 있는 괘(卦)이다. 한 개의 양효(陽爻)마저 언제 음효(陰爻)로 전락(轉落)할 지 알 수 없는 절체절명(絶體絶命)의 위급한 상황을 나타내는 괘(卦)이다.

그러나 이 괘(卦)에서 석과불식(碩果不食), 즉 〈씨 과일〉은 먹지 않고 후손에 남겨준다는 말이 나왔다. 산지박괘(山地剝卦)는 그 다음 괘(卦)인 〈지뢰복괘(地雷復卦)〉와 함께 읽음으로써, 절망의 괘(卦)가 희망의 괘(卦)로 바뀌고 있다. 아무리 절망적인 상황이라 하더라도 희망은 있는 법이다. 그런 점에서 박괘(剝卦)는 64괘 중 어려운 상황을 상징하는 괘(卦)이지만, 동시에 희망(希望)의 언어로 읽을 수 있다는 변증법(辨證法)을 말하기도 한다.

그러므로 〈박괘(剝卦)〉에서 우리가 읽어내야 하는 것은 바로 "희망(希望)"이다. 그 희망(希望)은 현실을 직시(直視)하는 것부터 키워내는 것임을 〈박괘(剝卦)〉는 시사(示唆)하고 있는 것이다.

제5련: 《주역》 지뢰복괘(地雷復卦)의 의미(意味)를 설파(說破)함, 지뢰복괘(地雷復卦)는 동지(冬至)때 음기(陰氣)의 극치(極致)를 지나 일양(一陽)〈하나의 양(陽)의 기운〉이 생겨나, 즉 따뜻한 양기(陽氣)가 돌아옴을 설명하는 괘(卦)로 주역(周易)의 복괘(復卦)와 연관

되는 것이다. 〈복괘(復卦)〉는 세상이 아무리 험악하고, 소인배(小人輩)들이 날뛰는 세상이라도 〈군자(君子)의 도(道)〉는 반드시 회복(回復)되고 돌아옴을 역설(力說)하며, 그것이 곧 자연의 이치(理致)이요, 하늘의 운행법칙(運行法則)이라는 것이다.

제6련: 만물은 춘정(春情)을 좋아하지만, 하늘의 도(道)는 어김없이 계절을 순환시킨다.
제7련: 인간세상의 도(道)는 시시각각 변하지만, 천도(天道)는 불변(不變)이고 지극히 냉엄(冷嚴)하다는 것.
제8련: 요순(堯舜)이 몰(沒)하고 폭군(暴君)이 등극(登極)하여 난세(亂世)였으나, 주공(周公)이 무왕(武王)을 보좌하여, 오랑캐를 물리치고 주(周)를 강성하게 만들었다.
제9련: 고대 춘추시대(春秋時代)는 혼란기(混亂期)로 온갖 사설(邪說)이 난무했으나, 대성(大聖)인 공자(孔子)가 나타나 인륜(人倫)의 대도(大道)를 세웠다.
제10련: 공자(孔子) 사후(死後) 도(道)가 쇠약해져 백가쟁명(百家爭鳴)이었지만, 맹자(孟子)가 공자(孔子)를 이어받아 대명천지(大明天地)의 도(道)를 열었다.

제11련: 맹자 이후 천 년간 선정(善政)이 없고 혼란기였다가, 송대(宋代)에 와서 주돈이(周敦頤)와 주희(朱熹) 등이 일어나 학문을 꽃피웠다.
제12련: 지금 세월은 악(惡)이 성행(盛行)하는 혼란기(混亂期)이지만, 그래도 한줄기 희망(希望)의 빛이 있다는 것.
제13련: 영원히 정착(定着)할 이상향(理想鄕)이 어디인가? 안타까운 심정을 읊음.
제14련: 하늘이 무너져도 일심(一心)으로 참된 근원(根源)을 찾아 굳건히 지켜야 한다.
제15련: 맹자(孟子)의 '우산(牛山)의 고사(故事)'와 청정(淸淨)한 '야기(夜氣)'를 길러 선성(善性)을 회복해야 함을 읊음.

제16련: 선성(善性)을 회복해 군자(君子)가 된 안회(顏回)를 배울 때, 비록 실수(失手)가 있어도 개의(介意)치 않고 일로매진(一路邁進)하리라는 결기를 읊음.
제17련: 〈논변(論辯)〉을 적은 연(聯), 소강절(邵康節)의 상수역(象數易)의 핵심을 짧고도 명쾌하게 논박(論駁)한 구절(句節)들이다.
제18련: 마지막 연(聯)으로, 하늘은 악(惡)을 억제하고 선(善)을 부양(扶揚)하는데, 인간은 어찌하여 하늘을 본받아 선성(善性)을 회복하여 스스로 강건(剛健)해지려고 하지 않는가? 라고 개탄(慨歎)하는 심정을 읊었다.

2) 동지부(冬至賦)의 참고자료

(1) 《주역(周易)》

  동양에서 가장 오래된 경전(經傳)인 동시에 가장 난해한 글로 일컬어진다. 공자(孔子)가 극히 진중하게 여겨 받들고, 주희(朱熹)가 '역경(易經)'이라 이름 하여 숭상(崇尙)한 이래로 《주역》은 오경(五經)의 으뜸으로 손꼽히게 되었다. 《주역(周易)》은 상경(上經)과 하경(下經) 및 십익(十翼)으로 구성되어 있다. 십익(十翼)은 단전(彖傳) 상하(上下), 상전(象傳) 상하(上下), 《계사전(繫辭傳)》 상하(上下), 문언전(文言傳), 설괘전(說卦傳), 서괘전(序卦傳), 잡괘전(雜卦傳) 등 10편을 말한다.
  한대(漢代)의 학자 정현(鄭玄)은 "역(易)에는 세 가지 뜻이 포함되어 있으니, 이간(易簡)이 첫째요, 변역(變易)이 둘째요, 불역(不易)이 셋째다"라 하였고, 송대의 주희(朱熹)도 "교역(交易)과 변역(變易)의 뜻이 있으므로 역(易)이라 이른다."고 하였다.
  〈이간(易簡)〉이란 하늘과 땅이 서로 영향을 미쳐 만물을 생성케 하는 이법(理法)은 실로 단순하며, 그래서 알기 쉽고 따르기 쉽다는 뜻이다. 〈변역(變易)〉이란 천지간의 현상, 인간사회의 모든 일들은 끊임없이 변화한다는 뜻이고, 〈불역(不易)〉이란 이런 중에도 결코 변하지 않는 것이 있으니 예컨대, 하늘은 높고 땅은 낮으며, 해와 달이 뜨고 지고, 부모는 자애(慈愛)를 베풀고 자식은 부모를 받들어 모시는 것과 같다는 것이다.
  주희(朱熹)의 교역(交易)이란 천지(天地)와 상하사방이 대대(對待)함을 이르는 것이고, 변역(變易)은 음양(陰陽)과 밤낮의 유행(流行)을 뜻하는 것이라 하였다. 〈설문(說文)〉에는 역(易)이라는 글자를 도마뱀이라 풀이하고 있다. 말하자면, 역(易)자는 그 상형으로 日은 머리 부분이고 아래쪽 勿은 발과 꼬리를 나타내고 있다. 도마뱀은 하루에도 12번이나 몸의 빛깔을 변하기 때문에 역(易)이라 한다고 하였다. 또, 역(易)은 일월(日月)을 가리키는 것이고 음양(陰陽)을 말하는 것이라고도 하였다. 이상 여러 설(說)을 종합해 보면 역(易)이란 도마뱀의 상형으로 천변만화하는 자연과 인간 만사(萬事)를 뜻하는 것이라고 할 수 있다.

  역(易)의 작자에 대해서는 《주역(周易)》《계사전(繫辭傳)》에 몇 군데 암시(暗示)가 있다. 그 중 뚜렷한 것은 "옛날 포희씨(包犧氏)가 천하를 다스릴 때에 위로 상(象)을 하늘에서 우러르고 아래로 법을 땅에서 살폈으며, 새와 짐승의 모양, 초목의 상태를 관찰해 가까이는 몸에서 취하고 멀리는 사물에서 취해, 이로써 비로소 팔괘(八卦)를 만들어 신명(神明)의 덕(德)에 통하고 만물의 정(情)에 비기었다"고 하였다. 이로 미루어 복희씨(伏羲氏)가 팔괘(八卦)를 만들고 신농씨(神農氏)가 64괘로 나누었으며, 문왕(文王)이 괘(卦)에

사(辭)를 붙여「주역(周易)」이 이루어진 뒤에, 그 아들 주공(周公)이 효사(爻辭)를 지어 완성하였고 이에 공자(孔子)가 십익(十翼)을 붙였다고 한다. 이것이 대개의 통설(通說)이다.

「주역(周易)」을 점서(占筮)〈점(占)을 침〉와 연결시키고 역(易)의 원시적 의의를 점서(占筮)에 두는 것은 모든 학자들의 공통된 견해이다. 어느 민족도 그러하지만 고대 중국에서는 대사(大事)에 부딪히면 그 해결을 점괘로 신의(神意)를 묻는 방법을 썼다. 하여튼 처음 점서(占筮)를 위해 만들어진「주역(周易)」이 시대를 거치면서 성인(聖人)들에 의해 고도의 철학적 사색과 심오한 사상적 의미가 부여되어 인간학의 대경대법(大經大法)으로 정착된 것이다.

「주역(周易)」의 사상(思想)은 간략하게 세 마디로 요약(要約)할 수 있다. 즉, "궁하면 변하고〈궁즉변(窮則變)〉, 변하면 통하고〈변즉통(變則通)〉, 통하면 오래 간다〈통칙구(通則久)〉"는 것이다. 그러므로 국가든 개인이든, 어떤 난관에 처해도 노력하면 개선(改善)될 수 있다는 희망의 메시지가 담겨있는 학문이다.   〈출처: 오경정의(五經正義)〉

(2) 동지(冬至)

24절기의 하나. 대설(大雪)과 소한(小寒) 사이에 있으며 음력 11월 중, 양력 12월 22일 경이다. 태양의 황경이 270° 위치에 있을 때이다. 일 년 중에서 밤이 가장 길고 낮이 가장 짧은 날이다. 하지(夏至)로부터 차츰 낮이 짧아지고 밤이 길어지기 시작하여 동짓날에 이르러 극(極)에 달하고, 다음날부터는 차츰 밤이 짧아지고 낮이 길어지기 시작한다. 고대인들은 이날을 태양이 죽음으로부터 부활(復活)하는 날로 생각하고 축제를 벌여 태양신에 대한 제사를 올렸다. 중국 주(周)나라에서 동지(冬至)를 《설》로 삼은 것도 이 날을 생명력과 광명의 부활이라고 생각하였기 때문이며, 《주역(周易)》의 복괘(復卦)를 11월, 즉 자월(子月)이라 해서 동짓달부터 시작한 것도, 동지(冬至)와 부활(復活)이 같은 의미를 지닌 것으로 판단했기 때문이다.

동짓날에 천지신과 조상(祖上)께 제사하고 신하의 조하(朝賀)를 받고 군신의 연예(宴禮)를 받기도 하였다. 동짓날에는 동지팥죽이라는 오랜 관습이 있는데, 팥을 고아 죽을 만들고 여기에 찹쌀로 단자를 만들어 넣어 끓인다. 단자는 새알만한 크기로 하므로 '새알심'이라 부른다. 팥죽을 다 만들면 먼저 사당(祠堂)에 올리고 각 방과 장독·헛간 등 집안의 여러 곳에 담아 놓았다가 식은 다음에 식구들이 모여서 먹는다.

(3) 복괘(復卦)

《주역(周易)》의 《지뢰복괘(地雷復卦)》는 동지(冬至) 때 음기(陰氣)의 극치(極致)를 지나 일양(一陽)〈하나의 양(陽)의 기운〉이 생겨나니, 즉 따뜻한 양기(陽氣)가 돌아옴으로 주역의 복괘(復卦)와 연관되는 것이다. 즉 《주역(周易)》의 〈복괘(復卦)〉는 세상이 아무리 험악하고, 소인배(小人輩)들이 판을 치는 세상이라도 〈군자(君子)의 도(道)〉는 반드시 회복되고 돌아옴을 강조한다. 절기(節氣)로 말하면 엄동설한이 물러가고 어느새 봄이 오는 것과 같다. 이것이 자연의 이치(理致)이요, 하늘의 운행법칙(運行法則)인 것이다.

복괘(復卦)에서 "되돌아오면 형통(亨通)하니, 나가고 들어옴에 병(病)이 없으며 성인(聖人)의 도(道)로 돌아와야 허물이 없다. 그 도(道)를 반복하여 때가 되면 돌아오니, 의지할 바가 있어 이롭다"라고 했다. 〈복(復)〉은 〈성인군자의 도(道)〉를 뜻하는 양기(陽氣)가 돌아온다는 것이다. 성인군자의 도(道)인 양기(陽氣)가 지금은 미약(微弱)하지만, 앞으로 많은 양기(陽氣)가 모이면 점차 성(盛)하게 되어 허물이 없게 된다는 것이다. 이것이 천도(天道)의 변화임을 말하고 있다. 또한 때가 되면 성인군자(聖人君子)의 도(道)가 돌아옴을 볼 때, 천지(天地)의 마음을 가히 볼 수 있다고 단호히 말하고 있다. 즉 아무리 소인의 도가 성하고 성인군자(聖人君子)의 도(道)가 다 없어져서 세상이 살기가 어렵고 힘들어도, 성인군자의 말씀에 대한 믿음을 가지고 실천하면 성인군자(聖人君子)의 도(道)는 반드시 돌아오게 된다. 이것이 하늘의 법칙이라는 것이다.

잘못이 있으면 곧 고쳐서 멀리가지 말고 돌아오라. 사람은 누구나 잘못이 있을 수 있다. 그러나 그것을 알면 멀리 가기 전에 곧 바른 길로 돌아와야 한다고 말한다. 그러면 후회가 없으며 크게 길(吉)함을 얻는다는 것이다. 또 잘못 들어온 길을 멀리 가지 않고 바른 길로 돌아온다는 것은 자기 몸을 닦는 것을 말한다. 몸을 닦는 것은 사람 사는 근본을 닦는다는 말이다. 즉 수신(修身)이다. 천도(天道)에 대한 유순한 마음으로 돌아오라. 성인군자의 도(道)라고는 두 눈을 부릅뜨고 보아도 보이지 않고 소인(小人)의 도(道)만 판을 치는 상황에서, 누구나 천도(天道)에 대한 믿음과 심적인 갈등을 겪을 수밖에 없을 것이다. 그럴수록 천도(天道)를 굳게 믿고 바른 길로 돌아가는 돈독한 마음을 가지라는 것이다. 그 결과로 후회할 만한 잘못은 없게 된다는 것이다. 바른 길로 돌아와 후회할 일이 없게 되는 것은, 다른 사람으로부터 도움을 받아 되는 것이 아니고, 자기 스스로가 덕(德)을 가지고 있음으로 주체적으로 자각(自覺)하고 실천하려고 해야 한다는 것이다. 이는 오로지 믿음으로 이루어진다고 했다. 바른 길로 돌아오는 것을 망설이지 말라. 내 생각을 버리고 바른 길로 돌아오는 것은 대단한 용기와 결단이 필요할 것이다. 자신의 고집과 독선(獨

善) 속에 빠져서 돌아오지 못하는 사람도 있고, 본인의 도덕적 재능과 판단력이 부족하여 진리의 올바름을 밝게 볼 수 없는 이도 있을 것이다. 이런 부류의 사람들일수록 자기 잘못으로 인해 재앙(災殃)이 생긴다고 했다. 이들은 또 자기 잘못을 깨닫지 못하고 항상 남을 원망한다. 그러나 〈복괘(復卦)〉에서는 끝까지 바른 길을 찾지 못하고 방황하면 흉하게 되어, 마침내는 재앙(災殃)이 닥친다고 단호하게 말한다.

악인(惡人)이 잘되고 형통(亨通)함을 부러워하지 말라. 우리는 세상을 살면서 진리의 소중함을 알지만 그것을 믿고 초지일관(初志一貫)하기는 누구든 쉽지 않다. 많은 성현(聖賢)들은 모든 문제의 해결책은 성인(聖人)의 말씀 속에서 찾으라고 말한다. 그래서 성인의 말씀 속으로 돌아오라고 한다. 구약성서 잠언에서 "악인의 형통함을 부러워하지 말고, 가까이 하지 말라"고 한다. 주역(周易)에서도 "하늘을 시험하지 말라"고 했다. 이것은 비록 우리의 삶이 최악(最惡)의 경우에 처할지라도 성인군자(聖人君子)의 말씀 속에 돌아가 편안하게 머물 수 있어야 한다는 것이다. 이것이 군자(君子)가 가야 할 길이라는 것이다.

(4) 복괘(復卦)에서 〈반복[反復]〉이라는 말뜻

《주역(周易)》의 64괘 중 24번째 괘인 〈복괘(復卦)〉에서, 일양(一陽)이 생(生)하는 것을 두고 "그 도(道)를 반복하니 7일 만에 되돌아온다.(反復其道 七日來復)"고 했다. 그 말은, '7'은 괘(卦)의 여섯 효(爻)가 한 번 거친 뒤에 새로이 시작되는 수(數)이므로 반복되는 어떤 변화에서 한 사이클이 지나 다시 새로운 것이 시작되는 것을 말한다. 날의 경우에는 하루가 지난 다음 날의 '새벽'에 해당하고, 달의 경우에는 한 달이 지난 다음 달의 '초하루'이고, 한 해의 경우에는 한 해가 지나고 이듬해가 시작되는 '동짓달'을 말한다. 복(復), 즉 다시 돌아온 뒤에는 이를 잘 기르기 위해 노력(努力)을 해야 한다. 가만히 있으면 안 된다. 그래서 〈하는 바가 있으면 이롭다〉고 했다. 옛날의 제왕(帝王)들이, 양(陽)이 싹트는 동짓날에 관문(關門)을 닫아서 사람들의 통행을 금지하고 제후들도 사방을 돌아다니지 않고 가만히 있는 것은, 모두 양(陽)〈양기(陽氣)〉을 보호하기 위한 적극적인 노력이었다.

〈복괘(復卦)〉의 상(象)을 보면, 우레[☳]가 땅[☷] 속에 있는 모습이다. 이는 생명의 움직임이 밖으로 나오기 전에 땅속에 있는 것을 말한 것이다. 땅 속의 생명은 싹을 틔우기 위해 열심히 움직여야 하지만 지상(地上)의 존재들은 이를 조심스럽게 보호해야 한다. 이 이치를 아는 지상(地上)의 지도자들은 지하(地下)의 생명이 다치지 않도록 지극히 조심한다.

양(陽)이 싹트는 동짓날에 관문을 닫아서 통행을 금지하는 것은 모두 양(陽)을 보호하기 위한 적극적인 노력이었다. 양(陽)은 인성(人性)으로 말하면 곧 선성(善性)이 된다.

(5) 박괘(剝卦)

《주역》64괘 중 23번째 괘로써 64괘 가운데에서 가장 어려운 상황을 나타내고 있는 괘(卦)이다. 한 개의 양효(陽爻)마저 언제 음효(陰爻)로 전락(轉落)할 지 알 수 없는 절체절명(絕體絕命), 붕괴직전의 상황이다. 그래서 〈박괘(剝卦)〉를 다섯 마리의 고기가 매달려 있는 고단한 형국(形局)으로 설명한다. 이 〈박괘(剝卦)〉는 가장 어려운 상황을 표현하는 절망(絕望)의 괘(卦)이다. 그러나 이 괘(卦)에서 〈석과불식(碩果不食)〉이란 말이 나온다. 석과불식(碩果不食), 즉 "씨 과일은 먹지 않는다."라는 뜻이다. 씨 과일은 먹지 않고 후손에게 물려주어 다시 싹이 트고 꽃이 피어 열매를 맺게 한다는 희망(希望)의 메시지가 담겨 있는 말이다.

〈산지박괘(山地剝卦)〉는 그 다음 괘(卦)인 〈지뢰복괘(地雷復卦)〉와 함께 읽음으로써 절망의 괘가 희망(希望)의 괘로 바뀌고 있다. 아무리 절망적인 상황이라 하더라도 희망(希望)은 있는 법이다. 그런 점에서 박괘(剝卦)는 64괘 중 어려운 상황을 상징하는 괘(卦)이지만, 동시에 희망(希望)의 언어(言語)로 읽을 수 있다는 변증법(辨證法)을 말하기도 한다.

이 〈박괘(剝卦)〉는 흔히 혼돈세상에서 사상적 순결성과 지조(志操)의 의미를 되새기는 뜻으로 풀이되기도 하고, 일반적으로 어려운 때일수록 현명한 판단과 의지(意志)가 요구된다는 윤리적 차원에서 읽힌다. 그러므로 〈박괘(剝卦)〉에서 우리가 꼭 읽어내야 하는 것은 바로 "희망(希望)만들기"이다. 그 희망(希望)은 현실을 직시(直視)하는 것부터 키워내는 것임을 〈박괘(剝卦)〉는 시사(示唆)하고 있는 것이다.

3) 보정(普亭) 김정회(金正會) 선생의 철학사상(哲學思想)

보정(普亭)선생은 노사(蘆沙) 기정진(奇正鎭)의 학풍(學風)을, 기정진(奇正鎭)의 손자(孫子)인 기우만(奇宇萬)을 통하여 이어받았다. 우선 기정진(奇正鎭)의 학풍을 살펴보자.

기정진(奇正鎭)의 학풍(學風)은, 경사자집(經史子集)으로부터 백가(百家), 예악(禮樂), 형정(刑政), 병기(兵器), 천문지리(天文地理) 등에 이르기까지 모두 깊은 경지에 이르렀다.

특히 이기(理氣)의 설(說)에 있어서는 이이(李珥)(율곡(栗谷)) 이후에 많은 성리학(性理

學)자들이 신봉하던 주기설(主氣說)을 비판하고, 퇴계(退溪)의 주리설(主理說)을 주장했다.

그러나 다른 주리파(主理派)학자들과는 달리 이(理)와 기(氣)를 이원(二元)으로 대립시켜 이해하지 않고, 일원적(一元的)으로 기(氣)를 이(理) 속에 포함되는 〈분(分)〉의 개념으로 파악하여 〈이일분수(理一分殊)〉라는 이체이용(理體理用)의 논리로 일관했다. 이에 유리론자(唯理論者)〈주리파(主理派)〉가 되어, 송시열(宋時烈)의 주기파(主氣派)계열과 대립했다.

그러나 형이하학(形而下學)의 기(器)인 과학기술을 서양(西洋)으로부터 배운다는 것은 있을 수 없다는 논리를 주장하며, 이항로(李恒老)와 함께 위정척사파(衛正斥邪派)의 지주(支柱)가 되었다. 서경덕, 이퇴계, 이율곡, 이진상, 임성주와 함께 우리나라 성리학(性理學)의 6대가로 일컬어진다. 기정진(奇正鎭)의 학문은 특히 호남(湖南)전역에 그 뿌리를 내려 김석구(金錫龜), 정재규(鄭載圭), 정의림(鄭義林) 등에 이어졌다. 또한 기정진(奇正鎭)의 손자(孫子) 송사(松沙) 기우만(奇宇萬)을 통해 보정(普亭)선생으로 이어졌다.

보정(普亭)선생은 기정진(奇正鎭)의 학풍(學風)을 이어받았으나, 자신만의 독특한 학문으로 발전시켰다. 기정진(奇正鎭)은 서양(西洋)을 양이(洋夷)라 하여 서구(西歐)의 과학기술을 철저히 배척(排斥)했으나, 보정(普亭)선생은 서구(西歐) 선진문물(先進文物)의 수용(受容)을 적극 주장했다. 기정진(奇正鎭)은 이체이용(理體理用)〈이(理)를 체(體)로 하고, 이(理)를 용(用)으로 한다는 사상〉주장했으나, 보정(普亭)선생은 이체기용(理體氣用)〈이(理)를 체(體)로 하고 기(氣)를 용(用)으로 한다는 사상〉을 주장했다.

이는 서울 명륜전문학원에서 북학(北學)을 접한 후부터 이후 10여 년간 북학(北學)에 심취(心醉)한 결과였다. 뿐만 아니라 주돈이(周敦頤)의 태극도설(太極圖說)과 더불어 동양우주론(東洋宇宙論)의 근원적(根源的)인 사상(思想)으로 일컬어지는 소강절(邵康節)이 창시(創始)한 수리역학(數理易學)인 상수역(象數易)도, 공리공담(空理空談)을 일삼는 한낱 공허(空虛)한 현학적(玄學的)인 학문이라고 신랄(辛辣)하게 비판(批判)했다. 그러므로 보정(普亭)선생의 학문(學問)은, 그 체(體)는 기정진(奇正鎭)의 학풍(學風)이었으나, 그 용(用)은 선진문물(先進文物)을 과감히 수용(受容)하는 선진(先進) 사상가(思想家)로 여타의 위정척사파(衛正斥邪派)와는 사뭇 달랐다.

4) 보정(普亭) 선생의 상수역(象數易) 비판(批判)

동지부(冬至賦)의 머리 부분과 끝부분 난왈(難曰)부터 마지막은, 소강절(邵康節)의 상수역(象數易)의 핵심에 대한 짧고도 명쾌한 비판의 구절(句節)들이다.

一闔一闢之謂易兮, 尙何待夫圖書?
一陰一陽之謂道兮, 又何竢乎奇耦妙?
一元之循環兮, 固無性而不復。

〈중략〉
難曰, 復之時義大矣哉！可見天地之心兮,
陰根乎陽, 陽本乎陰。
一陽復於地雷兮, 都是春於六六。
嗚乎！孰主張是兮？不過曰太極。
小人道兮漸消, 君子道兮方長。
天道抑陰而扶陽兮, 盍則天而自彊？

한 번 닫고 한 번 열면 이른바 역(易)이라고 하는데,
구태여 하도낙서(河圖洛書)를 거론할 필요가 있는가?
일음일양(一陰一陽)을 일컬어 도(道)라고 하는데
또 무슨 홀수 짝수의 묘리(妙理)를 거론한단 말인가?
일원(一元)이란 순환(循環)하는 것이지만,
진실로 자성(自性)이 없고 반복(反復)하지 않는 것이다.

〈중략〉
논변(論辯)하여 말하면,
주역(周易) 복괘(復卦)의 뜻이 참으로 크도다.
　　　　〈복괘(復卦)는 양(陽) 즉 선성(善性)이 돌아와 회복되는 현상을 설파함〉
가히 천지(天地)의 공평한 마음을 볼 수 있구나!
음(陰)의 뿌리는 양(陽)에 있고
양(陽)의 근본은 음(陰)에 있도다.
그런데 지뢰복괘(地雷復卦)에서 설파(說破)하듯,
동지(冬至)때 음(陰)이 극(極)에 달하면
곧 일양(一陽)이 생겨나 양기(陽氣)가 회복(回復)되니,
36궁(宮) 모두가 봄(春)이라는 이 주장(主張)!
　　　　〈36궁: 만물의 변화양상이 총 36종류라는 것〉

아! 대관절 누가 이런 설(說)을 주장(主張)했는가?
그것은 다만 태극(太極)의 근원적(根源的)작용에
불과(不過)한 것인데!

소인(小人)의 도(道)는 갈수록 사라지고
군자(君子)의 도(道)는 갈수록 자라나는 법,
하늘의 도(道)는 악(惡)〈음(陰)〉을 억제하고
선(善)〈양(陽)〉을 부양(扶揚)하는데,
어찌하여 사람들은 하늘을 본받아
스스로 강건(剛健)해지려고 하지 않는가!

이는 음(陰)이 극(陰極)에 달하면 양(陽)이 생겨나고, 양(陽)이 극(極)에 달하면 음(陰)이 생겨남은, 만물의 존재근원(存在根源)이자 만물의 보편원리(普遍原理)인 동시에 특수원리인 〈태극(太極)〉의 근원적(根源的) 작용일 뿐인데, 굳이 주역(周易)의 역리(易理)에 편승(便乘)하여 삼라만상(森羅萬象)의 변화양상을 36궁(宮) 운운 하며 잘게 나누어, 현학적(玄學的)인 수리(數理)를 설(說)하는 소강절(邵康節)의 상수역(象數易)을 정중하고도 매섭게 질타(叱咤)하는 구절(句節)들이다.

또한 소강절(邵康節)은 자신이 만든 수리(數理)철학을 바탕으로 우주의 생성(生成)과 소멸(消滅)의 원리를 밝히고 있다. 일 년에 봄, 여름, 가을, 겨울이 있듯이 우주(宇宙)의 일원(一元)에도 생성, 소멸의 순환이 반복(反復)된다고 보았다.

그러나 보정(普亭)선생은 위에서 보았듯이 "일원(一元)이란 순환(循環)하는 것이지만, 진실로 '자성(自性)'이 없고 반복(反復)하지 않는다."라고 소강절(邵康節)의 상수역(象數易)을 비판(批判)했다. 보정(普亭)선생의 이러한 〈현학적(玄學的)인 상수역(象數易)〉에 대한 비판(批判)정신은, 조선후기에 성행한 성리학(性理學)의 공리공담(空理空談)을 배척하고 실사구시(實事求是), 이용후생(利用厚生)을 주창(主唱)한 실학파(實學派)의 준엄한 비판정신의 한 단면(斷面)이라고 보아야 할 것이다.

〈현학(玄學)〉이라는 것은 서기 3세기에서 6세기에 성행한 중국철학의 한 학파이다. 유교(儒敎)와 도교(道敎)를 혼합하여 《역경(易經)》, 《도덕경(道德經)》, 《장자(莊子)》 등을 재독해(再讀解)하는 것을 목적으로 했다. 이 세 책을 "삼현(三玄)"이라 부르며 숭상했기에 현학(玄學)이라는 이름이 붙었다. 대표적인 현학자로는 왕필과 곽상이 있으며, 이 두 사람은 각각 《도덕경(道德經)》과 《장자(莊子)》에 주석(註釋)을 단 것으로 유명하다.

  한자 〈현(玄)〉이란 기본적으로 "어둡다"는 뜻이지만, 더 나아가 "애매하다, 알 수 없다, 미스터리, 신비주의"라는 뜻이기도 하며, 《도덕경(道德經)》제1장에 나오는 말이다. 정통 유교(儒敎)가 수기치인(修己治人), 경세치국(經世治國)의 학문으로써 개인의 인간성을 수양하고 또한 세상을 평안케 하는 형이하학적(形而下學的)인 정치철학으로서의 기능을 가지고 있는 데 비하여, 현학(玄學)은 〈玄〉의 의미와 같이 밀교(密敎)적이고 형이상학적(形而上學的)인 가치를 탐구하는데 그 목적을 두었다. 그러나 위진(魏晉)남북조(南北朝)의 난세(亂世)의 와중(渦中)에서 국가의 권위가 떨어지고 혼란상태가 펼쳐지자, 현학자들 및 현학의 영향을 받은 자들은 개인의 보신(保身)과 영달(榮達)에 주력하며 자연을 즐기고 미신에 관심을 두게 되었다. 시간이 지나면서 현학(玄學)은 청담(淸談)으로 대표되는 신비주의(神秘主義), 허무주의(虛無主義)로 변질(變質)되었다. 그리하여 후세(後世)에서는, 알맹이는 없으면서 애매모호하고 교묘하고 장황하게 허세(虛勢)만 부리는 말과 글을 가리키는 〈현학적(玄學的)〉이라는 말이 유행하게 되었다.

2. 작품(作品) 역해(譯解)

1) 感春賦   敬次晦庵夫子韻, 壬申

惟宇宙之渺茫兮,　固莫知其所之。
睨蜀岑而多險兮,　遵周道而爲期。
聖旣遠而言堙兮,　奈時運之隆替。
睠林泉之窈窕兮,　將遂吾之初志。
恐年歲之蹉跎兮,　寸晷惜於芳春。
懷良辰而獨往兮,　求其友於古人。
騫吾法夫先哲兮,　惟昭昭其遺訓。
余惟若將不及兮,　斯邁征於尺寸。
慨子期之難遇兮,　默然守吾素琴。
紛吾旣有此樂兮,　雖九死其一心。
攬時物而興喟兮,　竹栢交其靑倩。
時冉冉其難淹兮,　懷伊人而不見。
欲令羲和弭節兮,　揮崦嵫之餘光。
羌蘊櫝而藏之兮,　搴玉英而爲璫。
在澗阿而盤桓兮,　獨寐寤而不忘。
苟余情其好古而修姱兮,　長壹欝其何傷

1) 감춘부(感春賦)(봄을 노래함)
　　－ 삼가 회암부자(晦庵夫子) 시(詩)에 차운(次韻)하여, 임신년(서기 1932년) －

오로지 우주(宇宙)는 아득한 것이라
진실로 그가 하는 바를 도무지 알 수 없네.
촉(蜀)나라 산봉우리를 곁눈질해보니
험준(險峻)하기 짝이 없어,
주(周)나라의 탄탄대도(坦坦大道)를
따르기로 기약(期約)했다네.

성인(聖人)시대 멀어지고
성인(聖人)말씀 매몰(埋沒)되니,
시운(時運)의 흥망성쇠(興亡盛衰)를
어찌한단 말인가?
돌아보니 은사(隱士)가 사는 곳이
그윽하고 아름다워,
내 장차 처음에 품은 뜻을 반드시
성취(成就)하고 말리라.

세월을 헛되이 보낼까 두려워
촌음(寸陰)을 아끼듯이 청춘을 아껴,
큰 뜻을 품고 좋은 날에 나 홀로
길을 떠났으니, 〈서울 명륜전문학원 유학길을 떠남〉
옛 사람 중에서 나의 벗을 찾아보리라.

아, 내가 옛 어진 선철(先哲)을
본받으려 하는데,
그들이 남긴 유훈(遺訓)이 참으로
명명백백(明明白白)하구나!
내 장차 성인(聖人)의 도(道)에
미치지 못할까 두려워,
한자(尺) 한 치(寸)에서부터 날마다
힘써 매진(邁進)하리라.

종자기(鍾子期)같은 지기(知己)를
만나기 어려워 개탄(慨嘆)도 하지만,
묵묵히 나의 수수한 거문고를 지키리라.
더구나 나는 이미 거문고의 즐거움을 지녔으니,
비록 아홉 번을 죽는다 해도 같은 마음이로다.

시절의 사물을 즐기다 탄식(歎息)을 하니,

송죽(松竹)의 기개(氣槪)를 지닌
젊은 선비들과 교유(交遊)하고 싶은데,
세월은 유수(流水)같이 흘러 머물지 않고,
가슴에 품은 사람은 쉬이 보이지 않네.
해의 여신(女神) 희화(羲和)에게 명령해
해 수레를 붙들어놓고
세월을 멈추게 하고 싶은데,
도리어 해가 지는 엄자산(崦嵫山)의
여광(餘光)을 쫓아버리고는,
아! 그만 관(棺)속에 해를 깊이 감추고,
옥영(玉英)을 빼내어 자신의 귀고리의
옥(玉)으로 삼아버렸구나!

시냇가 언덕 위에 서성거리며
나 홀로 자나 깨나 잊지 못하노니,
진실로 내 마음이 옛것을 좋아하고
아름답고 결백한 수행(修行)을 한다면,
제아무리 한 결 같이 길고 답답한
마음인들 어찌 상처를 받겠는가?

* 회암(晦庵): 주자(朱子)의 호(號)
* 부자(夫子): 제자(弟子)의 스승에 대한 존칭

* "촉(蜀)나라 산봉우리를 곁눈질해보니 험준(險峻)하기 짝이 없어, 주(周)나라의 탄탄(坦坦)대도(大道)를 따르기로 기약(期約)했다네." 이는 공자(孔子)가 따랐던 주(周)나라의 문물제도(文物制度)는, 유교(儒敎)에서 전형(典型)으로 삼고 있으며 유교적 윤리대강(倫理大綱)도 주례(周禮)를 바탕으로 하는 바, 촉(蜀)의 것을 버리고 주(周)의 것을 따르겠다는 뜻

* 임천(林泉): 숲과 샘이란 뜻으로, 숨어사는 은사(隱士)들이 사는 곳을 뜻하기도 하고, 또는 고요하고 아름다운 자연경치를 비유하기도 한다.
* 건오법부(謇吾法夫): 옛 어진 분을 본받다.

* 종자기(鍾子期): 고대 중국의 진(晉)나라에 거문고의 달인 백아(俞伯牙)가 어느 날 휘영청 밝은 달빛을 바라보며 거문고를 뜯었는데 그 소리를 몰래 듣는 사람이 고향 친구 종자기(鍾子期)이었다. 놀랍게도 종자기는 "지음(知音)〈음을 알아들음〉"의 경지였다. 백아가 달빛을 생각하며 거문고를 뜯으면, 종자기는 달빛을 바라보았고, 백아가 강물을 생각하며 거문고를 뜯으면, 종자기도 강물을 바라 봤다. 거문고 소리만 듣고도 백아의 마음을 읽어냈던 것이다.
　결국 백아는 자신의 소리를 알아주는 종자기와 의형제(義兄弟)를 맺었다. 이듬해 백아가 다시 그를 찾았을 때는 종자기는 죽고 없었다. 백아는 친구의 묘를 찾아 마지막 한 곡을 뜯고는 거문고 줄을 끊어버렸다. 그리고 다시는 거문고를 타지 않았다. 이 세상에 자기 거문고 소리를 제대로 들어줄 사람이 없었기 때문이다. 이것이 이른바 백아절현(伯牙絕絃)의 유명한 고사(故事)이다.

* 소금(素琴): 아무런 장식을 하지 않은 수수한 거문고
* 희화(羲和): 중국 신화(神話)에 나오는 태양(太陽)의 여신(女神)이며 천제(天帝) 준의 처(妻)이다. 10개의 태양(太陽)을 낳아 탕곡의 부상(扶桑)에 두었다. 태양은 매일 교대로 밖으로 나가 순회(巡廻)하는데, 희화(羲和)가 함께 수레를 타고 나갔다가 태양이 우연에 다다른 뒤에 수레를 돌려 올라온다고 한다.

* 엄자산(崦嵫山): 중국에 있는 산(山)으로, 옛날에 태양이 들어가 쉰다는 전설(傳說)이 전해오는 산(山)이다., 사람의 노년(老年)을 비유하기도 한다.
* 여광(餘光): 해와 달이 진 뒤에 은근히 남아 있는 빛
* 옥영(玉英): 고운 꽃잎
* 수과(修姱): 아름답고 결백한 수행(修行)
* 반환(盤桓): 서성거리다.
* 장일울(長壹鬱): 한 결 같이 길고 답답함

2) 冬至賦　壬午至日

　仰以覽乎玄規兮, 俯以察乎黃矩。
　惟太一之肇剖兮, 坤乾位於尊卑。
　夜晝繼而往來兮, 兩曜昭其明生。
　寒與暑其代序兮, 四時行而歲成。

一闔一闢之謂易兮, 尙何待夫圖書？
一陰一陽之謂道兮, 又何竢乎奇耦妙？
一元之循環兮, 固無性而不復。
二氣交而變化兮, 察動靜之互極。
前無始而後無終兮, 消與長其相因。
往者屈而來者伸兮, 盛與衰其相禪。
天地塞而陰痼兮, 滂霏霏其雨雪。
山附地而圮落兮, 剝床膚而灾切。
幸碩果之不食兮, 七日來而反復。
雷一聲於子半兮, 千門開而萬戶闢。
登雲臺而觀物兮, 飛葭灰而揆時。
仰玄武之貞固兮, 聽黃鍾之聲希。
萬物皆有春意兮, 梅吐紅而柳含靑。
一線隨以添長兮, 占新曆於丹黃。
可見生物之心兮, 奚止撫芳辰於流年。
養微陽以安靜兮, 遵閉關之垂訓。
君子長而小人消兮, 羗抑陰而扶陽。
固天時之貞吉兮, 何世道之不常？
天下之生久矣兮, 亂與治其相推。
亂旣極而思治兮, 如剝盡而復來。
堯有九年之水兮, 肆懷襄而莫遏。
使禹治而有道兮, 水土平而告厥。
噫！堯舜之旣沒兮, 暴君又其代作。
周公爲之相武兮, 懲荊舒而膺狄。
亂又極於春秋兮, 厥暴行而邪說。
惟吾夫子之大聖兮, 懼亂賊於削筆。
聖不作而道微兮, 墨兼愛而揚爲我。
孟老承其三聖兮, 闢而闢之廓。
如嗟千載而無善治兮, 至五季而益蕩。
奎其燦於有宋兮, 濂洛啓而關閩興。
世一治而一亂兮, 攷往牒而昭然。

顧今風凄而雨冥兮, 窮陰積於兩間。
河一淸之尙稽兮, 誰能復而共天時？
夫何往而不返兮, 就羲文而陳詞？
蓍龜亦其不靈兮, 吉凶舛於鬼神。
徒憂切於漆室兮, 誦風泉於良辰。
狂瀾不可力挽兮, 保眞源於一心。
善端萌於衆欲兮, 比陽生於群陰。
夫猶火之始燃兮, 亦如泉之始達。
牛山木其濯濯兮, 養夜氣以澄澈。
復有反善之義兮, 不遠復而吉利。
顔氏子其庶幾兮, 怒不遷而過不貳。
學顔子之所學兮, 頻失復而何傷。
假永言而述旨兮, 庶裨補於反省。
難曰復之時義大矣哉！可見天地之心兮,
陰根乎陽, 陽本乎陰。
一陽復於地雷兮, 都是春於六六。
嗚乎！孰主張是兮？不過曰太極。
小人道兮漸消, 君子道兮方長。
天道抑陰而扶陽兮, 盍則天而自彊？

2) 동지부(冬至賦)
  - 임오년(서기 1942년) 동짓날 -

하늘을 우러러 살펴보니 넓고 넓어 아득하고
허리를 굽혀 땅을 살펴보니 누렇고 모난 것이라,
오로지 태일(太一)이 처음 갈라져
하늘과 땅이 높고 낮게 자리를 잡았네.
밤과 낮이 이어져 오고 가며
해와 달이 밝게 빛나 세상을 밝혀주고,
추위와 더위가 차례로 순서를 바꾸며

사계절이 생겨나고 한 해가 이루어지는구나.

한 번 닫고 한 번 열면 이른바 역(易)이 되는데,
구태여 하도낙서(河圖洛書)라는 것을
또 거론할 필요가 있는가?
일음일양(一陰一陽)을 일컬어 도(道)라고 하는데,
또 무슨 홀수 짝수의 묘리(妙理)를 거론한단 말인가?
일원(一元)이란 순환(循環)을 하는 것이지만,
진실로 자성(自性)이 없고 반복하지 않는 것이로다.
〈위는 소강절(邵康節)의 상수역(象數易)을 비판한 것〉

음양(陰陽)의 두 기(氣)가 서로
감응(感應)하면서 변화를 일으키니,
그 동(動)과 정(靜)의 극치(極致)를 살펴보면
처음(始)도 없고 끝(終)도 없으며,
소멸(消滅)과 생장(生長)이
서로가 원인이 되어 굴신(屈伸)운동을 하는 것이니,
가는 자는 물러나며 굽히고 오는 자는 일어서며 펴지니,
흥망성쇠(興亡盛衰)를 서로 간에 넘겨주는구나.

천지에 가득 찬 음기(陰氣)가 오래 머물러
고질(痼疾)이 되면 눈비가 펑펑 쏟아지고,
산들이 땅에 붙어 있는데 그 언덕이 무너져 떨어지면
피부가 벗겨지니 재앙(災殃)이 가까이 닥침이로다.
다행히 석과(碩果)를 먹지 않아 칠일(七日)만에 돌아오니,〈七日來復〉
그 하늘의 이치(理致)를 반복하는구나.〈주역, 산지(山地)박괘(剝卦)〉

동지(冬至) 때에 한 가닥 우레 소리가
잠복(潛伏)하고 있으니,〈동지(冬至)에 일양시생(一陽始生)함, 지뢰(地雷)복괘(復卦)〉
천가만호(千家萬戶)가 개벽(開闢)을 맞을 징조로다.
운대(雲臺)에 올라 사물(事物)을 관찰하고 〈운대(雲臺): 조선시대 기상관측소〉

갈대 재(灰)가 날아가면 동지(冬至)때를 알 수 있고,
우러러보니 현무(玄武)는 마음이 곧고 굳세며,〈현무(玄武): 북방 수호신〉
황종(黃鍾)소리를 들으니 그 소리 드문 소리로다.〈황종(黃鍾): 12음의 첫째 음〉

만물은 모두 봄기운을 지니고 있어
매화(梅花)는 홍염(紅艶)을 토하고,〈홍염(紅艶): 붉고 수줍게 고운 것〉
버들은 푸른빛을 머금었네.
한 가닥 봄기운이 더욱 길게 뻗으니,
붉은 '책력풀'로 꾸민 신년 책력(册曆)으로
새 해의 운수(運數)를 점을 쳐보네.
이로써 뭇 생물의 마음을 알 수 있지만,
하늘의 이치(理致)가 흐르는 세월 속에서,
어찌 향기로운 봄날을 어루만지기만 하겠는가?

미미한 양기(陽氣)〈선(善)〉라도 기르며 안정을 취하고
외계와 접촉하지 말라는 가르침을 따름으로써,
군자(君子)는 장성(長成)하고 소인(小人)은 사라지니,
아, 하늘은 악(惡)〈음(陰)〉을 누르고
선(善)〈양(陽)〉을 부양(扶揚)하는구나.
진실로 천시(天時)〈천도(天道)〉는
곧고 길(吉)한 것인데, 어찌하여
세상의 도(道)는 상도(常道)가 되지 못하는가?
천하(天下)가 생겨난 지 오래 되어
혼란(亂)과 안정(治)이 서로 번갈아 바뀌니,
혼란이 극(極)에 달하면 안정을 생각하게 되고,
피부가 다 벗겨지고 나면, 또다시
새 피부가 생겨나는 것이 하늘의 이치(理致)로구나.

태고(太古)의 요(堯)임금 시절에
九년간 큰 홍수(洪水)가 나서,
거대한 흙탕물이 산악을 집어삼켜

도저히 막을 수 없게 되자,
우(禹)를 보내 홍수(洪水)를 다스리게 하니,
비로소 물길이 생겨나고 물과 땅이
평정(平定)이 되었구나.
그러나 세월이 흘러 아, 요순(堯舜)은 이미 떠나버렸고,
폭군(暴君)들이 등극(登極)하여
또다시 전횡(專橫)을 일삼았으나,
다행이 주공(周公)이 무왕(武王)을 잘 보좌하여
초(楚)나라와 서(舒)나라를 징벌(懲罰)하고
오랑캐를 토벌하였네.

전란(戰亂)은 또 춘추(春秋)시대에 극에 달해
폭정(暴政)도 폭정(暴政)이려니와
온갖 사설(邪說)까지 난무(亂舞)했으나,
오로지 우리 공부자(孔夫子)〈공자(孔子)〉만이
대성인(大聖人)이었으니,
붓을 들어 삭필(削筆)을 휘두르자 〈삭필(削筆): 글의 내용을 삭제함〉
사문난적(斯文亂賊)들이 모두가 두려워했네.
        〈사문난적(斯文亂賊): 유교사상에 어긋나는 언행(言行)을 하는 사람〉

그 후 성인(聖人)이 다시 나타나지 않아
도(道)가 미약(微弱)해지자 백가쟁명(百家爭鳴)이라,
묵자(墨子)가 겸애설(兼愛說)을 주창(主唱)하고
양주(楊朱)는 위아설(爲我說)을 부르짖었지만,
맹자(孟子)가 삼성(三聖)의 뒤를 이어 〈삼성(三聖): 우임금, 주공, 공자〉
아름다운 사(辭)로써 세상을 환하게 열어놓았구나.
            〈사(辭): 사상(思想)을 말이나 글로 나타낸 것〉

아, 그러나 천년이 흘러도 선정(善政)이 없더니
오대(五代)시절에 이르러 더욱 방탕하였고,
송대(宋代)에 이르러서야 문물(文物)이 빛이 나,

주돈이(周敦頤)와 정이(程頤), 정호(程顥)가 길을 열었고,
뒤를 이어 장재(張載)와 주희(朱熹)가 떨쳐 일어났네.
인간세상이란 한번 안정(安定)을 누리면
또다시 혼란(混亂)을 겪는 것이 역리(易理)라,
옛 기록을 고찰(考察)하면 분명한 일이로다.

돌아보니 지금 세월은 바람소리 처량하고
폭우(暴雨)가 쏟아져 어두운데,
겨울의 마지막 음력 섣달〈궁음(窮陰)〉의 음기(陰氣)가
비바람 사이에 가득 쌓여있구나.
황하(黃河)가 한 차례 맑았다는 기록은
분명히 찾을 수가 있다만,
그 누가 능히 선성(善性)〈양기(陽氣)〉을 회복하여
함께 천시(天時)를 누릴 것인가?

대체 어디로 가야 돌아오지 않고
안거(安居)할 수 있다는 말인가?
복희씨(伏羲氏)와 문왕(文王)을 찾아가
글을 올려볼까?
점복(占卜)조차 영험(靈驗)하지 않으니
길흉화복(吉凶禍福)이 귀신(鬼神)에 의해
어그러지고 있는 것인가?
공연히 분수에 넘치는 일을 근심하며,
좋은 날 바람 부는 샘가에서
혼자 읊조리고 있구나.

미친 듯이 몰아치는 사나운 파도를
도저히 막아 낼 힘이 없다면,
일심(一心)으로 참된 근원 하나만은
굳건히 보존해야 하리라.
참된 근원(根源)이란, 마치

뭇 욕심에서 선(善)의 실마리가 싹이 트고,
음(陰)의 무리 속에서 양(陽)이 생겨나듯,
불타기 시작할 때의 그 시초의 불과 같고,
또한 금방 솟아나기 시작한 샘물과 같은 것이로다.

우산(牛山)의 나무들이 베어져
벌거숭이가 된 그 산의 모습을 보라!
모름지기 맑디맑은 밤기운〈야기(夜氣)〉을
배양(培養)해야 하리라.
그러면 또다시 선(善)의 의리(義理)로 돌아가
불원간 착한 본성(本性)을 회복하여,
길(吉)하고 이로움이 있으리라.

공자(孔子)의 제자 안회(顔回)가
그러한 경지(境地)에 가까웠으니,
노기(怒氣)를 남에게 옮기지 않고
같은 허물은 두 번 다시 짓지 않았네.
안회(顔回)가 스승에게 배운 것을
이제 내가 다시 배우고자 하는데,
비록 자주 실수를 거듭할지라도
어찌 속상해 하겠는가?
긴 말을 빌어서 나의 속뜻을 서술했으니,
아마도 반성하는데 조금은 도움이 되리라.

논변(論辯)하여 말하면,
주역 복괘(復卦)의 시의(時義)가 참으로 크도다.〈시의(時義): 때(時)에 따름〉
　　　〈복괘(復卦)는 양(陽) 즉, 선성(善性)이 돌아와 회복되는 현상을 설파함〉
가히 천지(天地)의 공평한 마음을 볼 수 있네.
음(陰)의 뿌리는 양(陽)에 있고
양(陽)의 근본은 음(陰)에 있도다.
그런데 지뢰복괘(地雷復卦)에서 설파(說破)하 듯,

동지(冬至)때 음(陰)이 극(極)에 달하면
곧 일양(一陽)이 생겨나 양기(陽氣)가 회복(回復)되니,
36궁(宮) 모두가 봄(春)이라는 이 주장(主張)!
〈36궁: 만물의 변화양상이 총 36종류라는 것〉
아! 대관절 누가 이런 설(說)을 주장(主張)했는가?
그것은 다만 태극(太極)의 근원적(根源的)인 작용에
불과(不過)한 것인데!

소인(小人)의 도(道)는 갈수록 사라지고
군자(君子)의 도(道)는 갈수록 자라나는 법,
하늘의 도(道)는 악(惡)〈음(陰)〉을 억제하고
선(善)〈양(陽)〉을 부양(扶揚)하는데,
어찌하여 사람들은 하늘을 본받아
스스로 강건(剛健)해지려고 하지 않는가!

* 태일(太一): 천지만물의 생성근원 또는 우주의 본체를 이르는 말, 천지만물의 근원을 가리키는 말로서 〈태극(太極)〉이나 〈도(道)〉와 같은 개념이다. 「여씨춘추」에서는 태일(太一)에서 양의(兩儀)와 음양(陰陽)이 생겨난다고 하여 이것을 태극(太極)과 같은 것으로 보고 있다. 《장자(莊子)》의 천하 편에서는 노자(老子)의 주요사상을 태일(太一)이라고 했는데, 여기서 태일(太一)은 도(道)를 가리킨다. 도(道)는 일(一)에서 나오므로 도(道) 자체가 태일(太一)이다. 태일(太一)은 때때로 종교적인 숭배의 대상이 되었다는 점에서 태극(太極)이나 도(道)와 구별되기도 한다. 고염무(顧炎武)의 고증(考證)에 의하면, 고대에서부터 천자(天子)가 봄·가을에 동남쪽 교외에서 태뢰를 사용하여 태일(太一)에 제사지냈다고 하며, 특히 한나라 무제(武帝) 때는 태일(太一)이 종교적 숭배대상으로서 각종 천신(天神)이나 지신(地神)보다 중요하게 취급되었다고 한다.

* 하도낙서(河圖洛書): 하도(河圖)는 복희씨(伏羲氏) 때 황하[黃河]에서 나온 용마(龍馬)의 등에 그려져 있었다는 그림이고, 낙서(洛書)는 우(禹)임금이 홍수를 다스릴 때 낙수(洛水)에서 나온 신귀(神龜)의 등에 씌어져 있었다는 글이다. 복희씨는 하도(河圖)에 의해 삼라만상(森羅萬象)의 변화양상을 설명하는 〈팔괘(八卦)〉를 그렸고, 우(禹)임금은 낙서(洛書)에 의해 천하를 다스리는 대법(大法)으로서의 《홍범구주(洪範九疇)》를 지었다고 전해진다. 각각 별개로 취급되던 하도(河圖)와 낙서(洛書)가 병기된 것은 《사기(史記)》 공자

세가(孔子世家)와 《회남자(淮南子)》 숙진훈(俶眞訓)이며, 거기에는 하도낙서(河圖洛書)가 태평치세(太平治世)에 나타나는 상서(祥瑞)로 설명된다. 그 후 송대(宋代)에 이르러 소강절(邵康節)(소옹(邵雍))은 그의 상수학(象數學)에 의해 하도와 낙서의 도형화를 시도했다. 그에 의하면 하도(河圖)는 홀수를 양점(陽點)으로, 짝수를 음점(陰點)으로 해서 1~10의 모두 55점을 사방과 중앙에 배치한 도상(圖上)이다. 즉 북방에는 1점과 6점, 남방에는 2점과 7점, 동방에는 3점과 8점, 서방에는 4점과 9점, 그리고 중앙에 5점과 10점을 이중으로 배치했다. 이 가운데 1~5를 생수(生數)라고 했으며, 6~10을 성수(成數)라고 했다.

낙서(洛書)는 홀수(기수)인 1점을 남방에, 3점을 동방에, 5점을 중앙에, 7점을 서방에, 9점을 북방에 배치하고, 짝수(우수)인 2점은 서북방에, 4점은 동북방에, 6점은 서남방에, 8점은 동남방에 배치했다. 조선초기의 성리학자 권근(權近)은 그가 지은 〈입학도설(入學圖說)〉의 하도오행상생지도와 낙서오행상극지도에서 소옹(邵雍)이 그린 하도와 낙서는 각각 오행(五行)의 상생(相生)과 상극(相克)을 도상화한 것이라고 설명했다.

* 기우(奇偶): 기수(奇數)와 우수(偶數) 즉, 《주역(周易)》의 원리인 음양(陰陽)을 뜻한다. 기수는 양(陽)이 되고 우수는 음(陰)이 되니, 음(陰)과 양(陽)이 서로 섞여 천지(天地)조화(造化)가 이루어진다는 것.
* 일원(一元): 삼라만상(森羅萬象)의 근원이 오직 하나인 것
* 선양(禪讓): 다른 사람에게 넘겨 줌

* 박진양부생(剝盡陽復生): 박(剝)은 《주역(周易)》의 괘(卦)이름으로 음(陰)이 자라나서 양(陽)이 없어져 가는 괘(卦)이니, 간상곤하(艮上坤下)로서 음력 9월에 해당된다. 이 상구(上九)가 변해서 곤괘(坤卦)가 되면 10월에 해당하고, 11월이 되면 다시 일양(一陽)이 자라나서 곤상진하(坤上震下)의 〈복괘(復卦)〉가 됨을 말한다.〈주역 총목(周易 總目) 참조〉

* 박상부(剝床膚): 《주역(周易)》의 〈산지박(山地剝)〉괘(卦), 십익(十翼) 23번째 박괘(剝卦)에 나오는 말. "剝床以膚(박상이부)" 상판의 표피(피부)를 깎는 상이니 凶(흉)하다. 상판을 깎아내면 상 위에 있는 것들이 존재하기 어려우니 재앙(災殃)이 가까워졌다는 것.

* 석과(碩果): 석과불식(碩果不食)을 말한다. 《주역》 산지박(山地剝) 괘(卦)의 상효(上爻)의 효사(爻辭)에 나오는 말이다. 석과불식(碩果不食)의 의미는, 큰 과일(碩果)은 다 먹지 않고 남긴다는 뜻으로, 자기의 욕심을 버리고 후손(後孫)들에게 복을 물려 준다는 말이다.

가지 끝에 남아 있는 최후의 '씨 과일(碩果)'은 씨가 될 과일로 먹지 않고 남긴다는 뜻

이다. 그런데 이것 말고도 다른 뜻이 몇 가지 더 있다. 큰 재앙(災殃)이 닥쳐와 몰락위험에 처해도 마지막 남은 소중한 씨앗(석과(碩果))을 잘 보존하면, 과거를 혁신하고 바로잡음으로써 다음 세상을 건설하는 전화위복(轉禍爲福)의 계기가 된다는 의미가 있다.

석과(碩果)(씨 과일)에는 정의(正義), 희망(希望), 배려(配慮)가 숨어 있다. 그러므로 사회구성원 모두가 〈석과불식(碩果不食)〉의 의미를 실천할 때, 우리 사회가 가지는 여러 어려운 문제를 해결할 수 있을 것이다. 정의, 희망, 배려 등을 의미하는 씨 과실을 먹지 않고 땅에 심어 새싹으로 키워내고 다시 나무로, 숲으로 만들어 가는 것이 선조들의 오래된 지혜였다. 그러므로 〈석과불식(碩果不食)〉은 지금 우리 세대가 마땅히 해야 할 임무인 것이다.

* 자반(子半): 동지(冬至)를 말한다. 상수(象數)철학을 창시한 소강절(邵康節)의 "동지음(冬至吟)"이란 시(詩)에 "자반(子半)"이란 말이 나온다. 자반(子半)은 바로 동지(冬至)를 말한다. 일 년으로 말하면 동지(冬至)가 되고, 하루를 말하면 자시(子時)〈밤11시~익일 새벽1시〉의 한가운데 즉 밤12시 자정(子正)이 된다.
* 개벽(開闢): 새 시대가 열림을 비유함, 세상이 어지럽게 뒤집힘
* 가회(葭灰): 갈대청을 태운 재. 양(陽)의 기운이 동(動)하는 것이 지극히 미미하지만 황종(黃鍾)에 그 조짐이 나타난다는 뜻이다. 음률(音律)을 재는 기구인 〈황종(黃鍾)〉을 땅에다 세워서 묻고, 그 관 속에다가 갈대 재를 채워서 흰 천을 덮어 둔 다음, 밤중에 동지(冬至)의 기운이 올라와 재가 천에 올라붙는 것을 보아서 정확한 음률(音律)을 가늠한다. 또 동짓달을 황종월(黃鍾月)이라고도 한다. 십이율(十二律)의 율관에 갈대 재를 채워 암실에 두었을 때 동지(冬至)가 되면 이 황종(黃鍾)의 율관(律管)에서 재가 날린다고 한다. 이 때문에 동짓달을 황종월(黃鍾月)이라고도 한다.

* 운대(雲臺): 조선시대 천문지리와 기상관측을 담당한 기관
* 현무(玄武): 사신(四神) 중의 하나로 여겨지는 상상의 동물이다. 암수가 한 몸이고 뱀을 몸에 칭칭 감아 얽혀 뭉쳐 있는 다리가 긴 거북의 모습을 하고 있다. 암컷인 거북의 머리와 수컷인 뱀의 머리가 원을 그리며 교차하는 모습으로 자주 그려지는데, 이는 암수가 서로 합하여 조화를 이룬다는 의미를 지니고 있다. (사신(四神): 좌청룡(左靑龍), 우백호(右白虎), 남주작(南朱雀), 북현무(北玄武), 동서남북 사방을 수호하는 신(神)

일반적으로 현무(玄武)는 생명의 끝, 곧 죽음을 알리는 북쪽(北)의 수호신으로 여겨지며 북쪽이 검은색을 나타낸다는 사실에서 '현(玄)'이라 하며, 거북의 두꺼운 등껍질을 등에 이고 방어에 뛰어난 점과, 뱀의 날카로운 이빨이라는 점에서 '무(武)'라고 한다고 알려져

있다. 오행(五行) 중에서는 물(水)을 상징하며, 계절 중에서는 겨울을 관장한다. 또한 현무는 이 세상에 존재하는 360종류의 갑각류의 우두머리이기도 하다. 중국에서는 현천상제(玄天上帝), 상제몽(上帝翁), 상제공(上帝公)이라고도 불리며, 청대에는 북극우성신군(北極佑聖真君)에 봉해졌다. 한국에서는 고구려와 고려의 고분벽화에 다른 사신(四神)들과 같이 그려졌다. 또한 경복궁의 북쪽 문인 신무문(神武門)의 천장에도 현무(玄武)의 그림이 있다. 또 풍수지리(風水地理)에서는 명당(明堂)의 북쪽에 있는 산(山)을 현무(玄武)라고도 한다.

* 황종(黃鍾): 12음(音)의 첫째 음
* 홍염(紅艶): 붉고 수줍게 고운 것
* 책력풀: 명협(蓂莢)을 말한다. 어떤 풀이 뜰에 자라는데. 15일 이전에는 하루에 한 잎씩 나고 16일 째부터는 하루에 한 잎씩 떨어진다. 작은 달에는 마지막 한 잎이 떨어지지 않고 시들기만 한다. 이 풀이 '명협'이다. 그것을 보고 날짜를 알 수 있다. 중국 요(堯)임금 때 있었다는 전설(傳說)상의 풀로 명협(蓂莢) 곧 '책력풀'이라고 한다.

* 폐관(閉關): 빗장을 걸어 잠그는 것. 양(陽)을 부축하고 음(陰)을 억제하는 것은 성왕(聖王)들의 일이다. 《주역》에서 음양(陰陽) 양의(陽儀)가 소멸하는 것은 구괘(姤卦)에서 시작되어 곤괘(坤卦)에서 극에 달한다. 곤괘(坤卦)는 10월의 괘(卦)로 양(陽)이 없는 것을 꺼려 10월을 양월(陽月)이라 하는데, 실제로는 순전한 음(陰)이다. 음(陰)이 극에 달하면 반드시 양(陽)이 돌아오는 것이 자연의 이치이다. 그러므로 곤괘(坤卦)의 초육(初六)이 구(九)로 변하면 복괘(復卦)가 된다. 달은 자월(子月), 계절은 동지(冬至)이며 율려(律呂)는 황종(黃鍾)이다. 땅속에 있던 양(陽)이 동짓날 자정(子正)에 움직이기 시작하면, 비록 반드시 돌아온다지만 그 미묘함이 어떻겠는가? 그러므로 공자(孔子)는 그 상을 드러내어 "동짓날에는 관문을 걸어 잠그고 장사꾼과 여행자가 다니지 않고 임금은 사방을 시찰하지 않는다." 하였으니, 조용히 기다리며 움직이지 않고 "미약한 양(陽)을 보호한다는 뜻이 지극하다. 양(陽)이라는 것은 선(善)한 종류이고, 음(陰)이라는 것은 악(惡)한 종류이다. 선하므로 군자(君子)가 되고 다스려져 태평하게 된다. 악(惡)하므로 소인(小人)이 되고 어지러워 망하게 된다.

* 상도(常道): 항상 변하지 않는 도리(道理)
* 회양(懷襄): '회산양릉(懷山襄陵)'의 준말로, 큰물이 넘쳐 산과 언덕을 포위하고 있음을 이르는 말이다.

* 요(堯)임금 9년 홍수: 〈오월춘추(吳越春秋)〉에 따르면 요(堯)임금 때 9년 동안 홍수(洪水)가 일어나 순(舜)임금이 신하인 우(禹)(훗날 우(禹)임금이 됨)에게 그것을 처리하도록 명하였다. 이에 우(禹)는 8년간 성과를 내지 못하다가 형산에서 백마(白馬)를 제물로 하늘에 제사를 지내게 되는데, 꿈에 한 남자가 나타나 자신을 창수사자(蒼水使者)로 소개한 뒤 우(禹)에게 3개월간 몸을 청결히 하고 도산에 있는 신서(神書)를 읽어보도록 했다. 우(禹)는 이 책을 읽어보고 물을 다스리는 이치를 깨달아 홍수(洪水)를 막았다고 한다.

* 형(荊): 초(楚)나라 옛 이름
* 서(舒): 초(楚)의 이웃 나라
* 사설(邪說): 그릇되고 간사한 학설(學說)
* 난적(亂賊): 사문난적(斯文亂賊) 곧 유교(성리학)에서 교리를 어지럽히고 그 사상에 어긋나는 말이나 행동을 하는 사람을 이르는 말
* 백가쟁명(百家爭鳴): 많은 학자들이 주장을 펴고 논쟁하는 일

* 우산지목(牛山之木): 《맹자(孟子)》의 '고자장구(告子章句)〉'에 나오는 말. 맹자가 이르기를, 제나라 우산(牛山)에는 본시 우람찬 수목(樹木)들이 아름답게 들어차 있었는데 그 산이 대도시의 근처라 벌채를 일삼으니, 어찌 그 아름다운 모습을 유지할 수 있었겠는가? 그래도 그루터기가 남아있고 씨가 뿌려졌으니, 밤낮 끊임없이 성장하는 기운이 가득하고, 비와 이슬이 내리면 새싹들이 생기게 마련인데, 또 다시 소와 양을 풀어먹이니 저 모양으로 까까머리 민둥산이 되고만 것이다. 사람들이 저 민둥산을 보고, 저 우산(牛山)에는 예부터 나무가 없었다고 생각하니, 이것이 어찌 저 산의 성(性)이겠느냐?

사람도 마찬가지다. 본래적으로 있는 것, 인의(仁義)의 마음이 어찌 없다고 말할 수 있겠는가? 그러나 그 고유한 선(善)한 마음을 방치해두는 것은 마치 도끼와 자귀로 산의 나무를 계속 베는 것과 같다. 매일 나무를 벌채 하듯이 양심(良心)을 잘라 버리니 그 아름다운 마음이 유지 되겠느냐? 인간의 마음이라는 것도 저 우산(牛山)의 경우와 같이, 밤낮으로 끊임없이 생장하는 기운이 가득하기에 때문에, 깊은 잠을 자고 새벽에 날이 밝을 즈음이면 청명한 기운이 감도는 것이니, 그때는 선(善)을 좋아하고 악(惡)을 미워하는, 인간의 본래모습에 근접하는 것이다. 그럼에도 불구하고 사람들이 대낮에 하는 세속적인 행위는 그러한 청명(淸明)한 기운을 또다시 사라지게 만든다. 이러한 질곡(桎梏)을 반복해서 행하면 그 〈야기(夜氣)의 청명(淸明)한 기운〉은 존속할 수가 없게 된다. 청명한 야기(夜氣)가 없게 되면, 그 인간은 금수(禽獸)와 다를 바가 없게 된다. 그런 인간의 모습을 보고 사람들은, 그 인간에게는 본래 선(善)한 자질이 없다고 생각한다. 그러나 그것은 착각(錯覺)

이다. 어찌 그 인간의 본성(本性)이 그러할 수 있겠는가? 그러므로 모든 사물(事物)은 올바른 양육조건을 갖추면 자라나지 아니 하는 것이 없고, 그 조건을 갖추지 못하면 결국 애석하게도 소멸해버리고 마는 것이다.

* 겸애설(兼愛說): 묵자(墨子)의 학설. 묵가(墨家)의 창시자는 묵자(墨子)(서기전 468~376)이다. 묵자(墨子)의 이름은 적(翟)으로 공자(孔子)보다 좀 늦게 태어났을 것으로 추정된다.

　유가(儒家)와 묵가(墨家)는 당시 여러 학파 가운데 가장 대립적인 관계에 있었다. 묵자(墨子)는 겸애(兼愛, 모든 사람을 차별 없이 사랑하는 일)를 주장하였다. 그의 정치적 사상은 현명한 군주가 나타나 사회를 다스리는 것이었다. 현명한 군주(君主)란 옛날의 우(禹)임금처럼 백성들과 함께 부지런히 일하고 검소한 생활을 해야 한다고 하였다. 또 사회 전체의 인류들은 서로 협조하고 사랑하여 힘이 있는 자들은 앞을 다투어 힘이 없는 사람을 돕고 재력(財力)이 있는 사람은 될 수 있는 대로 재산(財産)을 사람들에게 나누어주고, 학덕(學德)이 있는 사람은 사람들을 교화(敎化)시켜야 한다고 주장하였다. 묵자는 모든 사람이 격의 없이 사랑을 나누고 서로 이익을 균등하게 나누면 사회의 재난과 혼란을 없앨 수 있고 천하는 태평(太平)해질 것이라고 생각했다. 이 같은 주장은 근로 대중들의 입장을 반영한 것이기는 하나, 이것은 소생산자들의 소박한 꿈에 지나지 않고 역사의 발전 법칙에 어긋나는 것이었다.

* 양주(楊朱)의 위아설(爲我說): 양주(楊朱)는 〈위아설(爲我說)〉이라는 것을 주장했다. 도가(道家)의 중심적 사상이 된다고 한다. 『한서예문지』에 보면 양주(楊朱)를 도가(道家)라고 분류해놓았다. 그렇지만 양주(楊朱)의 〈위아설(爲我說)〉은 묵자(墨子)의 겸애설(兼愛說)과 더불어 맹자(孟子)에게 아주 큰 비난을 받는다. 재미있는 사실은 위아설과 겸애설은 서로 반대되는 사상인데, 맹자(孟子)는 싸잡아 비난을 하고 나선다. 그렇다면 왜 비난을 받은 것일까? 먼저 위아설(爲我說)이 어떤 사상(思想)인지 알아야 한다. 위아설(爲我說)은 자족(自足)주의를 주장하는데 이는 자신을 소중히 하고 인간으로서 자신의 진실을 지켜내며 자신의 마음을 동요시키거나 자신을 어지럽히는 외부의 것을 모두 거부하는 삶의 방식이 바로 최대의 행복을 가져온다는 사상(思想)으로 철저한 〈개인주의(個人主義)〉를 이르는 사상이다. 그렇다보니 개인을 중요시하는 것은 바로 군주(君主)를 무시한다는 것이고 이는 당연하게 비난을 받게 되는데 큰 역할을 했다. 양주의 위아설은 노자(老子)와 장자(莊子)에게 하나의 미덕(美德)으로 찬미되는데, 영주(領主)제를 부정하였다. 그러면 당연히 중소지주층이라던가 몰락한 과거의 상층계급 등 물질적 조건이 좋지 않은 계급들은 자신만을 지키려하게 되고, 현실에 대한 대응 수단으로 필요하게 되었다.

서양에서 개인주의(個人主義)라는 사상은 14~16세기 르네상스 시대에 나온다. 그에 반해 동양에서는 서기전 4세기에서 기원전 3세기경에 양주(楊朱)의 위아설(爲我說) 사상이 유행했다는 것을 알 수 있다. 양주는 시대에 비해서 너무 앞서나간 사람이었다고 말할 수 있는 것이다. 그렇기 때문에 그의 사상은 비난을 많이 받기도 하지만 일면 선지자(先知者)라고 생각할 수 있는 측면도 있는 것이다.

* 오대(五代): 중국 5대10국 시대, 당나라가 10C에 주전충의 후량(後梁)에 망하고 후량, 후당 등 5개의 왕조가 들어선 시대를 말한다.. 혼란기는 그리 길지 않았고, 마지막에 조광윤의 송(宋) 나라가 천하를 통일하지만, 그 평화도 오래가지 못하고 북방 민족에 밀려 송나라는 남쪽으로 이주하여, 초기 송나라를 북송, 남으로 이전한 뒤의 송나라는 남송이라 부른다.

* 주돈이(周敦頤): 11세기 중국 송대(宋代)의 철학자, 자는 무숙(茂叔). 시호는 원공(元公). 주염계(周濂溪)라고도 한다. 중국의 사상 가운데 거의 1,000년 동안 국가의 이념으로 자리잡았던 이학(理學)의 토대를 마련했으며, 또한 부분적으로 신도가(新道家)를 기초로 하여 유교(儒敎)를 다시 체계화했다. 그는 고관의 집안에서 태어나 거의 평생을 고위 관직에 몸담았다. 만년에는 연화봉(蓮花峯) 밑에서 은거했다. 관직에 있으면서도 늘 철학 연구에 몰두했다. 그는 유교사상을 재구성하면서 도가(道家)의 교의(敎義)와 주역(周易)에 바탕을 두었다. 2권의 주요저서 가운데 하나인 「태극도설 太極圖說」은 전체 250여 자로 된 짧은 책인데, 여기에서 "만물의 근원은 태극(太極)이며, 태극(太極)이 실제로 만물을 형성(形性)한다."는 사상에 근거한 일종의 형이상학(形而上學)을 제시했다. 우주(宇宙)에 대한 도교(道敎)의 설명을 창조물(創造物)의 진화적 과정을 설명한 「주역(周易)」의 개념과 결합시켰다.

즉 태극(太極)(이것은 동시에 無極임)으로부터 음(陰)과 양(陽)이 생겨나고, 음양의 상호작용으로 5행(五行 : 木火土金水)이 일어난다. 음양과 5행이 합하여 하나가 됨으로써 건(乾)과 곤(坤), 즉 하늘과 땅, 남성적인 것과 여성적인 것이 생겨나고, 바로 여기에서 차례로 만물이 발생하고 진화(進化)하는 것이다. 그런데 이와 같은 음양5행의 과정에서 사람만이 가장 빼어남(秀靈)을 가진 영장(靈長)이 되었다. 그리고 사람이 외부의 대상에 반응할 때 사람의 생각과 행위에서 선악(善惡)의 구분이 생겨난다. 총 40장으로 이루어진 〈통서(通書)〉는 유교 교의를 다시 해석하여 성리학(性理學)의 중심사상인 이학(理學)의 바탕을 마련했다.

그에 의하면 성인(聖人)은 외부의 대상에 반응할 때 5상(五常 : 인의예지신(仁義禮智信)과 주정(主靜)에 따라서 행한다. 사람의 도덕성의 기초는 신중함(愼)에 있고, 신중함을 통해 사람은 선악(善惡)을 구분하며 자신을 완전하게 하는 힘을 얻을 수 있다는 것이다.

이와 같이 간단명료하고 체계적인 형이상학을 통해 유교(儒敎)이학(理學)의 기초를 세웠는데, 이는 이후 성리학(性理學)을 소생시키고 체계화하는 데 커다란 영향을 끼쳤다. 그의 사상은 이후 주희(朱熹 : 서기 1130~1200)가 보다 체계적으로 성리학을 전개하는 데 바탕이 되었다. 그의 영향으로 「주역(周易)」은 이후 주희(朱熹)와 그 밖의 남송(南宋)의 성리학자들에 의해 위대한 유교경전(儒敎經典)으로 존중받게 되었다.

* 정호(程顥), 정이(程頤) : 중국 북송(北宋)의 이학(理學)을 철학학파로 발전시킨 형제 철학가이다. 정호·정이 형제의 철학은 일반적으로 함께 묶여 생각되지만, 그들의 사상은 각각 다른 방향으로 발전했다. 정호(程顥)는 이학의 이상주의학파에 영향을 미친 반면, 정이(程頤)는 합리주의학파의 발전에 영향을 주었다. "나는 생각한다. 그러므로 나는 존재한다."는 데카르트의 말이 서양에서 잘 알려진 것처럼, 중국에서는 "원칙은 하나이지만 그 원칙의 발현은 많다"는 정이(程頤)의 말이 유명하다. 정호는 젊었을 때 불교와 도교에 관심을 가졌다.

이후 유교(儒敎)를 공부하여 문관시험에 합격했으며 고위직에 올랐다. 그러나 왕안석(王安石)의 급진적인 개혁에 반대하여 관직에서 파면되었다. 허난에서 동생 정이와 합류했으며, 그들 주위에 문하생이 몰려들었다. 정이는 문관시험에 합격하여 잠시 숭정전설서를 지냈으나 엄격한 도덕관념으로 인해 곧 주위의 많은 사람들과 멀어져서 자리를 물러났다.

그는 거의 평생 동안 관직에 나가는 것을 거부했으며, 권력을 가진 사람들에 대해 계속 비판했다. 그 결과 서기 1097년 토지를 몰수당하고 강의를 금지 당했으며, 중국의 남서쪽에 위치한 복주(福州)로 귀양을 갔다. 3년 뒤에 사면 받았으나 서기 1103년 다시 견책을 받았다. 서기 1106년 2번째 사면을 받았으나 얼마 후 죽었다.

이 두 형제는 주로 자신들이 불교나 도교(道敎)의 저작(著作)으로부터 성리학(性理學)에 차용한 사상인 이(理)의 개념에 관한 철학을 확립했다. 〈이(理)〉는 기본 동력, 보편적 법칙, 모든 존재의 기초가 되면서 통제하는 진리(眞理) 등으로 정의된다. 그들 모두 〈이(理)〉에 대한 철저한 연구가 정신적인 교화(敎化)를 위한 최상의 방법이라는 데 인식을 같이했다. 정호는 차분한 내성을 강조하여, 원초적 상태에서 인간은 우주와 일체한다고 가르쳤다. 또한 그는 사색(思索)을 강조하여, 육구연(陸九淵)과 왕양명(王陽明 : 서기 1472~1529)이 창시한 후기 양명학(陽明學)에 영향을 미쳤다.

정이의 철학은 원래 도학(道學)으로 불렸다가 후에 이학(理學)으로 알려지게 되었다. 그는 형과는 달리 이(理)를 발견하는 길은 이(理)가 존재하는 우주의 무수한 사물을 탐구하는 것임을 강조했다. 정이는 연역법, 귀납법, 역사와 다른 원칙에 대한 연구, 인간사의 참여 등 많은 탐구방법을 신봉했다. 정이가 죽은 뒤 10년 후 주희(朱熹)는 정이의 사상을 확대시켜 정주(程朱)학파로 발전시켰다. 이 사상은 서기 1911년 신해혁명 이전까지 학계에서 그 권위를 유지했다. 정호·정이 형제의 저술은 현재 거의 남아 있지 않으며, 그들이 쓴 단편들이 유서(遺書), 외서(外書), 취언(聚言) 등에 수록되어 있을 뿐이다. 「명도문집(明道文集)」에는 정호의 저작(著作)이 한결 완벽한 형태로 보존되어 있다. 정이의 저작(著作)은 「이천문집(伊川文集)」, 경설(經說), 이천(伊川)에 수록되어 있다. 현존하는 그들의 저술은 서기 1606년에 출판된 「이정전서(二程全書)」에 모두 수록되어 있다.

* 장재(張載): 11세기 중국 송대(宋代)의 철학자로, 성리학(性理學)의 형이상학적, 인식론적인 기초를 세웠다. 관리의 아들로서 불교와 도가철학을 공부했으나 자신의 진정한 영감은 유가경전에서 찾았다. 주요 저작인 〈정몽〉에서 우주는 여러 가지 측면을 가지고 있으나 결국은 통일되어 있고, 모든 존재는 영원한 통합과 분산의 연속이라고 주장했다. '기(氣)'는 궁극적인 실재인 '태허(太虛)'로 정의되며 기(氣)가 양(陽)의 영향을 받으면 표면으로 떠올라 그 기운을 퍼뜨리며, 음(陰)의 요소가 강하면 기(氣)는 침잠하여 물질세계의 구체적인 것들을 응축하여 형성한다고 설파(說破)했다. 장재는 후대의 뛰어난 성리학자들에게 영향을 주었다. 정호·정이 형제는 그의 문하생이다. '심(心)'에 관한 그의 이론은 위대한 철학자 주희가 이어받아 발전시켰으며, 왕부지는 그의 철학을 체계적으로 계승 발전시켰다.

* 주희(朱熹): 중국 송대(宋代)의 대학자, 주자학(朱子學)을 집대성하여 중국 사상계에 가장 큰 영향을 미쳤다. 주희는 논어(論語)와 맹자(孟子)에 관한 집주(集注)를 저술하면서 자신의 철학적 사상을 나타냈는데, 중국, 한국, 일본 등의 지식인 사회에 큰 영향을 미쳤다. 주희는 역사에도 깊은 흥미를 보여 사마광(司馬光)의 역사서인 《자치통감(資治通鑑)》의 축약과 재편집을 지휘, 서기 1172년 《자치통감강목(資治通鑑綱目)》을 완성했다. 이는 동아시아 전역에서 널리 읽혔을 뿐만 아니라, 유럽에서 최초로 간행된 중국역사서로서 무아리아크 드 마야가 쓴 중국(中國)통사(通史)의 토대가 되었다. 주희는 지방관리의 아들로 태어나 18세 때 대과에 급제했는데, 당시 그 시험에 급제한 사람들의 평균 연령은 35세였다. 조정에 대한 주희의 정치적 비판과 이성적인 자세는 수용되지 않더라도, 그의 철학체계 만큼은 유일한 관학(官學)으로 인정받았는데, 이와 같은 풍조는 19세기말까지 지속되었다. 주희(朱熹)의 자는 원회(元晦), 중회(仲晦), 호는 회암(晦庵), 회옹(晦翁), 운곡노인(雲谷老人), 둔옹(遯翁)이다. 존칭하여 주자(朱子)라고 한다. 그는 많은 저

작(著作)을 남겼다. 정호(程顥)와 정이(程頤), 주돈이(周敦頤 : 서기 1017~73), 장재(張載 : 서기 1020~77) 등의 논문들을 편찬하면서 이 철학자들에 대한 존경을 표시했고 이들의 철학을 집대성하여 자신의 철학을 완성시켰다. 그의 가르침에 따르면 이 4명의 사상가(思想家)들은 맹자(孟子)가 죽은 후에 없어진 〈도(道)〉의 전통을 회복시켰다고 한다.

서기 1175년 그와 친구 여조겸(呂祖謙 : 서기 1137~81)은 이 4명의 사상가들의 저서에서 뽑은 문장들을 집대성한 〈근사록(近思錄)〉을 편찬했다. 이 시기에 주희(朱熹)는 〈논어〉와 〈맹자〉에 관한 집주(集注)를 저술하면서 자신의 철학적 사상을 나타냈는데, 이 집주(集註)는 모두 서기 1177년에 완성되었고 그 후 중국, 한국, 일본 등의 지식인 사회에 영향을 미쳤다. 자치통감강목은 중국 송(宋)나라의 사마광(司馬光)이 지은 역사책으로 나중에 정부에서 실행하는 도덕적 원칙의 귀감이 되었다. 서기 1179~81년 강서성(江西省) 남강(南康)의 지사(知事)로 근무하면서 주희는 그 기회를 이용하여, 9세기에 건립되어 10세기에 번성했다가 그 뒤 폐허가 된 백록동서원(白鹿洞書院)을 재건했다.
주희에 의해 원래의 모습을 회복하게 된 이 서원(書院)은 그 후 8세기에 걸쳐 그 명성을 유지했다. 서원(書院)들은 성리학(性理學)이 발전하는 데 큰 도움을 준 제도적 기반이 되었다. 서기 1188년 주희는 황제의 인품이 국가안녕의 기반이라는 주장을 되풀이한 중요한 기록을 남겼다. 도덕적인 정부를 강조한 책인 《대학(大學)》에서는 황제가 자신의 마음을 수양하면 뒤이어 전 세계가 도덕적으로 변모하게 된다고 주장했다. 서기 1189년 이 책에 대하여 중요한 주석을 달았고 평생 동안 이 주석(註釋)작업을 계속했다. 마찬가지로 서기1189년에는 중용(中庸)에 대한 주석도 써냈다. 《대학(大學)》, 《중용(中庸)》이 《논어(論語)》, 《맹자(孟子)》와 함께 유교 교과과정의 기본서인 4서(四書)에 편입된 것은 주자(朱子)의 영향력 때문이었다.
주희(朱熹)는 만년에 조정(朝廷)의 부름을 받아 고위직으로 승진할 수 있는 기회가 여러 번 있었다. 그러나 과감한 직언(直言), 소신 있는 의견, 부패와 사리사욕이 판치는 정치에 대한 비타협적인 공격 등으로 인해 파면되거나 수도로부터 멀리 떨어진 지방관직으로 쫓겨났다. 만년에 이르러서도 정적(政敵)인 한탁주(韓侂佗)가 그의 학설과 행동에 대해 중상모략을 하여 정치활동이 금지되었다. 그가 죽을 때까지도 정치적인 명예는 여전히 회복되지 않았으나 그가 죽은 뒤에 곧 회복되었다. 서기 1209년, 서기 1230년에는 그에게 시호(諡號)가 내려졌고 서기 1241년에는 그의 위패(位牌)가 정식으로 공자(孔子)사당에 모셔졌다.

후대에는 주희가 비판했던 것보다 더 전제주의적인 통치자들도 조정에 대한 주희(朱熹)의 정치적 비판과 이성적인 자세에는 귀 기울이지 않으면서도 그의 철학체계 만큼은 유일한 관학(官學)으로 삼았다. 주희는 그의 철학에서 주지적(主知的)인 이론, 궁리적(窮理的)인 논증(論證), 고전의 권위를 성실히 받드는 것을 중시했는데, 특히 공자(孔子)와 그의 후계자인 맹자(孟子)를 존경했다. 그는 우주가 형이상학적인 무상(無象 : 형체가 없는 것)과 형이하학적인 유상(有象 : 형체가 있는 것)의 2가지로 구성되어 있다고 보았다. 무상은 본연의 '이(理)'로서 태극(太極)이라고도 하며 만물이 생겨나는 본체(本體)이다. 그리고 '이(理)'가 형이하학적인 '기'(氣)와 합해져 여러 가지 형상을 만들어낸다.

인간에게는 '이(理)'가 그 본성으로 나타나는데 본질적으로 지극히 순수하고 선한 것이다.
악덕(惡德)을 포함한 결함이 육체와 정신에 나타나게 되는 것은 불순한 '기(氣)' 때문이다. 인간은 자기의 불완전한 심성을 면학(勉學), 즉 사물의 이치를 밝히는 '격물(格物)'에 의해 제거할 수 있다. 이 점에서 당시의 저명한 성리학자 육구연(陸九淵)은 주희와 견해를 달리한다. 육구연은 자연법칙과 형상(氣) 간에 차이가 없으며, 오도(悟道 : 省察)를 통해 인간의 부정한 마음을 바로잡을 수 있다고 보았다. 인간 내부의 원칙을 중시하는 육구연(陸九淵)의 유심적(唯心的) 해석과는 대조적으로, 주희(朱熹)와 그 추종자들은 윤리적 행동의 실천과 유교 오경(五經)의 연구를 강조하는 '격물(格物)'을 중시했다. 윤리와 형이상학적 원칙의 연구에는 필수적으로 인간적인 성실성의 함양이 포함되어 있고, 또 덕화(德化)에 의해 정치를 했던 고대 성군(聖君)들의 예처럼 인정(仁政)을 황제에게 진언하는 것도 포함된다.

주희의 이상(理想)이 후대에 와서 도전을 받지 않은 것은 아니지만, 그의 성리학은 오랫동안 중국의 지식인 사회를 지배해왔고, 사서(四書)에 대한 그의 주석서(註釋書)는 과거(科擧)에 합격하려는 사람들의 필독서가 되었다. 그가 한국의 지식인 사회에 끼친 영향은 절대적인 것이었고, 그의 철학은 일본의 덕천막부(德川幕府)시대에도 널리 받아들여져 공식적인 지지를 얻었다. 저서(著書)로는 《사서장구집주(四書章句集注)》, 《주역본의(周易本義)》, (서명해 西銘解), 《태극도설해(太極圖說解)》, 《시집전(詩集傳)》, 《초사집주(楚辭集注)》 그밖에 후인(後人)이 편찬한 《주문공문집(朱文公文集)》, 《주자어류(朱子語類)》 등이 있다.

* 칠실지우(漆室之憂) : 분수에 넘치는 일을 걱정함
* 시연시달(始燃始達) : 불이 처음으로 타고 샘물이 처음으로 흐른다.(火之始燃泉之始達), 이 말은 맹자(孟子) 공손추(公孫丑) 상편(上篇)에 보인다. 달천(達泉)은 샘물이 막 콸콸 솟아나오기 시작하는 것을 말하는 것으로, 아주 힘찬 기세를 의미한다. 이 책에서 이

르기를 "무릇 나에게 있는 사단(四端)〈인의예지(仁義禮智)〉을 확충할 줄 알면, 마치 불이 처음 타오르는 것 같고, 샘물이 처음 솟는 것 같을 것이니, 만일 이를 능히 확충할 수 있으면, 사해(四海)를 보존할 수 있고 확충하지 못하면 부모를 섬기기에도 부족할 것이니라." 하였다.

* 시귀(蓍龜): 점을 칠 때 사용하는 점대와 귀갑(龜甲), 즉 점복(占卜)을 말함
* 도시춘(都是春): 모두가 봄이로다.
* 난(難): 한문문체(文體)의 한 종류인 논변류(論辯類) 중에서 〈난(難)〉이라는 문체이다.
  〈난難〉은 이치에 맞지 않을 때, 뚜렷한 의리(義理)를 내세워 논란(論難)하고 논변(論辯)하는 것으로, 한비자(韓非子)에서 비롯된 것이다.
* 논란(論難): 어떤 문제에 대하여 이러니저러니 서로 다르게 주장하며 다투는 것
* 논변(論辯): 사리(事理)의 옳고 그름을 밝혀 말함

* 태극(太極): 주역(周易)에서의 우주관(宇宙觀)은, 시초에 태극(太極)이 있고 여기서 음양 → 4상(四象) → 8괘(八卦) …로 전개되는 것이다. 태극(太極)은 천지(天地)가 나누어지기 이전에 혼돈상태로 있는 원기(元氣)로, 태극(太極)에서 음양(陰陽)이 유출되어 나오는 것으로 본 것이다. 송나라의 주돈이(周敦頤)는 주역의 우주관을 좀 더 상세히 설명해 태극(太極)이 동(動)하면 양(陽)이 되고, 정(靜)하면 음(陰)이 된다."고 했으며 또한 오행(五行)을 덧붙여 태극 → 음양 → 오행 → 만물의 우주론을 성립시켰다.

주자(朱子)는 이 태극(太極)을 "이(理)"로 규정해 형체도 없고 작용도 없는 형이상학적 존재이면서 동시에 모든 존재(存在)가 존재(存在)로 될 수 있게 하는 〈근원존재(根源存在)〉로 보았다. 이러한 태극(太極)은 모든 존재(存在)들의 존재(存在)의 근원(根源)이면서 동시에 구체적인 현상의 존재(存在)들 속에 〈이치(理致)〉로서 들어 있다. 이는 태극(太極)에서 만물이 나왔다는 논리에서 볼 때, 만물 속에 태극(太極)이 그 〈존재근원〉으로 들어 있다는 것이다. 그러므로 〈태극(太極)〉은 만물의 총체적인 보편원리인 동시에 특수한 개별자들의 특수원리가 된다. 즉, 태극(太極)은 현상으로 드러나는 음양오행(陰陽五行)으로 만물 속에 내재(內在)하는 보편적(普遍的) 원리(原理)이다.

* 36궁(宮): 36宮都是春(삼십육궁도시춘), 소강절(邵康節)의 시(詩)에 나오는 말이다.

"소강절(邵康節)의 시(詩)"

乾遇巽時觀月窟 地逢雷處見天根,
天根月窟閑往來 三十六宮都是春.

(건(乾)손(巽)을 만날 때 월굴(月窟)을 보고
지(地)가 우레(雨雷)를 만나는 곳이 천근(天根)처라,
천근(天根)과 월굴(月窟)이 한가로이 왕래하니,
삼십육궁 모두가 봄이로구나!)

〈삼십육궁(三十六宮)〉은 주역(周易) 64괘에서 괘(卦)모양을 거꾸로 해도 바뀌지 않는 괘 8괘를 빼면 54괘가 남는다. 이 54괘는 서로 뒤집어 대칭으로 이루어졌기 때문에 28괘가 도전(倒轉)한 것이다. 따라서 8+28=36 괘(卦)가 된다. 즉 〈삼라만상(參羅萬像)의 변화양상〉을 말하는 괘상(卦象)이 모두 〈36종류(36궁)〉가 된다는 것이다. 이는 우주(宇宙)를 상징하고 또 우리들 몸의 주천도수(周天度數)를 뜻한다.

위 시(詩)에서 천근(天根)은 만물(萬物)의 시(始)와 종(終)이며 또한 소주천(小周天)과 대주천(大周天)의 중심(中心)이 된다. 건(乾)이 손(巽)을 만날 때에 월굴(月窟)을 본다 함은, 천풍구괘(天風姤卦)로써 오양(五陽)의 아래에 일음(一陰)이 있어 마치 굴(窟)의 모양(하현달)과 같음을 비유한 것이며, 지(地)가 우레(雨雷)를 만나는 곳이 천근처(天根處)라 함은, 상전(上田)의 원신(元神)과 하전(下田)의 진정(眞精)이 만남에 일양(一陽)이 시생(始生)함을 뜻하며, 괘(卦)로는 지뢰(地雷) 복괘(復卦)가 된다. 복괘(復卦)의 괘상(卦象)은, 양기(陽氣)〈인성(人性)으로는 선성(善性)을 뜻함〉가 돌아와 회복(回復)되는 것이다. 36궁이 모두 봄이라 하는 것은, 모든 기운이 따스하며 정(定)함을 뜻하는 것이다.

* 소강절(邵康節): 우주의 시간의 비밀을 밝힌 이른바 진인(眞人)이라는 소강절(邵康節)은, 11C 중국 북송(北宋)의 성리학자(性理學者), 상수학자(象數學者)이며 시인(詩人)이다. 자는 요부(堯夫), 자호(自號)는 안락(安樂)이며, 강절(康節)은 사후에 내려진 시호(諡號)이다. 그 는 이인(異人)으로부터 하도낙서(河圖洛書), 팔괘(八卦)와 64괘(卦)의 도상(圖象) 등을 전해 받은 뒤 사물(事物)의 이치(理致)를 파고들어 성(性)을 알았고, 성(性)을 깨친 다음에 명(命)을 알았으며, 명(命)을 안 뒤에 지극한 이치(理致)를 깨달아, 도가(道家)와 불가(佛家)사상의 영향을 받아, 유교의 역철학(易哲學)을 새롭게 해석하여, 특이한 수

리철학(數理哲學)인 〈상수학(象數學)〉을 창안(創案)하였다.

　그는 《주역(周易)》이 음(陰)과 양(陽)의 2원(二元)으로서 우주의 모든 현상을 설명하고 있음에 대하여, 그는 음(陰)·양(陽)·강(剛)·유(柔)의 4원(四元)을 근본으로 하고, 4의 배수(倍數)로서 모든 것을 설명하였다. 그는 자신이 만든 수리(數理)철학을 바탕으로 우주의 생성(生成)과 소멸(消滅)의 원리를 밝히고 있다. 일 년에 봄, 여름, 가을, 겨울이 있듯이 우주(宇宙)의 일원(一元)에도 생성, 소멸의 순환이 반복(反復)된다고 보았다.
　저서(著書)로는 《황극경세서(皇極經世書)》, 《관물내외편(觀物內外編)》 등 유명 저서들이 있다. 대표작인 황극경세서(皇極經世書)에서는 천지만물의 모든 현상의 전개를 수리(數理)로써 설명하고 있는데, 총 3부로 구성되었다. 훗날 그는 남송(南宋) 때에 공자묘(孔子廟)에 종사(從祀)되어 신안백(新安伯)에 추봉되었다. 그가 창시(創始)한 상수학(象數學)은 주돈이(周敦頤)의 태극도설(太極圖說)과 더불어 동양우주론(東洋宇宙論)의 근원적인 사상(思想)으로 일컬어지고 있다.

연연당문고 권3
서(書)

감수 : 연정 김경식(淵亭 金璟植)
      (연정교육문화연구소장)
번역 : 박정양(朴正陽)
      (중국: 연변대학 도서관 전 관장 ·
       조선언어문학부 교수)

오 후석 선생(吳後石先生)에게 올림,

계해년(서기 1923) 8월

지난봄부터 여름까지 높은 덕위(德義)와 자상한 가르침을 받고 돌아오니, 그 충족함은 두더지가 황하 강물을 마시는 듯 크며, 그 사모하는 마음이 그 전보다도 만 배를 더 한 듯 하였습니다.

삼가 엎드려 생각하오니, 중추(仲秋)에 도체(道體)의 기거(起居)하심이 편안하신지요. 그리고 그 공(功)이 더욱 진전되고 덕(德)을 더욱 닦아 장차 늙는 줄도 모르는 것을 반드시 남들이 미처 알지 못하는 오묘함이 있을 것이니 흠앙과 경탄함이 날로 그치지 않습니다. 지난번 제가 인사 올리고 물러날 때, 빗 하나를 선사해 주시며 "송사선생(松沙先生)[1]께서 어떤 사람에게 빗을 주실 때 오래 사용하라"고 하셨다는 말씀을 해 주셨습니다. 그 뜻은 대개 오랜 동안 머리를 가꾸라(保髮)는 것이므로, 그 말씀을 받들어 소중히 여기며 감동하여 마지않았습니다.

지금 천지(天地)가 이리저리 뒤집혀 천하의 학문이 주리(侏離)[2]에게 돌아가고 있으니 이 약한 나를 돌아볼 때 학문과 뜻이 견고하지 못하고 습관이 나태하므로 스스로 노력하여 기대하는 그 뜻에 부응하지 못할까 두렵습니다.

이 밖에 남은 말씀은 우리 도학(道學)을 위해서라도 부디 건강하시어 이 사모하는 성의를 생각해 주시기 바랍니다.

上吳後石先生書

癸亥八月

去夏坐春熏陶, 德義之崇茂, 敎誨之諄諄。歸來充然不翅鼴鼠之飮河。是以慕用之私, 尤覺萬倍於昔日也。伏惟秋仲體道起居神相萬福。而其所以功益進而德益脩, 不知老之將至者, 必有人不及知之妙矣。鑽仰景嘆, 日益靡懈。向於拜

---

1) 기우만(奇宇萬), 자는 회일(會一), 호는 송사(松沙), 노사 기정진(蘆沙 奇正鎭)의 손자, 한말 호남창의의 총수로 활약한 병장, 고종 18년(서기1881)에 조정에 행정개정을 요구하는 만인소(萬人疏)를 올려 호남소수(湖南疏首)라 불리어졌다. 명성환후(明成皇后)가 시해되자 항일운동을 전개하였다.
2) 서융(西戎)의 음악, 주례 춘관(周禮 春官)에 제안씨(鞮鞨氏)가 사이(四夷)의 음악을 관장하였다고 하였고, 그 주(注)에는 사이(四夷)의 음악이라고 하고 서방(西方)을 주리(侏離)라고 한다고 하였다.

退時, 惠以一梳, 且擧松沙先生贈人梳而勉以久用之語, 其意盖曰："永久保髮"也。奉而珍感不已。見今玄黃翻覆, 天下之學, 不歸于侏, 則歸于儺。顧此弱植, 學不固而志不堅, 習閑成懶, 恐無以自勵, 以副前日期望之盛意也。自餘, 伏祝爲道加重, 以慰瞻慕之誠。

오 후석 선생에게 올림

갑자년(서기1924) 정월

새 해가 된지 초이렛날 문전(門屛)³⁾으로 나가 뵈올 때, 도(道)를 실천하는 기력이 더욱 강태(康泰)하니 시구(蓍龜)⁴⁾를 간직한 해가 오래되어 더욱 신기(神氣)를 발산하므로 우리 유도(儒道)를 위해 축하드립니다.

때 마침 백설이 산 계곡에 가득하여 손님이 오지 않고 문하생들도 모두 하산한 후였으므로 오직 들리는 것은 창밖에 샘물 소리였습니다. 주서(朱書)⁵⁾와 사마천(司馬遷)⁶⁾의 《사기(史記)》 수편을 촛불을 밝히고 질의를 올렸더니만 편안히 가르침을 받으니 저의 분수에 너무나도 지나친 극히 다행이었습니다.

화양부자(華陽夫子)⁷⁾는 우리나라의 주자(朱子)격 입니다. 일생동안 주장한 존화양이(尊華攘夷)의 대의(大義)가 일성(日星)처럼 빛난 사실이 모두 대전(大全)에 기재되어 있습니다. 지금 대계(大界)가 육침(陸沈)하여 중화(中華)가 이적이 되고 사람이 짐승이 되어가므로 일부의 추양(秋陽)⁸⁾을 강론할 곳이 없습니다. 이런 시기에 대전(大

---

3) 밖에서 집안을 들여다보지 못하도록 대문이나 중문 안쪽에 가로막아 놓은 담이나 널빤지를 말함.
4) 점칠 때 사용하는 시초(蓍草)와 구판(龜版)을 말함.
5) 《주서절요(朱書節要)》를 말함. 조선 제22대왕 정조가 《주자전서(朱子全書)》 등에서 주요한 서신을 뽑아 10권으로 편찬하여 《주서절요》라고 하였다.
6) 전한인(前漢人), 자는 자장(子張), 경제(景帝) 중원(中元) 5년에 태어나고 10세 때 고문(古文)을 외울 정도로 글을 좋아하였으며, 20세 때 명승고적을 유람하고 제(齊)나라와 노(魯)나라에서 학문을 강론 하였으며, 흉노에게 항복한 이릉(李陵)의 충성을 말하다가 무제(武帝)의 노여움을 사서 부형(腐刑)을 당하였다. 아버지의 관직을 이어받아 태사(太史)가 된 후 격분에 못이겨 20여년동안 사기저술에 집중하여 130권을 완성 하였다.
7) 우암 송시열을 지칭하는 말임.
8) 도덕(道德)을 말함. 《맹자(孟子)》의 등문공 상(滕文公上)에 공자가 사망한 후에 자하, 자장, 자유가 유약이 성인 같다고 하면서 공자 섬기듯 유약을 섬기자고 증자(曾子)에게 말하자 증자는 공자의 도덕을 비유하여 "아니다. 장강과 한수같이 깨끗하고 가을볕같이 따뜻하여 그 결백함은 더할 수가 없다(江漢濯之,

全)을 중간하는 일이 용진산중(湧珍山中)에서 시작되었으니, 그 곳에서 이 책을 간행하는 것이 참으로 우연이 아닙니다. 혹 박운(剝運)이 다하고 복운(復運)이 오는 걸까요. 후일 소중화(小中華)의 소식이 먼저 이곳에서 징조가 될는지요. 저의 아버지(家君)께서도 12책 중에서 1책을 부담하시고 그 간행비도 귀로에 존경하는 함씨 도호댁(尊咸氏道湖宅)에게 전했습니다. 창랑대운(滄浪臺韻)과 《회산기(晦山記)》는 귀가하는 대로 항재 종조(恒齋從祖)께 드릴 생각입니다. 감사한 마음 어찌 다 말씀드릴 수 있겠습니까. 도체(道體) 편안하시어 첨앙(瞻仰)하는 성의를 위로해 주시기 바랍니다.

上吳後石先生

甲子正月

開歲後七日, 趨拜門屛, 仰接履道氣力迎泰益康。著龜珍藏, 歲久益神, 切爲斯道獻賀。時適白雪滿壑, 外客不到, 門下諸生皆已下山, 惟聞窓外寒泉淙淙。朱書及遷史數篇, 剪燭質疑, 穩承德敎, 於分極幸耳。竊惟華陽夫子, 我東之朱子也。一生尊攘大義。昭揭日星, 具在大全。顧今大界陸沈, 華而夷, 人而獸。一部《陽秋》, 無地可講。于斯時也, 大全重刊之役, 設於湧珍山中。以此地而刊此書, 實非偶然也。其或剝盡復來。異日小中華消息先爲之兆於此歟。家君亦負擔百二中一, 冊其刊費, 歸路致傳于尊咸氏道湖宅耳。《滄浪坮韻》及《晦山記》, 歸而奉獻于恒齋從祖, 感鐫何極。伏祝道體崇毖, 用慰瞻仰之誠。

백수당선생(白秀堂先生)[9] 에게 올림

임술년(서기1922) 12월

지난날 바람은 거세고 구름이 음산할 때 갑자기 떠나셨으니 어찌 놀라지 않을 수 있겠습니까. 오직 두어 학생들 가운데 기거(起居)가 만중(萬重)하신지요. 우러러 생각

秋陽曝之, 皜皜不可尙已)고 말하였다. 이것은 공자의 도덕을 장강, 한수와 가를 볕 같다고 비유한 말이다.

9) 수당선생은 경제학자 백남운(白 南雲)선생의 부친. 보정선생의 집안으로서는 부친 회천공의 친구이자 보정의 당숙모 아버지. 수당선생은 도산서당에서 훈학도 하였음.

하니 천 길이나 높이 솟은 호암(壺巖)과 줄줄 길게 흐르는 연강(淵江)은 도의(道義)를 수양하는 도구가 아닐 수 없을 것입니다. 이 해도 저물어 가는 송창(松窓)에 즐기시는 일은 무엇인가요. 그 풍류와 의로운 모습에 그리는 마음 날로 더 하기만 합니다. 소생은 금년에 들어 물 뿌리고 닦고 (쇄소;灑掃)하는 유가 교육의 일을 맡아 보게 되어 조석으로 훈도(訓導)하고 있으니, 참으로 이것은 평생에 만나기 어려운 기회라고 생각합니다만 하는 일 없이 날만 보내고 있어 그 은혜를 저버리고 있으니 후회한들 어찌 되돌릴 수 있겠습니까. 썩은 나무는 비가와도 쌓이 나지 않고 둔한 쇠는 월(越)나라의 돌도 갈 수 없습니다. 이 노둔한 기질과 어두운 성품을 돌아볼 때, 비록 성현(聖賢)과 함께 살더라도 결국 소광(昭曠)한 곳에 들어가기 어려울 것입니다. 문하의 아언(雅言)[10]에 "주자(朱子)[11]는 공자(孔子)[12] 이후 한 사람이다. 그의 뜻은 바다같이 넓은 학문을 가지고 여러 경전(經傳)의 오지(奧旨)를 천명하여 은미한 의리를 세분하고 자상하게 분석하여 청천백일(靑天白日)처럼 밝힘으로서 사람들로 하여금 볼 수 있도록 하였으니, 학자들은 《주서(朱書)》[13]를 숙독하여 종묘(宗廟)의 아름다움과 백관(百官)의 많음을 알아야 할 것이다"라고 하였습니다.

  수일동안 혼자 한가히 지내면서 《대전(大全)》 중 두 세권을 보니 너무나도 넓고 커서 끝(애안;涯岸)도 보기 어려우니 의심이 난들 누구에게 물어보며, 뜻이 막힌들 누가 열어 주겠습니까. 즉시 책을 싸들고 가려고 해도 그러지도 못하고 있습니다. 개정(開正) 후에는 나가서 안부를 살필 생각입니다. 이 해도 겨우 하루 남았으니 저의들의

---

10) 좋은 말, 또는 정직한 말임.

11) 송(宋)의 주희(朱熹), 자는 원회(元晦), 중회(仲晦), 호는 회암(晦菴), (紫陽), 운곡노인(雲谷老人) 등 여러 호가 있음. 소흥연간(紹興年間)에 진사(進士)가 된 후 고종(高宗)효종(孝宗)광종(光宗)영종(寧宗) 4조를 거치면서 비각수찬(秘閣修撰)보문각대제(寶文閣待制) 등 많은 관직을 거치다가 경원(慶元) 중에 관직을 그만두고 지내다가 사망하였음. 보경(寶慶) 중에 태사(太師)에 추증되고 신국공(信國公) 휘국공(徽國公)으로 추봉되었으며 순우(淳祐) 중에 공묘(孔廟)에 종사(從祀)하였다. 그는 또 자양서당(紫陽書堂) 무이정사(武夷精舍) 등을 건립하여 많은 인재를 양성하고 경전(經傳)을 해설하여 공맹(孔孟)의 학문을 천명하므로 천추만대에 유학의 진리를 전하였다.

12) 공자의 명은 구(丘), 자는 중니(仲尼), 노인(魯人). 태어나서부터 성덕(聖德)이 있었으며 학문을 좋아하였다. 일찍 노담(老聃)을 방문하여 예(禮)를 물어보고 장홍(萇弘)에게 음악을 배웠으며 사양(師襄)에게 거문고를 배웠다. 그후 노(魯)나라에서 벼슬길에 올라 사공(司空)이 되고 대사구(大司寇)가 되어 대리로 승상(丞相)을 섭행(攝行)하여 소정묘(少正卯)를 처형한 후 노국(魯國)이 대치(大治) 하였으며 노국(魯國)을 떠난 후에는 70여국을 주류(周流)하며 왕도(王道)의 시행을 위해 노력하였으나 공자를 기용하는 제후가 없어 나이 68세에 노나라로 돌아와 시서(詩書)를 산정(刪定)하고 예악(禮樂)과 주역(周易) 등을 수정(修定)하고 많은 제자들을 교육하다가 73세에 사망하였다.

13) 조선 제 22대 정조(正祖)가 주자전서(朱子全書) 가운데 가장 중요한 글만 발췌하여 1794년에 내각(內閣)에서 간행한 책으로 모두 10권이다.

첨앙하는 정성을 보아서라도 도(道)를 위하여 몸을 아끼시고 도체 만강하시기 바라마지 않습니다.

上白秀堂先生

壬戌十二月

羲也風饕雲噎, 行旆遽動, 安得不銷魂。伏惟數漢閑中啓居萬重, 仰想壺岩之壁立千仞, 淵江之滾滾長流, 無非養道義之具。歲晏松窓所樂何事？向風馳義, 日益勤止？小生此年來, 獲供灑掃之役, 朝熏夕炙, 實是生平難遇之機。而悠泛度日, 辜負盛恩, 追悔曷及。朽木非時雨之所能化, 鈍鐵非越石之所能磨。顧駑質昏性, 雖聖賢與居, 終難入於昭曠之域矣。門下之《雅言》曰："朱子, 孔子後一人耳。其地負海涵之學, 闡明群經之奧旨微義, 毫以分之, 縷以析之, 昭然如靑天白日, 使人人得而見之也。爲學者, 須熟讀朱書。可以見宗廟之美, 百官之富矣。"數日來, 索居寂寥, 取大全中三數卷看過, 汪洋浩汗, 難見涯岸。有疑誰能質？有礙誰能開？卽欲挾册而趨, 亦不可得也。開正後晋候伏計。此歲僅餘一日, 伏祝爲道珍嗇以慰瞻誠。

백 수당선생(白秀堂先生)에게 올림

임신년(서기 1932) 10월

석전제(釋奠祭)를 지내던 날 잠시 명륜당(明倫堂)에서 뵈었으나 사람들이 붐비어 자상한 가르침을 받지 못하였으므로 아직도 서글픈 마음 마음이 남아 사라지지 않습니다.

《동문계(同門稧)》의 명칭을 '이문(以文)'으로 한 것은 지난번 근촌(槿村)[14] 어르신과 상의하여 정한 것이었고, 그 취지문은 령륜(令胤)이신 남운(南雲)군이 근자에 정인보(鄭寅普)[15]에게서 지어온 것입니다만 동문제생(同門諸生)들은 말이 경솔하여 충후

---

14) 백관수(白寬洙; 서기 1893- 1950년 납북), 고창군 성내면 출신, 민족운동가, 재일동경 조선청년독립단 대표로 독립선언문 낭독, 동아일보 사장, 국회의원 역임

15) 고종 30(서기 1893)~?. 자는 경업(經業), 호는 위당(爲堂), 후일에 이름을 인보(寅普), 호를 담원(薝園)

(忠厚)·전실(典實)한 뜻이 없다고 하면서 모두 소생(小生)에게 밀어버리므로 아무리 고사해도 받아들이지 않아 감히 두어 줄의 글로 엮었습니다. 그러나 대장(大匠)[16]을 대신하여 나무를 깎는 것은 손을 상하지 않는 경우가 드물므로 한번 문하에게 여쭈어 그 가부를 결정하려고 하였지만, 요즘 들으니 이미 인쇄하여 각처로 발송하고 있다고 합니다. 화살이 이미 시위를 떠나 회수하기 어렵게 되었으니 어쩔 수 있겠습니까.

신촌장(新村庄)에는 거년 이후 두세 번 왕래하였습니다만 그 운림(雲林)의 아름다움과 간곡(澗谷)의 아름다움이 성시(城市)와 지척지간이지만 한가로운 경치가 각별하므로 마냥 남환군(南煥君)을 만나면 서로 도움이 있을 것입니다. 존가(尊駕)[17]는 언제나 귀향 하시련지요? 다음 주에나 나가서 말씀드리려고 생각하고 있습니다.

소생은 입지(立志)가 굳지 못한데다가 시대의 조류에 밀려 학원(學院)에 들어 간지 벌써 한 해가 되었습니다, 매일 청강하여 들어보지 못한 것도 더러 듣기는 하지만, 얻은 것으로 잃은 것을 보충하기에는 역부족입니다. 어찌하면 좋겠습니까. 매주 시문(詩文)을 지은 과목도 있는데 그 주시관(主試官)은 정무정(鄭茂亭)[18]입니다. 대개 이 학원에는 아직도 문풍(文風)이 남아 있습니다. 옛날 과거에서 과문(科文)을 연습한 것은 즉 육조시대(六朝時代)[19]에 꼭 대구를 이루어야 하는 병려문(騈儷文)이나 황색과 백색을 바른 색으로 하여야 한다는 황백론(黃白論)의 그러한 고루한 것들이므로 어찌 천재(千載) 후에 한문공(韓文公)을 다시 일으켜 팔대(八代)의 쇠퇴한 문기(文氣)를 진작할 수 있을까요. 엎드려 기체후 도(道)를 이행하시고 강왕(康旺)하시어 이 첨앙(瞻

으로 고쳤음. 서기1912년 상해(上海)로 가서 신채호(申采浩)·박은식(朴殷植)·신규식(申圭植)·김규식(金奎植) 등과 동제사(同濟社)를 조직하여 교포의 계몽활동을 전개하고 독립운동에 종사하다가 귀국 후 협성학(協成學校)·불교중앙학림(佛敎中央學林) 등에서 교육에 종사하면서 동아일보·시대일보의 논설위원으로 활동하였으며, 서기 1936년에는 연희전문학교에서 교수가 되어 한문·역사·국어 등을 교육하고 광복 후에는 국학대학 학장을 거쳐 서기1948년 대한민국 정부가 수립되자 감찰위원장이 되었으나 1년 후 사임하고 1950년 7월 31일 납북 되었다.

16) 장인(匠人)의 우두머리.
17) 여행 중인 상대방을 높여 일컫는 말.
18) 1858~1936. 정만조(鄭萬朝)의 본관은 동래(東萊), 서기1858년 경기도 안성에서 출생, 자는 대경(大卿), 호는 무정(茂亭), 일찍이 강위(姜瑋)의 문하에서 배워 문학에 일가를 이루고 서기 1884년(고종 21) 교섭통상아문주사에 선발되었다. 서기 1891년 문과에 급제, 예조참의, 승지, 내부참의를 거쳐 내부 참의관으로 서기 1896년(건양 1) 무고를 입고 12년 동안 진도(珍島)에 유배되었다가 사면되어 돌아와 규장각 부제학, 헌종, 철종 양조 국조보감편찬위원 등에 피임, 경술국치 후 이왕직 전사관, 총독부 중추원 촉탁, 조선사편수회 위원 등을 거쳐, 서기 1926년 경성제국대학 강사가 되었다. 서기 1929년 경학원 대제학(經學院 大提學)으로 명륜학원(明倫學院) 총재를 겸했으며, 조선왕조실록 편찬위원에 뽑혀 그 집필을 주재했다. 저서에 《무정전고(茂亭全稿)》가 있다.
19) 중국 삼국시대 오(吳) 동진(東晉) 및 남조(南朝)의 송(宋)·제(齊)·량(梁)·진(陳)을 합하여 말함.

仰)에 부응해 주시기를 빕니다.

上白秀堂先生

壬申十月

釋奠祭日暫拜於明倫堂上。人事稠遝，未能穩承諄誨，茹悵在心，盖至今未沫也。同門禊之名以以文者，曩與權村丈相議，而定其趣旨文，則令胤南雲君近得於鄭寅普氏矣。同門諸生見之，以謂語涉輕率，無忠厚典實之意，咸推於小生。固辭，終不獲，敢綴數行文。然代大匠斲，鮮不傷手。一欲禀訂於門下，聽其可否矣。近聞業己印出，將分送各處云。矢旣發矣，難可回收。奈何？新村庄自去歲來數三往還，愛其雲林之美，澗谷之窈窕；咫尺城市，幽賞迥別。每逢南澳君頗有相資之益焉。尊駕曷日歸鄕否？待來週候伏計耳。小生立志不堅，迫於潮流，入于學院己有年，課日聽講聞所未聞者或有矣。然而所獲未補所失，奈何？每週有作詩文科，其主試'則鄭茂亭也。盖此院文風尙餘昔日科擧之習。科文卽六朝騈驪、黃白之陋也。安得起韓文公於千載下復振八代之衰耶？伏祝崇候履道康旺，用副瞻仰之私。

유 추포선생(柳秋圃先生)에게 올림

계유년(서기 1933) 7월

문하를 떠나 온지 벌서 10여년이 되었습니다. 지난달에 잠시 한산사(寒山寺)에서 잠간 뵈었을 때, 그 억센 소나무 같은 자태와 지주(砥柱)[20]같은 표격(標格)은 예전과 조금도 다르지 않았습니다. 찬양하는 저에게 있어서는 더욱 우뚝 솟은 태산처럼 전연 끄덕이지 않는 자태였습니다.

경신년(서기1920) 겨울, 초치(草峙)의 염수재(念修齋)에서 독서할 때를 회상하니 친절하게 가르치신 것도 모두 불설지교(不屑之敎)[21]였고 조금 학문하는 길을 알았

---

20) 중국 황하 강 중류에 있는 기둥 모양의 돌, 격류 속에 우뚝 솟아 꼼짝도 하지 않으므로 난세에 처하여 의연히 절개를 지키는 선비의 비유로 쓰임.
21) 가르치는 것보다 도리어 가르치지 않는 것이 교육이 된다는 뜻임.

을 때도 읽은 것이 모두 피독으로 지나쳤습니다. 밤에는 반드시 《홍사(鴻史)》[22]를 읽었는데 처음 읽을 때는 난삽(難澁)하여 이해하기 어려웠으나 분발하여 읽은 지 1개월이 지나서는 한 길이 앞에 놓여 있는 것 같았습니다. 그리고 세모가 되어 귀가한 후에는 이런 방식으로 다른 글도 읽었더니 옛날에 난삽하였던 것이 지금은 조금 매끄럽게 이해가 되었습니다. 이것은 문하의 은혜로운 가르침이었습니다. 그 어린 시절을 돌아볼 때 수년 동안 세속에 휩쓸리며 옛 경전(經傳)을 토저(土苴)처럼 생각하여 소인이 되기를 달갑게 여기며 평소에 교육하신 사랑을 버렸는데 다행히 하늘의 영기(靈氣)를 힘입어 중도에 길을 바꾸어 다시 옛 학업을 되찾았으나 마음이 황폐한지 이미 오래되어 발전하기가 매우 어려우므로 자주 문장(門墻)을 가까이하여 만분의 일이라도 연마할 것을 생각하였으나, 길이 멀어 갈 수도 없으니 공연히 마음만 간절합니다. 엎드려 도(道)를 위해 더욱 몸을 아끼시어 사문(斯文)을 부식(扶植)하기 바랍니다.

上柳秋圃先生

癸酉七月

拜違門下條爾十餘年矣。頃月暫拜於寒山寺, 其勁松之姿, 砥柱之表, 無減於昔時。區區鑽仰, 益見其屹且堅也。回顧庚申冬受讀於草峙之念, 修齋諄諄之誨, 并以不屑稍知爲學蹊逕。前日所讀, 皆皮膜上過矣。夜必課鴻史, 初看憂潞難解, 憤悱閱月, 似有得一條路當前。及其歲暮歸家, 以此規看他書, 昔之憂焉溢焉者, 今覺其滑焉沛然。是皆門下之恩敎也。顧此, 愚蒙數年來與俗同流, 古經傳付諸土苴, 甘作小人之歸, 辜負平昔奬育之仁。幸賴天之靈, 中途易轍, 輒復尋舊業, 而茅塞已久, 開發政難, 益思頻近門墻, 淬礪萬一。而塗遠莫致, 徒切神逞。伏祝爲道加重, 以扶斯文。

---

[22] 서명(書名), 지광한(池光翰) 저(著), 17책, 환웅시대(桓雄時代)로부터 가락국(駕洛國)까지 모두 10개국의 역사가 기록되어 있다.

정 무정선생(鄭茂亭先生)에게 올림

계유년(서기1933)

　친필 서한과 《정기(亭記)》 1편 및 절구시(絕句詩) 1수가 도착하여 손을 씻고 펼쳐 보니 감격스러운 마음 이루 다 말할 수 없습니다. 시로 부탁한 뜻이 심원하므로 종신토록 명심하겠습니다만, 서신중에 "팔대(八代)[23]의 쇠퇴함을 일으키고, 도탄에 빠진 천하를 구제 하였다(起八代衰,濟天下溺)[24]는 구절은 저를 더 없이 사랑하는 말씀이지만 혹 그 말씀이 지나치신 것은 아닌가요? 모기는 태산을 질 수 없는데 아니 이것으로 격려하여 제가 남보다 백배 천배 더 노력하도록 한 것이라면 비록 노둔하더라도 멀리 갈 수 있는 것이니, 군자가 남을 가르치는 방법도 그것이 한 길만이 아니라는 것을 알았습니다.

　지난날을 회상해 보니, 명륜당(明倫堂)에서 친히 교육을 받을 때 해내(海內)의 영준(英俊)들이 모두 모였는데 과정을 신설하여 교육하셨습니다. 그 글은 경(經)·사(史)·자집(子集)이었으며, 그 저술은 시(詩)·의(疑:擬)·책(策)·론(論)이었습니다. 양재(兩齋)의 제생들은 뭇 두더지가 황하의 물을 마시듯 제각기 배를 채워 언제나 조석으로 과작(課作)이 있을 때는 저는 남달리 사랑을 많이 받아 곡예(曲藝)와 작은 기예(技藝)로 빠질까 염려하시고 멀고도 큰 것을 전공하라고 격려하셨으며, 그 문사(文辭)가 부과(浮誇)[25]하고 화미(華靡)[26]하였을 때는 준결(峻潔)과 고간(古簡)한 것으로 구제하시어 가르침을 조금도 게을리 하시지 않았습니다. 그러나 짐을 챙기어 집에 돌아온 후, 쓸쓸히 전원에 있으니 그 정채(精彩)는 더욱 멀어지고 글을 보거나 작문은 비록 전폐하지 않고 있지만 궁색한 시골에 누구 하나 이런 일을 논할 사람이 없어 다만 고인들이 남긴 찌꺼기나 되씹고 있는 처지입니다.

　생각해 보니, 도(道)는 글이 아니면 전하지 못하고, 글은 도(道)가 아니면 헛된 그릇에 불과하게 됩니다. 공자 문하의 사과(四科)[27]에서 덕행(德行)이 제일 위였으며, 그 다음은 정사(政事)와 언어(言語)·문학(文學) 등의 과(科)가 있습니다. 글을 하는 것

---

23) 중국의 동한(東漢)위(魏)진(晉)송(宋)제(齊)량(梁)수(隋)를 말함.
24) 송(宋)의 소식(蘇軾)이 조주한문공묘문(潮州韓文公廟文)을 지으면서 한유(韓愈)의 문장에 대하여 하는 말임.
25) 문장 등에 화려하고 과장된 일
26) 사치스러움
27) 공자 문하의 덕행(德行)·언어(言語)·정사(政事)·문학(文學)을 말함.

이 비록 도(道)를 구하는 것은 아니지만, 도(道)도 거기에 있지 않는 적이 없습니다. 하물며 고인들도 이 글로 인하여 도를 깨우친 사람이 있으니, 글을 어찌 가볍게 여길 수 있겠습니까.

지금 속유(俗儒)들은 걸핏하면 심성(心性)·이기(理氣) 등 헛된 설(說)로 과장되게 자신을 치켜 올려 세우고, 사람들도 이런 사람을 존경하면서 문장(文章)을 경시하니 너무도 의혹스럽습니다. 헛되이 '이기설(理氣說)'을 말하는 것은 어두운 집에서 물건 찾기와 같아 무엇이 검고 무엇이 흰 것인지 알 수가 없는데, 어찌 나무를 맞대어 비벼서 불을 내게 하는 것처럼 쉽게 할 수 있겠습니까.

통역(通譯)은 천한 일이지만 외국인을 대하였을 때는 부득이 통역하는 일이 앞서야 합니다. 그리고 문장도 작은 기술이지만 성현의 글을 읽으려면 불가불 전공을 해야 합니다. 그렇다면 문장을 전공하는 것은 이치를 밝히는 불이라고 할까요. 정회(正會)는 여기에 뜻을 두고 있으나 재주가 고인에게 미치지 못하고 노력도 고인에게 미치지 못하여 결국 앉아서 용육(龍肉)을 말할 뿐입니다. 엎드려 바라옵건데 수시로 가르침을 주시어 시종 사랑해 주시기를 삼가 바라옵니다. 첨앙하는 저희들의 정성을 보아서라도 만년에 옥체 만강하시옵기 바라마지 않습니다.

上鄭茂亭先生

癸酉

伏蒙辱賜手書, 副以亭一篇, 及一絶韻. 濯手拜領, 感戢不容口. 詩之托意深遠, 可以終身佩服. 而至記中"起八代衰, 濟天下溺"之句, 莫是眷愛之至, 或不知其言之過中歟？蚊䖟固不可以負泰山, 而抑亦因此激勵加以己百己千之力, 則雖駑亦致遠. 仰認君子誨人之術, 不一其端也. 追念往昔, 親承薰沐於明倫堂上, 海內髦選畢集, 設課施敎, 其文經史子集, 其述詩疑策論, 兩齋諸生如群鼴飮河, 各充其量. 每中星之課作, 荷愛偏重, 慮其流於曲藝小技, 則勉以遠者大者；見其文辭之浮誇華靡,'則濟以峻潔古簡. 敎未嘗不倦矣. 自治任而歸, 索居畎畝, 精采邈違. 看看書作字, 雖不全廢, 而窮鄕無可與論此事者, 只喫古人之糟粕而已. 竊惟道非文不傳, 文非道爲虛器. 孔門四科, 德行尙矣. 其次有政事、言語、文學諸科. 夫爲文, 雖非求道, 而道未嘗不在是. 況古之人有因此而入道者. 文豈可以少之哉！今之俗儒, 動以心性理氣, 懸空說侈. 然自大人亦以是尊之，低視文章，其亦惑之甚也。夫空談理氣說，頗如闇室索物，莫知其孰黑孰白，曷若鑽燧燭之之易哉！譯，賤役也，對外國人則不得不先之文章小技也。欲讀聖賢書，不可不攻之然。則攻乎文者，乃所以爲燭理之燧也歟。正會竊有志於斯，而才不逮於古人，用力又不及於古人，終未免坐談龍肉而已。伏乞時垂德教，終始恩愛之地，千萬千萬！只祝加護晚景，以慰瞻仰之私。

강 거산장(巨山姜丈)에게 올림
을유년(서기1945)

지난번 방문하여 가르침을 받고서 매우 만족함을 느꼈습니다. 《도암사 중건통문(道巖祠重建通文)》은 이미 허락을 해주시니 너무나도 감격스럽습니다. 이 일은 (우리 유학을) 구제하는 일이며 한 사람, 한 가정의 다행일 뿐만 아니라 참으로 하나의 교육을 부식하고 윤리를 밝히는 일입니다. 선적초본(先蹟抄本)을 올리오니 참고해 주신 것이 어떠하겠습니까.

上巨山姜丈
乙酉

向造軒屛，獲承德教，甚覺充然。道巖祠重建通文，旣蒙許可之盛，極感極感。此事庶能有濟，非直一人一家之幸也，實有關於樹教明叙之一端也。先蹟抄本玆奉呈，幸賜考覽若何？

단운 민 참판(閔參判丹雲)에게 올림
경진년(서기 1940)

선왕(先王)의 세신가(世臣家)에서는 모두 양털 갖옷을 입고 있으나 홀로 옛 복장을 하고 계시니 한겨울에 동백(冬柏)과 같고 중류(中流)의 지주(砥柱)같아 오늘날 태산과 북두성처럼 우러러 볼 분은 오직 존집사(尊執事) 뿐이십니다.

  지난달 문하(門下)에 나가 평생 동안 흠모했던 숙원을 이루게 되었습니다만 그때 갈 길이 너무 바빠 남은 말씀을 다 듣지 못하고 돌아오니 더욱 흠모하는 마음 금할 수 없습니다. 선군(先君)[28]의 《묘도문(墓道文)》은 존집사께서 멀리 여기지 않으신 성의로 선군의 고표(高標)[29]와 아조(雅操)[30]를 영구히 믿을 수 있게 되었으니, 그 사랑과 의리를 어찌 잊을 수 있겠습니까. 한 두 곳 아뢰올 건이 있어 별지에 기록하였으니 밝게 살펴주시기 바랍니다.

上閔參判丹雲

庚辰

先王世臣家擧化爲氈裘, 而巍然獨守舊章, 如大冬柏, 如中流石, 負今日山斗之望者, 惟尊執事爲然耳. 客月委進門下, 獲償生平積慕. 然而彼時行期甚忽, 未能穩承緖餘, 歸來益不禁景仰之私. 先子墓道文, 幸蒙尊執事不遐之盛意, 使吾先子高標雅操, 足以徵信於久遠, 感仁佩義, 如何敢諼, 有一二稟訂處, 別紙書呈. 伏惟亮察焉.

김 경암 장(敬菴金丈)에게 올림

무인년(서기1938)

  제가 오랫동안 뵈옵지 못하였는데, 어느덧 여러 세월이 흘렀습니다. 그렇지만 스스로 어르신의 덕망을 날이 갈수록 더욱 사모하게 되었습니다. 뜻밖에 윤유(胤友)[31]의 방문으로 안부를 살피었습니다. 산당(山堂)에서 은거하며 형제가 화락하게 지내시니 아마 담옹(湛翁)의 풍미를 생각할 때 궁상(宮商)도 그 화목함을 넘지 못할 것입니다.

---

28) 작고하신 부친을 말함.
29) 인품이 고상팜.
30) 맑은 절조, 바른 지조
31) 상대방의 아들을 높인 말로 영윤(令胤)이라고 하므로, 영윤이 나의 친구라는 뜻으로 윤우(胤友)라고 한다.

옛날을 회상해 보니, 서당에서 가르침을 받을 때 매양 칭찬을 받았으나 그 후 10여 년간 글공부를 하지 않고 세속과 휩쓸려 초지를 저버렸습니다만 후회한들 어찌 만회할 수 있겠습니까. 정식군(楨植君)이 지금 건축업을 하면서 얼마간의 물품을 보내 줌으로 받고 있습니다만 다만 부끄러울 뿐입니다.

上敬菴金丈
戊寅

拜違下風, 屢換星霜, 慕德之私, 日深一日。料表胤友左顧, 槩承安候。山堂薖軸, 伯墳仲筬, 仰想湛翕風味宮商, 莫得以喩其和。回念昔年, 承敎於翰墨之場, 每蒙每蒙奬詡。伊來十數年, 廢棄鉛槧, 汚俗同流, 辜負初志, 悔恨曷追。貞植君方營建築, 略干物只以取, 愧耳。

이 육봉 장(六峯李丈)에게 답함
기묘년(서기1939)

  지난달 서신을 받으니, 마치 얼굴을 마주하시고 분부를 내리시는 듯합니다. 아울러 정운(亭韻) 1편까지 주시니 그 정경(情境)이 오묘함을 다하여 조금도 남김없이 발휘하였으니, 그 덕망과 사랑이 보통 사람보다 몇 만 배나 되었습니다만 잡다한 일로 인하여 즉시 답서를 올리지 못하였으니, 그 포만(逋慢)32)한 죄를 회피하지 못한다는 것도 잘 알고 있습니다. 인(仁)을 배우시고 서(恕)가 넘치시므로 혹 너그러이 용서해 주시겠지요. 오직 신량(新涼)33)에 조용히 지내시는 가운데 기거와 덕양(德養)이 매우 건승하시며, 문하의 영재들도 군자의 낙을 돕고 있는지요. 구구히 사모하는 마음 그지없습니다. 시생은 중시하(重侍下)가 모두 무사합니다. 다만 세월은 가고 학업은 후퇴하여 후회가 날로 쌓이므로 언제나 문장(門墻)으로 나가 다시 가르침을 받고 싶습니다만 성의가 적어 쉽게 기회를 마련하지 못하고 있습니다.

---

32) 회피하고 게으름.
33) 초가을의 서늘한 기운

答六峯李丈

己卯

頃月伏拜翰命, 殆若面命而耳詔。兼以《亭韻》一篇, 情境俱極其妙, 發揮無餘, 蘊德愛之, 盛出尋常萬萬。而坐冗擾, 未卽上答, 固知逋慢之罪無可逃。而學仁强恕, 或可厚原耶。更伏惟新凉靖中啓居德養萬重。門下英材, 得以供君子之樂耶？區區瞻頌不已。侍生重省粗宜, 只是年去業退, 悔尤日積。每擬趨拜門墻, 以承更端之教, 而誠薄, 未易得也。

정 계산 장(桂山鄭丈)에게 답함

경진년(서기1940)

화기로운 얼굴과 훌륭한 논의에 항시 사모하는 마음 간절하였는데 갑자기 먼저 서신을 보내주셨습니다. 종이에 지극한 말이 가득하여 읽어보니, 순수한 막걸리를 마시어 백보(百步)밖에서 사람을 취하게 하는 것 같습니다.《정사기(精舍記)》는 잘 받았습니다. 선대의 정의가 돈독하여 한 구역(區域)의 천석(泉石)[34]이 백배나 빛을 더하므로 간폐(肝肺)에 새기겠습니다만 어떻게 보답해야 할지 모르겠습니다. 가까운 시일 내에 왕림하겠다는 말씀, 기꺼이 기다리겠습니다.

答桂山鄭丈

庚辰

春和之德容, 盛大之議論, 恒切慕用之私。忽伏蒙先惠下狀, 滿簡諄諄,讀之若飮醇醪, 百外之外, 猶覺醺人。《精舍記》盥手拜領, 先誼彌篤, 足使一區泉石增百倍光輝, 銘肺鐫肝, 罔知攸報也。承邇枉之教, 預切欣企耳。

---

34) 물과 돌이 어우러진 자연의 경치

송진사 염재(宋上舍念齋)에게 올림

무인년(1938)

지난번에 왕림해 주시니 위로가 된 나머지 옛날이 그리운 감회를 금치 못하겠습니다. 옛날 우리 선군(先君)이 생존해 계실 때 혹 왕림하실 때는 반드시 술상을 차리고 술이 이미 취하였을 때는 시를 읊거나 혹 경전(經傳)을 강론하고 혹은 산수(山水)를 논하여 그 속에 담긴 즐거움은 악기로 나누는 즐거움도 아니었고 죽림에 깃든 즐거움도 아니었습니다만, 옆에서 보고 느끼는 것이 어제 일 같은데 갑자기 선군이 작고하시어 우리 존장께서 헛 거름을 하셨으니, 어찌 이 가슴이 울먹이지 않을 수 있겠습니까.

정사건축(精舍建築)을 정지하라는 가르치심은 말씀도 엄숙하시고, 그 뜻도 간절하심을 어찌 느끼지 못하겠습니까. 조용히 생각하니 명년 봄에 건축을 하겠다고 이미 선군이 병석에 계실 때 말씀 드렸습니다. 더구나 지금 만일 머뭇거리다가 세상이 변하여 물이 더욱 깊어진 것과 같이 된다면 뜻하는 일도 결국 성취할 수 없을 것이며 사모하는 마음도 어느 곳에 부칠 수도 없을 것입니다. 이런 점이 두려워 마음을 정할 수 없습니다.

선군의 글월은 그동안 얼마나 수집하였습니까. 평일에 성내(省內)의 사우들과 왕복한 서신과 수창한 시가 많지만 모두 흩어져 있어 수집하지 못하고, 오직 모시고 있을 때 약간 초록한 것이 백분의 십일 분에 불과하니, 이를 더욱 가슴 아프게 생각하고 한스러워 할 뿐입니다. 화첩(畵帖)의 서문을 지어주시니 매우 감사하고 감사합니다.

上宋上舍念齋

戊寅

向者辱賜俯臨, 慰荷之餘, 益不禁感舊之之懷。昔我先君在世時, 時或駕言, 則必設盃盤, 酒旣酣矣。詩以暢之。或而討經講義, 或而談山論水, 其樂也非絲非竹。侍側觀感如昨日事, 而奄纏風樹, 使吾尊駕虛枉。安得不愴, 而繼之以淚下也。亭役停止之敎, 辭嚴義切, 敢不知感？竊念明春建築, 己稟達于先君病席矣。況又滔滔今日, 若因循趑趄, 而滄桑變, 如水益深, 則志事終無可就之日, 而羹墻之慕, 亦無處可寓矣。爲是之懼, 不能定情耳。先君文字, 間己搜得否？

平日與省內士友書疏、往復詩韻酬唱, 不爲不多, 而散佚未能收錄。惟於趨庭之際, 若干抄得者, 不過存十一於千百, 此尤痛恨不已也。畫帖序, 亦蒙不鄙, 甚荷甚荷。

송 진사(宋上舍)에게 보내는 답서
경진년(서기 1940)

 며칠 전에 헌하(軒下)35)를 뵈우려고 하였으나 출타하셨다는 말을 듣고 문을 나섰다가 다시 멈추었습니다. 그런데 갑자기 서신을 받으니 도갑(道岬) 두 글자가 서신 표지에 빛나 서신을 꺼내지도 않아서 연하(煙霞) 기운이 저의 옷깃에 스며드니 저도 모르게 제 가슴이 달이 뜨고 비둘기 깃들인 숲 속으로 줄달음치기 시작하였습니다.
 지금 천하가 서양사조에 물들어 한 곳도 깨끗한 곳이 없으므로 조용히 생각할 때 고사(高士)께서는 당연히 신선이 사는 산 수석(水石) 사이에서 살면서 더러운 속세와 대열을 같이 하지 않을 것으로 생각 하였습니다. 이 칩거한 저를 돌아볼 때, 가르침을 받을 길이 없어 오늘 《초은조(招隱操)》36) 한 편을 외우지 않을 수 없으니 혹 그 부름에 돌아오지 않겠습니까.

答宋上舍
庚辰

數前擬拜軒下, 轉聞駕言出門, 旋止。忽承辱惠書, 道岬二字, 映耀簽面, 未開緘而烟霞氣味已襲人衿裾, 不覺此心之馳, 在月出鳩林間也。今天下滔滔, 嗟！無一片乾淨地。竊想淸標高踪, 宜以置之仙山水石之中, 不與汚俗同群。而顧此蟄廬, 承誨無路, 《招隱操》一闋, 不可不爲今日一誦, 而或不爲反招也否？

---

35) 연상 어른의 존칭사.
36) 시편명(詩篇名), 은자(隱者)를 구하는 내용의 시, 진(晉)나라 장화(張華)・좌사(左思)・육기(陸機) 여구충(閭丘沖)・왕강거(王康琚) 등이 지은 가사임.

족조 희재(希齋族祖)께 올림

계미년(서기 1943)

제청산 묘지(祭廳山墓地)…운운….지난번 가르침을 받을 때 도의로써 깨우쳐 주신 말씀은 먹구름이 활짝 개어 푸른 하늘에 해를 보는 것 같아 전일에 잘못 생각한 것을 후회하였습니다. 이것은 죄다 망상이었고 어리석은 생각일 따름입니다. 만일 우리 대부의 명백하고 엄한 말씀이 아니었다면, 어찌 불효의 죄에 빠지지 않을 수 있겠습니까. 비로소 군자의 덕과 사랑을 알 수 있었습니다. 간혹 《주역(周易)》[37]의 괘사(卦辭)를 몇 개 읽었지만, 거의 대추를 그냥 삼키는 것 같아 전연 맛을 알 수 없었습니다. 대저 이 글은 다른 경서와 달라 정전(程傳)[38]의 본의(本義)는 정중하고 간절할 뿐만 아니라 훈고(訓詁)로도 그 태극(太極)[39]의 이오(二五)[40]의 오묘한 이치를 알 수 없습니다. 괘(卦)[41]에서 찾지 못하면 효(爻)[42]에서 찾고, 효에서 찾지 못할 때는 그 상(象)을 보고, 그 변화하는 것을 보아야 할 것입니다. 이것으로 부자(夫子)[43]는 가죽 책끈이 세 번이나 끊기었는데, 후생말학(後生末學)이 어찌 익힌다고 한갓 그 글만 외워서야 되겠습니까. 책을 들고 가서 그 진결(眞訣)과 요법(要法)을 들으려고 해도 집에는 90세 되신 조모님이 병을 앓고 계시고, 밖으로는 호랑이보다 사나운 정치가 남의 자제들을 앗아가고 남의 생업을 박탈하고 있으니 어디로 가야만이 수레의 멍에를 풀어 놓을 수 있단 말입니까. 이른바 성(性)과 천도(天道)를 끝내 들을 수 없단 말 입니까. 이것도 또한 운수가 있어야 하는 것이니, 단만 탄식할 뿐입니다.

대작(大作)인 《이기음(理氣吟)》과 하서(河西)·화담(花潭) 두 선생의 원운(原韻)에 모두 병풍으로 사용할 수 있는 글씨를 써 놓았으므로 드리는 바입니다. 필력이 졸렬하여 뜻대로 되지 않았습니다만 만일 명품을 구하면 다시 써 드릴 생각입니다. 부탁

---

37) 본래 중국에는 연산역(連山易)·귀장역(歸藏易)·주역(周易) 세 가지가 있었으나, 현재는 주역만 전한다. 모두 19책이며 64괘(卦)로 구성되어 있고 공자가 산정(刪定)하였다고 한다.
38) 송나라 정호(程顥)가 풀이한 역전.
39) 우주 만물이 생성하는 근원의 본체, 역학(易學)에서 시작하여 북송(北宋)의 주돈이(周敦頤)가 태극(太極)에서 음양, 오행과 만물이 생성, 발전하는 과정을 해석하는 태극도해설(太極圖解說)을 완성 하였다.
40) 음양과 오행을 통털어 말함.
41) 고대에 중국인이 길흉화복을 첨칠 때 사용하는 주역의 8괘(卦)인 乾坤震巽坎離艮兌를 말한다. 국가의 천도,전쟁 등 주요한 일이 있을 때 서인(筮人)에게 점을 치도록 하였다.
42) 주역의 괘(卦)를 이룬 획(畫), 즉 양효(陽爻)는 -, 음효(陰爻)는 - -를 말함
43) 공자(孔子)를 지칭하는 말.

하신 연근(蓮根)은 빈 연못에서 채취하였으나, 얻은 것이 많지 않아 몇 뿌리만 드립니다. 도체후 이치를 연구하신 중 건강에도 유의하시어 멀리 바라보는 이 정성을 위로해 주시기 바랍니다.

上希齋族祖

癸未

祭廳山墓地云云。向承諄諄喩以道義，疑雲快霽，如覩靑天白日。却悔前日之橫思，盡是妄耳愚耳。如非吾大父一言之明且嚴，幾何不陷於不孝之窠？始知君子之德，愛耳。《周易》間讀幾卦，殆如吞——，全沒意味。大抵此書，與他經異。程傳本義，不啻丁寧剴切，而亦不可以訓詁。求其太極二五之妙也。求諸卦而不得，則求諸爻；求諸爻而又不得，則觀其象。而玩其變，此夫子所以韋編三絶也，後生末學，安敢閒習而徒誦其文哉！切欲挾册而趨，以聽其眞訣要法。而內則九耋老祖母患候沉劇，外則苛政甚於虎，奪人子弟，剝人生業，將不知稅駕之地，所謂性與天道終不可得聞耶？此亦數存也。只自浩嘆而已。大作《理氣吟》，及河西、花潭二先生原韻，幷以屛用書，呈。而筆固陋拙，紙亦劣下，不得如意,如得品地， 更寫伏計耳。俯囑蓮根,空池而採， 所獲無多， 纔幾根， 奉呈耳。伏祝道候玩理康重以慰瞻誠。

족장 우송 문연(寓松族丈)께 보내는 답서

문연(文演)

지난번 형문(衡門)[44]을 두드렸지만, 마침 외출 중이어서 뵙지 못하여 치의(緇衣)[45]를 뵈올 성의가 부족한 듯 하였는데 갑자기 서신을 먼저 주시니, 멀리 여기지 않으신

---

44) 두 개의 기둥에다 한 개의 횡목(橫木)을 가로질러 만든 대문, 즉 은사(隱士)의 문을 말함.
45) 본래는 제후(諸侯)의 조복(朝服)인데 《시경(詩經)》의 정풍(鄭風) 치의(緇衣)에 "무공(武公)이 주(周)나라로 들어와 경사(卿士)가 되었기 때문에 경사(卿士)가 조정에서 입는 정복이다(正服)이다(卿士聽朝之正服也)"고 하였다. 여기서는 현인(賢人)을 치의(緇衣)로 표현한 것이다.

그 성의(盛意)⁴⁶⁾가 말씀밖에 철철 넘치어 감사한 마음 이루 다 말할 수 없습니다.

　저의 증조고 만수부군(晚睡府君)의 묘각(墓閣)⁴⁷⁾을 작년 봄에 건립하였습니다. 선군께서 생존해 계실 때 시작은 하였으나 미처 완성하지 못하고 갑자기 선군이 작고하시어 그 《기실문(記實文)》을 족장의 글을 얻어 영원히 전하려고 합니다. 한갓 그 글이 귀할 뿐 아니라 화수(花樹)⁴⁸⁾의 정의에 있어서 백세(百世)가 지나도 강론할 수 있으니, 이것도 좋은 일입니다. 만일 뜻대로 되지 않았다면 그 아쉬움이 어찌 그치겠습니까. 가을 사이에 부조묘(不祧廟)⁴⁹⁾ 제향 때 참여하여 다소간 정화를 나눌 것이므로 남은 말은 그때를 기다리겠습니다. 오직 기체후 보중하시어 멀리서 흠모하는 성의에 부응하시기 바랍니다.

答寓松族丈

文演,

向叩衡門, 適值駕言, 未接德容, 自訟緇衣誠薄. 忽伏承先辱下狀, 不遐之盛意, 藹蔚辭表, 感荷不容口. 曾祖考晚睡府君墓閣, 昨春建始. 於先君在世之日, 未及就緒, 遽纏風樹, 其記實之文, 欲得族丈先生筆, 以示永永. 非徒其文之爲貴, 花樹之誼, 庶百世可講, 而此亦好事, 終不如意, 悵嘆何已. 秋間欲叅不祧廟享祀云, 多少情話, 留待伊時. 伏祝崇候葆重, 用副遠誠.

조 흠재 장(欽齋曺丈)께 올림

　엎드려 생각하옵건대 초여름에 조용히 수양한 수후(壽候)는 강건하시며 해가 길어지며 숲은 한 창 무성한데 무슨 일로 즐기십니까. 그리고 윤우(胤友)의 병환은 지난번에 7~8분은 감해졌다고 들었는데 그동안 이미 2~3분의 남은 병이 나았는지요.

---

46) 상대방의 뜻.
47) 무덤 옆에 제사 지내려고 지은 집.
48) 동성(同姓)의 씨족(氏族).
49) 묘제(廟制)에 친의(親誼)가 다하면 태조(太祖)의 묘(廟)로 신주(神主)를 옮기는 일.

세하생(世下生)⁵⁰⁾의 중성(重省)⁵¹⁾은 건강하게 지내실 뿐입니다.

　최근에 《염낙풍아(濂洛風雅)》⁵²⁾를 보다가 주부자(朱夫子)의 《감춘부(感春賦)》⁵³⁾를 읽으면서 우연히 느낀 바가 있어, 감사 그 운을 차운하여 《자경시(自警詩)》로 삼았습니다. 시는 제각기 자기의 뜻을 말한다고 하지만, 시가 내 뜻을 전달하지 못하고 있으니 어찌하겠습니까만 다행히 수정해 주시어 얻은 것이 많습니다. 계남재(桂南齋) 액자(額字)는 거듭 존장 "(尊丈)의 말씀을 어기다가 지금 붓을 놀려 보았으나 결국 글자 획이 지렁이처럼 써져 별모양이 없게 되었습니다. 이른 바의 예서체(隸書體)는 더욱 꼴볼견 이옵니다. 이에 공손히 보내드리니 가르침의 자료로 드릴 뿐이옵니다.

上欽齋曹丈

伏惟肇夏靜養壽候康重。日長林樊, 所樂何事, 胤友所愼向承七八分減得, 而間已快袪其二三分餘戎耶. 世下生重省粗宜已耳。近閱《濂洛風雅》, 讀至朱夫子《感春賦》, 偶有所感, 謹步其韻以寓自警。亦各言其志, 而奈辭不達意, 何幸爲之。郢斤受賜多矣。桂南齋額字, 重違尊敎, 玆敢揮染而終是蚯蚓,不堪把玩,所謂隸體, 尤不成樣。因而奉呈, 以爲就正之資耳。

김 정와 장(靜窩金丈)께 올림

　한 달 전에 왕림하시어 순수함이 넘쳐흐르는 덕용(德容)을 뵈옵고 본래 함양공부(涵養工夫)⁵⁴⁾로 이와 같이 건장하게 되었음을 알 수 있었습니다. 귀 선조 하서선생(河西

---

50) 세의(世誼)가 있는 집안의 어른에 대하여 자기를 낮추어 일컬은 말임.
51) 할아버지와 할머니를 높이 일컬은 말.
52) 1책. 원(元)나라 때 김이상이 모시풍아(毛詩風雅)를 본떠서 만든 책. 송나라 염계 주돈이(濂溪周敦頤)와 낙양(洛陽)의 정호(程顥)를 비롯하여 송나라 성리학자(性理學者) 48명의 시를 모아 편집하였음.
53) 송(宋)나라 주희(朱熹). 자는 원회(元晦),중회(仲晦), 호는 회암(晦菴), 시호는 문(文), 소흥진사(紹興進士)에 급제한 후 고종(高宗)·효종(孝宗)·광종(光宗)·녕종(寧宗) 4왕조를 거치면서 많은 관직을 거치다가 보문각대제(寶文閣待制)를 끝으로 경원(慶元) 중이 관직을 그만두고 지내다가 사망하였다. 그는 자양서당(紫陽書堂)·무이정사(武夷精舍)·운곡초당(雲谷草堂)·고정(考亭) 등 많은 정사를 건립하여 수많은 제자를 양성하고 경전(經傳)에 주석(註釋)을 달아 후진의 학문연구에 큰 공을 세웠다.
54) 수양을 쌓은 공부.

先生)⁵⁵⁾의 강학비(講學碑) 건립이 곧 시작될 것이니 참으로 훌륭한 일입니다. 최근에 어르신 조카가 경암(敬菴)이 지은 비문을 가져와서 정회(正會)에게 써달라고 부탁하였으나 저의 고루한 필력으로 어찌 이 일을 하겠습니까. 단 비문 중에서 한 두 개의 질문할 곳이 있어서 감히 이와 같이 번거롭게 합니다.

  옛날 중종(中宗) 갑진년(서기1544)에 하서선생(河西先生)⁵⁶⁾이 무장(茂長)의 임소(任所)로 유미암(柳眉巖)⁵⁷⁾을 방문하였을 때, 그때 저의 선조 영모공(永慕公)도 방문하셨습니다. 그 당명(堂名)이 영모(永慕)였습니다. 그리고 시도 지어주고 함께 선운사(禪雲寺)⁵⁸⁾로 가서 강회(講會)도 하였습니다. 지금 그 시가 〈하서집(河西集)〉⁵⁹⁾에 있으니, 한번 참고해 보시기 바랍니다. 비문(碑文)에는 이에 대한 한 구절이 누락되어 있어, 두어 말씀 지어서 기입하려고 하는데 존의(尊意)는 어떠하신지요. 명문(銘文)에는 의여 '삼현(猗歟三賢)'이란 구절이 있는데, '의여(猗歟)'라는 두 글자는 매우 불안 합니다. 이 비는 선생을 위주로 쓰였으나, 변(卞)씨와 서(徐)씨를 합하여 삼현(三賢)으로 기록하였으니, 삼현은 찬미사(讚美辭)로 사용할 필요가 없습니다. 저의 견해가 이와 같으니 명백히 가르쳐 주시기 바랍니다. 그리고 비두(碑頭)에 전서(篆書)를 쓴다고 들었습니다. 옛날에는 비두에 전서를 썼던 것은 비가 작고 글이 많기 때문이었지만, 비두에 전서를 쓰고 앞에다가 대자(大字)를 쓴다면 이것은 중복되는 일이 아닌지요. 혹 전예가 있는데 제가 본 적이 적어 미처 보지 못했던 것이 아닐까요. 다시 분명한 가르침을 바랍니다.

---

55) 서기 1540~1560. 조선 중기의 학자, 자는 후지(厚之), 호는 하서(河西), 담재(湛齋), 중종 35년(서기 1540)에 문과에 급제하여 설서, 부수찬, 옥과현령을 지냈으나 을사사화가 일어나자 낙향하여 성리학을 연구 하였음. 저서로는 《하서집(河西集)》과 《주역관상편(周易觀象篇)》이 있다.

56) 문정공(文正公) 김린후(金麟厚)의 호. 호를 또 담재(湛齋)라고 함. 자는 후지(厚之), 서기1531년에 사마시(사마시)에 급제한 후 성균관에 들어가 학문을 연구하였는데 이때 이황(李滉)과 사귀었다. 그 후 서기 1540년에 별시문과의 병과(丙科)에 급제하여 권지승문원부정자(權知承文院副正字)를 시작으로 많은 관직을 거치다가 을사하화가 일어나자 관직을 버리고 고향 장성(長城)으로 내려와 학문에 열중하였다. 이때 이항(李恒)과 기대승(奇大升) 사이에 태극음양설(太極陰陽說)로 이론이 분분하자 공은 기대승의 의론을 지지하였다. 그는 천문,지리,의학,율역 등에 정통하고 정철(鄭澈), 오건(吳健) 등 많은 제자를 양성하였다. 그는 대광보국숭록대부 영의정 겸 영경연, 홍문관,예문관,춘추관 관상감사에 증직되고 옥과(玉果)의 영귀서원(詠歸書院)과 장성의 필암서원(筆巖書院)에 배향 되엇다.

57) 서기1513~1577, 명종 때의 학자, 자는 인중(仁仲),호는 미암(眉巖), 을사사화에 관련되어 20여 년간 유배생활을 하였으며 선조 때 출사(出仕)하여 관직이 부수찬에 이르렀다. 성리학에 조예가 깊었고 서기 1568년에 쓴 《미암일기(眉巖日記)》가 전한다.

58) 전북 고창군 아산면 삼인리 도솔산 밑에 있는 사찰.

59) 조선 중종 때 김인후의 시문집, 모두 23원 8책임, 선조 원년(서기1568)에 문인 조희문이 유고를 모아 편집하였으며 숙종 12년(서기1686)에 중간하고 순조 2년(서기1802)에 고쳐서 간행 하였다.

上靜窩金丈

月前枉駕，得拜德容之粹盎，仰認涵養有素致此矍鑠也。尊先祖河西先生講學碑,將至設役,甚盛事也。日者，令咸以敬菴所撰碑文，囑正會書之。顧此陋劣，何敢爲役？但碑文中有一二質疑處，敢此仰煩耳。在昔中廟甲辰，河西先生訪柳眉岩于茂長任所時,因訪鄙先祖永慕公號其堂曰永慕，且詩以贈之，偕往禪雲寺設講會。詩在《河西集》中可攷也。碑文中此一句語見漏。竊欲數語入錄，未知尊意之如何耳。銘文有"猗歟三賢"一句，"猗歟"二字恐未安。此碑以先生爲主，引及乎卞、徐三賢。於三賢，似不必用贊美辭矣。愚見如是，伏乞明教。且"承用頭篆"云。古之用頭篆，以其碑小而文多也。頭用篆而前用大字，無乃重複乎？或有前例而謏寡，未及聞耶？更乞明教。

오 도호 장(道湖吳丈)께 올림

기묘년(서기 1939)

지난번 위문해 주시어 그 감격의 말로 다 표현할 수 없습니다. 제문(祭文) 1편은 우리 선군(先君)[60]의 마음을 잘 발휘하시어 40년 동안 도의(道義)로 사귀었던 정의가 하나도 빠뜨리지 않고 말씀 밖으로 표출 되었으니 옛날을 생각할 때, 더욱 (先君)에 미치지 못하여 애통함을 금치 못하겠습니다. 엎드려 생각하니 여행에서 잘 돌아오시어 바위 사이에 기거하시고 여울 물 마시며 반드시 사람들이 알지 못하는 즐거움이 있을 것입니다. 그리고 용진(湧珍)의 산수(山水)는 거듭 즐편하게 흐른 탁류(濁流) 중에 빛나 후생만학(後生晚學)들이 의귀(依歸)하는 장소가 될 것이니 천만번 흠앙(欽仰)합니다.

후석선생(後石先生)의 영정각(影幀閣)을 건립하고 있으니, 상구(上九)[61]의 일맥(一脈)이 천운에 힘입어 박멸되지 않을 것 입니다. 우리 어르신의 큰 규모와 큰 성력(誠

---

60) 작고하신 부친을 지칭한 말임.

61) 주역에서 두 개의 괘(卦)가 6효(爻)를 이루어 한 괘가 되는데, 구륙(九六)은 제일 위에 있는 양효(陽爻)를 말한다. 즉 이 글에서는 양맥(陽脈)을 시사한 것으로 쇠퇴한 유학(儒學)이 회복되는 것을 양맥에 비유한 것이다.

力)이 아니면 어찌 이와 같이 큰 일을 이룰 수 있겠습니까. 조용히 생각하니 당일에는 화기가 감도는 봄날이라 그 따뜻한 기상(氣像)과 태산같이 높은 모습을 오늘에 다시 볼 수 있을 것이니, 남토(南土)의 학자라면 누가 그 소식을 듣고 즐겁게 오지 않겠습니까. 이 정회(正會)같이 어리석은 사람도 외람되게 제자의 대열에 있으므로 그 사모하는 사정이 어떠하겠습니까. 한 삼태기의 흙은 구인(九仞)⁶²)의 산을 만드는데 도움이 없으므로 송구할 따름입니다.

上道湖吳丈

己卯

向也俯賜慰問, 哀感罔喩。祭文一篇, 發揮吾先君心事, 無遺四十年道義相交之誼, 藹蔚於語言之表。撫念疇昔, 益不禁麋逮之痛。伏惟行軒 利稅而岩捿澗飮, :必有人不及知之樂, 湧珍山水重光於濁流滔滔之中。後生晩學, 終有依歸之所, 爲之欽仰萬千。後石先生影閣之刱設上九一脉, 庶幾賴而不剗? 如非吾丈丈之大規模大誠力, 則安能成此事業之大乎? 竊念當日春和融融之氣, 泰山巖巖之像, 將復覩於今日, 南土學者孰不聞風而樂赴? 以正會之愚蒙, 猥忝摳衣之列, 其景慕之私, 尤當如何? 但一簣之土, 無以補九仞之成, 愧悚己耳。

오 도호 장께 보내는 답서

우러러 사모한 마음 더 하지 않는 날이 없었는데 갑자기 서신을 보내시어 지성스럽게 가르쳐 주시니 그 사랑과 의로움에 감동하여 어떻게 해야 할지 모르겠습니다. 더욱이 기체후 강녕하신지요. 용진산(湧珍山)에서 독서하시며 늙은 줄도 모르고 계시니 구하(九河)⁶³)가 횡류(橫流)하고 있는데 한 치의 아교(阿膠)⁶⁴)를 믿을 수 있겠습니까.

---

62) 인(仞)은 팔척(八尺)을 의미한다. 높이를 뜻한 말임.
63) 우(禹)임금 때 황하(黃河)의 아홉 지류(支流), 즉 구회(九澮)·도해(徒駭)·태사(太史)·마협(馬頰)·복부(覆鬴)·호소(胡蘇)·간(簡)·혈(絜)·구반(鉤盤)·격진(鬲津)을 말함.
64) 동물의 가죽, 힘줄, 창자, 뼈 등을 고아 그 액체를 고형화한 물질. 이것은 중국에서 만든 갖풀에서 비롯되었는데 황갈색을 띠고 있으며 접착제로 사용되었다. 여기서는 횡류(橫流)하는 구하(九河)를 자그만

세하생(世下生)은 다행히 중성(重省)이 지난날처럼 잘 계시지만 세월이 유수같이 빠른데 공부는 한 치도 진척이 없습니다. 장자(張子)[65]가 말하기를 "한 때 독서하지 않으면 한 때 덕성(德性)이 게을러진다"고 하였습니다. 더구나 수년 동안 헛되이 세월만 보냈으니, 비록 옛날의 아몽(阿蒙)[66]은 되지 못하더라도 목눌(木訥)하고 근실(勤實)했던 옛날보다 부화(浮華)하고 공교로운 가식이 더욱 심하여 심상히 걱정할 여가도 없는데, 이에 겸손한 말씀으로 중하게 여기시고 칭찬까지 하시어 함께 도(道)를 말할 수 있는 사람으로 여기시니 혹 이 깨우침으로 인하여 게을러 일어나지 못한 사람으로 하여금 백배나 용기를 내게 하는 것인가요.

　그림자처럼 매일 떠오르는 선생님의 댁을 언제나 한 번 달려가서 강한지탁(江漢之濯)[67]이란 구절을 외우고 싶습니다. 더구나 어르신의 말씀이 정중하시어 마음만은 날아가고 싶지만 지금 서울에 무슨 일이 있어 참여하지는 못할 것 같습니다. 한번 바람 거센 바다에 들어가면 몸은 사공에게 맡겨야 하므로 매우 자유롭지 못하오니 인자하신 어르신께서 용서해 주시기 바랍니다. 항재공(恒齋公)의 행장(行狀)은 다행히 완성하였으니 서울에서 돌아온 즉시 몸소 가져다 드리고 직접 가르침을 받을 생각입니다.

答道湖吳丈

高山之思, 無日不勤。忽辱惠書, 德教諄諄, 仁感義服, 不省攸謝也。矧伏審崇候茂對康旺, 大讀珍山, 不知老之將至。九河橫流, 寸膠可恃。世下生重省幸如昔, 而歲月有流水之逝, 工夫無尺寸之進。張子曰:"一時不讀書,一時德性有懈。"

한 아교로 접착하여 막을 수 없다는 뜻으로 사용되었다.

65) 서기1020~1077년간 송(宋)나라 초기의 성리학자(性理學者), 명은 재(載), 자는 자후(子厚),호는 횡거(橫渠), 미현횡거진인(郿縣橫渠鎭人). 가우(嘉祐) 중에 진사(進士)에 급제한 후 관직이 숭정원(崇政院)의 교서(校書)가 되었으나 곧 사직하고 남산(南山) 밑에 은서(隱居)하면서 학문연구와 교육에 열중하였다. 그는 이정(二程)과 학문을 탁마(琢磨)하여 주역(周易)·중용(中庸)·예서(禮書) 등에 밝았으며 공맹(孔孟)을 극히 존경하였다. 후인들이 그의 학문을 관학(關學)이라고 칭하였다.

66) 삼국(三國), 오(吳)나라 부피인(富陂人). 성은 여(呂)이므로 여몽(呂蒙)이라고 하며 자는 자명(子明), 주유(周瑜)와 함께 오림(烏林)에서 조조(曹操)를 격파하고 또 손권(孫權)과 유수(濡須)에서 조조를 방어하였다. 관직은 남군태수(南郡太守)를 지내고 잔릉후(孱陵侯)에 피봉 되었다. 그는 손권의 권유로 학문에 열중하였는데 노숙(魯肅)이 그를 굴복시키려고 그를 방문하여 학문을 논하다가 그의 등을 어루만지며 "나는 그대가 무략만 있는 줄 알았는데 이제 보니 학식이 굉박하여 예전의 아몽(阿蒙)이 아니다"고 하면서 "선비가 이별한진 3일만에 괄목상대(刮目相對)한다"고 하였다.

67) 양자강(揚子江)과 한수(漢水)로 물이 맑으면 갓끈을 씻고 물이 탁하면 발을 씻는다는 뜻임.

況數年來悠泛度了, 脫不得舊時阿蒙, 而浮華巧飾反有甚於前日之. 或有木訥, 近實矣. 尋常憂懼之, 不可暇而洒者, 貶損辭色, 引重獎讚, 有若可與言道者? 其或因此諷規, 使懶而不起者有以增百倍之氣耶? 先生影宇, 每擬一趨門墻, 以誦江漢之濯, 而況有尊敎. 鄭重心乎翼如, 而方有事京中, 似未能奈末. 顧一入風海, 身繫梢工, 甚不自由, 敢望仁者之宥厚. 恒齋公行狀, 幸承泚筆已成. 切欲自京還後, 卽爲躬造, 親承緖餘計耳.

민 영재 장(英齋閔丈)께 보내는 답서

두 번이나 왕림하셨는데 한번 서신을 올리오니 감사한 것이 아니라 송구스럽습니다. 지난번에 어르신들을 따라 선운사(禪雲寺)에서 하룻밤을 자고 돌아왔는데, 다시 생각나는 것은 지난 여름에 우리 선군(先君)께서도 가시겠다고 수레를 준비하라 하시어 약을 케서 선친에게 드린 것이 어제 일 같습니다. 여울에 새와 구름 낀 숲은 옛날과 같은데 선군의 얼굴과 음성은 날로 멀어져 선군을 잃은 여생(餘生)에 애통함을 참고 왕환(往還)하니 다만 산은 슬퍼하고 여울은 수심에 잠길 뿐입니다.

시 1편은 정경(情境)이 모두 극진하니 만년에 점차 두릉(杜陵)[68]의 시율(詩律)처럼 세련된 것일까요. 단 처음 연구(聯句)에 동(洞)을 아(兒)로 바꾸면 음운(音韻)이 맞습니다. 거듭 초부(樵夫)에게 물어보는 훌륭한 일을 어기고 감히 우견(愚見)을 말씀 드렸습니다.

答英齋閔丈

再枉一書, 匪感伊悚. 向者猥隨諸長老之後, 一宿禪雲而歸. 追念昨夏, 吾先君亦已命駕, 採藥獻親, 如昨日事矣. 澗鳥無恙, 雲林依舊, 而音容日以益遠風樹.

---

68) 중국 군명(郡名)이며 한(漢)나라 선제(宣帝)의 릉이 있다. 여기서는 두보(杜甫)를 말한다. 두보는 양양인(襄陽人)으로 소릉(少陵)에서 거주하여 자호를 소릉포의(少陵布衣)라고 하므로 두소릉(杜少陵)이라고 하는데 두릉(杜陵)이라고 한 것은 소릉을 약자로 하여 성과 함께 두릉이라고 한 것이다. 그는 당(唐)나라 때 사람으로 자는 자미(子美)이다. 안록산(安祿山)의 란이 일어나자 사방으로 유랑생활을 하다가 대력(大曆) 5년에 59세의 나이로 뢰양(耒陽)에서 사망하였으며 이백(李白)과 함께 시성(詩聖)으로 칭송되어 이두(李杜), 또는 두목(杜牧)을 대하여 칭할 때는 대두(大杜)와 노두(老杜)로 칭하였다.

餘生忍痛往還, 只自山哀澗愁而已。 瓊什一篇, 情境俱到, 杜陵詩律, 漸細於晚節者耶？但初聯句易洞以兒則音韻似合。 重違詢蕘之盛, 敢此貢愚耳。

민 영재 장께 보내는 답서

　옛날 왕림하셨을 때, 중추(仲秋)의 달빛은 가르침을 받은 저녁 그 때 보다 더 밝아 금년의 가배절(嘉俳節)은 헛되이 지나지 않았습니다. 그리고 이번에 거듭 서신을 주시어 길게 적은 말씀, 자상함이 넘치므로 감사한 마음 참으로 깊어 무슨 말을 드려야 할지 모르겠습니다.

　삼가 살펴 보건데, 서울을 잘 다녀오셨으니 안으로 소양(素養)[69]을 쌓지 않았다면 백발의 장관(壯觀)이 어찌 이와 같이 건장하겠습니까. 적질(戚姪)도 작년 20일경 가제(家弟)에게 어머님을 모시고 오백년의 옛 도읍(都邑)을 한번 보시도록 하여 1주일을 지내 귀가하였지만, 단 할머님은 일어나실 때나 누우실 때 남의 부축을 받아야하기 때문에 문밖으로 나기실수 없어, 일시나마 답답한 마음을 떨칠 수 없습니다. 그리하여 아우와 종제들에게 틈나는 대로 교자(轎子)에 모시고 대소가(大小家)를 두루 다니게 하였습니다. 다행인 것은 오직 주무시고 드시는 것이 옛날과 같습니다. 세월은 유수와 같이 빨라 선군(先君)의 대상(大祥)도 한 달을 앞두고 있습니다. 미어지는 이 가슴은 가을의 서리를 밟으면서 선군을 향한 마음 배나 더 간절합니다.

　이 때에 수후(壽候) 강녕하시어 이 흠모한 마음 위로해 주시기 바랍니다.

答英齋閔丈

伊昔枉存, 中秋月色偏多於承誨之夕。今年嘉排, 可謂不虛度, 而又此荐垂下狀。 溢幅覼縷 慈祥, 藹蔚感荷良深, 不知將何辭仰謝也。 伏審洛斾利稅, 如非素養內積, , 白首壯觀, 若是其矍鑠耶！戚姪亦以去有念間, 令家弟陪行老慈一見五百年舊都, 經一週返次。但老祖母起臥須人, 不作門庭之步, 無以致一時幽欝之慰豁, 只與若弟若從輩, 間日擔轎陪從, 輪回於大小諸家。所幸惟寢啖諸

---

69) 평소에 쌓은 교양

節, 姑依昔耳。日月若川逝, 先君終朞, 隔在一朔。痛摧之私, 履秋霜而倍切。壽候對時康寧, 以慰頌禱之衷。

신 율봉 장(栗峯申丈)께 올림
신사년(서기1941)

달빛하래 강변을 따라 가다가 작별 인사를 올린 그 날이 어느 날 밤이었는지요. 높은 고아한 그 모습을 우러러는 그 마음은 한 시각도 간절하지 않는 때가 없었습니다. 엎드려 생각하건데, 고요한 가운데 기거는 왕성하리라고 믿습니다.

한 구절의 시도 풍아(風雅)[70]와 송(頌)[71]이 되어 인강(仁江)의 풍월(風月)을 하루도 쉬지 못하게 하시니, 조석으로 산계(山桂)와 암풍(巖楓) 사이를 거닐며 그 남은 말씀을 듣지 못한 것이 한스럽습니다. 후원의 가득한 밤나무에 가을 흥취가 물신나 율리(栗里)[72]의 청결한 풍도가 생각나실 것이니 후학들의 흠모함이 어찌 우리 어르신만 즐기는 것이겠습니까. 그 남은 향기를 함께 해주시기 바라오니, 이것도 청결한 풍도를 비는 것 아닐까요. 도리어 송구한 마음 간절합니다.

上栗峰申丈
辛巳

隨月沿江, 拜辭何夕, 瞻誦高義, 靡刻不切。伏惟靖中起居旺重。一咳一唾, 爲雅爲頌, 使仁江風月未得一日閑。恨未晨夕從容於山桂岩楓之間, 聽其緒餘也。滿園栗樹秋興, 想富栗里淸風。後學之所共挹慕, 豈吾丈之所獨樂乎.幸分其餘香, 與願言者共之。是亦乞之淸者歟。旋切悚仄耳。

---

70) 《시경(詩經)》의 국풍(國風) 및 대아(大雅)와 소아(小雅)를 말함.
71) 《시경(詩經)》에서 세가지 시가(詩歌)의 유형(類型) 중 하나. 주(周)나라 종묘제(宗廟祭)에 사용한 무곡(舞曲)의 가사(歌詞)임.
72) 지명. 도연명(陶淵明)의 고거(故居). 당시에는 팽택현(彭澤縣)이었으나 지금은 강서성 성자현(江西省星子縣)임. 혹은 율리원(栗里原)이라고 하고 혹은 율리포(栗里鋪)라고 한다.

유 석운 장(石雲柳丈)께 올림

기묘년(서기 1939)

　성인의 말씀이 날로 사라지고 비속한 풍속은 날로 더하여 달사(達士)[73]들은 슬퍼하고 우매한 사람은 세속에 젖어들고 있으므로, 미풍(美風)은 떨치지 않아서는 안 될 것이며, 폐습(弊習)은 버리지 않을 수 없습니다. 가만히 생각해 보니 관(冠)·혼(婚)·상(喪)·제(祭)는 큰 예(禮)입니다. 지금 풍속은 모든 상사(喪事)나 제사(祭祀)에 주효(酒肴)를 마련하여 손님을 대접하면서 술잔이 낭자하고 심한 경우에는 술자리가 되고, 조상(弔喪)하는 자리 같지 않아 결국 폐풍(弊風)이 이루어지고 있으므로, 비록 뛰어난 선비도 그 속에 젖음을 면치 못하고 있고 모든 사람들도 걷잡을 수 없이 젖어들고 있습니다. 어디나 할 것 없이 다 그렇습니다만 유독 우리 고을의 폐습이 더욱 심합니다. 부자(夫子)[74]의 정치는 먼저 이런 폐단을 바로잡는 것이며, 정자(程子)[75]가 말한 이른바 "사람을 불의(不義)에 빠뜨리지 마라(勿陷人於不義者)"는 것이 참으로 두렵습니다. 우리 고을은 향약(鄕約)을 시행한 이후 집집마다 설득하였지만 하루도 실천하지 않고 문구(文具)에 그치고 말았습니다. 더러운 폐습(弊習)이 유행하면 사람의 심성(心性)을 어지럽히고 사람의 기부(肌膚)에 스며들어 넝쿨처럼 뻗어가므로 억제하기 어렵습니다. 넝쿨도 제거하지 못한데 하물며 수백 년동안 이미 이루어진 고질(痼疾)을 어찌할 수 있겠습니까. 오직 고질이 되었을 뿐 아니라 도리어 훌륭한 행사로 여기어 얼굴이 두껍게 수치심도 없으니, 풍속이 예전 같지 않는 것이 이와 같이 극한의 지경에 이를 수 있는지요.

　우리 동방(東邦)은 예로부터 소중화(小中華)로 칭하였습니다만, 화하(華夏)의 풍속은 아! 이미 멀어지고 말았습니다. 제가 들은 말은 중화(中華)가 이적(夷狄)을 변화한다는 말은 들었어도 이적이 중화를 변화하였다는 말은 듣지 못했습니다. 그리고 이적의 풍속도 이와 같이 심하게 더러운 것은 없는데, 어찌 이적의 웃음거리가 되지 않겠습니까. 간혹 이런 일에 뜻이 있는 사람들도 풍속의 유행에 길들여지고 또 사람들

---

73) 이치에 밝아 사물에 얽메이지 않는 사람
74) 공자(孔子)를 지칭하는 말임.
75) 송(宋)의 대학자 정호(程顥). 낙양인(洛陽人). 자는 백순(伯淳), 시호는 순공(淳公), 진사(進士)에 급제한 후 희녕(熙寧) 초에 어사(御史)가 되어 누차 신종 "(神宗)에게 진언(進言) 하였다. 그후 왕안석(王安石)의 신법(新法)이 맞지 않아 첨서진(簽書鎭)의 녕군판관(寧軍判官)과 부구현(扶溝縣)으로 나가 철종(哲宗)이 등극한 후 종정승(宗正丞)으로 불렀으나 응하지 않고 사망 하였다. 맹자(孟子) 후 일인(一人)이라는 평을 들었다. 문언박(文彦博)이 그 묘에 쓰기를 명도선생(明道先生)이라고 하였다.

의 여론을 두려워하여 용기 있게 이행하지 못하고 결국 함께 목욕하면서 벌거벗은 사람을 조롱하는 사람에서 벗어나지 못하고 있으니, 오직 사람들의 여론이 두려운 줄은 알아도 성인(聖人)의 교훈이 두렵고 또 엄한 줄은 모르고 있으니 또한 생각하지 못한 것이 너무 심합니다. 오직 존장(尊丈)께서 저속한 세도(世道)를 개탄하시어 일직 약정(約正)으로 계시면서 한결 같이 폐습을 고치려는 뜻을 갖으셨고, 언제나 유경당(柳敬堂)의 행실을 거론하시며 격려를 하셨습니다. 아! 한 나라에 시행하지 못했으면 한 고을에서나 시행해야 하고, 한 고을에서도 시행하지 못했다면 한 방(坊)에서 시행해야 하며, 한 방내에서 시행하지 못하면 한 가정에서 시행해야 할 것이니, 한 가정에서 시행하면 방(坊)과 고을과 나라에서 변화하지 않겠습니까. 공자(孔子)께서 말씀하기를 "하루만 자신의 욕심을 누르고 예절을 따른다면 천하가 인(仁)으로 돌아올 것이다(一日克己復禮,天下歸仁)"라고 하였으니, 성인이 어찌 나를 속이겠습니까. 오직 존장께서는 의리를 행하는데 욕기를 내시고 무너진 풍속을 일깨우고 바른 풍속을 진작하여 고을에서 본받도록 하신다면 우리 유생(儒生)들의 행복이며 세도(世道)를 위해 매우 다행스러울 것입니다.

上石雲柳丈

己卯

聖言日以益堙, 污俗日以益下。達士悲之, 昧者溺焉。美風不可以不振, 弊習不可以不革。竊惟冠昏喪祭, 禮之大者也。今世之俗, 凡於喪祭, 設酒肴以享賓客, 狼藉酬酢。甚者以酒不以吊, 遂成弊風, 雖有拔萃之士, 亦未免淪胥。滔滔者皆是, 而惟吾鄕之陋, 甚矣。夫子爲政, 則必先正此弊。程子所謂"勿陷人於不義者, 誠可畏也"吾鄕設鄕約以來, 可謂家喩戶說, 而不能一日實行, 亦爲文具而止。弊習污流, 汨人心性。洽人肌膚, 如蔓難圖。蔓艸猶不可除, 況數百年已成之痼疾乎!不惟成痼, 反以爲盛事, 靦然無恥。俗之不古, 蓋至此之極歟! 我東素稱小華, 而華夏之風, 嗟已遠矣。吾聞用夏變夷, 未聞變於夷者, 而夷俗亦無此陋之甚, 得無爲夷所笑乎?間或有志於此者, 狃於流俗, 且畏人言不能勇行, 終未免同浴而譏裸。惟知人言之孔畏, 不知聖訓之可畏且嚴, 其亦不思之甚矣。惟尊下慨然於世道之污下, 昔在約正之任, 一以丕變弊習爲志, 每擧柳、敬、堂行治而勖之爾。噫!不能行於一國, 則可以行於一鄕;不能行於一鄕, 則可以行於一坊；又不能行於一坊，則亦可以行於一家。一家行，而坊而鄉而國有不化者乎？孔子曰："一日克己復禮，天下歸仁。"聖豈欺我哉！惟尊下勇於行義，警頹樹風，使鄉黨爲之矜式，斯文幸甚，世道幸甚！

이 신암 장(愼菴李丈)께 드리는 답서
을축년(서기 1925)

일전에 헌하(軒下)[76]와 작별하고 돌아오니 얻어들은 것이 만족하였습니다만 뜻밖에 서신을 보내시고 붓 20자루와 먹 5개를 보내셨지만 그 고마운 마음이 어찌 이 이우(二友)를 보내서이겠습니까. 조용히 생각하니 관례(冠禮)는 사례(四禮)[77]의 첫째이며 성인(聖人)이 제정한 예절이므로 더욱 이 예절을 삼가 세 번 관(冠)을 바꿔 씌우고 세 번 장수(長壽)를 빌었으니, 이에 그 성인(成人)이 되기가 얼마나 어려운가를 볼 수 있었습니다. 그러나 세속(世俗)이 저속하고 도의(道義)가 미약하여 이 예절이 시행되지 않는지 이미 오래 되었습니다.

저 정회(正會)는 학문에 어둡고 식견도 좁아 아직도 학문하는 방향을 모르고 있었으나 다행히 여러 어르신들의 지도로 말석(末席)에 참여하여 령윤(令胤)의 머리에 상투를 틀어주었으니, 훌륭한 시대의 예절을 오늘날 다시 보게 되어 참으로 세도(世道)가 빛났습니다.

答愼菴李丈
乙丑

日前拜辭軒下歸來，充然如有所得，匪意。伏蒙下狀，副以管城二十柄，眞玄五丁，感荷之私，豈直此二友之惠也。竊惟冠者，四禮之首。聖人之制禮也，尤謹於此三加冠而三祝壽，于以見成人之難也。然世降道微，此禮之不行久矣。正會學昧識淺，尙沒方向，幸賴諸長老之指揮，獲參末席，敢合髻於令胤之首，盛代

---

76) 상대방을 높인 말.
77) 관(冠)·혼(婚)·상(喪)·제(祭)에 관한 예절.

之禮, 復覩於今日, 實爲世道光耀矣。

김 동곡 장(東谷金丈)께 올림

 옛날 수연산(秀蓮山)에서 뵌 지 어언간 20여년의 세월이 흘렀습니다. 그 사이 세상이 여러 번 변하여 불에 타고 남은 재처럼 위험한 시대를 겪고 가혹한 풍상(風霜)[78]까지 겹쳐 누구 하나 병들지 않고 쉬이 늙지 않은 사람이 없으니, 옛날의 용모는 다시는 찾아 볼 수 없게 되었습니다.

 지난번 댁으로 찾아가 덕망스러운 용모를 뵈었을 때는 머리도 수염도 그리 희지 않았고 안색도 청아하고 기운도 왕성하셨으므로 도(道)를 닦는데 소양이 있어서 외모로 이처럼 풍만하게 보인다는 것을 깨닫게 되었습니다. 조용히 생각하니 사문(斯文)[79]을 위한 축하가 어찌 이보다 더할 수 있겠습니까. 송(宋)나라 선비 손기보(孫奇甫)[80]는 닷새 양식을 가지고 가서 유원성(劉元城)[81]에게 닷새동안 강의를 듣고 나더니 이렇게 말하였답니다. "평생 동안 써먹을 밑천은 오직 유선생(劉先生)에게서 받은 닷새 동안의 가르침뿐이다"

 저 정회(正會)가 생각하니 아직 약관(弱冠)의 나이에 삼희재(三希齋)께 가르침을 받았는데 겨우 한 달 밖에 되지 않았습니다. 오늘날 제가 서툴게나마 일을 볼 수 있게 된 것은 전에 한 달 동안 배운 그의 가르침의 덕분이 아닐 수 없습니다.

 지금 선배들 중에서 덕이 높아 이 유학(儒學)을 주장하며 문단(文壇)의 맹주로서 자기 책임으로 자임하고 사람들도 그렇게 안전하지 않는 사람이 없는 사람은 오직 존장(尊丈) 뿐이며, 후진(後進)들을 계도(啓導)하고 정학(正學)을 교육할 줄 알아 그 학문하는 방법에 어둡지 않도록 하는 사람도 오직 존장 뿐 입니다. 다만 한스러운 것은

---

78) 많이 겪은 세상의 고난
79) 유학(儒學)의 도(道), 혹은 유학의 문화, 혹은 유학자(儒學者)를 일컬음.
80) 송(宋)나라 강릉인(江陵人),손위(孫偉), 자는 기보(奇甫),유안세(劉安世)가 두 번째 이릉(夷陵)으로 귀양갔을 때 손위가 유안세를 방문하여 5일동안 강의를 듣고 평생동안 그 말을 실천하였다. 그는 화의(和議)를 주장한 사람과 다투어 이기고 기용하기를 바라다가 판감(判監)으로 일생을 마쳤다.
81) 송인(宋人), 항(航)의 아들, 자는 기지(器之),시호는 충정(忠定), 사마광(司馬光)의 제자, 관직은 간의대부(諫議大夫), 성품이 강직하여 전상호(殿上虎)로 칭하였다. 저서로는 진언집(盡言集)을 남겼다. 그는 언행이 일치하지 않아 7년동안 노력하여 언행이 일치하게 하여 언제나 논쟁을 할 때 말이 이치에 맞는 말을 하였다.

높은 산령(山嶺)이 사이에 놓여있어 자주 가르침을 받지 못한 것 뿐 입니다. 저 정회(正會)는 젊은 나이에 서울에 있을 때 정경시(鄭景施)와 한 두번 만난 적이 있는데, 그가 말하기를 "이기(二氣)⁸²)가 양의(兩儀)⁸³) 사이에 충만하여 천 가지 만 가지로 변화하는 것은 오직 기(氣)의 흐름이다. 이것은 고금에 다른 것이 아니며 동서(東西)의 차이가 있는 것도 아니다. 다만 사람들이 제각기 그 기운을 받아 태어난 것인데 그 같은 기운을 받은 사람은 그 취향도 같다. 그것은 마치 당(唐)·송(宋)의 글을 읽을 때 한유(韓愈)⁸⁴)의 글이니 유종원(柳宗元)⁸⁵)의 글이니 구양수(歐陽脩)⁸⁶)의 글이니 소식(蘇軾)⁸⁷)의 글이라는 것을 논할 필요가 없는 것과 같은 것이다. 그러므로 처음부터 아무 생각 없이 읽어가다가 나의 눈에 들어오거나 나의 폐(肺)를 찌른 경우가 있을 것이다. 이 폐는 반드시 나와 기운이 같은 것이므로 그 같은 것으로 인하여 배운다면 능히 문장을 이울 것이다. 글이란 제각기 동일하지 않는 것이므로 글이 웅건(雄建)한 사람도 있고, 간엄(簡嚴)한 사람도 있고, 전아(典雅)한 사람도 있고, 기괴(奇瑰)한 사람도 있어 사람들은 각기 좋아하는 글이 있는 것이다. 이것을 비유하면 음식에는 즐기는 성품이 동일하지 않는 것과 같은 것이다. 금성(金性)은 반드시 매운 것을 좋아하고, 목성(木性)의 사람들은 반드시 신 것을 좋아하는 것과 같은 것이다"라고 하였습니다. 이 말을 듣고 매우 이치가 있다고 생각하여, 그 말대로 시험해 보았으나 실제적

---

82) 음양(陰陽)을 말함.
83) 천지(天地)를 말함.
84) 당송팔대가(唐宋八大家)의 일인(一人), 당(唐)나라 창여인(昌黎人). 혹은 등주(鄧州)의 남양인(南陽人)이라고 하며 주희(朱熹)의 고이(考異)에는 하남(河南)의 남양인(南陽人)이라고 하였다. 자는 퇴지(退之)이며 시호는 문(文)이다.
85) 당(唐)나라 시인, 자는 자후(子厚), 당송팔대가(唐宋八大家)의 한 사람. 정원(貞元)에 진사(進士)가 되어 감찰어사(監察御使)가 되었으나, 왕숙문(王叔文)의 일당으로 지목되어 영주사마(永州司馬)로 좌천되었다가 유주자사(柳州刺史)로 부임하여 세상 사람들이 유유주(柳柳州)로 칭하였다. 그는 47세에 사망하였다.
86) 송(宋)나라 여릉인(廬陵人), 자는 영숙(永叔), 호는 취옹(醉翁), 육일거사(六一居士), 화방재(畵舫齋), 시호는 문충(文忠), 진사갑과(進士甲科)에 급제한 후 경력(慶曆) 중에 간원(諫院)을 맡았고 그후 한림원시독학사(翰林院侍讀學士), 추밀부사(樞密府使), 참지정사(參知政事) 등 관직으 역임하였으나 누차 무고(誣告)를 당하여 파출(罷黜)되었다가 그후 청주장관(靑州長官)이 되어 왕안석(王安石)의 비위를 거스렸으므로 사직하고 돌아왔다. 저서로는 《신당서(新唐書)》, 《오대사(五代史)》 등 많은 저술을 남겼다.
87) 송(宋)의 미산인(眉山人). 순(洵)의 아들이며 철(轍)의 형이다. 자는 자첨(子瞻), 호는 동파(東坡), 철관도인(鐵冠道人) 등 많은 호를 사용하였으며 경사(經史)에 널리 통달하여 가우(嘉祐) 중에 예부(禮部)의 시험에서 대책(對策)으로 제 3등에 합격한 후 희녕(熙寧) 중에 왕안석의 신법이 불편함을 역설하다가 항주통판(杭州通判)으로 좌천되고 이후로 많은 관직을 거처 조봉랑(朝奉郞)을 끝으로 상주(常州)에서 사망하였다.

인 효력은 보지 못 하였습니다.저 속유(俗儒)들은 학문하는 것이 어려워 경서(經書)와 역사(歷史)를 표절(剽竊)하거나 진(秦)·한(漢)의 문장을 본받거나 한유(韓愈)와 유종원(柳宗元)의 문법(文法)을 따르거나 구양수(歐陽脩)와 소식(蘇軾)의 조강(糟糠)[88]을 저작(詛嚼)[89]하고 있습니다. 이것은 우맹(優孟)[90]이 의관(衣冠)을 차려입은 것과 같은 일이니 어찌 고상하게 여길 수 있겠습니까. 요약하여 말한다면 진(秦)·한(漢) 이후로 작가들은 모두 육경(六經)을 근원으로 하였습니다. 그러므로 글이 경서(經書)를 위주로 하지 않으면 글이라고 할 수 있겠습니까. 반드시 도(道)가 주가 되고 기(氣)가 행해진다면 그 질연(秩然)히 순서가 있을 것이며, 문장(粲然)히 문장이 있을 것이며, 순수히 중정(中正)과 인의(仁義)의 도(道)에 모이지 않을 수 없을 것입니다. 그리고 문장이 이런 지경에 이르러야만 의(義)와 도(道)가 짝이 될 것입니다. 선배들의 말을 들으면 대개 말이 이와 같지만, 저 정회(正會)는 기질이 노둔하고 성의가 적어 단 하루도 본원(本源)에 힘을 쓰지 못하고 오직 지류(支流)에만 달리었으므로 결국 서로 어긋나 어렵게 되었습니다. 외람되이 사랑하신 마음만 믿고 이와 같이 장황한 말을 올리었으나 도움을 청하는 바탕으로 삼았으니, 마음대로 발설하였다고 핀잔을 받지 않는다면 천만다행으로 생각하겠습니다.

　찬 기운이 한창 기승을 부리고 있습니다. 엎드려 바라옵건데, 저희들이 사모하는 정성을 보아서라도 도체를 천만 아껴 주옵소서.

上東谷金丈

昔年趨拜秀蓮山中, 倐爾廿餘星霜, 伊來滄桑屢幻, 刼之以灰燼, 加之以風霜, 無人不受病而易衰, 無復舊時之容。曩造軒屛, 獲瞻德容, 鬚髮不甚白, 神愈淸而氣愈旺, 始知道養有素發乎外者, 致此敷腴耳。切爲斯文賀。何以加諸？宋儒

---

88) 지게미와 쌀겨라는 뜻으로, 가난한 사람이 먹는 보잘 것 없는 음식을 이르는 말.
89) 음식을 입에 넣어 씹음.
90) 초(楚)나라 음악인.신장이 8척이고 해학으로 초(楚)의 장왕(莊王)을 풍자하여 많은 것을 바로잡아 주었다. 이때 재상인 손숙오(孫叔敖)는 그가 현인(賢人)이라는 것을 알고 평소에 잘 대해 주었다. 그후 손숙오는 임종할 때 그의 아들을 불러 말하기를 "네가 가난하게 살면 우맹을 찾아가서 손숙오의 아들이라고 말하고 도움을 청해라"하고 작고 하였다. 그의 아들은 그 말과 같이 우맹을 찾아가 그렇게 말하자 우맹은 죽은 손숙오의 옷을 입고 장왕을 만나자 장왕은 손숙오가 살아서 돌아왔다고 기뻐하며 다시 재상을 삼으려고 하였으나 우맹은 몇일 후에 오겠다 하고 귀가하였다가 다시 장왕을 만나 풍자로 장왕을 설득하여 손숙오의 아들에게 침구(寢丘) 땅 400호를 봉해 주었다.

孫奇甫齎五日糧, 聽劉元城五日敎, 嘗曰: "平生受用, 惟劉先生五日之敎." 追念正會未弱冠時, 蛾述于三希齋, 纔一月餘矣. 今日稍知執管效顰者, 未始非疇昔一月之敎矣. 當今先輩宿德之能以主張斯道牛耳, 文壇自任, 爲己責人, 亦不能不以是歸之者惟尊下是己. 導迪後進, 知正學之可講, 俾不迷其方者, 亦惟尊下是己. 所恨崇嶺間之未獲, 數親警咳. 正會少日遊京師時, 與鄭景施一再相接, 其言曰: "二氣充塞兩間, 變化萬千, 是氣之流也. 不以古今有殊, 不以東西有間, 人各得之而生. 受其氣之同者, 其趣亦同, 如讀唐宋文, 不必論曰韓曰柳曰歐曰蘇. 初無心看過, 一有觸吾眼而砭吾肺. 肺者, 是必與我氣同也. 因其同而遂學之, 乃能有成文各不一. 有雄健者, 有簡嚴者, 有典雅者, 有奇瑰者. 人各有所好, 比如飮食嗜性不一. 得金性多者, 必嗜辛;得木性多者, 必嗜酸. 聞甚有理, 用其說而嘗試之, 然未見其實効也. 彼俗儒陋學之剽經襲史, 規秦模漢, 循韓柳之繩尺, 咀歐蘇之糟糠, 是優孟之衣冠, 何足尙哉? 要之秦漢以降以作家名者, 皆原乎六經. 經, 載道之文也. 文, 不主乎經, 文乎哉? 必也道以主之, 氣以行之, 秩乎其有序也, 粲乎其有章也. 粹然莫不會於中正仁義之道也. 文, 至此可以配義與道矣. 聞諸前輩之言, 盖如此. 然而正會質駑誠淺, 未能一日用力於本原之地, 惟馳逐乎支流之末, 是以竟憂憂乎其難矣. 猥恃眷愛, 張皇至此, 以爲請益之資, 幸不以其言之瀆而見罪否? 寒威頗酷, 伏祈爲道加嗇, 用慰慕用之誠.

김 동곡 장(東谷金丈)께 드리는 답서

정회(正會)는 머리를 조아려 계상재배(稽顙再拜)[91]하고 아룁니다. 예서(禮書) 이외에 별록(別錄)을 읽어보니, 종종 어르신께서 근력(筋力)으로 예(禮)를 삼지 않는다는 것을 느낄 수 있었습니다. 예(禮)는 정문(正文)이 있는데 어찌하여 이것만 생각하십니까. 대작(大作)인 《유열부전(柳烈婦傳)》은 세상에 흔치 않은 행실에 대하여 세상에 보기드믄 문장을 지은 것으로 가히 일월성진처럼 밝게 세상을 비추고 귀신들마저 흐느끼게 할 만합니다. 옛날에 귀진천(歸震川)[92]이 《도절부전(陶節婦傳)》을 지어 당시

---

91) 이마를 조아려 두 번 절함. 상중(喪中)에 있는 사람이 편지의 서두에 쓰는 표현.
92) 귀진천(서기1506~1571) 명(明)나라 문학자. 이름은 유광(有光), 자는 희보(熙甫), 호는 진천(震川), 강

사람들이 논평하기를 "이처럼 천하에 기특한 절행(節行)이 있기 때문에 천하에 이와 같은 기특한 글이 있었다"라고 하였는데, 지금 이 비문(碑文)도 그러합니다.

정회(正會)는 본래 궤도를 벗어나는 일에 어둡지만 남들의 강요를 이기지 못하여 간혹 서예에 나서기는 하였지만, 이처럼 전아하고 정중한 일에 어찌 감히 나설 수 있겠습니까. 그 같은 열행(烈行)에는 반드시 거기에 부합되는 문장이 있어야 하고, 그 불후의 문장이 기리 전하려면 반드시 걸 맞는 글씨를 쓰고 비석에 새겨야 할 것입니다. 정회는 그 서법이 졸열하여 그 일을 맡을만한 사람이 아닙니다만 거듭 존장(尊丈)의 말씀을 어기었으므로, 이에 감히 지렁이 같은 글씨로 써보았으니 쓸 만한지 알 수 없습니다.

그리고 존장의 말씀에 본 비문의 연월일(年月日) 밑에 저의 이름을 써라고 하셨으나, 이는 감히 하명을 받아드릴 수 없습니다. 부기(附驥)[93] 시키려 하시는 그 마음이 간절함을 알고는 있지만, 쓸 모없는 돌맹이가 어찌 옥돌의 행렬에 들어갈 수 있습니까. 깊은 못을 헤아리는 마음으로 널리 양해하여 주시기 바랍니다.

答東谷金丈

正會稽顙再拜白：伏讀禮書外別錄，種種感哀老，不以筋力爲禮，禮有正文，何如是眷念耶？大作《柳烈婦碑》，以不世有之行，得不世有之文，可以曜日星而泣鬼神矣。昔歸震川作《陶節婦傳》，時人有評之者，曰："有此天下之奇節，故有此天下之奇文。"今於抑碑文亦云爾。正會素昧趨勒，而被人强，或有應之者，惟於此等典重之地，何敢爲役。夫其行，必待其文而不朽；其文，必得其書而刻之。正會之拙劣，固非其責。而重違尊敎，玆敢蚯蚓未知合用與未也。且盛敎以本狀年月日下聯書賤名，是不敢承命。附驥之私，非不切乎中，而頑石固不可列於琨瑤之間也，幸賜淵諒。

소성곤산 인(江蘇省崑山人), 경사(經史)에 능통하여 많은 제자를 양성하였으며, 남경(南京)에서 태복시승(太僕寺丞)이 되고 어명으로 세종실록(世宗實錄)을 편찬 하였다. 그는의 문학은 생전에는 인정을 받지 못했으나 사후에 명나라를 대표하는 유학자로 산문의 일인자라는 평을 들었다.

93) 후진(後進)이 선배에 붙어 명성(名聲)을 얻음.

숙부 도은(道隱)께 올림
신사년(서기1941)

눈이 내려 길이 질퍼덕하였는데 잘 가셨습니까. 경식(璟植)어미는 작년에 순산(順産)하여 또 아들을 낳았으니 늙으신 할머님께서 만년에 웃으실 일이 이보다 더한 것이 또 어디에 있겠습니까. 금년에는 대소가 집안에서 아들이 넷이나 태어났으니, 이것은 할아버지의 영령(英靈)이 미친 것이 아니겠습니까. 다만 기르고 가르치면서 이미 전해온 가법을 떨어뜨리지 않는 것이 선조의 은혜를 만분의 일이라도 보답하는 것 입니다만, 말이 여기까지 나오니 두려움이 기쁨보다 앞서고 있습니다. 삼가 엎드려 생각하옵건데 하감(下鑑)94)하여주시기 바랍니다. 바랍니다.

上道隱叔父
辛巳

雪路泥濘, 伏惟返斾利稅否？璟母昨午順娩, 又擧丈夫兒。老祖母晚境解頤, 孰有加於此？大小家內今年添四丁, 此莫非先祖父英靈攸曁, 而但教之育之, 勿墜成憲, 寔是報先之萬一。而言念及此, 懼浮於喜, 伏惟下鑑。

숙부 도은께 올림
임오년(서기 1942)

시산(詩山)95) 백리 길을 공연히 흰 구름만 바라보게 되었습니다. 지난번에 두 세 사람과 함께 산내(山內)의 여러 곳을 두루 둘러보았는데, 용암촌(龍巖村) 앞은 노은 장(蘆隱丈)의 폄하하는 말씀 뿐 만 아니라 저희들의 범안(凡眼)에도 썩 마음이 내키지 않았습니다. 신안(新安)에 이르자 지세(地勢)가 좋은데다가 뽀족뽀족한 산봉우리들이 두 손을 마주 모아 잡고 인사하듯이 둘러서 있고, 여울도 감싸고 흐르고 있어 모두

---

94) 편지에 다 쓰지 못한 사연을 헤아려 달라는 뜻으로, 편지 끝에 쓰는 상투적 표현임.
95) 전북 정읍시 산내면에 소재한 한 마을.

길지(吉地)였습니다. 그리고 산명(山名)과 골짜기 이름도 종종 아름다운 곳이 많았으니 옛날 지명을 지은 사람이 혹 군자(君子)의 은거지(隱居地)를 기다렸던 것이 아닐까요? 다만 이 고을 동쪽에서 잠시 우거(寓居)하시고 싶다는 마음은 온당하지 못할 것 같습니다. 한번 이사하는 것도 일이 거창하고 힘겨울 뿐 아니라, 그 곳에서 항시 거처하지 않으면 남의 이목도 이상하게 할 것입니다. 천 번 틀려도 한번은 맞는 우견(愚見)을 감히 아뢰오니 하량(下諒)[96]하시는 것이 어떻겠습니까.

上道隱叔父

壬午

詩山百里, 徒切白雲之望。昨者與三數人往山內, 遍觀諸處。龍岩村前則不惟蘆隱丈之貶言, 亦不合於凡眼。至於新安地勢淨爽, 峯巒之拱揖, 溪流之抱環, 俱是合吉云且山名谷號, 種種佳甚。古之命物者, 或有待於君子之盤桓耶? 但邑東暫寓之意, 似不穩妥。一番遷搬, 非直爲事鉅力難, 不恒厥居, 亦駭人瞻聆。一得之愚, 敢此稟達, 下諒若何。

호송 김 권용(湖松金丈權容) 어른께 드리는 답서

만나 뵈온지도 한 해가 지났지만, 줄 곧 문안 편지 한 장 올리지 못하였는데, 먼저 서신을 주시니 덕이 더욱 높고 예(禮)는 더욱 겸손함을 알겠습니다. 황송한 마음이 고마운 마음보다 앞서고 있으니 무슨 말로 감사의 인사를 올려야 되겠습니까?

저 정회는 어렸을 때부터 학문을 부지런히 하지 못하고 장년이 되었어도 또한 실천하는데 힘쓰지 않아 세월만 헛되이 보내다가 갑자기 회갑(回甲)을 맞이 하였습니다. 지난 일을 회상할 때, 하나도 볼만한 일이 없으니 하찮은 부끄러운 일에 저도 모르게 등에 땀이 흐릅니다. 보내주신 시(詩)의 뜻은 매우 제목을 부칠 수도 없으니, 결코 못난 제가 감히 감당할 수도 없습니다. 아니 이로 인하여 바짝 정신을 차린다면 만년(晚年)에 들어 받은 것이 많다고나 할까요. 옛날 선성(先聖)과 선왕(先王)이 마을마다 풍

---

96) 윗사람이 아랫사람의 심정을 살펴알아줌을 높여 이르는 말(주로 편지 글에서 씀)

아(風雅)를 사용하고 온 나라에 미치게 하여 백성들을 교화하고, 그것이 풍속을 이루도록 하였던 것은 대개 풍송(諷誦)하는 억양(抑揚) 사이에 그 감동이 사람들의 가슴 속에 쉬이 감화될 수 있었기 때문이 아니었겠습니까.

答湖松金丈權容

拜違隔歲, 一未修候, 忽辱先施下狀, 仰認德愈邵而禮愈下也。悚先於感, 將何辭鳴謝。正會幼不勤學, 壯又不力行。玩時揭日, 奄見所謂周甲回筭, 往迹無一堪把觀者, 尋常愧懼, 不覺汗背也。惠寄詩意, 大不着題, 決非 劣者之所敢承當也。抑因此猛着精神, 收桑楡於晚暮, '則受賜不其多矣乎。昔先聖先王以風雅用之閭里, 用之邦國, 以化民成俗者, 盖諷誦抑揚之間, 感人易入者然也歟。

송삼호(宋三乎)에게 보내는 답서

눈쌓인 산골짜기에 소나무 바람소리 요란하니 더욱 차거운 계절임을 느낄 수 있습니다. 이때 보내주신 서신을 받으니 차거운 계곡에서 따뜻한 바람을 대한 것 같습니다. 《낙산일민운(駱山逸民韻)》은 《춘추(春秋)》[97]를 읽은 사람이라면 누가 말 한마디 보태어 그 마음을 표현하지 않으려고 하겠습니까? 그러나 한 치 막대기로 큰 종을 칠 수 없으니 어찌할 수 있겠습니까? 지난번에 말씀하신 유고발문(遺稿跋文)은 이미 존장의 말씀이 있었으므로 감히 지체할 수 없어 졸렬함을 잊고 이 글을 드리니 다시 당세의 작가를 구해 보는 것이 어떠하겠습니까?

答宋三乎

雪壑松聲, 益覺歲寒之意際, 拜惠翰如誦煖律於寒谷也。《駱山逸民韻》, 凡讀春秋者, 孰不欲一語鳴其衷？顧寸梃不能撞大鍾, 奈何？史謂遺稿跋文, 旣有尊

---

97) 노(魯)나라 사기(史記)의 이름. 11책. 좌구명(左丘明)이 지었음. 노나라 은공(隱公) 원년부터 도공(悼公) 4년까지 서술하였다.

教, 亦不敢遲稽。忘拙書呈, 更求當世作家, 若何？

수송 유종성(柳秀松鍾聲)께

　봄에 오셨을 때 간곡하게 말씀하시기를 "내가 맑은 여울과 하얀 바위가 있는 곳에 수송정(秀松亭)을 지으려고 하니, 정자가 완성되면《정기(亭記)》를 지어주게.."라고 하셨습니다. 저 정회(正會)는 이미 마음 속에 글을 구상하여 놓은지 오래입니다. 그런데 뒤이어 아드님과 손자가 모두 뜻을 어기지 않고 그 자리에 시원한 마루와 따뜻한 방을 오직 어르신들 하고 싶은 대로 따랐다고 하니, 가정에서 축하할 일이 이보다 무엇이 또 더하겠습니까?
　요즈음은 감기가 들기 쉬운 계절이라고 하지만, 본래 건강한 체질인데다가 섭양(攝養)을 잘 하시었는데 어찌 이와 같이 병을 앓고 계신지요. 옛날 어떤 사람이 문병(問病)을 할 때《아미도(蛾眉圖)》[98]를 주고 갔다고 하였습니다. 그것은 대개 그 환자가 산수(山水)를 좋아하였으므로, 그것으로 위로를 하려고 한 것입니다. 조용히 생각하니 우리 어르신도 시와 글을 다반(茶飯)처럼 좋아 하시어 글을 좋아하는 것이 고인(古人)이 산수를 좋아하는 것보다 더 좋아할 뿐 아니므로 감히《정기(亭記)》1편과 정자의 편액(扁額) 3자를 올리어《아미도(蛾眉圖)》를 대신하고자 하오니 보신 후에 십분 쾌유하시기 바랍니다. 이 정기(亭記)와 편액은 모두 옹졸하여 그 정자를 빛내지는 못하지만 혹 그것이 졸품(拙品)이기는 해도 그것으로 정자의 이름이 되어 열 배의 가치가 더해진다면, 그 영광이 얼마나 많을 거라고 하겠습니까.

與柳秀松　鍾聲

春間枉駕, 諄諄弭詔, 曰："吾欲營秀松亭於溪淸石白之間, 亭成幸有以記之"。正會卽己腹槀者久矣　繼又聞令子肖孫, 承順無忤, 其位置間, 架涼軒燠室, 惟乃翁所欲是, 從爲故家賀。孰加於此哉？近聞有患節, 素以乾健之質, 兼有攝養

---

98) 아미(蛾眉)는 누에나방의 눈썹 즉 미인을 뜻하는 말이다. '아미도'는 송(宋)나라의 소식(蘇軾)이 호주(湖州)에서 서향살이 할 때, 그 곳 하남성 겹현(郟縣)에 있는 아미산(峨眉山)이 자기 고향 촉(蜀)에 있는 아미산과 모양이 닮았다하여 작은 "아미산"이라 이름 붙이고, 그 아미산을 그리면서 고향에 대한 그리움을 달랬다고 한다.

之愼, 何以致此採薪？昔人有問病而獻峨嵋圖者, 盖以其人愛好山水, 欲以是慰之也。竊惟吾丈詩書爲茶飯, 愛好文墨不啻如古人之於山水, 敢以亭記一篇, 及亭額三字奉獻, 以替峨嵋之圖, 覽後當十分快蘇矣。顧記與額, 俱是拙下, 不能侈其亭。或者拙品因名亭而增十倍之價, 則爲榮不其多矣乎？

유 현곡(柳玄谷)께 올림
을유년(서기 1945)

가까이 있는 숲이 사람들의 좌우를 비추고 있으니, 그 고상한 풍도를 바라보면 옹졸하던 생각이 사라질 것입니다. 노(魯)나라에 군자(君子)가 많은 것은 이런 것을 귀하게 여기기 때문일까요. 오직 5월이 지나지 않았는데 제절(諸節)이 모두 강건하신지요. 정회(正會)는 중당(重堂)[99]의 환후(患候)가 위중하오나 성의가 하늘에 이르지 못하고 있으니 속만 애태우고 있을 뿐입니다.

먹 두 자루는 품질이 비록 낮기는 하지만 겨우 간직하고 있다가 드립니다. 지금 백 가지가 품절이 되었지만, 이 문방(文房)의 친구 몇몇은 세상에 아부하지 않고 깊이 간직하여 몸을 팔지 않으며 강력히 구해도 얻기 어려우니, 이들도 또한 청유(淸流)입니다. 천하의 조류가 거세게 흘러가 누구도 사귈 수 없으므로, 차라리 그림자를 멈추고 형체를 감추어 사람들의 자취 속에 이용되려고 하지 않으니, 그 뜻이 가상합니다.

與柳玄谷
乙酉

尺地雲林, 映人左右, 瞻詠高風, 鄙吝欲銷。魯邦之多君子, 以是爲貴歟？仰惟榴熱未經, 諸節旺重.正會重堂患候彌留, 誠未格天, 徒切煎燉而己。眞玄二丁, 品雖劣, 亦厪有之物, 玆奉呈耳。顧今百彙乏絶, 而寂是文房友數輩, 俱不媚於世, 深藏不市, 强求難致, 抑或此輩亦淸流也。滔滔天下, 無可與論交, 寧息影滅形, 不欲用於蹄跡之間, 其志亦可尙°

---

99) 타인의 조부모님을 말함. 중성(重省)과 같은 말임.

유 현곡(柳玄谷)에게 드리는 답서

천명의 사람들과 대화해도 우리 노형(老兄)이 보낸 서신 한 장만 못합니다. 더구나 삼절(三絶)[100]에 하나인 시(詩)는 그 뜻이 고아(古雅)[101]하고 원대(遠大)하여 나를 놀라게 하니 어떻게 화답할 수가 없습니다. 백설곡(白雪曲)[102]과 양춘곡(陽春曲)은 그 곡조가 고상하여 화답한 사람이 적다고나 할까요.

재차 깊이 살피건데, 경체(經體) 건승하십니까. 시를 읊고 돌아와 백운(白雲)과 청송(靑松) 사이에서 취하여 누어있으면 안신입명(安身立命)[103]할 것이니 확실히 여유가 있을 것입니다. 붓 10자루를 주시었지만 그 고마움은 물건 밖에 있습니다. 시인(詩人)이 말한 바와 같이 "처음 난 잔디같이 아름다운 것이 아니지만(非黃之美者)" 나의 흥을 일으킬만 합니다. 김사문(金斯文) 모(某)는 이 곳에 수일동안 머물고 있는데, 그는 선조 벽파정(碧波亭)의 묘문(墓文)을 당세의 명인에게 지으려고 저에게 존좌(尊座)[104]를 소개해 주기를 바라고 있으니 그의 효성이 가상합니다. 숨겨진 덕을 밝혀내는 것은 인인(仁人)들이 할 일이니 말씀을 아끼지 마시고 한 말씀 해주시는 것이 어떠하겠습니까?

答柳玄谷

千人對話, 不如吾老兄一書之重。況三絶瓊韻, 托意古遠, 令人警惕, 顧無以奉和。《白雪陽春曲》彌高, 而和者寡歟。伏審經體珍勝, 而咏歸醉臥於雲白松靑之間。安身立命, 確乎其有裕餘也。惠寄十柄筆, 感在物表。詩人所謂"非黃之美"者, 足以起興也。金斯文某, 留此數日, 爲其先祖《碧波亭》將謁文於當世巨匠, 要余介尊座。其誠孝可敬。發潛闡幽, 固是仁人事也, 幸勿靳一言, 若何?

---

100) 시(詩)·서(書)·화(畵)를 말함. 성당(盛唐)의 정건(鄭虔)과 북송(北宋)의 소식(蘇軾)·미불(米芾)이 삼절(三絶)의 대표적인 인물이다.
101) 고상하고 우아함.
102) 초(楚)나라 금곡(琴曲)으로 양춘곡(陽春曲)과 함께 초나라 2대 명곡으로 꼽는다.
103) 천명(天命)이 돌아가는 곳을 알아 몸을 세움으로 마음에 근신하고 번뇌하는 바가 없는 일.
104) 상대방을 높이는 말임.

삼종숙 해은(海隱)께 올림

무인년(서기 1938)

때가 지나서 비가 왔지만 바짝 마른 땅을 적셔주니 마을 사람들이 기뻐하고 있습니다만 그래도 하늘을 원망하는 말이 섞여 있으니 유감이 없을 수는 없는 것입니다.

지난번 감사의 뜻을 담아 올린 서한은 이미 받아 보셨으리라고 생각합니다.

영광(靈光)에서 돌아오셨는데, 그때 돌아오시면서 가을바람이 불어 금낭(錦囊)[105]이 가득하였을 것입니다. 즉시 달려가 차례로 시를 구경하고 싶습니다만, 복잡한 일들이 얽히어 잠시도 한가한 시간이 없으니 매우 답답하기만 합니다. 오직 우리 종조이신 항재선생(恒齋先生)의 가언(嘉言)[106]과 지행(至行)[107]은 참으로 전할만 하지만, 전해지지 않고 있는 것은 몽매한 후생들이 만분의 일도 형용할 줄 모르고 아무 생각 없이 한 해를 넘기어, 안차성(安且成)이란 3자를 터득하지 못하였으니 유명(幽明)을 저버린 지 이미 오래 되었습니다. 요즈음 독지역행(篤志力行) 4자로 그의 일생을 서술하여 당세에 말을 믿을 수 있는 군자(君子)를 기다리고 있지만 세상이 이처럼 어지러우니 거듭 한이 도기도 합니다만 아름다움이 넘친다는 경계의 말씀은 비록 범하지는 않았지만 혹 빠뜨리거나 모자라는 부분이 있을까 봐 두렵습니다.

언제 뵈울 기회가 있으면 저를 위해 강론하여 다 하지 못한 공부를 마치게 해 주시면 어떠하겠습니까.

與海隱三從叔

戊寅

過時一雨, 亦可以沃焦, 村歡野悅, 雜以怨恨天, 猶不能無憾也。曩也修謝, 想已入照矣。

自靈回駕, 在那時歸來, 秋風錦囊應滿, 卽欲借翩翩一羽, 次第風誦。而冗累糾紛, 不許寸暇, 甚覺紆欝耳。惟我從祖恒齋先生, 嘉言至行, 實有可傳而不可傳者。而蒙昧後生, 不能形容其萬一。默念逾歲, 未得"安且成"三字, 辜負幽明已

---

105) 시고(詩稿)를 넣은 비단 주머니.
106) 본 받을 만한 좋은 말.
107) 더 없이 착한 행실

久。近以篤志力行四字，叙述其一生，以竢當世之立言君子。而世道如許，重可慨恨，溢美之戒，雖不敢犯，而亦恐或有闕漏焉。 如得奉際，爲之講磨，以卒未盡之業，以爲如何？

삼종숙 해은(海隱)께 드리는 답서
정해년(서기 1947)

 장마가 그치지 않고 쏟아지고 있는 이 때, 문득 서신을 받으니 마음 가는 곳에 풍우(風雨)도 막지 못하였습니다.
 엎드려 살피옵건데 시하(侍下)의 경체(經體)는 강녕하신지요. 횡거(橫渠)[108]는 사익(四益)[109]에 관한 말을 하였습니다. 이익이 네 가지가 있다면 잠시 부모님 보살피는 일을 못한다 하더라도 어찌 효성에 손상이 되겠습니까. 정사(精舍)는 봄이 다하기 전에 일을 마칠 것인데, 혹 좋은 곳을 마련하였다고 칭찬하는 사람도 있고, 어떤 이는 허망한 짓이라고 핀잔하기도 합니다. 칭찬을 본래부터 듣고자 한 일이 아닙니다만 핀잔을 하는 것도 속으로는 달갑게 받아들일 것입니다. 이리(裡里:지금의 익산시)의 흉부(凶報)는 이리 들어서 알고 계시리라고 생각합니다. 그 순수한 자질과 공순한 덕을 지닌 사람이 갑자기 병이 들어 일어나지 못하였으니 이것이 천명일까요. 어찌 그에게 부여하는 것이 많은데 앗아가는 데는 인색할까요? 애통하기 그지없습니다. 더구나 융노(隆老)[110]들이 아직 계시고 어린 아이들이 무릎에 있으니, 그 참담한 광경을 차마 귀로 듣지 못하겠습니다.

答海隱三從叔
丁亥

霖雨不絕，忽拜下狀。所照之至，風雨不能阻也。伏審經體在侍康廸。橫渠有四

---

108) 송(宋)나라 초기 학자 장재(張載)의 호.
109) 첫째, 자기가 어린이에 끌려서 출입하지 않는 것, 둘째, 자기도 글의 뜻을 알아내는 것, 셋째, 위의(威儀)를 갖추는 것, 넷째, 감히 게으름을 피할 수 없는, 이것들은 어린이들을 가르치는데 소홀히 할 수 없는 것을 말하고 있다.
110) 일흔 또는 여든 살이 넘은 노인.

益之訓, 益旣四矣, 暫闕定省, 於孝奚傷？ 精舍, 春暮前已了役。或譽以得所, 或譏以妄擧。譽固非願聞, 譏亦所甘心也。裡里凶報, 想已得承否？其以蘊粹之資, 愷悌之德, 一疾遽爾不起。天乎, 何與之其豐, 而奪之其嗇歟？痛憚不已, 最是隆老在堂, 幼穉在膝, 其慘景酷況, 誠不忍聞耳。

남계 나 인환(羅南溪 仁煥)에게 보내는 답서
기묘년(서기 1939)

    정사(精舍)를 신축하셨으니 효성을 다하여 봉양할 장소를 얻게 된 것을 알겠네. 부모님 두 분이 70세가 되어 백발의 나이에도 건강하시니 세상에 이런 분이 몇 사람이나 되겠는가? 아. 이렇게 아름다운 일을 채의(彩衣)[111] 입는 나이에 이루어 그 아버지로 하여금 이 곳에서 수양하게 하고, 이 곳에서 기거하게 하고 거닐고 시를 읊고 술을 드시게 하였으니, 산에서 부는 바람과 여울 위에 뜬 달이 아버지를 즐겁게 하도록 하였으니 고인들이 말한 "몸과 뜻을 같이 봉양하는 일이다"고 말할 수 있을 것이네. 이것은 형에게만 있는 일이라 하늘이 편파적으로 복을 누리게 하는 것이 어찌 그리 후할까요?

    나 정회도 오래 전부터 이러한 마음을 간직하기는 하였지만, 세상사란 뜻대로 되지 않는 것인지 느닷없이 아버지께서 저 세상으로 가시었으니, 차마 이 세상과 저 세상이 거리가 있는 것을 볼 수가 없네. 지금 비록 일을 시작하였지만 뜨락에 봄풀만 가득하니 마음이 아플 뿐이네. 육위(六偉)[112]는 이미 형의 말씀을 들었으므로 지금 창졸하게 보내오니, 사간(斯干)과 같은 축문은 한스럽게도 그 시인(詩人)과 같은 수단이 없으므로 그 숲과 여울 사이에 번거로움만 끼치게 되었네. 여러 젊은 친구들과 같이 보시고 바로잡아 주시기 바라네.

---

111) 무늬 있는 옷 떼떼옷이라고도 함. 주(周)나라 때 노래자(老萊子)가 나이 70세에 떼떼옷을 입고 어린 아이처럼 기어다니면서 늙으신 부모님이 자기의 늙은 것을 잊도록 하였다고 한다.

112) 상량문(上樑文)을 말함. 상양문 끝에 6개의 가사를 지어 넣은 것을 말한다.

答羅南溪 仁煥

己卯

精舍新築，仰認孝養得所。雙親滿七十，白首且康寧。世復有幾人哉？噫！此美擧能成就於衣彩之日，使其親杖屨於此，起居於此，逍遙焉，咏觴焉。山間之淸風，澗上之明月，莫非爲悅親之具？古所謂志體俱養者，兄則有焉。天之偏享，何其厚哉？正亦有志於此事久矣。志事未就，遽纏風樹，不忍以存沒有間。今雖設役，而滿庭春草，只自傷懷而已。六偉旣承盛敎，今玆倉卒書呈。而《斯干》之祝，恨無詩人手段，適足爲林澗之累矣。與令季友衾看，爲之斥正。

족형 모계 영회(某溪族兄 永會)께 드리는 답서

 지난 섣달에 방문하시어 화목과 세의(世誼)를 강론 하셨으니 천개의 가지가 서로 얼키고 만가지 종파(宗派)가 궤(軌)를 같이 하였습니다. 세초(歲初)에 또 뵈옵고 먼저 서신을 보내시니, 어디에도 비할 수 없는 그 성의에 고마움을 느낍니다.
 알묘(謁廟)와 성소(省掃) 두 시는 재삼 반복하여 읽으니, 조상을 존중하고 종족을 공경하는 뜻이 뭉클 생겼습니다. 시가 이렇게 지어진다면 가히 사람의 마음을 돋굴 수 있고, 인정을 가히 살필 수 있게 됩니다.
 삼가 살피옵건데, 여러 면을 조용히 양성하면서 도(道)를 연구하는 가운데 자기의 뜻을 세우고 있는 듯 합니다. 경전(經傳)을 연구하고 뜻을 찾아 모산(某山)과 모수(某水)가 인지(仁智)[113]의 락을 제공하였을 것이니, 한번 정사(精舍)에 올라가 그 남은 경치를 구경하고 싶은 생각이 간절합니다만 바라보기만 하고 갈 수가 없습니다. 족제는 고령에 계시는 노인들을 모시고 한 해를 지내면서 기쁘고 두려운 일을 모두 겪었습니다. 용잡한 일들이 몸을 붙들고 있어 일각(一刻)도 책을 볼 시간이 없습니다. 그러나 생각이 있으면 어찌 독서할 여가가 없겠습니까. 마음속으로 부끄러울 뿐입니다.

---

113) 공자(孔子)는 인(仁)한 사람은 산을 좋아하고 지혜가 있는 사람은 물을 좋아한다(仁者樂山,智者樂水) 라고 하였다.

答某溪族兄　永會

客臘枉顧，講敦睦而論世誼，千柯相交，萬派同流。歲初又拜，先辱惠書，仰感不較之盛。《謁廟》及《省掃》二詩風誦圭復,尊祖敬宗之意，油然而生。詩如此，可以興，可以觀也。仰審靖養萬相，硏經求志。某山某水，能助仁智之樂，切欲一登精舍，攬挹其餘波，而可望不可親也。族弟奉老經歲，喜懼幷切。而冗撓纏身，無一刻開卷時。然有其心者，豈無其暇？內自愧歎已耳。

이 창하(李昌廈;濟州의 친구)에게 보내는 답서

　기억에 옛날 명륜당(明倫堂)에서 나에게 사랑으로 도와주고 착한 심지로 나무라기도 하면서 탁마(琢磨)[114]하던 친구의 생각이 날마다 간절하지 않는 날이 없었네. 서로 한번 해어져 멀리 떨어져 있다가 갑자기 정겨운 서신을 받으니, 소식과 서신이 너무 커서 우리 두 사람 사이에 사모하는 마음이 지극한 것에 비할 바가 아닌 것 같네. 어떻게 험한 바다를 건너고 첩첩이 가로막힌 산을 넘어 아무 탈없이 나의 손에 들어올 수 있었을까? 다만 병환이 매우 중하다고 하니, 이 소식을 듣고 놀라 그 통증이 내 몸에 있는 것 같았네. 우리 훌륭한 친구처럼 청신(淸愼)하고 소양 있는 사람은 마땅히 이런 우환이 없어야 할 것인데, 하물며 '비관(悲觀)'이란 두 글자는 너무 과한 생각 같네. 지금 돌아보면, 구름도 수심이 서려있고 샘물도 한을 간직하여 어데든지 그러한데, 당연히 지사(志士)와 인인(仁人)은 시국을 민망히 여기고 세속을 가슴아프게 생각하고 있으므로, 그 한탄이 밖으로 나오면 시가 되고, 숨기면 병이 되는 것이네. 이 병은 대황(大黃)과 감초(甘草)도 효과가 없고, 화타(華陀)[115]와 편작(扁鵲)[116]도 방

---

114) 학문이나 덕행을 닦음.
115) 동한말(東漢末)의 의사 "醫師", 안휘성(安徽省)에서 출생하였다. 일명은 부(敷)라고 하며, 자는 원화(元化), 산부인과 소아과에 능하며, 일찍 관우(關羽)의 어깨에 맞은 화살독을 치료한 후 명성을 천하에 울렸고, 그 후 조조(曹操)의 시의(侍醫)가 되었으나 조조의 부하에게 살해 되었다.
116) 진(秦)나라 월인(越人). 장상군(長桑君)에게 의술을 배웠다. 처음에는 무명 의사였으나 괵국(虢國)의 태자(太子)가 사망하자 편작(扁鵲)은 그를 다시 살려놓으므로, 이로부터 명성이 자자하였으나 그 후 진(秦)의 태의령승(太醫令丞)인 이혜(李醯)에게 살해 되었다.

외술사(方外術士)와 같네. 오직 한 말씀을 치료제로 드린다면 마음은 화(火)에 속하지 않는가? 마음이 편안하면 화(火)가 스스로 내려가고, 화가 내려가면 병이 사라지기를 기약하지 않아도 스스로 사라진 것이니, 한번 시험 삼아 사용하는 것이 어떻겠는가? 오직 천만번 조섭을 잘하시면 불원간에 회복될 것이니 바라고 바라겠네.

答李昌廈　　濟州

記昔明倫院中, 輔我以仁, 責我以善, 嚶禽之懷, 無日不切。一自分張, 涯角落落。忽拜情緘, 信息甚大。如非兩間所照之至, 安能涉險津, 越重嶺, 無恙入吾手乎? 但愼節曾是甚崇, 聞卽驚慮, 殆若痛恫在身。以吾賢之淸愼素養, 不宜有此採薪, 而況悲觀二字, 恐是過慮也。顧今愁雲恨泉, 在在皆然。宜其志士仁人, 憫時傷俗之嘆, 發而爲詩, 隱而爲病。是病也, 大黃、甘草未能奏効;而華扁之徒, 等是方外。竊惟一說可以投劑者心, 非屬火歟? 心安則火自降, 火降則病不期返而自返。一試之若何?惟千加調護, 不遠其復, 是禱是禱。

월담 김 재석(金月潭 載石)에게 드리는 글

정축년(서기 1937)

　신춘(新春)이 찾아들어 이미 삼분의 일이라는 시기가 지나 고자(枯者), 영자(零者), 쇠자(衰弱者), 허약자(虛弱者), 초췌자(憔悴者)가 모두 회생할 기운이 있네. 사물을 대하면 느낌이 일어나 그리운 마음 금할 수 없었네. 이 때 귀측의 심부름꾼이 와 주인댁의 안부를 전하고 있는데, 이는 편지를 쓰던 쓰지 않던 아랑곳하지 않네. 인생의 이합(離合)은 하늘이 만물을 이루었다가 다시 원점으로 돌아가는 것과 같았네. 천시(天時)는 이제 한 번 변하였네. 잘 모르겠네만 존형은 어떻게 생각하고 있는가? 이곳의 안부는 심부름꾼이 잘 전할 것이므로 번거로운 서신이 필요 없겠지만, 하늘과 인간 사이에 있는 일을 그가 어찌 알고 또 어찌 말을 하겠는가. 이러하기 때문에 말을 하지 않으려다가 결국 그렇게 하지 못하였네.

與金月潭 載石 丁丑

新春，又居三之一，枯者零者衰者虛者憔悴者，蔚然有回蘇之氣。攬物興懷，不禁憧憧際者，貴星忽照，能道主宅安節，不以書不書有間也。人生離合，如天之貞而元。天時今一變矣，未知尊兄以爲如何？此處之安，使乎亦必爲之能傳，不須煩文。而至於天人之際，渠焉能知而亦焉能言？此所以欲無言，而終不得者也。

김 월담(金月潭)에게 보내는 답서
정축년(서기 1937)

　　지난번 선경(仙扃)[117]을 방문하여 사찰(寺刹)과 정자(亭子)에서 무한한 경치를 구경하고 무한한 진루(塵累)[118]를 씻어내어 제 스스로 세상에서 하나의 쾌사(快事)로 인정하였네. 그러나 집으로 돌아오니 옛날처럼 답답하여 비록 옛날 모습은 아니지만 갑자기 종이를 가득 매운 구슬 같은 말에다가, 또 고사리가 향기를 풍기어 이 속안(俗眼)[119]이 다시 푸르고, 또한 속인의 창자도 다시 신선함을 느끼었으니, 대개 월담형(月潭兄)은 속인(俗人)을 치료하는 기술이 어찌 그리 많으신가. 그러나 우리들이 먹는 고사리는 백이(伯夷)[120]가 캐 먹는 고사리와는 같은지 잘 모르겠으니 어떠한가. 이름은 같고 의미도 같다면 백이가 먹는 고사리를 먹는 것이니, 또한 우리도 백이의 무리라고 할 수 있을까요? 보내주신 축하 시 절구 한 수는 격조(格調)가 고아(高雅)하여

---

117) 신선이 사는 곳의 문이라는 뜻으로, 상대방이 사는 집을 가리킴.
118) 세상살이에 얽메인 너더분한 일.
119) 얕은 식견
120) 고죽국(孤竹國)의 제 7대 왕 아미(亞微)의 장자(長子), 부왕이 백이(伯夷)의 아우 숙제(叔齊)에게 왕위를 전하려는 뜻을 갖고 있자, 백이는 부왕의 뜻을 알고 형만(荊蠻)으로 도주하므로 숙제도 형이 왕이 되어야 한다는 생각으로 역시 형만으로 도주하자, 아미가 고죽국의 왕이 되었다. 한편 백이와 숙제는 서백(西伯)인 문왕(文王)이 노인들의 봉양을 잘 한다는 소문을 듣고 찾아갔으나 문왕은 이미 사망하고 무왕(武王)이 당시 천자였던 상(商)나라의 주(紂)를 정벌하려고 하므로 백이와 숙제는 말을 두드리면서 신하로서 천자를 치는 것은 옳지 않다고 간하였으나 무왕은 그들의 말을 듣지 않았고 무왕의 병사들이 백이와 숙제 두 형제를 죽이려고 하므로 태공망(太公望)이 이 두 사람은 의인(義人)이다고 하면서 석방해 주었다. 그후 백이와 숙제는 수양산(首陽山)으로 들어가 고사리를 캐먹고 살다가 아사(餓死) 하였다.

시인(詩人)의 육의체(六義體)[121]인 흥야(興也)를 잘 터득하였네. 수일 전에 기형(奇兄)이 추산(秋山)과 함께 이 곳에 왔는데, 동호(東湖)[122]의 경치를 매우 들먹였네. 그리고 요즈음 국포 장(菊圃丈)의 서신을 받았는데 그 서신을 부친 뜻이 정중하였으나, 참여하지 못한 것이 더욱 한이 되었네.

答金月潭
丁丑.

向叩仙局於寺於亭, 喫盡無限風景, 滌盡無限塵累, 自許浮世間一快事。歸來依然蟄贄, 脫不得舊時樣子。忽拜滿簡瓊琚, 山蕨又是傳香, 使俗眼復靑, 亦使俗肚更覺新鮮。盖月兄醫俗之術何其多也。雖然吾儕所食之薇, 未知與伯夷之所採同不同如何? 而名同, 則義亦同。食伯夷之所食者, 亦可謂伯夷之徒歟? 寄示祝韻一絶, 格調高雅, 甚得詩人六義體曰興也。數前奇兄與秋山同訪盛道東湖勝遊, 近又承菊圃丈書, 寄意叮嚀, 益恨其未叅末也。

김 월담(金月潭)에게 보내는 답서
무인년(서기 1938)

한 폭의 아름다운 옥 같은 서한은 신춘의 벽두에 기쁜 소식이네. 금년에도 희소식이 끊임없이 날아들 것은 이 편지를 받는 것으로 그 징후를 알 수 있을 것 같네.

폭포를 구경하자는 약속을 듣고 귀가 시원하여 나도 모르게 훌적 뛰었네. 그리고 그 절경의 기묘함은 형께서 이미 십분 써냈을 것이네. 사람들을 놓고 보면 그 전경을 보고서야 그 전모를 알아보는 사람도 있고, 또 그 절경에 관한 이야기만 듣고서도 그 진모를 알아보는 사람들이 있을 것이네. 눈과 귀의 사이는 세 치도 되지 못하지만 그 경

---

121) 시경(詩經)의 문장에 대한 6가지 기본 요소로 첫째는 정이 깊어도 속이지 않고, 둘째로 기풍이 많고 효잡하지 않으며 세 번째는 일이 믿을 수 있고 허탄하지 않으며 네 번째, 의리가 곧고 비틀어지 않으며 다섯 번째, 체제가 요약하지만 황무하지 않으며 여섯 번째, 글이 화려해도 음탕하지 않다는 것이다.
122) 전북 고창군 해리면 동호리, 서해안에 접해있음.

치와 그 기묘함을 마음속에 담는 것은 한가지일 것이네.

 비록 이렇다고는 하나 양춘[123]이 아지랑이를 피어 올리며 나를 부르고 있으니 가지 않고서야 말이 되겠는가? 나는 장차 지팡이 하나와 신 한컬래로 락덕천(樂德川)[124]에서 월담형(月潭兄)을 찾아보겠네. 붓은 오랫동안 들지 않았는데, 함께 행장을 꾸릴 것인가는 알 수가 없네.

答金月潭
戊寅

一幅瓊緘, 新春劈頭喜信, 今年亦復源源, 執此書可徵。觀瀑之約, 聞來耳根淸凉, 自不覺躍如。而其絶勝奇妙, 兄已寫出十分矣。有見而知之者, 有聞而知之者。目與耳之間, 未滿三寸, 其絶勝者奇妙者之得於心, 則一也。雖然, 陽春招我以烟景, '則雖欲勿往得乎？吾將以一筇一屐, 訪月兄於樂德川上。而毛穎輩與我絶交久矣。未知肯許同裝否也？

김 월담(金月潭)에게 보내는 답서
기묘년(서기 1939)

 그대는 방장산(方丈山)[125]의 달을 보지 않았는가. 그 달이 처음 나올 때는 천산만봉(千山萬峯)의 사이에 비추고 그 빛은 천지에 가득하였네. 그리고 방장산의 연못을 보지 않았는가. 그 물이 흐를 때는 첩석층암(疊石層巖) 사이에 고이고, 그 소리는 뇌성과 같으니 그 지성을 가릴 수 없는 것이 대개 이와 같은 것이네. 월담(月潭)! 그동안 방장산의 연하(煙霞) 사이를 왕래하면서 비록 모습과 소리를 달이 나오고 연못이 흐르는 것처럼, 이미 사람들의 이목을 새롭게 끌고 있지 않는가. 음직이지는 못했으니 이것이 바로 월담의 본색이네.

---

123) 음력 정월의 별칭.
124) 전북 순창군 복흥면 상송리에 흐르는 냇가. 그 위 절벽 위에 낙덕정(樂德亭)이 있다. 전북 문화화재 자료 제72호(서기 1984)
125) 지리산의 이칭.

"살구나무 목재는 이미 다른 사람이 가져갔으니 다시 번거롭게 하지 말고, 바람에 잎이 떨어지면 배나 보내겠다."는 말은 너무 지나친 생각인 것 같네. 목재를 사용하려고 바람에 잎 떨어지기를 기다리는 것은 천하 사람들의 호기심이 스스로 나는 것이네. 벚나무와 참나무가 오래 사는 것은 사용할 수 없어서 온전히 살아남은 것이네. 장석(匠石)[126]이 그 옆을 지나가도 돌아보지 않고 거센 바람에 꺾이어도 취하는 사람이 없네. 그렇다면 전일 살구나무가 재목이 되지 않고 아무 짝에도 쓸모가 없다고 한다면 그 누가 나보다 앞을 다투어 옮겨가겠습니까. 한 자짜리 훌륭한 목재를 잃기는 하였지만, 그로 하여 기르는 법을 얻었으니 결국에는 누가 얻은 바가 있게 되고, 누가 잃은 바가 있게 되었겠는가?

答金月潭

己卯

君不見方丈之月乎？方其初出也, 隱映於萬嶂千峰之間, 而其光也盈天地。又不見方丈之潭乎？方其始流也, 泓涵淵渟於疊石層岩之間, 而其而其響也如雷如霆。誠之不可掩, 蓋如此也。月潭乎, 間來間往於方丈烟霞之間, 雖未接儀形聲光如月之出潭之流, 已動人耳目。此是潭月本色歟。"杏材旣爲他人先搬, 則不須更煩至風落倍送之"示, 恐是過慮也。以材之用, 而風之落, 是使天下之人, 機心自生。樗櫟之壽, 以其無用而得全, 匠石過之而不顧, 大風折之而人無有取之者。向使杏不材而無用, '則誰能先我爭去？所失者一尺之美材, 而因此得養生之法, 竟孰得而孰失？

김 월담(金月潭)에게 보내는 답서

경진년(서기 1940)

서신을 받은 후 한 달이 이미 바뀌었네. 우리 양가(兩家)의 우환도 당연히 봄과 함께 풀릴 것이므로, 이 말로 위로를 드리며 또 나도 위로로 삼겠네.

---

126) 훌륭한 목수.

"눈 쌓인 산봉우리마다 푸른 소나무가 웃뚝 서 있다(雪積千峯, 蒼松挺然)"는 8자는 그 여운(餘韻)을 미루어 연역(演繹)한다면 눈이 건곤(乾坤)에 가득할 때 푸른 소나무가 혼자 서 있네. 그 소나무는 지금 시국은 궁음(窮陰)[127]이 폐색(閉塞)되었는데, 우뚝 서서 혼자 가며 세상의 고관(高官)들과 어울리지 않고 있으니, 오직 월담 형(月潭兄)의 소나무라고나 할까?

이 갯버들 같이 허약한 나를 돌아볼 때, 갖은 풍상으로 낙엽이 질 때, 내 몸도 바로 세우지 못하고 있는데, 아마 형의 소나무는 구름 속에 해를 가리고 그 그늘도 천여 명을 가리어 주고 비호한다는 것을 생각하네. 만일 들어설 자리를 남겨 주어 삼밭에서 자라난 쑥대 같은 나를 길러서 혹 따라서 스스로 곧아지게 할 수는 없을까?

학전(鶴田)이 책을 빌리려 간다고 하니, 학전(鶴田)에게는 책을 허락하고, 월담(月潭)에게는 허락하지 않는 것은 무슨 일일까. 학전은 본래 청한(淸閒)[128]하여, 가난하지 않는 가난한 사람이므로 혹 구휼하는 길이 있지만 월담(月潭)은 뱃속에 천만권(千萬卷)이 저장되어 있어 손에 큰 붓을 잡고 휘두르면 물이 솟고 산이 나오는 것 같으니, 도주공(陶朱公)[129]의 창고와 의돈(猗頓)[130]의 곳집에 많은 곡식도 비교할 수 없을 것이니, 군자(君子)가 어찌 부유한 재산을 계승할 뜻이 있겠는가!

答金月潭

庚辰

承書後, 蓂葉已新。兩家所憂, 當與陽春俱和, 以是獻慰, 亦以是自慰。"雪積千峯, 蒼松挺然"八字, 推其餘韻而演之, 曰: "雪滿乾坤, 蒼然獨秀者松"。而松也, 見今時象窮陰閉塞, 特立獨行, 不與世軒輊者, 惟月兄之松乎? 顧此蒲柳之質, 不能自扶於風霜搖落之時, 想兄之松, 蔽虧雲日, 陰庇千人。幸許容膝之

---

127) 겨울의 마지막.

128) 남의 한가한 때를 이름.

129) 월(越)나라 구천(句踐)의 신하 범예(范蠡)의 변명(變名), 그는 도(陶)에서 살면서 도주공(陶朱公)이라고 하고 재산을 늘여 3천냥의 부를 이루었으므로 부자를 말할 때는 반드시 도주공을 들먹였다. 그는 19년 동안 3천냥의 부를 세 번이나 이루었고 자손들도 부를 축적하여 만냥의 부를 이루었다고 한다.

130) 춘추(春秋), 노인(魯人), 소금으로 가정을 이루었음. 처음 가난하였을 때 도주공이 부자라는 말을 듣고 찾아가 부자가 되는 이유를 묻자 도주공은 "암소 다섯 마리를 기르라"고 하므로, 그는 서하(西河)의 의씨(猗氏) 땅 남쪽에 가서 우양(牛羊)을 10년 동안 기른 후 왕공(王公)에 비교할만큼 부를 이루므로 세상 사람들은 부자를 말하려면 도주공(陶朱公)과 의돈(猗頓)을 말하였다.

地, 使我休養庶庇中之蓬, 或隨以自直耶。鶴田借書云云, 以許於鶴者, 不可許於月也。何哉？鶴是素來淸寒, 可謂不貧之貧, 或有周急之道。而月則腹貯千萬卷, 手執如椽筆, 如水之湧山之出, 陶朱之庫, 猗頓之廩, 莫得以喩其富也。君子焉有繼富之義哉！

김 월담(金月潭)에게 보내는 답서
경진년(서기 1940)

봄날이 한 해같이 길지만 온종일 귓전에 들리는 건 오직 까마귀 울음 소리와 새들의 지저귐뿐이네. 이 밖에 천만가지 소리들이 계속 귓전에 들리기는 하나 어느 하나 듣고 싶은 소리가 아니네. 그러나 군자(君子)는 그것을 듣는다고 말하지 않을 것이네. 단비가 흡족하게 내리어 만물이 생기를 띠게 되네. 축하를 드릴만 한데 하늘며 날듯이 기쁜 일이 있음이야…… 정회(正會)는 다행히도 중중(重省)[131]이 예전과 같고, 가아(家兒)는 어제 그의 숙부를 따라 잠시 동경(東京)에 갔다네. 외국에서 소요(逍遙)하면 섭양(攝養)에 도움이 있다고 하기에 억지로 저지하지는 않았네. 요즈음 한 일무(一畝)[132] 가량되는 화원(花園)을 만들어 약간의 꽃나무들을 심었는데, 한창 땅을 가르는 놈으로, 바야흐로 움이 트는 놈, 잎이 돋는 놈, 꽃망울을 맺는 놈, 금빛과 푸른빛을 드러내는 놈, 그리고 봉우리가 맺혔지만 아지도 피지 않는 놈 등으로 한창이네. 조물주의 기묘함이란 참으로 만에 하나도 같지 않고 각양각색이지만 만 가지 형채가 다시 하나로 귀결되고 있다는 것을 믿게 되었네. 그 하나란 결국 무엇일까. 만나서 한번 물어보겠네.

與金月潭
庚辰

春日抵年, 鎭日所聞, 惟鳥啼雀噪。此外千音萬聲, 續續入聞, 而所不欲聞者。君子不謂之聞。膏雨一洽, 萬品回新。伏祝矧翔有喜。正會重省, 幸依家兒。

---

131) 조부모
132) 면적단위. 사방으로 백보(百步)가 일무(一畝)임.

昨者隨渠叔父暫往東京, 在外逍遙似有助於攝養云。故亦不强沮耳。近設花園一畝, 種得多少淸香, 而方有甲坼者, 有萠芽者, 有敷葉者, 有蓓蕾者, 有金碧者, 又有半英而未開者。造化之妙, 信乎其有萬不一, 而萬象終歸于一。一者是甚麽？且待逢場試一問之。

김 월담(金月潭)에게 보내는 답서
경진년(서기 1940)

뜻밖에 날아든 서신은 뜻밖에 위안 되었네. 게다가 바구니에 가득한 산채(山菜)는 들녘 부엌에 사치스러운 일이 되었네. 정사운(精舍韻)은 전일에 이미 읽은 것이므로 다시 평가하지 않겠네. 그리고 《유선운서(遊禪雲序)》는 필력이 횡일(橫逸)[133]하여 정황(情況)과 경지(境地)가 도솔산(兜率山)[134] 최고봉과 기이(奇異)하고 웅건(雄建)함을 겨룰만 할 것이네. 점찬(點竄)[135]하라는 말씀은 귀먹어리에게 들려준 궁상(宮商)[136]의 음률(音律)이니, 어찌 만나는 사람마다 그런 말씀을 하시는가. 창암(蒼巖)[137]이 쓴 시서정훈(詩書庭訓) 4자는 윤군(胤君)[138]에게 모방하여 쓰도록하여 인편에 보내주면 좋겠네.

答金月潭
庚辰

匪意之書, 作匪意之慰, 况又滿筐山菜野厨多侈精舍。韻, 前己誦詠者, 不須更評。《遊禪雲序》筆鋒橫逸, 情與境, 宜可與兜率最高峯爭奇幷雄矣。點竄之敎, 可謂借聽於聾, 宮商之音, 豈可與人人道哉？蒼岩所書, "詩書庭訓"四字, 使胤

---

133) 자유자재(自由自在)하여 구애됨이 없음. 멋대로 행동함.
134) 전북 고창군 아산면 삼인리에 위치함. 선문사가 있음.
135) 문장의 자구(字句)를 고침.
136) 오음(五音) 중 첫째와 둘째의 음임.
137) 명필 이삼만(李三萬)의 호
138) 상대방의 아들을 높혀 부른 말.

君摸得, 隨便付來爲好耳。

김 월담에게 보내는 답서
경진년(서기 1940)

   서남쪽에서 들려오는 소리는 서늘한 가을이 새롭게 찾아옴을 알려주는 것인가? 며칠 전부터 매미 소리의 음조가 변하더니 갈수록 처량하게 울고 있네. 우러러 사모하고 두터운 인정과 의리로 읊으니 절절한 심정이 배로 치밀어 올라 마음이 전혀 잡히지 않은 채 안정되지 못한 처지에 처하고 말았네. 시절이 그렇게 하는 것일까? 사물이 그렇게 하는 것일까? 우리가 사는 곳은 한 사람은 산의 남쪽에, 한 사람은 강의 북쪽에 있으므로, 서로 부르고 서로 응하지 못하는 것이 한스럽네.
   정회는 이달 21일 아침에 또 손자가 하나 더 태어났으니, 층성하(層省下)[139]에 기쁨을 제공하는 것이 이보다 더한 것은 없을 것이네. 더구나 이마가 반듯하게 생긴 것은 형의 모습을 꼭 닮았으니 나의 마음이 더욱 기뻐 나막신 굽이 끊긴 줄도 모르겠네.
   오직 부모님 모시고 더욱 건강하시어 바라보는 이 성의를 위로해 주시기 바라네.

與金月潭
庚辰

有聲自西南來者, 此是新凉歟? 數日來, 蟬語變調, 轉益淸商。瞻誦高義, 倍切憧憧。時使然耶? 物役然耶? 恨不使吾人之居, 一在山之南, 一在水之北, 可招招相應也。正會今二十一日朝, 又添一孫, 層省下供歡, 無以加此。況又頭角巍然, 髣髴乎渠兄典型, 而傑梧則過之。私竊喜幸, 不覺屐齒之折也。惟侍彩增重, 以慰瞻注之誠。

---

[139] 조부모님을 통털어 일컬은 말, 즉 중성(重省) 및 중시(重侍)와 같은 뜻임.

김 월담에게 보내는 답서
경진년(서기 1940)

아침에 서신을 받고 일모에 학(鶴)을 불러 즉시 길일(吉日)을 물었더니, 그는 긴 목을 빼어들고 하얀 옷을 입은 체 요란하게 울면서 말하기를 "간지의 정일(丁日)과 지지의 해일(亥日)에 길성(吉星)이 응한다."고 하였네. 이 날은 중양절(重陽節)의 다음 다음 날이었네. 삼가 살피건데

아버님 모시고 돌아와 경체(經體) 건강하신지. 머리 들고 바라마지 않네. 정회는 외국에 있는 아들의 최근 안부를 들으니, 손자 경식(璟植)의 형제가 차례로 건장하고, 차손(次孫)도 가례(嘉禮) 때 명식(明植)이란 이름을 주었는데 대개 일월지명(日月之明)에서 취한 것이고, 또 삼십삼천(三十三天)[140]과 이십팔숙(二十八宿)[141]의 숫자에 호응한 것이었네. 장차 그로 하여금 이름을 돌아보고 의리를 생각하여 혹 오늘날 이름 지어준 뜻을 저버리지 않도록 하는 것이라고 할까.

答金月潭
庚辰

朝奉魚書, 暮招鶴友, 卽向吉日, 長頸縞衣, 戛然而鳴, 曰："干丁支亥, 吉星照應"。是重陽再翌也。仰審侍返經候旺重, 額頌無已。正會在外兒, 近得安報。璟孫兄弟, 次序充健。而次孫肇錫嘉曰明植。盖取諸"日月之明", 而亦以應乎三三天二八宿之數也。將使渠顧名而思義, 或不負今日命名之意也耶

김 월담에게 보내는 답서
경진년(서기 1940)

월담 형(月潭兄)의 서신과 초생 달이 한꺼번에 이르러 나를 비추고 있으니 일편(一

---

140) 불(佛), 수미산(須彌山) 정상에서 보면 중앙의 제석천(帝釋天)과 사방으로 각 팔천(八天)을 합하여 일컬은 말임.
141) 하늘의 적도(赤道)를 따라 그 남북(南北)에 있는 별 28개를 구분하여 부른 이름임.

片)의 단지(丹地)¹⁴²)에 저…달이 비출 뿐 아니라 비추는 곳에 한하여 하루 12시와 1월 30일이 쌓이어 366일에 이르기까지 비추지 않는 날이 없으니 또한 저..달이 비추는 때가 있는 것이 아닐까. 혹 반달이 되기도 하고 혹은 그믐날은 숨어버리기도 하므로, 보낸 서신에 그 현회(弦晦)¹⁴³)를 보여준 것은, 그것을 모르는 사람들은 휘겸(撝謙)¹⁴⁴)이라고 하고, 남의 말을 잘 알아듣는 사람들은 또 말 한마디를 전하겠다고 하니 무슨 까닭일까? 나무는 뿌리를 숨겼다가 봄에 잎을 활짝 피우고, 달은 초하루에 숨었다가 빛이 밝아지네. 정(貞)¹⁴⁵)을 내는 것은 원(元)¹⁴⁶)이 근본이기 때문이고, 그믐달은 밝아지는 근본이 되는 것이네. 이것은 월담 형(月潭兄)이 숨을 곳으로 향하여 쉬는 것이므로, 그 말도 또 숨기지 않을 수 없는 것이라고나 할까?

答金月潭

庚辰

月兄書與初月，俱至照人，一片丹地，非若彼月之照，限於容光。一日十二時，一月三十日，積而至於三百六旬六日，無日不照。又非若彼之照有時乎，或弦或晦也。來書弦晦之示，其不知者以爲撝謙善知言者。且有一語可轉傳者，何也？木晦於根，而春容爗敷；月晦於朔，而明光哉。生貞者，元之本也；晦者，明之原也。此月兄之所以向晦宴息，而其言亦不得不自晦也歟。

김 월담에게 보내는 답서

신사년(서기 1941)

지난 달 스무날께 잠시 일본을 다녀왔습니다. 그동안 혹 산이랑 바다랑 두루 다녀

---

142) 단심(丹心)을 말함.
143) 급한 어리석음.
144) 겸손하다는 뜻임.
145) 《주역(周易)》에서 말한 건(乾)의 네 가지 원리(原理)인 원(元)·형(亨)·리(利)·정(貞) 중 네 번째에 속한 것으로 만물이 이루어지는 동(冬)에 속하며 지(智)가 된다.
146) 위와 같이 《주역》의 건의 네 가지 중 첫 번째에 속한 것으로 만물의 시작이며 봄에 속하고 인(仁)을 뜻한다.

보았는데, 자못 새로운 모습이었습니다. 별계(別界)의 명승지가 또 삼천리 밖에 있었네. 왕래하는 기간이 37일이나 걸렸는데, 어제 저녁에야 집에 도착하였네.

작은 화원에는 국화가 이미 십분 피어 있으므로, 주인이 술 한 잔 따라 국화를 향하여 묻기를

"국화야! 너에 대한 나의 사랑은 지극하다고 할 수 있잖느냐? 흙으로 북돋아주는 것은 뿌리를 견고하게 하려고 하는 것이고, 뿌리는 나누는 것은 그 가지가 무성하게 자라도록 하는 것이다. 그리고 날이 가물면 물을 주어 기루고, 뼛작 마를가 싶어 밑거름을 주며 기름지게 하였다. 한마디 자라면 두 마디 자라게 하고, 두 마디 자라면 세 마디 자라게 하여, 한 자 남짓 자라게 하였다. 꽃망울이 맺었구나. 국화야! 어찌 주인이 돌아오기를 기다리지 않고 사람도 없는 빈 뜨락에서 너 혼자 피어 주인이 구경하지 못하게 하였느냐"라고 하자, 국화가 대답하기를 "아! 꽃은 고금이 없지만 사람은 고금이 있어 연명(淵明)[147]이 이미 떠났으니, 나는 누구와 살아갈까. 나는 본래 은일(隱逸)[148]같은 부류라 비바람에도 변하지 않고, 서리와 눈이 내려도 마음이 옮기지 않아 복사꽃, 오얏꽃과 고운 빛을 다투지 않았는데, 주인의 풍(風)[149]을 듣고, 주인의 뜨락에 뿌리를 의탁한지 이미 한 해가 되었습니다. 주인께서 비록 나를 사랑한다고 하지만 나를 알아주는 것이 얕다고 할 수 있습니다. 세상에서 나를 아는 사람이 없는데, 누가 알아보든 못하든 나는 아무 한 될 것이 없습니다. 다만 주인이 연명(淵明)으로 가장하여 나를 진짜 국화로 힐난하고 있으니, 그것이 매우 의혹스럽습니다. 지금 주인의 몸은 명리(名利)[150]에 메어 장안(長安)[151]의 꽃을 그리워하고, 쇠퇴해간 세속에 출몰하면서 멈출줄 모르고 있고, 혹은 가식으로 임천(林泉)을 걸으시며 마음이 이록(利祿)에 얽히고 있습니다. 이에 숲의 수치심은 다하지 않고 여울의 부끄러움도 그

---

147) 진(晉)의 도잠(陶潛), 자는 연명(淵明), 혹은 원양(元亮), 정절선생(靖節先生)으로 부른다. 그는 심양(尋陽)의 시상촌(柴桑村) 사람이다. 어렸을 때부터 취미가 고상하고 널리 배우고 글을 잘 하였다. 아버지가 늙자 그 고을 제주(祭酒)가 되었고 그 후 팽택령(彭澤令)으로 있다가 80일만에 본군의 독우(督郵)가 팽택현에 올 때 관리가 띠를 띠고 만나라고 하므로, 그는 탄식하면서 말하기를 "나는 오두미(五斗米)의 월급을 받고 시골 소인(小人)에게 허리를 구부릴 수 없다"고 하고 즉시 인수(印綬)를 풀어 놓고 팽택현을 떠났다. 그때 그는 귀거래사(歸去來辭)를 지었다. 그는 전원생활을 하다가 63세에 사망하였다. 그는 국화를 좋아하고 술을 잘 마셨으며 자연을 사랑하였다.
148) 세상을 숨어 삶. 또는 그 사람.
149) 깨우침, 교화(敎化)
150) 명예와 이익
151) 한(漢)·당(唐)시대 협서성(陝西省)의 위수(渭水) 남안(南岸)에 있는 서안시(西安市)의 옛 이름이지만, 여기서는 서울을 말한다.

치지 않고 있습니다. 주인이 나를 저버리고 있으니, 내가 어찌 주인을 저버리겠습니까"라고 하였다. 주인은 눈을 크게 부릅뜨고 무엇을 잃어버린 듯한 기색을 지으며, 억지로 대답하기를 "그대의 말이 옳은 말이다. 그러나 이것은 함께 목욕하면서 나체가 된 것을 조롱하는 일에 가까운 것이다. 지금 돌아보면 백이(伯夷)는 서산(西山)에 오른 일도 없고, 중연(仲連)152)은 동해(東海)를 밟은 적이 없다. 그리고 문산(文山)153)이 난초를 그릴 때 반드시 그 뿌리를 그렸던 것은 참으로 그럴만한 이유가 있었다. 지금 국화가 이 곳에 뿌리를 의탁하고 오늘날 꽃을 피우고 있지만, 이 땅은 그 때의 땅이 아니며, 때는 그 시대의 때가 아니다. 그러나 나는 멀리하지 않고 오직 눈을 이겨내는 자태와 서리를 능멸한 절개를 사랑하고 친근히 하였으니, 나도 또한 사귀기를 목마르게 기대하는 사람이다. 연명(淵明)을 가장하여 진짜 국화를 사귀려고 하였지만, 국화는 과연 진짜 국화일까. 연명(淵明)은 과연 가짜일까. 반드시 판단이 날 것이다"고 하였네.

　보내주신 서신중에, 대나무를 사랑하는 내용이 서신에 가득 넘치어 비록 《양죽기(養竹記)》를 기록하였다고 해도 가할 것이네. 대나무와 국화도 서로 형체를 잊고 사는 친구라네. 그 기미도 같고, 그 의리도 같아서이네. 월담(月潭)은 대나무를 사랑하고, 보정(普亭)은 국화를 사랑하니 사랑하는 것이 비록 다르지만 그 사랑하는 취미

---

152) 전국(戰國), 제인(齊人), 노중연(魯仲連), 뜻이 고상하여 벼슬을 하지 않고 남의 어려운 일에 해결하기를 좋아 하였다. 그가 조(趙)나라에 있을 때 진(秦)나라가 조나라를 포위하자 위(魏)나라 신원연(新垣衍)이 진(秦)의 시황제(始皇帝)와 만나주기를 간청하자 중연(仲連)은 의리상 허락하고 신원연을 보고 말하기를 "저 진시황은 아무 거리낌도 없으니 나는 동해(東海)로 가서 빠져 죽을 것이다"고 하였는데 진나라를 물리친 후 과연 동해로 가서 살다가 사망하였다.

153) 송(宋)나라 문천상(文天祥)의 호. 자는 송서(宋瑞), 시호는 충렬(忠烈), 진사(進士) 시험에 1등으로 합격한 후 누차 호남제형(湖南提刑)에 임명되었다가 공주(贛州)로 발령되었으며, 덕우(德祐) 초에 원병(元兵)이 침략하자 그는 조서(詔書)에 호응하여 근왕병(勤王兵)으로 저항하여 우승상(右丞相)에 임명되었으며, 원(元)나라가 화의(和議)를 청한 후 그는 진강(鎭江)에 도착하였을 때 밤에 진주(眞州)로 도주하여 바다를 건네서 온주(溫州)로 들어갔다. 이때 그는 익왕(益王)이 왕위에 오르지못했다는 말을 듣고 글을 올려 왕위에 나가기를 권하였으므로 복주(福州)에 도착하였을 때 그를 불러 좌승상(左丞相)에 임명하고 또 강서도독(江西都督)으로 임명하여 강서(江西)로 진출하도록 하였으나 원병들의 저항으로 대패하자 잔병을 수습하여 순주(循州)의 남영(南嶺)에 주둔하고 있었다. 이때 위왕(衛王)이 왕위에 올라 문산(文山)에게 소보(少保)를 제수하고 신국공(信國公)으로 봉해 주었다. 그러나 그후 조양(潮陽)으로 진주하여 원장(元將) 장홍범(張弘範)에게 붓잡혀 여(燕)나라에서 3년동안 옥고생활을 하다가 처형되었다. 그는 원세조(元世祖)가 항복을 권했으나 듣지 않자 그의 뜻을 알고 처형한 것이다. 그는 처형되면서 관리에게 말하기를 "내 일은 이제 끝났다"고 하고 정기가(正氣歌)를 지어 자신의 뜻을 밝히고 남쪽을 향해 재배하고 처형되었다. 이때 나이 47세였다. 원세조는 감탄하기를 "참으로 남자답다"고 하였다. 저서로 《문산집(文山集)》과 《문산시집(文山詩集)》이 전한다.

는 같은 것이네. 장주(莊周)[154]가 말하기를 "치언(卮言)[155]을 날마다 내놓아 우언(寓言)[156]이 십에서 아홉이 되었다"고 하였으니 이것을 두고 하는 말일까.

병아(丙兒)는 잠시 만 리 밖에서 보았는데, 다만 28자만 써주고 돌아왔는데, 그가 이 에비의 뜻을 알기나 할까?

答金月潭
辛巳

去月念間, 暫遊日本。其間或山或海, 面目頗新。別界形勝, 又在於三千里外也。往還費三七日, 昨暮歸庭。小園黃花, 已十分矣。主人舉一觴, 向黃花而問, 曰:"菊乎, 吾之愛之, 也可謂至矣。培之, 欲其固根; 分之, 欲其茂枝。憫旱也, 而灌漑以養之; 慮瘠也, 而糞壤以滋之。一寸而二寸, 二寸而三寸, 以至於尺餘矣, 菩蕾矣。菊乎, 何不待主人之歸, 而獨自芳於空庭無人之中, 不使主人同玩而共賞耶?" 菊曰:"嗚乎! 花無古今, 人有古今。淵明已去, 吾誰與歸? 我本隱逸之類, 風雨不能淫, 霜雪不能移, 不欲與桃李爭艷。聞主人之風, 托根於主人之庭已有年矣。主人雖曰愛我, 而其知我也, 可謂淺淺矣。世無其人知我, 其誰知不知, 於我無憾。而但主人以淵明之假, 詰我黃花之眞, 其亦惑之甚矣。今主人身繫名利之場, 夢戀長安之花, 出沒於頹波之中, 而莫知其所止。或假步於林泉, 乃嬰情於利祿。於是林慚無盡, 澗愧不歇。主人負我, 我何負於主人哉! 主人瞠然如有失, 乃强辯之, 曰:"君之言誠是矣。而殆近乎同浴而譏裸矣。顧今伯夷無陟西之山, 仲連無蹈東之海, 文山之寫蘭, 必寫其根者, 良有以也。今菊也托根於此地, 敷英於今日。地非其地, 時非其時。然而吾不以之遠, 而惟傲雪之姿, 凌霜之節, 是愛是親耳。吾亦渴交漢也, 以假淵明, 欲交眞黃花。黃花其眞歟? 淵明其假歟? 必有辨之者矣。" 來書中愛竹之意, 溢於瓊幅。雖謂之《養竹記》, 附錄可也。竹與菊, 亦忘形友也。其氣同, 其義同。月

---

154) 전국(戰國), 초(楚)나라 몽인(蒙人). 일설에 자는 자휴(子休),도가 (道家)의 조(祖), 일찍 몽(蒙)의 칠원(漆園)에서 관리가 되었으나 초나라 위왕(威王)과 주(周)나라의 초빙에 모두 사절하였다. 저서는 모두 우언(寓言)이었으며 그 내용은 노자(老子)를 기본으로 하고 있다. 당(唐)나라 천보(天寶) 초기에 남화진인(南華眞人)으로 추호한 조서가 내려졌다. 저서로 《남화진경(南華眞經)》이 전한다.

155) 꾸며낸 말.

156) 자기의 생각을 다른 사물에 빗대어 은근히 나타내는 말.

潭愛竹, 普亭愛菊, 所愛之物雖殊, 其所愛之趣則均耳。莊老曰："卮言日出, 寓言十九。"此之謂歟。丙兒暫見於萬里之外, 只書示二十八字而歸, 渠能知乃爺之意也耶？

김 월담(金月潭)에게 보내는 답서

신사년(서기 1941.12)

지난번 초산(楚山)의 달밤에 헤어질 때, 어찌 그렇게도 총망(悤忙)[157]했던가. 나는 그 바쁘게 작별한 것을 한스러워하지는 않았네. 길을 오가다 생긴 해후이니 참으로 꿈을 꾸는 것 같네. 한 번 헤어지니 제 각기 멀리 떨어지게 되었는데, 게다가 꿈결 같은 눈 덮인 산마루가 관악처럼 가로 막고 있으니, 어떻게 깨칠 수가 없어서 다만 스스로 마음속으로 길이 슬퍼할 따름이네.

정회는 이달 초 이렛날 오시(午時) 첫 시각에 또 손자 하나를 얻었는데, 울어대는 그 목소리가 비범한 아이가 아니니, 우리 90세 된 조모님께서 한 번 더 웃을 일이 생겼네. 다만 이 해가 다 저물어 가기 때문에, 소문을 내지 않는 객이 되게 하였네. 비록 이렇게 처신하는 것이 잘 못이라는 것은 알고 있었지만, 이렇게 하지 않는 것이 약이라는 것은 알지 못하고 있네. 이러하기에 끝까지 소문을 내지 않기로 하였는데 어찌 하겠는가.

與金月潭

辛巳十二月

疇昔楚山夜月別何匆匆, 吾非敢恨其匆匆也。中途邂逅, 固是夢裏光景。一別落落, 重之以雪嶺一疊夢關, 無由可破, 只自悵恨己耳。正會今初七日午初, 又得一孫, 呱呱厥聲, 亦非凡產, 爲吾九耋老祖母, 又一番解頤焉。但此歲又將暮, 遽作無聞之客, 雖然知如此是病, 而不知不如此是藥。是所以終於無聞而已。奈何？

---

157) 매우 급하고 바쁘다.

김 월담에게 보내는 답서

임오년(서기 1942)

　궁벽한 마을에 눈이 쌓여 있으니 한 자나 되는 땅에서 참성(參星)[158]과 상성(商星)이 동서로 멀리 떨어져 있다시피, 바깥세상과 동떨어지게 되었네. 그래서 인지 듣고 싫은 말은 들어올 수 없고, 보고 싶지 않는 것도 들어올 수 없어 좋았는데, 오직 뒷동산의 소나무 소리는 자연의 거문고를 타는듯하고, 창문에 어른거리는 매화 그림자는 칠금화(七今畵)[159]를 그리는 듯 하네. 거문고를 논하고 그림을 평하며, 마음을 삼고(三古)에 두었으니 만일 백년을 오늘같이 살 수 있다면 갈천씨(葛天氏)의 백성이 소호씨(少昊氏) 이전에만 있다고 하지 않을 것이네. 고인들이 설경(雪景)을 읊어 시부(詩賦)와 가영(歌詠)으로 내놓은 것을 본다면, 특히 사물의 결백한 자세와 기이한 가관을 아름답게 여기었을 따름이네. 우리도 오직 한 자나 쌓인 눈으로 하루의 즐거움을 삼는다면 월담형(月潭兄)의 안부는 물어보지 않아도 될 것이며, 오직 옥봉(玉峯)[160] 밑에 쌓인 눈이 지금 몇 자나 되느냐고 물을 것이네.

與金月潭

壬午

雪積窮巷, 尺地化爲參商。所不欲聞者, 末由而入; 所不欲見者, 亦無自而來。惟園裏松聲, 奏自然琴; 牕間梅影, 作七今畵。論琴評畵, 心游三古, 若使百年得如今日, 則葛天氏之民不但作於少昊以前也。古人之品題雪景, 出於詩賦歌咏者, 特美其潔姿耳, 奇觀耳。以雪爲樂, 念我所獨, 一尺雪, 能作一日安樂。則月兄安否不須問, 惟問玉峯下雪積今幾尺。

---

158) 참성(參星)과 상성(商星)은 동서로 멀리 있는 별로 서로 만나지 못한다.
159) 미상(未詳).
160) 전북 순창군 복흥면 하리(下里) 사창(社倉)마을 뒷산 옥녀봉(玉女峯)을 말함.

김 월담에게 보내는 답서

계미년(서기 1943)

　소춘(小春)[161] 27일에 보내주신 혜서(惠書)[162]는 삼순(三旬)[163]이 지나서야 받아보니, 반가운 마음 마음 마치도 어제 보낸 서신을 받은 것 같았네. 불원간 초양(初陽)[164]이 돌아올 것인데, 오직 노인을 모시고 어린 애를 키우면서 만복이 냇물 흐르듯 흘러들기를 진정 바라고 비는 바이네.

　정회는 요즈음 막내 동생이 징병(徵兵)으로 갔기에 걱정으로 나날을 보내고 있네. 다만 손자 경식(璟植) 형제들이 아직 아무 탈 없이 커주는 것이 마음의 위로가 될 뿐이네. 그러나 그 위로가 걱정을 덜어주지는 못하고 있네. 높은 하늘과 두터운 땅처럼 이 정리(情理)도 같은데, 과연 이와 같은 (기쁨과 걱정) 두 가지가 참으로 두 번 다시 나타날 수 있을까. 믿고 있는 것은 오직 인자한 하늘의 원(元)[165]이 다 사라지지는 않았으리라는 것 뿐 이네.

　생각하여 보니, 궁색함이 다하면 변하고, 변하면 통하는 것이니 이것이 주역(周易)[166]의 소장(消長)[167]하는 이치네. 궁지에 빠졌다고 하여도 궁지에 빠지지 않는 것이 남아 있게 될 것이고, 변한다고 하여도 변하지 않는 것이 남아 있지 않겠는가? 사라지고 자라나는 그 이치가 다시 회복될 것이기는 하지만 역시 아무런 징후도 나타나지 않고 있네. 그러나 그 소장(消長)하는 이치도 징거가 없이 기수(氣數)[168]만 주장하고 있으니, 그 어긋나는 것은 그대로 둘 것인가. 참으로 땅 속으로 숨어들고 싶지만도 그러한 재간이 없네. 바람이 건(乾)이 되고, 비가 곤(坤)이 된 세상에서 도원(桃源)[169]

---

161) 음력 시월을 가리킴
162) 남의 편지에 대한 높임 말
163) 1개월을 말함.
164) 음력 10월을 양월(陽月)이라고 함.
165) 《주역(周易)》에서의 원(元)으로 조원 또는 천지의 큰 덕을 말하고 있다.
166) 역경(易經)은 본래 연산(連山) · 귀장(歸藏) · 주역(周易) 등 3종이 있었으나 현재 주역만 전한다. 주역은 상경(上經)과 하경(下經) 및 십익(十翼)으로 구성되어 있다.
167) 쇠하여 사라짐과 성하여 자라남.
168) 운수(運數)
169) 도연명(陶淵明)의 도화원기(桃花源記)에 "진(晉)나라 태원(太元) 중에 무릉인(武陵人) 어부(漁父)가 여울에서 고기를 잡다가 돌아오는 길을 잃어버리고 여울을 따라 올라가다가 도화림(桃花林)을 만났다. 그 곳에는 진(秦)나라 때 난리를 피하여 모여 사는 진(秦)나라 사람들이 살고 있었다."고 하였다. 그 도화원(桃花源)은 당시 호남성 상덕시 도원현이었으며 지금의 장가계 무릉원구(張家界武陵源區)이다.

이라고 하여도 어디에 풀이 자랄 수 있겠는가. 저… 무지한 풀들이 부럽기는 하지만 말을 걸어봤자 소용이 없으므로, 부득이 붓을 들고 보니 나도 모르게 입에서 나가지 말아야할 말들이 튀어 나가고 있네. 지난번에 봄이 되면 암치(巖峙)[170]를 가자는 약속이 있었지만 요즈음 들으니 성송(星松) 부근에서 삭발령(削髮令)[171]이 추상같이 내려져 머리를 깎지 않는 사람이 없다고 하니, 곤강(崑崗)[172]의 화재에 옥석(玉石)을 어찌 가리겠는가. 형은 길을 다니거나 집에 있을 때, 의리로 대처하는 것이 좋을 것이네.

答金月潭

癸未

小春念七日, 惠書隔三旬始入手。欣慰之私, 如接昨信。陽不遠復, 伏惟奉老弄孩, 百福川至, 額頌曷任。正會近以家季被徵, 憂忳度了。祇喜璟孫輩姑無恙。而其喜也, 不足以慰其憂也。高天厚地, 似此情理, 果有二哉。所恃惟仁愛之天元, 不盡劉耳。第念窮則變, 變則通, 此大易消長之理。而窮, 有所未窮; 變, 有所未變耶。抑復消長一理, 亦且無徵。氣數主張, 一任其乖歟。卽欲鑽地而入, 亦無其術。風乾雨坤, 桃源何處葰艸, 葰艸羨彼無知, 言之無益而援筆, 自不覺出諸口也。向逢春乎致傅岩峙之約, 而近聞星松附近削令如秋霜, 無葉不落。崑崗之炎玉石, 奚擇兄之行止, 義以處之, 可也。

김 월담에게 보내는 답서

갑신년(서기 1944)

지난번에 한번 왕림하신다는 말씀을 듣고, 아침이면 까치가 우나, 저녁이면 거미가 줄을 치나 눈여겨 보았네. 눈이 빠지게 기다렸지만 발자취 소리는 들리지 않아 국화는 헛되이 피게 되었고, 술도 맛이 없어 마음만 뒤숭숭하게 되었네. 벌써 낙엽이 쓸쓸

---

170) 전북 고창군 성송면 암치리.
171) 서기 1895년(고종 32) 11월 김홍집 내각이 을미개혁의 일환으로 상투 풍속을 없애고 머리를 짧게 깎도록 한 명령.
172) 곤륜산의 딴 이름.

히 휘날리고 있네. 이때 화려한 서신을 받아보니 숨겨진 걱정과 슬픈 마음이 서신 가득 넘치고 있으니, 이것이 쇠퇴한 세상의 기미(氣味)[173]인 것 같네.

산 왼쪽에 거처할 곳을 정하였다고 하니, 그 높고 원대한 뜻을 축하드리네. 이제부터는 산 깊숙이 들어가고, 숲이 더욱 빽빽한 곳으로 들어가, 구름 속에 누워서 안개를 밥으로 먹으면서 원학(猿鶴)[174]과 친구가 되어 국외(局外)의 풍상은 꿈결에서 접하지 않을 것이네. 한 몸이 편안하고 천명(天命)을 따르는 곳에는 넉넉한 여유가 있을 것이네.

그러나 이렇게 되고 보니, 물고기에게 있어서는 제 살길을 찾았다고 하지만, 산 밖에서 사는 나는 어쩌한단 말인가. 그러기에 한 가지 드릴 말씀이 있네. 옛날 군자(君子)들은 오직 자신만 잘하고, 어찌 그 뜻이 한번 가면 영원히 돌아오지 않으며 세상을 잊는 것이겠는가? 때에 따라서 세상을 잘 만나기도 하고 잘 못 만나기도 하는 것이니, 나는 장차 월담(月潭)이 은거도 하고 두각을 드러내기도 하는 가운데서 시운(時運)[175]의 성쇠를 점쳐 볼 것이네. 궁벽한 산골자기와 깊은 계곡에서 깊이 은거하여 한 몸을 숨기고 세상에 나서려고 하지 않는 사람들이 있는 경우도 있지만, 만일 그 속에서 도(道)를 주고 받을 수 있는 사람을 만나게 되면, 이제 방금 드린 나의 말을 들려주시소.

정회도 이런 뜻을 지닌 지는 오래 전부터이네. 산에서 나무를 해도 소식을 완전히 끊지도 못할 것이고, 내 몸을 물에 비추어 고기를 잡는다 하더라도 내 자취를 숨기지 못할 것이니, 내가 나가고 돌아오는 것이 오직 외길 뿐 이네. 옛날 굴삼여(屈三閭)[176]는 이미 3년 동안 쫓겨나 있으면서 마음이 번거롭고 생각이 어지러워 누구를 따라야 할지 모르고, 이에 태복 정첨윤(太卜鄭詹尹)[177]을 찾아가 말하기를 "내가 할 말이 있

---

173) 낌새, 기척, 느낌
174) 원숭이와 학
175) 그때나 시대의 운수
176) 초인(楚人) 굴평(屈平), 자는 원(原), 초나라 왕족으로 좌도(左徒)와 삼여대부(三閭大夫)를 역임하였음. 초나라 회왕(懷王) 때 좌도(左徒: 左相)가 되어 직언과 많은 공적을 쌓았으나 경양왕(頃襄王) 때 여러 대부(大夫)들의 참소를 당하여 방축(放逐)된 후 동정호(洞庭湖) 부근에서 방황하다가 5월 5일 골라수(汨羅水)에 투신하여 자결하였다. 이때 그가 지은 이소(離騷)와 어부사(漁父辭)는 초사문자(楚辭文字)의 창시자가 되었으며 그의 작품 25편이 초사에 기재되어 있다.
177) 춘추(春秋), 초(楚)나라 태복(太卜), 굴원(屈原)이 방축된 후 태복 정첨윤(太卜 鄭詹尹)을 찾아가 자신이 어떻게 살아가야 하는지를 묻자 정첨윤은 가세풀을 세어놓았다가 다시 놓아두고 말하기를 "한 자도 짧을 때가 있고 한 치도 길 때가 있으며 물건이 부족할 때도 있고 지혜도 밝지 못한 때가 있으며 수도 미치지 못한 때가 있고 귀신도 통하지 못한 때가 있으니 그대의 마음대로 하고 그대의 뜻대로 하십시오. 거북점도 알 수가 없습니다"라고 하였다.

으니, 선생이 결정을 내려주시기를 원 합니다"라고 하자 첨윤(詹尹)이 말하기를 "그대의 마음대로 따르고 그대의 뜻대로 행하게. 아! 기막힐 노릇입니다. 나는 삼여(三閭)같은 뜻도 없고, 또 삼여같이 행할 수도 없으니, 비록 백명의 첨윤이 있다한들 결책을 내려드리지 못할 것입니다." 이리하여 삼려대부는 점대를 뿌리치고 세찬 파도 속에서 노를 저으며 바람을 따라 동으로 갔다가 파도에 밀려 서쪽으로 돌아오곤 하였네. 이러한 인생이 참으로 슬픈 인생이라고 생각하네.

答金月潭

甲申

徂者承一柱之教, 朝鵲暮蛛, 孰非待月之情, 望眼幾穿, 跫音寂然. 使黃花虛老, 壺酒無味, 憧憧此懷. 落木已蕭蕭矣, 際拜華牘隱憂惻怛之意, 溢於筆外, 此亦衰世氣味也. 山左卜居, 可賀其高擧遐引. 而從此入山之益, 深入林之益密; 臥雲餐霞, 與猿鶴而爲友; 局外風霜, 夢不與接. 安身立命之地, 綽有餘裕. 雖然於魚可謂得計, 奈山外此漢何? 且有一說焉. 古之君子, 獨善其身, 豈其素志? 長往不返, 亦累於忘世者哉. 時有遇不遇耳. 吾將以月潭之隱顯, 占時運之隆替也. 窮壑絶峽, 或有深藏不市, 可與語道者, 亦以吾言及之. 正會齎此志亦久矣. 而山而樵, 不得以息告; 影水而漁, 亦不得以滅吾蹤. 吾之進返, 可謂維谷者. 昔屈三閭, 旣放三年, 心煩慮亂, 不知所從, 乃往見太史鄭詹尹. 曰:"余有所懷, 願因先生決之." 詹尹曰:"用君之心, 行君之意. 噫! 吾無三閭之志, 又無三閭之行, 雖有百詹尹, 無以決策." 拂龜片, 棹險浪, 只得風而東, 浪而西已矣. 此生良可戚也.

김 월담(金月潭)에게 보내는 답서

을유년(서기 1945)

늦게 일어나 붓을 들고 산중에서의 즐거움을 물어보려고 하였는데, 마침 혜서(惠書)가 도착하니, 이것도 또한 마음이 통한 것일까.

치덕군(治悳君)이 요객(繞客)[178]이 될 수 있을 것으로 보아, 동양(棟樑)의 재목은 이미 3척정도 자랐을 때, 그 조짐을 알 수 있으므로 대가집을 위해 축하드리네. 그저께 윤군(胤君)의 서신을 받고 대충 수 만리 밖에서 무사하게 지내며, 또 우리 동내 사람과 같이 지낸다는 것도 대충 알게 되었네.[179]

　장손인 경식(璟植)의 나이는 지금 8세인데, 쇄소(灑掃)하는 예절을 가르치려 하였으나, 제나라 사람을 청해 제나라 말을 배워주려고 하는데 초나라 사람들이 초나라 말로만 지껄이니 어찌하겠는가? 어제 억지로 도산학교(道山學校)에 입학시켰네. 남의 할아버지로 일컬은 것도 부끄러우니 누구를 허물하겠는가? 이 해가 바뀌면 한번 선경(仙扃)[180]을 찾아가 노형에게 위로를 드리고, 하나는 산수(山水)가 어진 주인을 얻은 것을 축하드리려고 하였네. 그러나 집안 걱정과 세상의 변화로 하루의 여가도 얻기 어려워 동쪽을 바라보며 마음만 무거울 뿐이네.

　금년 봄에 자양(紫陽)과 운곡(雲谷)[181] 사이에 별장을 마련하기 위해 거의 일을 시작하려고 하였는데, 무슨 일이 걸리는 것이 그렇게 많은지 할 수 없이 그만 두었네. 이리하여 예전의 살던 집을 지키고 있으니 참으로 새가 보금자리를 떠나지 못하는 격이 되었네. 아마 선인(仙人)과 범인은 다르므로, 구름 덮인 산의 꽃부리를 혹 도끼를 날려 수레를 만들지 않을 까요?

與金月潭

乙酉

晚起走筆, 方欲問山中所樂, 而適拜惠疏, 此亦有所照耶？治悳君能作大繞客, 可知棟樑之材已兆於三尺, 爲故家賀也。再昨得胤君書, 略聞安節於數萬里外, 且與鄙洞人同處云矣。璟孫年今八歲, 欲教以灑掃之節, 而衆楚咻咻。昨日强入于道山校。愧稱人祖, 將誰尤哉？歲改後擬叩仙扃, 一以慰老兄, 一以賀山水之得賢主矣。家憂世變, 難覓一日之暇, 東望於悒而已. 今春欲營別業於紫陽雲谷之間, 幾至設役, 而事多牴牾, 因而停止。因守此敝廬, 可謂鳥不離舊捿者也。

---

178) 결혼할 때 신부를 호위하여 수행하는 신부 측의 수행원, 즉 나이 많은 어른들이 수행하였다.
179) 이 편지는 월담의 아들 종섭(鍾燮; 보정의 큰 자부 친정 동생)이 일제 강점기 징집되어 중국 동북지방에 일제 보국대로 있을 때 사장인 보정에게 올린 서신이다.
180) 신선이 사는 곳의 문이라는 뜻으로, 상대방이 사는 집을 가리킴.
181) 전북 고창군 아산면 운곡리 소재 자얀산과 운곡마을

抑仙凡有殊, 雲山之英, 或飛柯而折輪耶?

김 월담에게 보내는 답서
갑신년(서기 1944)

    윤군이 방문하여 내 반갑게 맞이하였는데, 소매 속에서 꺼낸 편지는 빨간 봉투에 봉해 있어 여러 가지로 많은 위로가 되었네. 지난달 보름에 잠시 적벽(赤壁)[182]에서 놀 때 나와 함께한 사람은 나태강(羅台江), 유청강(柳靑江), 이송오(李松吾)였네. 그러나 나는 그들과 같은 사람이 아니었네. 저…높고도 훌륭한 사람들은 월(越)나라의 장보(章甫)[183]이네. 그리고 고금이 다른 것은 당연하지만, 밝은 달과 맑은 바람은 사람에게 그리운 마음을 일으키기에 족하였네. 그리고 기행문 몇편(記行數篇)은 '근심 수'(愁)자 한 자를 기록하는데 불과하였네. 적벽(赤壁)[184]은 모두 맹덕(孟德)[185]이 곤욕을 당하였고 동파(東坡)[186]는 즐기었으며, 보정(普亭)은 수심만 자아냈으니… 아…사물은 옛 사물 그대로 인데, 사람은 그 사람이 아니라는 말은 이것을 두고 한 말 아닌가? 나의 근심으로 월담 형의 근심을 상상해 보니, 그때 학병(學兵)을 징용하여 순회(舜會; 보정의 막내 동생)는 일본을 가고, 종섭(鍾燮; 월담의 아들)은 북지나

---

182) 전남 화순군 이서면 소재 깎아지는 절벽.
183) 은(殷)나라 때 사용한 예관(禮冠)이었으나, 공자(孔子) 이후에는 유사(儒士)들이 즐겨 사용하여 유관(儒冠)으로 인식되었음.
184) 중국 호남성 가어현(湖南省嘉魚縣)의 서쪽 장강(長江)의 좌안(左岸)에 있는 지명, 즉 후한말(後漢末) 건안(建安) 13년(서기208)에 조조(曹操)·손권(孫權)·유비(劉備) 연합군이 싸웠던 곳임.
185) 후한(後漢), 패국(沛國)의 초인(譙人). 자는 맹덕(孟德), 어렸을 때 이름은 아만(阿瞞), 일명 리길(利吉), 시호는 무(武), 어렸을 때부터 기지(機智)와 술수(術數)에 능하였다. 나이 20세 때 효렴(孝廉)으로 추천되어 낭관(郎官)이 된 후 낙양북부위(洛陽北部尉)가 되고 또 의랑(議郎) 등 많은 관직을 거치다가 황건적(黃巾賊)이 일어나자 기도위(騎都尉)에 임명되어 영천(穎川)의 적을 토벌하고 재남상(濟南相)으로 전임한 후 동군태수 "東郡太守)에 임명되었으나 나가지 않고 신병을 핑계로 향리로 돌아왔다. 이때 동탁(董卓)이 소제(少帝)를 폐하고 헌제(獻帝)를 옹립하므로 가재(家財)를 털어 의병(義兵)을 모집하여 동탁을 토벌하고 그후 원소(袁昭)와 원술(袁術)을 토벌하고 스스로 대장군(大將軍)이 되어 기주목(冀州牧)과 승승(丞相)에 올라 구석(九錫)을 받고 위왕(魏王)이 되었으며 하후돈(何厚惇)의 권유로 제위(帝位)에 오르고 그의 아들 조비(曹丕)가 한(漢)나라를 찬탈하여 조조를 태조(太祖)로 정하였다.
186) 북송(北宋)의 문신(文臣)이며 당송팔대가(唐宋八大家)의 한 사람, 자는 자첨(子瞻), 호는 동파(東坡), 그의 아버지 소순(蘇洵), 아우 소철(蘇轍)과 함께 삼소(三蘇)로 칭하였다. 그는 철종(哲宗) 때 중용되어 구양수(歐陽脩)와 함께 명예를 같이 하였으며 적벽부(赤壁賦)와 사(詞)·부(賦) 등 작문에 능하고 서화(書畵)에도 명성을 떨치었다.

(北支那)[187]로 가, 바람도 근심스럽고 달도 근심스럽고 산수(山水)도 근심스러웠으니, 어데로 간들 우리들의 근심이 아니겠는가? '근심 수' 자(愁) 한 글자를 빼고 나면 할 말이 없네. 이 말은 그만하고, 다만 밝게 살펴주시기 바라네.

答金月潭

甲申

胤君左顧, 已靑我眸, 袖致翰命, 又丹其封, 種種慰慰。去月望暫遊赤壁, 與之偕者羅台江、柳靑江、李松吾也。然而吾非其人, 彼磊落者, 磅礴者, 終是越人之章甫也。且古今異宜, 明月淸風, 適足以惹人一層懷思。而所謂記行數篇, 亦不過述一愁字而已。均是赤壁, 而孟德困, 東坡樂, 普亭愁。噫！物是人非者此耶？以我之愁, 想月兄之愁, 時學兵徵用, 舜會于日本, 鍾夑于北支,風亦愁, 月亦愁, 山水亦一愁也。安往而非吾儕之愁也耶？愁一字除之, 無可述寒暄。舍置, 惟希照亮

김 월담에게 보내는 답서

갑신년(서기 1944)

이달에는 장마가 그치지 않아 마침 찾아오는 손님이 없었네. 수일동안 한가한 틈을 타서 《근사록(近思錄)》[188] 전편을 보았는데 도체(道體)의 원리로부터 시작하여 처사(處事)・접물(接物)의 방법에 이르기까지 본말(本末)이 모두 갖추어지고 거창한 이론과 세세한 분석을 막론하고 모조리 다 들어 있네.

선현 주자가 이른바 《근사록(近思錄)》은 사자(四子:四書)[189]로 들어가는 계제(階梯)라고 한 말을 믿네. 그동안 다소의 애로가 있었으나, 상의할 사람이 없어 더욱 떨

---

187) 중국 동북지방을 말함.
188) 4책, 송나라 주희(朱熹)와 여조겸(呂祖謙)이 편집한 책임. 주돈이(周敦頤), 정호(程顥)・정이(程頤)・장재(張載)의 저서와 어록 중에서 수양에 적합한 장구(章句) 622조목을 발췌하여 부문별로 편집하였다.
189) 《대학(大學)》《중용(中庸)》《논어(論語)》《맹자(孟子)》를 말함.

어져 사는 고통을 느끼었네.

우암옹(尤庵翁)[190]이 일찍 말하기를 "내가 사상(沙上)에서 문원공 노선생(文元公 老先生)[191]을 뵈올 때, 선생이 《근사록》 1부와 《석의(釋疑)》[192] 4책을 보여주시며 말씀하기를 '이것은 우리 친구 수몽공(守夢公)이 편집한 것이네'라고 하였네 그후 우암 옹이 또 교정하여 그 잘못된 순서를 바로 잡았네"라고 하였네. 그렇다면 대개 지금 간행본 소주(小註)가 우암옹이 교정한 것일까. 명백히 가르쳐 주시기 바라네.

《논어(論語)》[193]에 "순임금은 신하 5명이 있어 천하를 잘 다스렸다(舜有臣五人而天下治章)"는 장(章)에 "당·우(唐虞)[194]시대에 융성하였다(唐虞之際,於是爲盛)"고 하였는데, 이에 대한 주자(朱子)의 주(註)에는 "주(周)[195]나라에 인재가 많았지만, 오직 당·우 시대에는 이보다 많아 하(夏)·(商)시대 이후에도 모두 미치지 못하였으니, 대개 난신(亂臣)[196] 10인도 순임금 신하 5인보다 많다(周室人才之多,惟唐虞之際,乃於此,降自夏商,皆不能及,盖亂臣十人,却多於舜臣五人)"고 하였네. 그렇다면 당·우 시대에는 후세보다 훌륭하지 못하였다는 것이니, 이것은 글의 뜻이 맞지 않는 것 같네. 신안진씨(新安陳氏)가 이른바 "이 곳은 반드시 결오(缺誤)가 있다. 3분에 2정도쯤 읽었는데, 한 구절이 난데없이 나타나지만 결의문이 없는 듯하네."라고 하였는데 혹 그럴 수 있을 것 같은데, 형은 어떻게 생각하실지 모르겠네.

---

190) 서기1607(선조 40)~1689(숙종 15), 자는 영보(英甫), 호는 우암(尤庵), 시호는 문정(文正), 27세 때 생원시에 급제한 후 봉림대군(鳳林大君:후일 효종)의 사부(師傅)가 되어 대군이 등극한 후 세자시강원진선(世子侍講院進善) 및 사헌부 장령(司憲府掌令)을 비롯하여 호조판서 및 우의정과 좌의정 등 관직을 거치다가 숙의(淑儀)인 장씨(張氏)의 아들의 세자책봉에 반대하는 솟장을 올려 제주도로 유배되었다가 다시 서울로 압송하던 중 정읍에 도착하였을 때 사약을 내려 사망하였다.
191) 김장생(金長生)의 시호.
193) 《근사록 석의(近思錄釋疑)》, 鄭曄(鄭曄) 저(著). 태극도설(太極圖說)의 체용(體用)에 관한 해설서(解釋書)임.
193) 4서의 1, 7책, 공자(孔子)와 제자의 문답을 문인(門人)인 중궁(仲弓)·자유(子游)·자하(子夏) 등이 편집한 것임.
194) 중국의 도당씨(都唐氏)와 유우씨(有虞氏)를 통털어 일컬은 말임. 즉 요(堯)임금과 순(舜)임금의 태평한 시대를 말함.
195) 서기481년에 무왕(武王)이 창건한 나라. 도읍을 호경(鎬京)으로 정하였다.
196) 란(亂)은 치(治)이므로 치신(治臣)을 말함.

與金月潭

甲申

此月來, 霖雨陸續, 適外客不到。迨此數日之閑, 取看《近思錄》全篇, 自道體之原,以至處事接物之方。本末該備, 巨細畢集。信乎先賢所謂四子之階梯也, 間有多少窒碍處, 然無可與商論者, 益覺離索之苦。尤翁嘗曰"余謁文元公老先生于沙上, 先生首授以《近思錄》一部, 而并以《釋疑》四冊示之, 曰'此吾友守夢公之所編也。'"其後尤翁又加校讐, 正其次序之舛。今之行本小註, 盖是尤翁所修校者乎? 伏乞明教。《論語》"舜有臣五人而天下治"章, "唐虞之際, 於斯爲盛。"朱子註曰:"周室人才之多, 惟唐虞之際乃盛於此。降自夏商皆不能及, 盖亂臣十人, 却多於舜臣五人。"然則唐虞之際, 不得如後來之盛, 似不合於文意。新安陳氏所謂此處必有缺誤。看三分有二, 一節突起, 無起缺文。可見者似或可矣。不審, 兄以爲如何?

김 월담에게 보내는 답서

서신이 오고가니 백산(柏山)과 오봉(梧峯)이 그리 멀지 않는 것 같네. 더구나 윤군(胤君)[197]이 서신을 전하였으니 말일세. 방금 술 한 병을 보냈는데, 산에 가득한 향채(香菜)가 들 집의 부엌에 향기가 많으니, 그 향기가 어찌 물건에 있다고 하겠는가. 두 편의 아름다운 시는 나로 하여금 감흥을 일으키게 하였네만, 더욱 한이 된 것은 말을 함께 타고 높은 산과 넓은 바다가 있는 곳에 대장(大將)의 깃발을 세우지 못한 것이었네.

춘봉(春峯)이란 사람은 아직 만나 보지 못했지만, 지금 그 시를 읽어보니 이미 본 것만으로도 보지 못한 나머지 부분도 미루어 대충 알 수 있으니, 혹 만날 인연이 있으면 낯선 사람이라는 말을 면할 것 같네. 그리고 보내주신 신은 아주 정세하게 제작하여, 한 곳도 깨끗한 땅이 없을 것 같은데, 신을 신을 그 날이 언제 있을지 모르겠네만, 다른 날 명산 유람을 떠날 때 한번 시험 삼아 신고, 운하(雲霞)를 밟고 달빛에 걸으며 한

---

197) 남의 아들을 높이어 부르는 말.

티끌도 묻지 않도록 한다면, 그래도 깨끗한 신의 길상함을 차지한 것으로 되지 않겠는가? 그런데 초석(草席)을 보내온 데는 한 말씀 드리겠네. 보정(普亭)은 지금 "천지(天地)를 살 집으로 삼고, 일월(日月)을 문으로 삼고, 산줄기를 울타리로 삼고, 만고(萬古)를 한 순간으로 삼고 있어도, 이 7척의 내 몸을 용납하기 어려운데, 더구나 파초(芭蕉) 잎으로 만든 큰 초석으로 어찌 우리 4조손(祖孫)이 여름을 지낼 수 있겠는가?(이 한 마디는 보내온 편지의 말이다.) 그러나 고인(古人)이 말하기를 "발만 들여놓으면 되지, 나머지는 모두 모두 쓸모없는 물건이다. 달팽이는 움직이면 그 집을 지고 다니고, 뱁새가 사는 집도 나뭇가지 하나에 불과하다(蝸牛之行, 能負其室, 鷦鷯之棲, 不過一枝)"고 하였으니, 이것은 자기만족을 알아야 한다는 말이 아닐까. 허허허, 웃음이 나네.

答金月潭

書往書來, 柏山梧峯, 未甚遠也。況允君袖傳者乎。纔送一壺酒, 剩得滿山香菜野厨。多香香, 豈在物？二篇瓊韻, 令人感興, 益恨其未得幷鑣建大將旗於山高海濶之處也。春峯, 吾未見其人。今見其詩, 以其所見者, 槩其所未見。或有逢緣, 庶免生面矣。惠寄履, 着制極精細。顧無一片乾淨土, 未知着用能有其日耶？第待異日名山之行, 試一快着踏雲霞而步月光, 使一塵不染, 庶可占素履之吉耶？至於草席之惠, 且有一說焉。普亭子方以天地爲室廬, 日月爲戶牖, 岡巒爲藩籬, 萬古爲一瞬, 猶且難容吾七尺, 況蕉葉大一草席, 安足爲吾四祖孫過夏此一句來書中語之資耶？雖然, 古人云："容足之外, 皆無用。蝸牛之行, 能負其室；鷦鷯之棲, 不過一枝。"此亦謂知足之說歟, 好笑好笑。

김 월담에게 보내는 답서

뜨락의 국화가 반쯤 피어 있어 혼자 구경하자니 탐내는 것에 가까웠는데, 이때 서신을 받고 황국(黃菊)을 마주보며 읽어보니 가히 세 명의 친구가 되었네. 마침 서쪽 이웃 마을에서 막걸리를 보낸 친구 한 분이 와서 글을 읽고 술도 마시셨으니, 세 사람이 네 사람이 되었다네. 이렇게 미루어 본다면, 천지 사이에 이름을 지을 수 있는 물건은 나의 친가 아닌 것이 없으므로, 사슴도 친구요 목석(木石)도 친구가 되겠지만, 단 문방사우(文房四友)¹⁹⁸⁾만은 나에게 깍듯이 인사하고 나를 사절하였으니, 목마른 사람이 물을 찾듯 사귀고자 하지만 그렇게 할 수는 없는 것 같네. 언제나 형의 서신에 답장할 때, 한번 시험 삼아 강력이 간청하고 싶었는데, 그(文房四友)가 올 때는 마지못해서 오는 같고, 갈 때는 아무리 바라보아도 뒤도 돌아보지 않았네. 그렇다면 이 친구의 믿음은 월담(月潭)에게 있고, 이 보정(普亭)에게는 없는 것일까. 중도에 길을 바꾸어 영수(靈脩)¹⁹⁹⁾와 같이 잘못된 사람이 된 것이 부끄러우니 어찌 번거로운 말을 하겠는가?

지금 목포(木浦) 등지에 무슨 일이 있어 바쁘게 떠나는 길에, 총망히 글을 드리니 할 말은 많으나 다하지 못하겠네. 깊이 헤아려 주시기 바라마지 않네.

答金月潭

庭菊半英, 獨賞近饕, 際拜華翰, 對黃展讀, 可作三友。適有西隣, 送大白一友, 且讀且觴, 三可四矣。以此推之, 則天地間有形可名者, 無非吾友也。麋鹿可友, 木石可侶。但文房四友輩, 謝我長揖, 渴交而不可得矣。每答兄書, 試一强請, 其來也若不勝, 其去也望望然不顧。然則此友之信, 在月不在普也耶。處羌路自愧靈脩之非人, 更何足煩。方有事木浦等地, 臨發匆匆, 說不盡, 統希淵鑒。

김 월담에게 보내는 편지

청학동(靑鶴洞)의 유람은 즐거웠는지. 내가 우의도사(羽衣道士)가 소공(蘇公)에게 물은 것처럼 묻고 싶은 것은 두류산(頭流山)의 그 많은 산을 한번 날아서 다 보지 못

---

198) 지(紙)·필(筆)·묵(墨)·연(硯)을 말함.
199) 초(楚)나라 회왕(懷王)을 말한다. 이소경(離騷經)에 "구천(九天)을 기리키며 물어보노니, 오직 영수(靈脩:懷王) 때문이다(指九天以爲正兮, 夫唯靈脩之故也)"고 하였고 또 "황혼(黃昏)을 기(期)하였으나, 중도에 길을 바꾸었다"(日黃昏以爲期兮,羌中道而改路)고 하였다. 초(楚)나라 굴원(屈原)은 충신으로서 국정 전반에 걸쳐 잘못된 정책을 회왕에게 말했으나 회왕은 다른 대부들의 말만 듣고 굴원을 미워하여 축출하므로, 굴원은 이때 동정호(洞庭湖) 부근을 헤메이다가 3년만에 골라수(汨羅水)에 투신 자결하였다. 이 이소경은 굴원이 방축된 후 회왕이 늬우치기를 기다리며 지은 것이다.

하고 또 천리마(千里馬)에 붙어 가는 것은 형세가 미치지 못하여 봉자(鳳字)만 쓰고 돌아왔으니 그 서글픈 마음 어떠하겠는가? 부생(浮生)의 이합(離合)도 그 사이에 있는 것이니 이른바 사람이라고 하는 것은 간여(干與)할 수 없는 것일까. 그러나 우리들은 제각기 내면에 힘써 낮에 생각하는 것이 아침에 더 나아야 할 것이며, 지금 하는 일이 어제보다 나아야 할 것이네. 이렇게 해 나가는 것이 버릇이 된다면 비록 죽을 때까지 만나지 못하더라도 아무런 속상할 일도 없이 떳떳한 것이 아니겠는가.

與金月潭

青鶴之遊, 樂乎? 吾欲以羽衣道士問之蘇公者, 問之而頭流萬疊, 終非一翮可振也. 附驥而致, 勢所不及, 題鳳而歸, 何悵如之? 浮生離合亦有, 所存於其間. 而所謂人者, 莫得以干歟. 雖然, 吾儕各用力於在內者, 使晝之所思優於朝, 今之所爲勝於昨. 以此做去, 庶有攸獲, 則雖沒世不相見, 庸何傷也.

김 월담(月潭兄)에게 보내는 답서

을유년(서기 1945) 3월

지난달에 형을 만산(萬山)중[200]에 방문하여 운하(雲霞)[201]에 취하여 담화를 나누며 두 밤을 자고 돌아오니, 나도 3일간은 신선에서 벗어나지 않은 듯 했네. 그 후 꽃과 새들이 더 많아지고 고을 것이니, 천산(天山)의 맛이 더욱 아름답고 더 했을 것이네. 만일 명철한 사람이 아니라면 누가 우리 월담 형처럼 과감히 급류에서 물러설 수 있겠는가?

정회(正會)는 다행히 선군(先君)의 영령(英靈)에 힘입어 먼 곳도 가보지 않는 곳이 없었네. 그리고 막내 동생 순회(舜會)는 일본 병영(日本兵營)으로부터 이 달 22일 무사히 귀가하였으니 하늘이 비로소 열린 것일까? 땅이 비로소 열린 것일까? 끊긴 영혼이 다시 이어지고 소경의 눈이 다시 밝아진 것일까? 살리기 좋아하는 하늘의 덕택을 갚고자 하여도 끝이 없네. 그저께 우리 동내에 사는 진석 군(鎭錫君)의 서신을 받

---

200) 첩첩이 둘러 쌓인 깊은 산속
201) 구름과 노을, 봄의 계절

앉는데, 그가 전하는 바에 의하면 윤우(胤友)[202]가 편안하다 하니 이 마음에 매우 위로가 되었네. 존문(尊門)[203]에서는 십여 대를 내려오면서 인(仁)과 의(義)를 쌓았기에 반드시 여경(餘慶)[204]의 보답이 있을 것이네. 더구나 우리 형은 하늘에 통하는 지성과 사람을 감동시키는 인(仁) 있으시니 《시경(詩經)》[205]의 이른바 "학(鶴)이 그늘에서 울고 있으니, 그 새끼가 화답하네(鶴鳴在陰, 其子和之)"라는 말로 위로를 드리네.

與金月潭

乙酉三月

客月訪兄於萬山之中, 談雲醉霞, 信宿而歸。我亦三日不違仙而伊來, 花鳥增妍, 仰想天山之味, 漸益嘉且肥矣。如非明哲, 孰能勇退急流, 如吾月兄乎! 正會幸賴先君之靈無遠不暨, 舍季舜會自日本兵營今二十二日, 無事歸家。乾始開歟? 坤始闢歟? 斷魂復續, 瞽眼更明。仁天好生之大德, 欲報罔極。再昨得鄙洞鎭錫君書, 憑聞胤友之安, 甚慰此懷。尊門十數世, 積仁集義, 必有餘慶之報矣。而況又吾兄有格天之誠, 感人之仁。《詩》所謂 "鳴鶴在陰, 其子和之"者。以是奉慰。

김 월담에게 보내는 답서

을유년(서기 1945)

두 번 보낸 서신중에서 한통은 지난달 27일 보낸 것이고, 다른 한 통은 이 달 초하루에 보낸 것이었네. 이 아우가 읽어보니 마치 무릎을 맞대고 마주 앉아 속마음을 터놓는 듯한 감이 들었네. 사람들에게 사랑을 심어주는 존형(尊兄)이 아니면 그 누가 비

---

202) 상대방의 아들을 높여 부르는 말.
203) 상대방의 가문을 높여서 일컫는 말.
204) 남에게 착한 일을 많이 한 보답으로 뒷날 그 자손이 누리게 되는 경사(慶事).
205) 10책(20권), 풍(風)아(雅)송(頌) 3부로 나누어졌으며 주(周)나라 초기부터 전국(戰國)까지의 향요(鄕謠)를 채집(採集)하여 3천여 편이 되었으나 공자(孔子)의 산정(刪定)에 의하여 현재 305편만 전한다고 한다.

바람 치는 밤중에 등불을 켜고 인도하며 끝도 없는 나루터를 건네 줄 수 있겠는가?

  정회(正會)는 워낙 결단력이 없어 동서(東西)도 구분하지 못하여 이미 기미(幾微)를 보고 멀리 떠나지 못하였고, 또 빛나는 봉황(鳳凰)이 나는 것을 보고도 밭두덕 사이에서 꾸물대고 있고, 기로(岐路)에서 방황하고 있으니 망망한 우주에서 누구와 함께 돌아가야만 되겠는가? 군자(君子)는 뜻을 움직이는 것을 귀중하게 여기지 않고 멈출 곳을 아는 것을 귀중하게 여기네. 방숙(方叔)[206]은 그 하수(河水)[207]를 알고 그 속으로 들어갔으며, 사양(師襄)[208]은 그 바다를 알고 그 속으로 들어갔으니, 그 들어간 것이 어려운 것이 아니라, 그 안다는 것이 어려운 것이니, 내가 이 설(說)에 집착한지 오래 되었네. 월담 형께서는 "일은 신속하게 도모하는 것을 귀하게 여기고, 지체하면 후회한다(事貴速圖, 遲緩恐悔)"는 8자로 가르치기를 게을리 하지 않으셨으니, 바다에 들어가서 어디로 간단 말이며, 하수에 들어가서는 또 어디로 가야 한단 말인가. 지금 어떤 사람이 병을 앓고 누어 있다면 옆 사람이 속히 약을 가져오라고 권하였을 때, 어리석을 사람들은 명현(暝眩)[209]의 반응이 있어야 이 병을 치료할 수 있다는 것은 모르고 있는 것은 아니지만, 병 증세가 각기 다르기 때문에 처방도 같지 않는 법이네. 때문에 훌륭한 의원들은 약을 급히 쓰는 것을 귀히 여기지 않고 증세에 맞는 처방을 내리는 것을 귀히 여기고 있네.

  월담은 높은 지식이 있으므로 정해진 비방이 있을 것이니, 한 제(劑)의 투약을 아끼지 않는 것이 어떻겠는가? 아반간(亞飯干)[210]이 초(楚)나라로 가고, 삼반료(三飯繚)[211]는 채(蔡)나라로 갔으나, 채나라와 초나라에 간들 또 어느 곳에서 살아야겠는가?

---

206) 노(魯)나라 소공(昭公) 때의 북을 치는 악사(樂師)이며 삼환(三桓: 노나라의 세 권신인 孟孫氏, 叔孫氏, 季孫氏)의 권세가 왕을 능가하므로 소공이 제(齊)나라로 피신하자 노나라의 악사들도 모두 살길을 찾아 노나라를 떠났는데, 이때 방숙은 황하(黃河)의 섬으로 들어갔다고 한다.
207) 황하(黃河)를 말함.
208) 노(魯)나라 소공(昭公) 때의 경자(磬子)를 치는 악사(樂師) 양(襄)이며, 그는 삼환(三桓)의 발호(跋扈)에 살길을 찾아 바다의 섬으로 돌아갔다고 한다.
209) 어지럽고 눈 앞이 캄캄함.
210) 노(魯)나라 소공(昭公) 때의 악사(樂師), 아반(亞飯)은 악사(樂士)의 순서를 두 번째 악사를 말하며 간(干)은 악사의 이름이다. 그는 삼환(三桓)으로 인하여 노나라가 혼란에 빠지자 살기를 찾아 초(楚)나라로 갔다고 한다.
211) 노(魯)나라 소공(昭公) 때의 악사(樂師), 삼반(三飯)은 세 번째의 악사(樂士)로 악사의 순서를 말하며 료(繚)는 악사의 이름임. 그는 삼환(三桓)으로 인하여 노나라가 혼란에 빠지자 살기를 찾아 채(蔡)나라로 갔다고 한다.

붓을 들었으나 망연한 심정이니 한훤(寒暄)²¹²)은 이상으로 마치겠네.

答金月潭
乙酉

兩度惠札, 一則去念七日出, 一則今初吉出也。長弟奉讀, 殆若促膝披肝, 如非尊兄立人之仁, 孰能引燭於風雨之夜, 濟溺於無涯之津歟？正也素乏定策, 東西莫辨。既不能見微於鴻擧, 又及覽輝之鳳翔, 祇得蠢動於畎畝之間, 彷徊於歧路之上。茫茫宇內, 誰與同歸？君子不貴乎其移, 乃貴乎知其止也。方叔知其河而入, 師襄知其海而入。其入非難, 其知爲難。吾之執此說久矣。兄以"事貴速圖, 遲緩恐悔"八字, 誨之不倦。海將何處, 河又奚之？今有人方病臥者, 傍人勸其速進藥, 愚夫愚婦非不知瞑眩之能瘳厥疾。而症各有異, 藥亦不同。故良醫不貴其速進藥, 而貴其對症而投也。月潭乎, 高見卓識, 必有定籌。幸勿惜一劑之投, 若何？亞飯干適楚, 三飯繚適蔡, 蔡、楚又何處。臨筆惘然, 寒暄刪上。

김월담(金月潭)에게 보는 편지
병술년(서기 1946)

　지난번 방문하였을 때, 수일동안 들려주신 산 이야기는 울적했던 나의 마음을 달래 주었네. 헤어진 지 불과 몇 칠 되지 않았지만 집채 같은 풍랑이 더욱 심하여 뗏목이 없는 나룻터에 이른 것 같네. 예전에 산에 올랐을 때는 어찌 그리 인자(仁者)다운 즐거움이 넘치는 듯 하였기만 했는데, 오늘에는 그 산도 보기가 싫으니, 이것은 지자(知者)의 처사와는 퍽 다른 듯하네. 아니 물도 맑고 흐리고, 급하고 험한 것이 있는 것과 마찬가지로 지자(知者)의 즐기는 것도 때로 변함이 있는 것일까？
　벌서 보릿가을(麥秋)이네. 애체(哀體)가 예서(禮書)를 읽으며 부지하고 있으신지. 깊은 산, 후미진 시냇물이 있는 금계동(金鷄洞) 주인께 삼가 축하를 드리네. 정회는 날마다 듣기 싫은 말을 들어야하고, 보기 싫은 광경을 보아가면서 잠지도 눈섭을 펼

---

212) 날씨의 춥고 더움에 대한 인사말.

겨를도 없이 지내고 있네. 다만 다행스러운 것은 성솔(省率)[213]만이 어제와 다름없네. 지난번에 부탁한 《심경(心經)》[214]은 다행히 잊지 않고 있으니, 이 인편에 빌려주시는 것이 어떠하겠는가? 《사문류취(事文類聚)》의 표기는 내가 어렸을 때 초록한 것으로 아마 많은 착오가 있을 것으로 생각되네.

그리고 묏자리에 대한 말은 내가 선배들에게 들으니 자식 된 도리에 구하지 않으면 않되겠지만, 반드시 구할 것은 없다고 하네. 옛날이나 지금이나 좋은 묏자리를 얻는 사람들은 대개는 그들이 성의를 모았기 때문이네. 그런데 불초(不肖)[215]를 돌아볼 때 어찌 길지(吉地)를 얻을 도리가 어디에 있겠는가.

與金月潭

丙戌

向者惠枉數日談山, 足以暢我幽欝。別來未幾日, 風浪益險, 如入無筏之津。疇昔登山, 何其有似乎仁者之樂, 而今日之厭見彼流？又大非知者事也。抑或水有淸濁激險之殊, 知者所樂, 亦有時乎變也歟。麥已秋矣, 仰惟哀體讀禮萬扶。林深澗幽, 爲金鷄洞主人賀也。正會日聞所不欲聞, 日見所不欲見, 無暫刻展眉時。惟幸省率如昨耳。向托《心經》, 幸不置忘, 界此便惠借如何？ 表類, 聚余幼少時抄得者, 想多秦榛之訛矣.山地云云, 吾聞諸先輩, 爲人子者, 不可不求之, 不可必得。古與今得其地者, 盖由乎積其誠也。顧不肖, 安有得吉之理乎？

김 월담에게 보내는 답서

병술년(서기 1946년)

날을 듯 눈 속에 대문 안에 들어선 사람은 종섭(鍾燮)군이 아닌가? 대문 소주(大文小註)가 잔뜩 적힌 종이는 형의 서신 아니겠는가? 깜짝 놀라며 반가운데, 손자는 "할

---

213) 성(省)은 부모님, 솔(率)은 자녀들을 말함.
214) 송(宋)나라 진덕수(眞德秀)가 편집한 책, 경서(經書)와 도학자들의 격언을 수집하여 엮어 놓았다.
215) 어버이의 덕망이나 유업(遺業)을 이어받지 못함. 또는 그런 못나고 어리석은 사람.

아버지! 손님이 찾아오셨어요!"라는 편지에 쓴 이 한 마디의 구절은 산 속에 깃든 생활의 참된 즐거움을 상상케 했네.

정회(正會)는 예나 지금이나 완명(頑命)[216]할 따름이네. 경식(璟植)과 명식(明植)은 글자와 획을 익히고 있으니, 알(卵)과 같은 이 손자들에게 따뜻하게 해 주면 혹 새벽 하늘에 해가 솟을 날이 있을까? 빌려왔던 《여어(唲語)》[217]는 오늘 다 돌려드리겠네.

나의 한 평생을 돌아보면, 신음(呻吟)소리가 많았던 것 같네. 기질이 편협하므로 내적으로 신음하게 되고, 물욕의 유혹을 받으면 신음 소리가 밖으로 드러나는 것 같네. 어려서 이후 장년이 될 때 까지, 아침부터 저녁까지 한 결 같이 신음소리만 내고 있네. 당장이라도 좋은 약을 구해, 이 살갗에 침을 놓고 뜸을 뜨고 장부에 환약을 넣어 나의 신음소리를 끊지 못한 것이 한스럽기만 하네. 지금까지 사십 년을 지나다 보니 (신음이) 쌓여 고질이 되고 말았네. 비록 왼쪽에 화타(華陀)[218]를, 오른 쪽에 편작(扁鵲)[219]을 두어, 아침에 침을 놓고 저녁에 뜸을 드린다 해도 효과를 거두기에는 어려울 것 같네. 그렇지만 젊은 시기에 잃어버린 것을 나이가 들어 수습하는데 소홀히 할 수는 없는 것 아닌가? 한 글자를 약으로 삼아 복용하게 되면, 그 만큼 아픔이 물러가게 될 것이고, 한 구절로 진단하게 되면, 진단 받은 만큼 효력을 얻게 될 것이네. 그렇게 되면 신음소리가 가시게 될 것이고, 환희의 소리가 돌아오지 않겠는가? 육위(六偉)[220]를 부탁하셨는데, 어찌 이 누졸(陋拙)함을 양해하지 않고 이 같이 잘못된 일을 하시는가. 그러나 이미 명하셨으니, 조만간 초안(草案)을 잡겠네.

---

216) 죽지 않고 모질게 살아 있는 목숨.

217) 미상.

218) 한말(漢末)의 의사(醫師), 패국(沛國)의 초현인(譙縣人). 본명은 부(尃), 화타(華陀)는 선생이란 뜻으로 사용된다고 함. 그는 동봉(董奉), 장기(張機)와 함께 건안삼의(建安三醫)로 일컬어진다. 그는 외과(外科)에 능통하여 마비산(麻沸散: 마취제)을 사용하였으며 일찍 서주(徐州)에 유학하여 박학다식(博學多識) 하였으므로 패국상(沛國相) 진규(陳珪)는 효렴(孝廉)으로 추천하였고 태위(太尉) 황완(黃琬)은 시의(侍醫)로 추대하였으나 모두 나가지 않고 향리에서 살았다. 그는 본래 사대부(士大夫)였으므로 의사라는 말을 싫어하였는데 조조(曹操)가 옆에 두고 자신의 두통 "(頭痛)을 치료하자 화타는 자신을 의사로만 대하는 것이 싫어 신병을 핑계로 집으로 돌아와 불러도 가지 않자 조조는 그를 살해 하였다.

219) 전국(戰國), 본명은 진월인 "(秦越人), 발해 막군인(渤海鄚郡人. 지금 河北省 任邱). 그는 소아과(小兒科), 부인과(婦人科), 이비인후과(耳鼻咽喉科)에 능하였으며 유심주의(唯心主義)와 육불치(六不治)의 사상이 있었고 무술(巫術)을 싫어하여 진(秦)나라 태의(太醫) 이해(李醯)에게 살해 되었다.

220) 상양문(上樑文)을 말함. 상양문 후미에 상하(上下)와 동서남북 사방에 있는 경치를 들어 신축한 가옥이 지리적인 명당이라는 것을 강조하고 있다.

答金月潭

丙戌

翩然穿雪而入門者, 是鍾燮君耶？大文小註, 淋漓紙面者, 是故人書耶？其喜若驚, 而孫呼：" 祖, 客訪主。"一句尤可想山中眞樂也。正會昔頑今頑而已。璟明輩能讀字習畫。溫溫其卵, 或有曙天之日耶？借來《呂語》, 今還完矣。顧此一生多呻吟, 氣質之偏也, 而呻吟於內；物欲之誘也, 而呻吟於外。少而壯, 朝而暮者, 只做得一呻吟聲。恨不早得此良劑, 以鍼砭我肌膚, 湯丸我臟腑, 絶我吟呻之聲也。今則積四十年, 轉成痼廢。雖左華右扁, 朝鍼夕炙, 難以責效。雖然不可以東隅之失, 忽諸桑楡之收也。服一字而減一分之崇, 診一句而奏一分之効。庶可回呻吟, 而返歡喜之聲歟？六偉之囑, 何不諒此拙陋而致此誤擧耶？然旣有命, 早晏起草矣。

김 월담에게 보냄

병술년(서기 1946)

곧 막내 따님의 혼례가 곧 있다고 하니 형에게 있어서 고생살이는 끝나는 것 같네. 이로부터 오악(五嶽)[221]의 명산이 스스로 발밑에 있게 되었으니 축하하는 것이 비록 옛날의 도리는 아니기는 하지만 형이 유람할 겨를을 얻었는데 어찌 축하하지 않을 수 있겠는가?

시국이 묘연하여 끝이 보이지 않으니, 우리들은 도대체 어디로 가서 몸을 건사해야 하는가. 하늘에는 음양(陰陽)이 따로 있고, 땅에는 하화(夏華)와 이적(夷狄)이 따로 있고, 사람에게는 군자(君子)와 소인이 있네. 천도(天道)는 음을 억제하고 양을 부축하며, 지도(地道)는 하화를 안으로 하고 이적을 밖으로 하였으며, 인도(人道)는 군자를 나오게 하고 소인을 물리쳤네. 그렇지만 자고로 정치를 잘하는 날은 적고 어지러운 날은 많아 소인들은 기탄이 없고, 군자는 하루도 편안한 날이 없으니, 이것이 무슨 까닭일까. 주역(周易) 64괘중에서 길사(吉事)가 하나라면 흉(凶)·회(悔)·린(吝)

---

[221] 중국의 중악(中嶽)인 숭산(嵩山), 동악(東嶽)인 태산(泰山), 서악(西嶽)인 화산(華山), 남악(南嶽)인 형산(衡山), 북악(北嶽)인 항산(恒山).

은 세 개나 되었네. 아무리 이렇다고 해도 하화(夏華)가 이적(夷狄)을 제압하고 군자가 소인을 다스리는 것은 덕망과 지위가 있는 사람들만이 능히 할 수 있는 것 아닌가. 나의 마음이 바르면 곧 양이 되고 중화가 되는 것 아닌가. 마음이 바르지 못하면 음이 되고, 이적이 되고 소인이 되는 것 아닌가. 천지의 음을 억제할 수 없으나 내 마음의 양은 부축할 수 있고, 천하의 이적을 몰아내기는 못하지만 내 마음의 군자는 받아드릴 수 있는 것 아닌가. 우리들이 응당 힘 써야할 곳은 돌아보면 바로 여기에 있지 않겠는가. 세월은 유수같이 흘러가니 준마다운 마음을 헌 번 펼쳐 보지 않겠는가. 매일 한밤중에 일어나 앉아 고개를 들고 옥루(玉漏)222)를 처다 보니 스스로 부끄러운 맘을 금할 수가 없네.

효당(曉堂)이 병든 몸을 이끌고 와서 수일동안 머물고 있었으므로 듣지 못한 것을 들었네. 우리 형과 함께 있기를 생각하였으나 길이 멀어 초대하지 못하였으니 어찌 하겠는가?

與金月潭

丙戌

聞令季女昏禮在卽, 在兄可謂苦債畢矣。從此五嶽名山, 自在足底。盖賀雖非古道, 而爲兄壯遊之有日得, 無賀乎？時事渺無涯畔, 吾輩當置身何地？夫天有陰陽, 地有華夷；人有君子, 有小人。天道抑陰而扶陽, 地道內華而外夷, 人道進君子而退小人。然而自古治日常少, 亂日常多。小人無忌憚, 而君子不得一日安者, 玆曷故焉？易之六十四卦, 吉一而凶悔吝三也。雖然使華而制夷, 君子而治小人, 有德且有位者能之。吾之一心, 卽小天地也；吾心之正者, 陽也, 華也, 君子也。其邪者, 陰也, 夷也, 小人也。天地之陰不可抑而吾心之陽可扶也。天下之夷不可攘, 而吾心之華可尊也。一世之小人不可退, 而吾心之君子可進也。吾輩所當用力者, 顧不在玆乎！而荏苒歲月, 汗馬方寸, 不一試工。每中夜起坐, 仰屋漏而自愧也。曉堂扶病來訪, 相守累數日, 益聞所不聞。思與吾兄共之, 路遠莫致, 奈何？

---

222) 옥으로 만든 물시계

김 월담에게 보내는 답서
정해년(서기 1947)

정모(鄭某) 친구가 뜻밖에 방문하여 무고하심을 알려줘 궁수(窮愁)[223]가 사라졌네. 손자 경식(璟植)에게 주는 팔자(八字)를 내려 보내시었는데, 이것은 《대학(大學)》의 수신(修身)·제가(齊家)·치국(治國)·평천하(平天下)의 기본인바, 나는 선현들이 이른바 "쇄소(灑掃)·응대(應對)와 정의입신(精義入神)[224]에는 이치상에서 정밀한 것과 거친 것이 없는 것이다."라는 것을 알기 쉬운 말로 그에게 들려주고 또한 가슴속 깊이 새겨 교훈으로 삼아 평생 동안 살아가는 바탕으로 삼으라고 신신부탁하였네.

선친(先親)의 정사(精舍)는 봄 사이에 만수당(晚睡堂) 동편에 이건(移建)하였네. 이곳은 바람이 풍랑 같이 세게 불어 함부로 토목공사를 하는 것이 아니라는 모르는 바 아니지만 백방으로 생각해도 옛날 그대로 둘 수는 없었습니다. 다만 애당초 일을 시작할 때에 신중하지 못했음을 후회할 따름이네.

答金月潭
丁亥

鄭友匪意見訪，獲拜崇械(械)，足以消我窮愁。俯示璟孫輩八字，此是《大學》修齊治平之基。而先賢所云，"灑掃、應對與精義入神，理無精粗者也。"余以口語釋之，使渠輩聽之，且令爲懷中簡，以爲平生受用之資焉。先人精舍，春間移建于晚睡堂東偏際。此風怒浪險，非不知土木之爲妄擧。而揆諸百方，不可仍舊，祇恨謀始之不謹耳。

김 월담에게 보내는 편지
정해년(서기 1947년)

반가히 답서를 받고 많은 감회를 느꼈네. 덕행이 어떠하신지 자세히 알지 못하지만

---

223) 곤궁하여 겪는 근심
224) 오묘한 이치를 깨달아 입신의 경지에 이름.

엎드려 생각하건데, 전과 같이 여러 모로 만중(萬重)[225]하고 성솔(省率)[226]이 전일과 같으니 험한 세상에서도 한 가지만은 좋은 일이라고 생각하네.

편액(扁額)의 호는 두 번이나 부탁한 말씀을 어기다가 지금 써 보았으나 모두 모양을 이루지 못하여 손자 경식(璟植)에게 쓰도록 하였으니, 이에 한번 웃어주는 것이 어떠하겠는가?

일찍이 효당(曉堂)이 지은 《월담기(月潭記)》를 읽어보고 본받아 보려고 한지 오래 되었네. 어제 밤 달빛이 매우 아름답고 연꽃이 고와서 우연히 "달은 공산에 가득하고 물은 연못에 가득하다(月滿空山水滿潭)"이란 구절을 읊다가 붓을 들어 시 한수를 지었는데, 월담의 마음에 들런지 모르겠네.

與金月潭
丁亥

惠覆多感, 秋凉驟至, 不審德履何似？伏惟萬重正省, 率幸依前, 險浪中一嘉況也。額號重違盛囑, 茲.敢揮腕, 而全不成樣試事。璟孫寫之, 爲之一笑如何？甞讀曉堂所著《月潭記》, 欲效嚬者久矣。疇昔之夜, 月色甚佳, 荷花政姸, 偶誦 "月滿空山水滿潭"之句, 遂援筆成篇, 未知道得月潭心事否也？

김 월담에게 보내는 답서
정해년(서기 1947)

심부름꾼이 산과일을 등에 지고 왔으니 묻지 않아도 김계리(金鷄里)에서 나온 것이라는 것을 알랐네. 또한 서신을 받아보니, 여러 폭에 가득히 적은 말씀은 비단을 진열해 놓은 듯 아름다워 정신이 아찔하였네. 손자 경식(璟植)에게 가르친 사언절구시(四言絕句詩)는 뜻이 정(精)하고 이치에 맞아 의미가 원대(遠大)하였으니, 이것은 모기에게 태산을 지고 가라는 격으로, 아마 견디지 못할까 두렵네. 그러나 주자(朱子)가 《소학제사(小學題辭)》를 쓸 때 서두에서 말한 것 가운데 천도(天道)와 인성(人性)을 말한

---
225) 모든 일이 평안함. 안부를 물을 때 쓰는 상투적 표현.
226) 모시고 있는 부모와 그 밖의 딸린 식구들.

것은 그 뜻이 은미(隱微)²²⁷)하니, 당연히 열 겹으로 간직했다가 조금 더 철이 들면 원래의 부적(符籍)으로 할 것이네.

《묘문(墓文)》의 세계(世系) 서술 방법은 보내주신 말씀이 참으로 근거가 있는 말이었네. 《기문(記文)》의 벽두에는 "처음 우리 친구가"라고 기초(起草)하였는데, 지금 존형의 말씀을 들으니 글자 한자 사이에 과연 친소(親疎)²²⁸)의 차이가 있으니 기초부터 잘 못 닦았다는 말을 들어야 하겠는가?

《만물설(萬物說)》을 한 마디로 말해 본다면. 어리석음을 알리고 있네. 이 구절의 중점은 '불영(不嬰)' 두 글자에 귀착되어 있는바, 애당초에는 만물을 가벼이 여긴다는 뜻이 아니었네. 크게는 천지(天地)·일월(日月)·강해(江海)·산악(山嶽)이며, 작게는 초목(草木)·금어(禽魚)·곤고(昆蟲) 따위인데 사물이 아닌 것이 없었네. 그렇지만 성인(聖人)은 사물을 부리고, 중인(衆人)은 사물에 부림을 당하고 있네. 무릇 도(道)라는 전체는 만물 속에 흩어져 있네. 성인이 사물에 부림을 당하지 않는 것은 무슨 까닭일까? 오직 마음에 두지 않기 때문에 물건을 부릴 수 있는 것이니, 자사(子思)가 말한 "만물을 기른다(育萬物)"는 것이며 소자(邵子)²²⁹)가 말한 "만물을 본다(觀萬物)"는 것이네. 그 주요한 뜻은 '육(育)'자와 '관(觀)'자에 달려있네. '만물(萬物)' 두 글자는 훌륭한 어휘가 아닌 것은 아니지만 "하나 같이 영아로 보는 마음"이라고 하니, 오히려 그것의 속박을 받게 되었네. 주자(朱子)가 고사헌(高士軒)²³⁰)을 기록하면서 "초연히 만물 밖에 홀로 서 있다."고 하였으니 이것은 마음속에 두지 않았다는 것을 말한 것이네. 만일 물건을 마음속에 두지 않았다면 허무(虛無)²³¹)와 적멸(寂滅)²³²)하게 될 것이니, 만물의 밖에 서 있다는 것은 과연 무엇을 두고 말한 것일까. 다시 명확한 가르침을 바라네.

---

227) 겉으로 드러난 것이 없음. 묻히거나 적어서 알기 어려움.
228) 친함과 버성김.
229) 송인(宋人), 자는 요부(堯夫), 호는 안락선생(安樂先生), 시호는 강절(康節), 그의 선조는 범양인(范陽人)이었으나, 그는 아버지를 따라 공성(共城)으로 이사하였으며 그후 또 하남(河南)으로 이사 하였다. 그는 일찍 북해(北海)의 이지재(李之才)에게 도서선천상수(圖書先天象數)를 배우고 역학(易學)에 정통하였다. 어렸을 때 소문산(蘇門山)의 백원사(百源寺)에서 독서하여 부필(富弼)·사마광(司馬光)·여공저(呂公著) 등과 낙양(洛陽)에서 종유하였다. 그의 학파는 백원학파(百源學派)라고 하며 나이 67세에 작고 하였다. 함순(咸淳) 초에 공묘(孔廟)에 배향하고 신안백(新安伯)으로 추봉하였다.
230) 중국 복건성 천주부 동안현(福建省泉州府同安縣)에 있음, 주자(朱子)가 동안현의 주부(主簿)로 있을 때 처음으로 이 집을 지어 학문을 강론 하였다.
231) 텅빔. 유무(有無)와 상대(相對)를 초월한 경지.
232) 생멸(生滅)이 함께 없어져 무위적정(無爲寂靜)함. 번뇌의 경계를 떠남. 열반.

마지막 단락에서 "암화수로(巖花垂露; 바위 위의 꽃송이 이슬을 두리우고-역주)"라는 구절은 비단 본색에 가까울 뿐 아니라 어세(語勢)도 더욱 신선한 감을 주고 있네. 우리들이 함께 모여 강론하지 못하고 오로지 서신을 통하여 규간(規諫)[233]을 말하고, 이것마저 자주하지 못하고 있으니 매우 한스러울 뿐이네.

答金月潭
丁亥

使乎背山果來, 不問而知金鷄產也。且蒙辱敎, 累幅齱縷如陳錦排繡, 殆不能定神。示璟孫四絶詩, 義精理順, 屬意遠大。是任泰山於蚊虻, 將恐渠之不勝也。雖然朱夫子題小學辭首之以"天道人性", 其意微矣。當藏之十襲, 待夫渠稍長, 爲之元符矣. 墓文叙系式來喩誠, 消然有據矣。記劈頭"初以吾友"起艸, "今承尊喩", 一字之間, 果有親疎之迹, 無奈再數廊柱之誤耶？《萬物說》試以一言貢愚。蓋此句歸重於"不嬰"二字。初非輕萬物之義也。大而天地、日月、江海、山嶽, 細而艸木、禽魚、昆蟲之類, 無非物也。但聖人役物, 衆人役於物。夫道之全體, 散在萬物之內。聖人之不役於物者, 何也？惟其不嬰於心, 故能役物。子思所謂"育萬物", 邵子所謂"觀萬物", 主意盖在"育"與"觀"也。萬物二字, 非不曰好題目, 而"一嬰其心", 則反爲其累。朱子記高士軒, 有曰："超然獨立乎萬物之表。"此是不嬰之謂也。若以物不嬰心, 爲虛無寂滅, 則立萬物之表者, 果何謂也？更乞明敎。末段所改"岩花垂露"之句, 不惟切近本色, 語勢更新鮮耳。吾儕旣不能相聚講學, 只有書簡往復, 可以寓告規。而此亦未能, 甚慨恨也已。

김 월담에게 보내는 답서
정해년(서기 1947년)

공산(空山)[234]에 바람이 세차게 부는데, 갑자기 서신이 오니 차가운 골짜기에 따뜻

---

233) 바르게 간함. 충고.
234) 사람이 없는 깊은 산중

한 바람이 부는 것 같네. 송옹(松翁)[235]의 연보(年譜)는 금년 여름에 이미 담대헌(澹對軒)에서 간행하였는데, 그 초본은 양정재 회갑(梁正齋會甲)이 편찬한 것이네. 존왕부(尊王府) 성암공(省菴公)[236]의 의적(義蹟)도 그 기록에 들어 있기를 지금도 그 생각에 매달리지 않는 것은 아니지만 일찍 말씀해 주지 않는 것이 한스럽네. 만일 존왕부장(尊王府丈)의 높은 행의(行義)가 이 기록에서 누락되지 않았다면 당시 함께 의로운 일을 했던 사람들도 천추(千秋)에 덕이 외롭지 않다고 생각하였을 것이지만 그렇지 않다면 자손들까지도 이 점에 있어서 한이 될 뿐 아니라 사문(斯文)[237]에 있어서도 큰 흠이 될 것이네. 아....그러나 늦었으니 어찌할 수 있겠는가? 어찌 한단 말인가? 정회는 한 구석에 숨어 살면서 혹 조용한 관습이 들기를 바라지만, 이웃에 사는 금방 말 배운 아이들이 마치도 논에 해오라기가 모여들 듯이, 모여들기에 그들과 수작도 하며 시끄럽게 지낼 뿐이고, 응수하기가 도리어 수고롭고 어두운 밤에 길을 가면서 길을 찾지 못한 듯이 다만 내용도 모르고 대충 읽고만 지나갈 뿐이네. 단 명덕설(明德說)은 주자(朱子)가 말한 "마음의 본체(本體)이다"고 하였고, 또 "인·의·예·지(仁義禮智)의 성(性)이 이것이다"고 하였는데, 전후의 말이 같지 않는 것은 무슨 까닭인가. 서문(序文)에 "인의예지의 성(性)에 참여하지 않는 사람이 없다"고 하였네. 그러나 그 기질을 타고난 것이 혹 동일하지 않으므로 명덕장구(明德章句)에서 또 이르기를 "기품(氣稟)에 구애되었다"고 운운 하였네. 그렇다면 주자(朱子)가 성(性)과 덕(德)에서 모두 기품을 말하여 그 밑에다가 열거하였는데, 이런 예로 미루어본다면 성(性)과 명덕(明德)[238]은 하나일 것 같네. 나의 뜻은 명덕의 덕(德)은 바로 오상(五常)[239]의 덕으로 해석하면 구애가 없을 것 같네. 그러나 여러 이치를 갖추었다고 한다면 '마음(心)'이라고 일컬을 것이 옳을 것이며, 성(性)이라고 일컬을 것은 옳지 않을 것이네. 만일 성(性)이라고 한다면, 이것은 이치로 써 이치를 갖추는 것이며, 만일 마음(心)이라고 일컫는다면 이것은 마음을 밝히는 것이니 팔조(八條)[240] 중에서 '정심(正心)'을 어떻게 분별할 것인가. 격치(格致)와 성정(誠正)은 명덕(明德)을 밝히는 일이므로, 마음을 바르게 한 후에 마음을 밝히는 것일까. 아니면 이른바 '명덕(明德)'이

---

235) 송사 기우만(松沙 奇宇萬) 구한말 호남의 병장.
236) 성암 김상기(省菴 金相璣), 전북 순창군 복흥면 하리 사창 출신으로 구한말의 병장, 월담의 조부.
237) 유학자(儒學者), 또는 유학(儒學)의 문화(文化)를 말함.
238) 대학(大學)의 삼강령(三綱領:明明德, 新民, 止至善) 중의 하나.
239) 인(仁)·의(義)·예(禮)·지(智)·신(信)을 말함.
240) 《대학(大學)》의 격물(格物)·치지(致知)·성의(誠意)·정심(正心)·수신(修身)·제가(齊家)·치국(治國)·평천하(平天下)를 말함.

라는 것은 성(性)이 아니고 별도로 한 개의 명덕일까?

정·정·안·려·득(定靜安慮得) 다섯 가지는 주가(朱子)가 말하기를 "이것은 공효(功效)의 차례이며 공부(工夫)의 절목(節目)이 아니다"고 하고, '지지(知止)' 후의 다섯 가지는 자연히 서로 인하여 나타난 것이다"고 하였네. 그렇다면 지지(知止)가 가장 어려운 것이고, 지지(知止) 후에 다섯 가지는 모두 용이하게 나아갈 수 있는 것이네. 주자는 또 말하기를 "편안한 후에 생각할 수 있는 것이니 안자(顔子)[241]가 아니면 할 수가 없다(安而后能慮, 非顔子不能)"이라고 하였는데, 이것도 또 자연히 서로 인하여 나타난 것과 같지 않은 것은 무엇 때문일까. 형은 이 책에 노력한지 이미 오래되어 반드시 깨달은 바가 있을 것이니, 아끼지 말고 명백히 가르쳐 주는 것이 어떠하겠는가. 정·정·안·려·득(定靜安慮得) 다섯 가지는 함부로 일설(一說)을 나열하였네. 금계동천(金鷄洞天)으로써 한 개의 당연히 그치는 곳으로 비유하여 말한다면, 이 한 구역은 양(陽)을 앞으로 하고 음(陰)을 뒤로 하였으며, 어떤 산봉우리는 우측에 있고 어떤 물은 좌측에 있어, 그윽하고 깊으므로 확실히 반환(盤桓)[242]할 곳이라는 것을 알고 있으니, 이것은 그칠 줄을 알고 있는 것이네. 이미 알았으면 다시 다른 의혹을 갖을 것이 아니라 반드시 이 곳에서 굳게 정착하기로 정하고, 이미 정하였으면 생각이 동하지 말고 외물에도 동요하지 안해야 할 것이네. 그리고 세상에서 말한 바와 같이, 비밀로 전해온 십승지설(十勝地說)[243]로 내 마을을 요란하게 해서는 안될 것이네 이것을 능히 정(靜)한다는 것이며, 이미 정하였으면, 이 곳에서 밭을 갈고 이 곳에서 샘을 파며 이 곳에서 모이고 이 곳에서 노래 부르며 하늘을 즐기고 이 땅을 편안하게 여겨야 할 것이니, 이것을 안(安)이라고 일컬은 것이네. 그리고 이미 편안하면 선조를 받들고 후손을 부유하게 하는 방법과 학업을 전하고 가정을 잘 다스리는 대책을 깊이 생각하지 않을 수 없을 것이니, 이것을 려(慮)라고 한 것이네. 이미 생각하였으면 한 구역의 동천(洞天)[244]이 어느 듯 나의 소유가 되고 천석(泉石)도 나만이 얻게 될 것이니, 이와 같이 그 설(說)을 본다면 혹 한 두 가지는 밝게 깨우침이 있을 것이네.

---

241) 자는 자연(子淵), 노(魯)나라 현인(賢人)이며, 공자(孔子)가 가장 신임한 제자이다. 그는 공자보다 30세가 적었지만 나이 32세에 사망 하자 공자는 "하늘이 나를 망하게 했다."고 하였다.

242) 그 곳을 떠나지 못하고 서성거린다는 뜻임.

243) 풍수가 이르는, 기근(饑饉), 병화(兵火)의 염려가 없어서 피난에 적합하다고 하는 열 군데의 땅. 곧 공주의 유구·마곡 무주의 무풍, 보은의 속리산, 부안의 변산, 성주의 만수동, 봉화의 춘양, 예천의 금당동, 영월의 정동상류, 운봉의 두류산, 그 풍기의 금계촌을 말함.

244) 높은 산 사이에 경치가 아름다운 계곡을 말한다.

答金月潭

丁亥

風威空山, 翰命忽墜, 怳若寒谷之奏暖律。松翁年譜, 夏間已經印于澹對軒。而其草本梁正齋會甲氏編次也。尊王府省菴公義蹟八錄, 與未今未可懸想, 恨不早見教也。以若尊王丈之卓行高義, 幸不漏於此, 則當時同義諸公, 猶且德不孤於千秋。如其未也, 不惟孝子仁孫有憾于此也, 亦斯文之一大欠事也。嗚乎! 晚矣。奈之何, 奈之何。正會屛處一隅, 庶可習靜, 而隣近學語輩如鷺集水田, 還覺應酬勞勞耳。黑夜冥行, 未得一條砭徑, 只是渾崙而已。但明德說, 朱子曰: "心之本體。" 又曰: "仁義禮智之性, 是也。" 前後說不同, 何也? 序文曰: "莫不與之以仁義禮智之性, 然其氣質之禀或不能齊。" 明德章句亦曰: "氣禀所拘" 云云。然則朱子於性與德皆說氣禀, 以係之下。以此推之, 則性與明德, 似是一也。愚意則明德之德, 直以五常之德, 釋之則似無拘碍矣。然而具衆理云, 則謂之心, 可也, 謂之性不可。若曰性, 則是以理具理也; 若曰心, 則是明心也。與八條中正心如何分別? 格致誠正, 所以明明德之事也。正心, 然後乃可以明心歟。抑所謂明德者, 非心非性, 而別有一箇明德歟? 定靜安慮得五者, 朱子曰: 是功効, 次第不是工夫節目。知止後五者自然相因而見。然則知止最難, 知止後五者皆容易進矣。而朱子又曰: "安而后能慮, 非顔子不能此。" 又與自然相因而見者不同, 何也? 兄於此書用力己久, 必有契悟, 勿靳明教之何? 如定靜安慮得五者妄陳一說焉, 以金鷄洞天爲一箇所當止之地而喩之, 曰: "此一區面陽背陰, 某峯在其右, 某水在其左, 窈而且深, 確知其盤桓之所者, 是知止也。旣知之, 則更無他歧之惑, 必於是而牢定。旣定矣, 則內念不動, 外物不撓, 世間所謂十勝地秘傳之說, 不能亂吾心。是之謂能靜也。旣靜矣, 則耕於斯, 鑿於斯, 聚於斯, 歌於斯, 于以樂天安土。是之謂能安也。旣安矣, 則承先裕後之道, 傳業克家之策無不研, 幾極深, 是之謂能慮也。旣慮矣, 則一區洞天居然爲我有之, 泉石是之, 獨能得也。" 如此看, 說或有一二燭籥之喩者耶。

김 월담에게 보내는 답서

신묘년(서기 1951)

　폭격 맞은 재와 화염이 비 오듯 하여 인사(人事)가 적막하네. 살았는지 죽었는지도 소식을 들을 수 없고, 아프나 가려우나 서로 관련이 없어 다른 세상의 일과 같으니, 믿는 것은 오직 형의 덕과 행실이 우리 아이들에게 미치어 반드시 잘 보호되어 아무 염려가 없을 것이네. 그런데 갑자기 윤군(胤君)[245]을 만나 이야기를 들었더니, 아슬아슬한 고비를 열 번이나 살 기회는 한 번 밖에 없었다고 하는데, 그 위험은 이미 지난 일이니 너무 걱정할 것은 없네. 윤군이 안전하게 된 것은 오늘의 다행스러움으로 마음을 다소 위안할 수 있네.

　정회는 작년 여름부터 건(巾)을 쓰지 못하고 버선도 벗어버리고 아들과 손자를 거느리고 논밭에서 지게를 지고 오고가면서 구차하게 지내고 있네. 이적(夷狄)[246]의 재환을 옛 성인들도 면치 못 하였을진대 오늘날 우리들은 다만 본래의 행실을 지니고 생사의 변두리에서 서로 지켜가며 허덕일 수밖에 없네.

與金月潭

辛卯

爆灰燼雨, 人事與之落漠, 存沒不相聞, 痛癢莫相關, 殆若隔世事, 所恃惟兄之德之行, 足以孚及豚兒, 必保其無虞矣。忽見胤君道, 所經十危而一安, 其危已屬過境, 不須追慮。其安足以慰今日之幸也。正會昨夏來, 巾不着, 襪不穿, 率兒孫輩, 擔負於畎畝之間, 至今苟活。夷狄患難, 古聖賢亦且不免, 今日吾輩只以素乎行乎, 相守於死生之際而已。

---

245) 상대방의 아들을 높혀 부르는 말.
246) 오랑캐

김 월담에게 보내는 답서

병신년(서기 1956)

　서신을 받아보니, 내용과 필체가 찬연(燦然)하여 함양공부(涵養工夫)[247]가 근본이 있으므로 늙어갈수록 더욱 강건 하시리라 생각되네.
　시문(詩文)도 바다와 산의 정수(精髓)[248]를 다 앗아 난호(蘭湖)의 파도는 다만 흐름만 남아 흐르고, 계명산(鷄鳴山)이 토퇴(土堆)가 되었으니 후일에 유람온 사람들은 내가 생각하기에 헛된 껍데기만 구경할 수 있을 뿐이네. 그러나 산수(山水)는 사람이 있어야 아름다운 것이므로 그 정수(精髓)를 아무리 빼앗겼다 하더라도, 그 명성은 선생(先生)을 만나서 더욱 드러난 것이니, 이로부터 곱셈과 나눗셈이 저울에 맞아 스스로 바르게 될 것이며, 나는 서호(西湖)의 산수(山水)를 위해 그 얻은 것을 축하할 것이니 다시 가르침을 바라네. 서신을 절반도 안 읽었는데 이 마음은 이미 적벽(赤壁)[249]과 채석강(彩石江)[250]으로 날아가니 혹 가을이나 혹은 봄에 말씀이 있으시면 따르겠네.

答金月潭

丙申

伏蒙惠翰, 辭筆燦然。仰想涵養有素, 老益康壯也。
若詩若文, 盡奪海山之精髓, 使彼蘭湖之波, 只爲剩流；鷄鳴之山, 但得土堆。後乎遊者, 吾恐其虛殼爲也。雖然山水待人而美, 其精髓雖曰見奪, 其聲譽則得先生而益著。以此乘除之稱, 錘自正矣。吾爲西湖山水賀其有得也。更圖之敎讀未半, 此心已飛越乎赤壁彩石之間。或秋或春, 惟命是從。

---

247) 수양과 연구를 겸한 공부.
248) 사물의 중심을 이루는 가장 뛰어나고 중요한 것.
249) 전남 화순군 이서면 창랑리 보산리 장항리 일대에 걸처있는 깎아지른 산벽으로 이 절벽은 중국의 적벽과 비슷하다고 해서 붙혀진 이름이며 예로부터 시인 묵객들이 모여서 시를 짓고 즐기는 장소로 유명하다. 이 산벽의 중간에는 한산사(寒山寺)가 있고 밑에는 푸른 창랑천이 이어져 있으며 이 강을 거슬러 올라가면 물염정(勿染亭)이 나온다.
250) 전북 부안군 변산 국립공원 내에서 있는 강.

김 월담에게 보내는 답서
계묘년(서기 1963)

훈훈한 기운을 쐰지도 며칠 밖에 되지 않은데, 또 서신을 받으니 그 고마움을 어찌 말로 다하겠는가. 이미 보여주신 비문건(碑件)은 다시 제기하지 않겠네.

정회는 요즘 장티푸스(전염병)에 걸려 음식을 전폐하고 병석에 누운지 지 2~3일이 된 후에야 조금 차도가 있었네. 생각나는 것은 옛날 유령(劉伶)[251]과 완적(阮籍)[252]이 평생 동안 술을 잘 마셔 하루도 취하지 않는 날이 없었고, 질병으로 술을 들지 못했다는 말을 들어 본 적이 없네. 진 "(晉)나라 《사기(史記)》에 특별히 그 청담가(淸淡家)들을 기록하지 않았던가. 그런데 이 못난 나를 돌아보면, 헛된 세월만 보내어 나이가 벌써 회갑이 되었으나, 물러나가 주사염락(洙泗濂洛)[253]의 학설을 듣지 못하고 있네. 물어나서도 죽림제현(竹林諸賢)[254]과 사귀고 그들과 함께 흑첨향(黑甛鄕)[255]으로 돌아가, 이 세상의 갑을(甲乙)을 잊으려고 하니, 이것도 청복(淸福)[256]이라 하늘이 누려주는 것도 혹 많고 혹 인색하기도 하여, 고금 사람들이 달라도 이렇게 까지 다르단 말인가!

---

251) 서진(西晉), 죽리칠현(竹林七賢) 중 한사람,패국인(沛國人). 자는 백륜(伯倫), 위진시대(魏晉時代)의 관리이자 문인이었다. 그는 일찍 건위장군(建威將軍)이었던 왕융(王戎)의 막하에서 참군(參軍)을 지냈으며 노장사상(老莊思想)에 심취하여 술을 마시며 예법(禮法)을 무시하였다. 그는 진(晉)나라 무제(武帝) 때 책문(策文)을 올려 무위이치(無爲而治)를 주장하다가 파직되었다.

252) 삼국(三國), 줄림칠현(竹林七賢)의 한 사람, 진류 위저인(陳留尉氏人 : 지금의 河南省 開封縣). 자는 사종(嗣宗), 그의 아버지 완우(阮瑀)는 건안칠자(建安七子) 중 한 사람이었으나 완적(阮籍)이 세 살 때 사망하였다. 완적은 술을 좋아하고 휘파람을 잘 불었다. 하루는 소문산(蘇門山)에서 손등(孫登)을 만나 몇가지를 물어 보았으나 손등이 아무 대답을 하지 않자 그는 돌아오는 길에 휘파람을 불며 산 기슭에 도착할 무렵에 또 봉황(鳳凰)의 소리가 골작이에 들렸다. 이것은 손등의 휘파람 소리라고 한다. 그는 거만한 사람을 보면 백안(白眼)으로 본다는 말로 유명하다. 그는 술을 좋아하며 말하기를 "나는 가슴속에 불이 있어서 술을 부어야 한다"고 하였다.

253) 수사(洙泗)는 공자(孔子)의 학통을 말하고, 렴낙(濂洛)은 염계(濂溪)의 주돈이(周敦頤)와 낙양(洛陽)의 정호(程顥) 정이(程頤)의 학통을 말한다.

254) 위진시대(魏晉時代)에 죽림(竹林)에 모여 술과 청담(淸談)을 즐기던 원적(阮籍)·혜강(嵇康)·산도(山濤)·향수(向秀)·유령(劉伶)·완함(阮咸)·왕융(王戎) 등 7인. 이들은 노장사상(老莊思想)에 심취하였다.

255) 잠과 꿈나라.

256) 좋은 복.

答金月潭

癸卯

薰德未多日，且承辱惠書，感戢曷？旣俯示碑件，不必更提耳。正會近瘟祟，鬪發絶飮三數日，稍見其効矣。第念昔劉阮輩，生平健飮，無一日不醉，亦未聞以病或廢。晋史特書其淸家者流，顧此庸陋悠悠泛泛，年已周甲，進而不得聞洙泗濂洛之論矣。退將尙友竹林諸賢，同歸黑甜之鄕，以忘斯世之甲乙。而此亦福之淸者，天之享之，或豊或嗇。古今人不相及酒如是耶！

김 월담에게 보내는 답서

갑진년(서기 1964) 3월

　서신이 계속오니 한 모퉁의 넓은 길이 매우 적막하지 않네. 그런데 나를 보고 청복(淸福)하다고 말씀하는 것, 이것은 크게 사랑하는 뜻이 아니네. 수년 이후로 세력가에게 부림을 당하여 차군(此君)[257]을 그리고 살았으나, 이것도 청렴하지 못하고 공연히 청렴하다는 명예만 얻어 마음속으로 매우 부끄러웠네. 저, 강물 위에 떠 있는 백구를 세상 사람들이 보면 얼마나 깨끗하게 보이는가. 그런데 백구의 눈에는 고기만 보인지 이미 오래 되었다네. 만약 이 대나무에게도 그런 지각이 있다고 한다면 속사(俗士)[258]의 붓을 받아들이지 않았을 것이네.
　비문(碑文)에 대하여 말씀하셨는데, 전에도 어떤 사람들이 간청하면 굳이 사양하지 않았는데, 더구나 존형이 소개한 것이라면 말할 것이 있겠는가.

答金月潭

甲辰三月

德音陸續，一隅普道，甚不寂寞。但推我以淸福，大非相愛義也。數年來爲勢所

---

257) 대나무를 예스럽게 이르는 말.
258) 학예나 견식이 모자라는 평범한 사람

役, 與此君謀而頗亦不廉, 徒窃淸名, 內實多愧。彼江海上泛泛鷗, 自世人觀之, 是何等淸致？而白鷗眼中, 有魚己久。使竹也有知, 必不受俗士筆矣。碑書云云, 前此或有請者, 固己不辭, 況尊兄爲之介乎。

김 월담에게 보내는 답서

갑진년(서기 1964년) 3월

이 해에 접어들면서 풍문으로 안부를 들은 것이 비록 종종 있었으나, 결국 책상을 연하여 가르침을 들은 것만 못하였네. 그리고 봄이 또 절반이나 지나가 모든 나무들은 싹이 터서 아름다움을 겨루고 있으므로 나로 하여금 젊은 시절의 마음이 다시 나게 하네. "꽃이 핀 냇가에서 버들방천 노닌다네."(訪花隨柳過前川)는 시는 정백자(程伯子)[259]의 시(詩)인데, 사상채(謝上蔡)[260]는 "나와 점(點)은 일반(一般)이다(吾與點一般)"고 한 말과 같다고 하였고, 회옹(晦翁)[261]은 "후생(後生)으로 있을 때 지은 것이다"고 하였으니, 대체적으로는 그리 탐탁하게 여기지는 않는 것이네. 나의 소견으로 보면 회옹의 시 중에 "탁주 세 잔을 들이켜니 호기가 복받쳐, 축융봉(祝融峯)[262] 아래로 읊은 시 날아가네(濁酒三盃豪氣發, 朗吟飛下祝融峯)"라는 구절이 있는데, 바로 정백자(程伯子)의 시와 같은 뜻이라고 보아지네. 그런데 회옹이 왜 정호의 시를 탐탁하게 여기지 않았겠는가. 혹자는 축융(祝融)이란 구절도 회옹이 초년(初年)에 지은 것으로 의심하고 있으나 나는 그렇지 않다고 생각하네. 삼배호기(三盃豪氣)와 비하축융(飛下祝融)은 넓은 바다와 높은 하늘 같은 덕(德)에 아무 해(害)가 되지 않는데, 어찌

---

259) 북송(北宋)의 유학자(儒學者), 자는 백순(伯淳), 호는 명도(明道), 낙양인(洛陽人), 주돈이(周敦頤)의 제자임. 그의 학문은 이기이원론(理氣二元論)을 주장하였다. 그의 학통은 아우인 이천 정이(伊川程頤)를 거쳐 주희(朱熹)에게 전하여 송(宋)의 정주지학(程朱之學)을 이루었다.
260) 북송의 유학자, 명은 양좌(良佐), 자는 현도(顯道), 호는 상채(上蔡), 하남성(河南省) 출생, 이천 정이(伊川程頤)의 문인이며 천산 유초(薦山游酢)·남전여대균(藍田呂大鈞)·구산양시(龜山楊時)와 함께 정문사선생(程門四先生)으로 칭한다.
261) 주자(朱子)
262) 중국 남악(南嶽)인 형산(衡山) 72봉 중에서 가장 높고 괴석(怪石)이 많은 봉우리 이름. 주자(朱子)는 28세 때 형산으로 들어가 33세까지 살았는데, 그는 이때 축융봉(祝融峯)에 올라 아름다운 경치를 보는 것이 아니라 자신의 내면을 축융봉처럼 높고 아름답게 하고자 고민하고, 이로부터 세속을 버리고 학문에만 열중하였다. 그는 이 산에 올랐다가 내려오면서 '취하 축융봉(醉下祝融峯)'이란 제목의 시를 지었다.

초년과 만년의 작품이라고 논할 필요가 있겠는가. 이와 같이 미루어 본다면 방화수류(訪花隨柳)의 구절이 어찌 서일(瑞日)과 상운(祥雲)같은 성덕(盛德)의 기상(氣像)에 해가 되겠는가? 그러나 회옹의 말은 반드시 올바른 뜻이 있지만 인거(引據)만 해놓고 발표를 하지 않아 천고(千古)에 긁지 않는 가려움으로 남겨 두었으므로, 다시 구원(九原)[263]에서 살아난다면 질문하기를 간절히 바라고 있는데, 형은 어떠신지 잘 모르겠네.

요즈음 들으니, 존형이 부풍(扶風)의 유천(柳川)을 지나갔다고 하니 혹 소년의 뜻을 배우려고 하는가. 한가한 가운데 한번 웃기를 바라네.

與金月潭

甲辰三月

此歲來, 便風承候, 雖曰種種, 而終不若聯牀聽教也. 春又過半, 萬木欣欣向榮, 鬪芳競菲, 使人聊復發少日壯心矣. "訪花隨柳過前川", 程伯子詩也. 謝上蔡以爲與吾與點一般云. 而晦翁則以謂爲後生時作, 盖未之許也. 愚竊以謂晦翁詩中"濁酒三杯豪氣發, 朗吟飛下祝融峯"之句, 與程詩意思, 亦一般矣. 而晦翁之不許, 何也? 或疑祝融之句, 亦晦翁初年作. 余曰: "不然." "三盃豪氣", "飛下祝融", 不害爲""海濶天高"之德" 何必論初晚之作? 以此推之花柳之訪隨, 亦何傷於瑞日祥雲之盛德氣象矣乎. 然而晦翁之語, 必有義意, 而引而不發, 遂爲千古未爬之癢, 九原復起. 切願奉質. 不審. 兄以爲如何? 近聞尊駕過扶風之柳川云, 抑或有學少年之意耶? 以博閑中一粲.

김 월담에게 보내는 답서

갑진년(서기 1964)

위문의 서신을 받고 보니 가슴에 새겨진 그 감격의 정은 어디에도 비할 수 없네.
정회(正會)는 지난번 실인(室人)[264]의 상(喪)을 당했네. 그러나 슬픔보다도 축하를

---

263) 저승을 말함.
264) 자기의 아내를 일컫는 말.

보내고 싶은 심정이었네. 실인은 원수 같은 질환의 뿌리를 송두리째 뽑아버린 것을 축하하고 싶은 심정이었네.

장생(莊生)[265]은 장군(缶)을 치면서 노래하기를 "얽매였다가 참된 곳으로 돌아간 이여, 진정으로 내 마음을 얻었소이다." 이 부부(夫婦)란 인간에게 있어서 대륜(大倫)아닌가. 그러기에 《시경》의 송(頌)[266]에 이르기를 "거문고와 비파로 의좋게 해주리.", "종과 북으로 즐겁게 해주리.", "그 집안 화목하리.", "먼저 아내에게 본보기가 되리." 등등으로 여러 가지 좋은 말들은 하나하나 다 듣지 못할 정도로 많고 많지 않는가.

정회(正會)는 일생을 오십 년 동안 살아오면서도 인연이 적어 그 시를 외워도 아직까지 그 까닭과 송(頌)의 의미를 알지 못하고 있으니 참으로 천지 사이에 일생동안 홀아비였네. 다만 다행스러운 것은 일찍 아들 하나, 딸 하나를 두었는데, 지금은 이미 친손자나 외손자를 합쳐보면 모두 열 하나가 되었으니, 이로 보면 일생을 헛살지 않았다고 말 할 수 있지 않겠는가.. 내 자식 내외가 너무 지나치게 슬퍼하여 내가 수시로 달래었지만, 게들의 마음이 그러한가 보네.

答金月潭

甲辰

伏蒙辱賜慰問, 感鐫罔喩。正會曩之喪耦也, 不以悲而以賀。賀其仇疾之拔去其根也。莊生之擊缶而歌, 曰:"繫己返眞者, 眞先獲我心也。"夫夫婦, 人之大倫也。故詩人之頌曰:"琴瑟友之", 曰:"鍾鼓樂之", 曰:"宜其 家人", 曰:"刑于寡妻", 種種好品題, 不一而足矣。正會一生, 緣薄五十年間, 誦其詩而尙不識其所以。頌之之味, 眞天地間一生鰥耳。祇幸早得男女各一。今已抱內外孫, 摠十有一焉。此可謂不虛度生也耶。家兒乃夫乃婦, 哀號過情。吾時時寬喩, 而渠輩之情則然矣。

---

265) 전국(戰國), 장자(莊子)를 말함. 이름은 주(周), 그는 유교(儒敎)의 예교(禮敎)를 부정하고, 무위자연철학(無爲自然哲學)을 제창하였다.
266) 시체(時體)의 하나.

김 월담에게 보내는 답서

을사년(서기 1965)

　인편이 있는데도 서신이 없어서야 되겠는가. 우리 두 곳의 소식은 용(龍)의 어미가 모두 말했을 것이므로 다만 '답객난(答客難; 손님이 까다롭게 묻는 말에대답하여)'의 설(說)로 존형의 귀를 더럽혔네. 어떤 손님이 남쪽 고을에서 와 말하기를 "맹자(孟子)[267]가 말한 '군자(君子)의 삼락(三樂)'[268]에 대하여, 그 첫째의 낙(樂)은 하늘에서 나오고, 사람의 힘으로 되는 것이 아니며, 그 세 번째도 직위가 높은 사람이 누리는 것이며, 오직 그 두 번째는 나에게서 나온 것이며 하늘과 직위가 그 사이를 간여한 것이 아니지 않는가. 오늘의 세상 돌아가는 것을 보면 그 중에 두 번째 락(樂)은 있으니, 오직 월담선생(月潭先生)이 가졌다고나 할까요?"라고 하므로, 나는 "그래 그래" 하면서도 그 중에 "아니야 아니야"라는 부정도 가지고 있네. 왜냐하면 그 첫 번째와 세 번째는 비록 하늘과 직위에서 나온 것이라고 하지만, 지금 선생이 몸을 수양하고 도를 잘 깨우쳐 말끝마다 부모를 잊지 않으시고, 한 발작 뗄 때도 부모님을 잊지 않으시어, 두 분의 높은 명성이 영원히 드러났으니, 그 즐거움이 어찌 일생동안 조석으로 받들고 매일 삼생(三牲)[269]으로 봉양한 것에 비할 수 있겠는가? 그리고 그 세 번째에 있어서도 할 말이 있는데, 천하의 영재를 얻어 교육하는 것도 난대(蘭臺)[270]와 미원(薇院)[271]에 있는 선비라야 할 수 있는 것이니, 지금 선생께서 비록 깊은 산속 숲에 은거하여 달갑게 세상을 버리는 군평(君平)같이 되려고 하고 있네. 그렇지만 세상에서 가장 은미(隱微)한 것을 천명하고 숨은 덕행(德行)을 두드러지게 할 일을 오직 선생만 믿을 수 있네. 후생들의 덕을 알아보거나 업을 물어보는 일은 바로 선생에게 질의하지 않겠는가? 그렇다면 선생의 즐거움(樂)은 오직 세 번째에 그칠 것이네. 그렇기 때문에 선생은 '답객난(答客難)'이라는 말을 하였네. 그러지만 송(頌)만 있고 잠언(箴言)이 없는 것, 이것은 옛날의 도(道)가 아닌성 싶네. 끝으로 "더욱 그 덕을

---

267) 전국(戰國), 유학자(儒學者), 명은 가(軻), 자는 자여(子輿), 추인(鄒人), 자사(子思)의 문인에게 수업하였다고 하며 만장(萬章)공손추(公孫丑) 등 많은 제자를 양성하고 맹자(孟子) 7책을 남겼다.
268) 맹자(孟子) 진심장(盡心章)에 "부모가 모두 계시는 것이 일락(一樂)이고 형제가 무고한 것이 이락(二樂)이며 천하의 넓은 곳에서 천하의 영재(英才)들을 교육하는 것이 삼락(三樂)이다"고 하였다.
269) 우(牛)·양(羊)·시(豕)를 말함.
270) 어사대(御史臺)의 다른 이름, 한대(漢代)의 제실(帝室)의 문고(文庫).
271) 조선시대 삼사(三司)의 하나로 임금께 옳지 못하거나 잘못된 일을 고치도록 말하는 일을 맡아 보던 관아.

힘쓰고 그 학문에 매진하게(益懋其德, 自進其學)"라는 여덟 글자로 80세를 바라보는 생신을 축하하네.

與金月潭
乙巳

有便無書可乎？兩地音信, 龍母必能道之。只以"答客難"說者, 仰洗尊聆近有"客自南州來"言, 曰："孟子所謂君子三樂。"其第一樂由之天也, 非人力可推也。其第三亦有位者可以享之, 惟第二由乎我也。非天與位之, 與乎其間也。環顧今世能有其第二樂者, 惟月潭先生乎？余曰："唯唯"。中亦有否否者焉, 何也？其一與三, 雖曰由之天與位, 而今先生修身善道, 一出言不敢忘父母, 一舉足不敢忘父母, 使二人之令名益顯於無窮。其爲樂也, 奚可與奉晨昏於一生, 日以三牲爲養者比乎？至第三, 亦有說焉。得天下英材教育之者, 在蘭臺薇院之士, 可以行之。今先生雖窮處林下, 甘作世棄之君平。而世之, 闡幽微, 發潛德者, 惟先生是恃。後生之考德問業者, 就先生而質焉。然則先生之樂之惟三而止也. 旣以此答客難者之說。然而有頌無箴, 非古道也。敢以"益懋其德, 自進其學"八字, 爲祝先生望八之壽。

김 월담에게 보냄
을사년(서기 1965)

　금년 가을과 겨울 이후로 오래도록 소식이 막혀, 비록 서신이 오가긴 했지만 그 덕스러운 얼굴을 대한 것만은 못하네. 하물며 안부를 묻는 소식은 한 글자도 없었으니 서로가 모두 소식이 막힌 것이었을까? 게다가 서한을 보냈다는 말을 듣기는 하였지만, 그것을 아직 받아 보지도 못한 사정 아닌가. 나는 수시로 형을 보지 못하면 비린(鄙吝)[272]이 다시 움트곤 하네. 매번 인자(仁者)의 말을 들으면 나의 쌓였던 병에 침을 놓은 듯 하였네. 그 서신의 행방이 묘연한 가운데 어떤 묘방(妙方)과 신재(神劑)가 있

---

272) 마음이 고상하지 못하고 더러움.

는지 몰라 매우 답답했네.
　근자에는 또 머리가 아파 견딜 수 없으나 병이 발작하지 않은지는 이미 며칠이 되었네. 정회(正會)는 평일에는 늘 젊었을 때 사색이 황폐하여 학업을 게을리 하였던 것이 한탄스럽고, 또 재주가 고인들에게 미치지 못한 것을 한스러워 하고 있네. 백발의 나이에 허술한 집에서 지내야 하니, 공연히 서제(噬臍)²⁷³⁾해도 미치지 못하게 되었음을 절실히 느낄 따름이네. 지난번에 병을 앓고 있을 때, 우연히 노사(蘆沙)²⁷⁴⁾가 남에게 보낸 서신을 읽어보니 이런 말이 있었네. "나의 정성이 부족한 것을 한탄하여야지, 타고난 재주가 미치지 못한 것을 한탄하지 말며, 다가오는 세월을 허송하지 않도록 아껴야 하지, 지난날의 허송세월을 애석해 할 필요는 없네.(患己誠之不足, 無患天才之不及, 惜來日之虛過, 無惜昨日之浪度)" 이 글귀를 읽으니 깨우친 마음이 생기어 만년에 마음을 수습하려고 하지만 1, 2년이 지난 후에 어찌 오늘의 후회를 하지 않을 거라고 보장하겠는가. 듣자니 형께서 이사하였다는 말을 들었으나, 그 곳을 알 수 없기 때문에, 이 서신을 임군(林君)에게 전하도록 하였으니, 혹 보낸 서신처럼 행방이 묘연하지 않을는지……

與金月潭
乙巳

秋冬來, 阻閡頗濶, 雖有書簡, 不若面承德儀, 況闕一字相問音信, 與之俱隔乎？況聞寄書來, 而且未之讀乎。余時月不見兄, 鄙吝復萠。每聞仁者一言鍼砭我積祟, 未知彼浮沉之中有何等妙方神劑也歟, 甚庸紆欝。近又經頭瘟, 宿症不風者, 己三數日矣。正會平居, 恒嘆少壯時, 思荒廢業。且恨才性之不逮古人, 白首窮廬, 徒切噬臍之不及。向於病臥中, 偶閱蘆文與人書, 有曰："患己誠之不足, 無患天才之不及。惜來日之虛過, 無惜昨日之浪度。" 讀之愴然警省, 思欲收之桑楡。而一年或二年後, 亦安知保無此日之悔也歟？聞兄移寓, 未詳其地, 故此書轉傳于林君處, 或不如來書之浮沈耶。

---

273) 이전의 잘못을 깨우치고 뉘우치는 것.
274) 서기 1798(正祖22)~1879(高宗 16). 구한말 기정진(奇正鎭)의 호, 초명은 기금사(奇金賜), 자는 대중(大中), 시호는 문간(文簡), 전북 순창에서 출생. 송대(宋代)의 주돈이(周敦頤)장재(張載)정이(程頤)주희(朱熹)의 성리학을 연구하여 주리론(主理論)을 심화시키고, 위정척사(衛正斥邪)의 주장을 처음으로 태동시켰다.

김 월담에게 보냄

병오년(서기 1966) 정월

　자성(慈聖)[275]이 붕어(崩御)하여 산릉(山陵)[276]이 이미 완성되었으니, 그 애통함은 온 나라가 같을 것이네. 조용히 우리 황후(皇后) 윤씨(尹氏)를 생각하니, 일생동안 고충을 겪었던 그 원한은 하늘의 해가 비추어보고 있었으니, 이것은 귀신에게 물어봐도 의심이 없을 것입니다. 아-오백년의 왕실 주인을 이로부터 다시 볼 수 없게 되었으니 아득한 우주에 산과 바다가 참담하여 즉시 낙선궁(樂善宮) 밖으로 달려가 통곡을 하여, 이 박절한 애통을 쏟아내고 싶지만, 추세로 보아 그렇게 하지 못하고 다만 캄캄한 방에서 울고만 있을 뿐이네. 그리고 동아일보(東亞日報)에 보도된 그 유서(遺書)를 보니, 한 편(篇)의 글은 한 글자에 한 번씩 흐느끼지 않을 수 없어 하마터면 끝까지 읽어 내려갈 수 없을 번했었네. 잘 모르기는 하지만, 당직(當職)한 군자(君子)들이 그 유서의 내용을 준수하여 지하에서 여한이 없도록 할 수 있도록 할 수가 있을까?

　정회(正會)는 학문이 얕고 지식이 없는데다가 더욱 전례(典禮)에 대해서는 어둡네. 그러나 지난 병인년(서기1926)에 순종황제(純宗皇帝)[277]가 승하하였을 때, 3천만 신민들이 3년 동안 백입(白笠)을 쓰고 다녔는데, 지금 모후(母后)에게도 당연히 그런 복제(服制)를 따라야 할 것이네. 무릇 경술년(서기1910) 이전에 태어난 사람들은 우리 순종황제의 혜택을 보지 않는 사람이 없고, 그들의 이름도 이미 판도(版圖)의 전적(典籍)에 기록되어 있으니, 누가 그의 신민이 아니겠는가? 아-조선조(朝鮮朝)가 비록 망하더라도 구국(舊國)의 모후(母后)는 잊을 수 없는 것 아닌가. 그러나 10년 이후 국가의 연혁(沿革)은 제도가 다르고, 산하(山河)도 옛날과 달라 정미로운 의리정신이 있는 사람이 있을지 알 수가 없네. 나의 관견(管見)은 이와 같은데 존형(尊兄)께서는 어떻게 생각하시는가, 삼가 밝은 가르침(明敎)를 기다리네.

---

275) 임금의 어머니.
276) 인산(因山); 임금이나 왕비들의 장례 전에 아직 이름을 짓지 않은 새 릉(陵).
277) 조선왕조 마지막 제 27대 왕이자 제 2대 황제.

與金月潭

丙午正月

慈聖禮陟山陵，已成隕廓之痛。率普維均。竊伏惟念我皇后尹氏，一生苦衷冤血，天日照臨。可謂質鬼神，而無疑也。嗚乎！五百年王室之主，從此不復覩於影響之間。宇宙茫茫，山海爲之慘慄。卽欲奔哭於樂善宮之外，以洩崩迫之慟，而勢不可得。則只自飮泣於漆室之中已矣。又見亞報奉讀遺書，一篇一字一涕，殆不忍卒篇。未知當職諸君子，能遵其遺戒，使無攸憾於泉坵下也歟．正會學淺識滅，尤昧於典禮。然往丙寅，純宗皇帝之薨也，三千萬臣民，爲之戴白三年。今於母后，恐當從其服矣。凡生於庚戌以前者，莫不被我皇雨露之澤，而名已載於版圖之籍矣。夫孰不爲其臣民哉？嗚乎，朝鮮朝雖亡，而舊國之母不可諉矣。然十數年來，國家沿革殊制，山河異昔，未知精義之攸在。管見如此，不審。尊兄以爲如何，伏乞明敎之也。

김 월담에게 보냄

정미년(서기 1967) 정월

세월은 쏜살 같이 흘러 벌서 국상(國喪)의 연기(練期)[278]가 다가오니, 애통한 마음 귀인과 천인이 차이가 없네. 옛날 민노봉(閔老峯)[279]이 숭정제(崇禎帝)[280]의 경오년 달력을 우암옹(尤庵翁)에게 부쳐주면서 말한 바 있습니다. "중국 조정이 함락 된지는 이미 오래 전인데, 지금 우연히 먼지투성이인 책 상자를 뒤지다가 우연히 이 글을 얻게 되었는데, 참으로 한(漢)나라의 의례를 다시 본 듯 합니다. 내가 이 해에 태어났으니 명(明)나라의 해와 달이 이 몸을 비친지도 십여 년 되었습니다."라고 말이네.

정회(正會)가 조용히 생각해 보니, 계묘년(서기1903; 보정이 태어난 해)부터 경술

---

278) 소상(小祥)을 말함.
279) 숙종 때의 문신, 명은 정중(鼎重), 호는 노봉(老峯), 관직은 감사, 호조, 형조판서를 지냈으나 남인(南人)의 득세로 유배되었다가 그후 풀려나 좌의정이 되었으며, 기사환국(己巳換局) 때 다시 유배되어 사망하였다.
280) 명나라 최후의 황제 의종(毅宗) 가리킴.

년(서기1910; 경술 국치의 해)까지 선조(先朝)의 덕택을 받은 지 8년이 되었으니, 이 몸을 돌아볼 때 어찌 슬프지 않겠는가. 아- 세상은 점차 옛날과 같지 않고 인심도 내 마음과 같지 않네. 우리들이 함께 상복을 입고 나서니 어떤 사람들은 그런게 아니라고 비웃고 있기는 하지만, 그들과 구태어 따질 필요 없이 오히려 마음이 홀가분한 기분이네. 동래선생(東萊先生)[281]이 일찍이 주자(朱子)의 평생을 말하면서 "사우(師友) 간에도 믿고 말을 가리지 않고 할 수 있는 사람은 오직 남헌(南軒)[282] 한 사람 뿐이다"고 하였는데, 오늘날 이 말을 존형이 아니면 누구에게 하겠는가.

　해가 바뀌더니 찬 기운 더욱 혹독하네. 그동안 살피지 못하였네만 몸의 기거가 어떠하신가? 오직 소중하게 보호하기 바라네. 이 정회는 할 일 없이 놀고 무능한 사람이라 다만 옛날 그대로의 모습이네. 날씨가 따뜻해지면 혹 한번 다녀가실 수 있겠는가.

與金月潭

丁未正月

日月流駛, 國練奄迫, 痛隕之私, 不以貴賤有間也。昔閔老峯以崇禎庚午曆寄尤翁, 曰:"中朝之淪陷, 久矣。今偶閱塵篋而得此, 眞若漢儀之再覩矣。且我以是年而懸弧, 則皇明日月, 照臨此身者, 十餘年"云云。正會竊伏惟念自癸卯至庚戌, 身霑先朝雨露之澤亦八年所, 撫身自顧, 寧不悼惋。噫, 世道漸不如古, 人心不似我心。吾儕之着白, 或有非笑之者, 然亦不苟辨, 還覺心閑。東萊先生嘗語朱子平生, 曰:"師友間可以信口而發, 不須揀擇者, 只南軒一處而已。" 今日此語也, 非尊兄向誰道者。歲改後寒威加酷, 不審壽候起處何似? 伏惟萬重。正悠悠者碌碌者, 只是舊年樣子耳。晹陽舒倘可一往否?

---

281) 남송(南宋)의 유학자(儒學者), 서기 1518~1602년 생존, 자는 백공(伯恭), 학자들이 동래선생(東萊先生)으로 칭함. 효종 때 태상박사(太常博士), 저작랑(著作郎), 국사편수관(國史編修官) 등 관직을 거쳤으며 주희(朱熹)·장식(張栻)과 함께 동남 삼현(三賢)으로 칭송되었다.
282) 남송 때 학자 장식(張栻)의 호.

김월담(金月潭)에게 보냄

정미년(서기 1967년)

　덕용을 뵙지 못한지도 어언 한 해가 지났네. 그리운 마음은 산과 물이 가로 놓여 있다하여 멀어지는 것은 아니지 않는가. 가을에 가뭄이 닥치는데 귀체 더욱 강녕하신가?
　생각하여 보니 대학(大學)[283]은 증자(曾子)[284]가 참으로 오랜 기간 힘을 기우려 저작한 것이기에 일구반어(一句半語)도 간절(懇切)하지 않는 것이 없네. 그 중에서도 "부유하면 집을 윤택하게 하고, 덕은 몸을 윤택하게 한다."는 말은 참으로 만고에 변하지 않는 논리이네. 내가 세상 사람들 중 덕이 있는 사람을 살펴보았지만, 그의 몸에서는 반지르르 윤택이 돌고 있는데, 마치도 부잣집의 곳간이 가득 차면 지붕에서 빛이 도는 것처럼 말이네.
　형께서는 만년에 이르러 더욱 기운을 내시고 귀체도 점점 좋아지시네. 나는 이로부터 형께서 소양을 닦는 것이 아주 깊이가 있고 축적하여 둔 것이 풍부하다는 것을 알게 되었네.
　정회(正會)는 원래부터 존양(存養)하는 것이 모자라 나이도 많지 않은데 몸부터 쇠약해지기 시작하여 환약이나 훌륭한 처방을 보기만 하면 얼굴에 희색을 띠지 않으면 곧 기쁜 날을 볼 수 있는 것이 아니네. 그리고 찌그러지는 허술한 집에서 고요하고 쓸쓸한 생활을 하고 있으니, 언제 한 번 얼굴에 기름기 반지르르 윤택이 나게 하고 싶은 생각이 꿀덕 같아도 어디 될 수가 있는가? 최근에는 또 신경통이 있어 수시 통증을 앓고 있네. 용모(龍母)[285]가 근친(覲親)을 간다고 하는데, 술 한병 드리는 것조차 잊고 말았네.

---

285) 《예기(禮記)》 제 24편이었던 것을 송(宋)나라 사마광(司馬光)이 발췌하여 《대학광의(大學廣義)》를 짓고, 그후 주자(朱子)가 장구(章句)를 달고 주석(註釋)을 달아 경(經) 1장, 전(傳) 10장으로 구성하였다. 내용은 삼강령(三綱領)인 명명덕(明明德), 신민(新民), 지어지선(至於至善)이며 10조목은 격물(格物), 치지(致知), 성의(誠意),정심(正心),수신(修身), 제가(齊家),치국(治國), 평천하(平天下)로 구성되었다. 경(經)은 증자(曾子)가 공자(孔子)의 뜻을 기술한 것이고 전(傳)은 증자(曾子)의 제자들이 증자의 뜻을 기술한 것이라고 한다.

284) 춘추(春秋), 공자제자 증삼(曾參), 자는 자여(子輿), 노(魯)나라 남무성인(南武城人), 지금의 山東省 嘉祥縣, 효성이 지극하였다고 하며 나이 34세에 무성읍재(武城邑宰)가 빈사(賓師)로 초대하여 교육을 하였고 54세에 제(齊)나라에서 재상(宰相)으로 부르고 초(楚)나라에서 영윤(令尹)으로 맞이하였으나 응하지 않았다. 노나라 도공(悼公) 32년에 71세로 사망하였다. 저서로 《효경(孝經)》이 있다.

285) 용모는 보정의 막네 손자 칠용의 어미로, 월담의 둘째 따님이다.

與金月潭

丁未

未接德容, 倏已隔一歲, 慕仰之私, 不以山川有間也。秋旱彌凡, 伏惟壽候益復潤盎否？竊謂大學一書, 是曾聖眞積力久中流出, 故一句半語, 無非格切。其曰："富潤屋, 德潤身"者, 眞萬古不易之論也。余觀世之人有其德者, 身必潤, 如富人之家倉廩實, 而屋脊生輝也。兄晚年氣益壯而體益胖, 吾以是知其所養者深, 而所蓄者富也。正會素乏存養, 未老衰身, 如枯木病鶴。殆非湯丸良劑之所可見喜。便是貧屋之蕭索, 雖欲其潤, 得乎？近又以神經痛, 有時吟楚耳。龍母薄言告歸, 一壺酒忘些奉呈。

기 노선(奇老善)에게 보내는 답서.

무진년(서기 1928) 9월

　어제 석정(石汀) 편에 서신을 받고 열 번이나 편지지가 부풀도록 읽었지만 차마 손을 뗄 수가 없었네. 우러러 생각하니, 존형께서는 가학(家學)을 계승하여 의리(義理)의 굴에서 기거(起居)하며 문예(文藝)의 파도에서 유영((遊泳)하고 있으니, 이로부터 산에서 사는 사람은 땔감이 흔하고, 배를 타고 다니는 사람들은 물에 젖어 있다는 것이 이치의 추세에 따라 필연적임을 알게 되었네. 건강은 어떠하신가?
　이 제(弟)의 자질은 본래 노둔하고 졸렬한데다가 또한 남이 열 번 배워 알게 되면, 천 번 배워 알려고 하는 노력마저도 없네. 게다가 여러 병환으로 시끄럽게 지내오면서 제나라 사람을 청해 제나라 말을 배워주려고 하는데, 초나라 사람들이 초나라 말로만 지껄이니 날마다 아무리 회초리를 맞으며 배워달라고 한들 배워지겠는가? 부끄러워하고 한탄한들 어찌하겠는가?
　작년 가을에 담대헌(澹對軒)[286] 에 가 노사(蘆沙)선생의 제향에 참여하고, 더욱 강한 지사(江漢之思)[287] 를 금할 수가 없네. 이제부터 사방의 학자들이 의지할 곳이 있게 되

---

286) 서기1878년에 노사 기정진선생(蘆沙奇正鎭先生)이 전남 장성군 진원면 진원리(全南長城郡珍原面珍原里)에 지은 정사(精舍)로 이 곳에서 강학을 하였던 바, 서기1924년 이를 중건하고 서기1927년에는 고산서원(高山書院)으로 개칭하였다.
287) 존경하는 마음.

고, 사모하는 마음을 이 곳에 두게 되었으니, 사문(斯文)의 다행이며 세도(世道)의 다행인가 보네. 더구나 금년 가을에 유림들이 일제히 여론을 내어 앞으로 여섯 군자(君子)를 배향한다고 하니 위패(位牌)를 쓸 책임이 얼마나 전중하겠는가. 나의 누졸(陋拙)[288]함을 돌아볼 때, 어찌 그 일을 감당할 수 있겠는가만은 성내(省內)의 모든 장노(長老)들이 이미 명령을 내렸다고 하니, 어찌 고사할 수 있겠는가. 의당 기일에 가서 참여하겠네.

答奇老善

戊辰九月

昨因石汀便, 卽拜情械, 莊誦十回, 至紙毛而不忍釋也. 仰想吾兄, 克紹家學, 起居乎義理之窟, 游泳乎文藝之波, 固知山居者柴多, 舟行者水積, 理勢之必然也. 健羨何己? 弟素以魯劣之資, 又無己千之工. 數年來, 兼以衆楚咻咻, 雖日撻求齊, 不可得也. 愧嘆奈何. 昨秋往澹對軒獲奌老先生妥侑之禮, 益不禁江漢之思. 從今四方學者, 自有依歸之所, 而羹墻之慕, 庶於此焉寓矣. 斯文之幸, 世道之幸. 況又今秋儒論齊發, 將以六君子躋配. 題主之任. 是何等典重. 顧此陋拙, 何敢承當. 然而省內諸長老旣命之云, 亦何敢固辭, 當趁期拜奌矣.

자형 임종혁(林鍾爀)에게 보내는 답서

신미년(서기 1931)

갑자기 멀리서 온 서신을 받고 보니 감사와 위로됨이 다른 때 보다 백배나 더해지고 있습니다. 멀리서 생각하니 양산강(榮山江)[289]의 풍월(風月)속에 어떤 즐거움을 누리고 계시는지요.

제(弟)는 지난 2월 초에 본도(本道)에서 시험을 보았는데, 3월 중에 본원(本院)[290]

---

288) 품위가 없고 서투름.
289) 전남 담양(全南潭陽)에서 서남쪽으로 흘러 황해(黃海)로 들어가는 강. 발원지는 담양군 용면 용추봉(潭陽郡龍面龍湫峯)에서 시작된다.
290) 성균관 대학교의 전신인 명륜전문학교(明倫專門學校)를 일컫고 있다.

에 입학하여 날마다 청강하고 있으니, 하백(河伯)이 북해(北海)를 바라보는 것 같습니다. 강의실은 비천당(丕闡堂)[291]과 명륜당(明倫堂) 두 건물을 사용하고 있는데, 즉 전일에 선비들을 시험하던 곳입니다. 옛날을 생각할 때 말세에 태어난 것이 한이 됩니다. 김해강(金海岡)[292]은 당세의 서예대가(書藝大家)입니다. 저는 가정에 있을 때부터 서예를 배우려고 하였으나 그렇게 하지 못하였는데, 지금 다행히 이 곳에 와서 매일 배우고 종이 울리어 학업을 파한 후에는 친구 네 사람과 함께 그의 문하로 가서 서예를 연습하고 있습니다. 그러나 이것은 곡예(曲藝)이며 말기(末技)이므로 선비들이 탐탁하게 생각하지 않고 있다는 것을 모르는 것은 아니지만, 저는 본래 좋아하여 그 묘법(妙法)을 알려고 합니다. 본학원(本學院)의 과목(科目)을 부탁하셨으므로, 별지에 써서 올립니다.

별지(別紙)

철학과(哲學科:東洋哲學) 경학과(**經學科**:五書, 五經) 제자과(**諸子科**:老子, 莊子, 韓非子, 墨子, 荀子, 列子) 사학과(**史學科**:支那歷史, 朝鮮史) 작시문과(**作詩文科**:詩·賦·論·疑·辨·箴·銘·表 별과(**別科**:日語, 公民科) 대개 위와 같으므로, 참고하시는 것이 어떻하겠습니까

答姉兄林鍾爀

辛未

忽拜遠械, 感慰之私, 倍百餘時。遙想榮江風月, 做得何等樂事。弟去二月初, 應試于該道, 三月中, 入于本院, 課日聽講, 殆若河伯之望北海也。講義室通用 丕闡、明倫二堂, 卽前日試士之場也。撫念昔恨, 生叔季下也。金海岡當世書藝大家也。自在家時, 嘗願學而未得者, 今幸來此, 每學鍾報罷, 輒携四友輩, 往習其門。然此是曲藝也, 末技也, 非不知士子之所不屑, 而素性偏好, 欲知其法妙耳。俯示本學院科目, 別紙書呈耳。

---

291) 성균관(成均館)에 있는 건물로 두 번째 과거시험을 치루는 과장(科場)임.
292) 그의 본명은 김규진(金奎鎭; 서기 1868~1933)으로 평안남도 중화군 상원면 가난한 농부집안에서 태어남. 그는 관직생활을 시작하여 영친왕의 서사(書士)가 되고, 순종에게도 글과 난초를 가르침. 서기 1913년 3년제 교육과정을 둔 서화연구회를 독자적으로 창립, 후진양성에 전력을 다하였음. 당대 최고의 서예가.

別紙
哲學科 東洋哲學 **經學科** 五書五經 **諸子科** 老子 莊子 韓非子 墨子 荀子 列子 **史學科** 支那歷史 朝鮮史 **作詩文科** 詩賦論疑辨箴銘表 **別科** 日語 公民科 **大槩如右, 考覽若何** 。

태강 나의환(羅台江 義煥)에게 보내는 답서
경진년(서기 1940)

어제 방문하였으면서 오늘 서한을 보내주니 감동되기도 하고 하례하고 싶기도 하네.

근면하고 게으른 것은 천양지차나 다름없네. 지난번에 내가 구상했던 글은 마음속으로 느낀 바를 적기는 하였지만, 마치도 못 생긴 여인이 서시의 양미간을 찌푸리는 흉내를 내듯 못나, 오히려 계절 따라 우는 벌레들이나 철새들이 제 본성을 나타내는 울음소리 보다도 못하였네. 그런데도 분에 넘치게 칭찬과 찬송을 하여 심지어는 하해(河海)보다 크다는 말까지 나오게 되었네그려. 아- 소발자국에 조금 괴어 있는 물을 어떻게 물이라고 여기고 얼굴을 비칠 수 있겠는가. 대개 정하게 세공한 금과 아름다운 옥은 세상에서 자연적으로 평가하는 정론이 있는데, 어찌 한 사람의 사사로운 평가를 받아들일 수 있겠는가?

정회(正會)는 또한 힘을 헤아려 보지 않고 함부로 옛사람들의 글에 뜻을 두고 반고(班固)[293]·사마천(司馬遷)[294] 등과 어깨를 견줄 수 있다고 생각했네만, 눈 깜박할 사

---

293) 후한(後漢) 초의 역사가, 반표(班彪)의 아들, 자는 맹견(孟堅), 산서성 함양시 위성(山西省咸陽市渭城)에서 태어났음. 그의 아버지가 38세로 사망하자, 그는 고향으로 돌아와 아버지의 뜻을 계승하고자 《전한서(前漢書)》를 집필하던 중 국사를 고쳤다는 무함을 받아 투옥되었고, 그 후 20여년이 지나 그 《전한서》를 완성하였다. 그는 사부(詞賦)에 능하여 양도부(兩都賦)와 답빈희(答賓戲), 유통부(幽通賦) 등 명작을 남겼다.

294) 전한인(前漢人), 사마담(司馬談)의 아들, 명은 천(遷), 자는 자장(子長), 경제(景帝) 중원(中元) 5년에 용문(龍門)에서 태어났으며, 10세에 문장에 능하였고 20세에 강회(江淮), 회계(會稽), 우혈(禹穴)구의(九疑)원상(沅湘)문수(汶水)사수(泗洙) 등지를 유람하고 제(齊)나라와 노(魯)나라에서 학문을 강론 하였으며, 양(梁)나라와 초(楚)나라를 경유하여 고향으로 돌아왔다. 관직은 낭중(郎中)과 태사령(太史令)을 지냈으나 흉노(匈奴)에게 항복한 이릉(李陵)을 두둔하다가 무제(武帝)의 노여움을 사서 부형(腐刑)을 당하고, 20여년이 지난 후 석방되어 분격한 나머지 《전한사기》 130권을 저술하였다. 그 후 사면되어 다시 중서령(中書令)에 임명되어 사망하였으나 사망한 연월일은 자상하지 않다.

이 튀어 오르는 물방울이나 지나가는 번갯불처럼 사라져 갑자기 아무 소문도 없는 처지가 되고 말았네. 당초의 내 자신이 품었던 뜻을 돌이켜 본다면, 내 자신에 대한 거부감과 부끄러움이 뿐이네. 이제부터 동지 두 세 명과 함께 산중으로 들어가려고 하는데, 그것도 산이 깊지 않을까 걱정 되고, 숲속으로 들어간다 해도 은밀하지 못할까 걱정이네. 옛사람들의 조박(糟粕)295)의 글을 읽다보니, 세상 사람들이 살아가는 갑론을박 같은 것은 망각하게 되네. 바라는 바는 한 없이 크지만, 결국은 앉아서 용육(龍肉)을 들먹이는 것과 같으니 도대체 무슨 이익이 있겠는가?

아드님의 눈병은 요즈음 쾌차하였는가? 보내준 서신에서 근심스럽다는 말을 하지 않는 것으로 보아, 가히 근심이 사라졌다고 짐작하겠네.

答羅台江義煥

庚辰

昨枉今書, 旣感且賀。之勤之慢, 奚翅天淵。曩也拙搆只書, 所感于中者, 以效嫫嚬, 而反不如候虫時鳥之自鳴其情耳。迺蒙稱賞過情, 引而至比河海之大。噫, 蹄涔之溜, 烏足以水與謀哉。盖精金美璞, 世自有定評, 豈可容一人之私哉。正亦不自量力, 妄有志於古人之文, 以謂班馬可伍。轉眄之間, 跳珠電謝, 奄作無聞之客。回顧初志, 愧負何已。從今而往, 欲與同志三數人入山, 猶恐其不深, 入林猶恐其不密。讀古人之糟粕, 忘世人之甲乙, 不啻至願而坐談龍肉, 亦何益之有。胤君眼眚, 近得快報否？來書不言維憂, 其無憂可占。

나 태강(羅台江)에게 보내는 답서

한 폭의 비단 같은 서한이 눈 속에 날아들었으니 얼마나 희한한 일인가. 약간은 초대를 바라면서 난정(蘭亭)296)의 고사(故事)를 계승하려고 하는데, 해내(海內)의 명산

---

295) 지개미, 보잘 것 없는 것의 비유.
296) 중국절강성 소흥현(浙江省紹興縣)의 서남쪽의 회계산(會稽山)에 있는 정자 이름. 왕희지(王羲之)가 지었다고 전한다. 왕희지는 이 정자에서 친구인 태원(太原)의 손작(孫綽), 진류(陳留)의 사안(謝安) 등 42명을 초대하여 곡수(曲水)에 술잔을 띄우고 시를 읊으며 난정계(蘭亭契)를 치루며 자신이 난정계

대천(名山大川)이 우리를 위해 잘 있는지 모르겠네. 지금은 풍운(風雲)의 변화가 심하여 어데를 가든 수산(愁山)과 고해(苦海)가 아니겠는가? 사마천(司馬遷)의 유람과 자유(子由)²⁹⁷⁾의 관광은 결코 말세 사람들이 따라할 수 있는 것이 아니네. 다만 한 쪽의 깨끗한 곳에서 계(稧)를 치르며, 술잔을 들고 시를 읊으면 한 없이 좋은 산수(山水)가 우리의 가슴속에 있게 될 것입니다. 사씨(謝氏)²⁹⁸⁾의 나막신은 공연히 백아(伯牙)²⁹⁹⁾의 손가락을 수고롭게 하였다고 말할 수 있을 것이니, 이것도 매우 다사한 일이네. 그러나 이 일은 말할 수 있는 사람에게만 통하는 일이니, 서로 알지 못한 사람과는 말하지 말기 바라네.

答羅台江

一幅雲錦, 穿雪入來, 甚奇事. 小望嘉招, 可續蘭亭故事. 而未知海內之名山大川, 能爲我輩無恙否也. 見今風翻雲幻, 何往而非愁山苦海. 司馬之壯遊, 子由之大觀, 決非叔季人所可髣髴. 只可修契於一片清涼界, 把酒賦詩, 無限好山水自在於吾胸裏. 謝氏之屐, 可謂虛勞伯牙之指, 亦云多事然. 此可與其人言, 幸勿與不知者道.

서문을 썼다.

297) 북송(北宋)때 서철(蘇轍)의 자(字), 소식(蘇軾)의 아우이며 당송팔대가(唐宋八大家)의 1인. 그의 형 소식과 함께 진사(進士)에 급제한 후 중서사인(中書舍人), 호부시랑(戶部侍郎), 한림학사(翰林學士), 문하시랑(門下侍郎) 등 많은 관직을 지냈으며 당송팔대가(唐宋八大家)의 1인이기도 하다.

298) 남송(南宋), 사령운(謝靈運)을 말함. 양하인(陽夏人). 사현(謝玄)의 손자임. 그는 18세에 조부의 관작을 습봉하여 강락공(康樂公)이 된 후 영가태수(永嘉太守), 비서감(秘書監), 시중(侍中), 임천내사(臨川內史) 등 관직을 거쳤으며 영가(永嘉) 10년에 모반하여 처형되었다. 그는 산수시파(山水詩派)로 도연명(陶淵明)과 함께 일컬어진다.

299) 춘추(春秋), 초인(楚人), 성은 유(俞), 성연(成連)에게 거문고를 배웠는데 그는 3년동안 발전이 없자 성연이 동해(東海)의 봉래산(蓬萊山)으로 보내 바다의 파도소리와 새 소리 등을 듣고 감정이 움직이면 마음도 움직인다는 것을 깨닫게 하였는데 그는 과연 그 이치를 깨닫고 돌아와 훌륭한 악사 "(樂師)가 되었다. 그의 친구인 종자기(鍾子期)가 그의 거문고의 성률을 알아들었으나 종자기가 죽은 후로 그는 거문고 줄을 뜯고 다시 거문고를 퉁기지 않았다고 한다.

나 태강에게 보내는 답서

신사년(서기 1941) 5월

  금강산 유람하자는 약속을 한지도 한 해가 거의 다하고 있네만, 범상한 인간들이 살고 있는 이 세상에서, 우리들은 마귀같이 희롱하는 비바람이 동서를 쫓아다니며, 성화를 먹이는 마수에서 벗어날 수가 없네. 천하 명산을 한 번 구경하는 것도 참으로 운수가 있는 듯 하네.

  어제 영함(令咸)[300]이 편지 한 장을 전해 왔는데, 금강산 유람을 내년 7월로 연기하자는 내용이었네. 그런데 내년 가을 7월이 올해 보다도 못할지 어떻게 알 수 있단 말인가?

  마침 청강 군(靑江君)이 와 서서 재촉하고 있으므로, 부득이 내일 아침 날이 새면 출발할 계획이네. 다만 모든 계원들이 다 같이 가서 일만이천봉(一萬二千峯)에서 함께 웃으며 평생의 소원을 이루지 못한 것이 한스럽네. 세상 일이 뜻대로 되지 않는 것은 고금을 막론하고 십상팔구(十常八九)이니 어쩔 수 있겠는가?

答羅台江

辛巳五月

金剛之約, 積有年所, 而吾儕亦凡界中, 脫不得魔雲戲雨, 東侵西尋. 名山一遊, 眞有數存也. 昨逢令咸氏, 致傳一札, 退以來秋七月, 又安知來秋之不如今日也. 靑江君適來立促, 不得已明朝發程計矣. 只恨未得全契偕行, 相與一笑於萬二千峯中, 以遂生平之願也. 世間事不如意者, 古與今十常八九, 奈何.

나 태강에게 보내는 답서

신사년(서기 1941년) 7월

  장마가 그치니 연못이 맑고 뜨락의 나무 가지엔 약간 서늘한 감촉이 감돌고 있네.

---

300) 상대방의 조카.

그대를 그리는 심정, 세월의 흐름에 따라 더욱 새로워지기만 하네.

우러러 생각하니 시전체도(侍奠棣度)³⁰¹⁾가 《예서(禮書)》를 읽으시며 편안하시기를 마음속으로 빌고 또 비네.

정회(正會)는 중당(重堂)³⁰²⁾의 기력이 크게 나쁘지는 않지만 몸에 가려움증이 아직 쾌유하지 않으니 매우 지리함을 느끼고 있네. 그러나 호리(豪吏)³⁰³⁾들이 간혹 서신을 보내 간청해도 신병을 핑계로 응하지 않고 2~3개월 동안 읍내에는 한 발자국도 나가기 않고 있으니, 도리어 이것은 병 없이 꾀병을 부리기 보다는 훨씬 자연스럽네. 강건하다는 말보다 좋습니다. 이것은 다행한 일이며 괴로운 일이 아니네. 지난달 중경(中庚:中伏)에 청강(靑江)·청고(靑皐)와 함께 선운사(禪雲寺)로 가서 하룻밤을 자고 왔는데, 마음 속으로는 단 한 사람이 참여하지 않아 이런 탄식이 남아 있네. 금강산(金剛山)에서 시작하여 도솔산(兜率山)에서 끝을 내니 이 마음의 섭섭함은 천갈래로 나눠질 뿐만 아니었네. 그러나 최근에는 또 스스로를 위안해 보기도 하였네. "산수(山水)를 두루 구경하는데 있어서 사람마다 같지 않은가. 어떤 이는 험하고 기이한 곳만 찾아다니며, 과보(夸父)³⁰⁴⁾의 기술을 다해서 산수가 절정임을 감상하는 이가 있는가 하면 어떤 이는 말 없이 묵묵히 생각하고 오묘하게 맞추어 자신만의 현묘한 이치를 지키어 산수의 정취를 얻은 사람도 있네. 비록 그 자취는 다르지만 그 결과는 하나이네" 도연명(陶淵明)이 줄이 없는 거문고를 퉁기며 "다만 거문고를 타는 취미만 있다면야 줄이 있으나마나 하다."라고 말한 적이 있네. 그렇다면 태강선생(台江先生)은 묵묵히 생각하고 오묘하게 맞추어 산수의 취미를 얻은 사람일까요. 아니면 도연명의 기풍을 들은 사람일까요.

정회(正會)는 최근에 또 5~6명의 관동(冠童)³⁰⁵⁾들과 다시 선운사로 가다가 인천강(仁川江)을 지나면서 칠언율시(七言律詩)를 읊었는데 별지(別紙)에 기록하였으니, 한 번 웃어주시기 바라네. 문 태현(文君泰鉉) 친구가 이 곳 정사(精舍)에 와 있으면서 선군(先君)의 유문(遺文)과 시편(詩篇)을 등초(謄抄)하여 이미 끝을 내었는데, 이것은 천편 백편 중에서 10분의 1만 남아 있는 것이니, 이것은 불초(不肖)의 죄이네. 모든

---
301) 상중(喪中)일 때 전자(奠字)를 사용하고, 형제(兄弟)가 생존해 있을 때 체자(棣字)를 사용한다.
302) 조부모님이 모두 생존한 경우에 사용하는 말임.
303) 신분이 높은 관리.
304) 수명(獸名), 과보(夸父)가 해의 그림자를 8일동안 쫓다가 목이 말라 하수(河水)와 위수(渭水)를 마시자, 그 물도 부족하므로 북쪽으로 대택(大澤)의 물을 마시고자 달려가다가 도착하지 못하고 도중에 목이 말라 죽었다고 한다.
305) 관례(冠禮)를 한 사람과 하지 않은 사람이라는 뜻으로, 남자 어른과 남자 아이를 일컫는 말.

말은 대면(對面)이 아니어서 다 말씀 드리지 못하겠네.

與羅台江

辛巳七月

潦盡潭淸, 庭樹微凉。懷伊之悵, 與時俱新。仰惟侍奠棣度, 讀禮萬重, 心祝心祝。正重堂氣力, 幸不大損。而身疴尙未快痊, 甚覺支離。然而豪吏勢官, 或書或請, 而稱病不起。三兩月來, 不作城中一步地, 反有勝於無病而強稱, 此則幸也, 非苦也。客月中庚, 與靑江、靑皐往禪雲, 一宿而歸, 但少一之嘆, 始於金剛, 終於兜率。此心悵結, 不啻千般, 近又自解, 曰:"夫山水遊觀, 各自不同, 有探險搜奇, 窮夸父之術, 而得山水之形者, 又有默想妙契守吾太玄, 而得山水之趣者, 其跡雖殊, 其歸則一也。"淵明彈無絃琴, 曰:"但得栞中趣, 雖無絃可也"。然則台江先生可謂默想妙契, 得山水之趣者歟? 抑亦聞淵明之風者歟? 正近又與五六童冠再入禪雲, 過仁川江上, 口呼五十六字, 記在別紙, 以博一餐(粲), 文君泰鉉來留精舍, 抄出先人遺文詩篇, 則己了筆, 而散佚未收, 可謂存十一於千百, 此亦不肖之罪耳萬萬非面莫究。

나 태강에게 보내는 답서

 열흘이 지나도록 전혀 소식이 없어 매우 답답했는데, 갑자기 서신을 받으니 이 마음이 풀리네.
 수일 전에 귀처(貴處)에서 사람이 와 형이 가시는 곳마다 사람들이 따르며 앞을 다투어 의연금(義捐金)을 냈다는 말을 들으니, 이것은 오직 제공(諸公)들의 특별한 뜻이 아니라, 형의 말씀과 풍채가 사람들의 심금을 감동시킬 수 있었기 때문에 그렇게 되었을 것이라고 하겠네.
 일반 통학구역(通學區域)이 모두 그 쪽처럼 되고 있었다면야 우리 학교에서 계획하는 일이 어찌 이루어지지 않겠는가? 이 동생은 그저께 부회장 정헌국(鄭憲國)·간무(幹務) 김재신(金在信)과 함께 인근의 모씨(某氏)댁을 방문하여 희사금(喜捨金)을 요청하였으나, 그 금액은 몇 10원에 불과 하였네. 꽤 오랜 시간을 끌면서 우격다짐 하다 싶이 권하였으나, 끝내 거절하여 공연히 헛된 걸음 한 것 같은 기분이었네. 그런데 오늘 아침 누군가의 전하는 말에 의하면, 어제 본읍(本邑)의 소학교장(小學校長)이 칼을 찬 순경과 함께 모택(某宅)에 갔었는데, 당장에 400원을 주겠다는 승낙서를 받아갔다고 하데.

　가만히 생각해 보니, 본 읍의 소학교 교장은 남의 위세를 빌어 사람들을 위협하고, 형께서는 말재주와 풍채로 사람들의 마음을 움직이고 있는데, 나같이 못난 사람은 위력도 없고 또 말재주도 없으니 어떻게 할 수 있겠는가? 이제부터는 다시는 학교의 일에 나서지 않겠다고 맹세를 다질 뿐이네. 형께서는 어떻게 생각하실지 모르겠네.

答羅台江

此旬來聲息乖隔, 甚用訝欝。忽拜惠翰, 此懷釋然矣。數前貴邊人士來, 道兄到處響從而風靡, 爭先義捐云。此不惟諸公之有特志也, 兄言論風采, 有足動人而致此也歟。一般通學之區, 皆如那邊, 則吾校所劃, 何患不成。弟再昨日, 與副會長鄭憲國、幹務金在信訪隣近某氏宅, 要所謂喜捨金。其額則不過幾十圓也。費時強勸, 而終始牢拒, 未免虛往而虛來矣。今朝有人傳言, 昨日邑小學校長帶同佩刃巡警往某宅, 卽受四百圓承諾書而去, 云。第念邑校長假威力而脅人, 兄以言論風采而動人, 如我庸碌 旣無威力、又無其言, 何能有爲哉? 從今誓不關校務耳。不審。兄以爲何如?

나 태강에게 보내는 답서

　습득랑(拾得郞)이 나에게 눈을 씻고 자세히 보라고 하더니, 또 한 통의 서신을 보내와 단심(丹心)을 비추니 감격스럽네.

　보내주신 말씀에 "명산(名山)은 어느 날이나 풍림(楓林)[306]이 아니며, 가경(佳景)은 그 달관(達觀)[307]임을 허락할 만 하네."라고 하였네. 그런데 또 하나의 설법이 있는

---

306) 단풍 든 숲 또는 단풍나무가 많은 숲.
307) 사물을 통탈한 식견이나 관찰.

듯 하여 이렇게 말을 바꾸어 볼까 하네. "높은 산이 우뚝 치솟고, 냇물이 동돌 감돌아 흐르며 흰 구름 유유히 흘러가며, 초목은 봄을 맞아 무럭무럭 자라다가 가을이 되면 낙엽이 우수수 지는데, 이 모든 것은 어느 하나 자연이 아닌 것이 없네. 우리들 오고 가고 만나고 헤어지는 것 이 역시 자연이 아닌 것이 없네. 만났다고 반드시 즐거워야 한다는 도리 없고, 헤어진다고 반드시 슬퍼하라는 도리 역시 없네. 태산이 큰 것이 아니고, 추호(秋毫) 역시 작은 것이 아니며, 원헌(原憲; 즉 자사)이 구차하게 살아도 가난한 것이 아니고, 도의(陶猗)가 억만장자라 하여도 부유한 것이 아니다. 이것으로 미루어 보면, 사망이나 탄생은 하나의 사물이고 장수와 요절은 같은 물건으로 되니, 삼만 육천일은 길한 날이 아닌 것이 없고 풍상과 눈비도 어느 하나 장관이 아닌 것이 없네. 우리들이 모이는 고창은 고장마다 모두가 명산대천이다. 노란 것은 꽃이요 붉은 것은 잎이니, 어찌 한 시기의 갓난아이의 마음으로만 되어야 하는가? 보정은 내가 아니고, 태강도 자네가 아니네. 낙양 하늘의 구름은 높이 떠 있을까? 푸른 청강수에 잔물결이 일고 있을까?"

위에서 없는 말을 만들어 이야기 하였는데, 생동하지는 못하리라고 생각하지만 너무나 심심하여 한 이야기로 삼고 심심풀이 감으로 삼아주소.

答羅台江

拾得郞使我拭靑, 而一封書又能照丹心, 感身荷。示諭 "名山何日非楓林, 佳景可許其達觀" 也。抑又 有一說而演之, 曰：山川之流時峙, 雲烟之舒卷, 艸木之榮頒, 莫非自然。吾儕之往復離合, 亦莫非自然。其合也, 未必欣然；其離也, 亦未必戚然。泰山不必爲大, 秋毫不必爲小, 原憲未足爲貧。陶猗未足爲富。推而言之, 則一死生而齊彭殤, 三萬六千無非勝辰, 風霜雨雪亦無非佳景。吾人逢場, 盡是名山大川。彼黃者華, 丹者葉, 奚必嬰情於一時也哉？普非我也, 台非子也, 洛雲高歟, 靑江活歟？吾方危言而亦不知其爲細也。閑中甚無聊, 以資一餐粲。

나 태강에게 보내는 편지

 삼일 전, 지촌(池村)에서 귀가하셨다니 조석으로 어떻게 지내신가?
 제문(祭文) 1편은 정(情)이 꽉 차 있고, 말이 간절하네만 말씀을 어길 수가 없어 대충 고치었으니 어떻게 생각하시는가? 친구 이농암(李農菴)은 그 재기와 풍도가 우리 친구들 중에서 쉽게 찾아볼 수 없으므로 전부터 흠복(欽服)[308]하였는데, 어느덧 대상(大喪)이 다가옵니다. 한번 가서 곡을 하고 싶지만도 상인(喪人)으로 칩거하고 있으므로 인사에 뜻은 있어도 실행하지 못하고, 이번에 한 서신을 영서(令壻)[309]에게 전하니, 슬퍼한들 어찌 하겠습니까?

與羅台江

三昨池村還駕, 早晏何居。祭文一篇, 可謂情繁語切。而難違盛教, 略加塗鴉, 亮照若何？農菴李友其才氣風儀, 吾黨中甚不易得。素所欽服, 而於焉終朞奄迫。一者往哭不容, 但己者而罪蟄, 人事有意未遂, 此付一封書致傳于令婿, 哀如何.

나 태강에게 보내는 편지.

 누차 나의 집을 방문하시어 너무나도 적적하지 않았으니 이 정의를 어찌 잊을 수 있겠는가? 오늘이 무슨 날인가? 뜻이 있는 선비들이 글을 읽는 가을이네. 우리들은 사민(四民)[310] 중에서 공인(工人)도 아니요, 상인(商人)도 아니며, 오직 쟁기질과 호미질이나 하고 있으니, 이 일을 어찌 그만 둘 수 있겠습니까. 사민(四民) 중에서 으뜸이기 때문입니다. 옛 사람들은 책을 허리춤에 띠고 밭을 가는 사람이 있었고, 아침에는 농사일을 보고 밤에는 글을 읽는 사람도 있었으니, 그 뜻이 얼마나 가상한가. 그러나 이

---

308) 진심으로 존경하여 따름.
309) 상대방의 사위를 높혀 부르는 말.
310) 사(士)·농(農)·공(工)·상(商)을 말함.

정회(正會)같은 사람은 책에 의탁하여 헛된 이름만 가지고 세월만 보내고 있으니, 그 함양(涵養)하는 근원에 있어서 단 하루도 진정으로 힘을 기우리지 않아 지난 세월의 기량(技倆)만 가지고 있으니, 이것은 지엽적이며 말초적인 일일 따름이네. 40여 년 동안 게으른 습관이 고질화 되어 비록 날마다 회초리를 맞으며 학문의 정일(精一)하기를 바라더라도 실제로는 그렇게 되지 못 하였네. 뿌리 없는 나무가 잎이 피기를 바라고, 근원이 없는 흐름이 바다에 이르고자 하는데, 이러한 이치는 없는 것이니. 근년에 들어 조금씩 잘 못을 반성하고, 잃어버린 것들을 보충하려고 하면서 오늘 하나의 일을 제거하고 내일에 하나의 일을 제거한다면 아마 나의 마음의 성(性)을 존양(存養)할 수 있으리라고는 생각하지마는 떨어진 나무 잎은 바람에 날리기 쉽상이고 옅은 여울에는 파도가 일기 마련이듯이 세상의 천변만겁(千變萬劫)이 침투할 여가가 없으니 어찌 하겠는가. 비록 이렇다고는 하지만 회옹(晦翁)[311]은 "날마다 동정(動靜)하는 사이에 이치에 어긋나는 곳이 있으니, 이런 곳을 생각하여 그러한 까닭을 찾아보라"고 하였네. 이 말이 바로 정회 같은 사람이 더욱이나 오늘날 우리들이 더욱 유념해야 할 일이네만 형께서는 어떻게 생각하실지 모르겠네.

  가을이 점점 깊어가니 바람은 서늘하고 달빛은 더욱 맑네. 태봉(台峯) 아래와 인성리(仁性里) 위에서 책은 몇 권이나 읽으셨는가? 그만 두지도 말아야 하거니와 잊어버려서도 안 된다는 것이 가르침의 뜻이네.

  송오(松塢)의 생신 축하시는 감히 그의 원운(原韻)을 화답하지 못하고, 두어줄 글로 그 정의(情誼)만 기록 하였으니, 인편을 찾아 보내드리면 어떻겠는가?

  선장(仙莊)의 편액을 써놓았는데 마음에 드실지 모르겠네.

與羅台江

累蒙枉歠林廬, 頗不寂寞, 此義那可忘。今日何日, 有志士讀書之秋也。吾輩於民之四, 不爲工, 不爲商, 惟耒耟鋤鉏之。是事而亦何可廢？四之首也, 古人有帶經而耘者, 有朝畊而夜讀者, 其志良可尙。如正者托籍虛名, 玩歲偈月, 其於涵養本原上未能一日實下工夫, 從前伎倆枝葉耳矣, 末流耳矣。四十年怠荒成痼, 雖日撻求其精, 實不可得矣。木無根而葉欲敷, 水無源而流求達, 無是理也。比年來稍稍欲收過補遺, 今日除一事, 明日除一事, 庶可以存養吾心性,

---

311) 송(宋)나라 주희(朱熹)의 호.

而殘葉易風, 淺瀨易波, 奈世間千變萬恸, 侵鑠無暇何？雖然晦翁云：“日用動靜間有拂戾處, 便於此致思求其所以然者。”此正今日吾輩, 尤當惕念者也。不審。兄以爲如何？秋氣漸高, 風月雙淸。台之下, 仁之上, 能讀破幾卷書耶。不可以已, 不能而忘。其規告之義也。松塢壽詩, 不敢和其韻, 只以數行文, 志其情矣。覔便致傳, 如何？莊額試毫, 而未知有合高眼否也。

나 태강에게 보내는 답서

이틀 밤을 눈(白雪) 이야기만 나누더니, 또 서신 한 통을 보내 걱정해 주고 게다가 나막신까지 보내 주는 은혜를 베풀어 주니, 그 뜻을 알만하겠네.

지금 천하는 어디나 진창 길 뿐인지라 발을 옮겨 디디기만 해도 발목까지 빠지는 형편이니, 평소 때의 신을 신고서는 도저히 한 걸음도 내디디지 못하네. 오직 한 자나 높은 나막신만이 진창길에 더러워 하지 않고 물을 건네도 젖지 않네. 그리고 때로는 아무리 험한 돌 깔린 오솔길에서라도 딱딱 울리는 소리에 맞추어 자유(子猷)[312]가 노 대를 돌린 일을 읊게 될 것이니, 묻지 않아도 호연(浩然)[313]의 기가 남아 있을 따름이네.

역시 할 일이 많다고는 하지만, 이것은 말세에서 하는 말이네. 만일 어두운 구름이 사라지고 하늘이 개이고 세상의 길이 마치도 숫돌 같이 곧게 된다고 하면, 가볍게 짚신 한 켤래를 신고 먼 길을 활보하여 발밑에 명승지를 마음대로 볼 수 있을 것이니, 이럴 때는 어찌 위태로운 나막신을 신겠는가? 웃음이 절로 나오네.

答羅台江

兩宵話雪, 一書又勤, 況木屐之惠, 其旨徵矣。今天下濘海迷茫, 一涉足便沒

---

312) 동진(東晋), 왕휘지(王羲之)의 다섯째 아들 왕휘지(王徽之)의 자(字). 그는 그의 아버지에게 글씨를 배워 해서(楷書)와 초서(草書)에 능하였다. 그는 정강성(浙江省)의 회계산(會稽山) 산음(山陰)에 살면서 눈이 내린 밤이면 술을 마시고 초은시(招隱詩)를 읊으며 배를 타고 선계(剡溪)에서 살고 있는 친구 대규(戴逵)의 문 앞까지 갔다가 다시 돌아왔다. 사람들이 그 이유를 묻자 그는 "내가 흥이 나서 갔다가 흥이 다하여 돌아왔는데 어찌 대규(戴逵)를 만나야 되느냐"고 하였다.

313) 넓고 큼.

脚, 使素履不得安跬步, 惟一尺齒屐, 泥而不污, 淖而不濡, 時或崎嶇石逕聲聲伴吟子猷之棹, 不須問浩然之長耳。亦云多事, 雖然此衰世之論也, 若其陰霏初開, 世途如砥, 翩僊一草鞋, 濶步鵬程, 足底名勝, 可隨意改觀。方其時也, 又焉用 危屐爲？好笑好笑。

김 취헌(金醉軒)에게 보내는 답서　수중(壽中)
○계묘년(서기 1963) 10월

　한 편의 고조(高調)³¹⁴⁾와 월담(月潭)이 지은 행주곡《行舟曲》9장을 보내 주시어, 명가수들이 노래를 부르고 관현악으로 반주하여 이 자애로운 늙은이의 장수를 축원하여 주니 마치도 맑고도 우렁찬 노래 소리가 삼고(三古)³¹⁵⁾의 소·호(韶濩)³¹⁶⁾를 들은 듯하니, 우리 마을이 백배나 빛날 것 같네. 그러나 발자취 소리가 들리지 않고 조용하니 더욱 한 사람이 모자란 듯한 탄식이 저로 나네. 세상 일이란 뜻대로 되지 않는 것이 십중팔구로 예로부터 지금까지의 통례로 되는 한(恨)이니, 말한들 무엇 하겠는가. 눈 내린 달밤을 기다려 하나의 조각배를 타고 산음(山陰)³¹⁷⁾의 옛이야기를 따르는 것이 좋을 같네. 월담(月潭)·춘전(春田)과 함께 2~3일 동안 취해 보는 것이 이 세상에서 쉽지 않네.

答金醉軒　壽中
○癸卯十月

惠寄一篇高調, 及月潭所著《行舟曲》九章, 使善鳴者唱之, 佯（伴）之以管絃, 以壽吾老慈, 瀏瀏浣浣如聞韶濩於三古上, 陋巷爲之增百倍光紫矣。但跫音終是寂然, 益不禁少一之嘆。世間事不如意者十常八九, 古與今通恨, 謂之何哉？第

---

314) 자기의 의견을 역설함.
315) 고대(고대)를 상고(上古)·중고(中古)·하고(下古) 3개로 나눈 것을 말함.
316) 소(韶)는 순(舜)임금의 악곡(樂曲)이며 호(濩)는 탕(湯)임금의 악곡 이름임.
317) 절강성(浙江省)의 회계산(會稽山) 밑에 있는 고을 이름. 이곳에서 왕휘지(王徽之)가 살면서 흥이 나면 배를 타고 친구인 섬계(剡溪)의 대규(戴逵)를 방문하였다가 그의 문앞에서 다시 돌아왔다.

待雪月, 政好將以一片棹, 做山陰故事矣。月春兩公三數日共醉, 亦缺界, 甚不易易。

이 춘전 혁(李春田 烇)에게 보내는 답서

　요즈음 가정에 걱정이 있어 남도(南道)로 내려가 일일이 찾아뵙지 못하여 고가(高駕)[318]를 헛되이 기다리게 하였고, 인곡(仁谷)에서 추심(追尋)하는 것도 오직 죄송스러운 마음뿐이네.
　보내주신 선조(先祖)의 문집은 차례대로 보았네만, 3세(世)의 유문을 동시에 간행하여 세상에 공포한 것은 선조를 기술하는 효성이 지극한데서 나온 것이네. 삼가 생각하건데, 세 선생의 학문이나 기절이나 문장은 한 가정의 문헌만이 아니라 세상의 교육에 큰 도움이 있을 것이므로 우리 연원(淵源)의 제가(諸家)들에게 빛이 백배나 나니 감히 흠복하지 않을 수 있겠는가. 원산(月山)·예동(禮洞) 제처(諸處)에도 말씀하신 대로 당연히 분질(分帙)하겠네.

答李春田烇

近有家憂, 昨者南爲, 未暇歷拜, 使高駕虛佇, 仁谷所追, 惟悵缺惠。寄耑先集, 次第盥閱, 三世遺文, 幷時繡梓, 以公諸一世。仰認述先, 篤孝出尋常萬萬。竊惟三先生學問也, 氣節也, 文章也, 非直爲一家文獻也, 可有補於世敎, 使吾淵源諸家增百倍之光, 敢不欽服？月山禮洞諸處, 當依戒分帙矣。

강재 박기현(朴强齋 璂鉉)에게 보내는 답서

갑진년(서기 1964)

　사문(私門)[319]에 재환이 겹치며 갑자기 아내를 잃으니 그 슬픔을 어찌 말로 다 하겠

---

318) 상대방의; 행차를 높혀서 부른 말.
319) 자기 개인의 집이나 집안의 낮춤말.

는가? 예전에 노쇠한 몸으로 먼 길에 찾아 주신 것도 뜻밖이었는데, 지금 또 위로해 주시는 서신을 보내시어 도리를 따지면서 나의 마음을 풀어주시고, 또 의리로 나를 일깨워 주셨네. 소위 서찰(書札)이 덕성(德性)과 상관된다는 것이 바로 그런 것인가 보네. 지난번 드린 서문(序文)은 먼 길에 노자대신 주는 것이며, 감히 글이라고 할 수 없는데, 이에 과도한 칭찬을 주시니 다시 얼굴이 붉어질 따름이네. 천관산(天冠山) 구경을 가자는 말씀을 들은 즉시 용기가 솟아나 칩충(蟄蟲)이 봄 우레 소리를 들은 것 같으니 당연히 다음에 시도할 기회를 기다리겠네. 아드님은 지금 고당(顧堂)에게 공부를 하고 있는지. 이 세상에서 듣기 드문 소식이니, 참으로 우리 유학의 다행한 일이네.

答朴强齋　谋瑾鉉
○甲辰

私門疊禍, 遽爾喪耦, 悲酸可言, 衰境遠程. 昔者之枉寔出不圖, 而今又辱賜慰問寬我以理, 喩我以義, 切偲之規, 足令人警惕. 所謂書札於德性相關者, 然也. 曩也一序用替贐遠之資, 非敢曰文也. 洒者稱賞過情, 更覺顔騂耳. 天冠之敎, 聞卽湧動, 殆若蟄虫聞春雷, 當竢異日圖之矣. 令抱輩今冬亦就讀于顧堂否? 斯世罕聞, 實斯文之幸也.

효당 김문옥(金曉堂 文鈺)에게 보내는 글.
을유년(서기 1945) 3월 8일

해내(海內)[320]의 호준(豪俊)한 선비들이 서로 모여 말하기를 "지금 한유(韓愈)[321]와

---

320) 사면이 바다로 둘러싸인 육지, 나라 안.

321) 당송팔대가(唐宋八大家)의 1인, 당(唐)의 창여인(昌黎人). 혹은 등주(鄧州)의 남양인(南陽人)이라고도 함. 자는 퇴지(退之), 시호는 문(文). 태어난지 3세에 고아가 되어 형수에게서 자랐다. 그는 독서를 좋아하여 장성한 후에는 육경(六經)과 백가(百家)를 통달하였으며, 진사(進士)가 된 후 사문박사(四門博士)를 비롯한 감찰어사(監察御使), 국자제주(國子祭酒), 병부시랑 등 많은 관직을 지내다가 나이 57세에 사망하였다. 송(宋)나라 원풍(元豊) 중에 창여백(昌黎伯)으로 피봉되었으며 그의 문인 이한(李漢)이 《창여선생집(昌黎先生集)》을 편찬 하였다.

유종원(柳宗元)³²²)같은 분은 오직 집사(執事)³²³) 뿐이다"고 하니, 이것이 어찌 집집마다 상을 주고 호호(戶戶)마다 권하여 약속이나 한 듯 똑 같은 말로 추대한 것이겠는가? 금옥(金玉)은 부녀들도 모두 보물인 줄 알고, 인봉(麟鳳)과 교룡(蛟龍)은 지혜 있는 사람과 어리석은 사람도 모두 상물(祥物)인 줄 알고 있으니, 지성(至誠)의 효과를 숨길 수 없는 것이 대개 이와 같은 것인가? 나는 성품이 어리석어 젊어서부터 학문에 열중하지 못하고 자라서도 행실에 주력하지 않아 후회가 산같이 쌓였으므로 감히 이 세상 사람들과 비교할 수 없네. 그러나 오직 선행을 좋아하고 덕 있는 사람을 숭상하는 마음은 이성(理性)에서 나와 살아지지 않고 있으니 《시경(詩經)》³²⁴)에서 말한 "마음속에 간직하였으니, 어느 때 잊을 수 있겠는가(中心藏之,何日忘之)"라는 것이므로, 산과 물이 가로막을 수도 없고 세상의 변화에도 혹 느슨하지 않네. 옛날 동쪽으로 풍악(楓岳)³²⁵)을 유람할 때 높은 산은 비로봉(毘盧峯)을 보았고 큰물은 동해(東海)를 보았는데, 스스로 내 눈으로 본 것은 기이한 경관이고, 나의 기운도 장하다고 여기었네. 그런데 지금 다른 사람의 보기에는 지금의 세상에서 아무리 구해 봤자 집사 밖에는 다른 사람이 없다고 여기는데 어떻게 하겠는가? 비록 세상이 천년(千年)을 지나고 지역은 만리(萬里) 떨어져 있다고 하여도 오히려 높이 논하고 정신이 모이는데, 하물며 같은 세상에 태어나고 같이 생활하는 것도 다른 나라를 거치지 않는데, 아직 그 덕성을 접하지 못하고 그 서여(緖餘)³²⁶)마저 들어보지 못하였으니, 선비로서 성의가 적은 것이 부끄럽네. 이것이 어찌 이른바 금옥(金玉)은 소민(小民)이 사적으로 볼 수 없고, 기린과 봉황은 범부(凡夫)가 쉽게 볼 수 없다는 것일까?

 수년 전부터 순창(淳昌) 친구 김재석(金載石)과 함께 은사(隱士)³²⁷)의 거처를 방문하려고 하였으나, 길이 험하기가 마치도 물이 건널수록 깊어지는 것과 마찬가지였으므로 끝내 이 뜻을 이루지 못하였네. 친구 김재석도 지금은 거상(居喪) 중에 독실하게 예(禮)를 지키고 있네. 일전에 조문(弔問)할 때, 열심히 집사의 이야기를 하였고 또

---

322) 당송팔대가(唐宋八大家)의 1인. 송인(宋人), 자는 자후(子厚),정원(貞元)에 진사(進士)가 된 후 감찰어사(監察御使)가 되었으나 왕숙문(王叔文)의 일당으로 지목되어 영주사마(永州司馬)로 좌천되고 그후 유주자사(柳州刺史)가 되어 세칭 유유주(柳柳州)로 칭하였으며 원화(元和) 14년에 47세로 사망하였다.
323) 귀인에 대한 존칭.
324) 오경(五經) 중 하나, 주말(周末)에 3천수가 되었으나 공자(孔子)가 산정(刪定)하여 지금은 305편이 전한다.
325) 가을철 금강산(金剛山)을 지칭하는 말임.
326) 남은 것, 실을 뽑은 뒤 고치에 남아 있는 실이라는 뜻.
327) 벼슬하지 않고 숨어 있는 선비.

사람들에게 회자(膾炙)된 집사(執事)의 작품 두 세편을 읽어보았는데, 비록 많은 글은 아니지만, 그 글이 집사의 됨됨이와 방불하여, 세상의 조맹(趙孟)[328]이 영광스럽지 않고 오직 지금 한유(韓愈)와 유종원(柳宗元)을 만나 말씀 한마디 듣고 스스로 장하게 여기는 것이 나의 구구한 바램이네. 감히 서신으로 조그마한 성의를 표하였으니 널리 살펴주시기 바라네.

與金曉堂 文鈺
○乙酉三月八日

海內豪雋之士相聚而言，曰：" 今之韓、柳，惟執事爲然。" 是豈家賞而戶勸，約以一辭推之哉？金璣珠璧，娠孺皆知其爲寶；麟鳳蛟龍，智愚咸稱其爲瑞祥。誠之不可掩，蓋亦此類也歟？僕賦性愚下，少不勤學，長又不力行。悔尤山積，不敢比數於斯世之人。而惟好善尙德之心出於秉彝而不可泯。則詩所謂 "中心藏之，何日忘之" 者，不以山川而有隔，不以世變而或弛也。昔年東遊于楓嶽，於山見毗盧之高，於水見東海之大且深，自以爲奇吾觀，而壯吾氣矣。而但於人之觀，則求諸當世，舍執事何以哉。雖世後千載，地距萬里，猶可以尙論而神會。況生幷一世，居不越國，而尙未接其德，而聽其緖餘，自愧緇衣之誠淺，而抑豈非所謂金璧非小民之所可私，麟鳳非凡夫之所獲覩耶？自數年前，約與淳昌金友載石甫欲訪于衡泌之下矣。而行路多險，如水益深，未遂此志。金友則方居喪篤禮矣。日者致唁時，亹亹說執事，且誦盛作之膾於人者三數篇。雖不多，亦髣髴乎其爲人矣。世之爲趙爲孟，不足爲榮，而惟遇知於今之韓柳，聞一言而自壯，是所區區也，敢將尺牘，以導寸悃，伏惟淵亮。

김 효당(金曉堂)에게 보내는 답서
을유년(서기 1945) 5월

지난번에 헤아리지 못하고 경솔하게 한 장의 서신으로 뜻을 전하여 사귀고 싶다는

---

[328] 진(晉)나라 정경(正卿) 중에서 가장 귀족인 조씨(趙氏)를 말함. 조행(조행)의 후손들이 서장(서장)이 되었기 때문에 그 자손들이 항시 조씨를 말할 때는 맹자(맹자)를 붙여서 말하였으므로 조맹(趙孟)이라고 한다.

소원을 말하였네. 이에 회답을 주시었으니, 종이에 가득한 주옥같은 말씀을 나열하여 그 말이 간절하고 의리도 정직하였으므로, 그 서신을 읽고 나도 모르게 무릎을 꿇고 옷깃을 여미였으니, 참으로 덕 있는 말씀들이었네. 이 미천한 사람을 돌아볼 때, 어찌 이렇게 진귀한 서신을 얻을 수 있겠는가. 누차 지붕을 바라보니, 집도 빛이 난 듯 하였네. 삼가 바라옵건데, 석류가 나는 더운 계절에 조용히 공부하는데 도움이 있으며, 덕행(德行)이 날로 새로워지는지요. 사모하는 마음 감당할 수가 없네. 나는 조모님께서 편안하게 지내시고, 두 아우가 있는데 중제(仲弟)는 농업에 종사하고, 막내아우는 군에 들어가 3년을 마치고 귀가하였으니, 이것을 일러 형제가 무고하다고나 할까?

 나는 본래 몸이 약하고 성품도 졸열하여 일찍부터 멀리 사방(四方)을 유람하지 못하였고, 성질도 못나 가정에서 보고 들은 것도 열에 하나도 간직하지 못하고 있으니, 늘 수치스러워 하며 두려워했네. 돌이켜 보니, 옛날 조부님께서 처음에 나의 자(字)를 중립(中立)이라고 지어 주셨는데, 지금 나이 43세가 되도록 헛된 세월만 보내어, 그 자를 지어주신 기대를 저버리고 말았으니, 어떻게 감히 다른 자를 사용할 수 있겠는가? 그런데 짚단이나 묶고 낚시대를 잡은 친구들은 나를 정자(亭子)처럼 널찍하다 하여 보정(普亭)이라고 불러 주는데, 그것도 허망한 것에 불과하네. 그리고 말씀하신 "후세의 유자(儒者)는 하나같이 성리학(性理學)를 기준으로 공부해야지, 그 강론과 연구가 이에 미치지 못하면 모두 이단(異端)으로 배척된다"고 하신 것은 책상을 치며 감탄하지 않을 수 없네.

 글이란 도(道)를 담은 그릇이네. 글이 도(道)가 아니라면 쓸모없는 그릇이 되고 마는 법이네. 도는 글이 아니고서는 전파 될 수가 없네. 그런데 후세에 배우는 자들은 도와 글을 완전히 두 쪽으로 갈라놓고 있네. 도를 놓고 보면, 비단 글을 짓는 사람들이 도가 바로 여기에 있다는 것을 알지 못하고 있을 뿐만 아니라, 명색이 도학자(道學者)라고 이름을 날린 분들도 역시 글이 도를 전한다는 것을 알지 못하고 있네. 이리하여 도는 스스로 도가 되고, 글은 스스로 글이 되어 도와 글은 마치도 천양지차가 있듯이 선명한 거리가 있게 되었는데, 이것은 사문(斯文)의 폐단이 극에 달하고 있네. 삼가 생각해 보건데 유독 집사(執事)께서만 세속의 유행에서 벗어나, 개연(慨然)[329]히 이것을 근심하고 있으니, 이는 사문의 대행으로, 세도의 다행으로 되기에 족하다고 생각하네. 감히 하나만 터득한 우견(愚見)으로 귀를 번거롭게 하였으니, 내가 터득하였다는 것을 말한 것이 아니라, 단지 물어보며 분변하려는 바탕으로 여기는 것이네.

---

329) 억울하고 원통하여 몹씨 분함.

속담에 "병은 자랑하라"고 하였네. 지금 누군가가 배앓이를 하고 있으면서도 스스로 소문 낼 수 없는 세상에 살고 있으나, 화타(華陀)[330]와 편작(扁鵲)[331]같은 명의가 있다 해도 병 치료에 무슨 도움이 있겠는가? 마음은 서로 사귀고 있으나, 인연이 없어 서신을 쓰면서 공연히 울적한 마음만 더해질 뿐이네.

答金曉堂
乙酉五月

曩也不揆, 率爾一書, 馳義以道荊願之私. 洒者辱賜惠覆, 溢幅琳琅, 辭切而義正. 讀之者不覺膝之前, 而衽之歛. 信乎其有德之言也. 顧此淺菲, 何以獲此珍玩? 屢回屋脊, 爲之生輝. 伏惟榴熱靜學有相德履日新, 頂頌無任. 僕重省粗宜, 而家有二弟, 仲也業農, 季也入營三年而歸. 此可謂兄弟無故耶? 素來體弱性拙, 曾未能遠遊四方, 質且駑劣, 所見聞於家庭者, 亦未保其十一, 尋常以爲愧懼. 念昔皇覽于初度, 字余曰中立. 行年今四十有三矣, 悠泛度了, 虛負錫嘉之義, 安敢別字爲. 但樵侶釣朋謂我亭以普者, 亦妄耳. 盛喩後世儒者, 一以性理爲準. 苟其講說鑽硏之不及乎此, 輒皆斥之如異學云. 未嘗不擊節而嘆賞矣. 而夫文, 載道之器也. 文非道, 爲虛器; 道非文, 不得以傳焉. 斯文之盛衰, 寔有關乎世道之汚隆矣, 而後之學者, 以道與文判而爲二. 道不惟爲文者不知道之存乎此; 而名爲道學者, 亦不知文之傳乎此. 於是乎道自道, 文自文, 文與道相去不啻天淵, 斯文之弊極矣. 竊惟執事拔乎流俗之中, 慨然爲是之憂. 是憂也, 足爲斯文幸, 爲世道幸也. 敢以一得之愚, 仰煩淸聆. 非曰自謂有得也. 聊以爲問辨之資矣. 諺誇己病. 今有人疾在肚裏, 不有以自誇之, 世雖有華扁, 於病奚益? 心神己交奉際, 未緣臨楮, 徒增於悒.

---

330) 한말(韓末)의 의사(醫師), 패국(沛國)의 초현인(譙縣人). 이름은 부(尃), 화타(華陀)는 선생이란 뜻이다. 한말(漢末)의 동봉(董奉)·장기(張機)와 함께 건안삼신의(建安三神醫)로 칭송 되었다.

331) 전국(戰國), 발해(渤海)의 막군인(鄭郡人). 그는 진맥(診脈)에 능하고 조(趙)나라에 있을 때는 대하의(帶下醫:婦人科)였으며 주(周)나라에 있을 때는 이목비의(耳目鼻醫:五官科)였고 진(秦)나라에 있을 때는 소아과(小兒科)의 의사였다.

김 효당(金曉堂)에게 보내는 편지

병술년(서기 1946) 11월

　가을에 한번 왕림하겠다는 승낙을 받고 날마다 남쪽 하늘을 바라보다가 눈이 빠질 지경이었네. 그 사이 온 강산은 흰 눈으로 뒤덮였지만 꿈은 꿈이라 공연히 마음만 졸이게 되었네. 어찌하여 사람을 이토록 흠모하여 사모하게 만들었을까! 형은 금옥의 보물을 간직하고 있으나 나는 괴이하게 여기어 현란하지 않고, 형은 헌면(軒冕)[332]의 영광을 누리고 있지만, 나는 이권과 세력에 부림을 당하지 않고 있는데, 어찌 나로 하여금 흠모함이 이런 지경에 이르게 할 수 있을까? 여기에는 정녕 만나 뵈지 못해도 가까이 할 수 있고, 말을 하지 않아도 믿음을 주는 것이 있네.

　근간의 소문에 의하면, 효당(曉堂)의 문장에 대하여 명성이 날로 높아지고 있어, 지금 선비들이 서로 부러워하며 앞을 다투어 글을 외우다시피 하고 있으나, 나는 여러 사람들을 따라 즐거워하지 않고 있네. 대개 형의 문장은 한유(韓愈)와 사마천(司馬遷)의 문장을 모범으로 삼아 천고(千古)를 넘나들며, 당송(唐宋) 이하의 작품은 당시 사람들이 즐겼던 것을 취하지 않았네. 당시 사람들이 좋아한 것은 아주 저속하고 촌스러운 것이네. 만일 당시 사람들이 모두 고문(古文)을 하였다면 그만이지만, 그렇지 않다면 어찌 백설곡(白雪曲)[333]과 양춘곡(陽春曲)이 묘곡(妙曲)이라는 것을 알 수 있겠는가? 퇴지(退之)[334]의 문장을 사람들이 비웃으면 기뻐하고, 칭찬하면 걱정하였으니, 그 걱정은 기뻐하는 사람들이 있기 때문입니다. 지금 형의 작품을 칭찬한 사람이 100명이라면, 비웃는 사람은 100명 중에 한 두 사람도 없으니, 그윽이 형을 위해 걱정하는 것이며, 형을 위해 기뻐하지 않네. 혹 균천(鈞天)[335]의 구주악(九奏樂) 소리를 알고 모르고를 떠나, 즐기고 구경하거나 손뼉을 치고 발을 구르지 않는 사람이 없는 것일까. 요즈음 어떤 사람이 집사(執事)의 작품인 안의장전《安義將傳》을 보여주어 읽어보니, 저승에서 충혼(忠魂)을 울릴 만하여 감히 두어 구절로 평하기를 "이 불후(不朽)의 절의(節義)가 불후의 문장을 만났으니 천양(天壤)[336]처럼 오래 전할 것

---

332) 헌(軒)은 대부(大夫)가 타고, 면(冕)은 대부 이상의 고관이 쓴다. 즉 고관을 말함.
333) 금곡(琴曲)의 하나.
334) 당(唐)나라 한유(韓愈)의 자.
335) 균천(鈞天)은 구천(九天)의 하나로 즉 중앙의 하늘을 말하며, 중앙에는 상제(上帝)의 궁전이 있는데, 상제에게 음악을 아홉 번 연주하고 만무(萬舞)의 춤을 춘다. 만(萬)은 춤의 이름이다.
336) 하늘과 땅, 천지

이다"라고 하였네. 이것은 작은 눈으로 보불(黼黻)[337]을 논한 것이네. 겨울 날씨 추우니, 오직 몸을 더욱 소중히 여기시어 멀리 사모하는 마음을 위로하시기 바랍니다.

與金曉堂
丙戌十一日

秋間承一枉之諾, 日日南天望眼。幾乎穿矣。居然雪月滿川, 夢想徒勞, 胡令人之歆慕一至於此？兄有金璧之寶, 吾不以珍怪而眩焉。兄有軒冕之榮, 吾不以利勢而役焉。非金非璧非軒非冕, 而胡令人之歆慕一至於此？是必有不待面而親, 不待言而信者也。近聞曉堂之文, 聲譽日益騰湧, 凡今之士, 莫不爭豔而競誦。我獨不隨衆而喜。盖兄之爲文也, 規韓範馬, 頡頏千古, 不肯爲唐宋以下, 作而取悅於時人之眼也。時人之所好, 下俚也巴人也。如使時人盡爲古文則己, 否則安能知白雪陽春之爲妙曲也哉。退之之於文, 人有笑之則以爲喜, 譽之則以爲憂。其憂也, 以其有人之悅之者存也。今於兄之作, 譽之者十十, 笑之者百無一二。竊爲兄憂, 而不爲兄喜也。抑或鈞天九奏之音, 知不知無不樂而賞之, 手舞足蹈, 有不能禦者歟？近有人示盛作《安義將傳》, 讀之, 可以泣忠魂於泉臺下, 敢以數句語評曰："有此不朽之節, 得此不朽之文。"此可與天壤同其壽, 是眇者之論黼黻也。冬寒矣, 伏惟萬萬加重, 以慰遐情。

김효당(金曉堂)에게 답함
병술년(서기 1946) 11월

10일 전에 안부 서신을 보냈으나 아직 보시지 않았을 것인데, 갑자기 도착한 서신의 표지에 정주(井州)라는 글자가 써 있어, 매우 의아해 하였네. 급히 서신을 펴보니, 형이 여행 중에 병을 앓은 지 이미 오래 된 것 같네. 이 소식을 듣고 매우 놀라 그

---

337) 국왕의 곤복(袞服)에 수놓은 부자형(斧字形)을 보(黼)라고 하고 아자형(亞字形)을 한 것을 불(黻)이라고 한다. 곤복은 즉 구장복(九章服)이라고 하는데 산(山)·용(龍)·화충(華蟲)·화(火)·종이(宗彝)·조(藻)·분미(粉米) 등을 수놓았으며 황제(皇帝)는 십이장복(十二章服)을 착용하는데 구장복에서 일(日)·월(月)·성신(星辰)을 더 넣어 착용한다. 여기서는 아름다운 문장(文章)을 말한다.

통증이 내 몸에 번진 듯하네. 형처럼 강건한 체질로, 이처럼 생각지도 않는 병이 있을 수 있겠는가? 좌우에는 호위하는 사람도 없을 것인데, 기거(起居)와 식사는 어떻게 하고 있는가. 매우 염려되는 바이네. 보내주신 서신은 지난 22일 부친 것으로 보면, 7일을 거쳐 어제 저녁에 도착 하였는데, 그 동안 병환이 심하셨는지 무척 염려스럽네. 서로 있는 지역이 삼사(三舍)[338] 되지 않지만, 막연히 소식도 전하지 못하여, 멀고 먼 지역의 이쪽과 저쪽 끝에 있는 것 같네. 멀리 있는 물은 가까운 불도 끄지 못하니 어찌 하겠는가? 정회(正會)도 감기를 앓고 있어 가지도 못하고 또 좋은 약도 없어 부탁에 보답할 수 없으니, 서로 종유하는 의의가 어디에 있는지 모르겠네. 오늘은 양(陽)이 생기는 날이니 시절과 함께 회복되지 않겠는가? 거동이 조금 좋아지면, 이곳에 오셔서 치료하는 것이 어떠하겠는가? 이곳에는 요즈음 종기를 치료하는데 경험 많은 사람이 있으나, 늙어서 그 곳까지 가지 못하고, 또 사용할 약도 함부로 투약할 수 없네. 나의 종숙께서 연지(蓮池) 등지에 일을 보러 가시므로, 형을 방문하도록 권하여, 대충 두어자 답서를 보내네.

答金曉堂

丙戌十一月

十日前修候書，想未燭照矣。忽辱惠封，籤面有井州字，訝甚，急開。兄在旅患節日已富矣。聞卽驚慮，殆若痛痒在軀。以兄強乾之質，有此不虞之患耶？左右無護衛，起居飲啖何以方便，馳念切切，來書。今二十二日，出歷七日昨暮始到。其間劇歇何居，地未滿三舍，漠然不相聞若涯角之落落。遠水不能救近火，奈何？正會亦叫感不可往，且乏良劑，無以副盛囑，相與之誼安在？今日陽生矣，能與時偕復否？動作少可，則治療於鄙所，如何？此近有深於治腫者，然老不能往診，且有多少方藥，而難以臆投云。鄙從叔適有事蓮池等地，勸送兄處，略答數字。

---

338) 사(舍)삼십리의 행정(行程)의 뜻으로, 삼사(三舍)는 90리의 거리

김 효당(金曉堂)에게 보내는 답서

정해년(서기 1947) 정월

서신을 받아보고 잘 귀가하셨음을 알고 매우 위안이 되었네. 그리고 간곡한 사랑을 받아 고인(古人)의 심오한 학문에 이르도록 하셨으니, 이것은 원숭이를 잡아다가 목욕시켜 비단 옷을 입히고, 쫓겨난 메추라기에 종여(鍾呂)[339]를 들려둔 격이니, 어찌 사랑이 과하지 않고서야 이런 의혹을 사게 할 수 있겠는가? 비록 이렇다고는 하지만, 형의 한 마디 칭찬을 들을 때마다 스스로 친구들에게 자랑하곤 하네. 비록 겁이 많고 마음이 약하여 일으킬 수 없기는 하여도 진구(塵垢)[340] 중에서 깨끗이 몸을 씻을 수 있도록 노력은 하네만 워낙 배운 것이 얕고 두려움이 많아 견디기 어려울 지경이네. 그렇지만 마음속으로 느낀 바가 있어 감히 말없이 견디고 있네.

존형께서는 내가 말을 늘어놓는 글을 쓴다(敷暢)고 하시면서 준엄(峻嚴)하고 고결(高潔)하게 글을 쓰도록 고쳐 주려고 생각하고 있네. 준엄하고 고결하게 글을 쓰는 것은 문장에서의 정수가 아닌가? 이른바 말을 늘어놓는 글을 쓴다(敷暢)는 것도 아직 제대로 하지 못하는 주제에 어떻게 갑자기 준엄하고 간결하게 글을 쓴다는 말인가?

글을 배우자면 자연적으로 순서가 있기 마련 아닌가. 넓은 범위를 잡았다가 간약하게 만들어야 하며, 먼저 거칠게 썼다가 다시 정교로움에 이르러야 하는 등이 있는데, 사냥을 하듯이 하나의 목표물만 잡을 수가 없네. 글을 지을 수가 없는 것 아닌가. 때문에 도리를 앞세우게 되면 문장이 공정하기를 바라지 않아도 공정하게 되고, 공정하게 되면, 어찌 양자강과 같은 큰 강들의 거침없는 흐름을 구경하는 것과 마찬가지가 아니겠는가? 잔잔하게 흐르면서 잔물결을 이루다가 갑자기 급류를 이루면서 소용돌이를 치지 않겠는가? 게다가 폭풍이 불어 오면서 번개치고 우레가 우르릉거릴 때면 삽시에 천만변화의 기이한 장관을 이루게 되네. 이것이 이치가 극도에 달한 문장이네. 이치를 앞세우지 않고 우선 어휘와 구두를 공정하게 하게 하려 한다면, 이것은 폭풍이 지난 다음의 여울에서 기이한 장관을 구하고자 하는 격이네. 흰 바탕의 비단에 염색하여야 오색(五色)[341] 비단이 나오게 되고, 달콤한 맛이 있는 다음에야 오미

---

339) 십이율(十二律) 중의 하나이며 양성(陽聲)에 속한다. 즉 육율(六律)은 황종(黃鐘)·대족(大簇)·고세(姑洗)·유빈(蕤賓)·이칙(夷則)·무역(無射)이며 육여(六呂)는 음성(陰聲)에 속한 것으로 대여(大呂)·협종(夾鐘)·중여(仲呂)·임종(林鐘)·남여(南呂)·응종(應鐘)이다.

340) 먼지와 때.

341) 청(靑)·황(黃)·적(赤)·백(白)·흑(黑).

(五味)³⁴²)가 조화롭게 되네. 만일 그렇지 않으면 비록 채색(彩色)이 있어도 어디에 사용하겠으며, 비록 오미가 있으나 어떻게 조리를 하겠는가.

또 한 가지 질의하고 싶은 것이 있네. 문장은 비록 단계성이 있다고 하지만, 사람마다 제 나름 대로의 성(性)을 지니고 있는 것 아닌가? 맑은 것, 건강한 것, 기이한 것, 교묘한 것, 소박한 것, 전아한 것 등 만에 만 가지가 일치하지 않고 다르게 되어 있네. 이러하기 때문에 한유(韓愈)와 유종원(柳宗元)은 스스로 한유(韓愈) 또는 유종원일 뿐이고 이백(李白)³⁴³)과 두자미(杜子美)³⁴⁴)는 이백과 두자미일 뿐이네. 구양수(歐陽脩)³⁴⁵)가 소식(蘇軾)이 될 수 없고, 소식이 구양수가 될 수 없으니 성품을 속일 수는 없네. 나는 쥐는 잘 도망친다는 것을 알고 있지만 그 놈을 잡을 수가 없고, 뿔이 있는 소가 무거운 짐을 많이 끌 수 있다는 것을 알고는 있지만 그 놈을 빨리 달리게 할 수는 없네. 개는 새벽을 알리게는 하지 못하고, 돼지새끼는 마을 문을 지킬 수 없으며,

---

342) 산(酸)・고(苦)・감(甘)・신(辛)・함(鹹).

343) 당(唐)나라 때 촉(蜀)의 창명인(昌明人). 한(漢)나라 장군 이광(李廣)의 후예로 촉으로 이주하여 살았다. 자는 태백(太白), 호는 주선옹(酒仙翁). 해상조오객(海上釣鰲客), 또는 청연향(靑蓮鄕)에서 태어났으므로 호를 청연거사(靑蓮居士)라고 한다. 그는 천성이 호방하고 술을 즐기어 양주(楊州)에서 1년동안 30여만냥을 낭비한 적도 있다. 그는 사방으로 유람하기를 좋아하여 삼협(三峽)과 동정호(洞庭湖), 항주(杭州), 소주(蘇州), 회계(會稽) 등지를 유람하고 장안(長安)으로 가서 하지장(賀知章)을 만나자 하지장은 그의 글을 보고 감탄하면서 적선(謫仙)이라고 찬사를 아끼지 않았다. 또 그는 당의 현종(玄宗)을 알현하여 천자송(天子頌)을 지은 후 문명이 일시에 높았으나 성품이 방종하여 예의를 가벼이 여기므로 항시 현종을 모실 때도 취해 있으므로 고력사(高力士)가 칼을 빼어들자 사이(士耳)가 만류하였다. 현종이 그에게 관직을 주려고 하자 양귀비(楊貴妃)가 저지하엿으므로, 그는 더욱 방종하여 결국 현종에게 배척을 당하여 다시 사방으로 여행을 떠나 연(燕)・조(趙)・한(韓)・위(魏)・제(齊)・로(魯) 및 태산(泰山),금릉(金陵),심양(潯陽),여산(廬山) 등 천하의 명승지를 유람하다가 영왕 린(永王璘)이 막좌(幕佐)로 불렀으나 안록산(安祿山)의 난이 일어나 린(璘)이 패배하자 이백(李白)도 연좌되어 62세의 나이로 처형 되었다.

344) 당대(唐代)의 시인(詩人), 이백(李白)과 함께 시성(詩聖)으로 일컬음. 양양인(襄陽人). 자는 자미(子美), 두릉(杜陵)에서 거주하였으므로 두릉거사(杜陵居士), 소릉야로(少陵野老)라고 하며, 또 두목(杜牧)과 구별하기 위해 노두(老杜)라고도 함. 그는 진사(進士)가 된 후 현종(玄宗)에게 부(賦)를 바쳐 집현전대제(集賢殿待制)가 되고 안록산(安祿山)의 난이 일어나 현종이 촉(蜀)으로 들어가고 숙종(肅宗)이 등극하자 봉상(鳳翔)에서 상을 알현하여 우습유(右拾遺)에 임명되었다가 곧 화주사공참군(華州司功參軍)으로 좌천되므로 관직을 버리고 진주(秦州), 검남(劍南) 등지를 유람하였으며 그후 검남절도사(劍南節度使) 엄무(嚴武)의 막하에서 검교공부원외랑(檢校工部員外郞)이 되었고 대역(大曆) 중에 뢰양(耒陽)에서 유람하다가 하룻 저녁에 술에 취하여 59세의 나이로 사망하였다.

345) 당송팔대가(唐宋八大家)의 한 사람. 송(宋)의 여릉인(廬陵人). 자는 영숙(永叔), 호는 취옹(醉翁),육일거사(六一居士), 화뱅재(畵舫齋)이며 시호는 문충(文忠)이다. 진사(進士)에 급제한 후 한림원시독학사(翰林院侍讀學士), 참지정사(參知政事) 등 관직을 역임하였다. 그는 간원(諫院)에서 국사를 논할 때 직절(直切) 하였으며 누차 파출(罷黜)을 당했으나 그의 의지는 태연하였다. 그후 청주장관(靑州長官)으로 있을 때 왕안석(王安石)의 비위를 거스려 관직을 사직하고 고향으로 돌아왔다. 저서로는 《신당서(新唐書)》와 《오대사(五代史)》 및 《문충집(文忠集)》이 있다.

학(鶴)의 목은 짧게 할 수 없고, 오리의 목은 길게 할 수 없네. 어떻게 그것들이 고유하게 가지고 있는 성(性)을 그리 쉽게 사용하지 못하게 할 수가 있겠는가? 잘 모르지만 형께서는 어떻게 생각하신가?

손지(遜志)346)에 대해 말씀 하셨지만 정회(正會)는 재주가 없으니 어찌 감히 방정학(方正學)347)을 배울 수 있겠는가? 대개 손지(遜志)의 문장은 그 취재(取材)가 풍부하고, 그 문사(文辭)가 부창(敷暢)하여 개발(開發)한 것이 있으므로 우연히 즐기었으며, 감히 배운 것이 아니지 않는가? 지금 한문자(漢文字)를 가장 꺼려하는 것은 참으로 하신 말씀과 같네만 저…사설(邪說)을 하는 사람들은 누가 주창하고, 누가 화답하고 있는가?

아….진(秦)나라 때 화재를 당하고 왜인(倭人)에게 핍박을 당하기도 하였지만, 지금에 와서 핍박에 의하여 황폐하게 된 것은 이미 진시황의 불에 탈 때보다도 더 혹독하게 되었네. 황폐하게 된 것에 대해서는 다 논할 것도 없네. 아…. 사문(斯文)348)이 어찌 세상을 저버렸으며, 세상은 어찌 이 사문 보기를 원수같이 할까. 그러지만 《주역(周易)》349)의 이치는 궁하면 변하고 변하면 통하는 것이니, 오늘날 철폐한다는 설(說)도 어찌 타일에 다시 밝아질 조짐이 아니라는 것을 알 수 있겠는가?

헤어진 지 얼마 안 되었지만, 마음은 다시 예전과 같아 형의 글을 읽으면 기운이 더 나네.

두서없이 구구히 늘어놓았지만 널리 성찰하여 주시기 바라네.

---

346) (明)나라 방효유(方孝孺)의 호, 자는 희직(希直), 희고(希古), 시호는 문정(文正), 송렴(宋濂)의 제자. 학자들이 정학선생(正學先生)으로 칭하였음. 홍무(洪武) 중에 한중부교수(漢中府教授)가 되었으며 촉(蜀)나라 헌왕(獻王)이 세자(世子)의 스승으로 초빙하여 그 집을 정학(正學)이라고 하였다. 건문(建文) 중에 시강학사(侍講學士)를 지내던 중 청(淸)의 성조(成祖)가 조서초안(詔書草案)을 부탁하였으나 응하지 않자 저자에서 그를 책사(磔死)시키고 그의 종족과 친구 수 백명을 죽이었다. 저서로 《손지재고(遜志齋稿)》·《후성집(侯成集)》·《희고당고(希古堂稿)》 등을 남겼다.

347) 방정학(方正學)은 방효유(方孝孺)를 말함. 정학(正學)은 촉(蜀)나라 헌왕(獻王)의 세자(世子)를 교육하던 학궁(學宮)의 이름인데 방효유가 촉(蜀)나라 헌왕(獻王)의 세자(世子)의 스승으로 있을 때 학자들이 방효유를 정학선생(正學先生)이라고 칭하였음.

348) 유사(儒士) 또는 유학(儒學)의 문화를 말함.

349) 고대 역서(易書)로 본래 《주역(周易)》《연산역(連山易)》《귀장역(歸藏易)》 3종이 있었으나 현재 주역만 전한다. 주역의 구성은 팔괘(八卦), 중괘(重卦), 괘사(卦辭), 효사(爻辭), 십익(十翼)으로 되어 있으며 각 괘마다 육효(六爻)로 구성되어 있고 그 효사(爻辭)를 통하여 각효(各爻)에 대한 인간의 길흉화복(吉凶禍福)을 설명하였다.

答金曉堂

丁亥正月

辱惠書審，歸駕穩稅，良慰良慰。且蒙曲垂繾綣，引而進之古人之奧。是執獼猴，衣以繡裳，遇斥鴳，饗以鍾呂也。亦豈非愛之過而致此惑歟？雖然每得兄一言之譽，以自張於朋齒，雖懦不起者，猶能刷飾於塵垢中，顧力分功，淺且懼，其不堪也。但有感于中，敢默以止。兄謂我好爲敷暢，欲濟之以峻潔。峻潔者，文之至精也。所謂敷暢者，亦未之能。豈可驟語以峻潔。夫學文自有其序，自博而約，自粗而精，等不可獵也。不知理者，不能文。故曰理勝者，文不期工，而自工盍觀夫長江巨川之爲水乎？其舒而演漾，激而湍瀨。風擊之爲雷霆，奇變百出。此理達之文也。不務理而先欲工其語言句讀，是求奇於殘波淺流也。素然後施五采，甘然後和五味。不然雖采曷施，雖味曷調？且有一語仰質者，文章雖曰有階段，亦各有所性。清者健者奇者巧者平實者典雅者，有萬不齊。是故韓柳自韓柳，李杜自李杜，歐之不可爲蘇，蘇之不可爲歐。性非可誣也。鼠者，吾知其能走，而不能執鼠；角者，吾知其能負重，而不能疾馳。犬不能司晨，兔不能守閨，鶴之不可使短，鳧之不可使長。豈以所性在此，不使之易也。未知兄以爲如何？至於遜志云云，正不才，豈敢曰學。方學歸，盖遜志之。爲文其取材也，豐遣辭也暢，有足以開發，故偶嗜之耳，非敢曰學也。漢文字之爲今所最忌者，誠如來喩彼邪說者果孰倡而孰和。噫，火于秦，迫于倭。廢于今迫之禍，固已酷於灰燼。至於廢，無復有可論。嗟，夫斯文也，何負於世？世之視此如仇讐然。而大易之理，窮則變，變則通。今日撤廢之說，亦安知不爲異日復明之兆也歟？奉別無幾，懷復如昔誦兄之書辭，亦足以增氣。報章繁贅，惟冀亮察。

김 효당에게 보내는 답서

정해년(서기 1947)

덕음(德音)[350]이 계속되고 있으니, 정이 아니면 어찌 이와 같이 할 수 있겠는가? 더

---

350) 상대방의 편지를 높이 부르는 말.

구나 서신을 보낼 때마다 반드시 좋은 처방을 해주셨네. 내가 몸이 냉하면 열을 돕는 약재를 내려 주셨고, 내가 열이 심하면 냉을 돕는 약재로 조재하여 주셨으니, 어찌 인삼(人蔘)·창출(蒼朮)·복령(茯苓)·백자인(柏子仁) 등 이라고만 말한 것이겠는가? 존형을 알게 된 다음부터 조금씩 옛날의 습관을 고쳐 고인(古人)들의 교묘함을 구하고자 하였네. 아무렇지 않는 글을 짓는다고 할지라도 구상을 하거나 서술을 할 때면 마치도 효당이 옆에서 지키고 서서 엄한 잣대로 재고 있는 듯 하였네. 전 날에 내가 즐기고 사용한 것들이 오히려 전과 같지 않다고 나무랄 정도였네. 이리하여 남몰래 스스로 기뻐하였는데 마치도 퇴지(退之)[351]가 사람들이 비웃는 것을 기뻐하듯 하였네. 그러나 그것도 스스로 믿어지지 않았네. 지금 존형께서는 내가 이전과는 확연히 달라졌다고 하시니, 마음속으로 확실히 기뻐 어찌할 줄 모르고 있으며, 이것을 믿고 무서운 것이 없게 되었네. 마치도 길을 가다가 갈림길에 들어서서 어찌 할 줄을 몰라 서성대며, 이리저리 살피다가 끝내 억측을 하고 발걸음을 내디디기는 하지만, 마음속으로는 여전히 미심쩍어 사람을 만나 물었더니 "옳습니다."라는 대답을 듣고서 더는 의심하지 않고 곧게 가벼운 발걸음을 내디디는 것과 흡사하네. 만약 내가 형의 말씀 한마디를 듣지 못했다고 한다면, 하마터면 길을 가다가 갈림길에서 서성댈 번 하였네. 형이 내려주신 가르침이 어찌 많지 않다고 말할 수 있겠는가?

묘문(墓文)을 바쁘신데도 윤색해 주시어 매우 감사하게 생각하네. 보내주신 재기(齋記)는 말이 간략하고 뜻은 간절하여 사양하는 사람들로 하여금 그것을 읽고 기쁨과 공구의 염두가 더욱 두터워질 것이지만, 그것에 의지하지 못하는 사람들은 장차 황폐하게 되어 차마 수업조차 하기 어려울 것이네. 아…. 형의 글은 어이하여 그토록 사람들의 폐부에 닿아 그렇게도 간절히 감동시킬 수 있는가? 그렇지만 수정하신 가르침은 이른바 귀먹어리에 들여 준 격이네. 단 수정하라는 말씀은 이른바 소경에게 들어보라는 것이네.

봄에 나(羅)·유(柳) 두 친구와 한번 선장(仙莊)을 방문하려고 하네만은 아직 날자는 정하지 못했네. 요즈음은 무모하게 토목공사(土木工事)를 시작하여 지금은 한창 일하는 중이어서 여가가 없네.

---

351) 당(唐)나라 한유(韓愈)의 자.

答金曉堂

丁亥

德音陸續, 非情眷, 何能及此? 況每書必護良劑, 我病寒, 兄投以熱材; 我病熱, 兄調以冷料, 豈參朮苓柏之謂哉? 自識吾兄, 稍稍欲改塗易轍, 以求古人之妙。雖於凡作運意, 鋪叙之間, 怳然若曉堂在傍, 嚴加繩尺。以是用心亦踰歲, 益覺蹊逕窒碍。前日愛好, 余爲者, 反怪其不前若。於是竊自喜之。若退之之喜, 人笑者。然亦不敢自信。今兄稱以大與前異, 私切欣躍, 有所恃而無恐, 正如行路者臨歧徊徨, 左瞻右顧, 乃臆斷就行。然而志則未甚快也。卒遇人問之, 曰: "是於是乎足跟輕輕然, 直前無疑, 使 我未聞兄一言之重, 則幾乎行路者之臨歧徊徨矣。"兄之賜, 不其多乎? 墓文修潤甚荷不遐之盛, 俯示齋記, 辭簡義切, 世之爲侍養者, 讀之益篤其喜懼之念, 且使失怙恃者, 將廢而不忍講矣。噫! 兄之文, 何動人肺腑若是其切歟? 但斤訂之敎, 所謂借聽於聾也。春間與羅柳二友欲叩仙莊, 而日則未豫指也。比者妄設土木, 方役役靡暇耳。

김 효당에게 보내는 답서

정해년(서기 1947)

　가려고 해도 여가가 없고 서신을 보내려고 해도 그렇게 하지 못하였는데, 갑자기 서신을 받으니 어찌 송구스럽고 부끄럽지 않겠는가.
　삼가 살피건데 무더운 장마철에 존체 만중(萬重)하시다니 한 시름 덜었네. 그런데 응수(應酬)로 하여 지쳐 죽을 지경이라고 하셨는데 하늘이 주신 덕이 어찌 그리도 두터운가. 정회(正會)같은 사람은 세상 사람과 더불어 살지 못하기에, 건장한 관리들만 날마다 찾아와서 재촉하고 있으므로 동쪽에서 빼어 서쪽에 메꾸고 앞에서 빼어 뒷을 지탱하고 있습니다. 이것이 모두 균등한 응수이지만, 한 사람은 깨끗하고 한 사람은 탁하여 신선과 범상한 인간의 차이가 현격함을 보여주고 있는 듯 하네.
　여름철 이후로는 모든 일을 제쳐놓고 선인(先人)의 정사(精舍)에서 거처하며, 두 서너 명의 말 배우는 동자(童子)들과 과일(課日)로 채소와 국화에 물을 주며 이슬 맺힌 손으로 풀을 매주고 있는 처지네. 어떤 사람들은 자기를 잘 못 만든다고 비웃기도 하지만, 남을 잘 못 만든다고 해도 따지지 않을 생각이네.

 선인(先人)의 유고(遺稿)는 정(精)한 교정을 하셨을 것이네만 많은 삭제를 하신다 해도 어찌 속상하겠는가? 조만간 한번 찾아 후한 뜻에 감사드릴 생각 뿐이네. 청강(靑江)의 서신도 마침 인편이 있어 보내네. 오직 몸을 아끼시어 의존하는 사람의 마을에 부응하시기 바라네.

答金曉堂
丁亥

欲往而靡暇, 欲書而未克。忽蒙惠寵墨, 能不悚怍。就審潦暑, 尊候萬重, 感慰劇矣。至疲於應酬云云。天餉何其厚耶? 如正者世與寡合, 健官豪吏日來相迫, 東決而塞西, 前拔而支後。均是應酬, 而一淸一濁, 仙凡固懸矣。入夏來除却百冗, 退居先人精舍, 與數三學語童子, 課蔬灌菊, 泥然手一鋤也。人或譏以自誤, 誤人亦不卞也。先稿想精校矣。過刪奚傷? 當早晏一往面謝厚義耳。靑江書適便付去矣。惟千萬自愛, 用副瞻依者之心。

김 효당에게 보내는 답서
정해년(서기 1947)

 지난달에 편지 한 장을 다 적어 놓았지만, 남쪽에서 올라 온 사람이 없어서 보내드리지 못하였네. 그 때 존형께서는 잔뜩 준비를 하고 헛되이 목이 빠지도록 기다렸다고 말씀하셨는데, 그 일을 돌이켜 생각하니, 놀랍고도 송구스러워 등에 땀이 베일 지경이네.

 이제 시원한 가을날이 새롭게 찾아들었네. 그동안 살피지 못하였네만 존체 경서(經書)를 음미하시며 만중(萬重)[352]하신가? 그 곳에는 따라 다니며 학문을 하겠다는 선비들이 많겠지. 그리고 봄과 여름에 저술을 많이 하였을 것이므로 생각되네. 옆구리에 책을 끼고 달려가서 그 중 한 두 편이라도 보지 못한 것이 참으로 한스럽네.

---

352) 모든 일이 편안함. 안부를 물을 때 쓰는 상투적 표현.

옛날 오정간(吳廷簡)³⁵³⁾은 황산(黃山)³⁵⁴⁾을 보고 "반평생동안 보았던 산들이 모두 흙덩어리나 돌맹이 뿐이다"라고 하였는데, 정회(正會)는 존형의 시와 글을 읽고 지난 날 내가 지은 글월들은 모두 어휘는 아름답지만 붓 끝에 담은 뜻이 모두 조잔하고 천박할 뿐이라는 것을 알게 되었네. 바야흐로 기준을 바꾸어 글을 짓고자 하나 반드시 비속한 말을 버려야 했네. 그런데 이것을 버리고 다른 것을 찾고자 하여 보니, 참으로 전쟁을 한다고는 하지만 손에 한 치의 쇠붙이도 들지 않는 격이라고 할 수 있을 정도로 텅텅 빈주먹에 한 구절도 써 내려가지 못 했네. 이것은 나로 하여금 병에 걸렸다는 것만은 알게 하고, 나더러 그 병을 고치게 할 약재는 사용하지 못하게 하는 격이었네. 비록 이렇다고는 하더라도 워낙 천성이 성급하고 얼룩이 진지라, 평생을 살아오면서 한 권의 책을 끝까지 읽지 못하였고, 이해하기 어려운 대목에 와서도 그냥 그대로 파고들려는 마음이 없었네. 오직 글뿐 만 아니라 일을 하는 것도 그러하네. 붓을 들었다가 그만 두는 것은 그래도 두 번째로 가는 일이었네. 슬프게도 가을이 되었네. 제결(鶗鴂:접동새)이 울면 머리는 백발이 듬성듬성 자라게 되었으니 아무리 후회한들 어찌 하겠는가. 근간에 지은 《월담기(月潭記)》를 보내드리네. 바로잡아 주시기 바라네. 그동안 대작(大作)이 있으면 아끼지 마시고 보여주시기 바라네. 가야할 길은 험준하기만 하고 뵈올 날은 가깝지 않으니, 그지없는 이 마음 누구에게 말할 수 있겠는가.

與金曉堂

丁亥

頃月一紙修敬已登照, 未有人自南來傳往. 時兄爲我盛設虛竚累數日云. 追爲之震悚, 不覺汗出. 凉已新矣, 不審尊候味經萬重. 彼中頗有士子相從問學者否? 春夏來著作想富. 恨未腋翰遽集, 聽其一二也. 昔吳廷簡見黃山, 以爲半生所見皆土堆石塊. 正自讀兄所著詩若文, 知曩日所爲皆冗麋已耳, 膚淺已耳, 方且改繩轉軸, 務去俚俗語. 而舍此別求, 則可謂白戰不許持寸鐵, 侘傺然不獲隻句半語. 是則能使我知其病, 不能使我用其劑也. 雖然素性躁駁, 生平不耐誦一

---

353) 명인(明人). 미상(未詳).
354) 중국 안휘성(安徽省)의 동남쪽에 있는 산, 둘레가 250 km이며, 호수가 2개, 폭포가 3개, 봉우리가 72개이다. 최상봉은 연화봉(蓮花峯)으로 모두 화강암(花崗巖)으로 되어 있다.

卷書, 遇難解處, 亦不肯着心。索玩不惟書也, 于事亦爾。臨筆放過, 猶屬第二也。悲夫䳽鵙秋鳴, 頭上白己種種, 雖悔曷追。近作月潭記寫呈邽。政是仰間有大作亦不斬俯示焉。行路多艱, 奉際未涯, 悠悠此懷, 誰與道者。

김 효당에게 보내는 편지
정해년(서기 1947)

한번 선장(仙莊)을 방문하니 호산(湖山)이 그림과 같았고, 여러 해 동안 격조했던 회포를 다시 3일 밤 동안 단란하게 즐겁게 나누었네. 선후로 수창(酬唱)[355]했던 그 글을 읽어보니, 보지 못했던 것을 보고 듣지 못했던 것을 들어 스스로 마음이 든든하게 되었네. 돌아와서 생각하니 아무것도 남는 것이 없었네. 그것은 마치도 내 몸이 파사시(婆娑市)[356]에 들어간 것 같이 눈부실 따름이었고, 이목(耳目)은 구경만 하였을 뿐, 단 한 알의 진주도 내것으로는 만들지 못하였네. 비록 얻어온 진주는 없다고 하여도 안목이 없는 자들과 비교할 때 서로 거리는 멀었네.

선친께서는 평생동안 오직 덕성 하나에만 힘을 쓰시었을 뿐으로 문예(文藝)로 이름을 내려고 하지 않았셨네. 여력을 다 기우려 쓴 글월들은 쩍하면 던져버리시고, 후세에 전할 마음을 품지 않으셨네. 지금 불초자가 사라져간 서신 속에서 수집한 것이 모두 1권이었네. 이에 존형께서 교정을 정하게 하시고 바로잡기를 엄밀하게 하신데다가 말씀 한마디를 더하여 찬양(讚揚)까지 해 주시니 즉 이것이야말로 불후작(不朽作)이 되었네. 그러나 말세에는 허위(虛僞)가 늘어나 집집마다 문집을 가지고 간행소를 찾아가 천하에 간행할만한 문집이 다시 나오지 못하게 되었네. 아…. 선친의 문고는 적막하여 비록 이 세상에 있으나 없으나 존재가 없으므로, 차라리 상자에 간직하여 좀이나 실컷 먹도록 놓아두었다가 저속한 세속에 간행하려고 하지 않고 조금 세상이 안정되기를 기다린 것도 늦지 않을 것이므로, 서문의 부탁은 급하게 서둘지 않았네.

요사이 서리 내린 숲은 더욱 아름답게 변해, 우리가 석별할 때의 경치와는 완전하게 다르게 되었네. 다만 귀체의 건강을 빌고 있을 뿐이네.

---

355) 시가(詩歌)를 서로 주고받으며 부름.
356) 황홀한 저자.

與金曉堂

丁亥

一叩仙扃, 湖山如畫。積歲乖隔之懷, 轉爲三夜團圓之樂。讀其文後先唱和, 見所不見, 聞所未聞, 頗能自壯。而歸則烏有, 如身入婆娑市, 左右璨璀；耳目則稔顧, 未獲隻珠爲己有也。雖然卽不得珠, 視矇聵者亦遠矣。先人一生勉勉, 惟德業是務, 不欲以文藝成名。餘力所著寫, 輒棄稿不爲傳後計。今不肖僅搜覓於殘簡敗墨之餘, 總若干一卷。洒者尊兄校之極其精, 訂之極其密, 加之一言贊揄, 卽此可不朽矣。雖然叔世滋僞, 家集戶稿, 刳劂相尋, 使天下之爲梓者, 殆不復芽矣。嗚乎！先稿寂寥, 雖不足有無於斯世。寧藏之巾篋, 優爲蠹魚食, 不肯與汚俗同流。稍竢浪定爲未晚。故弁卷之託, 不以急也。數日來霜林增姸, 又非惜別時光景。惟經候葆重。

김 효당에게 보내는 답서

정해년(서기 1947)

 전일에 삼갈 일이 있다는 소문을 들었는데, 지금은 안정되었다고 하시니 마음의 위안을 받으며 축하하는 바이네. 그런데 남새와 고기에 관한 말씀은 지언(知言)[357]이라고 하기는 어려운 감이 드네. 누가 담담한 남새만 먹어야 만사를 해결할 수 있다고 말하던가? 수수밥과 고기에 맛들일 것 없고 야채에 물릴 것도 없네. 존형께서는 어찌하여 한 가지를 가지고 다른 한 가지를 부정하시는 가? 여기에서 너무나 사양할 필요는 없네. 비록 지금 쌀알이 주옥보다 비싸고 주옥은 얻을 수 있으나 쌀알은 얻지 못할 형편이라 천하 사람들을 이끌어 채전을 가꾸게 하는 판입니다. 그렇다고 사람마다 남새만 먹게 한다면 그래 사람마다 채전을 가꾸게 할 수 있겠는가? 참으로 웃음이 나오네.

---

357) 사리에 합당한 말. 남의 말을 듣고 그 시비, 정사(正邪)를 분별하여 앎.

答金曉堂

丁亥

昔聞有愼, 今承其己, 且慰且賀。但菜肉云云, 未爲知言也。誰謂菜淡咬得者, 百事可做。粱肉未必甘, 黎藿未必厭。兄豈專此否以彼易？此不欲多讓也。雖然顧今粒貴玉, 玉可得, 粒不可得, 是率天下而圃也。將人人喫淡, 亦可與人人事可做歟？笑笑。

김 효당에게 보내는 답서

갑오년(서기 1954)

 산도 참담하고 바다도 노기를 띠고 있어 사방의 친우들의 아픔을 모르고 지난지도 퍽 오래인 것 같네. 그런데 갑자기 펄렁펄렁 날아서 찾아온 것이 바로 우리 벗의 서한이 아니겠는가. 존형을 지난 번 틈을 내 만나 보았기에 그리 큰 화는 없을 것이라고 믿고 있었지만, 상세한 것은 이 서한을 통해서 다 알게 되었네.
 정회(正會)는 방금 큰 화를 당하였고, 또 막내 동생을 울며 보낸 지가 삼년이 지나게 되었네. 옛날 맹자(孟子)[358]가 군자(君子)의 삼락(三樂)[359]을 이야기 하면서 형제간에 무고한 것이 그 중의 한 가지라고 말한 적이 있지 않은 가? 나는 어렸을 때 그 구절을 읽기는 하였지만 심상하게 지나치고 말았는데, 지금에 와서야 성인들이 우리들을 속이지 않는다는 것을 알게 되었네. 수년 동안 필연 "(筆硯)을 뿌리치고 두건도 쓰지 않고 버선도 신지 않은 채 날마다 쟁기를 메고 논밭으로 오가기만 하면서 장한 뜻을 버렸으니 이제는 소인(小人)이 되기가 어렵지 않게 되었네.
 아….태강(台江)이 이 세상을 떠난지도 벌써 한 해가 지났으니, 마치도 무리를 떠난 새가 날개를 잃은 격으로 도대체 어디로 가야할지 몰라 서성대고 있는 격이네. 봄이 깃든 산도 맑은 파도가 설레는 가을 바다도 이미 오래 전부터 적막강산으로 만들어 놓았네. 청강군(靑江君)은 머리를 숙이고 독서에 전념하였기에, 지금은 이미 무성

---

358) 전국(戰國), 추인(鄒人), 명은 가(軻), 자는 자여(子輿),자사(子思)에게 수업하였다고 함.
359) 《맹자(孟子)》 '진심장(盡心章)'에 "부모님이 모두 생존해 계신 것이 일락(一樂)이고 형제가 무고한 것이 이락(二樂)이며 천하의 넓은 곳에서 영재(英才)를 교육하는 것이 삼락(三樂)이다"고 하였다.

한 소나무로 자라났으니 어찌 즐겁지 않을 수가 있겠는가. 월담(月潭)은 난후(亂後)에 한번 만나보았는데, 지금은 풍패(豊沛)[360]에 살고 있는데 경·사·자·집(經史子集)을 생업으로 하고 있네.. 그리고 금성(錦城)[361]친구 이 동범(李東範)은 듣자하니 관을 쓰고 글을 읽고 있다는 소문만 들었지, 아직까지 만나 보지는 못 하였네.

  매번 유군(柳君)을 만날 때 마다, 존형에게 한 번 다녀오자고 말을 꺼내기는 하였네만은, 어느 산 어느 물을 의지하고 살고 있는지 전혀 알지 못하기에 공연히 간절한 생각만 날렸을 뿐이네. 가을 바람이 불게 되면 혹 만날 인연이 있겠지.

  보내주신 대작(大作)은 뜻이 때로는 다르지만 논리는 더욱 기이하네. 난리 중에도 문장은 하늘이 점지해 주어 백번 단련된 쇠가 불이 더욱 강렬할수록 빛은 더욱 밝아진 것과 같네. 읽을수록 나도 모르게 심취하여 억지로 흠을 찾으려고 하였으나, 하자가 없는데 어쩔 수 있겠는가.

  그리는 마음을 위안하기 위해서라도 도(道)를 위한 건강을 돌보기를 바라마지 않네.

答金曉堂
甲午

山慘海怒, 四方知舊痛痒莫相關, 久矣。翩然來者, 是吾故人書耶。以兄先幾遐見, 固知無大禍, 而其的則始此書而悉也。正纔經大難, 又哭季弟三年已過矣。昔孟子論君子三樂, 以兄弟無故, 居一。余少也, 尋常讀過, 今而後知聖不我誣也。數年來廢却筆硯, 巾不着, 襪不穿, 日與耒者耟者往來田疇, 壯志已敗, 爲小人不難。嗟乎, 台江已逝亦有年, 如隻禽喪羽, 徊徨莫知所之。春之山, 秋之海, 久已寂寥矣。青江君能屈首多讀, 今則已沛然松之茂柏, 安得不悅？月潭亂後止一見, 其居豊沛, 其業經史子集。錦城李友聞着冠讀書, 面則未也。每與柳君欲一訪兄, 而何山何水, 所向漠如, 徒切神馳而已。秋風能作, 庶有會緣耶？寄示大作, 義固有時異而論益奇, 於亂中文章之在天卜, 如百鍊金, 火愈烈而光愈焜也。讀之不覺心醉, 强欲吹毫, 奈無其疵何。惟爲道珍嗇, 以慰瞻戀。

---

360) 한(漢)나라 고조(高祖)의 고향 이름이지만 우리 조선조 태조(太祖)의 고향이 전주(全州)이므로 전주를 풍패(豊沛之鄕)이라고 하였다.
361) 전남 나주(全南羅州)의 고호(古號).

김 효당에게 보내는 답서

갑오년(서기 1954)

　예전에는 만나 보지 못 했는데, 이제 시와 글을 읽으니 슬픈 마음이 기꺼운 심정으로 변하였는데, 그 단서는 한두 가지가 아니네. 강호(江湖)의 정은 마음에서 찾는 것이지 형제에서 찾는 것이 아니지 않는가? 탁상 위에는 글이 있는데, 그 글을 보고 내가 실컷 읽었네. 잔에는 술이 있는데 그 술에 나는 이미 취해버리고 말았네. 이것으로 마음이 이미 가득 차 있다고 할진데 하필이면 산과 같은 그 목청을 들고 샛별 같은 그 눈을 마주해야 마음을 놓겠는가?

　옛날에 자유(子猷)[362]가 산음(山陰)[363]의 안도(安道)를 방문할 때, 밤에 흥이 나면 가고 흥이 다하면 돌아온 것도 천고의 명담(名談)이 되었는데, 훗날에 지금을 돌이켜 본다면 지금에 지난날을 돌이켜 보는 것 보다 못할지 나을지 어떻게 알 수 있겠는가?

　생각컨데, 360일은 적지 않는 시일이지만, 형과 나는 교묘하게 서로 어긋나 만날 시일을 논 한지 얼마나 많았던가? 조물주는 본래 장난이 심하지 않는가. 그러니 형도 나를 원망할 것 없고, 나 역시 형을 나무라지 않네. 그런데 공교롭게도 중양절(重陽節)[364]에 마침 생신을 맞이하여 아름다운 두 가지 일이 겹치게 되었네. 만일 형께서 집에 계신다고 한다면 국화주(菊花酒)로 군자(君子)의 만년수(萬年壽)를 축하하려고 생각하는데 그 때면 산의 괴수(怪獸)와 바다의 신령(神靈)들 까지도 아마 이 날을 위해 상서스러운 조짐을 펼칠 것이네. 하늘이 빌려주는 천재일우의 기회이지만 인간사는 생각과 반대로 먼 고장에 있으니 어찌 한단 말인가.

　함께 가려는 세 친구도 모두 전아(典雅)한 선비들이네. 그 중에는 성리학(性理學)에 깊은 조예가 있기도 하고, 혹은 시에 능하기도 하여 제각기 능력이 있어 자못 자부하는 바가 적지 않네. 그들은 이번 걸음에 나에게 뵙도록 알선해 주는 것이 좋겠다고 하였는데, 혹 헛된 걸음을 하게 되면 이미 내가 먼저 약속을 하지 않았다고 탓할 것이네. 보정(普亭)은 중간에서 이러지도 못하고 저러지도 못하며 단단히 비난을 받고 있

---

[362] 동진(東晋) 왕희지(王羲之)의 제 3자 휘지(徽之)의 자. 그는 눈이 내린 밤이면 술을 마시고, 좌사(左思)의 초은시(招隱詩)를 읊으며 배를 타고 친구 대규(戴逵)를 방문하러 갔다가 그의 문앞에 도착하여 다시 돌아오자, 사람들이 그 이유를 묻자 그는 "흥이 나서 갔다가 흥이 다하여 돌아온 것이다"고 하였다.

[363] 중국 절강성(浙江省)의 회계산(會稽山) 기슭에 있는 지명.

[364] 음력 9월 9일, 이날 선비들은 모여 술에 국화를 띄워 술을 마시고, 시를 읊으며 하루를 즐기고, 부인들은 국화전(菊花煎)을 만들어 먹었다.

어서, 이제는 더는 감당하기 어려운 처지에 놓이게 되었네.

  송촌 박공(松村 朴公)은 한 번 만나만 보아도, 그가 돈후하고 성실한 사람임을 알아볼 수 있을 것이네. 군자는 산수에 뗏목을 엮어 다리를 만들어, 그것들이 어진 주인을 만난 것을 축하하는 법 아닌가? 요즈음 유군(柳君)은 모상(母喪)을 마쳤으므로, 친구 조형(曺兄)과 함께 방문하여 보내주신 시 이야기를 하였네. 한번 방문하겠다는 약속을 해주시어 미리 기쁘므로 먼저 아뢰오니 전일처럼 하지 않는 것이 좋을 것이네. 송오(松吾)도 한번 오겠다는 약속을 하였으니, 같이 오시면 더욱 좋겠네.

答金曉堂

甲午

昔未之遇, 今讀詩若書, 悵化爲欣情之端, 固不一也。雖然江湖相尋于心, 不于形。案上有文, 文吾飽焉。樽中有酒, 酒吾醉焉。只此可充乎心, 何必聽嶺音, 接星眸, 而後 能事畢乎? 昔子猷訪安道於山陰, 夜興以往, 興以歸, 足爲千古勝談。後之視今, 亦安知不如今之視昔也。第念三百六旬日, 不爲不多, 而兄與我, 巧違所爭幾時? 造物本自多戲, 固不可怨我, 亦不必尤兄也。所恨重陽嘉節, 適値弧辰, 二美具矣。兄如在者, 黃花白酒祝 君子萬年, 而山怪海靈, 亦爲之呈瑞矣。是天借之緣, 而奈人事之乖隔何? 所與偕三友, 皆典雅士也, 或奧於性學, 或長於詞華, 各以其所能, 自負頗不輕。今者之行, 欲介余以識荊爲快, 而未免虛還, 亦皆咎我不先期。普亭間於齊楚, 受咎已太多, 幾乎擔不起也。松村朴公, 一見知其爲敦實。君子爲筏橋山水, 賀其得賢主也。柳君日者免母喪, 與曺友往訪, 共談來詩耳。承一枉之諾, 預切欣喜, 請先爲之報, 不作前車, 可也。松吾亦有一來約, 聯鑣尤好。

김 효당에게 보내는 편지

갑오년(서기 1954)

규성(奎星)[365]이 유독 봉필(蓬蓽)[366]을 비추니 해내(海內)의 호걸들이 함께 모여 수일동안 특이한 논평을 나누게 되었네. 적막한 해변의 편벽한 산골에 눌러 앉아 사방에서 바람처럼 움직이게 되었으니, 참으로 우리들의 기운을 백배나 돋게 하였네.

게다가 존형은 큰 난리를 겪은 후에도 피부에 윤기가 돌고 몸 건장하고 기운이 솟구치고 있으니, 진정 존양(存養)에 소양(素養)이 있지 않는다면야 어떻게 이렇게 까지 될 수 있겠는가?

정회(正會)는 부모님이 계시어 비록 늙은이로 칭할 수는 없지만, 학문을 더하지 못하고 쇠퇴해간 탄식을 견딜 수가 없네. 헤어질 때 존형이 나더러 글을 많이 읽으라고 당부하지 안았는가. 덕성에서 우러나와 사랑해 주는 그 깊은 마음에 지극히 감동되네만, 우낙 천성이 나태하여 글을 짓다간 버려두곤 하면서 단 하루도 여기에 머리를 써 보지 못 하다가 이제 벌써 쉰 고개를 바라보게 되었으니, 드디어 고질로 황폐하고 말았네. 비록 화타(華陀)[367]와 편작(扁鵲)[368]같은 의원들이 찾아든다 하여도 당상(堂上)에서 내려와 도망치지 않은 사람은 없을 것이네. 더구나 고금(古今)의 제도가 다르고 인사(人事)도 전도(顚倒)되어 하루 사이에 책 속의 인물을 접할 시간은 적고, 조세(租稅)를 징수하러 다니는 사람들을 맞아들여야 하는 시간이 많아져, 잠간이라도 책에 몰두하려고 하면 쓸데없는 일들이 사람을 못살게 굴어 호식한 나머지 뿐 이네. 자기의 잘 못을 적게 범하려고 하는 백옥(白玉)을 배우려고 해도 되지 않고, 위무공(衛武公)을 바라봐도 길이 없어 다만 미칠 지경이네.

전일에 날씨가 몹시 차가웠는데 산길을 따라 관문을 지나야 하는 험한 길에 무사하였는지. 그리고 여러분들도 모두 편안히 지내고 있는가? 의재(毅齋)와 고당(顧堂) 두 형은 가는 길이 멀어 더욱 걱정되는 마음 그지없네. 문하 제생들도 모두 편안하게 있는가? 모두가 젊은 나이로 일찍 서구의 사조가 창만한 이 세상에, 멀리 스승을 따라

---

365) 28숙(宿) 중 하나. 병사(兵士)의 폭동을 금지하고 구독(溝瀆)와 문운(文運)을 주관한다.
366) 봉호(蓬戶;쑥대로 엮은 문)와 사립문 곧 '가난한 사람들의 집'을 이름, 또는 자기 집의 겸칭.
367) 한말(漢末)의 의사(醫師). 이름은 부(專), 동봉(董奉),장기(張機)와 함께 삼대명의(三大名醫)로 명성이 높았다.
368) 본명은 진월인(秦越人). 발해(渤海)의 막군인(鄚郡人). 그의 의술은 부인과, 이비인후과, 소아과 등에 능하였다.

공부하고 있으니 혹 하늘이 우리 유사(儒士)의 종자를 영원히 말리려고 하는 것은 아니겠지.

與金曉堂
甲午

奎星偏照蓬蓽, 海內豪傑幷臨, 奇論壯談做數日, 穩於窮山寂寞之濱, 使四方風動, 庶吾黨增百倍之氣矣。況兄大亂後體膚益潤, 氣貌益健, 如非存養有素, 烏能致此。正在侍者, 雖不敢稱老, 而亦不堪不學便衰之嘆, 臨別兄勸我多讀, 極感以德之愛, 而素性懶惰, 乍作乍輟, 未能一日專用力於此, 于今垂五十, 遂成痼廢, 雖有百華扁, 不下堂而走者鮮矣。矧又古今殊制, 人事與之顚倒, 一日之間, 對卷中人時少, 接徵租吏時多, 雖欲留神於暫, 而紛冗纏身, 不但虎食其外而已。學伯玉而不能, 望衛武而無路, 只自悢悢耳。曩日天寒且劇, 不審嶺路間關, 返斾利稅, 諸公亦皆安穩否? 毅顧二兄, 歸帆更遠, 尤懸懸不已。門下諸生幷一安否? 俱以妙齡, 夙就滔滔此世, 能從師遠學, 天其或者使吾儒種子不絶於永永也歟?

김 효당에게 보내는 답서
을미년(서기 1955)

　서신을 받아보고 남쪽 지방으로 유람을 떠나신지 이미 며칠이 되었고, 전현(前賢)의 원우(院宇)도 배알(拜謁)하고 동해(東海)의 광활함도 보셨을 것이라는 것을 알게 되었네. 나는 논밭에나 엎드려 부기(附驥)³⁶⁹⁾하지 못한 것이 한스러웠네. 동해는 내가 일찍 구경하였는데, 만경창파에 천층만층 파도가 설레어 자못 소천하의 기운을 떨치고 있을 것이네. 그런데 지금도 명월이 의구하고 물새가 고요히 날아다니고 있는지 궁금하기만 하네. 봄바람은 훈훈하니 금낭(錦囊)³⁷⁰⁾시편들로 가득 차 있을 것이네. 게다가

---
369) 남과 동행(同行)함의 겸사(謙辭), 후진(後進)이 선배에 붙어 명성을 얻음.
370) 비단으로 만든 시낭(詩囊), 당(唐)나라 이하(李賀)가 작은 해노(奚奴)에게 금낭(錦囊)을 메고 다니게 하여 시를 지으면 그 금낭에 던저 넣었음.

존형께서는 그들과 시를 주고받으니 그 즐거움이 어떠한가? 더구나 고당형(顧堂兄)과 수창(酬唱)하였으니, 그 즐거움이 어떠하였는가? 옛날 동파(東坡)가 적벽(赤壁)을 구경할 때는 손님은 피리를 불었지, 시를 지었다는 말은 듣지 못하였네. 항상 "지금 사람들은 옛 사람들 보다 못하다."고 말하였는데 아마 이것은 모두 헛된 말일 따름이네.

천관산(天冠山)를 다녀오자는 약속은 존형과 내가 약속이나 한 것처럼 제기하였는데, 돌아오면 기일을 어기게 되니 달라지지 않겠는가? 많은 이야기는 이미 전번의 서한에서 다 이야기 하였네.

정회(正會)는 요즈음 학질(瘧疾)에 걸려 6~7일이나 앓고 있어 원기가 모두 소진했네. 원래 포류(蒲柳;갯버들)같은 약한 나무는 가을만 되면 잎이 먼저 떨어진 것이니, 스스로 안쓰러워해야지 어찌 하겠는가. 영남(嶺南)에서 지금쯤은 돌아오셨는가? 변방에는 경계할 일이 많다고 하니, 퍽 걱정이 되네. 이만 더 아뢰지 못하고 사례하는 글을 드리네.

答金曉堂
乙未

蒙惠書, 審南遊已有日, 謁前賢院宇, 且觀東海之大。顧硈伏畎疇, 恨不得附驥耳。東海吾曾目擊, 而其萬里鯨波, 千層鱗浪, 頗有小天下之氣焉。只今明月依舊, 泛嶋亦無恙否? 如得逢場, 吾欲一問之壯遊。春風錦囊應滿, 況又顧兄與之酬唱, 其樂又何 如也? 昔東坡遊赤壁, 客能於簫, 未聞其能詩。恒云: "今人不及古人", 殆虛語耳。天冠之約, 兄與我不謀而同, 歸違吁亦異哉。多少說已布前書耳。正近經瘧疾至六七直之多, 眞元漸敗, 蒲柳孱質, 望秋先落, 自憐奈何。嶺駕間已言旋否? 邊說多警, 事可念, 不宣。謝狀。

김 효당에게 보내는 편지
병신년(서기 1956)

신춘(新春)이 되어 이미 보름이 되었네. 사모하는 마음은 그 어떤 때와도 달리 더

절절하네.

　작년 겨울에 송오(松吾)가 방문하여 영주(瀛洲)³⁷¹⁾의 유람을 들려주었는데, 나같은 앉은뱅이는 세속의 인연을 뛰어넘지 못하고 누차 두 번 다시 갖기 어려운 모임에 참석할 기회를 잃어 그 이야기를 듣고, 나도 모르게 부러움과 질투심이 동시에 일어났었네. 봄에는 동경(東京)³⁷²⁾, 가을에는 남해(南海)을 유람 하였으니, 나의 생각으로는 하늘이 효당(曉堂)에게 유람할 기회를 주시어 해내(海內)의 명승지를 영원히 불후의 명작으로 남기게 한 것 같네. 옛사람들이 "자장(子長)³⁷³⁾의 문장은 역사에 있는 것이 아니라, 명산대천(名山大川)의 괴이한 곳에 있다"고 말한 적이 있네. 그렇다면 문장을 가리켜 산수(山水)라고 말할 수 있겠는가 아니면 산수를 가리켜 문장이라고 할 수 있겠는가. 나는 일찍이 "배운 다음에야 글을 지을 수 있다."고 말하였지, 유람한 후에야 문장을 지을 수 있다고는 말하지 않았네.

　지금 지으신 동경십절(東京十絶)과 해상일절(海上一絶)을 보니 글월이 산수를 떠나지 않고 있네. 만약 산수를 떠난다면 글월이 아니네. 중국 고대 오제(五帝)의 책인 오전(五典)³⁷⁴⁾과 삼황(三皇)의 책인 삼분(三墳)³⁷⁵⁾등의 고서(古書)는 혹 빠뜨릴 수는 있어도, 백아가 거문고에 담았던 아아히 높이 솟은 산과 눈 뿌리 아득한 강하만은 노래하지 않을 수가 없었네. 습작(習作)은 고칠 수도 있지만, 산에 올라 천하를 굽어보는 일만은 버리지 말아야 할 것이네.

　정회(正會) 가 살아온 길을 되돌아보니, 언제나 산과 물에 먹구름이 비끼고 번개치고 우레 소리의 나날 속에서 지금까지 살아온 듯하네. 사람이 어찌 병에 걸리지 안겠는가 만은 나만이 유별한 듯하네. 십년동안 소란한 일이 계속되어 재산도 생업도 모두 탕진하고 만 신세이네. 선친(先親)이 남겨둔 집도 결국 기둥 하나로는 지탱하기 어려운 지경에 되었네. 이렇기 때문에 보정(普亭)이 글에 원망과 고민과 비애와 우려 등 점철되어 남들이 견디어내기 어려운 것이 보이고 있는 것이 아니겠는가. 도리어 웃음이 나오네 그려.

---

371) 재주도(濟州道)의 이칭.

372) 경북 경주(慶州)를 말함.

373) 전한(前漢)의 사마천(司馬遷)의 자(字). 경제(景帝) 중원(中元) 5년에 용문(龍門)에서 태어나고 10세 때 이미 고문(古文)을 읽었으며 20세에 회계(會稽)·구의(九疑)·문수(汶水)·사수(泗洙) 등 명승지를 유람하고 흉노에게 항복한 이릉(李陵)을 옹호하다가 무제(武帝)의 노여움을 사 궁형(宮刑)을 당한 후 그의 아버지 사마담(司馬談)이 마치지 못한 《사기(史記)》를 보완하였다.

374) 중국 오제(五帝)에 관한 서적(書籍)을 말함.

375) 중국 삼황(三皇)에 관한 서적(書籍).

與金曉堂

丙申

新春月己望矣，戀德之私，非異時可伍。昨冬松吾見訪，具道瀛洲勝遊。顧吾甓甓塵緣，未超累失，難再之會。聞之不覺欽與妬并也。春而東京，秋而南海，意者天假曉堂，使海內名勝不朽於無窮。古人云：" 子長之文不在史，在於名山大川。"壯遊可怪之處，然則指文而謂山水乎？指山水謂文乎？余嘗謂："學然後文"，不謂其遊然後文。今於盛作東京十絶，及海上一絶，大覺文不離山水，可離，非文也。卽典墳或可闕，峨洋不可無誦；習或可輟，登覽不可廢也。正籌顧經歷，盡是雲雷水山，到今之世，人孰不受病，念我似獨耳。十年繹騷，物業蕩然。先人弊廬，竟一一木而難支。是則普亭之文，亦在夫可怨可懟可悲可憂，人所不堪之處耶？還發一笑。

김 효당에게 보내는 답서,

병신년(서기 1956)

  모이면 바쁘고 이별이 많은 것은 예나 지금이나 마찬가지고 한스러워 하는 일이라고 하겠네.
  전번에 부랴부랴 집으로 돌아올 때 비단 나를 보낸 사람만 경황이 없을 뿐만 아니라 나의 마음도 오히려 그 보다도 더 견디기 어려울 정도로 심하게 서운하였네. 더구나 고당(顧堂)과는 각기 반천리(半千里) 밖에 있으니, 나를 기다리는 것이 매우 쉽지 않았을 것이네. 그런데다가 조용히 앉아 이야기를 나눌 사이도 없었으니, 마치도 입에 음식물을 머금고 삼키지도 못하고 뱉어 내지도 못하는 것처럼 더욱 마음에 걸리기만 하네. 그렇다고 하여도 서로 믿어주는 사람들이 있었네. 만났다고 꼭 즐거운 것은 아니고 헤어진다고 하여 꼭 슬퍼할 것도 아닌 것 같네.
  서신 가운데 말씀하신 약석(藥石)에 대해서는 옳은 말씀이라고 동감하는 가운데 그와 완전히 다른 생각도 없지 않아 있네. 전에 가난에 쪼들리어 초췌한 모습을 드러낸 것은 정이 넘쳐서가 아니라 우연한 것 때문이었네. 지금 이른바 차승은 욕구를 절제해서가 아니라 역시 우연한 것 이었네. 나는 동파(東坡)[376]가 아니므로 저 두 개의 연잎이 어찌 나를 초췌하게 만들 수 있단 말인가? 지난날 경암(敬菴)이 잠시 내려오고, 화순(和順)의 나군(羅君)이 광부(光府:光州)에 머므르고 있기로 하여, 다만 담(澹君)과 함께 떠나게 되어 다행히도 심심하지 않게 되었었네.

화엄사(華嚴寺)로 가자는 약속은 차중에서 이야기하고 있는데, 우리가 탄 차에는 마침 화엄사를 다녀온 젊은이가 있었는데, 화엄사 그 곳의 산과 물의 아름다운 경치와 우장한 도관불사의 건축을 침이 마르도록 이야기 하여 이 약속을 확인하게 되었네.

정회(正會)는 집으로 돌아온 후, 연일 술자리에 참석하지 않으면 안 될 상황이 있어 취하지 않는 날이 없었네. 이것은 옛사람이 스무아흐레나 취해 있었다는 일과 매우 근사하게 되었지만, 하루 동안의 맑은 정신은 옛사람에 따르지 못하였네. 그런데 지금의 세상에서 말쑥한 정신으로 살아간들 무슨 도움이 있겠는가?

答金曉堂

丙申

會忙別多, 今古通恨。曩也遄歸, 不惟送我者惘惘然無以爲心, 我之情反有甚於此者。況顧堂各在半千之外, 中途待我, 甚不易易, 而且未得穩叙, 殆如含物未吐, 久愈懸懸也。雖然有相信者在, 會未必加喜, 別未必加悵, 之喜之悵, 未必在會別之間也。書中一言藥石云云, 唯唯中大有否否者。昔之羸悴, 非溢情也, 乃偶爾。今所謂差勝, 非節欲也, 亦偶爾。我非東坡也, 彼雙荷葉, 焉能羸悴我也? 向者敬庵暫下, 和順羅君落留光府。只與澹君, 幸免獨行。華寺之之約講之。車中適有一少年, 方自華嚴來, 盛道泉石之勝, 觀宇之雄, 且大口無餘涎, 此約因而加確矣。正歸來連有飮期, 無日不醉, 頗似古人二十九日之醉。而一日之醒, 亦不及古人焉。雖然 迨今之世, 醒亦何益?

---

376) 소식(蘇軾)의 호.

김 효당에게 보내는 답서

정유년(서기 1957)

긴 장마는 망망대해와도 흡사한데, 서신 한 장이 바다를 건너 왔으니 매우 기이한 일이네.

정회(正會)는 지난달 어머니께서 편찮으시어 송광사(松光寺)의 천석(泉石)이 예전처럼 잘 있겠지만 멀리 유람할 수가 없었네. 더구나 이 일은 모두 약속하였던 일이 아닌가? 옛날 사방을 유람하고 다닐 때를 생각하면 얼마나 유쾌한 줄을 몰랐네. 그런데 지금에 이르러서야 어머니께서 강녕하신 것이 천하에 큰 복이라는 것을 알게 되었네. 두려움이 있는 다음에야 즐거움을 알게 되고, 위태로움을 당해 보아야 편안하다는 것을 알게 되는 것이 바로 인간의 인정이네. 그런데 나의 친구 송오(松吾)는 가정 일에서 벗어나 함께 글도 보고 시도 짓고 있으니, 어찌 한 두 가지라도 남은 일을 말해주지 않겠는가? 그를 우러러 보는 것이 하늘을 우러러 보는 것과 서로 비슷하니 미치지 못하겠네. 또 말 하건데, 선운사를 한 번 다녀왔으니 가지 않겠다고 말 했다면서. 만일 송오의 말대로라면 적벽(赤壁)의 후부(後賦)는 지을 것이 없네. 경암(敬菴)과 월담(月澹) 두 친구는 요즈음 군내(郡內)의 여러 선비들과 시사(詩社)를 결성하여, 매월 모임을 갖고 있으며, 나 정회도 말석에 자리를 잡고 있을 따름이네..

答金曉堂

丁酉

長霖如海, 一書渡來, 甚是奇事。正自去月慈患彌留, 使松廣泉石, 依舊安在, 固不可遠遊。況此事俱不諧乎。追思疇昔之出遊四方也, 不知其爲快活, 今而後知親老康寧爲天下之洪福。懼然後知喜, 危然後知安, 恒人之情。然爾吾友松吾, 能超家累, 與之觀書課詩, 何不一二緒餘示及耶？望之如天上, 不可及也。且云禪雲以一遊, 不肯再往。如松吾之言, 赤壁後賦, 可無作也。敬澹二友, 近與郡多士結吟社, 課月輪集, 正亦忝末耳。

김 효당에게 보내는 답서

무술년(서기 1958)

　이 달에 접어들면서 서신이 자주 날아오는 것으로 보아, 포구에서 구름을 감상하고 낙수에서 그름을 바라 볼 날이 멀지 않을 것으로 보여 지네. 수일 전의 일이기는 하지만, 광주(光州)로 가서 바로 송오(松吾)를 방문하여 하룻밤을 자고 귀가하였는데, 그 때 송오 군에게 말해 주었네. 그러나 송오 군은 병이 경하지 않았으므로, "나 같은 강질이 왜 이렇게 일찍 시들고 마는가."라고 말하기에, 슬픈 한 숨만 지울 수 밖에 없었네. 그믐 사이에 오시겠다고 하시니, 그 기간에는 아무 구애가 없으므로 날자를 꼽아가며 기다리겠네.

　서신 끝에 적은 한 구절은, 그것이 높게 보이지 않네. 산수를 유람하고 술을 마시고 시를 짓는 것은 그 자체가 자연적인 즐거움이네. 이밖에 별도로 한 가지 일을 기록해 두어야 할 것이 있단 말인가.. 공자(孔子)가 말씀하기를 "어진 사람은 산을 즐기고, 지혜가 있는 사람은 물을 즐긴다."고 하지 않았는가? 이것은 산수(山水)를 즐기면 그만이지, 그 무슨 다른 잡된 것이 있다는 말을 들어 보지 못 하였네. 그리고 공자의 네 제자가 각기 자기의 품은 생각을 이야기할 때, 중석은 거문고 소리를 점차 낮추더니, 쩡 소리로 마무리하고서는 일어서서 홀로 한 숨을 쉬며, 봄바람을 타고 기수에서 목욕을 하고 노래를 부르며 돌아오겠다고만 말하고 그쳤네. 주자(朱子)가 그 뜻을 해석하기를 "요순(堯舜)[377]의 군민기상(君民氣像)이 있다"고 하였고, 또 "봉이 천인(千仞)[378]의 높이에서 날은 기상이 있다"고 하였는데, 이것은 무슨 뜻인가? 마땅히 서쪽으로 나가 만리창파(萬里蒼波)에 배를 띄우고 서로 두주(斗酒)를 권하며 마셔야 만이 이 설법에 대한 마지막 답안이 나오게 될 것 같네.

答金曉堂

戊戌

此月來簡牘頻, 仍浦雲洛月未甚遠也。數前往光州, 直訪松吾, 一宿遄歸。多少事, 說與松吾矣。但松村病勢不輕, 云:"以若堅質, 是如是早衰耶?"爲之慨

---

[377] 중국의 고대 성천자(聖天子)인 당뇨(唐堯)와 우순(虞舜)을 말함.
[378] 인(仞)은 8척(尺)으로 천인(千仞)은 높은 거리를 말함.

嘆。承晦間，賁臨此亦無攸碍，當計日而竢矣。書末一段，未見其爲高也。遊山水間，飮酒賦詩，自有天然之樂。此外別有所謂一事記存者耶？孔子曰："仁者樂山，知者樂水。"樂山水已矣，未聞別有一舛事也。且四子 言志，舍瑟之對，獨發喟然之嘆，而風浴已矣，咏歸已矣。朱子釋之，曰："有堯舜君 民氣像。"且有鳳飛千仞之像者，何也？當竢西爲泛舟萬里波，斗酒相屬，以畢此說。

김 효당에게 보내는 답서
무술년(서기 1958)

변변치 못한 서신 한 장을 보냈으나 오랫동안 답서를 받지 못하여 도중에서 잃어버렸겠다고 생각하고 있었네. 그런데 어제 서호(西湖)에서 돌아와 보니, 형의 서신이 온지 이미 오래 되었네. 얼른 펴지를 뜯어보니 비록 근간의 소식은 아니었지만 마음에 주는 안위는 새롭기만 하였네. 보내주신 여러 말씀은 나를 사랑하고 나를 걱정하는 것은 완연히 드러나고 있었네.

아......형이 아니면 내가 어떻게 이런 말을 들을 수 있겠는가? 과부가 얼굴 단장하는 것은 장차 개가를 하기 위한 것이니, 이것은 두말할 것도 없는 일이네. 만일 농사와 방직(紡織)을 업으로 삼아도 부족을 느끼고, 남의 집에 고용해서 먹고 살아도 부족을 느끼어 길 가에서 행상(行商)을 한다면, 비록 출입하며 돕는 사람이라도 그 큰 우리 속을 논할 것이니 어찌 속상할 일이 있겠는가? 정회(正會)는 이런 생각을 품은 지는 오래되었네. 형께서는 어떻게 생각하시는가?

지난번 월담(月潭)이 이곳을 다녀갔는데, 장연산 물고기를 맛보려고 함께 선운사(禪雲寺)를 찾아 갔으나, 절간의 규칙이 크게 변하여 물고기를 절 안으로 들어오지 못하게 하는 바람에 죽도(竹島)에서 나는 물고기가 제 맛이라는 소문을 듣고, 다시 서해로 나가 소해주루(笑海酒樓)[379]로 찾아갔네. 썰물이 들어올 때 처 놓은 그물을 거두어 들여 돌아가던 사람이 잡은 물고기를 들여왔는데, 그것은 고래도 아니고 곤어(鯤魚)도 아니고 미꾸라지도 아니고 가물치도 아니고 오직 배는 하얗고 걷은 검으며 길이는 수척(數尺)정도 되었네. 그 이름은 풍청(風淸)이라고 하며, 먹으면 뼈까지 살이 찌고 이

---

[379] 보정 인근 마을에 사는 소해 강봉영(素海 姜鳳永)이 경영하는 주막임. 소해는 보정 선생을 평생 형으로 모시며, 보정이 가는 곳엔 소해가 동행하는 경우였다.

미 죽은 사람도 살아나 난다는 고기었네. 그런데 이미 죽다 남은 사람이 종사하는 일 하나 없이 다만 고기와 술을 찾고 있지 않는가? 형에 대한 이야기를 많이 했는데, 존형의 왼 쪽 귀가 가렵지 않던가? 생각건대 아마 그 때 그랬을 것 같네.

 형은 몸조리에 소양이 있어, 나는 항상 그 건장한 몸을 부러워했는데, 지금 병이 심하다고 하시니 참으로 괴이한 일이라고 생각되네. 기억에는 옛날 나에게 선약(仙藥)을 주셨는데, 남을 치료한 사람이 자신의 병은 치료할 수 없다는 말인가? 이루(離婁)[380]는 가을날의 새 깃의 털끝까지도 모조리 살필 수 있는 사람이지만 자기의 눈썹만은 보지 못하였다고 하였으니, 혹 가까운 것에 어둡고 먼 곳에 있는 물건에 밝은 것 아닐까. 책을 엄청나게 수백 권이나 사 들였지만 존형께서는 그 부유함을 보지 못하고 있네. 존형의 배 속에 천만 가마니나 되는 주옥이 있어서 저 담황색의 책들은 단지 그 괴짝에 불과할 따름이네. 괴짝이 무슨 부유가 들어 있겠는가?

 요사이 가을비가 줄곧 내려 천변 답은 모래가 쌓이고, 물은 땅을 뒤덮어 푸른 벼들이 모두 사라졌네. 하늘이 나를 끝 없이 시험하고 있는데 너무 심한 것이 아닐까. 장차 나에게 큰 책임을 내리려고 한다면 나의 근골(筋骨)을 수고롭게 해도 족할 것이고, 나의 마음을 거스려도 족할 것인데, 어찌 이와 같이 한 후에야 큰 책임을 맡기려 하는 것일까? 너무나 우수운 일이네.

答金曉堂
戊戌

艸艸一書, 久未奉復, 疑有浮沉。昨自西湖歸, 兄書來己久, 盖其出雖舊, 其慰則維新, 示諭齦縷, 足見愛我、憂我。噫, 非兄吾何由聞此言也？寡者之冶容, 將以改適也。此無足論也。如或業畊織而不足, 傭於人以爲食又不足, 而行賈於道路, 雖有出入之相, 議於其大閑也, 有何傷也。正之執此論久矣。不審。兄以爲如何？曩也月潭見訪, 爲服長淵所產魚, 同往禪雲寺, 寺規大革, 不許江鱗之入境內。聞竹島產尤嘉, 轉至西海, 訪笑海酒樓。汐潮時進漁綱散歸所獲, 匪鯨匪鯤匪鰍匪鱧, 惟白質而黑文, 長可數尺, 厥名曰風淸, 服之可以肉骨。而己死溜留, 一星無所業, 惟魚酒是務, 每話及吾兄, 兄苦左耳, 想或其時歟？兄攝理有素, 每羡其康壯, 今乃言病, 甚是怪事。記昔投我仙劑, 且不以醫人者自

---

[380] 고대의 눈이 밝은 사람임.

醫耶？離婁能察秋毫，而不能自視其睫，其或蔽於近而明於遠歟？買書數百卷，於兄未見其富也，兄腹中自有千萬斛珠，彼湘(緗)袠黃白特其櫝耳。於櫝何富之有？數日來，秋水大至，川畔畊未免沙堆，水伏地上，靑靑盡歸烏有，天之猜我不已，過歟？謂將降大任於我，勞我筋骨足矣，橫我思慮亦足矣，何必若是而後可任其責耶？好笑好笑。

김 효당에게 보내는 답서

   요즈음 오고간 편지는 유람에 관한 것이 10에 7~8이 되니, 유람은 폐할 수 없는 일이네. 그러나 적벽(赤壁) 유람의 기일을 연기한 것은 아마 강산의 꽃부리들이 세속의 지팡이를 짚은 무리들이 올라서는 것을 꺼려서가 아니겠는가?
   전번의 편지에서는, 편지를 받은 뒤 인차 송오(松吾)에게 편지를 띄워 광주에서 나를 기다리라고 하였네. 스무엿새 경에는 구애되는 일이 많아, 멀리 유람을 갈 수가 없어 송오에게 보낸 서신에서 이미 갈 수 없는 이유를 한두 가지를 말 하였으므로, 송오가 그것을 말할 것이네. 경암(敬菴)과 월담(月潭)도 장마가 없다면 9월 중순에 잠시 틈을 내고, 그 때 함께 송촌(松村)의 조상(弔喪)을 가기로 했네. 고인들이 한 말이 있네. "자장(子長)[381]의 글을 배우려고 한다면 먼저 그의 유람하는 것을 배워야 한다."것 말이네. 예전에 형은 삼한(三韓)의 구도(舊都)를 두루 유람하였고 또 뗏목을 타고 한라산에 올랐지만, 한 벗도 따라서지 못 하였네. 한 번도 참여하지 못하였고, 오늘날 서석(瑞石)에서는 가을바람을 맞으며 시 한 수도 짓지 못하였네. 형의 유람은 어쨌던 배울 수가 없네. 유람을 하면서도 글을 짓지 않다니 내가 어떻게 감히 그렇게 할 수 있겠는가? 비록 그렇다고는 하나 푸른 하늘 아래서 내가 효당과 남다른 두터운 우정을 지니고 있으니, 그로 하여금 넉넉한 마음으로 해내의 명승지들을 노닐고 그 문장들이 더욱 기이하게 될 것을 바라고 있을 따름이네. 그런데 먹구름이 하늘을 뒤덮고 마슬을 부리듯이 굵은 빗줄기를 내리때리고 있으니, 감히 누가 어떻게 할 수 있단 말인가? 어떻게 그렇게도 장한 일을 한단 말인가. 이로 말미암아 그 사이에서 유

---

381) 전한(前漢)의 사마천(司馬遷)의 자(字), 경제(景帝) 중원(中元) 5년에 용문(龍門)에서 태어나고 10세 때 이미 고문(古文)을 읽었으며 20세에 회계(會稽)·구의(九疑)·문수(汶水)·사수(泗洙) 등 명승지를 유람하고 흉노에게 항복한 이릉(李陵)을 옹호하다가 무제(武帝)의 노여움을 사 궁형(宮刑)을 당한 후 그의 아버지 사마담(司馬談)이 마치지 못한 《사기(史記)》를 보완하였다.

감이 없을 수 없게 된 것이네.

봄에 십죽병(十竹屛)의 차운(次韻)을 부탁하여, 효당은 시를 짓고, 고당은 글씨를 써서, 우리 3인이 합작하는 것이 좋겠다고 하였는데, 이것도 합석(合席)을 해야 이뤄질 수 있을 것인데, 잘 모르겠지만 이런 기회가 있을는지 모르겠네.

答金曉堂

比年來往復, 關乎遊賞者十七八。遊賞亦不可廢也, 但赤壁退期, 其或江山之英不許俗 䇲之伴登耶? 前書示以望後卽馳書松吾, 期我于光州矣。念六則事多掣肘, 不可作遠遊。答松書己言其不可者一二, 松能道之矣。敬澹亦無其潦澹, 則九月中暫得休, 迨其時與作松村唔 行計耳。古人云:"欲學子長之文, 先學其遊。"昔年兄遍遊三韓舊都, 又乘桴登漢拏, 一未從焉。今於瑞石, 又不賦秋風。兄之遊, 終不可學矣。遊且不及文, 吾豈敢? 雖然彼蒼者天, 私厚曉堂, 使之優遊海內名勝, 以益奇其文。而障雲魔雨, 莫敢誰何, 何其壯也? 此所以不能無憾於其間也。春中屬以十竹屛, 次而曉以詩, 顧以書普, 以盡吾三人合作爲佳。然此亦合席, 然後乃可成也。未知有此機會否?

김 효당에게 보내는 답서

기해년(서기 1959) 7월

내 귀에는 친구들의 충고가 끊긴지 오래되어, 날마다 매를 처서 부지런하기를 원한다 하더라도 그렇게 되지 않네. 심지어 일상 편지마저도 게을러빠져 쓰지 않으니 나머지는 생각만 해도 알 수 있지 않은가? 갑자기 서신을 보내, 내가 편지를 보내지 않는다고 나무라고 있으니, 그 나무람 속에는 이보다도 더 큰 잘 못이 있어, 이러한 사소한 일을 핑계 삼아 이야기하고 있는 것 아닌가?

정회(正會)는 거칠고 멸렬한 성격이라 감히 남들에게 비교할 수 없네. 형이 나를 버리지 않고 친구의 대열에 두시어 내가 허물이 있으면 형이 충고해 주고, 내가 조그마한 착한 일을 할 때 형은 기뻐해 주시어 자신에게 행복이 있는 것처럼 하시었으나, 어찌 가정사를 버리고 천심(千尋)의 바다와 천첩(千疊)의 산을 유람하며 서로 마음을 지키는 송농(松儂)보다 더할 수 있겠는가? 이 한 가지만 보더라도 이미 속되지 않게 만들고 있네. 채석강(采石江) 가자는 약속은 꼭 마음에 새겨두고 손꼽아 기다리고 있겠네. 그런데 송농은 매번마다 무슨 일을 가지고 감사하다고만 말을 하니 참으로 대단히 밉살스럽네.

편지가 도착하였을 때, 마침 담재(澹齋)를 만나 함께 편지를 읽었네. 그런데 경암(敬菴)은 초여름이 방금 접어들자 성균대학(成均大學)으로 전근하여 갔네.

答金曉堂
己亥七月

耳絕朋友之警規己久, 雖日撻而求其勤, 不可得。至尋常簡牘, 懶莫能致。其外推可知也。忽蒙惠問責我以不之書, 其所責有大於此者, 特因細事而發之也歟？ 正鹵莽滅裂, 不敢比數於人。兄不遐棄置在朋友之列, 我有過, 兄爲之規, 我有寸善, 兄爲之喜, 若己有幸。孰加諸松儂能超家累, 直走乎海山千疊之中, 與之相守？此一着, 己自不俗耳。采石之約, 當刻日而竢矣。但松也每以事謝, 甚可憎也。書到時適逢澹齋相對披讀, 敬則夏初移職于成均大學耳。

정 일재 홍채(鄭逸齋 泓采)에게 보내는 편지
을사년(서기 1965)

오랫동안 잠규(箴規)³⁸²⁾를 듣지, 나의 자기 수련에 맡기실 작정인가. 존형은 워낙 착하시어 병중에서도 늘 마음으로 걱정하고 있으니, 언제나 우리 붕당을 위하여 걱정하지 않을 수가 없네.

오늘 친구 조모(趙某)가 찾아와 신춘(新春)의 안부를 살피었고 또 병환도 점차 나아진다는 말을 듣고 매우 기뻤네. 존형은 숲속에서 조용히 살며 외물(外物)에 부림을 당하지 않고 마음을 수양하고 병을 치료하는 것이 서로 도움이 되어, 만년에 조예가 깊

---
382) 잘 못을 바로잡게 하는 경계

었음을 예전부터 상상하고 있었네.

　대작(大作)인 조군(趙君)의 비문(碑文)은 참으로 두 효자가 천년 백년 불후(不朽)하게 하였네. 친구 조군은 나에게 써달라고 부탁하고 또 형은 나에게 교정을 보라고 하였으나, 이것은 벙어리에게 말을 묻고 소경에게 길을 묻는 것과 다름없는 일이네. 그렇지만 존형과의 서로의 사랑을 믿고 내 나름대로 보충하고 삭제하였으니, 감히 윤색한 것이 아니라 다만 글자 수를 줄이어 안씨(安氏)의 손을 편하게 하였을 뿐이네. 존형께서 보시고 만일 규정에 맞지 않으면 원본대로 다시 쓴 것이 좋을 것이니, 다시 가르쳐 주시기 바라네. 이와 같이 하지 않는다면 연마하는 바탕이 없어지고 말 것이네.

　지난 해 봄에 국헌(菊軒)이 나를 찾아와 말하기를 "《흠재유집(欽齋遺集)》은 이미 일재(逸齋)의 교정을 거쳤으나, 그대도 한번 보소"라고 하여 나는 승낙하였으나, 이행하지는 못하고 어느 듯 1년이 지났네. 《흠재유집》 중에 한 두 곳은 형과 함께 상의할 곳이 있으므로, 조만간 한 번 찾아가 만나 뵐 생각이네.

　사문(斯文)[383]을 위해서라도 귀체를 아끼시기 바라마지 않네.

與鄭逸齋 泓采

乙巳

久不聞箴規, 欲自修得乎？惟尊兄素善, 病居常耿耿, 未嘗不爲吾黨憂也。今於趙友來, 審新春安信, 且所愼漸臻康壯, 聞甚嘉慰。盖兄靜居林下, 不爲外物所役, 養心治病, 輪翼相資, 晚年造詣之深, 從可想矣。大作趙碑文, 足使二孝不朽於千百。趙友囑余書之, 且云兄敎我訂校。此可謂借視聽於聾瞽。而自恃相愛, 妄加點刪, 非敢曰潤色之也, 只爲縮字, 以便安氏之手而已。兄覽之, 如不中規, 依本再寫爲好。更乞指敎, 不如是無以爲講磨之資矣。上年春菊軒訪余, 曰："欽齋遺集已經逸齋修訂。"而君亦一次閱覽焉。余諾而未果, 居然經歲矣。欽文中有一二處, 與兄商確。早晏間往拜計耳。惟進德加嗇, 以扶斯文。

---

383) 유학자(儒學者) 혹은 유학(儒學)의 문화를 말함.

정 일재(鄭逸齋)에게 보내는 답서

존형에게 주옥을 주게 하더라도 더위 먹은 사람은 더위를 녹일 수 없고, 존형에게 경거(瓊琚)[384]를 주게 하더라도 숨을 헐떡이는 사람이 맑은 물에 씻지 못할 것이네. 갑자기 한 통의 총한(寵翰)[385]을 받아보니, 모생(毛生)[386]을 희롱하는 글 한편이 있어 읽어보았네. 마치 시원한 바람이 나의 옷깃을 스며들어 마치도 한문(寒門)[387]을 떠나 낭원(閬苑)[388]에 들어선 듯 하였고, 그것이 보물이라는 것을 믿었으며, 그 곳이 여기에 있지 다른 곳에 있지 않다는 것도 믿게 되었네.

김 월담(金月潭)은 여기에 온지 이미 협순(浹旬)[389]이 되었으나, 아직 존형을 만나 볼 겨를이 없어서, 누누이 인사를 올려 달라고 하였네. 오늘 서한에서 존형은 그 분이 늙을수록 더욱 신기하게 느껴진다고 하였는데, 대개 한 번 붓을 드니 이 기이한 결론을 얻어낸 것이네. 세상의 제일 훌륭하다고 하는 장사꾼도 아마 존형보다는 못할 것이네.

지난달 한산(寒山)에서 채약(採藥)하여 돌아오던 길에 형문(衡門)[390] 밖을 돌아 들리려고 하였는데, 날이 저물어 고수제(古水堤)를 따라 오다 보니 길이 잘 못들어 처음 뜻대로 하지 못하였으니, 그 자취를 질책하시고 그 정상을 용서해 주셨으면 하네.

우러러 병환을 살펴보니 처음에는 좋지 않았지만 나중에는 편안하실 것이므로 그 좋지 않는 것을 걱정하지 않아도 되네. 편안하면 위로와 축하를 어찌 말로 다 하겠는가? 막가는 늦더위가 더욱 심하오니, 다만 글을 음미하시고 몸을 잘 보호하시어 그리워한 마음에 도움이 되었으면 하네.

答鄭逸齋

使兄而惠珠, 暍者不得以消暑 ; 使兄而投瓊, 喘喘者不得以濯淸。忽承一封寵

---

384) 아름다운 패옥(佩玉), 또는 훌륭한 선물을 뜻함
385) 상대방의 편지를 높혀 부르는 말. '총(寵)'은 상대방이 자신에게 특별한 은총을 베풀었다는 뜻.
386) 미상.
387) 북극지방(北極地方), 또는 북방(北方)을 말함.
388) 신선이 사는 곳.
389) 열흘 동안.
390) 나무 막대기로 가로 막아 놓은 문. 가난한 은자(隱者)의 집을 가리킨다.

翰, 副以戲毛生說, 取次讀之, 便覺淸風襲人襟裾, 殆若狂寒門而入閬苑, 信乎 其寶也, 在此不在彼也。金月潭來此已浹旬, 未克訪兄, 累累致意。今於書若說 嘆其愈老愈奇云, 盖以一摧毫得此奇論。天下之善賈, 莫吾若也。客月寒山採藥 路, 由衡門之外, 擬以歸路歷拜。及其暮也, 從古水堤來, 坐路左, 未果。初料 幸誅其迹, 而原其情否? 仰審愼節, 始蹇終泰, 其蹇不須追慮。其泰也, 慰賀可 言。晚炎轉酷, 只祝味經旺重, 以副憧憧懷思。

둘째 자형 연하 장도규(姊兄張蓮下燾圭)께 드리는 답서

삼가 보내주신 서한을 배령(拜領)[391]하고 보니, 동당(同堂)[392]에서 가르침을 받아드리는 느낌입니다. 존왕부(尊王府) 일유선생(一逌先生)의 충의(忠義)는 가히 우주에 높이 솟아 일성(日星)처럼 빛나야 할 것인데, 수십 년 동안 나라 사람들은 서로 귀에 대고 속삭이면서 남몰래 흐느끼면서 감히 공공연하게 세상에 드러내지는 못 하였습니다. 그러나 무슨 행운이 찾아들었는지 하늘이 우리 동국(東國)[393]을 보우하여 원수 도적놈들이 물러가고 한말(韓末) 의사(義士)들의 주장을 드러내어 천양사업(闡揚事業)이 차례로 거행되게 되었습니다.

이제 서강사(西岡祠)의 묘정(廟庭)에 그 비(碑)를 건립하게 되었으니, 선생의 청백한 기풍과 준엄한 절개가 족히 백세에 밝게 전해질 것입니다. 여기에서 박괘(剝卦)에서 보다시피 끝이 벗겨지기 시작하여 일루의 양기(陽氣)가 돌아서는 것이 보이기 시작하였고, 여기에서 귀 가문에서 소술(紹述)[394]의 성대함이 보여지고 있습니다. 단지 비석 글씨를 저에게 부탁하였으나, 저는 사람도 미천하고 필력도 졸하여 감히 맡아 나설 일이 아닌 것인 줄 알고 있기는 하나, 부기하여 영광을 얻을 수 있는 일인데, 어찌 감히 사양하겠습니까. 아래에 지렁이가 기어가는 것처럼, 그런 글씨이나마 바치오

---

391) 공경하는 마음으로 삼가 받음.
392) 같은 고조부 아래의 친척.
393) 본문에서 '아동(我東)'은 동국(東國)을 말하는 것으로, 동국은 예전에 '우리나라'를 중국에 대하여 달리 이르던 말. 말하자면 중국의 동쪽에 있는 나라라는 말이다.
394) 전인(前人)의 사업·제도 등을 계승하여 그를 좇아 행하는 일.

니 쓸 수 있겠는지는 모르겠습니다.

答張 蓮下 姊兄熹圭

拜領下狀, 殆若同堂承誨。尊王府一迪齋先生淸忠大義, 可以揭宇宙, 曜日星。而數十年來國人私語而竊泣, 不能公誦於世。何幸天佑我東, 讐賊旣退, 韓末義士之闡揚事業次第擧行。今承西岡祠廟庭將營建碑, 足使先生之淸風峻節, 昭詔于來百, 于以見剝底線陽之復, 于以見尊門紹述之盛也。但碑書之囑, 顧此人微筆拙, 不敢爲役。然附驥爲榮, 亦何敢辭? 玆蚯蚓書呈, 未知財 取與未也?

장 연하(張 蓮下) 매형께 보내드리는 편지

동생 장회(章會)가 형님한테서 돌아왔는데, 덕분에 여러 해 동안 앓던 눈병이 조금 나아 눈에 보이는 것이 있게 되었습니다. 참으로 신년(新年)에 들어서면서 나타난 기쁜 소식입니다. 누군들 축하해 주지 않겠습니까. 축하한다는 것은 그가 능히 하늘의 태양을 볼 수 있게 된 것을 축하하는 것이며, 그가 능히 책을 읽을 수 있게 된 것을 축하하는 것입니다.

정회(正會)가 축하하는 것도 여느 사람들과 마찬가지이지만, 그 축하하는 뜻만은 세상 사람들과 다릅니다. 지금 천하의 빨간 것은 여우이고 까만 것은 까마귀입니다. 그것들이 사람들의 눈동자를 현혹시키고, 사람들의 마음을 어지럽히어 보이는 것마다 모두 보기 싫은 물건 들 뿐입니다. 예전에 눈 앓이를 하여 눈이 흐리터분하고 보이지 않기 때문에 차라리 형형색색의 형태들을 전혀 눈 안으로 들어오지 못하였기에 진정으로 조용함을 키울 수 있었습니다. 그러나 오늘날 눈병이 나았기 때문에 해와 달이 빛이 나 만물들을 모두 볼 수가 있게 되었습니다. 빨간 털을 지닌 여우가 변하여 상스러운 기린으로 나타나고, 까만 털을 지닌 까마귀가 화하여 상스러운 봉황처럼 빛을 내는 것을 눈을 가진 사람이라면 누구나 다 통쾌하게 한 번 구경하고 싶어 합니다. 이리하여 동생의 눈이 다시금 밝아진 것입니다. 이것이 제가 축하하는 까닭입니다. 어떻게 웃는 얼굴로 보고만 있습니까. 참으로 이 가슴 속에 담고 있던 것을 다 토해내고 있는 것입니다.

아! 청룡 이월이 나를 위해 경계를 서고 있는데, 눈 깜박할 사이에 새것과 낡은 것이 바뀌어지고 말았습니다. 시절을 느끼고 감화가 일어나 더욱 걷잡지 못하고 그저 아파만 하고 있습니다.

엎드려 건곤이 새롭게 열리고 진정 만복하시기를 바라마지 않습니다.

與張 蓮下

家弟章會自兄所來, 得承積歲眼旹今云稍霽, 眞新年喜音也。孰不獻賀？賀者, 賀其能見天日也。其能看書作字也。正之賀亦與世人同, 而其所以賀之之意, 與世人異也。今天下赤黑莫非狐烏, 眩人瞳眸, 亂人心術, 觸目盡是所不欲見者矣。昔之疾也, 寧瞽瞽不見, 而色色相相莫得以入吾眼, 可以養吾眞靜。今之瘳也, 或將日月重光, 萬物咸覩。狐之赤者變而爲祥麟, 烏之黑者化而爲瑞鳳之彩, 有目者, 莫不願一見爲快。於是乎兄之眼復明矣, 此吾所以賀也。安得一笑相看, 以吐胸中無窮之蘊耶。嗟乎！青龍日月於余爲警, 轉丸之頃, 已換新舊。感時興懷, 益不禁靡, 逮之痛耳。只伏祝乾開坤闢, 撫膺百福。

술암 송 재성(宋述菴在晟)에게 보내는 편지
병술년(서기 1946)

가을에 적막한 저의 집을 방문하시어 하룻밤 동안 시원하게 속마음을 털어 놓았네. 초라한 집안은 그로하여 보랏빛 안개가 감돌게 되었으니 어찌 한형주(韓荊州)[395]를 사귀고자 하는 것과 논할 수 있겠는가?

우러러 생각하니, 날씨는 방금 추워지기 시작하니 몸을 잘 보존하시고 덕성 수양하는 데도 날마다 정성을 다하시기 바라네.

---

395) 당(唐)나라 현종(玄宗) 때 사람. 명은 조종(朝宗). 그는 형주자사(荊州刺史)로 있으면서 많은 인재를 추천하여 명성이 높았으므로 이백(李白)이 한조종 "(韓朝宗)에게 서신을 보내" 사람들이 말하기를 살면서 만호후(萬戶侯)는 원하지 않고 한번 한형주(韓荊州)를 아는 것이 소원이다"는 말을 하였다.

일찍 화양부자(華陽夫子)³⁹⁶⁾가 어떤 사람을 보내는 서문에 "남의 착한 행실을 칭송할 때는 반드시 그 부형들에게서 그 근원을 찾아야 한다." 구절이 있었네. 가만히 생각하여 보건데, 존형은 고가(古家)의 연원(淵源)으로 시례(詩禮)의 서업(緒業)을 계승하여 나가니 사문(斯文)³⁹⁷⁾의 책임이 중하기만 하네. 더구나 지금 세상 인심은 험한 파도와 같은데 8대(代)를 내려오면서 쇠잔해진 기풍을 일으켜 세우고 물에 빠진 천하를 건지는데서 나는 다른 사람을 바라보고 있지 않네.

　정회(正會)는 작난기 어린 습관이 아직도 남아 있어, 스스로 예법(禮法)의 구속을 받지 않고 있으니, 고인들을 생각하면 스스로도 면괴스러운 감을 면할 수가 없네. 다만 고령이신 어머니의 기력이 정정하실 것만 생각할 뿐이네. 죽림단계(竹林壇契)의 서문을 부탁하셨는데, 비할 바 없는 영광으로 생각하고 있네. 단 성작(盛作)이 이미 좋은 말을 다 하였으니 참으로 회옹(晦翁)³⁹⁸⁾이 지적한 "진씨(陳氏)³⁹⁹⁾와 섭씨(葉氏)⁴⁰⁰⁾ 두 사람의 시(詩)를 먼저 부쳐 오는 것은 합당치 않다"는 말과 같네. 다만 이웃 추비(醜) 여비(女婢)가 어찌 감히 경국지색(傾國之色)⁴⁰¹⁾의 찡그린 모습을 본받을 수 있겠는가? 여러 군자(君子)들이 현인(賢人)을 흠모하는 정성에 대한 축하를 보내는 것이지, 그것이 꼭 쓸 만하다고 해서 말하는 것은 아니네.

　갈 길은 아득히 멀고 모실 기회는 끝이 없으니, 종이장을 마주하고 서글픈 마음 뿐입니다.

---

396) 조선조의 우암 송시열(尤庵宋時烈)의 호. 그의 호인 화양동주(華陽洞主)라는 데서 나온 호이며 부자(夫子)는 성인(聖人)의 위치에 있는 사람을 일컬은 말인데 정조(正祖)가 우암(尤庵)을 성인으로 추승하여 이런 칭호가 생기게 되었다.

397) 본래 선비와 유학의 문화를 일컬은 말이나 때에 따라 상대방을 일컬기도 한다.

398) 회암 주희(晦菴朱熹)를 가리키는 말임.

399) 북송(北宋)의 엽현인(葉縣人) 진여의(陳與義), 자는 거비(去非), 호는 간재(簡齋), 무주(無住), 정화(政和)년간의 진사(進士)에 급제한 후 소증(紹興) 중에 참지정사(參知政事)가 되고 동소궁(洞宵宮)의 제거(提擧)로 있다가 사망 하였다. 그는 시를 잘 하였으며 저서로 간재집(簡齋集),무주사(無住詞) 등을 남겼다. 그는 시학으로 북송(北宋) 때 일조삼종(一組三宗) 중의 한 사람이다. 질조는 두보(杜甫)이며 삼종은 진사도(陳師道)와 황정견(黃庭堅) 및 진여의(陳與義)를 말한다.

400) 북송(北宋)의 온주인(溫州人) 섭미도(葉味道), 일설에 용천인(龍泉人)이라고 한다. 초명은 하손(賀孫)이며 자는 이행(以行), 그후 다시 지도(知道)로 바꾸었다. 시호는 문수(文修), 주희(朱熹)의 문인(門人), 가정년간(嘉定年間)에 진사에 급제한 후 저작좌랑(著作佐郎)과 악주교수(鄂州教授),태학박사(太學博士), 숭정원 설서(承政院說書) 등 관직을 역임하였다. 학자들이 서산선생(西山先生)으로 칭하였다. 저서로는 사서설(四書說),대학강의(大學講義) 등을 남겼으며 주자어록(朱子語錄)을 편집 하였다.

401) 월(越)나라의 절세가인(絕世佳人)인 서시(西施)가 가슴아리가 있어서 마을을 다닐 때 항시 얼굴을 찡그리고 다니자 이웃에 사는 추녀(醜女)가 그렇잖아도 이쁜 서시가 찡그리고 다닌 것도 이쁘게 보여 자신도 다닐 때 항시 얼굴을 찡그리고 다녔다는 고사가 있다.

與宋述菴

在晟○丙戌

秋間貢顧於寂寞之廬, 一夕談襟, 蓬蓽爲之增紫, 奚但以識荊論哉。仰惟肇寒經體葆勝, 德養日益慥慥。嘗讀華陽夫子送人序, 有曰: "稱人之善, 必本其父兄。" 竊惟尊兄以故家淵源, 丕承 詩禮, 緖業斯文之責不輕而重矣。況今世道人心如入險浪, 起八代衰, 濟天下溺, 吾不於餘人而望也。正會頑息尙存, 自放於禮法之外, 撫古人而自愧。惟老母氣力粗宜耳。竹林壇契序之囑爲榮無比, 而但盛作己都占田地, 眞晦翁所謂"不合先寄陳葉二詩來也", 只以鄰婢之醜, 敢效傾色之嚬, 爲賀僉君子慕賢之誠, 非謂其合用也。川塗脩夐, 奉際未涯, 臨楮悵惘。

송 술암(宋述菴)에게 답서

엊그저께 문안 서신을 보냈는데, 오늘 또 답서를 받으니 나를 생각하는 마음이 지극하지 않고 마음이 맞지 않으면 어찌 첩첩 산중과 거듭된 냇물 밖을 건네올 수 있겠는가? 참으로 기이하고 기이한 일이네.

우러러 살펴 보건데, 생정(尊生庭)[402]에서는 대한 절기의 추위가 걱정된다고 하는데, 관례에 따르면 멀지 않아 양(陽)이 회복될 것이니 응당 하늘과 더불어 화합이 될 것으로 멀리서 축하를 보내는 바이네. 배우지 않는 자에게 내린 축하의 가르침은 가까이 지나는 사이의 도리와는 많이 다르네. 선비들의 교제는 처음에는 겸손하게 인사를 나누고, 나중에 가서는 잠규(箴規)를 주는 것이네. 존형과 나는 비록 만난 것이 늦었다고 하더라도 한번 아양곡(峨洋曲)[403]을 퉁기고 음률을 알았으므로, 그 처음에 하는 것은 말할 필요도 없고, 나중에 하는 것만 서로 노력하는 것이 어떨지 모르겠네.

죽림단(竹林壇)의 계금(契金)은 지난번에 이미 보냈으나, 구인(九仞)[404]의 일궤(一簣)도 되지 못하니 다만 부끄러울 따름이네..

---

402) 생가(生家)의 높임 말.
403) 금곡(琴曲)의 하나. 즉 산수곡(山水曲)을 말한다.
404) 맹자(孟子)가 말하기를 "높은 산을 만드는데 그 공이 한 삼태기 때문에 무너진다(九仞爲山,功虧一簣)"고 하였다. 즉 많은 공을 드려도 조금만 방심하면 실패한다는 뜻이다.

答宋述菴

昨昨修候，今且拜狀，如非所照之至，心神湊合，安能有應於疊巒重川之外哉。奇事奇事。仰審尊生庭患節寒, 令例崇陽不遠復, 當與天俱和，以是遙遙祝。祝不學之諭，大非相善之道也。士之相交也，始之以揖遜，終焉以規箴，兄與我。雖云契晚，而一彈峨崒，可許知音。其始之者，不必復道；當以其終焉者相勉。未知以爲如何？竹林壇契金，囊已付送，而亦不足爲九仞之一簣, 只增追趄。

송 술암(宋述菴)에게 보내는 답서

　서한이 오가는 것을 산천이 어떻게 막는다는 말인가? 더구나 서한의 종이 마다 눈이 부시도록 정이 반짝이고 있고, 언사의 취지가 성근하고도 정성이 어리어 있어 어리석은 이는 감히 감당하지 못할 정도이네. 아마 너무나도 게으르고 나태한 나를 가엾게 여겨 이로써 경계하는 것 아닌가. 여기에서 서로 면려하는 도리가 하나만이 아니라는 것을 알 수 있네.
　보내주신 우옹설(尤翁說)[405]은 가히 천지(天地)와 더불어 존재하고 만세와 더불어 길이 빛나는 불변의 정확한 정론(正論)이네. 하루만 이야기 하지 않아도 나라가 나라로 될 수 없고 인간이 인간으로 될 수 없는 것이네. 복괘(復卦)[406]의 단사(彖辭)[407]에 이르기를 "천지의 마음을 볼 수 있다. 양(陽)이 이미 생겨났으니, 군자(君子)의 도(道)는 길게 전해지고 소인(小人)의 도는 사라질 것이다"고 하였는데, 혹 그런 날이 있을는지 모르겠네.
　그렇지만 천도(天道)는 감응(感應)할 뿐이네. 인간사가 위에서 이루어지게 되면 경운(慶雲)[408]이 일게 되고 인간사가 아래에서 잃어지게 되면 형혹(熒惑)[409]이 생기게 되네. 사물은 각기 부류에 따라 응하게 되어 있으니, 누가 어지러움을 헤치고 바르게

---
405) 우암(尤庵)은 송시열(宋時烈)의 호로 우옹(尤翁)은 우암의 약칭이다.
406) 64괘 중 하나. 곤괘(坤卦)와 진괘(震卦)가 합한 것으로 우레가 땅속에서 음직이려고 한 형상이다.
407) 주역(周易)의 두 괘(卦)가 상하를 이루어진 것을 길흉화복으로 설명하는 것이 단사(彖辭)이다.
408) 경사가 생길 조짐이 되는 구름, 서과이 비칠 조짐의 구름.
409) 재화(災禍), 병란(兵亂)의 징조를 보여준다는 별, 또는 현혹하게 함.

돌아올 수 있을까? 탁류가 급물살을 이루는 속에서 맑은 파도를 일게 하는 한 방중의 우레 소리는 낼 수 없을까? 다만 간절하게 긴 탄식을 할 따름이네.

별지(別紙)는 잘 읽어 보았네만, '승중상(承重喪孤哀)' 운운 하고 있는데, 조부모가 세상을 뜨시면 '승중(承重)'[410]이라고 적는 것이 확실히 옳네. 정회(正會)가 그것을 쓰지 않는 것은 우연히 생략한 것이지, 쓰는 것이 아니어서 빼버린 것이 아니네. 그렇지만 '고애(孤哀)'라고 칭하는 것에서는 조부모가 모두 세상을 떠나셨다면 '고애'라고 부르기는 하지만, 조부의 상을 당하여서 기왕 '부승중(不承重)하였는데, 오늘 조모의 상을 당하여 처음으로' 승중(承重)을 하게 되었으니, 겸하여 '고애(孤哀)'라고 칭할 칭할 필요는 없네. 나의 소견이 이러하지만 확정한 글을 보지 못 했으니, 만일 부당하다면 다시 명확하게 말씀해 주시기 바라네.

答宋述菴

書往書來, 山川不能阻也, 況滿簡琳琅, 辭旨懇欵, 有非愚蒙所可堪任者。抑憫我懶慵之甚, 爲此警惕歟？可見切偲之道非一端也。俯示尤翁說, 可謂窮天地亘萬世而不易之正論也。一日不講, 則國不可以爲國, 人不可以爲人矣。復之象曰, 可見天地之心, 陽 已生矣。君子道長, 小人道消, 或有其日耶？然天道感應而己, 人事得於下則慶雲興, 人事失於下則熒惑出。各以類應, 誰能撥亂而反正？激濁而揚淸, 以鳴中夜之一雷否？祗切浩歎而已。別紙拜領, 承重孤哀云云, 祖父母亡書稱承重來敎, 誠然矣。正之不書者, 偶爾略之也, 非謂不可書而闕之也。但孤哀之稱, 祖父母俱亡, 雖稱孤哀, 而祖父喪則旣不承重, 今於祖母喪始爲承重, 不必兼稱孤哀。愚見如此, 未見定文, 如爲未當, 更乞明敎。

송 술암(宋述菴)에게 보내는 편지

십사(十舍)[411]를 멀다 하지 않고 애도를 표시하고 위문을 하여주시니, 가슴 속에 깊이 새기고 하루라도 잊을 수가 있겠는가?

---

410) 제사를 받드는 중한 책임을 이음. 또는 아버지를 일찍 여의고 조부의 상속자가 된 경우를 말함.
411) 일사(一舍)가 30리이므로 십사(十舍)는 300리이다.

헤어진 지 이십여 년이 되는데, 존형께서는 몸이 더욱 실해지고 얼굴에 윤기가 돌며 기력 또한 강장(强壯)하시니, 가만히 생각하건데, 부유한 집에서는 가옥마저 빛이 나듯이, 마음에서의 수양이 겉으로 피어난 것이라고 생각하여 흠모하여 마지않네.

지난번 뵈올 때 "아동들이 와서 공부를 가르쳐 주라고 하여 매우 고통스럽다"고 하셨는데 어리석은 말이지만 감히 한마디 드려야겠네..

군자(君子)가 사람을 가르칠 때는 마치도 우(禹)⁴¹²)임금이 물을 다스리는 것과 흡사하네. 황하(黃河)⁴¹³)를 다스리자면 하류(下流)부터 다스려야하기 때문에 시작하기 때문에, 곤주(袞州)⁴¹⁴)에 공(功)을 가장 많이 들였고, 그 다음으로는 기주(冀州)⁴¹⁵)를 다스렸네. 황하(黃河) 주류 이외에도 이름난 하천(河川)이 300개가 넘고 지류 또한 삼천여 개나 되었지만, 다스리지 않은 곳이 없었네. 밭도랑이든 밭고랑이든 무릇 논밭의 물길이라면 역시 모조리 소통하여 개천으로 빠져 나가게 하였으니, 가까운 곳을 가리지 않고 작다고 하여 빠뜨리지도 않는 것이 바로 이러하지 않는가? 군자가 사람을 가르치는 것이 어찌 이와 다를 수가 있겠는가. 사람을 가르치자면 반드시 쇄·소·응·대(灑掃應對)로부터 시작하여야 마침내 수신(修身)·제가(齊家)·치국(治國)·평천하(平天下)에 이르게 되는 것 아닌가? 지금 세상에서는 배우고자 하는 학생들이 너무나 드물지 않은가? 다음으로 우리들에게 배워달라고 청을 하면, 비록 우리 붕당의 아이들이 아니라 할지라도, 그들을 훗날 글 읽는 씨종자로 만들 수 있지 않겠는가? 이렇게 하여야 위로는 선렬(先烈)들의 업을 이어가고, 아래로는 후학들의 길을 열어놓게 되는 것이지 않는가? 존형께서는 어떻게 생각하실지 모르겠네.

---

412) 하(夏)나라의 개국군(開國君), 성은 사(姒), 이름은 문명(文命), 황제(黃帝)의 증손이며 곤(鯀)의 아들임. 사공(司空)이 되어 홍수(洪水)를 다스린 후 지질(地質)을 보고 공세(貢稅)를 정하였으며, 하백(夏伯)으로 봉한 후 순(舜)임금의 제위(帝位)를 이어받아 재위 8년만에 회계(會稽)를 순수(巡狩)하다가 붕어하였다.
413) 중국 제 2대하(大河), 수원(水源)은 청해성(靑海省)의 갈달소제노봉(噶達素齊老峯)에서 시작하여 동쪽으로 감숙성(甘肅省)과 현서(陝西), 산서(山西) 사이를 경유, 동쪽으로 하북(河北),산동성(山東省)들을 관통하여 발해(渤海)로 들어간다.
414) 산동성 자양현(山東省滋陽縣)에 있던 지역이며, 당조(唐朝) 때는 하남도(河南道)에 속해 있던 지역임.
415) 중국 구주(九州)의 하나, 지금의 하북(河北),산서(山西) 양성(兩省) 및 하남(河南) 황하(黃河) 이북 만주 요녕성 요하(滿洲遼寧省遼河) 서쪽 지역임.

與宋述菴

不遠十舍地，俯賜慰問哀，感鐫肺，曷日少弛。別來什許年，尊兄體益敷腴，氣益康壯，竊想內有攸養發乎外者，如富之潤屋，爲之欽嘆不己。向奉時'以童蒙來求，頗苦'云，敢以一語貢愚。夫君子之敎人，如禹之治水也。治河必自下流始，故兗州之功爲多，而冀州爲其次，河以外名川三百，支川三千，無所不理。若畎若澮，田間水道亦皆導而之川公，不遺近小，蓋如此也。君子之敎，亦奚異於此哉。敎人必先以灑掃應對，固將進之于修齊治平矣。今世學子絶少，幸有求我，雖闕黨之童，亦使之將命以爲異日讀書之種。斯乃上以承先烈，下以啓後學。不審。兄以爲如何？

설송 최규상(崔雪松 圭祥)에게 보내는 답서
무인년(서기 1938)

지난번에 몸소 찾아 주시고 이번에는 서신까지 보내주시니, 감사의 말씀 전하네. 만약 지극히 사랑하는 마음이 아니고서야 어찌 이렇게 하실 수 있겠는가? 서신을 받은 후 이미 새달 3일이 되었는데, 부모님 모시고 몸 건강히 벼루를 대하여 즐거움이 어떻신가? 옥연(玉硯) 3개를 주시니, 이와 같은 후의(厚意)에 감사함이 그지없네. 그러나 명월주(明月珠:詩)가 없어 나를 놀라게 하였네. 더구나 '독지(篤志:도탑고 친절한 마음)' 라는 두 글자까지 새겨두지 않았는가. 보내신 그 진귀한 뜻은 더욱 격려하여 주는 뜻이 담겨진 것이라고 생각하네. 뜻이 진중(珍重)하여 더욱 간절히 권면하는 이익에 감사하는 바네. 독지는 어떻게 하여야 하는가. 갈고 닦아야 하네. 이와 같은 구슬의 광택은 서직(黍稷)을 담던 제기(祭器)인 호련(瑚璉)[416]이 되기에 들어났네. 그렇다면 이 구슬은 문방구 가운데서 사치스러운 것일 뿐만 아니라 스스로를 경계하는 거울로도 삼을 수 있네. 받는 선물이 그래 크지 않는가?

---

416) 종묘(宗廟)의 제기(祭器), 매우 소중하다는 뜻으로 사용된다.

答崔雪松 圭祥
○戊寅

昔枉旣荷，而今書又感，如非相愛之至，孰能及此？書後新禧已三葉矣，更惟侍外體度，臨池有樂。俯惠三玉，荷此盛念，感鐫罔已。無因明月，亦令人且驚，況勒以篤志二字，寄意珍重，益感切偲之有盜也。篤志如之何？琢之磨之，如此玉之光澤，則其爲瑚璉之器優矣。然則是玉也，非直文具之爲侈也，亦可爲自警之鑑也。受賜不其大乎？

정태환(鄭泰煥)에게 보냄

정회(正會)는 예를 갖추고 말씀을 올리는 바이네. 존왕부 침랑공(尊王府 寢郞公)이 갑자기 세상을 버리셨다는 부고를 받고 놀랍고 슬픈 마음은 그 어떤 다른 사람들과 비할 바가 아니네. 가내에 마침 상사(喪事)가 있어 영가(靈駕)의 상여 줄을 잡지 못하고, 초라한 위로의 편지 한 장만 남들보다 늦게 보내니 옛날 그 사랑하시던 일을 생각할 때 정도 없고 예의도 빠져 유명 "幽明"간에 저버린 죄는 비록 혀가 석자라고 하여도 드릴 말씀이 없네. 정회(正會)는 갑자기 선고(先考)의 종상(終喪)이 지나 이미 궤연(几筵)을 철거 하였으니, 음성과 얼굴은 영원히 볼 수 없지만 애통한 마음이야 어찌 없겠는가? 존형은 선인들의 친선을 잊지 않으시고 제문(祭文) 1편과 주과(酒果) 등 전수(奠需)를 보내 주시니, 그 감사한 마음을 가슴에 아로새기고 영원히 잊지 않을 것이네. 오직 복체(服體) 수시 진중(珍重)하시기 바라네. 더 아뢰지 않고 삼가 서신을 드리는 바이네.

與鄭泰煥

正會省禮白，尊王府寢郞公奄棄斯世，承訃驚怛之私，實非餘人可伍。家內適有慘喪，未能執紼於靈駕之前，艸艸一慰紙，亦後於人。回念平昔，眷愛之重，情茂矣，禮闕矣。罪負幽明，雖有喙三尺，如何可鳴。正會奄經先考終朞，几筵已撤, 音容永閟, 痛摧曷及. 尊兄不忘先人之好, 傳致祭文一篇, 及酒果之盛奠哀, 感銘肺, 終不可諼, 惟服體隨時廸重. 不宣. 謹狀.

남 백환(南伯煥)에게 드리는 답서

아득한 하늘아래 깎아지른 듯 한 골짜기에서 사는 백성들에게는 옛날의 풍속이 많이 남아 있어, 참으로 뒤죽박죽이 된 세상에서 한 떼기의 깨끗한 정토이네. 일찍이 군자(君子)들의 뒤를 따라 인(仁)한 마을을 택하여 살지 못한 것이 한스럽네. 일봉(一封)의 서신이 바다를 건너 날아와 위로됨을 헤아릴 수 없네. 정회(正會)는 배가 떠난 후 바람도 순하게 불고 파도도 안정되어 바로 봉래산(蓬萊山)[417]으로 들어가 이틀 밤을 묵고 돌아왔네. 사흘 동안 바다에서 놀고 이틀 동안은 산에서 노닐던 일을 생각하니, 제 딴에는 얻은 것이 적지 않다고 여기고 있네. 그러나 정작 술상을 차려 놓고 먼지투성이인 내 얼굴을 쳐다보니, 의연히 지난날의 나일 따름이었네.

答南伯煥

遙天絶壑, 民多古俗, 眞滔滔中一片乾淨土也, 恨不早從諸君子之後, 擇處仁以爲知也. 一封寵翰, 越窮溟飛入, 慰浣沒量. 正會船發後, 風順波定, 直入蓬萊, 經二宿而歸. 第念三日於海, 二日於山, 所獲自謂不淺淺. 而酬接塵容, 依然昔吾而已.

한 철수(韓哲洙)에게 보내는 답서

정회(正會)는 편지를 받고 답서를 드리네. 정회는 산야(山野)에 칩거하면서 지금 세상의 선비들과 사귀는 일이 아주 드물었기에, 문학이 높고 행실이 아름다운 사람들을 한 번도 만난 적이 없네.

---

417) 강원도 고성군과 회양군에 걸쳐 있는 금강산의 여름 이름임. 봄에는 금강산, 가을에는 풍악산, 겨울에는 개골산이라 한다.

갑자기 고도(古道)가 풍긴 서신을 받고 보니, 그 취지가 견권하고 칠체가 찬연하여 사람의 주위를 환히 비치고 있었습니다. 천구(天球)도 홍벽(紅璧)도 그에 비하면 진귀한 보물로 되지 못 합니다.

정회(正會)는 어려서부터 배우지 않고 나이를 먹을수록 더욱 학문은 황폐하여 한 치의 진보도 없지만, 공연히 헛된 명성을 훔쳐 가지게 되어, 평소에는 면괴와 공구로 쉴 틈을 찾지 못하고 있네. 그런데 전날에 분에 넘치게 칭찬을 하여주니 또 한 번 식은 땀을 흘리지 않을 수 없었네. 전에 누군가가 이렇게 말한 적이 있습니다. "선비는 들을 수는 있어도 볼 수는 없다."

정회(正會)는 논밭에서 헤매는 초췌한 한 사람으로 빈털터리일 따름인데, 어찌 놀만한 것이 있겠는가? 고명하신 분이 사람들에게서 듣고, 나를 보려고 하는 것은 반드시 큰 차이가 있을 것이네. 아마도 고명(高明)하신 분이 사람들에게 듣고, 나를 보려고 하는 것은 반드시 큰 차이가 있을 것이네. 멀리서 축하하는 마음을 보아 귀체가 모두 왕성하시기를 바라마지 않네.

答韓哲洙

正會拜復, 正會蟄伏山野, 罕與當世之士相交, 文學行懿, 如高明者, 尙未一識。忽承古道之書, 辭旨繾綣, 筆采燦然, 耀人左右。天球紅璧, 不足爲寶也。正會少不學, 老益頹廢, 素乏寸長, 而徒竊虛譽。尋常愧懼之不暇。而迺者加以過情之詡, 令人又一番鋅汗耳。昔人有云, "士可聞, 不可見。" 正會畎畝間一憔悴己耳, 空空己耳, 何堪有把玩者哉。想高明之耳於人者, 將與目於我者, 必有逕庭矣。惟德履加旺, 用副遐祝。

오 정렬(吳正烈)에게 보내는 편지

백리를 마다하시지 않고 찾아오셔서 조용히 하룻밤 이야기를 나누고 게다가 월·취 제공(月翠諸公)들이 함께 어울리지 않았습니까. 적막한 가운데 위로가 많이 되었습니다.

귀 선조 첨추공(僉樞公)의 비문 글씨는 제가 감당할 소임이 아닌 것 같습니다. 그리고 전서(篆書)에 있어서는 더욱 모양을 이루지 못하였으니 상의하시어 결정하시는 것이 어떠하겠습니까. 비문 중에 "가루방양(家窶防養;집이 가난하여 양생에 방해가 되었다)"의 '防(방)'자는 저의 우견으로 본다면 아마 '방(妨)'의 오자인 것 같으니 다시 잘 살펴보시기 바랍니다.

與吳正烈

百里委訪, 穩做一夕話, 况又月翠諸公與之偕乎？寂寞中慰豁甚多。尊先祖僉樞公碑書, 顧非其任, 而至於篆, 尤不成樣。商量處之, 如何？碑文中'家窶防養'之'防'字, 愚意恐是'妨'之誤, 更加詳焉。

홍 석희(洪錫熹)에게 보내는 답서

　존친(尊親)께서 지난해 섣달 스무이틀 날 보낸 서한을 이달 초 하룻날 받아보게 되었네. 의(義)로써 이끌고 예(禮)로 바로 잡아 주시니, 나를 사랑해 주시고 보살펴 주시는 것이 일반 사람들 보다 천만배가 된다는 것을 알게 되었네. 유덕한 말씀을 어찌 가슴에 새기고 감복하지 않을 수 있겠는가?

　정회(正會)는 서법(書法)에는 워낙 암매(暗昧)하지만, 일년내내 사람들이 억지로 청하므로 하는 수 없이 함부로 붓을 들기는 하지만, 마음속으로 부끄러움을 여기고 있네. 그러나 천만 뜻밖으로 집사(執事)께서도 마구 붓을 날리는 가 잘못아시고 또다시 사람을 부끄럽게 얼굴을 못 들고 다니게 하는 처지에 놓이게 하였네. 지금 문헌(文獻)들이 흩어지고 사라지는 나날에, 귀 선친의 문집을 간행하는 일은 세상의 교화에 매우 도움이 되는 것으로 축하를 드리는 것이지, 의례 지나가는 말로 하는 것이 말하는 것이 아니네. 고당(顧堂)과 장헌(莊軒) 제공(諸公)이 창설한 국령회(菊令會)는 옛날 용산(龍山)[418] 모임만이 아름다운 것이 아니네. 그 말을 듣고 보니 귀가 시원해져, 마

---

418) 진(晉), 맹가(孟嘉)가 정서장군 환온(征西將軍 桓溫)의 참군(參軍)이 되어 9월 9일 환온이 용산(龍山)에서 잔치를 열어 요좌(僚佐)들이 모두 모였는데, 이때 바람이 불어 맹가(孟嘉)의 모자를 떨어뜨렸으나 맹가는 모자가 떨어진 줄도 모르고 화장실을 갔었다. 이때 환온은 손성(孫盛)에게 글을 지어 맹가를 조롱하도록 하였다. 맹가는 자리에 돌아와서 모자가 자리에 있는 것을 보고, 즉시 글을 지어 답을

치 나도 그 모임에 참여하여 남은 향기를 맛고 꽃을 거두는 것 같네.
 오직 덕(德)을 쌓으시고 사랑을 더하시어, 사모하는 이 마음에 부응하시기 바라는 바이네..

答洪錫熹

伏蒙尊慈客臘廿二日出惠疏，拜領於今初一日。導之以義，制之以禮，仰認愛我眷我出尋常萬萬也。有德之言，敢不銘佩？正會素昧趨勒，而年間坐人强，未免妄加毫端，而內則惡縮。不意尊執事亦誤以指揮，又令人立於愧赧之地也。當今文獻零替之日，尊先集刊役，甚有補於世教，爲之賀者，非例語也。顧莊諸公菊令會，不使龍山專其美於前，聞來耳根淸凉，頗如躬夅其間，挹剩馥而掇餘芳也。惟進德加愛，以副瞻注。

홍 승춘(洪承春)에게 보내는 답서

 백리 길을 아랑곳하지 않고 몸소 찾아 주신 것은 정녕 무척 아끼시는 마음에서 우러나온 것인데, 앉은 자리마저 따스해질 사이도 없이 다시 작별하고 나니 어찌 나의 넋이 나가지 않을 수 있겠는가? 뜻 밖에 사랑이 담긴 서한을 보내주시니, 다하지 못한 회포를 이어가고자 하니 참으로 이 마음 한 없이 뜨거워 지네.
 존 선친의 비문을 나에게 써달라고 부탁 하였으나 가만히 생각하여 보니 고인들은 반드시 퇴지(退之)의 글과 진경(眞卿)[419]의 글씨로 하는 것을 효도한다고 여기었네. 지금 월담(月潭)의 글을 얻었으니 가히 백세(百世)를 내려가면서 불후(不朽)하다고 말할 것이네. 그런데 정회(正會)는 서법(書法)에서 아직 방향조차 모르고 지내고 있으면서도, 근년에 억지로 떠맡기다시피 하여서야 혹 부응해준 적이 있으니 어찌 스스로

 하였는데 그 글이 매우 아름다웠다고 한다.
419) 당(唐)나라 때 명필 안진경(顔眞卿), 임기인(臨沂人). 자는 청신(淸臣), 시호는 문충(文忠), 박학(博學)하여 문장에 능하였으며 초서와 해서를 잘하여 세상 사람들이 보물로 여기었다. 관직은 평원태수(平原太守), 시어사(侍御史) 등 많은 관직을 역임하여 노공(魯公)에 봉해졌음. 안록산(安祿山)의 란이 일어나자 종부의 형인 고경(杲卿)과 함께 적을 토벌하여 많은 전공을 세웠으나, 적장 이희렬(李希烈)에게 체포되어 항복하지 않고 처형되었다.

부끄러워하지 않겠는가? 그러나 미끄러운 빙판길을 달려와 정중하게 청하니 어찌 노공(魯公; 서기 709-785, 바로 서법가 안진경)의 솜씨를 가지지 못하였다고 하여 사양할 수 있겠는가? 적어준 손자들에 대한 기록은 요구대로 적어 넣었네.

答洪承春

百里委訪, 寔出厚眷, 而席不暇煖, 旋卽奉別, 安得不令人魂銷？匪意荐拜寵械, 以續未了之懷, 感藏不已。尊先世碑文囑余繕寫, 竊惟古人以必得退之文眞鄕(卿)筆爲孝矣。今得月潭文, 可謂百世不朽, 而正會於趑趄尙沒方向, 年來迫於强要, 或有應副之者, 而豈可以非魯公而辭諸？俯示孫錄, 亦依戒書入耳。

김 재남(金在南)에게 보내는 편지

며칠 사이에 존족(尊族) 수현(壽鉉)이 방문하여 성작(盛作)[420] 월암공 행장(月菴公行狀)을 나에게 보여주어, 읽어보니 여유 있고 간곡하여 모발까지도 잘 모방 하였으므로, 백년 후에 그 분은 상상할 수 있을 것이네. 그리고 도형(道兄)이 나에게 교정을 하라고 하였으나, 소경에게는 보불(黼黻)[421]을 논할 수 없는 법이네. 그러나 존형(尊兄)의 말씀을 어기기 어려워 대충 보았네. 그리고 수형군(壽鉉君)이 또 일어나 그의 선친 후계공(後溪公)의 행장과 그 종조모 박씨 열행전(朴氏烈行傳)을 간청하므로, 차마 사양하지 못하고 그 대개만 서술하였으니, 형이 반드시 보시어 다행히 자우(子羽)[422]가 되시고 자산(子産)[423]이 되시어, 이 온통 하자(瑕疵) 투성이를 아름다운 옥돌

---

420) 훌륭한 문필.
421) 도끼와 아자(亞字) 모양의 문양(文樣)을 보불(黼黻)이라고 한다. 국왕은 곤복(袞服)을 입는데, 이것을 구장복(九章服)이라고도 한다. 황제는 12장복(章服)을 착용한다.
422) 춘추(春秋), 정인(鄭人), 성은 희(姬), 명은 휘(揮), 자는 자우(子羽), 정(鄭)나라 간공(簡公)을 섬기어 행인(行人)이 되었다.《논어(論語)》의 헌문편(憲問篇)에 공자(孔子)가 말하기를 "(王)이 외교문서를 명할 때 비침(裨諶)은 초안하고, 세숙(世叔)은 토론하고, 행인(行人)인 자우(子羽)는 수식(修飾)하고 동리자산(東里子産)은 윤색(潤色) 하였다"고 하였다. 여기에서 자우가 되고 자산이 되었다고 한 말은 글을 수식하고 윤색해 달라는 뜻이다.
423) 북송(北宋)의 온주인(溫州人). 일설에 용천인(龍泉人)이라고 한다. 초명은 하손(賀孫)이며 자는 이행(以行), 그후 다시 지도(知道)로 바꾸었다. 시호는 문수(文修), 주희(朱熹)의 문인(門人), 가정년간(嘉定年間)에 진사에 급제한 후 저작좌랑(著作佐郎)과 악주교수(鄂州敎授),태학박사(太學博士), 숭정원 설

로 만든다면, 이것이 어찌 오이로 구슬을 보답하는 일이 아니겠는가? 수현군(壽鉉君)이 선조를 조술(祖述)하는 독실함은 이 세상에서 쉽게 얻을 수 있는 것이 아니므로 매우 공경스럽고 사랑스웠네. 이에 존문(尊門)의 계술(繼述)[424]하는 기풍이 여러 대를 끊기지 않았으니, 고가(古家)를 위하여 축하드리는 바이네.

與金在南

日者尊族壽鉉君來訪, 示以盛作月菴公狀, 讀之紆餘委曲, 摸得髭髮, 百載之下可想像其七分矣. 且道兄俾余訂斤. 瞽者固不可與論黼黻, 而難違尊敎, 略加吹毫之覓耳. 壽鉉君且起而請其先大人後溪公狀, 及其從祖母朴氏烈行傳. 不忍終辭, 叙述其大槩, 兄當覽之矣. 幸爲之子羽之子產之, 使此全瑕幻成美埣, 此豈非投苴報瓊之義也耶. 壽鉉君述先之篤, 斯世甚不易得. 可敬可愛. 于以見尊門繼述之風, 累世不替. 爲故家賀也.

송하 백용규(白松下龍圭)에게 보내는 답서

지난번 방문하셨을 때 회포를 나눈 후 한 해 동안 소식이 막혔는데, 또 거듭 서신을 보내 주시니 거듭 감사함을 어찌 잊을 수 있겠는가? 최씨(崔氏)의 비문은 존형의 부탁이 아니면 어찌 감히 노졸(露拙)[425]한 솜씨를 드러낼 수 있겠는가? 홍월(虹月)이란 칭호는 크게 나에게 맞는 말이 아니네. 들은 말로는 이것은 미가(米家)[426]의 전유물(專有物)이라고 하던데, 천고(千古)에 어떤 사람이 해당할 수 있겠는가? 오직 수시로 잘 보존하시어 그리워한 이 마음에 부응하기 바라네.

서(承政院說書) 등 관직을 역임하였다. 학자들이 서산선생(西山先生)으로 칭하였다. 저서로는 《사서설(四書說)》, 《대학강의(大學講義)》 등을 남겼으며, 《주자어록(朱子語錄)》을 편집 하였다.
424) 선조의 뜻을 계승하고 선조의 사업을 기술한다는 뜻임.
425) 못나고 옹졸함을 드러냄.
426) 송(宋)나라 때 문인화가인 미불(米芾)과 미우인(米友仁) 부자를 일컬은 말임.

答白松下龍圭

向枉穩叙, 積歲阻懷今又重之以翰畢, 種種感戢, "俾也可忘。"崔碑文如非尊托, 安敢露拙？虹月之稱, 大非陋劣者所宜。承聞此是米家專有之物, 千古何人能有當之者耶？雪威政嚴, 惟履時勝葆, 以副瞻戀(戀)。

무성서원 유회소(武城書院儒會所)에 보내는 답서

항시 사귀고 싶은 마음이 간절하였으나 아직 훌륭한 분을 만날 기회가 늦어지고 있었는데, 이에 먼저 서신을 주시니 극히 감사하고 극히 송구스럽습니다. 조용히 생각건대, 무성서원(武城書院)은 우리 고을에서 으뜸가는 서원인데, 존집사(尊執事)께서 여러 해 동안 노고하신 덕분으로 사림들의 의존함이 과연 어떠하였습니까? 단 훈장(訓長)은 학식이 미천하여 그 중책을 맡을 수 없고, 원지(院誌)에 편입하라는 말씀은 더욱 부끄러워 감당할 수 없습니다. 책에 가득한 사연은 온 세상을 빛나게 하였는데, 이 한조각 완석(頑石)을 여러 옥(玉)속에 끌어들인 것은 와석(瓦石)이 더욱 그 거친 것을 드러낼 뿐 아니니, 이것이 또한 구슬의 하자가 되지 않겠습니까？ 바라옵건데 붓으로 산정(刪定)할 때 '지제비(之際鄙)'라는 세 글자는 삭제하시어, 법도 이외에 하나는 온 세상의 안(案)을 공정하게 하시고, 하나는 도태(淘汰)하라는 꾸지람을 면하게 해 주시면, 천만번 감사 하겠습니다.

答武城書院儒會所

恒切識荊之願, 尙稽御李之踵, 迺蒙先施惠狀, 感極悚極。竊惟武城書院吾省內首院, 而尊執多年賢勞, 士林之依重, 果何如哉？但訓長之帖, 顧學蔑識淺, 固不敢當其重責。而院誌編入之教, 尤不勝, 其愧矣。滿帙琳琅, 可以焜耀一世。而以此一片頑石攛入於群玉之中, 不惟瓦石之益露其麄, 不亦爲全埋之一瑕也耶？望須筆刪'之際鄙'之三字淘去。繩墨之外, 一以公一世之案, 一以免汰哉之誚。千萬千萬。

포충사 통고서(褒忠祠 通告書)에 답함

정회(正會)는 머리를 조아리며 고합니다. 엎드려 정성이 담긴 통고서를 받으니, 이 미천한 사람이 어찌 이것을 받을 수 있겠습니까? 영광스럽고 또한 황공합니다. 가만히 생각건대, 제봉선생(霽峯先生)[427]의 숭고한 충성과 큰 절의(節義)는 백세(百世)의 사종(師宗)으로 무성하게 우거질 것입니다. 하물며 망해가는 삼천리 산하(山河)를 보존하고, 삼천만의 백성들이 거꾸로 묶인 데서 풀어주는 것이 아닙니까? 이 시대에 이르러 무릇 하늘을 이고 땅을 디딘 사람들은 누가 제사를 지내는 그 곳으로 줄달음치지 않겠습니까? 백 세대를 이어가며 혹 풍교를 듣고 다시 일어서고 말 것입니다.

그런데 정회(正會)는 최마복(衰麻服)[428]을 걸친 몸이라, 성대한 교시에 따르지 못하게 되었으니, 송구스럽고 불안한 마음을 어이 말로 다 이를 수 있겠습니까? 그리고 지난 날 순국한 제공들을 추도하는 의식은 충의를 다한 혼백들이 비단 구원 아래서 위안을 받게 할 뿐만 아니라, 퇴폐한 기풍을 경계하고 새로운 기풍을 수립하는데 있어서 고충대절은 천하 만세를 내려가며 할 말이 있게 되었습니다. 세도의 행운이 이보다 더한 것이 있겠습니까? 풍교를 듣고 의리에 나서는 데는 산천이 가로 막고 있다고 해도 막히지 않는 법입니다.

答褒忠祠通告書

正會稽顙白：伏承辱賜惠章，自顧淺陋，何以獲此？感榮且惶。竊惟霽峯先生高忠大節，蔚爲百世師宗，而況三千里山河化亡爲存，三千萬生靈如解倒懸。當此之時，凡冠天而履地者孰不欲駿奔於籩豆之間？百世之下，庶可聞風起興。而正會衰麻加躬，未副盛教，悚仄何言？且往年殉國諸公之追悼一節，其忠魂義魄，不惟慰安於九原之下，警頹樹風，將有辭於天下萬世。世道之幸，孰過於此？臨風馳義，不以山川有隔也。

---

427) 서기 1533(中宗 28)~1592(宣祖 25), 조선 중기의 문신(文臣), 의병장(義兵將), 자는 이순(而順), 호는 제봉(霽峯),태헌(苔軒), 시호는 충렬(忠烈), 광주 압보촌(光州鴨保村)에서 태어났음. 서기 1552년(명종 7)에 진사에 급제한 후 서기 1558년 식년전시(式年殿試)에 장원하여 선균관 전적(成均館典籍), 공, 형조좌랑, 동래부사 등 많은 관직을 거치다가 서기 1592년 임난(壬亂)이 일어나자 두 아들 종후(從厚), 인후(因厚)와 의병에 참여하여 금산(錦山)에서 아들 인후(因厚)와 함께 전사 하였다.
428) 부모의 상에 입는 상복, 즉 아버지 상에는 참최복(斬衰服), 어머니 상에는 제최복(齊衰服)을 입는다.

문견선(文見善)·문영범(文永範)에게 보내는 답서

지난달 말, 채죽을 같이 하여 먼데서 찾아오셔서 가까이 하려는 정성을 느끼게 되었는데, 오늘 또 다시 사라의 뜻이 담긴 서한을 받아 보니, 인사가 순창하고 뜻이 원활하여 사람의 폐부를 움직여 놓고 있어 감동을 받고 있네. 그동안 살피지 못하였네만 존 선조 양선생(兩先生)의 높은 풍도와 의리는 문자로 기록하지 않아도 후세에 전할 것이네. 그런데 나의 글이 어떻게 사람을 불후하게 만들 수 있겠는가? 살펴보니, 그래도 이름을 의탁한 것으로도 영광으로 생가하고 성근한 부탁에 만족되게 하려고 노력을 기우리기는 하였으니, 다만 취사의 가르침을 기다리고 있을 따름이네. 그런데 뜻 밖에도 분에 넘치도록 칭찬을 하여주고, 마치도 마주 앉아 집안일을 이야기 하듯이 친근하게 해주니, 나도 몰래 이마에 땀방울이 맺히고 있네.

우곡은 전에 중서로 앓다가 미쾌한 몸으로 떠났다고 생각했는데, 지금은 완쾌하였는지 궁금하기만 하네.

월출산(月出山)은 내가 유람하고 싶었지만 아직 기회를 얻지 못하였네. 가만히 생각건대, 영산(靈山) 밑에는 반드시 괴위기걸(瑰瑋奇傑)한 선비들이 많을 것인데, 산은 보지 않더라도 그 사람들을 만나 보기를 원하고 있으니, 오직 양공(兩公)의 청아한 표상과 깨끗한 인망은 혹 그 사람들을 두고 하는 말 아닐까?

훗날 남쪽으로 내려오시면 동도(東都)에 주인 없음을 걱정하지 않아도 될 것이네. 가을바람이 불어오면 한번 다녀가겠다고 약속을 하였으니 미리 기쁨과 위로를 느끼고 있는 바 일세.

答文見善·文永範

客月聯鞭遠訪, 足感不遐之盛, 而今承寵翰, 辭旨暢菀, 動人肺腑, 感荷。雙擎不省, 攸謂尊先兩先生高風峻義, 固不待文而自有傳焉者。且余之文, 安能不朽人哉？顧托名爲榮, 勉副盛囑, 以待取舍之敎。匪意稱賞過情, 有似乎對作家言, 自不覺汗駢洍洍耳。牛谷向患暑症, 想未快而發。今云完復否？月出, 吾所願遊而未得者。竊念靈山之下必多瑰瑋奇傑之士, 不見山, 願見其人足矣。惟兩公淸標雅望, 倘所謂其人歟？他日南爲, 庶不患東都之無主矣, 秋風一枉之諾, 預欣慰。

노산사 유회소(蘆山祠儒會所)에 보내는 편지

　정회(正會)는 학문이 얕고 식견이 어두워서 감히 사우(士友)의 대열에 이름을 나란히 하지 못할 처지이나, 외람되게 공(公)들의 지휘를 받아 말석에 앉아 참여한지 이미 2~3년이 되었었습니다. 살펴보니 티 끝만한 공효도 이루지 못하여 참으로 마음이 편하지 않은지 오래되었습니다. 지금 상을 당하여 초려(草廬)에서 지내므로 조두(俎豆)에 나가지 못하고 있으니, 다시 현능하고 향방(鄕邦)의 본보기로 나설 수 있는 분들을 택하여 바꾸어 준다면, 사문(斯文)의 아주 다행스러운 일로 생각하겠습니다.

與蘆山祠儒會所

正會學淺識昧, 不敢齒列士友, 而猥蒙諸公之指揮, 獲忝席末, 已三數年。顧乏涓埃之効, 心實難安者久矣, 今則罪蟄艸廬, 未可進返於俎豆之間, 更揀賢能之士以矜式 鄕邦, 斯文幸甚。

전 중현(全中鉉)에게 보내는 답서

　하룻밤 모시고 이야기를 나누었는데, 허물없이 속마음을 터놓다 보니, 참으로 친구 사이에는 아침저녁 이별을 근심할 필요가 없다는 것을 믿게 되었네. 헤어진지 며칠이 되지 않아 또 다시 덕음(德音)을 서한으로 전해 왔으니, 참으로 이 보다 더 부지런한 것은 없다고 생각하네. 귀 선조《서은선생(瑞隱先生) 실기(實記)》1책을 손을 씻고 읽어보았네. 그 청백한 기운과 큰 절개는 가히 우주를 떠받치는 기둥이 될 수 있고, 해와 별처럼 세상을 밝게 할 수도 있어 백 세대를 내려가면서 사람들의 공경을 자아낼 수 있네. 그리고 존형의 선조의 업적을 기술하는 정성은 동배들과 완전히 다르다는 것을 볼 수 있네. 게다가 귀로에 무사하고 신심이 강왕하다는 소식을 접하고는 더욱 마음의 위로를 느끼네.

　정회(正會)는 독서를 많이 하지 않았으므로 글씨도 어슬프고 속루(俗陋)하네. 세상에서 나를 아끼는 데는 혹 돌을 옥으로 잘 못 인식하여 억지로 되지 않는 일을 시켰기 때문이네. 오늘날에도 부탁을 받고 역시 먼 곳에서 찾아온 의리를 저버리지 않으려고 한 것이므로, 감히 글을 드리는 것이네. 그런데도 돌을 옥에 비유하여 주니 어찌 스스로 부끄러워하지 않을 수 있겠는가.

答全中鉉

一夕奉話，肝膽無隔，信乎交無早晚別也。別未幾日，重以德音之惠，勤莫勤焉。尊先祖瑞隱先生實記一册，盥手奉讀。其淸風大節，可以撑柱宇宙，炳朗日星，能使千載下足以起敬，而亦可見兄述先之篤，適絶等夷也。矧承審歸駕利稅，震艮旺安，尤庸慰慰。正會讀書不多，故筆亦俗陋。世之愛我者，或認石爲玉，强其所不能。今於荃囑，亦不忍負遠問之義，敢寫呈。洒蒙喩以玉與珠爲瓦爲石者，寧不自慚。

이 수원(李壽源)⁴²⁹⁾에게 보내는 답서

　소식이 끊기었다가 친필 서신을 받으니, 참으로 감사하기만 하네. 정회(正會)는 수년 동안 성문(城門) 밖으로 한 발자국도 나가지 않고 날마다 낚싯대를 잡고 있는 늙은 이들과 농사짓는 노인들과 단짝이 되어, 논밭에서 농사일을 물어 보지 않으면 강가에서 낚시질을 구경하다 보니 세상의 갑을(甲乙)을 모르고 산지 오래 되었네.

　성균관의 사성(司成)⁴³⁰⁾이란 명칭은 비록 실제적으로 해 놓은 일이 없다고 해도, 우장을 걸치고 삿갓을 사람에게 덮어씌운 것으로 명칭과 실상이 엄청난 차이를 보여주고 있네. 성균관의 제공(諸公)들과는 생면부지이므로, 아마 형 또래 되는 몇몇 사람들이 잘 못 추천한 것 같네. 제발 하루 속히 거두어들인다면 대행으로 생각하겠네. 거리 바닥에 사는 사람들은 성정이 워낙 굳고 확실하여 그럴 듯이 없는 일이라면 비록 소진(蘇秦)⁴³¹⁾과 장의(張儀)⁴³²⁾에게 말을 빌리더라도 만회할 수 없을 것이네. 나 같이

---

429) 명륜전문학교 동기 동창, 보정선생과는 아주 친한 사이였음. 성균관대학교 도서관장 역임.
430) 고려(고려)의 1392년 조선 태조가 관제를 고칠 때 고려의 제주(祭酒)를 사성(司成)으로 고쳤다.
431) 전국(전국), 하남성 낙양인(河南省洛陽人). 귀곡선생(鬼谷先生)의 문인(門人). 그는 강한 진(秦)나라를 저항하기 위해 합종설(合從說)을 주장하여 육국(六國)의 상인(相印)을 찼었다.
432) 전국(戰國), 위인(魏人), 소진(蘇秦)과 함께 귀곡선생의 문인이었으며, 소진은 자신의 술이 장의만 못

보잘 것 없는 처지에 언변까지 변변치 못하니, 어찌 만의 한 사람이라도 도움을 줄 수 있는 사람이 있겠는가? 아예 말을 꺼내지 않는 것이 상책일 것이네. 어떻게 생각하시는가?

答李壽源

阻餘承手翰之惠，謝謝。正會數年來，不作城門一步地，日與釣叟畊老爲知己友，或問稼於南畝，或觀魚於前川，不知世之曰甲曰乙久矣。成均舘司成之名，雖無行事之實，而加諸雨笠烟簔之上，名與實不其大爽矣乎。舘中諸公素乏相識，似是兄輩數人爲之謬擧也。幸亟還收，千萬千萬。街人公性本堅確，苟無其意，雖假辭儀秦，莫可挽回。顧此人微言淺，豈能有萬一之援哉？不如不言之爲愈也。以爲如何？

향산 이동환(李香山 東煥)에게 보내는 편지

벗을 사귀는 데는 이르고 늦음의 구별이 따로 없네. 참으로 마음을 나눌 수 있는 지기(知己)라고 한다면, 천년 세월이 흘러간다 해도 조석으로 만나는 것처럼 느껴질 것이네. 존형을 만난 것을 헤아려 보면 몇 해 밖에 되지 않지만, 간담을 드러내놓고 못하는 말이 없었고, 혹 봄이면 바다를 구경하고 혹 가을이면 산을 구경하며 회포를 구해(九垓)433)의 밖에 두었는데, 존형과 헤어진 후에 경암(敬菴)은 성균관(成均舘)으로 이직하고, 담재(澹齋)는 이리(裡里)로 이사 갔네. 나만 홀로 동네에 남겨 놓고, 외로운 그림자를 동반하여 두메산골과 적막한 바닷가에서 서식하면서, 오직 글 속에 나오는 인물들과 수시로 마주 앉게 하였단 말이네. 뜬 구름과 같은 이 내 심정을 그 누구와 함께 나눌 수가 있겠는가? 멀리서 생각하건데, 칠보산(七寶山) 평사(平沙) 아래에서 몇 천권의 사기(史記)를 보풀이 일도록 읽고 현인(賢人)에게 포상하고, 소인에게 폄하하여 의당 피리(皮裏)의 양추(陽秋)434)가 있을 것인데, 한 집에서 그 여론(餘論)을

하다고 새 하였다. 장의는 소진과 달리 종횡설(縱橫說)을 주장 하였다.
433) 중국의 구주(九州)를 말함.
434) 서명(書名), 공자(孔子)가 산정한 춘추(春秋)를 말한 것이다. 진(晉)나라 간문후(簡文侯)의 휘가 춘(春)

듣지 못한 것이 한스럽네.
　향산서실기(香山書室記)는 이미 말씀하신 적이 있었기는 하였으나, 근년에 들어서면서 정신이 혼미한데다가 게을러 붓을 잡지 못하고 있네. 그런데다가 효당(曉堂)과 담헌(澹軒) 두 거필(巨筆)들이 나보다 먼저 포장하여, 진사도(陳師道)[435]와 섭미도(葉味道)[436]의 두 시(詩)와 같아 나로 하여금 손을 쓸 곳이 없도록 하였네. 그러지만 나는 복고(腹稿)[437]를 오래 전부터 구상하여 두었기 때문에 정리하여 드리는 바이네. 재주 많은 솜씨를 발휘하여 수개하시면 다행으로 생각하겠네.

與李香山　東煥

交無早晩之殊, 苟知己也, 千載亦朝暮遇也。遇知於兄, 殆未幾年, 披肝露衷, 無言不到, 或春而海, 或秋而山, 放懷九垓之表。自兄別後, 敬菴仕於成均舘, 澹齋移于裡里, 校我獨隻洞羽, 孤影棲遲乎窮山寂寞之濱, 惟卷中人時與相對。悠悠此懷, 誰可論哉? 遙想七寶下平沙下讀破幾千卷史, 而蘭褒蕙貶, 應有皮裏之陽秋, 恨不同堂, 娓娓聽其餘論也。香山書室記, 已有尊敎, 而比年來精耗神慌, 懶不執管。且曉澹二巨筆, 先我鋪張, 殆如'陳葉二詩', 使人無下手處。然腹稿已久, 玆掇拾仰呈, 幸加郢斤焉。

　　　이므로 양자(陽字)로 바꾸어 춘추를 양추(陽秋)라고 한다. 피리춘추(皮裏春秋)를 피리양추(皮裏陽秋)라고 한 것이다.
435) 팽성인(彭城人): 지금의 甘肅省 西周人). 자는 이상(履常), 무기(無己), 호는 후산(後山), 가정이 가난하여 처가(妻家)에서 살았으며 소식(蘇軾)과 증공(曾鞏)의 추천으로 박주(亳州)의 사호참군(司戶參軍)이 된 후 서주교수(徐州敎授), 태학박사(太學博士) 등 관직을 거치다가 소식을 당으로 연좌되어 혜릉주세감독관(惠陵酒稅監督官)으로 좌천되고 그후 다시 비서성 정자(秘書省正字) 등 관직을 역임하였다. 그는 시를 잘하여 강서시파(江西詩派)로 분류 되었다.
436) 북송(北宋)의 온주인(溫州人). 일설에 용천인(龍泉人)이라고 한다. 초명은 하손(賀孫)이며 자는 이행(以行), 그후 다시 지도(知道)로 바꾸었다. 시호는 문수(文修), 주희(朱熹)의 문인(門人), 가정년간(嘉定年間)에 진사에 급제한 후 저작좌랑(著作佐郞)과 악주교수(鄂州敎授), 태학박사(太學博士), 숭정원설서(承政院說書) 등 관직을 역임하였다. 학자들이 서산선생(西山先生)으로 칭하였다. 저서로는 《사서설(四書說)》, 《대학강의(大學講義)》 등을 남겼으며, 《주자어록(朱子語錄)》을 편집 하였다.
437) 글을 쓰지 않고 마음속으로만 구상하여 둔 시문(詩文)을 말함.

이 향산(李香山)에게 보내는 답서

눈 내린 집안에 움츠리고 있자하니 말동무마저 없네. 그런데 문득 서신을 받아보니, 족히 한 자리에 앉아 미미하기의 버금이라고 말할 수 있게 되었네.

존형께서 손수 초록한 《만세록(萬歲錄)》은 작년에 한번 보았기에 마음속으로 감동을 받은 지가 오래 되었네. 말 한마디라도 훌륭한 일을 도우려고 하였으나, 한 치나 되는 박대기로 큰 종을 울리기는 어렵기에 한스럽기만 하네. 만약 담재(澹齋)를 만나면 한번 보여주는 것이 어떠하겠는가?

정회(正會)는 삼여(三餘)[438]에 하는 일이라곤 '병(病)'자 한 글자만 만들어 놓았네. 그것을 제외하고는 들을 말이 없게되어서, 스스로도 배우지도 못하고 늙어버린다는 탄식을 금할 수가 없네. 어쩔 수 있겠는가?

지극히 차가운데 오직 건강을 돌보시어 역사를 더욱 정밀하게 쓰실 것을 바라네.

答李香山

蟄伏雪戶, 無可與論者。忽接華墨足亞合席疊疊。尊兄手鈔萬歲錄, 前年一看過, 有感于中者已久。欲以一語續貂, 只恨寸梃難以鳴洪鍾耳。如逢澹友, 相示及如何？正會三餘所做一病字, 除之無堪言者, 自不禁不學便衰之嘆, 奈何？至寒惟靖養壽髦, 寫史益精。

서 한주(徐漢周)에게 보내는 답서
임인년(서기1962)

백양사(白羊寺)에서 한번 본적이 있지만, 지금 화전(華牋)[439]을 읽으니 가리(蟹)같은 사람이 깊은 학식을 얻어 서신이 얼굴보다 더 중하다는 것을 비로소 알았네. 더구나 한 편의 시를 주시어 누차 읽어보니, 나로 하여금 다시 운문(雲門)과 약사(藥師)를

---

438) 독서하기에 가장 좋은 시간을 말한다. 즉 겨울은 일년의 남은 시간이고, 밤은 하루의 남은 시간이며, 음산하거나 비가 내리면 일시의 한가한 시간이다. 이것을 삼여(三餘)라고 한다.
439) 물들인 시전지(詩箋紙)

유람하게 한 것 같았으니, 그 은혜가 어찌 적겠는가?

존 선조(尊先祖)의 세덕사(世德祠)의 운(韻), 그 후의(厚義)를 저버리기 어려워 감히 지어서 드리니 본래 성률(聲律)과 병(病)에 어두워 거의 정경(情境)이 없으므로, 편집(編輯)에 붙이기는 합당하지 않고 복병(覆瓶)[440]의 자료로 적합 하네.

봄이 이미 반이나 지나갔는데, 오직 경체후(經體候) 아끼시어 멀리 바라보는 마음을 위로해 주시기 바라네.

答徐漢周
壬寅

羊寺一面, 只見其外, 今讀華箋, 蜑得底蘊, 始知書於面顧加重矣。況副以一篇瓊什風誦, 累回使我復遊雲門藥師之間, 其爲惠曷可少哉。尊先世德祠韻, 難孤厚義, 敢搆呈。而素昧聲病, 殆沒情境, 不合編末之附, 適足爲覆瓶之資耳。春已過半, 惟經候加認, 以慰遠瞻。

서 한주(徐漢周)에게 보내는 답서

서신 한 장도 반가워 어쩔 줄 모르고 있는데, 또 한통의 편지가 뒤를 이어 왔네. 글은 전보다 더욱 창달하고 어휘도 훨씬 아름답게 다루었네. 글발에 비치는 빛은 대운산이 더는 겹겹으로 막아 나서지 못하게 할것 같네. 그러나 잘못이라면, 외람된 찬사를 사용하여 고당시(古唐詩)에 비긴데 있네. 마치도 원숭이에게 관을 씌우는 것 같네. 원숭이는 말할 것도, 없지만 관을 씌우는 사람도 꾸지람을 면하지는 못할 것이네. 부탁하신 용산정(龍山亭)의 운(韻)은 먼저 부처주신 시 및 고당(顧堂)이 보내온 시와 맞지 않네. 그것은 소재를 모두 차지하여 나로 하여금 말 한마디 할 수 없도록 하였기 때문이네. 그러나 이미 말씀을 하신 일이므로, 감히 사양할 수 있겠습니까? 별지에 써서 보내드리니, 교정을 아끼지 마시기 바라네.

---

440) 동우에 든 장을 엎어버린다는 말로, 자신의 저술(著述)을 겸칭(謙稱)한 말임. 복장(覆醬) 혹은 복옹(覆甕), 覆瓿와 같은 말이다.

答徐漢周

一書己極感荷, 況二書陸續, 文益暢而墨益侈。所照者大雲山不能疊疊也。但謬加猥譽, 至擬之古唐, 頗如加冠於猴, 爲猴者, 固不足道；而冠之者, 亦不免其誚矣。俯囑龍山亭韻, 不合先寄盛作及顧堂詩來, 田地都被占了, 使人噤不出一語。然旣有命, 敢辭諸？別紙寫呈, 幸勿靳訂政。

서 한주에게 보내는 답서

부쳐주신 존 선세(尊先世)의 옥평사지(玉坪祠誌)를 관수(盥手)[441]하고 읽어보았네. 다섯 선생님의 덕학(德學)과 의렬(義烈)이 천만대를 내려가면서 공경을 받을 만하네. 구름 속에 나르는 봉황은 정녕 한 층 더 높은 고도에 있기 마련이네. 고인(古人)들이 이르기를 "보통 사람의 자손노릇 하기는 쉬어도, 어진 조상의 자손노릇 하기는 어렵다"고 하였는데, 존형께서는 선조의 업적을 명백하게 밝히려는 두터운 정성으로 모든 것을 이겨내고, 그 짐을 어깨에 걸머졌다고 하겠네. 고인들이 이른 바의 쉽다느니 어렵다니 하는 것들은 평범한 무리들을 두고 한 말이네. 존형에게 있어서는 그 어렵다고 하는 것은 어려운 것이 되지 않네. 이것은 존형을 위하여 축하드리는 것이 아니라, 세도의 행운을 축하하는 것이네.

정회(正會)는 원정(院庭)에 한번 가서 변두(籩豆)의 훌륭한 예의를 보고, 물러나서는 현송(絃誦)의 아운(雅韻)을 들어보려고 하였으나, 최복(衰服)을 입고 있으니 어찌 감히 바라볼 수 있겠는가? 오직 편안하게 지내시어 멀리 사모하는 마음을 위로해 주시기 바라네.

與徐漢周

惠寄尊先世玉坪祠誌, 盥手拜讀。五先生德學義烈, 足以起敬於千載下矣。雲裏飛鳳, 必更高一層。古人云："爲恒人子孫易, 爲賢祖子孫難。"尊兄闡先之篤,

---

441) 손을 씻음.

可謂克負厥薪古所稱曰易曰難者, 爲衆凡而言也。在兄則其所謂難者, 亦不見其爲難。此非爲兄賀也, 乃世道幸也。正會竊擬一趨院庭, 進而瞻籩豆之盛儀。退而聽絃誦之雅韻, 而衣衰者何敢望也。惟靜養康重, 用慰遠注。

서 한주에게 보내는 답서

 십사(十舍)의 먼 길에 방문해 주시니, 두터운 사랑의 정이 없어서야 어찌 이렇게 할 수 있겠는가. 궁향(窮鄕)에 사는 사람에게 위로가 되어 뭐라고 비유하여 말하기 어렵네. 그러나 워낙 게으르고 산만한 나는 무사히 귀가하셨는지에 대해 한 글자 문안조차 드리지 못하였네. 그런데 갑자기 서신을 받아보니 감사와 송구스러운 마음이 동시에 느껴지네. 헤어질 때 나눈 운(韻)으로 지은 시를 읽고서야 비로소 "혼백이 북새통에 헤엄침이 부끄럽구나."는 구절이 기억에 떠오르네. 백설곡(白雪曲)[442]과 양춘곡(陽春曲)[443]은 자고로 화음(和音)을 내는 일이 적은데, 감히 파인(巴人)[444]이 화답하여 한 번의 큰 웃음거리를 만들 수 있겠는가?

 성작(盛作)의 끝 연구(聯句)에, 유의(有義)의 '유(有)'자와 무심(無心)의 '무(無)'는 '정(精)'자와 '회(灰)' 두 글자로 바꾸는 것이 어떠하겠는가? 초구(初句)의 무언(無言)이라는 것과 첩자(疊字)를 피하기 위한 것이니, 다시 자세히 살펴보는 것이 어떠하겠는가? 나의 시는 아래에 있네.

答徐漢周

十舍命駕, 非眷厚何能致此? 其爲窮陋之慰, 無以勝喩。顧懶且散, 未得一字問歸稅之安, 忽辱惠章, 感與悚并也。臨別拈韻, 讀來詩, 始記得自愧神魂之汨於役役也。白雪陽春, 從古寡和, 敢以巴人之和, 爲博一餐。盛作末聯, '有義之有, 無心之無。'代以'精灰'二字, 如何? 爲避初句'無言'之疊字, 更詳之亦如何? 拙搆在下方。

---

442) 초(楚)나라 금곡(琴曲)의 하나. 고상한 곡으로 백아(伯牙)가 즐겨 퉁기었는데 오직 그의 친구 종자기(鍾子期)만 그 곡을 알아 들었다고 하며 종자기가 죽은 후에 백아는 거문고 줄을 끊어버렸다고 한다.
443) 초나라의 금곡 중 하나.
444) 시골 사람. 즉 촌뜨기를 말함.

고당 김 규태(金顧堂奎泰)에게 보내는 답서

손군(孫君)이 더위를 무릅쓰고 십사(十舍)[445]의 길을 멀다 하지 않고 찾아주었으니, 접시 물처럼 고요하던 적막한 분위기를 완전히 깨트릴 수 있었네. 더구나 갖고 오는 것은 형의 진중한 서신이었으니, 감사할 따름 이네.

《효당집(曉堂集)》은 이미 세상에 선을 보였네. 사람은 죽었어도 죽지 않는 것이 남아 가히 기리 전할 수 있게 되었네. 편질(編帙)을 어루만지니 더욱 옛날의 감회를 금할 수가 없네. 호산 박공(湖山 朴公)은 형들의 인연으로 두류산(頭流山)[446]의 화엄사(華嚴寺)에서 처음 만나게 되었고, 두 번째로 복천(福川)[447]의 적벽(赤壁)에서 함께 놀게 되었네. 그의 호걸스런 기개와 괴위(瑰瑋)한 언변은 족히 사람들의 귀를 감동케 하였네. 장차 그 《원유록(遠遊錄)》을 간행하면서, 나에게 서문을 요청한 바 있네. 이것은 효당(曉堂)이 생전에 이미 부탁한 적이 있고, 또 형이 간절히 재촉하니, 비록 글재주가 없다고 해도 어찌 사양할 수 있겠으며, 어찌 참아 사양 하겠는가? 게다가 손군(孫君)이 날짜를 정해 놓고, 재촉 하므로 붓을 마구 날리어 적었으니, 잘 수정 하시어 옛날 내 친구의 부탁이 헛되지 않도록 해 주시기 바라네.

答金顧堂 奎泰

孫君衝暑, 十舍來訪, 此足以破涔寂, 況所帶者吾兄珍重翰命耶？慰謝慰謝。曉堂集己出于世耶。人雖亡也, 自有不亡者存, 足可千春矣。摩挲編帙, 益不禁感舊之悵。湖山朴公贅緣兄輩始遇於頭流之華嚴, 再遊於福川之赤壁。其傑豪之氣, 瑰瑋之論, 有足動人聞。將印其遠遊錄, 要余弁卷文。盖以曉堂在世時己有遺囑云, 兄又申之敦迫, 文雖拙, 何敢辭, 亦何忍辭？且孫君刻日立促, 走筆書之, 幸加訂斤, 使昔者吾友之託, 不爲妄也

---

445) 300리 거리를 말함.
446) 지리산의 이칭.
447) 전남 동복(同福)의 옛 이름임.

김 고당(金顧堂)에게 보내는 편지

　요즈음 국화가 활짝 피고 있는데, 형께서는 아직도 술을 들 수 있으며, 또한 만끽할 자신이 있는가? 멀리서 생각하니 방장산중(方丈山中)에 누어서 만권의 책을 독파하고, 그 여가에 큰 붓을 꺼내어 천하의 묘법을 휘저으며, 송금(松琹)과 간옥(澗玉)으로 침상에서 그 귀를 즐겁게 하고, 취봉(翠峯)과 채하(彩霞)는 난간 밖에서 그 눈을 기쁘게 하여, 산 밖의 시비(是非)가 그 마음을 어지럽게 할 수 없도록 하니 그 즐거움이 어떠하겠는가?

　정회(正會)같은 사람은 비록 모습을 임천(林泉)[448]에 가탁(假託)[449]하고 있지만, 유속(流俗)과 함께 부침(浮沈)[450]하고, 공부하는 아이와 학교 다니는 손자는 날마다 와서 돈이나 달라고 하니, 이것은 스스로 차고다닌 창랑(滄浪)이라 누구를 원망 하겠는가? 단 박한 밭이라곤 연전(硯田)[451] 뿐이니, 세금도 내지 않고 날마다 술만 세 잔을 마시고 있네. 가을빛이 눈에 가득하여 강호(江湖)의 생각이 다시 일어나므로, 빼어난 산과 흐르는 여울 사이에 형을 방문하여, 이 답답한 마음을 씻어내려고 해도 이 발자국이 마음을 허용하지 않으니 어쩔 수 있겠는가? 수서(壽序)는 써서 보내지만, 말이 이뤄지지 않고 뜻도 통하지 않으나 단 느낀 것만 두어줄 적었네. 또 기억나는 것은 옛날 효당(曉堂)과 우리 세 사람이 시·서·화(詩書畵)로 병풍을 만들어 후일 기념작품으로 하자고 하였지만, 이 일을 마무리하기도 전에 한 사람이 먼저 떠났으니, 참으로 천고의 한이 되지 않을 수 없네.

與金顧堂

比日來菊英方敷, 兄能健飮, 復豪飮否？遙想高臥方丈中, 讀破萬卷書, 暇輒抽如椽筆, 揮灑天下之妙。松琹澗玉, 養其耳於枕上, 峯翠霞彩悅其目於檻外。山外雌黃, 無由嬰其懷, 其樂夫何如也？如正者雖假容於林泉, 與流俗同其浮沈。學兒校孫, 日來索錢。此自帶之滄浪, 將誰怨尤？但薄畝硯田, 王稅不賦, 日以

---

448) 숲과 샘, 은사(隱士)가 사는 곳.
449) 거짓 핑계를 댐.
450) 시세의 변천을 가리키는 말.
451) 시인, 문인처럼 문필(文筆)로 생활 함을 비유하여 이른 말.

課三盃酒耳。秋色滿眼，江湖之思，蔚然復起。欲訪兄于爭秀競流間，以洩此欝。而奈踪不許心何，壽序書呈，而辭不成，意不達，只叙所感者數行耳。記昔曉堂與吾三人合作詩書畵，以爲屛次，欲作異日記念矣。此事未諧，一人先逝，實千古遺恨也。

김 고당에게 보내는 편지

봄에 멀리서 찾아와 마음을 위로하여 주었고 함께 오신 분들은 모두 남녘에서 한다는 걸출한 인사들이었네. 실로 용마루에 상스러운 보랏빛이 감도는 듯 하네. 그런데 형이 대백(大白;큰 술잔)과 절교를 하셨다고 하니, 이것은 존형이 대백에게 죄를 지은 것이지, 대백이 어떻게 존형에게 죄를 지은 것으로 된 것인가? 나는 이 일에 대하여 걱정이 적지 않네. 지난달에 송농(松儂)이 찾아와서 말하기를 "형이 편치 않아 필연(筆硯)을 놓아두고 오직 침만 맞고 있다"고 하였네. 나는 이리하여서야 대백이 형을 저버린지 오래 되었다는 것을 알았네. 형으로 하여금 천하의 글을 짓지 못하게 하는 것은 대백의 잘 못이며, 또 형으로 하여금 큰 붓을 들지 못하게 하는 것도 대백의 이네. 옛날에는 이 친구 즐기기를 추환(芻豢)[452]보다 더 즐기어 글을 지을 때도 이와 친구였고, 글씨를 쓸 때도 이를 친구로 하여 잠시도 서로 떠나지 않았네. 지금에 이르러 이 친구는 형의 얼굴이 예전과 다른 눈치를 채고 지켜보고 지켜보다가는 마침내 형의 곁을 떠났으니, 아무리 목마른 사람이 물을 찾듯이 가까이 하려고 애를 쓰지만 그렇게 될 수가 있겠는가? 그렇지만 대백(大白)은 좋은 친구이네. 형께서 장(腸)을 강하게 하고, 그 위(胃)를 튼튼하게 만든 다음, 그 마음을 평화롭게 갖고 그 정신을 잘 수양하여 화기로운 얼굴로 부른다면 어찌 거절할 수 있겠는가? 나는 장차 이 친구가 형에게 가까이 하느냐 아니면 멀리하느냐에 따라 형의 건강 여부를 점치려고 하네.

오직 병환이 불원간에 회복하시기를 진심으로 바라마지 않네.

---

452) 추(芻)는 초식하는 우양(牛羊)이며 환(豢)은 곡식을 먹는 개나 돼지를 말한다. 맹자(孟子) 고자편(告子篇) 상(上)에 "의리가 내 마음을 즐겁게 하는 것이 추환(芻豢)이 나의 입을 즐겁게 하는 것과 같다"고 하였다.

與金顧堂

春間辱賜遠慰, 所與偕者皆南州奇傑之士。屋脊爲之生紫。但兄與大白絕交, 兄負大白, 大白何負於兄？吾以是致慮不淺。尠矣昨月松儂來道,兄有不安,節退閣筆,研惟刀圭是事, 吾於是乎知大白之負兄久矣。使兄不復作天下之文, 大白之過也；又使兄不能擧如 橡之筆, 亦大白之過也。昔日兄嗜此友優於芻豢, 文而此友, 書而此友, 須臾不可離也。今也此友見兄之非復舊時容, 望望然去之, 雖欲渴交得乎？然大白本好友也, 兄能强其腸而完其胃, 平其心而養其神, 和顔色而招之, 則何拒之有？吾將以此友之疎與親, 占兄之否泰。惟愼候不遠復, 心祝心祝。

장헌 기 노장(奇莊軒老章)에게 보내는 편지

　지난번에 박군(朴君)과 같이 찾아 주시어 나의 초라한 집이 적막하지 않게 되었네. 사십년 전을 회고하여 보니, 담대헌(澹對軒)에서 강회를 할 때, 형과 나는 소년이었는데, 잠시 사이에 머리가 백발이 되었네. 가을바람이 불어오는 밤에 지난 세월을 이야기하고 오늘날의 가슴 아픈 일들을 주고받으니 세월의 유유(悠悠)함을 금할 길이 없네.
　근년에 성내(省內)의 여러 곳에서 대작(大作)을 많이 보게 되었네. 우리 연원(淵源)의 세가(世家)의 어른들은 차례로 떠나시고, 다만 존형 등 몇 사람만 남아 전형(典型)을 서술하고 있으니, 우리 유학의 다행이라고 생각하네. 풍영계(風詠契)의 운(韻)은 하신 말씀을 저버리기 어려워 졸작을 지어 보내는 바이지만 어찌 시라고 하겠는가?
　박씨(朴氏)의 비문 글씨도 함께 보내네. 원래 서법에 어둡지만 남들이 강요하다시피 하였기에, 청산(靑山)의 좋은 비석을 더럽히게 되어 마음속으로 겸연 찍하게 여기며 가슴을 졸이고 있네.

與奇莊軒 老章

嚮與朴君聯枉, 使弊廬不寂寞。回顧四十年前, 周旋講會於澹對軒上, 兄與我俱是最少年, 轉眄之間, 皓髮相映。一夕秋風, 論古傷今, 不禁悠悠。近年來多見大作於省內諸處, 吾淵源世家先輩長老, 次第徂零, 惟兄輩數人, 克述典型, 吾黨之幸也。風詠契韻, 俯敎難孤, 玆寫拙寄呈, 詩云乎哉。朴碑,書亦幷付。顧素昧趯勒法, 而爲人所強, 多穢靑山樂石, 內實恧縮。

송농 이 동범(李松儂東範)⁴⁵³⁾에게 보내는 답서

정축년(서기 1937)

　헤어진 지 오년이란 세월이 흘러가니, 이제는 얼굴마저 잊혀 질 지경이네. 그렇지만 잊혀 지지 않는 것은 여덟 치 밖에 되지 않는 가슴 속에 남아 있는데, 그것은 그 어떤 언어로도 형용할 수 없으며, 그 어떤 문자로도 이유할 수가 없네. 이렇게 잊혀 지지 않는 것으로 그 거의 잊을 뻔한 것을 대충 비교한다면, 아마 열에 일곱은 되고, 그 다하지 못한 열에 셋은 보내온 서신으로 얻게 되었네. 그러므로 이미 정리하여 다시 손을 잠시도 차마 놓지 못하였네. 요즈음 형은 또 먼 길을 떠난다고 하니, 비록 헤어지는 고통은 견딜 수 없지만 뜻이 더욱 씩씩하고 글이 더욱 기특한 것은 송농(松儂)에게만 있는 일이니, 어찌 친구가 기뻐하지 않겠는가? 그렇지만 귀향(歸鄕)한지 몇 달이 되어 가는데 기회를 타서 혼자 재미있게 지나던 기문(奇文;기이한 이야기)를 여럿과 함께 사해(四海)의 비바람을 감상하는 시기에 서로 웃어보지 않겠는가? 지금은 나 가려고 해도 형편상 그렇게 할 수 없고, 방문하기를 기다려도 바랄 수 없어, 우리 속에 든 새가 구름밖에 나는 새를 부러워할 뿐이네. 편지를 쓰면서 한 없이 슬프기만 하네.
　오직 만리 길 밖에서 우리들의 먼 곳의 정성을 보아서라도 강건하시기를 바라네.

---

453) 전남 나주 다시면 출신. 보정과 명륜전문학교 동기 동창으로 지기(知己)의 벗이었음.

答李松儂　東範

○丁丑

一別五載，幾乎忘形，但所不忘者，自在於尋常尺寸之中，是不可以言語形容，亦不可以文字髣髴。以此不忘者，槩其幾忘者，則想得其七分，其三分未盡者，又於來書得之。是以旣案，而復手暫不忍釋也。邇間兄駕又將遐擧，雖不堪離索之苦，而志益壯，文益奇。松儂有焉，曷勝柏悅，然歸鄉已在數月，則何不趁己專奇，相與一笑於四海風雨之際耶？今則欲晉而勢不得，企柱而不可望。籠中之禽，只羨雲表之翼，臨楮悵惘不已。惟萬裡利涉，以慰遠瞻。

이 송농(李松儂)에게 보내는 답서

기묘년(서기 1939)

송농(松儂)은 정말로 봄을 귀가하는 시기로 정하고 있는가? 수 백자나 되는 서한에서 고금을 논하여 거의 연시(燕市)[454]의 축가(筑歌)[455]와 같았네. 또 세 가지 불행한 일이 있다고 말했는데, 그럼 아래 첫 단락에서 말한 불행을 시험 삼아 해석해 보기로 하세. 지금 천하는 병에 걸린 지 오래 되었네. 이것은 본래 두통(頭痛)도 아니며, 또한 각질(脚疾)도 아니고, 또 마비가 된 것도 아니지만, 원기가 이미 상할 대로 상했네. 이 질병을 왜 방촌(方寸)[456]의 종기라고 하는가? 부귀와 명리(名利)는 두 수자(豎子)[457]이네. 병은 여름철 농사짓는 사람에게서 생기기 시작하여 열이 극에 달하여 풍이 생기게 되었고, 동서로 번지기도 하고 취한 사람들처럼 광기를 부리기도 하는데, 몸을 움직이지 않아도 전신이 땀투성이가 되고 다리는 걷지 않아도 떨리는 것이네.

아! 작은 마음에 백 가지 병이 달려드니 무성했던 우산(牛山)[458]이 벌목에 녹아나고,

---

454) 연(燕)나라의 도성(都城), 형가(荊軻)는 날마다 술을 즐기어 구도(狗屠)와 고점리(高漸離)와 연시(燕市)에서 술을 마시었다.

455) 축(筑)은 현악기의 일종으로 머리는 가늘고 어깨는 둥글며 오현(五絃)과 십삼현(十三絃), 이십일현(二十一絃) 등 여러 종류가 있다.

456) 사람의 마음은 가슴 속의 한 치 사바의 넓이에깃들어 있다는 뜻으로 마음을 이르는 말, 흉중(胸中)

457) 동자(童子)와 소아(小兒)를 말함.

458) 산동성 임치현(山東省臨淄縣)의 남쪽에 있는 산명, 맹자(孟子)의 고자편(告子篇) 상(上)에 "우산(牛

양떼들이 덮쳐들어 민둥산이 되었을 때는 화타(華陀)⁴⁵⁹⁾와 편작(扁鵲)⁴⁶⁰⁾이라도 손을 댈 처방이 없을 것이고, 치자(梔子)와 백자인(柏子仁)도 대증(對症)할 약제가 아니므로, 그대로 두고 볼 수밖에 없을 것이네.

유독 형만은 병은 밖으로부터 온다고 걱정하고 있으니, 그 마음속의 충화(沖和)⁴⁶¹⁾를 알 수 있네. 혹 푸르고 혹은 검고 혹은 하얀 곰팡이가 볼에 나타나면 풀 뿌리 하나로 효과를 볼 수 있으니, 이것을 세상 사람들의 증세와 비교하여 본다면, 불행한 것이 아니라 오히려 대행한 일이네. 어떻게 하면 자네의 양심(養心) 술법을 얻어 이 세상 사람들과 함께 공유할 수 있을까?

두 번째로 말한 것은 그대와 내가 만난 것이 이미 같고 처지도 또 같아 함께 불행한 처지에 놓였으니, 병이 같은 사람끼리 서로 가련하게 생각하는 것은 더 말해 무엇 하겠는가?

세 번째 단락에 대해서는 그래도 할 말이 있네. 지금은 바다가 논밭으로 변하고 있으니, 서한시기의 자장 "(子長)⁴⁶²⁾이 장강(長江)과 회수(淮水)를 관광하고, 동한시기의 향평(向平)⁴⁶³⁾이 오악(五嶽)⁴⁶⁴⁾을 유람하던 때와는 완전히 달라 방숙(方叔)⁴⁶⁵⁾도 들어갈 하수(河水)가 없어졌고, 경양(磬襄)⁴⁶⁶⁾도 들어갈 바다가 없어졌네. 이리하여 한

　山)의 나무가 아름다웠다"고 하였다.
459) 한말(漢末)의 의사(醫師). 이름은 부(專)이며 동봉(董奉), 장기(張機)와 함께 삼대명의(三大名醫)로 유명 하였다.
460) 전국(戰國),본명은 진월인(秦越人), 진맥에 능하고 부인과(婦人科), 이비인후(耳鼻咽喉科), 소아과(小兒科)에 두루 능하였다.
461) 부드럽게 화하는 것, 천지 사이의 조화된 기운.
462) 전한(前漢) 사마천(司馬遷)의 자. 20세에 강회(江淮), 회계(會稽), 우혈(禹穴),구의(九疑),원상(沅湘), 문수(汶水),사수(泗洙) 등 많은 곳을 유람하고 아버지의 뜻을 이어 한사(漢史)를 완성 하였다.
463) 후한(後漢)의 조가인(朝歌人). 향장(向長)의 자(字). 그는 자녀의 혼사를 모두 마치고 오악(五嶽)을 유람하였다.
464) 동악 태산(東嶽泰山), 서악 화산(西嶽華山), 남악 형산(南嶽衡山), 북악 항산(北嶽恒山), 중악 숭산(中嶽嵩山).
465) 주(周)나라 선왕(宣王)의 현신(賢臣). 형만(荊蠻)이 배반하자 선왕은 방숙에게 남쪽 지방을 정벌하라고 명하였다.
466) 노(魯)나라의 유명한 소사양(少師陽)인 격경양(擊磬襄)을 말한다. 그는 경자(磬子)를 잘 쳤기 때문에 격경양(擊磬襄)이라고 하였다. 논어(論語)의 미자편(微子篇)에 "대사지(大師摯)는 바다로 들어가고 아반료(亞飯繚)는 초(楚)나라고 가고 삼반료(三飯僚)는 채(蔡)나라고 가고 사반료(四飯寮)는 진(秦)나라고 가고 고방숙(鼓方叔)은 하수(河水)로 들어가고 파도무(播鼗武)는 한수(漢水)로 들어가고 소사양 격경양(少師陽擊磬襄)은 바다로 들어갔다"고 하였다.

떼기의 임천(林泉)⁴⁶⁷⁾의 땅을 둘러보니, 칠척(七尺) 되는 이 몸을 들여놓을 수 있는 땅으로는 넉넉할 뿐만 아니라 오히려 남음이 있었네.

고향에 봄이 또 다시 찾아들면, 자네는 당연히 《귀거래사》를 읊으며 명월(明月)과 청풍(淸風)이 더는 적막하게 하지 않을 것이네. 그렇게 되면 산 속의 숲들은 열을 지어 즐겁게 맞이할 것이고, 냇가의 산새들은 화목한 목청으로 목 놓아 우짖을 것이네. 그 때가 되면 나는 북산(北山)⁴⁶⁸⁾의 주인어른을 위하여 송가를 지어 부를 것이네.

세 수의 구슬 같은 시편들은 참으로 게으르고 흐리터분한 고질에서 벗어나게 일깨어 주고 있으니, 진정으로 감사하는 바이네. 이때는 국화가 한창 만발하고 있기에, 나로 하여금 꽃을 가지고 주고 싶은 생각을 갖게 하네.

答李松儂

己卯

松儂之歸, 果能春以爲期乎？來書累數百言, 論古吊今, 殆如燕市之筑歌。且示以三不幸, 試就其第一段不幸者而解之, 曰：今天下之病久矣, 本非頭痛, 亦非脚疾, 又無痿痺之不仁者, 而元氣則已喪矣。厥疾奚曰方寸之癖也？富貴名利爲其二豎子, 病於夏畦, 熱極風生, 東轉西倒, 如醉如狂, 體不勞而汗, 股不步而慄。噫！方寸之微, 百病攻之, 牛山之木, 若彼其濯濯, 華扁無下手之方, 梔柏非對症之劑, 亦任之而已。惟君以病之自外至者爲憂, 其內之冲和, 可知或蒼或黑或白, 黴之浮頹者, 一草根可以奏效, 較諸世人之症, 非不幸也, 乃幸也, 安得如吾君養心之術, 與此世共之。其第二云云, 君與我所遇既同, 所處又同, 同在不不幸之科, 同病之憐, 何足道哉。至第三段抑有說焉。見今海變桑化, 子長之江淮, 向平之五嶽, 己非其時, 方叔無可入之 河, 磬襄無可入之海。回顧林下一片地, 可以容吾七尺而安身立命之地, 綽乎有餘。春歸故山, 君當歸去來, 使明月淸風, 久不寂寞, 林巒列而歡迎, 澗禽喧而和吟。吾將爲北山作賢主頌矣。三篇瓊什, 足以起昏憒之痼, 謝謝。時黃花盛開, 令人有持, 贈謂之思。

---

467) 은사(隱士)가 사는 곳.

468) 중국 회계군(會稽郡: 지금은 江蘇省江寧縣東北에 있으며 蔣山이라고도 한다)에 있는 산명. 회계(會稽)에서 사는 공치규(孔稚珪)의 선조 주언륜(周彦倫)이 북산에 은거하고 있다가 그후 조서(詔書)에 응하여 해염현령(海鹽縣令)으로 나갔는데 그는 관직을 물리치고 북산으로 가려고 하였으므로 공치규는 산령(山靈)을 가장하여 북산을 다른 곳으로 옮기어 다시 그의 선조가 오지 못하도록 하기 위해 북산이문(北山移文)이란 제목으로 글을 지었다.

이 송농(李松儂)에게 보내는 답서

갑신년(서기 1944)

　가뭄이 너무 심하여 쇠를 녹이고 돌을 태우고 있는 듯하네. 바야흐로 더위를 먹고 허덕이고 있는데, 갑자기 서신을 받게 되니 글자마다 종잇장마다 시원한 바람으로 변해 옷자락에 스며드니, 삽시에 병마가 이미 몸을 떠나 도주하고 있는 듯하네. 이 역시 십팔송(十八松) 즉 소나무가 푸른 기운이 뻗쳐 하늘의 위에 솟는 해를 가리고 천만 사람들에게 그림자를 던져 준 뜻이 아니겠는가?

　일어책(日文) 네 권은 먼 곳에서 부쳐 온 것을 반가이 받았습니다만, 마음은 게으르고 몸은 바빠 돌아가기 때문에 다 읽을 수 있는 겨를이 있지는 모르겠네. 그런데 겨를이 없다는 것은 다만 힘을 내지 않으려는 빌미에 불과하네. 고인(古人)이 말하기를 "여가가 없는 가운데 여가를 구하라"라고 하였는데, 참으로 이 병에 대증(對症)의 양제(良劑)이겠네.

　이곳은 요즈음 모내기할 시기가 지나 절반이 넘게 빈 땅으로 남아 있는데, 들은 소문에 선장(仙莊)에는 비가 이미 흡족하였다고 하니, 비도 남쪽에는 많이 오고 북쪽에는 인색한 것이 아닐까? 칠월에 만나자는 약속은 약속대로 따르겠네. 오직 부모님 모시고 도학(道學)을 음미하시며 만복을 누리시기 바라겠네.

答李松儂

甲申

早乾己亢, 金爍而石焦, 方病暍而喘喘, 忽拜華翰, 盈簡溢頁, 灑灑淸風, 襲人衣巾, 便覺病己袪體, 其亦十八松翠盖淸影, 蔽虧雲日, 蔭庇千人之義歟？日文四册, 荷此遠寄, 但心懶身忙, 能有卒業之暇耶？雖然無暇云者, 只是不用力之崇也. 古人所謂求暇於無暇之中, 眞對證良劑也. 此近移靑愆期, 餘白過半, 聞仙莊犁雨旣洽, 雨露之施亦有豐南嗇北歟？秋七之約, 當依戒矣. 惟祈侍彩, 味道萬福.

이 송농(李松儂)에게 보내는 편지

"이튿날 밤 나는 이야기에 옷자락의 주름이 터져 오직 몇몇 산봉만이 나타났다 사라지네."라는 구절은 참으로 천고의 명구이네. 존형에게서 바라고 있는 것이 바로 이것이고, 봉추들을 위해서 안위하여 주고 싶은 것도 바로 이것이네. 한라산의 유람은 본래부터 가고 싶은 곳이지만 가보지 못했는데, 존형들이 나보다 먼저 가서 원한 것이지만 해상 최고의 정상에 적치(赤幟)를 세워 후일 하늘이 혹 나이게 갈 수 있는 기회를 준다고 하더라도 경치와 정황을 모두 선점하여, 나로 하여금 한 구절의 시도 지을 수 없도록 입을 막아 두었으니, 이것은 지난날 나를 위로한다고 하는 것이 도리어 나를 학대하는 것으로 되고 말았네. 참으로 우숩고 우수운 일이네.

발문(跋文)은 두 번이나 말씀을 어기어 대충 두어 줄 엮어 보았으나, 한 치나 되는 막대기로 큰 종을 두드릴 수는 없는 것이니 어찌 하겠는가? 천만다행으로 대필(大筆)을 날려 전체의 하자 가운데 혹 일분(一分)이라도 좋아질 수가 있을까?

정회(正會)는 경암(敬菴)·담재(澹齋) 두 친구와 함께 예전처럼 오가면서 술잔만 기울이고 있는데, 오로지 답답한 마음을 쏟을 뿐이네.

지난번 형과 함께 방문했던 나덕촌(羅德村) 친구는 한동안 와병생활을 하다가 결국 이달 초 9일 작고하였네. 바람 앞에 등잔 같은 인생, 백년의 세월이 이와 같이 빠른 것일까. 긴 한숨만 나올 뿐이네.

與李松儂

兩宵話破了積襞, 惟數峯明滅之句, 足以千秋, 所期於兄者, 此也;爲友朋慰者, 亦此也。漢拏固所願遊, 而未得者, 兄輩能先吾着鞭, 竪赤幟於海上最高頂, 異日天或假我而登覽, 境與情都被先占, 使人噤不出一句語, 是則向所以慰我者, 反所以虐我也。好呵好呵。跋語重違盛戒, 略撮數行, 而寸梃不能撞洪鍾, 奈何?幸加大筆使全瑕中或有一分微琬耶?正與敬澹二友過從如昔, 惟盃酒是事, 瀉幽欝而已。曩與兄訪羅友德村方病臥, 竟以今初九不起。風燈百年, 若是遽耶?永嘆己耳。

이 송농(李松儂)에게 보내는 편지

경암(敬菴)·담재(澹齋) 두 친구는 멀지 않아 휴학하게 될 것이네. 눈 내린 달밤에 영산강에서 노를 저어 한 번 백용산(白龍山) 밑을 찾아가 볼 생각이네. 집 뒤의 우거진 대숲은 지금도 아무 탈 없이 푸른빛을 띠고 있겠지. 멀리서 상상해 보니, 청풍이 불어올 때는 옥소리가 창창히 들리어 사람들로 하여금 속되지 않게 할 것이니, 후일 이 대나무를 대하여 청풍을 논하면 하루 동안의 속됨을 치료할 것이며, 하룻 동안 속되지 않으면 천하가 모두 맑게 될 것이네. 옛날 자유(子猷)[469]는 이사를 가서 주인이 보이지 않자 뜰에 대나무 동산을 가꾸었네. 지금 나는 형의 안부를 묻지 않고, 대나무 이야기를 먼저 하였으니, 혹 청광(淸狂)의 부류일까. 웃음이 나오네.

與李松儂

敬澹二友, 未遠休學, 待雪月政明, 榮江棹, 一相訪于白龍山下矣。屋後萬竿竹, 今無恙靑靑否？遙想淸風, 時拂玉韻滄滄然, 使人不俗, 異日對此君, 談淸風, 庶可醫一日之俗, 一日不俗, 天下歸淸。昔子猷不見主人, 逕造竹所。今余不問兄安, 惟竹是先, 抑或淸狂者流也歟, 一笑。

이 송농에게 보내는 답서

강호(江湖)에 눈이 가득한데, 나의 집으로 훌쩍 들어와 나의 눈에 보이는 것은 우리 송농(松儂)의 시와 서한이 아니겠는가? 적막한 가운데 위로됨이 많을 뿐만 아니네.
　가을에 한 번 모임을 갖자는 약속은 담재(澹齋)가 실천하지하지 못하였기에, 신선한 강물 고기는 혼자 맛 볼 수밖에 없었네. 주인장께서도 이 소문을 듣고서는 군침이나

---

[469] 동진(東晉)의 왕희지(王羲之) 다섯 번째 아들 왕휘지 "(王徽之)의 자(字), 그는 한때 남의 집에서 우거(寓居)하고 있었는데, 우거할 때 그 주인에게 대나무를 심도록 하자 주위 한 사람이 "얼마 살지도 안으려면서 대나무는 왜 심게 하느냐"고 하자, 자유는 한참동안 휘파람을 불고 있다가 대나무를 가리키며 말하기를 "어찌 하루라도 차군(此君)이 없을 수 있겠느냐"라고 하였다. 이로부터 대나무의 다른 이름이 차군(此君)이 되었다.

꿀떡 삼킬 따름이었네.

　보내주신 적벽시(赤壁詩)는 봄이 이미 지났지만, 보면 볼수록 더욱 뛰어난 감을 느끼었네. 이 시가 어찌 적벽에서 노는 것과 무슨 다른 점이 있겠는가. 이십년 전 형은 나와 함께 그 곳을 다녀왔는데, 처음으로 적벽의 기이한 경물에 놀라움을 금치 못하였네. 작년 가을에 또 효당(曉堂) 고당(顧堂) 등 여러 친구들과 함께 다시 그 곳을 유람하였는데, 기이하고 장엄함에 또 한 번 고개를 숙이게 되었네. 시는 음률이 있는 적벽이요, 적벽은 형태를 갖춘 시이네. 도대체 시인지 아니면 적벽인지 참으로 구별 해 내기가 어렵지 않을 수 없네.

　효당(曉堂)은 고인이 되었으니, 봄이 깃든 산도 가을 바다의 물결도 이제부터는 적적하고 쓸쓸하게 되었네. 외롭고도 쓸쓸한 마음은 마치도 군사가 통수를 잃은 듯하여 누구와 함께 돌아가야 한단 말인가? 그렇다고 하지만도 존형의 대작(大作)인 적벽시(赤壁詩)는 그 필체와 문장이 족히 오(吳)초(楚)와 강남(江南)에 진동하여 노숙(魯肅)[470]이 책략을 바치지 않아도 무창(武昌)과 하구(夏口)에서 적을 곤경에 빠뜨려 만리창파(萬里蒼波) 위에서 개선(凱旋)을 아뢰는 것과 같으므로, 오직 이것만 믿고 두려워하지 않겠네.

　절산(節山)으로 조문하러가는 것은 위군(魏君)과 다시 약속하겠네. 그런데 동짓달은 모임에 참석할 일이 많고, 정회(正會)는 지금 병을 앓고 있고, 담재(澹齋)는 직장에 얽매어 모두 가지 못하게 되었네.

　올해도 이제는 하루 밖에 남지 않았네. 오직 우리들이 받드는 성의를 보아서라도 더욱 복을 누리시고, 바라보는 이 맘을 위로해 주시기 바라네.

答李松儂

雪滿江湖, 翩然入吾室。而照吾眼者, 此吾儂詩若書耶？寂寞中慰沃不啻多矣。秋間一約坐, 澹未踐, 使江味之鮮鮮獨享。主翁聞之, 津津涎欲垂也。寄來赤壁詩, 春已看過, 而愈看愈奇, 此何異於赤壁遊哉！廿年前, 兄與我一遊, 始驚其奇。昨秋又與曉顧諸友再遊, 益服其奇且壯。詩爲有聲之壁, 壁爲有形之詩, 詩

---

470) 삼국(三國), 오인(吳人), 자는 자경(子敬). 처음에는 원술(袁述)에게 갔으나 등용되지 않자 다시 오(吳) 나라로 돌아와 조조(曹操)가 남침(南侵)할 때 유비(劉備)와 연합하여 격퇴하고, 주유(周瑜)가 사망한 후에 병권을 장악하였고, 그후 한창태수(漢昌太守)가 되었으며 소무장군(昭武將軍)이라는 칭호를 받았다.

耶壁耶, 亦莫之辨也。曉堂今爲千古人, 春之山, 秋之海, 從此寂寥矣。踽踽涼涼, 如孤軍失帥將, 誰與歸哉！雖 然大作赤壁一詩, 其筆鋒文虹, 足以振威於吳楚, 江南不須魯肅之獻策, 而可以困賊於武昌夏口之間, 奏凱旋於萬里蒼波上也。惟是之恃而無恐耳。節山唱行,時與魏君更約, 以至月多會之衆。而正魔於病, 澹糜於職, 俱未之遂焉。此歲僅餘一日。惟餞迓增祉, 用慰瞻注者之私。

천경 오 근호(吳天卿根浩)에게 보내는 답서

병인년(서기 1926)

 덕인(德人)을 그리워하고 있는 중에, 갑자기 시와 서한을 받고 하늘에 울리도록 소리 높이 읊었더니, 아무리 값진 벽옥이라도 이 보다 더한 보물 같이 느껴지지 않는 듯 하였네. 우러러 생각하건데, 국화 계절에 노선생(老先生)의 기력 강녕하시며 형도 중시하에서 나가서는 정성(定省)의 일을 돕고, 물러나서는 성현의 글을 읽어 문을 벗어나지 않아도 도(道)가 있으니, 사모하는 일념이 진수(珍岫)의 천석(泉石) 사이에 있네. 옛날 함께 공부하던 일을 생각하니, 여름이 되면 높은 석봉(石峯)에 올라 바람을 쐬고, 금성산(錦城山)에서 떠오르는 달빛을 눈앞에 두고 감상하면서 우리의 가슴을 후련하게 만들었고, 굽이굽이 흘러내리는 구슬 같은 냇물에서 미역을 감아 진토로 채워진 이 창자를 깨끗이 씻어 세월을 헛되이 보내지 않았네. 그런데 근자에는 그 후로 서로 헤어지고 또 오랫동안 게으름이 고질이 되어, 전에 다행으로 한 치가량 배운 것을 후에는 갑자기 한 자씩이나 잃어버리게 되어 평상시에 걱정하고 두려워함에 눈코 뜰 새가 없네. 그런데도 존형은 겸손하게 자기 수양을 하면서 분에 넘치는 말로 나를 과찬하고 있으니, 이는 붕우(朋友)로서 서로 면려하는 도리와는 퍽 멀어진 듯하네. 인간의 대륜(大倫)에는 다섯 가지가 있는데, 붕우(朋友)도 그 하나에 속해 있네. 그렇다면 어이하여 '인(仁)'으로 서로 면려하고 '의(義)'로 서로 규간하여 함께 덕목을 이룩하게 하지 않는가?
 지난봄에는 함께 봉래산(蓬萊山)으로 들어가 이십육 봉(峯)을 모두 답사하고 나서 또 조각배를 타고 노를 저으며 적벽(赤壁)과 채석(彩石) 사이를 맴돌며 청연(靑蓮)[471]이 놀던 달에게 물어보고, 소동파(蘇東坡)의 맑은 바람을 쐬였으니 얼마나 통쾌한 일

---

471) 당(唐)나라 이백(李白)의 호(號).

이었겠는가?

  소문에 의하면 《산해록(山海錄)》을 저술 하였다고 하던데, 어이하여 보여주지 않는가?

答吳天卿 根浩
○丙寅

戀德之際, 忽承詩若書, 莊誦累回天球, 洪璧難爲寶也。仰審菊令老先生氣力康寧。兄在重庭下, 進而供定省之節, 退而讀聖賢之書, 不出戶而道存。溯洄一念, 未嘗不在於珍岫泉石之間也。第念昔年同硏, 過夏暇則風乎石峯之崔嵬, 望錦城月出羅列眼前以豁我胸懷, 浴乎層流絶澗之琮玲瑩澈以滌我塵肚, 可以不虛了光陰。而邇來離索, 且久懶散成痼, 幸以寸得於前者, 忽爾尺失於後, 尋常憂懼之不暇。而兄洒撝謙自牧, 以過情之譽加諸我, 大非朋友切偲之道也。大倫有五, 朋友居其一者, 豈非以仁相輔, 以義相規, 共成其德也耶？往春者同入蓬萊, 踏盡二六峯；片棹又下, 徘徊於赤壁彩石之間, 問靑蓮之明月, 挹蘇仙之淸風, 甚快事也。聞著山海錄, 而何不示及耶？

오 천경(吳天卿)에게 보내는 편지
신미년(서기 1931)

  정회(正會)는 돈수(頓首)[472] 하고 아뢰는 바 입니다. 우리들이 복이 없어 존왕부(尊王府)이신 후석선생(後石先生)이 갑자기 후학((後學)을 버리시었으니, 태산이 무너지고 대들보가 끊어진 듯하네.

  정회(正會)는 한수(漢水)의 북쪽에 있으므로, 조상(弔喪)하러 가지도 못하고, 장례에도 상여 끈을 잡지 못하니, 멀리 남쪽 하늘을 바라보면 다만 공경하는 마음만 간절할 따름이네.

  오호라! 선생께서 생전이시면 사문(斯文)이 의지할 곳이 있어 무너지지 않을 것이

---

472) 머리가 땅에 닿도록 절함, 또는 편지 끝에 '경의를 표함'의 뜻으로 쓰이는 말.

고, 남녘땅에 의지할 곳이 있었네. 이제 저 하늘로 떠나셨으니, 이것은 하늘이 사문을 없애려고 하는 것이 아니겠는가?

돌이켜 보니, 선생께서는 평소에 남달리 그렇게 까지 저를 생각해 주시며 언제나 호학(好學)·지치(知恥)·역행(力行) 이 세 가지를 게을리 하지 않고 가르치시며, 심지어 삼근설(三近說;세 가지를 가까이 함)을 보내주시었네. 그렇지만 불초는 게으르고 산만하여 이 세 가지에 어느 하루 정성을 다 기울인 적이 없으니, 평소에 저에 대한 엄청난 기대에 어긋나고 말았네. 이로 인하여 언제나 한밤중에 일어나 앉으면 나도 몰래 온 몸이 식은땀으로 흠뻑 적곤 하네.

삼가 생각하여 보니, 존부장(尊府丈)[473]께서 노경에 집례(執禮) 하시느라 몸이 상하지는 않으셨으며 형도 거상(居喪) 중에 편안하신지. 멀리서 빌고 또 비는 바이네. 정회(正會)는 여황(旅況;객지에서 지내는 형편)이 한결 같으며, 요즈음 집안이 무사하다는 소식을 들었을 따름이네.

與吳天卿
辛未

正會頓首白：吾黨無祿，尊王府後石先生，奄棄後學。泰山頹矣，樑木折矣。正會飽繫漢水之北，喪不能匍匐，葬不能執紼，遙望南天，祗切安仰之私而已。嗚乎！先生在世，斯文賴而不墜，南土有所恃。而歸焉天，其欲喪斯文也歟？追惟平昔，眷我惠我，迥出尋常，每以好學知恥力行三者誨之不倦，至以三近說贈而示之。顧不肖狃於懶廢，未曾一日用力於此三事，辜負平日期望之盛。每中夜起坐，不覺鈁汗沾沾也。伏不審尊府丈衰境執禮，能無致損。兄在侍服履萬重，遙遙祝祝。正會旅況一如，近承庭候之安耳。

오 천경(吳天卿)에게 보내는 답서
계유년(서기 1933)

텅 빈 산골짜기로 피해간 사람은 발자국 소리만 들어도 기뻐 어쩔 줄을 모으는 법인

---
473) 상대방의 압지를 높여 이르는 말.

데, 하물며 멀리서 정이 넘치는 서한이 나그네의 적막한 창가를 찾아서 너울너울 날아들 때는 어떠하였겠는가? 손에서 놓지 못하고 편지지에 보풀이 일도록, 묵적(墨跡)이 닳도록 또 읽었네.

 정회(正會)는 이곳으로 떠나와, 이제는 갓옷을 베옷으로 바꾸게 되었지만, 배운 것은 내가 마음속에서 뜻하고 있는 것이 아니었네. 설사 한 반 푼의 얻은 것이 있다 하더라도 그 잃은 것을 보충하지 못하고, 진시(辰時)[474]에 나가서 신시(申時)[475]에 물러나 하므로, 다만 줄을 서서 행진하는 것 뿐 이었으니, 정말로 손에 잡고 놓기 아쉬운 것은 아무 것도 없네. 오늘날 강한(江漢: 中國)[476]이 그저 흘러만 가니 사도(斯道)[477]는 그저 끝날 지경에 이르렀네. 다만 존형께서만 그 시를 읊으시고, 그 글을 읽으며, 몸을 조심하고, 행실을 가다듬어 만장(萬丈)의 진수봉(珍岫峯)이 옛날 선열(先烈)들의 빛을 그대로 뿌리게 하니, 실로 우리 붕당의 희망이라고 보아야 할 것이네. 존형은 어떻게 생각하신가?

答吳天卿

癸酉

逃空谷者, 聞人跫音而喜, 況遠友情槭, 翩然飛入於旅窓寂寞之間耶？愛玩不已, 紙欲毛而墨欲渝也。正會來遊乎此, 已再易裘葛, 而所學非吾所志。設有一半分攸獲, 而亦不補其所失。辰而進, 申而退, 只是逐隊而行矣, 有何堪把玩者耶？顧今江漢日下, 斯道幾乎熄矣。惟兄誦其詩, 而讀其書, 飭躬礪行, 使珍岫萬丈之峯, 有光前烈, 實吾黨之望也。兄以爲如何？

---

474) 아침 7시~9시까지의 시간.
475) 오후 3시~5시까지의 시간.
476) 중국 남부지방에 있는 장강(長江)과 한수(漢水)를 들어 중국을 말한 것이다. 맹자(孟子)에 "장강(長江)과 한수(漢水)에 발을 깨끗이 씻고 가을 볕에 쬐인다(江漢以濯之, 秋陽以暴之)"라는 말이 있다.
477) 유가에서 이르는 유가의 도덕.

담재 김 봉문(金澹齋鳳文)에게 보내는 편지

요즈음 형이 금마(金馬:익산시)로 가신다는 말을 들었으나, 몸이 아파 전송도 하지 못하고 멀리서 강변의 나무들을 바라보니, 다만 푸르고 푸를 뿐이네. 옛날을 생각하니 혹 산에 올라 서로 수창(酬唱)하고 혹은 바다로 가서 서로 수작(酬酌)하였지 않은가? 그리고 꽃이 피고 달이 뜨는 밤이면 반드시 서로 함께하였고, 남의 집에 애경사(哀慶事)가 있을 때도 같이 가지 않는 때가 없었으니, 여러 사람과 왕래한 중에서 쉽게 볼 수 없는 기이한 인연인데, 일조에 힘 있는 사람에게 빼앗긴 것 같네. 방장산(方丈山)[478]의 연하(煙霞)와 성산(聖山)의 풍월(風月)이 지금부터 주인이 없게 되었고, 나도 백발의 나이에 강호(江湖)에서 늙어가 혼자 배회하고 있게 되었으며, 학교에 다니는 이 고을 자제(子弟)들도 장차 누구에게 덕(德)을 참고하고 예(禮)를 물어보겠는가? 그리고 사방의 선비들이 고을을 지나간다해도 어떻게 예의를 알맞도록 맞아줄 수 있단 말인가? 아무리 슬픈 마음을 없애고자 하나 그렇게 될 수가 있겠는가? 잘 알 수는 없지만, 흩어진 구름이 혹 다시 모이는 인연이 있겠는가?

수산(壽山)의 묘문(墓文)은 지금 초안을 마련해 두었으니, 한번 교정하는 것이 좋을 것이네. 멀리 있는 물은 가까운 불을 끌 수가 없으니, 어찌 하겠는가.

與金澹齋鳳文

近聞兄駕, 已向金馬, 病不能相送, 遙望江樹, 只自蒼蒼已矣。追念疇昔, 或山焉而相唱, 或海焉而相酬。花月良辰, 必與之偕, 至人家慶哀之問, 亦無不偕。顧熙穰中不易得之奇緣, 而一朝爲有力者所奪, 方丈烟霞, 聖山風月, 從今無主, 白首江湖, 獨自徊徨。鄕子弟之學于校者, 將於何而考德問禮? 四方之士行過是縣者, 亦無所致其禮敬。雖欲無悵, 得乎? 未知散雲, 或有復合之緣耶? 壽山墓文方草, 一經郢斤爲好, 而遠水不能救近火, 奈何?

---

478) 고창군과 장성군 그리고 정읍군 사이에 있는 산.

김 담재(金澹齋)에게 보내는 답서

　정회(正會)는 머리를 조아리며 아뢰는 바이네. 존자(尊慈)[479]께서 위문장(慰問狀)과 많은 부의(賻儀)를 주시서 애감(哀感)이 폐(肺)에 새겨졌는데, 감사의 말씀을 드리지 못하네.
　정회(正會)는 젊어서 예서(禮書)를 읽으며 남에게 소장(疏狀)을 답할 때는 언제나 "죄역(罪逆)이 심중(深重)하여 스스로 사멸(死滅)하지 않고(罪逆深重,不自死滅)"라는 구절을 사용 하였는데, 조용히 생각하니 너무나 과한 표현이었네. 내 나이 62년 동안을 회상해 보니, 몸에 채의(彩衣)[480]를 입고 살다가 갑자기 외로운 몸이 되어, 천지 사이에 허리를 굽히고 다니니 이게 무슨 사람인가. 죽은 연후에 그 삶을 알게 된다는 말을 일반 사람들은 그렇다고 말하는데, 도대체 어떻게 생각해서 하는 말들인가?
　보내준 시와 글은 읽어보았는데, 내가 알기에는 형은 범인보다 초월한 재주가 있는데 늙어서 더욱 독실하고 기운은 더욱 씩씩할 줄 미쳐 생각도 못하였네. 《지오실기(支吾室記)》는 한유(韓愈)의 조감(藻鑑)과 소식(蘇軾)의 준결(峻潔)고아(古雅)한 것을 법으로 삼아서 사람들이 아무리 읽어도 싫지 않았는데 게다가 광명정대하고 강개한 한 젊은이가 그 실(室)의 주인으로 되었음에야!
　길이 멀어 존형이 오지 못하고, 나 역시 가지 못하니 유유한 이 마음을 누구에게 토로할 수 있을가? 송운(松雲)은 과연 이러나지 못하게 되었는가? 더구나 정성스러운 그의 마음은 이 세상에서 짝이 될만한 사람이 없으니 그만이네 그만이네.
　한창 더운 날씨에 그리는 우리를 위해서라도 몸조심 하시기를 바라네.

答金澹齋

正會稽顙拜白：伏蒙尊慈俯賜慰兼惠賵賻， 哀感鐫肺， 不省攸謝。正少也讀禮答慰人疏狀式有"罪逆深重， 不自死滅"等語， 竊以爲過矣。伊今當之， 始知先賢立言， 揆以天理人情而垂範， 非故爲過重語以矯後世也。回念六十二年衣彩身， 忽

---

479) 조문 편지에 대한 답서에서 상대방을 높여 이르는 말.
480) 때때옷을 말한다. 이 옷은 중국 춘추시대(春秋時代)의 효자인 노래자(老萊子)가 나이 70세에 아버지를 즐겁게 하기 위해 아이들이 입은 옷을 입고 집에서 기어다녔다는 고사(故事)가 있다. 즉 여기서는 효행(孝行)을 뜻한 것이다.

爲孤露殘生, 踢天蹐地, 此何人斯？亡然後知存, 恒人則然謂之, 何哉？寄示詩若文, 吾固知兄於藝有超夷之才, 而不圖老益篤而氣益壯也。支吾室記, 則規韓藻蘇峻潔古雅, 使人讀之不厭。而况磊落慷慨如一靑子爲其室之主乎！川塗脩夐, 兄不能來, 我不可往, 悠悠此懷, 誰與論者。松雲果不起耶？肫肫其仁, 斯世罕見其儔, 今焉已矣, 今焉已矣。惟暑中加嗇, 以慰願言。

김 담재(金澹齋)에게 보내는 답서

뜻밖에 서신을 받아보니 신년 들어 얻어 보는 기쁜 소식이네. 작년 겨울에 쉴 때 거의 발걸음 소리가 들려오는 듯하더니, 끝내 외로이 제 할 일을 하게 되어, 이로부터 중책을 감당하면 틈을 찾기가 쉽지 않다는 것을 알게 되었네. 이군색거하는 나의 가슴에서는 나도 몰래 마음이 잡히지 못하고 있네.

경암(敬菴)이 세전에 찾아온 적이 있는데, 그 때 함께 소매를 펄럭이며 봉래산(蓬萊山)[481]과 영주(瀛洲)[482]를 동행 하였는데, 그가 하는 일은 대개 도서(圖書)를 구입하는 직업이었으니, 잘 모르겠지만 이 일은 혹 후일 공자(孔子)의 집 벽속에 숨겨놓은 책처럼 되지 않을까?

무송(茂松)은 앞으로 고금 명가(名家)의 묵적(墨蹟)을 수집을 하고 있던데 아직도 무슨 일을 하고 있는가? 나의 졸렬한 작품들도 형께서 쇠를 은(銀)으로 만드는 잘 못된 일을 하고 있으니, 매우 부끄럽고 부끄러운 일이네. 그렇지만 이미 말씀을 들었으니, 이달 20일 사이에 선장(仙莊)[483]을 방문할 계획이네. 오직 많은 덕을 쌓으시어 스스로 몸을 사랑하시기 바랍니다.

答金澹齋

匪意惠章, 新年喜信也。昨冬休, 庶幾跫音有喜, 而竟孤所圖。固知身繫重責, 隙不客易。以我離索之私, 自不禁憧憧焉。敬庵歲前見訪, 因以聯袂于蓬瀛之

---
481) 금강산의 여름 명칭.
482) 제주도의 이칭.
483) 상대가 사는 곳을 높혀 부르는 말.

間。厥務盖圖書業也。未知此事，或爲異日孔壁之藏也歟？茂松方收羅古今名家墨蹟，尙何事乎？拙劣之品，無乃兄喚鐵作銀，致此謬擧矣。甚愧甚愧。然旣承敎矣，今念間往叩仙局計耳。惟懋德自愛。

매석 최 병하(崔梅石炳夏)에게 보내는 편지

　작년 봄에 방문하시어 선세(先世)의 우정을 더욱 두텁게 다지었네. 헤어진 후에는 아무런 소식이 없어 두려운 생각을 품고 있었네. 오직 청화(淸和)한 몸과 기거(起居)가 왕성하신가?
　천하의 글을 다 읽고 천하의 이치를 궁구하면서 세상이 어떻게 변한다고 하여도 그 업을 버리지 않으며 우리 옛 가문의 연원(淵源)으로, 거슬러 올라가도 우러러 살펴보아도 더 구구히 이를 데가 없네.
　요즈음 들으니, 존증왕고(尊曾王考)이신 면암선생(勉庵先生)[484]의 《연원록(淵源錄)》을 곧 간행된다는 소문을 들었네. 이것은 사문(斯文)의 훌륭한 일이네. 우리 성내(省內)의 순창 사창(社倉)에 거주하신 성암 김공(省菴金公)[485]의 의로운 사적은 의적(義蹟)이 명백히 입증되어 당연히 선생(先生)의 《종유록(從遊錄)》에 넣어야 하고, 기송사(奇松沙)[486] 제공(諸公)과 함께 기록되어야 사문(斯文)의 유감이 없을 것이네.

---

484) 최익현선생(崔益鉉先生)의 호, 서기1855년 명경과(明經科)에 급제한 후 사헌부 지평(司憲府持平), 사간원 정언(司諫院正言), 이조정랑(吏曹正郞), 성균관 직강(成均館直講) 등 관직을 거치었고, 서기1866년에는 경복궁 중건사업 정지, 당백전 폐지, 사대문 문세 폐지 등을 주장하며 대원군(大院君)의 정책을 비난하다가 관직이 삭탈되었으며, 서기1873년에 다시 승정원 동부승지(承政院同副承旨)로 임명되었으나 다시 대원군의 실정을 비난하여 대원군이 실각하였으나 군부(君父)를 논박하였다는 죄목으로 다시 제주도에 유배되었다가 2년 후에 석방 되었다. 서기1876년에는 일본과 통상조약을 체결하자 지부복궐소(持斧伏闕疏)를 올려 군왕(君王)을 위협했다는 이유로 흑산도에 유배되었고, 그후 석방되었으나 서기1895년 을미개혁 때 단발령이 내려지자 이를 반대하여 다시 투옥되었으며, 서기1896년 아관파천(俄館播遷)으로 친일내각이 붕괴되자 다시 석방되었으나 서기1898년 시무책(時務策))을 올려 봉건체제(封建體制)의 회복을 주장하고 독립협회 및 대한제국을 부정하였으며, 서기1904년 다시 국내부 특진관(宮內府特進官)에 임명되었으나 서기1905년 을사조약이 체결되자 이 조약이 무효함을 선포하고 또 항일의병운동을 주도하다가 대마도로 유배되어 그 곳에서 병사 하였다.

485) 전북 순창군 복흥면 하리 사창(社倉) 출신인 의병장 김상기(金相璣)를 말함.

486) 서기1846∼1916. 기우만(奇宇萬), 자는 회일(會一), 호는 송사(松沙), 서기1896년 2월에 장성(長城)에서 거의(擧義)하여 광주향교(光州鄕校)로 갔다가 다시 나주(羅州)로 가서 금성산(錦城山)에 있는 김천일(金千鎰)의 사당에 제사를 지내고 다시 광주향교로 왔으나 이때 선유사 신기선(宣諭使申箕善)이 와서 의병활동을 중지하라고 권유하므로 군사회의를 개최하여 국왕이 명령한 관군과 싸울 수 없

이에 그의 약력(略曆) 및 단금(單金)을 보내오니, 밝게 통촉하시어 훗날의 한탄이 없도록 하여주소. 간절한 심정으로 회답 주시기를 바라네.

與崔梅石 炳夏

昨春枉屈, 先誼彌篤。別後音信落落, 益令人懷惡卽。惟淸和崇候, 震艮旺勝。讀天下書, 窮天下理, 不以世變或廢,爲吾淵源故家, 溯仰無斁也。近聞尊曾王考勉庵先生淵源錄, 將刊行云, 斯文盛事也。鄙省內淳昌之社倉省菴金公義蹟, 昭昭可徵。宜入先生從遊編, 而與奇松沙諸公幷錄, 庶無斯文之憾矣。其略歷及單金奉呈, 爲之諒燭, 俾無後時 之嘆。切仰更乞回敎。

청강 유 태윤(柳靑江泰胤)에게 보내는 답서

가을에 들어선 후로 세 번 만나고도 서한 한 통까지 보내왔네. 그 서한을 뜯어보니 너무나도 자상하지 않는가. 단 나에게 삼절(三絶)[487]이라고 한 것은 크게 잘 못이네. 천하의 문장(文章)이란 마치도 아름다운 금덩어리나 옥돌과 같은 물건이므로 자연적으로 정해 놓은 가치가 따로 있을 것이네.

정회(正會)는 광간(狂簡)[488]이며 잡박한 예술에 있어서는 난잡하게 이것저것 많이 다루어 보기는 하였으나 열에 한둘도 이루지 못하였네. 예술이란 곡식처럼 익은 것을 제일로 알고 있는 법이므로, 미숙한 곡식은 피보다도 못하게 여기는데 바로 이러한 일들이 나에게는 존재하고 있네. 내가 하는 일을 돌아보면, 마치도 야계(野鷄:꿩)와 같이 오오는 이십오라 기예는 많고 많지만, 쓸 모 있는 것은 하나도 없이 공연히 헛된

다는 의견이 나오자 송사는 통곡하고 장성으로 돌아왔다. 그리고 그 해 5월에 다시 의병을 일으켰으나 10월 16일 일경(日警)에게 체포되어 투옥생활을 하다가 그 이듬해에 석방 되었으며, 서기1908년에 다시 순천(順天)의 조계산 암자에서 거의를 꾀하던 중 고종(高宗)이 강제 퇴위를 당했다는 소식을 듣고 백립(白笠)을 쓰고 장성(長城)의 삼성산(三聖山)으로 들어가 초막에서 은거하다가 서기1916년 10월 28일 사망 하였다.

487) 삼국시기 위나라 《수선비(受禪碑)》의 왕랑(王郞)의 글, 양곡(梁鵠)의 서법, 종요(鍾繇)의 조각을 가르킴.
488) 뜻은 크지만 실천하는 일이 없이 거친 사람을 말함.

명성만 훔치고 있네. 남의 물건을 훔치는 것을 도둑이라 할진데, 하물며 이름을 훔치는 것은 뭐라고 해야 하겠는가.

 군이 요즈음 《노론(魯論:論語)》을 읽는다고 하였는데, 이것은 근본을 안다고 말할 수 있네. 하나에만 전력을 기우를 줄 알아야 하네. 하나라면 잡되지 아니하고, 하나만 파고 들면 완벽하게 되기도 하고 또 성공하게 되네. 나의 스승으로 되고 있으니 어찌 공경하지 않을 수 있겠는가? 요즈음 바둑이나 두고 있는데, 비록 무익한 일이지만 파리나 개미처럼 적은 이익만 채우고 목숨이 위태로운지 모르는 것보다는 낫지 않는가?

答柳靑江 泰胤

入秋來三面，外而止一書，叩其內書視，不加詳耶？但三絕加我，大非着題。文章之在天下，如良金美玉，世自有定價。正也狂簡，於藝博雜，十無一二成。夫藝貴熟，不則穀不如稊者，有矣。跡余爲，殆如野鷄，有技五五，無能焉，徒竊虛名。竊人之物，猶云盜，況於名乎？君近讀魯論云，可謂知所本矣。能專於一，一則不雜，專則完且成。吾師也，敢不起敬？近亦鬪烏鷺，雖無益之戲，不有賢於蠅屯蟻市見利不知命也歟？

유 청강(柳靑江)에게 보내는 편지

 높고 큰 방장산(方丈山)의 정기가 태산(台山)의 한 봉우리가 되고, 태산 봉우리의 청숙(淸淑)한 정기가 모여 청강주인(靑江主人)이 되었으니, 그 복을 누리고 그 즐거움(樂)을 즐기는 것이 당연하네. 다부(子婦)의 우귀(于歸)[489]가 마침 11월에 해당하니, 천시(天時)·인사(人事)가 모두 길하므로, 대추를 어루만지고 엿을 머금어 온갖 경사가 밀려올 것이니, 소년 같은 복 많은 노옹을 나는 친구들 사이에도 드믄 일로 알고 있네. 더구나 지금부터 계속하여 축하할 일이 어찌 5~6번만 있겠는가? 명일에 여러 영재(英才)들과 함께 나가서, 태산(台山) 밑에 제 일 다복한 사람에게 축하의 인사를 드리겠네.

---

489) 신부가 처음으로 시집으로 가는 것을 말한다.

與柳靑江

方丈隆厚之氣, 結而爲台山一峯。台峰淸淑之氣, 鍾而爲靑江主人。宜乎綏其福而享其樂也。令子婦于禮, 適丁復月, 天時人事俱云。其吉撫棗含飴,百慶幷湊少年福翁。吾知舊聞所罕有也。況繼今而賀將不止五六者乎？明當與群英幷晋, 以賀台山下第一等福人矣。

유 청강(柳靑江)에게 보내는 편지

　서늘한 가을바람이 방안으로 불어오니, 이제 부터는 옛 등잔을 고치고 책을 읽으며 발분하여 더욱 힘을 쓸 것으로 생각 되네. 언제나 형의 서신을 보았을 때 조금이라도 이해하지 못할 곳이 있으면 가려운 곳을 긁고 싶어 그냥 둘 수 없는 것처럼, 글씨로 써서 벽에다가 붙혀 놓고 백번 천 번 읽으며 그 공력을 생각하지 않고 세월을 보내다 보면 그 효과를 기대하지 않더라도, 이와 같이 부지런하고 독실하게 하면 어찌 멀다고 가지 못하며, 어찌 견고하다고 들어가지 못하겠는가? 세상에 재주를 가지고도 노력하지 않는 사람이 우리 형을 볼 때 어떻게 생각 하겠는가? 공경스럽고 사랑스럽네. 그 동안 추서(鄒書)[490]는 이미 다 읽었는가? 7편의 문자가 대중지정(大中至正)한 말 아닌 것이 없으나, 그 요체는 인욕(人慾)을 막고 천리(天理)를 따른 것 뿐 이네.

　정회(正會)는 일찍이 이 책을 읽으면서 언제나 자신을 검토하여 보았네. 이렇게 하는 것이 천리(天理)이고, 이와 같이 하지 않으면 이것은 바로 인욕(人慾)인 것이네. 조석으로 천리(天理)가 그 단서를 보여주지 않는 것은 아니지만, 여러 가지 욕망들이 가로막아 나서며 내리치니 방금 파여 나려고 하는 것들은 마치도 우산(牛山)[491]이 민둥산이 되는 것처럼 더욱 민둥산으로 변하고 말아, 반평생 살아 오면서 익힌 것들은 공연히 입으로 외치는 소리가 되었을 뿐 거꾸로 심신에서 구해야 한다는 이치를 알지 못한 것으로 되네. 아주 많은 사람들을 휘들어 보니, 인욕을 방종하여 한 번 지나가게 되면 갑자기 존양(存養)의 시기는 일각이라도 남아 있지 못하는데 마치도 경전(經傳)을 아직 한 장도 읽기 전에, 마음은 이미 뒤숭숭하여 동으로 갔다가 서로 돌아오

---
490) 맹자(孟子) 7책을 달리 일컬은 말임.
491) 중국 산동성 임치현(山東省臨淄縣) 남쪽에 있는 산명, 맹자(孟子)는 이 산이 일찍 아름답다고 하였다.

면서 그 어떤 힘으로도 걷잡을 수 없게 되는 것과 마찬가지로 되네. 때로는 입으로 외우더라도 정신은 이미 빈 껍데기만 남네. 이것은 대개 함양공부(涵養工夫)⁴⁹²)가 되지 않았으므로 병통이 생기기를 기약하지 않아도 스스로 생긴 것이네. 이를 비유하자면 진원(眞元)⁴⁹³)이 이미 쇠약한대다가 백가지 사기(邪氣)가 침입하여 마치도 밀물이 밀려드는 것과 같아서 아무리 화타(華陀)⁴⁹⁴)와 편작(扁鵲)⁴⁹⁵) 같은 사람이라고 할지라도 달아나지 않으려고 하여도 되지 못하는 것과 같은 이치이네. 그러므로 언제나 한 밤중에는 서서 나도 모르게 벽을 맴돌다가 쓰러져 자네.

고인(古人)들이 한 말이 있네. "한 시각이라도 천리(天理)를 보존하고 있으면 한 시각의 성인으로 되는 것이고, 하루라도 천리를 보존하고 있으면 하루의 성인이 되는 것이며, 평생 동안 천리를 보존하고 있으면 평생 성인이 되는 것이네." 이 말로 추리하여 보면, 한 푼 어치의 사욕은 한 푼어치의 소인(小人)으로 만들고, 일각(一刻)의 사욕은 일각의 소인을 만든다고 할 수 있네. 그러므로 새벽닭이 울면 선한 일을 하는 자도 있고, 악한 일을 하는 자도 있네. 순(舜)⁴⁹⁶)님금과 도척(盜跖)⁴⁹⁷)이 갈라지게 된 것은 바로 여기에 달려 있네. 우리들은 마땅히 한 푼 어치, 한 시각에다가 응당 노력을 경주하여야 하며, 조금씩 쌓아간다면 한 시간으로 될 수도 있고, 한 달이 될 수도 있네. 그렇게 되면 그것을 억제할 수도 있고, 이것들을 존양할 수 있으며, 나로부터 그렇게 하였다는 글을 면할 수도 있네. 그렇지만도 그것을 실행할 때에는 그것을 말할 때와 다르게 되니 어떻게 하겠는가?

며칠 전에 태강(台江)을 만나 명절 지난 후에 좌협(左峽)을 가자는 약속을 하였네. 존형께서는 동행하시지 않겠는가?

---

492) 학문과 식견을 함축, 양성하는 공부임.

493) 원기(元氣)임.

494) 한말(漢末)의 명의(名醫), 이름은 부(尃), 자는 원화(元化)이며 산부인과, 이비인후과, 소아과에 능하였다.

495) 진(秦)나라의 월인(越人), 장상군(長桑君)에게 의술을 배웠으며 처음에는 이름없는 의사였으나 이미 죽은 괵(虢)의 태자(太子)를 살린 후 명성이 높아 인도(印度)의 기파(耆婆)와 명성을 같이 하였으나 진(秦)나라 태의령(太醫令)인 이혜(李醯)에게 살해되었다.

496) 중국 고대 제왕, 명은 중화(重華)이며 백성으로부터 덕을 인정받아 요(堯)임금이 두 딸인 아황(娥皇)과 여영(女英)을 아내로 주고 천하를 아들 단주(丹朱)에게 주지 않고 순(舜)에게 물려 주었다. 순임금도 재위 39년만에 아들 상균(商均)에게 주지 않고 우(禹)에 선위하였다. 순임금은 남쪽을 순방하다가 창오(蒼梧)에서 붕어하여 구의산(九疑山)에 예장하였다.

497) 춘추(春秋), 현인(賢人)인 유하혜(柳下惠)의 아우, 장자(莊子)에 그는 9천명의 졸도를 거느리고 천하를 횡행하며 제후들의 재물과 부녀들을 납치하였으며, 공자(孔子)와 대화에도 공자를 나무랬다고 하였다.

오직 부모님 모시고 공부하시며 식사도 더 하시기 바라네. 이곳에서 맡긴 것이 있으니, 외면하지 마시기 바라네.

與柳靑江

秋凉透戶, 可以理舊燈而對方策, 想憤悱加勵矣。每見兄於一書, 有一毫未融, 若爬癢不置, 至膽寫揭壁, 讀以千百而不計其功; 磨以歲月, 而不期其効。以若之勤且篤, 何遠不達, 何堅不入? 世之負才不用力者, 視吾兄何如也? 可敬可愛。鄒書間己卒業否? 七篇文字, 無非大中至正之語, 而大要遏人欲、存天理己。正曾讀此書, 每自點檢。如此是天理, 不如此是人欲。夜早之間, 非無天理發見之端。衆欲橫擊, 使微發者愈微, 若牛山之濯濯, 半生所習, 徒爾從事口耳, 而不知反求心身。筭顧凡百, 縱人慾上過頓無分刻存養時節, 如讀經傳未一章, 心車意馬, 東逸西奔, 莫之能御。或口誦, 而神己虛殼矣。盖素無涵養之工, 病不期至而自至, 比之眞元己敗, 百邪乘入, 殆乎華扁望而走之。每中夜起立, 不覺巡壁而倒也。古人有言:"一時存 天理, 則爲一時聖人; 一日有存天理, 則爲一日聖人; 終身存天理, 則爲終身聖人"以此推之, 一分之欲, 爲一分小人; 一刻之欲, 爲一刻小人。鷄鳴, 爲善爲惡, 舜跖分焉。吾輩當用力於一分一刻, 積以至時月, 則庶或遏彼存此, 可免書自我自耶。雖然做時不似說時, 奈何。向逢台江約以節後行左峽。兄能同杖否? 惟侍學加玉, 此中有委, 勿外。

유 청강(柳靑江)에게 보내는 답서

서신을 받고도 회답이 없어서야 되겠는가? 답서를 하기는 하였지만 예(例)가 아닌 예(例)라고 한다면 도대체 온다는 대답인가 아니면 간다는 대답인가? 옛날 진(晉)나라의 호계(虎溪)[498]에서 전송하고 맞이한 데서 연유한 것이며, 지금 용산(龍山)에서 왕복(往復)한 것도 서로 계승한 것이네. 또 잘 모르는 일이기도 하지만, 후세에 용

---

[498] 중국 강서성(江西省)의 여산(廬山)의 동림사(東林寺) 앞에 있는 냇물 이름. 동림사의 혜원법사(慧遠法師)가 도연명(陶淵明)과 육수정(陸修靜) 두 사람을 전송하면서 불도(佛道)를 설명하다가 자신도 모르게 호계(虎溪)를 넘어 안거금족(安居禁足)의 맹서를 께뜨리므로 세 사람이 서로 돌아보며 웃었다는 고사가 있다. 이것을 호계삼소(虎溪三笑)라고 한다.

산 보기를 지금 호계를 보는 것과 같지 않을까. 비록 이렇다고는 하지만, 그러나 고인(古人)은 형상(形象)으로 만나고 지금 사람들은 서신으로 만나니, 형상은 외적이지만 서신은 심획(心畫)이네. 형상으로 친한 것은 마음으로 믿는 것보다 못하네. 서로 믿는 마음만 있으면 얼굴을 안보아도 괜찮으며, 서신을 보내지 않아도 괜찮네. 이렇게 미루어 보면, 대계(大界)는 한 니환(泥丸)에 불과하며, 부귀는 하나의 데릴사위에 불과하네. 게다가 새들이 나래를 좌우로 흔들려고 하고 짐승들이 네 발을 길고 짧게 딛고자 하나, 홀로 그렇게 한들 무슨 소용이 있겠는가? 서로 형체라는 것을 잊어버리고 유유적적하게 서로 형해(形骸)의 밖에서 잊고 무하유향(無何有鄕)[499]에서 노닌다면, 이보다 나은 것이 어디 있겠는가?

아! 이를 알지 못하는 사람에게는 참으로 말하기조차 거북하지 않은가?

答柳青江

見書不答, 可乎？答其答, 亦謂非例之例, 抑未知其來者答歟？往者答歟？古之虎溪, 送迎相因也, 今之龍山往復互仍也, 又未知後之視龍山, 亦如今之視虎溪也耶？雖然古人以形, 今人以書, 形是外也, 書則心畫也。形之親, 不如心之信。相信者在, 不面可也, 不書亦可也。推而論之, 大界一泥丸也, 富貴一贅子也, 況鳥欲左右其翼, 獸欲長短厥脚, 抑獨何哉？相忘於形骸之外, 優游於無何有之鄕, 此外無良等。噫！不知者難與道也。

이 상길(李相吉)에게 보내는 답서

서울에서 작별한 후 벌써 이십년이 지났건만 소식이 없어 거의 얼굴조차 잊어버릴 지경이었네. 지난번에 찾아주신 것은 참으로 뜻밖이었고, 오늘은 또 진귀한 서한을 보내 왔습니다. 그리움이 사무치지 않는다면 어떻게 이렇게 까지 할 수 있겠는가? 감사하네.

친구 강군(姜君)은 시원시원하고 구애를 받지 않는 선비이네. 일생동안 단 한 가지

---

499) 아무것도 없는 세계, 즉 무위자연의 세계이다. 장자(莊子)가 가장 이상적으로 생각하는 세계로 지극한 도(道) 중에서 즐길말한 곳을 말한다.

근심만 가지고 있네. 고인(古人)이 말하지 않았는가? "시(詩)는 사람을 빈궁하게 만든다." 생각하여 보니, 시라는 것은 하나의 예술이네. 시는 한 예술이며 글씨와 그림도 또 하나의 예술이네. 사람을 궁하게 만든 것이 어찌 시 뿐이겠습니까. 글씨와 그림도 사람을 궁하게 하네. 그러나 예술이 사람을 궁하게 하는 것이 아니라 궁한 후에 예술이 더욱 기묘해 지는 것이네.

강호의 제현들이 서로 주선하여 각기 명시(名詩)를 투고하여 한 곳에 모아두고 전시하여 전시회를 더욱 풍부하게 만들어 주고 있네. 여기에서도 친구들 사이의 두터운 우정은 세상이 어떻게 돌아가더라도 변하지 않는다는 것을 볼 수 있네. 졸작인 죽목(竹牧)은 온통 하자를 면치 못하여 명작 속에 나열하지 못할 것이지만, 정분으로 보나 의리상으로 보나 차마 사양할 수 있겠는가?

答李相吉

京裏一別, 條忽二十星霜。聲息落莫,幾乎忘形。向枉寔出謂表, 今書又是珍重, 非眷厚何以有此？謝謝。姜友磊落不覊士也, 一生有一所不堪之憂。古人云："詩能窮人。"第念詩一藝也, 書與畵, 亦一藝也。窮人之道, 豈惟詩也？書與畵, 亦能窮人。雖然藝非窮人, 窮然後藝益妙矣。江湖諸賢, 爲之周旋, 各投瓊品, 合而展視, 以助其不足。亦見友道之重, 不以世變或頳也。拙作竹牧, 未免全瑕, 固不可列於琬琰之中, 而以情以義, 亦何忍辭？

노재 김 봉수(金蘆齋 鳳洙)에게 보내는 편지

존 선조 하서선생(河西先生)[500]의 백화정(百花亭)의 옛 터에 몸소 심어 놓은 초목들은 백여 년을 내려오면서 후예들의 탄식을 자아내게 하였을 뿐만 아니라 행인들로 하여금 우러러 보며 흥이 돋게 하였네.

아! 오직 우리 형께서 선조의 유업(遺業)을 계승하여 옛 집을 복원 하였으니, 이로부터 뜰 안에 천홍 만자(千紅萬紫)을 이루게 하였네. 이로 말미암아 우리의 숲은 백배의 광채를 뿌리게 되었으니, 이 보다 더한 사문(斯文)의 축하할 경사가 또 어디에 있

---

500) 1510(중종 5)~1560(명종 15), 김린후(金麟厚)의 호를 하서(河西) 또는 담재(湛齋)라고 한다.

겠는가?

  그렇지만 정액(亭額)을 나에게 부탁 하였으나, 나의 필력은 졸열하여 감히 그 일을 할 수 없으나, 높이 사모하는 나머지 이름이 의탁하는 것이 영광이므로 감히 붓을 들었네. 그러나 반드시 사용하라는 것이 아니니, 다행히 글씨를 잘 쓴 사람을 채택하신 것이 어떠하겠는가?

與金蘆齋　鳳洙

尊先祖河西先生百花亭舊基鞠草，百餘載，不惟後裔之齎咨，行路亦爲顧瞻興。嗟！惟 吾兄克述先業，復其舊觀，從此千紅萬紫，排列庭階。吾林增百倍之采，斯文之賀，孰有加諸！但亭額之囑不鄙，在余顧筆拙不敢爲役。而高景之餘，托名爲榮，玆敢下筆。然而非敢曰必其合用，幸爲之博採能墨者。若何？

김재현(金在炫)에게 보내는 답서

  뜻밖에 진중한 서신이 신량(新凉)[501]과 함께 도착하여 읽어보니, 내용과 필력이 아름다워 게으른 나를 일깨워 주므로, 10여 년 동안 사귀어 온 것이 단지 얼굴 뿐이고, 마음 속에 깊이 간직한 오묘한 것은 오늘 이 편지를 통하여 약간이나마 알아보게 되었네. 편지가 없어서야 되겠는가?

  존 선조의 서원 묘정비(書院廟庭碑)문을 쓰는 일은 얼마나 정중한 일인가? 그러나 정회(正會)의 졸열한 글씨로는 어떻게 그 일을 담당할 수 있겠는가? 그렇지만 이름을 의탁하는 것도 영광스러운 일이므로 사양치 않고 적어 보았네. 늘 부끄럽고 두려워할 여가도 없었는데, 과찬을 받으니 다만 면괴스러워 얼굴이 더욱 붉어질 따름이네.

  매은선생(梅隱先生)의 묘비문은 지난번에 이통(耳痛)으로 인하여 날마다 겨우 몇 줄씩 썼으나 아직 다 쓰지 못하였네. 그러나 남은 부분이 열에 한둘 정도 되지 않으니, 내일 쯤이면 아마 마무리 지을 것 같네.

  서신 끝에 말씀하신 두전(頭篆)은 말씀하신 데로 쓰겠으니, 그렇게 양지하시기 바네.

---

501) 초가을의 서늘한 기운.

答金在炫

料表珍械緘與新凉俱至, 讀之詞筆璨璀, 起我惛惛, 洒知十數年相交者面而止, 其蘊奧之積於內者, 今於此書, 始窺其一斑。書其可少之哉！尊先院廟庭碑書是何等鄭重, 而以正會之拙劣, 何敢爲役。顧托名爲榮, 不辭而書。尋常愧懼之不可暇, 而乃蒙過情之譽, 遍足以增愧赧而己。梅隱先生墓碑, 向以耳痛見苦, 課日寫幾行, 尚未了役。然而餘白未十之一, 明當完筆矣。書末所示頭篆云云, 亦依戒書之, 以是亮存。

송 재립(宋在立)에게 보내는 답서

 지난번에 한 번 찾아오시고 또 편지까지 보내 왔는데 나를 사랑하고 아껴주는 마음이 다른 사람을 대하는 것 보다 월등하니, 감사한 마음 어찌 멈출 수 있겠는가?
 존 선조의 묘비문(墓碑文)에 대한 부탁은 맡아 하기가 어려운데, 아래의 글대로 받아들이면 어떠하겠는가?
 정회(正會)는 본래 필력이 졸열한 데다가 근년에는 제가(諸家)들의 잘 못 인정을 받아 억지로 그들의 뜻을 받아들이기는 하였지만, 마음 속으로 그다지 만족스럽게 생각하지는 않네. 귀족이신 재춘군(在春君)은 선조를 조술하는 마음이 독실하여 시종 마음이 변치 않고 있네. 지금 왕래한 사람 중에서 찾기 어려운 사람이니 존문(尊門)의 경하가 어찌 이보다 더할 수 있겠는가?
 단향(壇享)의 비문(碑文) 중에서 '추후심멱불득(追後尋覓不得;후에 찾아보았으나 얻지 못하였음)'이란 여섯 글자를 임의로 삭제하였으므로, 아래에 '실전(失傳)'이라는 구절이 나타나게 되었네. 중첩적으로 사용할 필요는 없네. 그리고 '영치(永致)'의 '영(永)'자를 문맥을 보아서는 부득이 '인(因)'으로 고쳐야 하네. 또 '어자(於玆)'의 '자(玆)'자와 '일사(一祀)'의 '사(祀)'자가 '차제(此祭)'라는 두 글자로 잘 못 썼지만, 뜻이 같으므로 다시 고쳐 쓸 필요는 없네. 잘 살펴 보시소.

答宋在立

嚮枉又書, 其愛我眷我, 逈出常格, 感戢何可已也。尊先墓碑文, 盛教難負, 玆寫呈照領如何？正會素筆拙, 年來迫於諸家之誤認, 强副其意, 然於心甚未充然也。貴族在春君述先之篤, 始終不渝, 顧今熙穰甚不可得, 爲尊門賀, 孰加於此？壇享碑文中'追後尋覓不得'六字, 任意妄削, 盖下文有'失傳'之句, 不必疊用。'永致'之'永', 改以'因', 語勢不得不然。且'於玆'之'玆', '一祀'之'祀', 誤書以'此祭'二字。然義則一也, 不須改塗爲之。淵亮焉。

매제 담운 김 상일[502]에게 보내는 답서

 한 통의 편지가 첩첩 산을 넘어 우리 집에 도착하여 빨리 손으로 겉봉을 뜯고 읽어 보니, 혼례연(婚禮筵)의 초대장이었네. 이십년 전을 회고해 보니, 오사모(烏紗帽)와 각대(角帶) 차림으로 기러기를 들고 서서히 걸어서 들어오던 우리 집의 빈객으로 되던 일이 어제 일 같이 눈앞에 삼삼한데, 눈 깜작할 사이에 악장(岳丈)[503]이 되어 엄연히 사위를 맞아들이는 노옹이 되었단 말인가?
 정회(正會)는 감히 예절에 독실한 것이라고 말하는 것은 아니네. 그렇지만 상복 차림으로 길연(吉筵)에 참가한다는 것은 마음에 거리끼는 바이므로, 이 마음을 널리 양해해 주는 것이 어떻겠는가? 오직 온갖 예절이 잘 진행되어 동상(東床)에서 배를 드러내던 일이 옛날에만 아름다운 일이 되지 않게 해 주시기 바라네. 그럼 이것만 말씀드리고 다 말을 하지 못하였네.

答金湛雲 妹壻相一

一封華械, 越重嶺飛入我室, 忙手展讀, 洒香筵招章也。回顧二十年前, 烏帽角帶, 執鴈徐步而入, 妙然爲吾家賓者, 歷歷如昨日事, 而轉眄之間, 氷淸岳高,

---

502) 다섯 째 매제.
503) 장인을 일컬은 말임.

儼爲迎壻翁耶。正會非敢自謂篤禮也，以凶服叅吉筵，似涉難安，亦諒此情如何？惟祈百禮順成，使東床坦腹，不但稱美於古也。只此不戬。

고 인석에게 보내는 답서

지의(芝儀)[504]를 뵙지 못한지 일년이 되어, 그동안 몇 번의 험한 일이 있어도 막연히 알 수 없는지 오래 되었네. 그러다가 문득 서신을 받아보게 되었고, 또 존고왕부(尊高王府)이신 회운공(晦雲公)의 유고(遺稿)를 주시어 손을 씻고 읽어보았네. 심성이기(心性理氣)에 대한 변론과 무극태극(無極太極)의 오묘한 이치 및 삼천삼백(三千三百)의 예의(禮儀)는 비록 후생말학(後生末學)들이 엿볼 수 있는 것은 아니지만, 그 해박한 학문과 돈독한 행실은 백년 후에도 상상할 수 있었네. 지금 말세에는 명가(名家)의 후손들이라도 밝지 못하고, 인(仁)하지 못하거나 하는 허물을 면할 수 있는 사람은 드문 일이네. 우리 현자께서 능히 선조들의 기치나 도안, 장수, 전기 등을 이어 저술하여 세상에 내어놓았으니, 참으로 존경스럽고 사랑스럽네.

答高仁錫

未奉芝儀，積以年歲，間經幾層險浪，漠然不相聞知者。久矣。忽接芳翰，惠以尊高王府晦雲公遺集一冊，盥手奉讀。其論心性理氣之辨，無極太極之妙，與夫三千三百之禮，雖非後生末學，所可管蠡，而其博洽之學，敦實之行，可像想於百載下矣。顧今叔季，各家後承，庶免不明不仁之科者，或鮮矣。吾賢能繼述先徽圖壽傳，而公諸世，可敬可愛。

박 영봉에게 보내는 답서

정회(正會)는 머리를 조아리며 답장을 드리네. 생각 밖으로 옛날의 도리를 설명하

---

504) 남의 모습을 높이어 하는 말임. 지우(芝宇)라고도 함.

는 글을 지금 세상에서 얻게 되었으니, 집사께서는 오늘에 살고 있는 사람이지만 역시 옛날 사람이네. 큰 소리로 몇 번이나 읽어 보면서 감복하고 탄복하게 되었네. 어찌 만난 지 1개월도 되지 않았는데 그럴까?

　정회(正會)는 편벽한 벽지에 살면서 날마다 시골 노인과 냇가의 낚시꾼들과 자리를 같이 하면서, 당세의 재사(才士)인 집사(執事)같은 분들과는 아직 자리를 같이 하지 못하여 내 스스로 남몰래 살아온 세월이 어리석고 거리감을 가지었다고 한탄하곤 하였네. 댁에서 풍영계(風詠契)를 치른다고 하니, 귀가 정(鄭)나라와 위(衛)나라에서 소호(韶濩)[505] 소리를 들은 것처럼 시원하여 우리 부자(夫子)께서 다시 태어나신다면 다시 위연(喟然)[506]하게 감탄하실 것이네.

　정회(正會)는 지금 어머니의 상중에 있으면서 겨우 소상(小祥)을 지냈네. 비록 예의를 따르지 못하더라도 운자(韻字)가 왔지만 감히 지을 수 없네. 그리고 몸에 최마복(衰麻服)을 몸은 이 세 글자가 천한 이름이니, 어찌 감히 위의가 있는 진신(搢紳)[507]들과 자리를 같이 하겠는가? 남은 말은 다음에 만나서 나누어도 늦지 않으니 양해를 하여 주신다면 천만 다행으로 생각하겠네.

答朴永鳳

正會稽顙拜復，匪意古道之書獲於今之世，尊執事盖今人而古人也。莊誦幾回，感佩之私，曷可以面與未爲盈胸。正會窮居僻陋，日與野老溪叟爭席，當世髦雋如執事者，尙未同堂，竊自歎踪迹之迂且疎矣。盛設風咏契，耳根甚凉如聞韶濩護於鄭衛之間。如吾夫子作，必復發喟然之嘆矣。正會方居母喪，纔經練期，雖未克邊禮，而至有韻之作，亦所不敢。且凶衰之身，所謂三字賤名，亦安敢列於濟濟衿紳之末哉？留竢後期，亦未晚。幸賜恩諒，千萬千萬。

---

505) 소(韶)는 순(舜)임금의 음악이며 호(濩)는 탕(湯)임금의 음악임.
506) 한 숨을 쉬는 모양이 서글프다.
507) 지위가 높고 행동이 점잖은 사람.

재형(在炯) 당숙에게 드리는 편지

근간에 지팡이를 짚고 바깥출입을 하실 수 있다고 하시니, 참으로 우리 가문의 다행입니다. 조금 나았을 때 조심해야 하는 법입니다. 지금부터 더욱 명심하시고 해이 하지 마시고 조심스럽게 움직이면 심성을 수양하고 병을 다스리는데 다 같이 도움이 될 것입니다. 해물(海物)은 매우 신선하므로 반찬으로 드시옵소서. 차가운 비가 많이 내려, 문밖에는 찾아오는 손님이 없을 때 《주서(朱書)》[508] 1편을 가져다 읽어보니, "아무리 번잡한 가운데라도 항시 한가하고 여유를 갖을 것이며, 서로 착잡한 곳에서도 늘 편안하게 안정하여, 마음을 어지럽게 갖지 않아야 한다(蘩劇之中, 常優閑而有餘, 交錯之地, 常泰定而不亂)"는 말이 있습니다. 이 이십 마디 말은 참으로 병 증세에 따른 훌륭한 처방입니다. 이 말을 적어 좌우명으로 삼아, 성품의 완급을 조종하는 자료로 삼으십시오. 아는 것이 어려운 것이 아니라, 이행하는 것이 더욱 어렵습니다.

與從叔在炯

近聞扶杖出門, 吾門慶幸。但戒在少愈, 自此克念克敬, 不懈益謹, 則養心治病, 可謂輪翼幷進矣。海物甚鮮, 仰助一饌耳。寒雨如海, 門無外客。取看朱書一篇, 有蘩劇之中, 常優閑而有餘, 交錯之地, 常泰定而不亂。二十言信, 對症之良劑也。書語 座右, 以爲弦韋之資, 而非知之爲難, 行之惟艱耳。

변 영호에게 보내는 답서

한창 눈에 백태가 끼어서 잠시 졸며 꿈을 꾸고 있는데, 문을 두드리는 소리가 들려오기에 깜짝 놀라 일어나 보니, 둥근 한 통의 주옥같은 서신이 온 세상의 춘풍을 몰고 안으로 날아들었네. 아직 채 다 읽기도 전에 흐릿하던 눈이 다시 똑똑하게 보이는 것이 아니겠는가? 인자(仁者)는 사람들의 병을 치료하는 의술이 본래 이러한 것이었는가?

---

508) 서기 1794년 정조(正祖)가 송(宋)나라 주희(朱熹)의 문집인 《주자전서(朱子全書)》에서 100편을 뽑아 엮은 책으로, 모두 6권 3책이며, 《주서절요(朱書節要)》와 같은 것이다.

아! 이런 의술로 천하의 속된 세속을 치료할 수 있다면 아마 우리 현자(賢者)에게 바라지 않는 사람이 없을 것이네. 시산(詩山)으로 돌아가니 니당산(尼黨山)의 달이 배나 빛나고, 원숭이와 두루미는 반가이 맞이하니 소나무와 계수나무가 거듭 빛 나 궁벽한 시골의 산천이 매우 적막하지 않고 활기로 넘치게 되었네. 축하하고 또 축하드리네.

면옹(勉翁)[509]의 글은 이미 빌려간 사람이 있으므로, 남은 절반만 보내드릴 수 밖에 없네.

答卞榮濩

方患眼眚, 暫入蝴蝶之園, 有叩肩者, 驚起, 爲周一封瓊械, 滿帶春風入來。莊誦未了, 便覺眼花復靑。仁者醫人之術, 固如是耶？噫！以此術醫天下之俗, 不能無望於吾賢也。詩山賦歸尼黨, 山月倍增琤璨, 而猿鶴欣迎, 松桂重輝, 窮鄕山川, 甚不寂寞。爲賀爲賀。勉翁書爲人借去, 半部爲先付去耳。

배 성수에게 보내는 답서

보내준 위 문장에 효자의 이신(履新)[510]의 애달픔이 종이 위에 드러나므로 읽고서 어찌 눈물을 흘리지 않겠는가? 작년 가을에 비문(碑文)과 행장(行狀) 두 건의 글은 소거(素車)[511]를 타고 왕림하여 돈독하게 부탁 하여 차마 사양하지 못하고 대충 두어 줄 엮어서 부쳤네. 그러나 학문이 본래 거칠고 식견이 천박하여 항시 내가 보아도 부족한데, 뜻밖에 상정에 벗어나게 과찬해 주니, 이것은 비열한 나로서 감당할 수가 없네. 존 선조 사당의 액자(額字)는 일찍 시험 삼아 써 보았네만, 그것을 취하려고 하는 것이 아니므로 아래에 이른 바 이름 세자를 쓰지 않았고 또 서명도 하지 않았네. 지금 정중한 말씀을 듣고 부응하도록 노력은 하였네 만은 단 성명은 쓰지 않겠네. 이것은

---

509) 최익현(崔益鉉) 선생의 호인 면암(勉菴)을 약칭한 것임.
510) 새로운 것을 밟는 다는 뜻으로, '새해'를 이름.
511) 장식을 하지 않은 수레, 흉사(凶事)에 쓴다.

완당(阮堂)[512]이 이미 하였던 전예가 있네. 그러나 감히 고인(古人)에게 빗대려는 것이 아니라 액면(額面)의 체제를 따라서 부득이 이와 같이 하지 않을 수밖에 없는 것이네. 도장을 찍는 방법은 별지(別紙)에 그 모양을 써서 보내니 그 위치와 간격은 반드시 이 모양대로 본 액지(額紙)에 찍는 것이 어떠하겠는가?

오직 예서(禮書)를 읽으며 몸을 잘 지탱하시기 바라네.

答裵聖洙

辱惠疏孝子, 履新之哀, 透露紙墨, 讀之能不感涕。昨秋碑狀二件, 文枉屈, 素車囑之敦迫, 不忍牢辭, 略綴數行而付。然學本鹵莽, 見識淺薄, 恒自視欿然。匪意稱引過情, 此非陋劣者所敢當也。尊先祠額字, 盖嘗試毫, 而非謂其財取也。故下方不書所謂三字, 亦不着署矣。今承鄭重有教, 黽勉副之, 但不書姓名, 已有阮堂前例, 然非敢自擬古人, 額面體制, 不得不如是耳。着印方式, 別紙典樣寫呈。其位置間隔, 必依此樣移着于本額, 如何? 惟讀禮支將。

매제 김 용수에게 보내는 답서

어제 몸소 찾아주고 오늘 서신까지 보내 주니 참으로 고맙네. 게다가 주옥 같은 언사들과 잘 쓴 필적의 솜씨가 사람의 눈을 부시게 하고 있으므로, 진학하게 수양하는데 소양이 있음을 역력히 보여주고 있으며, 세상이 변했다고 혹 느슨하지 않았다는 것을 볼 수 있었네.

선인(先人)의 유문(遺文)을 초록하여 보내주시니, 너무도 기뻐서 경문(經文)이 공자(孔子)의 가벽(家壁)에서 나온 것 같은 정도만이 아니었네. 차례로 읽어보니, 그 전형(典型)을 방불하게 계승한 듯 하고, 군에게 주는 시 일절(一絕)은 그 권계(勸戒)하는 뜻이 깊고 간절하였으니, 이것이 그대와 내가 당연히 강마(講磨)하고 함께 노력해야 할 일이네.

---

512) 조선조 후기의 명필가 김정희(金正喜)의 호. 그는 서기 1786년 충남 예산군 신암면(忠南禮山郡新巖面)에서 태어났으며, 박제가(朴齊家)의 문인이다. 일찍 금석학(金石學)을 연구하여 북한산 신라진흥왕순수비(新羅眞興王巡狩碑)를 발견하고 제주도(濟州道)로 9년동안 유배 중에 서화(書畵)를 연구하여, 명인이 되었다.

答妹壻金龍洙

昨枉今書，感感謝謝。況琳琅璀璨之辭，銀鉤鐵索之筆，映人左右，足見進脩有素，不以世變或弛也。先人遺文，荷此抄送，其爲喜幸，不啻若經文之出於孔壁。次第披閱，悅承典型之髣髴。而贈君一絶，其勸戒之意深且切焉。此是君與我所當講劘，而共勉者也。

김용수에게 보내는 편지

푸른 갈대에 하얀 이슬이 내렸으니 그리워하는 사람이 누구일까? 오직 묻건데, 부모님 모시고 온갖 복을 누리고 있으신가? 그리고 책상에서 얻은 것은 더욱 정성을 쏟았는가. 칭송하여 마지않네. 근본에 핑계를 대는 것에 대하여, 우리 부자(夫子)[513]께서도 보지 못했다고 한탄 하였으니, 쇠퇴한 세상과 투박한 풍속을 알 수 있는 일이네. 더구나 지금 세상은 더욱 저속하고 투박한 기풍이 옛날보다 더하고 있으니, 오늘날 이와 같은 혜택을 받은 것은 고루함을 너그럽게 대하고 투박한 것을 돈독하게 대하기 때문이니, 그 느낌에 어찌 잘 달린다고 말하겠는가?

與金龍洙

葭蒼露白，所懷伊誰。仰詢侍養萬福。案上所得，益復惕惕否？額頌不已。鼴者之借，吾夫子歎其未見，可知其衰世渝俗，況今世級愈降渝薄之風，有浮昔日。此日此惠，足使寬鄙而敦薄，其所感矣但以善走論哉。

---

[513] 공자(孔子)를 일컬은 말임.

김 용수에게 보내는 답서

서신을 받을 때 마다 마치도 봄에 난초가 나날이 자라듯이 자라, 오늘날에는 지난날보다 훨씬 훌륭하게 되었네. 우러러 인정하건데, 하염없이 흘러가며 쉬지 않는 그 공으로 보아 종당으로 바다로 흘러가고야 말 것이네. 원진당(元眞堂)에서 공자(孔子)와 주자(朱子)의 글을 읽어 선조의 덕을 닦고자 하니, 우리 현자(賢者)의 책임이 그래 무겁지 않겠는가? 용사의 눈앞에는 굳센 벽이 없는 것이니, 오직 더욱 노력하기 바라네.

산수(山水)에 관한 약속은 내가 열병처럼 갈망하던 것이라, 이 말을 듣고 심신이 깨어나 청량제(淸凉劑)를 먹은 것 같은데, 어떻게 이런 선방(仙方)을 구하여 이 세상의 고질을 고칠 수 있겠는가? 아직 봄이 다하지 않았으니, 한 지팡이를 짚고 한 신을 신은 차림으로, 우리 현자(賢者)를 호산(壺山)의 천석(泉石) 사이를 방문하여 통쾌하게 그 병을 낫게 하고 싶지만 어떻게 기필할 수 있겠는가?

친구 유군(柳君)의 일은 그 일이 비록 많지는 않다지만 면괴스러운 일과 빚을 진 일이 많네.

答金龍洙

每奉蘭械, 如春蘭漸長, 今日勝似昨日。仰認其混混不舍之功, 終期于海也。元眞堂上讀孔朱之書, 聿修先德, 吾賢之責, 不其重歟? 勇師眼前無堅壁, 惟益加努力焉。山水之約, 吾固病熱鬧矣, 聞來心神俱活, 如飮淸凉一劑。安得此仙方, 以醫此世之痼也。迢春未暮, 一筇一屐, 訪吾賢於壺山泉石之中, 以快其祛之祟, 亦何可必也柳友事, 事雖些少, 而愧負則多。

김 용수에게 보내는 편지

건을 쓰고 짐을 메는 사람들이 물씬거리는 향기를 풍긴채 문안으로 들어왔는데, 그것은 원진당(元眞堂)에서 남긴 꽃향기였네. 빈 땅에 여기저기 심어놓았더니 정원은 새롭게 사치스러운 모습을 찾았네. 작약과 목단은 뿌리를 나누어 주어, 시인(詩人)에게 경거(瓊琚)[514]로 보답하는 일이 되었네. 단 군자(君子)의 꽃은 하얀 것이라 시기가 아직 일러 이식하지 않고 있으니, 이것도 군자의 출처가 혹 더디고 빠른 것이 그 방법이 있는 것일까. 웃자고 하는 말이네.

與金龍洙

巾而擔者，滿帶衆香入門，此是元眞堂下剩芳餘香也，隨缺散植，新庭多侈，芍與丹分根而呈，以作詩人之報琚。而但君子花之白也，時尙早，移不得。其亦君子之出處，或遲或速，自有其道歟？好笑。

김 황수에게 보내는 편지

한 달 전에 좋은 일이 있다는 소식을 들었는데, 채신(採薪;땔 나무를 함)의 근심이라고 말하는 것으로 보아 아마 약을 복용하지 않아도 된다고 여긴 듯하네. 그런데 아픔이 몸으로 넘어갔다고 하는 소식을 어제 듣고 근심이 되네. 그렇지만 우리 현자(賢者)의 평일 섭리(攝理)하는 재간으로 본다면 마땅히 소리(素履;본분)의 길상함이 있을 것이지 절대로 단연 병을 앓은 걱정은 없을 것이라 믿네. 어쩌면 천지의 기수(氣數)가 인간사의 소양을 뒤번져놓아 믿을 바가 없이 만든 석죽(石竹) 한 폭은 고인의 아미산(蛾嵋山)[515] 그림을 본받은 것으로 한 번 보시라고 드리는 것이네

與金黃洙

月前暫聞有美，慎以謂採薪，似已勿藥矣。昨承的奇驚慮之私，不覺痛疴在身。以吾賢平日攝理之工，宜有素履之吉，斷無下堂之憂。抑天地氣數，淆亂人事之素養，立有不可恃者耶？石竹一幅，以效古人峨嵋之圖，爲供淸賞。

---

514) 구슬을 말한 것이나, 여기서는 시를 말한 것이다.
515) 중국 사천성 락산시(泗川省樂山市) 경내에 있는 산명. 대사불교명산(四大佛敎名山) 중 하나이며 지세가 험하고 풍경이 빼어나 전국시대(戰國時代)부터 유명 하였다.

조 동섭에게 보내는 편지

  금년에 홍수는 옛날에도 드문 일이었네. 물에 밀리지 않는 땅이 없었으며 재환을 당하지 않는 사람이 없었네. 그런데 유독 우리 현자(賢者)가 당한 재해는 남달리 유난히 잔혹하였네. 소식을 들으니 마치도 내가 직접 재난을 당한 듯 하네. 사해(四海)내에서 백년 사이에 어떤 사람은 졸연간 부귀를 얻어 안락하고 영화를 누리지만 어떤 사람은 횡액을 만나 근심과 슬픔을 갖기도 하네. 이것은 조물주가 본래 희롱하기 일수여서 그 사이에 유감이 없을 수 없게 하고 있네. 비록 그렇다고는 하지만 혹 하늘이 그 사람에게 큰 책임을 맡기려고 고의로 먼저 시험을 하는 것인지도 모를 일이네. 그렇다면 오늘의 큰 재난이 그러나 하늘이 혹 큰 책임을 지게 하려고 할 때 먼저 시험한 것이라고 할까. 그렇다면 오늘의 수재(水災)는 훗날의 떳떳한 주옥으로 되려는지도 모르는 일이 아니겠는가. 약간의 물건들을 약소하지만 보내드리오니 이것들이 "깨진 독에 물 붓기" 식이지만 자그마한 성의나마 표하는 것으로 알고 달리 생각하지 말아 주시게.

與趙東燮

  今年洪水, 鎭古所罕。無田不破, 無人不患, 惟吾賢罹之尤酷。聞之若身當之。夫四海之內, 百年之中, 或猝享貴富而安榮之, 或橫遇禍患而憂戚之。造物本自多戲人, 不能无憾於其間也。雖然天其或者將責之以大任, 姑以此先試之？然則今日之灾, 亦安知不爲異日庸成之玉也歟？若干物忘略奉呈, 此不過爲車薪之一勺, 而聊表微忱, 幸勿外焉。

조 병렬에게 보내는 편지
정축년(서기 1937)

  아침에 보낸 여러 가지 도구는 잘 받았을 것으로 생각 되네. 지루한 장마는 오늘에 와서 말짱 개이게 되었네. 형의 가정에 경사가 있으므로 하늘도 도운 것일까? 참으로 우연이 아니네. 지난번에 부탁한 《사략(史略)》[516] 7권은 오늘 인편에 보냈으니 잘 받아 참고하는 것이 어떠하겠는가?

생각하여 보니, 우리 현자(賢者)는 《시경(詩經)》[517]과 《예기(禮記)》[518]를 읽은 여가로 사학(史學) 등 하나도 빠지면 안 되므로, 이와 같이 나간다면 후일의 성취를 어떻게 헤아릴 수 있겠는가? 매우 부럽고 부럽네. 오직 부모님 모시고 열심히 공부하시며, 식사도 더욱 많이 하시기 바라네.

與曺秉烈

丁丑

朝送凡具，想領入矣。支離苦雨，今焉快霽。其爲兄家有慶，天亦應之歟？實非偶然也。向托史略七冊，今因便付去，考領如何？竊想吾賢詩禮之暇，旁及史學。經經緯史，闕一不可，以此做去，他日成就，何可量哉！甚羨甚羨！惟侍學加玉。

이 상기에게 보내는 답서

임오년(서기 1942)

존 선부군(尊先府君) 신암장(愼菴丈)은 우리 선군(先君)과 50년 동안 대대로 사이좋게 지내시어 서로 서신을 왕복하는 일이 어느 한 달 빈적이 없으므로, 그 향기로운 유묵(遺墨)이 서상(書箱)에 가득 넘치고 있을 것이네. 그렇지만 나는 하나도 수습하지 못 하였네. 너무나 오래 된 것은 감히 알 바가 못되지만, 가까운 시일에 있었던 것들은 이 제(弟)도 직접 받았던 것인데, 그 수효를 어찌 많다고만 말하겠는가. 그런데 이런 것조차도 열에 하나도 보전하지 못하고 있네. 참으로 효자들이 선조의 성대한 업을 이어 서술하는 그 뜻을 부끄럽게 여기고 있으니, 황송한 그 마음을 어디에 하소

---

516) 원(元)나라 증선지(曾先之) 편(編), 7책.
517) 고대 중국의 시가(詩歌)를 모아 엮은 오경(五經)의 하나, 본래 3천편이었으나 공자(孔子)가 305편으로 간추렸다. 그 내용은 국풍(國風), 소아(小雅), 대아(大雅), 송(頌)으로 구성되어 있다.
518) 오경(五經) 중의 하나, 49편으로 되어 있으며 주례(周禮), 의례(儀禮)와 함께 삼례(三禮)로 통한다.

연 하겠는가? 흩어진 자료를 수집한 것이 겨우 수건에 그치었지만, 그 중 신미년(서기1931) 4월의 서신에 "서울로 가자는 약속"이 있어 더욱 느낀 것이 있었네. 이것은 옛날 서울에서 현자(賢者)는 학교에 다니고, 제(弟)는 경학원(經學院)에 다닐 때, 존선부군(尊先府君)이 석운장(石雲丈) 및 우리 선군(先君)과 함께 서울에 오시어 현자(賢者)와 제(弟)가 함께 여사(旅舍)로 가서 인사를 드렸는데, 이 일이 역력히 어제 일과 같이 느껴졌네. 그러나 우리 두 사람은 벌서 선친을 잃은 신세가 되었으니, 옛날을 생각할 때 나도 모르게 눈물을 나네.

答李相淇
壬午

竊惟尊先府君愼庵丈, 與我先君五十年世好, 相交書簡往復, 殆無虛月. 其遺墨餘馥, 宜其盈箱溢篋. 而顧此無似, 未能一一収拾. 其遠者久者, 雖不敢知, 而至於近者, 弟亦親承, 不啻多矣. 亦此未能保其十一, 愧負孝子繼述之盛擧, 悚悚何言? 搜得遊散逸者, 僅數度而止. 其中辛未四月書有'京行之約'云云, 尤有所感焉. 此是昔年京師賢校弟院時, 尊先府君與石雲丈及我先君并次于京. 賢與弟同往拜于旅邸, 歷歷如昨日事, 而吾兩人奄爲風樹餘生, 撫念誰昔不覺淚撗也.

김 원득(金源得)에게 보내는 답서

정회(正會)는 어리석고 졸렬하여 사방의 현사(賢士)들과 알고 지낸 바가 적네. 비록 고명한 문학 인사며 숭고한 명망가로 사우(士友)들의 추대를 받고 있어도 아직 사귀지 못하고 있는데, 뜻밖에 먼저 서신을 주시니 내용과 필체가 찬연(粲然)하여 비단 위에 수(繡)를 놓은 것 같았네. 내용을 읽어보니 마음이 서로 통하고 첩첩 쌓인 운산(雲山)밖에서 친척의 정의를 논하셨으니, 말세의 훌륭한 일이네.

정회(正會)는 기질이 어리석고 학문도 멸렬(滅裂)하여 공연히 헛된 명성을 얻었지만, 머리가 이미 하얗게 되었으므로 언제나 부끄럽지만 후회해도 소용이 없네. 이에 고명(高明)[519]께서 상정(常情)에 벗어나도록 칭찬해 주시니 한 번 더 부끄러울 뿐이

---
519) 상대방을 높여 이르는 말.

네. 존 선부군(尊先府君)의 용파정 운(龍坡亭韻)은 거듭 말씀을 어기어 졸렬함을 잊고 지어 보내네. 20년 전에 금성(錦城)[520]을 한번 지나면서 요월정(邀月亭)에 올라 한참동안 배회하다가 돌아왔는데, 그 후 세상이 누차 변하였지만 정자 앞에 화조(花鳥)는 지금도 무사하게 잘 있는가? 옛날 회옹(晦翁)[521]이 어떤 사람에게 서신을 보내면서 먼저 창포(菖蒲)의 안부를 먼저 물었네. 아! 이것도 말세에 대한 뜻이 아니겠는가?

答金源得

正會迂且拙，於四方賢士少所相知，雖如高明之文學雅望爲士友所推重，而尙未遂荊願。不圖先施惠章，辭筆燦然，如陳錦錯繡，讀之靈丹相照，講戚誼於雲山重疊之外。叔季下盛事也。正質旣駑，下學又滅裂，徒竊虛名，頭髮已星星矣。尋常愧怍噬臍无及，洒者高明稱謂過情，只添一番愧作而已。尊先府君龍坡亭韻，重違盛教，忘拙搆呈耳。廿年前一過錦地，登邀月亭徘徨半餉而歸。伊後滄桑屢變，亭前花鳥至今無恙否？昔晦翁與人書先問菖蒲之安。噫！此亦衰世之意也歟？

김 두연에게 보내는 답서

지난번의 서신은 일찍 부재(不在) 중에 받았으므로 답장이 늦어져, 흡사 고기가 낚시를 물고 있는 것과 같았네. 그런데 또 갑자기 윤옥(允玉)[522]이 와서 거듭 시(詩)와 서신(書信)을 전해 주었네. 참으로 아름답고 찬란함이 비교할 수 없이 훌륭하였네. 너그러운 마음으로 개의치 않으시니 참으로 가을 하늘과 높이를 다툴 수 있는 것이네. 글월을 받고 읊으며 읽어 내려가는데 좀처럼 손에서 잠시도 놓을 수가 없네. 젊은 나이에 재덕(才德)이 있는데다가 문예(文藝)까지 겸하여 우리 현자(賢者)처럼 일찍 성취한 사람이 우리 선비 중에서 몇 사람이나 되겠는가? 구하(九河)[523]가 횡류(橫流)해

---

520) 전남 나주에 있는 산명.
521) 송(宋)나라 주희(朱熹)의 호 회암(晦菴)을 약칭한 것임.
522) 상대방의 아들을 높혀 부른 말.
523) 우(禹)임금이 치수(治水)할 때 황하(黃河)의 9개 지류(支流)를 말함. 즉 구회(九澮)·도해(徒駭)·태사(太史)·마협(馬頰)·복부(覆鬴)·호소(胡蘇)·간(簡)·혈(絜)·구반(鉤盤)·격진(鬲津)이다.

도 1촌(寸)의 아교로 맑게 할 수 있네.

　정회는 배움에 부지런 하지 못하고 행(行)에 있어서도 힘을 다하지 못해, 문득 소문 없는 길손으로 변하여 처음에 갖은 포부를 어기게 되었으니 후회한들 어찌 미칠 수 있겠는가? 지난번에 운곡(雲谷)에서 놀 때 기마(驥馬)를 앞세우고 노마(駑馬)를 뒷세우며 하얀 구름과 붉은 산 사이를 동행하지 못한 것이 한스러웠네. 중양(重陽)[524] 이 비록 구일(九日)에 그치지 않는다고 하지만 화(菊花)는 그 말을 알아들을 수 있게 하였네. 현자(賢者)는 구(九)로 정녕 상신(相信)의 과에 속해 있겠지만, 이 아우는 십(十)으로 후에 찾아드는 형벌을 면치 못할 것이네. 국화가 나를 저버린 것이 아니라 내가 국화를 저버리고 있네. 유정한 사물이지만 그것이 말을 하지 못한데서야 어떻게 할 수 있단 말인가? 비록 처량한 바람과 비애에 젖은 비가 타지에서 망정이지 그렇지 않았다면 온 산에 퍼진 국화와 달빛이 오로지 저의 눈물만 흠뻑 자아내고 말았을 것이고, 나의 회포를 더했을 뿐이었을 것이네. 구(九)와 십(十)을 논해서 무엇 하겠는가?

　평성 사지(四支)와 오미(五微)의 운(韻)을 잘 못 사용하였지만 오히려 잘 못 된 것이 기이하게 되었으니 용산(龍山)에서 맹가(孟嘉)가 바람에 모자가 떨어진 줄 몰랐던 일에 비길 수 있으니 도대체 취한 기에 모자가 떨어졌는지 아니면 흥에 겨운 작시에 운이 잘 못되었는지? 모자가 떨어지고 시운이 잘 못 된 사이에 고금의 웃음거리가 생기고 형과 나 역시 한 번 웃음을 짓게 되었네. 이 한 번의 웃음은 가히 이 세상의 한을 망각할 수 있네. 참으로 웃음이 나네.

答金斗演

向書得於未曾有謝復, 稽緩如魚含鉤, 忽又允玉再顧, 荐承詩若書, 琳琅也, 璀璨也. 不較之盛, 能與秋色爭高矣. 且詠且讀, 暫不忍釋乎手也. 妙齡才德, 兼以文藝夙就如吾賢者, 吾黨有幾人? 九河橫流, 寸膠可恃. 正學不勤, 行不力, 奄作無聞之客, 虛負初志, 悔恨曷追. 曩也, 雲谷之遊, 只恨驥先而駑後, 未得幷鑣於雲白山紫之間. 重陽雖曰不止九, 而使黃花解語. 賢九必在相信之科, 而弟十當不免後來之誅矣. 黃花不負我而我負黃花, 以有情之物, 奈無語之花何? 雖然悲雨凄風他地, 不然滿山花月只是濺吾淚耳, 增吾懷耳. 九與旬, 奚足論

---

524) 9월 9일을 말함. 이날 선비들은 술에다가 국화(菊花)를 띄우고 술을 마시며 시를 짓고 놀았다.

哉。支微之錯韻, 反以錯爲奇, 至比龍山之落, 醉帽之落歟？狂韻之錯歟？錯落之間, 今古一笑, 賢與我亦一笑矣。一笑可以忘此世之恨。好笑。

신상우 군수에게 보내는 편지

　지난번에 저의 집을 방문하실 때, 술과 안주를 지참 하셨음에 이 졸렬한 사람이 어찌 이런 대우를 받을 수 있겠습니까? 감사한 마음 뭐라 말씀드릴 수 없습니다.
　일전에 또 원우지(院宇誌) 1질(帙)을 주시어 손을 씻고 받았습니다. 만일 현인(賢人)을 숭상하고 유학(儒學)을 존중하는 마음이 성의에서 나오지 않았다면 어떻게 이와 같이 큰일을 할 수 있겠습니까? 그렇지만 한두 가지는 상의하여 보아야 할 곳이 있습니다.
　엊그저께 내가 방문 하였을 때, 마침 외출 하시어 서글픈 마음을 안고 돌아왔습니다. 원지(院誌) 중에 말한 도암사(道巖祠)는 즉 우리 선조 영모당(永慕堂) 및 그 증손 은송당(隱松堂)과 현무재(賢武齋) 세 선생님의 조두소(俎豆所)입니다. 영모당은 중종(中宗) 무오년(서기1558)에 진사(進士)가 되고, 12년 동안 상여(喪廬)를 지키어 효행으로 정여(旌閭)하였으며, 현무재는 선조(宣祖) 임진년(서기1592)에 주부(主簿)로서 원종훈(原從勳)에 기록되었는데, 지금 간행된 원지(院誌)에는 현무재의 사적이 영모당에게 기재되어 하나는 연대가 착오되었고, 하나는 사행(事行)이 서로 바뀌었습니다. 그리고 은송당은 형이고 현무재는 아우인데, 지금 간행된 원지에는 아우가 먼저 기록되고, 형이 뒤에 기록되었으니, 이것도 하나의 착오입니다. 간행하는 일이 혹 오류를 범할 수 있겠지만, 그 큰 착오가 이런 정도에 이른 것은 반드시 원지를 간행하는 본의가 아닐 것이니, 비록 마음이 불편하더라도 편집한 사람에게 다시 검열을 시키는 것이 어떠하겠습니까? 본사(本祠)의 유론(儒論)이 다소 좋지 못할 것 같으므로, 다시 참조해 주시기 바랍니다.

與本倅申祥雨

曩也枉問弊廬, 副以樽酒盛肴, 顧此陋劣, 何以獲此, 感戢不可言。日者又惠院宇誌一帙, 濯手拜領。如非尙賢崇儒之心出於誠者, 何以辦此鉅業。但有一二商確處。昨昨往訪，而適值駕言，飮悵而歸矣。誌中所謂道岩祠，卽我先祖永慕堂、及其曾孫隱松堂，賢武齋三先生俎豆所也。永慕堂，中宗戊子進士，十二年居廬以孝旌閭。賢武齋，宣廟壬辰武主簿錄，原從勳。今刊誌，以賢武齋事蹟載之於永慕堂。一則年代相錯也，二則事行相違也。且隱松，兄也；賢武，弟也。今刊誌弟先而兄後，是亦一誤也。夫刊印事容或有魚魯之訛，而其大者錯誤，至於如此，必非刊誌之本意也。雖甚難安，俾編輯者更爲之檢閱若何？自本祠儒論，似有多少爻象矣，幸加洞照是仰耳。

손 평기에게 보내는 답서

　난초 같은 서신을 지초 같은 모범에 대구를 이루니 적막한 가운데서도 위안을 받을 만 하네. 게다가 종이에 가득히 적은 아름다운 말은 그 뜻이 통하여 상복지(桑濮之音) 속에서 아악(雅樂)을 들은 것 같았네. 가만히 생각해 보니, 우리 남쪽 지방에서 성현의 글을 읽고 성명(性命)을 논하는 사람은 노사옹(蘆沙翁)을 조술(祖述)하지 않는 이가 없네. 그러나 선배들과 덕망 있는 분들은 차례로 작고하시었네. 이로부터 우리 사림(士林)이 적막하게 되고 참고할만한 전형(典型)이 없어진 것을 탄식하였네. 그 영향이 끊긴 가운데 혹 찾을 수도 있었네. 족하(足下)[525]는 젊은 나이로 높은 재주가 있어, 서구사조에 휘말린 유속(流俗) 중에서 빼어나 연원(淵源)이 있으므로 아무런 두려움 없이 홀로 우뚝 솟아 있네. 그리고 그 글을 읽어 보니, 가지와 잎사귀로부터 그 줄기와 뿌리를 알아 볼 수 있네. 황하의 아홉 갈래 물줄기가 흐리지만 한치의 아교로 맑아지게 할 수 있고, 사도(斯道)[526]가 맡길 데가 있게 되었으며, 우리 유림들 중에 사람이 없는 한탄도 면할 수 있게 되었네. 다만 바라건데, 자기가 알고 있는 것을 더욱 탐구하여, 그 정일(精一)함을 이루고 자기가 행하는 바에 더욱 정성을 기우려 두텁게 하여야 하네. 이것이 족하(足下)가 소능(昭陵)으로 되는 길이네. 이외에 대해서는 다시 더 이야기하지 않으려 하네.
　보내온 호산(湖山)의 《원유록(遠遊錄)》은 잘 받았네. 진정으로 감사하네. 이 어른은 근간에도 정정 하신가? 그 제2, 제 3록(錄)도 멀지 않아 간행될 것이고, 그 서문은

---

525) 같은 또래에서, 편지 받는 사람의 이름 밑에 써서 존칭어로 쓰는 말.
526) 유가에서 이르는 유교의 도덕.

정회(正會)가 사양하지 않겠네. 만일 이 어른을 만나거든 번거롭더라도 내가 이런 말을 하더라고 전해 주오. 웃자고 하는 말이네.

먼 곳에서 우러르는 마음을 보아서라도 시학(侍學)하시면서 진중하시기를 바라네.

答孫坪琦

謂表蘭械, 更對芝範, 寂寞中慰沃可言, 況溢簡琳璨, 辭旨暢欝, 若聞正雅於桑濮間矣。竊念吾南中讀聖賢談性命者, 莫不祖述蘆翁。而先輩長德次第徂謝, 每歎吾黨從此寂寞, 乏典型之可效, 絶影響之或尋矣。足下以妙齡儁才, 能自拔於俗流滔滔中, 有淵, 有源, 獨立不懼。且讀其文辭, 以枝葉可占其本根, 九流淆亂, 所恃惟寸膠, 庶斯道有所托, 而吾黨無人之嘆, 亦可免矣。惟益究其已知者, 以致其精益, 勵其已行者, 以成其篤。 此於足下爲昭陵, 而過此以往, 亦不欲言耳。湖山遠遊錄荷此達寄, 感感謝謝。此丈近矍亦鑠否? 其第二、第三錄將未遠刊行, 其弁卷之作, 正亦不辭矣。如奉此丈, 煩爲我道如此。好笑。惟侍學珍勝, 以慰遠注。

임 종수(林鍾秀)에게 보내는 답서

서신의 내용이 지폭(紙幅)에 가득하여 정성스럽게 도(道)를 구하려는 진정이 흘러넘치고 있네. 서신을 읽어보니, 족히 나같이 게으른 사람의 마음을 일깨워 주었네. 지금 우리 유림(儒林)들은 외롭기만 하네. 늙은 석학들은 이미 세상을 떠났고, 후진들은 계승하는 사람이 없어 구학(舊學)은 이미 폐지되고 신조류(新潮流)만 밀려오네. 생각이 여기까지 이르니, 말하고 싶지도 않고 듣고 싶지도 않네. 그러나 현자(賢者)는 여러 사람 중에서 빼어나 강한(江漢)[527]이 날로 비하(卑下)함을 개탄하고, 이 도(道)가 부진한 것을 걱정 하였으며, 본원지(本原地)에 입각하여 고인(古人)의 학문에 뜻을 두어 결국 집의양기설(集義養氣說)에 공효(功效)가 있기를 힘썼으니, 대개 맹자(孟

---

527) 중국 장강(長江)과 한수(漢水), 이 두 강이 바다로 흘러가듯 조선왕조(朝鮮王朝)를 향한 인심, 혹은 중국의 천자에게 향하는 종전의 봉건적 제도와 문화 등을 의미하는 뜻이다. 일찍 강한지사(江漢之思)라는 단어가 있다.

子)의 이 논리는 천지(天地)를 바로 세우고 백세(百世)를 기다렸던 것이니, 이른바 전인이 발견하지 못한 것을 발견한 것인데, 현자(賢者)가 이미 이 큰 뜻을 깨달았으니, 이 세상에서 쉽게 찾아볼 수 없는 일이네. 그러나 이 일은 말하기는 쉬워도 행하기는 어려우니, 이것은 우리들이 함께 노력해야 할 일이네.

　내가 지은 《난계기(蘭溪記)》는 거듭 부탁의 말을 어기었고, 모모(嫫母)[528]의 찡그림을 본받고자 하였으나, 이에 칭찬을 해 주니 만일 나에게 도움이 있다면 도리어 부끄러움이 느껴지네. 정회(正會)는 세월을 헛되게 보내어 하루도 실질적인 학문에 뜻을 두지 않았고, 갖은 기량(伎倆)이라면 곡예(曲藝)이며 말기(末技)였네. 그러나 그 말기도 정일(精一)한 경지에 이르지 못하였으니, 어찌 그 근본을 엿볼 수 있겠는가? 요즈음 가정에 걱정이 있어서 광주(光州)에서 돌아오니, 서신이 오랫동안 책상에 있어 이렇게 답장이 늦었네. 바라건데, 오직 학문에 힘 쓰고 몸을 삼가하여 나의 기대에 부응하기 바라네.

答林鍾秀

辱書溢幅觀縷, 眷眷求道之意, 透露楮面, 讀之足以起余懶頹。目今吾林孤矣, 老碩之已徂, 而後進無繼。舊學之旣廢, 而新潮動盪。念到此者, 固不可見說, 到此者, 亦不可得聞。仰認賢者, 能拔萃乎衆楚之中, 慨江漢之日下, 憂斯道之不振, 立脚本原地, 有志古人學, 卒以責効於集義養氣之說。蓋孟子此論, 可以建天地, 竢百世, 所謂發前未發者也, 賢乎已見大意缺界中, 甚不易得, 然而此事說時易, 而做時艱。此吾輩所共勉勵也。 拙搆蘭溪記, 重違盛囑, 欲效嫫嚬, 迺加稱道, 若有資於僕者, 旋覺愧縮。正虛擲日月, 未曾一日用力於實學, 所伎倆者祇是曲藝耳, 末拔技耳。然而末且未臻其精, 安能探其本而窺其原哉? 近有家憂, 自光歸廬, 來書久案, 坐此稽謝。惟懋學自恁, 副此期望。

---

528) 중국 고대 황제(皇帝)에 제 4비(妃), 얼굴은 추녀(醜女)지만 현덕(賢德)이 있었다고 한다. 전(轉)하여 여기서는 추녀를 말한다.

박 래윤(朴來允)에게 보내는 답서

정회(正會)는 지금은 시식(視息)[529]의 상태이네. 지난달에 문득 선비(先妣)의 소상(小喪)을 치루고 완악한 목석같이 지내고 있는데, 갑자기 멀리 위문해 주시고 많은 부의(賻儀)까지 주시니, 그 감사한 마음을 어찌 말로 다 표현하겠는가? 지난 겨울 존선공(尊先公)의 상을 당했을 때 하찮은 위문장을 보냈는데, 이미 보셨을 것으로 생각하네. 그러나 속례에 따라 종이 한 장 보낸 것이 어찌 조그만한 성의이지만 그 추모하는 마음을 다 말할 수 있겠는가? 옛날 선공(先公)과 효당(曉堂)·고당(顧堂) 등 제공(諸公)이 나에게 동서이경(東西二京)[530]의 구적(舊蹟)과 영주(瀛洲)의 한라산(漢拏山)을 유람하기로 약속 하였으나, 나는 세상일을 벗어날 수 없으므로 한, 번도 함께 가지를 못해 늘 한이 되었는데, 선공이 지은 《원유록(遠遊錄)》을 읽어보니 나로 하여금 백배나 기운이 나게 하였네. 효당(曉堂)의 묘소에 나무는 이미 한 아름이나 자랐으므로 혹 선공의 뒤를 따라 옛 빚을 갚으려고 하였는데, 사람 일이 서로 뒤바뀌는 것이 이와 같은 줄 누가 알았겠는가? 나는 일찍부터 선공에게 빌기를 원유록이 제2, 제3편이 계속되면 내 글이 비록 졸하지만 말 한마디로나마 일을 돕는데 사양하지 않으려고 하였는데. 지금은 그만이니 말한들 어찌 하겠는가? 손군 평기(孫君坪琦)는 지금도 강학(講學)을 전폐하지 않는가? 이 친구의 자질과 식견은 매우 찾아보기 어려워 공경스럽고 사랑스럽네. 길이 멀어 자주 가지 못하니 한이 될 뿐이네.

오직 예서(禮書)를 읽으며 몸을 잘 지탱하시어 멀리 그리워한 마음을 위로하기 바라네.

答朴來允

正會苟存視息, 昨月奄經先妣小朞, 頑然木耳石耳。忽蒙遠問, 副以腆賻, 哀感可言。去冬尊先公喪, 草草修慰, 想已登徹矣。然隨例一紙, 安能道寸悃追念。昔年先公與曉顧諸公, 約余遊觀乎東西二京之舊蹟, 瀛洲之漢拏矣。顧塵緣難超, 一未之偕, 尋常以爲愧恨。及讀先公所著遠遊錄, 足使覽者有以增百倍之

---

529) 눈 뜨고 살아 있는 목숨.
530) 신라의 고도인 경주(慶州)를 동경(東京)이라 하고, 평양(平壤)을 서경(西京)이라고 하지만, 여기서의 서경은 부여(扶餘)를 말한 것 같다.

氣。曉堂則邱木已把矣。庶可從先公後以償夙債，孰知人事之相禪，乃如是耶？余嘗祝先公，而遠遊錄可繼其第二第三編，余文雖拙，當不辭一言相役矣。今焉已矣，謂之何哉！孫君坪琦，能不廢講學否？是友之姿質也，見識也，甚不可得，可敬可愛，塗復未能源源，可恨也已。惟讀禮支衛，以慰遠溱。

이 은우에게 보내는 답서

　한 폭의 서신이 눈 속을 뚫고 들어오니, 따뜻한 봄바람을 만난 것 같아 위로됨을 어찌 말로 다 하겠는가?
　부탁하신 묘문(墓文)과 글씨 및 그림은 혹 내가 이것을 잘한다는 생각으로 억지로 잘 할 줄 모르는 일을 요구한 것 같네. 그러나 전년 봄에 약속한 일이니, 어찌 저버릴 수 있겠는가? 내월 초순에 왕림하겠다고 승낙 하였으니, 미리 기뻐하며 눈길을 쓸어 놓고 기다리겠네.

答李殷雨

一幅雲錦，穿雪入來，如獲煖律也，慰瀉何言？墓文、及書、與畵之囑，似或以我爲能此者。而强其所不能，愧不敢當。然前春有約，亦何敢負也？來旬賁枉之諾，預切欣聳，當掃雪竢之。

상인(上人)[531] 배 운기에게 보내는 편지

　전에 회목(檜木) 두 주를 부탁하였는데, 마침 이식할 시기가 되어 장정 두 사람을 보내니 영산(靈山)의 선인(仙人)이 심은 나무가 진계(塵界)에서 그 천성을 잘 보존할지 모르겠습니다. 그러나 그 뿌리는 퍼지도록 해야 하고, 그 배토(培土)는 평탄하게 하며, 그 흙은 비옥하고 그 축대는 세밀하게 하여 움직이지 않게 하고 염려하지도 않아야만 그 본성대로 이루어지는 것이니, 나는 이 말을 곽탁타선생(郭槖駝先生)에게

---

531) 지덕(智德)을 갖춘 승려의 높임 말.

들었습니다. 오직 참조하시기 바랍니다.

與裵上人雲起

前托檜樹二本，適丁移期，玆起送二丁，第未知靈山仙植，能保其天於塵界耶？雖然其根欲舒，其培欲平，其土欲沃，其築欲密，勿動勿慮，以致其性。吾聞諸郭橐駝先生矣。惟希淨照。

상인 김 보월에게 보내는 답서

　지난번에 얼굴을 대하고 지금 서신을 읽으니 신선과 범인이 그리 막혀있지 않았습니다. 향운전 "(香雲殿)의 육위문(六偉文)[532]은 속된 내가 어찌 그 일을 할 수 있겠습니까. 그렇지만 전초의 부탁을 차마 어기기 어려워 이제 몇 글자를 써드리니 혹 산과 시냇물이 조롱하지나 않을는지요? 태저(苔紙)는 진품으로 문방(文房)을 사치스럽게 하니 감사드립니다. 때는 백련(白蓮)이 활짝 피는 계절이라 풍겨오는 연꽃향이 종이에 스며들고 있습니다.

答金上人步月

向接芝儀，今讀蘭械，仙凡不甚隔也。香雲殿六偉文，顧此俗陋，何堪爲役。難負荃囑，玆掇拾寫去，或不爲峯嘲澗誚否？苔楮珍品，文房太侈，感感謝謝。時白蓮盛開，泛香沁紙。

---

532) 상량문(上樑文)을 말한다.

사제(舍弟) 순회에게 보내는 답서
무인년(서기1938)

  헤어진지 며칠밖에 되지 않지만 눈이 이미 일장(一丈)이나 내렸구나. 문을 굳게 닫고 집안에 엎드려 있어도 안온한 감을 느끼지 못하고 있는데, 하물며 만 리 길을 떠나 간혹 험한 파도까지 출렁이니 아무리 생각을 해도 끝이 없는데, 난데없이 친필 서한이 날아 왔으니 그 기꺼운 심정은 실로 여느 때에 비길 수가 없구나. 각처를 지나면서 대해(大海)를 잘 건네 갔으니, 지난날 걱정은 비로소 얼음이 녹듯이 풀리는구나. 시험이 곧 있다고 하니 더욱 노력하여 구인(九仞;구천 길 높이)의 산을 쌓는 공이 일궤(一簣; 한 광주리)의 흙이 모자라는 식으로 만들지 말기를 바란다. 계절이 바뀌어 세월은 냇물처럼 흘러, 올해도 이제는 저물게 되어 백감(百感)이 교차하고 있구나! 이 때 이 회포는 생각해 보니, 너도 마찬가지이리라고 생각된다.

答舍弟舜會
戊寅

  分手未幾, 日雪已丈矣。閉戶深蟄者, 猶不能安穩。況萬里行程, 間以險浪懸懸, 一念靡所不到際者, 忽見手墨, 其所慰悅, 實非餘時可伍。各処經歷能利涉大海, 昔者之慮, 始釋然矣。試驗在即云, 願益加努力, 遂使九仞之功, 勿爲一簣之虧。時序流易, 此歲將暮, 百感交集於中, 此時此懷, 想亦一般矣。

순회(舜會)에게 보내는 답서
임오년(서기1942)

  지난달 편지에서, 집으로 돌아온다는 뜻을 알려 왔기에, 매일 서리 내리는 새벽부터 바람 부는 저녁까지 눈이 빠지도록 기다리고 있다. 하지만 하늘 한 끝은 망망하고, 남으로 날아오던 기러기 떼들도 자취를 감추고 말았구나! 가을과 겨울 사이가 제일 견디기 어렵다고 한 소동파는 나를 속이지 않았구나! 아버지의 휘일(諱日)이 벌써 지나가 자애로운 모습과 음성은 영원히 볼 수 없고, 이전에 제정하여 지켜오는 법도도 장차 무너지게 되었구나. 하늘에 닿은 애탄 가슴이 갈수록 끝이 없구나. 원통하여 하늘에 울부짖고 가슴 아파 어머니를 애타게 부르는 이것 역시 인정에서 우러나온 것이니, 거짓을 부릴 수는 없는 것이다. 요즈음 날씨가 추웠다 더웠다 변덕을 부리니, 여로에서 여러모로 더욱 자애해야 한다. 이곳의 할머니께서는 기력이 정정하시고, 창수(昌洙)와 정수(晶洙) 두 아이도 매일 《사자소학(四字小學)》을 배우고 있으니, 계란을 보고 닭이 되어 새벽을 알릴 날을 기다리고 있듯이 혹 성취를 거둘 그 날이 있을지 모르겠구나. 제발 그랬으면 좋으련만 붓으로 다할 이야기가 아닌 것 같구나.

與舜會

壬午

頃月書中有歸庭之示, 每霜朝風夕望眼幾乎穿矣。天涯茫茫, 來鴈亦斷, 秋冬之際, 最難爲意者, 東坡不我誣也。先府諱辰奄過, 音容永閟, 成憲將墜。窮天之懷, 去益罔涯。寃抑而呼天, 疾痛而號母者, 亦人情之不容僞者也。比來寒暖乖宜, 在旅諸節益加自愛。此處重堂氣力粗康, 昌晶二兒, 課誦四字小學, 見卵求夜, 或有成就之日耶？萬萬。非寸毫可旣。

순회(舜會)에게 보는 답서

임오년(서기 1942)

몇일 전에 전보를 받았는데, 부탁한 일에 대해서 언급했지만, 가망이 추세로 보니 가망이 없으니 어찌할 수 있겠느냐? 네 형수인 성수(晟洙)의 어머니는 이달 19일 오시(午時)에 작고하여, 3일 후인 병자일(丙子日)[533]에 양지선영(陽支先塋) 뒷산에 임시 장례를 치루었다. 비록 일이 급하기는 하였지만, 중시하(重侍下)의 정경(情景)을 비추어볼 때, 어찌 시일을 오래 지체할 수 있었겠느냐? 단 성수(晟洙)와 창수(昌洙) 두 아이가 상례(喪禮)를 잘 지키어 조문 오는 사람들도 역시 심복하였다. 조석으로 상식

---

533) 21일임.

(上食)하는 일에도 큰 아이는 밥그릇을 받들고 작은 아이는 향로(香爐)를 받들어, 작고한 사람이 안다면 저승에서 여한을 위로 받을 수 있을 것이다.

與舜會
壬午

日者回電得見, 而所托云云, 勢不可能, 奈何奈何? 晟母氏竟以今十九日午時不起, 越三日丙子, 渴葬于陽支先壟後麓。雖云迫切, 重省下情境, 曷可淹留。但晟昌二兒, 能執喪禮, 吊者亦悅, 至朝夕上食之節, 長也奉飯, 少也奉爐, 逝者有知, 可慰泉台之恨矣。

순회(舜會)에게 보내는 편지
*이하는 동생 순회가 학도병(學徒兵)으로 징집된 후 왕복한 것임
갑신년(서기 1944)

해마다 중추절의 월색은 어떠하였기에 나더러 동생을 그리워하며 눈물을 흘리게 한단 말인가? 침대에서 머리를 맞대고 명절을 지낸지도 손으로 헤어보니 어언간 여섯 번이 되었구나. 작년 가을을 돌이켜 보니, 내 맘속으로 이렇게 이야기 한 적이 있다. "내년 가을에는 반드시 아우와 함께 달구경할 것이니, 잠시 헤어진 것이 어찌 마음 상할 것 있겠는가?"라고 하였지만 벌서 금년 가을에는 더욱 멀리 헤어져 있으므로, 마음이 더욱 섭섭하여 옛날 헤어졌던 것보다 못하니 오히려 전일보다 더 만나기를 바라고 있다. 철 따라 흘러가는 것은 구름이요 철 따라 날아오는 것은 기러기뿐이니 천애(天涯)의 지구 일각(一角)에서 나의 생각이 아득하기만 하구나. 비록 이렇다고 하기는 해도 나는 술에 취했다 깨었다 마음대로 하고 노는 것도 내 뜻대로 하였으며, 요즈음은 초군(樵軍)·어부(漁父)들과 어울리며 멀리는 명산(名山)과 대천(大川)을 마음대로 거닐면서 정신을 팔다시피 하였다. 소요생활에 자적하면서 한 평생을 보내고 싶구나. 우리 아우는 10년 동안 해상(海上)에서 있으니, 중랑(仲郎)[534]의 양(羊)

---

534) 미상.

이었던가? 구름 속에서 천년동안 지내는 영위(令威)의 학(鶴)이었던가? 다만 내가 태어난 시기가 때가 아님을 한스러워 할 뿐이구나.

與舜會
此以下學兵被徵後往復 甲申

年年中秋月如何？使我作憶弟之淚耶？未得聯牀，過莭屈指己六回矣。追思昨秋，自語於心曰，來秋必与之賞月，暫离亦何傷？奄當今秋离益遠，而懷益惡，反不若昔者之离，犹有望于前期也。適去者雲，適來者鴈，天涯地角，我思悠悠。雖然予則任意於醉醒，恣情於遊騁。近則樵社漁鄰，遠則名山大川，逍遙自適，以終此生。吾弟乎海上十年，仲郞之羊歟？雲間千載令威之鶴歟？只恨吾生之不辰耳。

순회(舜會)에게 보내는 답서
갑신년(서기 1944)

손때가 묻은 편지가 갑자기 동도(東都)에서 날아왔으니 놀랍고도 반가움을 어디에 비하겠느냐. 편지에 "떠나 온지 이틀 사이에 마음대로 밖으로 나다니게 되었다."라고 쓴 글을 보고, 내 마음 역시 이틀 동안 즐거웠다. 다만 미리 알지 못하여 침대에 나란히 머리를 맞대고 비바람 속에서 이야기를 나누지 못한 것이 한스러울 뿐이다. 시인(詩人)들이 "길이 험하고도 머나머네."라고 말하였는데 이것은 아마 고금(古今)의 통한(痛恨)인성 싶구나.

일전에 부쳐준 고약(膏藥)은 효과가 어떠한지? 그때의 비용은 즉시 기군(奇君)에게 다 주었다. 그렇지만 하루 이틀 쉬어야 하는데, 그것이 쉬운 노릇이 아니겠다. 기회를 얻거나 혹은 말미가 있으면 돈은 얼마나 드는가는 관계하지 마라. 정수(晶洙)의 어머니는 네가 징병으로 간 다음부터 매일 밤 자시(子時)[535] 반에 항아리 반이 차게 물을 길러 와서는 천지신명에게 빌고 빌었는데, 혹 그 정성이 감동을 받게 한 것이 아니

---

535) 오후 11시~익일 1시까지의 시간.

겠느냐? 전 번에 시(詩) 이절(二絕)을 부치고, 그 후 잇달아 수편(數篇)을 지었으나, 내용이 지금 세상에서 피해야 하는 글귀가 있으므로, 다시 적어 보내지 않겠다.

答舜會
甲申

滿簡手珍, 忽自東都來. 驚喜之私與何? 書'自別二日間, 任意出外.' 聞來, 我心亦得二日之快活. 只恨未能前期相知, 聯牀接話於風雨中也. 詩人所謂'道阻且長'者, 古今 通恨也. 日前付去膏藥, 能見其効耶? 那時費用, 卽付于奇君處矣. 然一二日得休不易, 得之機後, 或有此隙, 則勿計費之多寡焉. 晶母氏自君被徵後, 每夜汲子半水, 告于天地神明, 或有至誠之致感耶? 向寄二絕, 後連吟數篇, 而語逼時諱, 不復書耳.

순회(舜會)에게 보내는 답서
갑신년(서기 1944)

잇달아 난초 같은 말을 전해 들으니, 날마다 오늘과 같다면야 이 마음 적막하지 않을 것이다. 보내온 서신에서 "수륙만리(水陸萬里) 떨어져 있어도, 그리는 마음은 지척(咫尺)에 있네."라고 적고 있는데, 참으로 마음속의 말을 그대로 적은 것이구나. 더구나 부쳐 온 이절(二絕)의 시(詩)는 눈을 반갑게 하였으니, 칼을 베개로 삼고 창을 손에 들고 있는 군인의 몸으로 무슨 겨를이 있어, 이렇게 시까지 짓는단 말이냐. 시가 더욱 세련되고 뜻도 더욱 간절하구나. 고인들도 시로 명성이 높은 사람들은 여행 중이거나 군대를 가는 사람 중에서 많이 나왔는데, 대개 환경에 정이 촉발하여 세련되게 하지 않아도 스스로 세련된 것일까? 한번 소리 내어 읽고, 세 번 감탄하니 체악(棣萼)[538]을 화답한 것 같구나. 그런데 수족의 종기가 있어 고생하면서 아직도 쾌유되지 않았다고 하니, 혹 습기 있는 바다의 잡된 기운이 작간을 부리는 것 아닌지. 염려한들 무슨 도움이 있겠느냐?

---

538) 《시경(詩經)》'소아편(小雅篇)'의 상체장(常棣章), 형제간에 화락(和樂)하는 즐거움을 엮은 시(詩)임.

答舜會
甲申

連獲蘭言, 每如今日, 則此懷庶不落寞矣。來書所云, 水陸萬里, 懷情咫尺者, 實際語也。況又寄來二絶, 能使愁眼得青。枕戈荷戟, 能暇及於此耶？語益工而意益切, 古人之以詩鳴者, 多出於羈旅征役之間。盖觸境瀉情, 不期工而自工也歟？一唱三歎, 怳若相和於棣萼之中也。但手足腫苦, 尙不見効, 亦瘴海雜氣爲之祟歟？慮亦奚盆？

아들 병수(丙洙)에게 부내는 편지
기묘년(서기 1939)

상도(相度)가 돌아와서 무사히 선운사(禪雲寺)로 들어갔다는 말을 들으니 위로가 되었다. 선운(禪雲)의 산수(山水)는 내가 가서 놀아본지 한 두 번이 아니다. 그 곳의 구름 감도는 숲은 아름다울 뿐만 아니라, 그 곳의 바위 틈에서 흘러나오는 샘물도 주옥같이 맑아 사람들의 성정(性情)을 키울 수 있는 곳 이다. 내가 너를 그 곳으로 보낸 것은 단순하게 약을 복용하기 편리해서가 아니다. 산 속 풍광과 푸른 냇물 가에서 기거를 하고 호흡을 하면서 세상의 번거로움을 말끔히 쓸어버리라는 것 이다. 나의 마음이 만화(萬化)의 기틀이 되는 것이니, 이 마음을 수양한다면 잔병도 근심도 적어지기 마련이고, 하루아침 구름이 걷히고 안개가 사라지면 돌아갈 날을 기약하지 않아도 스스로 집으로 돌아오게 될 것이다. 마음을 수양하고 병도 치료한다면 그야말로 일거양득이 아니겠느냐? 넌 이 말을 명심해야 할 것이다.

寄丙洙兒
己卯

相度歸來, 聞無事入寺, 可慰也。禪雲山水吾曾遊賞非止一再, 其雲林之窈窕, 泉石之淨瑩, 可以養吾情性。送汝于此, 非直爲服藥之便宜也。起居呼吸於山光水綠之中, 世間紛擾, 一切掃如也。吾之一心, 爲萬化之機, 能養此心, 則些少病憂。一朝雲散霧消, 不期返而自返。養心治病, 可謂一擧兩全, 汝其念之哉。

사위 이 신(李新)에게 보내는 답서
정축년(서기 1937)

이미 완산(完山)에서 길을 떠난 것 같은데, 서신이 없으면 돌아오리라고 생각했는데, 갑자기 편지를 받고 보니, 마치도 네 얼굴을 마주 한 것 같구나. 학기말시험이 가까우니 더욱 노력해야 할 것 아니냐. 학문이란 농사에 철이 있는 것과 마찬가지 이다. 봄에 밭을 갈지 않고 가을에 수확을 바란다면 천하에 어찌 이런 도리가 있겠느냐? 사람이 스물 이전에는 봄날과 같고, 스물이 지나면 여름과 흡사하다. 반드시 유소년기에 게으름 없이 부지런히 배워야 성공할 수 있는 것이다. 오늘은 다시 오지를 않고, 흘러가는 물은 거꾸로 흐르는 법이 없단다. 꼭 노력에 노력을 기우려야 한다.

答李壻新
丁丑

似己完山發程, 未有書問便回, 忽得蘭言, 如獲更對芝範。學期試驗迫頭, 益加努力焉。夫學問如農之有時期。春不畊而求秋穫, 天下寧有是理？人之二十以前, 春也；以後, 夏也。必須幼少時, 孳孳不怠, 乃能有成。此日不再來, 流水無倒回之理, 勉之勉之。

손자 경식(璟植) 에게 보내는 답서
을사년(서기 1965)

천리 길에 너를 보내 놓고 정작 한 해를 보내려 하니 어쩐지 참으로 마음을 달래기가 어렵구나. 진중한 너의 편지가 새 봄과 함께 찾아왔다. 노안(老眼)이 금새 밝아진 것 같구나. 손자 정(珽)도 역시 편안하게 지내며 공부에 힘 쓰고 있느냐?

　명식(明植)과 정필(廷弼)이는 그믐날에 잠시 왔다가 이튿날 원조(元朝)에 다시 떠나갔다. 나도 우리 손자 일곱 명과 함께 모여 단란하게 설을 쇤 적이 없구나. 큰 손자가 있으면 둘째가 빠지고, 둘째가 찾아 오면 셋째가 떠나게 되는 구나. 인생의 회합이 이와 같이 어렵단 말이냐? 공부하는 것은 마치도 농부가 농사를 짓는 것과 마찬가지이다. 밭을 갈고 파종하고 김 메는 것은 다 철이 있으니, 만약 한 철만 놓친다고 하면 가을 수확이란 있을 수 없는 일이다. 공부도 이와 같은 이치이다. 어렸을 때 부지런히 배우지 않으면 늙어 백수가 되었지만도 가난한 생활을 벗어나지 못한 한탄만 남을 것이니, 무슨 소용이 있겠느냐? 그러나 공부에는 근본과 말단이 있는 법이다. 덕행(德行)은 근본이고, 문학(文學)은 말단이다. 반드시 언사는 충신(忠信)하고 행동은 돈독하고 공경히 하여, 그 근본을 세울 것이며, 한쪽에 치우치지 않고, 널리 배워 식견을 넓히고, 근본과 말단을 다 같이 모두 다듬어, 안팎을 서로 키워나가야 일가(一家)를 이룰 수 있는 것이니, 유념해야 한다. 이 편지를 정(珵)에게도 보여주는 것이 좋겠다.

答璟植孫
乙巳

千里送汝, 過歲實難爲懷。珍重手字, 與新春俱到。老眼忽明, 斑孫亦安過善工耶？明植與廷弼, 除日暫歸, 翌元朝旋去耳。與吾七孫一未能團會過歲。伯也祭則仲也闕, 仲也來則叔也去。人生會合, 若是其難耶！夫工夫如農人之治田, 耕播種耘自有時期, 一失則無復秋矣。工夫亦然, 少不勤學, 白首窮廬, 悲歎何及？然工夫有本有末, 德行本也, 文學末也。必須言忠信, 行篤敬, 以立其本。博學無方, 以廣識見。本末該擧, 內外交養, 方能成一家。念之哉, 念之哉！此書示及于珵孫爲好耳。

손자 경식(璟植)에게 보내는 답서
기유년(서기 1969)

　추석을 지난 후에야, 너의 서신을 받아 보게 되었으나, 내가 신경통으로 앓아 아직까지 회답을 주지 못 했다. 듣자하니 지난달 열이레 날에 너와 행자(幸子)가 귀가하려고 차에 올랐는데, 네가 갑자기 무슨 느낌이 들어 곧 차에서 내렸다고 하였다. 그런데 바로 그 날 그 차가 송령(松嶺)을 지나다가 뒤번저지는 바람에, 몇 사람이 죽고 수십 명이 중상을 입었으며, 나머지 사람들은 다치지 않은 사람이 없다고 하더라. 사후에 이 소식을 듣고 나니, 모골이 송연하여 전혀 제 정신이 아니더구나. 오늘에야 비로소 네가 행동거지에 법도가 있어 능히 액화를 면할 수 있다는 것을 알게 되어, 이제부터는 아무런 걱정도 하지 않고 한시름 놓게 되었다. 이 역시 선조와 선친의 영령이 말없이 저승에서 보우해 준 덕분이다. 우리 집안에서 이보다 더 큰 것이 무엇이겠느냐?

영식(永植)이는 미국에서 근간에 잘 있다는 편지를 보내 왔으니 그 기쁨을 가히 알 만 할 것이다. 너도 간간히 네 동생에게 펴지를 써서 만리 타향에서 적적하게 느끼지 않게 해 주는 것이 훌륭한 일이 아니겠느냐? 영식이의 주소는 별지에 적어 보낸다. 네 어미 편에 육미지황환(六味地黃丸)537) 일제(一劑)를 보내니 착실히 복용하여라. 요즈음 가을빛이 한창 무르익고 있으니 이 늙은 몸은 너희 들 보고싶은 마음이 더욱 간절하구나.

오직 객지에서 몸 편안히 잘 지내기를 빌고 또 빈다. 나머지는 일일이 말하지 않겠다.

答璟孫

己酉

秋夕後見汝書, 余以神經痛尙未答耳. 聞去月十七日, 汝與幸子欲歸家, 方登車, 而汝忽有所感, 旋卽下車. 是日是車, 過松嶺忽爾顚覆, 死者幾人, 重傷者數十人, 其餘都無完人云. 追後聞之, 毛骨尙疎然, 未能定魄矣. 於今始信汝行止有度, 能免厄禍. 吾從今無憂矣. 此亦先祖先父之靈, 默佑于冥冥之中焉. 吾家慶幸, 孰大於此哉! 永植自美國近有安信, 喜可知也. 汝亦間間寄書于汝弟, 使萬里外旅窓能不寂寥也羙. 住所別紙錄送耳. 汝母便六味地黃丸一劑付送着, 實服用焉. 比日來秋色正佳, 老懷益切. 惟旅履安重, 千祝萬祝, 餘不一一言.

---

537) 남자들의 신수(腎水)가 부족한 경우에 복용한 한약제. 숙지황(熟地黃)·산약(山藥)·산수유(山茱萸)·백복령(白茯苓)·맥문동(麥門冬)·백출(白朮)·생지황(生地黃) 등 약제로 구성되어 있으나 환자의 증상에 따라 약제를 가감할 수 있다.

손자 경식(璟植)에게 보내는 편지
경술년(서기 1970) 정월

경식아! 너는 수년간 노력이 헛수고로 되었으니, 이 할애비는 너무나도 애석하게 생각한다. 군자(君子)는 자기에게 있는 것을 구하고 밖에서 구하지 않는 것이다. 나에게 있는 것은 즉 인·의·예·지(仁義禮智)의 성(性)이므로, 나에게 고유(固有)한 것이다. 구하지 않으면 모르지만 구하면 얻지 않는 것이 없다. 그러나 밖에 있는 것은 세속에서 말한 부귀(富貴)와 이권(利權)과 영달(榮達)인데, 이것은 운명에 달려 있는 것이므로, 요행으로 얻을 수 없는 것이다. 세상 사람들은 저…부귀와 이권과 영달의 득실로 자신의 흔척(欣戚)을 삼고 있으니 이것은 너무도 생각을 하지 않는 일이다. 그러므로 군자는 천작(天爵)[538]을 귀하게 여기고, 인작(人爵)[539]을 귀하게 여기기 않는 것이다. 더구나 천작을 닦으면 인작이 스스로 오는 것이니 말이다. 너의 외조이신 월담선생(月潭先生)은 요즈음 강녕하시느냐? 찾아가서 뵙거든 그이가 내가 너에게 묻듯이, 너에게 물은 적이 있느냐?

寄璟孫
庚戌正月

璟乎, 汝數年間枉費心力, 余爲之甚惜也。夫君子求其在我者, 不求於外。在我者, 卽仁義禮智之性。而吾所固有也, 有不求, 求之無不得, 在外者, 世俗所謂富貴利達也, 此有命焉, 不可倖而得之。世之人以彼之得失, 爲己之欣戚, 其亦不思己矣。故君子貴其天爵, 不貴人爵。況修天爵, 而人爵自至者乎。汝外祖月潭先生近康寧否? 往拜之, 其以吾言質之璟乎?

---

538) 하늘이 부여한 도덕성(道德性)으로 인의충신(仁義忠信)을 말한다.
539) 사람이 주는 벼슬로 공경 대부(公卿大夫)와 같은 것이다.

최 일석(崔日錫)에게 보내는 편지

봄날 밤 와상(臥床)에 누워서 삼십 년 동안 내려오며 산속에서 그리던 회포와 남포에서 그리던 정을 낱낱이 이야기 하였는데, 이는 참으로 너무나도 쉽지 않는 일이었네. 만약 우리 현자(賢者)가 그토록 정성을 다하지 않았다면 누가 십사(十舍)[540]를 멀다하지 않고 적막한 곳을 찾아 들었겠는가?

그런데 비문을 써 달라는 부탁은 아마 적임자가 아닌 사람에게 부탁한 것이지만, 멀리 오신 뜻을 외롭게 할 수 없어 감히 졸렬한 솜씨를 드러냈으나 더욱 간결하게 하여야 하네. 지금 세상의 왕 우군(右軍)[541]은 선인들의 자취를 홍보하는데 있어서, 그 모든 면을 아름답게 꾸미는 것이 아니라, 선한 것을 다 전하려하고 있네. 풍패(豊沛)[542]로 갔다고 하던데, 언제 돌아 오실건가. 그리움이 절절하네.

오직 부모님 모시고 기쁜 일이 더하시어 멀리 생각하는 마음에 부응하기 바라네.

與崔日錫

春宵同榻, 說盡三十年間山懷浦情, 甚不易得。如非吾賢眷注之至, 孰能不遠十舍地, 枉屈寂寞之濱耶？但碑書之託, 託非其人, 亦難孤遠來之勤意, 玆敢露拙, 而更須簡。今之右軍, 其於揄揚先蹟不爲盡美, 且盡善矣乎。豊沛行駕, 曷日言旋？溯念切切。惟祈侍彩增歡, 以副遐想。

---

540) 일사(一舍)는 30리의 거리임. 십사(十舍)는 300리의 거리를 말한다.
541) 진(晉)의 회계인(會稽人) 왕희지(王羲之)를 말함. 자는 일소(逸少), 그는 원제(元帝) 때 우장군(右將軍)을 지내어 왕우군(王右軍)으로 칭하기도 한다. 그는 초서(草書)와 예서(隷書)로 고금에 제일이며 아들 헌지(獻之)와 함께 이왕(二王)으로 칭한다.
542) 한고조 유방(漢高祖劉邦)의 고향에 지명이지만 조선 태조도 한고조와 같다고 하여 태조의 고향인 전주(全州)를 풍패(豊沛)라고 한다.

최 병덕(崔炳德)에게 보내는 답서

　가산(佳山)에서 작별한 후 얼굴을 잊을 뻔하였네. 갑자기 서신을 받아 읽으니 여러 해 동안 가슴 속에 막혔던 마음에 위로가 되어 그 감회를 어찌 입으로 다 이야기 하지 않을 수가 있겠는가? 존부(尊府)[543]선생의 비문 글씨는 친구인 송하 백모(松下白某)의 간청을 거듭 어기다가 이제야 써서 드리는 바이네. 항시 부끄러움과 공포에 잠겨 있었는데, 이렇게 과찬을 하여 주니 더구나 몸을 움츠리지 않을 수 없네. 그런데 나는 이 일에 남몰래 느끼는 바가 있네. 지금 사도(師道)가 사라진지 오래 되었는데 상덕계(尙德契)의 제현(諸賢)들이 스승을 존경하는 성의는 살아계시나, 작고하시거나 존몰에 따라 간격이 생기지 않고 묘의(墓儀)에 까지 이르면서도 시종 게을리 하지 않았네. 효자가 선친의 업적을 조술(祖述)하는 정성과 제생(諸生)들이 스승을 앙모하는 의리는 가히 병행할 수 있으니 실로 세도를 위하여 축하할만한 일이네. 정회(正會)는 간절한 마음으로 가서 참석하고 성대한 의례를 구경하고 싶지만 상복을 입은 사람이 어떻게 바람맞이에 설 수 있겠는가.
　오직 효도하는 신체를 더욱 소중하게 여기기 바라네.

答崔炳德

佳山一別, 幾乎忘形, 忽伏承惠疏, 稍慰積歲阻懷, 感不容口。尊府先生碑書, 重違松下白友之敦請, 敢已寫呈, 尋常愧懼之不暇, 而洒蒙過情之譽, 尤不勝縮也。第於斯役, 竊有感焉。顧今師道之缺絕, 久矣。仰想尙德契中諸賢尊師之誠, 不以存沒有間, 至於墓儀之賁, 始終不懈。孝子述先之誠, 諸生慕師之義, 可謂並行不悖, 實為世道賀也。正會切欲往叅以覩盛儀, 而衣衰者何能追隨於下風哉？惟祈侍彩增重。

손 평기(孫坪琦)에게 보내는 편지

　뜻밖에 찾아 주시니, 그 표상이 옥같이 아름다워 병을 앓고 있는 사람으로 하여금

---

543) 상대방의 아버지를 높혀 이르는 말.

쾌유하게 하니 그 혜택이 어찌 적다고 하겠는가? 비문은 우리 현자(賢者)가 나를 잘못 알아 이런 잘못을 범하였네. 그러나 먼 길에 와서 간청하므로, 그 뜻을 외면할 수 없어 요즈음 두어줄 글을 엮어 그 곳으로 보냈으니, 조만간 들어가면 교정해 주기 바라네. 혹 하자가 있는 중에 조금이라도 취할 점이 있을는지…우리 현자(賢者)는 언제나 선배들이 작고한 것을 걱정하고 있는데, 이 걱정은 나와 동감이네. 그러나 한편 생각하면 사람은 떠나갔어도 죽음에 따라 사라지지 않고 여기에 남아 있는 것도 있네. 이에 더욱 노력한다면 아마 오늘의 근심을 면할 수 있을 것이네. 어떻게 생각하시는가? 멀리서 그리는 정을 보아서라도 시학(侍學)의 몸을 보중하시기 비는 바이네.

與孫坪琦

匪意見訪, 如玉其標, 足使唫楚者得以快穌, 其爲惠曷云少哉. 文碑似是吾賢淺之知我, 致此謬擧也歟? 然遠來懇甚, 其意亦不可孤也. 近掇數行文, 付於那處耳. 早晏入燭, 爲之訂校. 庶全瑕中, 或有寸理之可取耶? 吾賢每以先輩凋零爲憂, 是憂也, 余同其感矣. 第念人雖亡也, 亦有不隨死而俱亡者於此焉. 益加勉勵, 則庶免今日之憂矣. 以爲如何? 所祈惟侍學加玉, 以副遐想.

동초 정철환(東樵 鄭喆煥)에게 보내는 답서

 봄에 몸소 찾아주시어 만나고 싶은 소원을 이루게 되었네. 게다가 서신과 함께 존선조비(尊先祖妣)의 《행록(行錄)》을 받고 손을 씻은 후 읽어보니, 그 높은 행실과 절개가 백세(百世)를 내려가면서 우주를 일깨워 줄만 하였네. 이 일은 이 세상에 크게 도움이 있으므로 공경히 읽고 또 읽어야 할 것이니. 내가 지은 글은 하나의 완석(頑石)이며 폐와(廢瓦)일 뿐이네. 이것이 빛난 주옥 속에 넣어두는 것은 마치도 탁한 경수(涇水)544)가 맑은 위수(渭水)545) 곁에 있을 때 위수가 더욱 맑게 보이는 것과 같은

---

544) 중국 협서성(陝西省)에 있는 천명(川名)으로 매우 탁하다고 한다.
545) 협서성에 있는 천명, 수원(水源)은 감숙성 화평현(甘肅省化平縣) 서낙쪽에 있는 대관산록(大關山麓)에서 시작하여 경수(涇水)를 거쳐 위수(渭水)로 들어간다. 위수는 맑고 경수는 탁하여 청탁을 말할 때 비유로 인용된다.

일이네.
　광주(光州)에서 《송재실기(松齋實記)》 1책을 보내주어 차례로 읽어 보았네. 거기에 자네가 지은 글 두 세편이 보여, 그 글을 읽어보니 글이 장려(壯麗)하여, 처음으로 봄에 보았던 것은 밖으로 보는 것일 뿐이었고 이제야 참으로 그 쌓은 공력을 알았으니 다행스러운 일이 무엇이 이보다 더 하겠는가?

答鄭東樵喆煥

春間枉存，得遂覯止之願，荐承華墨，惠以尊先祖妣行錄，盥薇奉讀，其卓行高節，百世之下，亦可風動宇宙矣。茲役也大有補於缺界，欽誦欽誦。顧拙作，頑然一石耳，瓦耳。洒者攢入于萬玉輝映之中，涇固濁而以渭之淸益見其濁者。自光州見送松齋實紀一冊，次第披閱。見盛作數三篇，讀其文詞之壯，始知春間所覩者外而止，今而後眞知其積，自幸孰甚焉。

문기룡(文基龍)에게 답함

　존 왕고(尊王考)이신 가선공(嘉善公)의 기행비문(紀行碑文)은 지난번 손군(孫君)의 소개로 외람됨을 헤아리지 않고 갑자기 글을 엮어 드리어 늘 부끄러움을 느끼고 있었네. 그런데 먼저 먼서 서신을 주시니 비교할 수 없 없는 마음 씀씀이가 이와 같이 화애롭고 훌륭함이 지극함을 알았네.
　정회(正會)는 워낙 바탕이 어리석고 아둔하면서도 배움에 힘을 기우리지 않아, 지금에 와서 후회하지만 이미 궁색한 초려나 지키는 비애와 탄식만 남겨두게 되었네. 나를 사랑하는 사람들이 멀리 버리지 않으므로 나로 하여금 죄스러운 감을 느끼게 할 따름이네. 가을철에 한번 오신다고 약속 하였으니, 참으로 기쁘고 위로가 되는 일이지만 어찌 감히 바랄 수 있는 일이겠는가?

答文基龍

尊王考嘉善公紀行碑文, 向因孫君之介, 不揆猥越, 率爾搆呈, 尋常愧縮。忽蒙先施惠章, 仰認不較之盛, 固如是藹蔚也。正會質旣愚憃, 學又不力, 至今悔恨, 不啻窮廬之悲嘆。謬被愛我者不遐棄, 令人只添罪科耳。秋間一枉之諾, 固所欣慰, 而亦何敢望也。

조 병남(趙炳南)에게 보내는 답서

문득 서신을 받고 나서는, 까닭 없이 하늘에 솟은 밝은 달을 보듯이 놀라움을 금할 길 없네.

멀리서 보내온 존 선부(尊先府)이신 송재공(松齋公)의 《실기(實記)》 1책을 받았네. 그의 원운(原韻) 3편이 비록 매우 적막한 감을 주고 있기는 하지만, 전아(典雅)하고 진지(眞摯)하여 만 그루의 솔숲에서 이는 청풍 사이에 모셔와 업을 이루게 하여, 이 흐리터분한 사람을 깨우치게 하지 못한 것이 한스럽기만 하네. 구원에서는 시를 짓지 않으니 오호라, 탄식만 하네.

答趙炳南

忽承崇札, 明月之無因, 安得不驚? 尊先府松齋公實紀一冊, 荷此遠寄, 其原韻三篇雖甚寂寥, 而典雅眞摯, 恨不請業于萬松淸風之間, 以牖此昏懵也。九原不作, 嗚乎欷矣。

운사 여 창현(雲沙 呂昌鉉)에게 보내는 답서

정회(正會)는 머리를 조아려 회답의 글을 드립니다. 존자(尊慈)[546] 께서 위문해 주시

---

546) 조문 편지에 대한 답에서 상대방을 높여 이르는 말.

고 긴 말씀이 담긴 별지(別紙)까지 받으니, 나에게 은혜를 베풀고 저를 사랑하는 말씀들이 지극하여 마침내 계(契)의 말단에 이름을 두었으니, 그 사랑하고 의로운 말씀을 어찌 새기지 않겠습니까?

　정회(正會)는 완연(頑然)한 한 목석(木石)일 따름입니다. 선비(先妣)의 대상(大祥)이 멀리 남지 않았는데, 스스로 생각하여 보니 봉양을 한다고는 하였으나 기쁘게 해드리지 못 하였고, 상을 당하였어도 정성을 다하지 못하였으니 참으로 그 죄가 천지간에 용납되지 못한다는 것을 알고 있습니다. 그런데 매번 친구들의 서신을 받을 때면 안부를 전하는 말에 '강가(強加)'547)라고 하던가, 아니면 '부종(附從)'548)이라든가 혹은 '무상(毋傷)'549)등의 말을 사용하는데, 거울을 가져다가 비춰보면 곱고 추한 것이 그대로 드러납니다. 그것으로 자기를 반성하여 보면, 어찌 부끄럽지 아니하고 움추려 들지 않을 수가 있겠습니까?

　한번 다녀가시겠다고 말씀하셨는데, 노경(老境)에는 근력(筋力)으로 예(禮)를 닦지 않는 것이 예절입니다. 게다가 무더위에 길도 머니 어떻게 이처럼 생각할 수 있게씁니까? 극히 송구스럽고 황송 합니다.

　우리 사문(斯文)을 위해서 수후이도안중(壽候履道晏重)을 바랄 뿐입니다.

答呂雲沙 昌鉉

正會稽顙拜覆, 伏蒙尊慈俯賜慰問, 兼承別紙覼縷, 惠我愛我, 辭旨繾綣, 至引而置之 契末, 仁義之言, 曷不銘佩？ 正會頑然一木石耳, 先妣終期, 隔在未遠, 自念養不能致樂, 喪不能自盡, 固知罪不容於覆載間矣。而每得知舊書問, 有曰強加, 曰俯從, 曰毋傷等戒語, 引鏡自照, 姸媸莫逃, 反省於己, 寧不愧縮？承一枉之示, 老不以筋力爲禮禮也。且炎路脩夐, 若是致念 耶？尤極悚皇耳。惟壽候履道晏重, 以慰斯文。

---

547) (의견이나 방법등을 받아드리도록 남에게) 강압하다, 강요하다.
548) 굽이여 따르다.
549) 마음 상하지 마라.

정 동초(鄭東樵)에게 보내는 답서

　화려한 서신을 받아보니, 종이에 넘쳐나는 아름다운 말들이 적혀 있어 구슬들을 가로 세로 교차되어 마치도 수놓은 비단을 진열하여 놓은 듯 눈을 부시고 있어, 청구홍벽도 보물로 삼기 어려웠네.
　친구들 간의 우의도 결여되고 단절 된지 오래되었네. 지금 형께서는 절시(切偲)[550] 한 가지 일을 위하여 옛 사람들의 도(道)에 기대하고 있네. 간절히 격려하는 일을 고인(古人)의 도리로 기대하니, 내가 비록 어리석고 누추하기는 하여도 어찌 경계하고 연마하는 데에 경각성을 높이지 않았겠는가? 그러나 옛날의 도가 우리 존형을 유혹하고 있으니, 동 시대의 사람들과 어울려 살게되면 겸손하고 자아수양이 있다고 할 것이나, 남을 칭찬한다면 정에 넘치는 것으로 되네. 그렇다면 예 사람들의 도를 회복할 수 없단 말인가? 참으로 웃음이 절로 나오네.
　또 광부(光府:光州)에서 머물고 있으면서 명사(名榭)와 승대(勝臺)에서 술에 실컷 취하여 미친 듯이 시를 읊었다는 말을 들으니 귀기 시원하였네. 고인이 말하기를 "자장(子長)의 문장이 역사에 있는 것이 아니다"고 하였는데, 나도 말하기를 "동초(東樵)의 시가 후중한 서석산(瑞石山)과 넓고 아득한 극락강(極樂江)에 있다"고 하겠네. 말씀하신 기문(記文)과 서문(序文)은 능력 없는 사람에게 부탁한 것이니, 어찌 붓을 들 수 있겠는가? 그리고 원본의 기문이 있으므로 글을 쓰기가 어려웠으나 거듭 부탁 말씀을 어기었으므로 겨우 1편을 엮어 보았으니, 이것은 작은 막대기로 큰 종을 치는 격이라 어찌 큰 소리를 낼 수 있겠는가? 서문은 아직 생각해 보지 않았네.
　정회(正會)는 예전에도 완악하고 지금도 완악하여 다가오는 선비(先妣)의 대상(大祥)을 참아 보고만 있으면서 오직 믿는 것은 조석으로 궤연(几筵)에서 방불히 떠오르는 그 전형(典型)과 음성과 용모 뿐 이니 이로부터 영원히 외로운 사람이 되었으니 그 애통하고 허전한 마음은 높은 하늘과 넓은 땅도 미치지 못할 것이네. 오직 경체(經體)를 더욱 아끼시어 멀리 바라보는 마음을 위로하기 바라네.

---

550) 벗을 사귐에 서로 간절히 선행을 권면하고 격려함.

答鄭東樵

獲承華翰, 滿簡琳琅, 撗(橫)堅交錯, 如陳繡而列綺, 光怪奪目, 天球紅璧難爲寶也。友道之缺絶久矣, 今兄以切偲一事, 相期於古人之道。僕雖愚陋, 寧不惕然警礪。但古道以誘我兄, 則自居於時人之爲撝謙自牧, 譽人則過情。然則所謂古道者, 終不可復耶？好笑好笑。且承留連光府, 名樹勝臺, 沈酣狂唫, 聞來耳根甚涼。古人云 :"子長之文不在史", 余謂東樵之詩在於瑞石之磅礴, 樂江之浩渺處也。俯敎記若序, 托非其人, 豈敢泚筆。且原記之下難爲言耳。然重違盛戒, 纔搆得一篇, 而此以寸梃撞大鍾, 安能鳴其宏且洪哉？序則姑未入思耳。正會昔頑今頑, 忍見先妣終期奄迫所恃惟典型音貌髣髴乎朝夕几筵之間矣。而從此永爲孤露殘生, 痛廓之私, 穹壤靡逮。惟經候加嗇, 以慰遠瞻。

고 광송(高光松)에게 보내는 답서

한 통의 서신이 열 길의 눈을 헤치고 훨훨 날아 내 손으로 들어왔네. 읽어보니 언사의 취지는 창달하고 아름다워 얼마나 빛이 찬연한지 거의 눈이 부실정도였고 가슴이 취할 정도였네. 살펴보니 문세의 기복에 너무나 힘을 주어 사람들로 하여금 감히 이어가지 못하게 저하고 있으니, 이는 함께 감상하는 그 뜻과 엄청난 차이가 있는 것이네.

나는 이 세상을 살아오면서 아주 많은 사람들을 사귀었네. 사귀는 사람이 많으므로 혹 나를 사랑하여 상정에 벗어난 칭찬을 하는 사람도 있고, 혹은 나를 책망하여 경계하고 격려하는 사람도 있는데 나를 사랑하는 사람은 나를 참으로 아는 것이 아니며, 나를 책망하는 사람은 사랑하는 마음이 깊기 때문인데, 나는 족하(足下)[551]가 세상의 어떤 사람들이 노는 것과 마찬가지로 나를 알아주기를 바라지는 않네. 그렇지만 그 의로운 것은 말이 과하다고 사이가 멀다고는 생각하지 않았네.

고금(古今) 사람들의 품격은 대개 세 등분으로 나눌 수 있다는 한 단락의 의론을 보여주셨네. 그 중등의 사람은 운명적으로 지위가 있는 사람이라야 가능하고 인간의 힘

---

[551] 같은 또래에서, 편지 받는 사람의 이름 밑에 써서 존칭어로 쓰는 말.

으로는 이를 수가 없네. 그 뜻이 상등에 있는 사람이라야 하지만, 기질이 노둔하여 헛된 세월만 보내다가 늙어서 백발이 된 후에는 고인이 남긴 저술을 본받아 글을 짓지만, 어찌 만의 하나라도 그 깊이를 엿볼 수 있겠는가? 그 하등의 사람은 오물이라고 보지 않는 적이 없네. 상등 인으로 될 수 없고 중등으로 될 수 없으니, 그 추세는 바라지는 않지만 스스로 거기에 거기로 돌아갈 수밖에 없지 않는가. 천하에 상등·중등·하등 아닌 사람이 없지만, 이것은 처음에 잘 하다가 중간에 포기하여 뜻을 이루지 못하는 이치이네. 족하는 학문을 좋아하는 마음이 늙어서도 쇠퇴하지 않고 삼분(三墳)[552]·오전(五典)[553]을 연구하여, 천고(千古) 위에서 유낙(唯諾)[554]하고 있으므로, 학문에 밝은 스승들이 곳곳마다 있는 이상 또 무슨 일을 건립하려고 하는가? 어찌 그들의 말단을 뒤쫓으려고 하는가?

혹독한 추위가 찾아드니 경체(經體)를 아끼시고, 더욱 정밀하게 연구하여 기대하는 마음에 보답하시기 바라네.

答高光松

一封寵翰, 穿十丈雪, 翩舞入手。讀之, 辭旨暢茂, 琳琅璀璨, 殆乎眼眩而心醉。顧抑揚太過, 使人有不敢承者, 大非相與之義也。僕於斯世所與交者亦多矣。或愛我而有浮譽過情者, 或責我而有規箴切偲者。愛之者非眞知我也, 責之者其爲愛我也深矣。不圖足下之不我知, 如世人之或爲也。然其義之感, 不以語過而有間也。辭旨暢茂, 琳琅璀璨, 殆乎眼眩而心醉。顧抑揚太過, 使人有不敢承者, 大非相與之義也。僕於斯世所與交者亦多矣。或愛我而有浮譽過情者, 或責我而有規箴切偲者。愛之者非眞知我也, 責之者其爲愛我也深矣。不圖足下之不我知, 如世人之或爲也。然其義之感, 不以語過而有間也。俯示一段議論, 古今人其品盖有三焉。其中焉者, 有命位者能之, 非人力可致。其志則在夫上焉者, 而質旣駑下, 偈玩時日, 奄至老, 白首只掇古人之糟粕, 安能窺其蘊奧之萬一哉。其下焉者, 未嘗不視之若浼矣。而旣不得爲上爲中, 其勢不期下而自歸。天下無不上不中不下, 而半上落下之理也。無不上不中不下, 而半上落下之理

---

552) 중국 고대의 삼황(三皇)에 관한 서적.
553) 중국 고대 오제(五帝)에 관한 서적.
556) '예' 하고 대답하는 소리, 승낙함, 응함.

也。足下好學之心, 老而不衰, 探索典墳, 唯諾千古之上, 明師在在, 立立尙何事乎？追從之末也哉？寒酷惟經候加嗇, 益究精微, 以答瞻注之私。

염재 김 호신(金念齋 鎬愼)에게 보내는 답서
정미년(서기 1967) 정월

오래 전부터 우러러 보았지만 아직까지 형문(衡門)[555] 찾아가 가르침을 받지는 못하고 있습니다. 일전에 연세 많으시고 덕망이 높으심에도 불구하고 사랑의 뜻을 베풀어 서한을 보내주셨으니, 그 인덕에 감동을 받고 그 의로움에 탄복하는 마음이 어찌 조금이라도 해이되겠습니까.

작년 가을에 존 서원(書院)에서 공첩(公帖)이 왔었으나, 공교롭게도 마침 집에서 있지 않아 제사 의식에 참여하여 훌륭한 예절을 보지 못하였습니다. 그 때를 생각하면 섭섭한 감회 뿐입니다.

정회(正會)는 워낙 서법에 어둡지만 남들의 강요에 의하여 다소의 금석(金石)을 어지럽게 만들었습니다. 대작을 보니, 많은 것들을 적어 내셨는데, 읽을수록 그 덕성에 경모하게 되었습니다. 마음이 쏠리는 것을 스스로도 어쩔 수 없습니다. 다만 비는 것은 수후(壽候)가 덕을 기루시며 더욱 소중하게 여기시어 멀리 우러러보는 마음을 위로하시기 바랍니다.

答金念齋鎬愼
丁未正月

景仰盖久, 尙未請敎於衡門之下, 迺者降屈年德, 寵之以翰命, 感仁佩義, 曷敢少弛。昨秋自尊先院有公帖, 而適以不家, 未能晋㕘於籩豆之間, 以覩盛禮。追惟悵恨。正會素昧趨勒, 而爲人所强, 誤穢多少金石, 至盛作亦累度寫出, 讀其文而益慕其德。嚮往之私, 不能自己。只伏祝壽候養德萬重, 以慰瞻仰之誠。

---

555) 나무 막대기로 가로막아 놓은 문, 가난한 은자의 집을 가리킨다.

관일 정 진도(鄭貫一鎭道)에게 보내는 답서

뜻밖에도 아름다운 서한이 도착하여 읽어 보았네. 해가 길어 숲속에서 공부를 반드시 많이 할 것인데, 문하의 여러 영재(英才)들 중 도를 논할 사람이 있는가? 경서에서 심오한 뜻을 밝혀내고 사문의 일맥을 후진들에게 전하는 일은 존형의 책임이네.
 정회(正會)는 할 일 없이 분망히 보내지만 서술한 것이라고는 없네. 게다가 신경통으로 붓도 잡지 못하고 있네. 그렇지만 영함(令咸)[556]의 간청을 외면할 수 없는 일이네. 더구나 두 번이나 부탁 말씀이 있어, 이에 지렁이 같은 글씨로 써서 노비(路費)로 삼아 주었네. 오직 경후(經候)를 더욱 아끼시어 바라보는 이 성의에 부응하기 바라네.

答鄭貫一 鎭道

匪意華翰, 欣抵覿止日。長林樊所業必富, 脚下群英有可與論道者否？究奧旨於遺經, 傳一脉於後進, 是吾兄責也。正會碌碌無可述者, 且苦神經痛, 未能執管, 而令咸之請不可孤。況申之以盛戒。玆蚯蚓寫之, 以資贐行耳。惟經候加嗇, 以副瞻注之誠。

의재 위 석한(魏毅齋錫漢)에게 보내는 편지

 일전에 광주 금성인쇄소(錦城印刷所)에서 회첩(會帖)이 왔으나, 정회(正會)는 급한 일로 지금 서울을 가야 하므로, 그날 참여하지 못할 것 같으니 송구한 마음 어찌 그치겠습니까? 천관산(天冠山)은 참으로 유람하기를 원한 곳인데 나의 분복은 선연(仙緣)과 소원하여 누차 도를 듣는 만남의 기회를 상실하곤 하네. 전번에도 친구 효당(曉堂)과 함께하는 자리를 참석하지 못했고, 이번에는 풍영계(風詠契)의 모임에 참여하지 못하니, 혹 천관산의 산령이 속인이 오는 것을 허용하지 않는 것일까? 여러 현우(賢友)들을 만나면 나를 대신하여 유감스러운 심정을 전해 주시기 바라네. 밝게 이해해

---
556) 상대방의 조카

주리라고 생각하네.

與魏毅齋 錫漢

日前自光州有錦庄會帖來, 正會坐繁務, 今作京行, 似未能趁期氽末, 悵悚何已? 天冠固 所願遊, 而顧分疎於仙, 累失聞道之會。昔焉而失曉友之偕, 今焉而失風詠之期。抑或冠山之靈, 不許俗筇之伴入耶? 如逢諸賢, 爲我道此恨, 惟犀照是仰。

김 부동(金富東)에게 보내는 답서

 문득 서신을 받아보니, 필력은 통쾌하고 아무런 구애도 없이 자기의 뜻을 이야기 하였으며, 효제(孝弟)의 마음이 온화하고 많이 종이 위에 내비치고 있네. 존 선공의 가르침의 도가 여기에 있으니, 옛집 안에 계승자가 있게 되었고, 우리 유림(儒林)에도 믿을 만한 인재가 있게 되었으니, 축하할 일은 한두 가지로 헤아릴 바가 아니네. 그렇지만 분에 넘치는 칭찬은 또 한번 땀이 날 지경이니 서로 사랑하는 도리에는 너무나도 어긋나고 있네. 정회(正會)는 오랫동안 헛된 명성을 가졌지만, 어느 하루도 실제로 힘을 내지 않아 지금 늙어 백수가 되었지만 가난한 생활을 벗어나지 못한 한탄만 남아 있을 뿐이네. 아! 나와 효당(曉堂) 그리고 선공(先公)은 나이를 먹고 서로 사귀었는데, 이(仁)으로 나를 도와 주고, 의(義)로써 나를 규간하여 주며, 절시(切偲; 상호 면려함)의 은택을 베푼지가 이제 겨우 십년 밖에 되지 않았네. 효당은 부작(不作)하고, 선공은 세상을 떠나셨으니, 뒤에 남은 이 사석(沙石)같은 사람은 어찌 이 세상에서 외롭지 않겠는가?
 선공(先公)의 유집(遺集)은 봄에 잘 받았는데, 잡다한 일들에 감싸여 한 글자도 수정하지 못하였네. 죄스럽네. 수시로 손님들이 가고 밤이 조용하면 차례대로 읽어보았는데, 나는 선공(先公)의 학문이 깊고 필력도 좋아 세상에 모범이 되는 줄은 알고 있었지만, 이렇게 많을 줄은 몰랐네. 그가 후학에게 혜택을 끼치는 것이 과연 어떠하겠는가? 가을이 매우 가문데 예서(禮書)를 읽으며 몸을 잘 지탱하고 10년 후에는 태산(泰山)처럼 크게 이루기를 오직 선공은 이를 바랐을 것이네.

答金富東

忽蒙惠疏, 筆翰淋漓, 辭旨暢達, 孝弟之意, 藹蔚楮面。尊先公教道在是矣, 故家有後, 吾黨有人, 可賀者非一二計也。但稱道過情, 令人又添一番汗騂, 甚非相愛之道也。正久竊虛名, 未能一日實下工夫, 至今老白首, 不堪窮廬之嘆而已。嗟夫, 吾與曉翁及先公, 晚暮相交。輔我以仁, 規我以義, 切偲之澤, 纔逾十載。曉堂不作, 先公又逝, 在後沙石, 安得不踽踽於斯世也哉。先公遺集春間拜領, 顧冗擾纏身, 未暇作一字修, 謝罪也。有時客散夜靜, 次第披閱, 吾固知先公之邃學宏筆, 足以範世表俗。而不圖至此之富且贍也。其牖惠後學果何如哉？秋旱彌亢, 讀禮支將, 後十年作泰山。先生惟是之祈。

이 도형(李道衡)에게 보내는 편지

　지난번 금마(金馬:지금의 益山市)를 방문하여 보고 싶은 소원을 이루었는데, 나를 사랑하는 마음이 지극하지 않으면 어찌 찬바람을 무릅쓰고 먼 길에 객지를 방문하였겠는가？ 그 높은 풍도와 의리를 가슴 속에 잊지 않고 있네.
　정회(正會)는 백발의 나이에 광풍(狂風)이 불어 세속 사람들과 함께 지내며, 우연히 번잡한 속에서 먹물로 희학(戲謔)하고 지내니 비록 하루의 회포를 풀 수는 있지만 어찌 마음속으로 부끄럽지 않겠는가？ 돌아오는 길에 풍패(豊沛)로 들어가서 한 면으로는 귀댁을 찾아가 감사의 뜻을 전하고 다른 한 면으로는 월담노우(月潭老友)를 방문하려고 하였는데, 갑자기 눈이 내리고 바람이 불어 그냥 돌아오니 매우 섭섭하고 섭섭하기만 하네. 지극히 차가운 날씨에 도(道)를 위해 더욱 몸을 아끼시고 바라보는 마음에 위로가 되기를 바랍니다.

與李道衡

曩也金馬枉顧, 獲遂覯止之願, 如非愛我眷我之至, 何能冒寒威、涉脩逕、相訪於萍水上乎？高風卓義, 不能忘諸懷。正白首狂風, 與滔滔者共流, 偶作墨戲於繁劇之場，雖云一日暢叙，能不內怍？歸路欲入豐沛，一以謝衡泌下，一以問月潭老友矣。而風雪驟作，未免徑歸，甚悵甚悵。至沍伏祈衛道加嗇，以慰瞻注。

정 동초(鄭東樵)에게 보내는 답서

　정회(正會)는 감기가 들어 몸이 위축되므로 문밖에는 한 발자국도 나가지 않는지 이미 협진(浹辰)[557]이 되었데. 그런데 뜻밖에 한 통의 서신이 십장(十丈)의 눈을 뚫고 들어와, 읽어보니 차가운 골자기에 따뜻한 바람이 들어온 것 같아 내 몸에서 병이 사라진지도 몰랐네. 멀리서 생각하니, 우리 형은 덕용산(德龍山)에 은거하며 눈속에 진원(眞元)을 보양하고 구인(龜人)[558]은 육구(六龜)[559]를 간직하며, 삽살개는 편안히 잠을 자니, 밖으로는 몸에 얽매인 고통스러운 일을 끊고 안으로는 인덕(仁德)을 체험하여 몸이 살찌니, 아…이것은 모두 눈 때문이네. 형은 즐겁게 살지만, 정회(正會)는 병을 앓고 지내니 선인(仙人)과 범인(凡人)은 이와같이 현격한 것일까. 만호정(挽湖亭)의 시운(詩韻)은 거듭 부탁을 어기다가 상상으로 써서 드리오니,《시경(詩經)》[560]에도 말하지 않았던가?
　성남(城南)의 홍모(洪某) 친구는 간혹 종유(從遊)하고 있는가? 그는 일찍 호기(號記)를 재삼 부탁하여 부득이 졸한 솜씨를 잊고 읊어보았는데, 찾아갈 인편을 만날 여가가 없었네. 오직 경서를 음미하며 수시 건강하기 바라네.

答鄭東樵

正方病寒，蜎縮不作門外一步地者已浹辰。料表一封惠械，穿十丈雪入來。讀之，殆若寒谷之聽煖律，不覺病已祛體。遙想我兄高隱德龍，雪裏養眞，龜藏六

---

557) 12일간.
558) 주관명(周官名), 춘관(春官)에 속함. 종묘 제사 때 구인(龜人)이 거북을 받들고 참여 한다.
559) 구인(龜人)이 육구(六龜)를 관장하는데 제각기 이름을 두어 천구(天龜)·지구(地龜)·동구(東龜)·서구(西龜)·남구(南龜)·북구(北龜)가 각기 그 방향의 색깔과 그 몸으로 길흉을 판단 하였다.
560) 동양 최고의 시가집(詩歌集), 중국 삼대(三代) 이하의 항리 가사를 체집하여 편집한 것으로 국풍(國風)·소아(小雅)·대아(大雅)·송(頌)으로 구성되어 있다.

而猶安睡。外絶物累, 內充敷腴。噫！均是雪也。而兄以之樂, 正以之病, 仙凡若是懸耶。挽湖亭韻, 重違盛戒, 懸想寫呈, 詩云乎哉。城南洪友, 間亦追從耶？甞以其號記, 再三見囑, 不得已, 忘拙搆得, 而覓便未暇耳。伏祈味經諸節, 履時旺晏。

정 동초(鄭東樵)에게 보내는 답서

서신을 받은 후의 감동된 바를 어찌 한두 가지로 이야기 할 수 있겠는가? 정운(亭韻)은 다만 간청을 거역하지 못하여 만든 억지공사에 불과한데, 존형께서는 사리에 맞지 않게 칭찬하니, 기와장이나 돌맹이를 다루는 사람으로서는 어찌 부끄럽지 않겠는가? 게다가 서문까지 부탁하니 너무 지나친 것 같네. 존형은 나를 잘 모르고 있네. 정회(正會)는 재주가 없는데다가 또한 글도 많이 읽는 않은 사람으로서, 익힌 것이라야 고작해서 고인들의 조백(糟粕)561) 뿐이니 어찌 그 범주를 엿볼 수 있겠는가? 세상에서 나를 사랑한 사람들은 나의 나쁜 바를 모르고 있으며, 온통 하자(瑕疵) 속에서 한 치 자리 구슬을 찾아내려고 하는 것은 더구나 어리석기 짝이 없는 것이네. 거친 언사로 몇 글자 드리니, 문장이라고 할 것은 못 되지만, 대가에게 나의 바탕을 보이고자 할 따름이네.

答鄭東樵

荐承翰命, 感不以一二喩也。亭韻只爲塞請, 而兄謬加以琬琰之稱。爲瓦石者, 寧不知愧？況又以弁文見囑, 甚矣。兄不我知也, 正不才, 又不多讀, 所習者古人之糟粕已耳, 安能窺其藩籬哉？世之愛我, 而不知其惡者, 求寸美於全瑕之中, 其亦惑之甚 也！數行蕪辭, 掇拾奉呈, 非敢曰文也, 要以見質於大方家耳。

---

561) 직게미. 보잘 것 없는 것의 비유.

김 담재(金澹齋)에게 보내는 편지

하루 저녁 만나서 이야기를 나누면서 종래 듣지 못한 것들을 들으니, 적막한 마음에 매우 위로가 되었네. 사람이 늘그막에 진정으로 마음을 아는 친구와 사귀고 지내는 것은 인륜의 하나라는 것을 알게 된 것이네. 아! 이 세상을 둘러보아도 인륜에 대해 이야기할 수 있는 사람이 도대체 몇이나 되겠는가?

진흙길에 행차하였는데, 어느 때쯤이나 돌아오실는지. 헤어진 후 서글픈 마음은 종전과 마찬가지이네. 강릉(江陵)의 비문(碑文)을 지금 엮어 드리오니, 미흡한 곳이 있으면 아끼지 말고 고쳐서 전체가 못된 중에서 혹 한 두 곳이라도 취할 수 있도록 해주시면 다행이겠네. 김의정전(金義將傳)은 말씀대로 써서 보내었네.

與金澹齋

一夕奉唔, 益聞所未聞, 甚慰寂寞之懷。人於衰暮, 眞知朋友之交居, 倫之一焉。嗟夫, 環顧宇內, 可與語倫者果幾人哉？泥濘行駕, 曷日言旋？別後悵還復如昔。江陵碣文玆搆呈, 如有未洽, 勿靳磋而琢之, 使全頑之中, 或有一二可取則幸也。金義將傳, 依戒謄送耳。

최 일석(崔日錫)에게 보내는 답서

내가 대안도(戴安道)[562]가 아니지만, 존형이 산음(山陰)[563]의 고사(故事)처럼 눈 속에 방문하여 하루 저녁 편안한 대화를 나누어 주었네. 언제나 존형의 고론(高論)과 기담(奇談)을 들으면 순수한 막걸리를 마신 것 같아 나도 모르게 그 덕(德)에 심취하네.

---

562) 동진(東晋)의 학자. 성은 대(戴), 명은 규(逵), 자는 안도(安道), 칠현금(七絃琴)을 잘 퉁기었으며 서화(書畵)에도 능하였다.
563) 중국 산서성 회계(山西省會稽)에 있는 현명(縣名). 동진 때 학자 왕휘지(王徽之)가 살던 곳으로 그는 눈이 내리고 흥이 나면 배를 타고 섬계(剡溪)에서 사는 친구 대안도(戴安道)를 방문하러 갔다가 그의 문 앞에서 다시 돌아왔다. 사람들이 그 이유를 물으면 "흥이 나서 갔다가 흥이 다하여 돌아온 것이다"고 대답하였다.

고가(古家)의 유운(遺韻)이 후인들에게 이와 같이 훌륭히 미칠 수 있단 말인가. 이 세상에서 쉽게 볼 수 있는 일이 아니었네. 더구나 거듭 서신을 주시어 내가 다시 그 맑은 모습을 대할 수 있게 하였으니, 두 손을 들고 감사드리며 무슨 말을 해야 할지 모르겠네. 한편 생각하니 구림(鳩林)의 아름다운 경치는 천하에 알려진지 오래 되었네. 산수(山水)는 수려하고 풍토(風土)는 부유하여 한번 놀기를 원하지만 그렇게 하지 못하였네. 하늘이 하루의 한가한 시간을 빌려주고, 겨드랑에 날개를 부친 기술이 있다면, 호묘(浩渺)한 만리창파(萬里滄波)와 뇌외(磊嵬)한 월출산(月出山)을 한번 답파하고, 물러나서는 훌륭한 제공(諸公)들과 고금의 자취와 풍속의 순박함을 논하여, 나의 기운을 장하게 하고 나의 관광을 장관으로 만들려는 생각이 기다리는 것처럼 찾아들고 있네. 그러지만 마치도 조롱에 갇힌 새가 구름 밖을 날아보려는 꿈을 꾸는 것과 같으니 어떻게 한단 말인가? 산 속에서 한 해가 바야흐로 저무는데 병든 몸은 마치도 고슴도치처럼 움츠리고 바깥 출입을 한 걸음도 하지 못하니, 답답한 속사정을 뉘와 함께 나눌 수 있겠는가. 오직 부모님 모시고 효성을 다하여 그리워한 이 마음에 답해 주시게……

答崔日錫

我非安道, 而兄能作山陰盛事。踏雪相訪, 穩做一夕淸話。每聞兄高論奇談, 若飮醇醪, 不覺德飽而心醉。古家遺韻之傍及餘人如是其藹且蔚耶？缺界中甚不易得。矧又重之以寵翰使我復對淸標英範, 感荷雙擎。不省攸謂, 第念鳩林之勝, 聞于天下久矣, 山水之秀麗, 風土之富殷, 固所願遊而不得者也。天假以一日之閑, 得以腋翰, 有術則萬里鵬波之浩渺, 千層月出之磊嵬, 一蹴而踏破, 退而與諸公之賢雋道古今之茂蹟, 論風俗之淳厖, 以壯吾氣而壯吾遊, 不啻飢渴, 而籠中之禽, 只夢雲表之翰, 奈之何？歲暮窮山, 病蟄如蝟, 不作門外一步地。幽欎此懷, 誰與論者。惟侍養加彩, 以答懸注之私。

최 일석(崔日錫)에게 보내는 답서 3번째

장강(長江)564)의 구름과 위수(渭水)565)의 나무를 바라보면 언제나 서글프지 않겠는가? 지난번 모진 눈과 거센 바람이 몰아칠 때 갑자기 떠나시니, 나의 마음이 어찌 초조하지 않겠는가? 그 다음날 아침 구름은 흩어지고 바람이 잦아지자 만류하지 못한 것이 후회스러웠네. 어느 날 잘 돌아가셨는지 모르겠지만 모든 일이 잘 되어 가는가? 그리운 이 마음 아직도 풀리지 않았네. 어느 듯 세모가 다가오고 있는데, 멀리 상상해 보니 죽정(竹亭) 위에서 봄바람이 먼저 불어오면 부모님에게 효도하여 온갖 복이 모여들 것이니 우러러 축하드리네.

정회(正會)는 부모님을 다 여의고 여생을 살아가는데 오만가지 생각이 갈마들고 있네. 옆에서 사람들이 부모를 뫼시고 있는 것을 보게 되면 마치도 거지들이 천금 가는 부잣집을 우두커니 바라보듯이, 우러러 볼 뿐이지 미치지는 못하게 되었네. 이전에 내가 부모님을 뫼시고 있을 때는 담담하고 심상하게 여기면서 그 때만 해도 그것이 즐거움이라는 것을 알지 못하였던 것이네. 부모님이 세상을 떠나시고 나서야 비로소 살아계시는 것이 무엇인지를 알게 되는데, 이것이 범인들의 마음인가 보네. 후회한들 무슨 소용이 있겠는가? 요즈음 응수할 문자 일로 정신없이 나날을 보내고 있네. 오직 양지하시기 바라네.

與崔日錫 三

江雲渭樹, 何時不悵? 而曩也, 雪虐風饕, 行幰遽動, 使人安得不銷魂也。越翌朝, 雲散風穩, 却悔井轄之未投也。未知曷日言旋? 凡百吉利否? 憧憧此懷, 尙未釋然。居然歲已迫, 遙想竹亭之上, 春光先到, 奉老獻彩, 百福湊集, 爲之仰賀且祝。正會風樹殘生, 百感交中, 見人侍側, 如丐兒望千金之家, 可仰不可及。昔余在侍日, 恝以爲常, 尙不知其可樂焉。亡然後知存, 恒人之情然矣。追

---

564) 아세아 제 1의 대천(大川), 수원(水源)은 청해성(靑海省)의 서남쪽 파살통납목산(巴薩通拉木山)의 동록(東麓)에서 시작하여 서강(西康)운남(雲南)사천(四川)·호북(湖北)·호남(湖南)·강서(江西)·안휘(安徽)·강소(江蘇) 9성(省)을 거쳐 지나해(支那海)로 들어가며 전정(全長)이 5,200km이다.

565) 협서성에 있는 천명, 수원(水源)은 감숙성 화평현(甘肅省化平縣) 서낙쪽에 있는 대관산록(大關山麓)에서 시작하여 경수(涇水)를 거쳐 위수(渭水)로 들어간다. 경수(涇水)는 물이 탁하고 위수(渭水)는 물이 맑다고 한다.

恨曷追。近有應酬文字事, 碌碌度日耳。惟犀照是企。

성남 홍 석희(洪城南 錫熹)에게 보내는 답서

정회(正會)는 돈수배복(頓手拜復)[566]하는 바네. 뜻밖의 흉변(凶變)으로 여함(令咸)[567]이 세상을 떠났네. 가만히 생각하건데, 존문(尊門)은 십여대를 내려오면서 인덕을 쌓고 의리를 모아 바야흐로 그 그늘의 은택을 받아야 할 때인데, 영백부께서 이러한 역리(逆理)의 참변을 당하게 되었네. 어둡고 아득한 천리(天理)라는 것은 참으로 믿기 어렵네.

정회(正會)는 작년 봄 이후 우연히 병이 들어 거름을 마음대로 걷지 못하므로, 사방의 친구들은 귀 어둡고, 눈 어두운 나를 보더니만 읍(揖)을 하고 떠나 가버렸네. 상리도 한묵도 일체에서 손을 떼었지만, 먼 곳에서 친우들이 보내는 정다운 서신만은 어떻게 해야겠는가?《성남서실기(城南書室記)》는 거듭 부탁하신 말씀을 어기다가, 친구 최군의 말에 따라 졸열하게 드러내게 되었네. 존형은 이 '계구(戒懼)' 두 글자를 시종 일러주시고, 내가 지나치게 칭송한다고 책망하셨네. 그렇지만 존형은 왜 지나친 겸손도 분에 넘친다는 것을 생각하시지 않는가?

존선대인(尊先大人)인 석천공(石川公)에 대해 말한다면, 이 정회(正會)는 늦게 태어났기에 직접 그의 가르침을 받지는 못하였네. 일찍《송사집(松沙集)》[568]에 있는 송서(送序)를 읽어보고, 그 분이 남파선생(南坡先生)의 후손이라는 것을 알게 되었고, 더욱 높이 사모하는 마음을 금할 수 없었네. 해마다 봄바람이 불어 오면 흥이 간절하여 한번 금성장(錦城莊)으로 가서 수려한 산천도 보고, 대대로 사이좋게 지낸 정의도 나누어 마음 먹었섰네. 그러나 배우지도 못한 것이 이미 나이가 들어 쇠약해졌으니, 생각 뿐이지 그렇게 하지 못하게 되었네. 어찌하겠는가? 오직 복체(服體)를 수시 더욱 소중하게 여기어 바라보는 이 성의에 부응하기 바라네.

---

566) 머리를 조아려 답장을 올린다는 말이다.
567) 상대방의 조카.
568) 구한말 의병장 기우만(奇宇萬)의 문집(文集).

答洪城南 錫熹

正會頓首拜復：不意凶變, 令咸氏逝去。竊惟尊門十數世, 積仁累義, 餘庥方未艾, 而令伯公遭此逆理之慘。天理冥邈, 誠不可諶也。正會自昨春偶嬰奇疾, 行步不任, 四友輩見我神昏眼花, 長揖而去。彝常翰墨, 一切廢閣, 而遠友情械, 可奈何？城南書室記, 重違詢蕘之盛, 因崔友遂以露拙矣。兄以愧懼二字, 始終喩及, 責我以譽之過情, 而獨不念兄撝謙之, 亦過情歟？尊先大人石川公, 正生也晚, 未及承誨。曾於松沙集見有送序, 讀之竊識其爲南坡先生肖裔, 益不禁高景之私。每春風起興切, 擬一造錦莊, 覽山川之秀麗, 講世好之孚誼。而不學便衰, 可望不可及, 奈何？奈何？惟祝服體履時加重, 以副瞻注之誠。

양 주혁(楊柱赫)에게 보내는 답서

갑자기 엎드려 사랑의 뜻이 어린 서한 배도가게 되었고, 아울러 겸하여 존선조(尊先祖)인 《암곡선생실기(巖谷先生實記)》 1책을 받게 되었으니 두 손 몽아 감사할 뿐이네. 가만히 생각하니, 선생의 훌륭한 덕망과 큰 학문은 우리 동토(東土) 사람이라면 누가 그 혜택을 받지 않았겠는가? 그러나 그 유적을 아직까지 간행하지 못했다고 하는 이것은 참으로 세상을 위해 개탄스러운 일이네. 다행히 후손의 협력으로 수백 년 서상(書箱)에 간직한 글이 다시 세상에 드러나니, 천번 만번 축하를 드리네.

答楊柱赫

忽伏拜寵翰, 兼惠以尊先祖巖谷先生實記一丹, 感荷雙擎。竊惟先生之盛德大業, 凡我東士之人孰不蒙其遺澤哉？顧遺蹟尙未刊行, 實爲世路慨恨, 而幸賴肖裔之合力, 累百年巾衍之藏, 復明于世, 爲之贊賀萬千。

유 종용(柳鍾龍)에게 보내는 편지

지난번에 우리 집을 방문하겠다고 하신 말씀은 평생동안 잊혀지지 않네. 이 고루한 사람이 어떻게 존형에게 이런 말을 들을 수 있겠는가? 그 감격을 말로 다 표현할 수 없네.

음사(吟社)[569]의 서문을 부탁하시니, 이는 참으로 귀머거리에게 청각(聽覺)을 빌리려는 격이라 박자를 맞출 수 없는 일이지만, 윤석촌(尹石村)과 위만취(魏晚翠) 두 사람이 정중히 권하여 감히 졸렬한 솜씨를 드러냈으니, 윤색하기를 간절히 바라네. 장마가 매우 위험하니, 수후(壽候)를 소중하게 여기시어 바라보는 마음을 위로하시기 바랍니다.

與柳鍾龍

曩也枉存弊廬一語, 足以平生矣。顧此陋劣, 何以獲此於尊兄？感戢罔喩。唫社弁文之託, 可謂借聽於聾也, 固不可與宮商。而尹魏二君且申叮嚀, 敢露拙, 幸加子羽之、子産之。切仰切仰。 積潦頗乖, 伏祝壽候康重, 以慰瞻注之私。

성섭 김 원근(金性涉源根)에게 보내는 편지 2번째
○ 계미년(서기 1943) 8월

푸른 갈대 위에 이슬이 내렸으니 그리워하는 그 사람은 누구일가. 우러러 묻고 싶네. 근간에 시양하며 경절은 강왕하신가?

책상 위에서 즐기는 것들은 또 다시 충후하고 성실하게 되었네. 우리 유림에도 사람이 있게 되었고, 믿어 무서울 것이 없게 되었네.

이 제(弟)는 건강하며 다행히도 외지의 사소한 것에 의지하고 있으니 저를 사랑하는 사람들에게 이야기할 바가 못 되고 있네. 시원한 가을 바람이 분지도 이미 오래 되지만 아무리 청안을 하려고 하여도 발걸음 소리가 전혀 들려 오지 않아 매우 울적할 따

---
569) 시를 짓는 사람들의 모임.

름이네. 대략 이렇게 말하며 예의를 갖추지 않겠네.

  문방(文房)의 친구들은 나의 게으른 것을 보고 물러 간지 이미 오래 되었는데, 뜻밖에 회계선생(會稽先生)이 방문하여 주시어 옛날의 기분이 다시 되살아난 것 같네. 선생을 모시고 기약도 없이 만나게 된 것은 세 친구들이 수년 동안 쌓은 울적한 기분을 깨트린 것인데, 만일 우리 용강군(龍江君)주선의 상례를 천만 번 타파한 은혜가 없었다고 하면, 어떻게 이 떠들썩한 세상에서 이와 같은 기이한 상봉이 있을 수 있겠는가? 겉보기에 드러나는 감상을 말한다면, 현계는 묘령에 재화가 있고 겸양 두터운 뜻을 지니고 있어 아주 얻기 어려운 존재이네. 하지만 지금의 세도가 이러하니, 그를 위해 절절한 심정으로 분개해 하네. 다만 우러러는 진정을 보아 사학을 아끼기를 바라네.

與金性涉　源根　二
癸未八月

葭蒼露白, 所懷伊誰, 仰詢比下侍養, 經節錦旺。案上所樂, 益復惼惼。吾黨有人, 恃而無恐。弟重省, 幸依外他玿屑, 無足爲愛我者道也。凉生已久, 庶幾拭青, 而跫音竟是寂然, 甚覺紆菀, 略探不備禮。。文房諸友, 見我懶頹, 長揖而退已有年矣。不圖會稽先生冒雪見訪, 舊懷惟新。先生在座, 不期而會者, 亦三友可破數年幽欝之積, 如非吾龍江君周章之惠, 出常格萬萬, 安能得此奇遇於熙壤之世？感在物表, 賢季妙齡才華, 兼以篤志, 甚不易得。而世道如許, 切爲之慨然。惟祈侍學加嗇, 以瞻慰注。

연연당문고 권4

잡저(雜著)

감수 : 연정 김경식(淵亭 金璟植)
　　　(연정교육문화연구소장)
번역 : 남원 이형성(南原 李炯性)
　　　(전남대학교 학술연구교수)

중용강설(中庸講說)

『중용』한 편은 자사자(子思子)[1]가 공부자의 뜻을 서술하면서 말을 세운 것이니, 이른바 거의 끊어지는 데서 "지나간 성인을 잇고" 무궁한 데서 "앞으로 올 후학의 길을 열어준다"는 것이다.[2] 당우삼대(唐虞三代)의 융성할 적에는 이 도가 마치 중천에 솟아 있는 태양처럼 밝아 『중용』은 지을 필요가 없었다. 자사 때에 이르러 이단(異端)이 그 학설을 제멋대로 하니, 생민의 재앙이 홍수나 맹수들보다도 더 심하였다. 자사는 도학(道學)이 전해지지 않을까 근심하고 사특한 학설이 참다움을 어지럽히는 것을 배척하였다. 그래서 『중용』두 글자를 표방하여 말하였다. 편벽되지 않고 치우치지 않으며 지나침과 모자람이 없는 것을 중(中)이라 이르고, 평상(平常)을 용(庸)이라 이른다. 요임금·순임금·주공(周公)·공자의 도가 이 중(中)이지만, 노자·장자는 지나쳤기에 중(中)이 아니며 신자(申子)[3]와 한비(韓非)[4]는 모자라서 역시 중(中)이 아니다. 요임금·순임금·주공·공자의 도가 이 용(庸)이다. 즉 부모와 자식의 친밀함, 임금과 신하의 의로움, 남편과 부인의 구별, 어른과 어린이의 차례, 벗과 친구의 신의가 이것이다. 선가(仙家)의 허황하고 야릇한 짓들과 불가(佛家)의 인륜을 끊어버리는 것은 이 괴상하고 이단적인 술법이니 평상의 도가 아니다. 이것은 자사의 근심한 것이 깊고 말한 것이 간절한 것이다. 정자(程子)[5]의 이른바 "실학(實學)이다"[6]는 것은 대개 이것을 가리킨다.

---

1) 자사자(子思子): 이름은 자사(서기전 483년~서기전 402년)이고 공자의 제자임. 자사자의 자(子)는 고대 중국에서 학식이 있는 남자에 대한 존칭으로 사용되었음.
2) 『中庸章句』「中庸章句序」: 若吾夫子, 則雖不得其位, 而所以繼往聖開來學, 其功反有賢於堯舜者. 참조.
3) 신자(申子): 申不害(서기전 395年?~서기전 337年?), 전국시기 사람으로 저명한 사상가로서 법가의 대표 인물의 하나임.
4) 한비(韓非): 韓非子(기원전 280~기원전 233년)라고도 하는데 전국 시기 사람으로 법가의 대표 인물의 하나임.
5) 정자(程子): 중국 송나라의 명도(明道) 정호(程顥: 서기 1032~1085)와 이천(伊川) 정이(程頤: 서기 1033~1107) 두 형제를 가리킨다. 이정자(二程子)라고도 칭송된다. 두 형제는 주돈이(周敦頤)의 문하에서 학문을 닦았다. 두 형제는 우주의 근본원리를 리(理)라 부르고 현상은 기(氣)라고 하였으나, 형은 리기일원론(理氣一元論) 경향이고 동생은 리기이원론(理氣二元論) 경향이다. 두 형제의 학문은 주희(朱熹)에 계승되었다. 두 형제의 언설을 정리한 것이 바로 『이정전서(二程全書)』이다.
6) 『二程遺書』卷1 「端伯傳師說」: 如中庸一卷書, 自至理便推之於事. 如國家有九經, 及歷代聖人之迹, 非實學也.

『中庸』一篇, 子思子述夫子之意以立言, 所謂繼往聖於幾絶, 開來學於無窮也. 盖唐·虞·三代之隆, 斯道如日中天, 『中庸』可無作也. 至子思時, 異端得肆其說, 生民之禍甚於洪水猛獸. 子思憂道學之無傳, 而斥邪說之亂眞, 於是標言中庸二字. 不偏不倚, 無過不及之謂中, 平常之謂庸也. 堯·舜·周·孔之道, 是中也. 老·莊過之, 非中; 申·韓不及, 亦非中也. 堯·舜·周公之道, 是庸也. 卽父子之親, 君臣之義, 夫婦之別, 長幼之序, 朋友之信, 是也. 仙家之虛誕, 佛氏之絶倫, 此怪異之術也, 非平常之道也. 此子思所以憂之深而言之切也. 程子所謂實學者, 盖指乎此也.

하늘이 명한 것을 성(性)이라 이르고, 본성을 따르는 것을 도(道)라 이르고, 도를 품절한 것을 교(敎)라 이른다.

天命之謂性, 率性之謂道, 修道之謂教.

'성'·'도'·'교' 세 글자는 책 한편의 강령이나, '도' 글자는 세 마디 말의 강령이다. 요·순 이래로 전해 내려오던 심법(心法)은 여기에 이르러 발명한 것에 남긴 뜻이 없었으니, 이른바 이전 성인이 밝히지 못한 바를 밝힌 것이다.

어떤 이가 물었다. "교(敎: 교육)는 도(道)에서 연유하고, 도는 성(性: 본성)에서 연유하였으며, 본성은 하늘[天]에서 나온 것이다. 하늘·본성·도는 하나이지만, 각각 명칭이 같지 않은 것은 무엇 때문입니까?" 나는 답하였다. "주재(主宰)로 말하면 하늘이라고 하고, 사물이 받은 것으로 말하면 본성이라고 하며, 사람들이 공유할 것으로 말하면 도라고 한다."

어떤 이가 물었다. "주자(朱子)[7]가 '본성이 바로 리(理)이다'라고 하였다. 그렇다면 리라고 하지 않고 성이라고 한 것은 무엇 때문입니까?" 나는 답하였다. "하늘에 달려 있으면 리가 되고 인간에 있으면 본성이 된다. 인간은 기(氣)이고, 기(氣)는 리(理)를 싣는 도구이다. 이 도구가 있어서 수용할 것이 있으니 이것을 본성이라고 한

---

7) 주자(朱子): 중국 남송시대의 학자 주희(朱熹)를 가리킨다. 주희: 서기 1130~1200, 자는 원회(元晦), 중회(仲晦), 호는 회암(晦庵), 회옹(晦翁), 운곡산인(雲谷山人), 창주병수(滄洲病叟), 둔옹(遯翁) 등이 있다. 복건 성(福建省) 우계(尤溪)에서 출생했다. 일찍이 불교와 노자의 학문에 흥미를 가지다가, 24세 때 연평(延平) 이통(李侗)을 만나 사숙(私淑)하면서 유학에 복귀하게 된다. 정호와 정이의 학문을 계승, 체계화하고 발전시켜 학인들은 정주학(程朱學)이라 일컬었다. 여러 경전을 주석하였는데 사서(四書)에 대한 주석은 학인들의 필독서가 되었다. 역사에도 관심을 가져 사마광(司馬光)의 『자치통감(自治通鑑)』을 재편집하여 『자치통감강목(自治通鑑綱目)』을 완성하였다. 그의 주요 글들은 『주문공문집(朱文公文集)』으로 편집되었고, 제자들과 학문하면서 토론할 때 남긴 주희의 말은 『주자어류(朱子語類)』로 편찬되었다.

다. 때문에 '기로써 형체를 이루고 리 또한 부여한다'[8]라고 하였다."

어떤 이가 물었다. "그렇다면 이 '성' 글자는 기를 겸하여 말하는 것입니까?" 나는 답하였다. "그렇지 않다. 인간 몸의 측면에 나아가 천명(天命)의 본성만 오로지 가리킨 것은 기에 섞이지 않고 순수한 선이다. 만약 기를 겸하여 말한다면 어떻게 '성을 따르는 것을 도라 이른다'라고 하겠는가? 리와 성은 이름이 각각 다름이 있는 것은 이 형기(形氣)라는 도구가 있기 때문이다. 리와 본성이 하나인 것은 이 본연의 성이 있기 때문이다. 동일한 것은 리이지만, 하늘에 있을 적에는 리라고 하고 인간에 있을 적에는 본성이라고 부르지 않을 수 없다. 성(性)이란 글자는 마음심(心) 글자를 따르고 날생(生) 글자를 따르는데 역시 이러한 뜻일 것이다!"

어떤 이가 물었다. "건순오상(健順五常)의 덕은 음양오행(陰陽五行)의 기(氣)를 빌리는 것입니까?" 나는 답하였다. "양(陽)의 성은 건(健)이니, 오행에서는 목(木)과 화(火)가 되고, 오상에서는 인(仁)과 예(禮)가 되며, 사계절에서는 봄과 여름이 된다. 음(陰)의 성은 순(順)이니, 오행에서는 금(金)과 수(水)가 되고, 오상에서는 의(義)과 지(智)가 되며, 사계절에서는 가을과 겨울이 된다. 신(信)은 사성(四性)을 겸하고 토(土)로서 사계절의 왕성에 기탁하고 있으니, 모두가 하나의 리이다."

어떤 이가 물었다. "주자가 '솔성(率性)의 솔(率) 글자는 힘을 쓰지 않는다'고 하였는데 무엇 때문입니까?" 나는 답하였다. "천하의 도는 모두 내 본성의 안의 일이다. 인(仁)의 본성을 따르면 부모와 자식의 친밀함이면서 백성을 어질게 대하고 사물을 사랑함에 이르고, 의(義)의 본성을 따르면 임금과 신하의 의로움이면서 현자를 존숭하고 윗사람을 공경함에 이르며, 예(禮)의 본성을 따르면 사양하고 공경하는 절도가 있고, 지(智)의 본성을 따르면 시비와 사정(邪正)의 분별이 있다. 다만 자연의 본성을 따르면 바로 도이다. 동물의 본성도 이와 마찬가지이다. 소는 농사를 짓는데 본성이 있기에 그 본성을 따르면 밭갈이를 할 수 있게 되고 말은 잘 달리는 본성이 있기에 그 본성을 따르면 탈 수 있게 된다. 뽕나무와 삼나무도 그러하며, 곡식과 조도 그러하다. 사람의 본성을 따르면 사람의 도가 되고, 소나 말의 본성을 따르면 소나 말의 도가 되며, 초목의 본성을 따르면 초목의 도가 된다. 자사가 말을 세운 종지는 이것으로 인하여 알 수 있는 것이다. 무엇 때문이겠는가? 이 때를 당하여 이단이 모두 흥기하였는데, 노자와 불교의 도는 고원한 것만 찾아 내 본성을 따를 줄 알지 못하였고, 형명(刑名)의 도는 비오(卑汚)에 빠져들어 내 본성을 따를 줄 알지 못하였다. 그러므로 자사는 여기에서 처음으로 발명하여 천하의 사람들로 하여금 본성이 하늘에서 나오

---

8) 『中庸章句』「第1章」: 天以陰陽五行化生萬物, 氣以成形, 而理亦賦焉, 猶命令也.

고 도가 본성에서 연유하며 가르침은 도에 연유하여 생겼음을 알게 하였으니, 이단의 설이 본성 본분 밖으로 벗어나 별도로 하나의 도로 삼는 것만 같지 못한 것이다."

어떤 이가 물었다. "본성을 따르는 것이 도가 된다면 그 도를 따르는 것도 교육이 되는 것입니까?" 나는 답하였다. "본성과 도가 비록 동일하나, 기품이 혹 가지런하지 않기 때문에 성인이 이에 따라서 품절하여 지나침과 모자람의 차이가 없도록 하였다. 예를 들면, 삼년상에서 곡읍(哭泣)의 예절, 벽용(擗踊)의 차수에는 각각 등급의 제도가 있어서 현자들로 하여금 허리 굽혀 따르게 하고 불초자들로 하여금 발을 돋우어 미치게 하여 지나침과 모자람의 편벽됨을 바로잡은 것이다. 예절·음악·형벌·정사 등도 일에 따라서 모두 그러하다. 새·짐승·물고기·자라에 이르러서도 역시 이에 따라 품절하였으니, 절기에 따라 산속 숲으로 들어가 벌목하고 촘촘한 그물은 깊은 못에 들이지 않도록 하여 만물이 각각 그 곳을 얻게 하였다. 이것은 성인이 천지에 참여하여 화육(化育)을 돕는 것이고 천지의 도를 제단하여 완성하는 것이며 천지의 마땅함을 보좌하는 것이다. 수(修) 글자를 보면 그 뜻이 솔(率)과 저절로 구별되는 것이다."

性·道·教三字, 乃一篇之綱領. 而道字, 乃三言之綱領也. 堯舜以來相傳之心法, 至是而發明無餘蘊, 所謂發前聖之未所發者也.
曰:[9] "教因乎道, 道由乎性, 性出乎天. 天也·性也·道也, 一也. 而名各不同, 何也?"
曰: "以主宰言則謂之天也, 以物所受言則謂之性也, 以人所共由而言則謂之道也."
曰: "朱子曰: '性卽理也.' 然則不曰理而曰性, 何也?" 曰: "在天爲理, 在人爲性. 人是氣也, 氣是載理之具也. 有是具而有所受, 是謂性也. 故曰'氣以成形而理亦賦焉'." 曰: "然則此性字, 兼氣而言乎?" 曰: "非然也, 就人身上專指出天命之性, 不雜乎氣而純乎善者也. 若曰兼氣而言, 則何以爲'率性之謂道'乎? 理與性, 名各有異者, 以有此形氣之具也. 理與性一也者, 以有此本然之性也. 同是理也, 而在天則曰理也. 在人則不得不喚做性也, 性字, 從心從生, 亦此義歟!"
曰: "健順五常之德, 藉乎陰陽五行之氣歟?" 曰: "陽之性健, 於五行爲木火, 於五常爲仁禮, 於四時爲春夏. 陰之性順, 於五行爲金水, 於五常爲義智, 於四時爲秋冬. 信兼乎四性, 土寓旺於四季之中, 皆一理也."
曰: "朱子曰: '率性之率字, 不是用力字', 何也?" 曰: "天下之道, 皆吾性分內事也. 循仁之性, 則父子之親, 而至於仁民愛物. 循義之性, 則君臣之義, 而至於尊賢敬

---

[9] "曰" 글자는 『淵淵堂文稿』에 없으나, 문맥상 필요하기 추가하였다.

長. 循禮之性, 則有辭讓恭敬之節. 循智之性, 則有是非邪正之分. 只是循循乎自然之性, 便是道也. 物之性亦然, 牛有畊之之性, 循之可耕. 馬有走之之性, 循之可乘. 桑麻亦然, 穀粟亦然. 循人之性, 則爲人之道. 循牛馬之性, 爲牛馬之道. 循草木之性, 則爲草木之道. 子思立言之旨, 因此而可識矣. 何者? 當是時異端幷起, 老佛之道索於高遠而不知循吾性焉. 刑名之道, 陷於卑汚而不知循吾性焉. 故子思於此首發明之, 使天下之人知性出於天, 道由於性, 教因於道, 非若異端之說, 離於性分之外, 別爲一道也."

曰: "循其性爲道, 則循其道亦爲教乎?" 曰: "性道雖同, 而氣禀或不能齊, 故聖人因而品節之, 使無過不及之差. 如三年之喪, 哭泣之節, 擗踊之數, 各有品制, 使賢者俯而從之, 不肖者跂而及之, 矯其過不及之偏者也. 禮·樂·刑·政, 隨事皆然. 至於鳥·獸·魚·鱉, 亦因而品節之, 斧斤以時入山林, 數罟不入洿池, 使萬物各得其所. 此聖人之所以參天地贊化育, 而財成天地之道, 輔相天地之宜者也. 觀乎修字, 其義與率自別."

도는 잠시라도 떠날 수 없는 것이다. 떠날 수 있다면 도가 아니다. 이렇기 때문에 군자는 그 보지 않는 바에서 경계하며 삼가고, 그 듣지 않는 바에서 두려워하고 두려워한다.

道也者, 不可須臾離也. 可離, 非道也. 是故君子戒愼乎其所不睹, 恐懼乎其所不聞.

도라는 것은 일상적인 사물들이 마땅히 행하여야 하는 이치이다. 큰 것으로는 군신·부자·부부·장유·붕우, 작은 것으로는 음식·기거(起居)·어묵(語默), 길한 일로는 관례·혼례·향연·향사(鄕射), 흉한 일로는 질병·사망·장례, 험한 일로는 이적(夷狄)의 재환과 재난, 드러난 것으로는 조회·빙례(聘禮)·회맹(會盟), 은밀한 것으로는 옥루(屋漏)·이부자리 등이 모두 마땅히 행하여야 하는 이치가 있게 마련인데, 가로로는 사물마다 갖추지 않은 것이 없고 세로로는 때마다 그렇지 않은 것이 없다. 그래서 군자가 남들이 보지 않는 바에서 경계하고 삼가는 마음이 항상 보존되고 듣지 않는 바에서 두려워하고 두려워하는 마음이 항상 보존된다면 천명의 본체가 항상 여기에 있게 되고 스스로 도와 합치될 것이다. 이것은 군자가 미발시(未發時) 공부에서 존양하는 것이다.

道者, 日用事物當行之理也. 大而君臣父子夫婦長幼朋友, 細而飲食起居語默, 吉而冠婚享射, 凶而疾病死葬, 險而夷狄患難, 顯而朝聘會盟, 隱而屋漏衽席, 莫不皆有當行之道, 橫而無物不有, 直而無時不然. 是以君子戒愼之心常存乎所不覩之時, 恐懼之心常存乎所不聞之時. 則天命之本體常存在此, 自與道合矣. 此君子存養於未發時工夫也.

숨은 것보다 더 나타나는 것이 없고 미미한 것보다 더 뚜렷한 것이 없다. 이로 말미암아 군자는 그 홀로를 삼가는 것이다.

莫見乎隱, 莫顯乎微, 故君子愼其獨也.

숨음과 미미함은 이미 보이지 않거나 들리지 않을 때가 아니다. 이미 숨고 미미하다고 하면 그 기미가 이미 움직인 것은 비록 나타나고 뚜렷함까지 않았지만 나의 마음에서의 감각은 이미 현저하게 나타난 것이고 분명하게 뚜렷한 것이다. 천하의 지극히 뚜렷한 것은 지극히 미미한 것보다 지나침이 없다. 천하의 지극히 나타난 것은 지극히 숨은 것보다 지나침이 없다. 비유하면, 간에서 병이 났다고 하면 눈에서 나타나게 되고 폐에 병이 났다고 하면 코에서 나타나게 된다. 간과 폐보다 더 숨고 미미한 것들이 없어 그 밖으로 나타난 것은 이미 사람들이 감출 수 없다. 증자가 "열 눈이 보는 바이며, 열 손가락이 가리키는 바이다"[10]라고 하였으니, 대개 숨겨도 나타나고 미미하여도 뚜렷해지는 것이다. 그러므로 군자는 여기에서 더욱더 공경하고 삼가면 천리의 공변됨이 인욕의 사사로움을 이겨낼 수 있어 숨어 있고 미미한 사이에 자라나 뻗지 못하게 할 것이다. 이것은 군자가 이발시(已發時) 공부에서 성찰하는 것이다.

隱與微, 已非不睹不聞之時矣. 旣曰隱微, 則其幾已動, 雖未至於見顯, 而吾心所覺已著見矣, 明顯矣. 天下之至見, 莫有過於至隱. 天下之至顯, 亦莫有過於至微. 比之受病於肝, 則見於目; 受病於肺, 則見於鼻; 莫隱微於肝肺, 而其見於外者, 已使人不可揜. 曾子曰: "十目所視, 十手所指." 蓋隱而見微而顯者也. 故君子於此尤加敬謹焉, 則天理之公能勝夫人欲之私, 而不使滋蔓於隱微之際也. 此君子省察於已發時工夫也.

10) 『大學章句』「傳6章」: 曾子曰: "十目所視, 十手所指, 其嚴乎!"

희·노·애·락이 아직 발현하지 않음을 중(中)이라고 하고, 발현하여 모두 절도에 맞는 것을 화(和)라고 한다. 중이란 천하의 대본이고 화란 천하의 달도이다.

喜怒哀樂之未發, 謂之中; 發而皆中節, 謂之和. 中也者, 天下之大本也; 和也者, 天下之達道也.

어떤 이가 물었다. "무릇 사람이 내면으로 생각하고, 외면으로 일을 행하는 것이 모두 감정의 발현인데, 절도에 맞는 것이 있고 맞지 않는 것이 있는 것은 분명하게 보기 쉬운 것이다. 만약 아직 발현하기 이전 적연히 움직이지 않은 것은 문득 중(中)과 부중(不中)의 구분이 없으니 단지 괴연(塊然)한 목석과 같을 따름입니까?" 나는 답하였다. "바야흐로 그 아직 발현하지 않았을 적에는 천명의 본성이 혼연하여 가운데에 자리 잡고 있어 한 쪽으로 치우치려는 근심이 없고 또한 지나침과 모자람의 차이가 없어 천변만화가 모두 여기에서 연유한다. 이것이 도의 체(體)이고 천하의 대본이다. 대본이 이미 세워졌기에 달도를 행할 수 있다. 만약 미발의 중(中: 중도)이 없으면 어떻게 이발의 화(和: 조화)가 있을 수 있겠는가? 비유하면, 성현의 출처는 그 거처할 적에는 미발의 기상이 있고, 그 나갔을 적에는 이발의 기상이 있다. 이윤(伊尹)이 유신(有莘)의 들에서 농사를 지었고11) 부열(傅說)은 부암(傅巖) 아래에서 성을 쌓았다. 바야흐로 그들이 농사를 짓고 성을 쌓을 때에는 농부일 따름이고 건축가일 따름이다. 그런데 경천위지(經天緯地)의 도와 치군택민(致君澤民)의 술책은 한 몸에 두루 겸비하고 있는 것이니, 이것이 미발의 중도이면서 천하의 대본이 이미 세워진 것이다. 그 출세함에 미쳐서는 염매(鹽梅)12)하였고 배와 노를 만들어 어느 누구나 그 곳을 얻도록 하였으니, 이것이 이발의 조화이면서 천하의 달도가 바로 실행된 것이다. 만약 그 처하였을 적에 내면에 쌓인 것이 없었다고 한다면 나갔을 적에 밖으로 드러나는 것은 이와 같을 수 있겠는가?"

曰: "凡人之內而思慮, 外而行事, 皆情之發. 而有中節者, 有不中節者, 曉然易見也. 如未發之前, 寂然不動, 頓無中與不中之分, 只是塊然如木石而已乎?" 曰: "方其未發也, 天命之性渾然在中, 無倚着一偏之患, 亦無過不及之差, 千變萬化皆由此. 是爲道之體, 而天下之大本也. 大本旣立, 故能行達道, 若無未發之中, 何以有

---

11) 『孟子』 卷9 「萬章(上)」 〈第7章〉: 孟子: "否! 不然. 伊尹畊於有莘之野, 而樂堯舜之道焉. 참조.
12) 鹽梅: 신하가 임금을 도와서 정사를 바르게 하도록 함.

己發之和乎? 譬如聖賢之出處, 其處也有未發氣象, 其出也有己發氣象. 伊尹畊於有莘之野, 傅說築於傅岩之下. 方其畊築之時, 耕叟而己, 版夫而己. 然而經天緯地之道, 致君澤民之術, 該備於一身. 是未發之中, 而天下之大本旣立. 及其出也, 爲鹽梅, 爲舟楫, 無一夫不獲其所, 是己發之和, 而天下之達道乃行也. 若其處焉而無有積於內, 出而著於外者, 能若是乎!"

중(中)과 화(和)를 지극히 이루면 천지는 제자리 잡을 것이고 만물은 육성될 것이다.

致中和, 天地位焉, 萬物育焉.

이 한 구절은 모두 윗글의 뜻을 맺었다. 대개 사람은 이 본성이 있지 아니함이 없건마는 군자는 듣고 보지 않는 데서 경계하고 두려워하여 천리의 본연을 존양할 수 있고 숨어있고, 숨고 미미한 데서 홀로를 삼가 장차 인욕이 싹트려는 것을 막아 끊어버릴 수 있다. 중도일 적에는 그 체(體)를 세우고 조화일 적에는 그 용(用)을 통달하여 그 중도을 다하고 그 조화를 다하는 데까지 이르면 그 공효는 천지를 제자리에 있게 하고 만물을 육성할 수 있을 것이다. 대개 이러한 의리가 있기 때문에 이러한 공부가 있고, 이러한 공부가 있기 때문에 이러한 공효가 있다. "사람은 모두 요임금과 순임금이 될 수 있다"[13]는 것이 바로 이것이다.

어떤 이가 물었다. "'천지는 제자리 잡을 것이고 만물은 육성될 것이다'는 것은 제자리 잡음이 있지 않으면 이와 같을 수 없습니다. 어떻습니까?" 나는 답하였다. "이러한 이치는 귀하고 천함으로써 혹 다르지도 않고 위와 아래로써 다름이 있지 않다. 거처하는 바의 위치는 비록 고하와 광협이 같지 않음이 있다고는 하지만 나의 중화라는 효용은 처하는 바에 따라서 꽉 차 있지 않은 것이 없다. 한 나라의 주인으로서 중화의 공부를 지극히 하면, 부모님이 순하고 처자가 편안하니 이것은 한 집안의 천지가 제자리 잡고 만물이 육성하는 것이다. 한 사람의 몸으로써 중화의 공부를 지극히 하면, 천군(마음)이 태연하고 모든 신체가 명령을 따르니 이것은 한 사람 몸의 천지가 제자리 잡고 만물이 육성하는 것이다. 요임금과 순임금이라면 요임금과 순임금의 천지가 제자리 잡고 만물이 육성하고, 탕임금과 무왕이라면 탕임금과 무왕의 천지가 제자리 잡고 만물이 육성하는 것이다. 만약 우리의 공부자와 같은 분이라면 당세에 그 자리를 얻지 못하였으니, 비록 그 자리와 육성의 효험을 보지 못하였으나, 가르침이

---

13) 『孟子』卷12「告子(下)」〈第2章〉: 曹交問曰: "人皆可以爲堯舜, 有諸?" 孟子曰: "然." 참조.

만세에까지 끼쳐서 삼강오상으로 하여금 영원히 추락되지 않게 하였으니, 이것이 만세의 천지와 만물이 제자리 잡고 육성한 것이다. 곤궁과 영달은 천명에 달려 있지만 의리는 나에게 달려 있으니, 군자는 자기에게 달려있는 것만을 구할 따름이다."

此一節總結上文之意. 蓋人莫不有是性, 君子能戒懼乎不聞睹, 以存養天理之本然, 能愼獨乎隱微, 以遏絶人欲之將萌. 中而立其體, 和而達其用, 以至於極其中而極其和, 則其功效, 可以位天地而育萬物矣. 蓋有是義理, 故有是工夫; 有是工夫, 故有是功效. 人皆可以爲堯舜者, 此也.
曰: "'天地位, 萬物育', 非有位者不能如此." 曰: "是理也. 不以貴賤而或異, 不以上下而有殊. 所居之位, 雖有高下廣狹之不同, 而吾之中和之效, 則隨所處而無不充塞. 以一國之主而極中和之功, 則父母順而妻子安, 是一家之天地位萬物育矣. 以一身而極中和之功, 則天君泰然, 百體從令, 是一身之天地位萬物育矣. 堯舜則堯舜之天地萬物位育, 湯武則湯武之天地萬物位育. 若吾夫子則不得其位 在當世, 雖不見其位育之効驗, 而教垂於萬世, 使三綱五常亘古不墜, 此萬世之天地萬物位育矣. 窮達有命, 義理在我, 君子求其在我者已矣.

중니께서 말씀하셨다. "군자는 중용을 하고, 소인은 중용에 반대로 한다."

仲尼曰: "君子中庸, 小人反中庸."

어떤 이가 물었다. "자(子)라고 말하지 않고, '중니(仲尼)'라고 한 것은 무엇 때문인가?" 나는 답하였다. "이 아래 열 장은 모두 부자의 말인데, 첫머리에 '중니'라고 일컬은 것은 대개 천하에 종지를 표명한 것이다. 부자의 때 그 문하를 일컬어 중니의 문하라고 말하고, 그 무리를 가리켜 중니의 무리라고 하였다. 자사가 여기에서 특별히 중니라고 일컬어 도통의 진전(眞傳)이 있었음을 밝힌 것이다."

"不曰子, 而曰仲尼, 何也?" 曰: "此十章, 皆夫子之言. 而首稱仲尼者, 蓋爲天下標明宗旨也. 夫子之時, 稱其門曰仲尼之門, 指其徒曰仲尼之徒. 子思於此特稱仲尼以明道統之有眞傳也."

"군자가 중용을 하는 것은 군자이면서 때에 맞게 하기 때문이고, 소인이 중용에 반대로 한 것은 소인이면서 기탄함이 없기 때문이다."

"君子之中庸也, 君子而時中. 小人之反中庸也, 小人無忌憚也."

어떤 이가 물었다. "중화라고도 하고 중용이라고도 하고 시중(時中)이라고도 하는데, 이 세 개의 '중(中)'자는 어떻게 보아야 합니까?" 나는 답하였다. "중화의 중은 오로지 혼연한 이치를 가리킨 것이니, 도의 체이다. 중용의 중은 중과 화를 겸하여 말한 것이고 시중의 중은 일을 행하는 것에 나아간 것이니, 도의 용을 말한 것이다." 어떤 이가 물었다. "'군자이시중(君子而時中)'에서 '이(而)'자를 첨가하였다. 그렇다면 군자가 된 자는 반드시 모두 시중이 되지 않은 것인가 그렇지 않은가?" 나는 답하였다. "시중은 대성인이 아니면 할 수 없는 것이다. 공자가 벼슬을 하기도 하고 그만두기도 하고 느리게 하기도 하고 급하게 하기도 한 것이 이것이다. 이윤이 재상을 맡은 것이나 백이가 청렴하게 산 것이나 유하혜(柳下惠)가 조화한 것들은 모두 군자이면서 시중에 미치지 못한 것이다. 시중은 성인이 저울질하여 때에 따라 중을 잡은 것이다. 예를 들면, 저울에 눈금이 있는데 물건의 경중에 따라서 눈금을 맞추는 것이다. 그렇지만 저울의 눈금은 이 물건의 경중에 있고 저 물건의 경중으로 바꿀 수 없는 데 있으니, 이것이 정해진 눈금이다. 성인이 일에 응하고 사물에 접촉할 적에 비록 천만 번 변화하여도 그 도리는 하나일 따름입니다."

어떤 이가 물었다. "소인이 중용에 반대로 하는 것은 그 수로 헤아릴 수 없는데, 특별히 기탄한 바가 없는 것만 거론한 것은 무엇 때문입니까?" 나는 답하였다. "기탄이란 두 글자는 첫 장에서 말한 '계구(戒懼)'와 같은 글자와 상대하여 말한 것이다. 군자는 항상 공경하고 두려워함을 보존하여 듣고 보지 않는 데서 경계하고 두려워할 수 있기 때문에 때마다 맞지 않음이 없다. 소인은 이에 반대로 하여 고요히 있을 적에 보존하지 못하고 움직일 적에 살피지 못하여 제멋대로 허망한 짓을 하면서도 아무런 기탄도 없기 때문에 중용에 반대로 하는 것이다. 군자와 소인의 구분은 바로 공경과 제멋대로 함에 달려 있는 것이다."

"曰中和, 曰中庸, 曰時中, 三箇'中'字, 何如?" 曰: "中和之中, 專指渾然之理, 道之軆也. 中庸之中, 兼中和而言. 時中之中, 就行事上, 言道之用也." 曰: "君子而時中, 添'而'字. 然則爲君子者, 未必皆爲時中否?" 曰: "時中, 非大聖人不可能也. 孔子之可仕可止可遲可速, 是也. 伊尹之任, 伯夷之淸, 柳下惠之和, 皆君子而未及乎時中也. 時中者, 聖人之權而隨時處中者也. 如權之有錙銖, 隨物之輕重而稱錘之. 然而權之錙銖, 在此物之輕重, 在彼不可以物之輕重易, 此一定之錙銖也. 聖人之應事接物, 雖千變萬化, 而其道則一而已."
曰:"小人之所以反中庸者, 不可以數計, 而特擧無所忌憚, 何也?" 曰:"忌憚二字, 對首章戒懼等字而言也. 君子則常存敬畏, 能戒懼於不聞睹, 故無時不中. 小人則反是, 靜不能存, 動不能察, 肆欲妄行而無所忌憚, 故反中庸. 君子小人之分, 在敬與肆."

공자께서 말씀하셨다. "중용은 그 지극할 것이다! 사람들은 잘할 수 있는 이가 적은 지가 오래이구나!"

子曰:"中庸其至矣乎! 民鮮能久矣!"

어떤 이가 물었다. "『중용장구』에서 '중(中)'를 해석한 뜻에는 각각 같지 않음이 있다. '중화'에 있어서는 '편벽되고 치우치는 바가 없다'는 것으로써 해석하였고, '군자중용'에 있어서는 편벽되지 않고 치우치지 않으며 지나침과 모자람이 없다는 것으로써 해석하였으며, 이 장에 있어서는 '지나침과 모자람이 없다'는 것으로써 해석하였다. 무엇 때문입니까?" 나는 답하였다. "'중'에도 역시 체와 용이 있다. '편벽되지 않고 치우지 않다'는 것은 중의 체이고, '지나침과 모자람이 없다'는 것은 중의 용이다. 중화의중은 혼연히 중에 있는 이치이기 때문에 '편벽되고 치우친 바가 없다'고 말함이니, 이는 중의 체이다. 군자중용은 중과 화를 겸하였기 때문에 '편벽되지 않고 치우지지 않으며 지나침과 모자람이 없다'고 말함이니, 이는 중의 체와 용이 두루 겸비한 것이다. 이 장의 중용에 있어서는 일을 행하는 것으로 말하기 때문에 '지나침과 모자람이 없다'는 것으로 해석한 것이니 이는 중의 용이다."
어떤 이가 물었다. "이 장의 중용은 어찌 그 일을 행함을 아는 것으로써 말하겠습니까?" 나는 답하였다. "『중용장구』를 자세히 보면, 세상의 교화가 쇠퇴하여 백성들이 행실을 일으키지 않으면 그 행실 주변의 말을 알 수 있다."

曰:"章句釋中之義, 各有不同. 於中和則釋以無所偏倚, 於君子中庸則釋以不偏不倚, 無過不及, 於此章則以無過不及釋之, 何也?" 曰:"中亦有體用. 不偏不倚者, 中之體也; 無過不及者, 中之用也. 中和之中, 渾然在中之理, 故曰無所偏倚, 是中

之體也. 君子中庸, 兼中和, 故曰不偏不倚, 無過不及, 是中之體用該備也. 於此章
之中庸, 則以行事言, 故以無過不及釋之, 是中之用也."
曰: "此章之中庸, 何以知其行事言之耶?" 曰: "詳看章句. 世教衰, 民不興行. 則可
知其行邊語也."

공자께서 말씀하셨다. "도가 행하지 못하는 것을 내가 알았으니, 지혜로운 사람은 (총명을 믿고) 지나치고, 어리석은 사람은 (아둔하여) 모자라기 때문이다. 도가 밝아지지 못하는 것을 내가 알았으니, 어진 사람은 지나치고 불초한 사람은 모자라기 때문이다." :

子曰 : "道之不行也, 我知之矣: 知者過之, 愚者不及也. 道之不明也, 我知之矣: 賢者過之, 不肖者不及也.

어떤 이가 물었다. "지혜로운 사람과 어진 사람, 어리석은 사람과 불초한 사람은 어떻게 다릅니까?" 나는 답하였다. "이는 태어나면서 품부받음이 다르기 때문이다." 또 답하였다. "지혜로운 사람은 남달리 총명하여 그윽한 것을 탐구하고 미세한 것을 찾아내어 도로써 족히 행할 수 없다고 하니 이는 지혜가 지나치고 행실이 미치지 못한 것이다. [노자와 불교의 무리가 이것이다.] 어진 사람은 고명하고 강성하며 행동을 노력하여 기이한 것을 믿고 괴이한 것을 자랑하면서 도로써 족히 알지 못한다고 하니 이는 행실이 지나치지만 지혜가 미치지 못한 것이다. [장저(長沮)와 걸닉(桀溺)의 무리들이 이것이다.] 어리석은 사람들은 몽매하고 천루하여 지혜가 미치지 못한 것이고, 불초한 자는 유약하여 일어서지 못하여 행실이 미치지 못하는 것이다. 지혜로운 사람과 어진 사람들은 지나치고, 어리석은 사람과 불초한 자는 미치지 못한 것이다. 지나친 것은 미치지 못한 것보다는 나음이 있지만 그 중을 잃어버린 것은 곧 똑같다."
대개 인간의 기질에는 만 가지로 같지 않음이 있다. 기가 맑고 바탕이 깨끗한 사람이 있는가 하면 기가 흐리고 바탕이 잡박한 사람도 있으며, 기가 맑지만 바탕이 순수하지 못한 사람이 있는가 하면, 바탕이 순수하지만 기가 맑지 못한 사람이 있다. 기질이 맑고 순수한 사람은 상지(上智)의 자품이고, 기질이 흐리고 잡박한 사람은 하우(下愚)일 따름이다.[14] 대저 지금 사람들에게도 총명하고 다재다능한 사람이지만 소인

---

14) 여기서 "상지(上智)"와 "하우(下愚)"는 『논어』에서 언급한 것이다.
14) 『論語』卷17 「陽貨」〈第3章〉: 子曰: "唯上知與下愚, 不移."

으로 돌아가는 것을 면하지 못하는 사람이 있기도 하고, 노둔하고 혼매하지만 오히려 노력을 아끼지 않는 선비들도 있는데 이는 모두 기질이 편벽된 것이다.

曰: "知與賢, 愚與不肖, 何以異耶?" 曰: "此生稟之異也." 曰: "知者聰慧絶人, 探玄索微, 以道爲不足行, 是知之過, 而行不及者也. [老佛之徒, 是也.] 賢者, 高强厲行, 矜奇衒怪, 以道爲不足知, 是行之過, 而知不及者也. [沮溺之流, 是也.] 愚者, 蒙昧淺陋而知不及者也. 不肖者, 懦柔不起而行不及者也. 知與賢, 過之; 愚不肖, 不及. 過有勝於不及, 而其失中, 則均矣."
盖人之氣質, 有萬不同. 有氣淸質粹者, 有氣濁質駁者, 有氣淸而質欠粹者, 有質粹而氣欠淸者. 氣質淸粹, 上智之資也; 氣質濁駁, 下愚而已. 大抵今人亦有聰明多才, 而未免小人之歸. 又有魯鈍昏昧, 而猶爲謹勅之士, 是皆氣質之偏也.

사람들이 먹고 마시지 않는 이가 없으나, 맛을 아는 사람은 적다."

人莫不飮食也, 鮮能知味也."

어떤 이가 물었다. "제3장에서 '민선능(民鮮能)'이라고 하고 이 장에서는 '인막불음식(人莫不飮食)'이라고 하였는데, '민(民)'과 '인(人)'은 어떻게 이해합니까?" 나는 답하였다. "제3장은 제2장을 이어서 이야기한 것이다. 말세에는 교화가 쇠약해지고 풍속이 퇴폐해져 소인이 중용에 반대로 할 뿐만 아니라 평범한 무리의 사람에 이르기까지 또한 능한 이가 적다. '민' 글자는 평범한 무리의 사람을 일컬어 말한 것이고, 이 '인' 글자는 윗 장의 '지혜로운 자·어리석은 자·어진 자·불초한 자'를 겸하여 말한 것이다."

曰: "第三章曰民鮮能, 此章曰人莫不飮食. 民與人字, 何如?" 曰: "三章承二章而言. 末世敎衰俗頹, 不惟小人反中庸, 至於凡衆之人, 亦鮮能之. 民字, 指凡衆人而言也; 此人字, 兼包上章知愚賢不肖而言也."

공자께서 말씀하셨다. "순임금은 큰 지혜이실 것인져! 순임금은 묻기를 좋아하고 가까운 말을 살피기를 좋아하시되 악을 숨겨주고 선을 드날리며, 그 양단을 잡아서 그 중을 백성들에게 사용하시니, 이것이 그 순임금이 되신 것인져!"

子曰:"舜其大知也歟! 舜好問而好察邇言, 隱惡而揚善, 執其兩端, 用其中於民, 其斯以爲舜乎!"

　순임금은 본래 중용의 도에 능하고 또 이 여러 선의 아름다움이 있으니 큰 지혜가 되는 것이다. 무릇 태산은 흙덩이를 사양하지 않기 때문에 그 높음을 이룰 수 있고, 황하와 바다는 작은 개울을 가리지 않기 그 큼을 이룰 수 있다. 사람에게 취하여 선으로 삼는 것 역시 이와 같은 부류이다. 맹자는 "밭 갈고 곡식을 심으며 질그릇 굽고 고기 잡을 때로부터 황제가 됨에 이르기까지 남에게서 취한 것 아님이 없다"[15]는 것이 이것이다. 천하의 이치는 무궁하고 한 사람의 지혜에는 한계가 있다. 스스로 그 사사로운 지혜를 쓰면 어떻게 큰 지혜가 될 수 있겠는가? 이것은 순임금이 천하의 지혜를 합하여 한 사람의 지혜로 삼은 것이다.

　어떤 이가 물었다. "『중용장구』의 '양단'은 여러 의논이 동일하지 않은 극치를 이른다. 만일 갑의 설이 지극히 두텁고 을의 설이 지극히 엷으면 그 갑과 을의 양단을 취하여 그 두텁고 엷은 가운데를 사용하는 것입니까?" 나는 답하였다. "'중' 글자는 중간을 이르는 것이 아니다. 바로 지극히 정밀하고 지극히 마땅하여 지나침과 모자람이 없음을 이른다. 만약 갑의 설이 옳다면 쓰고 을의 설이 그릇되다면 버리는 것이다. 자기 스스로 저울질 하고 헤아려 그 지극히 마땅한 도를 취할 따름이다. 자기가 저울질 하지 못하고 단지 여러 의론의 양단 따라 그 가운데를 취하는 것이 아니다. 그러나 순임금이 반드시 여러 의론에 있어서 그 양단을 잡고서 사용하는 것이고, 또한 스스로 그 지혜를 사용하지 않고 사람에게 취하는 것은 정밀한 것으로부터 거친 것에 이르기까지, 큰 것으로부터 작은 것에 이르기까지 총괄하여 다함을 볼 수 있으니, 하나의 선이라도 혹 빠뜨림이 없는 것이다."

舜本能乎中庸之道, 而又有此衆善之美, 所以爲大知也. 夫泰山不辭土壤, 故能成其高. 河海不擇細流, 故能成其大. 取諸人以爲善, 亦類是也. 孟子曰:"自耕稼陶漁以至爲帝, 無非取諸人者", 此也. 蓋天下之理無窮, 一人之知有限, 自用其私知, 則安能爲大知乎? 此舜之合天下之知, 以爲一人之知也. 曰:"章句兩端謂衆論不同之極致. 若甲之說極厚, 乙之說極薄, 則執其甲乙之兩端, 用其厚薄之中間耶?" 曰:"中字, 非中間之謂也. 便是至精至當, 無過不及之謂也. 若甲之說是則用之, 乙之說非則舍之. 自家權衡而量度之, 取其至當之道而已. 不是己不能權度, 而只

---

15) 『孟子』 卷3 「公孫丑(上)」 〈第8章〉: 自耕稼陶漁以至爲帝, 無非取於人者.

從衆論之兩端, 以取其中也. 然舜之必於衆論, 執其兩端而用之者, 亦可見不自用其知, 而取於人者, 自精至粗, 自大至小, 總括以盡, 無一善之或遺也."

공자께서 말씀하시기를, "사람들이 모두 말하기를 '내가 지혜롭다'고 하지만, 그물이나 덫이나 함정 가운데로 몰아가도 피할 줄을 알지 못하며, 사람들이 모두 말하기를 '내가 지혜롭다'고 하지만 중용을 택하여 한 달도 지켜내지 못한다."

子曰: "人皆曰: '予知.' 驅而納諸罟擭陷阱之中, 而莫之知辟也. 人皆曰: '予知.' 擇乎中庸, 而不能期月守也."

어떤 이가 물었다. "이 장은 지혜에 소속시켜 말한 것이다. 중용을 선택하여 지킬 수 없으면 행한 뜻이 아닙니까?" 나는 답하였다. "알고도 지키지 않는 것은 알지 못함과 같은 것이다. 만일 참으로 알 수 있다면 어떻게 지켜내지 못할 도리가 있겠습니까? 그러므로 공자는 '좋은 마을을 택하되 인(仁)에 처하지 않는다'[16]는 것으로써 지혜롭지 못하다고 하였고, 맹자는 '알고도 떠나지 않는다'[17]는 것으로써 지혜롭다고 하였다. 사람들은 오훼(烏喙)[18]를 먹으면 안되기 때문에 스스로 그 입에 대지 않는다. 만약 입에 대였다면 어찌 참으로 오훼를 알았다고 이를 수 있겠는가?"

曰: "此章屬於知而言也. 擇中庸不能守, 非行底義耶?" 曰: "知而不守, 猶不知也. 若能眞知, 則豈有不守之理? 故孔子以'擇不處仁'爲不知, 孟子以知而弗去爲知. 人知烏喙之不可食, 故自不接於其口. 若接之, 豈可謂眞知烏喙者哉?"

공자께서 말씀하셨다. "안회라는 사람됨이 중용을 택하여 하나의 선을 얻으면 권권히 가슴 속에 간직하고 잃지 않는다."

子曰: "回之爲人也, 擇乎中庸, 得一善, 則拳拳服膺而弗失之矣."

---

16) 『論語』 卷4 「里仁」 〈第1章〉: 子曰: "里仁爲美, 擇不處仁, 焉得智?"
17) 『孟子』 卷7 「離婁(上)」 〈第27章〉: 智之實, 知斯二者, 弗去是也. 【참고】 주희는 이를 "知而弗去"라고 주석하였다.
18) 烏喙: 附子의 별칭으로 독소가 있는 약초.

여러 의론의 선에 있어서 취하여 중을 사용한 이는 순임금이다. 중용의 도에 있어서 선택하여 지켜낼 수 있은 이는 안자이다. 그런데 순임금은 영달하여 윗자리에 있어 중용의 도가 당세에 실행된 것이다. 안자는 궁색하여 아랫자리에 있어 중용의 도가 한 몸에 밝힌 것이다. 능한 것으로 능하지 않는 것을 물은 것은 안자가 택할 수 있는 것이고, 석 달 동안 인을 어기지 않은 것은 안자가 능히 지켜낼 수 있는 것이다. 그러므로 부자께서 찬탄이 자주 언사에 드러났고, 그리고 『대역(大易)』의 책에 드러났으니,[19] 성인의 버금이 아니면 누가 여기에 참여할 수 있겠는가?

於衆論之善, 取而用中者, 舜也. 於中庸之道, 擇而能守者, 顏子也. 然而舜達而在上, 中庸之道所以行於當世也. 顏子窮而在下, 中庸之道所以明於一身也. 以能問不能, 顏子之能擇也. 三月不違仁, 顏子之能守也. 故夫子之讚歎累發於言辭, 且著於大易之書. 非聖之亞, 孰能與於此哉?

공자께서 말씀하시길, "천하와 국가를 균평하게 다스릴 수 있고, 작위와 봉록을 사양할 수 있으며, 흰 칼날을 밟을 수 있지만 중용은 할 수 없다."

子曰: "天下國家可均也, 爵祿可辭也, 白刃可蹈也, 中庸不可能也."

어떤 이가 물었다. "다스릴 수 있고 사양할 수 있으며 밟을 수 있는 것 이외에 별도로 하나의 중용이 있습니까?" 나는 답하였다. "중용은 천하고금의 사람들이 함께 소유한 바의 이치이고, 사람들이 함께 연유하는 바의 도리이다. 이 세 가지가 잘 조화되는 것이라면 중용이다. 요임금과 순임금의 다스림은 오래되었으니, 태백(泰伯)이 세 번 왕위를 사양한 일, 비간(比干)이 죽기를 무릅쓰고 간한 일은 부자가 혹 덕으로 칭하기도 하고 혹 인으로 칭하기도 하였다. 덕과 인은 그 도가 아닌가? 다만 여기서 천하의 지극히 어려움을 범범하게 말하여 중용이 더욱 어렵다는 것을 밝힌 것이다. 균등하게 다스리기 어려운 것은 천하국가인데, 자품이 지혜에 가까운 자는 할 수 있으니, 반드시 요임금과 순임금과 같은 뒤에 균등하게 다스릴 수 있는 것은 아니니, 관중(管仲)이나 소하(蕭何) 등이 그 사람이다. 사양하기 어려운 것은 관작과 봉록인데 자품이 지

---

19) 『周易』「繫辭下傳」〈第5章〉: 子曰: "顏氏之子, 其殆庶幾乎! 有不善, 未嘗不知; 知之, 未嘗復行也. 『易』曰: '不遠復, 无祗悔, 元吉.'" 참조.

혜에 가까운 이는 할 수 있으니, 반드시 태백과 같은 이후에 사양할 수 있는 것은 아니니, 신문(晨門)이나 하장(荷篠)의 무리가 그 사람이다. 밟기 어려운 것은 흰 칼날인데, 자품이 용맹에 가까운 이는 할 수 있으니, 반드시 비간과 같은 이후에야 밟을 수 있는 것은 아니니, 소홀(召忽)이나 자로(子路)의 무리가 그 사람이다. 중용에 이르러서는 비록 쉽게 할 수 있을 것 같으나, 의가 정밀하고 인이 익숙하여 일호의 사사로움이 없는 사람이 아니면 할 수 없다. 대개 주장하는 뜻은 치명(治平)·작록을 사양함·칼날을 밟음에 있지 않고 어려우면서도 쉽고 쉬우면서도 어려움에 있는 것이다."

曰:"可均·可辭·可蹈之外, 別有一箇中庸耶?" 曰:"中庸者, 天下古今人所共有之理也, 人所共由之道也. 三者做得恰好, 則便是中庸. 堯舜之治尙矣, 泰伯之三讓, 比干之諫死, 夫子或稱以德, 或稱以仁. 德與仁, 非其道歟? 但此泛言天下之至難, 以明中庸之爲尤難也. 難均者天下國家, 而資近乎知者能之, 未必如堯舜而後可均. 管仲·蕭何之等, 是也. 難辭者爵祿, 而資近乎知者能之, 未必如泰伯而後可辭. 晨門·荷篠之徒, 是也. 難蹈者白刃, 而資近乎勇者能之, 未必如比干而後可蹈. 召忽·子路之流, 是也. 至於中庸, 則雖若易能, 而非義精仁熟無一毫之私者, 不能也. 蓋主義, 不在於治平·辭爵·刃蹈, 而在於難而易, 易而難也.

자로가 강함을 물었다.

子路問強.

자로는 혈기의 용맹이 있기 때문에 혈기의 강함을 물은 것이다.

子路有血氣之勇, 故問血氣之強也.

공자께서 말씀하셨다. "남방의 강함인가? 북방의 강함인가? 아니면 자네가 강하게 할 것인가? 너그럽고 부드럽게 하여 가르치고 무도한 짓에 보복하지 않는 것은 남방 강함이니, 군자가 이에 거처한다. 무기와 갑옷을 깔고 자서 죽어도 싫어하지 않음은 북방의 강함이니 강한 자가 이에 거처한다.

子曰:"南方之強與, 北方之強與, 抑而強與? 寬柔以敎, 不報無

道, 南方之强也, 君子居之. 衽金革, 死而不厭, 北方之强也, 而强者居之.

어떤 이가 물었다. "양의 성질은 강함이고 음의 성질은 부드러움이다. 양이 남쪽이고 음이 북쪽이면 그 남쪽은 강함이고 북쪽은 부드러움이 마땅하거늘, 군자가 남방의 강함에 거처하는 것을 돌이켜 강한 자가 북방의 강함에 거처하니 무엇 때문입니까?" 나는 답하였다. "양의 체는 비록 강함이지만 그 용은 발생을 주장하니 부드러움이 아니고 무엇이겠는가? 음의 체는 비록 부드러움이지만 그 용은 숙살을 주장하니 강함이 아니고 무엇이겠는가? 움직임과 고요함으로 말하면 움직임이 강함이고 고요함이 부드러움이다. 그렇지만 움직임이 지극하여 고요하게 되고 고요함이 지극하여 다시 움직이게 되니, 이것은 강하면서 부드러울 수 있고 부드러워서 강할 수 있는 이치이다. 괘상(卦象)으로 말하면, 감괘(坎卦)에는 빠지는 상이 있기 때문에 풍기가 굳세고 강하다. 이괘(離卦)에는 문채나고 밝은 상이 있기 때문에 풍기가 유약하다. 강함에 남북의 다름이 있을 뿐만 아니라 민속도 다르고 학풍도 다르다. 북방에서는 근검함을 떠받들지만 남방에서는 화미함을 숭상한다. 북방에서 배우는 이들은 역행을 주장하지만 남방에서 배우는 이들은 문사를 주장한다. 초목의 부류마저도 이와 같다. 남쪽으로 행하는 식물은 유연하면서 무성하지만 음지쪽 낭떠러지의 식물들은 얽히고설켜 강하다. 이것은 역시 풍기에 관련되어 있다."

曰: "陽之性剛, 陰之性柔. 陽南而陰北, 則宜其南剛北柔矣. 而反以君子居南方之强, 以强者居北方之强, 何也?" 曰: "陽體雖剛, 而其用主發生, 非柔而何? 陰體雖柔, 而其用主肅殺, 非强而何? 以動靜言之, 則動剛而靜柔, 然而動極而靜, 靜極復動, 此剛而能柔, 柔以能剛之理也. 以卦象言之, 則坎有陷險之象, 故風氣勁剛. 離有文明之象, 故風氣柔弱. 不惟强有南北之異也, 民俗亦異, 學風亦異. 北方尙勤儉, 南方尙華靡. 北方學者主力行, 南方學者主文辭. 至於草木之類亦然. 向南之植, 柔軟而茂, 陰崖之植, 肯縈而剛. 此亦風氣攸關也."

그러므로 군자들은 화합하면서도 흐르지 않으니, 강하도다, 꿋꿋함이여! 가운데 서서 치우치지 않으니, 강하도다, 꿋꿋함이여! 나라에 도가 있음에 궁색할 적의 절개를 변하지 않으니, 강하도다, 꿋꿋함이여! 나라에 도가 없음에 죽음에 이르러서도 변하지 않으니, 강하도다 꿋꿋함이여!"

故君子和而不流, 強哉矯! 中立而不倚, 強哉矯! 國有道, 不變塞焉, 強哉矯! 國無道, 至死不變, 強哉矯!"

이것은 의리의 강함인데, 스스로 그 인욕의 사사로움을 이겨냈으니 중용의 덕을 지켜낼 수 있는 것이다. 무릇 군자들은 인으로써 자기의 책임을 삼았으니, 무거움이 이보다 더 무거움이 없고, 죽은 뒤에 그만두니, 멂이 이보다 더 먼 것이 없다. 그 무거움을 책임지고 그 멂을 이루니, 강함이 아니면 할 수 있겠는가? 위대하다, 강함이여! 어짊은 강함이 아니면 익숙하지 못할 것이고, 의로움은 강함이 아니면 정밀하지 못할 것이며, 예의는 강함이 아니면 확립하지 못할 것이고, 지혜는 강함이 아니면 분별하지 못할 것이다. [이익과 의로움을 분별하는 것은 단 칼에 두 토막을 내듯 강하게 하는 것이다.] 부귀가 마음을 방탕하게 하지 못하고, 빈천이 절개를 옮겨 놓지 못하며, 위무(威武)가 지조를 굽히게 하지 못할 것이니, 위대하다, 강함이여! 이것은 어찌 풍기의 부리는 바에 얽매여 남을 이기는 것을 강한 것으로 삼았겠는가?

此義理之強, 而自勝其人欲之私, 以能守中庸之德也. 夫君子仁以爲己任, 重莫重矣, 死而後已, 遠莫遠矣, 任其重而致其遠, 非强能乎? 大哉强乎! 仁非強不熟, 義非強不精, 禮非強不立, 智非強不辨. [辨別利義, 如一刀兩段強爲之也.] 富貴不能淫, 貧賤不能移, 威武不能屈, 大哉强乎! 此豈囿於風氣之所使以勝人爲强者哉!

공자께서 말씀하셨다. "은벽(隱僻)한 것을 찾고 괴이한 것을 행한다면 후세에 그것을 기술하는 이가 있는데 나는 그런 노릇을 하지 않는다."

子曰: "索隱行怪, 後世有述焉, 吾弗爲之矣.

은벽의 이치는 공정한 것이 아니고, 괴이한 행실은 평상적인 것이 아니다. 지나친 행동을 깊이 찾는 것은 그 술책으로 세상을 기만하여 이름을 훔치는 것이다. 그 찾는 것은 밝음과 흡사한 것이 있고 그 행하는 것은 고상함과 흡사한 것이 있기 때문에 후세에 기술하는 자가 있다. 대저 사람들의 심정이 새로움을 기뻐하고 기이함을 숭상하는 것은 그 평상의 도에 대하여서 담연하게 여기고 무미하게 여기기 때문이다. 중용은 일상생활에서 마땅히 행하여야 할 도리이지 애초 이상한 별도의 사물이 아니다.

사람이 콩과 조를 먹는데 하루도 거르지 않은 듯한 맛은 담연할 따름이다. 중국과 멀리 떨어진 진귀하고 기이한 사물에 이르러서는 사람들은 다투며 군침만 흘린다. 그러나 진기하고 괴기한 맛은 한 때 입을 기쁘게 하는 것에 불과하지만, 콩과 조는 천하 사람들이 거르는 것이 없고 영원히 없어지지도 않는다. 바른 것을 버리고 은벽한 것을 구하며, 떳떳한 것을 버리고 괴기한 것을 취하는 것은 콩과 조를 버리고 진귀한 물건에 기뻐한 것과 같은 것이다.

隱僻之理, 非公正也; 怪異之行, 非平常也. 深索過行者, 蓋以其術, 欺世而盜名. 其索也有似乎明, 其行也有似乎高, 故後世有述之者. 大抵人情喜新尙奇, 其於平常之道, 則淡然無味. 中庸者, 日用事物當行之道, 初非異常別件物事也. 如人之於菽粟一日無闕然之味也, 淡然而已. 至於殊方絶域珍瑰奇異之物, 人爭垂涎. 然珍怪之味, 不過乎一時悅口. 而菽粟則天下無闕, 終古無廢. 舍正而求隱, 舍常而取怪, 猶舍菽粟而悅珍瑰之物也.

군자가 도를 좇아 행하다가 중도에 그만두는데 나는 그만두지 못하노라.

君子遵道而行, 半塗而廢. 吾弗能已矣.

어떤 이가 물었다. "절반 길에서 그만두는 것은 앞 절반의 길을 좇아 행할 수 있다고 하지만, 단지 미치지 못한 것은 뒤 절반의 길입니까?" 나는 답하였다. "만일 1백 리를 가는 사람이 50십 리를 절반으로 삼고 겨우 50십 리를 행하고 그치면, 이미 50십 리에 이른 사람은 마침내 미치지 못한 50십 리에 보탬이 없다. 50십 리뿐만 아니라 비록 90십 리를 가고 그치더라도 또한 그만두는 것에 마칠 따름이다. 이것이 이른바 '50십 보가 100보를 비웃는다'[20]는 것이다. 천지의 도는 항구할 따름이다. 만약 기운의 조화가 하루라도 혹 쉬게 되면 사물은 그 생을 이룰 수 없으니, 군자가 도에 있어서 죽은 뒤에 그만두는 것이니, 어찌 절반의 길에서 스스로 단념할 수 있겠는가?"

曰: "半塗而廢者, 前半塗可謂遵行, 而只是未及者後半塗歟?" 曰: "如行百里者, 以五十里爲半, 而纔行五十里而止. 則已到五十者, 終無補於未及之五十里. 不惟

---

20) 『孟子』卷1「梁惠王(上)」〈第3章〉: 孟子對曰: "王好戰, 請以戰喩. 塡然鼓之, 兵刃旣接, 棄甲曳兵而走. 或百步而後止, 或五十步而後止. 以五十步笑百步, 則何如?" 참조.

五十也, 雖九十九里而止, 亦終於廢而已. 此所謂五十笑百也. 天地之道, 恒久而已, 氣化一日或息, 則物不得遂其生, 君子之於道, 斃而後已, 豈可半塗而自劃?"

　군자는 중용을 따라가면서 세상에 은둔하여 알아줌을 받지 못하여도 후회하지 않나니, 오직 성인만이 할 수 있다."

君子依乎中庸, 遯世不見知而不悔, 惟聖者能之.

"은벽한 것을 찾는다"는 것은 앎이 지나친 것이고, "기이한 것을 행한다"는 것은 행동이 지나친 것이며, "중도에 그만둔다"는 것은 힘이 미치지 못한 것이고, "중용을 따라간다"는 것은 태어나 알고 편안하게 행하는 이의 따라가는 바가 모두 중용의 덕이고 도를 따르는 비유가 아니다. 앎이 중용의 이치를 선택할 수 있을 적에는 은벽함을 찾는 지나침이 없고, 인이 중용의 도를 지킬 수 있을 적에는 기이한 것을 행하는 지나침이 없으며, 힘이 종신토록 후회하지 않을 수 있으면 절반의 길에서 그만둠이 없을 것이다. 이것은 앎이 극진하고 인이 지극하여 용맹이 그 가운데 있으니, 오직 성인만이 할 수 있다. 그렇다면 중용은 오래할 수 있는 이가 적다. 지혜롭고 어진 자는 할 수 없고 어리석고 불초한 자도 할 수 없으며, 천하국가를 다스리고 평화롭게 하는 자도 할 수 없고 작록을 사양하는 자도 할 수 없고 흰 칼날을 밟는 자도 할 수 없으며, 은벽한 것을 찾는 자도 할 수 없고 괴이한 것을 행하는 자도 할 수 없으며 도를 좇는 자도 할 수 없지만, 오직 성인만이 할 수 있다. 이것은 바로 우리 공부자의 일이지만 오히려 스스로 거처하지 않으셨다.

"索隱", 知之過也; "行怪", 行之過也; "半塗而廢", 力不及也; "依乎中庸", 是生知安行所依皆中庸之德, 又非遵道之比也. 知能擇乎中庸之理, 而無索隱之過; 仁能守乎中庸之道, 而無行怪之過; 力能終身不悔. 而無半塗之廢. 此知之盡仁之至, 而勇在其中, 惟聖者能之. 然則中庸之鮮能久矣. 知賢者不能, 愚不肖者不能, 治平天下國家者不能, 辭爵祿者不能, 蹈白刃者不能, 索隱者不能, 行怪者不能, 遵道者不能, 惟聖者能之. 此正吾夫子之事, 而猶不自居也.

　군자의 도는 광대하고 은미하다.

君子之道, 費而隱.

"광대하다"는 것은 성을 따르는 도이고, "은미하다"는 것은 천명의 본성이다. 대개 도는 존재하지 않는 곳이 없으니, 가까이로는 남녀의 거실로부터 멀리로는 천지에 밝게 드러남에 이르기까지 그 작용이 광대하다고 할 만하다. 그 소이연(所以然)의 이치는 그 속에 감추어져 볼 수 없으니, 그의 본체는 은미하다고 할 만하다. 그러나 본체의 은미함은 애초 작용의 드러난 데서 떠나지 않는 것이다.

"費"是率性之道, "隱"是天命之性. 盖道無不在. 近自男女居室之間, 遠而至於察乎天地, 其用可謂廣矣. 其所以然之理, 則藏於其中而莫之見, 其體可謂微矣, 然體之隱, 初不離乎用之顯也.

부부의 어리석음으로도 참여하여 알 수 있지만, 그 지극함에 미쳐서는 비록 성인이라 하더라도 또한 알지 못하는 바가 있다. 부부의 불초함으로도 능히 행할 수 있지만 그 지극함에 미쳐서는 비록 성인이라 하더라도 능히 못하는 바가 있다. 천지의 큼으로도 사람이 오히려 유감스러운 바 있는 것이다. 그러므로 군자가 큰 것을 말할진댄 천하가 능히 싣지 못할 것이고 작은 것을 말할진댄 천하가 능히 쪼개지 못할 것이다.

夫婦之愚, 可以與知焉, 及其至也, 雖聖人亦有所不知焉. 夫婦之不肖, 可以能行焉, 及其至也, 雖聖人亦有所不能焉. 天地之大也, 人猶有所憾, 故君子語大, 天下莫能載焉. 語小, 天下莫能破焉.

도가 넓은 것은 가까운 것으로부터 먼 데로 이르고 작은 것으로부터 큰 데로 이르며 하나에서 만억을 셀 수 없는 데까지 이른다. 그러므로 그 가까운 것과 작은 것이 만억분의 한둘이라면, 비록 어리석은 부부라도 또한 양지(良知)와 양능(良能)이 있기 때문에 참여하여 알고 능히 행할 수 있는 것이다. 그 지극함에 미쳐서 만일 고금의 사변(事變)이나 명물도수(名物度數)라면 혹 연대에 구애되기도 하고 혹 이목에 제한되어 성인도 알지 못하는 바가 있다. 예를 들어 공자가 노담(老聃: 노자)에게 예를 묻고, 담자(郯子)[21]에게 벼슬을 물은 것이 이것이다. 효(孝)의 한 가지 일을 들어 말하면, 효에도 허다한 절목이 있으니, 문밖을 나서면 부모님께 알리는 출고(出告), 돌아와서

---

21) 郯子: 담국(郯國)의 임금으로, 소호씨(少昊氏) 지(摯)의 후예.

는 부모님의 얼굴을 뵙는 반면(反面), 아침 일찍 부모의 침소에 가서 밤사이의 안부를 살피는 신성(晨省), 잠자리에 들 때에 부모의 침소에 가서 잠자리를 살피고 밤 동안 안녕하기를 여쭈는 혼정(昏定) 등의 절목은 곧 부부의 어리석음으로도 능히 할 수 있는 것이다. 만일 천하로써 그 어버이를 봉양하고 작위로써 그 어버이를 영광스럽게 하는 것은 성인도 능하지 못한 바 있으니, 이는 기수(氣數)에 구애되어 인력으로 이룰 수 있는 것이 아니다. 이것은 도의 작용이 지극히 광대하여 곳마다 존재하지 않음이 없는 것이다. 도의 본체가 지극히 정미하여 성인이 알지 못하고 능하지 못한 바가 있는 것을 이르는 것이 아니다. 만일 지극히 정밀하지만 능하지 못하는 바가 있다고 한다면 어찌 성인이 될 수 있겠는가? 사람이 천지에 유감스러움이 있는 것도 그러하다.

道之廣也, 自近至遠, 自小至大, 一而至於萬億之不能數計. 故其近者小者, 與萬億分之一二, 則雖患夫愚婦, 亦有良知良能, 故可以與知能行焉. 及其至而若古今事變, 名物度數, 則或拘於年代, 或限於耳目, 聖人亦有所不知. 如夫子之問禮於老聃, 問官於郯子者, 是也. 且擧孝之一事言之, 則孝亦有許多節目, 出告反面, 晨省昏定等節, 則夫婦之愚, 可以能行焉. 若以天下養其親, 爵位榮其親, 聖人亦有所不能. 是拘於氣數, 而非人力可致也. 此言道之用, 至廣至大而無處不在也. 非謂道之體, 至精至微而聖人有所不知不能也. 若曰至精而有所不能, 則何足爲聖人哉? 人有憾於天地者亦然.

『시경』에 이르기를, "솔개는 날아 하늘에 이르고, 물고기는 연못에서 뛰노는구나."라고 하였으니, 그 위아래에서 밝게 드러남을 말한 것이다.

詩云: '鳶飛戾天, 魚躍于淵.' 言其上下察也.

솔개는 위에서 날고 물고기는 아래에서 뛰노니, 이것은 도의 작용이 위아래에 충만하여 사물마다 존재하지 않음이 없고 곳마다 존재하지 않음이 없음을 말하는 것이다. 솔개의 날아다니는 것, 물고기의 뛰노는 것, 위아래에 밝게 드러나는 것은 이른바 광대하다는 것이다. 날아다니는 까닭, 뛰노는 까닭은 그 가운데 감추어져 있으니, 이른바 은미하다는 것이다. 정자가 "이 한 구절은 자사께서 긴요하게 사람을 위한 것으로 활발발한 것이다"[22]라고 하였다. 솔개와 물고기 두 사물로부터 유추하면, 우주에 가

---

22) 『中庸章句』「第12章」: 程子曰: "此一節, 子思喫緊爲人處, 活潑潑地." 참조.

득 찬 것은 모두 그러하지 않은 것이 없으니, 해가 가고 달이 오며, 물이 흐르고 산이 우뚝 솟으며, 새가 날고 짐승이 달리며, 꽃이 피고 잎이 떨어지는 것 등은 모두 도의 드러난 것이다. 그 소이연의 이치는 곧 보고 들어서 미칠 바가 아니다. 대개 천하에는 본성 밖의 사물이 없으니, 만물은 통째로 하나의 태극을 본받은 것이고 만 가지로 다르면서 하나의 근본이다. 본성은 존재하지 않음이 없으니, 이것은 만물이 각각 하나의 태극을 구비한 것이고 하나의 근본이면서 만 가지로 다른 것이다.

鳶飛於上, 魚躍於下, 此亦言道之用充滿于上下, 無物不在, 亦無處不在也. 鳶之飛, 魚之躍, 昭著上下, 所謂費也. 所以飛, 所以躍, 藏在其中, 所謂隱也. 程子曰: "此一節, 子思喫緊爲人處, 活潑潑地." 以鳶魚二物推之, 則充塞宇宙者莫不皆然. 日往而月來, 川流而嶽峙, 禽飛而獸走, 花開而葉落者, 皆道之顯然也. 其所以然之理, 則非見聞所及也. 盖天下無性外之物, 萬物統體一太極也, 萬殊而一本也; 性無不在, 此萬物各具一太極也, 一本而萬殊也.

군자의 도는 단서가 부부에게서 비롯하니, 그 지극함에 미쳐서는 천지에 밝게 드러난다.

君子之道, 造端乎夫婦, 及其至也, 察乎天地.

부부에게서 단서가 시작되는 것은 부부의 어리석음으로도 참여하여 알고 능히 알 수 있으며 적은 것을 말할진댄 쪼갤 수 없는 것이다. 천지에서 밝게 드러난 것은 천지와 성인도 역시 능하지 못한 바가 있으며 큰 것을 말할진댄 실을 수 없는 것이다. 이것은 도가 잠시라도 떠날 수 없는 것이다. 그래서 군자는 존양과 성찰을 책임하여 잠깐이라도 끊어지는 순간이 없는 것이다.

造端夫婦者, 夫婦之愚, 可以與知能行, 而語小莫破也. 察乎天地者, 天地與聖人, 亦有所不能, 而語大莫能載也. 此道之所以不可須臾離也. 是以君子責存養省察而無須臾之間也.

공자께서 말씀하셨다. "도가 사람에게서 멀리 있지 않으니, 사람이 도를 행하면서 사람에게 멀리 있다면 도라 할 수 없는 것이다."

子曰:"道不遠人, 人之爲道而遠人, 不可以爲道."

　　도는 일상생활에서 마땅히 행해야 하는 길이니, 바로 음식과 남녀, 동정과 어묵(語默)이 각각 그 도가 있지 않음이 없다. 도를 행하는 것은 마땅히 가까이에서 추구하면 도가 바로 그 곳에 있어 멀리 있지 않은 것이다. 멀리 있을 수 있으면 도가 아니다. 자식이라면 자식이 된 도가 있고 신하라면 신하가 된 도가 있어 항상 그 사람에게서 멀리 있지 않은 것이니, 어버이를 섬기는 자는 의복을 묻고 침실을 묻는 절차 등이 비록 세세한 조목이라 하여도 바로 도이다. 사람의 신하나 자식이 된 자는 이것을 비근하게 여겨 족히 할 것이 못된다고 하여 도리어 높고 멀어 행하기 어려운 일만 힘써 한다면 충(忠)과 효(孝)라고 이를 수 없는 것이다.

道者, 日用事物當行之路, 卽飮食男女, 動靜語默, 莫不各有其道. 爲道者, 當求之於近, 則道便在是, 而不在遠. 可遠, 非道也. 子而有爲子之道, 臣而有爲臣之道, 常不遠於其人, 事親者如問衣問寢節等, 雖曰細條, 而卽是道也. 爲人臣子者, 以此爲卑近不足爲, 而反務爲高遠難行之事, 則不可謂忠孝矣.

　　『시경』에 이르기를, "도끼자루를 잡고 도끼자루를 벰이여! 그 법이 멀리 있지 않는구나"라고 하였으니, 도끼자루를 잡고 도끼자루를 베면서 곁눈질하여 보고 오히려 멀다고 한다. 그러므로 군자는 사람으로써 사람을 다스리다가 고치면 그치는 것이다.

詩云:"伐柯伐柯, 其則不遠. 執柯以伐柯, 睨而視之, 猶以爲遠. 故君子以人治人, 改而止."

　　이 이미 완성된 도끼자루를 잡고 저 아직 완성되지 못한 도끼자루를 베는 것은 그 장단(長短)의 법이 비록 멀리 있지 않음이 되나 오히려 피차의 차별이 있다. 도는 곧 각각 당사자의 몸에 있어 애초에는 피차의 구별이 없었다. 예를 들어 어버이를 사랑하는 양지는 사람들이 함께 소유한 바이다. 때문에 군자는 사람의 불효를 다스는 것은 그 사람이 본래 소유한 효로써 가르치는 것이지, 높고 멀리 있는 것을 빌어서 그에게 책망하는 것이 아니다. 비유하자면, 보습과 쟁기의 도구로 소를 길들인다면 이는 소에게 멀리 하여 도를 삼지 않은 것이고, 굴레와 고삐의 도구로 말을 어거한다면 이는 말에게서 멀리 하여 도를 삼지 않은 것이다.

어떤 이가 물었다. "이것은 '도가 사람에게서 멀리 있지 않다'는 뜻을 말한 것인데, '개이지(改而止: 고치면 그치는 것이다)'는 세 글자는 무슨 뜻입니까?" 나는 답하였다. "여기에서 또한 사람에게서 멀리 있지 않음이 도가 되는 뜻을 볼 수 있는 것이다. 그 사람이 본래 소유한 도로써 그 사람을 다스리는데, 그 사람이 고쳐서 그 도를 따르면 이 밖에 다시 별도의 길이 없기 때문에 곧 그친다. 명도선생은 '자기 자신의 본질은 원래 완족(完足)한 사물이다. 만약 반드시 닦고 다스려야 할 적에는 닦고 다스리는 것이 이러한 의리이다. 만약 반드시 닦고 다스리지 않아야 할 적에는 닦고 다스리지 않는 것도 또한 이러한 의리이다. 그러므로 항상 간이하고 명백하여 행하기 쉬운 것이다'[23]라고 하였다. 이것으로 유추하면 '고치면 그치는 것이다'는 것 또한 이러한 도이다."

執此己成之柯, 伐彼未成之柯, 其長短之法, 雖爲不遠, 而猶有彼此之別. 道則各在當人之身, 初無彼此之別, 如愛親之良知, 人所共有也. 故君子治不孝之人, 以其人所固有之孝而敎之, 非假於高遠而責之也. 比之以鑱犁之具而馴牛, 則是不遠牛而爲道, 以羈約之具而禦馬, 則是不遠馬而爲道也. 曰: "此言道不遠人之義, 而'改而止'三字, 何也?" 曰: "於此亦可見不遠人爲道之義也. 以其人所固有之道治其人, 其人改而從其道, 則此外更無別件道, 故卽止之. 明道先生曰: '自家本質, 元是完足之物. 若合修治而修治之, 是義也. 若不消修治, 而不修治, 亦是義也. 故常簡易明白而易行.' 以此推之, '改而止'亦是道也."

충서는 도에 감이 멀지 않으니, 자기 몸에 베풀어보아 원하지 않는 것을 또한 남에게 베풀지 않는 것이다."

忠恕違道不遠. 施諸己而不願, 亦勿施於人.

"자기가 하고 싶지 않은 것은 남에게 베풀지 말아야 한다"[24]는 것은 이 충서의 일이다. 충서를 말하여 "도가 사람에게 멀리 있지 않다"는 뜻을 밝혔다. 무릇 배가 고프면 밥을 먹고 싶고 목이 마르면 물을 마시고 싶은 것은 사람의 마음이 일찍이 동일하

---

23) 『二程遺書』 卷1 「端伯觧師說」: 盖爲自家本質, 元是完足之物. 若合修治而修治之, 是義也. 若不消修治, 而不修治, 亦是義也. 故常簡易明白而易行.
24) 『論語』 卷15 「衛靈公」 〈第23章〉: 子曰: "其恕乎! 己所不欲, 勿施於人."

지 않은 적이 없다. 그러므로 나의 배고픔과 목마름으로 남의 배고픔과 목마름을 헤아린다. 가사 천하의 사람들이 배고파 먹지 못하고 목이 말라도 마시지 못하면 그만 두거니와 그렇지 않다면 나의 마음이 곧 남의 마음이니, 또한 사람에게서 멀리 있지 않음으로써 도를 행하는 일이다.

어떤 이가 물었다. "충서가 바로 도인데 도에 감이 멀지 않다는 것은 무엇 때문입니까?" 나는 답하였다. "성인의 충서는 인의 지극함이고 중용의 도이다. 이것은 배우는 이들의 일이니, 이것으로 해나가면 도에 이를 수 있다. 그러므로 '도에 감이 멀지 않다'고 하였다."

"己所不欲, 勿施於人", 此忠恕之事也. 言忠恕以明道不遠人之義. 夫飢欲食而渴欲飮, 人之心未嘗不同. 故以吾之飢渴, 度人之飢渴. 使天下之人飢不食而渴不飮則己, 不則吾之心卽人之心, 亦不遠人以爲道之事也. 曰: "忠恕, 便是道. 而曰違道不遠, 何也?" 曰: "聖人之忠恕, 仁之至, 而中庸之道也. 此則學者之事, 以此做去, 則能至於道. 故曰違道不遠."

군자의 도가 네 가지가 있지만, 나 공구(孔丘)는 어느 한 가지도 능하지 못하다. 자식에게 바라는 바로써 부모를 섬김을 능하지 못하였고, 신하에게 바라는 바로써 임금을 섬김을 능하지 못하였으며, 동생에게 바라는 바로써 형을 섬김을 능하지 못하였고 벗들에게 바라는 바로써 먼저 베풀 것을 능하지 못하였다. 떳떳한 덕을 행하며 떳떳한 말을 삼가며, 말은 행실을 돌아보고 행실은 말을 돌아보아야 하니, 군자가 어찌 독실하지 않겠는가?

君子之道四, 丘未能一焉. 所求乎子以事父, 未能也; 所求乎臣以事君, 未能也; 所求乎弟以事兄, 未能也; 所求乎朋友先施之, 未能也. 庸德之行, 庸言之謹, 言顧行, 行顧言, 君子胡不慥慥耳.

"사람으로써 사람을 다스린다"는 것은 사람에게 나아가 서람을 다스리는 도를 얻은 것이고, "충서"는 자기에게 나아가 남을 대하는 도를 얻은 것이며, 이것은 곧 자기에게 나아가 자신을 다스리는 도를 얻은 것이니, 모두 "도가 사람에게서 멀지 않다"는 뜻을 밝힌 것이다. 사람이 자식에게 바라는 것은 그 효를 나에게 바라는 것이고, 신하에게 바라는 것은 그 충을 나에게 바라는 것이며, 동생에게 바라는 것은 그 공경을 나에게 바라는 것이고, 벗들에게 바라는 것은 그 신임을 나에게 바라는 것이다. 이 사람의 마음을 바라는 것으로써 자신에게 돌이켜 구하니, 그것으로써 부모를 섬기면 효도일 것이고, 임금을 섬기면 충성일 것이며, 형을 섬기면 공경일 것이고, 벗들과 사귀면 신임일 것이다. 충서는 자기를 사랑하는 마음으로 남을 사랑하는 것이니, 자기에게 남음이 있고 남에게 부족한 것이 아니다. 이것은 남에게 바라는 마음으로 자신을 바라는 것이니 남에게 남음이 있고 자신에게 부족한 것이 아니다. 무릇 도란 남과 자신이 함께 알고 함께 행하는 바는 물론 각각 그 몸에 있고 애초에 밖에서 기다리지 않는 것이다. 부자가 능하지 못하다는 것은 참으로 겸사이다. 그러나 그 지극함에 미쳐서는 성인도 또한 능하지 못한 바가 있다. 다만 배우는 이들은 떳떳한 말, 떳떳한 행실을 독실하게 한다면 도에 멀지 않을 것이다. 『대학』에서 "윗사람에게 싫었던 바로써 아랫사람을 부리지 말며, 아랫사람에게서 싫었던 바로써 윗사람을 섬기지 말며, 앞사람에게서 싫었던 바로써 뒷사람에게 먼저하지 말며, 뒷사람에게서 싫었던 바로써 앞사람에게 따르지 말며, 왼쪽에게서 싫었던 바로써 오른쪽에게 사귀지 말며, 오른쪽에게서 싫었던 바로써 왼쪽에게 사귀지 말라"[25]라고 하였다. 『대학』은 곧 '싫었던 바[所惡]'로써 말하였지만, 이것은 '바라는 바[所求]'로써 말하였다. '바라는 바'는 좋아하는 바의 일이다. 『중용』과 『대학』에서 말하는 바는 비록 동일하지 않으나 좋아하고 싫어하는 마음이 사람마다 동일하지 않음이 없으니 또한 "도가 사람에게서 멀지 않다"는 것을 볼 수 있는 것이다.

以人治人, 即人而得治人之道; 忠恕, 即己而得待人之道; 此則即己而得自治之道; 皆所以明道不遠人之義也. 人之所求乎子, 欲其孝於我也; 所求乎臣, 欲其忠於我也; 所求乎弟, 欲其恭於我也; 所求乎朋友, 欲其信於我也. 以此責人之心, 反求諸己, 以之事父則孝矣, 以之事君則忠矣, 以之事兄則恭矣, 以之交朋友則信矣. 忠恕則以愛己之心愛人, 非己有餘而人不足也. 此則以責人之心責己, 非人有餘而己不足也. 夫道毋論人己所共知共行, 而各在其身, 初不待於外也. 夫子之未能者固是謙辭, 然及其至也, 聖人亦有所不能. 但學者庸言庸行篤實做去, 則不遠於道矣. 『大學』曰: "所惡於上, 毋以使下; 所惡於下, 毋以事上; 所惡於前, 毋以先後; 所惡於後, 毋以從前; 所惡於左, 毋以交於右; 所惡於右, 毋以交於左." 『大學』則以所惡言, 此則以所求言. 所求, 即所好之事也. 『庸』『學』所言雖不同, 而好惡之心, 人

---

25) 『大學』「傳10章」: 所惡於上, 毋以使下; 所惡於下, 毋以事上; 所惡於前, 毋以先後; 所惡於後, 毋以從前; 所惡於左, 毋以交於右; 所惡於右, 毋以交於左.

無不同, 亦可見"道不遠人"也.

군자는 그 현재 위치에 처해서 행하고 그 밖의 것을 원하지 않는다.

君子素其位而行, 不願乎其外.

위치의 소재는 군자가 거처한 위치에 따라 그 도를 다할 따름이고 그 위치 밖의 도를 사모함이 없는 것이다.

位之所在, 君子隨所居之位盡其道而己, 無慕乎其位外之道也.

부귀에 처해서는 부귀를 행하고 빈천에 처해서는 빈천을 행하며 이적에서 처해서는 이적을 행하고 환난에 처해서는 환난을 행하니, 군자는 들어가는 곳마다 스스로 알맞지 않음이 없다.

素富貴行乎富貴, 素貧賤行乎貧賤, 素夷狄行乎夷狄, 素患難行乎患難. 君子無入而不自得焉.

부귀에 있으면 천하 사람을 아울러 선하게 하니, 이것은 부귀를 행하는 도이다. 빈천에 있으면 홀로 그 몸을 선하게 하니, 이것은 빈천을 행하는 도이다. 이적에 있으면 충실하고 믿으며 독실하고 공경하니, 이것은 이적을 행하는 도이다. 환난에 있으면 안으로 밝히고 밖으로 순응하니, 이것은 환난을 행하는 도이다. 거처한 바의 위치가 비록 혹 동일하지 않기도 하지만 그 행하는 바의 도는 곧 본성을 따르는 도이므로 직분 내의 일이고 직분 밖의 일이 아니다. 오늘날 사람이 빈천·이적·환난의 땅에 처해서 "나는 빈천에 거처하여 능히 도를 행할 수 없으니 반드시 부귀를 얻은 뒤에야 행하겠다"라고 하고, "나는 이적에 처하여 도를 능히 행할 수 없으니 반드시 중화에 처한 뒤에야 행하겠다"라고 하며, "나는 환난을 만나 도를 능히 행할 수 없으니 반드시 평상의 때를 기다린 뒤에야 행하겠다" 라고 한다면 이것은 도에서 멀어져 스스로 그 몸을 해치는 것이다. 도가 어찌 순조로운 경우가 되어 존재하고 거슬리는 경우가 되어 없어지는 것이겠는가! 그러므로 우임금·후직·안자는 도를 함께하였으니, 아울러 선하게 하는 것은 반드시 홀로 선하게 하는 것보다 뛰어나지는 않고, 홀로 선하게 하는 것은 반드시 아울러 선하게 하는 것보다 졸렬하지는 않다. 부자가 구이(九夷)로 가려는 것은 반드시 군자의 누추함이 되지는 않고,[26] 문왕이 유리(羑里)로 간 것은 반드시 명이(明夷)의 흉악함이 되지는 않다.[27] 다만 만난 바의 시대가 그러할 뿐이다. 이것은 오직 성인의 도만 그러할 뿐만 아니라 무릇 일이 모두 그러한 것이다. 어버이를 섬기는 자가 봉양하면 그 즐거움을 다하고, 병들면 그 근심을 다하며, 돌아가시면 그 슬픔을 다하고, 제사지내면 그 공경을 다한다. 봉양·병듦·돌아가심·제사에는 스스로 그 도가 있으니, 만나는 바에 따라 나의 마땅히 해야 할 바를 다하는 것인데, 이것을 도라고 이르는 것이다.

在富貴則兼善天下, 是行乎富貴之道也; 在貧賤則獨善其身, 是行乎貧賤之道也; 在夷狄則忠信篤敬, 是行乎夷狄之道也; 在患難則內明外順, 是行乎患難之道也. 所居之位雖或不同, 而其所行之道則乃率性之道, 而分內事也, 非分外也. 今有人處貧賤夷狄患難之地, 而曰"我居貧賤, 未能行道, 必得富貴而後行." 曰"我在夷狄, 未能行道, 必處中華而後行." 曰"我遭患難, 未能行道, 必待平時而後行."云, 則是遠於道, 而自賊其身者也. 道豈爲順境而存, 爲逆境而亡者哉! 故禹稷顔子同道, 兼善未必優於獨善, 獨善未必劣於兼善. 夫子之九夷, 未必爲君子之陋; 文王之羑里, 未必爲明夷之凶. 但所遇之時然耳, 所居之位然耳. 此不唯聖人之道爲然, 凡事無不皆然. 事親者養則致其樂, 病則致其憂, 喪則致其哀, 祭則致其敬. 養病喪祭, 自有其道, 隨所遇而盡吾所當爲者, 此之謂道也.

윗자리에 있어서는 아랫사람을 능멸하지 않고 아랫자리에 있어서는 윗사람에게 잡아당기지 않으며, 자기를 바르게 하고 남에게 구하지 않으면 원망함이 없을 것이니, 위로는 하늘을 원망하지 않고 아래로는 남을 탓하지 않는다.

在上位不陵下, 在下位不援上, 正己而不求於人則無怨, 上不怨天, 下不尤人.

---

26) 『論語』 卷9 「子罕」 〈第13章〉: 子欲居九夷. 或曰: "陋, 如之何!" 子曰: "君子居之, 何陋之有?" 참조.

27) 『周易』 「明夷卦」: 「彖」曰: "明入地中, 「明夷」. 內文明而外柔順, 以蒙大難, 文王以之. '利艱貞', 晦其明也. 內難而能正其志, 箕子以之." 참조.

거처한 바를 따라 나의 마땅히 해야 할 것을 다할 따름이다. 위로는 하늘에 구함이 없고 아래로는 사람들에게 구함이 없으니, 어찌 원망과 탓함이 있겠는가!

隨所居而盡吾所當爲而己. 上無求於天, 下無求於人, 何怨尤之有?

그러므로 군자는 평이함에 거처하여 명(命)을 기다리고, 소인은 위험을 행하고 요행을 바란다.

故君子居易而俟命, 小人行險以徼幸.

군자는 이치를 따라 현재 거처한 자리에서 편안하게 여기니, 궁달영욕(窮達榮辱)을 한결같이 하늘이 명한 것에서 듣는다. 소인은 이치를 거슬러 그 사사로운 지혜를 행하니, 위로는 하늘에 구하고 아래로는 사람들에게 구하는데, 만일 얻지 못하면 하늘을 원망하고 사람을 탓하며, 다행히 얻게 되어도 또한 마땅히 얻어야 할 것이 아니다. 그렇다면 군자이면서 얻지 않는 것은 그 몸의 허물이 아니다.

君子順理而安於素居之位, 窮達榮辱, 一聽於天之所命. 小人逆理而行其私知, 上求於天, 下求於人. 如不得, 則怨天而尤人. 幸而得之, 亦非其當得者. 然則君子而不得者, 非其身之過也.

공자께서 말씀하시길, "활쏘기는 군자와 유사함이 있으니, 정곡(正鵠)을 잃으면 그 자신의 몸에서 돌이켜 구한다."라고 하였다.

子曰: "射有似乎君子; 失諸正鵠, 反求諸其身."

활쏘는 것은 마음 안의 뜻이 반드시 바르고, 밖의 몸은 반드시 곧은 뒤에야 과녁을 맞힐 수 있다. 만약 혹 뜻이 이미 바르고 몸이 이미 곧았는데 정곡을 잃었다면, "나의 뜻이 아직 올바르지 않고, 나의 몸이 아직 곧지 못하였다"고 하여, 애당초 남을 탓하는 마음이 없으니, 이것은 군자가 현재 그 위치에 처해서 행동하고 그 밖의 것을 원하지 않음과 유사한 것이다. 소인은 그렇지 않아 그 마땅히 해야 할 바를 닦지 않고 밖으로 그 마땅히 얻지 않아야 바를 구하니, 이것은 활쏘는 자가 그 뜻을 바르게 하지 않고 그 몸을 곧게 하지 않고서 그 과녁에 맞힘을 구하는 것이다.
射者, 內志必正, 外體必直而後, 可以中鵠. 若或志旣正, 體旣直矣, 而失諸正鵠, 則曰"我志尙未正, 我體尙未直", 初無尤人之心, 此有似乎君子之素其位而行不願乎其外也. 小人則不然, 不修其所當爲, 而外求乎其所不當得, 此射者之不正其志, 不直其體, 而求其中者也.

　군자의 도는 비유하면 먼 곳을 갈 적에는 반드시 가까운 데로부터 하고 높은 곳을 오를 적에는 반드시 낮은 데로부터 함과 같다.

君子之道, 辟如行遠, 必自邇; 辟如登高, 必自卑.

　가까운 데로부터 먼 곳으로, 낮은 데로부터 높은 데로 가는 것은 이치의 떳떳함이다. 그러나 천리 길을 가는 사람은 한 걸음에서 시작하고, 태산에 오르려는 사람은 평지에서 시작하니, 가깝고 낮은 것을 소홀하게 여길 수 없는 것이다. 무릇 도는 가까이로는 형제·처자·거실 사이로부터 나라를 다스리고 천하를 평화롭게 하는 데까지 이른다. 다스리고 평화롭게 하는 도는 거실의 가까움에서 근본하니, 어찌 낮고 가까운 것을 소홀하게 여길 수 있겠는가? 『대학』에서 "나라를 다스리고자 하는 사람은 먼저 그 집안을 가지런히 한다"[28]고 하였고, 맹자는 "요임금과 순임금의 도는 효제일 따름이다"[29]라고 하였다.

自近而遠, 自下而上, 理之常也. 然行千里者始於一步, 登泰山者基乎平地, 不可以邇卑忽之也. 夫道近自兄弟妻帑居室之間, 以至於治國平天下. 治平之道, 本乎居室之近. 豈可以卑近而忽之乎! 大學曰: "欲治其國者, 先齊其家." 孟子曰: "堯舜之道, 孝弟而已."

　공자께서 말씀하셨다. "귀신의 덕 됨이 그 성대할 것인져!"

子曰: 鬼神之爲德, 其盛矣乎!

---

28) 『大學』「經1章」: 欲治其國者, 先齊其家. 참조.
29) 『孟子』卷12「告子(下)」〈第2章〉: 徐行後長者, 謂之弟; 疾行先長者, 謂之不弟. 夫徐行者, 豈人所不能哉? 所不爲也. 堯舜之道, 孝弟而已矣. 참조.

이기(二氣)가 유행하여 천지 사이에 현저하게 나타나는 것은 마치 해와 달의 왕래, 추위와 더위의 교대, 밀물과 썰물의 진퇴, 인물의 생사, 초목의 영췌와 같은 것이 이 귀신의 공효이다. 그런데 그 굴신할 수 있고 소장할 수 있는 까닭은 누가 시켜서 그러한 것인가? 이것은 귀신의 성정(性情)이다. 정자는 "조화의 자취"로 말하였고,[30] 장자는 "이기의 양능(良能)"으로 말하였으며,[31] 주자는 "이기(二氣)"와 "일기(一氣)"로 말하였으니,[32] 비록 자세함과 간략함이 동일하지 않으나, 그 뜻은 동일한 것이다.

어떤 이가 물었다. "이 장은 천지조화의 묘용(妙用)으로 말하였는데, 중간에 '제명성복(齊明盛服)'[33]이란 한 구절은 제사의 귀신으로 말하였으니, 무엇 때문입니까?" 나는 답하였다. "이 특별히 가장 뚜렷해 보기 쉬운 것을 거론한 것은 '사물의 형체가 되어 빠뜨릴 수 없다'[34]는 증험을 밝힌 것이니, 마치 광대함과 은미함이 솔개와 물고기의 시를 인용한 것과 같다. 그러나 귀신은 현허(玄虛)하여 해석하기가 어려운 것이니, 마땅히 도로 간주해야 하는 것이다. 정성은 음양을 조화시키는 실리이다. 진실로 이 이치가 있으면 진실로 이 기가 있는 것이다. 그 본체는 너무 미세하고 그 작용은 너무 뚜렷하다. '보아도 보이지 않으며 들어도 들리지 않는다'는 것은 미미한 것이니 곧 도의 은미한 것이다. '사물의 형체가 되어 빠뜨릴 수 없다'는 것은 뚜렷한 것이니 곧 도의 광대한 것이다."

二氣流行而著見於天地間者, 如日月之往來, 寒暑之代謝, 汐潮之進退, 人物之生死, 草木之榮悴, 此鬼神之功効. 而其所以能屈能伸, 能消能長, 孰使之然哉? 此鬼神之性情也. 程子以造化之迹言, 張子以二氣之良能言, 朱子以二氣一氣言, 雖有詳略之不同, 而其義則一也. 曰: "此章以天地造化之妙用言之, 而中間'齊明盛服'一節, 以祭祀之鬼神言之, 何也?" 曰: "此特擧最顯然易見者, 以明'體物而不遺'之驗, 如費隱之引鳶魚詩也. 然鬼神者, 玄虛難解也, 當以道看做也. 誠者, 造化陰陽之實理也. 實有是理, 則實有是氣. 其體甚微, 其用甚顯. '視不見, 聽不聞', 微也, 卽道之隱也; '體物而不可遺', 顯也, 卽道之費也.

---

30) 『中庸章句』「第16章」: 程子曰: "鬼神, 天地之功用, 而造化之迹也."
31) 앞의 책, 「第16章」: 張子曰: "鬼神者, 二氣之良能也."
32) 위의 책, 「第16章」: 愚謂以二氣言, 則 "鬼"者, 陰之靈; "神"者, 陽之靈也. 以一氣言, 則至而伸者爲 "神", 反而歸者爲 "鬼", 其實一物而已. 참조.
33) 『中庸』「第16章」: 使天下之人齊明盛服, 以承祭祀. 洋洋乎! 如在其上, 如在其左右.
34) 앞의 책, 「第16章」: 體物而不可遺.

공자께서 말씀하시길, "순임금은 그 위대한 효자일 것인져! 덕은 성인이 되시고, 존귀함은 천자가 되시며, 부유함은 사해의 안을 소유하시어, 종묘의 제사를 흠향하시며 자손을 보전하셨다."라고 하였다.

子曰: "舜其大孝也歟! 德爲聖人, 尊爲天子, 富有四海之內, 宗廟饗之, 子孫保之."

어떤 이가 물었다. "상균(商均)[35]은 불초하지만 자손을 보전하였으니, 무엇 때문입니까?" 나는 답하였다. "상균은 하우(下愚)의 바탕이다. 비록 성인이 아버지가 되더라도 재능은 옮길 수 없는 것이니, 이것은 상균의 죄이지 순임금에게 자식을 가르친 잘못이 있는 것이 아니다. 순임금은 위로는 자식이 된 도를 다하였고 아래로는 아버지 된 도를 다하였다. 이러한 대덕이 있어 마땅히 그 복을 누려야 한다. 그러므로 상균이 비록 보전할 수 없었으나, 우사(虞思)[36]와 진호공(陳胡公)[37]의 무리가 면면히 수백 년을 계승하였으니 세상에서는 자손을 보전하였다고 이를 수 있는 것이다. 세상 사람들은 간혹 불의를 많이 행함이 있고도 자손을 보전할 수 있었던 것은 군자가 보전하였다고 이르지 않는 것이다."

曰: "商均不肖, 而子孫保之, 何也?" 曰: "商均下愚之質也. 雖聖人爲父, 能不能移矣, 是商均之罪也, 非舜有教子之失也. 舜則上而盡爲子之道, 下而盡爲父之道, 有此大德, 宜享其福. 故商均則雖不能保, 而虞思陳胡公之屬, 綿延數百, 世亦可謂子孫保之也. 世之人或有多行不義, 而子孫能保者, 君子不謂之保也."

그러므로 큰 덕은 반드시 그 지위를 얻고 반드시 그 봉록을 얻으며 반드시 그 이름을 얻고 반드시 그 장수(長壽)를 얻는다."

"故大德必得其位, 必得其祿, 必得其名, 必得其壽."

---

35) 상균(商均): 순임금의 아들.
36) 우사(虞思): 순임금의 후손 막(幕)을 가리킨다.
37) 진호공(陳胡公): 호공만(胡公滿)으로, 자는 불음(不淫)이다. 춘추 시대 진(陳)나라에 처음으로 봉함을 받은 진나라의 조상이다.

어떤 이가 물었다. "'필(必)'이란 것은 결정하는 듯한 말이다. 하늘과 인간의 감응은 기필할 수 있기가 어려운 것인데, 반드시 그 지위·봉록·이름·장수를 얻는 것은 무엇 때문입니까?" 나는 답하였다. "선과 악의 응보는 각각 유형으로써 응하니 이것은 필연의 이치이다. 콩을 심으면 반드시 콩을 얻고 오이를 심으면 반드시 오이를 얻는다. 형체가 바른 것은 그림자가 반드시 곧고, 물체가 큰 것은 소리가 반드시 광대하다. 그러므로 하늘이 만물을 생성할 적에는 그 심은 것에 연유하여 북돋아 길러주고, 그 기운 것에 연유하여 엎어서 무너지게 한다. 순임금에게 큰 덕이 있으면 복은 반드시 이르니, 이것은 필연의 이치이다."

또 어떤 이가 물었다. "부자가 그 자리를 얻지 못하고 안자가 그 장수를 얻지 못하였으니, 무엇 때문입니까?" 나는 답하였다. "순임금의 덕이 있어 그 응함을 얻은 것은 이치의 떳떳함이고 순리(順理)이다. 공자와 안자의 덕이 있고도 그 응함을 얻지 못한 것은 기수(氣數)의 변화이고 역리(逆理)이다. 성인은 떳떳함을 말하고 변함을 말하지 않으며, 순리를 말하고 역리를 말하지 않는다. 비록 그러하나, 부자가 그 자리를 얻지 못한 것은 부자의 불행이 아니라 바로 만세의 다행이다. 순임금이 자리를 얻은 것은 하늘이 명한 것이다. 부자가 그 자리를 얻지 못한 것은 또한 하늘이 명한 것이다. 부자의 도가 비록 당세에 행하지 못하였지만 부자의 가르침은 만세까지 내려오면서 폐단이 없었다. 천지가 닫히고 막혔어도 부자의 도는 실추되지 않았고, 해와 달이 빛을 잃었어도 부자의 도는 항상 빛났다. 위로는 백왕(百王)과 천성(天聖)으로부터 아래로 부녀자와 어린아이들과 나무꾼과 목동에 이르기까지 존숭하기를 마치 신명과 같이 하고, 우러러보기를 마치 해와 달과 같이 하였으며, 봄과 가을에는 그 사당에서 제사지내고 자손들은 그 녹을 대대로 이어졌다. 천자의 귀함으로도 그의 존귀에 견줄 수 없고 사해의 큼으로도 그 부유함에 비길 수 없으며, 천지의 항구함이 그 장수에 견줄 수 없었다. 인류 생긴 이래로 공자보다 훌륭한 이가 있지 않았으니, 어찌 일시의 봉록과 자리로써 논할 수가 있겠는가!"

또 어떤 이가 물었다. "제14장은 단지 인사의 닦음만 말하고 재화와 복을 주는 하늘을 말하지 않았는데, 이 장은 봉록과 자리를 말한 것은 무엇 때문입니까?" 나는 답하였다. "'평이함에 거처하여 천명을 기다린다'[38]는 것은 배우는 이의 일이니 광대함이 적은 것이고, 이것은 성인의 극치이니 광대함이 큰 것이다. 이는 이른바 '성인도 또한 능하지 못한 바가 있다'[39]는 것이다."

---

38) 『中庸』, 「第14章」: 君子居易以俟命.
39) 『中庸』, 「第12章」: 及其至也, 雖聖人亦有所不能焉.

曰: "'必'者, 決然之辭也. 天人之應, 難可必也. 而必得其位祿名壽, 何也?" 曰: "善惡之報, 各以類應之, 此必然之理也. 種豆則必得豆, 種瓜則必得瓜. 形正者影必直, 物大者聲必宏. 故天之生物也, 因其栽者而培養之, 因其傾者而覆敗之. 舜有大德, 福必至, 此必然之理也." 曰: "夫子之不得其位, 顏子之不得其壽, 何也?" 曰: "有舜之德而得其應, 理之常也, 順也. 有孔顏之德而不得其應者, 氣數之變也, 逆也. 聖人語常而不語變, 語順而不語逆. 雖然, 夫子之不得其位者, 非夫子之不幸也, 乃萬世之幸也. 舜之得位, 天命之也. 夫子之不得其位, 亦天命之也. 夫子之道, 雖不行於當世, 而夫子之教, 垂之萬世而無弊. 天地閉塞, 而夫子之道不墜, 日月晦冥, 而夫子之道常明. 上自百王千聖, 下至孀孺樵牧, 尊之如神明, 仰之如日月, 春秋享其廟, 子孫世其祿. 天子之貴不足以喻其尊, 四海之大不足以喻其富, 天壤之久不足以喻其壽. 自生民以來, 未有盛於夫子, 豈可以一時祿位論哉!" 曰: "十四章只言人事之修, 而不言禍福之天, 此章言祿位, 何也?" 曰: "'居夷以俟命', 學者事也. 費之小也; 此則聖人之極致, 費之大也. 所謂 '聖人亦有所不能' 者也."

공자께서 말씀하셨다. "근심이 없는 사람은 그 문왕일 것인져! 무왕이 대왕(大王)·왕계(王季)·문왕(文王)의 실마리를 이어서 한 번 갑옷을 입고서 천하를 소유하셨는데 몸은 천하의 명성을 잃지 않으셨다."

子曰: "無憂者, 其惟文王乎! 武王纘大王·王季·文王之緒, 壹戎衣而有天下, 身不失天下之顯名."

어떤 이가 물었다. "'몸은 천하의 드러난 명성을 잃지 않음'과 '반드시 그 명성을 얻음'에는 등차가 있습니까?" 나는 답하였다. "요임금과 순임금은 본성대로 한 것이고, 탕임금과 무왕은 돌이킨 것이다.[40] 그러므로 부자는 소(韶)를 평하시되, '지극히 아름답고 또 지극히 선하다'라고 하였고, 무(武)를 평하시되 '지극히 아름다우나 지극히 선하지는 못하다'라고 하였다.[41] '돌이켰다'는 것은 본성대로 하는 것만 못하고, 정벌은 읍손(揖遜)하는 것만 못하고, '잃지 않음'은 '반드시 얻는 것'만 못하다."

---

40) 『孟子』卷13 「盡心(上)」〈第30章〉: 孟子曰: "堯舜, 性之也; 湯武, 身之也; 五覇, 假之也." 참조.
　　卷14 「盡心(下)」〈第33章〉: 孟子曰: "堯舜, 性者也; 湯武, 反之也." 참조.
41) 『論語』卷3 「八佾」〈第25章〉: 子謂韶, "盡美矣, 又盡善也." 謂武, "盡美矣, 未盡善也." 참조.

曰:"'身不失天下之顯名', 與'必得其名', 有差等否?"曰:"堯舜性之者也, 湯武反之者也. 故夫子謂韶曰:'盡美, 又盡善.' 謂武曰:'盡美矣, 未盡善.' 反之, 不如性之; 征伐, 不如揖遜; 不失, 不如必得也."

무왕이 말년에 천명을 받으시자, 주공이 문왕과 무왕의 덕을 이루시어 태왕(大王)과 왕계(王季)를 추존하여 왕으로 삼고, 위로 선공(先公)을 천자의 예로써 제사하시니, 이 예가 제후와 대부 및 선비와 서민들까지 이르렀다. 아버지가 대부이고 아들이 선비가 되었거든 장례는 대부의 예로 지내고 제사는 선비의 예로 지낸다. 부친이 선비가 되고 아들이 대부가 되었거든 장례는 선비의 예로 지내고 제사는 대부의 예로 지낸다. 기년상은 대부에까지 이르고 삼년상은 천자에까지 이르렀으니, 부모의 상은 귀천의 구별이 없이 동일한 것이다.

"武王末受命, 周公成文武之德, 追王大王·王季, 上祀先公以天子之禮. 斯禮也, 達乎諸侯大夫, 及士庶人. 父爲大夫, 子爲士, 葬以大夫, 祭以士. 父爲士, 子爲大夫, 葬以士, 祭以大夫. 期之喪, 達乎大夫; 三年之喪, 達乎天子. 父母之喪, 無貴賤一也."

여기서는 주공이 예악을 제정하고 효로써 천하를 다스린 것을 말한 것이다. 하나라는 충(忠: 충심)을 숭상하였고, 상나라는 질(質: 바탕)을 숭상하였으니, 비록 성인과 성인이 서로 계승되어도 혼란한 뒤에는 문물이 오히려 미비한 점이 있었다. 주나라의 성대함에 이르러서 친친(親親)과 존존(尊尊)의 예와 귀귀(貴貴)와 천천(賤賤)의 법제가 후하거나 박하여도 인정에 합당하고 덜어내고 보태어도 그 마땅함을 얻어 찬란하게 문채나고 찬연하게 크게 겸비하였다. 그러므로 부자가 찬미하여 "나는 주나라를 따르겠다"[42]라고 하였고, "나는 선배를 따르겠다"[43]라고 하였으며, "나는 다시는 주공을 꿈에서 보지 못하였다"[44]라고 하였으니, 진실로 은미한 뜻이 보존되고 있다.

此言周公制禮作樂, 以孝治天下也. 夏則尙忠, 商則尙質, 雖有聖聖相承而草昧,

---

42) 『論語』卷3 「八佾」〈第14章〉: 子曰: "周監於二代, 郁郁乎文哉! 吾從周."
43) 앞의 책, 卷11 「先進」〈第1章〉: 子曰: "先進於禮樂, 野人也; 後進於禮樂, 君子也. 如用之, 則吾從先進."
44) 위의 책, 卷7 「述而」〈第5章〉: 子曰: "甚矣吾衰也! 久矣吾不復夢見周公."

以後文物, 猶有所未備. 至周之盛也, 親親·尊尊之禮, 貴貴·賤賤之制, 隆殺而合乎情, 損益而得其宜, 郁郁乎文粲然大備. 故夫子贊美之, 曰"吾從周", 曰"吾從先進", 曰"吾不復夢見周公", 實有微意存焉.

공자께서 말씀하셨다. "무왕과 주공은 그 두루 인정하는 효자일 것이다!"

子曰:"武王·周公, 其達孝矣乎!"

어떤 이가 물었다. "순임금의 효는 '위대하다'고 하고, 무왕과 주공의 효는 '두루 공통되다'고 하는 것은 무엇 때문입니까?" 나는 답하였다. "순임금의 효는 하늘의 큼이 넓고 넓어 백성들이 형언할 수 없음과 같기 때문에 '크다'고 하였다.[45] 무왕과 주공은 선조의 뜻을 잘 계승하고 선조의 일을 잘 기술하여, 효심이 위아래에서 융합되어 맑고 예제가 위아래로 통행하여 천하의 사람에게 통용하여도 다른 말이 없기 때문에 '두루 공통되다'고 하였다."

曰:"舜之孝曰'大', 武周之孝曰'達', 何也?" 曰:"舜之孝, 如天之大, 蕩蕩乎無能名, 故曰大. 武王周公則善繼志, 善述事, 孝心上下融澈, 禮制上下通行, 通天下之人而無異辭, 故曰達也."

"교(郊) 제사와 사직(社稷) 제사의 예는 상제를 섬기는 것이고, 종묘의 예는 그 선조를 섬기는 것이니, 교제와 사직제의 예와 체(禘) 제사와 상(嘗) 제사의 뜻에 밝으면 나라를 다스리는 것은 그 손바닥을 보는 것과 같을 것이다!"

"郊社之禮, 所以事上帝也, 宗廟之禮, 所以祀乎其先也. 明乎郊社之禮·禘嘗之義, 治國其如示諸掌乎!"

어떤 이가 물었다. "'교 제사와 사직 제사의 예와 체 제사와 상 제사의 뜻에 밝다' 면 어찌 나라를 다스리는 것은 그 손바닥을 보는 것과 같겠습니까?" 나는 답하였다. "교와 사직에서 제사하는 것은 낳아서 이루어준 은혜에 보답하는 것이고, 종묘

---

45) 『論語』卷8「太白」〈第19章〉: 子曰: "大哉堯之爲君也! 巍巍乎! 唯天爲大, 唯堯則之. 蕩蕩乎! 民無能名焉." 참조.

에서 제사하는 것은 공덕의 융성함에 보응하는 것이다. 그 제사에 당해서는 그 정성과 공경의 마음을 이루는 것이 과연 어떠한 것이겠는가? 이러한 마음은 순수한 천리이면서 일호라도 인욕의 거짓이 없는 것이다. 이러한 뜻에 밝으면 이치는 밝지 않음이 없고 정성은 이르지 않음이 없어, 나라를 다스리는 데 무엇이 있겠는가? 비단 교제사·사직제·종묘제사일 뿐만 아니라 선비·서민들의 가정에 이르러서도 그 선조에게 제사하는 것도 또한 정성과 공경일 따름이다. 이것에 밝으면 그 집안을 가지런히 할 적에 어렵지 않을 것이다. 선조에게 제사지낼 적에 태만하거나 소홀하고 그 집안을 가지런히 할 수 있는 자는 있지 않다."

曰: "明乎郊社之禮·禘嘗之義, 則何以治國如示諸掌乎?" 曰: "祭郊社, 所以答生成之恩也. 祀宗廟, 所以報功德之隆也. 當其祭祀也, 其致誠敬之心, 果何如哉! 是心也純乎天理, 而無一毫人欲之僞. 明乎此義, 則理無不明, 誠無不格, 於爲國乎何有? 不惟郊社宗廟也, 至於士·庶人之家, 祭其先, 亦誠敬而已. 能明乎此, 則其於齊家也不難矣. 怠忽於祭先, 而能齊其家者, 未之有也"

애공(哀公)이 정사를 물었다. 공자께서 말씀하셨다. "문왕과 무왕의 정사가 방책에 펴 있으니, 그 사람이 있으면 그 정사가 거행되는 것이고, 그 사람이 없으면 그 정사가 종식되는 것입니다."

哀公問政. 子曰: "文武之政, 布在方策. 其人存則其政擧, 其人亡則其政息."

정사는 그저 행하지 않고 그 사람을 기다려 행하는 것이다. 정사가 거행되고 종식되는 것은 그 사람의 존망에 달려 있다. 그 사람은 문왕과 무왕의 임금이고, 그 정사는 문왕과 무왕의 정사이다.

政不徒行, 待其人而行. 政之擧息, 在於其人之存亡. 其人, 文武之君也; 其政, 文武之政也.

"도를 닦되 인으로써 한다."

"脩道以仁."

어떤 이가 물었다. "인은 도인데, 어찌 도를 닦되 인으로써 합니까?" 나는 답하였다. "도는 천하 공공(公共)의 의리이고, 인은 사람 마음의 가장 친절한 오묘함이다. 마치 부모와 자식의 인, 임금과 신하의 의, 남편과 부인의 구별, 어른과 어린이의 차례, 붕우의 신의 등과 같은 것은 모두 도이다. 그런데 부모와 자식의 인이 가장 친절하고 지극히 가까워 만 가지 선의 으뜸이 되니, 그것으로써 어버이를 섬기는 것이 부모와 자식의 도가 되고, 그것으로써 임금을 섬기는 것이 임금과 신하의 도가 되며, 그것으로써 남편과 부인에 처하는 것이 남편과 부인의 도가 되고, 그것으로써 어른을 섬기는 것이 붕우의 도가 된다. 만 가지 일과 만 가지 이치에 미루어도 모두 그러하지 않음이 없다. 『역』의 원·형·이·정은 모두 선이지만, 원이 선의 으뜸이 되고,[46] 인·의·예·지가 모두 선이지만, 인이 여러 선의 으뜸이 되니 모두 하나의 이치이다. 한유(韓愈)가 말하기를, '널리 사랑하는 것은 인이라고 한다. 이것으로 말미암아 가는 것을 도라 한다'[47]고 하였다. 선유들이 비록 폐단이 있다 하여도 그 인과 도의 구분을 곧 알 수 있을 것이다."

曰: "仁是道也, 何以脩道以仁?" 曰: "道者天下公共之義理, 仁者人心最親切之妙. 如父子之仁, 君臣之義, 夫婦之別, 長幼之序, 朋友之信, 皆是道也. 而父子之仁, 最親切至近, 爲萬善之首. 以之事親爲父子之道, 以之事君爲君臣之道, 以之處夫婦爲夫婦之道, 以之事長爲長幼之道, 以之交朋友爲朋友之道. 推之萬事萬理, 莫不皆然. 『易』之元·亨·利·貞, 皆是善, 而元爲善之長. 仁·義·禮·智, 皆是善, 而仁爲衆善之首, 皆一理也. 韓子曰: '博愛之謂仁. 由是而之焉之謂道.' 先儒雖以謂有弊, 而其仁與道之分, 則可見矣."

인은 사람이니 친한 이를 친히 하는 것이 큼이 되고, 의는 마땅함이니 어진 이를 높이는 것이 큼이 되니, 친한 이를 친히 하는 것을 줄여 나가고 어진 이를 높이는 것을 차등하는 것이 예가 생겨나는 바이다.

---

46) 『周易』「乾卦」:「文言」曰: "元者, 善之長也. (…)"
47) 『昌黎文集』卷11「原道」: 博愛之謂仁, 行而宜之之謂義. 由是而之焉之謂道, 足乎己無待於外之謂德.

仁者人也, 親親爲大; 義者宜也, 尊賢爲大; 親親之殺, 尊賢之等, 禮所生也.

몸은 인간의 근본이고, 마음은 몸의 주인이다. 인은 마음의 덕이고 사랑의 이치이다. 천지가 만물을 낳는 마음이 바로 내 마음의 인이다. 이 몸으로써 이 살아있는 이치를 구비하면 자연히 측은과 자애의 감정이 있게 되는 것이다. 인은 사람이니, 사람이면서 어질지 않으면 인이 아니다. 또 사람이 형체가 될 적에는 수족이 건전하면 완전한 사람이라 한다. 만약 사지가 마비되면 그 이름을 불인(不仁)이라고 하니, 그 혈기가 막혀서 살아있는 이치가 접속하지 않기 때문이다. 사람이면서 어질지 않으면 그 천지가 만물을 낳는 마음을 잃어 그 자애와 측달(惻怛)의 감정을 잃으니 이것이 불인이다. 무릇 식물의 열매는 각각 살아있는 이치가 구비하였는데, 씨앗 속에서 생생한 근원의 씨를 가리켜 인(仁)이라고 하니, 바로 복숭아씨[桃仁]·살구씨[杏仁] 등의 호칭이 이것이다. 만약 그 씨앗 속의 씨[仁]를 손상시키면 빈 껍질일 따름이다.

무릇 인은 천지만물도 나와 함께 한 몸으로 여기는 것이니, 마땅히 사랑하지 않는 바가 없어 친한 이를 친히 하는 것이 큼이 된다. 친한 이를 친히 하는 가운데 또 많은 등급이나 차등이 있다. 부모와 자식에 있으면 이와 같고, 종족에 있으면 이와 같으니, 지나침과 모자람이 없는 차이를 '줄여 나간다[殺]'는 것이다. 묵자는 곧 사랑에 등급이나 차등이 없기 때문에 맹자가 부모가 없다고 하는 것으로 거부하였으니,[48] 이는 지나침이 중도가 아니다.

身者, 人之本也. 心者, 身之主也. 仁者, 心之德, 愛之理也. 天地生物之心, 卽吾心之仁. 以此身而具此生理, 自然有惻隱慈愛之情也. 仁者, 人也. 人而不仁, 則非仁也. 且人之爲形也, 手足健全, 謂之完人. 若痿痺, 則厥名不仁. 以其血氣間隔, 生理不接屬也. 人而不仁, 則失其天地生物之心, 而喪其慈愛惻怛之情, 是不仁也. 凡植物之果, 各具生理, 直指核中生生原子曰仁, 卽桃仁·杏仁之稱是也. 若傷其核中之仁, 虛殼而已.
夫仁者, 天地萬物同吾一體, 宜無所不愛, 而親親爲大. 親親之中, 又有許多等差. 在父子則如此, 在宗族則如此. 無過不及之差, 所謂殺也. 墨氏則愛無等差, 故孟子拒之以爲無父, 是過之非中.

---

48) 『孟子』卷6 「滕文公(下)」〈第9章〉: 墨氏兼愛, 是無父也. 無父無君, 是禽獸也.

천하의 달도(達道)가 다섯 가지인데 이를 행하는 것은 세 가지이니, 군신·부자·부부·형제·붕우의 사귐 다섯 가지는 천하의 달도이다. 지(智)·인(仁)·용(勇) 세 가지는 천하의 달덕(達德)이니, 이것을 행하는 것은 하나이다.

天下之達道五, 所以行之者三. 曰君臣也·父子也·夫婦也·昆弟也·朋友之交也五者, 天下之達道也; 知·仁·勇三者, 天下之達德也; 所以行之者一也.

천하와 고금에 공유할 것은 도이고, 천하와 고금에 함께 얻어야 할 것은 덕이다. 그러나 이 세 가지 덕이 아니면 이 다섯 가지 도를 행할 수 없는 것이다. '지[지혜]'는 이 도를 알 수 있는 것이고, '인[어짊]'은 이 도를 지킬 수 있는 것이며, '용[용맹]'은 이 도를 강하게 할 수 있는 것이다. 지혜가 부족하면 간혹 간사한 이를 충신이라고 여기고, 도적을 자식이라고 여겨서 의리에 분명하지 않은 바가 있다. 지혜는 미치지만 어짊이 부족하면 간혹 생존하기도 하고 망하기도 하지만, 도를 한 달 동안도 지킬 수 없다. 지혜가 알 수가 있고 어짊이 지킬 수 있지만, 용맹이 부족하면 사욕에 빼앗기고 이해타산에 얽매여 중도에 그만둠이 있게 된다. 그런데 이 세 가지 덕을 행하는 것은 오직 정성[성실]이다. 정성으로 행하면 지혜는 진실한 지혜이고, 어짊은 진실한 어짊이며 용맹은 진실한 용맹이다. 지혜가 정성이 아니면 그 폐단은 혹 교묘하고 사특한 것에서 나올 것이고, 어짊이 정성이 아니면 그 폐단은 고식한 데로 흐를 것이며, 용맹이 정성이 아니면 그 폐단은 강포한 데로 돌아갈 것이다. 그렇다면 참으로 이 세 가지는 이른바 정성이니, 별도로 하나의 정성이 있는 것이 아니다.

天下古今所共由者, 道也; 天下古今所同得者, 德也. 然非此三德, 無以行此五道也. 知, 能知此道也; 仁, 能守此道也; 勇, 能强此道也. 知不足則或認狂爲忠, 認賊爲子, 而義理有所不明. 知及之而仁不足, 則或存或亡, 而不能守於期月. 知能知仁知守, 而勇不足, 則奪於私欲, 蔚於利害, 而有半塗之廢. 然而行此三德者, 惟誠也. 誠以行之, 則知是實知, 仁知實仁, 勇是實勇. 知非誠, 其蔽也或出於巧邪; 仁非誠, 其蔽也或流於姑息; 勇非誠, 其蔽也或歸於强暴. 然則眞此三者, 所謂誠也, 非別有一箇誠也.

혹은 태어나면서 알고, 혹은 배워서 알며, 혹은 애써서 알게 되는데, 그 앎에 미쳐서는 한 가지이다. 혹은 편안하게 여겨 행하고, 혹은 이롭게 여겨 행하며, 혹은 힘쓰고 강하게 여겨 행하게 되는데, 그 성공에 미쳐서는 한가지이다.

或生而知之, 或學而知之, 或困而知之, 及其知之一也. 或安而行之, 或利而行之, 或勉强而行之, 及其成功一也.

사람의 본성은 본래 선하니, 성인과 보통 사람에 따라 다름이 있지 아니하고, 현명한 자나 우둔한 자에 따라 동일하지 아니하지 않다. 다만 기에는 맑은 것과 흐린 것의 구분이 있고 바탕에는 순수한 것과 잡박한 구별이 있기 때문에 이 세 가지 품성의 차이가 있는 것이다. 기질이 맑고 또 순수한 자는 생각하지 않아도 알고 노력하지 않아도 행하니, 이는 성인의 지위이다. 그 다음은 혹 견문을 넓히고 기억을 강하게 하여 알기도 하고, 혹 독실하게 좋아하고 탐내며 구해서 행하기도 하며, 그 다음은 혹 고심하며 헤아리고 생각하여 알기도 하고, 혹 분발하여 뼈를 깎듯 노력하여 행하기도 한다. 기품이 비록 동일하지 않음이 있으나, 본성은 동일하지 않음이 없다. 그러므로 스스로 강하게 하여 그만두지 않을 수 있으면 함께 일반적 지위[보편적 본성]로 돌아갈 것이다. 대개 중용의 도는 크게 알맞고 지극히 바르기에 지나침과 모자람의 차이가 없어 은연히 일정하고 바뀌지 않는 표준이 있다. 그러므로 들어가는 바의 길은 비록 다르나, 이르는 바의 영역은 동일할 것이다. 비유하면, 천 리 길을 갈 적에 천리마는 하루에 이를 수 있고, 노마는 열 번 어거하여 미치는 것이다. 만약 천 리의 제한이 없으면, 노마와 천리마에 있어서 끝내 미칠 날이 없을 것이다.

人性本善, 不以聖凡而有殊, 不以賢愚而不同. 但氣有淸濁之分, 質有粹駁之別. 故有此三品之差. 氣質淸且粹者, 不慮而知, 不勉而行, 是聖人地位也. 其次或博聞强識而知之, 或篤好貪求而行之; 又其次或苦心衡慮而知之, 或奮發刻勵而行之. 氣禀雖有不同, 而性無不同. 故能自强不息, 則同歸於一般地位矣. 盖中庸之道, 大中至正, 無過不及之差, 而隱然有一定不易之標準. 故所入之塗雖異, 而所至之域則同也. 比之行千里程, 驥能一日而至, 駑馬十駕而及之. 若無千里之限, 駑之於驥, 終無可及之日矣.

공자께서 말씀하셨다. "학문을 좋아함은 지혜에 가깝고, 힘써 행함은 어짊에 가깝고, 부끄러움을 앎은 용맹에 가깝다."

子曰: "好學近乎知, 力行近乎仁, 知恥近乎勇."

위 문장의 세 가지 지혜와 세 가지 행함은 세 등급으로 말한 것이다. 여기서 세 가지 가까움이란 것은 또 그 다음이다. 학문을 좋아함은 애써서 아는 것과 유사하여 '지혜에 가깝다'라고 하였고, 힘써 행함은 힘쓰고 강하게 하는 것과 유사하여 '어짊에 가깝다'라고 하였다. 대저 애써서 안다는 것은 도를 들음이 빠름과 늦음이 있는데 그 앎에 미쳐서는 한 가지이다. 힘쓰고 강하게 하여 행하는 것은 도를 행함이 어려움과 쉬움이 있는데 그 성공에 미쳐서는 한 가지이다. 이 세 가지 가까움이란 초학자가 덕에 들어가는 일이다. 지혜로서 이치를 밝히는 것은 오늘 하나의 이치를 배우고 내일 하나의 이치를 밝혀, 배우기를 좋아하여 게을리하지 않으면 우둔함을 깨뜨리기에 충분하여 그 지혜에 감이 멀지 않을 것이고, 행하여, 도에 나아가는 것은 오늘 하나의 어려운 일을 행하고 내일 하나의 어려운 일을 행하여 힘써 행하기를 그만두지 않으면 사사로움을 잊어버리기에 충분하여, 그 어짊에 감이 멀지 않을 것이며, 용맹으로 뜻을 세우는 것은 남보다 못한 것을 부끄러워하면 나약한 것을 일으키기에 충분하여, 그 용맹에 감이 멀지 않을 것이다. 그러나 배우면서 용감함이 아니면 행할 수 없고, 행하면서 용맹함이 아니면 힘쓸 수 없다. 그러므로 배우기를 좋아함은 지혜의 용맹이고, 힘써 행함은 어짊의 용맹이며, 부끄러워함을 앎은 용맹의 용맹이다.

上文三知三行, 以三等言之. 此三近者, 又其次也. 好學有似乎困知, 而曰近知; 力行有似乎勉強, 而曰近仁. 蓋困知者, 聞道有早晚, 而及其知之一也. 勉強而行者, 行道有難易, 而及其成功一也. 此三近者, 初學入德之事也. 知以明理, 今日學一理, 明日學一理, 好學不倦, 則足以破愚, 而其違知也不遠; 行而進道, 今日行一難事, 明日行一難事, 力行不已, 則足以志私, 而其違仁也不遠; 勇以立志, 不若人爲恥, 則足以起懦, 而其違勇也不遠矣. 然學而非勇, 不能好; 行而非勇, 不能力. 故好學者, 知之勇也; 力行者, 仁之勇也; 知恥者, 勇之勇也.

무릇 천하와 국가를 다스리는 데에는 아홉 가지 떳떳한 법이 있다.

凡爲天下國家有九經.[49]

---

[49] 이는 제19장의 첫 번째 글이나, 이하의 글이 생략되었다. 강설에서 언급되는 내용이 있기에 수록한다.
　『中庸』「第19章」: 曰: 脩身也, 尊賢也, 親親也, 敬大臣也, 體羣臣也, 子庶民也, 來百工也, 柔遠人

아홉 가지 떳떳한 법의 조목[50]은 몸을 닦는다는 수신(修身)이 근본이 된다. 몸은 천하와 국가의 근본이다. 그 몸을 닦을 수 있다면 집안과 나라와 천하를 거론해서 조치할 수 있을 것이다. 『대학』에서 "천자로부터 서인에 이르기까지 일체 모두 수신을 근본으로 삼는다"[51]고 하였으니, 격물치지나 성의정심은 모두 수신을 위해 마련된 것이다. 가지런히 함과 다스림·평화롭게 함은 모두 수신으로 말미암아 유추되는 것이다. 몸이 닦일 수 없으면 격물치지나 성의정심은 귀할 수 없고, 가지런히 함과 다스림·평화롭게 하는 것도 불가능한 것이다. 그러므로 수신을 아홉 가지 떳떳한 법칙의 으뜸으로 삼았으니, 여기서도 또한 공문에서 전수한 심법을 볼 수 있는 것이다.

어떤 이가 물었다. "위의 문장은 친친(親親)이 존현(尊賢)의 위에 있는데, 여기서는 존현이 앞에 놓인 것은 무엇 때문입니까?" 나는 답하였다. "친친(親親)은 인이다. 인은 오성(五性)의 으뜸이 되고, 효는 백행의 근원이 된다. 천하의 이치에서 어느 것이 친친의 인보다 앞에 있겠는가? 그러나 스승을 친히 하고 벗을 취한 뒤에 친친의 도를 알 수 있다. 그러므로 존현이 친친의 위에 있다. 그 어진 이를 존숭하는 것은 그 친한 이를 친히 하고자 하기 때문에 '어버이를 섬길 적에는 사람을 알지 않을 수가 없다' 라고 하였다."

九經之目, 修身爲本. 身者, 天下國家之本也. 能修其身, 則家而國而天下可擧而措之矣. 『大學』曰: "自天子以至庶人, 一是皆以修身爲本." 格致誠正, 皆爲修身而設也; 齊與治平, 皆由修身而推也. 身不能修, 則格致誠正不足爲貴, 而齊與治平, 亦不可能矣. 故以修身爲九經之首. 於此亦可見孔門傳授心法也. 曰: "上文親親在尊賢之上, 而此則尊賢居先, 何也?" 曰: "親親仁也. 仁爲五性之首, 孝爲百行之源. 天下之理, 孰有先於親親之仁哉! 然親師取友而後, 能知親親之道, 故尊賢在親親之上. 尊其賢欲其親親也. 故曰: '事親不可以不知人.'"

무릇 천하와 국가를 다스리는 데에는 아홉 가지 떳떳한 법이 있으니, 이를 행하는 것은 한가지이다.

凡爲天下國家有九經, 所以行之者一也.

也, 懷諸侯也.
50) "아홉 가지 떳떳한 법의 조목"은 앞의 각주 참조.
51) 『大學』「經1章」: 自天子, 以至於庶人, 壹是皆以脩身爲本.

"아홉 가지 떳떳한 법칙 외에 또 하나가 있다고 말하는 것이 아니다. 아홉 가지 떳떳한 일은 모두 정성[진실함]으로 행하니, 만일 정성스럽지[진실하지] 않음이 있으면 모두 표면의 가식일 따름이다. 그렇다면 어떻게 하여야 정성스럽다고 하는가?" 나는 답하겠다. "위에서 말한 것은 모두 정성의 도이다. 곧 '재계하고 깨끗이 하며 옷을 성대하게 하여 예가 아니면 움직이지 않는다'[52)]는 것은 '몸을 닦는다'[53)]는 정성이다. '참소하는 이를 제거하고 여색을 멀리하며 재물을 천하게 여기고 덕을 귀하게 여긴다'[54)]는 것은 '어진이를 존숭한다'는 정성이다. '그 지위를 존숭하고 그 봉록을 중하게 여기며 그 좋아함과 싫어함에 연유한다'[55)]는 것은 '친한 이를 친히 한다'는 정성이다. '벼슬이 성대하여 부릴 사람에 맡긴다'[56)]는 것은 '대신을 공경한다'는 정성이다. '충심으로 대하고 봉록을 중하게 여긴다'[57)]는 것은 '여러 신하를 체찰한다'는 정성이다. '시기에 따라 사역시키고 적게 거둔다'[58)]는 것은 '서민을 자식처럼 아낀다'는 정성이다. '날마다 살펴보고 달마다 시험하여 창고에서 녹봉을 줄 적에 일에 맞춘다'[59)]는 것은 '백공을 오게 한다'는 정성이다. '가는 이를 전송하고 오는 이를 맞이하며 잘하는 이를 가상하게 여기고 능하지 못한 이를 가엽게 여긴다'[60)]는 것은 '먼 지방 사람을 부드럽게 대한다'는 정성이다. '끊어진 대를 이어주고 폐망한 나라를 일으켜 주며 혼란을 다스리고 위태함을 붙잡아 주며 조회와 빙문을 때로써 하고 가는 것을 두텁게 하고 오는 것을 엷게 한다'[61)]는 것은 '제후를 회유한다'는 정성이다.

非謂九經之外, 又有一也. 九經之事, 皆誠以行之一. 有不誠則皆表面假識而已. 然則如何而謂之誠乎? 曰: "上所言者, 皆誠之道也. 即 '齊明盛服, 非禮不動', '修

---

52) 『中庸』「第20章」: 齊明盛服, 非禮不動.
53) 이는 "아홉 가지 떳떳한 법의 조목"에서 첫 번째로 언급한 내용이다. 이하 내용은 이를 차례로 언급하고 있다. 『中庸』「第20章」: 曰: 脩身也, 尊賢也, 親親也, 敬大臣也, 體羣臣也, 子庶民也, 來百工也, 柔遠人也, 懷諸侯也. 참조.
54) 『中庸』「第20章」: 去讒遠色, 賤貨而貴德.
55) 『中庸』「第20章」: 尊其位, 重其祿, 因其好惡.
56) 『中庸』「第20章」: 官盛任使.
57) 『中庸』「第20章」: 忠信重祿.
58) 『中庸』「第20章」: 時使薄斂.
59) 『中庸』「第20章」: 時使薄斂.
60) 『中庸』「第20章」: 送往迎來, 嘉善矜不能.
61) 『中庸』「第20章」: 繼絶世, 擧廢國, 治亂持危, 朝聘以時, 厚往而薄來

身'之誠也; '去讒遠色, 賤貨而貴德', '尊賢'之誠也; '尊其位, 重其祿, 因其好惡', '親親'之誠也; '官盛任使', 敬大臣之誠也; '忠信重祿', '體群臣'之誠也; '時使薄斂', '子庶民'之誠也; '日省月試, 餼廩稱事', '來百工'之誠也; '送往迎來, 嘉善矜不能', '柔遠人'之誠也; '繼絕世, 擧廢國, 治亂持危, 朝聘以時, 厚往而薄來', '懷諸侯'之誠也."

무릇 일은 미리 준비하면 확립하고 미리 준비하지 않으면 실패한다. 말을 이전에 정하면 낭패하지 않고 일을 이전에 정하면 곤란하지 않으며 행동을 이전에 정하면 잘못되지 않고 도를 이전에 정하면 궁색하지 않다.

凡事豫則立, 不豫則廢. 言前定則不踣, 事前定則不困, 行前定則不疚, 道前定則不窮.

무릇 천하의 일은 모두 먼저 정성을 확립한 뒤에 확립할 수 있다. 중간에 있는 글[62]로 말하면, 몸을 정성스럽게 하는 것은 어버이에게 순하게 할 적에 미리 정해짐이 된다. 어버이에게 순하게 하는 것은 벗을 믿을 적에 미리 정해짐이 된다. 벗을 믿는 것은 윗사람에게 신임을 얻을 적에 미리 정해짐이 된다. 몸에 돌이켜 정성스러우면 어버이에게 순할 수 있고, 어버이를 친히 하면 벗을 믿을 수 있으며, 벗을 믿으면 윗사람에게 신임을 얻을 수 있다. 이와 같으면 낭패하지 않고, 곤란하지 않으며, 잘못되지 않고, 궁색하지 않을 것이다. 몸에 돌이켜 정성스럽지 않으면 어버이에게 순할 수 없으니, 이는 낭패하고 곤란하며 잘못되고 궁색한 것이다.

凡天下之事, 皆先立乎誠, 而後可以立也. 以中文言之, 則誠身者, 於順親爲素定; 順親者, 於信朋友爲素定; 信朋友者, 於獲乎上爲素定. 反身而誠, 則能順親, 親親則能信友, 信友則能獲上. 如是, 則不踣焉·不困焉·不疚焉·不窮焉. 反身不誠, 則不能順親, 是踣也·困也·疚也·窮也.

---

62) 이는 "凡事豫則立"로 시작하여 끝나는 다음 글을 가리킨다. 다음 글은 "在下位不獲乎上, 民不可得而治矣; 獲乎上有道: 不信乎朋友, 不獲乎上矣; 信乎朋友有道: 不順乎親, 不信乎朋友矣; 順乎親有道: 反諸身不誠, 不順乎親矣; 誠身有道: 不明乎善, 不誠乎身矣."이다. 이와 연관하여 본 내용을 살펴야 한다.

진실한[정성있는] 자는 하늘의 도이며 진실하게[정성있게] 하는 것은 사람의 도이다. 진실함은 힘쓰지 않아도 맞으며 생각하지 않아도 터득하며 종용(從容)히 도에 맞으니 성인이다. 진실하게 하는 것은 선을 택하여 굳게 잡는 것이다.

誠者, 天之道也. 誠之者, 人之道也. 誠者不勉而中, 不思而得. 從容中道, 聖人也. 誠之者, 擇善而固執之者也.

천도는 진실하고 거짓됨이 없을 따름이다. 마치 추위와 더위가 번갈아 행하며, 해와 달이 교대하며 밝아 한순간도 쉬는 차이가 없다. 무릇 나는 것, 잠기는 것, 움직이는 것, 쉬는 것들이 각각 일정하여 바뀌지 않는 이치가 있으니, 이것이 모두 하늘의 도가 스스로 그렇게 하기에 진실하고 거짓된 곳이 없는 것이다. 만약 천도가 하루라도 진실하지 못하다고 한다면, 추위와 더위가 때로 그 차례를 잃음이 있고, 해와 달이 때로 그 밝음을 잃음이 있을 것이다. 그러므로 진실함은 하늘의 도이다. 오직 성인의 덕만이 혼연히 하늘과 합하기 때문에 아는 바와 행하는 바가 모두 생각하고 힘쓰기를 기다리지 않아도 자연히 도에 맞으니, 또한 하늘의 도이다. 사람은 천명의 본연을 얻어 진실한 이치가 아님이 없지만 다만 아직 성인에 이르지 못하였다면, 아는 바가 모두 진실할 수 없고, 행하는 바가 모두 진실할 수 없다. 그러므로 앎이 진실하고자 하여 반드시 선을 택하여야 하고, 행함이 그 진실하고자 하여 반드시 굳게 잡으니, 이것이 진실하게 하려는 도이다. 대개 스스로 그러하여 그렇게 되는 것은 하늘의 도이고, 작위가 있어 그렇게 되는 것은 사람의 도이다. 하늘과 사람의 구분은 스스로 그러함과 작위 있음의 사이에 있을 것이다. '성(誠: 진실함)'이라는 한 글자는 이 한 편의 추뉴(樞杻)이다. 달도(達道)가 진실하지 못하면 도는 그 도가 아니고, 달덕(達德)이 진실하지 않으면 덕은 그 덕이 아니며, 아홉 가지 떳떳한 법이 진실하지 않으면 떳떳한 법칙은 그 떳떳한 법칙이 아니다.

天道, 眞實無妄而已. 如寒暑之錯行, 日月之代明, 無一息之差. 凡飛潛動息, 各有一定不易之理, 此皆天道之自然, 而眞實無妄處也. 若曰天道一日不誠, 則寒暑有時乎失其序, 日月有時乎失其明矣. 故誠者天之道也. 惟聖人之德, 渾然與天合. 故所知所行, 皆不待思勉而自然中道, 亦天之道也. 人得天命之本然, 無非實理, 而但未至於聖, 則所知不能皆實, 所行不能皆實. 故知欲實而必擇善, 行欲其實而必固執之, 此誠之之道也. 蓋自然而然者, 天之道也; 有爲而然者, 人之道也. 天人之分, 在於自然與有爲之間矣. 誠之一字, 一篇之樞紐也. 達道不誠, 則道非其道; 達德不誠, 則德非其德; 九經不誠, 則經非其經矣.

널리 배우고, 자세하게 물으며, 신중하게 생각하고, 밝게 분별하며, 독실하게 행하여야 한다.

博學之, 審問之, 愼思之, 明辨之, 篤行之.

무릇 진실함은 천도(天道)이니, 나면서부터 알고 편안하게 행하는 것은 성인이다. 진실하게 하려는 것은 인도(人道)이니, 그 품등에는 두 가지가 있는데, 첫째 배움[學]·물음[問]·생각[思]·분별[辨]·독행(篤行)이라고 한 다섯 가지는 배워서 알고 이롭게 여겨 행하는 일이고, 둘째 '불조(弗措)'라고 다섯 번 하고, 그 공부를 백 배 하는 것은 애써서 알고 힘써서 행하는 일이다. 배워서 알고 이롭게 여겨 행하는 것으로 말하면, 감히 나면서부터 알고 편안하게 행하는 것으로 미칠 수 없다고 하는 것이 아니다. 반드시 널리 배워 그 이치를 궁구하고, 자세하게 물어 그 의문을 결단하며, 신중하게 생각하여 천착으로 실수하지 않고, 밝게 분별하여 미망함에 빠져들지 않아야 하니, 이는 선택을 정밀하게 것이다. 독실하게 행하여 배우고 물으며 생각하고 분별하면, 터득하는 것은 모두 그 진실함을 이행할 수 있는 것이 지킴을 굳게 한 것이니, 이른바 성실하게 하려는 도이다. 애써서 알고 힘써서 행하는 것으로 말하면, 감히 배워 알고 이롭게 여겨 행하는 것으로 미칠 수 없다고 하는 것이 아니다. 그런데 배울 적에는 반드시 그 능함을 바라고, 물을 적에는 반드시 그 앎을 바라며, 생각할 적에는 반드시 그 얻음을 바라고, 분별할 적에는 반드시 그 밝음을 바라며, 행동할 적에는 반드시 그 독실함을 바라는데, 그 배워 알고 이롭게 여겨 행하는 사람이 한 번에 할 수 있으면 나는 그 공부를 백 배 하여 마땅하고자 한다. 이것은 선택할 적에 그 정밀하고자 하고 지킬 적에 그 굳게 하고자 하는 것이니, 또한 성실의 도이다.

夫誠者, 天道也. 生知安行之, 聖人也. 誠之者, 人道也. 其品有二. 曰學·問·思·辨·篤行五者, 學知利行之事也. 曰五弗措而百倍其功者, 困知勉行之事也. 以學知利行者而言之, 則非敢以生知安行爲不可及也. 必博學而窮其理, 審問而決其疑, 愼思而不失於穿鑿, 明辨而不惑於迷茫, 是擇之精也. 篤行而使學問思辨之, 所得者皆有以踐其實, 是守之固也, 所謂誠之之道也. 以困知勉行者而言之, 則非敢以學知利行者爲不可及也. 而學必要其能, 問必要其知, 思必要其得, 辨必要其明, 行必要其篤, 而彼學知利行之人一着而能之, 則我欲百倍其工而當之. 是擇之欲其精, 守之欲其固, 亦誠之道也.

과연 이러한 도에 능하면 비록 어리석어도 반드시 명석해지고 유약하여도 강해진다.

果能此道矣, 雖愚必明, 雖柔必强.

배움[學]·물음[問]·생각[思]·분별[辨]·독행(篤行)이라고 한 다섯 가지가 백천 배의 공부를 더할 수 있으면 그 어리석음을 변화시켜 밝음으로 나아갈 수 있고, 그 유약함을 변화시켜 강함으로 나아갈 수 있다. 오달도(五達道)와 삼달덕(三達德)으로부터 아홉 가지 떳떳한 법칙에 이르기까지 진실하게 알고 진실하게 행하니, 나면서부터 알고 편안하게 아는 자와 비록 빠름과 늦음, 어려움과 쉬움의 구별이 있으나, 그 지극함에 미쳐서는 한 가지이다. 이것은 자사자가 후세를 근심하고 걱정하여 말함이 간절하고 설명함이 자상한 것이다. 대개 군자가 학문을 귀하게 여기는 것은 기질을 변화시킬 수 있기 때문이다. 사람의 용모는 추한 것을 아름다움으로 변화시킬 수 없고, 기력은 약한 것을 강함으로 변화시킬 수는 없다. 기질에 이르러서는 흐린 것을 맑음으로 변화시킬 수 있고, 잡박한 것을 순수함으로 변화시킬 수 있으니, 무엇 때문인가? 나는 답하겠다. "사람의 본성은 본래 선하니, 요임금이나 걸임금은 이 본성을 함께 한 것이고, 순임금이나 도척도 이 본성을 함께 한 것이며, 중화나 이적도 이 본성을 함께 한 것이고, 옛 사람이나 지금 사람도 이 본성을 함께 한 것이다. 다만 기품에는 맑음과 흐림, 순수함과 잡박함, 어두움과 밝음, 강함과 약함이 가지런하지 않음이 있다. 그 천만 가지로 가지런하지 않음을 변화시켜 함께 본연의 하나로 돌아가는 것은 학문이라고 하는 것에 불과할 따름이다. 나무는 먹줄을 따르면 굽은 것을 곧은 것으로 변화시키고, 칼날은 숫돌을 받아들이면 무딘 것을 예리한 것으로 변화시킨다. 학문은 나무의 먹줄이고 칼날의 숫돌이다. 어두움으로 들어간 자는 밝음으로 나오고, 유약함으로 들어가는 자는 강함으로 나오며, 흐린 것은 변화하여 맑음이 될 수 있고, 잡박한 것은 순수함이 될 수 있다. 이것은 이른바 '사람은 모두 요임금과 순임금이 될 수 있다'[63]는 것인데, 그 몸이 할 수 없다고 하는 자는 자신을 해치는 것이다."

---

63) 『孟子』 卷12 「告子(下)」 〈第2章〉: 曹交問曰: "人皆可以爲堯舜, 有諸?" 孟子曰: "然." 참조.

學問思辨篤行五者, 能加百千之工, 則可以變其愚而進於明, 可以化其柔而進於強, 自五道三德, 以至九經之事, 實知而實行之, 與生知安知者, 雖有蚤暮難易之別, 而及其至則一也. 此子思子之憂患後世, 而言之切而說之詳也. 蓋君子之所貴乎學問者, 以其能變化氣質也. 人之容貌不可變醜爲姸, 膂力不可變弱爲強. 至於氣質, 則可以變濁爲淸, 可以變駁爲粹, 何也? 曰: "人性本善, 堯桀同此性也, 舜跖同此性也, 華夷同此性也, 古今同此性也. 但氣禀有淸濁·粹駁·昏明·強弱之不齊. 欲變其千萬之不齊, 同歸乎本然之一者, 不過曰學問而已. 木從繩則變曲爲直, 鑽受砥則變鈍爲銳. 學問者, 木之繩也, 鑽之砥也. 以昏入者以明而出, 以柔入者以強而出, 濁可變而爲淸, 駁可變而爲粹. 此所謂人皆可爲堯舜, 而謂其身不能者, 自賊者也.

진실함으로부터 명석해짐을 본성이라고 하고, 명석함으로부터 진실해짐을 가르침이라고 한다. 진실하면 명석해지고, 명석하면 진실해진다.

自誠明, 謂之性; 自明誠, 謂之教. 誠則明矣, 明則誠矣.

진실함으로부터 명석해짐은 진실한 것이니 천도이다. 명석함으로부터 진실해짐은 성실하려는 것이니 인도이다. 성인은 그 본성을 따를 수 있어 생각하고 힘쓰기를 기다리지 않아도 그 덕이 모두 진실하다. 그러므로 그 밝음이 비출 수 있으니 이른바 "성인만이 본성대로 한다"[64]는 것이다. 배우는 자는 먼저 선을 밝히고 선택함이 정밀하여 잡음이 굳게 한 연후에야 그 덕을 진실하게 할 수 있으니, 이것은 가르침으로부터 들어가는 일이다. 진실하면 명석해진다는 것은 진실하기 때문에 명석해지고, 명석하면 진실해진다는 것은 명석함으로 말미암아 진실해지는 것이다. 명석하여도 진실해짐에 이르지 못할 자 있지 않고, 진실하면서 명석해지지 않을 자는 있지 않다. 충성과 효도로부터 말하면, 성인은 그 충성과 효도라는 진실한 덕을 온전하게 하기 때문에 어버이를 섬기고 임금을 섬기는 이치에 있어서 명석하지 않은 바가 없다. 배우는 자는 반드시 격물치지하여 충성과 효도의 이치를 밝힌 뒤에야 그 충성과 효도라는 덕을 진실하게 할 수 있을 것이다. 그런데 나면서부터 아는 것과 배워 아는 것은 그 지극함에 미쳐서는 한 가지이다.

---

64) 이는 맹자가 언급한 것을 원용한 것이다. 『孟子』 卷13 「盡心(上)」 〈第30章〉: 孟子曰: "堯舜, 性之也; 湯武, 身之也; 五覇, 假之也."; 卷14 「盡心(下)」 〈第33章〉: 孟子曰: "堯舜, 性者也; 湯武, 反之也." 참조.

自誠明, 誠者也, 天道也; 自明誠, 誠之者也, 人道也. 聖人則能率其性, 不待思勉而其德皆實. 故其明能照, 所謂惟聖性者也. 學者則先明乎善, 擇之精而執之固, 然後可以實其德, 此由教而入之事也. 誠則明者, 誠故明; 明則誠者, 由明而誠也. 明而未至於誠者有矣, 未有誠而不明者也. 以忠孝言之, 聖人全其忠孝之實德, 故於事親事君之理, 無所不明. 學者則必格致, 而明乎忠孝之理, 而後可以實其忠孝之德矣. 然而生知與學知, 及其至則一也.

오직 천하의 지극히 진실함이어야 그 본성을 다할 수 있으니, 그 본성을 다할 수 있으면 사람의 본성을 다할 수 있고, 사람의 본성을 다할 수 있으면 만물의 본성을 다할 수 있으며, 만물의 본성을 다할 수 있으면 천지의 화육을 도울 수 있고 천지의 화육을 도울 수 있으면 천지와 더불어 참여할 수 있을 것이다.

惟天下至誠, 爲能盡其性; 能盡其性, 則能盡人之性; 能盡人之性, 則能盡物之性; 能盡物之性, 則可以贊天地之化育, 可其以贊天地之化育, 則可以與天地參矣.

성인은 그 본성을 온전하게 할 수 있어 티끌만큼도 미진함이 없다. 부모와 자식에 있어서는 '인(仁)'의 본성을 다하고, 인금과 신하에 있어서는 '의(義)'의 본성을 다하고, 천하의 이치에 있어서는 앎이 미진함이 없고, 천하의 도에 있어서는 행동의 미진함이 없으니, 이것이 "그 본성을 다할 수 있다"고 하는 것이다.

어떤 이가 물었다. "그러나 자기의 본성은 비록 다할 수 있다고 하여도, 다른 사람의 본성도 또한 다할 수 있겠는가?" 나는 답하였다. "다른 사람의 본성은 곧 나의 본성이기 때문에 나의 '인'을 미루어 부자유친의 가르침을 세우고, 나의 '의'를 미루어 군신유의의 가르침을 세우게 되니, 천하의 사람으로 하여금 모두 그 본성을 회복하게 할 수 있도록 하니, 이른바 '요임금과 순임금의 백성은 요임금과 순임금의 마음으로써 마음을 삼는다'[65]는 것이다."

또 어떤 이가 물었다. "사람의 본성은 나와 같기 때문에 다할 수 있겠지만, 사물의 본성은 어떻게 다할 수 있겠습니까?" 나는 답하였다. "사물은 기(氣)를 품부 받음이 편벽되고 막힌 것이다. 열리고 통함의 도가 있지 않기 때문에 『중용장구』에서 '앎이

---

65) 『說苑』「君道篇」: 禹出見罪人, 下車問而泣之, 左右曰: "夫罪人不順道, 故使然焉. 君王何爲痛之至於此也?" 禹曰: "堯舜之人, 皆以堯舜之心爲心; 今寡人爲君也, 百姓各自以其心爲心, 是以痛之." 참조.

밝지 않음이 없고, 처함이 마땅하지 않음이 없다'는 것으로써 말하였다. 마치 뿔 있는 것은 내가 그 소가 됨을 알아 경작하게 하고, 갈기 있는 것은 내가 그 말이 됨을 알아 타도록 하며, 닭은 새벽을 맡도록 할 수 있고, 개는 도적을 예비할 수 있도록 하는 따위가 이것이다. 산·숲·시냇물·못에 이르러서는 각각 장관(掌官)을 두어 때로써 취하고 쓰는데 절도가 있어 만물로 하여금 각각 그 본성을 완수하도록 하니, 이것이 사물의 본성을 다함을 이르는 것이다. 그렇다면 그 본성을 다하는 것은 단지 본성을 따르는 도이고, 사람과 사물의 본성을 다하는 것은 도를 닦는 도이다."

또 어떤 이가 물었다. "하늘의 화육을 돕는 것은 무엇입니까?" 나는 답하였다. "천지가 능하지 못한 바는 성인이 도와 그 능하지 못한 것을 도울 수 있는 것이다. 천지는 만물을 낳을 수 있지만 그 사물을 사용할 수 없으니, 성인이 그 용마루와 처마를 만들어 그 거처를 편안하게 하였고, 그 배와 수레를 만들어 그 통하지 못함을 건너게 하였으며, 그 의약을 만들어 그 요절을 치료하였고, 그 공장을 만들어 그 기용(器用)을 넉넉하게 하였으니, 이는 천지의 도를 제단하여 이루어주고 천지의 마땅함을 돕고 도와준 것이다. 성인의 일은 화육을 도울 뿐만 아니다. 하늘이 홍수를 억제할 수 없어서 우임금이 다스릴 수 있었고, 하늘이 벌레나 뱀, 금수를 죽일 수 없어서 주공이 몰아내어 그 중토에 처하게 하였으며, 하늘이 난신적자를 제거할 수 없어서 공자가 『춘추』로 주살할 수 있었으니, 이것은 성인의 할 수 있는 일이고 천지가 할 수 없는 바이다. 하늘이 위에 자리 잡고 땅이 아래에 자리 잡고 있는데, 지극히 진실함은 그 가운데 자리 잡고 위와 아래의 일을 돕는다. 이것이 성인의 극치이면서 천지와 병립한 것이니, 참여한다고 하지 않을 수 있겠는가?"

聖人能全其性, 而無一毫之不盡. 在父子則盡仁之性, 在君臣則盡義之性, 於天下之理知之無不盡, 於天下之道行之無不盡, 此可謂"能盡其性"也. 曰: "然己之性雖曰能盡, 而人之性亦可以能盡歟?" 曰: "人之性卽己之性, 故推吾之仁以立父子有親之敎, 推吾之義以立君臣有義之敎, 使天下之人, 皆有以復其性. 所謂堯舜之民, 以堯舜之心爲心者也." 曰: "人之性與我同, 故可以能盡之, 而物之性, 如何能盡?" 曰: "物則禀氣之偏且塞者也. 未有開通之道, 故章句'以知之無不明而處之無不當'言之. 如角者, 吾知其爲牛而使之畊, 鬣者吾知其爲馬而使之乘, 雞能使之司晨, 犬能使之備盜之類, 是也. 至於山林川澤, 各有掌官, 取之以時, 用之有節, 使萬物各遂其性, 此謂盡物之性也. 然則盡其性者, 只是率性之道也; 盡人物之性者, 修道之敎也." 曰: "贊天之化育, 何也?" 曰: "天地之所不能者, 聖人能贊之, 以輔其不能也. 天地能生萬物, 而不能用其物, 聖人爲之棟宇以安其居, 爲之舟車以濟其不通, 爲之醫藥以治其夭死, 爲之工以贍其器用, 此財成天地之道, 輔相天地之宜者也. 聖人之功, 不惟贊化育也. 天不能抑洪水, 而禹能治之; 天不能殺蟲蛇禽獸, 而周公能驅而處其中土; 天不能除亂臣賊子, 而孔子能誅之於春秋, 此聖人之能事, 而天地之所不能也. 天位乎上, 地位乎下, 至誠位乎其中, 而贊上下之功. 此聖人之極致, 而與天地幷立, 可不爲參乎?"

그 다음은 한쪽으로 지극히 함이니, 한쪽으로 지극히 하면 성실할 수 있다. 성실하면 드러나고, 드러나면 현저하고, 현저하면 밝아지고, 밝아지면 감동하고, 감동하면 변하고, 변하면 동화한다. 천하의 지극히 성실함만이 동화할 수 있다.

其次致曲, 曲能有誠. 誠則形, 形則著, 著則明, 明則動, 動則變, 變則化. 唯天下至誠爲能化.

지극히 진실함보다 다음하는 자는 반드시 〈선을〉 선택하고 〈굳게〉 잡은 뒤에야 진실함에 이를 수 있는 것이다. 성인은 그 본성의 전체를 거론하면서 그 한쪽을 다할 수 있으니, 이것은 전체의 상대이다. 그 한쪽 선한 단서의 발현처에서 확충하여 그 지극함에 이르면 그 덕이 모두 진실해져서 드러남·현저함·밝음의 진실한 효험이 있을 것이다. 제나라 왕이 양을 소로 바꾸라고 하니, 맹자가 고하여 "이 마음은 왕노릇 하기에 충분하다. 확충하면 사해를 보존할 수 있다"[66]고 하였으니, 이것도 '한쪽으로 지극히 한다'는 말이다. "드러난다"는 것은 얼굴에 순수하게 드러나고 등에 가득 차 넘침을 이르는 말이다. "현저하다"는 것은 순수하게 드러나며 가득 차 넘치고 또 현저하며 나타난 것이다. "밝아진다"는 것은 빛이 발현하고 뛰어나 위엄을 형상할 수 있고 거동을 본받을 수 있는 것이다. 무릇 지극히 진실함보다 다음하는 자는 그 한쪽으로 지극히 함을 미루어 그 지극함에 이르면 일편의 한쪽이 전체의 진실함을 관통할 수 있을 것이다. 이것은 "그 본성을 다할 수 있다"는 것의 다음이다. 나의 한쪽으로 지극히 함의 효과가 쌓여서 밝음에 이르면 사람으로 하여금 그 선을 좋아하는 마

---

66) 『孟子』卷1「梁惠王(上)」〈第7章〉: 曰: "臣聞之胡齕曰, 王坐於堂上, 有牽牛而過堂下者, 王見之, 曰: '牛何之?' 對曰: '將以釁鍾.' 王曰: '舍之! 吾不忍其觳觫, 若無罪而就死地.' 對曰: '然則廢釁鍾與?' 曰: '何可廢也? 以羊易之!' 不識有諸?" 曰: "有之." 曰: "是心足以王矣. 百姓皆以王爲愛也, 臣固知王之不忍也."

음에 참여하여 감동하도록 하고, 감동하면 반드시 그 불선을 고쳐서 변하시키고, 변하시키면 혼연히 합하고 심원하게 간격이 없어 이를 "동화한다"고 이르니, 이것은 사람과 사물의 본성을 다하는 다음이다. 그러나 동화하는 데까지 이르면 자기에 내재한 덕이 존재하는 곳마다 신묘한 데까지 다한다. 그러므로 사물에 미치는 일은 지나는 곳마다 동화하는 데까지 이른다. 한쪽으로 지극히 함으로부터 쌓아 동화하는 데까지 미치면 또 하늘과 사람의 구별이 없을 것이다.

次於至誠者, 必擇執, 而後可以至於誠也. 聖人能擧其性之全體而盡之曲, 是全之對也. 於其一偏善端之發見處, 擴而充之, 以造其極, 則其德皆實, 而有形著明之實效矣. 齊王以羊易牛, 孟子告之, 曰: "此心足以王矣. 擴而充之, 則可以保四海." 此亦'致曲'之說也. 形者, 粹面盎背之謂也. 著者, 粹盎之又著顯者也. 明者, 光輝發越, 而有威可象, 有儀可則者也. 凡次於至誠者, 推致其曲, 而造乎其極, 則一偏之曲, 可以貫全體之誠矣. 此能盡其性之次也. 吾之致曲之効, 積而至於明, 則能使人與其好善之心而動焉. 動則必改其不善而變焉, 變則混然而合, 汤然而無間, 是之謂化, 此盡人物性之次者也. 然至於化, 則在己之德極於存神. 故及物之功, 至於所過者化. 自致曲而積, 而及於化, 則又無天人之別矣.

　지극한 진실의 도는 일이 있기 이전에 알 수 있으니, 국가가 장차 흥성하려면 반드시 상서로운 조짐이 있으며, 국가가 장차 멸망하려면 반드시 요얼(妖孼)의 징조가 있어, 시초점과 거북점에 나타나며 사체(四體)에 움직인다. 재앙과 복이 장차 이를 적에는 선을 반드시 먼저 알며 불선을 반드시 먼저 안다. 그러므로 지극한 진실함은 신묘함과 같다.

至誠之道, 可以前知. 國家將興, 必有禎祥; 國家將亡, 必有妖孼. 見乎蓍龜, 動乎四體. 禍福將至, 善, 必先知之, 不善, 必先知之. 故至誠如神.

　어떤 이가 물었다. "'지극한 진실의 도는 일이 있기 이전에 알 수 있다'는 것은 무엇 때문입니까?" 나는 답하였다. "진실하면 명석해지고 명석하면 알지 못함이 없을 것이니, 재앙과 복이 찾아들면 이미 그러한 이전의 상황에 가까움을 알 수 있다. 상서로운 조짐과 요얼의 징조는 그 조짐이 이미 드러나고 그 싹이 이미 나타나니, 그 이치는 밝고 현저하다. 다만 중인들은 기품에 구애되고 사사로움에 엄폐되어 그 이미 그러한 자취를 보지 못할 뿐이다. 대개 성인이 이전에 아는 것은 추보(推步)하거나 췌마(揣摩)하여 아는 것을 이르는 것이 아니다. 주춧돌은 비 오기에 앞서 젖고, 종(鍾)은 비개기에 앞서 맑으며, 개미는 장마 지기에 앞서 옮겨가고, 소리개는 바람 불기에 앞서 날아간다. 한 사물의 미미한 것이라도 그 앞서 거의함을 볼 수 있으니, 이것이 어찌 지혜를 운용하고 예측을 미루어 그러하겠는가? 천지의 한 기운의 유행을 통해서 틈이 없는 것이다. 하물며 성인이 천지와 그 덕을 합하고 일월과 그 밝음을 합하고 사시와 그 차례를 합하고 귀신과 그 길흉을 합하여,[67] 티끌만큼의 사사로움과 거짓이 본래 마음과 눈 사이에도 남아있지 않다. 그러므로 재앙과 복이 드러나기 이전에 알 수 있다. 마치 통증이나 가려움이 내 몸에 닿기만 해도 문득 깨닫고, 아름다움과 추함 그리고 검은빛과 흰빛이 거울에 비추어지면 곧바로 드러나니, 어찌 후세의 예언가나 술수가가 그 사사로운 지혜를 운용하고 제멋대로 재앙과 복의 설로써 세상을 미혹시키고 백성을 속이는 것과 같겠는가??"

曰: "至誠之道, 可以前知, 何也?" 曰: "誠則明矣, 明則無不知矣. 禍福之來, 能知幾於已然之前況. 禎祥妖孽, 其兆已著, 其萌已見, 此理昭著. 但衆人拘於氣蔽於私, 不見其已然之跡耳. 蓋聖人前知者, 非謂推步揣摩而知也. 礎先雨而潤, 鍾先霽而淸, 蟻先潦而徙, 鳶先風而翔. 一物之微, 能見幾於其先, 是豈運知推測而然哉? 通天地一氣流行而無間也. 況聖人與天地合其德, 與日月合其明, 與四時合其序, 與鬼神合其吉凶, 一毫私僞自不留於心目之間. 故能知禍福於未形之前. 如疾痛疴癢之觸吾身而輒覺, 如姸媿黑白之照於鏡而輒形, 豈若後世之讖禕術數之運其私知, 妄以禍福之說, 惑世而誣民也哉?"

진실은 스스로 이루어지는 것이고, 도는 스스로 행하여야 할 것이다.

誠者, 自成也, 而道, 自道也.

'스스로 이루어지는 것[自成]'은 천명의 성본이다. 즉 사람과 사물의 생성은 모두 자연히 그러한 것이지 안배하고 배치해서 이루어지는 것이 아니다. 예를 들어 사람이

---

67) 『周易』「乾卦」: 「文言」曰: "(…) 夫大人者, 與天地合其德, 與日月合其明, 與四時合其序, 與鬼神合其吉凶. 先天而天弗違, 後天而奉天時. 天且弗違, 而況於人乎? 況於鬼神乎? (…)" 참조.

태어날 적에 이목구비와 사지 그리고 백해는 자연히 이루어지는 것과 같고, 초목이 생성될 적에 뿌리와 줄기, 마디와 잎이 자연히 이루어진 것과 같다. 대개 이러한 진실한 이치가 있으면 이러한 사물이 있으니, 이것을 "스스로 이루어진다"고 한 것이다. '스스로 행하여야 할 것[自道]'은 본성을 따르는 도이다. 천하와 고금에 허다한 도리는 모두 내 본성이라는 직분에 본래 있는 것이니, 밖에서 빌려 행하는 것이 아니다. 그러므로 때문에 '스스로 행하여야 한다' 라고 하였다.

自成, 天命之性也. 卽人物之生成, 皆自然而然, 非安排希置而成也. 如人之生也, 耳目口鼻四肢百骸, 自然而成. 草木之生也, 根枝節葉, 自然而成. 盖有是實理, 則有是物, 是之謂"自成"也. "自道"者, 率性之道也. 天下古今許多道理, 皆吾性分所固有者, 非假外而行也. 故曰"自道"也.

진실이란 사물의 끝과 시작이니, 진실하지 못하면 사물이 없게 된다. 이렇기 때문에 군자는 진실하게 함을 귀하게 여기는 것이다.

誠者物之終始, 不誠無物. 是故君子誠之爲貴.

'끝과 시작'은 사물이 나면서부터 죽을 때까지와 일이 머리부터 꼬리까지와 같으니, 모두 진실한 이치가 하는 바이다. 진실한 이치가 이르면 사물의 시작이 있고, 진실한 이치가 다하면 사물의 끝이 없다. 이러한 이치가 있으면 이러한 사물이 있고, 이러한 이치가 없으면 이러한 사물이 없으니, 이는 천하의 이치가 본래부터 이와 같음을 두루 말한 것이다. '진실하지 못하면 사물이 없게 된다'는 것은 바로 사람이 힘을 들이는 곳이다. 진실의 있고 없음에 따라 사물도 있거나 없게 된다. 그러므로 사람의 마음에 하나라도 진실하지 않음이 있으면 비록 할 바가 있어도 없는 것과 같은 것이다. 예를 들면 책을 읽을 때 마음이 보존되지 않으면 비록 종일토록 읽어도 마침내 어디로 귀착하였는지 모른다. 『대학』에서 말한 "마음이 있지 않으면 보아도 보이지 않으며 들어도 들리지 않는다"[68]는 따위가 이것이다.

終始者, 如物之自生至死, 事之自頭至尾, 皆實理所爲也. 實理至而物之始有, 實理盡而物之終無. 有是理則有是物, 無是理則無是物, 此泛言天下之理, 本自如是

---

68) 『大學』「傳7章」: 心不在焉, 視而不見, 聽而不聞, 食而不知其味.

也. 不誠無物, 乃人之着力處也. 誠之有無, 而物與之有無. 故人之心, 一有不誠, 則雖有所爲, 亦如無有也. 如讀書時, 心不存, 則雖終日讀之, 竟歸烏有.『大學』所云"心不在焉, 視而不見, 聽而不聞"之類, 是也.

진실은 스스로 자기만을 이룰 뿐만 아니라 남을 이루어주는 것이다. 자기를 이룸은 어짊이고 남을 이룸은 지혜이다. 이는 본성의 덕이니, 안과 밖을 합한 도이다. 그러므로 때에 따라 조치하여도 마땅한 것이다.

誠者, 非自成己而已也, 所以成物也. 成己, 仁也; 成物. 知也, 性之德也, 合內外之道也. 故時措之宜也.

장 첫머리에서 "진실[誠]"을 말한 것은 스스로 이루어져서 성실해지는 것이니, 스스로 이루어질 따름이 아니다. 나에게 있는 것이 진실하여 거짓됨이 없으면 자연히 남에게까지 미칠 것이다. 도는 오직 스스로 행하여야 할 따름이 아니다. 자기를 이루고 남을 이루어 주어 안과 밖의 다름이 없는 것이다. 본체로부터 작용에 이르고, 안으로부터 밖을 합하면 때에 따라 들어 조치하여도 각각 그 마땅함을 얻는 것이다. 그러나 자기를 이룸은 어짊[仁]이고, 남을 이루어 줌은 지혜[智]이다. 어짊과 지혜가 비록 본성 직분에 본래 있는 바의 덕이나, 때로 동일하지 않음이 있으면 혹 궁색하여도 홀로 그 몸을 선하게 하고 혹 영달하여도 천하를 아울러 선하게 한다. 그러므로 특히 "때에 따라 조치한다"는 것으로 말하였다. 안자가 문을 닫고 있음이 어찌 남을 이루어 주고자 하여 그러한 것이 아니겠는가?

章首言"誠"者, 自成而誠, 非惟自成而已. 在我者眞實無妄, 則自然及物. 道非惟自道而已. 成己成物而無內外之殊. 由體達用, 由內合外, 則隨時而擧措, 各得其當也. 然成己, 仁也; 成物, 知也. 仁知雖曰性分所固有之德, 而時有不同, 則或窮而獨善其身, 或達而兼善天下. 故特以"時措"言之. 顏子之閉戶, 豈不欲成物而然哉?

그러므로 지극한 진실은 쉼이 없다.

故至誠無息.

성인의 덕은 진실하고 거짓됨이 없는 지극함이기 때문에 원래 한 순간도 단절됨이 없어 가는 곳마다 그렇지 아니함이 없고 때마다 그렇지 아니함이 없다. 위대한 순임금의 일로 말하면, 밭 갈고 곡식을 심으며 질그릇 굽고 고기 잡을 때로부터 황제가 됨에 이르기까지 잠시도 혹 그만둠이 없었다. 만약 지극한 진실에 이르지 않았다면 오늘은 이와 같고 내일은 혹 그러하지 않을 것이며, 이 일은 이와 같고 저 일은 혹 그러하지 않을 것이니, 어찌 오래도록 단절됨이 없을 수 있겠는가? 이것은 성인의 지극한 진실의 덕이니 천지와 합할 수 있는 것이다.

聖人之德眞實無僞之至. 故自無一息之間斷, 無處而不然, 無時而不然. 以大舜之事言之, 則自畊稼陶漁, 以至爲帝, 無須臾之或已. 若未至於至誠, 則今日如是, 而明日或不然, 此事如是, 而彼事或不然, 安能久而無間斷哉? 此聖人至誠之德, 能與天地合也.

쉬지 않으면 오래하고 오래하면 징험한다.

不息則久, 久則徵.

진실함이 안에 있는 것이 처음과 끝이 한결같다면 스스로 오래하며 변함이 없을 수 있고, 진실함이 쌓여 이미 오래하면 사업에 드러나고 문장에 나타는 것이 저절로 가려질 수 없음이 있을 것이다. 요임금이 큰 공훈[69]과 순임금의 거듭 빛남[70]과 같은 것은 모두 지극한 진실의 덕이 밖에서 징험되고 드러난 것이다.

誠之存乎內者, 始終如一, 則自能久而無變; 眞積旣久, 則著乎事業, 見乎文章者, 自有不可揜矣. 如堯之功勳, 舜之重華, 皆至誠之德, 徵著於外者也.

징험하면 여유로우면서 오래하고, 여유로우면서 오래하면 넓으면서 두텁고, 넓으면서 두터우면 높으면서 빛난다.

---

69) 『書經』卷1「虞書・堯典」: 曰若稽古帝堯, 曰放勳. 참조.
70) 『書經』卷1「虞書・舜典」: 曰若稽古帝舜, 曰重華協于帝. 참조.

徵則悠遠, 悠遠則博厚, 博厚則高明.

여유로우면서 오래하고, 넓으면서 두텁고, 높으면서 빛난다는 세 가지는 모두 진실함이 밖으로 경험하는 것에 이렇게 허다한 경계가 있다는 것이다. "여유로우면서 오래한다"는 것은 성인의 덕이 멀리까지 미쳐 끝없는 데까지 드리워진다는 것이다. "넓으면서 두텁다"는 것은 땅과 덕을 더불어 합치할 수 있으니 광대하고 넓으면서 깊고 두터운 것이다. "높으면서 빛난다"는 것은 하늘과 더불어 덕을 합치할 수 있으니 높고 크면서 빛나고 밝은 것이다. 광채가 사표(四表)에 드리워진 것은 요임금이 여유로우면서 오래한 것이고, 위와 아래에 이른 것은 요임금이 넓으면서 두텁고 높으면서 빛나는 것이다. 물에 비유하면, "여유로우면서 오래한다"는 것은 근원이 있는 샘물이 위로 퐁퐁 솟아 나와 아래로 흘러내리면서 밤낮으로 멈추지 않아 마침내 바다로 돌아가는 것이다. 이미 멀리 흘러가 바다에까지 미치면, 그 흐르는 것은 광대하면서 넓고 그 축적된 것은 저절로 깊으면서 두터울 수 있는 것이다. 이미 넓고 이미 두터우면 그 밖으로 발양되는 것은 저절로 하늘을 삼키고 해님을 씻기는 형세가 있어 높으면서 크고 빛나면서 밝을 수 있는 것이다.

悠遠也, 博厚也, 高明也, 三者皆誠之驗於外者, 有此許多境界. 悠遠者, 聖人之德及於遠而垂之無窮者也; 博厚者, 能與地合德, 廣博而深厚; 高明者, 能與天合德, 高大而光明也. 光被四表, 堯之所以悠遠也; 格于上下, 堯之所以博厚高明也. 比之水悠遠者, 源泉混混, 不舍晝夜, 終歸于海者也. 旣遠而及于海, 則其流也廣博, 而其所畜積, 自能深厚; 旣博旣厚, 則其發越乎外者, 自有呑天浴日之勢, 而能高大光明矣.

위대하다, 성인의 도여! 양양히 만물을 발육하여 높음이 하늘에 다하였다. 넉넉하며 크다! 예의가 삼백 가지이고 위의가 삼천 가지이다.

大哉, 聖人之道! 洋洋乎發育萬物, 峻極于天. 優優大哉, 禮儀三百, 威儀三千.

이것은 성인의 도를 찬미하였는데, 큰 것을 말하면 천하가 실을 수 없으며 작은 것을 말하면 천하에 깨드릴 수 없는 것이다.[71] 그렇다면 장 첫머리에서 "대재(大

---

71) 『中庸』「第12章」: 故君子語大, 天下莫能載焉; 語小, 天下莫能破焉. 참조.

哉)"의 "대(大)"는 높으면서 큰 것을 가리켜 말한 것이다. 도체의 큰 것이 우주의 사이에 가득 차서 있지 않은 바가 없는 것이다. 아래 문구 "넉넉하다[優優]"에서의 "대(大)"는 대단히 큰 것을 가리려 말한 것이다. 비록 그러하나, 반드시 삼백 가지 예와 삼천 가지 의칙에서 삼가기를 다한 뒤에 그 전체의 큼을 다할 수 있고, 삼백 가지 예와 삼천 가지 의칙에 양양하게 흐르며 충만한 뒤에 그 전체의 큼을 다할 수 있다. "양양호(洋洋乎)"는 유동하여 충만함이니, 그 일의 효용은 만물을 발육시킬 수 있을 것이다. 여러 흙덩이를 쌓은 뒤에 태산의 높음을 이룰 수 있고, 하나의 작은 흐름을 합한 뒤에 창해(滄海)의 깊음을 이룰 수 있을 것이다.

此贊美聖人之道, 而語大則天下莫能載焉, 語小則天下莫能破焉. 然則章首"大哉"之"大", 指高大而言也. 道體之大, 充塞宇宙之間, 而無所不在也. 下文"優優"之"大", 指多大而言也. 雖然, 必致謹乎三百之禮·三千之儀, 而後可以致極乎其全體之大; 洋洋乎三百之禮·三千之儀, 而後可以致極乎其全體之大. "洋洋乎", 流動而充滿, 其功用可以發育萬物矣. 積衆壤, 而後可以成太山之高; 合一細流, 而後可以成滄海之深也.

그러므로 군자는 덕성을 높이고 문학을 말미암는다.

故君子尊德性而道問學.[72]

도의 체가 됨은 그 큼이 밖이 없고 그 작음이 안이 없다. 마음을 보존함이 아니면 그 큼을 응결시킬 수 없고, 앎을 지극히 함이 아니면 그 작음을 응결시킬 수 없다. "덕성을 높인다"는 것은 마음을 보존하여 "발육(發育)과 준극(峻極)"[73]의 큼을 지극히 하는 것이다. "문학을 말미암는다"는 것은 앎을 지극히 하여 삼백과 삼천 가지의 세세함을 다하는 것이다. "광대함을 지극히 한다"·"고명함을 다한다"·"옛것을 온습한다"·"두터움을 돈돈하게 한다"는 것은 '덕성을 높이는' 일이다. "정미함을 다한다"·"중용을 말미암는다"·"새로운 것을 안다"·"예를 높인다"는 것은 '문

---

72) 이는 제27장의 여섯 번째 글이나, 이하의 글이 생략되었다. 강설에서 언급되는 내용이 있기에 수록한다. 『中庸』「第27章」: 故君子尊德性而道問學, 致廣大而盡精微, 極高明而道中庸. 溫故而知新, 敦厚以崇禮.

73) 『中庸』「第27章」: 洋洋乎! 發育萬物, 峻極于天.

학을 말미암는' 일이다. 마음을 보존하고도 앎을 지극하게 하지 못하면 단지 혼륜하면서 아득하여 앎이 없을 뿐이고, 앎을 지극히 하고도 마음을 보존하지 못하면 단지 섬세하여도 대본이 서지 않을 것이니, 이것은 큼과 작음이 서로 자료하고 머리와 꼬리가 서로 응하는 것이다.

道之爲體, 其大無外, 其小無內, 非存心, 無以凝其大, 非致知, 無以凝其小. "尊德性", 所以尊心而極乎發育峻極之大? "道問學", 所以致知而盡乎三百三千之細也. "致廣大"·"極高明"·"溫故"·"敦厚", 尊德性之事也. "盡精微"·"道中庸"·"知新崇德", 道問學之事也. 存心而不致知, 則只是渾淪而茫然無知, 致知而不存心, 則只是纖悉, 而大本不立. 此所以大小相資, 首尾相應者也.

이렇기 때문에 윗자리에 거처하여서는 교만하지 않으며, 아랫사람이 되어서는 배반하지 않는다.

是故居上不驕, 爲下不倍.[74]

어떤 이가 물었다. "이는 성덕(盛德)의 효과를 말하였는데, 특별히 이것만 거론하여 말하니, 무엇 때문입니까?" 나는 답하였다. "주요한 뜻은 대개 '윗자리에 거처함'과 '아랫사람이 됨', '도가 있음'과 '도가 없음'에 있는 것이다. '윗자리에 거처함'과 '아랫사람이 됨'을 말하면 천하가 그 가운데 있고, '도가 있음'과 '도가 없음'을 말하면 만고의 길이 그 가운데 있을 것이다. 군자가 덕을 닦고 도를 응결시켜서 큼과 작음이 아울러 갖추어지고 정밀함과 조잡함을 둘로 여기지 않으면 위와 아래의 자리에 거처하여도 처하는 곳마다 그렇지 않음이 없고, 다스림과 어지러움의 세상에 있어도 때마다 그러하지 않음이 없을 것이니, 이것은 성덕의 지극한 효험이 되는 것이다."

曰: "此言盛德之效, 而特擧此言之, 何也?" 曰: "主義盖在居上·爲下·有道·無道也. 言居上·爲下, 則天下在其中; 言有道·無道, 則萬古在其中矣. 君子修德凝道, 而大小

---

74) 이는 제27장의 일곱 번째 글이나, 이하의 글이 생략되었다. 강설에서 언급되는 내용이 있기에 수록한다.
『中庸』「第27章」: 是故居上不驕, 爲下不倍. 國有道其言足以興, 國無道其默足以容. 『詩』曰: "旣明且哲, 以保其身", 其此之謂與!

兼該, 精粗不二, 則居上下之位, 而無處不然; 在治亂之世, 而無時不然. 此所以爲盛德之至效也."

공자께서 말씀하셨다. "어리석으면서 자신의 의견을 쓰기 좋아하며, 천하면서 자신의 생각을 오롯하기 좋아한다."

子曰: "愚而好自用, 賤而好自專."[75]

그러한 덕이 없고 그러한 지위가 없으면서 제멋대로 예악(禮樂)을 의논하며 법을 제정하며 글을 상고하면[76] 반드시 윗사람에게 죄를 얻기 때문에 "재앙이 그 몸에 미친다."[77] 자사가 공자의 말을 인용하여 윗 장의 '아랫사람이 되어서는 배반하지 않는다'는 뜻을 진술한 것이다.

無其德, 無其位, 而妄議禮樂·制度·考文, 則必獲罪於上, 故 "烖及其身." 子思引夫子之言, 以伸上章 "爲下不倍"之義也.

공자께서 말씀하셨다. "내가 하나라 예를 말할 수 있지만 기나라가 증거해 주기에 충분하지 못하다."

子曰: "吾說夏禮, 杞不足徵也."[78]

어떤 이가 물었다. "『논어』에서 '주나라는 하나라와 은나라를 귀감으로 삼았나니 찬란하도다, 그 문화여! 나는 주나라를 따르겠다'[79]라고 하였는데, 이것은 그 문화를 아름답게 여기고 따른다는 것입니다. 『중용』에서 '나는 주나라의 예를 배웠는데 지

---

75) 이는 제28장의 첫 번째 글이나, 이하의 글이 생략되었다. 강설에서 언급되는 내용이 있기에 수록한다.
　　『中庸』「第28章」: 子曰: "愚而好自用, 賤而好自專, 生乎今之世, 反古之道. 如此者, 烖及其身者也."
76) 『中庸』「第28章」: 非天子, 不議禮, 不制度, 不考文. 참조.
77) 앞의 책, 「第28章」: 子曰: "(…) 如此者, 烖及其身者也." 참조.
78) 이는 제28장의 다섯 번째 글이나, 이하의 글이 생략되었다. 강설에서 언급되는 내용이 있기에 수록한다. 『中庸』「第28章」: 子曰: "吾說夏禮, 杞不足徵也; 吾學殷禮, 有宋存焉; 吾學周禮, 今用之, 吾從周."
79) 『論語』卷3 「八佾」〈第14章〉: 子曰: "周監於二代, 郁郁乎文哉! 吾從周."

금 쓰고 있으니, 나는 주나라를 따르겠다'라고 하였으니, 이는 부득이하여 따르는 것입니까?" 나는 답하였다. "그 문화를 아름답게 여기며 따르겠다는 것은 그 '문질빈빈(文質彬彬)'⁸⁰⁾의 '문(文)'을 아름답게 여긴 것이지 주나라 말기 문승질(文勝質)의 '문'을 이르는 것이 아니다. 이것은 특별히 당시 쓰는 바로써 감히 예악을 짓지 못하기 때문에 따르지 않을 수 없었다. 가사 우리 공부자께서 그 때를 만나고 그 지위를 얻었다면 마땅히 4대의 예를 덜고 보태어 백왕이 바꾸지 못할 법을 확정할 것이니, 반드시 주나라 말기의 예를 죄다 따르는 것은 아닐 것이다. 마치 '안연이 나라를 다스리는 물음'⁸¹⁾에 답변한 것과 같은 것이 바로 그 평소의 뜻일 뿐이다."

問: "『論語』'周監於二代, 郁郁乎文哉, 吾從周', 是美其文而從之也. 於『中庸』則 '吾學周禮, 今用之, 吾從周'. 此不得已而從之也?" 曰: "美其文從之者, 美其文質彬彬之文, 非謂周末文勝質之文也. 此則特以當世所用而不敢作禮樂, 故不得不從. 使吾夫子遇其時而得其位, 則當損益四世之禮, 以定百王不易之法, 不必盡從周末之禮矣. 若答顔淵爲邦之問, 乃其素志耳."

천하를 다스림에 세 가지 중대함이 있으니, 그 허물이 적을 것이다!

王天下有三重焉, 其寡過矣乎!

앞 장은 아랫자리에 있는 자를 위해 말하였기 때문에 특별히 천하면서 자리가 없는 이에 대해 상세하게 말한 것이다. 이 장은 윗자리에 있는 자를 위해 말하였기 때문에 그 덕이 있는 이를 상세하게 말한 것이다. 자신의 몸에 근본한다는 '본저신(本諸身)' 이하 여섯 일⁸²⁾은 모두 덕이 있는 이를 말한 것이다. 행실은 법이 되고 말은 준칙이 되면 멀리서는 바라봄이 있고 가까이에서는 싫어하지 않으니, 거듭 그 '자신의 몸에 근본하여' '서민에게 징험한다'⁸³⁾는 것을 밝힌 것이다.

---

80) 『論語』卷6「雍也」〈第16章〉: 子曰: "質勝文則野, 文勝質則史. 文質彬彬, 然後君子."
81) 『論語』卷15「衛靈公」〈第10章〉: 顔淵問爲邦. 子曰: "行夏之時, 乘殷之輅, 乘殷之輅, 樂則韶舞, 放鄭聲, 遠佞人. 鄭聲淫, 佞人殆." 참조.
82) 『中庸』「第29章」: 故君子之道: 本諸身, 徵諸庶民, 考諸三王而不繆, 建諸天地而不悖, 質諸鬼神而無疑, 百世以俟聖人而不惑. 참조.
83) 앞의 각주 참조.

前章爲在下位者言, 故特於賤而無位者詳言之; 此章爲在上位者言, 故詳言有其德也. '本諸身'以下六事, 皆有德之謂也. 行爲法, 言爲則, 遠有望, 近不厭, 申明其'本諸身'而'徵諸庶民'也.

중니는 요임금과 순임금을 조술하시고, 문왕과 무왕을 헌장하시고, 위로는 천시(天時)를 법도로 삼고 아래로는 수토(水土)를 따랐다.

仲尼祖述堯舜, 憲章文武, 上律天時, 下襲水土.

제2장에서 특별히 '중니(仲尼)' 두 글자를 거론한 것은 자사가 공부자의 행실을 기록한 것이다. 요임금과 순임금은 인도의 극치이고, 문왕과 무왕은 법도가 구비된 것이다. 멀리로는 요임금과 순인금의 도를 으뜸으로 삼고 가까이로는 문왕과 무왕의 법도를 지켰으니, 이것은 공자가 여러 성인을 모아 크게 완성한 것이다. 위로는 하늘 운행의 자연에 순응하고 아래로는 땅 이치의 일정함을 따랐으니, 이것은 공자의 도가 하늘과 땅 두 사이에 드러난 것이다.

第二章特擧仲尼二字者, 子思記夫子之行也. 堯舜, 人道之極也; 文武, 法度之備也. 遠宗堯舜之道, 近守文武之法, 此夫子集群聖而大成也. 上順天運之自然, 下因地理之一定, 此夫子之道, 著於兩間者也.

비유하면 하늘과 땅이 간직하며 실어주지 않음이 없고 덮으며 가려주지 않음이 없는 것과 같으며, 비유하면 사시가 번갈아 운행하고 해와 달이 교대하며 밝은 것과 같다.

辟如天地之無不持載, 無不覆幬; 辟如四時之錯行, 日月之代明.

이것은 공부자의 도가 천지와 그 덕을 합하고 사시와 그 차례를 합하며 해와 달과 그 밝음을 합한 것을 말하였다.[84]

---

84) 『周易』「乾卦」:「文言」曰: "(…) 夫大人者, 與天地合其德, 與日月合其明, 與四時合其序, 與鬼神合其吉凶. 先天而天弗違, 後天而奉天時. 天且弗違, 而況於人乎? 況於鬼神乎? (…)" 참조.

此言夫子之道, 與天地合其德, 與四時合其序, 與日月合其明.

만물이 아울러 육성되어 서로 해치지 않고, 도가 아울러 행하여 서로 어긋나지 않는다. 작은 덕은 냇물의 흐름이고 큰 덕은 변화를 돈독하게 하니, 이는 천지가 위대함이 되는 것이다.

萬物幷育而不相害, 道幷行而不相悖. 小德川流, 大德敦化, 此天地之所以爲大也.

만 가지로 가지런하지 않음이 있는 만물은 덮고 실어주는 사이에 아울러 육성되어 각각 그 본성을 하나로 하기 때문에 서로 방해되지 않는다. 한번 음하고 한번 양하는 도는 사시의 가운데, 아울러 행하여 각각 그 차례를 따르기 때문에 서로 위배되지 않는다. 작은 덕이 냇물의 흐름이라는 것은 하나의 근본이 만 가지 다름으로 흩어진 것이고, 큰 덕이 변화를 돈독하게 하는 것은 만 가지 다름이 하나의 근본에 근본한 것이다. 근본이 성대하면 나오는 것은 무궁하기 때문에 아울러 육성되고 아울러 행하니, 혼연한 큰 덕이다. 맥락이 분명하면 가는 것이 쉬지 않기 때문에 서로 해치지 않고 서로 어긋나지 않으니 찬연한 작은 덕이다. 이것은 천지가 지극히 위대함이 되는 것이다. 그런데 오직 중니가 요임금 · 순임금 · 문왕 · 무왕 · 상천(上天) · 하토(下土)의 도를 하나의 마음에서 회통하였으니, 이는 공자의 큰 덕이 변화를 돈독하게 한 것이고, 요임금 · 순임금 · 문왕 · 무왕 · 상천 · 하토의 도를 겸하여 때로 출현하였으니 이는 공자의 작은 덕이 냇물의 흐름인 것이다. 오호라! 공자는 하나의 천지이다. 여기서 천지의 도를 말하여 공부자의 덕을 나타냈으니, 대개 『시경』의 육의(六義)가 비유되는 것이다.

有萬不齊之物, 幷育於覆載之間, 而各一其性, 故不相妨害; 一陰一陽之道, 幷行於四時之中, 而各循其序, 故不相違. 小德之川流, 一本之散於萬殊也; 大德之敦化, 萬殊之本於一本也. 根本盛大而出無窮, 故幷育而幷行, 渾然之大德也; 脉絡分明而往不息, 故不相害不相悖, 粲然之小德也. 此天地之所以爲至大也. 而惟仲尼會堯舜文武上天下土之道於一心, 此夫子之大德敦化也; 兼堯舜文武上天下土之道而時出, 此夫子之小德川流也. 嗚呼! 夫子一天地也. 於此言天地之道, 以見夫子之德, 盖詩之六義之比也.

오직 천하에 지극한 성인이어야 귀 밝고 눈 밝으며 슬기롭고 지혜로움이 족히 임할 수 있다는 것이다.

唯天下至聖, 爲能聰明睿知, 足以有臨也.[85]

귀 밝고 눈 밝으며 슬기롭고 지혜롭다는 '총명예지(聰明睿知)' 한 구절은 아래의 네 구절을 포함하여 말하였으니, '관유온유(寬裕溫柔)'는 '인(仁)'의 덕이고, '발강강의(發强剛毅)'는 의(義)의 덕이며, '재장중정(齊莊中正)'은 예(禮)의 도이고, '문리밀찰(文理密察)'은 지(智)의 덕이다. '포용하다'·'잡는다'·'공경하다'·'분별하다'는 것은 작은 덕이고, '귀 밝고 눈 밝으며 슬기롭고 지혜롭다'는 것은 작은 덕 가운데 큰 덕이다. 작은 덕은 큰 덕 속에 흘러 나온 것이니, 애초 두 개의 덕이 있는 것이 아니다.

'聰明睿知'一句, 包說下四句 '寬裕溫柔, 仁之德也; 發剛强毅, 義之德也; 齊莊中正, 禮之德也; 文理密察, 知之德也.' 容執敬別, 小德也; 聰明睿知, 小德之大德也. 小德者, 大德中流出, 初非有二德也.

두루 넓고 넓으며 고요하고 깊어 때로 나온다.

溥博淵泉, 而時出之.

위의 문장에서 다섯 가지의 덕은 가슴속에 충만하게 쌓인 것이니, 마치 하늘의 두루 넓고 넓음과 같고, 샘의 근원이 있음과 같다. '인'을 사용할 때에 당하면 '인'의 포용함이 발현하여 나오고, '의'를 사용할 때에 당하면 '의'의 잡음이 발현하여 나오며, '예'나 '지'를 사용할 때에 당하면 공경과 분별이 각각 유형대로 발현하여 나온다. 가슴속에 쌓인 것이 그 성대함을 다하기 때문에 밖으로 발현하는 것은 그 옳음에 합당한 것이다.

---

[85] 이는 제31장의 첫 번째 글이나, 이하의 글이 생략되었다. 강설에서 언급되는 내용이 있기에 수록한다.
『中庸』「第31章」: 唯天下至聖, 爲能聰明睿知, 足以有臨也; 寬裕溫柔, 足以有容也; 發强剛毅, 足以有執也; 齊莊中正, 足以有敬也; 文理密察, 足以有別也.

上文五者之德, 充積于中, 如天之溥博, 如泉之有源. 當用仁時, 則仁之容發出; 當用義時, 則義之執發出; 當用禮知時, 則敬與別, 各以類發出. 積於中者極其盛, 故發於外者, 當其可也.

그래서 성망과 명예가 중국에 넘쳐 만맥(蠻貊)에까지 미친다.

是以聲名洋溢於中國, 施及蠻貊.[86]

 언행을 듣고 보고서 사람은 공경하고 신임하며 기뻐하고 감복하지 않음이 없다. 그러므로 성망과 명예의 성대함이 중원 바깥까지 넘쳐 덮고 실어주는 사이에 사람이 미치는 곳까지 지극하게 하니, 모두 존숭하여 원후(元后)로 삼고 친밀하기를 부모와 같이 한다. 덕의 미치는 바는 광대함이 하늘과 같다.

見言行, 而民莫不敬信悅服. 故聲譽之盛, 洋溢於中外, 極覆載間, 人所及處, 皆尊之爲元后, 親之如父母. 德之所及, 廣大如天也.

 오직 천하의 지극한 성실이이야 천하의 대경(大經)을 경륜할 수 있다.

唯天下至誠, 爲能經綸天下之大經, 立天下之大本, 知天地之化育. 夫焉有所倚?[87]

 '천하의 대경을 경륜한다'는 것은 도를 닦는 가르침이다. '천하의 대본을 세운다'는 것은 본성을 따르는 도이다. '천지의 화육을 안다'는 것은 천명의 본성이다. 수장에서 먼저 "명(命)"을 말하고 뒤에서 "도(道)"를 말한 것[88]은 "도의 큰 근원이 하늘에 나온다"[89]는 것이다. 이 장에서 먼저 "도"를 말하고 뒤에서 "하늘[天]"을 말한 것은 성인의 지극한 공적이 하늘에 합한 것이다.

---

86) 이는 제31장의 네 번째 글이나, 이하의 글이 생략되었다. 강설에서 언급되는 내용이 있기에 수록한다. 『中庸』「第31章」: 是以聲名洋溢乎中國, 施及蠻貊; 舟車所至, 人力所通; 天之所覆, 地之所載, 日月所照, 霜露所隊; 凡有血氣者, 莫不尊親, 故曰配天.

87) "立天下之大本" 이하는 없으나, 아래 해설에서 언급하고 있기 때문에 추가하였다.

88) 『中庸』「第1章」: 天命之謂性, 率性之謂道, 修道之謂敎. 참조.

89) 『中庸章句』「第1章」: 董子所謂道之大原, 出於天, 亦此意也. 참조.

어떤 이가 물었다. "앞 장은 '지극한 성인[至聖]'으로 말하고, 이 장은 '지극한 진실[至誠]'로 말한 것은 무엇 때문입니까?" 나는 답하였다. "'지극한 성인'은 성대한 덕이 밖으로 나타난 것으로써 말하고, '지극한 진실'은 진실한 행동이 안에 보존된 것으로써 말한 것이다. 그러나 성인이 아니면 지극한 진실의 전체를 드러낼 수 없고, 지극한 진실이 아니면 지극한 성인의 오묘한 작용을 온전하게 할 수 없으니, 그 실상은 한 가지이다."

經綸天下之大經, 修道之教也; 立天下之大本, 率性之道也; 知天地之化育, 天命之性也. 首章先言命, 後言道者, 道之大原, 出於天也. 此章先言道而後言天者, 聖之極功合於天也. 曰: "前章以至聖言, 此章以至誠言, 何也?" 曰: "'至聖', 以盛德之見於外者言; '至誠', 以實行之存乎內者言. 然非聖, 無以顯至誠之全體; 非至誠, 無以全至聖之妙用, 其實一也."

진실하고 간절한 그 인이며, 깊고 고요한 그 연못이며, 크고 넓은 그 하늘이다.

肫肫其仁, 淵淵其淵, 浩浩其天.

어떤 이가 물었다. "앞 장에서는 '하늘과 같다[如天]'·'연못과 같다[如淵]'고 하였는데,[90] 이 장에서는 '그 못[其淵]'·'그 하늘[其天]'이라고 한 것은 무엇 때문입니까?" 나는 답하였다. "앞 장은 성인의 덕이 일과 작위의 표면에 드러나고 나타난 것이니, 사람이 단지 그 '하늘과 같다'·'연못과 같다'는 것으로 볼 뿐이다. 그러므로 인류가 존숭하고 친밀하게 여기지 않음이 없다. 이 장은 '지극한 진실'의 덕이 한 마음의 안에 보존되어 확립된 것이니, 곧바로 하늘이고 곧바로 연못이다. 그러므로 지극한 성인이 아니면 알 수 없는 것이다."

曰: "前章則曰如天·曰如淵, 此章則曰其淵其天, 何也?" 曰: "前章聖人之德著見於事爲之表, 人只見其如天·如淵. 故凡人類莫不尊親之. 此則至誠之德, 存立於一心之內, 卽是天·卽是淵. 故非至聖, 不能知也."

---

90) 『中庸』「第30章」: 溥博如天, 淵泉如淵.

『시경』에서 "비단옷을 입고 홑옷을 덧입네"라고 하였다.

詩曰: "衣錦尙絅."[91]

앞 장에서는 "지극한 성인[至聖]"과 "지극한 진실[至誠]"의 덕을 말하였으니, 지극히 성대함을 말할 수 있을 것이다. 자사는 또 배우는 자가 고원한 데로 달려가 '하학(下學)'의 공부를 태만히 하고 소홀하게 여길까 염려하였다. 그러므로 다시 '하학'의 지극히 친근하고 지극히 간절한 것을 거론하여 '상달(上達)'의 지극히 정밀하고 지극히 은미한 경지에 점점 나아갈 것을 말한 것이다. 대저 학문을 하는 것은 자기를 위하는 것보다 우선할 것이 없다. 그러므로 「금경(錦絅)」의 시를 거론한 것은 그 부러워함이 안에 있고, 사람이 알아주기를 구하지 않음을 말하기 때문이고, 다음으로 「잠소(潛沼)」의 시를 인용한 것은 그 홀로일 때를 삼가는 일을 말하기 때문이다. [세 번 인용한 시는 차례로 그 홀로일 때를 삼가는 효과를 말하였다. 결론 말미 세 편의 시는 그 "드러나지 않고" "공손함을 돈독하게 하는"[92] 오묘함이면서 곧바로 이면의 "물러가 은밀한 데 감춘다"[93]는 것까지 도달함을 형용한 것이다.]

前章言至聖至誠之德, 可謂極盛矣. 子思又慮學者馳騖高遠, 而怠忽下學之功. 故復擧下學至親至切者, 而言以漸進於上達至精至微之地也. 盖爲學莫先於爲己. 故首擧「錦絅」之詩, 以言其羨在中, 而不求人知; 次引「潛沼」之詩, 以言其謹獨之事. [三引詩, 歷言其謹獨之効. 結尾三詩, 形容其 "不顯" "篤恭" 之妙, 而直到裏面 "退藏於密".]

대학강설(大學講說)

어떤 이가 물었다. " '대학은 대인(大人)의 학문이다'[94]에서 이 '대인'은 소자(小子)

---

91) 이는 제33장의 첫 번째 글이나, 이하의 글이 생략되었다. 강설에서 언급되는 내용이 있기에 수록한다.
  『中庸』 「第33章」: 詩曰 "衣錦尙絅", 惡其文之著也. 故君子之道, 闇然而日章; 小人之道, 的然而日亡.
  君子之道: 淡而不厭, 簡而文, 溫而理, 知遠之近, 知風之自, 知微之顯, 可與入德矣.
92) 『中庸』 「第33章」: 『詩』曰: "不顯惟德! 百辟其刑之." 是故君子篤恭而天下平. 참조.
93) 『周易』 「繫辭上傳」 〈第11章〉: 聖人以此洗心, 退藏於密, 吉凶與民同患. 참조.
94) 『大學章句』 「經」 〈第1章〉: 大學者, 大人之學也. 참조.

를 상대하여 말한 것이 아니겠습니까?" 나는 답하였다. "15세에 태학에 들어가면 이미 소학동자(小學童子)가 아니다. 그러나 『대학』이란 한 책은 몸을 닦고 사람을 다스리는 방법 아닌 것이 없다면, 이 대인은 소인을 상대하여 말한 것이다. 소인은 한 몸의 사사로움으로써 천리의 공정함을 없애고, 존귀한 벼슬이나 금과 비단같은 재물이 한 몸의 영화로움에 그칠 따름이다. 대인은 천지와 만물을 한 몸으로 여겨 자기의 덕을 밝히고 백성의 덕을 새롭게 하여 상하·사방과 장단·광협으로 하여금 피차를 한결같이 여겨 모자람이 없도록 하는 것이다. 그 규모와 기상이 크다고 하지 않을 수 있겠는가? 그렇다면 이 대인은 소자를 상대하여 말하지 않은 것도 또한 분명하다."

問: "'大學者, 大人之學也', 此大人者, 莫是對小子而言?" 曰: "十有五年而入大學, 則已非小學童子. 然『大學』一部書. 無非修己治人之方, 則此大人者對小人而言也. 小人者, 以一己之私, 滅天理之公, 靑紫金帛, 止於一身之榮肥而己. 大人者, 以天地萬物爲一體, 明己之德, 而新民之德, 使上下四方, 長短廣狹, 彼此如一而無不及矣. 其規模氣象, 可不謂之大乎! 然則此大人者, 其不對小子而言, 亦明矣."

『대학』의 도는 밝은 덕을 밝히는 데 있으며, 백성을 새롭게 하는 데 있으며, 지극한 선에 그치는 데 있다.

大學之道, 在明明德, 在新民, 在止於至善.

어떤 이가 물었다. "'명덕'에 대해 선유들은 혹 '심·성·정의 총칭이다'고 하기도 하고, 혹 '본래 심을 가리키지만 성과 정이 그 가운데 있다'고 하기도 하며, 혹 '심의 본체이다'고 하기도 하고, 혹 '인·의·예·지의 본성이다'라고 하기도 한다. 그 설이 각각 동일하지 않으니, 마땅히 어느 설을 따라야 합니까?"

나는 답하였다. "혹자가 주자에게 물어 '인·의·예·지가 본성이라면 명덕은 마음을 주로 하여 말한 것입니까'라고 하자, '주자는 이 도리가 심에 있어 빛나며 밝고 비추며 맑아 한 터럭만큼도 밝지 않음이 없다'라고 하였다.[95] 이것이 이른바 마음의 본체이다."

또 어떤 이가 물었다. "『주자어류』에서 혹자가 '명덕은 인·의·예·지의 본성이

---

95) 『朱子語類』 卷14 「大學一·經上」: 或問: "所謂仁義禮智是性, 明德是主於心而言?" 曰: "這箇道理在心裡光明照徹, 無一毫不明."

아닙니까?'라고 묻자, 주자는 '그렇다'라고 하였다.[96] 그렇다면 앞뒤의 말이 동일하지 않은 것은 무엇 때문입니까?" 나는 답하였다. "심이 담아 저장하고 갖추어 실은 것은 바로 인·의·예·지의 성이다. 심 가운데 이 네 가지 덕이 없다면 어떻게 명덕이 귀한 바라고 하였겠는가? 명덕은 이 네 가지 성이 있기 때문이다."

또 어떤 이가 물었다. "그렇다면 본성이라고 하지 않고 명덕이라고 한 것은 무엇 때문입니까?" 나는 답하였다. "하늘이 사람과 사물에 부여한 것을 명(命)이라고 하고, 사람과 사물이 받은 것을 성(性: 본성)이라고 하며, 한 몸을 주재하는 것을 심(心: 마음)이라고 하고, 하늘에서 얻어 광명정대한 것을 명덕(明德)이라고 한다. 본성은 사람과 사물이 같은 바이고, 명덕은 사람만이 홀로 얻고 사물은 참여할 수 없는 것이다. 『중용』은 성인이 천지에 참여하고 화육을 돕는 지극한 공업을 논하였기 때문에 본성을 논하고, 『대학』은 배우는 자가 몸을 닦고 사람을 다스리는 방법을 논하였기 때문에 명덕을 말한 것이다."

어떤 이가 물었다. "그렇다면 그저 덕만 말하여도 충분하다. 명(明)으로 추가한 것은 무엇 때문입니까?" 나는 답하였다. "군자와 소인에 구애받지 않고 어린아이가 우물에 빠지는 것을 보면 생각하기를 기다리지 않고도 섬뜩하게 두려워하고, 의로움이 아닌 것을 보면 권면하기를 기다리지 않고도 악을 미워하니, 밝아서 그렇게 할 수 있는 것이 아닌가? 맹자의 이른바 양지(良知)와 양능(良能)[97]도 또한 이러한 뜻이다."

어떤 이가 물었다. "명덕을 밝힌다는 것은 무엇 때문입니까?" 나는 답하였다. "명덕은 본래 본체의 밝음이 있지만, 다만 만물이 태어나는 초기에 구애되고, 태어난 뒤에 가려져 때로 어두워짐이 있는 것을 면하지 못한다. 밝게 하는 것은 그 밝음을 해치는 것을 제거할 따름이고, 그 본체를 밝히는 것은 아니다. 비유하면 거울은 본래 밝은데 티끌 때문에 어둡게 되어 비출 수 없다면 그 티끌과 먼지를 제거하자마자 바로 다시 밝은 것과 같다. 갈고 다듬어 그 밝음을 이루는 것은 아니다. 주자의 시에서 '보배 거울이 당년에 담을 비쳐 서늘하더니, 근래에 매몰함이 너무 까닭 없구려. 이제 먼지를 없애고 온전히 보이도록 밝혔더니, 도리어 당년의 보배 거울 보는구나'[98]라고 하였다. 밝히는 공부는 또한 이와 같은 것이다."

어떤 이가 물었다. "자신에 대해서는 밝힌다고 하고, 백성에 대해서는 새롭게 한다

---

96) 『朱子語類』卷14「大學一經上」: 或問: "明德便是仁義禮智之性否?" 曰: "便是."

97) 『孟子』卷13「盡心(上)」〈第1章〉: 孟子曰: "人之所不學而能者, 其良能也; 所不慮而知者, 其良知也." 참조.

98) 『晦庵集』卷2「克己」: 寶鑑當年照膽寒, 向來埋沒太無端. 至今垢盡明全見, 還得當年寶鑑看.

고 하니 무엇 때문입니까?" 나는 답하였다. "자기의 덕은 본래 그 발현한 바에 따라 밝힐 수 있는 것이다. 백성에 이르러서는 따르게 할 수 있어도 알게 할 수 없다.[99] 그러므로 위로하여 오게 하며 바로잡아 주고 펴 주며 보좌하며 도와주어[100] 그 옛날에 물든 더러움을 제거하도록 할 따름이라면 옛것은 새롭게 될 것이니, 어찌 오직 백성만이겠는가? 집안사람이나 자제도 또한 새롭게 한다고 말함에 불과할 따름이다."

어떤 이가 물었다. "자기의 덕은 밝힐 수 있는데, 백성의 덕을 새롭게 하는 것은 자리가 있는 자가 아니면 할 수 없는 것이 아닙니까?" 나는 답하였다. "백성을 새롭게 한다고 하는 것은 어찌 천하의 백성을 미룬 뒤에야 바로 새롭게 한다고 말할 수 있겠는가? 다만 거처한 바의 자리에 높고 낮음이 있다면 힘의 미치는 바에도 넓고 좁음이 있으니, 마치 천하의 임금이 되면 천하의 백성을 새롭게 할 수 있고 한 나라의 임금이 되면 한 나라의 백성을 새롭게 할 수 있으며 한 집안의 주인이 되면 한 집안의 사람을 새롭게 할 수 있는 것과 같다. 집안을 가지런하게 하는 것이 바로 백성을 새롭게 하는 일이다. 대개 이 삼강령(三綱領)은 배우는 자의 일이다. 이것은 이치를 말할 적에는 반드시 이와 같이 하여야 하는 것이다. 명덕과 신민은 인력의 사사로운 뜻을 용납하지 않는다. 우리 공자와 같으신 분이라면 어찌 춘추시대의 백성으로 하여금 모두 새롭기를 바라지 않았겠습니까마는 그 자리를 얻지 못하였다면 성인 또한 어쩔 수 없었다. 그런데 가르침은 끝없이 드리워져 만세의 백성을 새롭게 할 수 있었으니, 이것은 공자가 요임금과 순임금보다 뛰어나신 것이다."

어떤 이가 물었다. "명덕과 지극한 선[至善]은 한 가지가 아닙니까?" 나는 답하였다. "명덕 가운데 지극한 선이 있고, 신민 가운데 지극한 선이 있다. 무릇 지극한 선이라고 하는 것은 도리가 매우 지극한 경지이니, 지나쳤을 적에는 지극한 선이 아니고, 미치지 못하여도 또한 지극한 선이 아니다."

어떤 이가 물었다. "명덕과 신민은 예로부터 모자람과 지나침이 없는 자가 있었습니까?" 나는 답하였다. "팔년 동안 그 집에 들어가지 않은 것은 우임금의 지극한 선이지만, 지나친 것은 묵자(墨子)가 정수리에서부터 갈아서 발꿈치에 이른 것이다.[101] 대그릇 밥과 표주박 물로도 그 즐거움을 바꾸지 않은 것[102]은 안자(顏子)의 지극한 선

---

99) 『論語』卷8「泰伯」〈第9章〉: 子曰: "民可使由之, 不可使知之."
100) 『孟子』卷5「滕文公(上)」〈第4章〉: 放勳曰: '勞之來之, 匡之直之, 輔之翼之, 使自得之, 又從而振德之.' 참조.
101) 앞의 책, 卷13「盡心(上)」〈第26章〉: 孟子曰: "… 墨子兼愛, 摩頂放踵, 利天下, 爲之." 참조.
102) 『論語』卷6「雍也」〈第9章〉: 子曰: "賢哉, 回也! 一簞食, 一瓢飲, 在陋巷, 人不堪其憂, 回也不改其樂. 賢哉, 回也!" 참조.

이지만, 지나친 것은 장저(長沮)와 걸익(桀溺)의 무리가 세상을 피해 멀리 가서 돌아오지 않은 것이다.[103] 대개 하늘에서 얻어 본연의 일정한 오묘함이 있는 것은 지극한 선의 본체이고, 일상생활에 들어나 각각 본연의 일정한 법칙이 있는 것은 지극한 선의 작용이다."

또 어떤 이가 물었다. "그렇다면 중(中)이라고 하지 않고 '지선(至善)'이라고 한 것은 무엇 때문입니까?" 나는 답하였다. "'중'이란 편벽되지 않고 치우지지 않으며 지나침과 모자람이 없는 바른 이치[正理]이므로 덕과 행을 아울러 겸하여 말한 것이다. 지선은 곧 내 마음과 사물상의 본연의 중이므로 바른 이치를 오로지 가리켜 말하니 사람의 일에 미치지 않은 것이다. 오직 '지선'에 그치는 것이라야 바로 '시중(時中)'의 '중'이다."

어떤 이가 물었다. "『대학장구』에서 '명덕과 신민을 모두 마땅히 지선의 경지에 그치어 옮기지 않는다'라고 하였다. 그렇다면 '신민' 아래에의 현토는 '호대'라고 함이 마땅함이 되는데 '하며' 토를 달면 세 구절이 각각 하나의 일이 됩니다. 어떠한지 모르겠습니다." 나는 답하였다. "'호대' 토를 달아도 또한 뜻에 해롭지 않지만, 이제 '하며' 토를 단 것은 지금의 입문(立文)과 발범(發凡)에서 여러 조항을 거론할 적에 마지막 한 조항은 다시 앞 조항을 언급하여 실증하는 것과 같으니, 별도로 하나의 조항이 있는 것이 아니다. 또한 이러한 실례일 것이다!"

問: "明德先儒或云: '心性, 情之總稱.' 或云: '本指心而性情在其中.' 或云: '心之本體', 或云: '仁義禮智之性.' 其說各不同, 當從何說?"

曰: "或有問於朱子, 曰: '仁義禮智是性, 明德是主於心而言.' 朱子曰: '這箇道理在心裏, 光明照澈, 無一毫不明.' 是所謂心之本體也."

曰: "『語類』問: '明德是仁義禮智之性否?' 朱子曰: '便是' 然則前後說不同, 何也?" 曰: "心之盛貯該載者, 卽仁義禮智之性. 心中無此四德, 則何以謂之明德所貴乎? 明德者, 以有此四性也."

曰: "然則不曰性, 而曰明德, 何也?" 曰: "天之賦於人物者謂之命, 人與物受之者謂之性, 主於一身者謂之心, 有得於天而光明正大者謂之明德. 性則人與物所同

---

103) 앞의 책, 卷18「微子」〈第6章〉: 長沮, 桀溺耦而耕, 孔子過之, 使子路問津焉. 長沮曰: "夫執輿者爲誰?" 子路曰: "爲孔丘." 曰: "是魯孔丘與?" 曰: "是也." 曰: "是知津矣." 問於桀溺, 桀溺曰: "子爲誰?" 曰: "爲仲由." 曰: "是魯孔丘之徒與?" 對曰: "然." 曰: "滔滔者天下皆是也, 而誰以易之? 且而與其從辟人之士也, 豈若從辟世之士哉?" 耰而不輟. 子路行以告. 夫子憮然曰: "鳥獸不可與同羣, 吾非斯人之徒與而誰與? 天下有道, 丘不與易也." 참조.

也; 明德者, 人所獨得而物不能與也.『中庸』論聖人參天地贊化育之極功, 故言性; 大學論學者修己治人之方, 故言明德也."

曰: "然則只云德, 足矣. 加以明, 何也?" 曰: "不拘君子小人, 而見孺子入井, 則不待思而怵惕, 見非義則不待勉而惡惡, 非明而能然乎? 孟子所謂良知良能, 亦此義也." 曰: "明明德者, 何也?" 曰: "明德固有本體之明, 但拘於有生之初, 蔽於有生之後, 不免有時而昏. 明之者, 去其害明者而已, 不是明其本體也. 譬如鏡本明而爲塵昏不能照, 則去其塵垢, 便復明也, 不是磨之琢之, 以致其明也. 朱詩曰: '寶鑑當年照膽寒, 向來埋沒太無端. 至今垢盡明全見, 還得當年寶鑑看.' 明之之功, 亦類是也."

曰: "於己則曰明, 於民則曰新, 何也?" 曰: "己之德固, 可因其所發而明之矣. 至於民, 可使由之, 不可使知之. 故勞來匡直輔翼之, 使之去其舊染之污而己, 則舊者新矣, 豈惟民也? 於家人子弟, 亦不過曰新而已."

曰: "己之德可以明之, 新民德, 非有位者, 不能否?" 曰: "新民云者, 豈惟天下之民, 然後乃可言新. 但所居位有高下, 則力之所及有廣狹, 如爲天下主則能新天下之民, 爲一國主則能新一國之民, 爲一家主則能新一家之人. 齊家卽新民事也. 蓋此三綱領, 學者之事也. 此是說理, 必須如此. 明德新民, 不容人力私意. 若吾夫子, 則豈不欲使春秋之民皆新之, 而不得其位, 則聖人亦無奈何. 然而教垂無窮, 能新萬世之民, 此夫子所以賢於堯舜也."

曰: "明德至善, 莫是一箇否?" 曰: "明德中有至善, 新民中有至善. 夫至善云者, 道理之十分極至處, 過之非至善, 不及亦非至善."

問: "明德新民, 自古有不及者·無過之者?" 曰: "八年不入其門, 禹之所以至善. 而過則墨氏, 磨頂放踵也. 簞食瓢飮, 不改其樂, 顏子之至善. 而過則沮溺之徒, 長往不返也. 盖得之於天, 而有本然一定之妙者, 至善之體也. 見於日用, 而各有本然一定之則者, 至善之用也." 曰: "然則不曰中, 而曰至善, 何也?" 曰: "中者, 不偏不猗, 無過不及之正理, 而兼指德行而言也. 至善者, 卽吾心與事物上本然之中, 而專指正理而言, 不及人事也. 惟止於至善者, 乃時中之中也."

曰: "章句言'明德新民, 皆當止於至善之地而不遷.' 然則新民下吐作호대爲宜, 而作하며吐, 則三句各爲一事. 未知何如?" 曰: "作호대吐, 亦無害於義. 而今作하며吐者, 如今之立文發凡, 擧數條項而末一條復申前項實之, 非別有一條也. 亦此例也歟!"

그칠 데를 안 뒤에 정해짐이 있고, 정해짐이 있는 뒤에 고요할 수 있고, 고요한 뒤에 편안할 수 있고, 편안한 뒤에 생각할 수 있고, 생각한 뒤에 얻을 수 있다.

知止而后有定, 定而后能靜, 靜而后能安, 安而后能慮, 慮而后能得.

어떤 이가 물었다. "'지지(知止)'의 '지' 글자는 윗 글의 '지어지선(止於至善)'의 '지'와 같은 것입니까?" 나는 답하였다. "윗 글의 '지' 글자는 지극한 선의 경지에 그치어 옮기지 않는다는 뜻이니, 공부로써 말한 것이다. 여기에서의 '지' 글자는 바로 지선의 소재이니, 그 이치로써 말한 것이다."

또 어떤 이가 물었다. "'그칠 데를 안 뒤에 정해짐이 있다'는 것은 무엇입니까?" 나는 답하였다. "효라는 하나의 일을 들어 말하면, 자식이 되어서는 반드시 효도할 줄을 아는 것이다. 마치 불이 반드시 뜨거워야 하고, 물은 반드시 차가워야 하는 것과 같으니, 마음속에 원래 준적(準的)이 있어서 다른 갈래의 의혹이 없는 것이다."

어떤 이가 물었다. "주자가 '정(定: 정해짐)·정(靜: 고요함)·안(安: 편안함)·여(慮: 생각함)·득(得: 얻음) 이 다섯 글자는 공효(功效)로 말한다'[104]고 하였으니, 그칠 데를 안 뒤에는 자연히 서로 말미암아 드러난다. '정해짐'·'고요함'·'얻음' 세 가지는 서로 유사하여도, 다만 얕고 깊음이 있을 따름이다. '생각함'에 이르러서 『대학장구』는 '일을 처리함이 정밀하고 자세하다'[105]는 것으로서 해석하였다. 이것은 공부하는 곳에 나아간 것이고 공부의 효과가 아닙니까?" 나는 답하였다. "이러한 지위에 이르면 '편안함'에 비하면 더욱 깊다. 대개 '생각함'은 기미를 연구함이 지극히 깊으니, 일이 바야흐로 다가오면 이 마음이 감응하여 곡절하고 정미함이 막힘없이 두루 통한다. 어찌 배우는 자가 일에 임하여 삼가는 것과 같겠는가? 그러므로 '편안한 뒤에 생각할 수 있다'는 것은 안자가 아니면 할 수 없는 것이다. 얻을 수 있다는 '능득(能得)'은 배움이 크게 완성됨이니, 요임금이 인에 있음, 순임금이 효에 있음, 문왕이 공경에 있는 것이 바야흐로 그칠 데를 얻은 것이다."

問:"'知止'之'止'字, 與上文'止於至善'之'止', 同否?" 曰:"上文'止'字止於至善之地, 而不遷之意, 以工夫言也. 此'止'字卽至善之所在也, 指其理而言也." 曰:"知止

---

104) 『晦庵集』 卷49 「答王子合」: 定靜安慮得五字是功效. 참조. 【참고】『중용장구』〈세주〉 참조.
105) 『大學章句』 「經1章」: 慮, 謂處事精詳.

而后有定, 何也?" 曰: "擧孝之一事而言, 則知爲子必孝. 如火之必熱, 水之必冷. 心中自有準的, 而無他歧之惑也."
曰: "朱子云: '定·靜·安·慮·得五字, 以功效言', 知止而后, 自然相因而見. 定·靜·安, 三者相類, 而但有淺深而已. 至於慮, 章句釋以處事精詳. 此卽用工處, 不是功效."
曰: "到此地位, 較'安'尤深. 盖慮者硏幾極深, 事之方來, 此心感應, 而曲折精微, 無不通澈, 豈如學者臨事而愼者哉? 故曰'安而后能慮', 非顔子不能也. '能得'是學之大成, 堯之於仁, 舜之於孝, 文王之於敬, 方是得止."

사물에는 근본과 말단이 있고, 일에는 끝과 시작이 있으니, 먼저하고 뒤에 할 것을 알면 도에 가까울 것이다.

物有本末, 事有終始, 知所先後, 則近道矣.

이치에는 근본과 말단, 끝과 처음이 없지만, 몸을 닦은 뒤에 사람을 다스린다. 그러므로 '명덕'은 근본이 되고, '신민'이 말단이 된다. 학문에 들어서는 데는 본래 차서가 있다. 그러므로 '지지(知止)'는 시작이 되고 '능득(能得)'은 끝이 된다.

理無本末終始, 而修己而後治人. 故明德爲本, 新民爲末. 進學自有次序. 故知止爲始, 能得爲終.

옛날에 명덕을 천하에 밝히고자 하는 자는 먼저 그 나라를 다스린다.

古之欲明明德于天下者, 先治其國.[106]

어떤 이가 물었다. "격물(格物)은 곧 궁리(窮理)인데, '궁리'라고 하지 않고 '격물'이라고 한 것은 무엇 때문입니까?" 나는 답하였다. "단지 '궁리'라고 한다면 마치 허공에 매달린 것과 관계하는 듯하다. 대개 천하의 일에 각각 이름할 수 있는 것은 모두 사물이라 한다. 크게는 하늘과 땅·해와 달·산과 악산·바다와 도랑, 작게

---

106) 이는 「經」 제1장의 네 번째 글이나, 이하의 글이 생략되었다. 강설에서 언급되는 내용이 있기에 수록한다. 『大學』「經」〈第1章〉: 古之欲明明德於天下者, 先治其國; 欲治其國者, 先齊其家; 欲齊其家者, 先脩其身; 欲脩其身者, 先正其心; 欲正其心者, 先誠其意; 欲誠其意者, 先致其知; 致知在格物.

는 풀과 나무·새와 물고기·곤충, 드러난 것으로는 군신·부자·부부·장유·붕우, 은미한 것으로는 무극·태극·제사·귀신 등이 모두 이 사물이다. 사물의 소재가 이치의 소재이니, 조금 궁구할 수 있으면 나의 앎도 또한 약간 알 수 있다. 만사와 만물의 이치를 궁구하여 극진하면 나의 앎도 극진하지 않음이 없는 것이다. 그렇다면 사물을 궁구하고 앎을 지극히 하는 것은 바로 하나의 일이다. 겨우 저것을 밝히면 바로 이것을 깨우치니, 오늘 사물을 궁구하고 내일 앎을 지극히 하는 것은 아니다. 그러므로 '격물치지'에 있어서는 '욕선(欲先)' 두 글자를 말하지 않고 곧장 '재격물(在格物)'을 말하였다."

어떤 이가 물었다. "마음의 발현하는 바가 뜻[意]이 되니, 뜻은 마음에서 명령을 듣는 것이다. 그 뜻을 진실하게 하여 스스로 만족스러워 스스로 속임이 없다면 발현하는 바가 이미 바르고, 반드시 마음을 바르게 하는 공부를 더하지 않습니까?" 나는 답하였다. "마음은 전체를 거론하고 동(動)과 정(靜)을 갖추어 말한 것이다. 뜻은 한 생각의 시초이니, 바로 선과 악의 기미이다. 선을 따를 수 있으면 선이 되고, 악을 따를 수 있으면 악이 되니, 호리의 차이가 천 리의 어긋남이다. 비록 선과 악의 기미 사이를 성찰하는 것이지만, 그 전체와 대용(大用)이라면 다시 더욱 힘쓴 뒤에는 저절로 편벽되고 치우침이 없다."

어떤 이가 물었다. "그 나라를 다스리고자 하는 자는 먼저 그 집안을 다스린다. 그러나 요임금과 순임금의 성스러움이 규문(閨門)의 안에서 혹 모두 교화되지 않음이 있는 것은 무엇 때문입니까?" 나는 답하였다. "이것은 단지 배우는 자가 학문에 들어서는 차서를 말하지만, 자기 자신의 공부 규모가 마땅히 이와 같아야 하는 것이다. 요임금과 순임금의 규문에서 교화시킬 수 없는 것은 요임금과 순임금이 자기의 덕을 밝힘에 미진한 바가 있는 것이 아니다. 또 단주(丹朱)와 상균(商均)이 교화되지 않은 것은 이른바 하우(下愚)[107]이다. 하우가 교화되지 않은 것이 천하의 백성들을 새롭게 하는데 무슨 해로움이 있겠는가?"

問: "格物, 卽窮理也, 不曰窮理, 而曰格物, 何也?" 曰: "只云窮理, 則似涉懸空矣. 蓋天下之事, 有各可名者, 皆謂之物也. 大而天地·日月·山嶽·海瀆, 微而草木·禽魚·昆蟲, 顯而君臣·父子·夫婦·長幼·朋友, 隱而無極·太極·祭紀·鬼神, 皆是物也. 物之所在, 理之所存. 窮得一分, 則吾之知亦識得一分. 窮盡萬事萬物之理, 則吾之知亦無不盡也. 然則格物致知, 便是一事. 纔明彼, 卽曉此, 非今日格物而明日

---

107) 『論語』卷17「陽貨」〈第3章〉: 子曰: "唯上知與下愚, 不移." 참조.

致知也. 故於格致, 則不言'欲先'二字, 直曰'在格物'."
曰: "心之所發爲意, 意者聽命於心也. 實其意而自慊, 而無自欺, 則所發己正, 不必加正心之工." 曰: "心是擧全體該動靜而言也. 意則一念頭, 卽善惡之幾也. 可以從於善, 則爲善; 從於惡, 則爲惡, 差毫釐而謬千里也. 雖是省察於善惡幾微之際, 而其全體大用, 則更加用力, 而後自無偏倚."
曰: "欲治其國者, 先齊其家. 然以堯舜之聖, 閨門之內, 或有未盡化, 何也?" 曰: "此只說學者進業之次序, 而自家之用工規模, 當如是也. 堯舜之未能化閨門者, 非堯舜明己之德有所未盡也. 且朱·均之不化, 是所謂下愚也. 下愚之不化, 有何害乎新天下之民乎?"

사물이 이른 뒤에 앎이 지극해진다.

物格而后知至.[108]

어떤 이가 물었다. "앎과 뜻은 모두 마음의 발현한 바이지만, 앎은 마음의 지각하는 곳이고, 뜻은 심의 발동하여 생각하는 곳이다. 앎이 이미 이르면 선을 위해 악을 제거할 줄 알 수 있어야 뜻이 저절로 진실해질 것이다. 그런데『대학장구』에서 '가득(可得)' 두 글자를 말한 것은 무엇 때문입니까?" 나는 답하였다. "'격(格)'은 이른다는 것이니, 사물의 이치를 궁구하며 극진하게 되면 내 마음의 아는 바가 스스로 극진하지 않음이 없다. '성의(誠意)' 아래에서는 곧 선후로 나누는 것을 생략하지 않을 수 없었을 것이다. '앎이 지극해진다'는 것은 앎의 시작이고, '뜻이 성실해진다'는 행동의 시작이다. 팔조목 가운데 두 가지 관문이 있으니, '앎이 지극해진다'는 것은 꿈과 깨어남의 관문이고, '뜻이 성실해진다'는 것은 선과 악의 관문이다. '앎이 지극해지면' 깨는 것이고, '뜻이 성실해지면' 선이고 그렇지 않으면 악이다. 마치 사람이 서울로 가는 것도 또한 두 관문이 있는 것과 같다. 애초 서울이 동쪽에 있는지 서쪽에 있는지를 알지 못하면, 막연하여 어두운 밤에 행하는 것과 같다. 이미 그 소재를 알면 이 관문을 통과한다. 그런데 길에 두 갈래가 있어서 행함이 바름을 연유하지 않으면 높다란 언덕길로 오르고 가시밭길로 행하여 들어가면 갈수록 더욱 험난하다.

---

108) 이는 「經」 제1장의 다섯 번째 글이나, 이하의 글이 생략되었다. 강설에서 언급되는 내용이 있기에 수록한다. 『大學』 「經」〈第1章〉: 物格而后知至, 知至而后意誠, 意誠而后心正, 心正而后身脩, 身脩而后家齊, 家齊而后國治, 國治而后天下平.

겨우 이 관문을 지나면 평탄하고 분명하여 눈앞에 있는 듯하고, 땅에 걷는 것이 넓고 광활하여 형세가 대나무를 쪼개는 듯할 것이다. 비록 그러하나 선이 마땅히 좋고 악이 마땅히 나쁜 줄을 알지 못함이 아니어도 일에 임하는 것이 이와 같을 수 없는 것은 대개 앎이 지극하기 못하기 때문이다. 앎이 만약 진실할 적에는 비록 상준다 하여도 악을 하지 않을 것이다. 사람이 누가 오훼(烏喙)를 먹는 자가 있겠는가? 앎이 지극해지면 생각이 절반은 지나갈 것이다.[109]"

問: "知與意, 皆心之所發, 而知者, 心之知覺處; 意者, 心之發慮處也. 知旣至, 則能知爲善去惡, 而意自實矣. 而章句言'可得'二字, 何也?" 曰: "格至者, 窮極事物之理, 則吾心所知, 自無不盡, 故不言可得. '誠意'下, 則不可不略分先后矣. '知至'者, 知之始也; '意誠'者, 行之始也. 八條中有二關, '知至'者, 夢覺關也; '意誠'者, 善惡關也. '知至'則覺, 不則夢; '意誠'則善, 不則惡. 如人之京師, 亦有二關焉. 初不知京師之在東在西, 漠然如黑夜行. 旣識其所在, 透過此關. 然而路有分歧, 行不由正, 則崎嶇荊棘, 轉入轉險. 纔過此關, 則坦然明白, 如在目前; 地步恢濶, 勢如破竹矣. 雖然非不知善當好惡當惡. 而臨事不能如此者, 盖由知之未至也. 知苟眞也, 雖賞之不爲惡矣. 人誰有食烏喙者哉? '知至', 則思過半矣."

천자로부터 서민에 이르기까지 일체 모두 수신을 근본으로 삼는다.

自天子以至於庶人, 壹是皆以修身爲本

어떤 이가 물었다. "왜 수신을 근본으로 하는 것입니까?" 나는 답하였다. "몸은 소천지(小天地)이니, 천지 만물의 이치가 내 몸에 구비되었다. 격물치지와 성의정심은 내 몸을 닦는 것이고, 제가치국과 평천하는 내 몸을 미루어가는 것이다. 그렇다면 격물치지와 성의정심의 공부는 내 몸에 그치고, 제가치국과 평천하에 미치지 않는 것은 무엇이겠는가? 나라와 천하는 자리가 있는 자가 얻는다. 오직 몸이라는 것은 귀천과 상하가 없이 있지 않음이 없다. 몸이 닦이면 그 격물치지와 성의정심의 공부를 알 수 있으니, 여기에 이르러 완성된 것이다. 제가치국과 평천하는 이것을 들어 조치하는 것에 불과할 뿐이다. 몸이 닦였지만 집안이 가지런하지 않고 나라가 다스려지지 않을 자는 있을 것이다. 사물이 이르지 않고 앎이 지극해지지 않으며 뜻이 성실해

---

109) 『周易』 「繫辭下傳」〈第9章〉: 知者觀其彖辭, 則思過半矣. 참조.

지지 않고 마음이 바르지 않고서 그 몸을 닦을 수 있는 자는 있지 않다. 위대한 우임금이 나라를 다스리고 천하를 평화롭게 한 것은 더 많아진 것이 되지 않고, 안자의 홀로 그 몸을 선하게 한 것은 더 작아진 것이 되지 않으니, 그 이른바 능함과 불능함은 그 자리 때문이지 그 덕 때문이 아니다. 천자에게는 자리가 있는 것이고, 서민에게는 자리가 없는 것이다. 귀하다고 하여 더 닦지 않고 천하다고 하여 소홀하게 하지 않는다. 몸이 닦이고 남면한 이는 요임금이 임금이 된 것이다. 몸이 닦이고 북면한 것은 순임금이 신하가 된 것이다.『중용』'구경(九經)'의 조목에서도 또한 수신을 근본으로 삼았으니,[110] 바로 공자 문하에서 전수해 온 심법이다."

問: "何以修身爲本?" 曰: "身者, 小天地也, 天地萬物之理, 備於吾身. 格致誠正, 所以修吾身也; 家國天下, 所以推吾身也. 然則格致誠正之功, 止於吾身, 不及於家國天下, 何者? 國與天下, 有位者得之. 惟身也者, 無貴賤上下, 莫不有之. 身修則可知其格致誠正之功, 至是而成矣. 家國天下, 不過擧此而措之耳. 身修而家不齊, 國不治者有矣. 物不格. 知不至, 意不誠, 心不正, 而能修其身者, 未之有也. 大禹之能治平, 不爲加多; 顔子之獨善其身, 不爲加小. 其所謂能與不能, 以其位也, 不以其德也. 天子有位者也, 庶人無位者也. 不以貴而加修, 不以賤而忽之. 身修而南面, 堯之所以爲君也; 身修而北面, 舜之所以爲臣也.『中庸』九經之目, 亦以修身爲本, 乃孔門傳授心法也."

그 근본이 어지럽고서 말단이 다스려지는 것은 없으며, 그 두텁게 할 바에 엷게 하고 그 엷게 할 바에 두텁게 하는 것은 있지 않다.

其本亂而末治者, 否矣; 其所厚者薄, 而其所薄者厚, 未之有也.

근본이 다스려졌지만 말단이 다스려지지 않은 것은 있고, 근본이 어지러워졌지만 말단이 어지러워지지 않는 것은 있지 않다.

어떤 이가 물었다. "두텁게 할 바는 집안을 이르는 것이다. 위에서 '가지런함[齊]'을 말하고 여기서 '두터움'을 말한 것은 무엇 때문입니까?" 나는 답하였다. '가지런함'에는 정연하다와 숙연하다는 뜻이 있고, '두터움'는 은택과 사랑이

---

110)『中庸』「第20章」: 曰: 脩身也, 尊賢也, 親親也, 敬大臣也, 體羣臣也, 子庶民也, 來百工也, 柔遠人也, 懷諸侯也.

함께 이르는 것이다. 무릇 가장이 된 자가 한결같이 엄격함을 주장하고 은혜로 두텁게 더하지 않으면 정을 상하게 하는 것이다. 반드시 엄숙하면서 윤리를 바르게 하고 바로 두터우면서 은혜로운 의리를 돈독하게 한 연후에 부모는 부모답고 자식은 자식다우며 형은 형답고 아우는 아우다우며 남편은 남편답고 부인은 부인다워서 각각 그 정을 얻으면, 규문(閨門)의 안이 질서정연하듯 차례가 있고 화기애애하듯 화목할 것이다. 오직 집안뿐만 아니라 나라도 그러하다. 한번 팽팽하게 잡아당기고 한번 느슨하게 풀어 주는 것이야말로 문왕과 무왕의 도이다. 팽팽하게 잡아당기고 느슨하게 풀어주지 않는 것은 문왕과 무왕도 하지 않은 것이다."

本治而末不治者, 有矣. 本亂而末不亂者, 未之有也. 問: "所厚謂家也. 上言齊, 此言厚, 何也?" 曰: "齊有整然肅然之意, 厚是恩愛幷至也. 凡爲家長者, 一主於嚴, 而不加恩厚, 則傷情也. 必須嚴而正倫, 理厚而篤恩義. 然後父父子子兄兄弟弟夫夫婦婦, 各得其情, 閨門之內, 秩然而序, 雍然而睦矣. 不惟家也, 而國亦然. 一張一弛, 文武之道也. 張而不弛, 文武不爲也."

「강고」에서 "능히 덕을 밝힌다"라고 하였으며, 「태갑」에서 "이 하늘의 밝은 명령을 돌아본다"라고 하였으며, 「제전(帝典)」에서 "능히 큰 덕을 밝힌다"라고 하였다.

康誥曰: "克明德." 太甲曰: "顧諟天之明命." 帝典曰: "克明峻德."

세 번 『서경』을 인용한 것은 모두 하나의 이치이다. 그런데 "능히 덕을 밝힌다"는 것은 처음으로 명덕의 단서를 말한 것이고, "이 하늘의 밝은 명령을 돌아본다"는 것은 중간에서 밝히는 공부를 말한 것이며, "능히 덕을 밝힌다"는 것은 끝에서 그 전체의 큼을 다하였음을 말하였으니, 또한 전수해 온 심법에는 유래가 있음을 볼 수 있을 것이다.

어떤 이가 물었다. "『대학장구』에서 '하늘의 밝은 명령은 바로 하늘이 나에게 주어서 내가 덕으로 삼은 것이다'[111]라고 하였다. 또 '밝은 명령은 내가 얻어 본성으로 삼은 것이니 바로 명덕이다'[112]라고 하였다. 그렇다면 명령·본성·덕은 한 가지이

---

111) 『大學章句』「傳首章」: 天之明命, 卽天之所以與我, 而我之所以爲德者也.
112) 『朱子語類』卷16「大學三·傳二章釋新民」: 蓋天之所以與我, 便是明命; 我之所得以爲性者, 便是

지만, 경문의 '명명덕' 장구에서는 분명하게 본성을 말하지 않고 '여러 이치를 갖추고서 만 가지에 응한다'[113]라고 한 것은 무엇 때문입니까?" 나는 답하였다. "하늘이 나에게 부여한 것으로부터 말하면 '밝은 명령'이라 하고, 내가 하늘에 얻은 것으로부터 말하면 '밝은 덕'이라고 하는 것이다. 그러므로 명덕 장구에서 '사람이 하늘에서 얻은 바'라고 운운하였다. 그렇다면 비록 분명하게 본성을 말하지 않았으나, 그 위아래 문장의 뜻을 완미하면 그 본성을 말한 것을 유추할 수 있을 것이다. 다만 '여러 이치를 갖추었다'라고 한 것은 본성 가운데 인의예지 네 가지가 있는 것이다. 천하의 이치가 여기서 벗어나지 않았으니, '갖추었다'라고 이르지 않을 수 있겠는가? 비록 그러하나 명덕 장구에서 성(性) 글자를 말하지 않은 것은 다만 그 본성의 체단(體段)을 말하였다. 그러므로 뒷날 학자들이 그 설을 하나로 여기지 않았을 것이다!"

三引『書』, 皆一理也. 而"克明德"者, 始言明德之端; 顧諟天之明命者 中言明之之工, 克明峻德者, 終言極其全體之大, 亦可見傳授心法有自來矣.
問: "『章句』曰: '天之明命者, 卽天之所以與我, 而我之所以爲德者也.' 又曰: '明命, 我所得以爲性者, 便是明德.' 然則命也·性也·德也, 一也, 而經文明明德章句不明言性, 而曰'具衆理而應萬事', 何也?" 曰: "自天之與我者言, 則曰'明命'; 自我之得於天者言, 則曰'明德'也. 故明德章句曰: '人之所得乎天'云云. 然則雖不明言性, 而玩其上下文義, 其言性可推矣. 但'具衆理'云者, 性中有仁義禮智四者. 天下之理不外乎此, 可不謂'具'乎? 雖然明德章句不言性字, 但言其性之體段. 故後來學者不一其說也歟!"

탕임금의 반명에서 이르기를 "진실로 날로 새로워졌거든, 나날로 새롭게 하고, 또 날로 새롭게 하라"라고 하였다.

湯之盤銘曰: "苟日新, 日日新, 又日新."

때를 제거하는 것을 가지고 악을 제거하는 것에 비교하였으니, 『시경』에서 육의(六義) 가운데 비(比)이다. 운(韻)은 삼첩(三疊)을 사용하였으니, 세 구절 모두 "일신

明德. 참조.
113) 『大學章句』「經1章」: 明德者, 人之所得乎天, 而虛靈不昧, 以具衆理而應萬事者也.

(日新)"을 사용하였지만 뜻은 각각 다르다. 진실로 날로 새로워졌다는 "구일신(苟日新)"은 그 옛것을 새롭게 하는 것이고, 나날로 새롭게 한다는 "일일신(日日新)"은 그 새로움을 잇는 것이며, 또 날로 새롭게 하라는 "우일신(又日新)"은 그 새로움을 끌어올려 진작하는 것이니, 또한 문장의 오묘한 것이다.

以去垢, 比去惡, 詩六義之比也. 韻用三疊, 三句皆用"日新", 而義各不同. "苟日新"者, 新其舊也; "日日新"者, 繼其新也; "又日新"者, 提振其新也, 亦文之妙也.

「강고」에서 "새로워지는 백성을 진작하라!"라고 하였다.

「康誥」曰: "作新民."

어떤 이가 물었다. "'새로워지는 백성을 진작하라'는 것은 무엇입니까?" 나는 답하였다. "본래 잡고 있는 떳떳한 선은 백성이 똑같이 그렇게 여기는 바이다. 백성의 윗사람이 된 자는 덕으로 인도하고 예로 제제하며 바로잡아 주고 도와 주면서 진작하여 일으키면, 백성이 선에서 흥기하여 상주지 않아도 권면하고 위엄스럽게 하지 않아도 악을 징계하여 패연히 물이 아래로 흘러가고, 초목이 바야흐로 싹트는 것과 같을 것이다. 바람으로써 온화하게 하고, 비로써 윤택하게 하는 것까지 더하게 된다면 그 발육의 성대함을 누가 막을 수 있겠는가? 이것 또한 성인이 나오시면 만물이 모두 우러러 보고,[114] 건도(乾道)가 유행하여 사물마다 자신의 형상을 유행시키는 것이다.[115]"

問: "作新民, 何也?" 曰: "秉彛之善, 民所同然也. 爲民上者, 道之以德, 制之以禮, 勞來匡翼而振起之, 則民興於善, 不賞而勸, 不威而懲, 沛然如水之就下矣, 草木之方萌芽也. 加之風以和之, 雨以潤之, 則其發育之盛, 孰能禦之? 此亦聖人作而萬物覩, 乾道流行, 物品流形者也."

---

114) 『周易』「乾卦」: 「文言」曰: "(…) 九五曰 '飛龍在天, 利見大人', 何謂也? 子曰: '同聲相應, 同氣相求. 水流濕, 火就燥, 雲從龍, 風從虎, 聖人作而萬物覩, 本乎天者親上, 本乎地者親下, 則各從其類也.' (…)" 참조.

115) 『周易』「乾卦」: 「彖」曰: "大哉「乾」元! 萬物資始, 乃統天. 雲行雨施, 品物流形. (…)" 참조.

『시경』에서 "주나라가 비록 옛 나라이나, 그 명은 새롭다"라고 하였다.

『詩』曰: "周雖舊邦, 其命維新."

첫 장은 "명명덕(明明德)"을 해석하였고, 이 장은 "신민(新民)"을 해석하였는데, 모두 옛 사람의 말을 인용하여 실증하였으니, 「반명」은 신민의 근본을 말하고, 「강고」는 신민의 공부를 말하였으며, 『시경』은 신민의 지극한 효용을 말하였다. 첫 장에서 세 번 『서경』의 뜻을 인용하였지만, 첫 장은 "개자명야(皆自明也: 모두 스스로 밝히는 것이다)" 네 글자로 맺은 것과 똑같이 해야 한다. 이것은 또 "군자무소불용기기(君子無所不用其極: 군자는 그 극을 쓰지 않는 바가 없는 것이다)"로 맺었으니, 문리가 이어지고 혈맥이 통한 것을 여기서 또한 볼 수 있다.

首章釋"明明德", 此章釋"新民", 而皆引古人而實之. 「盤銘」言新民之本, 「康誥」言新民之工, 『詩』言新民極效. 一如首章三引 『書』之義. 而首章則以 "皆自明也" 四字結之. 此又以 "君子無所不用其極" 結之, 文理接而血脈通, 此亦可見矣.

『시경』에 이르기를, "나라의 기내(畿內) 천 리여, 오직 백성이 그쳐 살 곳이라네."라고 하였다.

『詩』云: "邦畿千里, 惟民所止."

이것은 범범하게 "사물은 각각 마땅히 그쳐야 할 곳이 있음"[116]을 말한 것이다. 사사물물마다 각각 지극한 선의 이치가 있으니 사람이 마땅히 그쳐야 한 곳을 말한 것이다.

此泛說 "物各有所當止之處." 言事事物物各有至善之理, 卽人所當止之處也.

『시경』에 이르기를, "꾀꼴꾀꼴 꾀꼬리가 언덕 모퉁이에 그쳤네"라고 하였다. 공자는 "그침에 있어 그칠 곳을 아나니, 사람으로서 새만도 못해서야 되겠는가!"라고 하

---

116) 『大學章句』「傳3章」: 言物各有所當止之處也. 참조.

였다.

『詩』云: "綿蠻黃鳥, 止于丘隅." 子曰: "於止, 知其所止, 可以人而不如鳥乎!"

이것은 "그칠 데를 안다"는 것으로 말한 것이다. "언덕 모퉁이"는 새의 지극한 선이다. 지극한 선은 사람의 언덕 모퉁이다. 새의 미물로써 그 그칠 곳을 아니 하물며 사람에 있어서랴! 공자가 "마을의 어진 풍속 아름다움이 되니 선택하되 인에 처하지 않는다면 어찌 지혜로울 수 있겠는가?"[117]라고 하였다. 어진 풍속의 마을은 마땅히 그쳐야 할 곳이다. 선택하되 '인'에 처하는 것은 그 그칠 바를 아는 것이니, 이 또한 "그칠 데를 안다"는 하나의 일이다.

此以知止言也. 丘隅, 鳥之至善也; 至善, 人之丘隅也. 以鳥之微, 知其所止, 況乎人哉! 子曰: "里仁爲美, 擇不處仁, 焉得知?" 仁里是所當止之處. 擇而處仁, 是知其所止, 此亦知止之一事也.

『시경』에 이르기를, "심원하도다, 문왕이여! 아, 계속하여 밝혀서 공경하여 그쳤도다"라고 하였다. 사람들의 임금이 되어서는 어젊에 그치고, 사람들의 신하가 되어서는 공경에 그치며, 사람들의 자식이 되어서는 효도에 그치고, 부모가 되어서는 자애로움에 그치며, 나라 사람과 사귈 적에는 믿음에 그친다.

『詩』云: "穆穆文王, 於緝熙敬止." 爲人君, 止於仁; 爲人臣, 止於敬; 爲人子, 止於孝; 爲人父, 止於慈; 與國人交, 止於信.

이는 "그 그칠 바를 얻음"[118]을 말한 것이다. '어젊'은 임금의 지극한 선이고, '공경'은 신하의 지극한 선이며, '효'는 자식의 지극한 선이고, '자애로움'은 부모의 지극한 선이며, 믿음은 사귐의 지극한 선이다. 문왕이 계속하여 밝혀서 공경하여 그치는 덕으로써 각각 그 그칠 바에 그쳐서 지극한 선 아닌 것이 없으니, 이것은 문왕의

---

117) 『論語』 卷4 「里仁」 〈第1章〉: 子曰: "里仁爲美, 擇不處仁, 焉得智?"
118) 『大學章句』 「經1章」: 得, 謂得其所止. 참조.

명덕과 신민이 모두 그 그칠 데를 얻은 것이다.

어떤 이가 물었다. "'경지(敬止: 공경하여 그친다)'의 '경'과 '지어경(止於敬)'의 '경'은 어떻게 다릅니까?" 나는 답하였다. "'경지'의 '경'은 전체를 들어 말한 것이다. 문왕의 덕은 순수함이 또한 그치지 않으니, 하나의 일도 공경하지 않음이 없고, 한순간도 공경하지 않음이 없다. 마치 하늘이 순환하고 운전하여 한순간도 정지하지 않음과 같다. '지어경'은 오로지 임금을 섬기는 하나의 일을 가리켜 말한 것이다. 한순간도 성실하지 않음이 없는 것은 하늘이 하늘이 된 것이고, 하나의 일도 공경하지 않음이 없는 것은 문왕이 문(文)이 된 것이다. 어짊은 공경이 아니면 그 폐단이 고식하게 되고, 효는 공경이 아니면 그 폐단이 아첨하게 되고, 자애로움은 공경이 아니면 그 폐단이 애착하게 되고, 믿음이 공경이 아니면 그 폐단이 막혀 편협하게 된다. '공경하여 그친다'는 것은 문왕이 만 가지로 다르지만 하나에 근본한다. 어짊·공경·효도·자애로움·믿음은 문왕이 하나에 근본하지만 만 가지로 다른 것이다."

此言"得其所止"也. 仁者, 君之至善也; 敬者, 臣之至善也; 孝者, 子之至善也; 慈者, 父之至善也; 信者, 交之至善也. 文王以緝熙敬止之德, 各止其所止, 而無非至善. 此文王之明德新民, 皆得其止也. 問: "'敬止'之'敬'與'止於敬'之'敬', 何也?" 曰: "'敬止'之'敬', 擧全體而言也. 文王之德, 純亦不已, 無一事之不敬, 無一息之不敬. 如天之循環運轉一息不停也. 止於敬者, 專指事君一事而言也. 無一息不誠者, 天之所以爲天也; 無一事不敬者, 文之所以爲文也. 仁非敬其弊也姑息, 孝非敬其弊也阿諛, 慈非敬其弊也溺愛, 信非敬其弊也固滯. 敬止者, 文之萬殊而一本也; 仁敬孝慈信五者, 文之一本而萬殊也."

『시경』에 이르기를, "저 기수 모퉁이를 보니, 푸른 대나무가 무성하구나"라고 하였다.

『詩』云: "瞻彼淇澳, 菉竹猗猗.[119]"

---

[119] 이는 「傳」 제3장의 네 번째 글이나, 이하의 글이 생략되었다. 강설에서 언급되는 내용이 있기에 수록한다. 『大學』 「傳」 〈第3章〉: 詩云: "瞻彼淇澳, 菉竹猗猗. 有斐君子, 如切如磋, 如琢如磨. 瑟兮僩兮, 赫兮喧兮. 有斐君子, 終不可諼兮!" 如切如磋者, 道學也; 如琢如磨者, 自脩也; 瑟兮僩兮者, 恂慄也; 赫兮喧兮者, 威儀也; 有斐君子, 終不可諼兮者, 道盛德至善, 民之不能忘也.

어떤 이가 물었다. "'잘라놓은 듯하고 간 듯하다'는 것은 학문을 말한 것이며, '쪼아놓은 듯하고 간 듯하다'는 것은 스스로 닦는 것이다[如切如磋者 道學也 如琢如磨者 自修也]'에 대해『대학장구』는 '뼈와 뿔을 다스리는 자는 이미 잘라놓고 다시 이것을 갈며, 옥과 돌을 다스리는 자는 이미 쫒아놓고 다시 이것을 간다'[120]라고 하였다. 대개 뼈와 옥은 그 물건이 비록 다르나 그 다스리는 공부는 한 가지이다. 잘라놓고 쪼아놓는 것은 형체를 이루고, 갈고 가는 것은 정미함을 이루니,『시경』의 말은 다스리는 공부가 뼈와 옥을 구분하지 않음을 말함과 유사한 것이다. 그런데 잘라놓고 가는 것이 배움을 말하고, 쪼아놓고 가는 것이 스스로 닦음을 말한다는 것은 무엇입니까" 나는 답하였다. "배움은 앎의 일이고, 스스로 닦음은 행함의 일이다. 앎의 공부는 거친 것으로부터 정밀함에 이르기까지 잘라놓은 듯하고 다시 간 듯한 것이고, 행함의 공부도 또한 거친 것으로부터 정밀함에 이르기까지 쪼아놓은 듯하고, 다시 간 듯한 것이다. 다만 앎이 먼저이고 행동이 뒤이기 때문에 먼저함으로 말한 것은 잘라놓고 갊이 배움에 속하고, 뒤에함으로 말한 것은 쪼아놓고 갊이 스스로 닦음에 속한다. 뼈와 뿔로 그 배움에 비유하고 옥과 돌로 그 스스로 닦음에 비유한 것은 아니다. 안찰컨대, 신안진씨(新安陳氏)는 '앎이 행함에 견주보면 쉬움이 되기 때문에 잘라놓고 갊으로 비교하였으니 뼈와 뿔을 다스리는 것이 옥과 돌을 다스리는 것보다 쉬운 것이다. 행함이 앎에 견주어보면 어렵기 때문에 쪼아놓고 갊으로 비교하였으니, 옥와 돌을 다스리는 것은 뼈와 뿔을 다스리는 것보다 어렵다'[121]라고 말하였다. 진씨의 설은 다스림의 어려움과 쉬움으로 앎과 행함을 구분하였는데 온당하지 않은 듯하다. 뼈와 뿔은 부드럽고 옥과 돌은 견고하니, 다스림에는 본래 어려움과 쉬움이 있지만, 시인의 뜻은 다만 그 다스리는 공부를 취한 것이지 그 어려움과 쉬움을 취한 것은 아니다.『대학장구』에서 '모두 그 다스림에 실마리가 있어 더욱 그 정밀함을 지극히 한다'[122]는 말로 유추하면, 그 뼈와 옥의 어려움과 쉬움을 구분하지 않고 그 정밀하고 더욱 정밀하게 하는 뜻을 취한 것이 또한 분명하다. 자공(子貢)이 예(禮)를 논하면서 이 시구를 인용한 것은 대개 잘라놓고 쪼아놓고서 다시 갈고 간 것으로써 의리가 무궁함을 비유한 것이니,[123] 그 잘라놓고 갊이 쉽고 쪼아놓고 갊이 어려움이 되는 것은

---

120)『大學章句』「傳3章」: 治骨角者, 旣切而復磋之. 治玉石者, 旣琢而復磨之.
121)『大學章句』「傳3章」〈細註〉: 新安陳氏曰: "學所以致知. 知視行爲易, 故以切磋比之, 治骨角, 猶易於治玉石也. 自修所以力行. 行視知爲難, 故以琢磨比之, 治玉石, 則難於治骨角矣." 참조.
122)『大學章句』「傳3章」: 皆言其治之有緒, 而益致其精也.
123)『論語』卷1「學而」〈第15章〉: 子貢曰: "貧而無諂, 富而無驕, 何如?" 子曰: "可也. 未若貧而樂, 富而好禮者也." 子貢曰: "詩云: '如切如磋, 如琢如磨.' 其斯之謂與?" 子曰: "賜也, 始可與言詩

아니다. 만약 그 어려움과 쉬움을 말하면 잘라놓고 쪼아놓음이 쉽고 갈고 갊이 어려운 것이다."

問:"'如切如磋者, 道學也; 如琢如磨者, 自修也.' 章句言: '治骨角者, 旣切而復磋之, 治玉石者旣琢而復磨之.' 盖角與玉, 其物雖殊, 其治之之功, 一也. 切琢以成形, 磋磨以致精. 『詩』之語似是說治之之功不分角與玉也. 而切磋以言學, 琢磨以言自修, 何也?" 曰: "學, 知之事也; 自修, 行之事也. 知之工夫, 自粗至精, 如切而復磋;行之工夫, 亦自粗至精, 如琢而復磨. 但知先行後, 故以先言者切磋, 屬於學; 後言者琢磨, 屬於自修. 非以骨角比之學, 玉石比之自修也. 按: 新安陳氏說: '知視行爲易, 故以切磋比之, 治骨角易於治玉石也. 行視知爲難, 故以琢磨比之, 治玉石難於治骨角矣.' 陳氏說以治之難易分知行, 似爲未安. 骨角軟, 玉石堅, 治固有難易. 而詩人之意, 則但取其治之之功, 非取其難易也. 以章句皆言其治之有緖, 而益致其精之語推之, 其不分角玉之難易, 而取其精而益精之義, 亦明矣. 子貢之論禮而引此詩者, 盖亦以切琢而復磋磨之者, 譬義理之無窮, 非爲其切磋易而琢磨難也. 若言其難易, 則切琢易而磋礳難也."

『시경』에 이르기를, "아아! 이전 왕을 잊지 못한다"라고 하였다.

『詩』云: "於戲! 前王不忘."[124]

문왕과 무왕이 백성을 새롭게 한 것은 지극한 선에 그쳤지만, 오직 당시의 백성을 새롭게 할 뿐만 아니라 그 덕교와 혜택이 후세에까지 미칠 수 있으니, 뒷날의 사람이 어질게 여기고 친히 여기며 즐겁게 여기고 이롭게 여겨, 오래할수록 더욱 잊지 못하도록 하였으니, 이것은 백성을 새롭게 하는 효험을 말한 것이다. 오직 나라뿐만 아니라 집안도 그러하다. 만일 사업을 비롯하고 집안을 일으키는 조상이 계신다고 하면 그 이루어 놓은 법과 남기신 규범이 후손들에게 끼쳐 자자손손으로 하여금 그 복을 누리고 그 풍모를 흠모할 수 있도록 할 것이다. 군자가 한 번 생각한 측은한 마음은 족히 은택이 백 세대까지 미칠 수 있는데, 하물며 그 덕업의 성대한 것은 천하 후세로

已矣! 告諸往而知來者." 참조.

124) 이는 「傳」 제3장의 다섯 번째 글이나, 이하의 글이 생략되었다. 강설에서 언급되는 내용이 있기에 수록한다. 『大學』「傳」〈第3章〉: 詩云: "於戲, 前王不忘!" 君子賢其賢而親其親, 小人樂其樂而利其利, 此以沒世不忘也.

하여금 한 물건이라도 제자리를 얻지 못함이 없도록 할 것이다!

文武之所以新民者, 止於至善. 而不惟新當世之民, 其德敎惠澤, 能及於後世, 使後之人賢之·親之·樂之·利之, 愈久愈不忘, 此極言其新民之効也. 不惟國也, 而家亦然. 一有創業興家之祖, 則其成憲遺規, 能垂後昆, 使子子孫孫, 享其福而慕其風焉. 君子一念之惻憺, 有足以澤及百世, 況其德業之盛, 能使天下後世, 無一物不得其所者哉.

공자께서 말씀하셨다. "송사를 듣고 처리함이 내가 남과 같으나, 반드시 송사가 없도록 하겠다."

子曰: "聽訟, 吾猶人也, 必也使無訟乎!"[125]

성인이 송사를 듣고 처리할 적에는 마치 거울에 사물을 비추는 듯하여, 그 곧음을 곧게 하고 그 굽음을 굽게 한다. 곧은 자는 펴고 굽은 자는 굴복시켜 하나의 털끝만큼이라도 공정하지 않음이 없도록 한다. 그러나 또 그 송사를 듣고 처리함이 없도록 하는 것만 못하다. 대개 나의 덕이 이미 밝으면 자연히 훈도를 받아 점점 물들어 백성의 뜻을 크게 복종시킨다. 그러므로 군자는 상주지 않아도 백성들이 권면하고 성내지 않아도 백성들이 도끼보다 두려워한다.[126] 『시경』에 이르기를, "〈신명에게〉 나아가 감격할 적에 말이 없어도, 이에 다투는 이가 있지 않도다"[127]라고 하였으니, 이것은 또한 말과 설명이 없어도 사람들이 저절로 감화되는 것을 이르는 것이다.

聖人之聽訟也, 如鑑之照物, 直其直, 而曲其曲. 使直者伸, 而曲者屈, 無有一毫之不公正. 然又不若使其無訟之可聽. 盖我之德旣明, 則自然有以薰炙漸染, 大服民志. 故君子不賞而民勸, 不怒而民威於鈇鉞. 『詩』曰: "奏假無言, 時靡有爭." 此亦謂無有言說, 而人自化之也.

---

125) 이는 「傳」제4장의 다섯 번째 글이나, 이하의 글이 생략되었다. 강설에서 언급되는 내용이 있기에 수록한다. 『大學』「傳」〈第4章〉: 子曰: "聽訟, 吾猶人也, 必也使無訟乎!" 無情者不得盡其辭. 大畏民志, 此謂知本.
126) 『中庸』「第33章」: 詩曰: "奏假無言, 時靡有爭." 是故君子不賞而民勸, 不怒而民威於鈇鉞. 참조.
127) 『詩經』卷20 「商頌·烈祖」: 奏假無言, 時靡有爭.

이른바 그 뜻을 성실하게 한다는 것은 스스로 속임이 없다는 것이다.

所謂誠其意者, 毋自欺也.[128]

어떤 이가 물었다. "'스스로 속임이 없다'는 무엇입니까?" 나는 답하였다. "뜻은 한 생각의 시초에 선과 악, 진실과 거짓이 연유하여 구분되는 기미이다. 선을 하여 진실하면 속이지 않는 것이고, 선을 하되 진실하지 않음이 스스로 속이는 것이다. 악을 제거하는 것도 그러하다. 그렇다면 '스스로 속인다'는 것은 또한 선을 하고 악을 제거할 수 있다고 이르는 것은 아니다. 그 진실하지 않기 때문이다. 행동하면서 진실하지 않으면 가식하여 밖을 꾸밀 따름이다. 이것은 외면의 가식으로 자신의 마음을 속이는 것이다. 선을 하는 것은 마치 굶주리면 먹으려 하고 목마르면 마시려는 것과 같고, 악을 제거하는 것은 마치 오훼(烏喙)를 먹지 않는 것과 같아서 물과 불을 밟지 않으면 진실하다고 이를 수 있을 것이다. 무릇 누가 굶주리면서 거짓으로 먹고 물이 거대하여 거짓으로 피함이 있겠는가? 사람이 부모를 섬길 적에 그 마땅히 효도해야 함을 알아 아침저녁으로 문안드리는 도리와 응대하고 진퇴하는 절도에 털끝만큼의 차이가 없는 것과 같다. 그런데 그 마음의 발현하는 바에 하나라도 진실하지 않음이 있다면 그 이른바 효도라는 것은 사람에게 보여주기 위할 따름이다. 집안사람들이 그 효를 칭찬하고 향당(鄕黨)에서 그 효도를 칭찬하나, 그 심술의 은미한 곳에 진실하지 않음이 있는 것은 곧 자기만이 홀로 알기 때문에 '스스로 속임이 없다'라고 하였다. 만일 애초 효도를 마땅히 해야 하는데 현저하게 효도할 줄을 알지 못한 자라면, '스스로 속인다'라고 이르지 않는 것이다."

어떤 이가 물었다. "악을 제거하여도 진실하지 못한 것과 선을 하여도 진실하지 못한 것은 어떠한 분별이 있습니까?" 나는 답하였다. "선을 하여도 진실하지 못한 것은 외부로 비록 선을 하여도 내부에서의 좋아함이 호색을 좋아하는 것만 같지 않고, 악을 하여도 진실하지 못한 것은 외부로 비록 악을 제거하더라도 내부에서의 미워함이 악취를 미워하는 것만 같지 않은 것이다."

또 어떤 이가 물었다. "'스스로 만족한다'는 것은 무엇입니까?" 나는 답하였다. "선을 하면서 진실하면 자신의 가슴속에 쾌활하고 충족한 생각이 있어, 우러러 하늘

---

128) 이는 「傳」 제6장의 첫 번째 글이나, 이하의 글이 생략되었다. 강설에서 언급되는 내용이 있기에 수록한다. 『大學』「傳」〈第6章〉: 所謂誠其意者: 毋自欺也, 如惡惡臭, 如好好色, 此之謂自謙, 故君子必愼其獨也!

에 부끄럽지 않고 구부려 사람에 부끄럽지 않아 호연한 기개가 점점 자라 우주에 가득 차니, 칼과 톱이 앞에 당하고 끓고 끓는 가마가 뒤에 있어도 내가 갈 수 있을 것이다. 만일 진실하지 못함이 있으면 한갓 스스로 외면만 따라 자기에게는 곧 부끄럽고 편안하지 않은 마음이 있다. 마치 책을 보고 그 의리를 알 수 있으면 마음이 스스로 쾌족하고, 아직 그 의리에 이르지 못하고 단지 입만으로 암송할 따름이라면 마침내 그 쾌족한 생각을 보지 못하는 것과 같다."

問: "自欺者, 何也?" 曰: "意者, 一念頭善惡誠僞所由分之幾也. 爲善而實, 則不欺也; 爲善而不實, 是自欺也. 去惡亦然. 然則自欺云者, 亦非謂不能爲善去惡也. 以其不實也. 爲而不實, 則假而餙外而已. 此以外面之假, 欺自家之心也. 爲善如飢欲食而渴欲飮, 去惡如烏喙之不可食, 而水火之不可蹈, 則可謂實矣. 夫孰有飢而假食, 水大而假避者乎! 如人之事親也, 知其當孝, 而晨昏定省之道, 應對進退之節, 無毫髮之差. 而其心之所發, 一有不實, 則其所謂孝者, 爲人而已. 家人稱其孝, 鄕黨稱其孝. 然其心術隱微之有不實者, 則己獨知之, 故曰'自欺'也. 如使初不知孝之當爲, 而顯然不爲孝者, 不謂之'自欺'也."
曰: "去惡而不實者, 與爲善而不誠者, 有何分別?" 曰: "爲善而不實者, 外雖爲善, 而內之好之不如好好色; 爲惡而不實者, 外雖去惡, 而內之惡之不如惡惡臭也."
曰: "'自慊'者, 何也?" 曰: "爲善而實, 則自家胸中自有快活充足之思, 仰不愧天, 俯不怍人, 浩氣漸長, 而充塞宇宙, 刀鉅當前, 湯濩在後, 吾能往矣. 一有不實, 徒自徇外, 而己則便有愧怍不安之心. 如看書識得其義, 則心自快足. 未達其義, 只口誦而已, 則終未見其快足底意思."

소인이 한가로이 거처할 적에 불선을 하되 이르지 못하는 바가 없다.

小人閑居爲不善, 無所不至.[129]

위 한 구절은 군자가 선을 하되 뜻이 진실하지 못한 것이 스스로 속인다는 것을 말한 것이다. 이 한 구절은 소인이 악을 하되 거짓으로 선을 하는 것이 사람을 속인다는

---

129) 이는 「傳」 제6장의 두 번째 글이나, 이하의 글이 생략되었다. 강설에서 언급되는 내용이 있기에 수록한다. 『大學』「傳」〈第6章〉: 小人閒居爲不善, 無所不至, 見君子而后厭然, 揜其不善, 而著其善. 人之視己, 如見其肺肝然, 則何益矣? 此謂誠於中, 形於外, 故君子必愼其獨也.

것을 말한 것이다.
　어떤 이가 물었다. "'폐와 간을 보듯이 한다'[130]는 것은 무엇입니까?" 나는 답하였다. "은미한 것보다 더 드러나는 것이 없으며, 어두운 것보다 더 밝은 것이 없다. '드러난다[顯]'는 것은 은미한 것의 그림자이고, '밝다[明]'는 것은 어두운 것의 메아리이다. 비유하자면, 심장에 병이 들면 혀로 말할 수 없고, 비장에 병이 들면 입으로 먹을 수 없으며, 간에 병이 들면 눈으로 볼 수 없고, 신장에 병이 들면 귀로 들을 수 없는 것과 같다. 사람이 보지 못하는 곳에서 병이 들어 반드시 사람에게 나타난다. 보지 못하는 바는 잠시의 거짓된 선으로 평소 실질의 악을 덮고자 하는 것인데, 마음의 자취는 이미 드러나고 정상은 달아나지 못한다. 형체가 바르지 않은데 그림자가 곧고자 하고, 소리가 크지 않은데 메아리가 광대하고자 하는 것은 알 수 없는 것이다. 무릇 선을 하면서 진실하지 못하면 그 폐단은 마침내 악을 남몰래 하고 선을 거짓으로 하며 자신을 속이고 남을 속이는 데까지 이른다. 자신을 속이는 자는 사람을 속이는 것과 같다. 사람을 속이는 자는 사람을 마침내 속일 수 없는 것이다. 군자가 선을 할 적에는 천만 명의 사람이 예찬하여도 더 권면되지 않고, 천만 명의 사람이 헐뜯어도 더 기죽지 않는다. 옥루(屋漏)가 은미함이 되지 않고 암실이 어두움이 되지 않으니, 은미함과 현저함은 한 가지이고 겉과 속은 둘이 아니다. 『중용』에서 이르기를, '군자의 미칠 수 없는 것은 사람들이 보지 않는 바에 있을 것이다!'[131]라고 하였다.'"

上一節言, 君子爲善而意不實, 是自欺也. 此一節言, 小人爲惡而詐欲善, 是欺人也. 曰: "如見其肺肝, 何也?" 曰: "莫顯乎隱,[132] 莫明乎晦. 顯者隱之影, 明者晦之響也. 比如心受病則舌不能言, 脾受病則口不能, 食肝受病則目不能視, 腎受病則耳不能聽. 受病於人所不見處, 而必見於人. 所不見以暫時之假善, 欲掩平素之實惡, 而心跡已露, 情狀莫逃. 形不正而影欲直, 聲不大而饗欲宏, 不可得也. 夫爲善而不實, 則其弊也, 終至於陰惡而陽善, 自欺而欺人. 自欺者, 猶欺人也. 欺人者, 人卒不可欺也. 君子之爲善也, 千萬人譽之而不加勸, 千萬人毀之而不加沮. 屋漏不爲隱, 暗室不爲冥. 隱顯一也, 表裡不貳也. 『中庸』曰: '君子之所不可及者, 其

---

130) 『大學』「傳6章」: 人之視己, 如見其肺肝然, 則何益矣? 참조.
131) 『中庸』「第33章」: 『詩』云: "潛雖伏矣, 亦孔之昭!" 故君子內省不疚, 無惡於志. 君子之所不可及者, 其唯人之所不見乎! 참조.
132) 顯: 원문은 "見"으로 쓰였으나, 뒤의 어구와 연관시켜서 수정하였다.

惟人之所不見乎!'"

증자가 말하였다. "열 눈이 보는 바이며, 열 손가락이 가리키는 바이니, 그 엄격하지 않은가!"

曾子曰:"十目所視, 十手所指, 其嚴乎!"

놀며 잔치하는 사이에 함정이 있고, 당옥(堂屋)의 위에 호랑이와 표범이 있으며, 그윽이 홀로 있는 가운데 보고 가리킴이 있다. 천지신명이 위에 임하고 옆에서 살펴보고 있으니, 그 삼엄하듯 엄격하지 않은가! 그러므로 군자는 밝다고 하여 절개를 펴지 않고 어둡다 하여 행동을 게을리하지 않는다. 소인이 한가로이 거처한 곳에서 불선을 할 적에 오직 사람이 알까 두려워하여 마음이 항상 부끄럽고 위축된다. 그 부끄럽고 위축되는 것은 바로 '보고' '가리키는' 때이다.

遊宴之間有陷穽, 堂屋之上有虎豹, 幽獨之中有視指. 天地神明, 臨之在上, 瞰之在傍, 其不森然而嚴乎! 故君子不以昭昭而伸節, 不以冥冥而惰行. 小人之爲不善於閑居也, 惟恐人知, 心常愧縮. 其所以愧縮者, 卽視指之時也.

부유함은 집을 윤택하게 하고, 덕은 몸을 윤택하게 하니, 마음이 넓어지고 몸이 펴진다. 그러므로 군자는 반드시 그 뜻을 성실하게 하는 것이다.

富潤屋, 德潤身, 心廣體胖. 故君子必誠其意.

소인이 불선을 하며 사람을 속이는 것은 마음이 항상 부끄럽고 위축되는 것이고, 군자가 선을 하며 스스로 만족스러운 것은 마음이 항상 펴지고 편안하여 두 팔과 두 다리에 드러나는 것이다. 뜻이 그 진실함이라면 있는 곳마다 모두 소리개가 날고 물고기가 뛸 것이고, 뜻이 진실하지 못하면 처하는 곳마다 가시나무에 찔리고 까끄라기에 찔리게 될 것이다.

小人之爲不善而欺人者, 心常愧縮; 君子之爲善而自慊者, 心常舒泰而現乎四體. 意其實, 則隨在皆鳶飛魚躍; 意不實, 則觸處見荊棘芒刺.

이른바 몸을 닦음이 그 마음을 바르게 함에 있다는 것은

所謂修身在正其心者.[133]

어떤 이가 물었다. "뜻이 이미 진실하였다면 마음에 이 네 가지 병이 있다는 것은 무엇입니까?" 나는 답하였다. "뜻은 선과 악, 진실과 거짓의 관문이다. 이 관문을 지나면 다시 악을 말하지는 않을 것이다. 이른바 분치(忿懥)·공구(恐懼)·호요(好樂)·우환(憂患)은 바로 마음이 편중된 곳이고 악이 아니다. 물에 비교하며, 찌꺼기가 이미 제거되면 십분 밝고 맑아 다시 맑음과 흐림을 논할 수 없는 것과 같다. 마음이 바르지 않은 자는 단지 물결이 미미하게 움직여 그 그칠 데를 얻지 못할 뿐이다."

또 어떤 이가 물었다. "이 네 가지가 없는 뒤에 마음을 바르게 할 수 있습니까?" 나는 답하였다. "이 네 가지는 마음의 병이 아니다. '유소(有所: 있는 바)' 두 글자가 바로 그 병이다. 일이 아직 다가오지 않았을 적에는 미리 기다리는 바의 마음이 있지 않고, 일이 바야흐로 응할 적에는 너무 지나친 바의 마음이 있으며, 일이 이미 지나버렸을 적에는 지체하며 머무는 바의 마음이 있으니, 이것이 이른바 '있다'는 것이다. 있으면 그 누가 되는 바가 되어 한 곳에 편벽되니 마음이 그 바름을 얻지 못하는 것이다. 무릇 심은 거울에 비교되면, 그 본체는 담연하면서 텅비고 고요하여 움직이지 않는 것이고, 거울 자체는 본래 스스로 텅비고 밝은 것이다. 노여움에 당해서 노여하고 기쁨에 당해서 기뻐하며 근심과 두려움에 당해서 근심하고 두려워하니, 느끼는 대로 응함이 스스로 그 마땅함을 얻는 것은 거울에 비치는 곱고 추함이 각각 유형별로 비추는 것이다. 사물의 응함이 이미 다하면 담연히 예전과 같은 것은 거울에 형체한 색깔이 이미 지나가 한 점도 남아지 있지 않은 것이다. 만약 그 노여움에 당해서 노여하지 않고 기뻐함에 당해서 기뻐하지 않는다면, 또한 거울이 사물을 비출 수 없는 것이다. 그렇다면 그 본체가 담연하면서 텅비고 고요하여 움직이지 않는 것은 아직 발현하지 않은 중(中)이고, 느끼는 대로 응하여 각각 그 마땅함을 얻은 것은 발현하여 모두 절도에 알맞은 화(和)이다."

---

133) 이는 「傳」 제7장의 첫 번째 글이나, 이하의 글이 생략되었다. 강설에서 언급되는 내용이 있기에 수록한다. 『大學』 「傳」 〈第7章〉: 所謂脩身在正其心者, 身有所忿懥, 則不得其正; 有所恐懼, 則不得其正; 有所好樂, 則不得其正; 有所憂患, 則不得其正.

問: "意旣誠矣, 而心有此四者之病, 何也?" 曰: "意者, 善惡誠僞之關也. 過此關則 不復道惡矣. 所謂忿懥·恐懼·好樂·憂患者, 乃心之偏重處, 不是惡也. 比之水, 查 滓已去, 十分瑩澈, 更無淸濁之可論也. 心不正者, 只是波浪微動, 不得其止耳." 曰: "無此四者, 而後心可得正乎?" 曰: "此四者, 非心之病也. '有所'二字, 乃其病 也. 事未來而有所預待之心, 事方應而有所過當之心, 事已去而有所滯留之心, 是 所謂有者也. 有則爲其所累, 而偏於一處, 心不得其正也. 夫心比之鑑, 其本體, 澹 虛寂然不動者, 鑑之體, 本自虛明也. 當怒而怒, 當喜而喜, 當憂懼而憂懼, 隨感而 應, 自得其當者, 鑑之姸媸, 各來以類而照者也. 事應旣盡, 澹然如故者, 鑑之形色, 已過一點不留者也. 若其當怒而不怒, 當喜而不喜者, 亦鑑之不能照物者也. 然則 其本體澹虛寂然不動者, 未發之中也; 隨感而應, 各得其當者, 發皆中節之和也."

마음이 있지 않으면 보아도 보이지 않으며 들어도 들리지 않으며, 먹어도 그 맛을 알지 못한다.

心不在焉, 視而不見, 聽而不聞, 食而不知其味.

마음은 한 몸의 주재이다. 외물에 부림을 당하여 허령(虛靈)의 집에 있지 않으면 이 목구비가 모두 몸의 빈 껍질이다. 눈에 주재가 없으면 볼 수 없고, 귀에 주재가 없으면 들을 수 없으며, 입에 주재가 없으면 맛을 알 수 없다. 만약 사람의 집에 주인이 없으면 제반 집기 사물이 모두 빈 그릇이 되니, 반드시 천군(天君)이 그 자리에 있게 한 연후에 사지백체(四肢百體)가 명령을 따르지 않음이 없다.

心者, 一身之主宰也. 役於外物, 不在虛靈之舍, 則耳目口鼻, 皆身之虛殼也. 目無 主則不能見, 耳無主則不能聞, 口無主則不能知味. 如人家無主, 則諸般什物皆爲 虛器, 必使天君在乎其位, 然後四肢百體無不從命.

이른바 그 집을 가지런히 함이 그 몸을 닦음에 있다는 것은.

所謂齊其家在修其身者.[134]

[134] 이는 「傳」제8장의 첫 번째 글이나, 이하의 글이 생략되었다. 강설에서 언급되는 내용이 있기에 수록한다. 『大學』「傳」〈第8章〉: 所謂齊其家在脩其身者: 人之其所親愛而辟焉, 之其所賤惡而辟焉, 之

어떤 이가 물었다. "윗 장의 네 가지가 '있다'는 것, 이 장의 다섯 가지가 '편벽된다'는 것은 일반적인 것이 아닙니까?" 나는 답하였다. "네 가지가 '있다'는 것은 마음과 사물이 접촉하면서 편벽되어 그 바름을 얻지 못한 것이다. 다섯 가지가 '편벽되다'는 것은 마음이 사물이 접촉하면서 편벽되어 그 닦음을 얻지 못한 것이다."

또 어떤 이가 물었다. "『대학장구』에서 '다섯 가지는 사람에 있어, 본래 마땅히 그러한 법칙이 있다'라고 하였다. 그렇다면 군자도 또한 거만과 태만이 있는 것입니까?" 나는 답하였다. "거만은 예(禮)를 하는데 간략하게 하는 것이고, 태만은 예를 하는데 게으른 것이다. 거만과 태만을 이르는 것은 아니다. 예를 들어 한 종류의 사람은 정으로 친애할 수 있는 것이 아니고 예로 외경할 수 있는 것이 아닌데, 혹 운용함이 있으면 반드시 그 애경을 지극히 하는 것은 아니다. 공자가 유비(孺悲)를 만나지 않고, 맹자가 왕관(王瓘)과 말하지 않은 것은 아마도 또한 거만하고 태만함일 것이다. 운봉(雲峰) 호씨(胡氏)는 '어떤 사람이 거만과 태만은 마땅히 다름이 있지 않아야 한다고 의심하였는데, 본문의 인(人) 글자는 군자를 위해 말함이 아니고 바로 중인을 위해 말한 것임을 알지 못하였다'[135]라고 하였다. 만약 이와 같이 말한다면 거만과 태만은 바로 중인의 일이지 군자의 일이 아니다. 『대학장구』에서 이르기를, '보통 사람의 정은 반드시 한쪽으로 빠진다'[136]라고 운운하였다. 그렇다면 군자와 소인의 구분은 '편벽됨'에 있고 '거만과 태만'에 있지 않은 것이다."

어떤 이가 물었다. "팔조목 가운데 오직 집안을 가지런하게 하는 것이 가장 어렵습니다. 그러므로 요임금의 아들 단주(丹朱)는 불초하였고, 순임금의 아들 상균(商均)도 불초하였으니, 이것이 어찌 집안을 다스림이 어려운 것이 아니겠습니까?" 나는 답하였다. "아! 이것이 무슨 말인가? 이른바 집안을 가지런히 한다는 것은 그 집안의 가지런하지 않음을 가지런하게 하는 것이다. 단주가 불초하여 요임금이 왕위를 순임금에게 전하고 자식에게 관여하지 않게 하고, 상균이 불초하여 순임금이 왕위를 우임금에게 전하고 자식에게 관여하지 않게 하였으니, 이것이 이른바 그 집안을 잘 가지런하게 한 것이다. 가사 요임금과 순임금이 단주와 상균의 불초함을 알지 못하고 전하였다면 집안이 이미 난잡하였을 것이니, 어찌 다스리고 평화롭게 할 수 있었겠는가? 무릇 단주와 상균의 불초함은 요임금과 순임금이 자식을 가르치는 잘못이 있는

其所畏敬而辟焉, 之其所哀矜而辟焉, 之其所敖惰而辟焉. 故好而知其惡, 惡而知其美者, 天下鮮矣!

135) 『大學章句』 「傳7章」 〈細註〉: 雲峯胡氏曰: "或疑敖惰不當有殊, 不知本文 '人'字, 非爲君子言. 乃爲衆人言."

136) 『大學章句』 「傳7章」: 然常人之情, 惟其所向而不加審焉, 則必陷於一偏, 而身不脩矣. 참조.

것이 아니다. 단주와 상균은 공자의 이른바 '하우불이(下愚不移)'[137]이다. 비록 성인이 함께 거처하여도 교화시킬 수 없을 것이다. 자식에게 전하지 않고 순임금에게 전하고 우임금에게 전한 것은 이것이 요임금과 순임금이 요임금과 순임금이 되는 것이다. 일반 사람의 정은 자식이 불초하면 반드시 그 자리를 전하여 난망(亂亡)에 이르게 한다. 무릇 이와 같으면 몸이 이미 닦이지 않았을 것이니, 집안이 가지런하지 않고 나라가 다스려지지 않는 것도 또한 다음 차례가 될 것이다. 몸이 닦이고 집안을 가지런하게 할 수 없는 자는 있지 않다. 만약 요임금과 순임금이 집안을 가지런하게 할 수 없다면 그 다스리고 평화롭게 한 것을 어찌하겠는가? 요임금과 순임금이 왕위를 자식에게 전하지 않은 것은 오직 그 집안을 가지런하게 하였을 뿐만 아니라 다스리고 평화롭게 한 도가 또한 그 가운데 있다. 그러나 요임금과 순임금의 가지런하게 함이 다스림과 평화롭게 함에 미치는 것도 또한 몸이 이미 닦여진 것에 연유할 것이다. 그러므로 전(傳) 8장은 문장을 변화시켜 '몸이 닦이지 않으면 그 집안을 가지런하게 할 수 없다'[138]라고 하였다. 성인이 말을 세울 적에 그 간절하게 반복한 뜻을 지극히 한 것을 여기서 볼 수 있을 것이다."

내가 지금 세상의 사람을 보니, 대부분 집안을 어지럽히는 자가 있는 것은 자식이 부모의 명을 따르지 않고 손자가 조부모의 가르침을 듣지 않고 심지어 부인이 남편을 따르지 않고 동생이 형을 따르지 않는 것은 모두 몸이 닦여지지 않음에서 연유하는 것이다. 그러므로 맹자는 "자신의 몸이 도를 행하지 않으면 도가 처자에게 행해지지 못한다"[139]라고 하였으니, 몸이 이미 닦여지면, 어찌 가지런하지 않음이 있겠는가? 집안을 가지런하게 할 수 없는 것은 대개 그 몸이 닦여지지 않았음을 볼 따름이다.

問: "上章四者之'有', 此章五者之'辟', 莫是一般否?" 曰: "四者之有, 心與物接而偏, 不得其正. 五者之辟, 心與物接而偏, 不得其修也."

曰: "章句曰: '五者在人, 本有當然之則.' 然則君子亦有敖惰否?" 曰: "敖是簡於爲禮, 惰是懶於爲禮. 不是敖慢怠惰之謂. 如有一種人, 情非可親愛, 禮非可畏敬, 而或有運之則不必致其愛敬也. 孔子之不見孺悲, 孟子之不與王驩言, 蓋亦敖惰也.

---

137) 여기서 "상지(上智)"와 "하우(下愚)"는 『논어』에서 언급한 것이다.
137) 『論語』卷17 「陽貨」〈第3章〉: 子曰: "唯上知與下愚, 不移."
138) 『大學』「傳7章」: 此謂身不脩不可以齊其家
139) 『孟子』卷14 「盡心(下)」〈第9章〉: 孟子曰: "身不行道, 不行於妻子; 使人不以道, 不能行於妻子." 참조.

雲峰胡氏說: '或疑敖惰不當有殊, 不知本文人字, 非爲君子言. 乃爲衆人言.' 若如是說, 則敖惰乃衆人事, 非君子事也. 『章句』曰: '常人之情, 必陷於一偏'云云. 然則君子小人之分在'辟', 不在'敖惰'."

曰: "八條中惟齊家最難. 故堯之子丹朱不肖, 舜之子商均不肖, 是豈非齊家爲難乎?" 曰: "惡! 是何言也? 所謂齊家者, 齊其家之不齊也. 丹朱不肖, 堯傳之舜, 而不干子, 商均不肖, 舜傳之禹, 而不干子, 是所謂善齊其家者也. 使堯舜不知丹商之不肖而傳之, 則家已亂矣, 安能治平乎? 夫丹商之不肖, 堯舜非有教子之失也. 丹商孔子所謂下愚不移也. 雖聖人與居, 不能化矣. 不傳之子而傳之舜, 傳之禹者, 此堯舜之所以爲堯舜也. 恒人之情, 則子不肖, 必傳其位, 以致亂亡. 夫如是則身已不修矣. 家不齊, 國不治, 亦次第是也. 身修而不能齊家者, 未之有也, 家不齊而治國平天下者, 亦未之有也. 若曰堯舜不能齊家, 則其於治平何? 堯舜之不傳子, 不惟齊其家也, 治平之道, 亦在其中. 然堯舜之所以齊及治平, 亦由乎身旣修矣. 故傳之八章,[140] 變文而曰: '身不修, 不可以齊其家.' 聖人之立言也, 其致丁寧反復之意, 此亦可見矣.

余見今世之人, 多有亂家者, 子不順父命, 孫不聽祖訓, 以至妻不從夫, 弟不從兄, 是皆由乎身不修也. 故『孟子』曰: "身不行道, 不行於妻子." 身旣修矣, 何不齊之有? 不能齊家者, 蓋見其身不修也已.

이른바 나라를 다스림이 반드시 먼저 그 집안을 가지런히 한다는 것은.

所謂治國, 必先齊其家者.[141]

어떤 이가 물었다. "'집을 나가지 않고 나라에 가르침을 이룬다'[142]는 것은 무엇입니까?" 나는 답하였다. "자기의 덕을 밝히고 밝은 덕을 한 집안에 밝히면 나라에 가르치는 규모가 이미 확립될 것이다. 집안과 나라는 그 크고 작으며 넓고 좁음이 비록 다르나 그 도는 한 가지이다. 부모를 섬기는 효도로 임금을 섬기는 것으로 옮겨 놓

---

140) 八: 원문은 "六"으로 쓰였으나, 『대학』 내용에 의거하여 수정하였다.
141) 이는 「傳」 제9장의 첫 번째 글이나, 이하의 글이 생략되었다. 강설에서 언급되는 내용이 있기에 수록한다. 『大學』 「傳」 〈第9章〉: 所謂治國必先齊其家者: 其家不可敎而能敎人者, 無之. 故君子不出家而成敎於國: 孝者, 所以事君也; 弟者, 所以事長也; 慈者, 所以使衆也.
142) 이에 대한 글은 앞의 각주 참조.

으면 충성이 되고, 형을 섬기는 우애로 어른을 섬기는 것으로 옮겨 놓으면 공경이 되며, 어린이를 불쌍하게 여기는 자애로 대중을 부리는 것으로 옮겨 놓으면 사랑이 된다. 가사 충성·공경·자애로움 세 가지에는 별도로 그 도가 있을 따름이다. 그렇지 않으면, 효도·우애·자애는 족히 나라에 가르침을 이루니, 이것 또한 집에서 가르친 뒤에 나라에 미룰 수 있는 것은 아니다. 그 '소이(所以)'[143] 두 글자를 완미하면 그 뜻 알 수 있을 것이다."

問: "不出家, 而成教於國, 何也?" 曰: "明己之德, 而明明德於一家, 則教國之規模己立. 家與國, 其大小廣狹雖殊, 而其道一也. 以事親之孝移之事君則爲忠, 以事兄之悌移之事長則爲敬, 以恤幼之慈移之使衆則爲愛. 使忠·敬·愛三者, 別有其道則己, 否則孝·悌·慈, 足以成教於國. 此亦非教家, 而后可以推之國也. 玩其'所以'二字, 則其義可見矣."

「강고」에 이르기를, "간난 아이를 보호하듯 한다"라고 하였다.

「康誥」曰: "如保赤子."[144]

어떤 이가 물었다. "'자식 기르는 것을 배운 뒤에 시집가는 자는 있지 않다'[145] 는 것은 무엇입니까?" 나는 답하였다. "이것은 윗글의 '집을 나가지 않고 나라에 가르침을 이룬다'는 것을 이어 말한 것이다. 임금을 섬기고 어른을 섬기며 대중을 부리는 도는 효도·우애·자애 세 가지에서 벗어나지 않는 것이다. 별도로 임금을 섬기는 도를 배웠어도 효도가 임금을 섬기는 것이 아니고, 별도로 어른을 섬기는 도를 배웠어도 우애가 어른을 섬기는 것이 아니며, 별도로 대중을 부리는 도를 배웠어도 자애가 대중을 부리는 것이 아니다. 이것은 마치 여자가 비록 자식 기르는 방법을 배우지 않았어도 다만 성실한 마음으로 구하면 그 어린이를 보호할 수 있을 것이다."

問: "未有學養子而後嫁者, 何也?" 曰: "此似是承上文'不出家而成教於國'而言也.

---

143) '소이(所以)'는 「전9장」에서 언급한 "所以事君也", "所以事長也", "所以使衆也"의 "소이(所以)"를 가리킨다.
144) 이는 「傳」제9장의 첫 번째 글이나, 이하의 글이 생략되었다. 강설에서 언급되는 내용이 있기에 수록한다. 『大學』「傳」〈第9章〉: 康誥曰: "如保赤子", 心誠求之, 雖不中不遠矣. 未有學養子而后嫁者也!
145) 『大學』「傳9章」: 康誥曰: "如保赤子", 心誠求之, 雖不中, 不遠矣. 未有學養子而后嫁者也! 참조.

事君·事長·使衆之道, 不外於孝弟慈三者也. 非別學事君之道, 而孝者所以事君也; 非別學事長之道, 而弟者所以事長也; 非別學使衆之道, 而慈者所以使衆也. 此如女子雖不學養子法, 而但誠心求之, 則能保其幼矣."

이른바 천하를 평화롭게 함이 그 나라를 다스림에 있다는 것은.

所謂平天下在治其國者.[146]

어떤 이가 물었다. "'곱자로 헤아린다'는 것은 무엇입니까?" 나는 답하였다. "자기가 하고자 하지 않는 바는 사람도 하고자 하지 않는 바이니, 자기의 마음으로써 타인의 마음을 헤아리는 것이다. 목수가 집을 지을 적에 긴 서까래와 작은 서까래는 도끼질하기도 하고 톱질하기도 하여 각각 그 마땅함을 얻게 하는 것은 곱자이다. 군자가 천하국가를 다스리고 평화롭게 할 적에 상하와 사방, 깊과 짧음, 넓음과 좁음이 방정하지 않음이 없게 하는 것은 마음이다. 윗사람이 효도·우애·자애를 행하면 아랫사람은 그것과 함께하는 것이 마치 그림자가 형체를 따라가는 듯하니, 이것은 사람 마음이 똑같이 그러한 것임을 볼 수 있다. 그렇다면 천만 명 사람의 마음이 곧 한 사람의 마음이다. 한 사람의 마음으로써 천만 명 사람의 마음을 다하는 것은 곱자로 헤아리는 것이 그것이다."

問: "絜矩者, 何也?" 曰: "己之所不欲, 人亦所不欲也. 以己之心, 度他人之心也. 匠人之營築室也, 長榱·短桷, 斧彼鉅彼, 而各得其宜者, 矩也. 君子之治平天下國家, 使上下·四方, 長短·廣狹, 無不方正者, 心也. 上行孝·弟·慈而下與之, 如影之隨形, 此可見人心之所同然也. 然則千萬人之心, 卽一人之心也. 以一人之心, 盡千萬人之心者, 絜矩是也."

윗사람에게 싫었던 바로써 아랫사람을 부리지 말아야 한다.

所惡於上, 毋以使下.[147]

---

146) 이는 「傳」 제10장의 첫 번째 글이나, 이하의 글이 생략되었다. 강설에서 언급되는 내용이 있기에 수록한다. 『大學』 「傳」〈第10章〉: 所謂平天下在治其國者: 上老老而民興孝, 上長長而民興弟, 上恤孤而民不倍, 是以君子有絜矩之道也.

147) 이는 「傳」 제10장의 두 번째 글이나, 이하의 글이 생략되었다. 강설에서 언급되는 내용이 있기에 수록한다. 『大學』 「傳」〈第10章〉: 所惡於上, 毋以使下; 所惡於下, 毋以事上; 所惡於前, 毋以先後;

어떤 이가 물었다. "상하·전후·좌우를 모두 '싫었던 바'로써 말한 것은 무엇입니까?" 나는 답하였다. "'싫었던 바'를 말하면 좋아하는 바가 그 속에 있을 것이다. 윗사람이 나에게 무례하고자 하지 않았다면 또한 감히 이것으로써 아랫사람을 부리지 말고, 또 윗사람이 나에게 예의 있게 하고자 하였다면 또한 이것으로 아랫사람을 부리니, 모두 곱자로 헤아리는 도이지만 여기서 오로지 '싫었던 바'를 말한 것은 사람의 감정이 그 좋아하는 바에서는 잊기 쉽고 그 싫어하는 바에서는 깨닫기 쉽다. 그러므로 그 깨닫기 쉬운 것에 나아가 말함일 것이다! 대저 보통 사람의 감정은, 남이 나에게 좋아하는 바가 9푼이었는데 혹 싫어하는 바가 1푼이 있다면 이 1푼이 9푼을 가릴 수 있는 것이 많다."

이 장은 군자가 곱자로 헤아리는 도를 말하였는데, 처음에는 호오(好惡)를 말하고,[148] 중간에는 재용(財用)을 말하였으며,[149] 끝에서는 이끗[利]을 주장하는 폐단을 말하였다.[150] 대개 호오는 사람의 감정이 느끼기 쉬워 천하가 함께하는 바이다. 재용은 사람의 생명을 기르는 데 가장 중요하여 없어서는 안되는 것이다. 좋아하고 미워하는데 곱자로 헤아릴 수 있다면 그 감정을 얻고, 재물을 사용하는데 곱자로 헤아릴 수 있으면 그 도를 얻고, 이끗과 의리의 분별에 이르러서 곱자로 헤아리는 것이 더욱 정밀하면 천하국가의 치란과 득실이 이로 말미암아 판별된다. 대개 의리는 천하에 그 이익을 공유하는 것이니 천리(天理)의 공정함이다. 이끗은 그 이익을 자기 한 몸에만 오로지하는 것이니 인욕(人欲)의 사사로움이다. 이끗으로써 이익을 여기는 자는 눈앞의 욕심만 기뻐하여 해로움이 이미 깊은 것이고, 의리를 이익으로 여기는 자는 한 몸이 쓰는 용품을 검소하게 하여 복이 저절로 연장되는 것이다. 그렇다면 이익은 의리보다 더 큰 것이 없고, 해로움은 이끗보다 더 심한 것이 없다. 소인은 한 몸의 사사로움을 따라가 천리의 공정함을 없애니, 눈앞의 이익만 보아 자기를 해롭게 하는 것이 그 뒤를 따르고 있는 줄도 알지 못한다. 책 끝에서 특별히 소인을 거론하여 맺은 것은 책머리에서 언급한 대인의 학문[151]과 바로 표리가 되는 것이다."

問:"上下·前後·左右, 皆以所惡言, 何也?" 曰:"言所惡則所好在其中矣. 不欲上

所惡於後, 毋以從前; 所惡於右, 毋以交於左; 所惡於左, 毋以交於右: 此之謂絜矩之道.

148) 이는「傳」제10장의 두 번째, 세 번째 글이 이에 해당한다.
149) 이는「傳」제10장의 여섯 번째, 일곱 번째, 여덟 번째, 아홉 번째, 열 번째 글이 이에 해당한다.
150) 이는「傳」제10장의 열네 번째 이하가 이에 해당한다.
151) "대인의 학문"이란 곧「경」〈제1장〉에서 언급한 "대학지도(大學之道)"의 "대학(大學)"을 의미한다.

之無禮於我, 則亦不敢以此使下; 且欲上之禮於我, 則亦以此使下. 均是絜矩之道. 而此專言所惡者, 人情於其所好則易忘, 於其所惡則易覺. 故就其易覺者而言歟! 大抵常人之情, 人於我九分所好, 而或有一分所惡, 則此一分足以掩九分者多矣." 此章言君子絜矩之道, 而始言好惡, 中言財用, 末復言主利之害. 蓋好惡者, 人情之易感, 而天下之所同也. 財用者, 養人命之最重, 而不可闕也. 好惡而能絜矩, 則得其情; 財用而能絜矩, 則得其道. 至於利義之辨, 絜矩之尤精密, 而天下國家之治亂得失, 由是而判焉. 蓋義者, 共其利於天下, 是天理之公也; 利者, 專其利於一己, 是人欲之私也. 以利爲利者, 快目前之欲, 而害已深; 以義爲利者, 儉一身之用, 而福自長. 然則利莫大於義, 害莫甚於利矣. 小人徇一己之私, 而滅天理之公, 見目前之利, 而不知害已隨於其後. 篇末特擧小人而結之者, 與篇首大人之學, 正相表裏也.

사자언지설(四子言志說)

공자의 네 제자가 뜻을 말하는 석상에서, 부자는 자로(子路)의 대답에 쓴 웃음을 지었고 염유(冉有)와 공서화(公西華)의 뜻에는 약간 허락하였으나, 유독 증점(曾點)이 거문고 연주를 멈추고 대답한 것에는 위연히 한 숨을 쉬며 "오여점야(吾與點也: 나는 점의 뜻에 동감이다)"라고 말하였다.[152] 그러므로 후학들은 모두 증점의 즐기는 방법을 흠모하면서 기타 세 사람의 뜻을 비루하다고 여기였다. 나는 그렇지 않다고 생각한다. 부자의 뜻은 대개 도(道)는 끝내 행하지 못한다고 한 것이다. 세상의 말세에는 봉황새가 날아오지 않고 하도(河圖)가 출현하지 않음을 탄식하였기 때문이고,[153]

---

152) 『論語』 卷11 「先進」 〈第25章〉: 子路曾晳冉有公西華侍坐. 子曰: "以吾一日長乎爾, 毋吾以也. 居則曰: '不吾知也!' 如或知爾, 則何以哉?" 子路率爾而對曰: "千乘之國, 攝乎大國之間, 加之以師旅, 因之以饑饉; 由也爲之, 比及三年, 可使有勇, 且知方也." 夫子哂之 "求! 爾何如?" 對曰: "方六七十, 如五六十, 求也爲之, 比及三年, 可使足民. 如其禮樂, 以俟君子." "赤! 爾何如?" 對曰: "非曰能之, 願學焉. 宗廟之事, 如會同, 端章甫, 願爲小相焉." "點! 爾何如?" 鼓瑟希, 鏗爾, 舍瑟而作. 對曰: "異乎三子者之撰." 子曰: "何傷乎? 亦各言其志也." 曰: "莫春者, 春服旣成. 冠者五六人, 童子六七人, 浴乎沂, 風乎舞雩, 詠而歸." 夫子喟然歎曰: "吾與點也!" 三子者出, 曾晳後. 曾晳曰: "夫三子者之言何如?" 子曰: "亦各言其志也已矣." 曰: "夫子何哂由也?" 曰: "爲國以禮, 其言不讓, 是故哂之." "唯求則非邦也與?" "安見方六七十如五六十而非邦也者?" "唯赤則非邦也與?" "宗廟會同, 非諸侯而何? 赤也爲之小, 孰能爲之大?" 참조.

153) 앞의 책, 卷9 「子罕」 〈第8章〉: 子曰: "鳳鳥不至, 河不出圖, 吾已矣夫!" 참조.

몸의 노쇠는 다시 꿈에 주공을 보지 못함을 탄식하였기 때문이고,[154] 끝내는 "돌아가자!"[155]라는 탄식을 드러내 후학을 양성하여 미래에 도를 전하자고 생각하였기 때문이다. 저 세 제자들의 한 말이 불가한 것은 아니지만 그것에는 명(命)이 있으니, 구차스럽지 않게 하고도 얻을 것이다. 오직 증점만 사물의 구애를 초월하여 자기가 품은 뜻에 즐기고 있다. 이것이 바로 부자가 증점이 품은 뜻이 자기와 같다고 탄식을 한 것이지, 그가 한 말을 흠모하여 찬양한 것은 아닌 듯하다. '위연(喟然)' 두 글자를 보면 부자의 뜻을 가히 대체적으로 알아 볼 수 있다. 만약 늦은 봄날 바람 쐬며 목욕하고 읊고 돌아오는 것을 제일로 가는 행사로 치부하였다고 한다면 공부자가 사방을 주류한 것은 앉은 자리가 따뜻할 겨를조차 없었다. 공산(公山)에 이르렀을 때, 반란을 일으킨 필힐(佛肸)이 사람을 보내 초청하니[156] 가려고 생각했던 일은 과연 의로운 일이었는가? 나는 이 때문에 "'오여점(吾與點)'이란 것은 스스로 도가 끝내 행하지 못할 것이라고 탄식하고 그 나와 더불어 즐거움을 함께한다는 것을 허락한 것이다"라고 말하니, 아마도 쇠약한 세상의 생각일 것이다. 주희가 주해에서 "그의 흉금이 한가롭고 자연스러워 곧바로 천지만물과 상하가 함께 흘러 제각기 자신의 미묘함을 이룬 것이 은연히 말 밖으로 나타났다"[157]라고 하였다. 이는 대개 그의 뜻과 기상을 미루어 말한 것이지 공부자가 그것을 각별히 찬탄했다고 한 것은 아니다. 주희가 또 말하지 않았던가? 한갓 증점의 즐거움을 사모한 것은 하학의 사람과 같지 않은 것이니,[158] 일은 실사가 되어 얻음이 있는 것이다. 여기에서 또한 그 적은 뜻을 볼 수 있는 것이다. 그렇지만 우견(愚見)이 이러하다는 것이지, 감히 그의 뜻을 얻었다고 말하는 것은 아니다. 죽은 이를 살려낸다면 질정해 보기를 바랄 뿐이다.

---

154) 위의 책, 卷7「述而」〈第5章〉: 子曰: "甚矣, 吾衰也! 久矣! 吾不復夢見周公." 참조.

155) 위의 책, 卷5「公冶長」〈第21章〉: 子在陳曰: "歸與! 歸與! 吾黨之小子狂簡, 斐然成章, 不知所以裁之."

156) 위의 책, 卷17「陽貨」〈第7章〉: 子路曰: "昔者由也聞諸夫子曰: '親於其身爲不善者, 君子不入也.' 佛肸以中牟畔, 子之往也, 如之何!" 子曰: "然. 有是言也. 不曰堅乎, 磨而不磷; 不曰白乎, 涅而不緇. 吾豈匏瓜也哉? 焉能繫而不食?" 참조.

157) 『論語集註』卷11「先進」〈第25章〉: 而其胸次悠然, 直與天地萬物, 上下同流, 各得其所之妙, 隱然自見於言外, 視三子規規於事爲之末者, 其氣象不侔矣. 참조.

158) 『論語集註』卷9「子罕」〈第10章〉: 曾點之學, 蓋有以見夫人欲盡處, 天理流行, 隨處充滿, 無少欠闕. 참조.

四子言志說

四子言志之席, 夫子哂子路之對, 微許冉有公西華之志, 獨於點也舍瑟之對, 喟然發吾與之嘆. 故後之學者, 皆慕曾點之樂, 而陋三子者之志. 愚竊以謂不然也. 夫子之意, 盖曰道終不行矣. 以世之衰則歎鳳不至而圖不出, 以身之老則嘆不復夢見周公, 終以發歸與之嘆. 思欲成就後學, 以傳道於來世. 彼三子者之撰, 非曰不可, 而此有命焉, 不可苟而得也. 惟點也, 則超乎物累, 以樂其志. 此夫子所以嘆其與我同志也, 似非贊羨之辭也. 看其喟然二字, 則夫子之意, 槩可知矣. 若以暮春之風, 浴咏歸爲第一等事, 則夫子之周流四方, 席不暇煖, 至於公山, 佛肸之召, 亦欲往者, 果義耶? 愚故曰: 吾與點者, 自嘆道終不行, 許其與我同樂也, 盖亦衰世之意也. 朱子之註解曰 "其胸次悠然直, 與天地萬物上下同流, 各得其所之妙, 隱然自見於言外" 者, 盖推其志與氣象而言也, 非謂夫子特贊嘆之也. 朱子又不云乎? 徒慕曾點之樂, 不若下學之人, 事爲實事而有得也. 於此亦可見其微意也. 然愚見如此, 非敢曰得其義也. 九原可作, 願奉質焉.

이제설(夷齊說)

어떤 사람은 말한다. "공자는 '백이와 숙제는 인(仁)을 구하여 인을 얻었으니 또 어찌 원망하였겠는가?'라고 하고, '지난날에 원망을 생각하지 않았다. 이 때문에 원망하는 사람이 드물었다'라고 하였다.[159] 맹자가 '백이는 눈으로는 나쁜 빛을 보지 아니하며, 귀로는 나쁜 소리를 듣지 아니하고, 그 군주가 아니면 섬기지 아니하며 그 백성이 아니면 부리지 아니한다'고 논하였다.[160] 아래 몇 단락으로써 '성인의 맑은 자'라고 지극히 칭찬하였다. 공자와 맹자는 모두 수양산에서 아사한 절개를 말하지 않았고, 오직 사마천(司馬遷)은 그들의 열전(列傳)을 지어 백이와 숙제의 일생을 늘어놓아 서술하였는데, 첫머리에서는 '인을 구하여 인을 얻었다'고 하고 끝에서는 '수

---

159) 『論語』卷7「述而」〈第14章〉: 冉有曰: "夫子爲衛君乎?" 子貢曰: "諾. 吾將問之." 入, 曰: "伯夷叔齊何人也?" 曰: "古之賢人也." 曰: "怨乎?" 曰: "求仁而得仁, 又何怨." 出, 曰: "夫子不爲也." 참조.

160) 『孟子』卷10「萬章(下)」〈第1章〉: 孟子曰: "伯夷, 目不視惡色, 耳不聽惡聲. 非其君不事, 非其民不使."

양산에서 아사하였다'라고 하여 백이와 숙제의 온전한 덕을 서술하였으니, 그 입언(立言)의 실체가 부득불 이와 같다. 대저 하나의 절개로 명성을 이룬 사람은 그 나머지는 보충할 필요가 없다. 만약 대현(大賢) 이상의 자품을 지닌 사람이라고 한다면 절대로 한 가지 절개로 논할 수 없을 것이다. 우리 동방의 제현 가운데 포은(圃隱) 정몽주(鄭夢周)[161]이 선죽교에서 죽고 중봉(重峯) 조헌(趙憲)[162]이 금산에서의 전사한 것과 같은 것은 진실로 중대한 절개가 되지만, 이보다 이전에 이보다 중대한 것이 있으니 그저 선죽교와 금산의 뜻으로 두 선생을 논한다면 천박한 지혜로 선생을 삼는다고 할 수 있다."

夷齊說

或曰: "孔子曰: '伯夷叔齊, 求仁而得仁, 又何怨?' 曰: '不念舊惡, 怨是用希.' 孟子論: '伯夷, 目不視惡色, 耳不聽惡聲, 非其君不事, 非其民不使.' 以下數段, 至稱以'聖之淸'者. 孔孟皆不言餓死首陽之節, 而惟史遷則立列傳. 故鋪叙夷齊之一生, 首言求仁得仁, 終言餓死首陽, 以述伯夷之全德. 其立言之體, 不得不如是也. 大抵以一節成名者, 其餘不足補. 如大賢以上之資, 則固不可以一節論也. 我東諸賢, 如圃隱之於善竹橋, 重峯之於錦山, 固爲大節, 而前乎此有大於此者, 只以善竹橋與錦山之義二先生, 則可謂淺知爲先生也."

수왈미학설(雖曰未學說)

자하(子夏)가 말하기를 "어진이를 어질게 여기되 얼굴빛을 바꾸며, 부모를 섬기되 그 힘을 다하며, 임금을 섬기되 그 몸을 바치며, 붕우와 더불어 사귀되 말에 믿음이 있으면 비록 아직 배우지 않았다고 하더라도 나는 반드시 그를 배웠다고 말하겠

---

161) 鄭夢周: 서기1337~1392(충숙왕 6~공양왕 4), 고려 말기의 유학자·문신, 자는 달가(達可), 호는 포은(圃隱), 본관은 연일(延日). 경북 영천(永川) 출신. 문묘에 종사됨. 저서로는 『포은집(圃隱集)』이 있다.
162) 趙憲: 서기1544~1592(중종 39~선조 25), 조선 중기의 학자·문신·의병장, 자는 여식(汝式), 호는 중봉(重峯)·도원(陶原)·후율(後栗), 본관은 배천(白川). 경기도 포천출신. 성혼과 이이에게 배우고 뒤에 이지함의 문하에서도 수학. 문묘에 종사됨. 저서로는 『중봉집(重峯集)』, 『조천일기(朝天日記)』, 『북적일기(北謫日記)』 등이 있다.

다"[163]라고 하였다. 또 자하는 말하기를 "큰 덕이 한계를 넘지 않으면 작은 덕은 드나듦이 있더라도 괜찮다"[164]라고 하였다. 오씨(吳氏)는 자하의 두 설은 모두 폐단이 있다고 말하고 있다.[165] 나는 오씨의 설이 너무 지나치다고 생각한다. 자하는 성인 문하의 뛰어난 제자로 문학과에 배열되었는데, 어찌 그것으로써 배울 줄 알지 몰랐으며 또 자세한 행동에 힘쓸 줄을 알지 몰랐겠는가? 자하의 뜻은 대개 배워서 구함이 이와 같음을 말할 따름이다. 사람은 본래 자품이 각자 좋음이 있어 배우지 않아도 이 네 가지 일을 할 수 있는 것이라면 사람은 비록 '아직 배우지 않았다'고 하여도 나는 반드시 이미 배웠다고 인정할 것이다. 세상에서는 혹 글을 배워 스스로 이름이 있지만, 행동은 족히 볼 만한 것이 없으니, 이는 앵무새가 말을 잘할 따름이다. 대저 자하는 그 행동을 귀하게 여겨 말한 것이지 배움을 치우쳐 폐지할 수 있다는 것이 아니다. "작은 덕"이라고 이르러서도 또한 자하가 "큰 덕이 한계를 넘지 않는다"는 것을 주장하여 말한 것이지, "작은 덕"을 출입할 수 있다는 것이 아니다. 대개 자하는 세도가 날마다 쇠약해져, 자식이 그 아버지를 아버지로 여기지 않는 자가 있고, 신하가 그 임금을 임금으로 여기지 않는 자가 있고, 아내가 그 지아비를 지아비로 여기지 않는 자가 있음을 탄식하였다. 부자간이나 군신간이나 부부간이나 모두 인간에 있어서의 큰 윤리이다. 사람은 임금과 어버이를 위하여 충성하고 효도할 수 있어야 강할 것이다! 그 무릇 큰 것이 이미 확립되면 움직임과 고요함을 동일하게 하고 말함과 묵묵함을 동일하게 하여 응대하고 진퇴하는 소소한 절목이 비록 모두 이치에 합하지 못할지라도 또한 "큰 덕"이 되는 데 해로움이 되지 않는다. 그렇지만 자하의 이 말은 "큰 덕"을 주로 하여 말한 것이지 "작은 덕"을 놓고 지나치라는 것이 아니다. 두 장의 말뜻을 자세하게 음미하면, 하나는 그 행동을 귀하게 여겨 말한 것이고, 다른 하나는 그 큰 것을 중시하여 말한 것이다. 행동은 큰 근본에 관여하는 것이고, 문학은 작은 말단에 속한다. 자하는 근본과 말단이 모두 거론되고 큰 것과 작은 것이 아울러 나아감을 알지 못함이 아니다. 지금 그 말단을 남겨두고 작은 것을 생략하는 것은 대개 근본과 큰 것을 시급하게 힘써 그 말단인 것과 작은 것은 논의할 겨를이 없었을 뿐이다. 부자는 "예는 사치하기보다는 차라리 검소함이 낫고, 상喪은 다스리기보다는 차라리 슬퍼

---

163) 『論語』卷1「學而」〈第7章〉: 子夏曰: "賢賢易色, 事父母能竭其力, 事君能致其身, 與朋友交言而有信. 雖曰未學, 吾必謂之學矣."
164) 『論語』卷11「先進」〈第11章〉: 子夏曰: "大德不踰閑, 小德出入可也."
165) 『論語集註』卷11「先進」〈第11章〉: 吳氏曰: "此章之言, 不能無弊. 學者詳之." 참조.

함이 낫다"¹⁶⁶⁾라고 하였다. 무릇 사치와 다스림은 문(文: 문채)에 지나치지만 검소함 와 슬퍼함은 질(質: 바탕)에 미치지 못하니, 이 두 가지는 중도가 아니다. 문채와 바탕이 모두 성대하고 빛난 연후에 중도의 군자라고 말할 수 있는데, 부자는 어찌 그 문채를 버리고 그 바탕을 취하였을까? 만약 오씨의 말대로 하면 부자의 이 말에도 폐단이 없을 수 없는 것이다. 부자는 당시 말단만 쫓고 근본을 알지 못하기 때문에 시대의 폐단을 구하여 배우는 자들로 하여금 힘써 근본에 나아가게 한 것이지 문채를 폐지할 수 있는 것을 말함이 아니었다. 두 가지를 겸비할 수 없다면, 차라리 말단을 버리고 근본을 취해야 한다. 자하의 두 마디 말은 바로 부자의 '여…영(與…寧: 하기보다는…차라리)'이라는 뜻일 것이다! 사물의 굽을 것을 바로잡는 자는 반드시 억눌러 중도에 지나칠 것이니, 그 중도에 지나친 자는 바로 중도를 구하는 것이다.

雖曰未學說

子夏曰: "賢賢易色, 事父母能竭其力, 事君能致其身, 與朋友交言而有信. 雖曰未學, 吾必謂之學矣." 又曰: "大德不踰閑, 小德出入可也." 吳氏以謂子夏兩說皆有弊. 愚謂吳氏之說太過矣. 子夏以聖門高弟, 列於文學之科, 豈不知則以之學, 又不知細行之不務乎? 子夏之意, 蓋曰學求如是而已. 人固有姿稟自好, 不待學而苟能此四者, 則人雖以爲未學, 而吾必以爲已學矣. 世或有學文自名, 而行不足觀. 是鸚鵡之能言而已. 蓋子夏貴其行而言, 非學可偏廢也. 至於小德云云, 亦子夏主其大德不踰閑而言也, 非謂小德之可出入也. 蓋子夏嘆世道日下, 子而不父其父者, 有矣; 臣而不君其君者, 有矣; 婦而不夫其夫者, 亦有矣. 父子也·君臣也·夫婦也, 人之大節也. 人能忠孝君親而烈乎? 其夫大者旣立, 則一動靜·一語默, 與凡應對進退, 小小節目, 雖或未盡合理, 亦不害其爲大德也. 然而子夏此言主其大德而言, 非小德之可放過也. 審矣, 詳味兩章之語義, 則一則貴其行而言也, 一則重其大而言也. 行, 與大本也; 文學, 小末也. 子夏非不知本末具擧大小幷進. 今遺其末, 而略其小者, 蓋急務乎其本與大, 而其末也小也, 有不暇論也爾. 夫子曰: "禮, 與其奢也寧儉; 喪, 與其易也寧戚." 夫奢與易過於文, 而儉與戚不及, 而質二者皆非中也. 文質彬彬, 然後可謂得中之君子. 而夫子奚遺其文, 而取其質? 若如吳氏說則夫子此言亦不能無弊矣. 夫子傷時之逐末而不知有本, 故救時之弊, 使學者務

---

166) 『論語』 卷3 「八佾」 〈第4章〉: 禮, 與其奢也, 寧儉; 喪, 與其易也, 寧戚.

進乎本也, 非謂文之可廢也. 二者不可兼, 寧捨末而取本. 子夏兩言, 亦夫子'與寧'之意也歟! 矯物之枉者, 必使抑而過中. 過其中者, 乃所以求乎中也.

입지설(立志說)

　집을 짓는 사람은 반드시 먼저 토대를 견고하게 하고, 나무를 심는 사람은 반드시 먼저 뿌리를 북돋는다. 마음이 향하는 것을 뜻[志]이라고 부른다. 뜻이란 학문을 하는 근본이고 덕에 나아가는 토대이다. 뜻이 세워지지 않으면 천하에서 이룰 수 있는 일이 없다. 그러므로 주부자는 말하기를, "글이 잘 기억되지 않으면 익숙하게 읽으면 기억할 수 있고 뜻이 정밀하지 못하면 자세하게 생각하면 정밀해질 수 있다. 오직 뜻이 서있지 않으면 곧바로 힘을 쓸 곳이 없는 것이다"[167]라고 하였다. 선비가 성인을 희망하고 현인을 희망하는데 여기에 시작하지 않는 것이 없다. 공부자는 비록 하늘이 주신 성인으로 "세운다"·"의혹하지 않는다"·"천명을 안다"·"귀에 순하다"·"마음이 하고자 바를 따라도 법도에서 벗어나지 않는다"는 것은 모두 "배움에 뜻을 두었다"는 것에 근본하는 것이다.[168] 비유하면, 천 균 무게의 궁노를 발사할 적에는 하나의 기관에 연유하고, 만 석을 싣는 배를 행할 적에는 하나의 키에 달려 있다. 학문을 하는데 뜻이 세워지지 않는 것은 마치 배에 키가 없는 것과 같으니, 어찌 저 언덕(진리)에 이를 수가 있겠는가?

　뜻은 분변하지 않을 수 없다. 농부가 농사를 짓거나 장인이 공예품을 만들 때나거나 상인이 무역을 하는 것이 뜻에 근본하지 않음이 없다. 도는 두 가지이니, 의로움[義]과 이로움[利]일 따름이다. 군자가 의로움을 깨우치는 것도 뜻이고, 소인들이 이로움을 깨우치는 것도 뜻이다. 의로움에 뜻을 두면 익히는 것마다 의롭게 되어 의로움을 깨우치고, 이로움에 뜻을 두면 익히는 일마다 모두 이롭게 여겨 이로움을 깨우친다. 뜻을 둔 바의 차이가 그 사이에 머리카락만한 틈새도 용납하지 못하지만, 그 어긋나는 것은 천리일 뿐만 아니라, 이는 요임금과 걸임금, 순임금과 도척으로 나누어지는 원인이다. 부귀에 뜻을 두면 공명은 말할 것이 못되고, 공명에 뜻을 두면 도덕을 말할 바가 못된다. 도덕에 뜻을 두면 부귀도 그 지키는 바를 바꾸지 못하고 공명도 그 잡은

---

167) 『晦庵集』卷74「又諭學者」: 書不記, 熟讀可記; 義不精, 細思可精. 唯有志不立, 直是無著力處.
168) 『論語』卷2「爲政」〈第4章〉: 子曰: "吾十有五而志于學, 三十而立, 四十而不惑, 五十而知天命, 六十而耳順, 七十而從心所欲, 不踰矩." 참조.

바를 빼앗을 수 없으니, 이것은 군자가 그 뜻을 분변하기를 귀하게 여기는 것이다.

뜻은 원대하지 않을 수 없다. 정자 문하의 가르침은 학문을 말할 적에 도를 뜻으로 삼고 사람을 말할 적에 성인을 뜻으로 삼는데, 겨우 제이등을 말하면 스스로 포기하게 된다. 그러므로 성인이 되려고 기약하면 비록 거기에 이르지 못하여도 대현이 되는 것을 잃지 않고 대현이 되려고 기약하면 비록 거기에 이르지 못하여도 현인이 되는 것을 잃지 않으니, 어찌 작은 성과에 편안하게 여겨 스스로 한계를 그을 수가 있겠는가? 문장(文章)·공업(功業)·기절(氣節) 이 세 가지는 모두 실학(實學)이다. 그렇지만 큰 근본이 확립되지 않고 그저 세 가지로 스스로 이름나면 그 재능은 남보다 지나침이 있어도 그 뜻은 족히 칭송받을 수 없을 것이다. 제후를 아홉 번 모아 천하를 하나로 묶은 공로는 어린 아이도 칭송하는 것을 부끄럽게 여기는 것은 무엇일까? 옛날 왕양명(王陽明)이 열한 살에 숙사(塾師)에게 물어 말하기를, "무엇이 제일등의 일이 됩니까?"라고 하였다. 숙사는 "독서하여 과거시험에 오를 뿐이다"라고 하였다. 양명은 속으로 그렇게 여기지 않고 "이것은 제일등의 일이 되지 못한다. 제일등의 일은 그 성현이 되는 것이다!"라고 하였다. 옛사람이 뜻을 세운 원대함이 이와 같다. 천리마를 희망하는 말은 천리마의 무리이고, 안회(顔回)를 희망하는 무리는 안회의 짝이다. 이것은 군자가 그 뜻을 원대하기를 귀하게 여기는 것이다.

뜻은 전일하지 않을 수 없다. 옛 사람은 뜻에 있어서 하루아침에 세우고 종신토록 지킨다. 그러므로 그 뜻을 세우고 이루지 못한 사람이 없다. 만약 들어오기도 하고 나가기도 하며 갑자기 하고 갑자기 그만두어, 홀연히 연못에서 노닐고 홀연히 하늘로 날아가니, 이는 뜻이라고 할 수 없다. 뜻이 한결 같으면 기운을 움직이게 하고, 구름이 용을 따르면 바람도 호랑이를 따른다.[169] 기운이 뜻을 따르니, 용과 호랑이가 있는 바라면 바람과 구름이 따른다. 뜻이 있는 바라면 기운이 따른다. 이 기운은 먼 곳이라도 이르지 않음이 없어서 궁벽한 산과 큰 바다도 한계를 삼을 수 없고, 이 기운은 견고한 것이라도 들어가지 못함이 없어서 정밀한 갑옷과 예리한 무기도 방어할 없다. 이것은 군자가 그 뜻을 전일하게 하기를 귀하게 여기는 것이다.

뜻이 이미 분별되었어도 원대함으로써 기약하고 또 전일하게 하여 지킬 수 있어야 이것을 뜻을 세웠다고 한다. 맹자는 "선비는 뜻을 숭상한다"[170]라고 하였다. 뜻을 세워 성인이 되려 하면 성인이고, 뜻을 세워 현인이 되려 하면 현인이니, 뜻을 세우면

---

169) 『周易』「乾卦」:「文言」曰: "…九五曰 '飛龍在天, 利見大人', 何謂也? 子曰: '…雲從龍, 風從虎, …'"

170) 『孟子』卷13「盡心(上)」〈第33章〉: 王子墊問曰: "士, 何事?" 孟子曰: "尙志." 참조.

생각이 전반절은 지나갈 것이다.[171]

내가 옛사람의 책을 읽음이 오래되지 않은 것이 아니었건만, 세월만 보내어 어느 하나도 성취한 바가 없으니, 이것은 뜻이 세워지지 않았기 때문이다. 현인을 보면 일찍이 마음이 감동하여 같아지기를 생각하지 않은 적이 없으며, 불선을 보면 일찍이 분노하고 격분하여 스스로 반성하지 않은 적이 없다. 그렇지만 그 마음이 감동한 것과 스스로 반성한 것은 한 때에 그치는 것이다. 하루라도 힘을 쓸 수 없다면, 의로운 것을 취하고 이로운 것을 버릴 줄 알지 못함이 아니라 이로움을 보면 다투고 해로움을 보면 배반하여 한 일도 옳음을 구할 수 없었다. 뜻을 단단히 세움이 견고하지 못하면 바람만 따라가고, 예전대로 본성을 이루어 버려지는 데 이른다. 늘 한 밤중에 후회를 드러내고 궁한 처지에서 탄식을 일으킨다. 그래서 해와 달은 함께하지 않고 소년과 장년 시기는 다시 돌아올 수 없으니, 어떻게 되겠는가?

立志說

築室者必先固其基, 種樹者必先培其本. 心之所向謂之志. 志者, 爲學之本也, 進德之基也. 志不立則天下無可成之事. 故朱夫子曰: "書不記, 熟讀可記; 義不精, 細思可精. 惟有志不立, 直是無着力處." 士之希聖希賢, 莫不權輿於此矣. 夫子雖以天縱之聖, 其立·不惑·知天命·耳順·從心所欲不踰矩者, 皆本乎志于學也. 比如發千鈞之弩, 由於一機; 行萬石之舟, 操於一舵. 爲學而志不立, 如舟之無舵, 安能到彼岸哉! 志, 不可以不辨. 農之於耕, 工之於藝, 商之於貨, 未有不本於志也. 夫道二, 義與利而已. 君子之喩於義, 志也; 小人之喩於利, 亦志也. 志於義, 則所習皆義, 而喩於義; 志於利, 所習皆利, 而喩於利. 所志之差, 間不容髮, 而其謬也不啻千里, 此堯桀舜跖之所由分也. 志於富貴者, 不足以語功名; 志於功名者, 不足以語道德. 志於道德, 則富貴不能易其所守, 功名不能奪其所操, 此君子所貴乎辨其志也. 志, 不可以不遠大. 程門之敎, 言學以道爲志, 言人以聖爲志, 而纔說第二等, 便爲自棄. 故期於聖人, 雖未至, 不失爲大賢; 期於大賢, 雖未至, 亦不失爲賢人. 豈可安於小成而自劃哉? 文章·功業·氣節, 此三者皆實學也. 然大本不立, 而徒以三者自名, 則其才有過人者, 而其志則不足稱也. 一匡九合之功, 童子猶羞稱, 何也? 昔王陽明年十一問塾師, 曰: "何爲第一等事?" 塾師曰: "讀書登科耳." 陽明

---

171) 『周易』「繫辭下傳」〈第9章〉: 知者觀其彖辭, 則思過半矣. 참조.

中不然. 曰:"此未爲第一等事. 第一等事其爲聖賢乎!"古人立志之遠大如此. 希驥之馬, 亦驥之乘; 希顔之徒, 亦顔之倫也. 此君子所貴乎大其志也. 志, 不可以不專一. 古人之於志也, 立之一朝, 守之終身. 故未有立其志而不成者也. 若夫或入或出, 乍作乍輟, 忽而淵浪, 忽而天飛, 是不可謂志也. 志一則動氣, 雲從龍, 風從虎, 氣從志. 龍虎所在, 風雲從之; 志之所在, 氣從之. 是氣也, 無遠不達, 窮山鉅海, 不能爲限. 是氣也, 無堅不入, 精甲銳兵, 不能禦也. 此君子所貴乎專一其志也. 志, 旣辨矣, 而以遠大自期, 又能專一而守之, 是之謂立志也. 孟子曰:"士尙志." 立志而聖, 則聖矣; 立志而賢, 則賢矣. 志立而思過半矣. 余讀古人書, 不爲不久, 而玩時惕月, 一無所成, 是由志不立也. 見賢則未嘗不興感而思齊, 見不善, 未嘗不忿激而自省矣. 而其興感者, 自省者, 一時已矣. 未能一日用力, 非不知義之可取, 利之可舍, 而見利則爭, 見害則畔, 未能一事求是. 立志不堅, 惟風是從; 因循成性, 至於廢棄. 每發悔於中夜, 興歎於窮途. 而日月不與, 少壯不再, 奈何?

구방심설(求放心說)[172]

마음이란 몸의 주재이고 천변만화의 본원이다. 그렇지만 이 마음은 아직 꽃피지 않은 연꽃 사방 한 치 안에 깃들어 있는데, 지키고 있으면 천만 가지 착한 일이 만족스럽고 잃으면 백 가지 사악한 것들이 틈을 타고 달려든다. 그러므로 공자는 "놓아버린 마음을 구한다"[173]라고 하였고, 맹자는 "그 마음을 보존한다"[174]라고 하였으며, 정자는 "마음은 몸 안에 있어야 한다"[175]라고 말하였다. 천고의 성현이 서로 전한 심법(心法)은 한 법에 합한듯 하니 대개 모두 풀어놓는 것을 경계로 삼았다. 나는 그윽이 억측하여 미루어 그 설을 지어 말한다. "심은 불에 속한다. 무릇 불은 오행의 하나로서 어느 곳마다 쓰지 않음이 없고 때마다 간혹 빠짐이 없다. 그러나 경계는 항상 잠깐 사이를 방지하는데 있으니, 풀어놓으면 그 재앙이 벌판을 불태우는 데까지 이를 것이

---

172) 이는 맹자의 "求其放心"에 대해 쓴 글이다. 『孟子』卷11「告子(上)」〈第11章〉: 孟子曰: "仁, 人心也; 義, 人路也. 舍其路而弗由, 放其心而不知求, 哀哉! 人有雞犬放, 則知求之; 有放心, 而不知求. 學之道無他, 求其放心而已矣."
173) 이는 어디에 근거한 것인지 알기 어렵다. 맹자의 말을 원용한 듯하다. 앞의 각주 참조.
174) 『孟子』卷11「告子(上)」〈第11章〉: 孟子曰: "… 存其心, 養其性, 所以事天也."
175) 『二程全書』卷7「無名錄」: 心要在腔子裏.

다. 그러므로 화재를 실화(失火)라고 하여도 모두 불이다. 그런데 지키면 만물을 구제하는 공효가 있지만 잃어버리면 꺼진 재가 되는 재앙만 있다. 대저 마음과 불은 부류로써 서로 유추할 수 있다."

求放心說

心者, 身之主宰也, 萬化之本原也. 然而是心也, 寓於未敷蓮花方一寸之內, 守之則萬善自足, 失之則百邪乘釁. 故孔子曰: "求放心." 孟子曰: "存其心." 程子曰: "心要在腔子裏." 千古聖賢之相傳心法, 若合一揆, 盖皆以放失爲戒也. 愚竊以臆度推爲之說, 曰: "心屬火也. 夫火者五行之一, 而無處不用, 無時或闕. 然戒常在於防暑刻, 放之則其禍至於燎原. 故火災謂之失火, 均是火也. 而守之則有濟物之功, 失之則有灰燼之禍. 盖心與火, 可以類相推也."

「무이도가(武夷櫂歌)」를 읽고

　회옹부자(晦翁夫子) 주희(朱熹)의 「무이도가」 10장[176]은 후세의 유학자들이 도에 나아가는 순서로 논하고 있다. 그윽이 부자의 시는 뱃노래뿐만 아니라 기타 한 편 한 구절마다 말 밖의 뜻이 있지 않음이 없어서 한가롭게 풍월을 읊거나 산수를 담론하는 것과 비교가 되지 않는다. 그러므로 『시경』 삼백편(三百篇) 이후에 나온 시 가운데 "사무사(思無邪)"의 뜻을 얻은 것은 오직 주부자(주희)의 시일 뿐이다. 그렇게 말한 뒤에야 후세 유학자들이 뱃노래에 대해 장마다 구마다 반드시 도로 비유하면서 그 안배하고 포치한 것은 아마도 주부자의 근본 뜻이 아닐 것이다. 대개 주부자가 무이산(武夷山)에 있을 적에 그 봉우리 빼어나고 계곡이 깊음을 사랑하였다. 시냇물은 아홉 굽이를 돌아 들어가고 가단애(佳丹崖)의 푸른 절벽과 기암노석(奇巖老石)을 감돌아 굽이마다 관경을 바꾸었다. 아침저녁으로 맑았다가 흐려지는 이상한 기후이고, 바람과 안개 속 초목의 특별한 자태여서, 사람과 동물이 서성거리고, 원숭이와 새들이 휘파람하며 지저귀는데, 하루 사이에도 황홀할 정도로 천변만화하여 다할 수 없으니, 여기서 서식하고 여기서 노래 부른다. 어진 자와 지혜로운 자의 즐거움이 산수에 깃

---

176) 『晦庵集』 卷9 「淳熙甲辰中春精舍閒居戲作武夷櫂歌十首呈諸同遊相與一笑」 참조.

들어 경물에 따라 솟아오르는 정서를 토로하고 있다. 여러 사람들이 말들은 견강부회하는 것만 같지 않다. 그 제목을 달면서 "정사에서 한가히 거하다가 무이도가 10수를 장난으로 지어서 함께 노니는 벗들에게 보여 주며 서로들 한번 웃었다"[177]라고 하였다. 주부자의 이 시의 뜻이 반드시 여러 사람의 설과 같다면 도를 논하고 학문을 논하는 것이 얼마나 전중(典重)하여 이러한 '희(戱)'와 '소(笑)'라는 글자를 썼겠는가? 그러므로 "어진 자와 지혜로운 자의 즐거움이 산수에 깃들어 뱃노래로 드러난 것이다"라고 말한다.

讀武夷櫂歌

晦翁夫子「武夷櫂歌」十章, 後儒專以進道次序論之. 竊以謂夫子之詩, 不惟櫂歌也, 其他一篇一句, 莫不有言外之意, 非等閑吟風唱·月談山評水之比也. 故曰後乎三百篇, 而得"思毋邪"之旨者, 惟夫子詩也. 然後儒之於櫂歌, 逐章逐句, 必以道喩之, 而安排布置者, 恐非夫子之本旨也. 蓋夫子之於武夷, 愛其峯秀而溪深. 溪凡九曲而轉入, 轉佳丹崖翠壁奇巖老石, 隨曲改觀, 晦明昏朝之異候. 風烟草木之殊態. 人物之相羊, 猿鳥之吟嘯. 一日之間, 恍惚萬變而不可窮, 於是焉棲息, 於是焉歌詠. 蓋仁知之樂, 寓於山水, 而隨境寫情者也, 非如諸說之强會傳合也. 其命題曰: "精舍閑居, 戱作武夷櫂歌十首, 呈諸同遊, 相與一笑." 夫子此詩之義, 必如諸說, 則論道論學, 是何等典重, 而用此"戱笑"等字乎? 故曰仁知之樂, 寓於山水, 而發於櫂歌者也.

만필(漫筆)

우옹(尤翁) 송시열(宋時烈)[178]이 일찍이 원우(院宇)가 함부로 건설되는 폐단을 논하

---

177) 앞의 각주 참조.
178) 송시열(宋時烈): 서기1607~1689(선조 40~숙종 15), 조선 후기의 학자·문신, 자는 영보(英甫), 호는 우암(尤庵)·우재(尤齋), 본관은 은진. 김장생과 김집의 문인으로 이이의 학통을 계승. 문묘에 종사됨. 저서로는 『우암집(尤菴集)』, 『송서습유(宋書拾遺)』, 『주자대전차의(朱子大全箚疑)』, 『주문초선(朱文抄選)』, 『주자어류소분(朱子語類小分)』, 『이정서분류(二程書分類)』, 『논맹문의통고(論孟問義通攷)』, 『경례의의(經禮疑義)』, 『심경석의(心經釋義)』, 『찬정소학언해(纂定小學諺解)』, 『우암역설(尤庵易說)』,

여 "오늘날 공론이 사라지고 사사로운 뜻이 횡행하여, 조두(俎豆: 祠堂)의 건설이 나라에 거의 두루하였다. 조만간 큰 안목이 있는 사람이 세상에 출현하면 당세에 반드시 처리되는 바가 있어, 금일의 일은 난잡하다고 말할 것입니다."[179)라고 하였다.[「광주수곡사기」 속의 말이다.] 나는 그윽이 무진년(서기 1868년) 대동훼철 이후 오늘날 원우의 건설이 너무나도 많아졌다. 한 개 군만 하더라도 많게는 십여 곳인데, 명색은 유림(儒林)이라고 걸기는 하였지만, 돌아가는 차수나 집회는 공연히 번거로운 문장만 갖추었을 따름이다. 옛날 원우를 세울 적에는 대개 그 사람을 존숭하고, 그 도를 사모하며, 그 도를 사모하고 그 글을 강독하였다. 오늘날에는 그러한 실질이 없고 도리어 그 폐단이 있으니, 어찌 날마다 쇠약하지 않을 수가 있겠는가? 오호라! 이 폐단이 어찌 원우일 뿐이겠는가? 성균관으로부터 지방의 향교에 이르기까지 그 폐단은 이루다 말할 수 없다. 무릇 문묘는 오륜을 밝히는 곳이고, 공자를 존숭하기에 바로 그 도를 존숭하는 것이다. 그 도는 바로 군신이고 부자이며 부부이고 여러 형제이며 붕우의 사귐이다. 지금 서울로부터 향리에 이르기까지, 이른바 학교에 드나드는 사람들은 오직 쟁송을 힘쓰고 술상을 일삼는다. 인륜을 밝힌다는 명륜(明倫) 두 글자는 쓰레기로 삼고 있다. 심지어는 공변됨을 빙자하여 사사로움을 경영하고 있으면서도 스스로 선비라고 일컫는다. 이리하여 천리(天理)는 없어지고 인욕(人欲)은 횡행한다. 오호라! 부자의 도를 가지고 도리어 부자를 해롭게 한다. 방몽(逢蒙)[180)의 후예가 어느 시대인들 어진이가 없겠는가?

漫筆

尤翁嘗論院宇濫設之弊, 曰: "目今公議消盡, 私意橫流, 俎豆之設, 殆遍國中. 早晚如有大眼目人出而當世, 則必有所處. 今日事, 可謂尨矣."[廣州秀谷祠宇記中語] 愚竊謂戊辰大同毀撤後, 今日院宇之設太濫. 一郡之內多至十數所, 名稱所謂儒林者, 輪次集會, 徒繁文具而已. 古之設院宇也, 盖尊其人而慕其道, 慕其道而講其書. 今也則無其實, 而反有其弊, 世道安得不日下哉? 嗚乎! 是弊也, 豈徒院宇哉? 自成均舘至地方鄕校, 其弊不可勝道. 夫文廟明五倫之地也. 尊孔子乃所以

『우암예설(尤庵禮說)』 등이 있다.
179) 『宋子大全』 卷145 「廣州秀谷祠宇記」 참조.
180) 逢蒙: 하나라 때 활을 잘 쏘는 사람.

尊其道也. 其道君臣也, 父子也, 夫婦也, 昆弟也, 朋友之交也. 今則自國都至下鄕, 所謂出入校宮者, 惟爭訟是務, 酒食是事. 明倫二字, 付之土苴. 甚者憑公營私, 自謂士子. 於是乎天理滅而人欲橫. 嗚乎! 以夫子之道, 反害夫子. 逢蒙之後, 何代無賢?

한문철폐설변

오늘날 학자들은 "한자를 철폐하고 국문만 전용해야 한다"라고 말함이 있다. 아! 이러한 말을 창도하는 자는 그 도를 알지 못하는구나! 무릇 도는 물과 같고 문자는 대야나 사발과 같다. 대야나 사발이 깨지면 물을 회복할 수 없다. 문자가 폐지되면 희단(姬旦: 주공)과 공자 이래 서로 전하는 도는 어디에 기탁하겠는가? 삼가 생각하건대, 우리 세종대왕은 하늘이 내려 주신 성스러움과 슬기로움으로 지혜가 신명과 합하고 제작함이 천지의 조화와 짝하여 전장과 문물이 모든 왕을 뛰어넘었다. 조정에 있는 문신 그리고 성삼문(成三問)[181] 등과 함께 훈민정음 28자를 제정하여, 이두문자(吏讀文字)를 대신하고, 백성들로 하여금 방언을 기록하여, 중국의 음을 해석하는데 편리하도록 하였으니, 이전 성인이 아직 드러내지 않은 바를 드러내 천만세에 위대한 공로가 있다고 할 수 있다. 오늘날 학자들은 걸핏하면 "한문은 외국의 문자이고 국문은 우리의 말이다. 우리 것을 버리고 외국 것을 취하는 것은 우리 국민의 도가 아니다"라고 말한다. 한 사람이 창도하자 온세상 사람들이 화답하기를 바람에 풀이 쏠리듯 하고, 조수가 밀려오듯 하였는데, 결코 당시에는 훈민정음 제작의 근본 뜻을 알지 못하고 나라를 사랑한다는 말만 빌어 외국의 문자를 배척하고 있으니, 이것은 세종의 죄인이다. 만약 한문이 반드시 사용되지 않고 국문만을 풍족하게 여긴다면, 훈민정음 제작의 날은 진실로 이미 한문을 폐지한지 오래되었을 것이다. 어떻게 일찍이 난삽하고 알 수 없는 문자를 가지고 당시나 후세에 독소를 유행시켰겠는가? 성스러움은 세종에 미치지 못하고, 학문은 세종에 미치지 못하면서 나라를 사랑하는 정성은 도리어 세종보다 뛰어나고자 한다.

오호라! 그 생각하지 못함이 심하구나! 만약 한문이 폐지될 수 있다면 국문도 반드

---

181) 成三問: 서기 1418~1456(태종 18~세조 2), 조선 초기의 학자, 자는 근보(謹甫)·눌옹(訥翁), 호는 매죽헌(梅竹軒), 본관은 창녕(昌寧). 충남 홍주(洪州) 출신. 저서로는 『성근보집(成謹甫集)』이 있다.

시 그것을 따라 폐지되고, 그것에 따라 없어져야 할 것이다. 무엇 때문인가? 오늘날 이른 바 국문은 한자의 번음(飜音)이지 우리나라의 말이 아니다. 지금 가장 이해하기 쉬운 것을 들어 논하면, 저들이 이러한 말을 하는 것은 반드시 이른바 성명(姓名)이 있을 것이고 또한 반드시 거주(居住)가 있을 것이다. 그 성자(姓字)와 지명(地名)은 반드시 한국어로 일컫는 것이 아니고, 반드시 국문으로 한음(漢音)을 번역하였을 따름이니, 이것이 바로 한나라 말[馬]에 한국의 가죽[皮]을 씌운 것이다. 성씨를 리씨라고 하고, 김씨라고 하는데, 만약 우리나라 말로 쓰면 응당 리나 김이라고 말하지 않고, 마땅히 외얏씨, 쇠씨라고 하는 것이 옳다. 거주지가 종로 혹 명동일 것 같으면 종로나 명동으로 말하지 않고 또한 마땅히 쇠북길이나 밝은 마을이라고 하는 것이 옳다. 무릇 리, 김, 종로, 명동이라고 하는 것은 한자의 음이다. 외얏, 쇠, 쇠북길, 밝은 마을이라고 하는 것은 참으로 우리 한국 말이다. 일찍이 나라를 사랑하는 선비는 우리 한국 말을 사용하지 않고 외국의 음을 썼겠는가? 기타 지방, 산천, 학교나 원우, 관청과 부서, 명물과 도수가 한자로 음을 삼은 것은 열에 여덟아홉을 차지하니, 만약 한문을 폐지한다고 하면 이러한 명칭도 하나하나 개혁하여야 옳으니, 천하를 이끌 적에는 분주하게 될 것이다. 저들의 말은 또 "한문은 이해하기 어려워 이른바 노숙(老宿)이라고 호칭하는 자도 오히려 또 능하지 못하지만, 국문은 깨우치기 쉬우니, 부녀자나 아이들이나 초부나 목동들까지도 암송할 수 있으니, 그 쉬운 것을 취하고 그 어려운 것을 버려야 한다"라고 한다면, 이 또한 그렇지 않은 것이 있을 것이다. 우리나라 국민의 성씨는 글자가 다르지만 발음이 같은 것이 자못 많다. 유(柳)와 유(庾), 양(楊)과 양(梁), 설(薛)과 설(偰)과 같은 부류가 이것이다. 한결같이 국문으로 쓴다면, 어떻게 그 누구의 성씨가 되는 지를 분변하겠는가? 비록 자공(子貢)에게 말을 빌리고, 양웅(揚雄)에게 글자를 묻더라도 밝힐 수가 없을 것이니, 이것은 쉽게 하려다가 도리어 어렵게 되어 쉬울수록 더욱 어렵게 만드는 것이다.

  나는 일찍이 남산에 올라간 적이 있었다. 길 좌측에는 게시판에 방화주의란 어구가 있는데, 이는 방화(防火)의 뜻이다. 그렇지만 불을 놓는다는 방화(放火)는 유독 '방화'가 아닌가? 방지한다는 방(防)과 놓는다는 방(放)은 음이 비록 같지만 그 뜻의 서로 현격함이 하늘과 연못 차이 정도가 아니었다. 만약 잘 해석하지 못한다면 그 재앙은 장차 예측하지 못할 지경까지 이를 것이다. 무릇 한문은 한 글자에 뜻과 의미가 모두 겸비되어, 그 글을 읽으면 그 뜻이 스스로 드러나게 되니, 비록 배우기에 어렵다고 하여도 그 실질은 도리어 고음(孤音)과 단사(單詞)보다 쉬울 것이다. 우리 국내 교과서는 영문이 그 절반을 차지하였는데, 영어는 외국어가 아니고 무엇인가? 아! 어찌 글만이겠는가? 기계나 물품에 있어서도 모두 외국의 발명품인데, 우리나라에서 쓰는 것은 그 편리하기 때문이다. 라이트의 비행기, 스티븐슨의 자동차, 에디슨의 전기는 모두 우리나라에서 창제한 것이 아니다. 반드시 한국에서 제조한 뒤에야 쓸 수 있다면 철로는 통할 수 없고, 전등은 밝힐 수 없어, 탈 적에는 반드시 가마나 말을 사용하고, 등불 켤 적에는 반드시 송진을 사용해야 할 것이다. 페니시린, 프렌텐알 등 양약과 수술 마취의 기술은 모두 한국에서 생산한 것이 아니지만, 우리나라 사람이 사용하여 그 병을 치료하고 있다. 만약 이해관계를 불문하고 우열을 논하지 않으며 국산만을 아끼고 사용한다면, 침구나 탕약, 환약으로 뼈에 살 돋게 하고, 생강 세 덩어리에 대추 두 알로 죽어가는 사람을 살려야 할 것이다. 정미기와 양수기 등은 마침내 쓸모없는 오래된 물건이 되어, 오직 절구를 헤아려야 하고, 발 방아를 밟아야 할 것이다. 그런데 이것을 버리고 저것을 취하는 것은 무엇 때문인가? 편하고 이롭기 때문이다. 기계나 물품은 우리 한국의 것을 버리고 저것을 사용할 수 있다면, 문자에 이르러서도 한문이라고 하여 폐지하는 것이다. 아! 그 생각하지 못함이 심하구나!

 오늘날 국문으로 한자음을 번역하여 그 뜻이 저절로 드러나면 이미 반드시 그 뜻을 배운 다음에야 바로 어떤 음이 어떤 뜻인지를 알아야 한다. 나는 그러므로 "쉽고자 하다가 도리어 어렵고, 쉬울수록 더 어려운 것이다"라고 하였다. 비록 그러하나 지금의 한문도 내가 폐단이 없다고 말하지 못하겠으나, 반드시 통렬하게 개혁하고자 하는 것이다. 중국 육조(六朝) 시대의 병려(倂儷), 황백(黃白)의 고루함, 및 국조(國朝) 과문의 관습은 경전과 역사서를 표절하고 문장을 끊고 어구를 뽑아서 사람들의 이목을 기쁘게 하는데 힘쓰는 것은 쓸데없고 누추하고 천박한 글이고 실질의 글[實學]이 아니다. 오늘날 학자들은 그 근본을 연구하지 않고 그저 그 말단만 보니, 폐단이 점점 심하여 마땅히 폐지한다는 설이 있을 것이다. 그렇지만 이것이 한문의 죄이겠는가? 음식에 구더기가 있다고 하여 음식을 없애버릴 수 있겠는가? 무릇 구슬의 함을 귀하게 여기는 것은 그 구슬을 감춰두었기 때문이다. 구슬이 있지 않으면 구슬의 함이 텅 비게 되어 울어버릴 것이다. 글이 왜 귀한가? 그 도를 싣고 있기 때문이다. 오늘날 그 음을 취하고 그 글을 폐지하는 것은 구슬의 함을 사면서 구슬을 돌려주는 것이니, 어리석지 않으면 허망된 짓이다.

 우리의 세종께서 당시 훈민정음을 제작한 뜻은 대개 천하 만국이 모두 각각 그 문자가 있어서, 그 나라의 말을 기록하고 있는데, 우리나라는 단군과 기자 이래로 수천 년 내려오면서 이른바 국문이 없어 우리나라의 말을 기록하기 어렵기 때문에 자모음을 제정하여 만민들을 가르쳤으니, 대개 우리나라의 말로 중국의 문자의 뜻을 해독한 것이다. 중국 사람이 그 글을 읽을 적에는 그 음만 송독할 따름이니, 이는 다른 것이 없고 음이 곧 뜻이고 뜻이 곧 말이다. 우리나라는 언어가 이미 다르기 때문에 그 음을 읽고 그 뜻을 알지 못하여 반드시 그 석음(釋音)을 기다린 연후에 그 뜻을 알 수 있다. 무릇 책을 읽을 적에 중국 사람들은 그 음을 읽고, 우리나라는 그 음을 읽고 또 그 석음을 읽으며, 일본은 그 석음을 읽을 따름이니, 이것이 삼국의 특징이다. 만약 그 음만 송독할 따름이라면 아마도 스님이 범어 경전을 송독하는 것과 같을 것이다. 세종의 뜻은 대개 우리나라의 문자로 한자의 뜻을 해석하려는 것이지, 한자의 음으로 우리나라의 말을 제작한 것이 아님이 분명하다. 오호라! 다행히도 세종 이후에 태어나서 성인에게 책망 받지 않게 되었고, 또 불행하게도 세종의 세상에 태어나지 않아서 성인에게 질정 받지 못한 것이다. 그렇다면 어떻게 하는 것이 좋은 것인가? "그 음은 마땅히 한자를 써야 하고, 그 말은 마땅히 국문을 사용해야 한다"라고 말하겠다.

漢文撤廢說辨

今之學者, 有曰: "撤廢漢字, 專用國文." 噫! 倡此說者, 其不知道乎? 夫道猶水, 文猶盤盂也. 盤盂破, 則無復水矣. 文之旣廢, 姬孔以來, 相傳之道, 寄於何地? 恭惟我世宗大王, 以天縱之聖睿, 智合神明, 制作侔造化典章文物, 度越百王. 與在廷文臣成三問等, 製定訓民正音二十八字, 以代吏讀之文, 使民便於記方言, 而釋華音, 可謂發前聖之所未發, 而大有功於千萬世也. 今之學者, 動輒曰: "漢文, 外國之文也; 國文, 我邦之語也. 舍我取外, 非我國民之道也." 一人倡之, 擧世和之, 風靡而潮盪之, 殊不知當日製作之本義, 而假借愛國之說, 斥黜外國之文, 此世宗之罪人也. 苟漢文不必用, 而惟國文是足, 則正音製作之日, 固已廢止漢文久矣. 曷嘗以夏涩汗漫之文, 流毒於當時與後世也哉? 聖不及於世宗, 學不及於世宗, 而愛國之誠, 反欲勝於世宗. 嗚乎! 其不思之甚矣! 苟使漢文可廢, 則國文必當隨廢而隨滅矣. 何者? 今日所謂國文, 乃漢字之翻音也, 非我國之語也. 今擧最易曉者而論之, 彼之爲此說者, 必有所謂姓名矣, 亦必有居住矣. 其姓字與地名, 必不以韓語稱之, 必以國文譯漢音而已, 此政蒙漢馬以韓皮者也. 姓之曰李曰金者, 若用我國之語, 則不曰리與김, 而當曰외얏氏쇠氏可也. 居住若鍾路或明洞, 則不曰종로與명동, 而亦當曰쇠북길與밝은마을可也. 夫曰리曰김曰종로曰명동云者, 漢之音也; 曰외얏曰쇠曰쇠북길曰밝은마을云者, 眞我韓語也. 曾謂愛國之士, 不用我

韓之語, 而用外國之音乎? 其他地方·山川·校院·官署·名物·度數之以漢爲音者, 十居八九. 若曰廢止漢文, 則此等稱, 一一改革可也. 於率天下而奔走也. 彼之說者, 又曰: "漢文難解也, 號稱老宿者, 猶且未能焉. 國文易曉也, 娛孺樵牧, 亦能誦之, 取其易而舍其難." 云則此亦有不然者矣. 我國民之姓氏, 字異而音同者頗多. 如柳與庾·楊與梁·薛與偰之類是也. 一以國文書之, 則何以辨別其爲某姓也? 雖假辭於子貢, 問字於楊雄, 不可得以明矣. 是欲易而反難, 愈易而愈難也. 余嘗登南山矣, 路左建揭示扳有방화注意之句. 此必防火之義也. 然而放火獨非방화乎? 防與放, 音雖同而其義之相懸, 不啻天淵, 若不善解之, 則其禍將至於不測矣. 夫漢文者, 一字而義意諧備, 讀其文, 而其義自見. 雖曰難學, 而其實反有易於孤音單詞也. 我國內敎科書, 英文居其半, 英非外國而何? 噫! 奚獨文乎哉? 至於機械物品, 率皆外國之發明也, 而我國用之, 以其便宜也. 라이트之飛行機, 스티븐슨之汽車, 에듸슨之電氣, 皆非我韓之剏製也. 必韓國之所製, 然後可, 則鐵路不能通, 而電燭不能明, 乘必用轎馬, 燈必用松油矣. 如페니시린, 프렌텐알等洋藥及手術魔醉之技, 皆不產於韓, 而我國人用之以治其病. 若不問利害, 不論優劣, 而惟國產是愛是用, 則針炙湯丸, 可以肉骨, 干三棗二, 可以起死矣. 精米及揚水等機, 終爲無用長物, 而惟拮㮦是數, 足砧是踏矣. 然而舍此而取彼者, 何也? 以其便且利也. 機械物品, 則舍我韓而取彼, 至於文以爲漢而廢之. 噫! 其不思之甚矣! 今以國文譯漢音, 而其義自見, 則已必學其義, 然後乃知某音爲某義. 吾故曰: "欲易而反難, 愈易而愈難也." 雖然今日漢文, 吾不曰無弊, 而必欲痛革之者也. 六朝倂儷, 黃白之陋, 及國朝科文之習, 剽經竊史, 斷章摘句, 務悅人耳目者, 是冗陋膚淺之文, 非實學也. 今之學者, 不究其本, 徒見其末, 弊之滋甚, 宜其有廢止之說矣. 然此豈漢文之罪也哉? 食中有蛆, 飯可廢乎? 夫所貴乎櫝者, 以其蘊玉也. 玉不存, 則櫝爲虛, 哭矣. 文惡乎貴? 以其載道也. 今也取其音而廢其文, 是買櫝而還其珠, 非愚則妄耳. 我世宗當日製作之意, 蓋以爲天下萬國, 皆各有其文以記其國之語, 我邦則自檀箕以來數千年, 無所謂國文, 難以記我國之語, 故製定子母音, 以訓萬民, 蓋以我邦之語, 解中國之文義也. 中國之人讀其文, 只誦其音而已, 此無他音卽義也, 義卽語也. 我國則言語旣異, 故讀其音而不知其義, 必待釋音, 然後可以識其義也. 凡讀書, 中國人讀其音, 我國則讀其音又讀釋音, 日本則讀其釋音而已, 此三國之特徵也. 若誦其音而已, 則殆如僧之誦梵經也. 世宗之意, 蓋以我國之文釋漢字之義, 非以漢字之音, 作我邦之語也明矣. 嗚乎! 幸而出於世宗之後, 不見斥於聖人, 又不幸而不出於世宗之世, 不見正於聖人也. 然則如之何其可也? 曰: "其音當用

漢字, 其語當用國文."

최복설(衰服說)[182]

오늘날 이른바 최복(衰服)이란 것은 상고시기의 의복제도이다. 옛날에는 피혁(皮革)으로 옷을 만들었기 때문에 솔기가 모두 밖으로 향하여 그 몸을 편하게 한 것이었다. 오늘날 최복의 솔기가 밖으로 향하고 있는 것은 피혁으로 옷을 만드는 법을 인습한 것이고, 흉사를 당해서 거칠게 만든 것은 아니다. 무릇 최(衰)란 '무너진다'는 뜻으로 효자가 애절하여 무너지는 마음을 드러내는 것이다. 천은 길이가 여섯 치이고 넓이가 네 치인데, 왼쪽 앞섶의 심장부위에 얽어매니, 이것이 이른바 "최"이다. 그 나머지 웃옷이나 아래치마는 상고시기에 평소 입던 옷차림새 그대로이고 상중에 입는 복장이 아니다.

어떤 이가 물었다. "옛날에는 옷 솔기가 밖을 향하게 한 것은 그 몸을 편하게 한 것이었는데, 소매 끝에 한 폭을 덧댈 적에 솔기가 유독 안쪽을 향한 것은 무엇 때문입니까?" 나는 답하였다. "중국의 천은 폭이 매우 넓어서 반드시 한 폭을 덧댈 필요가 없습니다. 우리나라의 제도는 폭을 덧대지 않으면 짧아서 모양이 없게 됩니다. 그러므로 하서(河西) 김인후(金麟厚)[183] 선생이 폭을 덧대어 그 솔기가 안쪽으로 향하게 만든 것은 천을 잇기 위한 것이지, 옛 제도가 아닙니다."

주자의 문인 정자상(鄭子上)이 주선생에게 이렇게 묻기를, "상고시기 문물은 미개하여 의복의 제도가 매우 비루하였습니다. 오늘날 온갖 제도에서 모두 의복 제도를 만들 적에 심의가 있고 도포가 있어 어디서든지 입고 있었는데, 그 최복을 입는 것은 어떠하옵니까?"라고 하였다. 선생이 대답하기를 "이것도 괜찮겠지만, 이때에 이러한 옷을 입지 않으면 후학들이 상고시기의 의복제도를 고증할 수 없다. 예전대로 행하여도 괜찮다."라고 하였다. 나는 그윽이 말하니, 삼년상은 천자로부터 서민에 이르기까

---

182) 최복설은 상복(喪服) 곧 제사복이라고 부르는 겉옷에 대해 설명한 글이다.
183) 김인후(金麟厚):서기1510~1560(중종 5~명종 15), 조선 중기의 학자·문신, 자는 후지(厚之), 호는 하서(河西)·담재(湛齋), 본관은 울산. 전남 장성출신. 김안국의 제자 최산두(崔山斗)와 박상(朴祥)의 문하에서 수학. 문묘에 종사됨. 저서로는 『하서집(河西集)』, 『주역관상편(周易觀象篇)』, 『서명사천도(西銘四天圖)』, 『백련초해(百聯抄解)』 등이 있다.

지 귀천에 관계 없이 동일하다.[184] 평민의 자식들이 부모의 상을 당하여 삼년 동안 최질(衰絰: 상복과 수질)을 벗지 않는 것도 귀천이 없이 동일하다. 그런데 오늘날 이른바 최복제도는 대부와 선비 이상은 행할 수 있고, 농부나 상인은 절대로 행할 수가 없다. 밭을 갈고 씨를 뿌리고 김을 맬 때에는 최복을 입을 수 없으며, 물품을 등에 지고 다니면서 팔 때에도 최복을 입을 수 없다. 오직 대부나 선비들은 삼년상을 지킬 수 있으나, 농부나 상인은 모두 삼 년 상을 지켜낼 수가 없다. 『중용』에서 이른바 "귀천에 관계없이 동일하다"[185]는 뜻은 어디에 있겠습니까? 세상 사람들은 삼년 동안 상복과 수질을 벗지 않는 것으로 효행의 한 절목을 삼고 있지만 농부나 상인은 비록 하늘에서 내려준 그 성의가 있어도 형세가 행할 수 없는데 그 정이 어찌 슬프지 않을 수 있겠습니까! 그렇다면 어떻게 해야 좋겠는가? 성복(成服)을 할 때 질서정연하게 참최(斬衰)·자최(齊衰)·포건(布巾)·질대(絰帶)을 준비하여 며칠 동안 상복을 입다가 삼년상을 마치고 읍하면서 옷걸이에 걸어 두어 먼지가 끼고 거미줄이 치기보다는 차라리 어디서든지 옷을 입고 있는 것이 낫다. 이른바 한 조각의 최(衰)를 심장 부위에 달게 하는데, 선비는 도복에 최를 달게 하거나 두루마기에 최(衰)를 달게 하고, 농부들은 짧은 홑옷에 최를 달게 하며, 관리는 이른바 양복에 최를 달게 한다. 그런데 최는 귀천에 관계없고 상하에 관계없이 그 현재 위치에 따라 복을 행하니, 각각 그 애절하여 무너지는 감정을 이루는 것이다. 은나라는 하나라의 예에 따라서 보태고 덜어내었으며, 주나라는 은나라의 예에 따라서 보태고 덜어내었으니, 때에 따라 변역하며 도를 따르는 것은 성인이 때에 알맞게 한[時中] 뜻이다. 지금 주자가 800여년이나 지나갔는데도 그 제도를 인습하고 그 문장을 묵수하면, 옛날에는 실행할 만하지만 지금은 마땅하지 않게 되니 어찌 폐단이 없을 수가 있겠는가? 상하 수천 년 사이에 의관 제도가 여러 번 변역되었다. 한나라와 당나라의 제도는 삼대(三代: 堯·舜·禹)와 다르고, 송나라와 명나라 제도는 한나라와 당나라와도 다르다. 우리 한국은 스스로 한국의 제도가 있지만, 오직 상복 제도의 한 절목은 중화의 제도를 인습하였는데, 이것은 반드시 성인이 제작한 본의가 아니다. 바로 성인으로 하여금 다시 나오게 하여도 오늘날 의론에 대해 또한 반드시 처리할 바가 있을 것이다.

공자는 말하기를, "예는 그 사치하기보다는 차라리 검소한 것이 낫고, 상은 잘 치르기보다는 차라리 슬퍼하는 것이 낫다"[186]라고 하였다. 이것은 공부자가 당시 말단

---

184) 『中庸』「第18章」: 父母之喪無貴賤一也.
185) 앞의 각주 참조.
186) 『論語』卷3「八佾」〈第4章〉: 林放問禮之本. 子曰: "大哉, 問! 禮, 與其奢也寧儉; 喪, 與其易也寧

을 쫓아다님을 슬퍼하여 임방(林放)의 물음을 훌륭하게 여긴 것이다.[187] 아! 성인과 떨어짐이 날로 멀어져 말폐가 더욱 심하였다. 무릇 백성에게 초상이 있을 적에 그 근본을 힘쓰지 않고 자질구레한 절문(節文)과 도수(度數)의 말단에 구애되어 지나치게 살펴보고, 심지어 한 터럭만큼의 차이가 있음을 찾으면 반박하고 논하면서 스스로 예를 안다고 여기고 있다. 예의 근본은 여기에서 망하였다. 대저 예라는 것은 천리의 절문이고 인간의 의칙(儀則)이다.[188] 큰 것은 군신 부자에 관한 일, 작은 것은 음식과 남녀에 관한 일, 보이는 것은 조빙과 회맹, 보이지 않는 것은 사당의 귀신들에게 기도하고 제사지내는 일, 그리고 무릇 일동일정(一動一靜)과 일어일묵(一語一默)이 잠시도 몸에서 떠날 수 없는 것이다. 효자가 부모를 섬길 적에 부양하고 간병하며 초상을 당하고 제사지냄이 모두 그 예가 있다. 오늘날 이른바 예설이란 것은 오직 상례와 장례 및 제사에 관하여 이러쿵저러쿵 번다한 설법을 널어놓으면서 스스로 자기의 설법을 고집하고 있지만, 살아있을 적에 섬기는 예에 이르러서는 막연하여 들리는 것이 없다. 내가 세상의 사람들을 살펴보니, 그 어버이에게 대해서 살아있을 적에 예로 섬기지 못할 뿐만 아니라 혹 어긋난 말이 있기도 하고 또 폭행하는 자들도 있다. 그렇지만 사람들은 당당하게 꾸짖지 않고 있다가 하루아침 세상을 떠나게 되면 점잖게 상복을 입고 수질을 두르고 예의범절에 조금도 잃지 않아, 마치 원숭이를 목욕시키고 관을 덮어씌워 놓은 듯하다. 만약 포건과 질대 등 말단의 절목에서 혹 법에 맞지 않음이 있으면 사람들의 말이 뜰에 가득하니, 이는 다른 것이 없는지라, 그 말단을 추구하는 폐단이 그렇게 시킨 것이 있다.

삼백의 예와 삼천의 의는 그 작용이 넓고 크도다. 부모님을 생전에 모시고 사후에 장례를 지내는 것은 귀신을 섬기는 큰 단서이고, 천도를 통달하고 인정을 순히 하는 바의 구멍이다. 지금의 세속에서는 그 애절함과 슬픔을 위문하지 않고 오직 참최와 자최의 길고 짧고 넓고 좁음, 포건과 질대의 좌우 여미는 것, 기타 진설(陳設)의 위치, 축문 격식의 조사(措辭) 여하, 이와 같은 의식의 말단에 빠져들고 있다. 예학을 호칭하는 자는 지엽적인 문제에서 쓸데없는 의론을 펴고 각기 붉은 기치를 추켜들고 들고 있다. 예의설이 날로 번잡해질수록 행하는 사람은 날로 줄어들고 있다. 이리하여 예의의 권위와 위치는 천만 길로 떨어지고 있다. 오호라! 가련하다. 저 의식의 말단이여. 나는 예가 아니라고 말하지 않겠다. 다만 그 근본을 버리고 그 말단을 추켜

戚."

187) 앞의 각주 참조.
188) 『論語集註』 卷1 「學而」 〈第12章〉: 禮者, 天理之節文, 人事之儀則也.

들고, 그 내용은 버리고 그 겉치레만 따지는 것이니, 이것이 이른바 시마·소공·포건·질대의 살핌이다. 후생이나 우매한 선비들은 습속에 친압하여 말단을 근본으로 여기고 있으니, 그 예학이 날로 망함을 괴상하게 여김이 없다. 비록 그러하나 의식의 말단도 존양지의(存羊之義)[189]라고 이를 수 있을 것인가?

주자는 말하기를 "삼왕(三王)이 예를 만들 적에 인혁(因革)이 동일하지 않은 것은 모두 풍기(風氣)의 마땅함에 부합하고 의리의 바름에 어긋나지 않는다"[190]라고 하였으니, 이것이 그 지극하다.

衰服說

今所謂衰服, 上古時衣服制也. 古者以革皮爲衣, 故縫皆向外, 爲其便體也. 今衰服之縫向外者, 因革皮之制也, 非爲其凶麁也. 夫衰者, 摧也, 表孝子哀摧之心也. 布長六寸, 博四寸, 以付於左衿當心之處, 此所謂衰也. 其餘上下衣裳, 上古平常時衣着, 非喪中服也. 曰: "古者衣縫向外者, 爲其便體也, 而袖末加一幅而縫, 獨向內者, 何也?" 曰: "中國布幅甚廣, 不必加幅. 我國之制, 不加幅, 促短不成樣. 故河西先生創制加幅, 厥縫向內者, 爲連布也, 非古制也. 朱門人鄭子上問於朱先生曰: "上古時文物未開, 衣服之制, 甚鄙野. 今也百度皆作衣服之制, 有深衣焉, 有道袍焉, 隨其所着, 而着衰何如?" 先生曰: "此亦可矣. 而不於此時用此服, 則後學無以殁上古衣制也, 仍舊行之, 可也." 愚竊謂: 三年之喪自天子以至庶人, 無貴賤一也. 凡人子之遭親喪, 三年不脫衰経, 無貴賤一也. 而以今之所謂衰服, 則大夫·士以上可以行之, 農商以下, 決不可行也. 耕播耘種時, 着衰絰不得; 負販行賣時, 着衰経不得. 惟大夫·士服喪三年, 而農商皆不得與焉. 則中庸所謂 "無貴賤一也" 之義, 安在乎? 世之人以三年不脫衰経爲孝行之一節, 農商之人, 雖有天出之誠, 而勢不得行, 其情安得不慽然矣乎! 然則如之何其可也. 曰: "與其成服時, 秩秩然盛具斬齊巾絰, 幾日着諸身上, 終三年, 揖於枷上, 塵之積焉, 蛛之網焉, 寧隨其所着衣. 付所謂一片衰於當心處, 士之道服焉而衰, 周衣焉而衰, 農之短衫焉而衰, 官之所謂洋服焉而衰, 無貴賤無上下, 素其位而行乎服, 各遂其哀摧之情矣. 殷因夏禮而損益之, 周因殷禮而損益之, 隨時變易而從道者, 聖人時中之義也. 今去朱子

---

189) 存羊之義: 낡은 예의(禮儀)나 허례(虛禮)를 버리지 못하고 그냥 남겨둠을 이르는 말.
190) 『晦庵集』 卷30 「答張欽夫」 참조.

八百有餘年, 而因襲其制, 墨守其文, 可行於古, 而不宜於今者, 安得無弊? 上下數千年之間, 衣冠制度累經變易. 漢唐之制異於三代, 宋明之制異於漢唐. 我韓自有我韓之制, 惟喪服一節, 因用華制, 此必非聖人制作之本義也. 政使聖人復起, 其於今日之議, 亦必有所處矣." 孔子曰: "禮, 與其奢也寧儉; 喪, 與其易也寧戚." 此夫子傷時之逐末, 而大林放之問也. 噫! 去聖日遠, 末弊滋甚. 凡民有喪, 不務其本, 惟拘拘於節文度數之末, 苛察而甚覓一毫有差, 則駁而論之, 自以爲知禮. 禮之本, 於是乎亡矣. 夫禮者, 天理之節文, 人事之儀則. 大而君臣父子, 小而飲食男女; 顯而朝聘會盟, 幽而禱祠享鬼. 與凡一動一靜, 一語一默, 不可須臾去身也. 孝子之事親也, 養病喪祭, 皆有其禮. 今之所謂禮說者, 惟於喪葬及祭, 煩說冗文, 自立己說, 至生事之禮, 漠然無聞. 余觀世之, 人於其親, 不惟不能生事之以禮, 或有悖言者, 且有暴行者矣. 然而人亦不顯然加斥, 一朝遭故, 則盛着巾絰, 不失尺度, 如沐猴而加冠. 若巾絰等末節, 或有不合尺度, 則人言盈庭, 此無他, 其逐末之弊有以使之也. 三百之禮, 三千之儀, 其用廣矣哉! 大矣哉! 所以養生送死事鬼神之大端也, 所以達天道順人情之大寶也. 今之俗也, 不問其哀戚, 而惟斬齊衰之長短廣狹, 巾絰之左右向摺, 其他陳設之位置, 祝文式之措辭如何, 汨沒於此等儀式之末. 號稱禮學者, 枝辭蔓語, 各立赤幟. 禮之說, 日益繁, 而行之者, 日益寡. 於是乎禮之權位下落幾千層. 嗚乎! 可憐夫儀式之末. 吾不曰非禮. 但遺其本而擧其末, 略其內而詳其外, 是所謂總小功巾絰之察也. 後生蒙昧之士, 狃於習俗, 認末爲本, 無怪其禮學日亡. 雖然儀式之末, 亦可謂存羊之義也耶? 朱子曰: "三王制禮, 因革不同, 皆合乎風氣之宜, 而不違乎義理之正." 斯其至矣.

사람의 물음에 답하다[答人問]

어떤 이가 물었다. "글을 지을 적에는 법이 있습니까?" 나는 답하였다. "짧은 서한이나 조각 글이라고 할지라도 법이 아니면 불가하다."

어떤 이가 물었다. "그것을 들을 수 있겠습니까?" 나는 답하였다. "나는 글을 짓는 사람이 아니니 어찌 그 법을 알겠는가? 다만 선배들에게서 들은 말이 있으니, '글을 짓는 법은 반드시 육경일 필요가 없고, 진나라와 한나라일 필요가 없으며, 당나라·송나라·원나라와 명나라일 필요도 없다'고 하였다. 공자는 '글이란 뜻을 전달할 따름이다'[191]라고 하였다. 이른바 '뜻을 전달한다' 는 것은 스스로 가슴 속에 생각하는 바를 늘어놓으면서 기축(機軸)을 내놓아 일가의 말을 이루는 것입니다. 그 소재를 징험하고 자료들을 취하기에 이르면 널리 수집하되 곡진하게 진술하고, 천을 짜듯이 날을 걸고 씨를 심어 가로 세로 교차되게 하여야 한다. 예를 들어 풀 속의 뱀이 갑자기 모습을 드러냈다가 몸을 숨겨 비록 전신을 다 들어내지는 않았어도 머리와 꼬리가 풀 사이에 이어지는 것과 같다. 글도 이와 같다. 서두에서부터 결말에 이르기까지 천 마디 만 마디 어휘를 펼쳐가지만 그 주된 뜻은 혈맥이 관통하고 처음과 끝이 오직 하나일 따름이다."

퇴지(退之) 한유(韓愈)[192]가 말하기를, "오직 진부한 말을 없애는 데 힘쓴다"[193]라고 하였다. 그렇지만 또한 한 글자마다 유래처가 없지 않다. 마치 뭇 꽃들이 꿀을 배양하는데 꿀이 이루어져도 꽃향기를 맡을 수 없는 것과 같으며, 마치 단약을 만드는 재료들이 모두 용광로에 들어가서 단약을 이루어도 아무런 냄새도 분간할 수 없는 것과 같다. 그 취한 바가 비록 넓지만 지키는 것은 간략하게 하고, 그 진술하는 바가 비록 자세하지만 재단하는 것은 순수하게 한다. 그러므로 그 취하는 법은 육경일 필요가 없어도 일찍이 육경에 근원하지 않은 적이 없으며, 진나라와 한나라일 필요가 없어도 일찍이 진나라와 한나라에 나오지 않은 적이 없으며, 당나라·송나라·원나라·명나라일 필요가 없어도 당나라·송나라·원나라·명나라에서 취하지 않은 적이 없다. 또 글에는 관쇄법(關鎖法)[194]이 있으니, 비록 장편(長篇)과 거장(鉅章)이라도 반드시 한두 마디의 결정체가 있는 것이 바로 글의 중추이다. 마치 큰 창고 천만 칸에 그 관세처는 한두 칸에 지나지 않다.

어떤 이가 물었다. "육경의 글은 주된 뜻이 도를 논하는 데 있어 전아할 따름입니다. 문장의 글이라고 말할 수 없습니다. 그렇지 않습니까?" 나는 답하였다. "아! 그

---

191) 『論語』 卷15 「衛靈公」 〈第40章〉: 子曰: "辭達而已矣."

192) 韓愈: 서기 768~824, 당나라의 학자로, 자는 퇴지(退之), 호는 창려(昌黎). 세인들은 한창려(韓昌黎)라 일컫지만, 자신은 군망창려(郡望昌黎)라고 하였다. 하양(河陽: 지금의 河南省 孟州市) 출신. 3세에 고아가 되어 형수의 손에서 자랐는데, 남달리 학문에 정진하여 유가를 비롯한 제자백가서를 두루 섭렵하였다. 정원(貞元) 8년(792)에 진사가 되고 4년이 지나 사문박사(四門博士)와 감찰어사(監察御使) 등을 역임하였다. 유종원(柳宗元)과 함께 고문운동을 주도하고 산문의 새로운 경지를 개척하여 당송팔대가(唐宋八大家)의 첫 번째를 차지하였다. 원화(元和) 14년(서기 819) 「논불골표(論佛骨表)」를 지어 헌종(憲宗)의 노여움을 받아 조주자사(潮州刺史)로 좌천되었으나, 후에 목종(穆宗)의 부름으로 수도로 돌아와 이부시랑(吏部侍郎)이 되었다. 사후, 원풍(元豊) 원년(서기 1078) 창려백(昌黎伯)으로 추증되고 공묘(孔廟)에 배향되었다. 저서로는 『창려선생집(昌黎文集)』이 있다.

193) 『昌黎文集』 卷16 「答李翊書」 참조.

194) 關鎖法은 빗장을 잠근다는 의미에서 글의 짜임이 좌우에서 감싸듯 서로 연결되도록 하는 것을 말한다.

것이 무슨 말입니까? 전아한 속에 저절로 글이 있으며, 진실한 가운데 저절로 장(章)이 있습니다. 육경의 글은 바로 천하의 지극한 글입니다."

『대학』의 여덟 조목에서 "명덕을 천하 밝히려는 자는 먼저 그 나라를 다스린다"는 이하 여러 조목은 문장의 기세가 모두 이와 같습니다만, "격치(格致)"에 이르러서는 조금 글을 변화시켜 "치지는 격물에 있다"라고 하였다.[195] 이것이 문장법입니다. 『중용』의 "군자의 도는 네 가지인데, 모(공자)는 한 가지도 능하지 못한다"는 장에서 위쪽은 부모를 섬기고 임금을 섬기며 형님을 섬긴다는 것을 말하다가 끝에서 바로 글을 변화시켜 "먼저 베푼다"라고 하였으니,[196] 이것이 그 법입니다.

어떤 이가 물었다. "『논어』와 『맹자』의 문장도 우열이 있습니까?" 나는 답하였다. "『맹자』의 문장은 『논어』의 문장만 같지 못합니다. 맹자는 '좌우에서 모시고 있는 측근들이 모두다 죽여야 한다고 말해도 죽이지 말아야 하고, 여러 대부들이 모두다 죽여야 한다고 말해도 죽이지 말아야 하며, 나라 사람들이 모두다 죽여야 한다고 말하면 그 다음에야 살펴보고 죽이지 않으면 안 될 사정이라고 하여야 죽여야 한다.'[197] 라고 하였다. 『논어』에서 '여러 사람들이 미워하여도 반드시 살펴야 하며, 여러 사람들이 모두 좋아하여도 반드시 살펴야 한다.'[198]라고 하였다. 말은 간략하지만 뜻이 다하였느니, 맹자가 많은 말을 하였지만 그것만 같지 못합니다."

어떤 이가 물었다. "시율(詩律)의 율(律)은 음율(音律)의 율(律)입니까?" 나는 답하였다. "아닙니다. 바로 법률의 율입니다." 또 물었다. "왜 법률의 율이라고 합니까?" 답하였다. "장편시나 장단구, 그리고 오언절구와 칠언절구는 모두 시라고 부릅니다. 오직 네 개의 운만 율이라고 합니다. 대개 그 기승전결(起承轉結)에는 반드시 규구(規矩)가 있고, 청탁평직(淸濁平直)에서 음조를 잃지 않고 있어 마치 법장률(法章律)이 일정하여 바뀌지 않는 것과 같습니다. 그러므로 두보(杜甫)나 육유(陸游)의 시 가운데서 오직 네 개의 운만을 율이라고 하고 기타의 여러 가지 체재에서는 율이라고 하지 않고 시라고 하였습니다. 세상 사람들이 시의 율을 논하지 않고 운의 아름다운

---

195) 『大學』「經」〈第1章〉: 古之欲明明德於天下者, 先治其國; 欲治其國者, 先齊其家; 欲齊其家者, 先脩其身; 欲脩其身者, 先正其心; 欲正其心者, 先誠其意; 欲誠其意者, 先致其知; 致知在格物. 참조.

196) 『中庸』「第13章」: 君子之道四, 丘未能一焉: 所求乎子, 以事父, 未能也; 所求乎臣, 以事君, 未能也; 所求乎弟, 以事兄, 未能也; 所求乎朋友, 先施之, 未能也. 庸德之行, 庸言之謹, 有所不足, 不敢不勉, 有餘不敢盡; 言顧行, 行顧言, 君子胡不慥慥爾!" 참조.

197) 『孟子』卷2「梁惠王(下)」〈第7章〉: 左右皆曰可殺, 勿聽; 諸大夫皆曰可殺, 勿聽; 國人皆曰可殺, 然後察之; 見可殺焉, 然後殺之. 故曰國人殺之也. 참조.

198) 『論語』卷15「衛靈公」〈第40章〉: 子曰: "衆惡之, 必察焉; 衆好之, 必察焉."

것을 율이라고 하고 있습니다. 그렇다면 장편 및 절운의 아름다운 작품은 모두 율이라고 해야 합니까? 이것이 시와 율의 구별입니다."

어떤 이가 물었다. "절구의 뜻은 무엇입니까?" 나는 답하였다. "두 구가 시를 이룬 것을 절구라고 하니, 곧 네 개의 운 가운데 두 구를 잘라내고 그 두 구를 두고 있기 때문에 절구라고 합니다. 대개 절구에는 위의 구와 아래의 구가 모두 대구하지 않은 것이 있고, 두 구가 연이어 대구하는 것이 있으며, 위에서는 대구하지만 아래에서는 대구하지 않는 것이 있습니다. 위와 아래가 모두 대구하지 않은 것은 네 개의 운 가운데서 두 연을 잘라낸 것이고, 위와 아래가 모두 대구하고 있는 것은 그 머리와 끝 두 구를 잘라낸 것이며, 위에서는 대구하지만 아래에서는 대구하지 않는 것은 그 위 두 구를 잘라낸 것이며, 아래에서는 대구하지만 위에서는 대구하지 않는 것은 그 아래 두 구를 잘라낸 것이다.[199] 그러므로 절구라고 합니다."

어떤 이가 물었다. "한유(韓愈)・유종원(柳宗元)[200]・구양수(歐陽脩)[201]・소식(蘇軾)[202] 등은 당나라와 송나라의 대가인데 그의 문장에는 각각 그 체단(풍격)이 있다. 한유와 유종원은 스스로 한유와 유종원이고, 구양수와 소식은 스스로 구양수와 소식

---

199) 원문은 "上下皆不對者, 四韻中絶其二聯也; 上下皆有對者, 絶其首末二句也; 上對而下不對者, 絶其上二句也; 下對而上不對者, 絶其下二句也."라고 되어 있으나 응당 "上下皆不對者, 絶其首末二句也; 上下皆有對者, 四韻中絶其二聯也; 上對而下不對者, 絶其下二句也; 下對而上不對者, 絶其上二句也."라고 되어야 한다, 때문에 번역은 역자의 관점에 따라 번역하였음을 밝힌다.

200) 柳宗元: 서기 773~819, 당나라 때 문인이며 정치가, 자는 자후(子厚). 장안(長安) 출신. 학문과 문장이 뛰어나 한유(韓愈)와 유우석(劉禹錫) 등과 친교를 맺었다. 유종원은 유불도를 참작하고 신비주의를 배격하며 합리적인 사상을 취하였다. 당송팔대가(唐宋八大家)의 한 사람으로 우언시에 뛰어났다. 저서로는 『유하동집(柳河東集)』, 『외집(外集)』과 『보유(補遺)』가 있다.

201) 歐陽脩: 서기1007~1072, 송나라 때 학자이자 문학가, 자는 영숙(永叔), 호는 취옹(醉翁)・육일거사(六一居士), 길주(吉州) 영풍(永豐: 지금의 江西省 吉安市 永豐縣) 노릉(盧陵) 출신. 학문과 문장이 뛰어나 북송 고문운동을 주도하여 당송팔대가(唐宋八大家)의 한 사람, 한림학사(翰林學士)・추밀부사(樞密副使)・참지정사(參知政事) 등을 지냈고, 『신당서(新唐書)』와 『신오대사(新五代史)』 편찬에 참여했으며, 금석학 관련 여러 자료들을 모아『집고록(集古錄)』을 편찬하여 금석학의 창시자가 되었다. 저서로는 『구양문충공집(歐陽文忠公集)』, 『역동자문(易童子問)』이 있다.

202) 蘇軾: 서기1036~1101, 송나라의 학자로, 자는 자첨(子瞻), 호는 동파(東坡)・동파거사(東坡居士). 미산(眉山: 지금의 四川省) 출신. 소순(蘇洵)의 장자로, 8세 때 도인(道人) 장이간(張易簡)의 문하에서 학문을 닦았다. 아버지 소순(蘇洵), 동생 소철(蘇轍)과 함께 '삼소(三蘇)'라고 일컬어진다. 당송팔대가의 한 사람이자 송나라 사가(四家)의 한 사람이다. 그의 대표적 문인으로는 황정견(黃庭堅)・진관(秦觀)・진사도(陳師道) 등이 있다. 왕안석(王安石)의 신법(新法)에 대한 부당성을 상소하여 좌천되어 항주(抗州)를 비롯한 여러 지방의 관직을 전전하였다. 원풍(元豐) 3년(1080) 오대시안(烏臺詩案)으로 황주(黃州)로 유배되었다가 철종이 즉위하여 한림학사(翰林學士)・시독학사(侍讀學士)・예부상서(禮部尙書) 등으로 자리를 옮겼으나, 다시 좌천되어 여러 지방의 관직을 역임하였다. 저서로는 『동파역전(東坡易傳)』, 『동파악부(東坡樂府)』, 『소동파전집(蘇東坡全集)』 등이 있다.

이니, 소식은 구양수가 될 수 없고, 유종원은 한유가 될 수 없으니, 어떻게 분별하겠습니까?" 나는 답하였다. "이것은 말하기 어려운 것입니다. 그러나 옛 사람은 물로 도를 비유하였으니, 도와 문은 하나입니다. 물로 문을 비유하여도 어찌 불가함이 있겠는가? 한유의 문장은 비교하면, 푸른 바다의 만경창파로서 끝없이 망망하여 백설로 뒤덮인 성곽들을 밀어제치고 은덩이로 쌓아올린 산악을 쪼개버리며 하늘로 솟아올라 해와 별을 설레게 하고 이 땅의 주축마저 마구 뒤흔들어 용과 고기떼들은 수염을 날리며 쏜살같이 앞을 향해 헤어가고 바다거북과 악어들은 천리마인양 고개를 쳐들고 질풍같이 달려갑니다. 그 변화가 끝이 없어 이름하여 형상할 수 없습니다. 유종원의 문장은 마치 계곡을 빠져나오는 물처럼 노한 김에 바위를 두드리고 절벽을 만나 에돌아 흐르면서 순류를 이루면 문을 이루고 역류가 되면 장(章)을 그리면서 천 가지로 헤아리고 만 가지로 헤아리는 기괴하고 신기한 모습을 나타내면서 조물주의 자취를 빼앗아내고 있습니다. 구양수의 문장은 춘화경명의 기가 맑아 가벼운 티끌도 일지 않고 잔잔한 물결마저 일지 않아 거울인 듯하고 비단인 듯하다. 만 리 길을 흘러가며 그냥 푸르기만 한데 가뭄 7년에 돌이 녹고 쇳물이 흘러가도 그 마르는 법을 모릅니다. 천 줄기의 강물이 흘러들며 하늘에 치솟고 해님을 삼키지만 그 범람이란 모릅니다. 소식의 문장은 오묘한 논설이 하늘로부터 떨어지며 마치 황하의 물결이 천상에서 흘러오듯 갑자기 폭포수로 변했다가 문득 장강이 되고 호수로 변화하며 만나는 경물마다 제가끔 제 모습을 드러내고 거의 뗏목을 타고 황하 물에 들어서고 우화(羽化)하여 신선세계에 오르듯 하다. 적벽 강물 위의 추풍추월마저 모두 그 끝없이 감춰진 것입니다. 비록 그렇지만 이것이 이른바 술잔으로 바닷물을 짐작하고 붓대를 이용하여 하늘을 엿보는 것이니, 어찌 사문(斯文)의 논에 참여할 수 있겠습니까?"

答人問

問: "作文有法乎?" 曰: "短簡片文, 非法不可." 曰: "可得聞歟?" 曰: "吾非作家, 安能知法. 但聞諸前輩之言." 曰: "作文之法, 不必六經也. 不必秦漢也, 不必唐與宋與元明也. 孔子曰: '辭達意而已.' 所謂辭達云者, 能自攄胸臆出機軸, 而成一家言者也. 至其徵材取料, 則博採而曲陳之, 經緯而錯綜之, 如艸中之蛇, 乍現乍隱, 雖不見其全身, 而其頭尾運行則絡繹於草間. 文亦如是. 自起頭至結末舖張千萬言, 其主意則血脉貫通始終, 惟一而已." 退之云: "惟陳言之務去." 然亦無一字不來處,如衆花釀蜜, 蜜成而無香色可尋; 如丹黃金碧, 皆入爐鞴而成丹無氣味可辨. 其所取雖博, 而守之也約; 其所陳雖曲, 而裁之也純. 故其取法不必六經, 而未嘗不原乎六經也; 不必秦漢, 而未嘗不出乎秦漢也; 不必唐與宋與元明, 而亦未嘗不取乎唐與宋與元明也. 且文有關鎖法, 雖長篇鉅章, 必有一兩句結晶處, 卽文之樞也. 如太倉千萬間, 其關鎖處不過乎一二間也. 問: "六經之文, 主義在論道, 典雅而已, 眞實而已, 不可謂文章之文也." 曰: "惡是何言也? 典雅之中自有其文, 眞實之中自有章. 六經之文, 乃天下之至文也." 『大學』八條目, "欲明明德於天下者, 先治其國"以下諸條, 文勢皆放此. 而至"格致"則少變文. 曰: "'致知在格物', 此是文章法也. 『中庸』'君子之道四, 某未能一焉'章, 上言事父事君事兄, 而末乃變文." 曰: "'先施之', 此其法也." 問: "『論』『孟』之文, 亦有優劣歟?" 曰: "孟子之文, 不如論語文章. 孟子曰: '左右皆曰可殺, 勿聽; 諸大夫皆曰可殺, 勿聽; 國人皆曰可殺, 然後察之; 見可殺焉, 然後殺之.' 『論語』曰: '衆惡之, 必察焉; 衆好之, 必察焉.' 辭略義盡, 孟子之費許多文, 不如也." 問: "詩律之律, 是音律之律歟?" 曰: "非也, 乃法律之律也." 問: "何以謂之法律之律?" 曰: "長篇詩, 或長短句, 及五七絶, 皆謂之詩也. 惟四韻, 謂之律也. 蓋其起承轉落, 必有規矩; 淸濁平直, 不失音調, 如法章律之一定不易. 故杜陸詩中, 惟四韻, 謂之律, 其他諸體不曰律, 而曰詩也. 世之人無論詩律, 以韻之佳者謂之律. 然則長篇, 及絶韻之佳者, 亦皆謂之律歟? 是詩與律之別也." 問: "絶句之義, 何以?" 曰: "二句成詩曰絶, 卽四韻中絶二句而存其二, 故曰絶也. 蓋絶句有上下兩句皆不對者, 有兩句聯對者, 有上對而下不對者, 有下對而上不對者也. 上下皆不對者, 四韻中絶其兩聯也, 上下皆有對者, 絶其首末二句也, 上對而下不對者, 絶其上二句也, 下對而上不對者絶其下二句也. 故曰絶句也." 問: "韓柳歐蘇氏, 唐宋之大家, 而其文各有其體, 韓柳自韓柳, 歐蘇自歐蘇, 蘇不可以爲歐, 柳不可以爲韓. 如何分別?" 曰: "是難言也. 然古人以水喩道, 道與文一也. 以水喩文, 何不可之有? 韓文比則滄海, 萬頃波汪洋無涯, 頹雪城, 擘銀山, 摩盪日星, 震撼坤軸, 魚龍鼓鬣而踔厲, 黿鼉驤首而奮迅. 其變不窮, 不可名狀. 柳文則如澗谷之水, 觸石而怒, 當壁而廻, 順而成文, 逆而成章, 千奇萬怪, 奪造化之迹矣. 歐文則漣漪滉漾, 景明氣淸, 輕塵不起, 纖波不興, 鏡如縠如, 一碧萬里, 大旱七年, 爍石流金, 而不見其涸. 千水奔匯, 稽天滔日, 而不見其濫. 蘇文則妙論天落, 如黃河之水自天上來, 忽爾爲瀑, 忽爾爲江爲湖, 遇其境而各輸其態, 殆乘槎而入河, 羽化而登仙. 赤壁江上秋風秋月, 皆其無盡之藏也. 雖然此所謂以蠡酌海, 用管窺天, 安能與於斯文之論哉?"

원인(原人)[203]을 이어 기술함

　위대하구나, 건(乾)의 덕이여! 해와 달로 비추고, 별과 별자리로 형상화하였으며, 비로써 적셔주고 바람으로써 흩어지게 하니, 이것이 하늘의 높고 큰 것이다. 지극하구나, 곤(坤)의 덕이여! 화산을 싣고도 무거워하지 않고, 바다를 진작하여도 새지 않으며, 수화금목토(水火金木土)로 오곡이 자라게 하니, 이것이 땅의 넓고 두터운 것이다.

　오직 사람만이 하늘과 땅 두 사이에 처하였으니, 작음이 마치 창해일속일 뿐이다. 이 마음은 지극 은미한 가운데 깃들었는데 아마도 한 치도 되지 않는다. 그렇지만 하늘과 땅에 참여하여 삼재(三才)라고 일컬어진다. 저 하늘은 헤아리지 못할 재난이 있어도 스스로 구할 수 없고, 땅은 언덕과 골짜기가 옮겨가도 스스로 제제할 수 없다. 이른바 하늘과 땅이 큰 것은 사람에게 유감이 있는 것과 같다. 때문에 9년 동안 홍수가 산을 에워싸고 언덕을 삼킬 적에 우임금이 나서서 홍수를 다스리니 물이 땅에 연유하여 흘러간다. 7년의 가뭄이 쇠도 바위도 녹아내릴 적에 탕임금이 기도하니 백성들이 먹을 수 있었다. 주임금의 세상에 백성들이 도탄에 빠지고 이적들이 횡행하자 주공이 무왕을 도와 호랑이와 시라소니를 몰아내고 형서(荊舒: 초나라)를 징벌하니 백성들을 편안하게 되었다. 춘추 시기에 난신적자들이 꼬리를 물고 일어나 우리 공부자가 빈 말로 포폄(褒貶)을 가하자, 군자는 믿어 게으르지 않는 바가 있고 소인은 두려워 감히 제멋대로 날뛰지 못하는 바가 있어 일치(一治)의 운을 담당하였으니, 이것이 모두 바로 하늘과 땅에 참여하여 화육을 도와 성인의 능한 일을 다한 것이다.

　그렇다면 천하의 지극한 성인만이 능히 하늘과 땅의 도를 돕고 도와서 하늘과 땅에 참여하여 셋이 될 수 있다. 사람이 모두 셋이 될 수 있는 것은 무엇 때문인가? 나는 말하겠다. "요임금과 걸임금은 이 마음을 함께 지녔고 순임금과 도척도 이 마음을 함께 지녔다. 성인이라고 하여 나머지가 있지 않고 일반인이라고 하여 모자라지 않는다. 나의 마음이 바로 천지의 마음이다. 때문에 삼재(三才)라고 한다. 그렇지만 오직 성인만이 자기의 마음을 다할 수 있지만 일반인들은 그렇게 하지 못한다. 그렇다면 성스러움[聖]을 가리켜 사람이라고 하는 것은 옳고 사람을 가리켜 성스러움이라고 하는 것은 옳지 않다."

---

203) 이는 중국 당나라 문인 한유(韓愈)가 지은 「원인」을 이어서 논설한 것이다.

續原人

大哉! 乾之德也. 照之以日月, 象之以星辰, 雨以潤之, 風以散之, 此天之所以高大也. 至哉! 坤之德也. 載華嶽而不重, 振河海而不洩, 水火金木土穀生焉, 此地之所以博厚也. 惟人處乎兩間, 渺滄海之一粟耳. 是心也, 寓於至微之中, 殆未滿方寸, 然而參天地而稱三才焉. 夫天有不測之災而不能自救, 地有陵谷之遷而不能自制, 所謂天地之大也, 人猶有攸憾也. 故九年之水, 懷山襄陵, 而禹能治之, 水由地中行. 七年之旱, 金石銷爍, 而湯能禱之, 民得而食之. 紂之世民在塗炭, 夷狄橫行, 周公相武王, 驅虎豹而懲荊舒, 百姓以寧. 春秋之時, 亂臣賊子, 接踵而生. 吾夫子以空言加褒貶, 君子有所恃而不倦, 小人有所畏而不敢肆, 以當一治之運, 此皆參天地贊化育, 而聖人之能事畢也. 然則惟天下至聖, 為能財成天地之道, 補相天地之宜, 可與天地為三矣. 人皆可以為參三, 何也? 曰: "堯桀同此心也, 舜跖同此心也. 不為聖而有餘, 不為衆而不足, 吾之心卽天地之心也, 故謂之三才. 然惟聖人能盡其心, 衆人不能焉. 然則指聖而曰人, 可也; 指人而曰聖, 不可."

후회의 뜻을 밝히며 유태윤(柳泰胤)에게 보냄

　후회는 선과 악의 기미가 나타나니, 진실로 선을 낳을 수 있고 또한 불선을 낳을 수 있다. 사람이 요순이 아니면 어찌 허물이 없을 수 있겠는가? 허물을 저지르고 후회할 수 있고, 후회하고 고칠 있으면 무슨 누(累)가 있겠는가? 오직 허물을 저지르고 후회할 줄 모르고, 후회하고 고칠 줄 모른다면 이것이 참으로 선하지 못한 것이네. 비록 그러하나 그저 후회만 하는 것이 일에 아무런 도움도 없으니, 오직 후회를 지니고 있는 것을 귀하게 여겨야 하네. 후회는 어떻게 지니겠는가? 지니는 것을 경계하고 잊지 말라고 하는 것이네.

　어떤 사람들은 회(悔)의 문자가 되는 것이 심(心) 자를 따르고 매(每) 자를 따르니, 바로 생각이 여기에 있다는 뜻으로 해석한 것도 통하네. 말에서 후회하게 되면 지니면서 더욱 삼갈 것이고, 행동에서 후회하게 되면 지니면서 두 번하지 않게 될 것이니, 이렇게 하는 것이 병이고 이렇게 하지 않는 것이 바로 약이라는 것을 알게 될 것이네. 만약 아침에 후회하고, 저녁에 다시 하고, 어제 후회하고 오늘 다시 하면 전복

된 수레를 거울로 삼음이 멀지 않아 앞선 수레의 자취를 다시 밟는 격이니, 실패를 어찌 기다리지 않겠는가? 위대한 『역(易)』의 점사에는 길함·흉함·후회함·부끄러움이 있는데, 후회한다는 회(悔)는 길함과 흉함의 기미가 나타나네. 점을 치는 사람이 후회하며 경계할 줄 알면 흉함을 길함으로 변화시킬 수 있네. 그렇지 못하면 이와 반대하여, 사람이 선을 하고 불선을 하는 것은 후회의 점이 흉함이 되고 길함이 되는 것에 연유하고, 또한 후회에서 연유하게 되면 모두 후회하는 것이니, 지닐 수 있으면 후회가 없는 데까지 이르게 될 것이고, 지닐 수 없으면 후회하는 것으로 마칠 따름이네.

두려워하지 않을 수 있겠는가? 그대가 바야흐로 후회와 함께 싸우고 있어서, 내가 비록 위무공(衛武公)[204]와 거백옥(蘧伯玉)[205]의 용감성이 없더라도 함께 원수를 근심하고 의리상 아무 상관없는 것처럼 볼 수 없어서 한 소리로 서로 응원하니, 아마도 또한 초나라를 위하고 조나라를 위하는 것은 아니네.[206]

原悔贈柳泰胤

悔幾善惡, 固可以生善, 亦可以生不善. 人非堯舜, 孰能無過? 過而能悔, 悔而能改, 何累之有? 惟過不知悔, 悔不知改, 是眞不善耳. 雖然徒悔不濟事, 惟持悔爲貴. 悔, 奚以持? 持之云戒而勿忘也. 或曰悔爲文從心從每, 卽念釋在玆之義也, 亦通. 悔於言則持而加愼, 悔於行則持而不貳, 知如此是病, 不如此便是藥. 若夫朝悔而暮復, 昨悔而今復, 車鑑不遠, 循蹈前轍, 不敗何竢. 『大易』之占辭曰吉曰凶曰悔曰吝, 而悔又幾吉凶, 占者能悔而知戒, 則變凶爲吉. 不者反是, 人之爲善爲不善. 由於悔占之爲凶爲吉, 亦由於悔, 均是悔也, 而能持之, 則可以至於无悔. 不能持焉, 則終於悔而已, 可不懼哉? 君方與悔共鬪, 余縱乏衛武伯玉之勇, 而同患仇賊, 義不可越視, 一聲相援, 盖亦爲楚非爲趙也.

---

204) 위무공은 95세의 나이에도 불구하고 나라 사람들에게 자신을 일깨울 만한 좋은 말을 해 달라고 당부할 정도로 훌륭한 덕을 지닌 인물이다.
205) 『논어』에 의하면, 거백옥은 그 출처가 성인의 도에 합당한 인물이다.
206) 이 말의 의미는 겉으로 이것을 위하는 체하면서 실제로는 다른 것을 위함을 비유적으로 이르는 말이다.

의혹에 대한 변론 [젊은 날의 과작]

공자는 "군자는 그릇이 아니다"[207]라고 하였고, 자공에게 일러 말하기를 "자네는 그릇이다"[208]라고 하였다. 그렇다면 자공은 군자다운 사람이 아닙니까?
성인의 입언(立言)에는 뜻이 각각 같지 않으니, 그 군자를 말할 적에는 혹 덕을 이룬 것으로 하기도 하고, 혹 통칭으로 하기도 하니, 무슨 법칙이겠는가? 군자가 그릇이 아니라는 것은 체(體)가 구비되지 않음이 없고 용(用)이 주밀하지 않은 것이 없으니, 덕을 이룬 자가 아니면 여기에 관여할 수 없을 것이다. 자공의 '자네는 그릇이다'는 것은 하나의 재간과 하나의 예능으로 쓰임의 완성이 있는 것이다. 그렇다면 통칭하는 군자라고 말할 수 있다. 오전(五典)을 아름답게 하고 백규(百揆)에 앉히며 사문(四門)을 열고 큰 산기슭에 들어가게 하는 것[209]은 순임금의 그릇이 되지 않은 것이다. 벼슬을 할 수도 있고 벼슬을 그만둘 수도 있으며 늦게 할 수도 있고 일찍 할 수도 있는 것[210]은 부자가 그릇이 되지 않은 것이다. 그렇다면 그 이른바 군자는 통칭이 아님을 이르는 것이 틀림없다. 조정에 서서 빈객과 말할 수 있는 것은 자공이 그릇이 되는 것이라면 덕을 이룬 칭송이라고 말할 수 없는 것이 분명하다. 무릇 군자라고 하는 것은 덕의 온전함이 있고 재능의 치우침이 있으니, 그 온전한 것은 진실로 군자라고 할 수 있지만, 그 치우친 것은 군자의 칭송을 하는데 방해가 되지 않을 것이다. 성인이 이윤(伊尹)을 임명한 것은 하나의 덕에 치우친 것이고, 성인이 백이(伯夷)를 맑게 여긴 것은 하나의 덕에 치우친 것이어서, 또한 성인이라고 말할 수 있을 것이다. '자네는 그릇이다'는 것도 자공이 하나의 예능으로 치우친 것이지만 또한 군자라고 할 수 있을 것이다. 만약 '그릇이다'로 여긴 자공이 군자라고 할 수 없다면 "군자로다"[211]라고 한 자천(子賤)도 그릇이 아니라고 할 수 있겠는가? 아! 높다고 하여도 하늘만한 것이 없는데 조금 밝은 한 곳이라도 하늘이라고 하고, 넓다고 하여도 땅만 한 것이 없는데 한 움큼의 흙이라도 땅이라고 한다. 그렇다면 자공을 한 가지 예능의 군

---

207) 『論語』 卷2 「爲政」 〈第12章〉: 子曰: "君子不器."
208) 『論語』 卷5 「公冶長」 〈第3章〉: 子貢問曰: "賜也何如?" 子曰: "女器也." 曰: "何器也?" 曰: "瑚璉也."
209) 『書經』 卷1 「虞書·舜典」: 愼徽五典, 五典克從, 納于百揆, 百揆時敍, 賓于四門, 四門穆穆, 納于大麓, 烈風雷雨弗迷. 참조.
210) 『孟子』 卷3 「公孫丑(上)」 〈第2章〉: 可以仕則仕, 可以止則止, 可以久則久, 可以速則速, 孔子也. 참조.
211) 『論語』 卷5 「公冶長」 〈第2章〉: 子謂子賤, "君子哉若人! 魯無君子者, 斯焉取斯?"

자라고 하여도 '조금 밝은 곳'과 '한 움큼의 흙'은 그 높고 큼을 유추할 수 있을 것이다. 무릇 자공이 "통달하다"[212]는 재능으로 엄연하게 사과(四科)에 반열하였고,[213] 마침내 성(性)과 천도(天道)를 듣기는 하지만[214] "하나로 관통했다"[215]고 전해지는 증자 아래의 사람일 따름이다. 만약 "그릇이 아니다"라는 가르침으로 자공이 군자가 아니라고 의심한다면, '조금 밝은 한 곳'은 하늘이 될 수 없고 '한 움큼의 흙'은 땅이 될 수가 없을 것이다. 어찌 옳겠는가?

辨疑 [少日課作]

子曰: "君子不器." 謂子貢曰: "汝器也." 然則子貢非君子人耶? 聖人之立言也, 義各不同. 其言君子也, 或以成德, 或以通稱, 何? 則君子之不器者, 體無不具而用無不周, 則非成德者不能與於此矣. 子貢之'汝器'者, 一材一藝而有用之成也, 則斯可謂通稱之君子矣. 徽五典, 納百揆, 闢四門, 納于大麓, 舜之所以不器也. 可仕·可止·可遲·可速, 夫子之所以不器也. 則其所謂君子者, 非通稱之謂也審矣, 可以立於朝與賓客言者, 子貢之所以器也, 則不可謂成德之稱, 亦明矣. 凡言君子者, 有德之全, 有材之偏. 其全也固可謂之君子, 而其偏也, 亦不害爲君子之稱矣. 聖之任伊尹之偏於一德也, 聖之淸伯夷之偏於一德也, 而亦可謂聖矣. 汝器也, 子貢之偏於一藝也, 而亦可謂君子矣. 如曰"器也"之子貢, 不得爲君子, 則"君子哉"之子賤, 亦可謂之不器歟? 噫! 莫高者天, 而昭昭之一處, 亦得謂之天. 莫大者地, 而一撮之土亦得謂之地矣. 則子貢可謂一藝之君子, 而昭昭之處, 一撮之土. 可推其高且大矣. 夫子貢以達也之材, 儼然列於四科, 終聞性與天道, 而一貫之傳曾子下一人而已. 若以"不器"之訓, 而疑子貢之非君子, 則昭昭之一處, 不爲天; 而一撮之土, 不得爲地矣, 奚可哉?

---

212) 『論語』 卷6 「雍也」 〈第6章〉: 季康子問: "仲由可使從政也與?" 子曰: "由也果, 於從政乎何有?" 曰: "賜也, 可使從政也與?" 曰: "賜也達, 於從政乎何有?" 曰: "求也, 可使從政也與?" 曰: "求也藝, 於從政乎何有?" 참조.

213) 『論語』 卷11 「先進」 〈第3章〉: 德行, 顔淵·閔子騫·冉伯牛·仲弓. 言語, 宰我·子貢. 政事, 冉有·季路. 文學, 子游·子夏. 참조.

214) 『論語』 卷5 「公冶長」 〈第12章〉: 子貢曰: "夫子之文章, 可得而聞也, 夫子之言性與天道, 不可得而聞也." 참조.

215) 『論語』 卷4 「里仁」 〈第15章〉: 子曰: "參乎! 吾道一以貫之." 曾子曰: "唯." 子出, 門人問曰, "何謂也?" 曾子曰: "夫子之道, 忠恕而已矣." 참조.

도학과 문장은 둘이 아니다 [과작]

　도는 형체가 없으면서 문(文)에 깃들고, 문은 자취가 있으면서 이 도를 관통하고 있다. 도와 문은 이름이 비록 다르지만 그 이치는 하나이다. 해와 달, 별과 별자리는 하늘의 문(문채)이고 산과 오악, 바다와 도랑은 땅의 문(문채)이어서, 건(乾)과 곤(坤)의 도가 반드시 이로 말미암아 현저하게 되었다.『상서(尚書)』의 전(典)과 모(謨)를 지은 것은 요임금과 순임금의 문이고, 나머지 훈(訓)·고(誥)·서(誓)·명(命)은 삼대의 문이어서, 이제이제(二帝)[216]과 삼왕(三王)[217]의 도가 반드시 이로 말미암아 무궁하게 전해졌다. 때문에 "성인들의 마음이 서적에서 보이는 것은 마치 화공의 오묘함이 사물에 나타나는 것과 같다"[218]라고 하였다. 도 또한 문인 것은 도가 문의 체(體)가 되고, 문이 도의 용(用)이니, 혼연히 한 곳으로 돌아가고 물처럼 아무런 간격이 없다.

　그렇지만 진나라와 한나라로부터 내려오면서, 도는 스스로 도가 되고 문은 스스로 문이 되어 판연히 두 가지가 되었다. 도를 문으로 삼은 자들은 경전의 구절을 표절하는 것을 일로 삼아 오리고 새기는 말단에서 기예를 다투며 비단에 수를 놓듯이 아름다움을 자랑하는데, 단지 철따라 우는 벌레와 때따라 우짖는 새들처럼 스스로 제 정서만을 울릴 뿐이다. 문이지만 도를 떠나면 어찌 문을 사용하겠는가? 염락관민(濂洛關閩)[219]의 학문이 성행하고 현자들이 무리를 지어 나타났어야 육경과 사자(四子:『대학』,『논어』,『맹자』,『중용』)의 가운데 침잠하여 쌓여서 덕행이 되고 밖으로 드러나 문장이 되니, 천만 가지 말들이 마침내 인의에 흠뻑 젖어서 찬란하게 되는 것이다. 근고(近古)로 이후로 성인들이 멀어지고 그 말이 인멸되어 말폐가 더욱 심하였다. 오직 문장을 짓는 자들이 도가 여기에 있음을 알지 못할 뿐만 아니라 학문을 하는 사람들 역시 문장이 여기에 실려 있음을 알지 못하고 있다.

　아! 문과 도가 서로 떨어짐이 하늘과 땅처럼 천양지차를 이룰 뿐만 아니라 사문의 폐단도 여기에서 다하게 되었다. 무릇 도를 물에 견주고 문을 그릇에 견주면, 물은 그릇이 아니면 담을 수 없고 그릇은 물이 없으면 마침내 쓸모없는 그릇이 되고 만다. 도

---

216) 이제(二帝): 중국 상고 시대 요임금과 순임금을 가리킨다.
217) 삼왕(三王): 중국의 상고 시대 하(夏) 나라의 우(禹), 은(殷) 나라의 탕(湯), 주(周) 나라의 문왕(文王)·무왕(武王)을 가리킨다.
218)『書經集傳』「書經集傳序」: 聖人之心見於書, 猶化工之妙, 著於物. 非精深不能識也.
219) 이는 염계(濂溪)의 주돈이(周敦頤), 낙양(洛陽)의 정호(程顥)·정이(程頤) 형제, 관중(關中)의 장재(張載), 민중(閩中)의 주희(朱熹) 등 송나라 성리학자들을 가리킨다.

는 스스로 전해지지 않기에 그 문을 기다려 전해지게 되고, 문은 스스로 존재하지 않기에 그 도를 실어 존재하게 된다. 형체가 없는 것으로 형상이 있는 것에 의탁하고, 형상이 있는 것으로 형체가 없는 것에 내함하고 있으니, 비록 잠시 떠나고자 하여도 할 수 있겠는가? 만약 도학과 문장이 나뉘어 두 개의 사물로 된다면 해와 달, 바다와 도랑도 하늘과 땅의 도를 떠나 별도로 하나의 사물로 될 것이다.

道學文章非二道辨 [課作]

道無形而寓於文, 文有跡而貫斯道. 道與文, 名雖殊而其理一也. 日月星辰, 天之文也; 山嶽海瀆, 地之文也; 而乾坤之道, 必由是而著爲典謨, 唐虞之文也; 訓誥誓命, 三代之文也. 而二帝三王之道, 亦由是而傳之無窮. 故曰: "聖人之心見於書, 猶化工之妙著於物也." 道亦文, 道爲文之體, 文爲道之用. 混然而同歸, 汤然而無間矣. 自秦漢以降. 道自道. 文自文. 判而爲二. 道爲文者, 惟剽掠經傳之是事, 爭技於篆雕之末, 衒美於繡繪之間. 只是候虫時鳥之自鳴其情耳. 文而離於道, 焉用文爲? 及至濂洛關閩群賢輩出, 浸潛乎六經, 四子之中, 蘊之爲德行, 發以爲文章, 千言萬語, 卒澤於仁義炳如也. 降自近古以來, 聖遠言堙, 末弊滋甚. 不惟爲文者, 不知道之存乎此. 而爲學者, 亦不知文之載此者也. 噫! 文與道相去不啻天淵, 而斯文之弊, 於是乎極矣. 夫道比之水也, 文比之器也. 水非器無以盛之, 器無水終爲虛器, 道不自傳, 待其文而傳; 文不自存, 載其道而存焉. 以無形而托於有象, 以有象而含乎無形, 雖欲暫離, 得乎? 若曰道學與文章分而爲二物, 則日月海瀆, 亦離乎天地之道而別爲一物也.

상앙론(商鞅論) [과작]

소를 잘 잡는 기술은 개를 도살하는 것을 부끄럽게 여기고, 사람을 막는 도적은 벽을 뚫는 것을 부끄럽게 여긴다. 제왕의 도를 아는 자는 패자로 일컬어지는 것을 부끄럽게 여기는데, 하물며 부국강병의 술책에 있어서랴! 상앙이 진효공(秦孝公)[220]에게

---

220) 진효공(秦孝公): 전국시대 진나라 임금으로, 이름은 거량(渠梁). 상앙(商鞅)을 등용, 부국강병책(富國强兵策)을 써서 국세를 크게 떨쳤다.

유세한 것은 왕도이므로 부국강병을 사용하지 않았어도 가까이하게 되었다. 만약 상앙이 진효공에게 제왕의 도[帝道]에 관한 설을 듣게 하였다면 상앙은 삼황(三皇)[221]과 오제(五帝)[222]의 다스림을 회복할 수 있었겠는가? "아니다"라고 말하겠다.

상앙은 각박한 자품으로 그 부국강병의 술책을 자랑하면서 그가 먼저 제왕의 도를 말한 것은 진효공으로 하여금 지겹게 듣도록 하여 더욱 그 술책을 쓰는 뜻을 견고하게 하려는 것이었다. 그 이른바 믿음을 세운다는 것은 장차 법령을 변화시켜 제정하고 하는데 백성들이 따르지 않을까 두려워하여, 상금을 남용해서 앞에서 유혹하고 형벌을 다하여 뒤에서 몰아냈으니, 이것은 믿음이 아니라 다만 위협하고 겁탈하였을 뿐이다.

그렇지 않으면, 저자거리 나무를 옮기는 것이 얼마나 믿음이 있었으며, 위나라 장수를 속이는 것이 얼마나 믿음이 없었는가? 피를 흘리고 뼈를 깎아내는 형벌은 사나운 짐승과 전갈의 독보다도 혹독하였으니, 분서갱유(焚書坑儒)의 재앙이 이미 여기서 싹트게 되었다. 토지는 날로 늘어났으나 민심은 날로 떠나갔고, 병사들은 비록 강대하였지만 나라의 근본은 쇠약하였으니, 대저 그 술책으로 진나라를 흥성시킬 수 있었지만 진나라 또한 망한 것이었고, 그 법으로 몸을 드러냈지만 몸 또한 보존하지 못한 것이다.

진나라를 일으킨 공로는 작지만 진나라를 망친 죄는 크며, 몸을 드러낸 명성은 한계가 있었지만 몸을 없애버린 조롱은 다함이 없으니, 어찌 작은 것으로 그 큰 것을 가릴 수가 있으며 한계가 있는 것으로 그 끝이 없는 것을 구할 수 있겠는가? 비록 그러하나 후세에 자리를 훔치고 봉록을 보존한 무리들은 그 일에 태만하고 그의 법을 문란하게 하였으니, 국세로 하여금 날로 더욱 진작하지 못하게 하고 논밭과 들은 날로 더욱 황폐화되어, 차츰차츰 멸망으로 들어가더라도 스스로 알지 자도 또한 상앙과 같은 죄일 것이다!

商鞅論 [課作]

解牛之技, 恥於屠狗; 禦人之盜, 恥於穿窬. 知帝王之道者, 羞稱伯者, 而況富强之術乎? 商鞅之說秦孝公也王道, 而不用富强而見親. 若使孝公聽其帝道之說, 則鞅能復三五之治歟? 曰: "否." 鞅以刻薄之資, 欲售其富强之術, 而其先言帝道者, 盖欲使孝公厭其聽, 而益固其用術之志也. 其所謂立信者, 將欲變法定令, 恐民不從,

---

221) 삼황(三王): 중국 상고 시대 복희(伏羲)·신농(神農)·황제(黃帝)를 가리킨다.
222) 오제(五帝): 중국의 상고 시대 소호(少昊)·전욱(顓頊)·제곡(帝嚳)·제요(帝堯)·제순(帝舜)을 가리킨다.

濫賞而誘之於前, 窮刑而驅之於後. 是非信也, 特威刼之耳. 不然市木之徙, 何其 有信? 而魏將之欺, 何其無信歟? 流血剝骨之刑, 酷於猛獸, 蠆螫之毒, 而坑儒焚 書之禍, 已萌於此矣. 土地日來, 而民心日去; 士卒雖强, 而邦本已弱, 蓋以其術能 興秦, 而秦亦所以亡者也. 以其法能顯身, 而身亦所以不保者也. 興秦之功小, 而 亡秦之罪大; 顯身之名有限, 而滅身之譏無窮. 安能以小而掩其大, 以有限而救其 無窮哉! 雖然後世竊位保祿之輩, 怠其事而紊其法, 使國勢日益不振, 田野日益荒 廢, 浸浸然入于滅亡而不自知者, 亦鞅之罪人也夫!

시의 효력설 [과작]

  시는 성정에 근본하고 교화에 관련되니, 그 이유는 무엇이겠는가? 그 말에는 옳고 그름이 있고, 그 성정에는 사특함과 바름이 있기 때문이다. 말의 순수함이 한결같이 바른 데서 나오는 것은 사람들을 권면할 수 있는데, 그 말의 잡스러움이 간혹 사특한 데서 나오는 것도 또한 경계할 만하다. 내 한 몸을 보존하는 것은 덕성을 훈도할 만 하고, 천하에 조치하는 것은 백성을 교화하여 풍속을 좋게 할 수 있다. 무릇 시의 효 력은 크도다! 공자는 "예와 악은 잠시도 몸에서 떠날 수 없다"[223]라고 하였으니, 예 는 사람의 긍사(矜肆)[224]를 단속할 수 있고, 악은 사람의 답답함을 풀어줄 수 있다. 이 른바 악은 어찌 종고(鐘鼓)와 관현(管絃)이라고만 말하겠는가? 옛날 성대한 시기에 그 말이 바른 데서 나온 것은 성률(聲律)에 맞고 향당과 나라에 사용하였으니, 읊조리 는 사이에 사람마다 제각기 그 마음의 바름을 얻어 군신과 상하의 즈음에 또한 각각 그 시가 있도록 하였다. 무릇 신하와 임금의 관계, 어린이와 어른의 관계도 예에 한결 같지만 조화를 알지 못하면 위와 아래가 서로 격절되어 각각 그 마음을 다할 수 없으 니, 이것은 시가 치우쳐 폐지할 수 없는 것이어서, 선왕의 정사는 이것을 귀하게 여겼 다.[225] 그렇다면 그 시를 본다면 그 사람의 현부(賢否)를 알 수 있으니, 천하와 국가의 치란과 성쇠도 또한 이로 인해 그 실상을 상고할 수 있을 것이다.

---

223) 『禮記』 卷18 「樂記第十九」: 君子曰: "禮樂不可斯須去身."
224) 矜肆: 잰 체하여 제멋대로 행동함을 일컫는다.
225) 『論語』 卷1 「學而」: 有子曰: "禮之用, 和爲貴. 先王之道斯爲美, 小大由之."

詩之効力說 [課作]

詩本乎性情, 關乎風化, 何者? 因其言之有是非, 知其性之有邪正. 言之粹然, 一出於正者, 足以爲勸, 而其雜然或出於邪者, 亦足以爲戒. 存吾一身, 可以薰陶德性; 措諸天下, 可以化民成俗. 夫詩之效大矣哉! 孔子曰: "禮樂不可斯須去身." 禮能檢束人之矜肆, 樂能和暢人之堙欝. 所謂樂者, 豈鍾鼓管絃之云乎哉? 昔在盛時, 其言之出於正者, 協之聲律, 用之鄕邦, 吟詠之間, 使人各得其情之正者, 而君臣上下之際, 亦各有其詩. 夫臣之於君, 幼之於長也, 一於禮, 而不知和, 則上下相隔, 不能各盡其情, 此詩之所以不可偏廢, 而先王之政, 以是爲貴也. 然則觀其詩, 可以知其人之賢否, 而天下國家, 治亂盛衰, 亦可因是而考其實矣.

온고지신설 [과작]

도끼 자루를 베기를 어떻게 할 것인가? 반드시 도끼로 해야 한다. 새로움을 알기를 어떻게 할 것인가? 반드시 옛 것으로 해야 한다. 무릇 배우는 것은 익힌 것을 온습(溫習)하는 것이 귀하고, 익히는 것은 새로운 것을 아는 것이 귀하다. 옛 것은 새로운 것을 하는 기틀인데, 새로운 것은 옛 것에 연유하여 얻어진다. 옛 것으로 새로운 것을 아는데, 그 법칙은 멀지 않다. 그러므로 옛 것을 떠나 새로운 것을 구하려 하는 것이 어찌 도끼를 버리고 나무를 베는 것과 다르겠는가?

그러나 견문은 한계가 있고 의리는 끝이 없다. 만약 자유로이 수영하듯 침착하게 탐색하는 공부가 없이 한 마디 말을 들으면, 하나에서는 하나만 되어 두 개가 될 수 없고 아홉을 들으면 아홉에서도 하나가 되어 열 개가 될 수 없다. 이와 같다면, 새롭게 얻는 오묘함이 없을 뿐만 아니라, 반드시 장차 옛날에 보고 들은 것이라도 나에게 있는 것은 아닐 것이다.

무릇 이치는 하나일 따름이다. 배우는 것은 시작과 끝의 다름이 있어도 이치는 옛 것과 새로운 것의 간격이 없다. 그러므로 예전의 들은 것을 따듯하게 익히고 유형에 따라 곁으로 관통시키면, 새로운 것이 도래하는 것이 마치 샘물에 근원이 있어 만 갈래 물길이 연유하여 나오는 것과 같고, 마치 나무에 뿌리가 있어 가지와 줄기가 연유하여 우거지는 것과 같다. 따뜻하게 하는 효도라면 충성의 이치가 여기에 있음을 알 수 있고, 따뜻하게 하는 우애라면 공경의 이치가 또한 여기서 벗어나지 않음을 알 수 있으니, 이것은 자공(子貢)이 예를 논하면서 시를 아는 새로움이고,[226] 자하(子夏)가 시를 논하면서 예를 아는 새로움이다.[227]

대개 새로운 것은 새로운 것에서 생겨나지 않고 옛 것에서 생겨나는 것이다. 그러므로 옛 것을 온습하여야 새로운 것을 알 수 있다. 달마다 그 이미 잘할 수 있는 것을 잊음이 없고 날마다 그 아직 알지 못하는 것을 알게 되어, 정밀하면 할수록 더욱 오묘하게 되어 예전에 들은 것보다 나을 것 같다면 한계가 있는 견문에 정체하지 않고 끝이 없는 의리에 두루 다할 수 있을 것이다!

溫故知新說 [課作]

伐柯如之何? 必以斧也. 知新如之何? 必以故也. 夫學貴乎溫習, 習貴乎知新. 故爲新之基, 新由故而得. 以故知新, 其則不遠. 故離於故, 而欲求新者, 奚以異於捨斧而伐樹哉? 然見聞有限, 而義理無窮. 若無優游涵泳之功, 而聞一言, 則一於一而不能二, 見九分, 則一於九而不能十. 如此則不惟無新得之妙, 必將故所見聞者, 而亦非在我者矣. 夫理一而已. 學有始終之殊, 而理無故新之隔, 故溫習舊聞, 觸類旁通, 則新者之來, 如泉之有源, 而萬派之所由出焉; 如木之有本, 而枝幹之所由達焉. 溫之孝也, 而知得忠之理在是. 溫之悌也, 而知得敬之理亦不外此, 此子貢論禮而知詩之新, 子夏論詩而知禮之新. 蓋新不生於新, 而生於故. 故溫故方能知新. 月無忘其所已能, 日知其所未知, 愈精愈妙, 勝似舊聞, 則可以不滯於有限之見聞, 而周盡乎無窮之義理也夫!

"남의 것을 취하여 선으로 삼는다"는 설 [과작]

태산은 스스로 크다고 여기지 않기에 흙을 모을 수 있고, 바다는 스스로 깊다고 하

---

226) 『論語』 卷1 「學而」 〈第15章〉: 子貢曰: "貧而無諂, 富而無驕, 何如?" 子曰: "可也. 未若貧而樂, 富而好禮者也." 子貢曰: "詩云: '如切如磋, 如琢如磨.' 其斯之謂與?" 子曰: "賜也, 始可與言詩已矣! 告諸往而知來者." 참조.

227) 『論語』 卷3 「八佾」 〈第3章〉: 子夏問曰: "'巧笑倩兮, 美目盼兮, 素以爲絢兮.' 何謂也?" 子曰: "繪事後素." 曰: "禮後乎?" 子曰: "起予者商也! 始可與言詩已矣." 참조.

지 않기에 냇물을 받아들일 수 있다.[228] 오직 성인만이 스스로 성인이라고 하지 않기에 다른 사람의 선함을 즐거이 취한다.

대개 순임금은 여러 사물에 밝고 사람의 윤리를 살펴 인의로부터 행동하였을 뿐, 인의를 억지로 행하려는 것이 아니었다면, 남을 기다리지 않고도 모든 선이 갖추어지게 되었으니, 어찌 일찍이 남의 것을 취하여 선을 하는데 일삼겠는가? 무릇 선은 천하가 공변되게 공유하는 도리이니, 귀천으로써 다름이 있지 않고 상하로써 간격이 있는 것이 아니다. 순임금이 천하의 위대한 성인으로서 자기의 사사로움을 잊고 이치를 따를 수 있었던 것은 선이 자기에게 있는 줄 알지 못하고 하나의 선만 보면 힘쓰기를 기다리지 않고도 즐거이 취한 것이니, 이것은 천하의 선을 공변되게 하여 안으로는 그 자기가 있음을 보지 못하고 밖으로는 그 남이 있음을 보지 못한 것이다. 이것은 순임금이 위대한 순임금이 되는 것이고 우임금이 훌륭한 말을 들으면 절하고 받아들인 것이며,[229] 공자가 예를 물은 것이니,[230] 앞 성인과 뒷 성인은 그 법이 하나이다.

접때 태산이 스스로 크다고 여겨 그 흙을 사양하고 바다가 스스로 깊다고 냇물을 받아들이지 않게 하였다면 어떻게 높고 깊음을 이룰 수 있겠는가? 오직 성인도 그러하다. 만약 성인이 스스로 그 성인이라고 여기고, 천하의 선을 자기의 사사로운 것으로 여겼다면, 그 미치광이가 될 것은 필연적이다. 그러므로 "착한 일을 했다고 생각하면 착한 일을 잃어버리게 되고, 능한 것을 자랑하면 공을 잃게 된다"[231]라고 하였다. 성인과 보통사람은 여기서 나누어지고, 순임금과 도척은 여기서 갈라지게 된다. 아! 지금의 세상은 백가(百家)와 중기(衆技)가 각각 그 사사로움을 사사롭게 여기며, 모두 내가 성인이라고 하여 남의 스승이 되기를 좋아하면서 자기를 이기는 것이라면 싫어하니, 이는 마침내 가히 더불어 성현의 경지에 들어갈 수 없을 것이다. 무릇 지금 사람이 성인을 배우려고 한다면, 순임금을 스승으로 삼는 것보다 나은 것이 없을 것이다. 순임금을 스승으로 삼는 것은 어떻게 할 것인가? 나는 "자기의 욕심을 잊어버리고 남의 선한 것을 따라야 한다"라고 말하겠다.

---

228) 『史記』 卷87 「李斯列傳第二十七」: 泰山不讓土壤, 故能成其大; 河海不擇細流, 故能就其深. 참조.
229) 『孟子』 卷3 「公孫丑(上)」 〈第8章〉: 孟子曰: "子路, 人告之以有過則喜. 禹聞善言則拜. 大舜有大焉, 善與人同. 舍己從人, 樂取於人以爲善. 참조.
230) 『史記』 卷63 「老莊申韓列傳第三」: 孔子適周, 將問禮於老子. 참조.
231) 『書經』 卷5 「商書·說命中」: 有其善, 喪厥善; 矜其能, 喪厥功.

取於人以爲善說 [課作]

泰山不自其大, 而能聚土壤; 河海不自其深, 而能受涓流. 惟聖不自其聖, 而樂取人善. 盖舜明於庶物, 察於人倫, 由仁義行, 非行仁義, 則不待於人而萬善足焉, 曷嘗事於取人爲善哉? 夫善者天下公共底道理, 不以貴賤而有殊, 不以上下而有間也. 舜以天下之大聖, 能忘己循理, 不知善之在己, 而見一善, 則不待勉强而樂取之, 是公天下之善, 而內不見其有己, 外不見其有人也. 此舜之所以爲大舜, 而禹之拜昌言, 孔子之問禮, 前聖後聖, 其揆一也. 向使泰山自大而辭其土壤, 河海自深而不受涓流, 安能致其大且深哉? 惟聖亦然. 若自聖其聖而以天下之善爲己所私, 則其爲狂也必矣. 故曰: "有其善, 喪厥善; 矜其能, 喪厥功." 聖凡於是乎分, 舜跖於是乎判焉. 嗟! 今之世, 百家衆技, 各私其私, 俱曰予聖, 好爲人師, 而勝己則厭, 此所以終不可與入於聖賢之域矣. 凡今之人, 欲學聖人莫若師舜, 師舜如之何? 曰忘己之欲, 而從人之善.

"근면과 검소는 값이 없는 보배다"는 설 [과작]

상서(象犀)와 주옥(珠玉), 금기(金璣)와 완염(琬琰)은 세상에서 보물로 여겨 진귀하게 감추는 것들이다. 그러나 이러한 보물은 값이 있는 것인데, 값이 비등해서 이룰 수 없고 값이 뛰어서 혹 극치를 이루니, 쓰면 해지며 취하면 없어진다. 오직 근면과 검소를 보물로 여기는 것은 애초 비등함을 논할 수 없지만 써도 해지지 않고 취하여도 없어지지 않으며 또 도적에 잃어버릴 근심이 없으니, 보배 가운데 근면과 검소만한 것이 없는 것이다. 천하의 일은 근면과 검소로써 흥성하지 않은 것이 없고 또한 태만과 사치로써 망하지 않은 것이 없다.

크다! 근면과 검소의 덕이여. 복리가 이로 연유하여 나오고 만사가 이로 연유하여 이루어지는 것이다. 근면과 검소는 항상 표리가 되고 서로 서로 쓰임이 된다. 오직 근면한 자만이 검소할 수 있고, 사치한 자는 근면할 수 없다. 마치도 수레의 두 바퀴와 새의 두 날개가 나란히 나아가고 두 갈래로 나가는 것과 같다. 예로부터 지금에 이르기까지 나라가 있고 집이 있는 자들은 하루도 치우쳐 폐지하거나 혹 떠날 수 없는 것이다. 흙으로 섬돌을 세 칸 올린 것은 요임금이 광채가 사방에 비친 것이고, 세 번 집

앞을 지나갔어도 그 문을 들지 않은 것은 우임금이 그것으로써 땅을 평평하게 하여 하늘을 이룬 것이며, 방종하고 음란한 것은 걸임금이 멸망하고 상아 젓가락을 사용하고 옥 술잔으로 술 마신 것은 주임금이 그것으로써 제 몸도 보전하지 못한 것이다. 오직 옛날에도 그러하였거늘, 지금도 그러하지 않겠는가? 임금같은 사람도 또 그러하거늘, 하물며 보통 사람들이야!

만 가지 복은 근면과 검소에 근원하고, 만 가지 재앙은 태만과 사치에 근본한다. 이로부터 본다면, 금과 옥은 보물이 아니고, 근면과 검소가 바로 보물이다. 금과 옥이 보물이라면 그 사용에는 한계가 나타나지만, 근면과 검소가 보물이라면 그 보응은 다하지 않는다. 값이 있는 물건으로써 한계가 있는 사용을 삼으면 그 이루는 것은 어렵고 그 이익을 삼는 것은 작다. 값이 없는 물건으로써 끝이 없는 보응을 삼으면 그 얻는 것은 쉽고 그 이익을 삼는 것은 크다. 하루 근면하고 검소하면 하루의 복과 이익이 있고 이틀 근면하고 검소하면 이틀의 복과 이익이 있다. 천하의 보물을 거론하여도 근면과 검소와 다툴 것은 없는 것이다. 사람들은 모두 진귀하고 괴이하여 얻기 어려운 물건을 보물로 여길 줄 알지만, 우리 몸에 원래부터 한계가 없는 보물이 있는 줄 알지 못하니, 또한 잘못된 것이 아니겠는가?

勤儉無價寶說 [課作]

象犀珠玉, 金璣琬琰, 世所寶之而珍藏者也. 然是寶也, 有價焉, 不可無直而致之, 躍或致之, 用之則弊, 取之則竭. 惟勤儉之爲寶也, 初無直之可論, 而用之而不弊, 取之而不竭, 且無盜失之患, 寶莫勤儉若也. 天下之事, 莫不以勤儉而興, 亦莫不以怠奢而亡焉. 大哉! 勤儉之德也. 福利之所由出, 而萬事之所由成也. 然勤與儉, 常爲表裏, 互相爲用. 惟勤者能儉, 奢者不能勤也. 如車輪鳥翼, 幷行而兩進. 自古及今, 有國有家者不可一日偏廢而或離也. 土階三等, 堯之所以光被四表也; 三過不入其門, 禹之所以地平天成也; 縱放淫佚, 桀以之而亡; 象箸玉杯, 紂以之而未保其身者也. 惟古猶然, 今獨不然? 君人者且然, 況乎衆庶? 萬福源於勤儉, 萬禍根於怠奢. 由此觀之, 金玉非寶, 勤儉乃爲寶也. 金玉之寶, 其用有限, 勤儉之寶, 其應不窮. 以有價之物爲有限之用, 則其致也難, 而其爲利也小; 以無價之物爲無窮之應, 則其得也易, 而其爲利也大. 一日勤儉, 則有一日之福利; 二日勤儉, 則有二日之福利, 舉天下之寶, 莫與勤儉爭也. 人皆知珍怪難得之物爲寶, 不知吾身上自有無限之寶, 不亦謬乎?

명륜당 견문록

염곡철인(鹽谷哲人)[232]은 일본의 문학사이다. 정주학을 독실하게 믿었다. 임신년(서기 1932년) 봄에 동경에서 내한하여 성균관 명륜당에서 강의하였다. 강의제목은『대학』삼강령팔조목(三綱領八條目)이었다. 강의를 마치고 소매에서 시첩 하나를 꺼내면서 "귀 학원의 창설 축하시입니다. 작품이 비록 졸렬하나 감히 봉헌한 절구시가 무릇 20수인데 운은 춘(春)·신(新)·인(人) 세 글자를 연이어 사용한 것입니다"라고 하였다. 무정(茂亭) 정만조(鄭萬朝)[233] 선생이 그 당시 총재를 맡은 선생이었는데, 말하기를 "손님께서 시가 있는데 주인이 화답하지 않을 수 없다"라고 하였다. 제생 가운데 빨리 서사하는 몇 사람을 오도록 명하였다. 나도 참여하게 되었다. 선생은 그의 운을 따르며 20편을 연이어 호응하니, 마치 오래 구상한 것과 같아 저들이 경탄하기를 그만두지 않았다. 대개 선생은 재사(才思)가 민첩하여 일찍이 어떤 사람이 와서 육의문(六儀文)을 청구하자 사양하지 않고 선뜻 승낙하더니 갑자기 쓰기를 물이 흘러가듯 하여 붓이 잠시도 쉬지 않고 한 편을 완성하였다.

명륜당 아래 동재와 서재 두 곳은 제생들의 기숙사가 되는데, 나는 계성사(啓聖祠) 동재에 있었다. 이날 밤 달빛이 뜰에 가득하여 소나무와 회나무가 그림자를 교차하고 있었다. 미산(嵋山) 안인식(安寅植: 서기 1891~1969) 선생이 다가오니, 제생 예닐곱도 모였다. 선생은 천재로써 당세를 울렸다. 제생들은 그 재주를 알아보려고 하여 광화문 본국 두 곳의 전화번호를 연이어 열아홉 개를 불러주기를 청하였다. 선생은 바로 응답하는데, 한 글자도 틀리는 곳이 없으니, 제생들은 모두 그 총명과 예지에 탄복하였다. 선생이 말하기를 "이것은 천성이 그렇게 한 것이 아니네. 자기 자신의 수양에 있으니, 음식을 절제하고 욕망을 막으며 여색을 멀리하면, 비록 어두운 사

---

232) 염곡철인은 鹽谷溫(시오노야 아쯔시 : 서기 1878~1962)을 가리킨다. 저서로는『中國文學槪論講話』, 『孝經大學中庸新譯』,『詩經講話』등이 있다.

233) 정만조(鄭萬朝):서기1858~1936, 본관은 동래, 자는 대경(大卿), 호는 무정(茂亭). 조선 말기에 동부승지, 궁내부대신 참서관 등을 역임하였고, 대한제국기에는 규장각 부제학을 지냈다. 일제강점기에는 대동사문회 부회장, 경학원 대제학, 조선사편수회 위원 등으로 활동했다. 저서로는『무정존고(茂亭存稿)』, 『무정존고보유(茂亭存稿補遺)』,『은파유필(恩波濡筆)』등이 있다.

람이라도 밝게 되고, 비록 탁한 사람이라도 맑게 되네. 만약 스스로 총명함만 믿고 능히 기르지 못한다면 이와 반대가 되네.『중용』에서 이른바 곤궁하여 알게 된다는 곤지(困知)와 배워서 알게 된다는 학지(學知)가 그 성공에 미쳐서는 나면서부터 알게 된다는 생지(生知)와 동일하다는 것이네.[234] 제군들이 일상생활에서 체험한다면, 이 말이 허황된 말이 아님을 알 수 있을 것이네"라고 하였다.

明倫堂見聞錄

鹽谷哲人, 日本文學士也. 篤信程朱學. 壬申春, 自東京來, 講于成均館之明倫堂. 講題則『大學』三綱領八條目也. 講畢, 袖出一詩帖, 曰: "貴學院辦設祝賀詩也. 品雖拙, 敢奉獻絶句, 凡二十首. 而韻則春新人三字連用也." 鄭茂亭先生時任摠裁先生, 曰: "賓有詩, 主不可無和." 命諸生中速書者幾人來. 余亦參焉. 先生步其韻, 連呼二十篇, 如宿搆, 彼驚嘆不已. 盖先生才思捷銳, 甞有人來請六儀文, 不辭而諾, 輒書之如流, 筆不暫停, 以成一篇焉.

明倫堂下東西兩齋, 爲諸生寄宿所, 余則在啓聖祠東齋. 是夜月色滿庭, 松檜交影. 安帽山先生來臨, 諸生六七亦集. 先生以天才鳴於當世. 諸生欲叩其才, 請以光化門本局兩處電話番號連呼十九. 先生輒應之無一字錯誤, 諸生服其聰睿. 先生曰: "此盖非性然也. 在自家修養, 節飮食, 窒慾遠色, 則雖昏必明, 雖濁必淸. 若自恃聰明, 不能養之, 則反是.『中庸』所謂困知學知, 及其成功, 則與生知一也. 諸君體驗於日用間, 則可知此言之不妄矣."

도암사 중건 통문 [종중을 대신하여 지음]

삼가 아뢰건대, 유현(儒賢)의 서원과 사우의 흥폐는 참으로 세도의 융체(隆替)에 관계함이 있는데, 사림이 존현(尊賢)하는 정성과 자손이 봉선(奉先)하는 마음이 어찌 고금에 다름이 있겠습니까? 생각하건대, 옛날 도암사는 우리 선조 영모당(永慕堂)[235]

---

234)『中庸』「第20章」: 或生而知之, 或學而知之, 或困而知之, 及其知之一也; 或安而行之, 或利而行之, 或勉强而行之, 及其成功一也. 참조.
235) 영모당(永慕堂)은 김질(金質)의 호이다. 김질: 1496~1555, 조선 중기의 학자, 본관은 안동, 자는

선생의 영령이 깃들어 있는 곳입니다. 처음 만력 계축년(서기 1613년)에 건축하고 선생의 증손 은송당(隱松堂: 金景哲)과 현무재(賢武齋: 金益哲) 두 선생이 함께 배향되었습니다. 사림의 숭봉(崇奉)과 자손의 존모(尊慕)가 수백년을 지내온지 오래되었는데, 중도에 나라의 금지를 겪게 되니 차마 땅이 무너지고 물이 부족하게 됨을 보겠습니까? 오직 천우신조로 정려각(旌閭閣)와 봉안각(奉安閣)만이 찬연히 홀로 남게 되었지만, 조두(俎豆)의 예의는 이미 없어지고, 현송(絃誦)의 소리도 아직 들리지 않고 있습니다. 다만 사림이 자탄(咨歎)할 뿐만 아니라 자손들의 품은 한이 지금까지 수십 년이었습니다.

오호라! 선생의 덕과 행의는 길가는 사람들의 이목을 밝혀주고 있으니, 죽백(竹帛)에 쓰인 것은 반드시 군더더기로 진술한 것이 아닙니다. 여러 대를 내려오면서부터 복설(復設)에 뜻이 있었지만 세도의 어긋난 것에 인연하고 계속해서 일이 많아지고 힘이 미약해져서 지금까지 겨를이 없다가, 세상이 바뀌어 세급(世級)이 더욱 내려오니, 곧 멀어지면 멀수록 더욱 망각할까 두려워 바로 거년 문중에서 의논하여 모두 작은 재력을 내고 협력해서 옛 자리에 중건하였습니다. 감히 선조의 뜻을 계승하고 일을 기술한다고 말하는 것이 아니라, 선조를 경모하는 뜻을 기탁하고자 하는 것입니다.

또 들으니, 성내(省內)에서 폐철된 사당들은 차제로 장차 재건한다 하니, 공변된 의론이 민멸되지 아니하고 풍의(風義)가 쉬이 감동시켰음을 볼 수 있을 것입니다. 게다가 오늘날 강상이 이미 윤락하여 아침과 낮을 분별하지 못하고, 천현(天顯: 天倫)과 민이(民彝)는 강론할 만한 땅이 없습니다. 장차 다가올 가을에 선조를 그리는 제사의식을 봉행하기로 하였으니, 거의 백 세대 이후로 관감하고 흥기할 수 있을 것입니다. 엎드려 바라옵건대, 첨군자(僉君子)께서는 하찮은 사람의 말이라 하여 무시하지 마시고, 여러 읍에 통문을 보내 성원을 해주시도록 하여 한 지방의 무너져가는 풍속을 일깨우고 백세의 기풍과 명성을 세운다면 매우 다행이겠습니다.

문소(문소), 호는 영모당. 천성이 온순하고 효심이 지극하여 양친을 지성으로 모셨다. 부모의 사후의 정성도 지극하였다. 모친상을 당하여 여막에 있는데 밤사이 함박눈이 내렸으나 여막 둘레에만 내리지 않았기에 사람들은 그곳을 제청산(祭廳山)이라 불렀다. 기대승(奇大升)·양응정(梁應鼎) 등과 교유하였다. 김인후(金麟厚)는 그의 인물됨을 높이 사서 그의 집을 영모당라 이름지었는데 이를 호로 삼았다. 무장(茂長)의 도암사(道巖祠)에 배향되었다. 유집으로 『영모록(永慕錄)』이 있고, 주요 글로는 「육사자책설(六事自責說)」이 있다.

道巖祠重建通文 [代宗中作]

伏以儒賢院宇之興廢, 寔有關乎世道之隆替, 而士林尊賢之誠, 子姓奉先之心, 奚古今有殊哉? 念昔道巖祠, 卽我先祖永慕堂先生妥靈之所也. 始建于萬曆癸丑, 而先生曾孫隱松堂·賢武齋兩先生幷躋配. 士林之崇奉, 子姓之尊慕, 歷數百載之久. 而中經邦禁, 忍見地廢水荒? 惟天朝旌閭與奉安, 閣巋然獨存, 俎豆之禮旣闕, 絃誦之聲未聞. 不但士林之咨嘆, 子姓之齎恨, 于玆數十年矣. 嗚乎! 先生(之)之德之行, 塗人耳目輝映, 竹帛不必贅陳. 而自累世以來, 有志於復設, 而緣於世道之跎蹉, 繼以事殷力綿, 至今未遑, 而海幻桑變, 世級尤降. 則懼夫愈遠愈忘, 乃於去歲門議, 齊發鳩材, 協力重建于舊址. 非敢曰繼志述事也, 可以寓羹墻之慕矣. 且聞省內廢祠, 次第將擧, 可見公議之不泯, 風義之易感也. 矧今綱常旣淪, 朝晝莫辨, 天顯民彝, 無地可講. 將於來秋, 奉行享禮. 庶百世之下, 可以觀感而興起矣. 伏願僉君子, 勿以人廢言, 通文于列邑, 俾爲聲援, 警一方之頹俗, 樹百世之風聲, 幸甚.

『송사연보(松沙年譜)』 간행소의 간단한 통보

생각하옵건대, 우리 송사선생(松沙先生)[236]께서 후학을 버리신 지가 이미 30십 여 년이 지났습니다만, 연보가 여전히 간행되지 못하고 있습니다. 비록 세상의 많은 변고에 연유하지만 실은 사문의 일대 흠사입니다. 그윽이 생각하옵건대, 선생만이 그 의리의 정미함과 조예의 심오함은 비록 후생들이 좁은 소견으로 엿볼 바가 아니지만, 그 출처(出處)·어묵(語默)·동정(動靜)·운위(云爲)의 대체적인 것에 이르러서는 보아서 그 자취를 알 수 있고 의거하여 그 세상을 논할 수 있습니다. 이것은 「향당편」이 『논어』에 편입되어 공부자의 "활짝 펴지고 온화하다"[237]는 용모와 "신실하시며 강직하시다[238]"는 모습이 그 삼천삼백가지를 상상할 수가 있습니다.

---

236) 송사선생(松沙先生): 기우만(奇宇萬)의 호와 존칭이다. 기우만:서기 1846(헌종 12)~1916, 조선 말기의 학자·의병장, 자는 회일(會一), 호는 송사(松沙). 본관은 행주. 전남 화순출신. 저서로는 『송사집(松沙集)』이 있다.
237) 『論語』 卷7 「述而」 〈第4章〉: 子之燕居, 申申如也, 夭夭如也.
238) 『論語』 卷10 「鄕黨」 〈第1章〉: 孔子於鄕黨, 恂恂如也, 似不能言者. 〈第2章〉: 朝與下大夫言, 侃侃如也; 與上大夫言, 誾誾如也. 참조.

하늘이 우리 동국을 보우하여 원수들은 이미 물러갔고, 이천만의 백성들은 거꾸로 매달린 것을 벗어난 듯합니다. 수십 년 겨를이 없던 일을 쌓아 차제로 우리 선생의 연보를 만드는 것은 진실로 하루라도 미룰 수 없습니다. 또 노사(蘆沙: 奇正鎭)[239]와 송사(松沙: 奇宇萬)의 연원과 제가(諸家)는 영남에서 호남에서 성대하지 않음이 아니지만, 여전히 아직도 출판되지 못하였습니다. 지금 인쇄, 출간하여 우리 당과 각 집안에서 아울러 공유하고자 합니다. 엎드려 생각하옵건대, 첨군자들께서는 성원을 하도록 하시어 사문의 성대한 일을 완성해 주시면 더없이 다행이겠습니다.

松沙年譜刊所簡通

惟我松沙先生, 棄後學, 今己三十有餘載. 而年譜尙未刊行. 雖緣世故之多端, 而實斯文之一大欠事也. 竊惟先生其義理之精微, 造詣之淵深, 雖非後生輩所可管窺, 而至其出處語默動靜云爲之大槩, 則可以見而知其跡, 據而論其世也. 此鄕黨篇所以編入於魯論, 而夫子申申夭夭之容, 恂恂侃侃之儀, 可想像其三千三百也. 天佑我東, 讐賊旣退, 二千萬民庶, 若解倒懸. 積數十年未遑之事, 次第修擧我先生年譜, 固不可一日後也. 且蘆松·淵源諸家, 于嶺于湖, 不爲不盛, 而尙未之編錄. 玆者, 兼欲印出, 以共諸吾黨各家. 伏惟僉君子, 俾爲聲應, 以完斯文盛事, 千萬幸甚!

윤고문(輪告文)

이상 삼가 일을 아룁니다. 지난해 흉년은 고금에 드문 재해였습니다. 돌아보건대, 불초자는 선친을 닮지 못하였지만, 그래도 선친과 선조께서 남긴 법규를 만에 하나라도 본받자고 하여 약간의 곡식들을 여러 동네에 나누어 주었습니다. 이것은 한 잔의 물로 섶 수레에 붙은 불을 끄려는데 불과한 것입니다. 이번에 여러 선비들께서 칭찬이 정에 지나쳐서, 나무나 돌에 새기기에 이르렀으니, 이것은 사람으로 하여금 잘못이 있는 처지에 서도록 하였습니다. 이 돌이 하루 서 있으면 하루의 부끄러움을 더하고, 이틀 서 있으면 이틀의 부끄러움을 더합니다. 바라옵건대 모름지기 제공들이 이

---

239) 기정진(奇正鎭):서기1798~1879(정조 22~고종 16), 조선 후기의 성리학자, 본관은 행주, 자는 대중(大中), 호는 노사(蘆沙)·노하병부(蘆下病夫)·강상병수(江上病叟)·삼산병수(三山屛叟). 전북 순창출신이나 장성(長城)으로 옮겨 삶. 저서로는 『노사집(蘆沙集)』,『답문유편(答問類編)』 등이 있다.

러한 정황을 헤아리고 살펴서 거두어 주도록 하신다면, 이것이 어찌 덕으로써 사랑해 주시는 것이 아니겠습니까? 선을 함이 명예에 가까운 것은 저의 평소 마음이 아닙니다. 천만번 통촉합니다.

輪告文

右敬告事. 往歲歉荒, 可謂鎭古所罕. 顧不肖無似, 欲倣先父祖遺規之萬一, 以若干租苞, 分諸洞中. 此不過以一杯水, 欲救一車薪之火也. 酒者僉彦稱道過情, 至於樹石顯刻, 是令人立於有過之地也. 此石一日立, 則添一日之愧; 二日立, 則添二日之愧. 望須諸公諒察此情, 俾之還收, 此豈非以德之愛也耶? 爲善近名, 非吾素心, 千萬洞燭.

명천대천 수계문(修禊文)

　시는 서로 전하고 소리는 서로 응하니, 맑은 흥취가 향사의 유풍을 잇는다. 글로써 계(禊)를 기술하여 성대한 연회를 차리고 난정(蘭亭)의 고사[240]를 따르는 것은 그 덕이 있기 때문이니, 또한 즐겁지 않은가? 생각하건대, 우리의 본래 계는 이름하여 명산대천이라고 하고, 춘풍추월에 어형(漁兄)과 초제(樵弟)로써 약속하였으니 의리는 금난(金蘭)보다 더 중시하였다. 완함(阮咸)[241]의 거문고로 정취를 부르짖을 적에는 간혹 꽃이나 나무보다 더 기뻐하기도 하였다. 여름날과 겨울밤에는 거의 우는 꾀꼬리의 옛 생각보다 간절할 것이고, 가을에는 바다에서 봄에는 산에서 마침내 사마천(司馬遷)의 장관을 기약할 것이다.[242]

---

240) 난정(蘭亭)의 고사: 난정은 중국 절강성(折江省) 회계현(會稽縣) 산음(山陰) 지방에 있던 정자. 중국 동진(東晉) 목제(晉穆帝) 영화(永和) 9년(서기 353) 늦은 봄 이 난정에서 왕희지(王羲之), 사안(謝安), 손작(孫綽) 등 42인의 명사(名士)가 모여 계사(禊事)를 행한 뒤에 곡수(曲水)에 술잔을 띄우고 시를 지으며 성대한 풍류놀이를 즐겼는데, 당시 명사들의 글을 모아 엮은 책에 왕희지가 잠견지(蠶絹紙)에 서수필(鼠鬚筆)로 글의 서문을 썼으니 그것이 바로 「난정수계서(蘭亭修禊序)」이다. 이는 「난정기(蘭亭記序)」로 더 유명하다. 원명은 「난정집서(蘭亭集序)」이다.

241) 완함(阮咸): 중국 남북조 시대 진나라 때 은자, 자는 중용(仲容). 노장의 허무주의를 주장하고, 숙부인 완적(阮籍)과 함께 죽림칠현(竹林七賢)의 한 사람이 됨.

242) 중국 한나라 때 태사공(太史公) 사마천(司馬遷)은 명산대천을 두루 유람하여 그 문장에 기이한 기운

때는 양월(陽月)이요 철은 소춘(小春)이지만 풍월은 한가한 적이 없으니, 어느 것인들 채석(彩石)이 함께 짝한 것이 아니겠는가? 강산도 잘 알아보지 못할 것이니, 마치 소식(蘇軾)의 적벽 뒤에 노니는 듯하다. 새로 빚은 황화주(黃花酒)에 흥취가 무르익고, 자그마한 샘물과 돌에 화답하기 어려운 흰 눈이라네. 마음속 잿빛 자욱한 도성 거리는 풍진 속에서 길일을 택하니 흑룡이 옛 비를 뿌리는구나! 흰 기러기 즐거이 지내니 나의 기운을 솟구치게 하여 우연히 산을 좋아하고 물을 좋아하네. 시로써 아름다운 회포를 푸니 원래 갑이냐 을이냐 다투는 것이 아니라네. 절절하고 권면하니 함께 시권(詩卷)에서 마음을 허락하고, 높다랗고 흘러넘치니 바다 안에서 지음(知音)을 만나는도다. 산과 물이 옛과 다름을 돌아보니 젊은 날이 얼마나 되던가 탄식하는도다. 대자연이 문장을 빌려주니 동쪽들에서 불평을 울리는도다. 뜬구름처럼 부귀를 보니, 북쪽 창가로 돌아옴을 함구하는도다. 활쏘는 자 적중하고 바둑 두는 자 승리하니, 어찌 사죽(絲竹)과 관현(管絃)의 즐거움을 필요하겠는가? 뜻이 이미 같고 도가 이미 합일하니, 숭산(嵩山)과 화산(華山) 바다와 강의 맹세를 어기지 않는도다. 부디 섬계(剡溪)의 배[243]를 아끼지 말고 삼가 진번(陳蕃)의 걸상[244]을 깨끗이 손질해야 하는도다. 이에 한자의 비단글로 붉은 마음을 말하리로다.

名山大川修禊文

詩相傳, 聲相應, 淸趣承香社遺風. 文以述禊, 以修盛筵. 追蘭亭故事, 以其德也, 不亦樂乎? 惟吾本禊, 號曰名山大川, 約以春風秋月, 漁兄樵弟, 義已重於金蘭. 嘯阮琴咸情, 或悅於花樹. 夏之日, 冬之夜, 幾切嚶禽之舊懷; 秋而海, 春而山, 終期司馬之壯觀. 時維陽月, 序屬小春, 風月未能閑, 孰非彩石同伴? 江山不復識, 宛是赤壁後遊. 新釀黃花興酣, 一區泉石, 寡和白雪. 心灰九陌, 風塵占吉日兮, 黑龍招舊雨兮! 白鴈遊能壯吾氣, 偶爾樂水樂山. 詩以伸雅懷, 元非爭甲爭乙. 切切也偲

이 있음을 의미한다.

243) 섬계(剡溪)의 배: 친구의 방문을 뜻하는 말이다. 진(晉)나라 왕휘지(王徽之)가 폭설이 내린 밤에 술을 마시며 좌사(左思)의 초은(招隱) 시를 읊다가 갑자기 섬계(剡溪)에 있는 친구 대규(戴逵)가 생각이 나서 밤새 배를 저어 그 집을 찾아갔던 고사에서 유래한 것이다. 여기서는 계원들이 찾아옴을 뜻한다.

244) 진번(陳蕃)의 걸상: 후한(後漢) 말기의 진번이 특별히 걸상 하나를 걸어 두었다가 당시의 은자였던 서치(徐穉)가 오면 이것을 내려서 우대했던 데서 유래하였다. 여기서는 계원들을 특별히 우대했음을 뜻한다.

偲也, 共許心於卷中. 峨々哉洋洋哉, 遇知音於海內. 顧山河之異昔, 歎少壯之幾時. 大塊假以文章, 鳴不平於東野. 浮雲視之富貴, 唅歸來於北窓, 射者中奕者勝, 何須絲竹管絃之樂? 志旣同, 道旣合, 不負嵩華海瀆之盟. 幸勿惜剡溪之舟, 謹當掃陳蕃之榻. 玆將尺素, 以道寸丹.

백범선생(白凡先生)[245]을 환영하여 [종중을 대신하여 지음]

봄이 무궁화 강토에 돌아오니, 꽃과 나무 다시 성대하였습니다. 선생이 고국으로 돌아오니 나라에 사람이 있는 듯합니다. 삼천리강토 내에 무릇 혈기가 있는 자라면 반드시 선생을 태산북두처럼 우러러 보고 시초점이나 거북점처럼 선생을 믿지 않음이 없을 것입니다. 선생께서 하시는 일에 앞 다투어 달려가니, 하물며 저희도 겨레 무리의 끝에 차지하고 있으니, 그 의지하여 우러러 보는 바가 남은 사람보다 백 배나 더하겠지만 여러 읍에 흩어져 살기에 여전히 문후(問候)를 드리지 못하였습니다. 이에 삼월상사일(上巳日: 3월 3일)에 모두 시흥(始興) 선영(先塋)의 묘 아래에 모여 존가(尊駕)[246]를 영접하고 여러 친족의 자그마한 정성을 만에 하나라도 표하려고 합니다.

그윽이 생각하건대, 선생은 영웅호걸의 풍취로 쇠보다 단단하고 활보다 곧은 기질이 있고, 의로움이 춘추대의(春秋大義)에서 나오고 충절이 해와 달을 관통하며, 해외 사십 년 동안 섶단에 자리하여 와신상담(臥薪嘗膽)하시고 하루도 침식에서 편안하지

---

245) 백범선생(白凡先生): 김구(金九)의 호와 존칭이다. 김구: 서기 1876~1949, 일제감정기 때 독립운동가, 정치인. 본관은 안동(安東), 호는 백범. 본명은 김창수(金昌洙), 개명하여 김구(金龜, 金九)이다. 9세 때 한글과 한문을 익힌 뒤 여러 서책을 배우고, 삼정이 문란하여 부패된 세태에 울분을 참지 못하여 18세 때 동학(東學)에 입문하였고, 또한 공주 마곡사에 입산하여 승려가 되기도 하였다. 환속한 뒤 황해도 장연에서 봉양학교(鳳陽學校)를 세워 계몽과 교화에 힘썼다. 서기 1909년 전국 강습소를 순회하며 애국심을 고취시키고, 안중근 거사에 연루되어 해주감옥에 투옥되기도 하였다. 서기 1919년 3·1운동 직후 상해로 망명하여 대한민국 임시정부의 초대 경무국장이 된 이후 여러 직책을 맡아 독립운동을 하였다. 서기 1945년 11월 환국하여 자주독립의 통일정부 수립을 목표로 정계를 영도해 나가면서, 서기 1948년 2월 10일 「3천만동포에게 읍고(泣告)함」이라는 성명서를 발표하기도 하였다. 민족분단의 비애를 딛고 민족통일운동을 재야에서 전개하다가 서기 1949년 6월 26일 암살되었다. 7월 5일 국민장으로 효창공원에 안장되었고, 서기 1962년 건국공로훈장 중장(重章: 대한민국장)이 추서되었다. 저서로는 『백범일지(白凡逸志)』를 남겼다.

246) 존가(尊駕): 지위가 높고 귀한 사람의 탈것이라는 뜻으로, 특히 천자를 공경하여 그 탈것을 이르는 말이다.

못하였습니다. 도산검수(刀山釰樹)²⁴⁷⁾와 같은 험난한 세월로 머리털이 모조리 백발이 되었습니다. 다만 나라가 있는 줄만 알았지 자신의 몸이 있는 줄을 알지 못하였습니다. 왜장의 우두머리를 섬멸하고 국모의 원수를 설욕하니, 우리 동토(東土: 대한민국)의 사람들로 하여금 사람이 없다는 조롱을 다행히 모면하게 하였고 통쾌하게도 천하 만방에 할 말이 있도록 하셨습니다.

하늘이 우리 대한민국을 보우하여, 지난 을유년(서기 1945년)에 저 원수인 도적들의 도망치는 그림자는 마치 새들이 숨고 쥐들이 숨듯 하였습니다. 삼천리 강토는 멸망을 변화시켜 생존하게 되었고 삼천만 생령들은 마치 쇠사슬에서 풀려나듯 해방되었습니다. 만약 선생께서 만 번이나 죽을 처지의 힘이 아니었다면 어찌 일생이 이날에 있었겠습니까?

옛날 우리 선조 충렬공(忠烈公)²⁴⁸⁾께서 왜놈나라를 응징한 의표와 업적은 승국(勝國: 고려조)에서 으뜸이었고, 뒤를 이어서 익원부군(翼元府君)²⁴⁹⁾과 충무공(忠武公)²⁵⁰⁾께서는 혹 대마도에서 대첩하기도 하였고 진주에서 순국하기도 하였으니, 그 큰 공적과 높은 위험은 이미 죽백(竹帛: 역사책)에 빛났습니다. 선생은 수백 년 후에 태어나서 삼조(三祖)의 위엄을 이어받아 한 손으로 우주를 떠받들고 한 그루 나무로 높은 궁전을 떠받쳤으니, 충간(忠肝)의 격렬한 바는 날카로운 병장기도 족히 예리함이 되지 못하고 의담(義膽)의 비치는 바는 철옹성도 족히 견고함이 되지 못하였습니다. 위로는 나라의 맥을 보전하고 아래로는 집안의 명성을 이었습니다. 천금을 초개같이 여기고 만종(萬鍾) 봉록을 헌신같이 벗어던지셨으니, 그 청렴하고 결백한 의지와 견고하고 확실한 지조는 귀신에게 질정하여도 의심할 나위가 없고 백세를 기다려

---

247) 도산일수(刀山釰樹): 刀山劍水로도 쓰는데, 의미는 칼을 심어 놓은 것 같은 산수라는 뜻으로, 몹시 험악하고 위험한 지경을 비유적으로 이르는 말이다.

248) 충무공(忠武公): 김방경(金方慶)의 시호이다. 김방경:서기 1212~1300(강종 1~충렬왕 26), 고려후기 무신, 본관은 안동, 자는 본연(本然). 삼별초의 난을 진압하고, 원나라가 일본을 정벌하려고 할 때 도독사(都督使)로서 군사 8천 명을 이끌고 참전하였다.

249) 익원부군(翼元府君): 익원은 김사형(金士衡)의 시호이고, 부군은 봉작(封爵) 상락부원군(上洛府院君)의 줄임말이다. 김사형:서기1341~1407(충혜왕 복위 2~태종 7), 여말선초 문신, 본관은 안동, 자는 평보(平甫), 호는 낙포(洛圃). 이성계를 추대하는 데 참여하지 않았으나, 건국된 이후 여러 벼슬을 역임하다가 서기 1396년(태조 5)에 오도병마도통처치사(五道兵馬都統處置使)가 되어 대마도를 정벌하였다.

250) 충무공(忠烈公): 김시민(金時敏)의 시호이다. 김시민:서기1554~1592, 조선 중기의 무신, 본관은 안동, 자는 면오(勉吾). 25세 때 무과에 급제하여 훈련원 판관을 제수받은 이후, 여러 벼슬을 역임했다. 특히 당파의 이해관계를 갖지 않고 정치적으로 중립적인 입장을 취했다. 임진왜란 때 진주성 전투에서 3800명의 병력으로 2만여의 왜적을 격퇴하고 전사하였다.

도 의혹되지 않는다고 말할 수 있겠습니다.

  원하옵건대, 지금 이후부터라도 수(壽)가 날로 높으시고 업적이 날로 넓어져, 해내(海內)의 민심을 통일시키고 천하의 이목을 쇄신시키시어, 이미 끊어진 나머지에서 기강을 돕고 인수(仁壽)의 강역에 백성들을 올려놓으셨으니, 나라가 매우 다행이겠으며 우리 종친도 매우 다행이겠습니다.

白凡先生歡迎文 [代宗中作]

春回槿域, 花樹更榮. 先生歸國, 國有人矣. 三千之內, 凡有血氣者, 莫不仰之如山斗, 信之如蓍龜. 爭先趨走於下風, 況鄙等忝在族黨之末, 其所依仰倍百, 餘人而散在列邑, 尙稽問候, 玆以三月上巳日, 咸集于始興先墓下, 以迎尊駕, 用表諸族微忱之萬一. 竊惟先生, 以英雄豪傑之姿, 有鐵堅矢直之氣, 義秉春秋, 忠貫日星, 海外四十年, 席薪而嘗膽, 未能一日安於寢食, 刀山釖樹, 頭髮盡白. 但知有國, 不知有其身. 殲倭將之魁, 雪國母之讐. 使吾東土幸免無人之譏, 而快有辭於天下萬邦矣. 天佑大韓, 往乙酉彼讐賊之逃影如鳥竄鼠匿. 三千里彊土, 化亡爲存; 三千萬生靈, 若解鐵繩. 如非先生萬死之力, 安能有一生於此日哉? 粵昔我先祖忠烈公, 膺倭儀績, 冠於勝國, 繼而翼元府君及忠武公, 或捷於馬島, 或殉於晉州, 其豐功峻烈, 已輝映竹帛矣. 先生生於數百載之下, 以承三祖之烈, 徒以隻手撐宇宙, 一木支大廈. 忠肝攸激, 利兵不足爲銳; 義膽所照, 鐵壁不足爲堅. 上而保國脉, 下而繼家聲. 芥視千金, 屣脫萬鍾, 其廉潔之志, 堅確之操, 可謂質鬼神而無疑, 竢百世而不惑也. 惟願自今以往, 壽日益高, 業日益廣. 一海內之心, 新天下之目, 扶綱紀於旣絶之餘, 躋生民於仁壽之域. 國家幸甚, 吾宗幸甚.

초부(樵夫)의 물음

  갑신년 여름, 나는 조카와 손자들을 거느리고 도솔산 선운사에서 피서하였다. 어느 초부가 내 앞을 지나가며 물었다. "선운사의 유람은 즐거웠습니까?" 나는 답하였다. "때는 삼복더위인지라 천지가 용광로 변하듯 하고, 강아지는 혀를 내밀고 헐떡거리고 소는 달을 보며 헐떡이며 금석도 녹아내리듯 하니, 권세가 조맹(趙孟)²⁵¹)의 위엄에 견줄 만하였습니다. 이에 숲속의 샘물로 향하여 무성한 나무 그늘에 앉아 맑은 샘물에 탁족(濯足)하였습니다. 때로는 시원한 바람이 얼굴을 스쳐주어 찌는 구름도 감히 교만하지 못하였습니다. 게다가 숲속의 무리나 냇가의 짝들과 웃으며 즐겨 숲속의 적막을 깨뜨리니, 즐겁다고 말하는 것이 아니어도 대개 뜻에 맞는 것입니다."

초부가 물었다. "그대는 열렬한 더위는 삼복더위보다 더 심함이 있어 또 숲속의 샘물로는 피서할 만한 것이 아님을 알지 못하고 계십니다. 어찌 피서에만 민감하고 더위가 아닌 더위를 피하는 데는 어둡습니까? 바야흐로 이제 폭염이 타오르는 듯하니 구하(九河)²⁵²)의 물도 펄펄 끓고, 함양(咸陽)의 연기나 적벽(赤壁)의 불꽃도 정료(庭燎)의 한 빛에 불과합니다. 저 한 폭의 시냇물이 세 이랑 그늘이니, 그대는 뜻에 맞는다고 하시겠습니까? 이는 이른바 물에서 노니는 물고기가 장차 펄펄 끓는 솥에서 거처하기를 춘강(春江)의 따뜻한 물로 잘못 여기고, 둥지에서 알 까고 있는 난(鸞) 새가 불타고 있는 집에 처하기를 뜨는 해가 집을 비춘다고 의심하며 말하는 것과 같습니다. 한 국자의 물이 어찌 한 수레 섶나무 불을 끌 수 있습니까?"

나는 답하였다. "아아! 슬프도다! 한랑(漢郞)이 길을 헤매어 무릉도원(武陵桃源)은 찾기 어렵고, 첨윤(詹尹)²⁵³)이 일어나지 않아 복거(卜居)에는 방술도 없으니, 장차 바다로 가야 합니까? 방숙(方叔)²⁵⁴)이 찾아간 황하는 이미 탁하였고 사양(師襄)²⁵⁵)이 노닌 바다는 이미 펄펄 끓어 험한 파도와 끝없는 물결은 안전하게 정박하는 나루가 아니니, 장차 산으로 가야 합니까? 누에 실이나 소의 털은 사나운 호랑이보다도 더 심하고, 가시덤불 길이나 가시나무 샛길은 발을 들여놓을 땅조차 없습니다. 하늘로 치솟는 물은 넘쳐나서 모두가 빠지고, 곤강(崑岡)의 불은 옥과 돌을 구분할 수 없습니다. 사람은 새나 짐승, 물고기나 자라가 아니니, 거처할 방과 집이 없을 수 없는데 그

---

251) 조맹(趙孟): 중국 춘추시대 진(晉)나라 정승 조순(趙盾)을 말한다. 『춘추좌씨전(春秋左氏傳)』에 "조쇠(趙衰)는 겨울철의 햇볕이고, 조돈(趙盾)은 여름철의 햇볕이다. 겨울 햇볕은 사랑스럽지만 여름 햇볕은 무섭다."라고 하였다.
252) 구하(九河): 황하 하류의 수많은 지류의 총칭이다.
253) 첨윤(詹尹): 옛날 점을 잘 치기로 유명한 정첨윤(鄭詹尹)을 가리킨다. 굴원(屈原)이 복거사(卜居辭)를 지었는데, 그 내용은 점치는 정첨윤(鄭詹尹)에게 가서 어떻게 처세할까를 묻는 내용이 나온다.
254) 방숙(方叔): 방숙은 주나라 선왕(宣王) 때 경사로 장수에 임명되었다. 하내로 들어가며 북을 쳤다. 『시경』에 이르기를 "방숙이 매우 늙었지만, 그 계획은 장대하다[方叔元老 克壯其猷]"라고 하였다.
255) 사양(師襄): 춘추 시대 노나라 악관으로, 거문고 연주에 능했다. 『논어』「미자(微子)」에 "경쇠를 치는 양(襄)은 바다로 들어갔다"라고 하였고, 『공자가어(孔子家語)』「악변(樂辯)」에는 "공자(孔子)가 사양자에게 거문고를 배웠다"라고 하였다.

입는 것은 반드시 삼실로 해야 하고 그 먹는 것은 반드시 좁쌀, 채소나 과일, 어류와 육류로 해야 하는데, 이 세 가지를 버리고는 삶을 누릴 수 없으니, 그대는 장차 나더러 이슬이나 먹는 매미가 되라는 것입니까? 아니면 집을 등짐하며 다니는 달팽이가 되라는 것입니까? 하늘이 덮고 땅이 싣고 있는 것이 비록 넓지만 일곱 자도 수용하기가 어렵습니다. 아! 도산검수(刀山釰樹)와 같이 험난하니 나는 어디로 돌아가라는 것입니까? 오직 솔밭 사이로 불어오는 맑은 바람, 시냇가에 떠오르는 밝은 달은 본래 정해진 주인이 없으니 취한들 어느 누가 금하겠습니까? 그것을 탐하여도 또한 청렴에 해가 되지 않을 것입니다. 비록 재물을 불태우는 혹독함이라도 푸른 싹의 가혹함을 빼앗아 제거할 수 없고 또한 공물로 부세할 수 없습니다. 소요하고 서성거리면, 경(庚)를 피할 수 있고 갑(甲)을 피할 수 있으니, 이는 내가 배회하며 떠나지 않는 것입니다."

초부가 다시 입을 열었다. "그대의 뜻은 내가 알았습니다. 옛날 은일한 선비들은 상서롭지 못함을 만다면 피하는 것도 술책이 많았습니다. 진박(陳搏)[256]은 잠자는 것으로 피하였고, 왕유(王維)[257]는 시나 그림으로 피하였으며, 전유암(田游岩)[258]은 샘물과 바위, 안개와 노을 있는 곳으로 피하였습니다. 유령(劉伶)[259]은 술로, 위야(魏野)[260]는 거문고로, 한강(韓康)[261]은 약으로 하였으니, 모두 피서가 권도에 들어맞았

---

256) 진박(陳搏): 송나라 때 도사로, 자는 도남(圖南). 오대(五代) 시절에 화산(華山)에서 도를 닦고 살면서 곡식 대신 기(氣)를 먹고 한 번 자기 시작하면 1백일도 넘게 일어나지 않고 잤다고 한다. 송나라 태종(太宗)은 그에게 희이선생(希夷先生)이라는 호를 하사하였다.

257) 왕유(王維): 서기 699~759, 중국 당나라 때 시인이자 화가. 자는 마힐(摩詰), 호는 마힐거사(摩詰居士)이다. 진사로 급제하여 여러 벼슬을 역임하였다. 충의를 담은 시를 짓기도 하였지만, 자와 호 때문에 '시불(詩佛)'로도 불린다. 일찍이 도교를 믿었고 뒤에 선불교에 심취하였다. 그의 시화 그림은 "시중화(詩中畫) 화중시(畫中詩)"의 이상을 뜻하는 문인화의 시조로 헤아리게 되었다.

258) 전유암(田游岩): 서기 699~759, 중국 당나라 때 처사. 벼슬을 그만둔 이후, 태백산(太白山)에 들어가 20여 년 동안 은거하여 연무(煙霧)와 노을에 고질병이 들 정도로 산수를 좋아하였다.

259) 유령(劉伶): 중국 진나라 때 죽림칠현의 한사람. 술을 좋아하여, 한 번 술을 마시면 한 섬이요 해장할 땐 다섯 말의 술을 마셨기에 "오두해정(五斗解酲)"의 고사가 전해 온다. 「주덕송(酒德頌)」을 지은 유령이 늘 술병을 들고 나가면서 삽을 메고 따라오게 하다가[使人荷鍤而隨之] 자기가 죽으면 그 자리에 파묻도록 한 고사도 있다.

260) 위야(魏野): 서기 960~1019, 중국 북송 때 은자. 자는 중선(仲先). 섬주(陝州) 동교(東郊)에 초당을 짓고 거문고와 시를 즐겼다.

261) 위야(魏野): 서기 960~1019, 중국 후한 때 은자. 자는 백휴(伯休). 산에서 약초를 캐 장안(長安)에서 팔다가, 약을 사러 온 여인이 자기 이름을 거론하자, 숨어 살려는 본의가 어긋났다며 패릉산(霸陵山)으로 들어가 은둔하였다.

습니다. 자유(子猷)²⁶²⁾는 대나무를 좋아하였고 도연명(陶淵明)²⁶³⁾은 국화를 좋아하였으며 서호(西湖)²⁶⁴⁾는 매화를 좋아하였으니, 어찌 식물을 좋아한 것이겠습니까? 또한 우거하였을 뿐이고 의탁하였을 뿐이니, 우리 그대는 행여 이른바 이러한 사람의 무리입니까?"

나는 답하였다. "결코 그렇지 않습니다. 여기에는 뜻 있는 선비가 부득이하여 그렇게 한 것입니다. 내가 어찌 감히 그렇게 할 수 있겠습니까?" 그때 종소리가 갑자기 울리더니, 어두운 빛이 나무 사이에 생겨났다. 초부는 섶단을 등짐하고 떠나갔다. 비록 그의 성이나 자도 자세하게 알지 못하였지만, 아마도 또한 신문(晨門)²⁶⁵⁾이나 하궤(荷蕢)²⁶⁶⁾의 무리일 것이다.

樵夫問

甲申夏, 余率若姪若孫輩, 避暑于率兜山禪雲寺. 有樵夫過余而問, 曰:"禪雲之遊樂乎?"予曰:"時當庚炎, 天地化爲烘爐, 狗吐舌而牛喘月, 金石亦爍流, 可比趙孟之嚴. 爰向林泉, 坐茂樹而濯淸泉. 時有淸風拂面, 炎雲不敢驕. 且與林徒澗侶笑傲, 以破寂, 非曰樂也, 盖適意也."樵夫曰:"子不知熱有甚於庚炎, 而又非林泉之可避也. 奚敏於避暑, 而迓於避非暑之暑乎? 方今爆焰焱焱, 九河沸湯, 咸陽之烟, 赤壁之炎, 不過一庭. 燎之光, 彼一幅溪, 三畝陰, 子以爲適意也耶? 是所謂游

---

262) 도연명(陶淵明): 도잠(陶潛)의 성과 자이다. 도잠:서기 365~427, 중국 동진 때 문신. 자는 연명(淵明)·원량(元良), 호는 오류선생(五柳先生), 시호는 정절(靖節). 국화를 매우 좋아하였다. 직접 농사를 지어 자급했고, 술을 좋아했으며, 시문을 잘 지었는데 산문에도 뛰어나 「오류선생전(五柳先生傳)」과 「도화원기(桃花源記)」가 대표적이다. 평택현령(彭澤縣令)으로 재직할 때 상부에서 독우(督郵)가 와서 관복을 갖추고 아뢰기를 재촉하니 "내 닷 말 녹봉(祿俸)으로 허리를 굽힐 수는 없다" 하고서는 그 날로 벼슬을 버리고 「귀거래사(歸去來辭)」를 짓고 고향의 전원으로 돌아가 은일지사로 지냈다. 저서에 『도연명집(陶淵明集)』이 있다.
263) 자유(子猷): 왕휘지(王徽之)의 자이다. 왕휘지:서기 338~386, 중국 동진 때 문신이자 서예가로, 자는 자유(子猷). 왕희지의 다섯째 아들. 대나무를 매우 좋아하여 어느날 남의 빈 집에 잠시 거처하는 동안에도 사람들에게 대나무를 빨리 심도록 다그쳤는데, 그 이유를 묻자 "하루라도 어떻게 이 멋진 나의 님을 대하지 않을 수가 있겠는가"라고 대답하였다.
264) 서호(西湖): 임포(林逋)를 가리킨다. 임포:서기967~1028, 중국 송나라 때 시인이자 은사로, 자는 군복(君復), 시호는 화정(和靖). 서호(西湖)의 고산(孤山)에서 은거하며 매화를 심고 학을 기르니 사람들이 매처학자(梅妻鶴子)라고 불렀다.
265) 신문(晨門): 새벽에 문(門)을 여는 것을 맡은 사람으로 노나라의 은사.
266) 하궤(荷蕢): 삼태기를 지고 다니는 사람으로, 위나라의 은사.

魚居將沸之鼎, 猶誤以爲水暖之春江, 巢鸞處炎火之堂, 猶疑以謂照屋之出日也. 一勺水, 安能救一車薪之火哉?" 予曰:"噫嘻! 悲哉! 漢郎迷路, 桃源難覓; 詹尹不作, 卜居無術, 將于海乎? 方叔之河已濁, 師襄之海已盪, 險濤刼浪, 非安泊之津, 將于山乎? 蠶絲牛毛, 甚於猛虎; 荊路棘逕, 無容足之塊. 滔天之水, 淪胥咸溺; 崑岡之炎, 玉石無分. 人非鳥獸魚鱉, 不能無室廬, 而其服必麻絲, 其食必粟米‧蔬果‧魚肉, 捨此三者, 無以爲生. 子將以我爲吸露之蜩鷃? 抑以爲負室之蝸牛歟? 覆載雖寬, 七尺難容. 噫! 刀山釼水, 我安適歸? 惟松間之淸風, 澗上之明月, 本無定主, 取之誰禁? 貪之亦不害廉. 雖燎財之酷, 莫能奪去靑苗之苛, 亦莫能貢賦. 逍遙焉, 徜徉焉, 可以避庚, 可以避甲. 此吾所以徊徨不去者也." 樵夫曰:"子之志, 我知之矣. 古之隱逸之士, 遭逢不祥, 避亦多術. 陳摶避以睡, 王維避以詩畵, 田游巖避以泉石烟霞. 劉伶之於酒, 魏野之於琴, 韓康之於藥. 皆避之中權者也. 子猷好竹, 淵明好菊, 西湖好梅, 豈植物之好哉? 亦寓耳‧托耳. 吾子倘所謂斯人之徒歟?" 予曰: "否否. 此有志士之所不得已而爲者也. 予何敢焉?" 時鍾聲忽落, 暝色生樹間. 樵夫負薪而去, 雖不詳其姓字, 而盖亦晨門荷蕢之流也夫!

운암상인(雲巖上人)에게 글을 적어 주며

한자(韓子: 한유)는 「진학해(進學解)」에서 말하기를, "이미 엎어진 데서 미친 듯 흘러가는 물결을 되돌리고, 온갖 시내의 흐름을 막아 동쪽으로 흐르게 한다"[267]라고 하였다. 이제 스님[上人]을 보니 아마도 거의 해낼 수 있을 것입니다! 석상암(石床菴)은 도솔산(兜率山) 선운사(禪雲寺) 북쪽 경내에 자리하고 있는데, 산세는 높고 숲은 깊으며 돌은 기이하고 샘물은 차고 맑았다. 예전에 환응선사(幻應禪師)[268]가 여기에서 도를 닦아 능히 그 마음을 보고서 마침내 의발을 상인에게 전하였습니다. 그 사이에 큰 재화를 겪어 불우범궁(佛宇梵宮)은 거의 폐허되어 철폐하기에 이르렀습니다.

---

267) 『昌黎文集』 卷12 「進學解」: 障百川而東之, 廻狂瀾于旣倒.
268) 환응(幻應): 탄영(坦泳)의 법호이다. 탄영: 서기 1847(헌종 13)~1930. 조선 말기의 율사(律師), 성은 김씨, 호는 환응. 아버지는 기우(基愚)이며, 어머니는 박씨이다. 14세에 도솔산 선운사(禪雲寺)에서 성시장로(性諡長老)를 은사로 득도하였고, 19세에 서관율사(瑞寬律師)에게 구족계를 받았다. 8년간 전국의 고승을 교학과 선학을 겸수하였다. 서기1917년 선운사로 돌아가서 율전(律典)을 강하였으며, 서기 1928년 조선불교중앙종회에서 교정(敎正)으로 추대되었다. 4월 7일에 목욕하고 조용히 입적하니 나이 83세, 승랍(僧臘) 70세였다.

스님은 선사의 유훈을 잊지 않고 맨 손과 빈 주머니로 큰 집이 장차 무너지려는 데에서 버티며 지탱시켰습니다. 원숭이와 새들은 의지하여도 놀라지 않았고, 구름과 숲 나무들은 예전 그대로 될 수 있었으니, 그 공로는 과연 어떠했겠습니까? 그런데도 여전히 이것으로 만족하지 않고 매양 불사 증수에 마음을 먹으면서도 도리어 일이 크고 힘이 미약한 것을 근심으로 여겼으니, 그 뜻은 또 숭상될 만합니다. 일의 성패는 비록 하늘에 있다고 말하지만, 이러한 성심으로 하면 금석도 어찌 뚫지 못함이 있겠습니까?

아! 우리의 도는 이미 궁하고 풍속은 퇴폐하여 예전만 같을 뿐이 아닙니다. 이 암자가 재난을 겪었지만, 주선하고 버티며 지탱시킨 것은 스님만한 사람이 있겠습니까? 헤어지면서 나에게 말 한 마디 주기를 요구하자, 마침내 마음속에서 느끼는 바를 써서 산중의 인연을 증거하였다.

書贈雲巖上人

韓子曰: "廻狂瀾於旣倒, 障百川而東之." 今見上人, 盖庶幾矣乎! 石床菴在兜率山禪雲寺之北境, 高而林深, 石奇而泉冽. 昔幻應禪師修道于此, 能見其心, 終以傳鉢于上人. 間經浩刼, 佛宇梵宮, 幾至廢撤. 上人不忘其先師之遺訓, 隻手空囊, 扶支於大廈之將傾. 猿鳥賴而不驚, 雲林得以依舊, 其功果何如哉? 猶能不以是自足, 每用意於增修, 而顧事浩力綿爲憂, 其志又可尙矣. 事之成不, 雖曰在天, 而以此誠心, 金石豈有不透? 噫! 吾道旣窮, 風廢俗頹, 不啻如曩日. 此庵之經刼, 而周旋扶支, 有能如上人者乎? 臨別要余一言之贈, 遂書所感于中者, 以證山中之緣.

농설(農說)을 아들 병수에게 주노라

어찌 저 농사짓는 사람이 밭 일구는 것을 보지 못했는가? 경작하고 파종할 적에는 반드시 그 때로써 하고, 김매고 북돋을 적에는 때를 잃지 않는다. 항상 부지런히 힘써 매진하여 낮에 하는 바와 밤에 생각하는 바가 백묘의 밖에 벗어나지 않으니, 그 익음에 미쳐서 거두면 곳간이 가득 찰 것이다. 만약 봄에 경작하지 않고 여름에 경작하지 않으며 그 경작하기를 거칠게 하고 김매기를 서툴게 하다가 두견새나 때까치가 먼저 울면, 비록 후회한들 쫓아가겠는가? 그 혹 보습을 날카롭게 하기도 하고 그 책력(册曆)으로 점쳐 거름할 적에 또 그 마땅함을 얻게 하는 것이다. 밭은 비탈짐과 메마름의 다름이 있어 비옥함과 척박함이 서로 현격하고, 또 장마와 가뭄, 바람과 서리의 재앙이 있으니, 경작할 적에는 주림이 그 가운데 있을 것이다.

사람의 몸 하나에도 봄·여름·가을·겨울이 있다. 학문을 할 적에는 그 때에 미쳐야 하는 것이 마치 농사가 그 때를 잃지 않는 것과 같다. 그래서 촌음(寸陰)의 시간을 아껴 한가하게 놀지 말고 빈둥거리지 말아야 한다. 무릇 그러한 뒤에 곤궁한 오두막 살이의 탄식을 모면할 수 있다. 봄에 경작하지 않고 가을에 수확하려고 하면, 천하에 어찌 이러한 이치가 있겠는가?

무릇 농사와 학문은 크게 동일한 가운데에 또한 크게 다름이 있다. 학문은 기질을 변화시킬 수 있다. 어리석은 자는 그것으로 총명하기에 이르고 유약한 자는 그것으로 강하기에 이르며, 속빈 자는 그것으로 가득차기에 이르니, 밭은 척박함을 변화시켜 비옥함으로 만들 수 없는 것이다. 생각하지 않음이 있을지언정 생각할진댄 얻지 못함이 없고, 하지 않음이 있을지언정 할진댄 이루지 못함이 없다. 구하는 것은 나에게 있고 성공하는 것도 나에게 있으니, 밭에 장마와 가뭄, 바람과 서리가 때로 침탈함이 있는 것만 같지 않은 것이다. 비록 그러하나 한 해의 봄에 농사짓는 것을 잃어버린 것이라면 거의 내년 봄으로 돌아가 바랄 것이다. 일생의 봄에 배우기를 잃어버리면 해와 달은 나를 위해 함께 힘쓰지 않을 것이다! 너는 염두하거라!

農說示丙兒

盍觀夫農人之爲田乎? 耕種之必以其時, 耘耔之亦不失時. 孜孜矻矻, 晝之所爲, 夜之所思, 不越乎百畝之外, 穫之及其熟而倉廩實矣. 若夫不耕於春, 不耕於夏, 任其鹵莽滅裂, 而鵜鴂先鳴, 則雖悔曷追? 其或利其耒耜, 占其曆候, 糞穢之, 又得其當. 田有墳壤之別, 而沃瘠相懸, 又有水旱風霜爲之災, 耕也而餒在其中矣. 人之一身, 亦有春夏秋冬. 爲學要及其時, 如農之不違其時. 而寸陰分晷, 勿悠勿泛. 夫然後能免窮廬之嘆. 春不耕, 而秋求穫, 天下寧有是理哉? 夫農與學, 大同之中亦有大異焉. 學問者能變化氣質. 愚者以之而至於明, 柔者以之而至於剛, 虛者以之而至於實, 非如田之不可變瘠爲沃也. 有不思, 思之無不得; 有不爲, 爲之無不成. 求之在我, 成之亦在我, 非如田之水旱風霜有時乎侵奪也. 雖然失農於一年之春者, 庶復望於來春. 失學於一生之春, 日月不爲我與俯哉! 汝念!

글을 써서 아들 병수에게 주노라

　어떤 사람의 말이 정사를 다스리는 데까지 미치자, 화정(和靖) 윤돈(尹焞)[269]이 말하였다. "자장(子張)이 정사에 대해 물으니, 공자가 '마음을 쏟는 데 게으르지 말라'[270]고 하셨다. 게으름은 일에 가장 해롭다. 만일 게으름 없이 미루어 행할 수 있으면, 위(尉)가 되고 읍(邑: 수령)이 되고 군(郡: 군수)이 되고, 심지어 재상이 되는 것도 모두 할 수 있다. 만일 게으르면 비록 집안을 다스리는 작은 일이라도 해내지 못할 것이다."[이상은 『근사록』의 말이다.[271]]
　그윽이 생각해보니, "마음을 쏟는 데 게으르지 말라"는 거지무권(居之無倦) 네 글자는 공자가 자장의 물음에 답한 것이다. 이하는 윤화정(尹和靖)이 공자의 뜻을 유추하고 부연하여 말한 것이다. "게으르지 말라"는 무권(無倦)의 뜻은 깊도다. 크게는 천하와 국가를 위하는 것이고, 작게는 자기 일신을 위하는 것이며, 멀리는 자손들에까지 전하는 것이다. 그것으로써 하면 길할 것이고, 반대로 하면 흉할 것이다. 게으름과 근면함은 그 사이가 심히 멀지는 않지만, 마침내 길함과 흉함의 상반되는 데까지 이르니, 두렵지 않을 수 있겠는가! 나는 앞 수레가 되는 신세인지라, 홀연히 업적이 무너졌다. 너는 이를 거울삼아 절대로 앞선 수레의 자취를 밟지 말거라! 경자년(서기 1960년) 중추일에 보도산방(普道山房)에서 적는다.

書示丙洙兒

人有語及爲政者, 和靖尹氏, 曰: "子張問政. 子曰: '居之無倦.' 倦最害事. 若能

---

269) 윤돈(尹焞): 서기 1071~1142. 중국 송나라 때 학자. 자는 언명(彦明)·덕충(德充), 호는 화정(和靖). 낙양(洛陽) 출신. 정이(程頤)의 문하에서 학문을 닦았는데, 내성함양(內省涵養)을 중시하고 박람(博覽)을 추구하지 않았다. 수양론은 경(敬) 공부를 위주로 하였다. 저서로는 『논어해(論語解)』, 『맹자해(孟子解)』, 『화정집(和靖集)』 등이 있다.
270) 『論語』 卷12 「顏淵」〈第14章〉: 子張問政. 子曰: "居之無倦, 行之以忠."
271) 『근사록』에 있는 말이 아니고 『성리대전』에 있는 말이다. 『性理大全』 권68 「治道三·論官(蒞政附)」 참조.

無倦, 推而行之爲尉·爲邑·爲郡, 以至爲宰相, 皆可了. 若倦, 則雖居家小事也不能了."[右『近思錄』言.]

竊謂'居之無倦'四字, 夫子答子張之問. 以下尹和靖推演夫子之意而言之也. 無倦之義深矣哉! 大而爲天下國家, 小而爲一身, 遠而傳之子孫. 以之則吉, 反之則凶. 倦與勤, 其間不甚遠, 而終至於吉凶之相反. 可不懼哉! 余爲前車, 忽已敗績. 汝其鑑之, 毋或蹈前轍! 庚子仲秋日, 書于普道山房.

글을 써서 김종섭에게 주노라

하서선생(河西先生)[272] 선생의 시에서 말하기를 "하늘 땅 사이에 두 사람이 있으니, 공자가 원기라면 주자는 진수로다"[273]라고 하였다. 이 한 구절의 말은 지나간 성인을 위하여 끊어진 학문을 계승하고 만세를 위하여 미래의 학문을 열어주었다고 할 만하다. 그윽이 생각하니, 인류가 생긴 이래로 공자보다 성대한 이가 없었는데, 주자가 아니면 공자의 도를 밝힐 수 없었고, 선생이 성현을 계승하여 지음이 아니라면 이 확고한 논을 세울 수 없었을 것이다.

아! 크나큰 액운을 만나 사문(斯文: 유교)이 변하여 이단이 되었고, 공자와 주자의 도는 강론할 만한 땅조차 없었는데, 선생의 시를 어느 누가 논할 수 있겠는가? 김군 종섭은 바로 선생의 훌륭한 후손으로, 공자와 주자의 글을 낙덕천(樂德川) 가에서 읽고 가정에서 배운 바에 물들어 사특한 설에 옮기는 바가 되지 않았으니, 「박괘(剝卦)」 상구효(上九爻)의 한 맥에서 큰 과실을 먹을 수 없도록 하였으니,[274] 진실로 맛 좋은 샘물에는 원천이 있고, 지초에는 뿌리가 있는 것이었네. 비록 그러하나 저마다 떠드는 것은 온 세상이 모두 그러하였네. 혹 아름다운 바탕이 있는 자도 다같이 빠져들지 않은 이가 드물 것이네.

원컨대, 그대가 더욱 그 뜻을 견고하게 할수록 더욱 그 책을 읽을 것이네. 나이가

---

272) 하서선생(河西先生): 김인후(金麟厚)의 호와 존칭이다. 김인후:서기1510~1560(중종 5~명종 15), 조선 중기의 학자·문신, 자는 후지(厚之), 호는 하서(河西)·담재(湛齋), 본관은 울산. 전남 장성출신. 김안국의 제자 최산두(崔山斗)와 박상(朴祥)의 문하에서 수학. 문묘에 종사됨. 저서로는 『하서집(河西集)』, 『주역관상편(周易觀象篇)』, 『서명사천도(西銘四天圖)』, 『백련초해(百聯抄解)』 등이 있다.

273) 『河西全集』 卷7 「示門人 以下八首增」: 天地中間有二人, 仲尼元氣紫陽眞. 潛心勿向他岐惑, 慰此摧頹一病身.

274) 『周易』 「剝卦」: 上九: 碩果不食, 君子得輿, 小人剝廬.

젊고 기력도 왕성하니, 훗날의 성취를 어찌 헤아릴 수 있겠는가? 젊은 시절 배움에 부지런하지 않아 입지가 견실하지 못하여 풍속만을 따라다니다가, 문득 알려질 만한 것도 없는 빈객이 되었네. 그러나 후생들에게 족히 앞 수레의 귀감이 되겠지만, 타산지석도 옥으로 다스릴 만 하네. 그러므로 지금 이별하면서 잠언으로 하고 칭송으로 하지 않았네.

書贈金鍾熒

河西先生有詩, 曰: "天地中間有二人, 仲尼元氣紫陽眞." 此一句語, 可謂爲往聖繼絕學, 爲萬世開來學者也. 竊念自生民以來, 未有盛於夫子. 而非朱子, 無以明夫子之道, 非先生之繼聖賢而作, 無以立此確論也. 噫! 運値百六, 斯文化爲異端. 孔朱之道, 無地可講. 而先生之詩, 孰與可論? 金君鍾熒甫, 以先生之肖裔, 讀孔朱之書於樂德川上, 擩染家庭, 不爲邪說所移, 能使碩果不食於上九一脉. 信乎體有源而芝有根也. 雖然一齊衆楚, 擧世皆是. 或有質美者, 鮮不淪胥. 願君益固其志, 益讀其書. 年力富強, 他日成就何可量哉! 走少不勤學, 立志不堅, 惟風是從, 奄作無聞之客. 然於後生輩, 足爲車鑑, 而他山之石, 亦可以攻玉. 故今其別也, 以箴而不以頌.

삼기설(三奇說)을 김금포에게 주노라 [구현]

무릇 조물주의 기이한 변화는 다하지 않지만, 일은 대개 우연하면서도 또한 우연하지 않은 것이 있으니 그 사이에 사람의 꾀를 용납하기가 어렵다. 남산의 계수나무, 북산의 난초는 부류가 다르지만 자라날 적에는 때를 아우르니, 향기 또한 동일하다. 사물마다 그러함이 있으니, 사람이 어찌 홀로 그러하지 않겠는가?

나와 나의 벗 금포(錦圃)는 같은 해에 태어나고, 달과 날도 같지만, 태어난 시간을 다툴 뿐입니다. 천년 세월이 앞에 있고 만년 세월이 뒤에 있으니, 앞서지도 않고 뒤서지도 않는다. 똑같이 천간 계(癸)와 지간 묘(卯)가 같고, 달에는 열두 달이 있는데 건해(建亥: 음력 10월)가 같으며, 날이 같은데 만 30에서 2을 빼고 4에 7을 곱한 것으로 28일이 되니, 이것이 이른바 '세 가지가 기이하다'는 삼기(三奇)입니다. 거처도 동향이지만, 5리보다는 멀고 십리보다는 가깝다. 들녘의 나무들이 푸른 모습 반절을 나누었고, 시냇가의 흐름이 둘러싼 한 띠를 공유하고 있다. 하루 보지 못함이 3년과 같습니다. 그 뜻을 물으니 옛날에 뜻을 둔 것이 같고, 일을 물으니 농사에 일을 둔 것이 같습니다. 그 즐기는 바를 알아보니, 강산과 풍월의 감흥은 그 품성이 같고 운림과 천석의 정취는 그 버릇이 같네. 혼연하여 하나로 귀결되고 심원하여 사이가 없네. 문득 만 가지 같음 가운데 또한 한 가지 같지 않음이 있으니, 무엇이겠는가? 나는 술을 즐거이 마시지만 조금만 마셔도 취하고, 취하면 미친 듯 노래합니다. 침실에도 반드시 술이 있어야 하고, 아무리 다급해도 반드시 술이 있어야 하니, 서로 떨어지려 하여도 할 수 없네.

군은 이와 반대이네. 도서(酴醑)[275]나 제호(醍醐)[276]는 보기를 까마귀 부리처럼 여기고 배앵(盃罌)[277]이나 작상(勺觴)[278]은 죄다 쓸모없는 그릇으로 여기니, 어찌 내가 삼분의 취기를 덜어낼 수 있겠는가? 검고 요란한 고을에서 함께 노닐어도 그것이 빨강인지 혹 검정인지를 보지 못하네. 조물주가 본래의 색깔로 도망하기 어려우니, 처음에는 세 가지로 하다가, 그 기이함을 재갈하고, 끝에서는 그 하나를 아껴 그 변화함을 희롱하네. 비록 그러나 조금의 다름이 어찌 크게 같음을 해롭게 하겠는가?

아! 세월이 흘러 내가 이미 예순 하나가 되었으니, 그대는 홀로 예순 하나가 아니겠는가? 아침과 같은 젊은 날은 비록 멀리 갔지만, 저녁과 같은 노년은 늦은 것이 아니네. 더욱 각각 분발하고 노력하여 인(仁)으로 서로 돕고 의(義)로 법을 삼아 큰 허물이 없는 경지로 함께 돌아간다면, 거의 천지와 부모가 부여한 중책을 저버리지 않을 것이네.『역경』에서 "두 사람이 마음을 함께하면 그 예리함이 쇠도 끊을 수 있다"[279]라고 하였고, 또 말하기를 "마음을 함께하는 말은 그 향기가 난초와 같다"[280]라고 하였으니, 아마도 진실로 난초와 같을 것이네.

---

275) 도서(酴醑): 거르지 않아 탁한 술을 말한다.
276) 제호(醍醐): 맑고 맑아 맛좋은 술을 말한다.
277) 배앵(盃罌): 큰 술잔을 가리킨다.
278) 배앵(盃罌): 작은 술잔을 가리킨다.
279)『周易』「繫辭上傳」〈第8章〉: "「同人」先號咷而後笑." 子曰: "君子之道, 或出或處, 或默或語. 二人同心, 其利斷金. 同心之言, 其臭如蘭."
280) 앞의 책 참조.

三奇說贈金錦圃 [九鉉]

夫造物之奇變不窮, 事盖偶然而亦有不偶然者, 難容人謀於其間. 南山之桂, 北山之蘭, 異類而生并時, 臭香亦同. 物有然矣, 人奚獨不然? 余與吾友錦圃, 生同年, 而月與日又同, 所爭時耳. 千歲在前, 萬歲在後, 不先不後. 同乎干癸而支卯. 月有十二, 會而同乎建亥, 同乎日, 而滿卅除二四七其乘, 此所謂三奇也. 居又同鄕, 五里而遠, 十里而近. 野樹分半面之蒼翠, 川流共一帶之縈廻. 一日不見, 比如三秋. 問其志, 志乎古, 同也; 問其業, 業乎農, 同也. 叩其所樂, 江山風月之興, 同其性; 雲林泉石之趣, 同其癖. 混然而同歸, 泛然而無間. 抑萬同之中, 亦有一不同者, 何也? 余嗜酒飮, 少輒醉, 醉輒狂歌. 寢處必於酒, 造次必於酒. 欲相離, 不可得也. 君則反是, 酴醑醍醐, 視如烏喙; 盃罍勺鵤, 盡爲虛器, 安得減余三分醉?同遊乎黑甛之鄕, 不覩彼之或赤或黑. 造物難逃本色, 始以三而衒其奇, 終焉慳其一以戲其變耳. 雖然少異, 何害於大同? 嗟夫! 荏苒歲月, 我已六旬有一, 君獨不六一乎? 東隅雖遠, 桑楡亦非晩. 盍各奮發努力, 仁以相輔, 義以相矩, 同歸乎無大過之地, 庶不負天地父母畀付之重矣. 『易』曰: "二人同心, 其利斷金." 又曰: "同心之言, 其臭如蘭." 盖信乎如蘭也.

환갑날에 아들, 조카 그리고 손자들에게 알리노라

  오호라! 세월이 흘러 어느새 예순 한 해가 되었구나! 선현들이 말하기를, "생일을 맞이하면 곱으로 비통한데 어떻게 술상을 차리고 풍악을 베풀 수 있겠는가?"라고 하였다. 이것은 오래도록 감동하여 말함일 것이다. 나는 노모께서 당상에 계시니, 뜻이 기쁘고 두려움이 간절하다. 세상의 고아 된 사람을 보면, 하늘이 나에게 내려준 것은 두텁도다. 다만 내가 느낀 바가 이보다 더 큰 것이 있다. 생각하니, 우리 고조, 증조, 왕고(조부) 그리고 선친은 근면함과 검소함을 덕으로 삼고, 효도와 우애를 정사(政事)로 삼아,[281] 몇 세대를 지나오면서 인(仁)을 쌓고 의(義)를 행하여 태산의 공적을 이룩하셨다.

---

281) 『論語』 卷2 「爲政」 〈第21章〉: 或謂孔子曰: "子奚不爲政?" 子曰: "書云, '孝乎惟孝, 友于兄弟, 施於有政.' 是亦爲政, 奚其爲爲政?" 참조.

돌아보건대, 나는 불초하여 어려서부터 떠돌아다녀 하루도 힘을 써본 적이 없다. 글공부에 나태하고 농사일에도 어리석었으니, 모든 행동이 실추되었다. 상두(桑土)[282]를 얽어매는 일은 음우(陰雨)에 미치지 못하였고, 백 년 동안 내려오던 옛 가업은 하루아침에 갑자기 무너졌다. 위로는 능히 선열들의 만분의 일도 잇지 못하였고, 아래로는 자손들에 비호할 것을 남겨줄 수도 없게 되었다. 흰 머리에 가나한 집에서 후회할 겨를조차 하지 못하였는데, 바로 이 날에 너희들이 준비한 축수의 잔을 태연스럽게 받는구나! 사람들의 말은 비록 구휼할 것이 없다 할지라도 내 마음에는 어찌 부끄럽지 않겠는가?

무릇 장수라는 것은 크게는 국가의 경사가 있고 작게는 한 가정의 있으니, 그 덕이 있는 자라면 감당할 수 있을 것이다. 그 덕의 크고 작음에 따라 하루 더 장수하면 하루의 공부가 있어야 하고, 이틀 더 장수하면 이틀의 공부가 있어야 한다. 그러므로 시인들의 칭송에서 "군자는 만년토록 산다"[283]라고 하였다. 또 "화락하고 단정한 군자여,[284] 어찌 장수하지 못하랴?"라고 하였다. 참으로 덕 없이 순응하게 하면 이는 욕됨이 장수가 되는 것이다. 『예기』에서는 이렇게 말하였다. "남자 아이가 태어나면 뽕나무 활에 쑥대 살로써 천지사방에 쏜다"[285]라고 하였다. 아! 뽕나무와 쑥대가 이루지 못하였을 적에는 두견새나 때까치가 먼저 운다. 지나간 자취를 되돌아보니 희미함이 칠원(漆園)에서의 장자 꿈인 듯하구나.

오호라! 우리 집안은 선조 때부터 수명이 오래하지 못하였으니, 미재부군(薇齋府君)께서는 수가 58세에 그쳤고 선군께서는 59세에 돌아가셨다. 오호라! 애통하구나! 나는 그렇지 못하여, 선친과 조부가 지닌 덕이 없고 그저 선친과 조부가 없는 장수가 있는 것만을 탄식한다. 어찌 그리도 어긋난 것인가? 집안에서는 선조의 불초가 되고, 세상에서는 천지의 한 마리 좀 벌레가 된다. 오직 세상에 무익할 뿐만 아니라, 하루 세상에 있으면 하루의 치욕이 되고 이틀 세상에 있으면 이틀의 치욕이 되니, 이는 쓸

---

282) 상두(桑土): 사전(事前)에 모든 것을 대비(對備)하는 계책을 말함. 상두는 상근(桑根)인데, 장마가 시작하기 전에 새가 상근의 껍질을 물어다가 둥지를 단단히 얽어 놓으면 누구도 감히 업신여기지 못한다는 시에서 나온 말이다.
283) 『詩經』卷17「大雅·生民之什·旣醉」: 旣醉以酒, 旣飽以德. 君子萬年, 介爾景福.
284) 앞의 책, 卷16「大雅·文王之什·旱麓」: 愷悌君子, 求福不回. 참조.【참고】"愷悌君子"는 『시경』여러 곳에서 언급되고 있다.
285) 『禮記』卷12「內則第十二」: 故男子生, 桑弧蓬矢六, 以射天地四方. 天地四方者, 男子之所有事也. 참조.

모없는 저력(樗櫟)[286]이니, 저력에게 무슨 경사가 있겠는가? 그러나 나는 앞 수레가 되는 신세인지라, 홀연히 업적이 무너졌다. 너희들은 아무쪼록 그것을 거울삼아 힘쓸지어다! 계묘년(서기 1963년) 10월 28일에 보도산방(普道山房)에서 노부가 적노라.

周甲日示諭子姪及孫兒輩

嗚乎! 荏苒日月, 居然六十有一矣. 先賢有云: "生日當倍悲痛, 安能置酒張樂?" 然此只爲永感而言也. 余則老母在堂, 志切喜懼. 視世之孤露人, 天之餉我厚矣. 但吾所感有大於此者. 惟我高曾王考及先君, 以勤儉爲德, 以孝友爲政, 累數世積仁行義, 以成泰山之功. 顧余不肖, 自幼悠泛, 未能一日用力. 怠於書, 迂於農, 百行俱墮. 桑土之綢繆, 未及乎陰雨, 百年舊業, 一朝驟落. 上不能繼先烈之萬一, 下無以遺子孫之庇庥. 白首窮廬, 噬臍不暇, 而乃於是日偃然受汝曹之所謂壽盃乎! 人言雖不足恤, 於我心寧不愧怍? 夫壽者, 大而有國家之慶, 小而有一家之慶, 是有其德者, 可以當之. 隨其德之大小, 而一日益壽, 則有一日之功. 二日益壽, 則有二日之功. 故詩人之頌, 曰: "君子萬年". 又曰: "愷悌君子, 胡不黃耇?" 苟無德而將之, 則是辱之爲壽也. 記曰: "男子初生, 以桑弧蓬矢射于天地四方." 噫! 桑蓬未遂, 鶺鴒先鳴, 回顧往跡, 依俙漆園之周蝶. 嗚乎! 我家自先世壽命不長, 薇齋府君壽止五十八, 先君五十九而沒. 嗚乎! 痛矣! 余之不肖. 嗟無父祖所有之德, 而徒有父祖所無之壽, 何其舛也? 在家爲祖先之不肖, 在世爲天地之一蠹, 不惟無益於世, 一日在世, 則爲一日之辱; 二日在世, 則爲二日之辱, 是樗櫟之無用. 於樗櫟, 何慶之有? 然余爲前車, 忽焉敗績. 汝曹其鑑之哉! 勉之哉! 癸卯十月二十八日, 普道山房老夫書.

조수훈에게 주는 글

조수훈 군은 젊은 날 학문에 부지런하지 못함을 근심으로 여겼다. 이러한 근심은 배움에 나아갈 수 있었으니, 어찌 그 그러함을 밝히겠는가? 근심이라고 말하는 것은 반

---

286) 저력(樗櫟): 크기만 하지 하등의 쓸모가 없는 가죽나무와 상수리나무. 목수도 돌아보지 않는 散木이라고 한다. 자신을 낮추는 뜻의 겸사.『莊子』「逍遙遊」·「人間世」참조.

드시 일삼는 것이 있어, 항상 가슴에 걸어두고 잊어버리는 경지를 두지 않았음을 말하는 것이다. 만약 완전히 버리고 마음으로 삼지 않으면 그 근심과 함께 잊어버리게 될 것이다. 나는 이로부터 조군이 항상 마음에서 잊지 않을 줄 알았으니, 이러한 근심을 토로하는 것이다. 비록 그러하나, 한갓 근심만 하다가 그만두면, 근심하지 않은 것과 무엇이 다르겠는가?

이제 군은 나이가 겨우 서른을 넘어서고 있다. 군의 근심을 생각하면, 어제 오늘의 일이 아니고 반드시 10년 전에 있었을 것이다. 근심의 시작부터 매 하루다 12시간씩 여기에 힘을 썼다면 반드시 오늘의 근심이 없을 것이다. 만약 예전대로 날만 보내며 한가롭고 지내고 빈둥거리면 다른 날의 근심이 또한 금일에 전일을 근심하는 것과 같음이 분명할 것이니, 무슨 이익이 있겠는가? 병든지 7년만에 삼년 묵은 쑥을 구한들 병에 어떤 이익도 없으니, 금일에 비축하여 3년을 대비하는 것만 못하다. 지나간 일은 간하지 않겠지만, 금일부터 용맹하게 발꿈치에 힘주고 곧바로 공부를 알차게 해야 한다. 비록 가업을 주관하고 다스리는 중이라도 반드시 약간의 틈이 있을 것이다. 만일 여유 있는 시절을 기다린다고 하면 종신토록 그러한 날이 없을 것이다. 이 약간의 틈을 가지고 경전 가운데 한 책을 취하여 엄격하게 과정을 세우는데, 먼저 글자의 뜻을 구하고 다음으로 어구의 뜻을 구하며 또 한 절의 취지를 구한다. 처음 볼 적에는 막연하여 분명치 않아 흐릿하니, 재차 보고 세 번 보면 혹 통하는 것이 있다. 세 번 보아도 또 통하지 않으면 네 번 보고 다섯 번 보면서 심지어 열 번이나 보아야 한다. 그래도 통하지 않으면 적어놓고 표기한다. 다른 문장으로 바꾸어도 이와 같이 한 치로 쌓고 한 눈금으로 쌓이게 한다. 이와 같이 한다면 몇 년 되지 않아 반드시 한 갈래 길이 있어 마음과 눈 사이를 황홀하게 할 것이다.

어제 근심스럽고 가로막힌 듯한 것은 오늘 조각배가 순풍을 타고 가벼운 어가가 익숙한 길로 나아감이 성대한 듯하니, 누가 막을 수 있겠는가? 이리하여 근심을 기쁨으로 변화시키면 자신도 모르게 손 놀려 춤추고 발 구르며 뛸 것이다.[287] 그러나 이러한 일은 하루나 한 때에 도달할 수 있는 것이 아니다. 아침에 파종하고서 저녁에 거두려 하니, 어찌 이러한 이치가 있겠는가? 빨리 하려고 하면 도리어 해로움이 되니, 절대로 송나라 사람의 알묘조장(揠苗助長)과 같이 하지 말라.[288] 또 끊어짐 없이 하는데 반드시 어미닭이 알을 품고 있듯 따스한 온기가 멈추지 않고 이어지도록 해야 할 것이다. 이와 같은 것이 3년을 지나면 반드시 내 말이 망령되지 않음을 알 것이다. 힘쓸지어다!

---

287) 『論語集註』「序說」: 有讀了後, 直有不知手之舞之足之蹈之者也.
288) 『孟子』卷3「公孫丑(上)」〈第2章〉참조.

書贈趙守勳

趙君守勳以少不勤學爲憂. 是憂也. 足以進學, 何以明其然也? 憂之云也, 必有事焉. 而恒橫在胸臆, 不置忘域之謂也. 若全然抛却, 不以爲心, 則幷與其憂而忘之矣. 吾以是知君之常不忘於心, 致此之憂也. 雖然徒憂而止, 則與不憂奚擇? 今君年纔逾三十. 想君之憂, 非今斯今, 必在十年前矣. 自憂之始, 每一日一二時, 用力於斯, 則必無今日之憂矣. 若因循度日, 悠悠泛泛, 則異日之憂, 亦如今日之憂前日也審矣, 何益之有? 病七年, 而求三年艾, 無益於病. 不如蓄之今日, 以備三年也. 往者不可諫, 自今日勇着脚跟, 直下實工. 雖幹蠱治業之中, 必有寸閑分隙, 若待優閑時節, 則終身無其日矣. 將此寸閑分隙, 取經傳中一冊, 嚴立課程, 先求字義, 次求句義, 又次求一節之旨. 初看漠然黑窣窣地, 再看三看, 或有通之者. 三看又不通, 則四看五看, 至於十看, 不通則記而標之. 更易他章, 亦如之寸以積之, 銖以累之. 如是做云, 未幾年必有一條路, 恍然心目之間. 昨而憂焉潞焉者, 今而片舟遇順風, 輕駕就熟路沛然, 孰能禦之? 於是化憂爲喜, 不知手之舞之, 足之蹈之也. 然此事非一日一時可到也. 朝播種而暮收穫, 安有是理? 欲速反爲害, 毋若宋人之揠苗. 又無間斷, 必如鷄之抱卵, 使溫氣接續無已. 如是者過三年, 必知吾言之不妄矣. 勉乎哉!

사익설(四益說)을 전동일에게 보내며

횡거(橫渠: 張載[289])가 일찍이 말하기를, "어린 아이를 가르치는 것에는 네 가지 이로움이 있다. 자기 몸을 얽어매고 출입하지 않는 것이 첫 번째 이로움이다. 남에게 가르쳐주기를 여러 차례 하여 자기 자신이 먼저 이 글의 뜻을 요해하는 것이 두 번째 이로움이다. 마주할 적에는 반드시 의관을 바르게 하고 눈길을 존엄하게 하는 것이 세 번째 이로움이다. 항상 자기로 인해 다른 사람의 재능을 망치는 것을 근심으로 여겨

---

289) 장재(張載): 서기1020~1077. 중국 북송시대 학자. 자는 자후(子厚), 호는 횡거(橫渠). 장안(長安: 지금의 陝西省 西安) 횡거진 출신이었기 때문에 횡거(橫渠)라고 불린다. 그의 학설은 예(禮)를 숭상하고 『역(易)』으로서 종(宗)을, 『중용(中庸)』으로서 체(體)를 삼았으며, 우주의 본체를 태허(太虛)라고 하였다. 저서에 『정몽(正蒙)』, 『횡거역설(橫渠易說)』, 『경학이굴(經學理窟)』, 『장자전서(張子全書)』가 있다.

서 곧 감히 게으르지 않게 하는 것이 네 번째 이로움이다."[290]라고 하였다.

전군이 지난 봄부터 한산(寒山) 아래에 머물렀더니, 협곡과 시냇가에서 사는 아이들이 앞 다투어 찾아와서 배웠다. 그 서실까지 뛰어 들어왔는데, 예닐곱 명의 아이들은 빙 둘러 앉아 책을 읽었다. 군은 엄연히 안석을 의지하고 있으니, 옛 스승과 제자의 풍모가 있었다. 거주민들은 모두 순박하고 근실하여 경박하고 사치스러운 모습이 없었다. 함께 왕래하는 자들은 안개와 노을을 담론하면서 뽕나무나 삼나무도 물었다. 세간의 영욕을 말하는 것은 어디로든지 들어갈 곳이 없었다. 오직 산에 뜨는 달과 시냇가에 부는 바람만이 이목의 즐거움을 제공하기에 충분하니, 이것이 또 하나의 이로움을 더한 것인데, 합하면 다섯 번째 이로움이다. 아! 그 네 가지는 미칠 수 있지만, 그 한 가지는 미칠 수 없는 것이로구나! 구름이 감도는 한산을 생각하면 가까이 있고 바라보면 멀리 있으니, 어찌 겨드랑이에 날개 돋는 술법[291]을 얻겠는가? 날아서 일천 봉우리에 이르게 되면 그 낭랑하게 글 읽는 소리를 들을 것이다.

四益說贈田東日

橫渠嘗云: "敎小童有四益. 絆己不出入, 一益也; 授人數次, 己先了此文義, 二益也; 對之必正衣冠, 尊瞻視, 三益也; 常以因已而壞人之才爲憂, 則不敢惰, 四益也." 田君自往年春, 接止于寒山下, 峽童澗竪, 爭先來學. 走入其書室, 六七童子, 環坐讀書. 君儼然憑几, 有古師弟子之風焉. 居民皆淳謹, 無浮靡之態. 所與往來者, 談烟霞而問桑麻. 世間之說榮說辱, 無自而入. 惟山月澗風, 足以供耳目之娛, 此又加一益, 合五益也. 噫! 其四可及, 其一不可及也. 雲裏寒山, 思之在邇, 望之則遠, 安得腋翰之術? 飛到千峯裏, 聽其琅琅咿唔之聲.

---

290) 『張子全書』 卷6 「義理」: 常人敎小童亦可取益. 絆己不出入, 一益也; 授人數次, 己亦了此文義, 二益也; 對之必正衣冠, 尊瞻視, 三益也; 嘗以因已而壞人之才爲憂, 則不敢墮, 四益也. 【참고】 장재의 「어록(語錄)」에도 수록되었으나 글자의 출입이 있다. 『張子全書』 卷12 「語錄」 참조.
291) "겨드랑이에 날개 돋는 술법"이란 신선의 부름을 받아 하늘로 올라가는 방법을 의미한다.

기름지고 척박한 땅에 관한 설을 김재도에게 보내며

그대는 기름진 밭을 보지 못하였는가? 경작하여 파종하고 김매는 것은 일반 토양과 특별이 다른 것이 없다. 거름할 적에 혹 과다하지 말고, 물길을 띄울 적에 그 메마르기를 바란다. 그러면 가을철 수확은 항상 배가 되거나 다섯 배까지 되니, 이것은 다름이 아니라 토질이 좋기 때문이다. 척박한 땅의 밭은 파종할 적에 그 때를 잃음이 없는데 김맬 적에 그 가시풀이나 잡초를 두려워하고, 거름할 적에 오직 부족할까 두려워하며, 물댈 적에 충만하기를 바란다. 열 걸음에 아홉 번 돌아보고 이미 갔다가 다시 찾아온다. 한 해를 마칠 때까지 열심히 애쓰니, 부지런하고 또 고달프게 하지 않은 것이 아니다. 그러나 풍년에 수확한 것은 기름진 땅의 절반도 되지 않으니, 이것은 무슨 까닭인가? 토질이 척박하기 때문이다.

아! 농사를 업으로 하는 자 누구인들 척박한 것을 버리고 기름진 것을 취하고자 아니하겠는가? 그런데 토질이 좋은 것만 믿고 공을 더 들이지 않는다면, 척박한 것이 있는 것보다 못할 것이다. 그대는 슬기롭고 지혜로운 자질을 받았는데, 하늘이 내려주어 이미 두터웠다. 다행하게도 사람들이 얻지 못한 좋은 땅을 얻어 공을 반만 더하여도 얻는 것은 반드시 배가 될 것이다. 또 하나의 설이 있다. 농부가 밭에 있어서는 원래 그 시기가 있다. 한번이라도 때를 어기면 다시금 가을철에 바랄 수 있는 것은 없을 것이다.

학문은 이와 다르니, 소년 노인 할 것이 없이 하기만 하면 이것이 될 뿐이다. 하물며 그대의 밭은 이미 양호하거늘 또 밭을 갈고 씨를 뿌리며 종자를 심는다. 만약 한두 번 김매기만 하면 식량이 가득 차니, 어찌 호미 하나로 뒤집으며 김매기를 아끼며 그 가시풀이나 잡초만 바라보고 있는가? 노옹(蘆翁: 奇正鎭[292])은 "어제 헛되이 지나간 것을 아끼지 말고, 내일 덧없이 보낼 것을 아껴라"[293]라고 하였다. 지극하다, 이 말이여!

---

292) 기정진(奇正鎭):서기1798~1879(정조 22~고종 16), 조선 후기의 성리학자, 본관은 행주, 자는 대중(大中), 호는 노사(蘆沙)·노하병부(蘆下病夫)·강상병수(江上病叟)·삼산병수(三山屛叟). 전북 순창출신이나 장성(長城)으로 옮겨 삶. 저서로는 『노사집(蘆沙集)』, 『답문유편(答問類編)』 등이 있다.

293) 『蘆沙文集』卷16 「書贈朴文瑞(正佑)」: 患己誠之不足, 無患天才之不及. 惜來日之虛過, 無惜昨日之浪度. 懼我之或負人, 無懼人之或負我也. 참조.

沃瘠說贈金在度

君不見沃梁之田乎? 耕播種耘, 無別異於凡壤. 糞之毋或夥, 決之欲其乾. 然而秋穫常倍蓰之, 此無他, 質之美也. 瘠土之田, 種之無失其時, 耘之恐其鹵莽, 糞之惟恐不足, 灌之漑之, 欲其充滿. 十步九瞻, 旣去而復來. 終年矻矻, 非不勤且苦矣. 然樂歲所穫, 不沃之半. 玆曷故焉? 質之薄也. 噫! 業農者孰不欲舍瘠而取沃? 然而恃質之美, 不加之工, 則有瘠之不若者矣. 君稟得穎慧之資, 天之餉旣厚矣. 幸得人人所不得之良田, 加工之牛, 獲必倍矣. 抑又有一說焉. 農之於田, 自有其時, 一違乎時, 則無復秋可望矣. 學問異於是, 無少無老爲之則是耳. 況君之田旣良矣, 又畊而播而種焉. 若一再耘之, 食實, 何惜一鋤之翻, 任其鹵莽歟? 蘆翁云:"無惜昨日之虛過, 惜來日之浪度." 至哉言乎!

모생(毛生)을 책망하며[294]

붓이여! 나와 그대는 오랜 벗이었다. 써주면 행하고 버리면 숨어 지내니,[295] 도가 일찍이 같은 적이 없었다. 내가 중산(中山)의 겨레[296]에 쌓은 덕이 많지 않은 것이 아니지만, 마음이 하고자 하는 바를 좇는 것[297]은 그대를 이것으로써 권하여 일재선생(逸齋先生)[298]의 벼루 가에 보내는 것보다 좋은 것이 없다. 만일 나에게 복종하는 것으로 선생을 섬긴다면, 그대가 총애를 받을 뿐만 아니라 주인에게도 상을 받아 많은 곱절

---

294) 제목의 모생(毛生)은 글씨를 쓰는 붓의 의인화이다.
295) 『論語』卷7 「述而」〈第10章〉: 子謂顔淵曰: "用之則行, 舍之則藏, 惟我與爾有是夫!" 참조.
296) "중산(中山)": 지금의 안휘성(安徽省) 선성현(宣城縣)에 있는 산으로 좋은 토끼털이 많이 생산되어 모필의 산지가 되었다. 그래서 붓은 그 출신이 중산(中山)이다. 한유(韓愈)는 「모영전(毛穎傳)」에서 "毛穎者中山人也"라 하였다.
297) 『論語』卷2 「爲政」〈第4章〉: 子曰: "(…) 七十而從心所欲, 不踰矩." 참조.
298) 일재선생(逸齋先生): 고창에서 활동한 유학자 정홍채(鄭泓采)를 가리키는 듯하다. 손자 김경식에 의하면 "정홍채는 호가 일재(逸齋)인데 할아버지(普亭 金正會)보다 두 살 연상으로 남다른 친분이 있었다"고 한다. 정홍채: 서기1901~1982, 근현대 학자. 본관은 하동(河東), 자는 용부(容夫), 호는 일재(逸齋). 전남 장성(長城) 광암리(廣巖里)에서 출생하여 조부에서 학문을 익혔다. 송재(誦才)가 뛰어나 배운 것을 모조리 외었다. 부친을 따라 외가인 고창 석정(石汀)으로 왔다. 외숙 흠재(欽齋) 조덕승(趙德承)의 문학에서 학문을 익혔다. 저서로는 『일재유고(逸齋遺稿)』가 있다.

의 자주빛이 있을 것이니, 어찌하여 부드러움이 강함을 구제하지 못하고 누워있는 것이 서있는 것을 이기지 못하겠는가? 가사 선생께서 흥이 깨져 뜻이 다하면, 괴이하게 여기고 또한 밉살스럽게 여길 수 있을 것이다. 비록 그러하나, 나의 도는 속되고 누추할 뿐이다. 이제 선생께서는 법도로 이끌고 오묘함으로 발휘하는데, 그대가 세속에 익숙하고 누추함에 얽매여, 창졸간에 법도와 오묘함의 경지를 만난다면 당황해서 망연자실 할 것이다.

아! 노둔한 말은 왕량(王良)[299]의 규범을 받아들이기가 어렵고, 무딘 돌은 옥공(玉工)의 꾸밈을 시행할 수 없으니, 어찌하겠는가? 모생이 관을 벗고 머리를 숙이면서 사의하고 말하기를, "모생은 본래 유약하여 주인님에게 십수 년을 종사하여 감히 한 터럭만큼도 어기지 않았습니다. 또 인간의 성품은 한결같지 않으니, 부드러운 것을 좋아하는 자가 있고 강한 것을 좋아하는 자가 있으며, 뾰족하고 날카로운 것은 좋아하는 자가 있고 오래되어 털 없는 것을 좋아하는 자가 있습니다. 마치 음식을 즐기는 성격이 동일하지 않는 것과 같아, 대추[羊棗]를 즐기는 자가 있고 능금[榛檎]을 즐기는 자가 있으니, 어찌 한결같게 할 수 있겠습니까?"라고 하였다. 옆에 한 노생(老生)이 주머니에서 나오며 고하기를, "모생은 비록 다리가 부러져 배척되었으나, 일재의 풍도(風度)를 듣고 애오라지 다시 평일의 장대한 마음을 발휘하였습니다"라고 하였다. 나는 그것을 비웃으며 말하기를, "그대의 선조 가운데 모수(毛遂)[300]라는 이가 있었는데, 스스로 추천하여 초나라와 조나라의 우호관계를 이루었으니, 그대는 가히 대대로 내려 온 풍도를 지킬 수 있을 만하다고 하겠다. 가보시죠!"라고 하였다.

같은 방에 저생(楮生)[301]과 진현(眞玄)[302] 두 벗이 있는데, 모생(毛生: 붓)과의 출처가 모두 같아서 잠시도 서로 떨어지지 못하였다. 떨어질 수 있다고 하면 도가 아니다. 모생이 간다는 것을 듣고서, 그와 품격을 함께하고자 하였다. 비록 졸렬하였지만, 뜻은 가상할 만하다.

---

299) 왕량(王良): 중국 춘추 시대의 말을 잘 알아보고 잘 길렀던 사람.
300) 모수(毛遂): 중국 전국시대 조(趙)나라 평원군(平原君)의 식객(食客).
301) 진현(眞玄): 참먹으로서 품질이 아주 좋은 먹을 말하기에 먹을 의인화한 것이다.
302) 저생(楮生): 종이를 의인화한 것이다.

責毛生說

生乎！予與君久要也. 用行舍藏, 道未嘗不同. 予畜中山之族, 不爲不多, 而從心所欲者, 莫君若是以勸送于逸齋先生之硯南矣. 如以服於我者事先生, 則不惟君之得寵, 賞於主人, 有百徒之紫, 胡爲乎柔不濟剛, 臥不克起？ 使先生興敗意闌, 可怪亦可憎, 雖然予之道也俗耳陋耳. 今先生導之以法, 揮之以妙. 君習於俗, 狃於陋, 猝遇法妙之場, 慌乎自失. 噫！ 駑馬難以受王良之範, 頑石不可施玉工之藻. 奈何？ 生免冠垂頭而謝, 曰："生本柔弱, 從事主翁十數年, 不敢一毫違拂. 且人之性不一, 有好柔者, 有好剛者, 有好尖銳者, 有好老而禿者. 如嗜性之不同, 有嗜羊棗者, 有嗜榛檎者, 安能以一之也？" 傍有一老生, 自囊中出而告, 曰："生雖折脚見斥, 聞逸齋之風, 聊復發平日壯心也." 予哂之, 曰："君之先有毛遂者, 能自薦以成楚趙之好, 君可謂克守世風也. 往哉！"

　　同房有楮生及眞玄二友, 與毛生出處皆同, 暫不相離. 可離, 非道也. 聞毛生之往, 欲與之偕品. 雖劣, 志則可尙.

온고지신(溫故知新) 넉자를 적어 조카 정수(晶洙)에게 주며

　　해는 임인년(서기 1962년) 봄이라. 집안 조카 정수(晶洙)가 장차 의학 공부를 마치고, 떠나려 하면서 나에게 한 마디 물었다. 나는 답하였다. "좋다, 질문이여! 육년 세월이 오래되지 않은 것이 아니지만, 너의 모친은 입고 먹을 것을 절약하였고, 바람 불거나 비 내려도 열심히 일하여 너의 학비를 대어주었으니, 마음과 힘을 다했다고 이를 만하다. 다행히 너 또한 중도에 그만두지 않고 다른 기로에도 미혹되지 않아 그 과업을 마칠 수 있었으니, 아마도 너의 아버지께서 황천에서 편히 눈도 감을 수 있을 것이다. 비록 그러하나, 내가 지금 배우는 자식들을 보면 바야흐로 그 학교에서 배울 적에는 아침부터 저녁까지 부지런히 애쓰고 감히 잠시도 태만하지 않다가, 학업이 마침에 미쳐서는 사방 한 자 되는 종이[졸업장]를 얻고서 나의 일이 이미 마쳤다고 하며, 그것으로 취직하고 벼슬하면 예전에 배운 바의 책들은 손으로 눈으로 입으로 송독하는 것이었어도, 높은 누각에 올려놓고 보기를 통발과 같이 하는 자가 많았다. 아! 이 일이 어찌 햇수로 헤아리겠는가? '온고지신(溫故知新)'[303] 네 글자는 공자의 말이다. 내가 이것을 써서 너에게 보여주는 것은, 너로 하여금 예전에 들은 것을 온습(溫習)하여 새롭게 터득하는 오묘함이 날로 있도록 한다면, 그 응함이 다하지 않아 사람의 스승이 되지 않을 수 있겠는가 해서이다. 참으로 이와 같이 한다면, 또한 입신양명하는 하나의 도가 될 뿐이다. 안으로 부모의 이름을 드러내고, 밖으로 국가 교양의 뜻을 저버리지 않아야 한다. 어서 가서, 너는 힘쓸지어다!"

溫故知新四字書示晶洙姪

歲壬寅春, 家姪晶洙, 將了醫學之業, 臨行問余一言. 余曰: "善哉問也! 六年日月, 不爲不久, 而汝慈縮衣節食, 風拮雨据, 以資汝學, 可謂竭其心力矣. 亦幸汝之不半塗廢, 無他歧惑, 克終厥課, 庶可瞑汝父泉下之目矣. 雖然余觀今之學子, 方其學于校也, 朝勤夕苦, 毋敢斯須或忘. 及業之卒也, 得方一尺紙, 以爲吾事已了, 以之職焉仕焉, 則前日所學之書, 手而目而口而誦焉者, 束之高閣, 視若筌蹄者多矣. 噫! 此事豈以歲年計哉? 溫故知新四字, 夫子語也. 余之書此以示汝者, 使汝溫習舊聞, 日有新得之妙, 則其應不窮, 可不爲人師乎? 苟如是, 亦立揚之一道耳. 內而顯父母之名, 外而不負國家敎養之義. 往哉汝勗!"

영춘(迎春) 해석

집안 조카 정수가 장차 부산에서 의원(醫院)을 차리려 하면서 나에게 의원 이름을 물어왔다. 나는 '영춘(迎春)'으로 응하고, 그에 따라 풀이하여 주었다. "봄은 네 계절의 첫머리이니, 하늘에 있어서는 원(元)이라고 하고, 인간에 있어서는 인(仁)이라고 한다. 원은 선의 우두머리이고,[304] 인은 마음의 덕이고 사랑의 이치이다.[305] 봄은 만물을 생성하고 생성하는 차례이다. 어찌 저 초목들을 보지 않는가? 서리에 시달리

---

303) 『論語』 卷2 「爲政」 〈第11章〉: 子曰: "溫故而知新, 可以爲師矣."
304) 『周易』 「乾卦」: 「文言」曰: "元者, 善之長也. (…)"
305) 『論語集註』 卷1 「學而」 〈第2章〉: 仁者, 愛之理, 心之德也.

고 눈에 묻혀 냉랭하기가 불꺼진 재와 같고 말라빠지기가 썩어버린 것과 같다. 동풍이 한 번 불고 빗줄기로 적셔주면, 재와 같은 것이나 썩어버린 것들도 싹트고 돋아나 꽃봉오리로 맺히게 된다. 천지가 작용한 기운이 위아래로 함께 교류하여 사물마다 화창하지 않은 것이 없다.

사람도 작은 천지이다. 쾌활하고 강장한 신체라도 한 번 그 병을 받으면 풀이 시들어 마르고 나뭇잎이 말라 떨어진 것과 같다. 화타(華佗)[306]와 편작(扁鵲)[307]이 진료하여 다스림에 미쳐서, 증세에 따라 약을 투약하게 되면 살거나 이미 죽을 수 있으니, 사백 네 가지 병들은 물러가려고 기약하지 않아도 저절로 물러갈 것이다. 말로 소병(甦病)이라고 하나, 회춘(回春)이라고 하는 것이다.

아! 어찌 유독 의료일 뿐이겠는가? 멀리는 나라에서 난세를 다스려 바른 세상으로 돌이켜 태평성대의 봄을 이루고, 가까이는 집안에서 부모를 섬기고 자식을 돌보는 것을 모두 안정되게 하여 한 가문의 봄을 이루는 것이다. 안으로 마음을 보존하여 본성을 기르면 오래도록 사시의 봄이 있을 것이니, 그 뜻은 매 한 가지이다. 아무쪼록 힘쓸지어다!" 갑진년(서기 1964년) 섣달 상순에 보도산수(普道山叟)가 적는다.

迎春解

家姪晶洙將設醫院于釜山, 問余以院號. 余應之以'迎春', 從而爲之解, 曰: "春爲四時之首, 在天爲元, 在人爲仁. 元者, 善之長也: 仁者, 心之德愛之理也. 春是萬物生生之序也. 盍觀夫艸木乎? 肅于霜, 閉于雪, 冷如灰燼, 枯如朽敗, 東風一打, 雨以潤之, 則如燼者如朽者, 萌而芽而蓓蕾之, 天地氤氳之氣, 上下同流, 無物不暢矣. 人亦小天地也. 快活康壯之身, 一受其病, 則如艸萎而木落, 及其華扁疹治, 對症投劑, 則可肉骨而已死, 四百四病, 不期退而自退矣. 語曰甦病, 謂之回春. 噫! 奚獨醫乎哉? 遠之於國, 撥亂反正, 以致太平之春; 近之於家, 事育俱安, 以成一門之春. 內而存心養性, 長有四時之春, 其義一也. 勉之哉!" 甲辰臘月上旬, 普道山叟書.

---

306) 화타(華佗): 중국 동한(東漢) 때 사람으로 신통한 의술을 지녔는데, 침과 약으로 되지 않으면 해부하여 장위를 끊어 병을 제거하고 꿰맨 뒤에 신고(神膏)를 발라 치료했다.

307) 편작(扁鵲): 중국 춘추전국시대의 사람으로 이름은 진월인(秦越人)이다. 『황제내경』의 난해한 뜻을 드러내 밝힌 저서 『난경(亂經)』이 있다. 죽어서 장사 지내기 직전에 있던 괵(虢)나라의 태자를 편작이 삼양(三陽)과 오회(五會)의 혈을 침으로 찔러 살려 내는 신통한 의술을 지니기도 하였다.

일곱 손자의 이름에 대한 설

경(璟)은 옥이 빛나고 밝아 한 점의 흠이 없는 것이다. 말은 충실함과 믿음을 생각하고 행동은 독실함과 공경함을 생각한다.[308] 갈고 닦아서 이 말과 행동을 하여금 깨끗하게 하여, 한결같이 빛나고 밝음이 '경[옥]'의 흠이 없는 연후에 군자의 온전한 덕을 이룰 수 있다. 무릇 땅을 뒤흔들고 하늘을 치켜드는 일은 충실함과 믿음에 근본하지 않은 적이 없다. 경아! 이것으로써 이름 지었다.

「태갑(太甲)」의 "밝은 명령"[309]과 「대학」의 "밝은 덕"[310]은 모두 본체의 허령(虛靈)하고 어둡지 않아, 마치 거울이 사물을 비치는 것과 같다. 다만 기품에 구애되고 물욕에 가려져 그 본체의 밝음을 잃어버리면, 반드시 티끌과 때를 씻어 제거하여야 도리어 당년의 보배 거울을 얻어 해와 달의 밝음을 이루게 된다. 명(明)아! 이것으로써 이름 지었다.

『시경』에서 "길이 천명에 짝함이 스스로 많은 복을 구하는 길이니라"[311]라고 하였다. 무릇 말 한 마디 선을 하는 것이 반드시 복에 응하는 것은 아니고, 하루 선을 행하는 것이 반드시 복을 이루는 것은 아니다. 반드시 인(仁)을 쌓고 의(義)를 모은 연후에 만복이 찾아오는 것이니 마치 냇물이 바야흐로 이르는 것과 같다. 영(永)아! 이것으로써 이름 지었다.

무릇 큰 쇠북이라고 하면 소리가 안에 가득한 것이다. 그러므로 그 두드리는 크고 작은 힘에 따라 응하지 않음이 없다. 배움이 자기에게서 만족하여 그 그릇을 크게 하고 그 역량을 넓게 하면, 그 발현하는 것은 국가의 성대함을 울릴 것이다. 종(鍾)아! 이것으로써 이름 지었다.

동방은 진괘(震卦)이니,[312] 때에 있어서는 봄이 되고 사람에 있어서는 인이 된다. 봄은 만물을 생육하고 인은 두루 사랑하면서 넓게 베푸는 것이다. 가을 열매의 완성은 봄에서 근원하고, 여러 선의 이름은 인에서 근본한다. 동(東)아! 이것으로써 이름 지었다.

---

308) 『論語』卷15 「衛靈公」〈第6章〉: 子張問行. 子曰: "言忠信, 行篤敬, 雖蠻貊之邦行矣; 言不忠信, 行不篤敬, 雖州里行乎哉? 立, 則見其參於前也; 在輿, 則見其倚於衡也. 夫然後行." 子張書諸紳. 참조.
309) 『書經』卷4 「太甲(上)」: 顧諟天之明命.
310) 『大學』「經」〈1章〉: 大學之道, 在明明德. 참조.
311) 『詩經』卷4 「文王之什・大雅・文王」: 永言配命, 自求多福.
312) 『周易』「說卦傳」〈第5章〉: 萬物出乎震, 震東方也. 참조.

천하의 만물은 본체가 있으면 반드시 작용이 있는 법이다. 안에서 풍족하면 본체가 확립하는 것이고, 밖으로 통달하면 작용이 행하는 것이다. 배움이 자기에게 쌓이면 자기 몸에 사용하여도 남음이 있는 것이 아니고, 집안과 나라에게 사용하여도 천하가 부족한 것이 아니다. 용(用)아! 이것으로써 이름 지었다.

물이 넓고 맑으며 깊고 심오할 적에는 퍼 올려도 다하지 않으며 가물어도 마르지 않는다. 고기와 자라들은 그곳에서 살고 보물과 패옥들은 그곳에 감추어졌다. 마치 사람의 덕이 안에 가득차 응함이 다하지 않음이 없고 씀이 두루 하지 않음이 없는 것과 것은 그 쌓아온 것에 바탕이 있기 때문이다. 홍(泓)아! 이것으로 이름 지었다.

비록 그러하나, 사람은 이름을 아름답게 할 수 있고, 이름은 사람을 아름답게 할 수 없다. 너희들의 이름은 말이 여기에서 있으니 생각을 여기에 두어라. 그 이름을 돌아보며 그 뜻을 헤아려야 한다. 뜻을 헤아리는 것은 어떻게 해야 하겠는가? 일곱 사람의 몸이 합하여 한 마음이 된다면 생각이 절반은 지나갈 것이다.[313]

七孫名說

璟者, 玉之光明, 而無一點瑕者也. 言思忠信, 行思篤敬, 磨之琢之, 使斯言行, 粹然一於光明. 如璟之無瑕, 然後能成君子之全德. 夫揭地掀天之業, 未嘗不本乎忠信, 璟乎! 以是名之. 太甲之明命, 大學之明德, 皆本軆之虛靈不昧, 如鑑之照物. 但拘於氣, 蔽於物, 失其本軆之明, 必須滌去塵垢, 還得當年寶鑑, 以致日月之明. 明乎! 以是名之.『詩』曰: "永言配命, 自求多福." 夫一言爲善, 未必應福; 一日行善, 未必致福. 必須積仁集義, 然後萬福之來, 如川之方至. 永乎! 以是名之. 夫洪鍾之爲物, 聲足乎內. 故隨其扣之大小, 而無不應焉. 學足乎己, 大其器而宏其量, 則其發也, 以鳴國家之盛. 鍾乎! 以是名之. 東震也, 於時爲春, 於人爲仁. 春者, 生育萬物; 仁者, 泛愛而博施. 秋實之成, 元於春; 衆善之名, 本乎仁. 東乎! 以是名之. 天下之物, 有軆必有用. 足乎內, 軆之所以立也; 達乎外, 用之所以行也. 學積乎己, 則用之身而非有餘; 用之家, 而國而天下非不足. 用乎! 以是名之. 水之泓淳淵深也, 斛之而不渴, 旱之而不涸. 魚鱉生焉, 寶貝藏焉. 如人之德充乎內, 而應無不窮, 用無不周, 以其積之有素也. 泓乎! 以是名之. 雖然人能美名, 名不能美人. 汝曹名言在玆, 念釋在玆. 顧其名而揆其義, 揆義如之何? 使七人之身合爲一

---

313)『周易』「繫辭下傳」〈第9章〉: 知者觀其彖辭, 則思過半矣. 참조.

心, 則思過半矣.

글을 김형범(金炯範) 군에게 보내며

군이 서예에 뜻이 있어, 정미년(서기 1967년) 여름에 문구를 지니고 나를 좇아 보도산(普道山) 아래에서 종유하였는데, 서로 지낸 지 한 달이 넘었다. 행동거지에는 떳떳한 법도가 있고, 글자 획은 매우 아름다워 앞날의 성공은 어찌 헤아릴 수 있겠는가?

아! 오늘날 천하는 게[蟹] 기어다니는 서예로, 집마다 집안의 과정(課程)에 힘써도 오직 미치지 못할까 근심한다. 그대는 유행의 세속에서 벗어나 오직 옛 것을 배웠으니 뜻을 숭상할 만하다. 서예는 비록 작은 기예이지만, 오로지 하지 않으면 공교하지 않는 것이다. 너의 뜻으로 너의 공교함을 구한다면, 어찌 이루지 못함을 근심하겠는가? 비록 그러하나 옛날의 군자는 하나의 기예로 이름을 이루고자 하지 않았다. 청컨대, 여기에 나아가 더욱 더 힘쓰고 힘써서 그 멀고 큰 것을 구하라. 이제 그 돌아가려 할 적에 한 마디 말로 서로 전송한다.

書贈金炯範君

君有志於書藝. 歲丁未夏, 載文具從余遊於普道山下, 相守月餘. 擧止有常度, 字畫甚佳, 他日成就, 何可量哉? 噫! 今天下蟹行之書, 家勉戶課, 惟恐不及. 君能拔乎流俗, 惟古是學, 志可尙也. 書雖小藝, 不專不工. 以若之志, 求若之工, 何患不成? 雖然古之君子, 不欲以一藝成名. 請進乎此, 而益加勉勵, 以求乎其遠者大者. 今其歸也, 一言相送.

동정록

내가 젊었을 적에 일과로 「억금강기(憶金剛記)」를 지었다. 이제 「억금강기」 가운데 몇 구절 말을 기억할 수 있으니, "금강은 천상에 있지 않아 가면 이를 수 있을 뿐이다. 내가 장차 천하의 책들을 읽고 천하의 이치를 궁구하려 할 적에 첫 번째 비로봉(毗盧峯)을를 오르는 것도 아직 늦지 않을 것이다"라고 하였다. 세월이 흘러가기를 홀연히 39년이나 되었다. 또 천하가 크게 어지러워져 갈 길이 촉나라로 가는 길보다 어렵게 되었으니 이 날에 가려고 생각하지 않는다면, 이른바 "금강산"은 천상에 있는 듯하여 마침내 갈 수가 없다.

 해는 신사년(서기 1941년) 중하(仲夏)로 드디어 동정(東征)의 계획을 정하게 되었으니, 함께 가는 이들로는 사촌 동생 문회(玟會), 다음 동생 장회(章會), 벗 유태윤(柳泰胤)이었다. 종숙 재학(在鶴) 씨와 강위영(姜瑋永) 군는 이전 약속이 있어 정읍에서 머물며 기다리기고 있으니 모두 여섯 사람이이다. 이달 7일 경신일에 출발할 것으로 하였는데, 가지고 가는 물건 중에 다른 것은 없고, 『운고(韻考)』일 편일 따름이었다. 정읍역(井邑驛)에서 기차를 탔다. 하늘 바람이 소매를 떨치어 신묘한 생각이 날아 가 버려, 이미 바다와 산 사이로 있었다. 어둠을 타고 경성에 들어섰다. 8일 신사일에 일찍 출발하여 철원역(鐵原驛)으로 향하였다. 철원역에서 전차를 바꿔 탔는데, 이 차는 내금강으로 직통하고 있었다. 도파(桃坡) 화계역(花溪驛)에 이르니, 빼어난 암석들이 있어 명산의 소식이 멀지 않은 듯하였다. 단발령(斷髮令)을 지나니, 재가 매우 험준하지만 굽어 돌며 길게 보였다. 산봉우리는 푸르고 시냇물은 구슬처럼 맑아 이미 인간 세상의 경물이 아니었다. 세상에서 전하는 신라 마의태자(麻衣太子)가 이 재를 지나가다가 갑자기 세속을 버릴 뜻이 있어 머리를 깎고 입산하였다고 하기에 재는 이것으로 이름 하였다 한다. 내금강역에서 하차하여 장안여관에 들어섰다. 한 구석의 수석이 이미 사람들의 마음을 취하게 하고 혼백을 놀라게 하고 있으니, 비록 아직 전반 풍경을 보지 못했어도 한 갈래 물과 한 돌은 가히 만 이천 봉우리를 추측할 수 있었다. 저녁밥으로는 술과 반찬들이 갖추어져 있었는데, 모두 협곡에서 나오는 맛좋은 음식들이었다. 이날 밤 달빛이 맑고 시냇물이 맑게 흘러 마음이 깨끗해지고 시원해져서 한 점 티끌의 기운이 없었다. 스스로 생각을 해보니, 인생 삼만 육천 일에 오늘 저녁과 같을 수 있다면 제왕의 문에 들어가는 부러워하겠는가? 또한 어찌 안기생(安期生)[314]처럼 신선이 되어 유유적적하게 살아감이 어렵겠는가?

 9일 임오일 길잡이 스님 한 분을 모시고 장안사(長安寺)에 들어섰다. 계곡의 물줄기와 가는 길은 서로 처음부터 끝까지 하였고, 좌우에는 모두 소나무와 회나무가 꽂

---

314) 안기생(安期生): 중국 진한(秦漢) 시대 제(齊) 땅 사람이다. 일설에는 낭야부현(琅琊阜縣) 사람이라고 한다. 하상장인(河上丈人)에게 황제(黃帝)와 노자(老子)의 학설을 배우며 동해 가에서 약을 팔았다. 진 시황(秦始皇)이 동유(東遊)할 때 사흘 동안 함께 이야기를 나누고 많은 금백(金帛)을 내렸지만 받지 않고 책과 적옥석(赤玉舃)을 남겨놓고 떠났는데, 뒤에 진 시황이 사람을 보내 만나고자 했지만 풍랑을 만나 실패하였다. 후세의 방사나 도교에서는 바다의 신선이 되었다고 한다.

꼿하게 서서 줄을 이루고 있었다. 유일문(惟一門)에서 먼저 만수정(萬水亭)으로 들어가니, 불우(佛宇)와 범궁(梵宮)들은 크면서 화려하고, 걸출한 대웅전과 금벽(金碧: 단청)은 찬연하였다. 이 불사는 신라 법흥왕 때에 창건되었는데, 지금부터 1450년 전이 된다. 중건은 두세 차례 하였는데, 백여 년에는 사찰이 평지에 있었고, 사방이 산으로 에워싸고 있다. 오직 동북쪽 몇 개의 봉우리들이 험준하게 높이 솟아 있는데, 석가봉(釋迦峯)·지장봉(地藏峯)·장경봉(長庚峯)이라고 부른다. 동반한 여섯 명은 앞뜰에서 기념사진을 촬영하였다. 여기로부터 명경대(明鏡臺)로 향하였다. 시내를 건너고 돌을 밟으면서 들어가면 갈수록 더욱 기이하였다. 돌들은 모두 옥돌과 같고 시냇물은 거울과 같았다. 동쪽에는 상·중·하 관음봉(觀音峯) 세 개가 있는데, 형세가 마치 칼날과 같고, 험준하면서 우뚝함이 두려울 만하였다.

  명경대에 이르니, 한 조각 기이한 바위가 서있는데 마치 거울을 걸어놓은 듯하다. 높이는 백 자 정도 되고, 넓이는 십 수자 되며 두께는 석 자에 불과하였다. 그 아래에는 옥류(玉流)가 못을 이루고 있는데, 눈부신 빛발이 유난히 사람들의 이목을 끌어 나도 모르게 포복절도하며 기이하다고 부르짖었다. 동에는 지옥문과 극락문이 있었다. 남쪽은 지장봉(地藏峯)이라고 하는데, 대 아래로 흐르는 물을 황천강(黃泉江)이라고 하였다. 내가 길잡이 스님에게 일러 말하였다. "이 곳에서 명명된 사물들은 갖가지로 평소와 다른데, 그 혹 무슨 말이 있습니까?" 스님이 답하였다. "사람들의 선과 악은 이 바위에 비추어진다. 마치 만물의 아름답고 추한 것을 밝은 거울에 비추는 것과 같으니, 선한 사람은 극락문으로 보내고 악한 사람들은 지옥문으로 들여보낸답니다." 그 말이 비록 황당한 듯하지만, 세인들에게 권면하고 경계하게 하려는 도는 역시 도움을 주는 일이 없지 않을 것이다.

  이 곳부터는 돌들이 기이할수록 물도 더욱 맑았다. 한 일리쯤 걸어가니 금강문에 당도하였다. 바위 가운데 굴이 있어 곧바로 통하니, 겨우 몸 하나 용납하여 고개를 숙이고 지나갔다. 스님이 입을 열었다. "이 산 속에 이러한 문은 무릇 여섯 개가 있는데, 이것이 첫 번째 문입니다. 한번 이 문을 지나면 장수하기를 십년을 더합니다." 한 걸음 걸으면 바위 하나이고 두 걸음 걸으면 두 물줄기인데, 골짜기에는 때로 열리기도 하고 닫히기도 하며, 길에는 때로 끊어지기도 하고 이어지기도 하였다. 시냇물 흐름이 굽이굽이 감돌고 꺾이고 기우듬히 흐르고 기이하게 솟는 것은 그 변화를 다하고 그 기이함을 다하는 것이었다. 얼마 가지 않아서 못 하나를 만나게 되었다. 넓이가 수백 평이고 웅덩이 물굽이가 검푸르러서 이름하여 연화담(蓮花潭)이라고 불렀다. 또 수십 보를 걸었더니 폭포 하나가 있었다. 평평하고 널찍한 반석은 명주 비단 같고 옥돌 같으며, 세 푼 정도 기울러 물이 그 위로 흐르고, 편편하게 펼친 한 쪽 물은 모양이 발을 드리운 것과 같기 때문에 이름하여 수렴폭포(水簾瀑布)라고 하였다. 옷을 벗어던지고 손을 씻고 발을 씻으니 기분이 너무나도 맑고 시원하였다. 위아래 층에서 흐르고, 흐르는 곳에 못을 이루었다. 못 옆의 돌은 모두 자리를 깔아 놓은 듯 하여 수십 백 명이 앉을 만하였다. 동반한 사람들이 모두 뜻대로 흩어져 주저앉더니, 맑은 냇물을 길어다가 점심밥을 시작하였다. 장안사에서 여기까지는 대략 20리가 좀 넘는데, 골짜기가 너무 벽(癖)하지는 않았고 산능선도 너무 험준하지 않아 아슬아슬한 위험을 겪는 수고로움이 없었다. 이 곳부터는 시냇물을 떠나 길을 취하였다. 길은 매우 험준하고 가파르며 영마루는 매우 높고 험준하여 간간히 길을 취하는 바가 없었다. 십리쯤 올라가니, 깎아지른 벼랑에 끊어지는 언덕이 있어 사다리가 길을 이었고, 선로(線路)가 벼랑을 매달고 있어 쇠사슬로 잡아당겨 올라가니 층층 계단이 있는데, 무릇 182개였다. 등나무를 붙잡고 쇠사슬을 잡으며 가장 높은 곳에 올라가니 망군대(望軍坮)라고 한다. 천 길 벼랑에서 아래로 굽어보니 땅조차 없어, 세상에서 일컫는 일만 이천봉이 하나하나 모습을 드러내 마치 손바닥에 놓여있는 과일과 같았다. 스님이 지팡이를 들고 점을 가리키며 저것은 무슨 산이고 저것은 무슨 봉이며 저것은 무슨 바위이고 저것은 무슨 불사라고 알려 주었다. 불사는 몹시 흩어져 있었고, 봉우리는 몹시 높이를 다투었으며, 돌은 새나 짐승처럼 생긴 것은 몹시 기이하고 교묘하였다.

 망군대에서 다시 층대로 내려와 깊은 골짜기 속으로 걸어갔다. 산세는 개 이빨처럼 서로 맞물고 있었으며 빽빽한 수목이 구름과 해를 가리고 있었다. 육칠 리를 걸어가니, 점차 물소리가 흘러넘치는 것이 들리자, 동반자들을 둘러보며 말하길 "표훈사(表訓寺)가 멀지 않은 것 같습니다"라고 하였다. 이윽고 길을 따라 걷는데, 소나무와 전나무가 우뚝우뚝 솟아 높이가 같고, 푸른 물줄기에 흰 바위, 깎아지른 절벽에 기이한 벽들이 예전에 본 것과 같았다. 골짜기 입구에 삼불암(三佛岩)이 있고, 바위 뒷면에는 육십삼불도(六十三佛圖)가 있는데, 조각은 매우 정교하고 세밀하여 범계의 사람들이 미칠 바가 아니었다. 그 아래에는 명연담(鳴淵潭)이 있다고는 하지만, 길 왼쪽에 있어서 아직 보지 못하고 표훈사에서 쉬고 있었더니, 스님 일곱여덟 명이 모두 백납치의(白衲緇衣) 차림인데 목에는 백팔염주, 손에는 염주가 있었는데 말과 웃음이 구차하지 않고 행동거지가 한가로우면서도 우아하였다. 이천(伊川) 정이(程頤) 선생이 일찍이 승사에 들어가 "삼대의 위의는 모두 이 자리에 있구나"[315]라

---

315) 【참고】 필자는 "이천선생"의 말로 여겼으나, 본래는 "명도선생(明道先生)" 곧 정호(程顥)가 말하였다. 『二程外書』卷12「傳聞雜記」〈右四條見呂氏童蒙訓〉: 明道先生嘗至禪寺, 方飯, 見趨進揖遜

고 한 적이 있었는데, 내가 이 불사에서 더욱 감탄하였다. 우리 유생들의 규범은 해이되어 도리어 저 스님들에게 위의가 있어 볼 만한 것이 있는 것과 같지 못하다.

두 번째 금강문을 지나 만폭동(萬瀑洞)에 이르니, 비단 같은 산봉우리들이 좌우에 깎아놓은 듯 서있고 바위들은 모두 하얗고 흰 비단과 같아 티끌 한 점 없었다. 시냇물이 비로봉에서 흘러오는데 여러 골짜기를 통해 함께 흐르는 물줄기가 앞다투며 내달려서 모두 이 만폭동에 모인다. 바위 가운데 삐쭉삐쭉 솟고 얼기설기 얽힌 것이 몇 천만 층이 있는지 알지 못하였다. 누운 것, 서있는 것, 기댄 것, 절구처럼 파인 것, 기다맣게 패인 것들이 있는가 하면, 또 입을 딱 벌린 채 있는 자와 드높이 쌓인 것이 있는데 흩날리며 절벽으로 곧게 떨어지면서 바위를 만나면 날뛰고 쳐서 우레처럼 무슨 소리를 내고 눈발처럼 하얀 물보라를 뿜어내니, 바위의 형태에 따라 그 변화를 다하고 있었다. 그러한 뒤에야 성난 기세를 누그러뜨려 서서히 흘러가 냇물이 되고 시내가 되며 여울이 되고 못이 되어 천변만화하니 대체로 폭포가 한 번 변하여 못이 되고 못이 한 번 변하여 또 폭포가 된다. 폭포는 길이가 한두 장(丈)으로부터 다섯 여섯 장에 이르고, 못은 넓이가 한두 평으로부터 육칠 평에 이른다. 폭마다 모든 것 살려내고 걸음마다 낯빛 바꾸는데, 수정처럼 번쩍거려 바로 볼 수가 없었다.

산봉우리의 수려한 것은 법기봉(法起峯)·보살봉(菩薩峯)·강선봉(降仙峯)이라 하고, 바위의 기이한 것은 청학대(靑鶴坮)·사선대(四仙臺)·사자암(獅子岩)이라 한다. 못이 이름을 얻은 것이 여덟 개인데, 흑룡담(黑龍潭)·진주담(眞珠潭)·비파담(琵琶潭)·벽파담(碧波潭)·분설담(噴雪潭)·구담(龜潭)·선담(船潭)·화룡담(火龍潭)이라 하니, 그 비범한 자태는 비록 오도자(吳道子)[316]에게서 색을 빌리고 장의(張儀)[317]와 소진(蘇秦)[318]에게서 말을 빌린다고 하여도 만에 하나도 제대로 형용하지 못할 것이다.

사선대 아래는 바윗돌이 편편하게 펼쳐져 수백 명이 앉을 만하였다. 바윗돌 위에는 사선위기도(四仙圍棋圖)가 있는데, 십구로삼백점열(十九路三百點閱)은 비바람에도

之盛. 歎曰: "三代威儀, 盡在是矣." 참조.

316) 吳道子: 당대(唐代)의 유명한 화가인 오도현(吳道玄)으로, 특히 산수(山水)와 불상(佛像)에 독보적인 경지를 보여 주었는데, 도자는 그의 자(字)이다.

317) 장의(張儀): 전국시대 종횡가로, 진(秦)나라 혜왕(惠王)의 정승으로 육국(六國: 제·초·연·한·위·조)을 유세하였다. 특히 육국이 동맹해서 진 나라에 대항하자는 소진의 종약(縱約)을 반대하고 육국이 진 나라를 섬기자는 연횡설(連橫說)을 내세웠다.

318) 소진(蘇秦): 전국시대 종횡로, 처음에 진나라 혜왕을 유세하였으나 쓰이지 않자, 제(齊)·초(楚) 등 육국을 유세, 육국이 합종(合縱)하여 진 나라에 대항하게 하고 육국의 정승이 되었다. 제(齊) 나라에서 벼슬을 하면서도 마음으로는 고국인 연(燕) 나라를 위하였다.

닳아 없어지지 않았으니, 사람들로 하여금 난가(爛柯)[319]의 생각이 있도록 하였다. 사선은 누구를 말하는가? 영랑(永朗)·술랑(述朗)·안백(安栢)·남상(南相)을 말한다.

반석에서 수십 보 걸어가면 양봉래(楊蓬萊)[320]가 쓴 "봉래풍악 원화조천(蓬萊楓岳元和調天)"이라는 큼직한 여덟 글자가 돌 위에 새겨져 있다. 용이 하늘을 날고 봉황이 날아 봉래풍악과 기이함을 다투면서 나란히 웅장하였다. 일리 정도 걸어가니, 하나의 커다란 반석 위에 김해강(金海岡, 金圭鎭[321])이 쓴 '법기보살(法起菩薩)'이라는 큼직한 네 글자가 있다. 내가 예전에 반궁(泮宮)에 있을 때 간간이 해강선생을 따라 서예와 그림의 오묘함을 들을 수 있었는데, 완연히 어제 일처럼 느껴지는데, 선생이 작고하신지 벌써 삼년이 지났다. 글자와 획을 어루만지며 슬픈 마음을 금하지 못하였다.

또 길을 떠나 몇 리를 가지 않았는데, 옛 사람과 지금 사람들이 이름을 써 놓은 것을 보니, 크게 쓰고 깊이 새겨진 것이 거의 조그마한 틈도 없었다. 오래 전에 새긴 것이 겨우 이끼에 묻히자, 새로이 써 놓은 것이 또 붉은 빛으로 환히 빛나 이에 스스로 마음에서 말하였다. "세상에서 불후의 명성은 원래 세 가지 품목[322]이 있는데, 심산궁곡(深山窮谷)에 헛된 명성을 기탁하여 바람에 삭고 비에 부스러져 백 년이 못되어 마멸되는 것은 어찌 믿을 수가 있겠는가?"

어둠이 깃들어 마가연(摩訶衍)에 투숙하니, 뒤쪽에는 중향성(衆香城)을 끼고 앞쪽에는 혈망봉(穴望峯)과 백운봉(白雲峯) 여러 산봉우리가 빙 둘러 있는 것이 병풍과 같았다. 10일 계미일에 비로봉(毘盧峯)으로 향하였다. 여기서는 계곡 물줄기를 버리고 산길을 취하였는데, 짚신을 신고 죽장을 짚고 옷을 정리하고 길을 떠났다. 사선교(四仙橋)를 지나니 온 산에 단풍나무들인데 울창하게 우거져 푸른 병풍이었다. 만약 가을바람을 기다린다면 반드시 변하여 붉은 비단에 수놓은 병풍이 될 것이다. 금강산이 풍악산(楓嶽山)이란 이름을 얻는 것은 아마도 이 한 지역 때문이라고 한다. 길이 휘돌

---

319) 난가(爛柯): 도낏자루가 썩은 늙은이라는 말. 진(晉)나라 왕질(王質)이 산에서 나무하다가 몇 명의 동자(童子)가 바둑을 두며 노래하는 것을 구경하였는데, 얼마 뒤에 왜 안 가느냐는 동자의 말을 듣고 일어서려 하니 도낏자루가 모두 썩어 있었고, 산을 내려와 보니 아는 사람들이 모두 죽고 없었다 한다.

320) 양봉래(楊蓬萊): 양사언(楊士彦, 서기 1517~1584)으로, 본관은 청주(淸州), 자는 응빙(應聘), 호는 봉래·완구(完邱)·창해(滄海) 등이다. 부친은 주부 양희수(楊希洙)이다. 조선 전기 4대 서예가로 일컬어지 견주어졌다고 한다.

321) 김규진(金圭鎭): 서기1864~1933, 조선 말기~근대기 서화가, 자는 용삼(容三), 호는 해강(海岡)·백운거사(白雲居士)·취옹(醉翁)·만이천봉주인(萬二千峯主人)·삼각산인(三角山人), 본관은 남평(南平)이다. 궁내부에서 오래 봉직하며 영친왕(英親王)에게 서법을 가르쳤고, 1915년 이후로는 서화연구회를 창설하여 후진을 양성하는데 진력하였다. 저서로는 『서법요결(書法要訣)』, 『육체필론(六體筆論)』, 『난죽보(蘭竹譜)』 등이 있다.

322) 세 가지 품목은 입덕(立德)·입공(立功)·입언(立言)을 말함.

아갈수록 더욱 산봉우리는 더욱 하늘을 찌르는 듯하다. 높은 바위를 밟고 우거진 풀숲을 헤치고 돌맹이를 가려 걸어갔다. 열 걸음에 아홉 번 바라보며 삼분의 이쯤 올랐다. 여러 산봉우리와 펼쳐진 골짜기에는 반쯤 모습을 드러내고 있었다. 간간이 나무가 보이다가 간간이 바위가 있는데 드문드문 철쭉꽃이 있는데 아직까지 반도 피지 못하였다. 시절이 빠른지 늦은지 이와 같이 현격한 것인가? 석벽 아래에는 샘물이 졸졸 흘러가기에 한 움큼 모아 마셨다. 이리하여 가장 위 꼭대기까지 올라가니 바로 비로봉이다. 그 위에는 아무 것도 없이 단지 둥글고 푸른 하늘이 지척에 드리워 있을 뿐이었다. 그 때 구름과 안개가 사방에서 몰려들어 바라보기에 장애가 많았다. 한참 지나자 갑자기 완전히 개이고 만 가지 상이 다 드러내니, 거듭된 뫼에 첩첩의 산봉우리이었다. 마치 옥비녀를 뽑은 듯 하기도 하고 푸른 연꽃을 꽂은 듯 하기도 하였다. 높은 것, 낮은 것, 뾰족한 것, 움푹한 것, 웅장하고 험준한 것, 드넓은 것들이 두 손 마주잡고 뜰에서 절하고 있는 듯 하였다. 동해 일면이 마치 소반 속에 물과 같아, 천태만상이 눈앞에서 달아날 바가 없었다. 마음이 트이고 정신이 흐뭇하여 표연히 허공에 기대면서 바람을 몰고 있는 것처럼 보였다. 처음으로 반평생 보아 온 것이 흙더미와 돌덩이에 불과함을 깨달을 뿐이었다.

　공자가 "동산에 올라가 노나라를 작게 여겼고 태산에 올라가 천하를 작게 여겼다"[323]라고 하였으니, 태산은 높아진 것인가? 천하가 작아진 것인가? 처한 바가 더욱 높을수록 보는 바 또한 그것에 따라 변하니, 그 형세가 그렇지 아니할 수 없을 뿐이었다. 반시간도 되지 않아서 구름이 또 몰려오더니 홀연히 트이다가 홀연히 합쳐져 눈 덮인 산봉우리와 얼음 덮인 산굴이 반쪽의 얼굴만 드러내기도 하고 간혹 머리카락 하나만 보이기도 하였다. 토하고 삼키며 나왔다가 들어가니, 변화하는 자태가 정해진 것이 없었다. 처음에는 아름다움을 머금고서 우리를 자랑하다가 다시 우리를 시기하며 참다움을 감추고 있으니, 참으로 한바탕 희극이었다.

　잠깐 쉰 후에 허공에 매달린 길을 내려오는데, 꼬불꼬불한 오솔길은 양장과 같고 똑바른 길은 손바닥과 같았다. 이리 구불 저리 구불하여 엎어지고 넘어지면서 세 번째 금강문을 지나 비사문(毗沙門)에 이르렀다. 두 바위가 높이 서있는데, 가운데에는 한 길만 통하고 좁아 몸 하나가 수용할 정도였다. 쇠사슬이 그 결여된 곳을 해당하고 절벽이 떨어질 듯하여 감히 굽어보지 못하였다. 손만 믿고 쇠사슬을 붙잡으며 가만가만 발로 디디며 사다리를 내려가면서 천겁만겁의 장면을 겪고 나서야 비로소 평지로 내

---

323) 『孟子』 卷13 「盡心(上)」 〈第24章〉: 孟子曰: "登東山而小魯, 登泰山而小天下. 故觀於海者難爲水, 遊於聖人之門者難爲言." 참조.

려왔다. 비단 같은 병풍과 옥 같은 시냇물이 사람의 이목을 즐겁게 하였다. 멀리서 푸른빛을 바라보니, 간간이 한 가닥 흰 비단이 있는데 곧바로 천상에서 내려온 것이 구룡연(九龍淵)이었다. 동반자들이 모두 와하고 소리 지르며 손가락으로 가리키면서 나도 모르게 손으로 춤추고 발로 구르게 되었다. 먼저 관포정(觀瀑亭)에 올라가 옷을 풀어해치고 신을 벗으며 곧바로 구룡연으로 향하였다. 관포정에서 구룡연까지는 모두 반석이 평평하게 깔렸는데 옥처럼 깨끗하였다. 한 걸음 한 걸음 가고 가니 모두 유리 세계의 위를 따라가는 기분이었다.

구룡연이 두 산봉우리 사이에서 곧바로 삼백 척 정도 아래에 있다. 폭포 아래에는 물살 치는 돌 웅덩이가 있는데, 웅덩이는 깊이가 43척이나 된다. 흩날리는 것이 서로 치니, 앞 물결은 달아나고 뒷 물결은 추격하는 것이 마치 우레가 치는 듯하고 옥이 부서지는 듯하다. 또 마치 가벼운 노을이 사람 얼굴을 스치며 음습한 바람이 성난 듯 울부짖으니, 대낮에 가을이 오려는 듯 오싹하여 함부로 가지고 놀 수 없었다. 웅덩이는 가득차서 또 폭포를 이루고, 폭포 아래에는 못을 이루며, 못 아래로 평평하게 흘러내려 간다. 또 얼마 가지 않아 폭포가 되고 못이 되니, 수렴포(水簾洑)라 하고 연주담(連珠潭)이라 하는 것은 더욱 그것이 뛰어난 것이었다. 무룡교(舞龍橋)를 건너가니, 다리가 공중의 누각이었다. 쇠사슬로 두 골짜기 사이를 시렁처럼 엮었는데 온갖 냇물이 그 아래에서 흐르고 있다. 사람들이 그 다리를 밟을 적에 공중 반쯤에서 떴다가 가라앉으니, 무룡교로 이름한 것은 아마도 이 때문일 것이다. 왼쪽에는 비봉포(飛鳳瀑)가 있는데, 높이가 100척쯤 되어도 또한 장관이라고 하였다.

걸어서 옥류동으로 내려가니, 돌은 흩어진 옥과 같고, 시냇물은 뛰는 구슬과 같았다. 티끌 하나 먼지 반도 이를 수 없었다. 옛날 두릉(杜陵: 두보)이 청성(靑城) 땅에 침을 뱉지 않았다는 것을 내가 여기서 또한 차마 밟지 못하고 차마 침을 뱉지 못하게 되었다. 구룡연에서 여기까지는 대체로 10리 남짓 되는데, 완전히 돌로 몸을 삼아 한 점의 흙을 보지 못하였다. 오직 그 돌이기 때문에 물이 더욱 맑고, 오직 맑기 때문에 돌이 더욱 기이하였다.

시냇물 따라 내려가니 신계사(神溪寺)에 이르렀다. 과수원과 차밭에 모락모락 연기가 솟아나 밥 냄새가 있었다. 푸른 수염에 붉은 갑옷이 오뚝오뚝 하여 대나무와 같은데, 높이는 100척쯤 되고 둘레는 한 아름이 되어 길게 수 십리 뻗어갔다. 도끼를 들여놓을 수 없으니 초부나 목동도 침범하지 못하니, 소나무 역시 제 자리를 찾았다고 할 것이다. 불사에 들어 잠시 쉬고 나서 자동차를 타고 온정리(溫井里)로 향하여 온천에서 목욕하였다.

11일 갑신일에 해금강(海金剛)으로 향하는데, 지나던 차에 고성(高城) 치소(治所: 행정기관)에서 들렸다. 떠난 지 얼마 되지 않아서 동쪽으로 큰 바다를 조망하니, 바다 가운데 기이한 바위가 몇몇 산봉우리는 문득 눈앞에 으뜸이었다. 동반자들 모두 기이하고 절묘하다고 떠들썩하게 부르짖었다. 스님이 입을 열었다. "이곳이 해금강입니다." 그때 마침 구름과 안개가 막 개여 물빛이 하늘에 잇달았다. 곧바로 뱃사공을 불러 일엽편주에 몸을 싣고 만경창파를 타고 가니, 12,000봉이 또 바다 가운데 있는 것이었다. 학선정(鶴仙亭), 오선정(五仙亭), 선암(船岩), 현종암(懸鍾岩), 성도(松島), 사공암(師工巖), 불암(佛岩), 추도(秋島), 사자암(獅子岩), 상암(象岩), 노옹암(老翁岩), 수렴도(水簾島), 해만물상(海萬物相), 수원대(水源坮), 만상도(萬相島), 해금강문(海金剛門)을 말하는 것들이 그 대략이었다. 배 따라가니 모습이 달라지는데 잠깐 사이에 만 가지로 변하여 이름할 수가 없었다.

며칠 사이에 금강산 안팎의 여러 산을 두루 관광하였다. 산에서 기거하고 산에서 음식하고 산에서 호흡하였다. 한번 말하고 한번 웃으며 짧은 순간 곤경에 처하였어도 잠시도 산을 떠나지 않았고, 일엽편주로 또 내려가며 저 동해에 배 띄우니 기분이 아득하며 절묘하였다. 은빛 물결 흰 파랑이 출렁출렁 끝이 없는데, 물결이 황하의 지주(砥柱)를 들이받고 여량(呂梁)[324]을 건너며 성내어 회오리바람이 되고 격동하여 우레가 되었다.

그 변화를 다해서 저절로 그 끝을 보이지 않으며, 넓고 까마득하여 하늘과 한 빛이 되었다. 예전에 내가 비로봉에 올라서서 반평생 보아 온 것이 모두 흙더미와 돌덩이라고 하였는데, 오늘날 또 반평생 보아 온 것이 모두 연류(涓流)[325]나 제잠(蹄涔)[326]인 것을 깨달았다. 이에 술을 마시고 매우 즐거웠으며, 즐거움이 극에 달하자 슬픔이 생겼다. 오호라! 하늘과 땅이 비록 크고 옛날과 지금이 비록 쌓이지만, 아직 일곱 척도 되지 못하여 하루의 편안함도 얻기 어렵구나! 양양(陽襄)[327]이 들어오고 노중련(魯仲

---

324) 여량(呂梁): 산서성(山西省) 서쪽에 남북으로 흐르는 여량(呂梁) 산맥을 가리킨다. 공자가 여량(呂梁)의 폭포를 구경할 때에 폭포가 3000길이나 되고 물거품이 40리나 되었다 한다.
325) 연류(涓流): 작은 물줄기의 흐름을 의미한다.
326) 제잠(蹄涔): 소나 말의 발자국 속에 조금 괴어 있는 물이라는 뜻으로, 아주 적은 것을 비유적으로 이르는 말이다.
327) 양양(陽襄): 춘추시대 악사, 소사(少師) 양(陽)과 경쇠를 치는 양(襄)을 가리키는데, 바대로 들어갔다 한다.

連)³²⁸⁾이 뛰어드니, 바람은 쓸쓸하여 시름을 일으키고 구름은 막막하여 한을 띠하고 있다. 옛날을 애도하며 오늘을 슬퍼하니, 단지 백조 한 쌍이 스스로 갔다가 또 스스로 찾아옴이 있을 뿐이다. 이에 백조의 노래 한 수를 지으니, 노래는 아래과 같다.

"백조야, 백조야, 날지 말거라! 강호가 천 리가 되다가 다시 만 리가 되나니, 너와 함께 맹세하고 너와 함께 돌아가리라!"

이윽고 풍랑이 갑자기 들이닥치자, 뱃사공이 나에게 배를 돌리자고 알리니, 곧바로 나루로 향하도록 하였다. 또 차를 불러 잠시 삼일포(三日浦)에 들어갔다. 물결이 몹시 맑고 맑았는데, 주위는 십여 리쯤이 되었다. 바다 밖의 36의 산봉우리는 좌우에서 서로 비치고 있었다. 한 가운데 자그마한 섬이 우뚝 솟아 있었다. 그 위를 사선대라고 하였다. 세상에 전하는 사선이 일찍 관동의 여러 명승지를 두루 유람하고서 이곳에 이르러 3일 동안 즐기다가 돌아가기를 잊어버렸다고 한다. 삼일포와 사선대는 모두 이것으로 이름을 얻은 것이라 할 뿐이었다. 차부가 돌아가자고 재촉하는 바람에 끝내 3일 동안의 관광을 하지 못하였으니, 네 신선의 웃음거리가 될 수 없겠는가?

다시 온정이로 들어왔다가, 오후에 또 만물상으로 향하였다. 여기서부터 20리 정도 거리인데, 중도에 차에서 내려 지팡이를 이끌고 도보로 올라가니, 길이 구불구불할수록 산봉우리는 더욱더 빙빙 돌았다. 숲 풀은 울창하고 푸른 등나무와 덩굴이 얽히고 설켜 뻗었는데, 가파르고 가파른 벼랑에 푸른 것이 얽히고 흰 것이 둘려서 그 행하는 것이 어려울수록 그 보는 것이 더욱더 기이하였다. 내가 이리하여 동반자들에게 이렇게 말하였다. "옛 사람들이 산과 내, 구름과 안개, 샘과 바위, 풀과 나무, 벌레와 물고기, 새와 짐승을 볼 적에 가끔 구할 수 있는 것들이 있는데, 생각이 깊으면 있지 않음이 없다라고 하였다. 무릇 평탄하면서 가까우면 유람하는 자들이 많고 험준하면서 멀면 이르는 사람들이 적다. 세상의 기이한 거동과 빼어난 자질은 평상시 본 것이 아니니 항상 험준하고 먼 곳에 있을 적에는 사람들이 드물게 이르는 것이다. 때문에 뜻이 있는 자가 아니면 할 수 없는 것입니다." 잠시 육화정(六花亭)에서 쉬었다. 그 서쪽은 수정봉(水晶峰)이고 남쪽은 관음봉(觀音峰)인데, 두 봉우리 사이로 쏟아져 내려오는 것이 한하계(寒霞溪)라 한다. 이에 산이 높고 구름이 떠돌며, 시냇물이 흐르고 새들이 즐겁게 노는데, 모두 평화롭게 그들의 기교와 재주를 뽐내고 있으니, 자못 내

---

328) 노중련(魯仲連): 전국시대 제나라 은사. 조(趙)나라에 가 있을 때 진(秦)나라 군대가 조나라의 서울인 한단(邯鄲)을 포위했다. 이때 위(魏)나라가 장군 신원연(新垣衍)을 보내 진나라 임금을 천자로 섬기면 포위를 풀 것이라고 하였다. 이에 노중련은 진나라를 황제의 나라로 섬길 바에는 차라리 동해를 밟고 빠져 죽겠다고 하였다.

다리의 수고로움을 치료하고 내 정신의 피곤함을 소생시켰다.

　이로부터 위로 2리나 3리쯤 가면, 여러 물줄기가 졸졸 흘러 산이 메아리치고 계곡이 응하니, 이것이 만상계(萬相溪)의 물과 바위로서, 구룡연의 옥류동과 서로 백중세가 된다. 반계(盤溪)가 굽이치는 오솔길로부터 이른바 만물에서 바위를 닮은 가장 뛰어난 것에 이르면 삼선(三仙)이고 귀면(鬼面)이다. 삼가만상이 모두 역력하게 그림과 같았다. 사람인가? 하늘인가? 신선인가? 부처인가? 나는 것은 진짜인가? 뛰는 것은 가짜인가? 천만번 변환하여 아마도 귀신들이 깎고 새겨서 도끼로 다듬은 흔적이 보이지 않았다. 눈 깜빡할 사이에 기상이 천만 가지로 바뀌니, 조화옹이 태초에 사물에 명한 것 또한 여기에 기초한 것인가? 새로운 만물은 예전 것에 비해 더욱더 기묘하다고 말하지마는 구름과 비의 희롱하는 바가 되어 미처 보지 못하였다.

　12일 을유일에 외금강역에서 나와 차에 올랐다. 안과 바깥 바다의 세 금강의 유람은 산에서 이틀 하고 바다에서 하루 하니, 모두 사흘을 헤아렸다. 어느 힐난하는 자가 말하였다. "금강의 경치는 무궁무진한데, 사흘 동안의 유람은 한계가 있다. 한계가 있는 날로써 무궁무진한 경치를 다할 수 있겠습니까?"

　보정자(普亭子)가 답하였다. "그대는 성인이 사람들을 가르치는 술법을 들은 적이 있습니까? '한 귀퉁이를 들어주었는데 이것을 가지고 세 귀퉁이로 반증하지 못하면 다시 일러주지 않는다.'³²⁹⁾ 산수 간에 유람하며 보는 것도 또한 어찌 이와 다르겠습니까? 금강산 12,000봉이 내 가슴 속에 우뚝 솟아 있다고 하면 하나의 바위로 만 개의 바위를 알 수 있고 하나의 물줄기로 만 갈래 물줄기를 유추할 수가 있습니다. 그러므로 눈 밝은 사람은 한 깃털을 보고도 그 상서로움이 되는지 알 수 있고, 귀 밝은 사람은 폭발하는 소리를 듣고도 청상(淸商)의 오묘한 곡조가 되는지 알 수 있으니, 어찌 반드시 기이함을 다하고 험준함을 다하는데 허다한 시간을 허비할 수 있겠습니까? 만약 금강의 한 골짜기와 계곡, 한 물줄기와 바위로 하여금 한 치 한 자의 기괴함을 남기지 않도록 한다면, 손으로는 우혈(禹穴)³³⁰⁾을 더듬고 발로는 하늘 뿌리를 밟아야 좋은 일이 끝났다고 하면, 과부(夸父)³³¹⁾의 술법도 미치지 못할 바가 있고 주왕

---

329) 『論語』 卷7 「述而」 〈第8章〉: 子曰: "不憤不啓, 不悱不發, 擧一隅不以三隅反, 則不復也." 참죄
330) 우혈(禹穴): 하나라 우임금이 순수(巡狩)하다가 승하하여 묻힌 곳으로 지금의 회계산(會稽山)에 있다고도 하고, 우임금이 황제(黃帝)가 남긴 책을 얻어 보관해 둔 곳이라고도 하고, 우임금이 한수(漢水)를 틔울 때 거처하던 곳이라고도 한다.
331) 과부(夸父): 해 그림자를 쫓아갈 만큼 걸음이 빨랐다는 고대 신화 속의 인물인데, 해와 경주하다가 도중에 목이 마르고 지쳐서 쓰러져 죽었다 한다.

(周王)³³²)의 수레도 또한 겨를하지 못 할 바가 있을 것이다. 우뚝하게 높이 솟은 것은 내가 그 산이 됨을 알지만 인(仁)을 더욱 두텁게 할 수 있고, 호연하게 흘러가는 것은 내가 물이 됨을 알지만 지(知)는 더욱 두루할 수 있으니, 어찌 한 사물에만 막혀 정신을 다하고 피곤하게 한 뒤에 바야흐로 유람하며 보는 경치의 승경을 말하겠습니까?" 한바탕 별별 이야기를 하는 사이에 문득 고저역(庫底驛)에 이르렀다. 바닷물이 홀연히 생겨남을 멀리서 바라보니, 이른바 총석정(叢石亭)이란 것이 구름과 숲 사이에서 희미하게 보이는데, 손으로 가리키고 그냥 지나치니 아마도 미인을 바라보면서 만나지 못하는 것과 같으니, 이 마음이 석연하지 못하였다.

　삼방협(三防峽)에서 하차하니, 차디찬 비와 서늘한 바람이 깊은 가을 광경과 같았다. 약수 한 잔을 마셨는데 맛이 매우 특별하고 절묘하였다. 달지도 않고 담담하지도 않았으며 맵지도 않고 시지도 않아 그 맛을 이름할 수 없었다. 우연히 감기몸살로 끙끙 앓아 삼방 여관에서 하루를 묵었다. 옛 사람이 산수를 볼 적에 그 기운이 더욱 장성해진다 하는데, 나는 유람하는 피로 때문에 병을 얻게 되었으니, 옛 사람은 끝내 미칠 수가 없겠구나!

　13일 병술일 삼방협에서 늦게 경성으로 들어섰다. 바다와 산의 맑은 정취와 도성의 번화함은 과연 어느 것이 훌륭하고 어느 것이 졸렬한 것인가? 사람들의 좋아하는 바는 취미가 각각 같지 않으니, 담백하고 잔잔한 것을 좋아하는 자가 있고 번거롭고 떠들썩한 것을 좋아하는 자가 있는 것은 반드시 취하는 바가 있을 것이다. 비록 그러하나 담담함을 편안하게 여기는 번거로움에 처하여도 떠들썩하지 않고, 시끄러움에 열열한 자는 하루도 산 숲 사이에서 편안하게 지낼 수 없을 것이니, 그 사람 지위의 고하가 과연 어떠할 것인지?

　14일 정해일에 저녁 차로 귀향하였다. 여행을 떠났다가 돌아온 지가 하루가 모자란 열흘이 된다.

　옛날 소자유(蘇子由: 蘇轍)³³³)는 산으로는 종남산(終南山)·숭산(嵩山)·화산(華山)의 높음을 보았고 물에서는 황하의 크고 또 깊음을 보았으며 사람으로는 구양공(歐陽

---

332) 주왕(周王): 여덟 마리의 준마가 끄는 수레를 타고 천하 각지로 신선을 찾아다녔다는 주(周)나라 목왕(穆王)을 가리킨다.

333) 소철(蘇轍): 1039~1112, 중국 송나라 때의 문신, 자는 자유(子由). 소식(蘇軾)의 동생으로, 철종 때 우사간(右司諫), 상서우승(尙書右丞)을 거쳐 문하시랑(門下侍郎) 등을 역임하기도 했다. 아버지 소순(蘇洵)과 형 소식(蘇軾)과 함께 삼대문장가(三大文章家)로 칭송되는데, 세인들은 소순을 노소(老蘇), 소식을 대소(大蘇), 소철을 소(小蘇)라고도 하여 구별하였다. 저서로는 『난성집(欒城集)』, 『난성응소집(欒城應詔集)』 등이 있다.

公)³³⁴⁾과 한태위(韓太尉)³³⁵⁾를 보고서 천하의 대관(大觀)을 다하였으니, 그 기운을 장성하게 하여 그 문장을 기이하게 하였다. 아! 그 성대하다. 내가 이번 여행에 있어서 산으로는 비로봉의 높은 정상에 올라갔고 물에서는 동해의 끝없음에서 배를 탔다. 산수 간에 유람하며 보는 것은 반드시 옛 사람에게 많이 사양하지는 않았는데, 사람의 관광으로는 때가 옛날과 지금이 있고 운수는 올라감과 침체됨이 있으니, 같은 시대에 태어나지 못한 탄식을 금하지 못하겠다. 도리어 지금 뜻 있는 선비들은 동해로 가지 않으면 서산에 오르게 된다. 서산의 고사리는 이미 자랐고, 동해의 달은 아직도 떠있다. 아니면 혹 도가 있는 군자는 기이한 구슬을 품고 무궁한 물굽이와 깊은 골짜기 사이에 자취를 숨기고 그림자를 사라지게 하는데 나는 아직 보지 못한 것인가? 비록 그러하나 이것은 하늘이 한 것이고 사람의 힘으로 이룰 수 있는 것이 아니다. 동해의 금강산이 내 마음 사이에 있으니, 어느 산이 금강이 아니고 어느 물이 동해가 아니겠는가? 황권(黃券: 서적) 속에는 저절로 그러한 사람이 있으니, 아침저녁으로 마주하면 지금과 옛날로 간격이 있겠는가? 아! 이 사람이 아니면 나는 뉘와 함께 돌아갈 것인가?

東征錄

余少日課作'憶金剛記', 今記得'記'中數句語, 曰: "金剛不在天上, 行則到耳. 吾將讀天下之書, 窮天下之理, 登毗盧第一峯亦未晚也." 荏苒歲月, 忽爾三十有九. 且天下大亂, 行路艱於蜀道, 不於此日圖之出, 所謂金剛, 如在天上, 終不可往矣. 歲辛巳仲夏, 遂定東征計, 所與偕者, 堂弟玟會·次弟章會·柳友泰胤也. 從叔在鶴氏·姜君瑋永, 有前約, 留待于井邑, 凡六人也. 以是月七日庚辰發程, 所齎無他物, 惟韻考一篇而已. 乘車井邑驛. 天風拂袂, 神思飛越, 已在海山間矣. 乘暮入京城. 八日辛巳, 早發向鐵原驛. 自鐵原乘換電車, 此是內金剛直通也. 至桃坡花溪驛, 有

---

334) 구양공(歐陽公): 송나라 때의 구양수(歐陽修)를 가리킨다. 구양수: 서기1007~1072, 자는 영숙(永叔), 호는 취옹(醉翁) 또는 육일거사(六一居士), 시호는 문충(文忠)이며, 길주(吉州) 여릉(廬陵) 사람이다. 한유(韓愈)에게 깊이 영향을 받았으며 매요신(梅堯臣)과 문장으로 천하에 이름이 났다. 저서에 『집고록(集古錄)』 등이 있다.

335) 한태위(韓太尉): 송나라 때의 위국공(魏國公) 한기(韓琦)를 가리킨다. 한기: 서기1008~1075, 자는 치규(稚圭), 호는 공수(贛叟), 시호는 충헌(忠獻)이며, 하남성(河南省) 안양(安陽) 사람이다. 범중엄(范仲淹), 부필(富弼)과 함께 명망이 높았다. 송나라 인종(仁宗)·영종(英宗)·신종(神宗)을 내리 섬긴 어진 신하로, 국가 대사를 맡아서 위태함을 피하지 않으니 조정에서 중하게 여겼다. 저서로는 『맹자찬(孟子贊)』, 『안양집(安陽集)』 등이 있다.

巖石之勝, 名山消息, 似未遠矣. 過斷髮嶺, 嶺不甚峻而迤且長. 峯翠潤玉, 己非凡界物色. 世傳新羅麻衣太子過此嶺, 頓有忘世之意. 斷髮入山. 故嶺以是得名云. 下車內金剛驛, 入長安旅舘. 一區水石, 己令人心醉魂驚, 雖未及見全景, 而一水一石, 可以推萬二千峯矣. 夕飯兼酒盤湌, 皆峽中佳味. 是夜月色明朗, 溪流瑩澈, 衿懷灑落, 自無一點塵埃氣. 自念人生三萬六千日, 能如今夕, 則何羨夫入帝王之門, 亦何難乎爲安期爲適生乎?

九日壬午, 率指路僧一衲, 入長安寺. 溪流與路相終始, 左右松檜, 挺立成行. 自惟一門先入萬水亭. 佛宇梵宮宏麗, 傑雄金碧燦爛, 此寺瓶建在新羅法興王時, 距今一千四百五十年. 重建者再三, 百餘年云寺在平地, 四圍山合, 惟東北數峯, 峻拔聳立, 曰釋伽, 曰地藏, 曰長庚也. 同伴六人, 撮影於前庭. 自此向明鏡臺, 踏溪踏石, 轉入轉奇. 石皆如玉, 流如鏡面. 東有上·中·下觀音三峯. 勢如釰刃, 崒兀可畏. 到明鏡臺, 有一片奇岩立, 如掛鏡. 高可百尺, 廣可十數尺, 厚不過三尺. 其下玉流成潭, 璀璨炫晃, 奪人目睛, 自不覺絶倒叫奇. 東有地獄門·極樂門. 南曰地藏峯, 圵下水曰黃泉江. 余謂指路僧, 曰: "此處命物, 種種殊常, 其或有說歟?" 僧曰: "人之善惡, 照於此岩, 如物之姸媿, 照於明鏡. 其善者, 送于極樂門; 惡者, 入于地獄門." 云其說, 雖似荒誕, 而於世人勸戒之道, 亦不爲無助.

自此石益奇, 而水益淸. 行一里許, 當金剛門. 岩中有穴直通, 僅容一身俛首而過. 僧云: "此山內, 此門凡六處, 此第一門也. 一過此門, 增壽十年云." 一步一石, 二步二水. 洞有時乎開闊, 路有時乎斷續. 溪流之縈廻曲折, 側行詭出者, 窮其變而極其奇矣. 行未幾, 得一潭. 廣可數畝, 泓淳黛綠, 名曰蓮花潭. 又行數十武, 有一瀑. 平廣盤石, 如練如玉, 三分傾斜, 水流其上, 平鋪一面, 狀如垂簾, 故名曰水簾瀑. 解衣盥濯, 氣甚淸爽也. 上下層流, 流處成潭. 潭傍石皆如鋪席, 可坐數十百人. 同伴皆隨意散坐, 汲淸流而取午飯. 自長安寺至此, 略二十里强, 而洞不甚癖, 陵不甚峻, 無涉險之勞. 自此舍溪取路, 路甚峻嶇, 嶺甚高峻. 往往無所取路. 登十許里, 欹崖斷岸, 梯以承之, 線路懸崖, 以鐵索引之. 有層階, 階凡一百八十二級, 攀藤扶鐵, 登最高處, 曰望軍岾也. 千仞峭壁, 下臨無地. 世所稱一萬二千峯者, 一一呈露, 如掌中果. 僧擧杖指點, 曰某山, 曰某峯, 曰某岩, 曰某寺. 盖寺不勝其散出, 峯不勝其爭高. 石之如禽如獸者, 又不勝其奇且巧矣.

自望軍岾, 復下層岾, 行深谷中. 山勢犬牙相互, 林木森陰蔽雲日. 行六七里, 漸聞水聲汨瀙, 顧謂同伴曰: "表訓寺似在不遠矣." 旣而緣路, 松檜立立齊高, 淸流素石, 峭岩奇壁, 如向所見, 洞口有三佛岩, 岩後有六十三佛圖, 而雕刻甚精細, 非凡界人所及也. 其下有鳴淵潭云, 而路左, 未及見, 少憩表訓寺. 僧徒七八人, 皆白衲緇衣, 項百八, 手念珠, 言笑不苟, 動止閑雅. 伊川先生嘗入僧寺, 曰: "三代威儀, 盡在此席." 余於此寺益嘆. 吾儒規模解弛, 反不如彼徒之有威儀可觀也.

過第二金剛門, 至萬瀑洞. 羅峯綺岫, 削立左右, 石皆素練, 無一瑕玷. 溪水自毗盧峰以下, 衆壑交流, 奔趨爭先, 咸會于此洞. 石之磊落磅礴者, 不知幾千萬層. 有臥者·有立者·有欹者·有臼者·有洼者, 又有呀然而坼者, 穹然而土臼者, 飛流向絶壁直下, 遇石輒奔騰擊搏, 雷吼雪噴, 隨石之形以盡其變. 然後始拗怒徐行, 爲川爲溪, 爲瀨爲潭, 千變而萬化, 盖瀑一變而爲潭, 潭又一變爲瀑. 瀑長自一二丈至五六丈. 潭廣自一二畝至六七畝. 幅幅活盡, 步步改觀, 晶熒閃爍, 不可定視.

峯之秀者, 曰法起·曰菩薩·曰降仙. 巖之奇者, 曰靑鶴岺·曰四仙臺·曰獅子岩. 潭之得名者八, 曰黑龍潭·曰眞珠潭·曰琵琶潭·曰碧波潭·曰噴雪潭·曰龜潭·曰船潭·曰火龍潭. 其殊姿異態, 雖借采於道子, 假辭於儀秦, 莫能形容其萬一矣.

四仙岺下, 岩石平鋪, 可坐數百人. 石上有四仙圍棋圖, 十九路三百點閱, 風雨而不磨, 令人有爛柯之思. 四仙云誰? 曰: 永朗·述朗·安栢·南相.

從盤石行數十步, 有楊蓬萊所書'蓬萊楓嶽元和調天'八大字刻在石面. 龍飛鳳翔, 與嶽勢爭奇并雄矣. 行一里許, 一大盤石上, 有金海岡所書'法起菩薩'四大字. 余昔年在泮宮時, 間從海岡先生得聞書畫之妙, 宛如昨日事, 而先生沒已三年矣. 撫字摩畫, 不禁愴然.

又行未幾, 見古今人題名, 大書深刻, 殆無片隙. 舊刻纔沒蘚苔, 新題又煥丹砂, 乃自語於心曰: "世之不朽名者, 自有三品, 寄空名於深山窮谷之中. 風消雨泐, 不百年而磨滅者, 何足恃乎?"

向暮投宿于摩訶衍, 背擁衆香諸城前, 則穴望白雲諸峯, 環列如屛幛.

十日癸未, 向毗盧峯. 於是舍溪流, 取山路. 草鞋竹杖, 攝衣而行. 過四仙橋, 滿山楓樹, 蔚然蒼屛, 若待秋風, 則必變而爲紅錦繡幛矣. 金剛之得楓嶽名者, 盖以此一區也云. 路益轉廻, 峯益凌層. 履巉岩, 披蒙茸, 擇石而踏. 十步九瞻, 陟三之二, 群峯列壑, 露出半面. 間樹間石, 往往有躑躅花, 尙未半開. 時節之早晩, 若是其懸耶? 石壁下有泉涓涓, 匊飮一盃. 因登最上頂, 卽毗盧峯也. 其上無別物, 只有一圓靑天, 垂在咫尺之上. 時雲霧四合, 瞻眺多礙. 旣而忽又開盡, 萬象畢露, 重巒疊岫. 如抽玉簪, 如揷綠芙蓉. 高者·低者·尖者·凹者·雄峻者·磅礴者, 拱揖下庭. 東海一面, 如盤中水, 千態萬狀, 無所逃於眼前. 心曠神怡, 飄然若憑虛而御風. 始覺半生所見, 不過土堆耳·石塊耳.

孔子曰:"登東山而小魯, 登泰山而小天下." 太山高歟? 天下小歟? 所處益高, 則所見亦隨而變, 其勢不得不然耳. 未半刻, 雲又湊集, 忽開忽合. 雪峯氷岫, 或露半面, 或見一髮, 吐吞出沒, 變態無定. 初衒美而誇我, 復猜我而藏眞, 眞一場戲劇也.

少憩後, 飛下懸逕, 曲如羊腸, 立如手掌. 逶迤顚倒, 過第三金剛門, 到毗沙門. 兩岩嶄立, 中通一路, 劣容一身. 鐵索當其缺處, 壁落不敢俯視. 信手扶鐵, 重足下梯, 閱千危萬刦, 而始下平地, 錦屛玉流, 悅人耳目. 遙望蒼翠, 間有一條白練, 直下天上者, 九龍淵也. 同伴皆叫號指點, 不覺手舞而足蹈. 先登觀瀑亭, 解衣脫屣, 直向九龍淵. 自亭至淵, 皆盤石平鋪, 皎潔如玉. 步步行行, 皆從琉璃界上.

淵自兩峯之間, 直下三百尺. 瀑下有石渦, 渦深四十三尺. 飛流相搏, 前者奔而後者追, 如雷之鳴, 如玉之碎. 又如輕霞灑人面, 陰風怒號, 白日欲秋, 凛凛乎不可褻玩也. 渦盈而又成瀑, 瀑下成潭, 潭下平流. 又未幾, 爲瀑·爲潭, 曰水簾泒, 曰連珠潭者, 尤其勝者也. 渡舞龍橋, 橋是空中樓也. 以鐵索架於兩塹之間, 百川流其下, 人踏之浮沉於半空, 名以舞龍者, 蓋以此也. 左有飛鳳瀑, 高可百尺, 亦曰壯哉!

步下玉流洞, 石如散玉, 流如跳珠. 一塵半埃, 到着不得. 昔杜陵不唾靑城, 吾於此處, 亦履不忍, 而唾不忍也. 自九龍淵至此, 略十里强. 而全以石爲體, 不見一點土. 惟其石也, 故水益淸, 惟其淸也, 故石益奇也.

沿溪而下到神溪寺. 果園茶圃, 稍稍有烟火氣味. 蒼髥赤甲, 立立如竹, 高可百尺. 圍亦連抱, 綿亘十數里. 斧斤不能入, 樵牧不相侵. 松亦可謂得其所也. 入寺暫休, 乘自働車, 向溫井里, 浴乎溫泉.

十一日甲申, 向海金剛. 路次入高城治所. 行未幾, 東眺大海. 海中奇岩數峯, 突兀眼前. 同伴皆謹號奇絶. 僧曰:"此海金剛也." 時適雲霧初霽, 波光接天. 卽呼舟子, 縱一葦而凌萬頃, 萬二千峯又在海中矣. 曰鶴仙亭, 曰五仙亭, 曰船岩, 曰懸鍾岩, 曰松島, 曰師工巖, 曰佛岩, 曰秋島, 曰獅子岩, 曰象岩, 曰老翁岩, 曰水簾島, 曰海萬物相, 曰水源坮, 曰萬相島, 曰海金剛門, 此其大略也. 若其隨舟改觀, 頃刻萬變, 不可得而名焉.

數日之間, 遍觀內外諸山. 起居於山, 飮食於山, 呼吸於山. 一言一笑, 造次顚沛, 暫不離山. 而扁舟又下, 泛彼東海, 氣味又逈絶矣. 銀濤雪浪, 蕩漾無際. 衝砥柱, 絶呂梁, 怒之爲風飇, 擊之爲雷霆. 以盡其變, 而自不見其涯涘, 浩浩渺渺, 與天一色. 向吾登毗盧, 以謂半生所見, 皆土堆·石塊. 今又覺半生所見, 皆涓流·蹄涔. 於是飮酒樂甚, 樂極而悲生. 嗚乎! 天地雖大, 古今雖積, 以未滿之七尺, 難得一日之安! 陽囊入, 仲連蹈, 風凄凄而喚愁, 雲漠漠而帶恨. 吊古傷今, 只有白鳥一雙, 自

去又自來. 乃作白鳥之歌, 歌曰:

"白鳥白鳥, 且休飛兮! 江湖千里復萬里, 與爾盟兮與爾歸."

旣而風浪驟至, 梢工告余以回棹, 直向浦頭. 又呼車, 暫入三日浦. 波甚澄泓, 周圍可十許里. 外列三十六峰, 映帶左右, 中有小島, 兀然而起. 其上曰四仙臺. 世傳四仙, 嘗遍遊關東諸勝, 至此三日樂而忘返. 故浦與臺, 俱以是得名云爾. 車夫催歸, 竟不作三日之遊, 得無爲四仙所笑乎?

復入溫井里. 午後又向萬物相. 距此二十里, 中途下車, 曳杖步上, 路益轉而峰益廻. 林薈蔚然, 蒼藤碧蔓, 蒙絡披拂, 危壁峭崖, 紆靑繚白, 其行愈難, 而其見愈奇. 予於是乎顧謂同伴. 曰: "古人之觀於山川·雲霞·泉石·艸木·蠹魚·禽獸, 往往有得以其求, 思之深而無不在也. 夫夷而近則遊者衆, 險而遠則至者少. 世之奇儀瑰傑, 非常之觀, 常在於險遠, 而人所罕至焉. 故非有志者, 不能也." 暫憩于六花亭. 其西曰水晶峰, 南曰觀音峰, 瀉出於兩峰之間者, 曰寒霞溪. 於是山之高, 雲之飛, 溪之流, 禽鳥之遨遊, 擧熙熙然, 廻巧獻伎, 頗醫我脚勞, 蘇我神疲也.

由是以上二三里, 衆流淙淙, 山響而谷應. 此萬相溪之水之石, 可與九龍之玉流洞, 相伯仲矣. 盤蹊曲逕, 到所謂萬物肯岩之最傑然者, 三仙也, 鬼面也. 森羅萬象, 歷歷如畫, 人耶? 天耶? 仙耶? 佛耶? 飛者眞歟? 走者假歟? 千變萬幻, 殆神剜而鬼刻, 不見斧鑿之痕, 轉瞬之頃, 氣象萬千. 造化翁太初命物, 亦起艸於此歟? 新萬物比舊益奇云. 而爲雲雨所戲, 未及見焉.

十二日乙酉, 出外金剛驛登車. 內外海三金剛之遊, 二日於山, 一日於海, 總計三日也. 有難之者: "金剛之景無盡, 三日之遊有限. 以有限之日, 能盡無盡之景乎?"

普亭子曰: "子不聞聖人敎人之術乎? 擧一隅, 不以三隅反, 則不復也. 山水遊觀, 亦何以異於此? 使金剛之萬二千峰立於吾胸中, 則一石可以知萬石, 一水可以推萬水. 故明者, 見一羽可知其爲瑞祥; 聰者, 聞爆聲而亦知其爲淸商之妙曲. 何必窮奇極險, 費得許多日也? 若使金剛之一壑·一谷·一水·一石, 不遺寸奇尺怪, 而手探禹穴, 足躡天根, 爲能事畢, 則夸父之術, 猶有所不及; 周王之轍, 亦有所未暇矣. 峨然而峙者, 吾知其爲山, 而仁可益厚; 浩然而流者, 吾知其爲水, 而知可益周, 奚滯於一物極精疲神, 然後方云遊觀之勝也哉!" 一場劇談之間, 忽到庫底驛, 遙望海水忽生, 所謂叢石亭者, 隱約於雲林之間, 而指點戞過, 殆如望美人而不遇, 此心未釋然也.

下車三防峽. 冷雨凄風, 恰如九秋光景. 飮藥水一盃, 味甚殊絶, 非甘非淡, 非辛非酸, 莫得以名其味矣. 偶吟感悰, 因宿于三防旅舍. 古人觀山水, 其氣益壯. 以我則遊賞之勞, 因以致病. 古人終不可及.

十三日丙戌, 自三防峽, 暮入京城. 海山之淸致, 城市之繁華, 果孰優而孰劣? 人之所嗜好, 趣各不同, 有好澹泊者, 有好繁擾者, 必有所取矣. 雖然恬澹者, 能處繁而不撓; 熱鬧者, 不能一日安於山林之間, 其人地高下, 果何如也?

十四日丁亥, 夕車歸鄕, 往還未旬者, 一日也.

昔蘇子由於山見終南嵩華之高; 於水見黃河之大且深; 於人見歐陽公·韓太尉, 以盡天下之大觀, 壯其氣而奇其文. 吁! 其盛矣. 余於此行也, 於山登毗盧之高頂, 於水泛東海之無際. 山水遊觀, 未必多讓於古人, 而於人之觀, 時有古今, 運有升沈, 不禁曠世之嘆. 顧今有志之士, 不蹈東則陟西. 西山之薇已長, 東海之月尙存. 抑或有道君子, 懷奇抱玉, 潛跡滅影於窮灣絶壑之間, 而吾未之見耶? 雖然此亦天也, 非人力之可致. 東海金剛在吾方寸之間, 何山非金剛, 何水非東海? 黃卷之中, 自有其人, 朝夕對越, 不以今古而有間. 噫! 微斯人, 吾誰與歸?

서유록

　옛날 돌아다니며 뜻을 함께 한 대여섯 명과 계(契)를 맺고 이름하여 '명산대천(名山大川)'이라 하였다. 산 오르고 물 굽어보는 것을 해마다 늘 이렇게 하고자 하였다. 작년에는 금강산으로 가서 일만이천봉을 실컷 보았다. 금년에는 봉래로 기약을 하였는데, 스님들 여름의 욕불일(浴佛日)[336]에 떠났다. 벗 태강(台江) 나의환(羅義換)과 청강(靑江) 유태윤(柳泰胤), 종숙(從叔) 청고(靑皐) 김재학(金在鶴)이 계원 동지이다. 벗 낙운(洛雲) 유병로(庾炳魯)와 종숙 도강(道岡) 김재국(金在局)은 취미 동지이다. 취미가 동지라면, 계원 동지는 구태여 말할 필요가 없는 것이다. 이 날에는 하늘이 맑고 날씨가 온화하여, 봄옷에 짚신을 갖추고 지팡이를 지닌 여섯이 단합하여 길을 떠났다. 점심은 후포(後浦)[337]에서 점심에 출발하여 저녁무렵에 내소사(來蘇寺)[338]에 이르렀다. 좌우에는 푸른 전나무가 우뚝우뚝하며 높이를 나란히 하여 연이어 수백 보쯤 이어져 있었다. 가운데에는 길 하나로 통하는데 하늘의 해가 보이지 않을 정도였으

---

336) 욕불일(浴佛日): 석가탄신일을 가리킨다.
337) 후포(後浦): 고창군 흥덕면에 있는 마을.
338) 내소사(來蘇寺): 부안군 진서면 석포리에 있는 절.

니, 이 곳이 내소동(來蘇洞) 입구이다. 소장군(蘇將軍)[339] 한 번 와서 천고의 승담(勝談)이 되었으니, 사찰은 이것으로 이름을 얻었다 한다.

밤에 상방(上方)에 투숙하였다. 때마침 달빛이 밝고 환하였으며 만 가지 상들은 진여(眞如)였다. 입산한 첫날에는 문득 정신이 맑고 기운이 왕성하였다. 이튿날 청련암(靑漣菴)에 올랐다. 암자는 내소사 북쪽 1리쯤에 있었다. 가파른 바위를 딛고 덩굴을 헤치며 구불구불 걸어 올라갔더니 시야가 확 트였다. 죽도(竹島)와 웅소(熊沼)는 쟁반 속 물과 같았다. 잠시 한동안 쉬고서 북쪽으로 준령을 넘어 실상사(實相寺)에 이르렀다. 사면이 푸른 병풍으로 에워쌓는데, 가운데에는 한 국면으로 통하는데 평탄하고 광대하였다. 골은 그다지 궁벽하지는 않았고 나무들도 그다지 높지는 않았지만, 자못 들녘에 거처하는 기분이었다. 오후에는 용추폭포(龍湫瀑布)를 묻고서 시냇물을 따라 올라갔다. 길 왼쪽에는 큰 반석하나가 있는데 푸른 숲 사이에서 은은히 비쳐왔다. 넓이는 몇 평 정도가 되는데, "소금강(小金剛)"이란 큰 세 글자가 돌에 새겨져 있었다. 비록 그 어떠한 사람이 썼는지 자세하지 않으나, 대개 우선 내 마음에 들었다. 바위가 약간 꺼진 곳에는 맑게 흘러 못을 이루었는데, 파랗게 비치는 물은 맑고 깨끗하여 한 점의 티끌 기운이 없었다. 1리쯤 걸어가니, 들어갈수록 더욱더 아름다웠는데, 걸음 따라 기이한 관경이었다. 한 돌 비탈을 넘어서자, 갑자기 물소리가 우레가 아우성치듯 들렸다. 바라보니 푸른 바위 사이에서 흰 비단처럼 날아 내리는데, 높이가 수십 길이 되었다. 아래에는 용소가 있는데, 어두침침하면서도 짙푸르고, 눈이 휘날리듯 옥이 부서지듯 휘영청 하고 갸웃갸웃하여 사람으로 하여금 정신을 빼앗기게 하였다. 옛날 내가 세 번이나 봉래를 찾아와서 한 치의 기이함을 빠뜨리지 않았다고 할 만하였는데, 이른바 용추폭포는 오늘 처음으로 보는 것으로 열두 곳의 기이한 절승이 모두 여기에 있다고 해도 지나친 평가는 아닐 것이다.

다시 월명암(月明菴)으로 가는 길을 취하니 구불구불 굽이치는 험준한 돌길에 산봉우리가 빼어날수록 영마루가 더욱더 가파르게 보였다. 덩굴과 잡아당기고 나무를 붙들며 열 걸음에 한 번 쉬었다. 온 산의 푸른 소나무는 낙락장송으로 백 척이나 높이 자라 매우 사랑스러웠다. 조금 지나니 종소리가 점점 가까워지더니 암자가 흰 구름 위에 솟아있었는데 이가 월명암이다. 여기에 이르니 삼라만상은 모두 제 모습을 드러내니, 비단 같은 산봉우리에 수놓은 뫼들이 기이한 자태를 서로 다투면서 눈앞에

---

[339] 소장군(蘇將軍): 중국 당나라 장군 소정방(蘇定方: 592~667)을 가리킨다. 660년 나당연합군의 대총관으로서 13만 당나라 군사를 이끌고 백제를 쳐서 사비성을 함락시켰다. 661년 신라군과 함께 고구려의 평양성을 공격하였으나 실패하였다.

공수하고 서 있었다. 암자 뒤쪽에는 낙조대가 있었지만 비가 희롱하는 바가 되어 아직 올라갈 겨를이 없었다. 이튿날도 또 비가 내려 그 때문에 계속 머물렀다. 골짜기에 차고 넘치는 구름과 노을은 모이다가도 또 흩어졌다. 바야흐로 모일 적에는 가파르고 깊은 산봉우리와 깊숙이 멀리 뻗은 골짜기는 안개 낀 파도가 되었고, 그 흩어짐에 미쳐서는 만 가지로 푸르고 천 가지로 푸르러서 비단 병풍을 펼친 듯하다. 순식간에 기상이 천만 가지로 변화하니, 비 오는 경치가 도리어 맑은 날 햇빛보다 뛰어남이 있었다. 그 혹 우리들은 인연이 신선보다 두터워 하늘이 비를 빌려 억지로 하루를 붙잡았던 것인가? 다만 종숙 재형(在炯) 씨가 병에 걸리고 벗 강예흠(姜禮欽)이 직장에 매여 함께 행할 수 없었음을 한탄할 뿐이었다. 대강의 영민하고 지혜로움, 낙운의 정성과 성실성, 청고의 단정하고 우아함, 청강의 통쾌하고 활발함, 도강의 도리에 맞고 참됨, 그리고 보정의 어리석고 졸렬함이 서로 더불어 무릎 맞대고 웃으며 이야기하다가, 간간히 농담도 하였으며, 누가 한번 부르면 한번 화답하며 말하는 것마다 이르지 않는 것이 없었다. 비록 군자의 준승(準繩)의 법도에 합하지 않을지라도 횡설수설하며 거칠고 경망한 것에 우중(虞仲)[340]의 폐인 노릇한 것이 권도에 맞았던 기상이 있었다. 한 마디 말도 시사에 대해 언급하지 않았고 생각 절반도 이해에 대해 관섭하지 않았다. 저 공로를 따지며 이익을 꾀하는 것을 보면, 한 치마다 겨루고 한 눈금마다 다투어 혀가 헤지도록 그치지 않은 데까지 이르는 것은 또 어떻게 된 것인가?

 이틀을 묵고 나서 쌍선봉(雙仙峯)을 넘어가는데 가파른 벼랑에 깎아지른 길에서는 발을 아슬아슬하게 내려가고 돌을 골라 발을 디뎠다. 몇 리를 가고나니, 들판 빛이 처음으로 생기고 인가가 서로 밀접하여 포구 이름은 지지(知止)라고 한다. 여기서부터 큰 길을 따라 20리나마 걸어서 격포(格浦)에 이르렀다. 만리 아득한 안개 물결은 하늘과 더불어 한 빛을 띠었고, 뭇 산들이 얽혀 있어 섬들은 들어갔다가도 나오고, 바다가 넓고 아득하여 그 끝을 볼 수 없었다. 오후에 채석강(彩石江)부터 걸어서 적벽(赤壁) 아래에 이르렀다. 우러러보니 붉은 벼랑에 붉은 벽들이 들쑥날쑥 비늘처럼 중첩하고 있어 책들이 감추어진 듯하고 비단이 쌓아 놓은 듯하니, 아마도 귀신이 깎고 새긴 듯하였다. 굽어보니 주먹만한 돌들이 옥 같고 구슬과 같은데 오색이 서로 섞여 몇 리까지 연이어 깔려 있었다. 화공(化工)의 오묘함에 이와 같음이 있는 것인가? 잠시 동안 바닷물이 처음 들면서 풍랑이 갑자기 이르자, 온갖 말이 경쟁하듯 내달려 적진

---

340) 우중(虞仲): 중국 고대 주나라 태왕(太王)의 둘째 아들이다.『논어』「미자(微子)」편에 "우중과 이일은 은거하여 함부로 말을 하였지만, 몸가짐이 청도(淸道)에 맞고 벼슬을 그만둔 것은 권도(權道)에 맞았다"라고 하였다.

으로 나아가는 듯 떨려서 오래 머물 수가 없었다. 다시 지지포(知止浦)로 돌아왔다가 대항리(大項里)로 가서 고조와 고조비의 묘소를 성소(省掃)하고, 산지기 집으로 찾아들었다. 저녁밥을 먹은 후 동반자들과 함께 해안가에서 산책하였는데, 시원한 바람은 얼굴을 스치고 물결치는 파도에는 소리가 있으며, 점점이 고기잡이 등불이 나타나기도 하고 혹 숨기도 하는데 마치 뭇 별들이 하늘에 벌려있는 듯하니, 또한 하나의 기이한 장관이었다.

이튿날 해창교(海滄橋)를 건너 두어 활터[帿]를 가다가, 기이한 바위들이 바닷가에 엉켜 서서, 모두 옷을 벗고 세수하고 탁족하였더니 기운이 매우 씩씩해지면서 유쾌해 졌다. 어르신 신호(信湖) 유원칠(柳元七) 씨 댁을 찾아갔는데, 나에게는 친척 아저씨가 된다. 그의 자제 여섯은 모두 글과 행실이 있으니, 옛 가문의 풍의가 넉넉하게 있었다. 이튿날 도화동(桃花洞)을 지나가다가, 잠시 고창석(高昌錫) 군을 만나 술 한 잔으로 서로 작별하고 개암사(開岩寺)로 향하였다. 협곡 어귀에는 저수지가 있었는데, 물이 매우 맑아 뭇 푸른빛이 거꾸로 그림자가 생겨나 마치 거울을 펼친 듯하니, 인공이 천연의 아름다움을 보조할 수가 있었다. 사찰 뒤에는 석봉(石峰)이 솟아났는데, 겹친 골짝 포개진 산이 푸른색도 두르고 흰색도 둘러서 병풍처럼 둘러싸고 있으니, 불우(佛宇)와 범전(梵殿)은 이 산중의 걸작이었다. 정오가 지나 떠나려 하는데 대강(台江)이 송곡(松谷)의 변씨 모댁을 함께 방문하자고 청하였다. 변씨는 대강의 조카사위라 한다. 그와 함께 댁을 찾아들었더니, 주인은 비록 하루가 안되는 정분이었지만 친절하고 흡족하게 해주어 옛 친구를 대하는 것 같았다. 아침에 일어나 그의 선조 망암공(望庵公)[341]의 유집을 살펴보았다. 식사를 마친 후 줄포(茁浦)로 향하였다. 청고(青皐)는 정읍을 경유하여 돌아가려고 난산(卵山) 장터를 지나갔다. 나씨(羅氏)·유씨(庾氏)·유씨(柳氏) 세 벗이 서로 전송하였다. 갔다가 돌아온 것이 총 일주일이었다.

보정자는 말한다. "작은 산과 큰 산, 바다와 도랑, 노을과 구름, 풀과 나무 등은 절로 흐르고 절로 솟았으며 계절 따라 퍼졌다가 걷치니 영화와 쇠락의 모습이다. 변화가 끝이 없어 몸으로 하여금 그 사이에서 노닐도록 하여, 나의 이목을 기르고 나의 마음을 즐겁게 하며, 그것으로 덕을 충만하게 하니 본성은 더러움에서 벗어났다. 그 천연(天然)이 저절로 있는 이치를 통하면, 산과 물, 구름과 나무들은 진실로 나의 기운을 장대하게 하고 나의 문장을 기이하게 할 것이다. 만약 그렇지 않다면 우뚝하게 높

---

341) 망암공(望庵公): 변이중(邊以中)을 가리킨다. 변이중:서기1546~1611(명종 1~광해군 3), 조선 중기의 학자·문신, 자는 언시(彦時), 호는 망암(望庵), 본관은 황주(黃州). 이이(李珥)와 성혼(成渾)의 문하에서 수학. 저서로는 『망암집(望庵集)』이 있다.

은 것, 왕성하게 흐르는 것, 아침엔 거두고 저녁엔 펼쳐지는 것, 봄엔 영화롭고 가을엔 쇠락하는 것들이 어찌 나의 손익에 간여하겠는가? 우리들 몇 사람은 얼마나 다행인가? 계가 반드시 모두 같지는 않지만, 뜻은 같지 않음이 없다. 이것으로 뜻을 같이하니, 천 길 높은 산등성이를 함께 올랐고, 만 리 부는 맑은 바람을 함께 느꼈다. 그 속에는 얻은 것은 같은가, 같지 않은가? 나는 장차 그 문장과 기운을 가지고 그 유람이 누가 길고 누가 짧은가를 점쳐 보겠다."

西遊錄

昔年走與同志五六結契, 名之曰名山大川. 欲其登山臨水, 年以爲常也. 昨歲往金剛, 看盡萬二千峰; 今年則與蓬萊爲期. 以僧夏之浴佛日發程. 羅友台江[義換]·柳友靑江[泰胤]·從叔靑皐[在鶴], 契之同也. 庾友洛雲[炳魯]·從叔道岡[在局], 趣之同也. 趣同, 則契同與未不須論也. 是日也, 天淸氣和, 春衣芔鞋, 聯六筇而行. 午于後浦, 暮抵來蘇. 左右蒼檜. 立立齊高, 連亘數百步, 中通一路, 不見天日. 是來蘇洞口也. 蘇將軍一來, 爲千古勝談. 寺以是得名云. 夜投上方, 時夜月色明朗, 萬象眞如. 入山一日, 頓覺神淸氣旺. 翌日, 登靑蓮菴. 菴在寺北一里許. 履巉岩, 披藤蔓, 逶迤而上. 眼界豁然, 竹島熊沼, 如盤中水. 少憩一餉, 北踰峻嶺, 至實相寺. 四圍靑嶂, 中通一局, 平坦曠夷. 洞不甚僻, 樹不甚高, 頗有野居氣味. 午後, 問龍湫瀑布, 沿溪而上. 路左有一大盤石, 隱映於林翠之間, 廣可數畝, "小金剛"三大 字刻在石面. 雖不詳其何許人品題, 而蓋先獲我心也. 岩之稍渦陷處, 淸流成潭, 映綠瑩澈, 無一點塵埃氣. 行一里, 轉入轉佳, 隨步異觀. 踰一石磴, 忽聞水聲雷吼, 望之白練飛下於蒼岩之間, 高數十尺. 下有龍沼, 沉沉黝綠, 雪噴玉碎, 晃朗璨璀, 令人神奪. 昔我三入蓬萊, 可謂不遺寸奇. 而所謂龍瀑, 今者創眼, 十二奇勝, 全在於此, 亦非過論也. 復取月明去路, 石逕崎嶇, 峰益秀而嶺益峻, 攀藤扶樹, 十步一憩. 滿山蒼松, 落落百尺, 甚可愛也. 少焉鍾聲漸近, 菴在白雲之上, 是月明也. 到此, 萬象畢露, 錦峰繡巒, 爭奇競態, 拱揖於眼前. 後有落照坮, 而爲雨所戲, 未暇登焉. 翌日又雨. 因而留連. 滿谷雲霞, 且聚且散. 方其聚也, 嶙岣箜谺, 爲烟濤; 及其散也, 萬翠千蒼, 如開錦屛. 頃刻之間, 氣象萬千, 雨景反有勝於晴光也. 其或吾儕, 緣厚於仙, 天假之雨, 而强挽一日耶? 但恨從叔在炯氏緣於病, 姜友禮欽糜於職, 未得偕行耳. 台江之英慧, 洛雲之諄慤, 靑皐之端雅, 靑江之快活, 道岡之典實, 普亭之迂且拙,相與促膝笑譚, 間以諧謔, 一唱一和, 靡言不到. 雖不合於君子準繩之規, 而橫竪踈狂, 有虞仲廢中權之氣. 一語不及於時事, 半念不涉於利害. 視彼計功謀利, 競寸爭銖, 而至於舌弊不已者, 又何如也? 越再宿, 踰雙仙峯, 懸崖斷逕, 危足而下, 擇石而踏. 行幾里, 野色初生, 人烟相接, 浦名曰知止也. 自此遵大路行二十里強, 到于格浦. 萬里烟波, 與天一色; 群山斜紛, 島嶼出沒; 浩浩渺渺, 不見其涯. 午後, 步自彩石, 至于赤壁之下. 仰之丹崖赤壁, 參差鱗疊, 如卷帙之藏, 如錦帛之積, 殆乎神剜而鬼刻. 俯之拳石, 如圭如璧, 五彩相錯, 連鋪數里. 化工之妙, 有如是歟! 少頃海水初生, 風浪驟至, 如萬馬競馳赴敵, 凛乎不可久留也. 復歸于知止浦, 往大項里, 省掃于高祖妣墓所, 入山直家. 夕飯后, 與同伴散策于海岸之上, 清風拂面, 波濤有聲, 點點漁火, 或現或隱, 如衆星之列于天, 亦一奇觀也. 翌日, 過海滄橋, 行數帿, 奇岩參錯於海畔, 皆解衣盥濯, 氣甚壯快也. 往長信湖柳丈元七氏宅, 於我爲戚叔也. 其胤子六人, 皆有文有行, 優有故家風儀焉. 翌日, 過桃花洞, 暫逢高昌錫君, 一盃相別, 向開岩寺. 峽口有貯水池, 水甚澄瑩, 衆翠倒影, 如開鏡面, 人工有以助天然美也. 寺後石峰聳出, 層巒疊嶂, 紆青繚白, 環如屛障, 佛宇梵殿, 此山中傑製也. 過午將發, 台江請同訪松谷邊某家, 邊是台江之姪壻云. 與之同入, 主翁雖無一日之雅, 而款洽如舊. 朝起閱其先祖望庵公遺集. 飯後, 向苗浦. 靑皐經歸于井邑, 過卵山市, 羅庚柳三友, 帝月相送. 往還摠一星也. 普亭子曰: "山嶽海瀆, 霞雲艸木, 流峙舒卷, 榮領之狀. 變化無窮盡, 使身遊其間, 養吾耳目, 悅吾心志, 以之充德, 性蛻污穢. 通乎其天然自有之理, 則山水雲木, 固爲之壯吾氣而奇吾文. 苟爲不然, 則嶄然而高者, 汪然而流者, 朝歙而夕舒者, 春榮而秋領者, 何預於己之損益哉? 何幸吾儕數人? 契未必皆同, 志無乎不同. 以此同志, 同陟千仞之高岡, 同挹萬里之淸風. 其所獲于中者, 同乎未乎? 吾將以其文其氣, 占其遊之孰長而孰短."

계수문답

계로(溪老)[342]가 산수(山叟)[343]에게 물었다. "우리 여러 성조(聖朝)께서 명나라의 신종과 의종 두 황제를 숭보(崇報)[344]한 것은 임진왜란 때 구원의 의리가 아닙니까?"

---

342) 계로(溪老): 계곡을 의인화하여 대화를 이끌었다.
343) 산수(山叟): 산을 의인화하여 대화를 이끌었다.
344) 숭보(崇報): 숭앙하고 보답하는 뜻으로, 남이 베풀어 주었던 은덕에 대해 보답함을 의미한다.

산수가 대답하였다. "그렇습니다. 예전에 화양선생(華陽先生, 宋時烈[345])의 평생대의는 오로지 존양(尊攘)을 중시하니, 효종께서 독대하였을 때, 그 치밀하게 합한 크고 원대한 규모는 천고에 뛰어나서 역사[汗青[346]]에 올라 있으니 빛나고 늠름하였다. 청음(清陰) 김문정(金文正, 金尚憲[347])이 일찍 심양(瀋陽) 관사에서 신종황제가 완미하던 화살을 얻은 적이 있었다. 선생의 발문에 이런 말이 있다. '동쪽 조선 임진년의 변란에 실로 신종의 지극한 인덕(仁德)을 입어 초목과 띠끌까지도 모두 우로(雨露)의 젖어듦을 입었거든, 하물며 혈기가 있는 무리들이야 뼈에 새기고 마음에 새긴 느낌이 어떠하겠는가? 불행하게도 시운(時運)에 핍박되어, 이에 차마 말하지 못할 지경에 이르렀으니, 동토를 에워싼 수천 리에 사는 백성들이 어찌 하늘과 땅 사이에 얼굴을 들 수 있겠는가? 다행히도 공께서 7척의 몸으로 천하의 강상(綱常)을 버티게 하여 동토의 군신과 부자의 본성(本性)이 있는 이로 하여금 영원히 천하 후세에 변명할 말이 있도록 하였다'[348]고 하였다. 숙종 갑신년에 후원(後苑)의 깨끗한 땅에 단(壇)을 세우고 의종을 제사지냈는데 이것이 대보단(大報壇)[349]입니다. 권문순(權文純, 權尚夏[350])은 선생의 남기신 가르침으로 만동묘(萬東廟)[351]를 세우고 두 황제를 기념하였습니다.

---

345) 송시열(宋時烈): 서기1607~1689(선조 40~숙종 15), 조선 후기의 학자·문신, 자는 영보(英甫), 호는 우암(尤庵)·우재(尤齋), 본관은 은진. 김장생과 김집의 문인으로 이이의 학통을 계승. 문묘에 종사됨. 저서로는 『우암집(尤菴集)』, 『송서습유(宋書拾遺)』, 『주자대전차의(朱子大全箚疑)』, 『주문초선(朱文抄選)』, 『주자어류소분(朱子語類小分)』, 『이정서분류(二程書分類)』, 『논맹문의통고(論孟問義通攷)』, 『경례의의(經禮疑義)』, 『심경석의(心經釋義)』, 『찬정소학언해(纂定小學諺解)』, 『우암역설(尤庵易說)』, 『우암예설(尤庵禮說)』 등이 있다.

346) 한청(汗青): 옛날에 청죽(青竹)을 불에 구워서 그 속에 있는 수분이 빠져나오게 해서 쓰기에 편리하고 좀이 슬지 않게 한 것을 말하는데, 보통 역사 책을 뜻한다.

347) 김상헌(金尚憲): 서기1570~1652(선조 3~효종 3), 조선 후기의 학자, 자는 숙도(叔度), 호는 청음(清陰)·석실산인(石室山人), 본관은 안동. 윤근수(尹根壽)의 문하에서 수학. 저서로는 『청음집(清陰集)』, 『독례수초(讀禮隨抄)』 등이 있다.

348) 『宋子大全』 卷147 「趙孟頫文姬別子圖跋」: 天王恩德之有無, 非所敢言, 而第竊伏惟念本朝壬辰之變, 實蒙神皇之至仁, 草木塵芥, 皆被雨露之沾濡, 況在血氣之倫者, 鏤骨銘心之感, 爲如何哉? 不幸時運所迫, 乃有所不忍言者, 環東土數千里民人, 烏得擧顔於覆載之間哉? 惟幸公以七尺之軀, 撑拄天下之綱常, 使東土有君臣父子之性者, 永有辭於天下後世. (…) 참조.

349) 대보단(大報壇): 임진왜란 때 명나라가 조선을 도와 일본의 침략을 저지하였으나, 종국에는 명나라가 망하고 조선이 남한산성의 치욕을 씻기 위해 군신이 대명절의(大明節義)를 무릅 청나라에 복종하지 않겠다는 뜻을 내포하고 신종(神宗)을 제사지내는 사당이다.

350) 권상하(權尚夏): 서기1641~1721(인조 19~경종 1), 조선 후기의 학자, 자는 치도(致道), 호는 수암(遂庵)·한수재(寒水齋), 본관은 안동. 송시열의 문하에서 수학. 저서로는 『한수재집(寒水齋集)』, 『삼서집의(三書輯疑)』, 『한수재예설(寒水齋禮說)』 등이 있다.

351) 만동묘(萬東廟): 임진왜란 때 명나라가 조선을 도와준 보답으로 신종을 위해 1704년 충북 괴산군 청천면 화양동에 세운 사당이다.

이것으로 보면, 우리 조정이 명나라 조정에 대하여 실로 망극의 은혜가 있어 그 숭앙하고 보답하는 뜻은 다만 그만둘 수 없는 것입니다."

계로가 입을 열었다. "명나라 사직의 집이 만약 호족(胡族: 오랑캐)에게서 나온 것이 아니고 화인(華人: 중국)이 찬탈하였다면 그 의리는 또한 어떠합니까?" 산수가 답하였다. "임금을 위해 복수하는 것은 중화와 이적을 어찌 가리겠는가? 왕씨[고려]가 망하자 우리 태조께서 용흥(龍興)하였는데, 포은(圃隱, 鄭夢周[352]) 이하의 72현은 모두 망복(罔僕)의 절의[353]를 지켰습니다. 이것으로 유추하면 명나라 말기에 비록 탕무(湯武)의 거동이 있었으나, 열성(列聖) 및 화양선생(송시열)도 그들을 위해 대보단을 쌓고 만동묘를 건축한 것이 분명합니다."

야로(野老)[354]가 말하였다. "우리 순종 4년 경술년(서기 1910년) 변란을 어찌 차마 말하겠는가? 사직은 이미 폐허되고 종묘는 수호되지 못하였습니다. 기장은 무성하고 보리 꽃이 폈습니다. 36년 동안 우리를 노예삼고 우리를 어육(魚肉)하였으니, 이것은 임진년 8년 동안의 비교가 아닙니다. 하물며 우리 상황(上皇: 흥선대원군)은 무술년(서기 1898년)에 피해를 당했으니 어찌 용만(龍灣)[355]의 치욕일 따름이겠습니까? 하늘이 우리 동쪽 나라를 보우하심이 얼마나 다행입니까? 지난 해 을유년(서기 1945) 8월 보름에 미국 대통령 트루만씨가 원자 폭탄 하나가 우리 삼천만 민생의 철망을 풀어주고 우리 삼천 리 옛 강토를 되돌려주었으니, 저 왜놈들의 소굴은 마치 새가 숨고 쥐가 숨듯 하였다. 모두 텅 비어 외로이 남음이 없게 되었으니, 누구의 힘입니까? 대보단과 만동묘의 의리로 유추하면, 우리 한국이 미국에 대해 숭앙하고 보답하는 의리는 해를 함께해서 논할 수 없습니다. 명나라 형개(邢玠)[356]와 양호(楊鎬)[357]가 동쪽

---

352) 정몽주(鄭夢周): 서기1337~1392(충숙왕 6~공양왕 4), 고려 말기의 유학자·문신, 자는 달가(達可), 호는 포은(圃隱), 본관은 연일(延日). 경북 영천(永川)출신. 문묘에 종사됨. 저서로는 『포은집(圃隱集)』이 있다.

353) "망복(罔僕)의 절의"는 망국의 신하로서 충의(忠義)를 지켜 새로 건국되는 나라의 신하가 되지 않겠다는 절의를 의미한다.

354) 야로(野老): 산을 의인화하여 대화를 이끌었다.

355) 용만(龍灣): 평안북도 의주(義州)의 별칭이다.

356) 형개(邢玠): 1540~1612, 산동(山東) 익도(益都) 사람. 1597년 10월에 총독(總督)이 되어 조선으로 출병하였다가 울산(蔚山)에서 대패하고, 잠시 귀국했다가 다시 출병하여 직산(稷山)과 울산에서 왜적을 대파했다.

357) 양호(楊鎬): ?~1629, 하남(河南) 상구(商丘) 사람. 정유재란 때 우첨도어사(右僉都御使)가 되어 출병하여 울산에서 왜적을 포위하고 공격하여 공을 세웠다.

으로 출정하니, 사신(師臣)[358]이 또한 이미 사당을 세웠다면, 미국의 아무개는 마땅히 집집마다 제기를 차리고 호마다 시위(尸位)를 마련해야 것 것입니다. 그런데 그윽이 오늘날 선배들과 장로들의 말을 들으면, 이적(夷狄)으로 상대하지 않는 사람이 없고 다시금 은혜에 감격한다는 말이 있는 줄 알지 못하고 있으니, 도대체 어째서입니까?" 산수가 대답하였다. "저 미국의 폭탄 사용이 미국을 위한 것이지, 한국을 위한 것이 아닙니다. 왜구를 소멸하지 않으면 그 나라가 위태롭게 됩니다. 순망치한(脣亡齒寒)이니 이치의 형세가 반드시 이를 바가 있습니다."

야로가 말하였다. "임진왜란은 재앙이 우리나라에 있을 뿐만 아니라, 장차 압록강 북으로 만연될 것이니, 명나라의 구원과 보호 또한 명나라를 위한 것이지, 우리를 위한 것이 아닙니다. 명나라에 대해서는 감격하며 떠받들고, 미국에 대해서는 물리치며 배척하니 또한 무엇 때문입니까?" 산수가 대답하였다. "중화를 높이고 이적을 물리치는 것은 공부자 춘추대일통(春秋大一統)의 뜻입니다. 공자가 『춘추』를 지은 것은 제후가 이적의 예를 사용하면 이적화되고 이적인데, 중국으로 나아가면 중국화되니, 이것은 천고의 철한(鐵限)[359]입니다. 사람과 짐승이 구분되고 낮과 밤이 판별되니, 기강이 그것으로 확립되고 윤리의 떳떳함이 그것으로 밝아지게 됩니다. 만약 털끝만치의 차이가 있으면 사람은 사람이 될 수 없고 대낮은 대낮이 될 수 없어 기강이 무너지고 윤리의 떳떳함이 없어지게 됩니다."

계로가 말했다. "오늘날 어떤 사람이 있는데 부모의 원수에 대해 자신의 힘으로 원수를 갚을 수 없어, 통분을 참고 원한을 머금고 그럭저럭 세월을 보내고 있습니다. 어느 날 아침 대인선생이 그를 위해 원수를 갚아줌이 있으면, 그 자식의 마음은 은혜에 감격하여 덕을 떠받들어 그 마칠 때까지 잊지 않을 것이다. 그렇다면 그 원수를 갚아준 사람이 불행하게도 대인선생의 손에서 나오지 않고 나라 성문 밖에서 사람을 죽이는 자에게 나온 것은 또한 마땅히 어떻게 해야 합니까?" 산수가 답하였다. "아버지의 원수를 갚을 수 있는 것은 한 가지이니, 어떻게 그 사람의 어진지 어질지 않은지를 가리겠습니까?"

계로가 말하였다. "부모와 자식은 천성의 친함인데, 대의로써 하면 때로 없애는 것이 있습니다. 남녀가 직접 주고받지 않는 것은 예의인데, 형수가 물에 빠졌을 적에 손으로 건져주는 것은 성인의 권도(權道)입니다.[360] 중화와 이적의 구분은 비록 천고의

---

358) 사신(師臣): 임금의 사부(師傅) 직함을 지닌 집정 대신으로, 보통 삼공(三公)을 가리킨다.
359) 철한(鐵限): 변경할 수 없이 고정된 기한이나 한정.
360) 『孟子』 卷7 「離婁(上)」 〈第17章〉: 淳于髡曰: "男女授受不親, 禮與?" 孟子曰: "禮也." 曰: "嫂

철한이나, 끝없는 큰 은혜와 덕망이니 어찌 슬프겠습니까? 열성이 이미 멀어졌는데, 선생께서 누에 실이나 소의 털처럼 정밀한 뜻과 오묘한 말을 하지 않는다면 누구와 함께 따르면서 질정할 것입니까?"

溪山問答

溪老問於山叟, 曰: "我列聖朝, 崇報明神宗·毅宗兩皇帝, 莫是壬辰救援之義也歟?" 山叟曰: "然. 昔華陽先生平生大義, 專主尊攘, 孝廟獨對時, 其密勿之宏規遠謨, 度越千古, 登載汗靑, 炳炳凜凜矣. 淸陰金文正, 嘗於瀋舘得神宗皇帝所玩之簇. 先生之跋文, 有曰: '東朝壬辰之變, 實蒙神宗之至仁, 草木塵芥, 皆被雨露之沿濡, 況在血氣之倫者, 鏤骨銘心之感爲如何哉? 不幸時運所迫, 乃有不忍言者. 環東土數千里民人, 烏得擧顔於覆載之間哉? 惟幸公以七尺之軀, 撑柱天下之綱常, 使東土有君臣父子之性者, 永有辭於天下後世云云'. 肅宗甲申設壇於後苑潔地, 以祭毅宗, 是大報壇也. 權文純以先生遺敎, 建萬東廟, 以紀兩皇帝. 以此觀之, 我朝之於明朝, 實有罔極之恩, 而其所以崇報之義, 不容但己者也." 溪老曰: "明祀之屋, 若非出於胡族, 而華人爲之簒奪, 則其義亦如何?" 山叟曰: "爲君報仇, 華夷奚擇? 王氏之亡也, 我太祖龍興, 而圃隱以下, 七十二人, 皆守罔僕義. 以此推之, 則明末雖有湯武之擧, 列聖及華陽先生, 亦爲之築壇建廟也審矣." 野老曰: "我純宗四年庚戌之變, 尙忍言哉! 社稷已墟, 宗廟不守. 黍離々, 麥薪薪. 三十六年間, 奴隷我, 魚肉我, 此非壬辰八年之比也. 況我上皇戊午被害, 豈龍灣之辱而已哉? 何幸天佑我東? 往歲乙酉八月十五日, 美國大統領트르만氏之一丸爆彈, 解吾三千萬民之鐵網, 還我三千里之舊域, 彼倭之巢居穴處者, 如鳥之竄, 鼠之匿. 蕩然無孑遺. 伊誰之力? 大報萬東之義推之, 則我韓之於美國, 崇報之義, 不可同日而語矣. 邢玠楊鎬以東征, 師臣亦已有祠宇, 則美之某氏當家俎豆而戶尸位矣. 然而竊聽今日先輩長老之言, 則莫不以夷狄待之, 不復知有感恩之說, 抑何哉?" 山叟曰: "彼美之用爆爲美, 非爲韓也. 不滅倭, 其國危矣. 脣亡齒寒, 理勢之所必至者也." 野老曰: "壬辰之亂, 非惟禍在我國, 將以蔓延于鴨江以北, 明之援護, 亦爲明, 非爲我也. 于明則感而戴之, 于美則攘而斥之, 亦何也?" 山叟曰: "尊中華攘夷狄, 孔夫子春秋大一統之義也. 夫子作『春秋』, 諸侯用夷禮則夷之, 夷而進於中國

溺則援之以手乎?" 曰: "嫂溺不援, 是豺狼也. 男女授受不親, 禮也; 嫂溺援之以手者, 權也." 참조.

則中國之, 此千古鐵限也. 人獸之分焉, 夜晝之辨焉. 綱紀以之而立, 倫常以之而明, 如有毫厘之差, 則人不得爲人, 晝不得爲晝, 綱紀頹而倫常滅矣."

溪老曰: "今有人焉, 於其父母之讐, 自力不能報, 忍痛含冤, 苟度歲月. 一朝有大人先生爲之報仇, 其子之情, 當感恩戴德, 終其身不忘矣. 然則爲之報仇者, 不幸不出於大人先生之手, 而出於禦人國門之外者, 亦當如何?" 山叟曰: "父讐之得報, 一也, 何擇乎其人之賢不賢?" 溪老曰: "父子, 天性之親也. 而以大義, 則有時乎滅之. 男女授受不親, 禮也, 而嫂溺援之以手者, 聖人之權也. 華夷之分, 雖曰千古鐵限, 而其於罔極之鴻恩大德, 何嗚乎? 列聖已遠, 先生不作蚕絲牛毛之精義奧言, 孰與從而質諸?"

연연당문고 권5
서(序)

감수 : 연정 김경식(淵亭 金璟植)
   (연정교육문화연구소장)
번역 : 박정양(朴正陽)
   (중국: 연변대학 도서관 전 관장 ·
    조선언어문학부 교수)

낙산 풍아집 서(駱山風雅集序)

 산이 반드시 수양산(首陽山)¹⁾이 아니라도 되고 사람은 반드시 백이(伯夷)²⁾가 아니라도 되는 것이며 백이의 마음으로 수양산에 은거하면 이런 사람이 묵태씨(墨胎氏)³⁾의 무리라고 말할 수 있을 것이며 오르는 산마다 모두 부주산(不周山)⁴⁾이었을 것이다. 공자(孔子)는 말씀하기를 "인(仁)을 구하면 인(仁)을 얻는다"고 한지 오래 되었으며 회옹(晦翁)⁵⁾이 말하기를 "현자(賢者)의 청백함이 세상의 교육에 큰 공(功)이 있었다"고 하였으니 나는 이 세 가지를 송옹(宋翁)에게서 보았다. 옹(翁)은 기개가 있고 큰 뜻이 있었으나 어려운 시대를 만나 우리나라 동쪽에 있는 낙산(駱山)에서 일민(逸民)⁶⁾으로 살기를 달게 받아들이어 시를 읊거나 길을 걸을 때는 홍수(紅樹)와 백운(白雲) 사이에서 가장 많이 걸었다. 때로는 광가(狂歌)와 방언(放言)을 쏟아내며 옆에 있는 사람을 꺼려하지 않았고 백인(白刃)을 밟아도 피하지 않고 산령(山嶺)과 창해(蒼海)를 밟아도 평탄한 길과 같이 여겼으며 건(巾)을 벗고 초의(草衣)를 입으며 스스로 폐인처럼 행세하여 우중(虞仲)⁷⁾이 중권(中權)⁸⁾을 포기하는 것 같은 자취가 있었다. 그러나 그 높은 행실과 의리는 어찌 그럴만한 이유가 없겠는가. 옹(翁)은 일찍 면암(勉菴)의 문하에서 있었으므로 북방의 학자들이 그를 앞선 사람이 없었고 사문(斯

---

1) 산서성 영제현(山西省永濟縣)의 남쪽에 있는 산명, 백이(伯夷), 숙제(叔齊) 형제가 아사(餓死)한 곳임.
2) 고죽국(孤竹國)의 제 7대 왕인 아미(亞微)의 장자(長子), 성은 묵태씨(墨胎氏), 명은 윤(允), 자는 공신(公信), 숙제(叔弟)와 아빙(亞憑) 두 아우가 있음. 부왕(父王)이 숙제에게 양위를 하려는 뜻이 있자 백이는 숙제에게 왕위를 양보하고 도주하였는데 숙제도 형의 자리를 자신이 앉을 수 없다고 판단하고 도주하였다가 주(周)의 희발(姬發: 武王)이 상(商)의 주왕(紂王)을 정벌하려고 할 때 두 형제는 희발을 방문하여 신하로서 천자를 정벌하는 것이 부당함을 말하였으나 거절 당하자 두 형제는 주나라의 봉록을 먹을 수 없다하고 수양산(首陽山)으로 들어가 고사리를 캐어먹고 살다가 아사(餓死)하였다고 한다.
3) 중국 주(周)나라 말기 고죽국(孤竹國)의 왕자 백이(伯夷),숙제(叔齊)의 성씨.
4) 곤륜산(崑崙山) 서북쪽에 있는 산명, 열자(列子)에 이르기를 "공공씨(共工氏)와 전욱(顓頊)이 서로 싸우다가 불주산(不周山)과 충돌하여 천주(天柱)가 부러졌다"고 하였다.
5) 주자(朱子)의 호를 약칭한 것임.
6) 학덕(學德)이 높지만 세상에 나오지 않고 은거하는 선비를 일컬음.
7) 상(商), 주(周)나라 태왕(太王)의 차자(次子)인 중옹(仲雍), 태왕(太王)이 차자 중옹에게 양위를 하려고 하자 큰 아들 태백(太伯)은 왕위를 아우 중옹에게 양위하고 형만(荊蠻)으로 도주하자 중옹도 자신이 왕위에 오를 수 없다고 생각하고 역시 형만으로 도주 하였다. 이 두 형제는 주(周)나라 주장(周章)의 후손이므로 태백과 중옹은 오(吳)나라 왕이 되기를 요구하여 태백이 오나라 왕이 되고 중옹은 주나라 북쪽에 있는 하(夏)나라 고허(故墟)에 봉해 있다가 태백이 사망한 후 오왕(吳王)이 되었다.
8) 무슨 일을 하다가 포기 하였지만 임시조치를 취하는 방법에 맞다는 뜻임.

文)을 위하여 화양서원(華陽書院)⁹⁾의 건립에 성의를 다 하였으며 왕사(王事)에 열중하여 숙모전(肅慕殿) 건립에 노고를 다 하였으니 그 연원(淵源)의 정통과 학문의 노력을 더욱 속일 수 없는 것이었다. 그는 일찍 시를 지어 채미가(採薇歌)¹⁰⁾와 맥수가(麥秀歌)¹¹⁾의 은미한 뜻을 담았으므로 당시 유문(儒門)의 숙덕(宿德)들과 예원(藝園)의 거장(巨匠)들은 그 소문을 듣고 서로 화답하여 아름다운 시들이 대아(大雅)¹²⁾가 되고 국풍(國風)¹³⁾이 되기도 하였다. 충간(忠肝)은 서로 통하고 의담(義膽)은 막힘이 없어 거의 고점리(高漸離)¹⁴⁾가 축(筑)을 치고 형가(荊軻)¹⁵⁾가 노래한 것과 같았으니 그 뜻이 슬프다고 할 것이다. 아! 숭사(崧社)가 망하자 만수산(萬壽山)으로 들어가 두문불출 하였으니 이런 일을 일일이 세어볼 수 있었다. 그의 정충(精忠)과 대절(大節)은 지금도 늠름하여 사람들의 이목을 으쓱하게 한다. 사람은 고금이 없고 땅은 남북이 없으며 군신(君臣)간의 대의(大義)는 타고난 천성에서 나온 것이므로 천지 사이에 도망갈 수 없는 것이다. 그렇다면 낙산(駱山) 한 구역이 수양산(首陽山)이라고 해도 가할 것이며 만수산(萬壽山)이라고 해도 가할 것이다. 그러나 옹(翁)의 마음은 그 몸만 숨기는 것이 아니라 그 이름도 숨기었으니 제공(諸公)이 시와 송(頌)¹⁶⁾ 을 짓고 나도 글을 지었으나 옹의 진면목을 숨기는 데는 어쩔 수 있겠는가. 아! 산은 백이(伯夷)를 숨

---

9) 충북 괴산군 청천면 화양리(忠北槐山郡靑川面華陽里)에 있는 서원(書院). 노론의 영수 송시열(宋時烈)을 향사한 곳으로 숙종 22년(1696)에 건립하였으나 철종 7년"(1716)에 철폐 하였다.

10) 악부(樂府)의 금곡사가(琴曲歌詞)의 이름. 백이(伯夷)가 수양산(首陽山)에서 고사리를 케먹으며 지었다고 전한다.

11) 은(殷)나라가 천하를 잃은 후 그 종족인 기자(箕子)가 주(周)나라로 가기 위해 은헌(殷墟)를 지나면서 옛 궁전 터에 화서(禾黍)가 무성한 것을 보고 감개하여 이 노래를 지었다고 한다. 그 노래는 "보리는 점점 빼어나고 벼와 기장도 무성하게 자라네. 저… 교동(狡童)은 나와 좋을 수가 없다(麥秀漸漸兮, 禾黍油油兮, 彼狡童兮, 不與我好兮)"라고 하였다.

12) 시경(詩經) 4개의 기사유형(詩歌類形)의 하나. 큰 정치를 말한 정악(正樂)의 노래이다.

13) 시경(詩經)의 4개 시가 유형의 하나. 궁중에 관하여 노래한 것을 시경에 편집하였다.

14) 전국(戰國), 연인(燕人), 축(筑)을 잘 쳤다고 한다. 그는 연(燕)나라 태자 단(丹)의 부탁으로 형가(荊軻)와 함께 진(秦)나라로 들어가 진시황(秦始皇)을 살해하려고 하였으나 형가의 실패로 민간으로 숨어 지내다가 진시황이 그가 축을 잘 친다는 소문을 듣고 그 죄를 용서하는 대신 진나라 궁중에서 축을 처주기를 요구하자 고점리(高漸離)가 하루는 축 속에 납덩어리를 넣고 궁중으로 들어가 축을 치는척 하다가 진시황에게 축으로 쳤으나 맞지 않아 사형되고 말았다.

15) 전국(戰國), 본래 제인(齊人)이었으나 위(衛)나라로 이사하여 경경(慶卿)으로 칭하였고 연(燕)나라에 가서는 형경(荊卿)으로 칭하였다. 그는 연(燕)나라 태자 단(丹)의 명으로 번어기(樊於期)의 머리와 독항지도(督亢地圖)를 가지고 고종리(高鍾離)와 함께 진(秦)나라의 궁전으로 들어가 진시황을 비수로 찔렀으나 빗나가 도리어 살해 되었다.

16) 시경(詩經) 4개 시가 유형(詩歌類形)의 하나. 주(周)나라 종묘 제사 때 무곡(舞曲)의 가사임.

기지 못하고 수양산이 돌이어 백이를 나타나게 하였으니 채미가(採薇歌)와 청운전(靑雲傳)[17]이 불후작(不朽作)이 되어 천년만년 전해지고 이 낙산(駱山)도 국풍이 되고 대아(大雅)가 되어 일어나지 않을 수 없을 것이다. 모든 둥근 머리와 모난 발을 갖은 사람은 누구든 듣기를 좋아하고 말하기를 좋아하지 않겠는가. 이 문집(文集)을 가정마다 외우고 거문고로 퉁긴다면 그 소문을 들은 사람들 중 완악한 사람은 청렴하게 변하고 나약한 사람은 뜻이 서게 될 것이니 현자(賢者)의 청백함이 세상의 교육에 큰 공이 되는 것도 여기에 있다고 할까.

駱山風雅集序

山不必首陽, 人不必伯夷, 而以伯夷之心, 隱首陽之隱。斯人也, 可謂墨胎氏之徒, 而所登皆不周也。孔子之稱, '以求仁得仁, 尙矣。' 晦翁所謂 '賢者之淸大, 有功於世敎者, 吾於三乎。' 宋翁見之矣。翁以倜儻之志, 生値艱難, 甘作逸民。於國東之駱山, 唫鞭醉屐, 偏在紅樹白雲之間。有時狂歌放言, 傍無顧忌, 蹈白刃而不避, 踏嶺海而若坦道。脫巾而衣帅, 自廢其身, 有虞仲廢中權之跡。然其卓行高義, 豈無所由哉? 翁早登勉老之門, 北方學子莫之或先。衛斯文也而殫誠於華陽之院, 勤王事也而賢勞於肅慕之殿。其淵源之正, 學問之力, 尤不可誣也。甞自賦詩以寓採薇、歌麥之微意。而當世之儒門宿德、藝園巨匠聞風而相和。芳潤瓚璜, 爲雅爲風。忠肝相照, 義膽無隔。殆漸離擊筑, 荊軻和而歌之, 其志良亦戚矣。噫! 崧社之屋也, 杜門於萬壽之山者, 歷歷可數也。其精忠大節, 到于今凜凜然聳人耳目。人無古今, 地無南北, 君臣大義, 根於秉彝, 而無所逃於天地間。則一區駱山, 謂之首陽可也, 謂之萬壽亦可也。雖然翁之心, 不惟隱其身, 亦將與其名而逸之。諸公之以詩以頌, 而余又從而文之, 奈翁眞面之隱何? 吁! 山不能隱伯夷, 而首陽之名反以伯夷而顯。採薇之歌, 靑雲之傳, 同其不朽而傳諸千億。此駱山風雅之不得不興也。凡圓顱而方趾者, 孰不樂聞而樂道之哉。使斯集家誦而戶絃, 聞其風者, 頑以之廉, 懦以之立, 賢者之淸大。有功於世敎者, 其在斯歟。

---

17) 미상.

유적벽서(遊赤壁序)

　　우주는 달사(達士)[18]의 낙원(樂園)이며 산천(山川)은 문인(文人)의 장관이다. 정신은 육합(六合)[19]에서 놀고 눈은 구주(九州)[20]에 높아 인간의 "요로(要路)[21]와 통진(通津)[22]은 꿈에도 이미 끊겨 물외(物外)의 청산(靑山), 녹수(綠水)를 그대와 함께 거닐고 있었다. 복천(福川)[23]의 옛 고을은 화순(和順)의 새 읍(邑)이 되었는데 천인(千仞)[24]의 서석산(瑞石山)[25]은 팔주(八州)[26]에 운근(雲根)이 서리어 있고 칠리(七里)의 보산(寶山)은 삼강(三江)의 수파(水派)을 띠고 있다. 오직 적벽(赤壁)[27]의 기이함은 어찌 황주(黃州)만이 아름다움을 오로지 하겠는가. 크고 넓은 바위는 아끼던 비경(祕境)을 해내(海內)에 드러내고 맑은 물결은 그 숙기(淑氣)가 호남(湖南)에 모여 있다. 이미 세상과 멀리 막혀 있으니 빼어난 신선의 집이 되었다. 열흘 동안 휴가를 얻었으니 마침 날자도 좋고 때도 좋았다. 백리 길에 친구를 맞이하니 다행히 뜻고 같고 도(道)도 맞았다. 나의 말을 현포(玄圃)[28]에서 달리고 나의 고삐는 낭원(琅苑)[29]에 메어 두었다. 하늘과 땅은 일색이 되어 찬 거울의 한 면을 이루고의 동남쪽에 기운은 몇 점으로 보

---

18) 이치에 밝아 사물에 얽메이지 않는 사람.
19) 천지와 동서남북을 합하여 일컬을 말임.
20) 중국 전토를 9개 지역으로 나누어 구유(九有) 또 구위(九圍)라고 한다. 요순시대(堯舜時代)부터 하(夏)나라까지는 기(冀)·곤(袞)·청(靑)·서(徐)·형(荊)·양(揚)·예(豫)·량(梁)·옹(雍)이며 은(殷)나라 때에는 기(冀)·옹(雍)·양(揚)·형(荊)·곤(袞)·서(徐)·유(幽)·영(營)이라고 주(周)나라 때에는 양(揚)·형(荊)·예(豫)·청(靑)·곤(袞)·옹(雍)·유(幽)·기(冀)·병(幷)이라고 하였다.
21) 어떤 일을 결정하는 영향력 있는 주요한 자리나 또는 그 직위에 있는 사람을 말한다. 또는 벼슬할 수 있는 길을 말하기도 한다.
22) 어떤 목적을 두고 그 곳에 통한 수 있는 지름길을 말한다.
23) 전남 화순군 동복면의 옛 이름.
24) 인(仞)은 옛날 자로 8척(尺)이므로 천인(千仞)은 매우 높다는 표현임.
25) 전남 광주 무등산의 다른 이름.
26) 전남 화순군 동복에 있는 적벽(赤壁)은 옹성산(甕城山)에 위치하고 있는데 이 옹성산은 무등산(無等山)의 줄기로 그 주위의 고을이 8개 주이다.
27) 전남 화순군 동복면에 있으며 약 10리에 걸친 강을 따라 이어진 적벽(赤壁)은 화병(畫屛)처럼 나열해 있고 명정고루(名亭高樓)가 곳곳마다 있어 예로부터 시인묵객들이 많이 방문 하였다.
28) 현포(玄圃); 신화전설상으로는 곤륜산에 있는 산신들이 머무는 고장이라고 한다. 범인들이 이 산에 오르기만 하면 당장에 신선이 되어 장생불로한다고 전한다.
29) 낭원(琅苑); 신선들이 사는 고장. 《집선록(集仙錄)》에 "서왕모의 궁궐은 남풍식 동산이 있는데 천리에 성곽이 뻗어 있고 구슬로 된 다락이 열 둘이 있다."고 기록 되어 있다.

이는 청봉(青峯)이 나열해 있다. 연소(鷰巢)와 학소(鶴巢)는 삼청(三淸)의 일월(日月)을 접하고 노정(鷺汀)과 부저(鳧渚)는 십주(十州)의 연하(煙霞)와 대등하였다. 그 처음부터 말한다면, 고소대(姑蘇臺)30)는 푸른 나무와 하얀 구름이 얼키고 설키어 기암(奇巖)이 층층으로 솟아 있고, 화표봉(華表峯)은 비단이 아름다움을 겨루듯 한 취병(翠屛)이 둘러 있었으며, 탄금대(彈琴臺)의 깨끗한 운치는 산은 높고 물은 깊었으며 한산암(寒山菴)의 저녁 종소리는 여울에 울리고 골짜기에도 호응 하였다. 황니판(黃泥坂)은 의당 임고(臨皐)로 돌아가는 길이고, 백구정(白鷗亭)은 강호(江湖)의 한가로운 흥이 생기었다. 강선대(降仙臺) 위에는 신선의 자취가 아직 남아 있고, 환학정(喚鶴亭) 앞에는 학의 울음소리가 끊기지 않았다. 이것이 이른바 강상팔경(江上八景)이다. 때는 7월이며 날자는 16일이다. 옥우(玉宇)31)는 맑고 가을바람은 서늘하게 불며 물은 졸졸 흐르고 구름은 담담히 떠 있다. 푸르슴한 이슬 흔적은 연파(烟波) 위에 어렴풋이 보이는데 잠시 후에 달빛이 소나무와 등나무 사이에 비추었다. 이에 작은 배를 띠워 창파(蒼波)를 헤치고 나가니 모두가 운심(雲心)과 수성(水性)이었다. 명월편(明月句)32)를 외우고 청풍장(淸風句)33)를 노래하니 창자에 든 것은 비단 아닌 것이 없었으며, 언제나 술에 취하여 국외(局外)의 큰 뜻은 잊어 버리었다. 계수나무 돛대 달고 목난(木蘭)의 노를 저으며 노선(老仙)의 맑은 노래 소리를 화답하고 달빛 밝고 별이 드문 밤에 영웅(英雄)이 남긴 한을 아쉬워 하였다. 어부(漁父)는 물염정(勿染亭)의 숲이 더욱 새롭다고 하고 미인(美人)을 바라보는 정자는 한쪽에 있었다. 산하(山河)는 옛날과 다른데 황하(黃河)의 옛 석굴(石窟)을 지나가다가 선악(仙樂)의 맑은 음악소리를 들었다. 위로는 높은 하늘에 솟아 있는 옥봉(玉峯)이 깎아지른 듯 서 있고, 아래에는 땅이 없이 임한 기와의 모소리가 나는 듯 펼쳐있다. 암석은 더욱 내 마음을 놀라게 하고 계산(溪山)은 움직이는 빛이 보였다. 그 곳은 구학(丘壑)이 절승(絶勝)하였고 명예와 이권을 다투는 사람이 없었다. 연운(煙雲)을 품제(品題)로 하였으니 어찌 시구(詩句)의 공졸(工拙)을 논하겠는가. 고금의 치빙(馳騁)과 부앙(俯仰)하는 회포를 논하였다. 흥이 다하면 슬픔이 오고 즐거움이 다하면 슬픔이 생긴 것이다.(註 : 이때 아우 순회가 學徒兵으로 徵用되었음) 아! 창해(蒼海)의 한낫 쌀톨같은 인생이 백년동안 풍

---

30) 중국 소주성의 고소산에 있다. 서기 기원전 505년 오왕 합려(闔呂)가 건축하기 시작하여 그의 아들 오왕 부차(夫差)가 뒤를 이어 건축하였는데 규모가 굉장하고 무척 화려하여 부차의 사치한 생활에 이용되었다고 한다.
31) 천제(天帝)가 거주한 곳. 즉 하늘을 말한다.
32) 송(宋)나라 소동파(蘇東坡)의 전적벽부(前赤壁賦)에 있는 구절로 청풍서래(淸風徐來)에서 따온 말임.
33) 소동파의 전적벽부에 포명원이장종(抱明月而長終)을 인용한 구절임.

전등화(風前燈火)처럼 살았다. 나비가 되었던 장생(莊生)[34]의 꿈은 진짜가 환각이 되었고 잃은 말을 얻었으니 새옹(塞翁)[35]의 화(禍)가 복이 되었다. 밤에 계산(鷄山)에 달이 뜨니 모든 손님들이 고향을 그리워 하였다. 비바람이 부는 촉(蜀)나라 길에 누가 길을 잃은 사람이 아니던가. 장수하고 요절해도 같은 곳으로 가고 범인과 뛰어난 사람도 한 길을 가는 것이다. 한(漢)나라 궁전에서 분장하던 여인이 오랑캐 땅에 첩이 되었다. 세월이 얼마나 되겠는가 장부는 눈물 흘리고 규중(閨中) 여인은 끊임없이 흐르는 강물을 그리워 하였다. 가을 바람은 밤마다 불어오지만 고국(故國)의 편지는 끊기었고 봄 풀은 해마다 낫지만 두견새는 왕손(王孫)의 한을 호소하였다. 이치에 의존하면 잘 되지 않는 일이 없는 것이니, 난(亂)이 다하면 선치(善治)를 생각하는 것이다. 철인(哲人)은 기미를 알아 혼미하지 않고 군자는 오는 것을 맞이하여 순수하게 받아들여 부귀를 원하지 않았다. 내가 즐기는 것은 임천(林泉)의 영허(盈虛)도 상도(常道)가 있는 것이다. 나그네도 저… 물과 달을 알고 있어 이에 노래 부르기를 "이제는 그만이니 내가 누구와 함께 갈 수 있을까. 풍경(風景)을 방문하여 천지를 집으로 삼고 신선이 되어 백운과 함께 날고 싶구나."라고 하였다.

遊赤壁序

夫宇宙者，達士之樂園；山川者，文人之壯觀也。神遊六合，眼高九州。人間之要路通津，夢魂已斷；物外之靑山綠水，與子偕行。福川故縣，和順新邑。千仞瑞石，盤八州之雲根；七里寶山，帶三江之淸派。維赤壁之奇絕，奚黃州之獨專？磅礴巉嵒，開慳秘於海內；漣漪澄澈，鍾淑氣於湖南。旣遼隔於塵寰，塞靈仙之攸宅。一旬休暇，適日吉而辰良；百里逢迎，幸志同而道合。步余馬於玄圃，摠余轡於琅苑。上下天光，開一面之寒鏡；東南霽色，列數點之靑峯。鷰巢鶴棲，接三淸之日月；鷺汀鳧渚，等十洲之烟霞。若其始曰姑蘇，紆靑繚白，奇岩層生。峯曰華表，爭綺競羅，翠屛環立。彈琴臺之淸韻，山高而水深；寒山菴之暮鍾，澗鳴而谷應。黃泥之坂，應是臨皐歸程；白鷗之亭，聊託江湖閑興。降仙臺上仙迹尙存，喚鶴亭前鶴報不絕。此所謂江上八景也。時維七月，日亦旣望。玉宇淸，金風颯，溶溶水，淡淡雲。蒼然露痕，縹渺烟波之上。少焉月色隱

---

[34] 장자(莊子)를 말함.
[35] 변방에 사는 노인이라는 뜻, 새옹지마(塞翁之馬)로 이름난 명사이다.

映松蘿之間, 於是縱一葦凌蒼波, 俱是雲心水性。誦明月歌, 淸風無非錦肚繡腸。醉壺裏之乾坤, 忘局外之鴻鵠。桂棹蘭槳, 追和老仙之淸歌, 月明星稀, 可憐英雄之遺恨。漁父以勿染雲林, 愈新望美人兮。一方山河異昔, 過黃河之古窟, 聽仙樂之雅操。上出重霄, 玉峯削立;下臨無地, 瓦角如飛。岩石益其駭心, 溪岑盱其動色; 地有邱壑淸絶之勝, 人無名利奔競之徒。品題烟雲, 奚論工拙之句。縱論今古馳騁, 俯仰之懷。興盡而悲來, 樂極而哀生。時家弟舜㑹徵学兵㑹亦被徵。嗚乎!滄海一粟, 風燈百年。爲蝶爲蝴, 莊生之夢眞相幻, 得馬失馬, 塞翁之禍福轉環, 夜月鷄山, 摠是思鄕之客。風雨蜀道, 誰非失路之人?彭殤同歸, 凡楚一轍。漢宮粧, 胡地妾。歲月幾何丈夫淚, 閨女懷江流無盡。秋風夜夜, 鴻斷故國之書, 春艸年年, 鵑啼王孫之恨。所賴理, 無不善, 亂極思治, 哲人知幾?而不迷君子, 逆來而順受。富貴非願。余所樂者, 林泉盈虛有常。客亦知夫水月, 乃歌曰: 己矣哉!己矣哉!吾誰與歸?訪風景而天地爲室兮, 欲羽化兮與白雲飛。

명산대천계(名山大川稧)의 서문(序文)

　천하가 작지 않지만 거처하는 곳이 높으면 보는 것도 따라서 달라지게 된다. 이것은 하백(河伯)[36]이 북해(北海)를 구경하고 나서야 천하의 대방가(大方家)[37]들의 웃음을 면하게 된 것과 마찬가지이다. 고금에 산수를 유람하고 나서 자기의 기운을 장하게 하고 자기의 문장을 기이하게 한 사람들을 두루 헤아려 보면 어찌 제한되고 삭막하다고 하겠는가만, 그 가운데서 가장 뛰어난 사람은 한(漢)나라 태사공(太史公)[38]이라고 하여야할 것이다. 지금 그의 문장을 보면 분방(奔放)하고 호만(浩漫)하여 마치도 양자강이 남회(南淮)에 이르러 거꾸로 굽이돌아 사품치며 아름다운 자랑하는 것과 서로 비슷하며 마치 양대(陽臺)[39]의 조운(朝雲)과 창오(蒼梧)[40]의 모연(暮烟)같이 변화하는 것과도 서로 비슷하다. 감분(感憤)하여 상격(傷激)하게 되면 것은 원·상(沅

---

36) 물을 맡은 신(神).
37) 문장(文章)이나 학술(學術)이 뛰어난 사람.
38) 사마천(司馬遷)이 자신을 일컬은 말. 그는 아버지의 직함인 태사(太史)를 이어받아 태사가 되었다.
39) 햇볕이 비치는 대(臺).
40) 중국 호남성 녕원현(湖南省寧遠縣)의 동남쪽에 있는 산명(山名), 순(舜)임금이 이 산 아래서 붕하였다.

湘)⁴¹⁾의 이야(二娥)⁴²⁾가 한을 품은 것 같고 웅용(雄勇)하고 맹건(猛健)하기는 초·한전(楚漢戰)의 살벌한 기세를 보여주고 있다. 참절(斬截)하고 준발(峻拔)하는 듯한 아찔한 절벽은 검각(劍閣)⁴³⁾의 조도(鳥道)와 방불하고 전중(典重)하고 온아(溫雅)하기는 사수(泗洙)⁴⁴⁾의 연원(淵源)을 이어간 듯하니, 이것이 그 유람의 장관이고 그로 하여 그의 문장은 기이하게 된 것이다. 그러므로 자장(子長)⁴⁵⁾의 문장은 역사에 있는 것이 아니라 명산과 대천의 장려(壯麗)하고 괴이(怪異)한 곳에 있는 것이다. 그 문장을 배우려고 하면 먼저 그 유람하는 것을 배우는 것이 옳은 일일까. 생각하여 보니 우리 세 사람은 뜻이 같지 않는 것이 없고 또 한 지역에 살고 있는데 혹 10리 정도 가깝고 혹은 1리(里)정도 보다는 먼 거리에 살고 있어 동쪽을 가고 서쪽을 가며 서로 부르고 아침 저녁으로 서로 찾아다닌다. 이리하여 서로 의논을 하여 말하기를 "산수가 우리를 저버린 것이 아니라 우리가 산수를 저버린 것이 오래 되었으니 계(稧)를 하나 만들자"고 약속을 하고 그 이름을 '명산대천(名山大川)'이라고 하였다. 그 취지는 대개 천하의 큰 명승지를 유람하는데 있는 것이다. 무릇 천지 사이에 날은 새와 물속에서 잠겨있는 고기와 동식물(動植物)이 어찌 우리들의 호연지기(浩然之氣)⁴⁶⁾를 기른 도구가 아니겠는가. 더구나 높이 솟은 산은 우리가 그것이 산인 줄만 알고 넓게 흐르는 강을 우리는 그것이 물인 줄만 알고 있으며 조용한 산을 보면 인(仁)한 마음이 더욱 두텁고 물의 흐름을 보면 지혜가 더욱 주밀하므로, 위에서 말한 문장이란 두 번째 차원으로 밖에 되지 않는다. 돌아다니며 유람하면서도 강산(江山)의 동정(動靜)이 오묘함을 모르고 한갓 높은 곳만 오르고 높은 바위만 밟으며 강물에 들어가 물결을 만져 보면 숭산(嵩山)⁴⁷⁾, 화산(華山)⁴⁸⁾과 창해(蒼海), 사독(四瀆)⁴⁹⁾이 그리 많은 량이 아니며 흙더미와 물방울도 적은 량이 아닐 것이다. 저! 높은 산과 넓은 바다는 결국 월(越)나

---

41) 중국 호남성(湖南省)에 있는 원강(沅江)과 상강(湘江).
42) 요(堯)임금의 두 딸이자 순"(舜)임금의 두 아내인 아황(娥皇)고 여영(女英). 순임금이 남쪽 지역을 순행 중 창오(蒼梧)의 들에서 붕어 하자 이 두 후비(后妃)는 뒤를 따라 상강(湘江)까지 갔다가 순임금의 붕어소식을 듣고 대나무를 붙고 통곡하다가 상강에 투신하였다.
43) 중국 사천성(四川省)에 있는 현명(縣名). 이 곳에 대검산(大劍山)과 소검산(小劍山)이 있다.
44) 중국 산동성(山東省)에 있는 사수(泗水)와 수수(洙水), 공자(孔子)가 이 곳 출신이므로 사수(泗洙)는 즉 공자를 지칭하는 단어가 되었다.
45) 전한(前漢) 사마천(司馬遷)의 자(字)임.
46) 도의의 정신으로 물욕과 권세에 흔들리지 않고 곧고 바르게 사는 용기를 말함.
47) 중국 오악(五嶽)의 하나, 중악(中嶽)에 속함.
48) 오악(五嶽)의 하나, 서악(西嶽)에 속함.
49) 중국 장강(長江), 황하(黃河), 회수(淮水), 한수(漢水)를 말한다.

라 사람들에게 장보(章甫)⁵⁰⁾ 같은 것이니 나에게 무슨 도움이 있겠는가. 아! 노성(魯城) 남쪽에서 목욕하고, 무우(舞雩)⁵¹⁾의 제단(祭壇)에서 시를 읊고 돌아온 것은 노(魯)나라 사람들이 함께 하는 일이니 비파(琵琶)를 그만 타고 대답하는 증석(曾晳)의 말에 부자(夫子)⁵²⁾가 취하는 것은 무엇이었을까.

名山大川禊序

天下不是小也, 而所處旣高, 則所見亦隨而變焉. 此河伯之所以見北海若, 而終能免笑於大方家也. 歷數今古得於山水遊觀, 而壯其氣、奇其文者, 何限漢之. 太史公尤傑然者也. 今觀其文章, 奔放而浩漫, 似南淮大江之逆走而橫擊; 姸媚而蔚紆, 似陽臺之朝雲蒼梧之暮烟, 變態無定. 感憤而傷激, 有沅湘二娥之恨; 雄勇而猛健, 有楚漢戰爭之氣. 斬絕峻拔髣髴乎劒閣之鳥道; 典重溫雅, 承接乎洙泗之淵源. 是其遊也壯, 故其文亦奇. 故曰: "子長之文不在史, 在於名山大川壯麗可怪之處." 欲學其文, 先學其遊可乎? 惟吾儕數三人, 志無不同, 居又同鄉, 或十里而近, 或一里而遠. 東招西邀, 晨夕相求, 乃相與語曰: "山水不負吾輩, 而吾輩負山水久矣." 設一禊, 名以名山大川, 其志盖在盡天下之大觀也. 凡覆載間, 飛者、潛者、動者、植者, 何莫非爲吾養氣之具? 況崇然而峙者, 吾知其爲山; 浩然而流者, 吾知其爲水. 見山之靜而仁益厚, 見水之流而知益周. 向所謂文章亦第二等也. 若夫遊焉觀焉, 而不知流峙動靜之妙, 徒能登高而履嶻岩; 臨流而弄潺湲, 則嵩華海瀆不足爲多, 土堆涓流, 不足爲少. 彼峨峨者洋洋者, 終是越人之章甫, 於我何有. 噫, 城南之浴, 壇上之詠, 魯人之所同也. 而舍瑟之對, 夫子取焉矣.

---

50) 월(越)나라에서 머리에 쓰던 예관(禮冠).
51) 산동성(山東省)의 기산(沂山)에 있는 제단(祭壇). 춘추시대에 이 곳에서 기우제를 지냈음.
52) 공자(孔子)를 지칭함. 증석(曾晳)이 자신의 뜻을 공자에게 말하기를 "친구들과 동자 몇 명을 데리고 기수(沂水)에서 목욕하고 무(舞雩)에서 시를 읊고 돌아 오겠다"고 하였다.

도은숙부(道隱叔父) 61세 서(序)

　　금년 정해년(서기1947) 8월 18일은 우리 도은숙부(道隱叔父)의 생신이었다. 자손과 형제들이 새 벼로 술을 담고, 손님을 맞이하여 잔치를 베풀어 만년(萬年)의 수작(壽爵)을 올리니 사죽(絲竹)[53] 소리는 마을에 가득하고 반의(班衣)[54] 입은 자손들은 뜨락에 가득 하였다. 그러나 소자 정회(正會)는 이때 최복(衰服)[55]을 입고 있었으므로, 감히 그 자리에 참여하지 못하고 삼가 말 한마디로 다음과 같이 축하를 드리었다.
　　기자(箕子)[56]의 홍범구주(洪範九疇)[57]에 오복(五福)[58]을 언급하면서 수(壽)를 첫째로 두었다. 수를 한 후에 복을 논할 수 있기 때문이다. 수는 천성적으로 얻어지는 것이며 신운(身運)이 왕성하고 쇠퇴한 것은 일정한 기한이 있는 것이다. 오직 한 사람의 신운(身運)만이 아니라 또한 가정이 흥하고 망하는 것과도 관련이 있는 것이다. 옛날 우리 고조, 증조 및 조부의 수명이 모두 70세를 사셨는데, 그 효행(孝行)과 미덕(美德)이 대대로 이어졌다. 그때 가법(家法)은 아름다워 사람들이 칭찬 하였다. 아! 그러나 우리 선고(先考)께서는 60세의 수도 못 누리시고 저희들을 버리셨는데 10년도 안되어 가법이 이미 무너지고 규칙도 지켜지지 않았다. 비록 소자(小子)들이 불초하여 어진 사람을 닮지 못했지만 또한 수명이 길고 짧은 데서 그런 일이 생기는 것이다. 지금 우리 숙부님은 그 얼굴이 윤이 나고 그 정신을 맑으며 더부룩한 수염은 하얗고 모습은 전아(典雅) 하므로 이로부터 70세 80세 90세 100세가 되도록 반드시 몸을 잘 보존할 것을 아무런 의심도 하지 않았었다. 그 신운(身運)이 왕성한 것을 보면 가정이 다시 태평해질 그 징조가 있는 것일까. 더구나 그 천성적인 효성과 공순한 덕은 이 고을 사

---

53) 관현악(管絃樂)을 말함.
54) 청자홍(靑紫紅) 3색으로 만든 떼떼옷. 옛날 노래자(老萊子)가 70세의 나이에 아버지를 위해 이 옷을 입고 아버지를 즐겁게 하였다고 하며, 지금도 10세 이하의 어린 아이들의 돌이나 명절 때 입는다.
55) 부모의 상복으로 아버지의 상에는 참최복(斬衰服)을 입고 어머니의 상에는 제최복(齊衰服)을 입는다.
56) 은(殷)나라 주왕(紂王)의 친척, 명은 서여(胥餘), 자작(子爵)으로 기(箕)에 봉해져 기자(箕子)라고 칭한다. 그는 주왕의 폭정을 간하였으나 듣지 않자 기자는 양광(佯狂)노릇을 하며 노복 행세를 하였고, 주(周)의 무왕(武王)이 주왕을 정벌한 후 기자를 조선(朝鮮)의 왕으로 봉하였으나 기자는 명예 뿐이며 실제로 조선에 오지 않고 그의 자손이 습작한 것이다.
57) 고대 중국 우(禹)임금이 요순(堯舜) 이후 사상을 정리하여 집대성(集大成)한 유교(儒敎)의 총체적인 철학을 담은 천지(天地)의 대법(大法)이자 도덕적 기본 법칙이다. 그 구주(九疇)의 구성은 9개조로 1은 오행(五行), 2는 오사(五事), 3은 팔정(八政), 4는 오기(五紀), 5는 황극(皇極), 6은 삼덕(三德), 7은 계의(稽疑), 8은 서징(庶徵), 9는 오복(五福)으로 되어 있다.
58) 수(壽), 부(富), 강녕(康寧), 유호덕(攸好德), 고종명(考終命)이다.

람들의 공론이 있으니 소자가 어찌 들먹일 것이 있겠는가. 옛날 진세수(陳世修)[59]는 아침에 그의 숙부에게 수(壽)를 축하하면서 범려(范蠡)[60]를 그린 그림을 드리었는데 그 뜻은 대개 은퇴하여 휴양하는 것이었다. 우리 숙부의 별업(別業)이 회암(晦菴) 아래이자 인강(仁江)의 위에 위치하여 산은 높고 골자기는 깊으며 토양은 비옥하고 샘물은 차가웠다. 그리고 그 산에는 자양동(紫陽洞), 운곡(雲谷), 신안(新安), 안덕(安德), 정촌(程村) 등 종종 아름다운 이름이 있어 모두 품제(品題)로 삼을만 하므로 이곳에서 서식(棲息)하고 이곳에서 소영(嘯詠)하여 늙어간 줄도 몰랐다. 처음부터 세속에 물들이지 않았는데, 어찌 은퇴하여 오호(五湖)[61]의 연월(烟月)을 즐기며 뜻에 따라서 자신이 있는데 어찌 세수(世脩)의 범려도(范蠡圖)로 은연(隱然)한 의미를 나타내겠는가. 지금은 천하의 난이 이미 극도에 달하였으니 어찌 선치(善治)의 날을 생각하지 않겠는가. 오백년의 기한이 지나 세상 맑아질 날이 멀지 않았으니, 혹 성인(聖人)이 나타나고 만물이 소생하는 것을 볼 수 있을 것이며 세상의 민중(民衆)과 암혈(巖穴)에 숨은 선비들이 반드시 관을 쓰고 일어날 것이니, 우리 숙부님이 어찌 이곳에 오랫동안 계시겠는가. 선비의 은현(隱現)은 세운(世運)의 비태(否泰)를 점쳐보아야 할 것이다. 지금 이후로 임학(林壑)이 날로 빽빽하고 천석(泉石)이 날로 깨끗하며 수양이 날로 깊어지고 쌓이는 것이 날로 많아져서 기회를 기다렸다가 일어나면 반드시 무성하게 솟구쳐 걷잡을 수 없을 것이다. 그렇다면 오늘의 세수(世脩)가 드린 그림은 후일을 기다는 것이다. 공이 세도를 위해 송가를 부르니 저는 가도(家道)를 위해 축하하는 바이다.

道隱叔父六十一壽 序

今年丁亥八月十有八日, 我道隱叔父覽揆之辰。子姓諸昆季, 穫新稻爲酒, 延賓

---

59) 송인(宋人), 집중(執中)의 종자(從子), 그는 종부인 집중의 생일을 당하여 다른 친척들은 노인성도(老人星圖)를 집중에게 주어 축하 하였지만 진세수(陳世修)는 범려유오호도(范蠡遊五湖圖)를 주었다. 그것은 범려처럼 관직을 그만 두고 쉬어라는 뜻이었다. 집중은 그의 뜻에 감격하여 그날로 관직을 그만 두었다.
60) 춘추 월(春秋越), 초(楚)나라 삼호인(三戶人). 자는 소백(少伯), 문종(文種)과 함께 월왕(越王)인 구천(句踐)을 섬기며 온갖 고생을 다하여 20여년만에 오(吳)나라를 멸하고 그는 월나라를 떠나 제(齊)나라로 가거 성명을 바꾸어 치이자피(鴟夷子皮)라고 하였고 우양(牛羊)을 기루어 거부가 되었으며 그 재산을 사람들에게 나누어준 후 다시 도(陶)로 가서 또 성명을 바꾸어 주공(朱公)이라 하고 많은 재산을 또 모았다가 도에서 사망 하였다.
61) 중국의 태호(太湖), 파양호(鄱陽湖), 동정호(洞庭湖), 팽례호(彭蠡湖), 소호(巢湖)이다.

設宴, 而奉萬年之觴。絲竹溢巷, 斑斕交庭。小子正會, 方服衰, 不敢詣桌前, 謹以一言祝之。曰：箕疇之叙五福, 壽居一壽, 然後百福可論也。壽, 固得之天而身運旺; 衰, 有一定之限。不惟一人一身之運也。亦有關乎家道之 興替也。昔我高曾王考, 及生王考, 壽皆登七十。其至行懿德, 世繩步武。方其時, 家法之純美, 爲人所艷稱。嗚乎！迨我先考壽未六十而棄諸孤, 不十年成憲已壞。遺規不守, 雖緣小子輩之不肖無似, 而亦由命限之脩促也。今我叔父, 潤渥其顏, 淸令其神, 豐髯皤然, 儀表典雅, 自是而耄而耋而期而頤, 必保其無疑矣。觀乎身運之旺, 而家道之復泰, 或將有兆歟？況其植天之孝, 愷悌之德, 自有鄕人之公誦, 小子何述焉。昔陳世脩於其叔壽, 朝獻范蠡圖。其意盖曰：隱退閑養也。叔父別業在晦庵下, 仁江上。山高而谷深, 土肥而泉洌。山曰紫陽洞, 曰雲谷、曰新安、曰安德、曰程村, 種種嘉名, 皆有品題, 于以捿息焉, 于以嘯詠焉, 不知老之將至。初不染於污俗, 尙何事乎隱退五湖烟月, 隨意自在？亦奚用世脩之圖隱然？今天下亂已極矣, 豈無思治之日乎？五百過期, 河淸未遠, 庶見聖人作而萬物覩。世之草茅, 岩穴之士, 必將彈冠而起矣。我叔父亦豈久於此而已乎？士之隱現, 有以占世運之否泰。自今以往, 林壑日益邃密, 泉石日益淨明。養之日益深, 積之日益厚。待機以發, 必有沛然莫禦者。然則今日世脩之獻, 乃所以有待乎異時也。盖公以爲世道頌, 私以爲家道祝。

죽림단 유계(竹林壇儒契)의 서문(序文)

사도(斯道)[62]의 성쇠는 치란·오융(治亂汙隆)과 관계되고 있다. 사도(斯道)는 요순(堯舜) 이래로 전해 내려오는 심법(心法)이다. 이는 우리나라에 파급되어 군현(群賢)이 배출(輩出) 배출(輩出)하였으므로 멀리는 수사(洙泗)[63]의 근원까지 거슬러 올라가고 가까이는 낙양(洛陽)[64]과 민중(閩中)[65]에 근본을 두고 있다. 천리(天理)는 밝아지

---

62) 유가(儒家)에서 이르는 유도(儒道)의 도덕.
63) 산동성(山東省)에 있는 두 개의 천명(川名),으로 공자(孔子) 또는 그의 학파를 지칭하기도 함.
64) 명도 정호(明道程顥)와 이천 정이(伊川程頤) 두 형제가 낙양(洛陽)에서 거주하였으므로 명도와 이천 또는 그의 학파를 지칭함.
65) 송나라 주희(朱熹)가 민중에서 태어났으므로 주자를 가르키는 말임.

고 사람의 기강(紀綱)은 세워져 정치와 교육이 융성하므로 송(宋)나라의 원우(元祐)[66]·건도(乾道)[67]·순희(淳熙)[68]의 정치를 추종하였다. 호서(湖西)[69]는 사대부(士大夫)의 기북(冀北)[70]이다. 황산(黃山)에는 옛날에 죽림서원(竹林書院)이 있 있었다. 즉 정암(靜菴), 퇴계(退溪), 율곡(栗谷), 우계(牛溪), 우암(尤庵) 등 육현(六賢)을 배향하는 곳이다. 중간에 나라에서 금향(禁享)하여 폐지하였으나 단제(壇祭)는 봄, 가을만 제향(祭享)하였다.. 그러나 천지가 번복한 후로 도술(道術)이 천하에 멸렬되어 화하(華夏)가 이적이 되고 인간이 짐승이 되어 육현(六賢)의 도(道)가 폐지되어 강의되지 않았고 생폐(牲幣)는 수적(讎賊)들에게 빼앗기므로 제단 위에 난 풀은 다만 행인들의 탄식을 자아내게 하였다. 이에 원근 선비들은 개연(慨然)히 의전(義錢)을 내어 계(稧)를 결성하고 다시 향사를 도모 하였다. 아! 상구(上九)[71]의 일맥(一脈)이 결국 박락(剝落)되지 않았으니 이 유도(儒道)가 융성해질 조짐이 어찌 이 일로 나타나지 않을지 알 수 있겠는가. 친구인 오보 송재성(宋在晟五甫)이 그 일의 과정을 서술하고는, 나에게 보여주면서 서언(序言)을 부탁하였다. 가만히 생각하여 보니 육현(六賢)의 도도 격물(格物), 치지(致知), 성의(誠意), 정심(正心)에 지나지 않으니, 이로 미루어 보면 대학(大學)의 서술에 이르는 것이다. 이것은 성현(聖賢)들의 영역이며 제왕(帝王)의 법이다. 사해(四海)에서 이것을 받아들이면 가정이나 나라, 나아가서 천하가 안정하게 다스려지지 않는 법이 없게 될 것이나 하루라도 강론하지 안는다면 화이(華夷)와 인수(人獸)를 구분할 수 없을 것이다. 여러 군자(君子)들에게 절절히 바라는 것은 비단 제향의 예의범절을 위해 주선하여 주는 데만 노력을 기우리지 말고, 반드시 그들의 문장을 읽고 그들의 학문을 강론하여 유도(儒道)가 다시 세상에 밝아지도록 하기 간절히 바라는 바이다. 이것이 참으로 현인을 흠모하는 일이며 높이 보답하는 일일 것이다. 나는 매우 우루(愚陋)하여 그 명(命)을 받들 수 없지만 각자가 제각기 그 뜻을 이야기 했을 따름이다.

---

66) 북송(北宋) 철종(哲宗)의 연호.
67) 북송 효종(孝宗)의 연호.
68) 북송 효종의 연호.
69) 충청 남북도를 통털어 일컬은 말임.
70) 옛날 중국 기주(冀州)의 북쪽 지역을 말함. 이 곳에서 천리마(千里馬)가 생산되었다고 한다.
71) 《주역(周易)》의 괘(卦) 중에서 가장 위에 있는 양효(陽爻)를 말한다. 이 괘는 최상의 높은 곳에 있어서 더 이상 갈 곳이 없다는데 사라지지 않고 아직 붙어 있는 것이다.

竹林壇儒契序

斯道之盛衰，而世之治亂污隆，以之係焉。斯道也者，堯舜以來，相傳之心法。而至于我東，群賢輩出，遠溯乎洙泗之源，近宗乎洛閩之學。天理明而人紀立，治敎之隆，可以追蹤乎宋元佑乾淳矣。湖西士大夫之翼北也，黃山古有竹林書院，卽靜菴、退溪、栗谷、牛溪、沙溪、尤菴六賢妥享所也。中經邦禁廢，而壇權行春秋享矣。一自玄黃飜覆，道術爲天下裂，華而夷，人而獸，六賢之道遂廢不講。至於牲幣之資，爲讐賊見奪；壇上春草，只增行路之嘆。迺者遠近章甫，慨然出義，設契以圖復享。旴，可見上九一脉，終不剝落，而斯道之盛，亦安知不兆於此歟。宋友在晟聲五甫，序其事而示之。且囑余一言弁卷。竊念六賢之道，亦不過曰格致誠正。而推而達之大學之序。是聖賢之域，帝王之法也。四海遵 之，則家國天下，罔不治安；一日不講，則華夷人獸，莫能辨焉。切願僉君子，不徒周旋於籩豆之節，必須誦其書、講其學，使斯道復明於世。是眞慕賢之，實而崇報之至也。余甚愚陋，不堪承命，而亦各言其志耳。

성일계(誠一契) 서문

계는 왜 결성하는 것일까. 그 스승을 높이 모시기 위한 것이다. 이름은 왜 '성일(誠一)'이라고 하였는가. 대개 제생(諸生)들이 세 사람 섬기기를 하나 같이 섬긴다는 뜻에서 취한 것이다. 성만 유공(醒晚 庾公)은 우리 고을에서 덕망 높으신 분이다. 그 분이 낙산(洛山)에서 강학할 때 그 문하에 찾아드는 제생(諸生)들은 구름이 몰려들듯이 몰려 왔다. 제생 그들은 또한 계를 결성하여 이름을 '문생(門生)'이라고 하기는 하였으나, 긴긴 세월이 흘러가고 나니 예전의 계원 자연 흩어지게 되었으니 그것은 추세가 그렇게 만든 것이다. 그러나 그 구계(舊稧)를 '성일(誠一)'이라 하면 한 번 변하였으나 도(道)에 더욱 가깝게 된 것이다. 이를 주창한 사람은 누구인가. 나의환(羅義煥)과 최태섭(崔泰涉)이었다. 그리고 병로(炳魯)는 그의 총손(冢孫 ; 맏 손자)였다. 하루는 이 세 사문(斯文)들이 책 한권을 가지고 나의 보도산방 (普道山房)으로 찾아와 서문을 부탁 하였다. 나는 자리에서 일어나 대하기를 "부·군·사(父君師)는 그 의혜가 한결 같으므로 그 섬기는 것도 한결 같아야 하는 것이네"라고 하자, 그는 "스승을 섬기는 것도 효도로 해야 합니까"라고 하므로, 나는 말하기를 "아니네"라고 하였고, 그는 또 "스승 섬기기를 충성으로 합니까"라고 하므로 나는 말하기를 "아니네"라고 하였다. 그는 "그렇다면 어떻게 해야 되겠습니까"라고 하자, 나는 말하기를 "스승이 있는 것은 도(道)가 있는 것이네. 그 도는 요순(堯舜)과 공주(孔朱)[72]의 도이며 그 글은 시서(詩書)와 육예(六藝)[73]의 글이네. 스승은 이것으로 가르치고 학생은 이것으로 배우는 것이네. 그 사람을 존경하는 데는 그 덕을 사모하는 것만 못하고, 그 덕을 사모하는 것은 그 학문을 전하는 것만 못한 것이네"라고 하였다. 아!시운이 액운을 당 하여 천리(天理)와 민도(民道)가 모두 사라졌는데, 이 계(稧)는 상구(上九)의 일 맥(一脈)이 혹 박락(剝落)되지 않는 것일까. 그러나 계라는 것은 이름 뿐 이며 말초적인 것이지만 학문이라는 것은 실리적이며 근본이므로 그 이름을 돌아보고 의리를 생각해야 하고 그 말초적인 것으로 인하여 근본을 미루어 보아야 할 것이다. 공의 학업과 문장이 영원히 전해진다면 이것은 가히 부처님의 은혜를 보답한 것이라고 할 것이다. 정회(正會)는 후에 태어났기에 늦어서 쇄소(灑掃)하는 일에 참여하지 못하였다. 계안(稧案)에 내 이름을 적어 놓았으니 내 분수를 돌아볼 때 매우 영광으로 생각한다. 그리고 간절하게 제군들의 청을 듣고 있으니 글 같은 글이 아니라고 사양할 수는 없다.

誠一稧序

稧惡乎設也？爲其隆師也。名奚爲誠一也？盖取諸生三事一之義也。醒晚庚公，吾鄕先德也。當其講學于洛山也，及門諸子蔚如雲集也。亦嘗有稧，名以門生也。歷年旣久，舊稧之散，勢也。繼其舊，而變以誠一，一變而尤近乎道也。倡之者誰也？羅義煥也、崔泰涉也。炳魯，其冢孫也。日三斯文袖一册過余普道山房，屬以弁文也。余作而對，曰："父也君也師也，其恩一也。事之，亦一也。事師以孝乎？"曰："未也。""事師以忠乎？"曰："未也。然則如之何其可也？"曰："師之所存，道之所存也。其道，堯舜孔朱之道也。其文，詩書六藝之文也。師以是教也，生以是受也。尊其人，不如慕其德也；慕其德，不如傳其學也。"噫，運值百六，天顯民彝，盖掃如也。是稧也，上九一脉，庶不剝也。雖

---

72) 공자(孔子)와 주자(朱子)를 일컬음.
73) 고대 유학(儒學)의 아동교육으로 예·악·사·어·서·수(禮樂射御書數)를 말한다.

然契也者, 名也、末也。學也者, 實也, 本也。顧其名, 而義可思也。因其末, 而本可推也。使公之學業文章傳諸無窮, 則是可謂報佛恩也。正會生也晚, 未供灑掃之役也。托名案頭, 顧分爲榮也。且諸君之請益勤, 不可以不文辭也。

전주 매천시집(箋註梅泉詩集) 중간(重刊) 서문

매천선생(梅泉先生)[74]의 시집은 이미 오래전에 간행되었으나 널리 보급하지 못하여 후학들의 요구를 만족시킬 수 없게 되었다. 나의 친구 김 진명(金君振明)군이 이를 개연(慨然)[75]히 불만족스럽게 여기어 같은 뜻을 품은 몇몇 동지 들과 함께 뜻을 같이하여 다시 중간하기로 뜻을 정하였다. 또 원본에 주해를 증보하여 고증하거나 연람하는 데 편의를 주고자 하였으니, 그 공이 어찌 적을 수가 있겠는가? 조용히 생각하니 선생의 시는 세상을 기리 울리기 위해 지은 만큼 끝내는 그처럼 탁월하게 수립될 수 있었다. 지금에 와서 살펴보면 그 장점이 도리어 쓸 데 없는 것으로 되었다. 마땅한 것으로서는 그 충간(忠肝)과 열폐(烈肺)에서 나온 것이므로 평범한 구절이 전혀 보이지 않았다. 기린과 봉황, 그리고 거북과 용은 지혜가 있는 사람이나 어리석은 사람이나 불초한 사람들 까지도 모두 그것이 상서로움의 조짐이고 야광(夜光)[76]과 명월(明月)[77]은 부유(婦孺)와 초목(樵牧)들도 그것이 진귀한 보물인줄 알고 있다. 선생의 시를 읽으면 사람들도 그와 같았다. 금석(金石)의 소리에 손으로 춤추고 발로 뛰니 사람들의 간부(肝腑)를 찌르는 것이 어찌 이런 경지에 이르게 할 수 있을까. 그것을 논평하는 사람들은 "우리 동방에서 수백년 동안 시로 명성을 떨친 사람은 목은(牧隱)[78]

---

74) 서기 1855~1910 생존, 본관은 장수(長水), 자는 운경(雲卿), 호는 매천(梅泉), 전남 광양 출신으로 구례(求禮)로 이거하였으며 그의 시는 목은(牧隱) 이후 몇 번째 안간 시인으로 임종 전에 절명사 4수를 남겼다.

75) 슬퍼 탄식하는 모양.

76) 밤에도 빛을 내는 야광주(夜光珠)를 말한다.

77) 달과 같이 밤에도 밝다는 명월주(明月珠)를 말함.

78) 서기 1328(충숙왕 15)~1396(태조 5) 생존. 고려 이색(李穡)의 호, 자는 영숙(穎叔), 시호는 문정(文靖), 포은 정몽주(圃隱鄭夢周), 야은 길재(冶隱吉再)와 함께 삼은(三隱)으로 칭함.서기1341년(충혜왕 복위 2)에 진사시(進士試)에 급제한 후 원나라에 가서 국자감 생원(國子監生員)으로 성리학을 연구하고 돌아와 향시(鄕試)에 합격하여 서장관으로 다시 원나라로 가서 회시 1등 전시 2등에 합격하여 국사관 편수관 등 원나라와 고려를 왕래하면서 양국의 높은 관직을 지내고 또한 교육에도 힘을 다하여 정몽주, 길재, 이숭인, 정도전, 하륜,윤소종, 권근 등 많은 제자를 양성하였으며 서기1396년 여강(驪江)을 가던 도중에

이후는 그 수를 헤아리기가 어려운데 선생에게 이르러 끝을 맺었다."고 말하는데 아마도 듣기 좋게 하는 말이 아닐 것이다. 정회(正會)는 늦게 태어나서 선생을 뵈올 기회를 얻지 못하였다. 다만 스스로 선생이 남긴 그 여운(餘韻)을 풍송(諷誦)할 따름이다. 제군(諸君)들이 나에게 부탁 하면서 "자네가 어찌 이 일에 말 한마디 하지 않을 수 있겠는가"라고 하므로, 나도 그들과 함께 애호가 같음에 기쁨을 느끼고 드디어 평소 사모하던 마음을 적었으니 감히 서문이라고는 말하지 못하겠다.

箋註梅泉詩集重刊序

梅泉先生詩集出于世已久, 顧刊行不廣, 無以應後學之求。吾友金君振明, 慨然以爲歉, 謀同志三數君子, 銳意重梓。且增補註解, 以便考覽, 功不旣多矣乎? 竊惟先生之於詩, 以其長鳴于世, 卒乃所樹立如彼其卓卓。由今觀之, 以其長者, 反爲餘事。宜其忠肝烈肺中流出者, 自無凡句耳。麟鳳龜龍, 知愚賢不肖, 咸知其爲瑞、夜光明月; 孃孺樵牧, 亦知其爲珍且瑰也。讀先生詩者, 如耳金石聲, 無不手舞而足蹈。其砭人肝腑, 一何至此? 論者謂: "我東數百載, 以詩名家, 自牧隱後, 不易數, 而至先生結其局"者, 殆非阿好也歟。正會生也晚, 未獲拜先生。竊自諷誦餘韻而已。諸君囑不佞, 曰: "子盍一言相斯役?" 余喜其同好, 遂書平昔慕義之私, 非敢曰序。

육기지(六奇誌)의 서문

사람이 문방(文房)의 친구를 품제(品題)[79]할 때는 하나로 만족하지 않는다. 이 지(誌)는 제해(齊諧)[80]가 포폄(褒貶)[81]을 기준으로 정하고, 활계(滑稽)[82]로 풍자의 뜻을

사망 하였다.
79) 인물의 가치를 비평함.
80) 장자(莊子)의 소요유(逍遙遊)에 "제해(齊諧)는 괴이한 것을 기록한 자이다(齊諧者, 志怪者也)"라는 말이 있는데 혹은 인명(人名)으로 보는 사람과 책명(册名)으로 보는 사람이 있다.
81) 칭찬과 나무람. 시비선악을 판단하여 결정함.
82) 말이 매끄럽고 익살스러워 웃음을 자아내게 하는 것을 말한다.

의탁하였으니 가히 전인(前人)들이 발견하지 못한 것을 발견했다고 할 것이다. 아! 이것은 쇠퇴한 세상을 의미한 것이라고 할까. 이 세상에 있는 월담선생(月潭先生)은 큰 경륜(經綸)을 간직하고 있었지만 깊이 간직한 채 드러내지 않았고, 독에 곡식도 저장한 양식도 없었지만 언제나 안연(晏然)[83]하였다. 이적(夷狄)의 세상에도 도(道)는 더욱 높고 환난(患難) 속에서도 학문은 날로 진보하기만 하여 남쪽 지역의 선비들이 우러러 보는 대상이 되었다. 아! 무슨 일을 할 만한 재주가 있지만 할 수 있는 시기가 없다면 당연히 산과 강가에서 살며 날마다 윷노리나 하고 바둑 두는 사람들과 망형우(忘形友)가 되어 우수한 사람을 더 친할 필요가 없고 졸렬한 사람을 더 돌아볼 필요가 없으며, 포상 받는 것도 명예롭지 않고 폄하되는 것도 훼손되는 것이 아니다. 무릇 세상의 치란(治亂)과 사람의 현부(賢否)와 일의 시비사정(是非邪正)을 언외(言外)에 부치어 일대의 역사를 지었으니, 그 지(誌)는 은미(隱微)하고 그 정상(情狀)은 슬프다고 할 것이다. 그러나 이 지는 서문이 없었는데 선생이 이미 서문을 지으셨으며 발문(跋文)도 없었는데 우주씨(宇宙氏)가 이미 발문을 지었다. 무엇을 서문이라고 하는가. 그는 말하기를 "대립(對立)보다 양보를 하면 애경(愛敬)하는 마음이 생기고, 애경한 마음이 생기면 쟁탈(爭奪)하는 마음이 사라지며, 쟁탈하는 마음이 사라지면 풍기(風紀)가 후해진다"고 하는 것이 이것이 서문이다. 무엇이 발문(跋文)이라고 하는가. 그는 말하기를 "육기(六奇)의 뜻은 시대를 불쌍히 여기고 풍속을 가슴 아파하는 데서 나온 것이다."라고 한 것이 이것이다. 그러나 이것이 하나라고 하여도 반드시 육기(六奇)해야 한다고 하였으니 여섯가지가 다 기이하여야 하는 것이다. 만약 하나가 기이하지 못해도 마치도 티가 있는 구슬이 되고 말 것이다. 일이 모두 기특하다는 것이며 하나는 기특하지 않는 것이다. 만일 구슬에 티가 있다면 이 보정(普亭)은 무엇과 같을가? 부처님 머리에 내려앉은 파리라는 뜻에서 불두승(佛頭蠅)이 아닌가? 대머리 바람으로 아아히 솟아 있는 낭떨어지와 푸른 물결 출렁이는 냇가에 의표 단정히 꿋꿋이 서 있는 손님격이니, 이것이 하나의 기이함이다. 멀리서 비추는 달빛을 안고 구름이 크나큰 장막을 짓고 있을 때 그 아래에 우뚝 솟아 있으니 그가 사는 곳이 또 하나의 기이함이다. 원래의 여섯 가지 기이함에 둘을 보태고 하나를 감하면 일곱 가지 기이함이므로 되니 어찌 더구나 기이함이 아니 하겠는가? 음기의 신령이 조금 사라지고 봄이 와서 꽃이 붉게 피고 잎이 푸르면 기린봉(麒麟峯) 아래에 있는 선생을 방문하여 여기에 관한 설법을 마무리 지을까 생각하고 있다.

---

83) 마음이 편안하고 침착함.

六奇誌序

人之品題文房友, 不一而足。是誌也, 定褒貶於齊諧, 托諷刺於滑稽, 可謂發前未發。嗚乎！此衰世之意也歟。世有月潭先生, 懷抱瑰瑋, 深藏不市, 甑石無儲, 亦晏如也。夷狄焉而道益高, 患難焉而學益進, 傑然爲南士之望。噫, 有可爲之才, 而無可爲之時, 則宜以置之山椒水涯, 日與楮陳管石輩爲忘形交。優者未必加親, 劣者未必加睞, 褒之非爲譽, 貶之非爲毀。凡世之理亂, 人之賢否, 事之是非邪正, 寓於言外, 以作一代之史。其志微矣, 其情亦慽矣。然此誌毋用序, 先生旣自序矣；毋用跋, 宇宙氏亦己跋矣。曷云序？其曰對立讓則愛敬生, 愛敬生則爭奪息, 爭奪息則風紀厚者, 是也。曷云跋？其曰六奇之意, 發於憫時病俗者, 是也。雖然有一焉, 六奇云者, 六事皆奇也。一之不奇, 若璧有瑕。普亭何似者？敎作佛頭蠅耶。竊謂蒼崖碧澗, 風儀亭亭者客, 一奇也。月扃雲帳, 巍然屹立者舍, 一奇也。請加二除一, 作七奇, 豈不尤奇也耶？第待陰靈稍霽, 春葩紅綠, 從先生於麟峯下, 以畢此說。

안동김씨(安東金氏)의 대동보감(大同寶鑑) 서문

숭산(嵩山)[84]과 화산(華山)[85]은 비록 다른 줄기를 이루었다고는 해도 그 뿌리는 곤륜산(崑崙山)[86]에 두고 있고, 타수(沱水)[87]와 잠수(潛水)[88]는 서로 다른 물갈래이지만 그 근원 모두가 장강(長江)과 한수(漢水)에 두고 있다. 우리 안동김씨는 국내에 분파되어 있어 그 수효가 많을 뿐 아니라 충렬공(忠烈公)을 같은 조상으로 하고 있다. 공

---

84) 중국 오악(五嶽)의 하나로 중악(中嶽)에 속한다.
85) 오학의 하나로 서악(西嶽)에 속한다.
86) 서쪽으로 파미르 고원(高原)에서 시작하여 동쪽으로 청해성(靑海省)과 사천성(四川省) 서북부를 경유하여 신강성(新疆省)과 티베트를 관통하는 산이다. 이 산에는 요지(瑤池)와 낭원(閬苑)의 선경이 있다고 한다.
87) 서경(書經)의 우공(禹貢)의 의하면 형(荊).량(梁) 2주(州)의 타강(沱江)과 잠수(潛水)가 있다고 하였다. 장강(長江)에서 나온 것이 타강이고 한수(漢水)에서 나온 것이 즉 잠수(潛水)이다.
88) 79번에서 참고.

의 정충(精忠)은 위대하고 열렬하여 고려사(高麗史)[89]에 빛나고 있으니 소자(小子)가 어찌 기술할 것이 있겠는가. 조용히 생각하니, 우리 종족이 번창한 것은 공이 의로운 일과 덕망을 축적하여 번창한 것이므로 또한 계통을 모이기가 어려워 이 보감(寶鑑)을 만들려고 한 것이다. 우리 김 씨가 족보를 만든 것은 수백 년이 되었지만 각 파가 함께하지 못하고 제각기 그 족보를 만들었으니, 비록 동족이긴 하지만 죽을 때까지 서로 알지 못하고 마니 이것은 월(越)나라 사람일 뿐이며 연(燕)나라 사람일 뿐이었으므로 종중의 어른들이 이것을 걱정하여 금년(丙申) 봄에 처음으로 회의를 주창하자 원근의 종족들은 권하지 않아도 모여들어 충렬공의 후손들은 비록 해변과 산간벽지에 살더라도 널리 자료를 수집하여 각기 그 종파가 충렬공의 계통인 경우에 일가(一家)의 전서(全書)를 만들었으니 아! 옳고 훌륭한 일이었다. 서간(書簡)에 적은 것들을 돌아보면 명백하면서도 간략하고 완비하여 각 집에서 보관하게 하였다. 족보의 서두에 소목(昭穆)[90]을 밝히어 일목요연하게, 보면 볼수록 만들어 한 집안에서 화목을 강구하고 호산(湖山) 천리 길 밖에 있다고 하여도 대답을 들을 수 있게 하였다. 이것은 가히 백세(百世)의 보감(寶鑑)이라고 할 수 있다. 여러 어르신들이 이 편찬에 공이 컷는데 시종 그 일을 주관한 사람은 그 이름이 준회(晙會)이다.

安東金氏大同譜鑑序

嵩華分支而根乎崑崙, 沱潛別派而源乎江漢。我安東之金, 蕃衍邦內, 其麗不億, 而同祖乎忠烈公。公之精忠, 偉烈日星乎？麗史小子何述焉。竊念吾族之繁且大, 由乎公之積義畜德, 而繁且大。故亦難乎會統, 此譜鑑之所由作也。我金之有譜數百年, 于玆而派各不同。各譜其譜, 雖曰同族, 而終其身不相聞知, 越人己矣, 燕人己矣。宗中諸長老, 惟是之憂。今年丙申春, 始倡議, 遠近宗族, 不勸而奔走之。苟孫於忠烈, 雖在海隅山癖之間, 無不廣蒐而博採之, 各以其派宗, 同系于忠烈, 以爲一家之全書。韙乎盛矣。顧其爲書簡, 而明略而該, 使之

---

89) 조선 전기에 편찬된 고려의 역사서. 정인지(鄭麟趾), 김종서(金宗瑞) 등이 세종의 명에 의하여 편찬을 시작하여 서기 1451년(문종 1)에 완성 하였다. 체제는 중국의 사기를 본받아 세가(世家),기(記), 열전(列傳), 표(表)로 나누어 기전체(紀傳體)로 기록 하였다.

90) 사당에 조상의 신주를 모시는 차례. 좌측 줄이 소(昭)이고 우측 줄이 목(穆)이며 1세9세를 중앙에 모신다. 2,4,6세를 소에, 3,5,7세를 목에 모시어 3소 3목이 되며 천자(天子)는 3소 3목으로 7묘(廟)가 되고 제후는 2소 2목으로 5묘가 되며 대부는 1소 1목으로 3묘가 된다.

家藏。戶弁一開卷，而曰昭曰穆，瞭然眼前，講睦於一室之內，而唯諾於湖山千里之外。此可謂百世寶鑑矣。諸長老纂輯之功，於是爲大。而始終幹其務者，晙會其名。

고부인(高夫人)의 수서(壽序)

무자년(서기1948) 4월 29일 매서(妹壻) 김용수(金龍洙) 군이 그의 어머니 고씨(高氏) 61세 수연(壽宴)을 마련하였다. 아! 기수(氣數)가 흐르면서 사람들의 길흉화복(吉凶禍福)이 사람들에게 베풀어지면 그 변화가 무상하다. 그렇지만 군자(君子)는 그것을 상도(常道)라고 말하지 변이라고는 말하지 않는다. 그렇기 때문에 《주역(周易)》[91]에서는 이렇게 말하고 있다. 이르기를 "적선하는 가정에 반드시 경사가 있을 것이다(積善之家 必有餘慶)". 그 기에 감응(感應)하여 보여준 효율은 비록 지속(遲速)의 차이점이 있다고는 하지만, 그 도리는 분수에 넘치거나 잘 못되는 법은 없다. 아! 고부인(高夫人)의 정고(貞固)한 덕으로 혈육이 하나도 없이 이십세 전후의 꽃다운 나이에 남편을 잃었는데, 바로 그때에 인생의 쓴 맛이란 쓴 맛이란 맛 다 맛 보며 한 시각의 즐거움도 누리지 못하였다. 이른바 기수(氣數)의 변화와 화복(禍福)의 어긋남이 어떻게 이처럼 심할 수가 있단 말인가? 증자(曾子)[92]가 말하기를 "육척(六尺)의 고아를 부탁하고 백리(百里)의 땅을 맡길 만하며, 큰 절행(節行)에 임해서는 그 뜻을 빼앗아 갈 수을 수 없다"고 하였는데, 이 세 가지는 현인과 군자도 해내기 어려운 것이지만 일개 부인으로서 이런 일을 모두 당하여 대가 끊겨질 때 고아를 키워냈고입양(入養)하고, 환란 중에 가정을 부지 하였으니 그 어려움은 고아를 부탁하고 사직의 운명을 지켜내는 것보다 더 어려웠다. 이것을 어찌 천박하고 고집스럽게 일시적으로 변명하며 그 뒷일을 생각하지 않는 데에 비할 수 있겠는가? 용수군(龍洙君)도 또 어머니의 어려운 일을 대신 생각하며 어머니를 기쁘게 해 드릴 일들을 모두 해 냈으니, 그것이 지나치면 지나쳤지 못 하지는 않아 고을에서 미담으로 전해지고 있다. 하늘이 감응한 것도 이로소부터 인정되어 그것에 대한 보응의 도가 바로 오늘에 나타났다. 그

---

91) 주(周)나라의 역서(易書), 본래 주역은 구장역(龜藏易), 연산역(連山易), 주역 등 3종이 있었으나 주역만 전해온다. 주역의 구성은 팔괘(八卦), 중괘(重卦), 괘사(卦辭)와 효사(爻辭), 십익(十翼)으로 되어 있다.
92) 춘추(春秋), 노(魯)나라 남무성인(南武城人). 명은 삼(參), 자는 자여(子輿), 공자의 제자. 《효경(孝經)》과 《대학(大學)》을 저술하였다고 하나 확실한 증거는 없다. 그는 효자였으며 학문을 독실하게 하였다.

렇게 보면 고부인(高夫人)의 오늘날의 건강과 장수는 그 덕성이 겉으로 드러난 것 따름이다. 찬 서리에 견디는 송백(松柏)의 기백과 쇠 같이 단단한 품성으로 어찌 장수하지 않을 수 있으며 건강하지 않을 수 있겠는가? 오늘은 때때옷이 아롱지고 술잔이 교차하여 종족과 동네 분들이 모두 와 기쁨에 넘치며 칭송하고 기대하는 것은 한 마디로 덕수(德壽)이다. 예전의 근심과 슬픔과 비애와 고생은 오늘의 기쁨과 상사(祥事)로 변했다. 아! 훌륭하도다. 이제부터 앞으로 고부인(高夫人)은 언제나 흰 머리에 웃는 얼굴로 바야흐로 찾아드는 운명의 장수를 고이 누리게 되었다. 여든, 아흔 그리고 백세까지 장수할 것이며 후손들이 번영할 것이고 증손, 현손까지 고분고분 말을 들을 것이다. 그 때가 되면 비로소 이제야 하늘의 보응을 바탕했구나 하며 여한이 없을 것이다.

정회(正會)는 인척(姻戚)으로서 전에서부터 그 덕성을 흠모하여 왔고 그 행실을 아름답게 여겨 왔는데 또 용수 군이 효도를 다하며 모시고 있음으로 감히 절을 올리며 남산시(南山詩)[93]를 읊어 고부인(高夫人)에게 축하주를 올린다. 그 처음 장에는 "군자들이 즐기면서 장수를 기대하고"로 부터 시작되어 "즐기는 군자는 즐기면서 후손 복을 비나이다."라고 마무리를 짓는다.

高夫人壽序

歲戊子四月二十九日, 妹壻金龍洙君, 奉其慈高氏, 爲六十一之壽。噫, 氣數推盪, 而吉凶禍福之施於人者, 其變無常。然君子道其常, 不語其變。故易曰：＂積善之家, 必有餘慶。＂感應之效, 雖有遲速之殊, 而其理則無或借忒焉。嗚乎！以高夫人貞固之德, 無一血塊, 晝哭於芳年。方其時, 備嘗辛苦, 無一刻之懽矣。所謂氣數之變, 禍福之舛, 若是其甚耶。曾子曰：＂可以托六尺之孤, 可以寄百里之命, 臨大節而不可奪也。＂此三者, 賢人君子之所難也。以一婦人而兼而當之, 能立孤於旣絶之後, 持門戶於憂危之際, 其難有過於托孤寄命也。此豈踁踁然辨命一時, 不恤其後者比哉。龍洙君, 又克幹母蠱, 凡所以悅親之具, 有過之者無不及, 鄕里間傳爲美談。感應之天, 至是始定, 而報施之道, 其在斯歟。然則高夫人之康彊(寧)壽考, 以有今日者, 乃其德之符耳。松柏之勁, 金石

---

93) 《시경(詩經)》의 "소아 천보편(小雅天保篇)'에 있는 가사. 국왕이 신하들에게 잔치를 베풀 때 신하들이 이 노래를 불러 국왕의 은혜에 보답하는 노래다. 즉 달처럼 항시 밝고 해처럼 올르고 남산처럼 수를 누리어 무너지지 말라(如月之恒, 如日之升,如南山之壽,不騫不崩)는 내용이다.

之堅, 安得不壽而且康哉。是日也斑斕輝映, 兒䎡交錯, 族黨朋舊, 頌禱洋洋, 一辭推爲德壽。昔日之憂戚悲苦, 轉爲今日之懽欣吉祥。吁, 其盛矣。自今以往, 惟高夫人以怡顏華髮, 撫方來未艾之運壽之隆也。而至期頤耄耋, 孫之蕃也, 而至曾玄之不勝點頭, 然後始可曰卒獲其報, 而無攸憾焉。正會忝在姻婭末, 素欽其德, 艶其行。且感龍洙君之孝養, 敢拜堂而誦南山詩, 以助高夫人之擧一觴。其始章曰:"樂只君子, 萬壽無期。"卒章曰:"樂只君子, 保艾爾後"

항재유고(恒齋遺稿) 서문

아! 이는 우리 종조 항재선생(恒齋先生)이 남긴 시문(詩文) 집이다. 선생은 어려서부터 정훈(庭訓)을 받아왔고 늦게 면함 문하(勉庵門下)[94]에서 수업하여 독지(篤志)와 강력히 실천한다는 스승의 칭찬을 제자들의 면전에서 받아왔다. 경술년(서기1910) 국가가 없어진 이후 동강(東岡)을 지키시며 날마다 사자(四子)[95]의 《근사록(近思錄)》[96]과 《주자강목(朱子綱目)》[97]을 읽고 배운 것은 반드시 실천을 위주로 하였으므로, 그 예학(禮學)을 논할 때는 한결 같이 《주자가례(朱子家禮)》[98]를 준행하였으며, 그 이기(理氣)를 논할 때는 오로지 노옹(蘆翁)[99]의 납양사의(納涼私議)를 주장하였고, 사설

---

94) 면암 초익현(勉庵 崔益鉉)(서기 1833년 ; 순조 33년~1906년 ; 광무 10년)의 호는 면암(勉庵)임. 그는 조선조 고종 광무 년간 정치가로서 배일파(排日派)의 거두, 서기 1855년 명경과(明經科)에 급제한 후 사헌부 지평 등 많은 관직을 거치다가, 서기 1866년에 경복궁 중건정지,당백전 폐지, 사대문 문세폐지를 주장하며 대원군의 실정을 지적하여, 대원군이 정책을 비난하다가 관직이 삭탈되었으며, 서기 1873년에는 다시 승정원 동부승지가 되어 또 대원군의 실정을 비난하여 대원군이 실각하였으나, 군부(君父)를 논박하였다는 이유로 제주도에서 2년동안 유배생활을 하다가 석방되었고, 서기 1876년에는 일본과 통도에 유배되었으며 서기 1905년에는 을사조약이 체결되자 일르 반대하여 다음 해 6월 제자 임병찬과 전라도 순창에서 의병을 일으켜 항전하다 체포되어 임병찬, 유준근 등과 함께 대마도에 유배되어 병사하였다.

95) 송나라 주돈이(周敦頤), 장재(張載),정호(程顥), 정이(程頤)를 말함.

96) 4책. 송나라 주희(朱熹)와 여조겸(呂祖謙)이 주돈이(周敦頤)의 태극도설(太極圖說)과 장재(張載)의 서명(西銘) 및 정몽(正蒙) 등에서 주요한 장구만을 발췌하여 만든 일종의 성리학의 해설서이다. 이 책은 고려말에 원나라에서 수입하였다.

97) 《자친통감강목(資治通鑑綱目)》, 또는 통감강목이라고도 함. 사마광(司馬光)의 《자치통감》 294권을 주자(朱子)가 59권의 강목체(綱目體)로 정리한 책임. 주(周)나라 위렬왕(威烈王) 23년(기원전 403)에서 후주(後周)의 세종(世宗) 현덕(顯德) 6년(기원전 959)까지 기록한 중국 역사서이다.

98) 명(明)나라 구중(丘濬)이 주자(朱子)의 가례(家禮)를 수집하여 만든 책임.

99) 기정진(奇正鎭)의 호가 노사(蘆沙)이므로 노사를 지칭하는 말임.

(邪說)이 우리 유도(儒道)를 해치는 것을 통탄하고 인류가 금수가 되어가는 것을 개연히 여기었으며, 저술(著述)은 좋아하지 않고 마음가는 곳이 있으면 간혹 시를 지으셨다. 불초(不肖)가 어렸을 때 문하에서 수업하였는데, 마음이 밖으로 달려가면 선생이 통곡을 하시며 만류하였고, 문예(文藝)에 뜻이 있으면 또 사물을 보면 뜻을 잃을 수 있다고 경계하시어 원대한 길로 나가게 하였다. 그리고 항시 척수(隻手)로 이미 엎어진 물을 되돌리려고 하다가 결국 되돌리지 못하면 하루는 강개하게 탄식하여 말씀하기를 "지금 세상에 성현의 경전도 토저(土苴)[100]처럼 쓸모가 없는데, 이런 문자를 전하면 무슨 이익이 있겠는가?"라고 하시며 서상(書箱)에서 다 꺼내어 불에 태워버렸다. 아! 슬프다. 아! 애석하다. 이로부터 다시 척구(隻句), 반편(半篇)도 저술하지 않았는데, 선생이 작고하신 후 종숙 재규가 흩어지고 사라지다 남은 자료를 수집하고 불초(不肖)가 소장한 약간 편(若干篇)을 합하여 겨우 1책을 만들었지만, 이것은 천이나 백에서 십 분에 일도 되지 않는 것이다. 무릇 귀와는 천하고 옥은 귀하다. 귀하기 때문에 적고 적기 때문에 더욱 귀한 것이다. 선생이 당일 이런 일을 하신 것은 다만 경전(經傳)이 전해지지 않을 뿐 아니라 후생들이 혹 이런 일로 인하여 더욱 마음을 일깨워 성현의 글을 읽을 줄 안다면 그 세상을 돕는 일이 크기 때문이다. 저 속유(俗儒)와 명예를 좋아한 선비들은 경전과 역사를 표절하여 서상(書箱)에 모아두고 책이 많은 것을 스스로 많게 생각하고 있으나 책이 있고 없는 것이 빠진 것을 보충하지 못하는 것이니, 이것이 또한 현격한 차이가 있다고 할 것이다. 그렇다면 재규씨가 오늘날 힘쓰고 있는 일은 선생의 본래 뜻과는 어떠할까. 아! 그렇게 생각하지 말아야 한다. 선생의 뜻은 세상의 변화에 격정이 있었던 것이고 오늘 하는 일은 계술(繼述)하는 효성이므로, 병행(竝行)하여도 서로 어긋나는 일이 아니니 어찌 마음 상할 것이 있겠는가.

恒齋遺稿序

嗚乎！此我從祖恒齋先生遺詩文也。先生早服庭訓, 晚而就學于勉門, 以篤志力行, 見稱於師席。自庚戌無國後, 固守東岡, 日誦四子近思錄、朱書綱目, 學必踐履爲主。其論禮學, 則一遵朱子家禮, 其說理氣, 則專主蘆翁。納凉私議, 痛邪說之害吾道, 慨人類歸翔走。雅不喜著述, 遇意會處, 間有吟咏。不肖自幼受讀于門下, 有外馳之慮, 則先生痛哭而止之, 有志乎文藝, 則又戒以玩物喪志。

---

100) 썩은 풀을 말함.

而進乎其遠者大者。恒欲以隻手廻旣倒之瀾, 終不可救, 則一日慷慨而嘆, 曰 : "當今之世, 聖賢經傳, 猶且爲土苴之無用。此等文字, 傳之何益？盡拔箱篋, 手自火之。"嗚乎悲夫, 嗚呼惜哉！自後不復著隻句半篇。先生沒後, 從叔在冏氏, 裒稡於烟散霧滅之餘, 不肖所藏有若干篇, 僅一믕, 未可謂存十一於千百矣。夫瓦賤而玉貴。貴, 故少; 少, 故益見其貴也。先生之當日, 此擧只爲痛經傳之無傳, 爲後生輩庶或因此而益加警惕, 知聖賢之不可不讀。則其爲世道, 補亦大矣。視彼俗儒, 好名之士, 剽剝經史, 蓄稿盈箱, 以卷帙猥多, 自爲富贍, 有無不足爲補闕者, 又相懸矣。然在冏氏, 今日之役, 先生之本意何？噫, 不然也。先生之志, 激於世變也。今日之役, 嗣述之孝也, 并行而不相悖, 奚傷乎。

안동김씨 파보(安東金氏派譜) 중간(重刊) 서문

족보는 자주 수정 간행한 것이 귀한 것이다. 족보를 수정하는 것은 화목을 위한 것이다. 우리 안동김씨는 그 수가 많을 뿐만 아니라 충렬부군(忠烈府君)을 같은 조상으로 하고 있다. 지난 을해 년(서기 1935)에 일찍 대동보(大同譜)를 수정 간행하였는데, 선배 제공(前輩諸公)들이 종족의 두터운 화목을 위하여 있는 마음과 힘을 다 기우렸다. 아! 그러나 세상이 바뀌어 남북이 막히자 족보를 같이 하였던 종족들이 사방으로 흩어져 생사를 서로 듣지 못하고 지내므로, 아프고 가려운 곳이 서로 무관하게 되었으니 그것을 통합하기란 실로 어려운 일로 되었다. 이리하여 각기 그 종통을 존중하여 각 파보를 만들었는데 이것이 우리 익원공(翼元公)의 파보를 만들게 된 원인이다. 이 일을 창도한 사람은 족장 영설(榮卨)과 영복(榮複)씨였으며 동조한 사람은 성묵(聖黙)과 만회(萬會)씨였다. 이 일은 기해년 봄에 시작하였는데 주창한 사람은 재삼(在參)씨이다. 아! 책머리에 서문을 지어 넣은 일을 어찌 누졸(陋拙)하다는 것으로 사양할 수 있겠는가. 정회(正會)는 언제나 선세(先世)의 족보를 보면, 특별히 느끼는 것이 있었다. 그것이 무엇이냐면 덕행(德行)과 사공(事功)과 헌면(軒冕)[101]이 옛날에는 혁혁하여 역사에서 끊기지 않았는데 10여세(世) 이후로 먼 지방으로 낙향한 후에는 영체(零替)하여 떨치지 못하고 있으니, 이것도 또한 기수(氣數)의 왕래로 혹 옛날에는 풍요하고 지금은 인색한 것일까. 아니면 일정한 수(數)가 있어서 그것을 인력으

---

101) 높은 관직.

로 하기 어려운 것일까. 책을 덮고 크게 탄식하는 것이 여러차례였다. 대저 족보를 만든 가정에서는 반드시 "종족을 수합하고 세계(世系)를 밝힌 것이다"고 말한다. 그러나 이것은 말초적인 일이다. 우리 종족들은 오늘날 하는 일은 말초적인 일에 매달릴 것이 아니라, 여기에 나와서 각기 그 덕을 닦아 앞에서 언급한 옛날에 빛났던 일을 이미 무너진 오늘에 다시 떨치어 현조(賢祖)의 초손(肖孫)[102]으로 되는 것이 후세의 모범이 될 것이다. 그렇다면 이것이 근본인 것이다. 근본이 서면 말초적일 것은 자연히 이루어진 것이다. 그리고 한마디 더 언급할 말은 혹 하늘의 도움으로 우리 강토가 회복되어 천리 밖에서 서로 잃어버린 우리 종족들이 단란하게 모이는 날에는 이산된 후의 소목(昭穆)[103]을 분별하고 한 집에서 정담을 나눌 수 있을 것이다. 이것은 비유하자면 봄바람이 한번 불면 천조만엽(千條萬葉)이 뿌리를 같이 한 나무에서 피어나는 것과 같을 것이다. 그렇다면 우리 종족들은 서로 융합하여 앞으로 시운(時運)의 태평하게 누릴 것을 점처 보는 것으로 될 것이다.

安東金氏派譜重刊序

譜以屢修爲貴。譜之所修, 睦之所存也。我安東之金以不億, 厥麗同祖忠烈府君。往在乙亥, 嘗修譜大同, 前輩諸公之於收族惇睦, 可謂竭其心力矣。噫, 一自世換, 滄桑南北以隔, 同譜諸宗, 流落四方。存沒不相聞。痛癢莫相關, 難乎其會統爾。於是各尊其宗, 各譜其派。此吾翼元公派譜之所由作也。倡之者, 族丈榮高、榮複氏也。和之者, 聖默萬會氏也。設役於己亥春, 主鬯在參氏。噫。以弁卷文, 曷敢以陋拙辭。正會每閱先世譜書, 別有感焉。何也? 德行也, 事功也, 軒冕也。烜爀于古, 史不絶書。自十數世以降, 落在遐方, 零替不振。其亦氣數之往來, 或豐於古而嗇於今歟? 抑有一定之數, 而難容人力於其間歟? 掩卷太息者, 屢矣。大抵修譜諸家, 言必曰收宗族, 明世系。此特末也。吾宗今日之擧, 不惟從事於末, 進乎此而各修厥德, 使前所稱, 烜爀于古者, 復振於旣頹之餘, 爲賢祖之肖孫, 爲後世之柯。則此其本也。本立而末可擧矣。且有一說焉, 或者天佑大東疆土復完, 凡我諸族之相忘於千里外者, 幸有團會之日, 辨昭穆於

---

102) 현조(賢祖)를 닮은 손자, 즉 훌륭한 자손들을 말함.
103) 사당에 조상의 신주를 모시는 차례, 좌측 줄이 소(昭)이고 우측 중이 목(穆)이며 1세를 중앙에 모신다. 2,4,6세를 소에, 3,5,7세를 목에 모시어 3소 3목이 되며 천자(天子)는 3소 3목으로 7묘(廟)가 되고 제후는 2소 2목으로 5묘가 되며 대부는 1소 1목으로 3묘가 된다.

離散之後, 悅情話於同堂之上, 比之春風一打, 千條萬葉共榮乎一根之木。然則吾宗之融合, 將以占時運之亨泰。

현무재공(賢武齋公) 파보 서문

우리 김씨는 충렬공(忠烈公)을 같은 조상으로 하고 있다. 공의 정충(精忠)과 위열(偉烈)은 우리나라에서 빛나 《고려사(高麗史)》에 기재되어 있고, 이어서 익원공(翼元公)은 본조(本朝)의 좌명공신(佐命功臣)으로 일등훈(一等勳)에 책정되었으며, 몇 대를 지나서 통찬공(通贊公)은 남쪽지방인 무송(茂松)으로 내려오시고, 영모당선생(永慕堂先生)은 효행이 천하에 알려졌으며 3대를 지나 은송당 봉사(隱松堂奉事)와 현무재 학생(賢武齋學生)은 4공의 후예로 각 파로 나누어졌다. 이 족보는 현무재공을 분파조(分派祖)로 하였는데, 대개 대동보(大同譜)는 누차 간행 하였지만 파보(派譜)를 간행하는 것은 지금이 처음이다. 족대부 윤묵(允默)씨가 정회(正會)에게 서문을 지으라고 명하시고 또 족보를 다 같이 하지 못한 것이 한이 된다고 하시므로 정회(正會)가 회답하기를 "강한"(江漢)[104]은 땅에 가득하고 타잠(沱潛)[105]은 나누너져 흐릅니다. 종족이 많으면 다 수집하지 못하는 것은 형세가 그런 것입니다. 무릇 족보는 친족을 돈독히 하고 화목을 강론하는 것입니다. 이것을 할 수 없다면 비록 족보를 간행하더라도 족보의 역할을 하지 못한 것입니다"라고 하였다. 근세에 족보를 간행하는 집안에는 대저 관향이 같은 일가를 모두 합보하는 것이 훌륭한 일로 생각하고 있다. 그러나 족보를 같이 한 사람들이라도 혹 종신토록 서로 보지 못한 사람도 있고 애경사(哀慶事)에도 왕래하지 않기를 길을 가는 행인과 같은 경우가 있으니, 이것이 어찌 그 친족과 돈독하고 화목을 강론하는 목적이 있다고 할 수 있겠는가? 근친과 돈독한 후에 원족에게 미치는 것이니 근친과 돈독하게 지내면 정의가 한결같고 정의가 한결같은 후에 화목을 논할 수 있는 것이다. 이것이 파보를 간행한 소중한 목적이 있는 것이다. 조용히 생각하니 현무재공(賢武齋公)은 그 공이 호종(扈從)하는데 있으므로, 그 이름이 역사에 기록되어 있어 우리에게 끝없는 아름다운 일을 열어 두었다. 고인들의 말에 "평상

---

104) 중국의 장강(長江)과 한수(漢水)를 말한 것이지만, 여기서는 많은 안동김씨가 지역마다 많다는 뜻으로 사용된 것이다.
105) 중국의 타수(沱水)와 잠수(潛水)를 말한 것이지만, 여기서는 안동김씨의 계파를 의미한 말이다.

인의 자손노릇 하기는 쉬워도 현조(賢祖)의 자손이 되기는 어렵다"고 하였는데 우리 종족들은 오직 조상을 생각하면서 그 친족의 관계를 돈후하게 학고 화목하게 지내야 한다. 그렇다면 가까운 사이로부터 먼 곳에 까지 미칠 수 있는 것이 바로 여기에 담겨져 있지 않는가? 전부를 수록하지 못하였다고 하여도 속상해할 필요는 없지 않는가?

賢武齋公派譜序

惟我金氏同祖忠烈公。公貞忠偉烈，輝映大東，載在麗史。繼而翼元公，佐命本朝，策勳一等。累傳而通贊公，南下茂松。至永慕堂先生，孝達天下，三傳而隱松堂奉事，賢武齋學生。四公之後裔，分爲各派。此譜則以賢武齋公爲分派之祖。盖甞累譜大同，而派修則叔于今矣。族大父允默氏，命正會以弁卷文，且以未全譜爲憾。正會謹復，曰：江漢滿地，沱潛分流。族大者，未能廣蒐，亦勢使然也。夫譜所以敦親講睦，此而不能，則雖譜猶不譜也。近世修譜家，大抵以全合同貫，頗爲盛事。雖然同譜之人，或有終其身不相見，慶不問而哀不吊，便同路人，惡在其敦親講睦也。夫篤近而後，可以及遠。近之篤則情意一；情意一，然後敦睦可論。此所貴乎派譜也。竊惟賢武齋公，功存扈從，名垂竹帛，以啓我無疆（疆）之休。古人有言，曰："爲恒人子孫易，爲賢祖子孫難。"凡我諸宗，惟念祖聿，修敦其親而講其睦，則近可遠在玆。未全奚傷？

변송오옹(邊松塢翁)의 61세 수서(壽序)

　나군 의환(羅君義煥)과 함께 봉래산(蓬萊山)으로 들어가 험한 길과 깊은 골자기를 하나도 남김없이 훑어 볼대로 훑어보며 절승이라는 절승은 거의 다 남기지 않고 모두 구경하였다. 응당 은거하여 사는 은사(隱士)와 경륜(經綸)이 있는 선비가 있을 턴데 만났던가? 만나보지 못한 것이 한스럽기만 하다. 귀로에 나군이 말하였다. "내가 송곡(松谷)이라고 말한 곳은 숲이 꽉 우거지고 시냇물이 졸졸 흐르는 아늑한 골짜기네." 그 곳이 은자가 살고 있는 곳임을 알려주는 눈치였다. 한 참 구부러진 길을 따라 올라간 후 집안으로 들어갔다. 왼편에는 그림을 걸어놓았고 바른 편에는 사서들을 차곡차곡 쌓아놓았으며 책상과 장판은 거울처럼 깨끗하게 닦아놓았다. 폭건(幅巾)을 쓰고 야복 차림을 한 옹(翁)이 좌정하고 계셨다. 훤한 얼굴과 우아한 자태에는 초연히 진세(塵世)를 떠난 형상이 깃들어 있었다. 말을 건네고 이야기를 들어 보니 온화하고 부드러워 기운이 마치도 따스한 봄날의 햇살이 몸으로 스며드는 감을 느꼈다. 앞에서 이야기 했던 그 훌륭한 분이 이 옹(翁)이 아니면 또 누가 있으랴! 명산에는 스스로 주인이 있기 마련이지만 사람들이 그를 쉽사리 만나지 못할 뿐이다. 한 편 옹(瓮)을 위해 축하를 드리고 한 편 산수에 축하를 보냈던 그 일은 이미 오래 전의 일로 되었다.

병술년(서기1946) 모춘(暮春) 초순은 옹의 61세 회갑 날이다. 장수는 원래 덕이 있어서 누리는 사람이 있고 덕이 없이 대수 지내는 이도 있다. 덕이 있고 수(壽)가 있어야 진귀한 것이다. 옹에게는 덕이 있고 수하고 계시는데다가 현능한 아들과 총명한 손자까지 그의 업을 밟아가고 있어서 이제 한창이라고 볼 수 있으니 아무래도 봉래산의 신령이 이 옹을 편애하여 오만가지 복을 없는 것이 없도록 다 만들어 주려는 심사가 아닐까. 바라보니 이제부터는 이제부터 신기는 더욱 왕성하고 기운은 더욱 장대하여 명산의 어진 주인으로 길이 되옵소서! 그것을 위해 개울은 끊임없이 노래를 부를 것이고 숲은 쉬지 않고 칭찬을 마다하지 않을 것이다. 옹이 스스로 시를 지어 부모님을 그리는 요아편(蓼莪篇)[106]의 뜻을 담은 구슬픈 시를 읊었더니, 나군이 나에게 화답하여 드리라고 졸랐다. 하지만 나는 죄를 지어 칩거하고 있은데, 어찌 감히 구슬 같은 시편 말단에 이름을 남길 수가 있겠는가? 이에 다만 옛날에 봉래(蓬萊)에서 올린 축하의 말을 적어 보내는 바이다.

邊松塢翁六十一壽序

走與羅君義煥, 嘗入蓬萊山中, 歷險阻, 窮邃夐, 殆乎不遺餘勝。宜有隱淪瑰瑋之士, 庶其遇乎? 而恨未之觀。歸路羅君道 : "余所謂松谷, 望其林翠薈蔚, 澗谷窈深。" 意其有隱者之所。桓盤入其室, 左圖右史, 几席淨明。翁幅巾野服坐其中, 淸標雅儀, 灑然有出塵之像。接其語, 溫溫談屑, 若襲春和。向所云瑰瑋之士, 非翁伊誰? 名山自有其主, 而人固未易遇耳。一以爲翁賀, 一以爲山水賀者, 久矣。丙戌暮春之初, 翁六十一壽辰也。壽固有有德而享者, 有無德而將

---

106) 시경 소아(小雅)의 편명. 부모가 작고한 후 가정이 가난하여 부모를 봉양하지 못한 한을 노래한 시이다. 진(晉)의 왕부(王裒)는 아버지가 사마소(司馬昭)에게 살해되자 은거하며 제자들에게 시경을 갈르치다가 이 요아편(蓼莪篇)의 "슬프고 슬프다. 부모님이시여. 나를 낳으시느라 고생하셨다(哀哀父母, 生我劬勞)"라는 구절을 읽을 때는 언제나 눈물을 흘리므로 제자들이 이 시를 빼고 읽었다고 한다.

者。德而壽, 乃爲貴。翁旣德矣, 又有其壽, 且有能子肖孫, 克趾厥業, 其興也方未艾, 抑或蓬萊之靈, 偏厚於翁, 衆福無不足者歟。從此神益旺, 氣益壯, 永爲名山賢主人。澗頌林讚, 亦爲之不歇矣。翁自著詩, 叙述蓼莪之哀。羅君要余和之, 顧罪蟄何敢與瓊章之末, 只書昔年賀蓬萊者以寄焉。

월담도형(月潭道兄)의 61세 수서(壽序)

 형은 나보다 여덟 살이 많다. 먼 옛날에 만났을 때 형은 장부였고 나는 소년이었는데 눈 깜박할 사이에 형은 지금 화갑(華甲)의 노인이 되었고 나도 머리가 종종 하얗게 되었으니 가히 30년의 오랜 친구라고 할 것이다. 그러나 길이 멀어 비록 회갑연에는 참여하지 못하더라도 어찌 축하 말 한마디도 없을 수 있겠는가? 조용히 생각하니, 61세를 살았으면 수를 하지 않았다고 말하지 못할 것이지만 세상에서 그 수를 누린 사람도 있으나 그 덕이 있는 사람은 드물다. 오직 형은 덕과 나이가 높고 학문도 날마다 깊어진데다가 세상 사람들이 누리는 수로 세상 사람들이 갖지 못한 덕을 겸하였으니 축하를 하는 것은 덕으로 써 하는 것이며 수로 축하를 하는 것은 아니다. 그러나 수를 어찌 가벼이 할 수 있겠는가? 일흔이 되지 않았다고 하면 아지도 덕을 쌓아 나가야 할 나이이다. 그것은 시구(蓍龜)[107]를 간직한 세월이 오래되면 더욱 신기(神氣)를 발휘하는 것과 같은 것이니, 이것이 세상의 보감(寶鑑)이 될 것이다. 지금은 세상이 어지러워 도술(道術)이 멸렬(滅裂)하므로 성현의 글을 읽고 인의(仁義)를 논한 사람들이 열명 중에서 한 두 사람도 되지 않지만, 오직 우리 형만은 거연히 홀로 남아 그 무거운 짐을 홀로 떠메고 나가시는데 정성은 족히 천하의 본보기로 세속의 모범으로 되기에 손색이 없다. 황하의 구하(九河)[108]가 횡류(橫流)해도 촌교(寸膠)[109]로 능히 말게 할 수 있다. 형이 하루의 수를 누리면 사문(斯文)[110]에 하루의 공이 있고 이틀의 수를 누리면 이틀의 공을 세울 수 있을 것이다. 만약 앞으로 여든, 아흔, 나아가서 백세의 수를 누리신다면 그 이룩한 공을 어찌 다 헤아릴 수 있겠는가? 군자들이 존자

---

107) 시초와 거북판. 고대에는 시초점보다 거북점이 더 잘 맞았다고 한다.
108) 우(禹)임금 때 황하(黃河)의 9개 지류(支流)를 말함.
109) 적은 량의 아교. 동물의 가죽과 힘줄 등을 고아 그 액체로 고형화한 물질. 이것은 황갈색을 띠고 있으며 접착재로 사용하고 있다.
110) 유교(儒教)의 학문 또는 문화를 말함.

(尊者)에 이르는 데는 세 가지가 있는데, 형은 두 가지는 가지고 있지만 한 가지는 남아 있네. 모자라는 것에 더 보태려 애를 써도 없으니, 부족한 것은 조금이라도 더 보탤 것이 없다는 그것이다. 이것이 나의 축하에서 남들과 같은 것이고 또 나의 남들과 다른 점이다. 멀리 생각할 때 기린봉(麒麟峯) 아래 국화가 바야흐로 수주(壽酒)를 익히고 있을 것 같네. 금슬(琴瑟)[111]이 함께하시고 난옥(蘭玉)[112]이 빛날 것이니 그 즐거움이 또 어떠하겠는가. 몇 마디 글이 권주에 도움이 되기를 바라네.

月潭道兄六十一壽序

兄長余八歲, 緬昔相逢, 兄爲丈夫, 我猶少年。轉眄之間, 兄今爲華甲翁, 我亦頭上白已種種矣。可謂三十年久要, 而川塗脩夐, 縱未叅祝岡之筵。可無一言奉賀乎? 竊念六旬有一, 不可謂不壽。而世之享其壽者亦有之, 有其德者, 罕見其人。惟兄德與年邵, 學與日深, 以世人所有之壽, 兼世人所無之德。爲之賀者以德, 不以壽。雖然壽其可輕也哉? 未七十皆進德之年也, 如蓍龜珍藏, 歲久益神, 爲世之寶鑑矣。顧今風騷雨淋, 道術漂裂。讀聖賢, 談仁義者, 盖十無一二焉。惟我兄, 巋然獨存, 自任之重, 所操之篤, 足以範世模俗。九河橫流, 惟寸膠是恃。享壽一日, 則斯文有一日之功, 二日則有二日之功。將享期頤耄耋之壽, 則其爲功, 何可量哉! 君子達尊三, 兄有二焉, 其一有之。不足爲加多無之, 不足爲加少。此余之賀其壽者與衆同, 而賀其所以壽者與衆異也。遙想麒麟峯下黃花, 政發壽酒方濃。琴瑟偕調, 蘭玉交映, 其樂又復何如? 聊寄數聲, 以助擧一觴。

김고당(金顧堂)의 61세 수서(壽序)

내 일찍 남쪽지방을 유람하면서 두류산(頭流山)[113]의 천봉만학(千峯萬壑)[114]을 구경

---

111) 내외분을 지칭하는 말.
112) 자녀들을 말함.
113) 지리산의 이칭.
114) 수많은 산봉우리와 산골짜기.

하게 되었는데, 음식을 가즈런히 챙겨 올린 듯이 정연히 서있는 세차고 울창한 그 모습은 영·호남(嶺湖南)의 진(鎭)으로 되기에 손색이 없었다. 만을 헤아리는 갈래로 흘러내리는 옥계수가 합하여 압록강 물을 이루는데 그 잔잔한 물결과 해맑은 물은 백리에 그치지 않았다.

내 친구 고당옹(顧堂翁)이 바로 그 한복판에서 강학(講學)을 하고 있다. 그의 그의 집으로 들어가 보면 좌우에 경사(經史)가 있고 남북에는 벼루와 붓이 차례로 진열되어 있어 있다. 깨끗하게 손질한 창문으로 햇볕이 들어 환한 집안에는 먼지 한 점 찾아보려고 해도 찾지 못할 정도였다. 옛사람들이 말한 바 있다. "호수 물에 호흡 하고 청산 기운 들이키면 머슴도 장사꾼도 모두 빙옥(氷玉)[115]으로 변 한다네(氷玉)(呼吸湖光飮山綠, 傭夫販奴皆氷玉)" 호수 물과 산을 인연으로 하여 빙옥(氷玉) 같은 사람으로 변 할진데 하물며 옹은 빙옥을 자질로 천석(泉石)을 베고 안개와 노을을 삼키고 토하니 이 강과 이산의 주인으로 될 수밖에 없다. 그러니 이곳은 장수를 누릴 수 있는 고장이다. 인(仁)과 지(知)의 즐거움을 내심으로부터 얻어 그것을 산과 물에 담고 있다. 산으로 하여 인(仁)은 더욱 두터워지고 지(知)는 물로 하여 더욱 주도하게 되었다. 이것은 수(壽)를 하는 기술이다. 그런 곳에서 그런 기술이 있으니 옹이 정녕 수를 누릴 그 단서가 하나 뿐이 아님을 알게 되었다. 임인년(서기1962) 3월 그믐날이 바로 옹의 61세 회갑 날이다. 슬하에 둔 자식 아홉은 모두가 난조(鸞鳥)와 홍곡(鴻鵠)같고 문하생들은 그 전수한 예절을 익히어 서로 술잔을 올릴 것을 도모하고 혹 시를 짓기도 하고 혹은 술을 가져 오기도 하여 군자의 만년을 기원하였다. 정회(正會)는 십사(十舍)[116] 밖에 있으므로 참석하지 못했지만 멀리서 한마디의 말로 축하하기를 다음과 같이 하였다.

여든이고 아흔이고 백까지 살고 싶은 것은 사람들의 욕망이므로 나는 이것으로 축하를 드리지 드리고 싶지 않다. 부귀와 명예와 이권을 누리는 것은 사람마다 원하는 바이지만 나는 이것으로 축하를 드리고 싶지 않다. 아! 이 유도(儒道)를 잃은 지도 오래 되었다. 옹(翁)은 이미 끊어진 밝은 맥락을 부축하고 다 벗겨진 석과를 보전하려고 마치도 황하 격류 속에 우뚝 솟은 저주산 인냥 기운을 더욱 장대하게 하고 한 겨울의 송백 인냥 절개를 더욱 굳게 하여 사문(斯文)이 그를 믿고 넘어지지 않게 하였고, 우리 유사(儒士)들이 그를 믿고 더욱 무거운 짐을 떠맡게 되었다. 이러하기에 옹의 수는 비단 일신에 관여되는 것 뿐만 아니라 그 공로는 세도에 미치고 있으니 과연 어떠

---

115) 맑고 깨끗하여 아무 티가 없음의 비유.
116) 300리 길을 말함.

한가. 아! 효당(曉堂)이 만일 오늘 계셨다고 한다면 송축과 기대의 언사는 가히 옹의 필력과 함께 자웅을 다툴 것이다. 금석악(金石樂)이 간단없이 들리고 관현이 함께 주악을 울리고 있으니 방장산(方丈山)[117]의 신선들이 반드시 축하하고 더불어 상서로운 기운을 드리어 줄 것이다. 비록 아무리 그렇다고 치더라도 그들이 칭송하는 뜻은 대개 이것과 어긋나지 않을 것이다. 옹이여! 바른 손으로 붓을 들고 왼 손으로 잔을 잡고 흔연한 기분으로 이 글을 읽으며 한 번 취해 봄이 어떨까.

金顧堂六十一壽序

余甞南遊見頭流千疊, 飣餖磅礴欝然, 爲嶺湖之鎭。萬谷玉流, 合而爲鴨綠之江, 瀲灎澄澈, 百里不能休。吾友顧堂翁, 隱居講學于其中。入其室, 左經右史, 硯南玉北。毛穎諸輩, 以次列焉。軒窓淨明, 無一點塵埃氣。古人云: "呼吸湖光飮山綠, 傭夫販奴皆氷玉。" 夫湖光山綠, 猶且氷玉人, 況翁以氷玉之姿, 枕藉泉石。吞吐烟霞, 爲此江此山之主。此得壽之地也。仁知之樂得之心, 而寓諸山水。山焉而仁可益厚, 水焉而知可益周。此養壽之術也。以其地而有其術, 始知翁必壽之道, 非一端也。歲壬寅三月之晦, 爲翁六十一誕朝。有子九人, 皆鸞停鵠峙, 門下諸生, 能習其傳。相與謀, 所以上壽。或以詩, 或以酒, 以介君子萬年。正會在十舍外, 未忝席末, 遙以一言祝之, 曰: 期頤耄耋, 人所欲也, 吾不以是頌。富貴名利, 人所願也, 吾不以是祝。噫, 斯道之喪, 久矣。翁能扶昭脉於旣絶, 保碩果於將剝, 如急流砥而氣益壯, 如大冬柏而節益堅, 使斯文賴而不墜, 吾黨依而爲重。是則壽不惟其身, 功之及于世道者, 固何如耶? 嗚乎! 使曉堂今日在者, 其頌禱之辭, 能與翁之筆, 爭奇匹雄。金石迭作, 管絃并奏, 方丈列仙, 必爲之獻賀而呈瑞矣。雖然其所以稱之之義, 則庶不大謬於此矣。翁其肯右手停筆, 左手執爵, 欣然讀此文, 而加一醉否?

---

117) 지리산의 또 다른 이칭임.

우송집(友松集)의 서문

옛날 기이하고 걸출한 선비로서 종종 자기 마음속에 깊이 간직한 것들을 내놓지 않고 결국에는 숲가에서 늙어버린 사람들은 얼마나 되었던가? 우송 표공(友松表公)은 경륜을 간직한 채 우리 중엽(中葉) 성세일 때 도광산채(韜光鏟采)[118]하여 세상에서 명리를 구하려 하지 않았다. 그러나 영조조(英祖朝)에서 백의(白衣)[119]로 한 고을의 훈장(訓長)이 되어 자기의 학문을 조금 실험하여 보았다. 대소(大小) 백성들을 경계하면서 각각 8장(章)으로 된 글을 지었는데, 이것은 경전(經傳)에 의거하여 가르침이 명백하고도 적절하여 백성들로 하여금 쉽게 이해하고 쉽게 행동에게 옮기게 하였으며, 콩이면 콩, 조이면 조, 천이면 천, 베이면 베, 비단이면 비단이라고 믿게 하였을 따름이다. 그의 《우송집》과 시가 각기 한 편을 이루었는데, 진솔한 마음을 그대로 담아 글을 다듬으려고 애쓰지는 않았지만 천기가 그대로 노출되고 있다. 그 속에는 유문들이 근근이 이 몇 편 밖에 없으니 너무나도 요요한 감을 준다. 그렇지만 군자들은 많이 남겼던가? 세상에 조고(操觚)[120]하고서 농묵(濃墨)[121]하는 선비들은 화월이나 음영하여 총애를 사고 아름답다는 명성을 구하려고 책 상자가 넘어나게 보관하고 있지만 쓸모 있는 말 한 마디를 구하려고 해도 찾아내기가 아주 드물다. 세상에 엄주산인(弇州山人)[122]이 세상에 살아있지 않으니 공의 글을 후세에 전할 수 엇으며 또 전하지 않으면 안될 글들이 책궤에 보관된 채 수백 년이라는 오랜 세월을 전해 내려오면서도 그대로 믿게 되었다. 오늘날 후손들이 좀 벌레가 달려들어 배를 채우는 참상을 차마 보지 못하고, 당세의 제 명인과 석학들에게 부탁하여 찬술을 하고 한 권으로 만들어 출판하려고 재적(在德)과 한종(漢鍾)이 가문 장로들의 뜻을 전달하면서 교감을 부탁하여 왔다. 나는 일찍 외람됨을 헤아리지 않고 공의 묘지명(墓誌銘)을 써 준적이 있었기에 약간의 수개를 가하고 돌려 주었다. 아! 시대는 때에 따라 저절로 바꾸어지지

---

118) 재능을 밖으로 드러내지 않음.
119) 일바의 벼슬하지 않은 평범한 사람.
120) 나무패를 잡고 글을 씀 곧 문필에 종사함.
121) 진한 먹물.
122) 명(明)나라 왕세정(王世貞)의 호. 봉주(鳳洲), 구우재(九友齋), 오호장(五湖丈) 등 여러 호를 사용하였다. 자는 원미(元美)이다. 가정진사(嘉靖進士)로 관직은 형부주사(刑部主事), 형부상서(刑部尙書) 등을 역임하였고, 이번룡(李樊龍)과 함께 고문(古文)을 주창하였으므로 이왕(李王)으로 칭하였으며 나이 65세에 사망 하였다. 저서로는 수보전(首輔傳), 엄주산인 사부고(弇州山人四部稿), 산당별집(山堂別集) 등을 남겼다.

만 소나무는 우뚝 서서 구름 위에 치솟아 해를 가리면서 후손들에게 이백 년의 그늘을 드리워 주면서 지금까지 내려왔다. 내 장차 수레에 기름을 치고 말에 여물을 먹여 그 정자 반무쯤 되는 시원한 그 곳의 그늘 아래로 가 공의 유집(遺集)을 읽어 가리다.

友松集序

古之奇傑之士, 往往不售厥蘊, 終老林樊者, 何限。友松表公, 負抱經綸, 當我中葉盛際, 韜光鏟采, 不求名利於世。英廟朝, 以白衣爲一邑訓長, 薄試其學, 其警大小民各八章, 依傅經傳, 明白剴切, 使民易知易行。信乎菽粟耳, 布帛耳。其友松亭記, 若詩各一篇, 亦任眞率意, 不事雕繪, 而天機流露。其間遺文只此數篇而止, 甚寥寥矣。然君子多乎哉? 世之操觚弄墨之士, 啁花詠月, 賈寵取妍, 致其箱篋之富, 而求一言, 幾乎道者蓋鮮矣。世無弇州山人, 使公之文可傳, 而不可不傳者, 巾衍於數百載之久。今其後承, 不忍其蠹魚之飽, 副以當世諸名碩之贊述爲一局(弖)將登棗, 在德漢鍾致其門長老之意, 屬以讎校。余嘗不揆猥越, 銘公之墓矣。遂略加塗乙而歸之。吁, 時有相禪, 松無古今。其亭畔松, 亭亭干雲蔽日, 蔭庇後人二百年于玆矣。吾將膏車秣馬, 往讀遺集於半畝淸陰之下。

경재유고(敬齋遺稿) 서문

고어(古語)에 이런 말이 있다. "그 사람을 사랑하면 그의 집 지붕위에 있는 까마귀도 사랑한다."고 하였다. 누가 이런 말을 했는지? 그는 도를 아는 사람 아닌가? 경재 김 공(敬齋金公)은 본래부터 작가(作家)로 자처하지 않았으며 사람들도 그것으로 칭찬하지 않았다. 그렇지만 선생의 시는 정서에서나 마음 씀씀이에서 향기롭고 윤이 도는 진액(眞液)이 흘러나오고 있는데, 어찌 지붕 위에 까마귀 같을 뿐이겠는가? 그 사람을 사랑하기 때문에 사랑하지 않는 것이 없었다. 시서(詩書)를 읽으면서도 그 사람을 모르는 것을 추성(鄒聖)[123]도 옳지 않다고 하면서 반드시 그가 살던 시대를 논해

---

123) 맹자(孟子)를 지칭함.

야 한다고 하였다. 지난날을 회상하여 보니, 그 분에게서 사랑을 받은 것이 남들에게 뒤지지 않는 원인으로 하여 공을 높이 알고 있는 것도 남에게 뒤지지 않고 있다. 공은 일생동안 숙연히 두옥(斗屋)[124]에서 살면서 남들이 알아주기를 바라지 않았다. 무슨 세상의 득상(得失)과 영욕(榮辱) 따위는 전혀 그의 방촌(方寸)[125] 그에서 싹트지 않았다. 참된 것을 지키고 화평(和平)을 보존하며 덕을 숨기고 빛을 감추는 데 있어서는 털 끝 만치도 없었다. 몸을 수양하는데 있어서는 잠시라도 소홀하지 않았으니, 옛날의 독행(篤行)한 군자들에게서 찾아보아도 그와 견줄 사람은 아주 보기 드물다. 시(詩)도 그 사람 됨됨이와 같아 평담(平淡)하고 전아(典雅) 하다. 화려하게 수식하지 않고 그 때 그 환경에서 무엇이 떠오르게 되면 곧 붓을 들었고 그것들을 모아두지 않았다. 공이 작고한 후 족손 석조(錫祚)와 그의 문생 강인환(康仁煥)이 다 없어지고 남은 것을 수집하여 겨우 1권을 만들어 장차 간행하여 길이 전하기를 도모하면서 나에게 현안(玄晏;서문)을 부탁하였다. 아! 공에게 있어서 전해야 하는 것이 시에 달린 것이 아니라 해도 시의 인쇄가 꼭 서술의 경중을 기다릴 필요는 없지 않는가? 나의 흠앙하던 마음을 돌아볼 때, 참으로 공의 일을 돕는 것은 사양할 수 없으므로 서문을 지었다.

敬齋遺稿序

古語云"愛其人愛, 其屋上之烏。"爲此語者, 其知道乎？敬齋金公, 素不以作家自處, 人亦不以是多公。雖然詩之出於公者, 是其精神心術之芳潤瓊液, 奚但屋上之烏而已哉？愛其人而宜無所不愛也。誦讀詩書, 不知其人, 鄒聖不以謂可, 而必使論其世。念昔荷愛之重, 不後於人, 是以知公之深, 亦不在人後。公一生蕭然斗屋, 不求人知。凡世間之得喪榮辱, 不嬰其方寸。守眞保和, 匿德潛光, 存諸心者, 無一毫之差。修於身者, 無造次之或忽, 求之古篤行君子, 亦罕其比矣。詩如其爲人, 平淡典雅。不尙誇華, 遇境輒寫, 亦不復畜錄耳。公沒後, 族孫錫祚、其門生康仁煥, 裒稡殘缺僅一卷, 將付剞劂, 以圖壽傳, 屬余以玄晏。噫, 公之可傳者, 固不在乎詩。而詩亦何竢乎敍之重輕也？顧余慕仰之私, 苟可效於公之役者, 所不敢辭也。遂爲之序。

---

124) 아주 작고 초라한 집.
125) 사람의 마음은 가슴속의 한 치 사방의 넓이에 깃들어 있다는 뜻으로, 마음을 이르는 말, 흉중(胸中)

탄운유고(灘雲遺稿) 서문

 아! 선군(先君)이 생전에 사권 분들은 모두 덕망과 학문으로 소문이 나고 한 때 명망이 높았던 분들인데, 그 가운데에서도 탄운 유공(灘雲柳公)과는 더욱 막역한 사이었다. 도의(道義)로 서로 도왔으며 걱정이 있으면 함께 걱정하고 즐거움이 있으면 함께 즐기었다. 두 분이 만난 자취를 찾아보면 거의도 일생동안 만나는 것이 빈 날이 없었다. 이를 인연으로 정회(正會)는 철없을 때부터 공을 뵈어 왔다. 공이 나를 자식처럼 아끼시고 돌보아 주시는 가운데서 오십년이라는 세월을 흘러 보냈으니, 공의 깊은 내심을 알고 있는 기간이 짧다고는 말 할 수 없다. 공은 공의 가정이 유학(儒學)을 업으로 삼고 있으므로 일찍 학문에 종사하여 견식이 넓고 조리(操履)가 확고하였다. 공은 봄날의 따스한 기운인 냥 얼굴은 언제나 온화하였고 황하의 둑이 터질듯 한 열변은 참으로 뛰어났다. 언제나 담론(談論)할 때면 좌중의 모든 사람이 귀를 기울였고, 그 덕망 있는 모습을 보면 사람들의 마음을 도취시켰으며, 그 풍도를 들은 사람들은 감복 하였다. 대개 그의 영민한 재주와 고매(高邁)한 기개는 여러 사람을 다스릴 만하여 완고한 구유곡사(拘儒曲士)[126]들과는 전혀 견줄 수도 없는 분이었다. 비록 저술은 즐기시지는 않았지만 마음에 느끼시는 바가 있으면 성정(性情)을 읊기도 하였는데 이것은 마음속에 넘치는 향을 밖으로 뿜는 것일 뿐 그것을 말단으로 취급하였다. 천리마가 힘을 자랑하지 않는 것은 힘이 모자라서가 아니라 덕을 양보한 것이며, 옥에 해조류(海藻類)를 새기지 않은 것은 무늬가 없어서가 아니라, 그릇에 손상을 미칠가 두려워하기 때문이다. 꽃다운 교화와 준엄한 교의가 문장을 가린 것 아닌가? 그렇지만 공이 생존해 계실 적에 사람들은 그의 몸에 간직한 것들을 보고 싶어 하였고 다투어 얻어 내려고 하였다. 공이 작고하신 후에는 남겨둔 기상들은 방불(髣髴)[127]하게 할 수는 없지만 그 영향은 영원할 것이다. 공의 자제 제덕(濟德)이 참아 그 유문을 서상(書箱)에 버려두는 것이 안타까워 장자 그것을 수민(手民)[128]에게 넘기려고 하면서 정회(正會)에게 "자네가 이 일에 말 한마디 없어서는 안 되지 않는가?"라고 말하였다. 아! 지난날을 그려보면 쇠 소리 나는 그 목청이 아직도 내 귀에 쟁쟁하게 들려오는 듯 하니 평소에 마음속에 간직하였던 심정을 적어 세교(世交)[129]의 돈독함을 꾀하

---

126) 편협한 학자와 보잘 것 없는 사람.
127) 매우 비슷한 모양.희미하여 선명하지 않는 모양.
128) 조판공(彫版工) 또는 식자공(植字工)을 이르는 말로 오늘날에는 인쇄업을 하는 자라 할 것이다.
129) 대대로 맺어 온 교분.

려고 한다.

灘雲遺稿序

嗚呼，先君在世所與交，皆德學聞，望重一時。而灘雲柳公，尤其莫逆。道義相輔，憂與之憂，樂與之樂。跡一生會合，殆無虛日矣。正會自不省事，貪緣拜公。愛我惠我，眷眷子視之，垂五十年。知公之深，不可謂不久。公家世業儒，早從問學，見識淹博，操履堅確。溫乎其春和之容，雄乎其河決之論。每於眾中談笑傾一座，覩其德者心醺，聞其風者悅服。蓋其英慧通敏之才，雋邁發越之氣，固足以綜理庶物，非若拘儒曲士陋自固者比也。雖雅不喜著述，或有意會，吟詠情性，是其積充於中剩馥之發外也，然於公特末耳。驥不稱力，非力不足也，遜於德也。玉不尚藻，非無文也，遜于器也。英風峻義，文爲之拚也歟。雖然公之在也，著於身者人爭覯之欲求。公於沒世，餘徵是無以髣髴，其影響不巧。胤濟德不忍其遺文之委諸筴笥，試將付手民，囑正會曰："子不可無一語相斯役。"噫。文吾豈敢？撫念疇昔，金聲尚在耳。遂書平日所衡於中者，以講世好之篤。

숭모계(崇慕稧) 서문

생전에는 하나 같이 섬기는 정성을 다하고 작고하신 후에는 사뭇 사모하는 뜻을 담고 있어야 한다. 스승을 숭배하는 것은 그의 도(道)를 사모하기 때문이다. 신재 유공(愼齋庾公)은 칠십 평생을 임천(林泉)[130]에서 사시며, 어느 하루도 책을 손에서 놓은 적이 없다. 육예(六藝)[131]의 글을 읽으시며 성정(性情)의 근원을 탐구하고, 이것이 쌓여 덕이 되고 밖으로 나타나면 글이 되었으므로, 장차 세상에 큰일을 할 수 있을 것인데 시대가 그것마저도 불가하게 하자 자기의 재능을 숨기고 명성을 구하지 않으면서 다만 후진(後進)들을 계도(啓導)하는 것을 자기의 소임으로 간주하며 백발이 되도록 게을리 하지 않았다. 지금 그 고을의 자제들 중 문학과 행의로 명성이 있는 사람들은

---

[130] 은사(隱士)가 사는 곳. 은사는 예전에 벼슬을 하지 않고 숨어 살던 선비.
[131] 고대 학교에서 교육한 6가지 과목, 즉 예, 악, 사, 어, 서, 수(禮樂射御書數)를 말함.

그 문하에서 많이 나왔다. 공이 이미 작고하시므로 그 문생들은 서로 계(稧)를 결성하여 이름을 숭모(崇慕)라고 하였다. 조석호(曺錫祜)와 유화봉(庾華鳳) 두 친구는 그분의 제자들 중 뛰어난 사람인데, 정회(正會)에게 서문을 간청 하였다. 아! 세상이 말세에 이르고 민속이 물속에 잠길 대로 잠기어 사도(師道)가 사라진지 퍽 오래 되었다. 지금 제군(諸君)이 스승이 세상을 떠나신 후에도 잊지 못하고 그리는 마음으로는 부족하다고 생각하여 또 계(稧)를 결성한 후 수시 모여 강론하고 선사(先師)의 글을 읽으며 선사의 가르침에 감복하면서 그 도를 영원히 전하고자 하니 사도(師道)가 다시 일어날 날이 혹 찾아오지 않을까? 반가운 소식을 듣고 위와 같이 글을 남긴다.

崇慕契序

生而盡一之誠, 歿而寓羹墻之慕。崇其師, 所以慕其道也。慎斋庾公, 林下七十年, 手不卷者無日矣。诵六艺之文, 究性命之原。蘊之爲德, 发而爲文, 将大有爲于世。而時乎不可, 則韜光铲采, 不求闻达, 惟以導迪後進爲己任, 白首不倦。至今乡里子弟以文行名者, 多出門下。公既没, 其門生相与結契, 名曰崇慕。曺锡祜、庾華鳳二友, 其高足也, 請正會序其事。呜呼！世降俗渝, 师道之廢, 久矣。今諸君慕不足, 又契之, 随时會議, 誦先師之书, 服先師之教, 傳其道于無窮。師道之興復, 或將有日歟？樂聞而爲其說如右云爾。

남경계(南庚稧) 서문

산수(山水)가 인지(仁知)에 무슨 상관이 있기에 부자(夫子)[132]는 반드시 "인(仁)한 사람은 산을 즐기고 지혜가 있는 사람은 물을 즐긴다(仁者樂山,知者樂水)"라고 하였다. 대체적으로 보면 산은 중후하여 움직일 줄 모르니 이과 상사(相似)하지 않는가? 물은 주야로 쉼이 없이 흘러가니 지(知)와는 상관하지 않는가? 이것이 인자와 지자들이 즐기는 원인으로 된다. 회암 선생(晦菴先生)[133]은 한 그루의 나무 아래에 조금이라도 시원한 그늘이 있으면 그 자리를 배회하며 돌아서지 못하였는데 어찌 경물이 그렇

---

132) 공자(孔子)를 지칭하는 말.
133) 주자(朱子)의 호.

게 만들겠는가?

 모양성(牟陽城)[134]의 남쪽 문수산(文殊山)에 남암(南庵)이라는 암자가 있다. 골자기가 깊고 굴곡이 없으며 높은 지세에 자리를 잡고 있어도 훤히 드러나지 않는다. 숲이 우거진 뫼는 비단같이 곱고 깊은 절벽아래 흐르는 계곡은 패옥을 마주치는 듯 맑은 소리를 울리고 있다. 맑은 소리는 오직 귀만 즐거울 뿐 아니라 사람들의 눈길을 사로잡을뿐더러 우리들의 인지(仁知)의 마음을 이룩하게 큰 도움을 주고 있다. 전에 제공(諸公)들은 모두 한 고을에 명망 있는 사람들로 이 암자에서 글을 읽었는데, 뜻이 같은데다가 나이도 동갑이어서 계의 이름을 '남경(南庚)'이라 달고 서로 잊지 않으려고 하였는데 정작 이름을 바위 위에 새긴 사람은 열에 하나도 되지 않는다. 아! 후일에 이것을 보게 된다면 지금 우리가 향산(香山)을 보는 것과 같이 될는지 누가 안단 말인가? 또 한마디 할 말이 있다. 무릇 명산과 명승은 늘 도관(道觀)[135]의 법장으로 되는데 그들이 정한 개울이나 바위들은 모두 불가(佛家)의 수중으로 넘어갔다. 이 역시 조물주가 잘 하지 못한 일이다. 바야흐로 제공이 여기에 모여 글을 읽고 있을 때 북농(北隴)도 환영했고 남악(南嶽)도 서로 읍을 하였으며, 숲도 칭송하고 새들도 기뻐하여 응접(應接)하느라고 겨를마저 찾지 못하였다. 하늘이 혹 우리 명교(名敎) 중에 있는 사람들로 하여금 운림(雲林)을 주관하고 간곡(澗谷)을 관리하려고 이 조짐을 보여주는 것은 아닌가? 만은 안장(晩隱安丈)이 계를 결성하는 뜻을 이야기 하면서 나에게 그 일을 서술하라고 명하시었다.

南庚契序

山水何與於仁知, 而夫子必曰; "仁者樂山, 知者樂水." 盖其山之厚重不遷, 有似乎仁. 水之周流無滯, 有似乎知. 此仁知者所以樂之. 而晦庵先生遇一樹稍淸陰處輒徊徨不去者, 豈景物役哉. 牟陽治南文殊山之南菴, 谷深而不迂, 境高而不露. 林峀爭綺, 絕澗鳴珮. 不惟悅耳而玩目, 可以助吾仁知之心矣. 昔年諸公, 俱以一鄉名德, 讀書此菴. 志同矣, 庚又同矣, 遂名之契, 以志不忘. 列書其名于石, 未十者一也. 噫, 後之視此, 亦安知不爲今之視香山也耶? 抑又有一說. 凡名山勝境, 往往爲道觀法場, 所占據澗岅岩籍, 盡輸于佛家, 亦造物欠事

---

134) 전북 고창군 고창읍에 있는 성명(城名).
135) 도교(道敎)의 사원.

也。方諸公之聚讀于此也，北隴歡迎，南嶽爭揖；林頌 禽悅，應接不暇。天其或者使吾名教中人，得以主張雲林，管理澗谷，此爲之兆也歟？晚隱安丈以契中之意，命余叙其事。

이존계(二存稧) 서문

　사도(師道)의 의미는 얼마나 큰가! 어버이의 사랑(仁)으로 이 몸이 있게 되었고 임금의 의(義)로 이 몸이 자라게 되었으며, 만약 스승의 가르침이 없었다고 한다면 이 몸이 설 수 없었을 것이다. 비록 세 가지 같지 않는데서 생겨나왔다고 하지만 그들을 섬기는 도리는 하나이다. 월담 김공(月潭金公)은 시례(詩禮)를 업으로 삼는 고가(古家)에서 태어나 명예와 행실을 갈고 닦았으며, 조용히 도(道)를 즐기었는데 세상을 마칠 때까지 줄곧 용강(龍江) 위에서 강학(講學)을 하였다. 그의 문하로 찾아든 학생들은 학사(學舍)에서 다 수용할 수 없는 지경이었는데 각 자의 재능을 보아 면려하여 주어 각자가 모두 능력에 따라 성취하게 되었다. 제자들은 기뻐하기를 70명의 제자들이 부자(夫子)[136]에게 하는 것과 같았다. 그는 매년 (夫子의) 탄생일에는 반드시 한번 강회(講會)를 개최하였는데 화기롭고 씩씩하게 함석(函席)[137]의 자리에서 읍양(揖讓)과 유락(唯諾)하여 훌륭한 옛 사제(師弟)의 기풍을 그대로 보여주고 있었다. 공이 작고한 후 사모하는 마음이 그치지 않고 모임을 갖고 학문을 강론하여 스승의 존망(存亡)과는 관련 없이 그치지 않았다. 불행하게도 세상이 변하여 이 계(稧)도 폐지되어 강회(講會)를 하지 못하였다. 그러나 수년 후에 병란(兵亂)이 조금 그치고 풍파도 이미 안정되어 잊었던 강회를 다시 처음처럼 개설하게 되었다. 아! 저 독인(毒刃)이 가혹하여 사람을 살해하고 인가(人家)를 불사를 수가 있지만 인간의 마음이야 없앨 수 없는 법이다. 흩어진 구름이 다시 모이고 이즈러진 달이 다시 둥글게 되었다. 아! 참으로 성대하구나! 외예(外裔)[138]인 불녕(不佞)[139]은 공의 덕의(德儀)를 뵈 온 적이 한 두 번이 아니기에 경모의 그 심정은 그 누구도 따르지 못할 것이다. 공을 닮은 손

---

136) 공자(孔子)를 존칭하는 말.
137) 스승을 존칭하는 말.
138) 외가의 후손.
139) 편지 글에서 재주가 없다는 사람의 뜻으로, 자기를 낮추어 일컫는 말.

자 형식(炯植)이 나에게 서문을 부탁하였다. 나는 스승이 존재하여야 도(道)가 존재한 다는 뜻을 취하여 계(稧)의 명칭을 정하라고 청을 낸 다음 거기에 서문을 적는다.

二存稧(稧)案序

師道之義大矣哉！親之仁而有此身，君之義而養此身。不有師敎之存，無以立此身，於所謂生三而事一也。月潭金公，篤生詩禮故家，砥礪名行，囂囂樂道，而終其世，方講學于龍江之上。及門學子，殆不容舍，因其材而勉焉，俾各有成。諸子之悅服，七十子之於夫子。每歲誕日，必一會講，闇闇侃侃，揖遜唯諾於函席間，蔚然有古師弟之風焉。公沒後，慕猶不衰，繼而會講，不以存亡而有間，不幸世쉾滄桑，此契遂廢不講矣。數年來，兵亂稍息，風濤已定，迺復設於幾忘之餘，講之如初。噫，彼毒刃酷燀，能殺人身，燬人家，而不能亡人之心。散雲復合，缺月更明。吁盛矣。不佞於公爲外裔，覿公之德，不止一再，景慕之私，非餘人可伍。公之肖孫炯植，囑以弁文。余取師存道存之義，請名其稧，因爲之序。

탐나(眈羅)로 돌아가는 박군 송강(朴君松岡)을 보내며

군은 영주(瀛洲)[140]에서 타어나 북쪽 기호(畿湖)에서 생활 하였다. 그는 부친과 조부의 두 세대의 행장(行狀)과 어머니 여든 하나 수연(壽宴) 때의 축하 시(祝賀詩) 및 서문(序文)을 모아 각가(各家)의 명사를 방문하여 글을 구하려고 하였더니 어느 분이나 다 선선이 그의 요구에 응하였다. 계묘년(서기 1963) 초 여름에는 나의 보도산방(普道山房)을 방문하여 말하기를 "지난 해 두 번이나 방문 하였지만 뵙지 못하여 오늘 다시 왔습니다."라고 하였다. 그를 맞아들이고 외모를 보니 공순하게 예의를 갖추었고 말도 성의가 있었으며, 그의 행장(行裝)은 절반은 나귀에 실을 만큼 많았으나 다른 물건은 없고 오직 제가(諸家)들에게 받은 글 뿐 이었다. 그와 이야기를 나누고 읽은 자료들을 통해서 그의 가문은 학문에 역사가 있는 가문이었고 정성과 효도는 하늘

---

140) 제주도의 별칭.

이 심어 놓은 것이라는 것을 알게 되었다. 아! 전일에 그렇게 모은 글들이 지금보다 몇 배 되었지만 그 사이에 답답한 사정으로 모조리 없어지게 되었는데, 지금 또 분주하게 다닌지 10년이 되어 이렇게 많은 글을 모으게 된 것이다. 정성이 지극하면 불에 타서 재가 되었다고 해도 재난이라 할 수 없고, 비바람이 부로 눈서리가 내려도 하는 일을 막아내지 못할 것이다. 생각해 보건데 한라산(漢拏山)의 높은 기운과 백록담(白鹿潭)의 깊고 맑은 정기가 사물에 모여 대죽으로, 귤로, 명마로, 변하였고 사람에게 모여 고대로부터 훤칠하고 걸출한 선비들이 나타나게 되었는데 군이 바로 그 가운데의 한 사람이다. 오늘날 그가 고향으로 돌아가면서 나에게 한 마디 말을 남겨달라고 요청하였다. 헤어지면서 말을 남기는 것은 어진 사람들이 하는 일이다. 내가 어찌 감히 그렇게 말할 수 있겠는가 만은 못 생긴 여인이 서시의 찌푸린 상을 흉내 내듯 하였다. 이로써 수륙 천리 길을 위로 하였다.

送朴君松岡歸耽羅序

君瀛洲産也, 北遊乎畿湖, 爲其父祖兩世事狀, 及壽母八十一齡詩若序, 謁于各家名碩, 求無不獲。歲癸卯首夏之初, 訪余普道山房, 曰:"上年再叩門不遇, 今且來矣。接其外禮甚恭, 而言甚懇, 厥裝可半驢, 無長物, 惟所獲諸家文也。取次涉獵, 可見家學淵源, 誠孝天植也。噫, 前乎此得文者, 不啻倍蓰。而中經欎攸, 盡歸烏有。今又奔走十載, 致此之富。誠之所到, 灰燼不足爲災, 風雨雪霜, 不能沮也。第念漢拏峻拔之氣, 鹿潭泓濯之精, 鍾於物者, 爲竹爲橘爲駒騄之良, 鍾於人者, 古多瑰瑋傑特之士, 君其一也歟。今其歸也, 要一言之贈。贈言, 仁者事也, 吾豈敢? 只效嫫嚬, 以慰水陸千里之行。"

박강재(朴强齋)를 보내며 쓴 서문

지난 해 봄에 효당(曉堂)과의 인연으로 옹(翁)과 함께 화엄사(華嚴寺)에서 놀았는데, 효당이 옹의 독실한 행실 한두 가지를 말해주어 강재(强齋)가 왜 강(强)하다고 하였는지 알게 되었다. 아! 행실에 이처럼 강한 분이 있었던가! 늙은이들은 힘을 자랑하지 않는 것이 예전부터 내려오는 예법이다. 그런데 천첩(千疊)으로 높이 솟은 산을 넘고 겹겹으로 가로 놓인 물을 건너 초려(草廬)를 몸소 찾아 주었으며 그의 기력은 왕성하고 그 정신은 맑았으니 그 몸에 이처럼 강한 것을 지니고 있었던가! 가을 밤 집 안에는 정적이 깃들었는데 서로 흉금을 터놓고 이야기하다 보니 밤이 깊어가는 줄 몰랐다. 지금 학풍(學風)의 조류를 살펴보면, 학교만 다니는 것이 조류처럼 사해(四海)가 요동치는데 비단 자제들만 빠진 것이 아니라 모두가 빠져버려 아버지는 가르치고 형도 노력하여 남에게 뒤떨어질까 두려워 종종 가산을 탕진한 사람이 서로 바라볼 수 있다. 그러나 옹(翁)은 세속 중에서 우뚝 벗어나 봄에는 밭을 갈고 가을에는 글을 읽으며 효제(孝悌)를 돈독히 이행하고 이것으로 자식은 훈계하고 손자를 가르치니 온 세상이 비난해도 돌아보지 않고 은연히 광란(狂瀾)을 되돌려 삼고(三古)[141]로 회귀하려고 하였다. 그의 뜻에 이처럼 강한 것이 있었던가! 그것은 혹 하늘이 기이한 기운을 각별히 그에게 모아 준 것이 아닌가! 이와 같이 강하니 혹 천관산(天冠山)의 걸출한 기운이 모여서 생기는 것일까. 후일 이 산에 가게 되면 당연히 옹이 살고 있는 집을 방문할 것이다. 그 강한 것은 이 세 가지 것에 그치지 않을 것이다. 그렇지만 이미 눈으로 본 것이 이렇게 강하니 아직 보지 못한 것들을 대체적으로 짐작할 수 있다. 《중용(中庸)》[142]에서 "이것이야 말로 진정 강한 것이다.(强哉矯)"라고 하였는데 옹(翁)이 거의 이에 가깝지 않는가. 정회(正會)는 입으로만 '문강장(問强章)'을 읽고 그것도 오래되지 않는 것도 아니지만 연약하여 자립(自立)하지 못하고 있다. 아무리 억지로 경주한다고 한들 될 수가 있을까? 백발의 몸으로 이별하니 줄 것은 없고 효당(曉堂)의 말을 열거하여 나의 느낀 바를 부록으로 삼았으니 후일 서로 그리울 때 기념으로 삼기 바란다.

送朴强齋序

昔年春, 贪緣曉堂, 與翁同遊華嚴, 曉堂道翁篤行之一二, 固已知强齋之所以爲强。噫, 其行之强, 有如此者。老人不以筋力爲禮古也。而間關海山千疊, 能枉屈艸廬, 氣旺而神淸。其體之强, 有如此者。秋堂夜寂, 穩叙胸中底蘊, 不覺更深。目今學風校潮, 四海動盪。不惟爲子弟者淪胥而咸溺, 父敎兄勉亦恐落後於

---

141) 고대(古代)를 세 개로 나누어 상고(上古), 중고(中古),하고(下古)라고 하였다.
142) 자사(子思) 지음, 주자(朱子)가 예기(禮記) 속에 있는 대학(大學)과 중용(中庸)을 발췌하여 사서(四書)의 하나로 하였다.

人, 往往敗產喪家者相望焉。翁能拔乎流俗之中, 春而畊, 秋而讀, 敦尙孝弟, 以是訓子, 以是課孫。擧世非之而不顧, 隱然廻狂瀾而返三古。其志之强, 有如此者。其或天冠傑特之氣, 爲 之鍾毓也歟？異日作玆山行, 當見翁居家矣。其所謂强者, 必不止此三也。然所見者, 若是其强, 則所未見者, 亦可槩也。中庸所謂 "强哉矯", 翁殆庶幾矣乎。正會口誦 "問强"章, 不爲不久, 而萎弱不自立。雖欲强勉得乎？白首相別, 顧無以爲贈。首擧曉堂語, 附以所感者, 爲他日相思之資云爾。

남평 문씨(南平文氏)의 세보서(世譜序)

사서(史書)의 실수는 야사(野史)와 고어(古語)를 사용하지 않는데 있다. 지금 세상에서는 동호(董狐)[143]의 역사가 없으므로 야사(野史)가 있다는 말도 들리지 않는다. 다만 사람들은 가보를 만들거나 사서를 지을 때는 백세(百世)의 본원(本源)을 기록하면서 이것을 이용하여 일가(一家)를 이루는 문헌(文獻)으로 삼았다.

남편 문씨(南平文氏)는 삼한벽상공신 무성공 다성(三韓壁上功臣武成公多省)[144]으로부터 시작된다. 대대로 내려오면서 금인(金印)과 자수(紫綬)[145]를 소유한 존귀한 사람들이 죽백(竹帛)[146]에 빛나므로 우리나라의 성족(盛族)으로 불리고 있다. 그 종족들은 날로 번창하고 가속(家屬)이 날로 멀어지게 되다보니 회통(會通)하기가 어렵게 되었으니 이것은 필연적인 추세이다. 이 족보는 승국(勝國)[147]의 삼중대광 문하찬성사 순평부원군 달한(三重大匡門下贊成事順平府院君達漢)을 파조(派祖)로 하자고 한 사람이 주창하여 서로 화답하므로 상의하지 않아도 의견이 같았다. 이 사업은 갑진년

---

143) 진(晉)나라 영공(靈公)과 성공(成公) 때의 이름높은 사관(史官), 조천(趙穿)이 영공(靈公)을 시해하자 동호(董狐)는 필주(筆誅)하는 의미에서 당시 승상(丞相)이었던 조둔(趙盾)이 그 임금을 죽였다(趙盾弑其君)고 하였다고 직필하므로 후세 사관들의 구감이 되었다.
144) 삼한벽상(三韓壁上功臣) ; 서기 10세기 중엽 고려 태조 왕건이 한반도를 통일하고 고려왕조를 건립한 후 자기의 수하들을 선후로 책봉하였는데, 그 중 '삼한벽상공신' 들은 개국공신들 가운데서 최고급 공신들이며, 고려왕조 오백년사에 있어서 최고급 공신이다. 왕건은 이 삼십여 명의 문신과 무장들의 화상을 그려 신흥사의 공신당에 걸어 두었다.
145) 정삼품 당상관 이상의 관원이 차던 호패의 자주빛 술.
146) 역사책을 말함.
147) 전조(前朝)를 말함.

(서기1964) 봄부터 시작하였는데 그 일을 주관한 사람은 후손 모모들이다. 영태보(永泰甫)¹⁴⁸⁾는 문중 어른들의 뜻이라고 하면서 나에게 서문을 써달라고 부탁했다. 그 책을 살펴보니, 근신하고 엄숙함을 바탕으로 삼고 분명하고 똑똑하게 기입하는 것을 원칙으로 삼았다. 이른바 종친들을 모아 풍속을 돈후하게 하고, 천하의 인심을 관섭(管攝)¹⁴⁹⁾한다는 취지를 여기에서 볼 수 있을 것이다. 조용히 생각하여보니 순평(順平)의 후손으로 홍문관 대제학(弘文館大提學)을 지낸 호간공 효종(胡簡公孝宗)은 국조(國朝)의 명신(名臣)이었고, 그의 훌륭한 덕과 큰 공훈이 사첩(史牒)에 명확하게 기록되어 있으므로 여기서는 거듭 밝히지 않는다. 무릇 키를 업으로 삼는 집의 아들은 반드시 구부정정하게 만드는 것부터 익혀야 하고 갖옷을 업으로 삼는 가정의 아들은 반드시 풀무질부터 익혀야 하는 법이다. 호간공(胡簡公) 이후 수세(數世)를 거치면서 현달한 사람들이 나왔다. 그 후로 벼슬한 명관(名官)은 비록 조금 수효가 적다하더라도 세상 사람들은 그래도 문씨(文氏)의 가문을 전처럼 성하다고 말하는데, 그것은 그들이 효제(孝悌)를 숭상하면서 문호를 유지하기 때문이다. 이로 하여 가히 국가를 다스리는 업을 이어가며 시서(詩書)를 돈후하게 하고 어려운 길을 밝혀 주었으니, 가히 헌면(軒冕)¹⁵⁰⁾과 종정(鐘鼎)¹⁵¹⁾의 영광을 대체할 수 있고 옛 선열(先烈)들을 빛내고 후인들을 보우하여 계도(啓導)하였다. 그렇다면 오늘의 이 사업은 어찌 문씨(文氏) 한 집안의 문헌(文獻)으로만 그치게 될 것인가? 후일 태사씨(太史氏)¹⁵²⁾가 다시 새롭게 역사를 쓸 때에는 정녕 여기에서 많은 것들을 수집하여 기·송(杞宋)에서 모자라는 재료¹⁵³⁾들로 보충하게 될 것이다. 이른바 야사(野史)에서 찾아야 한다는 것은 바로 이것을 두고 한 말이다.

---

148) 영태보(永泰甫); 영태(永泰)는 사람이름이고 보(甫)는 옛적에 남자의 이름 뒤에 붙이는 미칭임. 아래의 역문에서 사람의 이름을 번역할 때 원문에서 보(甫)가 있는 경우는 모두 이식으로 번역하기로 한다.
149) 맡은 직무 외에 다른 직무의 일으르겸하여 봄.
150) 높은 관직을 말함.
151) 국가의 세신(世臣)에게 그 공덕(功德)을 종(鐘)과 정(鼎)에 새기는 것을 말함.
152) 사관의 장을 말함.
153) 기나라와 송나라의 모자라는 재료; 원문은 기송무징(杞宋无徵)이다. 《논어》에서 공자가 "하(夏)나라의 예는 내가 얼마든지 말할 수 있으나, 기(杞)나라는 고증할 수 없으며, 은(殷)나라의 예는 내가 얼마든지 말할 수 있으나 송(宋)나라의 예는 고증할 수없다. 문헌 자료가 모자라기 때문이다."라고 하였다. 후에는 증거가 부족한 일을 "기나라와 송나라의 모자라는 재료로 말미암아 고증할 수 없다."고 한다.

南平文氏世譜序

史失求(求)諸野古語也。今世董史不作野，亦無聞。惟人家修譜修乘，紀百世之源，委以成一家之文獻。南平之文，自三韓壁上功臣武成公多省始。金紫奕葉，輝映竹帛，號稱我東盛族。顧族日益蕃，屬日益遠，有難會通，勢使然也。是譜也，以勝國三重大匡門下贊成事順平府院君達漢爲分派之祖。一唱相和，不謀而同歸。役始於甲辰春。尸其事者，後孫某某也。永泰甫以門長老之意，俾書卷端。顧其爲書以謹嚴爲體，以明晳爲詳。所謂收宗族厚風俗管攝天下之人心者，此可見矣。竊惟順平後弘文舘大提學胡簡公孝宗爲國朝名臣，其盛德偉勳，昭載史牒，此不重述。夫業箕之子必爲弓，業裘之子必爲冶。胡簡以降，歷數世顯達。厥後仕宦名位，雖曰少遜，而世以謂文氏之盛如故者，以其尙孝悌而維持門戶，可以繼經綸國家之業。敦詩書而秉燭昏衢，足以代軒冕鍾鼎之榮。有光前烈，佑啓後人。然則今日是役，奚止文氏一家之文獻？異日太史氏作，必有以採撫於此，以備杞宋之闕。所謂求諸野者，其在斯歟。

죽산안씨(竹山安氏)의 대동보서(大同譜序)

족보는 옛날에 만들어진 것이 아니다. 족보는 어느 때 시작한 것일까. 미산 소씨(眉山蘇氏)[154]가 그것을 권여(權輿)[155]하였다. 대개 상고(上古)시기의 풍속은 나누어지지 않았고 백성들이 순박하여 족보는 만들어 지지도 않았다. 소씨의 시대에 와서 민속은 고대와 같지 않았다. 그러나 소씨(蘇氏)의 세상에 이르러서는 백성들의 풍속이 옛날 같지 않았으므로, 4세(世)의 족보를 만들어 종족을 수합하는 후한 기풍이 있었으니

---

154) 미산의 소씨; 중국 북송시기의 문학가 소순(蘇洵)을 가리킴.족보를 정리하는 사업이 언제부터냐 하는 데에 대한 논쟁이 많지만, 북송시기에 이르러 민간에서도 족보를 정리할 수 있기 때문에 보정 김정회 선생은 소순을 그 시초로 보았다. 중국에서 족보를 작성하는 방식을 주로 네 가지로 보았는데, 그 중의 하나가 소순의 수주체(垂珠體)이다. 그 특색은 세대에 대한 기입이 직계의 수직적 발전을 주선으로 하여 횡적인 연계를 추구하지 않는 것이다. 도표도 위에서 아래로 내려가며 표시하는데 주요하게 종법관계를 강조하였다.

155) 권여(權輿); 권(權)은 저울대, 여(輿)는 수레 바탕, 곧 저울을 만들 때는 저울대부터 만들고, 수레를 만들 때는 수레 바탕부터 만든다는 뜻으로 사물의 시초를 가리킴.

여기에서 세상의 변화를 볼 수 있었다. 하믈며 오늘 또 소씨(蘇氏)의 시대도 멀어져 안씨(安氏)들은 이 일에 급급하였으니 또 어찌 소씨(蘇氏)같이 하려하는가. 죽산 안씨(竹山安氏)는 참판(參判) 계인(季仁)을 선조로 한다. 그 뒤를 이어서 명공(名公)과 석보(碩輔)들의 문학과 충절이 노뢰(磊磊)[156]하여 하나가 하나의 뒤를 따르며 나타났고, 그 후예들이 이 나라 어느 곳에나 두루 거주하면서 그 수효가 많을 뿐 아니라 뿌리는 견고하고 그 근원은 깊게 되었다. 가지는 날이 갈수록 더욱 순조롭게 뻗어 나갔고 파의 흐름도 날이 갈수록 더욱 넓어 퍼지게 되었다. 이것은 인간의 힘으로는 통합하기 어렵다. 그렇지만 천만으로 헤아리는 사람들이라고 하여도 그 시초는 한 사람으로부터 시작되었을 따름이다. 한 사람으로부터 천명 만명을 살펴보면 원근(遠近)과 친소(親疎)의 차별이 따로 없게 된다. 을사년(서기1965) 봄에 종중에서 의논을 펴고 천 갈래를 이어 하나의 뿌리로 귀결 시켰고 만개의 파를 두루 겸비하여 하나의 근원으로 거슬러 올라갔다. 시종 이 사업의 주관으로 된 이는 병호(秉浩)와 병희(秉希)이다. 영환(映煥)과 연회(衍會)는 족보 1통을 기록하여 나에게 책머리에 말 한마디 해 주기를 간청하므로 나는 삼가 회답하기를 "이 족보에 무슨 말이 필요 한가? 내가 보기에 안씨 제공(安氏諸公)은 가정마다 효도하고 공순한데다가, 그 수가 많을 뿐 아니라 일가(一家)의 역사를 이루었고 한 사람이 창도하니 천백이 호응하여 아무런 이의(異議)가 없고 흐리터분한 것도 없이 여러 의론을 뒤로하고 먼저 족보를 앞자리에 두었으니 효제와 그 마음이 생기발랄하게 드러나 있다. 이것이 천하 인심을 관섭(管攝)하는데 무슨 어려움이 있겠는가?"라고 하였다. 그렇다면 내가 축하하는 하는 것은 안씨를 위해서만이 아니라 세상의 도를 위해 축하하는 것이다.

竹山安氏大同譜序

譜, 非古也。譜昉於何？眉山之蘇, 爲之權輿焉。盖上古俗厖民淳, 肫肫然有仁愛之風。譜可無作也。至蘇氏世, 民俗已不古若矣。故譜四世, 而收族厚風。此可見世變也, 矧乎今日, 又不及蘇氏之世亦遠矣。安氏之汲汲乎是役, 又奚但蘇氏之爲也？竹山之安, 同祖乎叅判季仁。厥後名公、碩輔、文學、忠節, 磊磊相望。其雲仍遍居八域, 可謂不億之麗, 根固矣, 源深矣。枝柯日益暢, 派流日益廣, 非人力可以會通。然散之千萬人, 其始一人耳。以一人而視千萬人, 亦無遠

---

[156] 많은 돌이 쌓인 모양. 도량이 넓어 작은 일에 구애되지 않는 모양.

近親疎之殊矣。乙巳春，宗議齊發，聯千條而歸之一根，賅萬派而溯之一源。始終幹其務者，秉浩、秉希。映煥衍會錄譜略一通，請不佞置一言卷端，謹復曰：是譜也，安用序爲？余觀安氏諸公，家孝而戶悌，以不億之麗，成一家之史，一唱而千百和，無歧貳淆，散之議，先乎譜，而孝悌之心，已油然矣。其於管攝天下人心何有？然則吾之賀，非爲安氏也，爲世道賀。

원유록(遠遊錄) 서문

 치솟은 산과 흐르는 냇물, 그리고 흩어졌다가 모여드는 노을과 구름, 폈다가 지는 풀과 나무, 이 모든 것들은 나의 기운을 돋우고 나의 글을 장하게 하여준다. 때문에 이렇게 말한다. "자장(子長)[157]의 글월은 역사에 있는 것이 아니라 망망한 바다와 높은 산의 장려(壯麗)하고 기괴(奇怪)한 곳에 있다". 즉 오전(五典)[158]과 삼분(三墳)[159]을 폐지할 수 있어도 유람은 폐지할 수 없는 것이다. 호산 박공 성주씨(湖山朴公晟朱氏)는 호걸스런 선비로서 금백(金帛)[160]도 그의 뜻을 유혹하지 못하고 총욕(寵辱)도 그의 마음을 건드리지 못한다. 천성이 음주를 즐겨 조그만 마셔도 취하게 되고 취하면 노래를 부르면서 세상을 녹두알처럼 보고 세속을 조롱하며 자기의 기운을 믿고 구애 받는 것 이라고는없다. 전에 나의 친구 효당(曉堂)이 생존에 있을 때, 그를 인연으로 하여 안면을 익히게 되었고 유람에 참여한 것이 한 두 번이 아니다. 하루는 손군 평기(孫君坪琦)가 소매[161]에 책 한 권을 넣고 더위를 무릅쓰고 나를 찾아와서 이렇게 말하였다. "이것은 박공(朴公)의 《원유록(遠遊錄)》입니다. 그리고 고당(顧堂)이 책의 서언을 적었고, 이미 효당(曉堂)이 부탁한 것입니다 곧 간행하려고 하니 책의 서언을 적어 주셨으면 합니다." 내가 이 책을 읽어보니 필력이 힘이 있고 기이하여 마치도 그 위인과 방불하였는데, 산악과 강물을 쥐락펴락하고 천태만상을 농락하고 바람을 몰아 바다를 건너려는 기상이 역력히 드러났다. 나는 도대체 어느 것이 산이고 물이고 사람인지를 분간할 수 없었다. 기꺼운 심정은 하늘로 나래쳐 자기의 몸이 영호

---

157) 송(宋)나라 사마천(司馬遷)의 자(字).
158) 중국 오제(五帝)의 서적(書籍).
159) 중국 삼황(三皇)의 글.
160) 금전과 비단.
161) 웃옷의 좌우에 있는 두 팔을 꿰는 부분, 옷소매.

천리 밖에 있는지를 몰랐다. 아! 전날에 옛날 효당(曉堂)이 나에게 유람을 청하였지만 나는 가사에 억메어 동경(東京)[162]의 유람을 못한 것이 첫 번 째이고, 금강(錦江)으로 가지 못한 것이 두 번 째 이고, 한라산으로 가지 못한 것이 세 번 째 이다. 그때를 생각하면 섭섭하였지만, 오늘에 전날로 돌아갈 수가 없게 되었다. 아! 나는 세 번이나 기회를 놓쳐버렸지만 공은 능히 그 기회를 얻을 수 있다. 양도(兩都)[163]의 고적(古蹟)과 영주(瀛洲)[164] 바다의 기이한 경치를 일일이 기록하여 내가 누어서 유람할 수 있도록 하였으니, 하나는 다행이지만 하나는 한을 나미지 않을 수 없다. 이제 한 마디를 적어 공(公)에게 드리려고 한다. 백발의 나이에 더욱 건장하고 체력이 날로 더욱 왕성하여 천하의 명승지를 다 보시고, 글이 더욱 기이(奇異)하고 말이 더욱 세련되어 제발 이 《원유록(遠遊錄)》에 그치지 마시기를 바란다.

遠遊錄序

山川之流峙, 霞雲艸木之榮頹舒卷, 皆所以助吾氣而壯吾文. 故曰:"子長之文不在史, 在於巨川喬嶽壯麗可怪之處." 卽典墳可廢, 遊賞不可廢也. 湖山朴公晟朱氏, 盖傑豪士也, 金帛不能誘其志, 寵辱無由嬰其懷. 性嗜酒飮, 少輒醉, 醉輒歌詠, 傲世弄俗, 負氣不羈. 昔吾友曉堂在世時, 甞夤緣相識. 叅於遊觀之末, 非一再矣. 日孫君坪琦, 袖一册, 冒暑過余, 曰:"此朴公遠遊錄, 且致顧堂書此錄之序, 己有曉堂遺囑云. 將入梓, 願一言弁卷." 余閱而讀之, 筆勢奇勁, 如其爲人, 範鎔岳瀆, 牢籠百態, 有駕風超海之氣. 吾不知其山歟水歟人歟. 神愉精越, 不知身在嶺湖千里之外也. 嗟乎! 昔年曉堂, 要余偕遊, 坐冗累, 一而失東京, 二而失錦江, 又三而失漢挐. 追惟悵, 今古隔矣. 嗟, 余三失者, 公能得之. 兩都之古蹟, 瀛海之奇觀, 歷歷摹寫, 使我資臥遊. 一則以幸, 一則以恨. 因而有一轉語奉獻公. 白首矍鑠, 體日益旺, 氣日益壯, 將以盡天下之大觀. 文益奇而語益工, 又不於此錄而止也.

[162) 경주(慶州)의 이칭(異稱), 즉 신라의 고도(古都)이므로 이런 명칭이 붙었다.
163) 충남 부여(扶餘)와 경북 경주를 아울러 일컬은 말.
164) 제주도의 이칭.

보인계(輔仁契) 서문

뛰놀던 어린 시절에 글을 읽을 때 부자(父子)·군신(君臣)·부부(夫婦)·곤제(昆弟)를 인간의 큰 윤리(倫理)라고 생각하였으나 친구를 사귀는 것도 오륜(五倫)[165]에 속한다고 하는 것만은 아무리 생각해도 궁금증이 풀리지 않은 채 오랜 세월을 그대로 지내왔다. 그러나 근년에 와서야 전의 의혹이 허망한 생각이었다는 것을 조금 깨닫게 되었다. 친구라는 것은 나에게 인(仁)으로 돕고 나에게 선행(善行)을 권하여, 이것으로 부모를 섬기고, 이것으로 임금을 섬기고 이것으로 천하와 국가를 위하는 것이니 친구가 아니면 그 덕을 이룰 수 없다. 그렇다면 그 친하다는 것은 얼굴을 맞대는 것에 있는 것이 아니라 반드시 뜻이 같아야 하며, 그 믿음도 약속을 잘 지키는 것에 있는 것이 아니라 반드시 도(道)가 맞아야 하는 것이다. 참으로 뜻이 같다고 한다면, 비록 책상을 나란히 하거나 손을 잡지 않아도 간담(肝膽)이 서로 통하며 도(道)가 맞으면 비록 땅을 긋거나 하늘에 맹서하지 않아도 덕과 의리를 서로 믿을 수 있는 것이니 부자·군신·부부·곤제와 그 윤리가 같은 것이다. 월담선생(月潭先生)은 대대로 유학(儒學)의 종주로서 지금도 백발의 나이에 머리를 숙이고, 학문에 치중하여 날마다 산중에서 열심히 노력하고 있다. 그는 한 포의(布衣)로 거의 끊겼던 윤강(倫綱)을 부식하려고 가정의 학문을 기술하고 사문(斯文)[166]을 옹호하므로 성내(省內)에 뜻이 같은 선비들은 그의 도(道)를 기뻐하고 그의 의리에 감복하였으므로, 서로 좋은 벗으로서 한 곳에 모여 이 유도(儒道)를 강론하고자, 이에 서로 계금을 연출하여 계(稧)를 결성하고 자모(子母)의 규정을 만들어 강회(講會)의 자료로 삼고 이름을 '보인(輔仁)'이라고 하였다. 이를 주창한 사람은 오사문 정렬(吳斯文正烈)과 기만섭(奇萬燮), 임복기(林福基), 박노천(朴魯千) 및 모모이다. 매년 4월에 광주(光州)의 지산리(芝山里)에 모인 것을 상예로 하였다. 정렬(正烈)이 이 정회(正會)에게 이 일에 말 한마디 도와주기를 부탁하였다. 정회(正會)는 일찍 이 자리에 참석하여 그 서여(緖餘)[167]을 들었다. 많은 선비들이 모였고 위의도 정연 하였다. 그 모임은 글로 써 하였고, 친구들은 덕으로 모여 세상에서 이익으로 친하거나 세력으로 사귀기는 것에 비할 것이 아니었다.

---

165) 유학(儒學)의 오대 윤리(五大倫理)로 부자 간에 친하고 군신간에 의리가 있고 부부 간에 분별이 있고 장유(長幼) 간에 질서가 있고 친구 간에 믿음이 있다(父子有親, 君臣有義, 夫婦有別, 長幼有序, 朋友有信)는 것을 말함.
166) 유사(儒士) 또는 유학의 문화를 일컬은 말.
167) 쓰고 난 나머지 또는 본업 외에 하는 일.

하늘의 질서가 사람에게 기강이 되는 것을 혹 이로 인하여 다시 밝아질 수 있을까? 그러나 칭송만 하고 잠언(箴言)이 없으면 옛날의 도(道)가 아니다. 부자(夫子)[168]는 안평중(晏平仲)[169]이 사람을 잘 사귄다고 하면서 "오랜 동안 공경한다"고 하였으니, 감이 '구(久;오래)'라는 글자가 책선(責善)을 본 받는 도가 되기를 발는 바이다.

輔仁契序

走少也讀書, 以謂父子也、君臣也、夫婦也、昆弟也, 此人之大倫。而以朋友之交, 參以爲五, 竊想畜疑者久矣。比年來, 稍知昔者之疑殆妄耳。友也者, 輔吾仁而責吾善。以之事父, 以之事君, 以之爲天下國家, 非友無以成其德。然則其親也, 不在面目之接, 必以志同也。其信也, 不在然諾之重, 必以道合也。志苟同矣, 雖不聯袂握手, 而肝腑相照；道苟合矣, 雖不畫地誓天, 而德義相孚, 可與父子君臣夫婦昆弟同其倫也。月潭先生, 家世儒宗, 至今老白首俛焉。日孶孶以林下, 一韋衣扶幾絶之倫綱, 述家學而衛斯文。省內有志之士, 悅其道而服其義。相與友善之欲聚合一處, 以講斯道。於是爭捐金, 設契, 立子母, 規以爲講會之資, 名之曰輔仁。倡之者, 吳斯、文正烈奇萬燮、林福基、朴魯千, 及某某也。每夏四月, 咸集于光山之池山里, 式以爲常。正烈甫徵, 正會以一言相斯役。正會甞一忝席末, 聽其緖餘矣。衣冠濟濟, 威儀秩秩。其會之也以文, 友之也以德。非世之利以親之, 勢以交之者, 比也。天之以叙秩, 而紀綱人道者, 庶可因此而復明也歟？然頌而無箴, 非古道也。夫子稱晏平仲之善交, 曰："久而敬之, 敢以久之"。一字爲效責善之道。

---

168) 공자(孔子)를 높이어 일컬은 말.
169) 명은 영(嬰), 자는 중(仲), 제(齊)나라 영공(靈公), 장공(莊公),경공(景公)을 거처 재상(宰相)을 지냈음. 공자(孔子)는 그를 칭찬하여 안평중(晏平仲)은 사람들을 잘 사귄다. 그는 오랫동안 공경한다(晏平仲, 善與人交, 久而敬之)라고 하였다.

육이계(六二契) 서문

　천지간에 새들의 지저귐과 벌레 소리와 같은 정성((鄭聲)과 위성(衛聲)뿐이라 사람의 귀를 어지럽히고 인간의 마음을 설레게 합니다. 어찌 소호(韶濩)[170]의 정악(正樂)과 같이 한 시대의 기풍을 일으킬 수 있겠는가! 옛날 성왕(聖王)이 음악을 흥기시킨 것은 백성들을 가르쳐 성정(性情)을 수양하고 인재를 교육하고 천지의 신명을 섬기고 상하의 화목 하는 법을 가르치려고 한 것인데, 이것은 내가가 말한 음악인 것이며 세속의 음악이 아니다. 아! 우리나라는 상하 수천 년을 내려오면서 오직 예의만 숭상하고 음악은 다시 이야기하지 않았다. 비단 예만 숭상하고 음악은 말하지 않았을 뿐만 아니라 음악을 부끄러운 일이라고 말하는 지경에 까지 이르렀다. 종·여·궁·상(鍾呂宮商)[171]은 비천한 직업으로 인정되어 점차적으로 정음(正音)이 음악(淫樂)으로 변하고 대아(大雅)[172]가 이가(俚歌)[173]로 변하여 후생(後生)으로 배우는 자들로 하여금 정풍(正風)과 대아(大雅)의 근본을 듣지 못하게 한 것인데 그 책임은 누가 져야 하는가? 공자(孔子)가 말씀하신 바 있다. "예악(禮樂)은 잠시도 몸에서 떠나서는 안 된다(禮樂不可斯須去身)"고 하였다. 또 《예기(禮記)》[174]에서 말한 바 있다. "군자가 정당한 이유가 아니면 패옥(佩玉)을 몸에서 버리지 않는다(君子無故, 玉不去身)" 예의도 버리고 패옥도 버린 후에야 음악도 사라질 수 있다. 이 계안(契案) 중의 제공(諸公)은 세상의 도가 쇠퇴한 것을 개탄하면서 고대 전적(典籍)에서 내려오는 뜻을 부흥하려고 하여 정률(正律)에 통달한 사람 십여 명이 모여 계(稧)를 결성하였다. 음악은 육예(六藝)[175] 중에서 두 번째에 해당하므로 이름을 '육이(六二)'라고 하였다. 이것을 주창한 사람은 누구인가. 황인재(黃訒齋)·황육봉(黃六峯)·이운재(李雲齋)이다. 호응한 사람은 누구일까. 황해사(黃海史)·김구남(金龜南)·이학천(李鶴川)·황농은(黃農隱)·김송파(金松坡)·장죽파(張竹坡)·한희석(韓羲石)·고후은(高後隱) 들이다. 그들은 매년 3월과 9월에 반드시 산수 좋은 곳에 모여 강(講)하기로 하였다. 초연

---

170) 소(韶)는 순(舜)임금의 음악이며 호(護)는 탕(湯)임금의 음악 이름임.
171) 종여(鍾呂)는 12율(律) 중 양성(陽聲)에 속한 황종(黃鐘)과 음성(陰聲)에 속한 대여(大呂)를 말하고 궁상(宮商)은 오음(五音) 중에서 첫 번째 음인 궁과 두 번째 음인 상을 말한다.
172) 시경(詩經) 4개의 유형(類形) 중 하나로 큰 정치를 말한 정악(正樂)의 노래임.
173) 시골의 속된 노래.
174) 오경(五經) 중의 하나, 49편으로 구성되어 있으며 주례(周禮), 의례(儀禮)와 함께 삼례(三禮)로 칭함.
175) 옛날 중국의 교육제도로 예·악·사·어·서·수(禮樂射御書數) 6개 과정을 말함.

(超然)히 세상 밖을 벗어나 삼고(三古)¹⁷⁶ 시기에 실컷 노니는 것이다. 금년 봄에는 나는 우연히 제공(諸公)의 선운사(禪雲寺) 모임에 참가하게 되었다. 백발이 성성한 노인과 청금(青衿)¹⁷⁷들이 한 자리에 앉아 혹 거문고로 혹은 퉁수로 우렁찬 음조를 이루니 산이 울리고 골짜기에 메아리치며와 샘물의 흐름소리에 여울이 화답하였다. 갑자기 만나는 사람들은 이들은 인화중인(煙火中人)¹⁷⁸들이 아니라고 의심하여 비속한 정서와 인색한 마음이 저절로 사라지고 총욕(寵辱)¹⁷⁹도 모두 망각하게 될 지경이었다. 음악이 사람에게 감동을 주는 것이 이렇게 깊이까지 움직인단 말인가? 영균(靈均)¹⁸⁰이 초사(楚辭)¹⁸¹를 지어 남국의 사람들은 초사를 잘하고 사광(師曠)¹⁸²이 진(晉)나라에 있었더니 영인(伶人)¹⁸³들이 소리를 가려 들을 줄 알았다. 이것은 관습이 그렇게 하도록 만든 것이다. 아! 이 훗날 우리나라도 문질이 빈빈한 예악의 나라로 될 조짐이 바로 이것에 있는 것 아닌가? 비록 이렇다고 해도 예와 음악은 원래부터 서로 분리될 수 없는 것이다. 예는 음악이 아니면 어울릴 수 없게 되고 음악은 예가 아니면 절제할 수 없게 된다. 그리고 음악 하나에만 머물게 된다면 군자의 온전한 덕으로 될 수 없다. 이것은 제공이 이미 소릉(昭陵)¹⁸⁴에서 본 것이므로 덧 붙여 말할 것이 없다. 이것을 제외하고는 다른 할 말이 더는 없다.

---

176) 고대(古代)를 상고(上古) 중고(中古) 하고(下古)로 나누어 삼고(三古)하고 함.
177) 유생(儒生)을 일컫는 말.
178) 화식(火食)을 하는 사람이라는 뜻으로, '속세의 인간'을 이르는 말.
179) 사랑을 받음과 모욕을 당함.
180) 초(楚)나라 충신 굴원(屈原)의 자(字). 이름은 평(平), 그는 처음에 회왕(懷王)의 총애를 받았으나, 제(齊)나라와 연합하여 진(秦)나라를 공격하자는 합종책(合從策)을 주장하다가, 진(秦)나라와 친하게 지내자는 연회책(連橫策)을 주장하는 상관대부(上官大夫)의 모함으로 총애를 잃고 면직되었으며, 회왕이 진나라의 꾀임에 속아 살해되고, 경양왕(頃襄王)이 왕위에 오른 후 다시 축출을 당해 이소(離騷)와 어부사(漁父詞) 등 많은 작품을 남겨 왕이 뉘우치기를 기다리다가 멱라수(汨羅水)에 투신하였다.
181) 전국(戰國), 초(楚)나라 가사(歌詞), 17권, 굴원(屈原), 송옥(宋玉), 회남소산(淮南小山), 동방삭(東方朔), 엄기(嚴忌), 왕포(王褒), 유향(劉向) 등의 가사를 모았음.
182) 춘추시대, 진(晉)나라의 악사(樂師), 태어날 때부터 눈이 멀어 소리를 잘 판단하였고 소리를 듣고 길흉(吉凶)을 점쳤다고 한다.
183) 악공(樂工)을 말함.
184) 당(唐)나라 태종(太宗)의 릉호, 태종의 정치는 하나에 치중하지 않고 각 분야를 고루 발전시켰음.

六二契序

盈天地間, 鳥舌虫喉, 非鄭則衛, 亂人耳而盪人心。安得韶濩正音, 以興一代之風也哉？昔聖王之作樂也, 教民養情性, 育人材, 事神祇, 和上下。斯吾所謂樂也, 非世與俗之樂也。噫, 我東上下數千年, 惟禮是崇, 樂不復講。不惟不講, 亦羞稱焉。鍾呂宮商, 付諸賤職, 浸浸然正變爲淫, 雅降爲俚, 使後生學子, 不得聞正風大雅之本。是誰之責歟？孔子曰：「禮樂不可斯須去身。」禮曰：「君子無故, 玉不去身。」禮可去, 玉可去。然後樂亦可去也。案中諸公, 慨世道之衰, 欲復古典之樂, 得通正律者十數人, 與之結稧。樂居六藝之第二, 故名曰六二。倡之者誰？黃訒齋、黃六峰、李雲齋也。和之者誰？黃海史、金龜南、李鶴川、黃農隱、金松坡、張竹坡、韓羲石、高後隱也。每春之三, 秋之九, 必會講於勝山韶水間。超然物表, 優游三古之上。今年春, 余偶叅諸公之會禪雲矣, 白首靑衿, 列坐同堂, 或以絲, 或以竹, 音調瀏浣。山鳴而谷應, 泉響而澗答。驟遇之者, 疑其非烟火中人。足使人鄙吝自銷, 寵辱俱忘。樂之感人, 若是其深 耶？靈均作楚, 南國善辭；師曠在晉, 伶人變音。習使然也。於戲！異日我東, 彬彬然爲禮樂之邦者, 此爲之兆也歟？雖然禮與樂二者, 元不相離。禮非樂無以和之, 樂非禮無以節之。一於樂而止, 則亦非君子之全德。此是諸公己見之昭陵, 不必贅告。而舍此亦無以爲言。

방호음사(方壺吟社)의 시집서(詩集序)

옛날 경륜(經綸)을 간직한 선비들은 반드시 기탁하는 바가 있으면서도 그것을 숨기고 있었다. 백륜(伯倫)[185]은 술로, 숙야(叔夜)[186]는 거문고로, 자유(子猷)[187]는 대나

---

185) 서진(西晉), 유령(劉伶)의 자. 죽림칠현(竹林七賢) 중 한 사람. 술을 좋아하여 주덕송(酒德頌)을 지었으며, 위진시대(魏晉時代)에 건위장군(建威將軍)인 왕융(王戎)의 막하에서 참군(參軍)을 지냈으며, 노장학(老莊學)에 심취하여 예법을 경시 하였다.
186) 삼국(三國), 죽림칠현 중 한 사람인 혜강(嵇康)의 자. 시인이자 철학자. 양생론(養生論)과 산거원(山巨源)을 저술 하였다.
187) 동진(東晉), 왕희지(王羲之)의 다섯 번째 아들인 왕휘지(王徽之)의 자. 관직은 황문시랑(黃門侍郎)에 이르렀으며 일찍 기병참군(騎兵參軍)이 되어 병마(兵馬)의 수를 모르고 지냈다고 한다. 대나무를 좋

무로, 서호(西湖)[188]는 매화에 모두 의탁 하였다. 이것은 대개 뜻은 실재로 다른데 두고 외물을 가장하여 그 빛을 숨기는 것이다. 방장산(方丈山)[189]은 모양(牟陽)[190]의 진산(鎭山)으로 또 다른 이름은 '방호(方壺)' 라고 한다. 그 형상은 높고 커서 세상에서는 삼신산(三神山)[191] 중에 하나라고 한다. 아! 바다가 재난을 당하고 논밭이 잿더미로 변한 후로 산에 관에 묻는 사람이 없어 그 연하(煙霞)는 외로이 깃들이고, 소나무와 개수나무는 홀로 수려함을 자랑하고 명월과 청풍은 적막한 가운데 배회하고 있다. 이해 봄에 음사(吟社)를 결성하고 명칭을 '방호(方壺)' 라고 지었다. 뜻도 이미 같으면 나이가 반드시 같아야 할 필요가 없으며, 도(道)가 이미 같다면 시도 어찌 잘되고 못된 것을 논하겠는가? 모임은 반드시 순번으로 돌아가며 책임을 지기로 하고 달마다 한 번씩은 만나기로 하였다. 이들의 사귐은 담담한 물과 같아 비록 관악과 현악으로 즐기는 멋은 없지만 비단 같은 마음으로 서로 비치고 있고 아름다운 마음씨에무람 없으니 꽉 막힌 답답한 심정을 활활 털어 놓을 수 있었다. 이리하여 우뚝 솟은 뭇 산봉우리들은 읍례를 올리고 벌려 선 산곡들은 앞을 다투며 맞아 주고 숲은 설레고 동산은 꽃이 피고 시냇물은 해맑은 목청으로 송가를 부르고 있다. 사람과 지역과 더불어 어울리고 마음이 경물과 하나로 융합되어 인간사의 시비는 거들떠 보지 않고, 당시 정치의 득실도 물어보지 않으며 도연히 취했다가 황홀경에서 깨어나 다만 산수(山水)를 논평하니, 어찌 그 다른 것을 알겠는가? 누더기를 걸쳤다고 해서 반드시 가난한 것은 아니며, 솥에 밥을 짓고 겹옷을 입는다 해서 반드시 부자는 아니다. 그리고 초(楚)나라가 망하지 않았다느니 평등이 존재하지 않는다느니 하는 것들은 나와는 관계없는 날아가는 기러기에 불과할 뿐이다. 이렇게 미루어 보면 우주(宇宙)가 아무리 크다해도 큰 것이 아니며 만고(萬古)가 아득히 멀다고 해도 먼 것이 못된다. 아무리 이렇다고는 하나 술에 의탁하니 덕목은 더욱 두드러지고 거문고에 기탁하니 어진 것은 더욱 드러나고 대숲과 매화에 의탁해도 그 풍치는 더욱 높

아 하여 죽림이 없으면 못산다고 하였다. 그는 산음현(山陰縣)에 살면서 눈이 나린 밤이면 흥이 나 배를 타고 섬계(剡溪)에서 사는 친구 대안도 규(戴安道逵)를 방문하러 갔다가 그의 문전에서 다시 돌아오므로 사람들이 물으면 흥에 겨워 갔다가 흥이 다하여 돌아온 것이다고 하였다.

188) 북송(北宋), 은사(隱士), 임포(林逋)의 별호, 자는 군복(軍復), 인종(仁宗)이 시호를 하사하여 화정(和靖)이라고 하였다. 그는 일생동안 독신으로 서호(西湖)의 고산(孤山)에서 살면서 매화나무 300주를 심고 학 한 마리를 기루며 살았으므로 매처학자(梅妻鶴子)라는 단어가 생겼다.

189) 지리산의 치칭.

190) 전북 고창의 이칭.

191) 봉래산(蓬萊山), 방장산(方丈山), 영주(瀛洲)를 일컬은 말임.

아지는 것이다. 제공(諸公)은 시(詩)에 의탁하니 백세(百世)가 지나가도 역시 이 일을 이야기할 사람이 정녕 나타나고 말 것이다. 김후 운석(金侯雲石)이 그 사실을 다 기술하였으니 어찌 덧붙일 것이 있겠는가. 그러나 내가 계의 말석에 참여한 것을 살펴보니 아직도 꽃잎을 거두고 싶고 그 다해가는 향기를 뜨고 싶은 마음 간절할 뿐이다.

方壺唫社詩集序

古之懷瑰握瑋之士, 必有所托而隱焉。伯倫以酒, 叔夜以琴, 子猷之於竹, 西湖之於梅, 皆是托也。盖意實有在, 而借假外物以韜鏟其光彩耳。方丈, 牟陽之鎭也, 亦名曰方壺, 之形也。巉屼磅磚(礴), 世稱三神山之一。噫, 一自海刧桑灰, 無人問山, 使其烟霞孤捿, 松桂獨秀, 明月淸風, 只自徘徊於寂寞之間矣。社中諸公, 皆有志士也。托於詩而將隱焉。是歲春, 結吟社。名曰方壺。志旣同矣, 年未必皆同;道旣合矣, 詩奚論工拙。會必輪次, 月以爲常。其交也, 淡然如水, 雖無管絃之樂, 而錦心相照, 繡肚無隔, 足以暢幽欝之窮矣。於是衆巒拱揖, 列壑爭迎, 林歡菀興, 澗頌淨玲, 人與地相稱, 意與境俱會, 不屑人事之是非, 不問時政之得失, 陶然而醉, 怳爾而醒, 只課談山評水, 夫焉知其餘。縣鶉未必貧, 鼎裯未必富。凡未亡楚, 未存等, 是局外之鴻耳。推而言之, 宇宙不足爲大, 萬古不足爲遠矣。雖然托之酒而德益著;托之琴而賢益彰, 托之竹與梅而其致益高。諸公之托於詩, 百世下亦有能言者矣。金侯雲石, 序其事甚悉, 又焉用贅爲? 顧不佞忝在契末, 欲其掇剩馥而挹餘芬也。

방호음사(方壺吟社)의 시집중간(詩集重刊) 서문

한자(韓子)[192]가 말하기를 "사물이 공평을 못하면 울기마련이다"고 하였는데 음사(吟社)의 제공(諸公)이 방장산(方丈山) 아래에서 시로 불평을 노래하고 학 있다. 어

---

192) 당(唐)나라 팔대가(八大家)의 한 사람. 한유(韓愈)를 가르킴.

떤 사람은 국풍(國風)[193]의 형식으로, 어떤 사람은 대아(大雅)[194]의 형식으로 각기 그 심정을 말하고 있으니 그것은 점리(漸離)[195]의 축(筑)[196]일까. 형경(荊卿)[197]의 노래일까. 방호(方壺)[198]의 천석(泉石)을 제현(諸賢)을 주인으로 맞이하여 소나무 사이 달과 여울 위에 바람이 끝까지 적막하지 않도록 하고 있다. 아마 사람들은 지기를 못 만났지만 산이 자기를 만난 것 아닌가? 그렇지만 이것은 인간의 인감을 두고 한 말일 따름이지 산이 어찌 때를 만나고 만나지 못한 일이 있겠는가. 세상이 아무리 변한다고 해도 산은 움직일 줄 모르고 비바람이 아무리 문질러도 모가 없이 반들거리며 묵묵히 있을 뿐이다. 이리하여 옛날에 "인(仁)한 사람은 산을 즐긴다."는 말이 있게 되었고 역시 각자가 제 무리를 따르게 되었다. 그렇다면 제공의 불평은 울 줄 아는 불평이다. 이 시집이 바로 이러하기 때문에 처음 간행되고 두 번 간행되고 세 번, 네 번 나아가서 이 수를 같이 하면서 전해지게 될 것이다. 정회(正會)도 불평이 있는 사람이기에 책머리에 자신의 뜻을 올리고 서언이라고 하지 않았던가.

方壺吟社詩集再刊序

韓子曰：＂物不得其平，則鳴。＂社之諸公，以詩鳴不平於方丈下。或風或雅，各言其志。漸離之筑歟？荊卿之歌歟？方壺泉石得諸賢爲之主，使松間月，澗上

---

193) 시경(詩經) 4개 유형 중 하나. 중국 제후들이 백성들의 노래를 모아 천자에게 바치는 노래로 황제 황후 및 천자의 궁중에 관한 노래를 말한 것이다.
194) 시경 4개 유형 중 하나로 큰 정치를 말한 정악(正樂)의 노래.
195) 전국말(戰國末). 연인(燕人), 성은 고(高), 명은 점리(漸離), 그는 축(筑)을 잘 쳤다. 그는 형가(荊軻)와 친하여 형가가 진시황(秦始皇)을 시해하려 할 때, 고점이도 형가와 함께 진(秦)나라에 들어가 형가를 도왔으나, 형가의 거사가 실패하자 그는 성명을 숨기고 용보(傭保)가 되었는데 진시황(秦始皇)은 그가 축을 잘 친다는 말을 듣고 그를 소견하여 죄를 사면하고 눈을 멀게 한 후 축을 치게 하였다. 그러나 어느 날 고점리(高漸離)는 축 속에 납을 넣어 들고 가서 축을 들어 진시황을 쳤으나 맞지 않아 결국 사형을 당하였다.
196) 비파같이 생긴 현악기임.
197) 전국(戰國), 위인(衛人). 독서를 좋아하고 칼 쓰기를 좋아 하였다. 그는 연(燕)나라 태자(太子)의 식객이 되었는데 태자가 진시황제를 살해하던지 아니면 연나라가 진나라에 빼앗겼던 땅을 찾아오든지 둘 중 하나를 선택하고 하자 형가는 진시황을 시해하기로 약속하고 번어기(樊於期)의 목과 독항(督亢)의 지도(地圖)를 가져가야 한다고 말하고, 그 지도와 번어기의 목을 가지고 친구인 고점리(高漸離)와 함께 역수(易水)에 이르러 연태자와 작별하고, 진나라도 가서 진시황에게 독항지도 밑에 칼을 숨기어 지도를 시황제에게 주는 척 하다가 그 칼로 진시황을 찔렀으나 맞지 않아 형가는 결국 처형되었다.
198) 지리산의 이칭.

風, 終不寂寥。抑人之不遇, 而山之遇也歟? 然而此以人情言耳。山豈有遇不遇? 滄桑變矣而不遷, 風雨磨之丽(而)不磷, 默焉已耳。故曰仁者樂山, 亦各從其類也。然則諸公之不平, 乃所爲善鳴者也。此社集之所以一刊二刊而將不止於三四刊, 與此山同壽其傳矣。正會亦不平人也, 於弁卷自鳴其志, 序云乎哉。

서쪽으로 가는 장회(章會)를 보내며

·정미년(서기1967) 10월

　나는 본래 천구(天球)[199] 하나를 간직하고, 그것을 언제나 애지중지 하여 천하의 더없는 보물로 생각하였다. 세상 사람들에게 수십 채의 늘어선 수레를 비칠만한 엄청나게 큰 구슬이 있다고 하여도 자랑거리가 되지 못한다고 하면서 꿈결에도 언제나 손에서 놓지 못하였다. 이렇게 흘러 보낸 세월이 헤어보니 어느덧 오십년이 되었다. 그런데 어느 아침 실수로 땅에 떨어뜨려 그만 두 조각으로 만들어 버렸다. 아무리 맞추어도 맞추어지지 않고, 아무리 붙이려고 하여도 붙일수록 틈만 커지며, 전날의 모습으로 돌아서지 않았다. 아! 이것은 보물을 버리는 것 밖에 되지 않는다. 오십년을 내려오면서 그처럼 아끼고 매만지던 정이 아쉽고 후회하는 눈물로 변해 눈을 아무리 크게 뜬들 그 색깔을 잃게 되어 만지기고 싫어지고 가지고 놀고 싶지도 않게 되었다. 사람의 정이란 대개 한결같은 것뿐이지 않는가? 스스로 견고하게 잡지 못했고 조심스럽게 지키지 못했다고, 한스러워 하지만 후회한들 무슨 소용이 있으랴! 스스로 한탄하기를 견고하게 잡지 못하고 지키기를 조심하지 않았으니, 후회한들 무슨 소용이 있겠는가. 슬프다! 참으로 비감에 잠긴다. 우리는 삼형제이지만 막내는 이미 저 세상의 사람이 되었으니, 형으로서는 오직 나 한 사람이며 아우로는 군 하나만 남게 되었다. 아! 나는 이미 늙어서 더는 능력이 없어 하나 밖에 없는 동생을 사방으로 다니며 입에 풀질하도록 만드니, 마치도 조각난 천구처럼 다시는 온전하게 되지 못하게 되었구나. 그렇지만 천구는 조각나면 기물로 되지 못하지만, 삶은 이와 달리 없다가도 있게 되고 시들었다가도 꽃이 필 수 있기 마련이다. 그렇게 할 수 있는 도는 무엇인가? '독지(篤志)'란 두 글자에 있는 것이다. 그것을 따라 올라간다면 한없이 좋은 일만이 찾

---

199) 천체의 경위(經緯)를 설정하기 위해 관직자를 중심으로 하는 반지름을 구면(球面)에 설정하고, 천체를 그 위에 투영(投影)하여 나타내게 하는 천구(天球)를 말한다.

아들 것이지만 그것과 반대로 내려간다면 한없이 좋지 않는 일만 찾아들 것이다. 이 말은 옛날 내가 추정(趨庭)[200]할 때 들은 말이다. 늙었다고 스스로 마음을 버리지 말아야 하고 세상이 변했다고 혹 뜻을 늦추지 말아야 할 것이다. 참으로 뜻이 독실하다고 하면 아무리 견고한 것도 뚫지 못할 것이 없으며 얼마나 먼 길이라도 이를 수 있는 것이다. 지금 길을 떠나니 힘쓰기 바란다.

送章會西歸序

丁未十月

余素蓄天球一頼(顆), 愛之玩之,貴之奇之, 自以爲天下之至寶。視彼世之人有徑尺之珠, 能照車十二, 乘者亦不足爲多。至寢夢間, 猶不釋手, 如是者五十年餘矣。一朝誤墮於地, 破而爲二焉。符之而不合, 接之而愈遠, 非復前日之寶。嗚乎！此棄珠焉耳矣。五十年愛玩之情, 轉爲悔吝之淚, 瞠乎失色, 不欲撫, 亦不欲玩。人情盖非一端也歟？自恨執之之不固, 守之之不謹。噬臍何及？悲夫吾兄弟三人, 季也已作千古, 在兄惟予一人, 在弟惟君一人。噫, 吾老矣, 無能有爲, 使一弟糊其口於四方, 如破珠之 不復完矣。雖然珠一破, 不成器。人則異於是。可以化無爲有回, 枯作榮。其道何由？曰：在夫篤志二字。循之而上, 有無限好事。反之而下, 有無限不好事。斯語也, 昔吾聞諸趨庭之日焉。勿謂衰暮而自沮, 勿謂世變而或弛志。苟篤何堅不透, 何遠不到。今其行矣勉乎哉。

만호정(挽湖亭)의 고금문헌편집(古今文獻編輯) 서문

세상에 이름 있는 정사(亭舍)와 승관(勝觀)이 어찌 고금이 다를 수가 있겠는가만 대체적으로 모두 그것을 지켜내지 못했을 뿐이다. 옛날에는 높고도 빛나던 것들이 백년이 못가 잡초가 무성한 빈 터로 변하고 또 다른 사람의 소유가 되지 않는 것이 드물다. 나는 철야(鐵冶)에 가서 죽은 호정(湖亭)에게 애도함을 표할 때 이 점을 절실하게 느꼈다. 정사의 창건은 승국(勝國)[201] 때 있은 일이지만, 서정 정씨 두 가문에서 대를

---

198) '아이들이 아버지의 가르침을 받음'의 비유.
201) 바로 전대의 왕조.

이어가며 전하여 왔으니, 이것은 일상적인 잔치하는 곳이거나 쉬는 곳이 아니다. 양가의 자손들은 서로 도와가면서 시서(詩書)와 문예(文藝)를 닦는 장소로 삼고 여기에서 효우(孝友)와 예양(禮讓)하는 교화를 흥기한지 칠백 년의 세월을 보내왔다. 세상이 여러 번 변하고 풍우에 시달렸지만, 호수 위에 정자는 태산 인냥 우뚝 홀로 서 옛 모습 그대로 보존하고 있어서 후세에 이 곳을 오르는 사람으로 하여금 다시 일사(逸士)의 유풍(遺風)과 여운(餘韻)을 느끼게 하고 있다. 이것은 두 가문의 자손들이 이어가며, 그것을 수즙(修葺)²⁰²⁾하고 대대로 그 아름다운 모습을 유지하였기 때문이다. 그렇지만 유시(遺詩)와 유묵(遺墨) 등 이 정자를 위한 제영(題詠)들이 병화(兵火)를 면치 못하고 지금 모두 없어졌으므로 남천(南川), 동초(東樵) 양 옹(兩翁)과 두 문중의 유지들이 그 유적이 사라진 것을 민망하게 여기고, 당세의 명가에게 시문(詩文)을 구하여 편미(扁楣)²⁰³⁾를 빛나게 하고 또 그것을 간행하여 세상에 널리 전하고자 하면서 서문을 나에게 맡겼다. 나는 또 들은 말에 서금하 상록보(徐錦下相錄甫)가 본래 사람에게 혜택을 주는 인자한 마음이 있어 이미 창고를 기우려 향방(鄕坊)에 은혜를 베풀고 지금 또 큰 재산을 희사하여 이 일을 돕고 있다는 소문을 들었는데, 지금 또 엄청난 자금을 내어 이 역사를 도와준다는 말을 들었다. 아! 이 일의 기록은 기록하지 않을 수 없는 것이다. 이로부터 이 정자 아래 모여드는 선비들이 오늘날 제공(諸公)의 마음을 자기 마음으로 한다면 전대의 풍류와 문풍(文風)이 능히 산수(山水)와 함께 길이 전해 갈 것이다. 이에 서문을 적는다.

挽湖亭古今文獻編輯序

世之名榭勝觀, 古與今何限, 而率皆不能世守. 昔之輪焉奐焉者, 不百年而轉爲荒草蕪墟, 又不爲他人所資者, 鮮矣. 余於鐵冶之挽湖亭, 切有感焉. 亭之刱在勝國, 而徐鄭兩氏之世傳, 此非尋常燕處偃息之所也. 兩家子孫, 相爲蓬廡, 游於詩書藝文之場. 興乎孝友敦讓之風于玆, 七百有餘禩矣. 滄桑屢幻, 風雨漂搖. 而湖上之亭, 巋然獨古貌, 能使後之登覽者, 复挹乎高人逸士之遺韻剩芬. 是盖由乎兩家子孫之賢者嗣而葺之, 世濟其美耳. 但遺詩遺墨爲斯亭而題咏者, 未免兵燹, 今歸烏有. 南川東樵二翁兩門之選也, 憫其遺蹟之堙沒, 求得詩文于

---

202) 집을 고치고 지붕을 새로 이는 일.
203) 문 위나 방안에 거는 액자.

當世名家, 以賁扁楣, 又欲刊而廣諸世。玄晏之託, 不鄙在余。余又聞徐錦下相錄甫, 素有澤物之仁, 旣以傾廩, 施惠于鄕坊。今又巨貲以相斯役。嗚乎！此可書而不可不書者也。嗣是而往, 亭下人士皆以今日諸公之心爲心, 則前代風流文雅, 能與山水俱長。是爲之序。

태강유고(台江遺稿) 서문

 공은 시를 썼는데 시를 지을 줄 아는 사람이 미칠 수 있고 공은 문장을 썼는데 문장을 잘 쓰는 사람이 그렇게 쓸 수 있다. 그렇지만 오로지 그 영웅호걸다운 기개와 독실하게 노력하는 행실을 온 세상에서 다 칭찬해도 더해지는 것이 없고, 세상에서 다 헐뜯는다고 해도 주어들 것이 없다. 교속(矯俗)[204]하는 자들처럼 거만하고 고아하지 않고, 세속을 따라다니며 동류하지 않으며 난세를 살아가면서도 끝까지 그 명성을 잃지 않았으니, 이것은 속유곡학(俗儒曲學)들이 어찌 그 마음을 엿볼 수 있겠는가. 공이 작고한 후 일주년이 되지 않았는데 공의 자질(子姪)들이 나에게 그의 유고(遺稿)에 글을 적어달라고 청하였다. 나는 이렇게 말하였다. "옥은 산에 묻혀 있고, 진주는 물에 잠겨 있지만, 천년 백년을 지나 지자(知者)를 만나게 되면 그래도 그 주옥의 진구함을 알아보게 된다. 참으로 그것을 알아주지 못한다면 비록 서울 길거리에서 판다고 해도 은(銀)을 쇠로 보는 것과 가깝지 않은 경우는 드문 일이네" 생각하여 보니 전에는 공과 얼굴을 익힌 사람들은 그의 덕을 사모하였고, 그를 모르는 사람들은 그의 작품을 송독하였다. 그가 세상을 뜨자 그를 사모하는 마음은 더욱 간절하여졌고, 그의 작품을 송독하는 사람들은 더욱 늘어났다. 이로 하여 나는 공의 문장이 글이 비록 지금 급하게 서두르지 않더라도 결국 없어지지 않는다는 것은 의심할 것이 없다. 그러나 지금을 살펴보면, 말세적인 기풍이 더욱 심하여 가정마다 문집을 간행하고 있으니 천하에 인쇄공들이 다시 생겨나지 못할 지경이다. 그러나 어찌 세속에 구애되어 진위(眞僞)를 구별하지 않을 수 있겠는가? 십여 년이 지나가면 강물이 흘러가듯이 세상의 도가 더욱 멀어지게 될 것이었다. 공의 아들 기휘(基徽)는 유문(遺文)이 날로 흩어질 것이 두려워 간행하여 오래 전하려고 한다고 하였다. 나는 말하기를 "그럴 수도

---

204) 일반 풍속과 틀리는 짓을 함.

있기는 할 것이다. 공자가 문장을 이야기 하면서 '여사(餘事)'[205]라고 하였지만 공을 구원(九原)[206]에서 다시 일어나게는 하지 못할 것이다. 그렇다면 떠난 뒤의 열에 일곱은 유문(遺文)에서 구해야만이 거의 방불하게 될 것이다. 그렇다면 이번 역사(役事)는 공연한 일이라고 할 수 없다."라고 하자, 그는 태강유고의 서문을 써주라고 간청하였다.

台江遺稿序

公有詩，而能詩者或可及焉。公有文而能文者亦庶幾焉。惟其英豪之氣，篤勵之行，舉世譽之，而不加喜；舉世毁之而不加沮。不矯俗而矜高，不隨俗而同流，處亂世而終不失令名，此其俗儒曲學所可窺其藩籬哉。沒后未期，公胤若姪，請余刊其遺稿。余曰："夫玉在於山，珠藏於川，千百年遇一知者，尚識其爲瑰瑋珍貴。苟無其知，雖銜鬻於五都三街，不幾乎喚銀作鐵者鮮矣。念昔公與識者，慕其德，其不相識者，誦其風。及其沒也，慕之者益切，誦之者益衆。吾以是知公之文，雖不汲汲圖今，終不堙滅也，無疑矣。顧今末風滋甚，殆家集而戶刊，使天下之爲梓者，不復萌芽矣。何必拘於俗，使眞贋無別乎？"歷十數年，江漢日下，世道益遠。肖胤基徽，懼遺文之日就散逸，謀剞劂而壽傳。余曰："有是哉。子之言文章雖曰餘事，而不能起公於九原。則身後七分，求之遺文，庶可髣髴矣。今日之役烏可但也。"請書此，以爲台江遺稿序。

설헌집(雪軒集) 서문

그 사람의 시를 외우고 그 사람의 글을 읽으면서도 그 사람을 알지 못하는 것을 맹자는 옳은 일이 아니라고 여기면서 반드시 그가 살던 세상을 논해야한다고 주장하였다. 설헌 홍공(雪軒洪公)은 시례(詩禮)를 전수한 고가(古家)에서 태생으로 가정의 학문을 익히어 이미 학문하는 방법을 알고 있었고 장성한 후에는 연재 송문충공(淵齋

---
205) 그리 중요하지 않는 일.
206) 전국(戰國), 진(晉)나라 때 경대부(卿大夫)의 묘지, 전(轉)하여 묘지, 또는 황천길 등의 의미로 사용되었다.

宋文忠公)²⁰⁷⁾의 문하에 들어가 가르침을 받았다. 수업하여 유도(儒道)를 옹호하고 교화를 부축하며 사문(斯文)에 공이 있었다. 시문(詩文)이 그에게서 나온 것들이 어찌 적다고 할 있겠는가. 공은 천성이 순후하고 돈후하였으며 옥윤은 온화하였고, 특히 두터운 정성으로 선조들을 모셨는데, 심지어 호랑이가 먹을 것을 물어다 주는 이류(異流)가 감화를 받는 일까지 생겼으니, 어찌 신급돈여(信及豚魚)²⁰⁸⁾에만 그치였겠는가? 일생동안 시가지에는 아예 걸음도 하지 않았고, 입으로는 함부로 이야기하는 법을 몰랐다. 권세와 사리와 분화(芬華)²⁰⁹⁾에 대해서는 담담하여 마치도 눈 내린 겨울 숲의 대죽인상 싶었다. 오직 사람들을 교육한 데만 열중하여 비록 공자가 사는 동네인 궐당(闕黨)의 동자²¹⁰⁾라 할지라도 반드시 자상하게 교육하여 제각기 성취하게 되었다. 이리하여 문하생들은 모두 문질빈빈(文質彬彬)²¹¹⁾하게 되었다. 소문난 산이나 수려한 물의 이름만 들어도 표연히 먼 길을 떠나 경물에 마음을 두고, 그로 하여 생겨난 정서를 일률적으로 시를 통해 발설하곤 하였다. 공은 청복(淸福)을 마음껏 누리었고 여경(餘慶)은 한창 우거지고 있었다. 자손들은 준수하고 현명하여 그 아름다움을 밟을 능력을 소유하고 있으니, 진실로 이는 공의 가르친 바가 필연적으로 그리하도록 만들어 놓은 것이다. 그 세 째 아들 승구부(承玖甫)가 유문과 시를 수습하여 불녕에게 서언을 부탁하였다. 그가 살아온 세상을 삼가 간단히 논하여 그의 시와 글을 송독하는 독자들로 하여금 공의 언사는 꽉 차있는 덕에서 애연(藹然)²¹²⁾이 드러난 것임을 알게 하려고 한다.

---

207) 서기 1836(헌종 2)~1836(고종42), 조선 후기 학자, 명은 병선(秉璿), 자는 화옥(華玉), 호는 연재(淵齋), 동방일사(東方一士), 송시렬의 9대손, 경연관(經筵官), 가의(嘉義) 등 많은 관직이 내려졌으나 응하지 않고 신사봉사(辛巳封事), 십조봉사(十條封事) 및 복상(服喪)에 관한 상수를 올렸으며 1905년 12월 30일 국권이 강탈된데 대하여 울분을 참지 못하고 자경하였다. 사후에 의정(議政)에 추증 되었다.
208) 돼지나 물고기 등 무심(無心)한 생물조차 믿어 의심하지 않는다는 뜻으로 신의(信義)의 지극하을 이르는 말.
209) 분잡하고 화려하다.
210) 궐당의 동자 : 《논어》의 '헌문(憲問)' 편에 이런 기록이 있다. 공자가 사는 고향 궐리(闕里)의 한 동자가 어른들의 말을 전하려 공자를 찾아왔을 때 누군가가 물었다. "공부를 하려는 아이인가요?" 공자가 대답하였다. "그 아이는 어른들과 한 자리에 앉아 있고 또 길을 나서면 어른들과 어깨를 나란히 하고 있는 것을 내가 본 적이 있소. 공부를 하려는 것이 아니라 속성하려는 아이요."
211) 외견(外見)이 좋고 내용이 충실하여 잘 조화를 이룬 상태를 이룸.
212) 기분이 좋은 모양.

雪軒集序

誦其詩, 讀其書, 而不知其人, 鄒夫子不以爲可矣, 而必使論其世。雪軒洪公, 生長詩禮故家, 擩染庭訓, 已知爲學之大方。及長, 就正于淵齊宋文忠公門。衛道扶敎, 有功斯文。詩文之出於其人者, 曷可以少之哉。公天賦醇厚, 溫如玉潤, 尤篤於奉先, 至有虎投肉之異感, 孚信奚止豚魚哉。一生足不入城堙, 口不道雌黃。凡於勢利芬華, 淡然如寒林雪竹也。惟勤於誨人, 雖互鄕闕黨, 必諄諄誘掖, 使各有所成。是以門下之士, 皆彬彬焉。聞有勝山秀水, 輒颷然遐擧, 適境觸物, 一於詩而發之。公旣享用淸福, 而餘慶方未艾。子孫俊賢, 克趾厥美, 寔公之餘敎使然也。其三胤承玖甫, 裒收公遺詩文若干卷, 將繡梓以圖壽傳, 囑不佞序之。謹略論其世, 使誦讀其詩書者, 知公之言藹然出乎德之充也。

안동김씨 가승(安東金氏家乘) 서문

　소씨(蘇氏)²¹³⁾의 족보는 4세(世)에 그쳤으니, 이것은 효제(孝悌)의 마음이 유연(油然)²¹⁴⁾히 생겨나기 때문이다. 가까이 하면 친하고 친하면 정분이 더욱 두터워 지는데, 이는 추세가 반드시 그렇게 되기 때문이다. 근세의 족보들은 옛날과 달리 누구나 할 것 없이 종족을 널리 모으는 것을 성사(盛事)로 취급한다. 그런데 일생동안 한 번도 얼굴을 드러내지 않고, 아이가 태어난 경사에도 축하도 없고, 사람이 죽어간 상사에도 조문하지 않으며, 병환이 생겨도 모르는 척 하는 사람을 어떻게 돈후하고 화목하게 지내려고 하는 이 족보에 넣을 수가 있단 말인가? 우리 족보는 소씨의 가보를 본받아 만든 것이다. 생각하여 보니, 우리 고조고(高祖考)이신 진사부군(進士府君)은 견묘(畎畝)²¹⁵⁾에서 일어나 많은 선행을 쌓아 효제(孝悌)와 충신(忠信)으로 백세(百世)의 모범이 되었다. 뒤를 이어서 만수당 부군(晩睡堂府君)은 대대로 그 미행(美行)을 본받아 전렬(前烈)을 빛나게 하였다. 이 족보는 진사공(進士公)을 파조(派祖)로 삼았으니, 그 후손된 사람은 두 분의 도(道)를 기술하여, 각기 그 덕을 닦고 이에 선조를

---

213) 소씨는 북송시기 소순을 말함.
214) 구름이 무에 뭉게 이는 모양.
215) 밭의 고랑과 이랑을 아울러 이르는 말.

계승하고, 이에 후손을 계도(啓導)하여 가까운 데서 법을 취하면 그 효과가 쉬울 것이니, 우리 족보를 함께 하는 사람들은 마땅히 상호 면려하여야 할 것이다.

安東金氏家乘序

蘇氏之譜, 四世而止。 此所以孝悌之心, 油然生者也。 夫近則親, 親則情益篤。 其勢固耳。 近世譜規, 異於古, 無不廣收宗族爲盛事。 而一生不一相識, 生不慶而死不吊, 痛癢莫相關, 安在其爲收族敦睦乎此。 吾譜之倣蘇氏而作也。 惟我高祖考進士府君, 起自畎畝之中, 積累有素, 孝弟忠信, 蔚爲百世模楷。 繼而晩睡堂府君, 世濟厥美, 于前有光。 是譜也, 自進士公爲分派之祖, 爲其後承者祖述二公之道, 各修厥德, 于以承先, 于以啓後。 夫取法於近, 則其効易。 凡我同譜之人, 盍相與勉之。

미국 유학을 떠나는 손자 영식(永植)을 전송하는 서문

　남자가 태어나면 상궁(桑弓)으로 봉시(蓬矢)를 천지 사방으로 날리며 장차 천하에 무슨 일이 있을 것이라는 것을 알린다. 기억하건데 옛날 네가 고고성을 내는 날 내 역시 상호봉시의 옛 풍속에 따랐다. 하지만 오늘 이 행차가 있을 줄은 바라지 못한 것이다. 네 나이 올해에 스물아홉인데 우수하게 선발되어 바다 건너 오만 리 떨어진 지역으로 유학을 5년 기한으로 떠나니, 학문을 이룬 후에 돌아오기로 되었다. 아! 남아 장부로서 상호봉시의 뜻을 드디어 이룩하게 되었구나. 후일 귀가하면 정녕 옛날의 어리석었던 아몽(阿蒙)[216]이 아닐 것이다. 나는 눈을 비비며 너를 기다리겠다. 그러나 나는 이미 늙고 병든 몸인지라 네가 떠나는 길을 먼 바다까지 전송하지 못하고, 다만 부자(夫子)의 말씀 한 마디만 이야기 하련다. "말에는 충직하고 믿음이 있어야 하고, 행실에는 정성과 공경이 있어야 한다. 아무리 남만과 예맥 같은 나라에서도 행해야

---

216) 삼국(三國), 오(吳)나라 사람, 여몽(呂蒙)을 말함. 손권(孫權)이 여몽(呂蒙)과 울흠(蔚欽)에게 학문을 하라고 권하였으나 여몽은 뜻을 세워 열심히 공부하였는데, 어느 날 노숙(魯肅)이 여몽을 방문하여 굴복을 받으려고 하였다. 그러나 그는 여몽의 등을 치면서 "아우는 단지 무략(武略)만 있을 뿐인 줄 알았는데 지금 학식이 해박하니 다시 옛날 여몽이 아니다"라고 하자, 여몽은 "선비가 이별한지 3일이면 괄목상대(刮目相對)한 것입니다"라고 하였다.

한다. 말에 충직과 신임이 없고 행실에 정성과 공경이 없다면 아무리 제 고장이라 하여도 행할 수 있겠는가? (言忠信行篤敬, 雖蠻貊之邦, 行矣. 言不忠信, 行不篤敬, 雖州里, 行乎哉)" 이 말은 옛날 내가 지난해에 내가 글을 써서 너의 형제들에게 보여 준 적이 있다. 지금 다시 쓰는 것은 신신당부하는 뜻이 담긴 것이다. 앞으로 다시 두 번 세 번 쓸 것이며, 한 번에 그치지 않을 것이다. 잘 다녀오너라. 너는 노력해야 한다.

기유년(서기 1969) 6월 일 늙은 할아버지 씀

送永植孫遊學美國序

男子初生, 以桑弧蓬矢, 射于天地四方, 將有事乎天下也. 記昔汝呱呱日, 余亦用弧矢循例也. 不圖今日必有此行也. 汝年今二十有九, 以選拔之優, 將遊學于海外五萬里之域, 期以五年, 學成而歸. 噫, 男兒桑蓬之志, 庶可遂矣. 異日歸家, 必非舊時阿蒙. 吾將拭目而待之. 然吾老且病, 於其行未能遠送于海, 只擧夫子所云: "言忠信行篤敬, 雖蠻貊之邦, 行矣. 言不忠信, 行不篤敬, 雖州里行乎哉?" 斯語也, 昔年余已書示若兄弟輩矣, 今復書之, 以申吾丁嚀之意, 盖將再書三書, 不一書而止也. 往哉, 汝勉. 歲己酉夏六月日老祖書.

축린계(祝麟契) 서문

  기유년(서기1969) 봄에, 김군 원근(金君源根)이 나이 쉰하나에 처음으로 아들을 보았다. 한 마을 친구들이 다투어 달려와 축하였고 그것도 부족하여 그 일을 계기로 계(契)를 결성하여 후일 그의 장학금을 마련하려고 하였다. 이 일을 주창한 사람은 내 친구 정휴조(鄭休祖)와 김계홍(金桂洪) 두 사문(斯文)이다. 이리하여 원근의 선비들이 그 소문을 듣고 달려와 이 계에 가담하였는데, 모두 열두 사람이었다. 친구 정휴조가 나에게 이 일의 시말을 적어달라는 부탁을 하므로 나도 우러러 나오는 기쁨을 금할 수가 없어 드디어 붓을 들어 계의 이름을 '축인(祝麟)'이라 하고, 거기에 설명을 가하였다.
  천지의 영기(靈氣)가 사물에 모이게 되면 기린이 되고 봉황으로 변하며, 사람에게 모이게 되면 준수하고 걸출한 선비로 변하게 된다. 이 기운은 고금에 따라 더 해지거나 덜어지는 것이 없다. 기린이 영험으로 변한다면 아주 밝게 된다. 전(傳)에 이르기를 "기린은 인(仁)과 의(義)를 간직하고 걸을 때도 규칙에 맞으며 꺾어 도는 것도 법도에 맞다"고 하였고, 또 이르기를 "기린은 인수(仁獸)이다. 시경(詩經)에는 '인지(麟趾)'[217]라고 일컬어 그 자손이 어질고 많다는 것을 찬미 하였다" 나는 군의 선세(先世)에 인의(仁義)의 덕을 쌓은 줄 알고 있다. 그리하여 하늘이 기린 같은 손자를 주신 것이다. 오늘의 여경(餘慶)의 도리에 대하여 나는 틀림없음을 굳게 믿고 있다. 하물며 이를 이어가며 경축할 일이 한두 가지가 아닐 것이다. 나는 이를 미리 점지하고 그 시기를 기다리고 있다.

祝麟契序

歲己酉春, 金君源根以年五十一始生男. 同閈諸友, 爭相來賀. 賀之不足, 且爲之設契, 以爲異日奬學之資. 倡之者, 吾友鄭休祖、金桂洪二斯文也. 於是遠近之士, 聞其風而樂赴, 總十二人也. 鄭友請余叙其事, 余不勝柏悅之私, 遂名之以祝麟, 因而爲之說. 曰:天地精靈之氣, 鍾於物而爲麟鳳之瑞, 鍾於人而爲雋傑之士. 是氣也, 不以古今有豐嗇也. 夫麟之爲靈昭昭也. 傳曰:麟者, 含仁懷義, 行步中規, 折旋中矩. 又曰:麟, 仁獸也. 詩稱麟趾, 美其子孫之賢且多也. 吾固知君先世積仁累義, 天以麟孫錫之. 今日餘慶之理, 信不爽也. 況繼是以賀者, 將不止一再矣乎. 吾且握算而竢之.

무진음사 시고(武珍吟社詩稿) 서문

광주(光州)는 명향(名鄕)으로서 인물(人物)의 부고(府庫)라고 불리고 있다. 대개 서석산(瑞石山)[218]의 걸특(傑特)한 기운이 모여들어 수재(秀才)를 낳은 것일까. 살펴보니 세월은 날로 험해가니 세속에서 숭상하는 것은 옛것이 아니라, 오직 세리(勢利)만 추구하고 권모(權謀)만 다투어 가며 꾸미는 것으로 세상이 어수선하게 되었을 뿐

---

217) 《시경(詩經)》의 편명(篇名).
218) 전남 무등산의 다른 이름.

이다. 음사(吟社)[219] 중의 제공(諸公)은 모두 영준(英俊)한 선비들로 사문(斯文)이 이미 쇠퇴한 것을 슬퍼하고 고인(古人)의 풍도를 사모하는 사람들이라 친구를 불러 같은 길을 가기 위해 서석산(瑞石山) 밑에서 음사(吟社)를 결성하고 이름을 '무진(武珍)'이라고 하였다. 시(詩)로 단란하게 모임을 가지고 이것을 법도로 3개월마다 모이기로 하였으니, 낡은 세속을 벗어나고 득실을 초월하였다. 서로의 사귐은 담담하기로 물과 같아 간담(肝膽)이 서로 통하고 있다. 아름다운 산수(山水) 속에서 시를 읊으며 마음에 품은 뜻을 후련하게 풀어 보려는 것이다. 풍도의 아름다움과 산천의 수려함, 그리고 시절을 느끼고 회포를 일으키는 것과 슬프고 기쁜 모든 것을 시편에 잡아 두려는 것이다. 강산(江山)을 문자로 다루니 국풍(國風)으로 되고 대아(大雅)로 될 수 있다. 영균(靈均)이 추사(楚辭)를 지어 남국에서는 초사(楚辭)를 잘하고 사광(師曠)이 진(晉)나라에 있으니 령인(伶人)이 음악을 가려들을 줄 알게 되었다. 나의 생각으로는 풍성은 남토의 풍속에 관여되므로, 차차 초나라와 진나라처럼 음악으로 잘 가려 듣는 사람들이 나타날 지도 모른다. 훗날 국풍(國風)의 민요(民謠)를 수집하여 〈시 삼백〉을 잇고자 한다면 정녕여기에서 취하게 될 것 이고, 관현(管絃)으로 연주하여 가정과 나라의 교화에 사용하게 될 것이다. 그것이 국풍으로 되어 교화에 도움을 준다고 할 때 어찌 그 작용이 적다고 말할 수 있으랴! 윤정복(尹丁鍑)과 위계도(魏啓道) 두 사문(斯文)이 함께 멀리서 나를 찾아와 제공의 뜻을 전하면서 서문을 요청하였다. 나는 병을 앓고 있어 참석하지 못하였으나, 이 일에 이름 올리는 것을 영광으로 생각하였다. 드디어 마음에 떠오른 말로 감히 세상의 군자(君子)들에게 물어보는 바이다.

武珍唫社詩稿序

光, 名鄕也, 號稱人物府庫。盖瑞石傑特之氣, 有以鍾靈而毓秀也歟？顧江漢日下, 俗尙不古, 惟勢利之相趨, 權謀之爭衡, 滔滔者是耳。社中諸公, 皆僑英士也, 悼斯文之旣喪, 慕古人之風義, 印招印友, 惠以同歸, 結唫社於瑞石下, 名曰武珍。詩以團會, 式月爲常。脫塵棄而超得喪。其交也淡然如水, 肝相照。賦詩迭唱於勝岑秀水之間, 以暢其志。凡風土瑤俗, 山川形勝, 與夫感時興懷, 可悲可喜者, 無不牢籠於篇章之中。文藻江山, 可以爲風爲雅矣。靈均作楚, 南國善辭；師曠在晋, 伶人變音。竊意風聲攸届南土之俗, 亦將有楚晋之善變者耶。

---

[219] 시(詩)를 짓는 사람들의 모임.

異日採風謠而續三百者, 必取於此, 被之管絃, 以化家邦矣。其爲風敎補, 曷云少哉。尹丁馥、魏啓道兩斯文, 并轡相訪, 致諸公之意, 要以弁卷文。余病未矣席末, 托名玆役爲榮, 遂言衡于中者, 敢問世之君子。

연연당문고 권6

기(記)

감수 : 연정 김경식(淵亭 金璟植)
　　　(연정교육문화연구소장)
번역 : 박정양(朴正陽)
　　　(중국: 연변대학 도서관 전 관장·
　　　　조선언어문학부 교수)

읍궁암기(泣弓巖記)

　　용진산(聳珍山)은 남투(南土)에서 우러러보는 산이다. 그 암석 봉우리는 하늘높이 솟고 동부(洞府)[1]는 깊어 여울물이 졸졸 흐르므로 석인(碩人), 군자(君子)들의 과축(適軸)[2]이 아닌가? 그렇지만 천년을 내려오면서 적막강산으로 변해 원숭이들은 허공만 우러러 바라보고 학들은 공연히 수심만 자아내고 있다. 아니 귀신이 아끼고 옹호하여 그 사람을 기다리고 있는 것일까. 후석 오선생(後石吳先生)이 노문(蘆門)[3]의 뛰어난 인재로서 세상의 유종(儒宗)이 되었다. 경술년(서기1910) 국치(國恥) 후에 백립(白笠)을 쓰고 산 속에 들어가 종신토록 살 뜻을 품었다. 시대를 질시하고 풍속을 민망하게 여기는 뜻을 시로 나타내어 도(道)는 더욱 높고 덕도 더욱 높아 늙어가는 줄도 몰랐으므로 남쪽 지방의 선비들이 태산(泰山)과 북두(北斗)같이 우러러보고 시초(蓍草)[4]와 구판(龜版)같이 믿어 책을 옆에 끼고 질문한 사람들이 날마다 모여들어 당실(堂室)에서 수용할 수 없는 지경에 이르렀다. 이것은 이천(伊川)[5]이 용문(龍門)[6]에 있을 때나 고정(考亭)[7]이 무이(武夷)[8]에 있을 때와 같았다. 그리고 정사(精舍) 뒤에 반석이 하나 있는데 십여 인이 앉아 있을 만 하였다. 선생은 언제나 하의(荷衣)[9]를 입고

---

1) 신선이 사는 곳.
2) 《시경》의 '위풍(衛風)'의 고반(考槃)에 "숨어 살 집이 언덕에 있으니, 큰 선비의 마음이 넉넉하다."는 시구가 있음.
3) 노사 기정진(蘆沙奇正鎭)의 문하.
4) 고대에 길흉의 점을 치는 톱풀을 말한다. 길흉 점을 칠 때는 시초보다 구판이 더 적중률이 높다고 한다.
5) 송(宋)나라 낙양인(洛陽人), 자는 정숙(正叔), 호는 정공(正公), 정향(程珦)의 아들이며 정호(程顥)의 아우임. 나이 18세 때 태학(太學)에 들어가 안자호학론(顏子好學論)을 지었음, 철종(哲宗) 초에 숭정전(崇政殿)의 설서(說書)가 되어 언제난 진강(進講)할 때 얼굴빛을 씩씩하게 하고 강의가 끝나면 풍간(諷諫) 하였으며 그 후 서경(西京)의 국자감(國子監)으로 나갔었다. 그의 학문은 한결 같이 성(誠)에서 나왔으며 오직 성인(聖人)을 스승으로 하였다.
6) 중국 산서성(山西省)에 있는 지명.
7) 주희(朱熹)의 호, 그는 회암(晦菴), 자양(紫陽), 우계(尤溪) 등의 호를 사용하였으며 창주정사(滄州精舍)를 건립하여 많은 제자를 양성하였는데 이들을 고정학파(考亭學派)라고 하였다.
8) 복건성(福建省) 서북부 숭안현(崇安縣) 경내에 있는 무이산맥의 저산 구릉으로 된 산임. 이 곳에서 주희(朱熹)는 구곡계(九曲溪) 위에 무이정사(武夷精舍)를 건립하여 많은 제자를 양성하였는데 정사 앞에는 만대봉(晚對峯)이 있고 뒤에는 은병봉(隱屛峯)이 있어 경치가 좋았다. 주희는 이곳에서 유명한 무이도가(武夷棹歌)를 지었다.
9) 은사(隱士)가 입은 옷으로 연잎으로 만들었음.

혜대(蕙帶)[10]를 띠었으며 지팡이를 짚고 올라가 구름이 아득한 북녘 하늘의 머나먼 신극(宸極)[11] 바라보며 오랫동안 오랜 수를 누리라고 축원하는 곳으로 삼았는데 무오년(서기1918)에 상황(上皇)이 신민(臣民)을 버리자 선생은 동지 수십 명을 인솔하고 이 바위에 올라가 통곡하였는데, 더는 살 생각을 버린 듯하였다. 대개 선생의 마음속으로는 종사(宗社)가 이미 빈 터로 변했지만, 우리 임금이 아직 계시므로 나라에 복이 있을 날을 기대한 것이다. 그러나 지금은 그만이다. 지금은 그만이다. 정호(鼎湖)의 용이 이미 날아갔으니 공연히 활을 메고 검을 쥔 채 탄식만 할 따름이다. 선생이 작고하신 후 문생과 후배들은 그 바위의 이름을 '읍궁(泣弓)'이라고 하고 서로 시를 지어 그 뜻을 읊었다. 선생의 큰 손자 근호 천경(根浩天卿)이 정회(正會)에게 한 편의 기(記)를 적어달라고 하였지만 대답을 하고는 마무리를 짓지 못하였는데, 그 일이 얼마 안 되어 천경(天卿)이 갑자기 작고하였다. 아! 전일에 글을 짓지 못하였는데 어찌 참아 후일에도 영원히 약속을 어길 수 있단 말인가? 조용히 생각하니 선생은 사도(斯道)까 이미 어둡게 된 것을 밝히려 하였고 윤리강상(倫理綱常)이 이미 끊어진 것을 부식(扶植)하려고 하였다. 선생이 생전에는 그 도(道)가 선생의 몸에 있었고, 선생의 몰후에는 그 자취가 바위에 남아 있다. 생각하여 보니 이 한 조각 바위는 우주를 지탱하고 만고(萬古)를 지난다고 하여도 부셔지지 않을 것이다. 아! 아천경(天卿)이 살아 있다고 하면 무엇이라고 말할 것인가? 스스로 산을 보고 금치 못하고 냇물 소리에 목이 메이는 구나.

泣弓巖記

簪珍, 南土之望也。其石峰崔嵬尜天, 洞府幽邃, 澗泉琮琤。宜碩人君子所薖軸乎。而千載寂寥, 使猿鶴空愁。抑神慳而鬼護, 將有待夫其人歟。後石吳先生, 以蘆門高足, 爲世儒宗。自庚戌國墟後, 戴白而入爲終焉之計。病時憫俗之意, 每發於唫哦, 道益尊而德益邵, 不知老之將至。南方之士, 仰之如山斗, 信之如蓍龜。橫經問難者, 日益坌集, 至堂室難容, 殆如伊川之於龍門, 考亭之於武夷矣。精舍後有一盤石, 可坐十數人。先生每荷衣蕙帶, 扶藜而上, 北望宸極於雲天緲緲之間, 以爲瞻佇祝延之地。戊午上皇遽棄臣民, 先生率同志數十人, 登此

---
10) 향기로운 혜초(蕙草)로 만든 띠.
11) 제왕의 자리, 천자의 거소.

巖而痛哭, 如不欲生。盖先生之心, 以爲宗社雖墟, 而吾君尙存, 庶幾祚宋之有日矣。今焉己矣, 今焉己矣。鼎湖之龍己飛, 徒切弓釖之嘆而己。先生沒後, 門生後輩名其岩曰泣弓, 相與賦詩, 以風詠其義焉。先生大孫根浩天卿俾正會一言記之, 諾而未果, 未幾天卿遽作泉下人。嗚乎！其以未果乎前者, 何忍永負於後耶？竊惟先生明斯道於晦盲, 扶倫綱於旣絕。先生在世, 其道在身, 先生旣沒, 其跡在岩。惟此一片石可以撑宇宙, 而屹立互萬古而不泐。噫, 使天卿而在者, 謂當如何？自不禁山哀而澗咽。

창랑대(滄浪臺)[12] 기

선비들은 출세와 은거에서 때를 귀하게 여길 따름이다. 때가 은거하여야할 때인데도 출세를 하면 그것은 의로움이 아니고 때가 출세하여야할 때인데도 은거를 한다면 그것도 역시 의로운 것이 아니다. 때가 와서 패옥(佩玉)[13]을 차고 세발솥을 가지런히 늘어놓는 것은 거만한 것이 아니며, 그 시기를 얻지 못하여 암석(巖石) 사이에서 살고 들녘에서 살더라도 그것 역시 궁한 것이 아니다. 궁하게 되면 그 뜻을 지키고, 출세하면 그 도를 행한다고 하면 그들이 행하는 바는 바로 도(道)를 지키는 것으로 되니 양자는 본래 두 가지 도가 아니다. 만방(萬邦)을 곧은 마음으로 다스리는 것은 본래 신야(莘野)[14]에서 밭갈이할 때 정해진 것이며 누룩을 만들 때 쌀을 내고 간을 만드는 방법은 이미 부암(傅巖)[15]에서 건축(建築)할 때 벌써 지니고 있었던 것으로서, 그대들이 때를 만나고 못 만나는가에 달려 있었을 따름이다. 우리 종조 항재선생(恒齋

---

12) 창랑대 : 도산서당(만수당 ; 고창군 문화유산 제2호) 앞 동남간 약 300m지점에 위치. 서기 2000년대 초 서해안 고속도로 건설 때 매몰 되었음, 유지(遺址)의 유실을 애통히 여겨 그 후 항재공 차남 도강(道岡; 김재규)은 만수공 종손과 더불어 그 유지(遺址)를 만수당 앞의 답(沓)에 재건하려고 하였으나 항재공의 종손의 창랑대 부지 보상비 사복(私腹), 출자 거부로 이루어지지 않았음.
13) 조선조 때 왕, 왕비의 법복이나 문무백관의 조복(朝服)과 제복의 좌우에 늘어 차던 옥.
14) 지금 산서성 합양현(山西省郃陽縣)에 있는 옛날 신(莘)나라의 들. 현신(賢臣) 이윤(伊尹)이 밭을 갈던 들, 은(殷)나라 탕왕(湯王)이 세 번을 초빙하여 출사(出仕) 하였음. 탕왕을 도와 하(夏)의 걸왕(桀王)을 정벌하여 하를 명망시킴.
15) 산서성 평육현(山西省平陸縣)에 있는 지명. 일명 부험(傅險)이라고 하며 지금 이름은 은현사(隱賢社)라고 한다. 은(殷)나라 현신 부열(傅說)이 죄인의 몸으로 이 곳에서 성벽(城壁)을 쌓는 천역을 하였으나 은나라 무정(武丁: 高宗)이 재상으로 발탁하였음.

先生)은 일찍 가정에서 학문을 익히어 만년에 면암옹(勉菴翁)[16]에게 수업하여 세상을 건지려는 포부를 가슴에 지니고서 자신을 수양하고 남을 다스리는 도를 배웠다. 때 아닌 세상을 만나자 임천(林泉)에서 은거하며 천인(天人), 성명(性命)의 오묘한 이치를 탐구하고 《춘추(春秋)》[17]의 존양대의(尊攘大義)를 간직하여 한 가문에 정사를 펴서 후손들에게 본보기를 드리워 놓았다. 득실(得失)과 총욕(寵辱)에 뜻을 두지 않고 계산(溪山)과 풍월(風月)을 그리워하였다. 지난 병진년(서기1976) 봄에 만수당(晩睡堂) 앞에서 한 과녁 거리의 땅에다가 못을 파고 고기를 기루었으며 중간 연못에다가 대(臺)를 건립하고 그 주위로 송백(松柏)을 심으니 들이라도 들 같지 않고 평지지만 속되지 않았다. 연하(煙霞)가 펴졌다 오므라지고 금어(禽魚)가 즐기었으며 멀리 바라보면 은연 중 울창한 산의 기세가 있어 천연적으로 만들어진 것 같았다. 그 대(臺)의 이름은 '창랑(滄浪)'이라 하였다. 물이 맑으면 갓끈을 씻고 물이 탁하면 발을 씻는다는 뜻을 취한 것이다. 그리고는 사운(四韻)[18]의 시를 지었는데, 당세의 지명(知名) 인사들이 서로 도로써 화답시를 남겨 놓았다. 절승(絶勝)으로서의 누대의 명칭은 드디어 사방으로 퍼져 나갔다. 날마다 아침노을이 퍼져 오르고 저녁달이 떠오를 때마다 선생은 각건(角巾)과 야복(野服) 차림으로 지팡이를 짚고 홀로 이르러 웃옷을 걸치고 발을 씻고는 연꽃 향기 풍기고 푸른 숲 우거진 숲에서 병든 시대를 한탄하는 시를 읊었으며 때로는 어부가(漁父歌)가에 창랑가(滄浪歌)로 화답하곤 하였다. 아! 선생이 후생들을 버리고 가신지도 어언간 십년이란 세월이 흘렀다. 강물은 날마다 흐르기만 하고 세상사 갈수록 낭패하기만 하니 창랑물이 맑을 날을 기대하기는 글렀다. 명월은 외로이 중천에 솟았지만 그 누가 구경을 하려나? 유적을 어루만지니 감흥이 생기지만 오로지 구름의 그림자와 하늘의 햇빛만이 옛날 그대로라 홀로 배회할 따름이다. 혹자는 말하기를 "다 같은 유자가(儒子歌)인데 부자(夫子)[19]는 자취(自取)한 것을 취하고 삼여(三閭)[20]는 시의(時義)를 취하였다고 한 것은 무슨 뜻입니까"라고 하므로 나는 이렇게 대답하였다. "저 사람도 하나의 뜻이 있고 이 사람도 하나의 뜻이 있으니 화복(禍福)과 선악(善惡)은 스스로 취한 것이다. 그리고 갓끈을 씻고 발을 씻는 것

---

16) 면암 최익현선생(勉菴崔益鉉先生)을 말함.
17) 오경(五經) 중의 하나. 최초의 편년체 역사서로서 노(魯)나라 은공(隱公)부터 애공(哀公)까지 12공 242년간을 기록 하였다.
18) 네 개의 운각(韻脚)으로 된 율시(律詩).
19) 공자(孔子)를 지칭하는 말.
20) 초(楚)나라의 충신 굴원(屈原)을 말함. 그의 관직은 삼여대부(三閭大夫)를 지냈다.

은 때에 따라 하는 일이니 말 한마디에 두 개의 뜻이 있는 것이 어찌 마음 상할 일이 있겠는가?"

滄浪臺記

夫士之出處, 時爲貴耳. 時可隱而出, 非義也 ; 時可出而隱, 亦非義也. 得其時則珮玉列鼎, 不以爲泰 ; 不得其時則, 岩居野處, 不見其窮. 窮而守其志, 達而行其道, 其所行乃所守之志也. 實非二道也. 萬邦以貞之治, 素定於莘野之畎, 麴糵鹽梅之道, 已存乎傅岩之築, 特其遇不遇耳. 我從祖恒齋先生, 早服庭訓, 晚而就學于勉翁, 以經世濟物之志, 得聞修己治人之道. 遭逢不辰, 隱居林樊之下, 究天人性命之微妙, 抱春秋尊攘之大義, 爲政一門, 垂範後昆. 息機乎得喪寵辱之際, 寓懷於溪山風月之狀. 往丙辰春, 筮一區於晩睡堂前一帳地, 鑿池種魚, 中池爲臺, 環以松柏, 野而不野, 夷而不俗. 烟雲之舒卷, 禽魚之相樂, 遠望之隱然有岑巖之勢, 若天造焉. 臺曰滄浪, 以寓淸纓濁足之義. 因賦四韻, 當世知名之士, 爭相酬和以道. 其勝名遂著於遠近. 每烟朝月夕, 先生以角巾野服, 負杖孤往, 披襟濯足, 於荷香林翠之間, 病時之嘆, 累發於吟詠. 時有漁父歌, 滄浪而和焉. 嗚乎! 先生之棄後生輩, 忽己十禩矣. 江漢日下, 世道益敗, 滄浪之水, 無時可淸. 明月獨擧, 淸風誰賞? 撫遺躅而興感, 惟有雲影天光依舊, 徘徊而已. 或曰 : "均是孺子歌, 而夫子取其自取, 三閭取其時義, 何也?" 曰 : "彼一義也, 此亦一義也. 禍福善惡之, 自取也, 纓足淸濁之, 隨時也. 一語而兩義, 該庸何傷乎."

보도산 실기(普道山實記)

보도산[21]은 내가 사는 집의 뒷산 이름이다. 또 금과산(錦裹山)이라고도 한다. 온 산에 철쭉꽃이 만개하면 흡사 붉은 비단으로 산을 감싼듯하여 그렇게 이름을 붙인 것이다. 옛날부터 전해온 말에 의하면 청풍 김씨(淸風金氏)가 대대로 이 산 밑에서 살았다고 한다. 김공 엄(金公淹)은 우리 영모당 선조(永慕堂先祖)의 증손서(曾孫壻)이

---

21) 전북 고창군 고창읍 도산리 151번지 뒷산.

다. 천계(天啓)[22] 년간에 종성부사(鍾城府使)를 역임하고 만년에는 이 산의 좌록(左麓)에 정자를 지어 이름을 금과(錦褁亭)이라고 하였는데, 지금은 폐지된 지 오래 되었다. 그 후 정씨(鄭氏)가 관청의 기택으로 이사를 가자 줄곧 이어 받아 참판공(參判公) 성일(誠一)까지 내려오자 집 안채와 사랑채를 고쳐 건축하여 안채에는 기와를 얹고 사랑채는 이엉을 엮어 얹었다. 남향집으로 북을 등지고 있었는데 지금 내가 거처하고 있는 침실과 사랑채이다. 얼마 안 되어 참판공이 땅과 집을 몽땅 팔고 읍의 동쪽으로 집을 옮겼다. 철종(哲宗)조 때 경신년(서기 1860)에 나의 증조고 만수(晩睡)부군이 무장(茂長)의 선동(扇洞)에서 이 곳으로 이사를 왔는데 그 때 나이 열아홉이었다. 고왕고(高王考:高祖)가 원래 살던 고장에 정이 들어 다시 이사를 하였으나, 부군이 백방으로 간청하여서야 겨우 여기에 살아갈 것을 허락받게 되었다. 처음에는 이 산 우측 중앙인 평평한 등성이 아래 (지금 만수가 살고 있는 집터-원주-) 아래에서 살았다. 그 집 뒤에는 노송(老松) 수 십주는 모두 만수부군(晩睡府君)이 손수 심으신 것이다. 몇 년 지난 후 이 터로 들어오시었다. 고왕고(高王考)께서는 고종(高宗) 갑술년(1874)에 진사(進士)에 급제하여 노인을 우대하는 특전으로 통정대부(通政大夫)에 올라 용양위부호군(龍驤衛副護軍)을 역임하였고, 만수부군(晩睡府君)은 갑오년(서기 1894)에 생원(生員)이 되었으며 전례에 따라 효죽(孝竹)[23]을 문밖의 몇 보 밖에 세워 두었었는데 나도 어렸을 때에 본 기억이 어슴푸레 있을 뿐이다. 집 뒤 울안에 불룩하게 솟아 있는 자그마악한 곳을 '월랑대(月朗臺)'[24]라고 이름 하였다. 이 대(臺) 위에는 외롭게 자란 소나무가 있었는데 마치도 펼쳐놓은 수레 덮개와 같았다. 이 소나무는 청풍 김씨(淸風金氏)의 소유였는데 지난 경오년(서기1930)에 우리 선군(先君)이 조(租) 20석(石)을 주고 그 땅의 반을 동용씨(東容氏)에게서 사들여 울타리를 하여 한 계로 하였다. 마을 뒤 골짜기 끝에 고목들이 꽉 차 있는 삼림이 있었는데 이것은 사(社)의 공유지이다.

임신년(서기1932) 봄에 선군(先君)이 가묘(家廟) 3칸을 건립하고 안팎의 집들을 새롭게 중수하였으며, 동서의 양랑(兩廊)은 새로 건립하고 대문 3칸도 조성하였는데 이에 앞서 을묘년(서기1915) 봄에 이미 창건한 것이다. 외사(外舍)와 익랑(翼廊) 5칸은 을사년(서기1965) 봄에 불초(不肖)가 이엉을 기와로 바꾸었다. 아! 선군이 작고하신

---

22) 명나라 희종의 연호.
23) 솟대
24) 월랑대는 고창군 고창읍 도산리 151 소재 김정회 고가(전라북도 민속문화제 제92호) 뒤안 뒷 언덕에 위치함.

지 십여 년이 지나자 풍운이 세차게 불어오더니, 정부에서 농지개혁을 급선무로 삼았기에 백 년 동안 대대로 내려오던 가업은 하루아침에 갑자기 일락천장이 되었고, 선인의 옛집은 반드시 지켜내기가 어렵게 되었다. 조물주는 원래부터 변덕스러워 기쁨과 노여움을 자기 마음대로 부리기에 도리나 추세로부터 본다면 한 사람은 정녕 그렇게 되고 말 것이다. 비록 이렇다고는 하지만 선조(先祖)와 선부(先父)께서 대대로 내려오면서 쌓은 인의(仁義)의 덕을 초목도 영광으로 생각할 것이다. 후손된 사람이라면 단지 선조의 덕만 닦으라고 한 그 업은 정녕 나의 노력에 달려 있다고 생각하기만 하면 된다. 나머지 세상이야 내가 어찌 할 수 있단 말인가?

 지난 신미년(서기1931)에 나는 성균관(成均館)에 유학할 때 인천 월미도(仁川月尾島)에 가서 시를 지었다. 이때 모인 인원은 70여 명이 되었다. 그 당시 무정 정공(茂亭鄭公)25)이 총재(總裁)였다. 그는 나의 시가 우수작이라고 하면서 나의 호를 '보정(普亭)'이라고 하고 또 호기(號記)까지 지어 주었다. 대개 이름으로 인하여 자는 정중(正中) 두 글자로 하였는데, 건괘(乾卦)의 구절에서 취한 것이다. 이를테면 용(龍)의 덕은 정중(正中)하므로 그 베푸는 것이 넓다는 뜻이다. 그후 족조(族祖)이신 희재공(希齋公)이 나에게 말씀하기를 "너의 호가 산의 이름과 맞으니 이 또한 기특한 일이다"라고 하셨다. 나는 이때 '보도(普道)'라는 이름을 듣지도 못하고 있었다. 공은 말하기를 "너의 집 뒷산이 즉 보도(普道)이므로 마을 이름도 '도산(道山)'이라고 하였다라고 하셨다. 나는 작고하신 여러 노인들에게 들을 말이다."

普道山實記

普道者, 我所居後山名也。又曰錦褰。盖全山躑躅滿開, 恰如紅錦褰山, 故以是亦名之。古傳淸風金氏, 世居玆山下。金公淹, 我永慕堂先祖曾孫壻也。天啓間, 行鍾城府使晚年就山之左麓作亭, 名曰錦褰云。今廢已久矣。其後鄭氏, 入居宦第, 相承叅判公誠一。改築內外舍, 內瓦而外苫, 厥向丁, 厥背癸也。今我所居正寢與外舍也。未幾叅判公賣却田園第舍, 移于邑東。哲廟庚申, 我曾祖考晚睡府君, 自茂長之扇洞, 移居于此, 時年十九。高王考安其土而重遷之。府君百方諫請, 始許之。初寓于玆山之右中央平岡下。今万洙所居趾屋後老松數十

---
25) 서기 1858(철종 9) ~1936. 명은 만조(萬朝), 자는 대경(大卿), 호는 무정(茂亭), 경기도 안성 출생, 강위(姜瑋)의 문인, 그는 동부승지, 부제학, 대동사문회 부회장, 경학원 대제학, 조선사 편수회 위원을 역임 하였다.

株, 皆晚睡府君手植林也。經幾年, 始入此基。高王考, 高宗甲戌進士, 以優老典陞通政大夫行龍驤衛副護軍。晚睡府君, 甲午中生員, 式孝竹立于門外數步武, 余兒時猶及見之耳。屋之後園上, 突兀小起者, 其名月朗臺。臺上有孤松, 狀如張盖。是松也, 曾爲淸金所有。往庚午年, 我先君以租貳拾石價, 割其地而買得于東容氏, 籬以限之。村後絶峽處, 古木森立。此社中共有地也。壬申春, 先君剏立家廟三間, 重修內外舍, 而東西兩廊, 則易而新, 造大門三間。則先是乙卯春, 已剏建焉。外舍及翼廊五間, 則乙巳春, 不肖以瓦易茅。嗚乎！先君沒後十數年, 風翻雲覆, 國家以農地改革爲急務。百年世業, 一朝驟落, 先人舊廬, 難保其必守也。造物本自喜遷不常, 有於一人亦理勢之必然也。雖然先祖先父, 積世仁義之澤, 艸樹亦爲之含榮。爲後承者, 惟念祖修德務其在我者而己, 其餘則天也, 我何知焉。往辛未年間, 余遊學于成均舘, 往仁川月尾島賦詩, 時全員七十餘人。茂亭鄭公, 時爲總裁, 以余作爲優, 號余曰普亭, 且記之, 盖因名與字。正中二字, 取乾之文, 言龍德正中, 厥施斯普之義也。其後族祖希齋公, 謂余曰："汝號偶合山名, 亦奇事也。"余是時未聞普道之名。公曰："汝家後山, 卽普道也。故里道山, 吾聞諸故老"云。

익원공 부조묘 이건기(翼元公不祧廟移建記)

맹자(孟子)[26]가 말하기를 "천하가 생겨 난 지 오래 되어 한번은 다스려졌다가 한번은 어지러워진다."고 하였고 또 말하기를 "5백년이면 왕자(王者)가 일어나며 그 사이에도 반드시 세상에 이름을 떨칠 사람이 있게 된다."고 하였다. 우리 태조 강헌대왕(太祖康獻大王)은 신무(神武)의 자질로 5백년이란 수에 응하여 서정(庶政)을 혁신하여 한 번 다스린다는 운을 감당하여 나섰다. 그동안 세상에 이름난 양신(良臣)의 보필은 생황(笙簧)이 되고 보불(黼黻)이 되어 국가의 훌륭한 일을 주창한 사람들은 그 수가 하나가 아니었다. 우리 선조 익원부군(翼元府君)은 (太祖가) 잠용(潛龍)으로 있을 때부터 뜻을 맞추었고 성조(聖朝)를 협찬(協贊)하였는데 공신의 맹세를 뜻하는 대여지맹(帶礪之盟)에 선참으로 참여하였고, 정승이 된지 8년째 조정이 숙연하였고 한

---

[26] 성은 희(姬), 명은 가(軻), 자는 자여(子輿), 산동성 추현인(山東省鄒縣人), 경보(慶父)의 후예임. 아버지는 격(激), 어머니는 장씨(仉氏), 송(宋)나라 때 추국공(鄒國公)으로 봉해지고 원나라 때 추국아성공(鄒國亞聖公)으로 추증되었으며 명나라 때 아성(亞聖)으로 추증되었음.

번 장수(將帥)로 나간 후에는 오랑캐들이 모두 감복하였다. 그 훌륭한 덕망과 위대한 공훈은 당연히 백세(百世)를 내려가며 묘식(廟食)을 하는데 마땅한 것이다. 그 후손에게도 또 은유(恩侑)와 세록(世祿)이 있었다. 열성조(列聖朝)에서 높이 보답하는 은전(恩典)이 훌륭하였다고 할 것이다. 아! 그러나 자손이 중간에 미약하여 그 거주를 오랫동안 지키지 못하였다. 부군(府君)의 묘(廟)가 옛날에는 호남(湖南)의 영암(靈巖)에 있었는데 중세(中世)에 서원(西原)의 궁현(弓峴)으로 이건하였고, 그후 또 부여(扶餘)의 저석(楮石)으로 옮기었다. 그후 자손들은 더욱 영체(零替)하여 거의 향화(香火)를 올리지 못하였으니 자손들의 마음이 과연 어떠하였겠는가. 옛날 우리 선군(先君)이 종사자(宗嗣子) 영필씨(榮泌氏)와 상의하고 또 제종(諸宗)에게도 두루 고하기를 "부군의 신령이 하늘에 계시니 아래는 마치도 물이 땅 위에 있으면서 어디로든지 흘러가는 것과 마찬가지이다. 지금 묘(廟)를 옮겨 안향(安享)하게 해 드리려는데 불가한 것이 무엇인가?"고 하자, 이에 제종들의 논의는 한결같이 되어 모양(牟陽)의 도산(道山)으로 이건 하였다. 갑술년(서기1934) 봄에 시작하여 수개월이 지난 뒤 완공하고 도벽과 단청도 극히 아름답게 하여 이 해에 봉안하였고, 또 제전도 마련하여 춘추로 제향 할 밑천으로 삼았다. 아! 지금 부군이 세상을 떠나신지 오백여 년이란 세월이 흘렀는데 그 동안 세상은 여러 번 바뀌었다. 인의(仁義)의 도리와 효제(孝悌)의 기풍이 이미 사라졌으나 오직 우리 부군의 오르내리는 영영(英靈)이 널리 있으시어 남 모른 가운데 나타나고 있다. 어지러움이 극에 달하면 다스려지는 것을 생각하는 것이 어찌 고금이 다를 수 있겠는가? 우리 제종(諸宗)이 이 부조묘에 발을 들여놓은 사람이면 부군의 마음을 자기의 마음으로 삼고 분명하고도 숙연히 정성을 다하여 제사를 올린다고 한다면 효성을 다 사용할 수 없을 것이다. 그리고 부지런하고 공경하여 근본을 돈독히 하고 종통을 높인다면 인(仁)은 쓰고도 남음이 있을 것이다. 인(仁)과 효(孝)가 한 문중에서 행하게 되면 백성들의 덕성은 두터운 데로 돌아가게 될 것이고 그로 말미암아 선조의 덕은 바꾸어지지 않을 것이다.

경진년(서기1940) 4월 상순에 20세손(世孫) 정회(正會) 삼가 기록함.

翼元公不祧廟移建記

孟子曰:"天下之生久矣, 一治一亂。"又曰:"五百年, 必有王者興, 其間亦必有名世者。"惟我太祖康獻大王, 以神武之資, 應五百之數, 革新庶政, 以當一治之運。其間名世良弼，笙簧黼黻，以倡國家之盛者，不一其數。而我先祖翼元府君，契自龍潛，協贊聖朝，首叅於帶礪之盟，入相八年，廟堂肅然，出將一擧，外夷咸服。其盛德偉功，宜其廟食百世。而後又有恩侑焉，有世祿焉。列聖朝崇報之典，可謂盛矣。嗚乎！雲仍中微，不恒厥居。府君之廟，舊在湖南之靈岩，中歲移建于西原之弓峴。後又遷于扶餘之楮石矣。而後孫益復零替，香火幾不能薦。子姓之寒心，果何如哉？昔吾先君謀於主鬯榮泌氏，且遍告諸宗曰："府君之神在天，下如水在地中，無往不流。今又遷廟以圖安享，有何不可？"於是宗議歸一，移建于牟陽之道山。役始於甲戌春，數閱月而工告訖。塗墍丹臒，極其輪奐奉安。於是年冬，且置祭田，以爲蒸嘗之資焉。嗚呼！今去府君五百有餘年，滄桑屢易。仁義之道，孝悌之風，已掃然矣。惟吾府君陟降之靈，洋洋如在，陰隲於冥冥之中。亂極思治，豈以古今異也？凡我諸宗之入是廟者，以府君之心爲心，偡然肅然，祭盡其誠，則孝不可勝用矣。克勤克敬，敦本崇宗，則仁不可勝用矣。仁孝之道，行於一門，則民德可以歸厚，而先德庶乎無替。

庚辰四月上旬，二十世孫正會謹記。

고창 공북루 중수기(高敞拱北樓重修記)

　누관(樓觀)[27]의 흥폐는 시운의 성쇠에 관계가 있다. 때문에 고인(古人)들은 관우(館宇)가 잘 다스려지지 못하면 그 나라가 장차 망한다고 탄식 하였다. 그 일은 비록 작은 것이라고 하지만 그와 관계된 것은 매우 큰 것이다.

　모양현(牟陽縣)에 옛 성이 있는데 모조리 산에 둘러쌓고 있었다. 그것이 이어지는 곳의 음달에 문을 내고 문 위에 누각을 건축하고 이름을 '공북(拱北)'이라고 하였다. 대개 보면 뭇 별들이 북두성을 안고 돈다는 뜻이다. 누각의 창건은 마치도 기나라와 송나라의 역사를 고증할 수 없듯이 비록 이 곳에 평생을 산 연세 있는 아전들이나 옛날 백성이라고 하여도 말할 수가 없었다. 그 중수는 햇수를 따져보니 아마 손가락을 열 번은 굽혔다가 열 번은 편듯하다. 아! 경술년(서기1910)에 나라가 없어진 후 관해(官廨)[28]의 여러 청사(廳舍)는 모두 없어지고 잔존하는 보루(堡壘)와 고대의 성

---

27) 누각(樓閣), 2층으로 된 문.
28) 관청을 말함.

곽은 혹 있기도 하고 혹 없어지기도 하였다. 다만 성곽의 누각만은 끄덕 없이 옛 모습을 그대로 지니고 있지만 거칠고 오래된 기둥이 받쳐주고 있고 쑥대가 자라 사람의 키를 넘어서고 있었다. 처량한 바람을 맞으며 비통한 달빛을 이고 어느 덧 수십 년의 추위와 더위를 겪은 것이다. 천심이 화를 후회하는지 지난 을유년(서기1945)에 수적(讎賊)[29]들이 물러가 성(城)도 우리의 것이 되고 루(樓)도 우리 것이 되어 풀 한 포기, 나무 하나 한 그루도 마치도 생기를 띤 듯이 봄바람을 맞으며 춤을 추고 있는 듯 하였다. 그러나 살펴보니 그 동안 수리할 사람이 없어 땅은 제멋대로 황폐해가고 물은 제멋대로 성곽을 해치고 있었지만 마치도 월(越)나라 사람이 (秦)나라 사람들의 살이 찌거나 여위거나에 관심이 없듯이[30] 하니 부로(父老)들은 오래전부터 탄식할 수밖에 없었다. 아니면 연혁(沿革)의 제도가 달라 옛날에 소중했던 것을 지금은 소홀하게 대한 것일까. 아무튼 사람들이 고대를 향모(向慕)하는 의리를 오랜 세월 동안 비워두어서는 되지 않는다. 이 승영 군(李君升永)이 구적(舊蹟)이 장차 인멸(湮滅)되는 것을 개연(慨然)히 여기고 이 공북루를 중수하여 기와에 비가 세거나 기둥과 초석이 비틀어지거나 판자벽이 썩고 검은 빛이 나는 것을 모두 새롭게 장식하여 면모를 일신하였다. 이리하여 뫼도 숲도 웃음 지으며 반겨주고 개울물도 졸졸 흘러가니 은연히 옛날에 진신(搢紳)[31]과 대부(大夫)들이 홀기(笏記)[32]로 턱을 받추고 난간에서 단정히 앉아 있는 듯하였다. 이에 앞서 조군 병두(曺君秉斗)도 역시 일찍 붕궤된 성루(城壘)를 보수하여 완전하게 하고, 빈 터의 잡 것들을 날아다가 불에 사르니 잡초가 무성하던 장소가 시원하고 건조한 높은 땅으로 변모 하였다. 성문 밖에는 전 수령들의 거사비(去思碑)가 말할 나위도 없이 어지럽게 세워져 있었는데 비틀어지고 누워있어 사람이 걸려 넘어지거나 발에 채이기도 하였다. 그는 그것들을 성내의 깨끗한 곳을 골라 차례로 옮겨다 관첨(觀瞻)[33]하게 하였다. 대개 이 두 사람은 선현들이 수고한 후로 마치도 창도하고 화답하듯이 함께 일을 꾸미지는 않았지만 다 같이 아름다운 경지로 귀결하

---

29) 원수인 적 즉 일제의 패망을 말함.
30) 당나라 한유(韓愈)의 〈쟁신론(爭臣論)〉에 "정사의 득실을 보는 것이 마치도 월(越)나라 사람이 진(秦)나라 사람들의 살이 찌나 여위나를 목격하고서도 편안한 마음으로 희열이나 비애를 느끼지 못하는 것과 마찬가지로 되고 있다. …… 길고 짧고 살지고 여윈 것이 제 나름이지마는 양귀비와 조비연을 어느 누가 미워할까?"라는 구절이 있다. 뜻인즉 자기와 무관하다는 것임.
31) 관리를 통털어 일컬은 말.
32) 일반적으로 혼례와 제례 등 행사 때 순서를 진행하는 글을 적거나 참고하는 수첩같은 것. 관리들은 조정에 나갈 때 국왕에게 보고 또는 왕명을 기록하는데 필요한 메모지 같이 활용된다.
33) 여러 사람이 우러러 봄.

였다. 이것은 비단 일개 읍의 이목을 이롭게 했을 뿐만 아니라, 아마 우리 동방의 만년 태평의 희소식을 먼저 조짐으로 나타나게 한 것 아닌가? 이것은 대서특필하여야 할 일로서 한 번 글로 써서는 안 될 일이다. 이군(李君)은 교육감이고, 조군(曺君)은 읍장(邑長)으로 모두 영준(英俊)한 사람들이어 사람들의 입에서 칭찬이 자자한 사람들이다. 그 역사(役事)를 언제 마무리 했는가를 물었더니 성곽은 갑오년(서기 1954) 봄이며 루(樓)는 금년 7월이었고다고 했다고 한다. 그 비용을 물으니, 모두 절약하여 남긴 비용이므로, 집집마다 더 걷어 들이지 않았다고 한다. 신군 용욱(愼君鏞頊)은 이때 민의원(民議院)이었는데 역시 만은 힘을 내어 도와주었는데 이 또한 대단한 일이다. 옛날 현종(顯宗) 경술년(서기1670)에 송후 일향(宋侯一鄕)이 이 고을 수령이 되어 관아(官衙) 옆에 평근당(平近堂)을 짓고 우옹(尤翁)[34]이 기(記)를 지었는데, 지금 평근당은 없어지고 기문(記文)만 전하고 있다. 그 기문에는 "창송(蒼松), 노회(老槐), 만죽(萬竹), 소지(小池)"라는 구절이 있는데 경술년이면 지금으로부터 삼백 년 전인데 온 산이 푸르른 것은 기(記)에서 기록한 그대로의 경치이다. 아! 사물은 옛 사물인데 주인이 바뀌었다는 것은 이것을 두고 한 말이 아닌가? 지금과 옛날을 부앙(俯仰)[35]하니 저도 몰래 하천(下泉)[36]의 시(詩)를 송독하게 되는 구나.

高敞拱北樓重修記

夫樓觀興廢, 寔有關乎時運之汚隆。故古人以舘宇不治, 歎其國之將亡。其事雖少, 所係者大矣。牟陽縣舊有城, 盡山而圍。當其合處, 陰爲門, 門上有樓, 名曰拱北。盖取諸衆星之拱北辰也。樓之剏, 杞宋無徵。雖老吏舊民, 無有能言者。其重修, 則指其歲, 盖十屈而十伸矣。嗚乎! 自庚戌無國後, 官廨諸廳, 盡歸烏有。殘壘古郭, 或存或亡。惟城上樓巋然獨古貌, 亦荒老支拄, 蓬蒿沒人, 風凄月悲, 倏已經數十寒暑矣。天心悔禍, 去乙酉, 讐賊逃遁, 城我也, 樓我也。一草一木, 欣欣然若鼓舞於春風之中。顧葺理無人, 地任荒而水任廢, 若越人視秦瘠。父老之興嘆, 久矣。抑沿革殊制, 重於古者, 忽於今歟? 雖然民人嚮慕之義, 不可以曠世有間也。李君升永慨然於舊蹟之將湮, 乃重修斯樓瓦縫之滲

---

34) 우암 송시렬을 지칭하는 말.
35) 아래를 굽어 봄과 위를 우러러 봄.
36) 시경(詩經), 조풍(曹風)의 편명. 폭군이 백성에게 해를 끼치므로 현군(賢君)을 사모하는 내용이다.

漏者、柱礎之欹側者、板壁之腐且黑者, 一幷新之, 極其輪奐。於是林巒動色, 澗泉增韻, 隱然若古之搢紳大夫挂笏端坐於欄檻之間矣。先是, 曹君秉斜亦嘗修城壘之崩缺處, 補而完之, 輦燔舊墟之廢苃化爲爽塏。城門外有前人去思石, 亂立無倫, 或欹或偃, 至有仆而淩蹋者。次第移列于城內潔淨地, 以聳觀瞻。蓋二君後先賢勞, 若倡若和, 不謀而同歸于美。不惟新一邑之耳目, 抑我東萬年泰平之喜信, 先爲之兆也歟。此可以大書特書, 不一書而止也。李君監教育, 曹君長邑務, 俱以儁英, 譽流於人。問其役早晚, 城則甲午春也, 樓則是歲之秋七月也。問其費, 皆節縮浮冗, 而戶不加歛。愼君鏞項, 爲時民議員, 亦出鉅力而補之, 甚盛擧也。昔顯廟庚戌, 宋侯一鄕宰是縣, 作平近堂於衙舍傍, 尤翁爲之記。堂今無有, 而記則傳于世。其文有'蒼松老槐萬竹小池'之句, 今距庚戌殆將三百。而滿山翠蒼, 依然如記中景色。嗚乎！物是人非者, 此耶？俯仰今昔, 不忍誦下泉之詩。

농와정기(農窩亭記)

우리 고을 장로라 하면 반드시 농와처사 김공(農窩處士金公)이 그 중 한사람으로 꼽힐 것이다. 공은 일찍 고산 임문경공(鼓山任文敬公)[37]의 문하에서 수업하여 엄연히 덕행과(德行科)에 나열해 있다. 대개 그 학문이 자신에게 넉넉하더라도 공경히 부족하게 생각하게 여겨야 하고 덕이 몸에 배었지만 얻지 못한 것처럼 급급하게 생각하여 백발의 나이에도 열중이 노력하여 머리를 들면 사색하고 허리를 굽히면 독서를 하면서 잠시라도 한가한 때가 없었다. 이것은 움집을 배운 것이다. 움집이라고 하면 정녕 이렇게 대답할 것이다. "농사꾼만이 붙어 살 수 있는 집이네." 채전을 가꾸는 일에 관한 번지(樊遲)[38]의 물음에 부자는 대답조차 하지 않았는데 공은 그것을 취하였다. 말을 예를 들어 해석해서야 되겠는가? 말이 아닌 사물을 예로 들어 말을 해석하면서

---

37) 서기 1811(순조 11)~1876(고종 13), 임헌회(任憲晦), 자는 명노(明老), 호는 고산(鼓山), 전재(全齋), 희양재(希陽齋), 시호는 문경(文敬), 송치규(宋穉圭), 홍직필(洪直弼)의 문인, 낙론(洛論)의 대가(大家)로 이이(李珥), 송시렬(宋時烈)의 학문을 전우(田愚)에게 전수하였으며 호조참의, 대사헌 등 관직 등 많은 관직을 역임하였고 사후에 내부대신에 추증되었으며 연기(燕岐)의 숭덕사(崇德祠)에서 향사함.

38) 번지(樊遲) : 공자의 제자 한 사람. 그가 일찍이 공자에게 농사를 어떻게 짓습니까 하고 물으니 공자는 "나는 노동보다 못하다."라 대답하였고 또 채전을 어떻게 가꿉니까 물으니 공자는 "채농보다 못하다."라고 대답하였다. 번지가 물러나자 공자는 "번지는 참으로 소인이구다."라고 말하였다.

그것이 말이 아님을 알려 주어야 한다.[39] 이 점을 남화노인(莊子)이 이미 말 한 적이 있다. 배움이나 농사는 업종으로 놓고 말하면 비록 다르다고 하더라도 그 도는 한 가지이다. 농사로 농사를 해석하는 것 보다 농사가 아닌 다른 것으로 농사를 해석하여 농사가 농사짓는 것이 아님을 알려 주어야 한다. 전답은 나의 자질이고 싱싱한 모는 나의 인의(仁義)이며 전준(田畯)은 나의 사우이고 쟁기와 보습과 괭이와 삽은 나의 경사자집(經史子集)이다. 밭을 갈아 씨를 뿌리고 김을 메고 수확하며 농사철을 놓치지 않는 것은 내가 부지런히 배우며 배움의 시기를 놓치지 않는 것이고, 김을 매며 피를 뽑아 버리는 것은 나의 마음을 해되게 하는 것들을 제거하는 것이다. 알묘조장(揠苗助長)은 내가 도와주지 말아야 한다는 것을 잊지 않게 하는 것이다. 움집을 나서지 않았지만 배움의 도는 두루 겸비하였다. 공은 외계의 것을 바라지 않으니 자연적으로 부족한 것이 없게 된다. 자기가 이미 얻은 것을 후손들에게 남겨두어 심법(心法)을 전하고자 한다. 특별하게 외계의 사물을 빌었다고 한다면 그것으로 내심의 것을 깨우치게 한다. 그렇다면 위에서 이야기한 붙어산다는 것은 그것으로 가르쳐 훈계한다는 것이다. 공이 관화(觀化)[40] 그러나 와(窩)에다가 반드시 농자(農字)를 넣은 것은 특히 그 붙친다는 것이다. 벼를 가꾸고 포전을 가꾸는 것은 부자(夫子)[41]도 번지(樊遲)[42]에게 대답하지 않았는데 공이 취한 것은 어찌 마(馬)로 마(馬)를 깨우처야 하겠는가? 비마(非馬)로 마(馬)가 비마(非馬)라는 것을 깨우친 것만 못하다고 남화노인(南華老人)[43]이 이미 말 하였다. 학문과 농사는 그 직업이 비록 다르지만 그 방법은 하나이다. 농사로 농사를 깨우치는 것은, 농사가 아닌 것으로 농사는 농사가 아니라는 것을 깨우쳐 주는 것만 못할 것이다. 전지(田地)는 나의 자질이며 아름다운 쌓은 나의 인의(仁義)이며 전준(田畯)은 나의 사우(師友)이며 쟁기와 보습과 괭이와 삽은 나의 경사자집(經史子集)이다. 밭을 갈고 씨앗을 뿌리며 김을 매고 수확을 할 때, 그 시기를 잃지 않는 것은 내가 열심히 노력하여 그 시기를 맞추는 것이며 혹 피를 뽑는 것은 내가 그 마음을 해치는 것을 제거하는 것이며, 쌓을 뽑아 자라는 것을 돕는 것은 내가 잊지 말고 돕지도 말라는 것을 경계한 것이므로, 토굴을 벗어나지 않아도 학문하는 방법이 갖추어진 것이다. 공은 밖에 있는 것을 바라지 않아도 만족하지 않는 것이 없지만 자

---

39) 이 구절은 장자가 제물론(齊物論)에서 한 말이다.
40) 세상을 뜸.
41) 공자(孔子)를 지칭함.
42) 춘추(春秋), 노인(魯人), 또는 제인(齊人)이라고도 함. 명은 수(須), 자는 자지(子遲), 공자의 제자, 그는 공자에게 농사짓는 것을 묻자 공자는 "나는 노농(老農)과 노포(老圃)보다 못하다"고 하였다.
43) 전국(戰國), 명은 주(周), 호는 남화노인(南華老人). 주인(周人), 도가(道家), 저서 장자(莊子).

신이 터득한 심법(心法)을 후손에게 전하고자 특별히 그 밖에 것을 가장하여 그 안에 있는 것을 깨우치려고 한 것이다. 그렇다면 위에서 말한 붙친다고 한 것은 훈계하는 것이다. 공 세상을 버린 후 3년이 되어, 그의 자식들인 맏이나 막내나 모두 함께 상의를 하고 힘을 합쳐 집 동쪽으로 몇 걸음 떨어진 고에 정자를 세웠는데 도랑물이 그것을 감돌아 흐르며 재잘거리고 있고 산봉우리가 읍례를 올리는 듯 앞에 서있다. 땅이 기름지고 나는 새와 물고기가 모여든다. 농부의 노래와 초부의 노래는 그 사이에 끊기지 않고 들려오니 일방의 절승을 이루고 있는데 문미에는 '농와(農窩)'[44]을 끊이지 않게 하고 있다. 농사로 인해 배우게 되고 움집을 정자로 변하게 하였으니, 그 때 붙어 산다는 것이나 가르쳐 훈계한다는 것들이 이 때에 와서는 훌륭하게 이어가고 훌륭하게 서술하였다고 할 수 있다. 공의 영혼이 사라지지 않았다면 비로소 "나에게는 바탕을 버리지 않는 후손이 있다."고 말할 것이다. 나는 이 두 글자를 표문으로 만들어 세상의 밭갈이를 하면서 노망(鹵莽)[45]하는 사람과 김을 매면서 멸렬(滅裂)[46]하는 사람들에게 포고하고 싶다.

農窩亭記

吾鄕長老, 必稱農窩處士金公居一焉。公早學于鼓山任文敬門, 儼然列於德行之科。蓋其學足乎己, 而欿然以爲不足；德周乎身, 而遑遑然如有所未得。白首矻矻, 仰思俯讀, 無暫閒時節。此學窩也。窩必曰："農者, 特其寓耳。" 稼圃, 夫子之所不答於樊遲, 而公之取焉。奚以馬喩馬, 不若以非馬喩馬之非馬。南華老人已言之矣。夫學與農, 其爲業, 雖殊而其道一也。以農喩農, 不若以非農喩農之非農也。田地, 吾資質也；嘉苗, 吾仁義也；田畯, 吾師友也；耒耜鎡鑣, 吾之經史子集也。耕播耘穫無失其時, 吾之勉勉孜孜而及其時也。其或稊稗之鋤, 去吾害其心者也。揠苗助長, 戒吾之勿忘勿助者也。不出窩而爲學之道, 備矣。公無待於外, 自無不足。而欲以其得於己者, 遺後昆而傳其心法。特假其外, 使之喩乎其內也。然則向所謂寓者, 乃所以箴也。公之觀化三年, 胤子氏若昆若季, 合謀齊力, 起亭於家東數武地。溪流之循除而鳴, 峰巒之拱揖於前。田土之

---

44) 두 글자를 큼직하게 써 놓고 자손들이 여기에서 업(業)을 찾고 현송(絃誦) 거문고를 타면서 시를 읊음.
45) 분명치 않음.
46) 경솔하여 일하는 것이 거침.

饒也, 禽魚之富也。農謳樵歌, 絡繹於其間, 而盡一方之形勝, 楣間揭農窩二大字, 使子孫隸業於斯, 絃誦不絕。因農爲學, 化窩爲亭。其當日所以寓者箴者, 至是而善繼矣, 善述矣。公靈不昧, 始可曰：" 余有後, 不棄基。"吾願表出此二字, 以告世之畊而鹵莽, 耘而滅裂者。

물한정 중건기(勿閑亭重建記)

　세상에서 고개(孤介)[47]하여 은거한 선비들은 누구나 할 것 없이 염담(恬澹)하고 한정(閑靖)한 것을 숭상한다. 천금(千金)을 초개같이 여기어 거들 떠 보지도 않고 세상 만물(萬物)을 버리고 홀로 우뚝 서 있다. 거문고가 있으니 현악이야 군더기이고, 물을 마시는데 바가지 소리도 귀를 따갑게 할 뿐이다. 경물과 마음이 합일 된 여유작작하게 세월을 보내니 얼마나 한가한가? 저 지위가 현귀하거나 부귀에 골몰하는 사람들은 명예와 사리의 마당에서 날치고 있고 얻어내고 잃어버리는 변두리에서 열중하고 있다. 동쪽은 좌정승집이고 서쪽은 우정승 집이니 시도 때도 없이 그들의 시중을 들자니 얼마나 분망하겠는가? 나는 가까이 있는 고 홍남림공(興南林公)의 물한정(勿閑亭)에 매혹되었다. 천만 다행으로 아주 가까이 살았기에 그의 청아한 표상과 고아한 지조를 많이 들어왔다. 위에서 말한 첫 부분은 공에 대한 칭송이고 뒤에 말한 다른 한 부분은 마치도 오염이 있는 듯한 말이다. 명성과 실제는 부합되어야 귀한 것 이므로 정자의 주인의 얼굴인들 어찌하겠는가? 아! 그렇지 않다. 공은 한적하고 편안하려는 뜻을 품었지만 한가하지 못하는 공력이 있다. 이른 새벽에는 밭으로 나가고 밤 늦게 돌아와서는 독서를 하니 배움에 있어서 한적하지 않은 것이다. 땔나무를 하고 낚시질을 하여 맛있는 음식을 대접하는 것은 부모님을 모시는 것이니 한가하지 않은 것이다. 밤낮으로 해이하지 않고 부지런하고 공경하니, 그의 행(行)도 한가하지 않은 것이다. 이것은 념담(恬澹)한 사람만이 해낼 수 있는 일이지 와작거리는 것을 즐기는 사람들은 해 내지 못하는 일이다. 비록 이렇다고 하기는 해도 '말 물(勿)' 자는 금지한다는 어휘이다. 이 훈적은 공의 생애에서 능히 부지런하고 정성스레 일하여 '말물(勿)'를 바라지 않았는데도 스스로 한가하게 지나지 않았다는 것이다. 한가하지 않았는데 한가하지 말아야 한다고 했으니 정녕 다른 설법이 있는 것이다. 공은 능히 그렇

---

47) 마음이 곧아, 남과 어울리지 않음. '介'는 짝이 없이 외로운 짐승.

게 할 수 있었지만 후세들이 다 꼭 그렇게 할 수 있다고 장담하지는 못한다. 자기가 지키던 그것을 후손들에게 면려하는 것이다. 이 정자에 오르는 사람들은 반드시 한가지 말아야만이 그의 한가하지 않는 것을 배울 수 있다. 그가 권면하고 경계하는 뜻은 심각하고도 절절한 것이다. 공의 몰후에 자식 다섯은 의론하여 정자를 중건하기로 합일하고 간가(間架)를 증설하였다. 그 기초는 옛것 그대로이고 그 구조는 새롭게 한 것이다. 검소하지만 누추하지 않고 화려하지만 사치하지 않았다. 이 한 수만 보더라도 유구히 남긴 규범을 지키고 있다는 것의 검증이다. 임씨는 불녕과 한 우물을 먹고자 하는 이웃인 바 그 정기(亭記)를 부탁하였다. 그 명을 받은 사람의 이름은 종수(鍾秀)이다.

勿閑亭重建記

世之孤介隱遯之士, 莫不以恬澹閑靖相尙. 芥千金而不顧, 遺萬物而獨立. 琴焉, 而絃亦多事; 飮焉, 而瓢亦聒耳. 境與心會, 優游卒歲, 何其閑也. 彼紆紫紆青濡首富貴者, 馳騖於名利之場, 熱中於得喪之際. 東家宰, 西家相, 伺候無暇, 又何其忙也. 余於近故興南林公之勿閑亭, 惑焉. 適幸密邇, 稔聞其淸標雅操. 盖前所稱一段, 爲公風誦, 而後所稱一段, 若將浼焉. 名實貴其相稱, 奈亭顔何? 吁, 不然也. 公以閑靖之志, 有不閑之功. 朝出畊, 夜歸讀, 其爲學也不閑矣. 採山釣水供甘旨, 其養親也不閑矣. 夙夜匪懈, 克勤克敬, 其行己也不閑矣. 此恬澹者能之, 熱鬧者不能也. 雖然, '勿', 禁止之辭也. 這迹公生平能勤且誠, 不期勿而自不閑矣. 不閑而曰勿閑, 其必有說. 公則能然, 而來者未必皆然. 盖以所保於己者, 加勉於來裔也. 登斯亭者必勿閑, 然後可學其不閑. 其勸戒之意, 深且切矣. 公歿后, 胤子五人, 合謀重建, 增其間架. 厥基惟舊, 厥制惟新. 儉而不陋, 華而不侈. 此一着, 可驗其守遺規於久遠也. 林氏以不佞爲同井, 後生俾記其事, 將命者鍾秀其名.

유회정기(有懷亭記)

　　어버이를 봉양하기란 참으로 쉽지 않은 일이지만 종신토록 사모하는 것은 더더욱 어려운 일이다. 어버이를 봉양하는 날은 제한된 날이 있지만 종신토록 사모하는 마음을 갖기는 끝이 없다. 효자가 어버이를 섬기는 것은 기름지고 감미로운 음식으로 그 몸을 봉양하고, 색동옷을 걸치고 부드러운 목청으로 그의 이목을 기쁘게 하며, 눈치를 보아가며 밝은 얼굴로 그의 마음을 헤아려 마음을 즐겁게 해 드린다. 그렇지만 이것은 모두 한계가 있는 것이다. 한계가 있는 으로 어떻게 인인(仁人)과 효자의 있는 힘을 다하려는 한없는 마음을 만족시킬 수 있는가? 무궁한 마음이겠는가. 이것은 대효(大孝)에서도 종신토록 사모하여 말 한마디 할 때나 발 한자국 걸음을 걷는 사이에도 감히 잊지 못하는 것이다. 그렇다면 상(喪)을 당하여 슬픈 마음을 다하고, 제사 때 공경하는 마음을 다하며, 서리를 밟고 슬퍼하거나 나무를 어루만져도 두려워한다고 하여도 어떻게 인인(仁人)과 효자의 한없는 마음을 만족시킬 수 있는가? 반드시 이 몸이 성현(聖賢)으로 되어 자기에게 있는 덕성이 유감이 없어야 만이 명성이 드러나는 것인가? 어버이가 전해줄 것이 있는 다음에야 그렇게 될 수 있다. 김공 소산선생(金公小山先生)은 그의 어버이를 옥녀산(玉女山)에 장례를 하고, 그 밑에다 정자를 지어 성현의 글을 읽었는데, 그 현판에 '유회(有懷)'라고 달았는데 《시경》의 '소아(小雅)'[48]에 있는 말을 취한 것으로 종신토록 사모한다는 뜻을 기탁한 것이다. 정회(正會)는 일찍 선생에게서 글을 익힌 바가 있으므로 도의적으로도 그 기문(記文)의 부탁을 감히 사양할 수가 없다.

　　이에 말한다. 성인을 배울 수 있을까? 성인은 배울 수 있다. 요(堯)[49]임금과 걸(桀)도 이 형체는 같고 순(舜)[50]임금과 도척(盜跖)[51]도 그 성(性)은 같다. 마음속에 갖추는

---

48) 시경(詩經)의 작은 정사(政事)에 관한 일을 노래한 정악(正樂)으로 305편 중 72편에 해당하는 시이다.
49) 중국 고대 성천자(聖天子)인 당뇨(唐堯), 제곡(帝嚳)의 아들이며 성은 이시(伊耆), 또는 이기(伊祁)라고 한다. 처음에 도(陶)에 봉해졌으나 나중에 당(唐)에 봉해졌다. 천하를 소유한 후 호는 도당씨(陶唐氏), 또는 방훈(放勳)이라고 하였다. 재위 100년 동안 천하가 태평하여 백성들이 태평가를 구가했다고 하며 아들 단주(丹朱)가 불초하여 순(舜)에게 제위를 양위 하였다.
50) 중국 고대 성천자(聖天子), 성은 요(姚), 이름은 중화(重華), 아버지는 고수(瞽叟), 전욱(顓頊)의 6대손 임, 역산(歷山)에서 농사를 짓고 있을 때 요(堯)임금이 그의 덕망과 효성을 듣고 두 딸인 아황(娥皇)과 여영(女英)을 순에게 시집보내고 요의 아들 단주(丹朱)가 불초하여 순에게 제위를 양위 하였다.
51) 춘추(春秋), 현인(賢人)인 유하혜(柳下惠)의 아우, 그의 무리가 9천명으로 천하를 횡행하며 민가의 우마(牛馬)와 부녀를 빼앗고 제후를 침략하였으며 형제를 불고하고 선조에게 제사를 지내지 않았다고 한다.

것도 성인이라고 하여 더 많은 것이 아니고 형체에 갖추는 것도 내가 다른 사람에게 모자라는 것은 하나도 없다. 안자(顏子)⁵²)와 순(舜)임금은 어떤 사람일까. 그것은 이 성(性)도 같고 형체도 같다. 그 몸은 도(道)를 행할 수 없다고 하는 것은 그 몸을 자멸하는 행위이며, 그 몸이 순임금을 따라 배울 수 없다고 말하면 스스로 자기의 천성을 버리는 행위이다. 선생은 어려서부터 성현의 학문에 뜻을 두고 백발이 될 때까지도 경서를 궁구하였고 이른 밤과 늦은 밤에도 해이하지 않아 위(衛)나라 거백옥(武〈蘧〉伯玉)⁵³)이 나이 여순, 여든에도 덕이 더욱 쌓이고 학문이 더욱 밝아진 것과 같았으니, 이것은 이른바 자신에게서 얻은 것이 어버이에게 드러낸 것이라고 할 것이다. 맹자(孟子)는 말하기를 "대효(大孝)는 종신토록 부모를 사모하는 것이다. 쉰이 되어서도 사모하는 사람은 나는 순(舜)임금에게 보았다"라고 하였다. 그렇다면 순임금을 스승으로 하자면 어떻게 해야 하는가? 반드시 효(孝)로부터 시작하여야 한다.

有懷亭記

養親固難, 而終慕爲尤難矣。養親之日有限, 終慕之心無窮。孝子之事親也, 滑瀡甘美, 以養其體；聲音采色, 以樂其耳目；婾色惋容, 先意承志, 以悅其心。然而此皆有限也。以有限之養, 安足以盡仁人孝子無窮之懷也哉。此大孝之所以終身慕, 而一出言, 一擧足, 不敢忘者也。然則喪盡其哀, 祭盡其敬, 履霜露而悽愴, 撫松楸而怵惕, 亦安足以盡仁人孝子無窮之懷也哉。必也致其身爲聖賢, 使德之在己者無可憾, 而名之顯乎？親者有可傳焉, 然後庶幾焉。金公小山先生, 葬其親於玉女之山, 亭其趾。而讀聖賢顔用有懷, 盖取諸小雅之語, 以寓終身之慕。而命正會文之。正會嘗受讀於先生, 義不敢辭。曰：聖可學乎？聖可學也, 堯桀同此形也, 舜跖同此性也, 心之所具者, 聖不爲加多；形之所具者, 吾不爲闕一。顔子之舜, 何人也？以其同此性, 而同此形也。謂其身不能行道者, 自賊其身也。謂其身不能學舜者, 自棄其天性者也。先生少有志於聖賢之學, 白首窮經, 夙夜匪懈, 殆乎衛武伯玉, 六十八十德益進而學益明。所謂得於己而顯

---

52) 춘추(春秋), 명은 회(回), 자는 자연(子淵), 노(魯)나라 현인(賢人), 공자(孔子)의 제자, 나이 32세에 작고 하였다.
53) 춘추(春秋)시기 위(衛)나라 현대부(賢大夫), 그의 나이 50세에 49년간의 잘못을 알았다고 한다. 위령공(衛靈公)의 부인 남자(南子)는 거백옥(蘧伯玉)이 궁전 앞을 지나갈 때 거백옥이 간다는 것을 알았다고 한다. 그는 대궐 앞을 지날 때 수레에서 내려 절을 하고 갔기 때문이다.

乎親也, 孟子曰 : 大孝終身慕父母。五十而慕者, 予於大舜見之矣。然則師舜如之何, 曰必自孝始。

용파정기(龍坡亭記)

　　호남의 산수는 오성(鰲城)을 으뜸으로 칭하고 황용(黃龍)은 오성 산수에서 최고라고 한다. 대개 황용강(黃龍江)은 수원이 매우 멀어 이 곳에 이르러 물이 넓게 퍼지면서 물굽이를 지으며 고리 형을 이루는데 세찬 물결은 소용돌이 치고 괴인 물은 호수로 변한다. 천경(千頃) 만경 망망한 강물은 한결같이 푸르고 안개가 피어나서 빗줄기로 변하니 고기는 물에 놀고 새들은 나래를 치며 밤낮 없이 응수하기에 겨를이 없다. 강물을 거슬러 오라가거나 강물 따라 내려가거나 수십 리 사이에 누사(樓榭)와 정관(亭觀)들이 어디에서나 눈에 선하게 안겨 들어 한 폭 강물 경관의 반 폭을 차지하므로 사람들은 이곳을 절승이라고 자랑하고 있다. 눈 뿌리 아득하게 눈길을 날리면 전반 경물이 마치도 탁자 위에 올려 놓은 듯 자리에 깔아 놓은 듯 눈에 선하게 안겨 온다. 강호(江湖)의 연맹을 주관하고 안개와 노을을 멋대로 하는 것으로는 용파정(龍坡亭)만한 것이 없다. 이 정자는 고 용파 김공(故龍坡金公)이 만년에 거처로 정한 곳이다. 내는 그 때 조금 철이 들고부터 이미 공이 뜻이 크고 높은 기개와 고결한 행실이 있다는 말을 들은 바 있으나 나이 어른 탓으로 뵙지 못하였는데 지금은 세상을 뜬 지가 퍽 오래되었다. 그의 아들 원득(源得)과 종유하면서 공의 평생동안의 대절(大節)을 듣게 되었는데 전에 들어보지 못한 것들을 많이 듣게 되었다. 아! 공은 아름운 구슬과 같이 뛰어난 자질로 일찍 세상에 관직을 구하여 백성들을 구제할 뜻을 갖었으나 어려운 시대를 만나 그 경륜을 시험하지도 못하고 황용강 언덕에서 소요(逍遙)하며 산과 이야기를 하고 명월에 물어보는 것을 일과로 하고 어부와 초부의 무리에 자취를 남기며 마음은 천지밖에 두어 결국 초야에서 늙어 가지만 후회하지 않았다. 아! 그 때 그의 덕목을 보아온 사람들은 백세(百世)를 내려가며 열복을 하고 그 후에 태어나서 그의 풍운을 들은 사람들도 열배 백배의 기운을 얻게 되기에 충분하다. 후일 이 정자에 오른 사람들은 많은 사람들이 정녕 나와 같은 느낌을 갖게 될 것이다. 지금 편액(扁額)을 써달라는 청을 받았는데 이름을 기탁하는 영광의 기회에 어찌 감히 문자가 어슬프다고 사양할 수 있겠는가?

龍坡亭記

湖南山水, 以鰲城爲稱首; 而黃龍又鰲之最。盖江之源甚遠, 至是而演迤灣環, 激而爲湍, 瀦而爲湖。千頃一碧, 烟雨之變態, 魚鳥之浮沈, 朝應暮酬之不可暇矣。江上下數十里, 樓榭亭觀, 在在相望, 得江之一面半幅, 輒以形勝相誇。而挹遠眺, 收全景爲几席間物。主盟江湖, 擅權烟霞者, 莫龍坡亭若也。亭故龍坡金公, 晚暮菟裘也。走自稍省事, 己聞公以磊落之氣, 高潔之行。童當世未及拜床, 而沒己久矣。與其胤源得遊, 得聞生平大節, 益聞所未聞。噫, 公琦瑋傑特, 早有需世濟物之志, 而遭時艱險, 所蘊未試, 婆娑龍江之坡, 只課談山問月, 托跡漁樵之伴, 而寄懷天地之表, 終老艸萊, 亦不怨悔焉。嗚乎! 及其世而覿德者, 悅服百世, 下聞其風者, 足以增百倍之氣。後之登斯亭者, 必多同余之感矣。今於涅楣之請, 托名爲榮, 曷敢以不文辭諸。

학남정사기(鶴南精舍記)

정사는 월출산 아래 학봉에 자리 잡고 있다. 그 서남쪽은 마을 연기가 조석으로 피어오르고 와자글 하다. 그렇지만 지척에는 그윽하고 고요한 별경(別境)으로 푸른 대나무가 시원스럽게 위로 뻗어 오르고 백모(白茅; 띠)로 이엉을 올린 처마 아래애 창문이 달려 있다. 고아하고 초속적인 학남정사(鶴南精舍)는 학남 정공(鶴南鄭公)이 만년에 거처하며 수양하던 곳이다. 공이 작고하신 후 십년에 그의 아들 중채(仲采)가 십사(十舍)[54]의 먼 길을 마다하지 않고 나를 찾아와 기문(記文)을 부탁하였다. 이리하여 그의 유사(遺事)를 읽게 되었고, 공의 평생 사적을 알게 되었는데 요연히 한 세대를 건넜지만 그의 전형을 사모하게 되었다. 공의 가정은 대대로 유술(儒術)을 업으로 삼아 일찍 송사 문하(松沙門下)[55]에서 글을 읽었다. 세상에 사변을 일어난 이래 줄 곧

---

54) 舍는 삼십리의 행정(行程)으로 10舍는 삼백리 길이다.

55) 송사 기우만(松沙奇宇萬)의 문하. 노사 기정진(蘆沙奇正鎭)의 손자로 서기 1896년 2월에 의거(義擧)하여 장성향교에서 나주로 진출, 고광순(高光洵), 기삼연(奇參衍), 이관상(李觀相) 등 제의병장을 만나 김천일(金千鎰)의 사당에서 제를 지내고 광주향교로 갔다. 이때 관군이 광주를 향해 오고 선유사 신기선도 도착하여 의병 해산을 요구하므로 의병들이 회의를 개최하여 해산을 결정하였으나 기삼연은 싸울 것을 주장하였고, 송사는 통곡하며 장성으로 돌아오 백립을 쓰고 삼성산(三聖山)으로 들어가 초

이 동강(東岡)은 굳게 지키고 강학을 하고 저서를 펴냈는데 스스로 소란스러움을 얻기 보다는 훨씬 훌륭하였다. 장차 늙는다는 것을 망각한 채 후진들을 이끌어 갔다.

향리(鄕里)에 훌륭한 선비들 중 문장을 이룩한 사람이 많았으며 중채(仲采)도 단아하고 근신하여 법을 알고 집안을 떨치고 있는 선비임을 알 수 있다. 아! 공의 가르침은 바로 여기에 있다. 내가 세상을 둘러보니 힘 있는 자들은 다투어 가며 크고 높은 집을 짓고 아름다운 경물을 사치스럽게 꾸미면서 한 때의 새로움의 극치를 이루고 있지만 눈 깜박할 사이에 그것들이 무성한 잡초로 변하지 않는 것은 거의 드물었다. 그러나 중채(仲采)는 선조의 정신을 이어 서술하는데 부지런 하여 어디에 구멍이 생기면 제 때에 보수하였고 이엉을 들어 내고 기와를 얹었으며 화훼(花卉)와 괴석(怪石)을 보존하였다. 옛날의 의관(衣冠) 가문은 몇 세대를 전해 내려가면서도 변하지 않았는데 그것은 대체로 시서(詩書)와 인효(仁孝)의 혜택에서 나온 것으로서 영원히 보호하고 또 후손들이 선조의 정신을 계승하고 기술하는 사람이 있기 때문이다. 뿌리 깊은 나무는 가지가 무성하다고 하는 이것은 필연적인 이치이다. 만약 누가 나의 말을 믿지 못하겠다면 학남(鶴南)의 정사(精舍)를 보라.

鶴南精舍記

舍在月出之下鶴峰, 其西南閭里烟火, 朝夕囂雜。而咫尺別境幽閴, 爽朗翠竹, 白茅軒窓, 蕭灑鶴南, 鄭公晚暮藏修之處也。公沒後十年, 之胤仲采十舍訪余, 囑以記實之文。因閱其遺事, 得公生平, 窅然想慕其典型於隔世。蓋公家世儒術, 早受讀于松門。一自世變來, 固守此東岡, 講學著書, 優乎其自得囂乎？忘老之將至, 以之導迪後進。鄕里斐然之士, 多有成章焉。仲采亦循循雅飭, 可知法家拂士。嗚乎, 公之教在是矣。余觀夫世之有力者, 爭爲高堂宏構, 粧點形勝, 以極一時之輪奐, 而轉眄之間, 不爲鞠艸者幾希矣。仲采能勤於繼述, 隨頹隨葺, 易茅茨以陶瓦, 保花石於舊觀。奚但水不忍荒, 林巒爲之增采。古之衣冠門戶, 傳至累數世不替者。蓋由乎詩書仁孝之澤, 有以燾庇久遠, 而亦在。夫後之紹述有人耳。根深末茂, 其理固然。所不我信, 視此鶴南之舍。

막을 지어놓고 살았다. 그러나 2년 후 송사의 문생 백낙구(白洛九)가 의병을 일으키자 일경들은 송사를 방문하여 백낙구를 조종했는가를 힐문하고, 이 사건으로 송사는 5개월동안 수감되었다가 서기 1916년 10월 28일 71세로 사망하였다.

경선재 중건기(敬先齋重建記)

묘소에 재사(齋舍)를 두는 것은 옛날부터이다. 춘추로 제사를 지내는데 제결(齋潔)[56]할 장소가 없어서는 안 된다. 철에 따라 여기 와서 성소(省掃)를 하는데 잠을 자는 곳이 없어서도 안 된다. 장사(長沙)의 제청산(祭廳山)은 곧 우리 선조 통찬공(通贊公)의 만년 유택(幽宅)이다. 그 뒤를 이어서 은송당부군(隱松堂府君)도 부장(祔葬)하였다. 부군의 충의(忠義)와 학행(學行)은 역사에 모두 기록되어 있고 사림(士林)들이 한 결 같이 칭송하고 있으니, 여기서는 거듭 기술할 필요가 없다. 전에 묘재(墓齋)가 있어 자손들이 이 곳에서 모이고, 이 곳에서 강신(降神)한지 수백 년을 내려 온 것이다. 그렇지만 위에서 비가 내리고 옆에서 비바람이 불어 닥쳐 주춧돌은 드러나고 지붕이 내려 앉아 거의 한 두 기둥으로는 지탱하기 어려워지자. 나의 선군(先君)은 이를 개연(慨然)히 생각하시고 그것을 새롭게 놓자고 작정하였다. 이 역사(役事)는 정축년(서기1937) 봄에 시작하여 몇 달이 걸리지 않아서 완공하게 되었다. 이리하여 새로운 모습을 드러내게 되었고, 숲이 우거진 골 안에는 새로운 기상을 떨치게 되었다. 옛 편액(扁額)대로 '경선재(敬先齋)'라고 하였다. 아! 그 다음 해에 선군께서 떠나시고 또 삼년 후에 종중의 여러 어르신들이 불초(不肖)에게 재기(齋記)를 명하시었는데 사양하였으나 받아드리지 않아 삼가 아래와 같은 글을 남긴다.

우선 중요한 것은 상재지향(桑梓之鄕)[57]을 반드시 공경해야 하거늘 더구나 선세(先世)의 의리(衣履)들이 간직되어 있는 곳 이 아닌가? 봄이면 이슬을 밟으면서 마음이 처량해지고 가을이면 서리를 밟으면서 두려워하는 이것은 공경이 마음속으로부터 우러나온 것이고, 제계하고 제복을 단정하게 차려입은 후 단에 오르내리고 드나드는 것 공경이 밖으로 드러나는 것이다. 이러한 공경으로 신을 섬긴다면 신도 이르지 않는 경우가 없을 것이며, 이러한 공경으로 자신을 단속하면 효자가 되고 인손(仁孫)으로 될 수 있을 것이며, 그것을 장구하게 추리하여 나간다면 천하의 할 수 있는 일은 모두 할 수 있을 것이다. 전인(前人) 군자(君子)들이 내건 표제(標題)은 영원히 드리우고 있으니 그들이 품었던 뜻은 심원하고도 절절하다고 아니 할 수 없다. 옛날 우리 영모당 선조(永慕堂先祖)께서는 잇달아 고비(考妣) 및 조부모(祖父母)의 너무나도 무거

---

56) 근신하여 몸과마 음을 깨끗이 함.

57) 뽕나무의 가래나무, 옛날에는 집 담 밑에 뽕나무와 가래나무를 심어 두어 후세 자손들에게 조상을 생각하게 했는데서 '고향의 집' 또는 '고향'을 이르는 말. 桑梓之鄕은 누대 조상의 무덤이 있는 고향을 일컫는다.

운 상을 당하여 십이 년 동안이나 이 산에서 여묘(廬墓) 생활을 하였다. 산은 어디를 가나 눈이 쌓여 있었지만 묘소에는 눈 흔적조차 보이지 않았다. 이리하여 후세 사람들은 이 산을 '제청산(祭廳山)'이라고 칭하였다. 이어 그 후세들은 산에 올라 묘소에 절하고 산을 내려오면 재사(齋舍)에 들어가는데 이어가며, 그 이름을 보면 그 뜻을 생각하여 부사(父師)의 교훈을 망각하지 말고 더욱이나 장원하고 원대한 것을 목적으로 하여 노력해야 할 것이다. 만약 이 곳의 재호(齋號)가 마치도 실제의 산 이름과 같이 되게 한다면, 재사(齋舍)에 나오지 않아도 바로 이 곳에 도(道)가 있게 되며 어떻게 나의 말을 기다려 먼 훗날에 그 징조를 징험한단 말인가? 아! 지금 세상은 회맹(晦盲)[58]

하여 강물위에 지는 해가 되었으니 부모를 저버리고 근본을 망각하는 자들이 도처에 넘치고 있다. 어버이는 뿌리이고 내 몸은 가지이다. 그 근본을 잃게 되면 따라서 가지도 사라지고 말 것이니 어찌 두려워하지 않을 수 있단 말인가? 이러므로 군자(君子)는 몸을 공경하는 것을 귀하게 여긴다. 몸을 공경하는 것은 바로 선조들을 공경하는 원인으로 된다. 《시경(詩經)》[59]에 이르기를 "너의 조상을 그리지 말고 그 덕을 닦아라."이라고 하였다. 덕을 닦자고 하면 어떻게 해야 하는가? 나의 대답은 의연히 공경하는데 달려있다는 것이다.

敬先齋重建記

墓有齋, 古也。有春秋之祀焉, 不可無齋潔之所；有時節之掃焉, 不可無居宿之處。長沙之祭廳山, 卽我先祖通贊公萬年之幽宅。而繼世而葬隱松堂府君, 亦以次祔焉。府君之忠義學行, 史述備矣, 士林公誦, 此不必重述。舊有齋, 子姓之聚於斯, 祼薦於斯, 積數百年所。而未免上雨傍風, 礎頹而屋圮。殆一木之難支。我先君慨然發慮, 易而新之, 役始於丁丑春, 不數月而告訖。於是而勢改觀, 林壑增新, 仍舊額曰敬先。嗚乎！越明年君沒。又三年, 宗中諸長老, 命不肖以記事之文, 辭不獲而謹復, 曰：先維桑梓必恭敬, 況先世衣履之藏乎！春露秋霜, 怵惕悽愴, 敬之發於心也。齊明盛服, 升降進退, 敬之著於外也。以之事神, 則神無不格, 以之爲己, 則爲孝子矣, 爲仁孫矣。觸類而長之, 天下之能

---

58) 세상이 어지러워캄캄함. 암흑사회가 됨.
59) 오경(五經) 중 하나. 국풍(國風), 대아(大雅), 소아(小雅), 송(頌) 4부로 구성되어 있다.

事, 畢矣。前人君子之揭而爲牓, 垂之永永, 其志可謂, 深且切矣。昔我永慕堂先祖, 連遭考妣, 及承重憂, 十二年廬于玆山也。滿山積雪, 不及墓堧。後人稱之曰祭廳山。爲後承者, 上山拜墓, 下山入齋。顧名而思義, 不忘父師之訓, 而益務乎其遠者, 大者。使此齋號, 能如山名之實, 則不出齋, 而道在是矣。又豈待余言而徵諸遠哉。噫, 今天地晦盲, 江漢日下, 遺親忘本者, 滔滔也。親是本也, 身是枝也。忘其本, 則枝從而亡, 可不懼哉。此君子所貴乎敬身, 而敬身, 乃所以敬其先也。詩曰:"毋念爾祖, 聿修厥德。"聿修如之何？曰亦在乎敬。

가묘기(家廟記)

　군자(君子)들은 집을 지으려고 하면 반드시 먼저 가묘(家廟)부터 세우는 것이 예(禮)였다. 옛날 우리 증왕공(曾王考)이신 만수공(晚睡公)이 생전에 가묘를 세우려는 뜻은 품기는 하였으나, 그것에 미칠 겨를이 주어지지 않았다. 신해년(서기1911)에 만수공이 떠나시고 난 후 2년이 지난 계축년(서기1913)에 우리 선군(先君)이 만수당 터에다가 당(堂)을 구축하고 또 20년이 지난 임신년(서기1932)에는 고왕고(高王考)의 가묘(家廟)를 건립하고, 그 다음에 정침(正寢)[60]의 동쪽에 공의 묘(廟)를 건립 하였다. 만일 이와 같이 하지 않았다면, 공의 신령이 오르내리면서 정녕 그 위에 안정하지 못하였을 것이라고 여겼기 때문이다. 그 집은 4가(架) 3칸으로 시절마다 흠향(歆饗)하므로 사모하는 마음을 자연히 붙일 곳이 있었다. 묘(廟)가 완공되던 날, 조모 고유인(高孺人)이 불초에게 말하기를 "너의 아버지는 약관(弱冠)의 나이가 안 되었을 때 만수공이 탄식하기를 '나도 아버지 사당 한 칸을 세우고 싶다. 서까래를 따로 얼마간 준비하기는 하였지만 힘이 모자라는 구나!' 그러자 네 아비가 대답하였다. '마음만 있으면 해내지 못할 거야 없지 않습니까?' 만수공이 빙그레 웃으며 말했다. '그래 네 힘으로 내가 하고 싶은 일을 할 수 있단 말이냐?' 그 말이 어제 일처럼 눈앞에 선하구나. 전에는 당을 세우더니, 금년 봄에는 가묘를 세웠구나. 네 아비는 어려서부터 남다른 뜻을 품고 있었다." 공유(恭惟)[61]하니 우리 선세에는 효성과 우애를 가업으로 삼고 시서(詩書)를 다반사로 여겼다. 그 가운데서도 만수공이 더욱 특별하였다.

---

60) 제사를 지내는 몸채의 방.
61) 삼가 생각하니.

영웅, 호걸의 자질을 지니고 순후하고 인애(仁愛)한 덕을 간직하여 안으로는 구족(九族)과 밖으로 대여(擡輿)[62], 주졸(走卒)[63]까지 누구 하나 그의 덕을 기리지 않고 감복하지 않는 사람이 없었다. 위로는 선인들을 영현(榮顯)[64]하고 아래로는 후손들을 우계(佑啓)[65]하여 가문의 공덕을 빛내는 그 덕목은 백 세대를 내려가며 부조묘(不祧廟)[66]로 하여도 가한 것입니다. 미재조고(薇齋祖考)는 일생동안 아름다운 기질을 지니고 진실로 마음이 곧은 분으로 해 놓은 일들이 비록 혁혁하지는 못하였지만, 사물의 초연히 벗어나 봄바람이 불면 거문고를 그만 탈 만한 뜻을 지닌[67] 분이다. 우리 선군(先君)께서는 일찍 가훈을 답습하여 송사문하(松沙門下)에서 수업하여 그 재예와 식견을 능가할 사람이 없었다. 선조의 덕을 조술하니 대대로 가업이 더욱 창성하였다. 사람들은 그 할아버지에 그 손자들은 무릇 효제(孝悌)는 모든 행동의 근원으로 되다고 칭송하였다. 시경에 이르기를 "허물도 범하지 말고 잊지도 말라"고 하였다. 조상을 그리는 것을 잊지 않는다는 것이며, 수양을 하는 것은 과실을 범하지 않는다는 것이니 선조를 잊거나 행실이 실추하고서 그 가정을 대대로 이어가는 일은 있지 않는 것이다. 이 말은 내가 선군에게 들었으며, 선군은 만수공(晚睡公)에게 들은 것이니, 지금부터 아들과 손자 및 후손에 이르기까지, 모두 당일 계술(繼述)[68]하는 마음을 생각한다면 혹 부조(父祖)의 원대한 기대를 저버리지 않을 것이다. 그렇지만 만약 문자로 기록하지 않는다고 하면, 어찌 어린 아이들에게 보여주고 많은 사람에게 알려 줄 수 있겠는가?

家廟記

君子將營築室, 必先立家廟, 禮也。昔我曾王考晚睡公在世時, 嘗有志立廟, 而未暇及焉。辛亥, 公沒。越二年癸丑, 我先君搆堂於晚睡遺基。又二十年壬

---

62) 가마
63) 여기저기 바쁘게 돌아다니며 심부름하는 사람.
64) 영령(英靈)
65) 도와서 이루게 함.
66) 묘제(廟制)에 친의(親誼)가 다하면 태조(太祖)의 사당으로 옮겨가지만 국가에 공훈이 있거나 학덕이 높은 사람은 친의가 다해도 독립된 사당에서 영원히 흠향하는 것을 부조묘(不祧廟)라고 한다.
67) 봄바람이 불면 거문고를 그만 탈 만한 뜻을 지니다: 공자의 제자 증석이 스승 공자가 뜻을 묻자 타던 거문고를 그만 두고 봄철이면 봄놀이를 하고 돌아오겠다는 말을 했다고 한다.
68) 선조의 사업을 계승하고 선조의 사적을 기록 한다는 뜻임.

申, 建高王考廟, 次建公廟於正寢之東, 以爲不如是, 公陟降之靈, 必不安其位矣。屋凡四架者三間, 於時節薦享羹墻之慕, 自有其所焉。廟成日, 祖母高孺人語不肖, 曰:汝父未弱冠時, 公嘗嘆曰:我亦欲立禰廟一間。及別搆數椽, 顧力不贍耳。汝父卽對曰:有其志, 何患不成? 公哂之, 曰:以若之力, 成若之所欲乎? 言猶在耳, 歷歷如昨日事, 而曾年築堂, 今春又建廟, 汝父自幼少時, 蓋有異志焉。恭惟我先世以孝友爲箕裘, 詩書爲茶飯。公尤其傑然也。以英雄豪傑之資, 有醇厚仁愛之德。內而九族, 外而擔輿走卒, 莫不懷其德, 而服其義。上以榮顯其親, 下以佑啓後人, 以光門戶之功之德, 雖百世不祧, 可也。薇齋祖考, 一生含章自貞, 見於事爲者, 雖不煜耀, 而超然物表, 有春風舍瑟之志焉。及我先君, 早襲家訓, 就正松門, 才藝見識, 莫有能駕逾者。祖述先德, 益昌世業。人稱是祖是孫, 夫孝悌衆行之源也。詩曰:"不愆不忘。"念祖之謂不忘, 聿修之謂不愆。未有忘先墮行, 而能世其家者也。斯語也, 吾聞諸先君, 先君聞諸晚睡公。繼自今, 子而孫, 孫, 而至於不知之人, 而皆以當日繼述之心爲心。則庶不負父祖遠大之期矣。然不有以記之, 則何以示稚蒙, 而告諸千億。

평산재기(平山齋記)

어찌 평평한 산을 볼 수 있겠는가. 우뚝 솟은 것은 봉우리요, 길게 뻗어나간 것은 골짜기이고, 얽히고 산줄기가 길면 산등성이가 되고, 첩첩 쌓여 있으면 높은 산이 되며, 뜰여 있으면 산의 혈(穴)이 되고, 병풍처럼 펼쳐 있으면 병장이 된다. 오목한 것과 뽀쪽한 것과 비스듬한 것과 두 갈래진 것과 울퉁불퉁하고 험한 지대와 바위 같은 것들이 구름 속에서 헛보이는 상 싶고, 안개 속에서 괴상야릇한 모습을 지으며 때로는 나타나기도 하고 때로는 가뭇없이 사라지니, 아무리 명화가라 할지라도 그 모습 그대로 다 그려낼 수는 없다. 어찌 산만이 이렇다고 할 것인가? 인간사회는 이 보다도 더 심하다. 보는 눈이 공평하지 않으므로 주색(朱色)[69]을 바른 색으로 보지 않고

---

69) 자색(紫色)은 간색(間色)이고 주색(朱色)은 (正色)인데 자색이 주색보다 더 아름답다는 고사(故事)가 있다. 이것은 간인(奸人)이 세상의 이목을 속이는 형태나 국왕(國王)이 녕인(佞人)의 말을 듣고 정사(正士)를 소외하는 것을 비유한 말이다.

듣는 귀가 공평하지 않으므로 소악(韶樂)[70]을 아악(雅樂)[71]으로 보지 않는다. 안일한 생활에 젖고 보면 사는 맛의 공평함을 빼앗아 가고 늘 산해진미를 먹으면 신체의 공평함을 잃어버리게 된다. 가슴을 태우거나 마음이 얼음처럼 차게 되면 심중의 공평함을 어지럽히게 된다. 다스리는 것은 잠깐 동안의 일이고, 어리석음은 장구의 일이며, 착한 일은 짧은 순간의 일이지만, 악한 일은 길게 가게 된다. 화와 복이 비정상적으로 베풀어지지만 상과 벌은 오히려 제대로 내리지 못한다. 그리하여 어떤 자들은 층층으로 되는 누대를 짓고 고대광실에서 살고 있지만, 어떤 사람은 비바람마저 막지 못하는 오두막에서 살며, 어떤 사람은 세발솥을 가지런히 열을 세우고 주단을 깔고 있지만 어떤 사람은 아궁이에 불을 지피우고 우물을 길러 올 여가마저 가지지 못한다. 이러한 부류들은 손가락을 꼽아 세워보아도 일 다 헤아릴 수 없다. 천하가 공평하지 못한 지는 썩 오래 전 부터이다. 산도 역시 이러하고 인간도 역시 이러하다. 그렇다면 끝까지 공평함을 얻을 수 없을까?

이 재사(齋舍)는 경재 김공(敬齋金公)이 만년에 수양하던 곳이다. 그의 제자 수백 명이 서로 상의하지 않아도 한결같은 말을 하므로 기축년(서기1949) 봄에 조산(造山) 동쪽에다가 터를 정하여, 제목을 모으고 일을 시작하여 불과 한 달도 안 되는 사이에 지블 완공하였다. 산남(山南) 남쪽에는 상평(上平)이기 때문에, 각기 한 자씩 버리고 한 자만 살려 편액을 '평산(平山)'이라 하고, 그것을 기록하고자 하였는데, 내가 그 누구보다도 공을 잘 알고 있다고 하면서, 그 재기(齋記)는 나에게 부탁하였다. 이에 삼가 다음과 같이 적는다.

공은 심학(心學)에 독실하여 백발의 나이에도 열중하여 조금도 게을리 하지 않고 부지런히 힘써 글을 읽으며 거의 찌꺼기까지 모두 연구 하였다. 그러한 마음으로 이것으로 한 가문에 대하여 가도(家道)가 평탄하였고, 자신을 단속하여 마음이 평화롭고 기분이 차분하여, 편안하거나 위험 앞에서 두 가지 마음을 갖지 않았고, 재화와 우환이 닥쳐도 한 번 먹은 마음을 고치지 않았다.

무릇 세간의 세상의 희로(喜怒)와 우비(憂悲) 등 크고 작고 간에, 아무리 천만가지로 변한다고 하더라도 하나 같이 공평한 마음으로 돌리고 가슴 속에 묻어 두지 않았다. 살펴보니 이것은 산에 기탁하여 미사(微辭)[72]를 맡겨버린 것이다. 지금 저 산을 보면 높이 치솟기도 하고 울퉁불퉁하기도 하여 어떻게 보든 가즈런한 곳이 하나도 없

---

70) 순(舜)임금의 음악.
71) 시경(詩經)에서 국가의 정치에 대하여 노래한 향가를 대아(大雅)와 소아(小雅)로 분리하여 편집 하였다.
72) 뜻을 속에 숨기고 은근히 말함, 또는 몇 마디 되지 않는 말.

지만, 인자(仁者)들의 안중에는 마음껏 즐길 수 있는 하나의 도구가 될 수 있다. 봉우리가 높은 줄도 모르고 골짜기가 깊은 줄도 모르고 산등성이와 높은 산, 그리고 산이 뚫린 혈(穴)과 층층으로 쌓인 산들에 대하여, 그것이 산등성이와 높은 산, 그리고 산이 뚫린 혈과 층층으로 쌓인 산이란 것을 모른다면, 어찌 산비탈에 오를 때 두통이 생기고 산허리에 오를 때 몸에서 열이 나는 것을 걱정하겠는가. 아! 이것을 어찌 다 사람마다 말할 수 있겠는가? 만일 그 산골자기가 깊고 여울물이 맑다면 연운(煙雲)과 풍월(風月)이 조석으로 음청(陰晴)의 주옥같은 경물들은 스스로 이야기할 수 있는 사람이 있게 될 것이다.

平山齋記

曷嘗見山之平乎？峯崒而爲峰, 紆繚而爲谷, 互而岡, 疊而巒, 洞而岀, 屛而嶂, 其凹者、凸者、欹者、丫者、岨峿者、嶻嶭者、雲幻霧詭, 向背銷綜, 雖工畵者莫能摸其狀焉。豈惟山也？人爲甚。視之不平也, 朱不爲正；聽之不平也, 韶不爲雅。酣豢, 奪味之平；宴安, 失體之平；焦火凝氷, 亂其心之平。治暫而亂久, 善短而惡長。禍福舛施, 而賞刑非得其當。或疊榭層棟, 而或不庇風雨, 或列鼎重袵, 而或爨汲靡暇。若此類, 指不勝屈。嗚乎！天下之不平, 久矣。山亦然, 人亦然。然則終不可得平歟？是齋也, 敬齋金公晩暮藏修處也。其徒數百人, 不謀同辭。歲己丑春, 相地於造山東畔, 鳩材諏工, 不易月有成。而山之南曰上平, 故各去一存一, 扁以平山記之, 囑必於余, 以余知公深也。謹復曰：公篤於心學, 老白首孳孳不怠, 幾乎査滓俱盡。以之爲家, 家道平, 以之爲己, 心和而氣平, 不以夷險二致, 不以禍患改調。凡世間 可喜可怒, 可憂可悲, 大小無窮之變, 一歸蕩平, 而忘諸懷。顧乃假託於山, 以寓其微辭歟。今夫山之崒崔也, 嶻嶭也, 有萬不齊。而自仁者見之, 適足爲可樂之具。峰不知其崇, 谷不知其深, 岡巒岀嶂不知其爲岡巒岀嶂。又奚患乎坂頭痛, 山身熱？噫, 此豈可與人人道哉。若其林壑之邃复, 澗溪之淨瀅, 與夫烟雲風月, 朝暮陰晴之珠景, 自有能言者矣。

안덕사(安德寺)의 유람기문(遊覽記文)

　무자년(서기 1948) 봄 삼월 그믐날 나는 음사(吟社)[73]의 제생(諸生)들과 술과 떡을 싸가지고 운곡(雲谷)의 안덕사(安德寺)로 갔다. 그때 함께 간 사람으로는 김경제 선생(金敬齋先生)과 나태강(羅台江)·유청강(柳靑江) 두 친구가 참여하였다. 이날은 날도 청명하고 기후도 화창하여 기수(沂水)[74]에서 목욕할 생각이 불현 듯 일어났다. 정오에 가까워 절에 도착 하였다. 절에 스님은 우리들이 온다는 말을 듣고, 나와서 합장하고 맞이해 주면서 말하기를 "불사(佛舍)가 매우 좁아 모두 수용하지 못하고, 동쪽에 반석이 평평하여 수십 명이 앉을 수 있습니다"라고 하였다. 이리하여 그 곳을 가서 보니, 별천지가 거기에 있었다. 유람객들도 오지 않았다. 나이에 따라 좌석을 정하고 앉아, 술을 몇 순배 돌리고 나자 제각기 글 한 편씩 외우고 각기 시 한 수를 지었다. 강(講)한 사람은 통(通)[75]을 하고, 시를 지은 사람은 갑(甲)[76]이 되어 관현악(管絃樂)이 없어도 그 즐거움 분위기는 무르익었다. 때 마침 비온 뒤에 방금 개인 날씨라 바위 위를 감돌던 구름은 모두 흩어지고 개울물은 졸졸 소리를 더 내었고 나무는 싱싱하게 푸른빛을 띠었다. 게다가 이름도 모를 산새들이 재롱을 부리며 재갈거리고 경자(磬子)[77] 소리도 또한 신기하였다. 참으로 산밖에는 누가 부자고 누가 귀인인지 알 수 없었다. 대개 천지가 개벽 이후로 땅이 이름을 얻은 것은 결코 우연이 아니다. 이 고장의 산들은 자양(紫陽), 회암동(晦菴洞), 운곡(雲谷) 그리고 정촌(程村), 신안(新安), 안덕(安德) 등의 이름이 한둘이 아닌 여러 가지였다. 뜻인즉 나는 하늘이 정주학(程朱學)을 우리나라 5백 년 동안 밝히려고 먼저 이런 이름을 내렸던가 생각 하였다. 나는 태강과 청강 두 친구를 돌아보며 입을 열었다. "왜구(倭寇)가 물러가기는 하였지만 만사가 초창기에 들어서게 되었고, 적(북괴)은 북쪽에 자리를 잡았고 우리 군사는

---

73) 시를 짓는 사람들의 모임.
74) 중국 산동성 임기(山東省臨沂)에 있는 수명(水名), 공자(孔子)가 여러 제자들과 앉아 있다가 제각기 뜻을 말해보라고 하자 그 중 증점(曾點)은 "기수(沂水)에서 바람을 쐬고 무(舞雩)에서 시를 읊으며 돌아오겠습니다"고 하자 공자는 "나도 점(點)과 같이 하겠다"고 하였다.
75) 조선시대 시골 서당에서 15일 또는 1개월에 한 번씩 훈장이 제자들에게 그동안 배운 글을 외우도록 하고 강회(講會)에 참석한 학생들은 종이에 성명을 붓으로 써놓고 토하나 틀리지 않고 잘 외우는 사람에게는 그 학생 성명 밑에 통자(通字)를 써놓고 그 다음 약간 틀린 학생에게는 략자(略字)를 써 놓았다. 통(通)과 략(略)은 강(講)할 때 두 개의 점수인 셈이다.
76) 일반 글을 암송하는 강회가 아니라 시회(詩會)에서 갑을병(甲乙丙) 등 점수 순서를 정하여 1등은 '갑', 2등은 '을' 등으로 점수를 주는 사례이다.
77) 본래 중국의 악기(樂器)의 이름. 사찰 스님들이 범패(梵唄)할 때 사용하는 기구이다.

남쪽에 이어서고 있어서 병란은 남쪽에서 일어나 사해(四海)[78]가 들끓는 판국에 백성들은 편안하게 지나지 못하고 있네. 그러나 우리는 하루 동안 한가한 여가를 얻어 물외(物外)[79]의 운산(雲山)에서 소요하고 있으니, 참으로 하루 동안 신선노릇을 했다고도 말할 수 있지 않겠소? 봄이 다가는 늦봄의 오늘, 관동(冠童)[80] 수효도 모자람이 없으니, 만약 부자(夫子)[81]가 이 자리에 계신다고 하여도 모름지기 위연(喟然)[82]히 탄식을 할 것이네." 라고 하자 경재선생(敬齋先生)이 이 말을 듣고 계시다가 "좋은 말이니 자네는 이 말을 기록하게"라고 하였다.

遊安德寺記

歲戊子春三月晦, 余與社中諸生載酒裹餠, 往雲谷之安德寺。時金敬齋先生、羅台江、柳靑江二友籴焉。是日也天晴氣和, 浴沂之思, 蔚然而興。近午抵寺。寺僧聞余輩至, 合掌出迎, 曰：佛舍甚狹溢, 不能容。東有盤石, 平廣可坐數十人。往視之, 別天在此, 遊人曾不能來也。少長列坐, 酒數行後, 各誦一篇, 各賦一律。講者, 通賦者, 甲不有絲竹, 而其樂融融如也。時適山雨初霽, 岩雲散盡, 泉潏潏而增韻, 木欣欣而染綠。百舌爭巧, 一磬又奇。不知山外孰爲富而孰爲貴也？蓋肇判以來, 地之得名必不偶然。此地有山, 曰紫陽, 曰晦菴洞, 曰雲谷。又有程村、新安, 安德之名, 不一而足。意者, 天以程朱之學, 明於我東五百年, 而先以此命名也歟？余顧謂台、靑二友曰：倭寇雖退, 萬事艸創, 敵據於北, 兵起南, 四海沸湯, 民不安堵, 吾輩能得一日之閑, 逍遙物外之雲山, 亦可謂一日之仙矣。暮春是日, 童冠之數, 亦無餘欠, 使吾夫子在座, 必復發喟然之嘆矣。敬齋先生聞之, 曰：善, 子誌之。

---

78) 사방과 같은 말임.
79) 바깥 세상.
80) 관례를 한 사람과 하지 않은 사람이라 뜻으로, 남자 어른과 남자 아이를 일컫는 말.
81) 공자를 높이 부른 말.
82) 위엄 있고 늠름하다.

우산기(愚山記)

　　산은 고금에 품제(品題)[83]가 어찌 한계가 있겠는가. 주인공 이공(主翁李公)이 산을 폄하하여 '우(愚)'자를 붙여 '우산(愚山)'이라고 허였으니, 가히 지금까지 피지 않은 것을 피게 했다고 말할 수 있다. 옹이 비록 산을 '우산'이라고 하였지만, 산들도 그 '우산'이라는 명칭을 달갑게 받아들여 묵연히 어리석은 듯하고 있을 따름이다. 천하의 어리석은 것은 산보다 더한 것이 없다. 세상 사람들이 어리석으면 나는 노염을 내며 그를 멀리할 것이고, 세상 사람들이 나를 어리석다고 여기지 않으면 난 가깝게 그와 어울릴 것이다. 그러나 옹(翁)은 그렇지 않다. 온 세상 사람들이 어리석게 여겨도 그들과 마음을 달리하지 않고, 온 세상 사람들이 어리석게 여기지 않아도 아무렇지 않는 듯 더 기뻐하지 않았다. 그것은 산이 스스로 어리석은 것을 감수하듯, 옹이 폄하하는 것을 사양하지 않았다. 이것은 옹이 유형을 선택하여 형체를 잊고 친구를 요구하여 자신의 호(號)로 한 것일까. 그러나 비록 그렇다고 하여도 산의 어리석으면서도 무정한 것이다. 무정한 것은 어리석은 것 중에 더욱 어리석은 것일 뿐이다. 옹의 어리석음은 정을 잊기 위한 것이다. 정을 잊으면 어리석지 않아도 어리석게 된다. 말에는 어리석어도 행실에는 어리석지 않으며 이익에는 어리석어도 의리에는 어리석지 않았다. 펑펑한 도포(道袍)가 패옥(佩玉)보다 화려하고 마시는 물이 솥에 고기보다 달게 생각 한다. 자기의 지혜를 감추고 하늘 아래 산 속에서 은거하여 자신의 어리석음을 지키는 것을 민망스럽게 생각하지 않는다. '어리석다'는 이름은 곧바로 어리석지 않는 열매로 된다. 아! 지금 산은 비바람이 불어도 고통스럽지 않고 눈서리가 내려도 그 위에 덮쳐도 조금도 변함이 없다. 세상이 새롭게 변한다고 고금을 내려오면서 쌓일 대로 쌓이고, 아침 구름과 저녁노을이 면전에서 아무리 천태만상을 이룬다하여도 산은 끄덕없이 그대로 태연자약하게 서 있다. 옹이 비록 그 산을 폄하하여 어리석다고 하였으나, 부자(夫子)[84]는 그것을 인(仁)하다고 친찬했으니 참으로 옳은 말이며, 《시경(詩經)》에는 수(壽)로 써 칭송 하였으니 그것도 옳은 것이니 내가 그 말을 따라 글을 지으며 그렇게 하는 것도 안 될 것은 없지 않는가? 옹이 나의 말을 듣고 이렇게 말하였다. "박식하네 자네 말씀이… 이 산은 나의 친구가 아니라 나의 스승일세. 청컨대 이것으로 나의 어리석음을 경계하도록 하세."

---

83) 글의 내용을 품(品)으로 나눈 편장(篇章)의 제목임.
84) 공자를 높이어 부르는 말.

愚山記

山乎古與今品題何限？主翁李公之貶山爲愚, 可謂發前未發也。翁雖愚之, 而山也甘受其愚, 默然如愚而己。天下之愚, 莫山若也。世之人愚, 我則怒而違之。不愚我, 則喜而和之。翁則不然。擧世愚之而不違, 擧世不愚之而亦漫然不加喜。有似乎山之自安其愚, 而不辭翁之貶之也。此翁之所以取類而求忘形, 而友之, 引以爲自號也歟？雖然山之愚也無情, 無情者, 愚於愚而己。翁之愚也忘情, 忘情則不愚而愚也。愚於言, 而不愚於行；愚於利, 而不愚於義。緼袍華於珮玉, 飮水甘於列鼎, 潛光韜采, 肥遯於天山, 守吾愚而无憫, 愚之名適足爲不愚之實矣。噫, 今夫山風雨磨之而不騫, 霜雪加之而不變, 滄桑換矣, 古今積矣, 朝雲夕霞, 千百變於前, 而山固自若也。翁雖貶之以愚, 可夫子稱之以仁, 可也？詩人頌之以壽, 可也；余從而文之, 亦無乎不可也。主翁聞之, 嘆：曰博哉子之言。玆山也, 非吾之友, 乃吾師也, 請以是警吾愚。

상덕헌기(尚德軒記)

심법(心法)의 전수한다는 것은 참으로 말하기 어려운 일이다. 경서(經書)를 외우는 것은 구전(口傳)하는 것보다 못할 것이고, 구전하는 하는 것은 정신과 마음이 진실하게 받아드리는 것보다 못 할 것이다. 어찌 경서에 정신을 모을까. 조박(糟粕)[85] 속에서 고인(古人)들을 찾아내고, 아득한 곳에 실추한 한 가닥의 단서를 찾아내는 사람들은 천세 백세를 내려오면서도 겨우 한 두 사람만 만난다고 하여도 다행이라고 해야 할 것이다. 말로 하자니 번거롭게 이야기를 하면 혹 그것이 마구 만연(蔓延)할까 두렵고 요약하자니 빠뜨릴까 걱정이다. 입술이 타고 혀가 갈라지도록 말해도 전일하지 못할까 두렵다. 우리의 유도(儒道)가 밝아지기 어려워졌으니 어찌 구이(口耳)로만 해야 하겠는가. 하늘의 해를 아무리 교묘하게 비유하여 이야기한다고 해도 쟁반을 어루만지거나 촛불을 쪼지 않는 자가 드물 것이다.[86] 한 곳에 전일할 수 있는 사람은 오직

---

85) 지게미, 보잘 것 없는 것의 비유.
86) "쟁반을 어루만지거나 촛불을 쪼지 않는 자가 드물 것이다.": 소식(蘇軾)의 〈일유(日喩)〉에서 나온 말이다. "태어나면서 장님이 된 사람은 해가 무엇인지를 모르고 있다. 눈을 뜨고 있는 사람들에게 물

심신(心神)이 받아드릴 수가 있지 않는가? 그에게 형체가 업슨 것을 전한다고 하더라도 하나 같이 받아드리며 번거롭게 생각하지 않으며, 아울러 전문 감응할 수 있어 그 사이에 믿음을 가지게 되면서도 밖으로 피어나지 않는다.

탄운 유공(灘雲柳公)은 어려서부터 구도(求道)하고자 하였는데, 일찍이 연재선생(淵齋先生)[87]에게서 학문을 익혔다. 하루는 나의 초려(草廬)를 방문하여 이런 말씀을 하였다. "지난번 꿈에 선사(先師)께서 나에게 묻기를 '무슨 책을 읽느냐'고 하시어, 내가 대답하기를 '대학(大學)입니다'라고 하자, 말씀 하시기를 '대학은 성의장(誠意章)을 많이 읽어라'고 하시며 거실 이름을 '상덕(尙德)'이라고 지어주셨다. 자상하게 가르쳐 주시던 그 말씀이 지금도 귀에 생생하여 사십여 년 전에 함석(函席)[88] 사이에서 나가고 물러가며 면전에서 그 음성을 들은 것과 같아, 내가 이 이름으로 편액(扁額)을 할 것이니, 자네가 기문(記文)을 써 주게…"라고 하였다. 정회(正會)가 조용히 생각하니 가슴에 쌓인 것은 밖으로 드러나기 마련이고 원인이 있어야 꿈에 보이게 되는 법이다. 옛날 어떤 현인(賢人)이 처자(妻子)의 꿈으로 학문의 천심(淺深)을 점쳐 보았다고 한다. 공이 평일 평탄한 속에서도 옅은 어름장을 밟은 듯 조심하고 듣고 보지도 못할가 봐 삼가 두려워하고 깊이 있게 저축하고 오랜 동안 누적하여 가슴에 넓게 채우고 두루 뼈에 새겼기에 비로소 꿈에 나타난 것이다. 이를 비유하자면 거울로 자신을 비춰어 보아야 곱고 추한 것이 드러나는 것과 같은 것이다. 자기 스스로 신령과의 만남에서 얻고자 하였기에, 그것에 응하여 비몽사몽간에 가녹한 충고를 받게 되었고 삽시간에 장주(莊周)가 변한 나비의 동산[89]이 화기가 넘치는 현실의 봄으로 변하였다. 이것은 얼굴에 크게 나타나지는 않았지만, 가슴에 이미 녹아 붙은 것이고 신령과 벌써 만난 것이다. 부귀는 회안몽(槐安夢)[90]과 같이 보았고 득실(得

어 보았더니 어떤 사람이 '생긴 모양은 쟁반 같다.'고 알려주니 쟁반을 들으며 그 소리를 들었다고 한다. 훗날 그는 종소리가 울리자 그것이 해인가 하고 생각했다. 또 어떤 사람이 '해는 뜨겁기로 초불과 같다.'고 하였더니 초불을 어루만지며 그 형태를 알아보았다. 그것이 해라고 여겼다."

87) 서기 1836(헌종 2)~1905(고종 42), 송시열의 9세손인 송병선(宋秉璿), 자는 화옥(華玉), 호는 연재(淵齋), 시호는 문충(文忠), 경연관, 가의 등 많은 관직이 내려졌으나 모두 응하지 않고 서기1905년 12월 30일 고종과 국민에게 유서를 남기고 자결하여 의정(議政)에 증즉 되었다.

88) 스승을 달리 일컬을 말.

89) 장자가 변한 나비의 동산: 장자가 꿈에 나비로 변해 훨훨 날아다녔다고 한다. 여기서는 꿈나라를 가리킨다.

90) 이공좌(李公佐)의 남가기(南柯記)에 "당(唐)나라 순우분(淳于棼)이 회화나무 아래에서 낮잠을 자다가 꿈에 개미의 나라 회안국(槐安國)으로 들어가 남가태수(南柯太守)를 지내고 온갖 부귀영화를 다 누리었는데 잠에서 깨어보니 그것이 모두 꿈이었다"고 하였다.

失)은 초황몽(蕉隍夢)⁹¹⁾과 같이 보았으니 그 뜻은 또 어떠하였겠는가. 상덕(尚德)이라고 한 것은 부자(夫子)⁹²⁾가 남용(南容)⁹³⁾을 칭찬한 말이니 성인(聖人)의 문하에 있는 사람들이 많지만 덕으로 칭찬받은 사람은 안자(顏子)⁹⁴⁾, 민자건(閔子騫)⁹⁵⁾ 이하 수명에 그치었다. 백성들 중에는 중용(中庸)의 도(道)를 행한 사람이 드문지 오래 되었다. 지금 연옹(淵翁)이 유도(儒道)를 강론하므로 호서(湖西)⁹⁶⁾에서 인의(仁義)를 말하고 성현의 글을 읽는 사람들이 문하에 가득 하였다. 공은 널리 배우고 통달하여 동용수(屠龍手)⁹⁷⁾와 의마지재(倚馬之才)⁹⁸⁾가 있고 숭상하는 것은 덕이었으며, 마치도 거침없이 흘러가는 황하(黃河)를 무너트리고 장강(長江)의 물이 내려가는 듯한 언변이 있으나, 갈고 닦는 것은 명예와 행실이므로 누차 사석(師席)의 탄식을 유발 하였다. 제자(諸子)들 중 앞서는 사람이 없었으며 그의 만년에는 학문이 더욱 깊고 조행도 더욱 확고하여 사부(師傅)의 우익(羽翼)이 되었고 백발의 나이에 더욱 강녕하여 걸음걸이

---

91) 일명 초녹몽(蕉鹿夢)이라고도 한다. 이것은 인간의 득실(得失)과 영고(榮枯)가 꿈속의 일과 같다는 것을 비유한 것이다. 하루는 정(鄭)나라 사람이 들에다가 섶을 모와 놓고 사슴이 나타나면 죽이어 해자(垓子) 속에 놓아두고 초엽(蕉葉)으로 덮어 두었는데 많은 시일이 지난 후 그 사슴을 놓아둔 장소를 잊고 있었다. 이것도 꿈이었다.

92) 공자(孔子)를 지칭한 말.

93) 춘추(春秋), 공자제자인 남궁도(南宮縚), 일명은 괄(括), 논어(論語)의 공야장편(公冶長篇)에 "공자가 남용(南容)을 말할 때 나라에 도가 있더라도 폐하지 않고 나라에 도가 없더라도 형육(刑戮)을 면할 것이다 고 하면서 자신의 형의 딸을 남용에게 시집보냈다."고 하였다.

94) 춘추(春秋), 노인(魯人), 명은 회(回), 자는 자연(子淵), 무유(無繇)의 아들, 공자 제자, 천성이 충명하고 가정이 가난 하였으나 학문을 좋아하였다. 공문 덕행과(孔門德行科)에 든다. 공자 제자 중에 가장 어질어 공자가 칭찬하기를 "성질을 남에게 옮기지 않고 과실을 두 번 범하지 않는다"고 하였다. 29세 때 머리가 백발이 되고 32세의 나이로 사망 하였으며 후세에 복성공(復聖公)으로 추증 되었다.

95) 춘추(春秋), 노인(魯人), 명은 손(損), 공자 제자, 덕행과(德行科)에 속함. 성품이 지극히 효성스러워 후모(後母)에게 효성을 다했으나 후모는 민손에게 갈대 솜으로 옷을 해 입히고 자기 두 아들에게는 솜옷을 입히였다. 하루는 민손의 아저기가 민손에게 말을 몰도록 하였으나 민손은 고삐를 놓쳐버리자 그의 아버지는 그를 책망하다가 살피더니 민손의 옷이 갈대솜이라는 것을 알게 되어 후모를 쫓아내려 하자 민손은 "어머니가 계시면 아들 하나만 춥지만 어머니가 가시면 두 아들이 의지할데가 없어 진다."고 말류하자 그의 아버지는 그의 말을 받아들였다.

96) 충청남북도를 일컬은 말.

97) 용(龍) 잡는 기술을 갖은 사람. 장자 열어구(莊子列禦寇)에 주평만(朱泙漫)이 용을 잡는 기술을 지리익(支離益)에게 배우면서 가산을 탄진 하였다. 그는 3년 후에 기술을 다 배우고 고향으로 돌왔으나 그 기술을 쓸 곳이 없었다.

98) 말에 내린 잠간 사이에 글을 짓는 능력 : 《세설신어전소(世說新語箋疏)》의 '문학(文學)'에 나오는 이야기. 진(晉)나라 사람 원호(袁虎)가 대사미 환온(桓溫)의 기실(記室)로 있었다. 환선무(桓宣武)가 북쪽 지방을 정벌 할 때 원호(袁虎)가 종군하다가 관직을 면하게 되자 이때 포고문이 필요하여 원호를 불러 말을 세워놓고 글을 짓도록 하므로 원호는 말을 기대어 일사천리로 글을 써 내었다. 뜻인즉 사색이 민첩하여 붓을 들면 문장을 이룬다는 것이다.

가 나는 듯 하였음으로 사람들은 덕의 증표라고 칭찬 하였다. 아! 공은 정회"(正會)를 마치도 자식처럼 여겼는데. 그것은 아마 선인(先人)들이 사이좋게 지냈으므로 불초(不肖)에게까지 미친 것이다. 선인은 공보다 한 살 늦게 태어나시었지만, 세상을 떠난 지 이미 십년이 되었다. 감탄스럽고 비감이 들지만 눈물을 참고 위와 같이 기록한다..

尙德軒記

心法傳授, 盖難言矣。經而誦, 不如口傳；口之傳, 不如精神心髓之接乎眞也。何以聚諸以經者？求古人於糟粕, 尋墜緖於迷茫, 盖千百世遇一二人亦幸耳。以言者, 繁之恐其蔓, 約之恐其遺。唇焦舌弊, 且懼不專一也。道之難明, 豈以口耳爲？譚天日者, 雖有巧譬, 不至捫籥叩盤, 鮮矣。能專且一者, 惟心神之接乎？傳之無形, 而能一授之不煩, 而能專感應交乎其間不能髮也。灘雲柳公, 蚤歲求道, 嘗從宋淵齋先生學焉。日過余艸廬而言, 曰："疇曩之夢, 見先師問余奚讀。曰：'大學'。曰：'學也。勉讀誠意章, 因名軒尙德。'語諄諄尙在耳, 怳若四十年前進退函席間, 面承其音旨。吾方以是扁楣, 子記之。"正會竊惟念積內者發外, 有因者著夢。昔賢有以妻子夢寐, 卜學之淺深。盖公平日淵氷乎平坦, 戒懼乎不聞睹, 蓄之深, 積之久, 而洽肕浹髓, 始發於寢夢, 譬引鏡自照妍媿乃見。欲自欺得乎神交之際, 唯諾如響, 存沒之間, 授受丁寧, 使霎然周蝶之園爲闇闇座上之春。不大形以色, 心已融矣, 神已會矣。視彼貴富於槐安, 得失於蕉隍者, 其所志又何如也？顧尙德之云, 夫子贊南容語也。遊聖門者, 不爲不多矣。以德之稱, 顔閔下數子而止。民鮮能久矣。方淵翁之講道, 湖西談仁義, 讀聖賢者蔚然盈門。而公博洽暢達, 有屠龍倚馬之才, 而所尙者德, 有河決江下之辯, 而所砥礪者名行。累發師席之嘆, 諸子莫或先焉。迨其晚年, 所養日益邃, 所操日益確, 足以羽翼師傅。而白首康寧, 步履如飛, 人稱德之符耳。噫, 公於正會, 眷眷子視之, 盖以先人之好,施及不肖也。先人, 後公一年生而下世已十年矣。嘆羨悲感, 遂忍涕而記如右。

노산사(蘆山祠) 기(記)

사우(祠宇)의 흥폐는 문운(文運)의 성쇠에 관계가 있고 세상이 다스려지느냐 못하느냐도 여기에 달려 있다. 고수(古水)의 전동(典洞)은 푸른 산들이 둘러 있고 산골자기는 깊은데 이 곳에 사당이 있는데 그 이름은 노산사(蘆山祠)이다. 김양간(金良簡), 교리(校理), 돈목재(敦睦齋), 노계(蘆溪), 및 심장민(沈莊愍)등 다섯 분 선생의 영영(英靈)을 모신 곳이다. 영조 갑자년(서기1744)에 본 현의 선비들이 서울의 진신(搢紳)[99], 유생(儒生)들과 상의하여 창건 하였다. 주벽(主壁)은 양간선생(良簡先生)이며 교리(校理), 돈목재(敦睦齋) 두 선생은 동벽(東壁)에서 서쪽을 향하고 노계(蘆溪), 장민(莊愍) 두 선생은 서벽(西壁)에서 동쪽을 향하고 있다. 변두(籩豆)[100]는 차례가 있고 위의(威儀)는 질서가 있었다. 삼가 생각하건데, 양간공(良簡公)의 휘는 연(璉), 광산인(光山人)이며 전조(前朝)의 명신으로 그 사적이 《고려사(高麗史)》[101]의 열절(列傳)에 기재되어 있고, 교리(校理)의 휘는 석원(錫元)이며 양간공의 7세손으로 성화(成化) 기축년(서기1469)에 문과에 급제하여 교리에 임명 되었고 효우(孝友)와 문학으로 세상 사람들의 추대를 받았다. 돈목재의 휘는 기서(麒瑞), 교리의 조카이며 효성으로 광릉참봉(光陵參奉)에 추천되고 양학포 팽손(梁學圃彭孫)[102]과 경의(經義)를 강론하였으며 조정암(趙靜菴)[103] 문하에서 수업하였고 기묘사

---

99) 벼슬아치의 총칭, 또는 지위가 높고 행동이 점잖은 사람.
100) 옛날 제기(祭器)의 이름, '변(籩)'은 과실, 포(脯) 등을 담는 대오리를 결여 만든 제기. '두(豆)'는 김치, 식혜 등를담는 목기(木器), 모두 높은 굽이 있다.
101) 서기 1392년 조선 건국과 함께 왕명으로 정도전(鄭道傳) 등이 중심이 되어 정리된 고려의 역사서, 1449년(세종 31)에 편찬하기 시작하여 서기 1451년(문종 1)에 완성 하였으며 체제는 중국 사기를 본 떠 세가(世家),기(記),열전(列傳), 표(表)로 나누어 기전체(紀傳體)로 기록 하였다.
102) 조선 전기 학자, 자는 대춘(大春), 호는 학포(學圃), 시호는 혜강(惠康)이다. 문장에 능하여 서기 1510년 조광조(趙光祖)와 함께 생원시에 합격하고 서기 1516년에는 문과로 급제하여 교리에 임명되었으나 기묘사화(己卯士禍) 때 삭직 되었다가 서기 1537년에 다시 복직 되었고 서기 1544년에는 용담현령(龍潭縣令)으로 임명되었다가 은퇴 하였다. 그림을 잘하여 안견(安堅)의 화풍으로 산수화를 잘했다고 한다.
103) 정암 조광종(靜菴趙光祖)는 17세에 그의 아버지가 어천찰방(魚川察訪,魚川은 지금의 평안북도 영변(寧邊)으로 부임할 때 아버지를 따라가 당시 회천(會川)으로 유배되었던 한훤당 김굉필선생(寒暄堂金宏弼先生)에게 수업하고 서기1515년(성종 10) 가을에 알성시에 급제하여 성균관 전적, 사헌부 감찰, 사간원 정언, 홍문관 수찬, 부제학 등을 거치면서 왕의 총애를 받았으며 서기 518년(중종 13)에는 대사헌이 되었다. 그는 중종반정 이후 소격서(昭格署) 폐지와 현량과 신설 등 많은 개혁을 하였으나 훈구파의 모략으로 조광조의 일파에게 유배, 삭직 등 많은 타격을 가하여 조광조의 개혁이 실패로 돌아가고 조광조도 전남 능주로 유배되어 1개월 후 사약에 내려졌으며 그후 조광조에게 영의정이 증직되었다.

화(己卯士禍)[104]가 일어나자 종신동안 두문불출로 일관하다가 작고 하였다. 노계(蘆溪)의 휘는 경희(景熹)이며 돈목재(敦睦齋)의 아들로 나이 20세에 사마시(司馬試)[105]에 급제하였으나 을사사화(乙巳士禍)가 일어나자 선산 밑에서 은거하였다. 학문이 깊고 덕이 높았으며 후생들을 계도(啓導) 하였다. 장민공(莊愍公)위 휘는 진(搢)이며 청송인(靑松人)이다. 숙종 병진년(서기 1736)에 무과에 급제하여 7개읍의 수령을 역임하였고 임지 마다 모두 거사비(去思碑)[106]가 있으며 본현에서는 더욱 열정이 있었다 신임무옥(辛壬誣獄) 때는 혹형에도 굴하지 않고 결국 옥중에서 사망 하였다. 아. 훌륭하다! 한 가문에서 사현(四賢)이 있으니 가학(家學)의 연원(淵源)이 세상의 사표(師表)가 되었다. 장민공(莊愍公)은 현감(縣監)으로 사방에 인애(仁 愛)의 유풍(遺風)을 떨치었으니 대개 그 여운(餘韻)과 유풍은 산수(山水)와 함께 영원할 것이다. 지난 갑자년(서기1744)에 창건하였을 때, 현인(賢人)과 유사(儒士)과 유사(儒士)를 존대하고 백성과 만물이 화열하고 빛나 간과(干戈)를 보지 못한지 거의 백년이 되어 태평성대로 칭하였는데, 무진년(서기1868)에 대동법(大同法)이 철폐되었다. 그것은 대개 사문(斯文)[107]이 액운을 당하여 도이(島夷)[108]가 날뛰어 국사가 더욱 문란하게 되었다. 아! 성쇠(盛衰)의 운은 갈리고 비태(否泰)는 교대로 이른 것이다. 을유년(서기1945)에 적도들이 물러가고 신묘년(서기1951)에 병란이 종식되었으며, 그 익년 임진년(서기1952) 가을에 다시 옛 터에서 흠향하여 조두(俎豆)[109]가 다시 새로워지고 이미 끊겼던 현송(絃誦)[110]이 산초어(山椒魚)[111]가 노는 물가에서 다시 계속 되었다. 아니 혹 세상이 좋아질 날이 멀지 않아 우리 동방(東方)의 무궁한 아름다운 일이 이것으로 징조를 나타낸 것일까. 지금과 후일에 이 사우(祠宇)에 오는 사람들은 오르내리고 절과 읍의 예절에만 분주할 것이 아니라 반드시 여러 선생이 배운 것을 강구하여 위로는 성조(聖朝)에서 높이 보답하는 은전을 저버리자 말고 아래로는 우리 유림들의 자랑이 되어 백세의 모범이 되어야 할 것이다. 노계(蘆溪) 13세손 구현(九鉉)과 수현(壽鉉)이

---

104) 조선 중종 14년(서기 1519)에 일어난 사화, 남곤, 심정, 홍경주 등 훈구파가 왕도정치를 주장하는 조광조, 김정 등 신진파를 죽이거나 유배한 사건이다.
105) 고려, 조선시대에 과거제도의 하나, 생원, 진사를 뽑는 소과로 초시와 복시로 나누어졌다.
106) 지방관이 선정하여 떠난 후 주민들이 그의 덕을 사모하여 세운 비.
107) 유교에서, 유교의 문화를 이르는 말. '유학자'의 경칭.
108) 섬나라의 오랑캐 즉 왜적(倭賊)을 말함.
109) 제사에 사용한 제기(祭器)와 도마를 말하나 제사를 표현한 말임.
110) 거문고를 퉁기며 시를 읊는 행위, 즉 선정의 표현이다.
111) 도롱용을 말함.

실기(實記)를 가져와 정회(正會)에게 이 글을 부탁 하였다.

蘆山祠記

祠宇興廢, 有以關乎文運之盛衰, 而世之理亂係焉。古水之典洞, 群巒擁翠, 澗谷邃夐, 有祠曰蘆山。金良簡、校理、敦睦齋、蘆溪、及沈莊愍五先生, 妥靈之所也。英廟甲子, 縣之章甫, 議於京裏搢紳儒生, 而刱建之。良簡先生主其壁, 校理、敦睦齋二先生東壁而面西, 蘆溪、莊愍二先生西壁而面東。籩豆有序, 威儀秩秩焉。恭惟良簡, 諱璉, 光山人, 勝國名臣, 事載麗史列傳。校理, 諱錫元, 良簡七世孫。成化己丑, 文校理, 孝友文學, 爲世所推。敦睦齋, 諱麒瑞, 校理姪, 以孝薦光陵叅奉, 與梁學圃彭孫講論經義, 就正于趙靜菴門。己卯禍作, 坎坷以終。蘆溪, 諱景熹, 敦睦齋子。年二十中司馬。乙巳禍, 隱居 先楸下, 學邃德尊, 佑啓後人。莊愍, 諱搢, 青松人。肅宗丙辰, 武歷典七邑, 皆有去思。而至本縣, 尤有烈焉。辛壬誣獄, 酷刑不屈, 竟死獄中。猗歟盛哉! 一門四賢, 家學淵源, 爲世師表, 莊愍則分憂百里, 遺愛四境。蓋其餘韻遺風, 能與山水悠久矣。粤昔甲子之剏也, 尙賢崇儒, 民物雍熙, 不覩干戈者, 殆百餘年, 號稱盛代。及戊辰大同見撤。蓋斯文之百六, 而島夷陸梁之, 履霜也。噫, 盛衰迭運, 否泰遞臻。乙酉, 賊已退。辛卯, 亂又息。越翌年壬辰秋, 復享舊址, 俎豆重新, 旣絶之絃誦, 復續於山椒水涯。抑或河清未遠? 我東方無疆之休, 此爲之兆也歟? 今與後之登斯宇者, 不徒駿奔於升降拜揖之節, 必須講求乎諸先生之所學。上而不負聖朝崇報之典, 下而矜式吾林, 以爲百世之風範焉。蘆溪十三世孫九鉉、壽鉉, 以記實之文命正會。

오산기(梧山記)

오산주인(梧山主人)은 청렴하고 신중한데다가 문학이 대단하였지만 그는 훼의(卉衣)[112]를 입고 채식(菜食)하며 오산(梧山) 아래에서 불우(不遇)한 심정을 거문고에 실어 퉁기고 자신의 아호를 '오산(梧山)'이라고 하였다. 누군가 그를 힐난하면서 한 마

---

112) 중국 변방의 섬사람들이 입은 풀잎으로 만든 옷.

디 던졌다. "오동나무는 한번 변하면 거문고가 되고 산이 물을 띠고 있으면 아양곡(峨洋曲)[113]이 되는데 주인은 어찌 그 체(體)만 거론하고 그 용(用)을 잊으며 그 하나만 사용하고 둘은 빠뜨리고 있습니까."라고 하자, 거문고 소리를 아는 사람이 지나가다 들려 응수하기를 "어찌 자네의 말은 넓은 것만 알고 요약하는 건 모르는가? 거문고라고 하지 않고 오동나무라고 하였으니 그 줄이 없는 것을 알 수 있으며, 산수(山水)라고 말하지 않고 그냥 산이라고 말 하였으니 그 하나만 들어도 다 포함되는 것이네. 아! 천하 사람이 다 눈이 어두운데 누구와 함께 보불(黼黻)[114]을 논하며, 천하 사람들이 다 귀머거리인데 누구와 더불어 궁상(宮商)[115]을 논하겠는가? 연명(淵明)[116]은 거문고를 좋아하지만 거문고에는 줄이 없고 다만 거문고 속에 취지만 얻으면 비록 줄이 없더라도 괜찮을 것이네. 대개 주인은 오유선생(五柳先生)[117]의 기풍만 듣고 흥을 내는 것일까? 거문고의 취지는 오동나무에 있고, 산수(山水)의 소리는 내면에 있어, 냉냉한 송풍(松風) 소리가 나면 거문고가 되는 것이네. 순(舜)[118] 임금의 거문고 다섯줄을 부지런히 퉁기지 않았으면 어찌 아조(雅操)[119] 두 음(音)을 기대할 수 있었겠는가? 음률을 잘 아는 사람은 불이 터지는 소리만 들어도 그 좋은 재질임을 알 수 있는 것이니 뜻이 있으면 태산곡(泰山曲)[120]인지 유수곡(流水曲)[121]인지 알 수 있는 것

113) 일명 고산유수곡(高山流水曲)이라고도 한다. 영자 탕문(列子湯問)에 "백아(伯牙)가 마음속으로 고산(高山)을 생각하며 거문고를 퉁기면 친구인 종자기(鍾子期)가 이를 듣고 아! 훌륭하구나! 그 높기가 험한 태산(泰山)같다고 하였고 백아(伯牙)가 또 유유히 흐른 유수(流水)를 생각하며 거문고를 퉁기면 종자기는 또 알아듣고 아! 훌륭하다! 그 넓기가 강하(江河)와 같다"고 하였다.
114) 곤룡포(袞龍袍)에 수로 새긴 도끼 모양과 아(亞)의 문양(文樣)을 보불(黼黻)이라고 한다. 국왕은 곤복(袞服)으로 구장복(九章服)이라 하며 산(山),룡(龍), 화(火), 종이(宗彛), 조(藻),분비(粉米) 등 보불(黼黻) 모양의 옷을 착용하고 황제(皇帝)는 12장복(章服)을 착용하는데 일(日),월(月), 성신(星辰)을 더 새긴 옷을 입는다.
115) 오음(五音) 중 궁음(宮音)과 상음(商音)으로 이 두 음은 위아래에서 서로 조화롭게 응하므로 친한 친구로도 비유한다.
116) 춘추(春秋), 위(衛)나라 현대부(賢大夫), 그의 나이 50세에 49년간의 잘못을 알았다고 한다. 위령공(衛靈公)의 부인 남자(南子)는 거백옥(蘧伯玉)이 궁전 앞을 지나갈 때 거백옥이 간다는 것을 알았다고 한다. 그는 대궐 앞을 지날 때 수레에서 내려 절을 하고 갔기 때문이다.
117) 도연명(陶淵明)이 저술한 자전(自傳)임.
118) 중국 고대의 요(堯)임금과 함께 성황제(聖皇帝)로 일컬은 황제. 성은 요(姚), 명은 중화(重華)이며 고수(瞽叟)의 아들이며 전욱(顓頊)의 6대손이다.
119) 고상한 금곡(琴曲)이라는 뜻임.
120) 백아(伯牙)가 즐긴 고산곡(高山曲)을 말한다. 백아의 백아가 마음속으로 고산(高山)을 상상하며 거문고를 퉁기면 그의 친구 종자기(鍾子期)가 험중한 태산(泰山)과 같다고 한데서 고산곡을 태산곡이라고도 한다.
121) 백아(伯牙)의 금곡 중 하나. 산수곡(山水曲)과 함께 유명하다.

이네, 더구나 주인의 거문고는 이미 3척이나 되어, 가슴속에 즐기는 산이 이미 높고 높아도 해가 되지 않을 것이니, 어찌 그 하나만 들어도 그 두 개를 아는 것이 어렵겠는가? 이미 득실(得失)의 밖을 초월하여 온갖 사물을 모두 잊을 수 있다면 그 용(用)을 잊을 뿐 아니라 그 체(體)도 잊을 것이며, 그 두 개만 잊을 뿐 아니라 그 하나도 잊게 될 것이네. 양지에서 사는 사람들은 그 오동나무가 높은 산과 넓은 바다가 되는 줄도 모르고 또 그것이 산수곡(山水曲)이 되는 줄도 모르고 있네. 미루어 말하자면 왕공(王公)은 자신이 부자인줄 모르고 맹분(孟賁)[122]과 하육(夏育)[123]은 자신이 용사인 줄 모르며 장의(張儀)[124]와 소진(蘇秦)[125]은 자신이 변사(辯士)인 줄도 모르고 원헌(原憲)[126]은 자신이 가난하고 천한 줄 몰랐네. 정에서 벗어나지 않고 물질에 인색하지 않아 조물(造物)과 무하유향(無何有鄕)[127]에서 놀았는데 자네의 말은 왜 거문고만 고집하는가"라고 하자 힐난한 사람은 사례하기를 "주인께서는 어찌 불우한 것을 걱정할 필요가 있겠습니까. 옛날에 말한 자기(子期)[128]는 그대가 아닌가?"라고 하였다. 거문고를 듣던 사람이 이 일을 주인에게 고하자 (주인은) 거문고를 어루만지면서 탄식하여 말하기를 "그 넓은 것을 들으면 나의 학문이 넓게 될 것이고 그 요약한 것을 들면 나의 체를 요약할 수 있네. 청컨대 이것으로 나의 재기(齋記)를 삼도록 적어 주십시오."

梧山記

梧山主人淸愼有文, 卉衣蔬食, 彈不遇琴於梧山之下, 自號曰梧山。有難者,

---

122) 戰國, 위인(衛人), 용사(勇士), 일명은 맹설(孟說)이라고도 함, 물로 가면 교룡(교룡)이 피하고 육지로 가면 호랑이와 물소가 피한다고 하였다.

123) 위인(衛人),또는 제(齊)나라 역사(力士)라고 한다. 소 뿔을 즉각 빼며 천근을 들 수 있다 하였다.

124) 전국(戰國), 위인(衛人), 소진(蘇秦)과 함께 귀곡선생(鬼谷先生)에게 수업하였음, 진(秦)나라를 추종하기 위해 종횡설(縱橫說)을 주장하고 이를 성공하여 육국(六國)의 상인(相印)을 찼다.

125) 전국(戰國), 하남성 낙양인(河南省洛陽人), 귀곡선생(鬼谷先生)의 제자. 진(秦)나라를 저항하기 위해 합종설(合從說)을 주장 하였다.

126) 일명 원사(原思)라고 하며 공자 제자, 가정이 매우 가난하였으나 최후까지 공자를 모시었음. 공자가 너무 가난한 원헌(原憲)에게 9백석을 주었으나 원헌은 받지 않으므로 공자는 "받아서 이웃과 나누어 먹어라"고 하므로 그 곡식을 받아 이웃과 나누어 먹었다고 한다.

127) 아무것도 없는 세계, 즉 무위자연의 세계, 장자(莊子)가 그리워한 이상향(理想鄕)을 말한다.

128) 춘추(春秋), 금곡(琴曲)이 명서 백아(伯牙)의 친구, 백아의 고산곡(高山曲)과 유수곡(流水曲)을 가장 잘 알아들었다고 하며 종자기가 죽은 후 백아는 거문고 줄을 끊고 다시는 타지 않았다고 한다.

曰：梧一變而成琴。山兼水而爲峨洋，何主人之務約擧其體，而忘其用，用其一而遺其二也？聽琴者，過之從而應之，曰：奚子言之，務博而不知約也。不曰琴而曰梧，其無絃可知；不云山水，而獨云山，擧其一亦可概。噫，天下皆矇，誰與之論黼黻；天下皆聾，誰與之論宮商。淵明好琴，而琴無絃，曰：但得琴中趣，雖無絃可也。蓋主人聞五柳之風而興者歟？琴之趣，寓於梧，而峨洋之音足乎內，則泠泠然松風，可以爲琴矣。不勞舜琴五絃，何須雅操二音？善知音者，聞爆聲而知其爲良材，志之所在，猶知爲泰山流水。而況主人之梧已三尺矣，不害爲胸中之樂山已峨峨矣，夫何難乎聞其一而知其二哉？既超乎得喪之表，能與物俱忘，則不惟忘其用，將並其體而忘之；不但遺其二，亦將並其一而遺之矣。朝陽之生不知其爲梧峨峨哉洋洋哉，亦不知其爲山與水矣。推而言之，則王公不知其爲富，賁、育不知其爲勇，儀、秦不知其爲辯，原憲不知其爲貧且賤焉。不攖情，不吝物，將與造物者，遊於無何有之鄕矣。何子言之固於爲琴也？"難者謝曰："主人何患乎不遇？古所云子期者，吾子非耶？"聽琴者，以告主人。撫孤桐而歎曰："聞其博矣，可以博吾學，聞其約矣，可以約吾體，請以爲吾齋記。"

모양기로사(牟陽耆老社) 중수기(重修記)

방장산(方丈山)은 모양(牟陽)의 진(鎭)[129]이다. 그 방박(磅礡)[130]한 기(氣)가 사물에 모이게 되면 느릅나무, 녹나무의 재목이 되고, 사람에게 모이면 기이(期頤)[131]로 모모(耄耄)[132]한 수를 누린다. 이 기는 천지와 시종(始終)을 같이 하기에 예나 지금이나 다름이 없다. 기로사(耆老社)는 방장산의 서쪽 7리쯤에 있는데, 5리 정도 가까이 가면 멀리 숲과 노을이 주렴과 기둥 사이를 비껴든다. 사(社)의 제공(諸公)이 이곳에서 기거함으로 백발을 서로 비추면서 구슬 같은 언사들을 거침없이 주고받을 때에 그들을 바라보면 연화(煙火)[133] 중의 사람이 아닌가 싶을 정도이다. 모양(牟陽)현이 본시 장수의 고향(壽鄕)으로 불리고 있는 것은 아마 이 산의 정령이 그들을 위해 모여

---

129) 옛날 군대가 진을 치고 있던 곳의 준말.
130) 혼합함. 가득 참. 뒤섞어서 하나로 함.
131) 백세가 된 노인.
132) 모모(耄耄) ; 배발이 성성한 모양.
133) 집에서 불을 땔 때 나는 연기라는 뜻으로 삶이 사는 기척 또는 인가를 이르는 말.

들었기 때문일 것이다. 옛 기로사(耆老社)는 너무 좁고 작아 마을 사람들을 다 수용할 수 없었다. 이에 선비들이 서로 기금을 내어 장소를 넓히려고 하였다. 역사(役事)는 무술년(서기 1958) 7월에 시작되었는데 일개월여에 완공하였다. 헌금한 사람들의 이름을 기록하여 벽 위에 걸어두어 그들이 노인을 공경하는 뜻을 찬미하였다. 아! 성대하도다. 나라에 원로(元老)들이 있으면 나라에서 시귀(蓍龜)[134]처럼 받들고, 시골에는 기로(耆老)[135]들이 있으면 풍속을 순후한데로 돌아가게 된다. 젊은이 동네 노인을 자기 집 어른으로 간주하게 되면 효제(孝悌)의 행실이 흥성하게 될 것이고, 늙은이들이 동네 아이들을 자기 집의 아이처럼 대하게 되면 인애(仁愛)의 기풍이 예서 행하게 될 것이다. 이것은 한 고을의 아름다운 풍속으로 될 뿐만 아니라 나라에 대해서는 또 어떠하겠는가? 병오봉(碧悟峯)이 평평해지지 않는 이상 이 기로사(耆老社)의 이름도 마땅히 영원히 전할 것이다.

牟陽耆老社重修記

方丈, 牟陽之鎭也。其磅礴之氣, 鍾於物而爲梗楠檴樟之材, 鍾於人而爲期頤耄耋之壽。是氣也, 與天地相始終, 不以古今有殊也。耆老社的在山之西七里, 而近五里而遶林彩霞影隱映簾櫳之間。社中諸公起居於斯, 皓髮相映, 談屑如玉, 望見之疑其非煙火中人也。牟陽素稱壽鄕, 蓋以玆山之靈爲之鍾毓也。舊社太陜隘, 不能容鄕人。士爭捐金, 圖所以廣之。役始於戊戌秋七月, 纔易月告成矣。列書其姓名, 揭諸壁上, 以美其敬老之義。吁, 盛矣哉! 國有元老, 蓍龜於朝廷, 鄕有耆老, 風俗歸淳。使少者知老老, 而孝悌之行興, 老者知幼幼, 而仁愛之風行焉。不惟一鄕之俗美也, 於爲國乎何有? 碧梧之峰不平, 此社之名, 當與之久長。

---

134) 점칠 때 쓰는 비수리와 귀갑(龜甲).
135) 연로하고 덕이 높은 사람.

임공사(臨空寺) 중건기(重建記)

　방장산(方丈山)은 아아(峨峨)[136]히 치솟은 두터운 땅이 풍풍하고 외뢰(磈磊)[137] 한 것은 보통과는 다르다. 수 십리 뻗은 산줄기와 골짜기는 깊고도 아득히 멀리 뻗어져 가는데 노을과 안개가 모였다간 펼쳐질 때는 도관(道觀)과 불우(佛宇)가 간간이 눈에 띠이게 되고, 영주(瀛洲)[138]의 크고 작은 산 및 부풍(扶風)의 봉래산(蓬萊山)과 더불어 정립지세를 이루며 마주 대하고 있어 자못 자웅(雌雄)을 겨루는 듯 한 기세를 보이고 있다. 《여지승람(輿地勝覽)》[139]을 살펴보면, "이 산의 '임공사(臨空寺)'는 이 산의 정상에 있었는데, 시대가 오래되어 비록 고증에 능한 사람이라고 할지라도 그 절의 흥망성쇠를 알 수 없다."고 적혀 있다. 수백 년을 흘러오는 사이에, 환각인 듯 구름이 모였다가 사라지고, 비가 조화를 부리고 있으므로 원학(猿鶴)만 수심을 자아내고 호랑이와 이리떼들이 자리를 잡게 되었다. 대저 옛날에는 있었지만 지금은 사라져 다만 주춧돌과 깨어진 섬돌들이 풀과 나무숲 사이에 이리저리 나뒹굴며 역역이 모습을 드러내고 있을 따름이다. 내가 그 위에 올라서서 보니, 산기슭에서 열 여덟아홉 보 쯤 떨어진 곳에서부터 뭇 산들이 공읍(拱揖)[140]을 하듯이 하고 있었고, 그 아래로 구름과 노을이 배회하고 있었다. 멀리 바라다 보이는 바닷물이 구름 덮인 하늘 밖으로 갑자기 묘망(渺茫)[141]히 펼쳐지고 있었다. 이 절은 여기에서 이름을 얻게 되었다고 말하고 있다. "대 천강 상인(千崗上人)[142]이 급히 그 옛 사찰을 복구하려고 경자 년(서기 1960) 봄에 재목을 모으고 공인을 불러 옛 사찰 터전 조금 동쪽으로 치우친 곳에 터를 닦고 겨우 한 달 여에 새로운 절을 완공하였다.[143] 아마도 귀신이 도와서 이루어진 것 같았으니, 그 흥폐도 운수가 있어서 천 년 동안 숨겨진 터가 오늘을 기다리고 있었던 것이라고나 할까? 바위 밑에는 옛날부터 샘이 있었는데, 그 이름을 '영천

---

136) 산이나 큰 바위 등이 험하게 우뚝 솟아 있다.
137) 돌산이 험하여 울퉁불퉁한 모습을 말함.
138) 삼신산(三神山)의 하나. 또는 중국 고대 진시황과 한무제가 불사약을 구하러 사신을 보냈다는 가상의 선경(仙境).
139) 조선 성종(成宗)의 명으로 노사신(盧思愼) 등이 각도의 지리, 풍속 등을 기록한 책.
140) 두 손을 마주 잡고 가볍게 머리 숙여 인사함.
141) 끝없이 널보 아득하다.
142) 임공사 중건 후 첫 주지스님
143) 중건시 보정 김정회는 임공사의 문짝과 큰 북을, 흠재(欽齋)선생 댁에서는 재목을 각각 시주하였다.

(靈泉)'이라고 하였다. 샘은 사면이 모두 바위로 이루어졌지만 솟아오르는 샘물은 많지 않아 겨우 이끼를 덮을 정도였는데, 사찰 중건공사를 시작할 때부터는 웅덩이에 물이 넘치면서 많은 물을 길어 날랐지만 남음이 있었다고 한다. 아! 참으로 이상한 일이다. 나의 마음에 있어서는 개인적인 사정으로 보아도 또 남다른 점이 있다. 옛날 우리 선군(先君)이 흠재 조공(欽齋曺公)과 함께 천인(千仞)[144]의 석벽에 각각의 이름과 '임공구요(臨空久要)'라는 네 글자를 써 각하여 그 뜻을 기록한지 지금 오십 여년이란 세월이 흘렀다. 그동안 세상이 누차 변 하였어도 바위에 각(刻)한 자획(字畫)이 예전같이 온전하니 어찌 산령(山靈)이 묵묵히 도와준 것이 아니겠는가? 곧 그 바위를 '장방봉(丈望峯)'이라고 부르기는 하였지만 아직도 그것을 배알하는 정을 다하지는 못 한 것이다. 이로 인하여 산간에 풀 한포기 나무 하나와 작은 돌과 한자나 되는 여울이라도 사랑하지 않는 것이 없으며, 그것을 보존하고 아끼느라고 여가라고는 전혀 없었다. 그렇다면 항차 이 절에 대해서는 오죽했으랴! 상인(上人)[145]이 말하기를 "원래부터 두 선생님의 덕에 감복하여 마음속에 잊은 적이 없습니다. 지금 우리는 그 유적을 위하여 새벽에 목탁을 두드리고 저녁에 종을 울리면서 부처님 앞에서 그들을 위해 빌고 있습니다. 선대인(先大人)을 위하여 시주를 하시죠." 나는 이렇게 대답했다. "옛날 동파(東坡)[146]는 노천(老泉)[147]의 집을 지을 때 시주를 하였고, 오도자(吳道子)[148]는 보살각(菩薩閣)에 글을 남겼씁니다. 그런데 그림을 그렸지만 나는 아무 것도 한 것이 없으니, 어찌하면 좋겠습니까?"라고 하자 상인(上人)은 말하기를 "공의 글을 얻어 불전에 바치면, 이 절의 이름이 아마도 천년 만년 내려가며 영원할 것이니, 어찌 그 뜻을 화폭(畫幅)에만 담겠습니까?"라고 하므로, 차마 사양하지 못하여 이 글을 남긴다.

---

144) 인(仞)은 8척(尺)이다. 천인(千仞)은 매우 높다는 뜻으로 생각됨.
145) 지덕을 갖춘 승려의 높임 말.
146) 송(宋)나라 소동파(蘇東坡)의 호, 명은 식(軾), 자는 자첨(子瞻), 당송팔대가(唐宋八大家)이 한 사람.
147) 북송(北宋)의 문학가, 미산인(眉山人), 당송팔대가(唐宋八大家)의 한 사람, 아들 소식(蘇軾), 소철(蘇轍)과 함께 삼소(三蘇)로 칭함.
148) 당대(唐代)의 화가(畫家), 하남성 적양인(河南省翟陽人), 중국 산수화(山水畵)의 조사(祖師)로 화성(畫聖)으로 칭한다. 그는 황노도학(黃老道學)을 믿어 이름을 도현(道玄)으로 개명 하였다. 그의 주요 작품은 지옥변상도(地獄變相圖), 송자천황도(送子天皇圖), 명황수전도(明皇受篆圖), 작명황상(雀明皇像), 탁탑천왕도(托塔天王圖), 대호법신상(大護法神像) 등이 있다.

臨空寺重建記

方丈爲山, 隆厚以爲富, 磈磊以爲奇。延袤數十里, 巖壑邃复, 烟霞縹緲。道觀佛宇, 往往有之, 與瀛洲之斗升, 扶風之蓬萊, 鼎立對峙, 頗有爭雄之勢矣。按：輿地書：" 有寺曰臨空, 在玆山之頂, 世代久遠, 雖老於攷故者, 莫知其興廢之由。" 數百載之間, 雲幻雨詭, 猿鶴之愁焉, 虎豹之居焉。盖古有而今無, 惟 遺磶斷砌, 歷歷於艸樹間矣。余登其上, 距山之趾十八九, 衆巒凡峀, 皆拱揖眼前；宿雲飛霞, 徘徊於下界。遠望之海水, 忽生於雲天渺茫之外。寺盖以此得名云。千崗上人亟欲復其舊, 歲庚子春, 鳩材募工, 相地於故址之稍東, 纔易月, 化無爲有, 若鬼助而神成者矣。其亦興廢有數, 使千年慳秘之基, 有待於今日也歟？巖下舊有泉, 名曰靈泉。全石爲體, 但其源甚微, 不踰苔限, 自寺之役, 能溢其科, 汲之太濫, 而常有餘。呀, 亦異哉！在余之情私, 又有別異於人焉。昔我先君與欽齋曹公, 題名於千仞石壁, 且書'臨空久要'四字, 以誌其義, 于今五十年矣。伊來滄桑屢變, 而壁上字畫淋漓如昨, 豈非山靈之默相乎？雖呼石爲丈望峰, 輒拜情有所未盡矣。至山間之一卉一木, 拳石尺澗, 莫不愛護, 保惜之不暇。而況於寺乎？上人曰："素服二先生之德, 不敢忘于懷。今爲其遺跡, 鐸之晨, 鍾之夕, 盟於佛而禱 之。請爲先大人舍施。" 余曰："昔東坡爲老泉舍, 吳道子書於菩薩閣。我則無有, 將若之何？" 上人曰："得公之筆, 以供佛前, 此寺之名, 庶不朽於千億。又焉用畵爲義？" 不忍辭, 於是乎書。

대참사(大懺寺) 중수기(重修記)

절은 도솔산(兜率山) 중턱에 자리하고 있는데, 신라시대 검단선사(黔丹禪師)가 창건 하였다. 이끼 낀 낭떠러지와 오랜 세월을 겪어 온 벼랑과 울창하고 푸른 산림에 바위는 삐죽삐죽 솟아오르고 괴석은 신비로운 자태로 천차만별을 이루니 기림(祇林)[149] 의 숲은 우거지고 암석(巖石)은 기괴하여 본래 호남(湖南)의 금강(金剛)으로 칭하였

---

149) 불교(佛敎)에서 기타태자(祇陀太子)의 원림(園林)을 말한 것이며, 또는 스님들이 사는 사찰(寺刹; 절) 을 뜻한다.

다. 그 울창하고 높은 산은 엄연히 거인(巨人)과 장덕(長德)[150]의 모습과 같았다. 남쪽에 있는 것은 천왕봉(天王峯), 서쪽에 있는 것은 국사봉(國師峯)이다. 두 산봉우리 사이로 개울물이 흐르는데, 그것이 맴돌아서 못을 이루고 또 그 못이 넘쳐 나면서 또 시냇물로 변하는데, 이것이 십리를 흐르다가는 바다로 흘러 들어간다. 옛날부터 전하기를 이 산 가운데는 여든 아홉 개의 암자가 있었다고 전해지지만, 지금은 모두 없어지고 오직 서쪽에는 도솔암(兜率菴)이 있고, 동쪽에는 개가람루(大伽藍樓)가 있는데, 만세암(萬歲菴), 동운(東雲), 석상(石床)이라고 부르며 이를 총칭하여 '선운(禪雲)'이라고 칭한다. 이것은 모두가 5리 정도 안에 있고, 멀리 떨어져 있다 해도 고작 3리 밖에 되지 않는다. 새벽이면 목탁소리가 서로 들리고, 저녁이면 종소리가 서로 호응을 한다. 참으로 연하(煙霞)[151]의 깊은 산골짜기 마을이라고 할 것이다. 넝쿨 속에 세 번이나 묻히었고, 여러 번의 병란(兵亂)을 겪었으나 향불 타오르는 연기는 그친 적이 없었고, 불(佛)을 위한 명월은 기리 비추고 있다. 이것은 아마 산수의 신령이 의식적으로 보호해 준 덕이 아닐까? 유구한 세월은 흘러갔으므로 인하여 군데군데 비가 세면 그 때마다 보수하지 않을 수 없었다. 이번의 보수가 있기 전에도 그 책임을 맡은 사람은 얼마나 되는지는 알 수가 없다. 지금의 우은상인(愚隱上人) 이태규(李泰圭)가 전인(前人)들의 발자취를 법으로 삼고, 사십년 동안 낡은 납의(衲衣)[152]와 떨어진 가사(袈裟)[153]를 입고 그 동안 모은 것으로 있는 정성을 다 하여 비바람에 흔들리는 맑은 목청을 가다듬으며, 비가 새는 기와, 삭아 빠진 석가래, 내려앉은 창문, 무너진 담장 할 것 없이 하나하나 차례대로 수선하여 놓았는데, 대웅전(大雄殿)과 명부전(冥府殿) 두 불전(佛殿)으로부터 시작하여 약사암(藥師菴)과 향요(香寮) 등 무릇 삼십여 칸에 이른다. 아! 빈 바리때(鉢)[154], 전대(橐)[155]를 두리우고 기나긴 세월 속에 많은 물품을 들여 거창한 역사(役事)를 완성했다. 지성이면 어찌 바위를 뚫지 모르겠는가? 사방에서 찾아드는 사람들은 모두 말하기를 "이것은 상인(上人)의 공이다."라고 말한다. 그렇지만 상인(上人)은 자기의 공이 없다고 하면서, 이를 부처님의 공으로 돌리곤 하였다. 산 밖에 사는 속객(俗客)[156]들은 이 말을 듣고 감탄하여 말하기를 "상인(上人)의 공이

---

150) 큰 덕망이 있는 그 고을의 어른.
151) 안개와 노을을 말하기도 하나 고요한 산수의 경치를 비유하는 말.
152) 승려가 입는 검은 색의 옷, 또는 가사(袈裟)의 딴 이름, 가사
153) 승려가 장삼(長衫) 위에 왼 쪽 어깨에서 오른 쪽 겨드랑이 밑으로 겹치는 법복(法服).
154) 발(鉢)은 바리때로 중의 밥 그릇.
155) 허리에 두루거나 메게 된 자루(중간을 막고 두 끝을 터서 그 곳으로 돈이나 물건을 넣게 되었음)
156) (불) 속가(俗家)에서 온 손님.

참으로 아름답다. 그렇지만 그가 공이 있다고 자처하지 않으니, 더더욱 미덕(美德)이 될 것이다"고 하였다. 아! 이것이 바로 우은상인(愚隱上人)일 뿐이다. 상인(上人)은 유(有)를 초월하여 삼매경(三昧境)에 들어섰다. 나는 따라서 이 글을 쓰게 되었다. 참으로 유(有)와 무(無)의 설(說)이 있다고 하면, 정녕 그것을 판단하는 사람이 나타날 것이다.

大懺寺重修記

寺在兜率山中, 新羅黔丹禪師所剏也. 蒼崖老壁, 祇林蓊翠, 巖譎而石詭, 素稱湖南金剛. 其巂然嵯峨, 儼如巨人長德者. 南曰天王峰, 西曰國師峰也. 澗瀉兩峰之間, 籀而成潭 ; 潭又溢而爲溪, 十里而, 入于海. 古傳此山之中, 有八十九菴. 今皆無有, 惟西有兜率菴, 東有大伽藍樓, 曰萬歲菴, 曰東雲, 曰石床, 摠謂之禪雲. 皆五里而近, 三里而遠. 晨鐸相聞, 夕磬互應, 信乎烟霞洞府也. 三入藤蘿, 累經兵燹, 而香烟不絶, 法月長照. 此殆山水之靈, 有以護之也歟? 顧世代久遠, 未免隨漏隨補. 前乎此而任其責者, 不知其幾人. 今愚隱上人李泰圭, 繩前人之武, 積四十年破衲弊裟, 竭智盡瘁, 風漂雨搖, 其音曉曉, 瓦甍之漏缺者, 榱桷之朽敗者, 窓壁之頹且壞者, 次第修擧. 自大雄冥府二殿及藥師香寮, 凡三十餘間也. 噫, 以空鉢垂槖, 費得許多歲月, 鉅工以完. 誠之所到, 何堅不透. 四方來者咸曰: '上人之功也.' 上人不有, 歸之佛之德. 山外俗客聞之, 嘆曰: '上人之功, 固美矣. 而不有功, 尤爲美德.' 嗚乎! 此可謂愚隱上人已矣. 上人超諸有入三昧. 余從而文之, 以爲眞有有無之說, 必有能辨之者.

송암산장(松菴山莊)의 기문(記文)

인강(仁江)의 좌우 양쪽은 모두 산이다. 강 언덕 동쪽 숲이 울창한 산이 바로 연화봉(蓮花峯)이다. 이 산봉의 양지쪽에는 산곡이 굽이치고 있는데, 산곡은 그리 긴 편은 아니라고 하여도 그윽하고 조용한 기운이 감도는데다가 시원하게 확 터져 만 그루의 소나무가 푸르름을 자랑하며 꽉 들어차 있고 기름진 땅에 달콤한 샘물은 솟아오르고 상마(桑麻)와 도서(稻黍) 등이 잘 자라고 풍속 또한 수박하고 아름답다. 신선들이 사는 고장이라고 하여 선향(仙鄕)이라고 불리지만 세속을 떠나지는 않았다. 근세에 이르러 이미 작고하신 처사 강공(處士姜公)이 그 곳에서 농사짓고 독서를 하였는데, 자기가 거처하는 집에 편액을 '송암(松菴)'이라고 하였다. 내적으로 수양을 쌓고 밖으로는 헛된 생각이 없이 소조자적(逍遙自適)하여 한 평생을 보냈다. 언제나 즐겁게 보내면서 근심과 걱정을 버렸고, 시를 짓는 일만 돌보았으 뿐 집을 꾸밀 생각은 하지 않았는데, 그것은 이미 오늘날을 기다렸던 것일까?

　공이 작고한지 30년이 그를 닮았는지, 그의 아들 위은장(渭隱丈)이 참아 그 선군(先君)의 자취가 구름 같이 사라지는 것을 차마 보지 못 하고, 원래 살고 있던 아담한 지의 남쪽에 유적이 사라지는 것을 볼 수 없어 그 거처하던 남쪽 일후(一帿武)[157] 거리에다가 계묘년(서기1963) 봄에 공사를 시작하여 몇 개월 안 되어 공사를 마치었다. 시원한 마루와 따뜻한 방은 바람을 들이고 달빛을 맞이도 할 수 있었다. 이리하여 선인을 그리는 정을 기탁하였고, 아울러 후세에서 무궁하게 부유한 생활을 할 수 있도록 만들어 놓았다. 지척에 있는 동네와는 판이하게 다른 별경(別境)을 만들었는데, 맑고 깨끗한 분위기는 마치도 공이 갈건(葛巾)과 야복(野服)을 착용한 채로 난간의 탁상에서 턱을 고이고 앉아있는 듯하였다. 이리하여 깊숙한 골자기에 자리 잡은 험준한 바위, 흘러가는 개울, 나는 새와 뛰는 짐승들이 저 마다 기이함을 자랑하고 교묘한 기교를 겨루고, 강위의 물결이나 호수는 멀리 숲 밖에서 은연히 하나의 띠를 연상하게 한다. 아침 구름과 저녁 노을은 정녕 누군가가 도와서 만들어준 것이리라. 정자가 이루어진데 대하여 나는 축하하고 싶은 생각이 하나도 없다. 이 세상을 살펴보니 벼슬께나 하였거나 부자로 있는 자들은 사치스럽게 꾸미는 것을 스스로의 자랑으로 여기고, 한 때는 으리으리하게 살았지만 순식간에 흔적도 없이 사라지고 말았다. 옛날이나 지금이나 다를 것이 무엇인가? 그렇지만 공의 후손들은 날이 갈수록 번영하고 창성하여, 전원(田園)이나 가택은 선인들이 감상하던 것을 능가하였다. 아마 선인들이 자기의 두각을 숨기고 사는 선비들로서 자신의 일신을 엄격하게 다스리고, 바위가 우뚝 솟고 숲이 우거진 곳에서 행으로 옮기었으니, 던져 주는 음식은 먹지 않는다는 그 보응이 지금에 와서 나타나려고 하는데, 전에 점 찍어놓은 사람이 바로 공 아닌

---

157) 후(帿)는 활터에 세워 둔 과녁판을 의미하므로 일후(一帿)는 일 과녁의 거리로 약 40미터. 무(武)는 반보(半步)의 뜻도 있다. 따라서 '일후무(一帿武)'는 한 과녁간의 절반의 거리로 약 20미터의 거리이다.

가? 부자(夫子)[158]가 말하기를 "세한(歲寒)[159]에 송백(松柏)이 뒤에 마른 것을 알 수 있다"고 하였다. 이것은 《시경(詩經)》의 육의(六義)[160]에 있어서 비유적 수법인 비(比)에 해당한다. 군자는 평일에 범인과 다른 것이 없다. 그러나 나라의 정치가 어지러울 때는 빼어나듯 우뚝 서서 뒤에 마른 소나무와 같은 것이다. 그 때 당시 공이 이런 것으로 자신을 수양하고 이것으로 장래에도 노력 하였다. 대개 당시 편액에 이런 이름을 하였던 뜻이 여기에 있었던 것이며, 그 어떤 곳에 있는 것이 아니다. 아! 공을 저승에서 일으킬 수 있다면 나의 말이 잘못되었다고 생각하지 않을 것이다.

松菴山莊記

仁之江左右皆山, 其隔岸而東欝然特立者, 蓮花峰也。峰之陽, 繚然有谷, 谷不甚長, 而幽闃敞爽, 萬松積翠, 土肥而泉甘, 桑麻秔黍, 比屋可封, 所謂仙鄕, 不離俗也。近故處士姜公, 畊讀其中, 扁其燕居室, 曰松菴。內有所養, 外無浮慕, 逍遙自適終其身。樂而忘憂, 顧詩已成, 而未有別搆, 抑有待於今日也歟? 公沒後三十年, 肖胤渭隱丈, 不忍其先蹟之與雲俱化, 就所居南一帿武, 經始於癸卯春, 不幾月工役畢。涼軒燠室, 可以招風納月, 于以寄慕, 于以裕後於無窮。咫尺閭里, 別境迥然瀟灑, 儼若公以葛巾野服, 支頤據几於欄檻間矣。於是巖壑之邃阻者, 澗流之琮淨者, 禽之飛, 獸之走, 擧欣欣然, 爭奇競巧。江光湖色, 隱然映帶於疎林之外。朝雲夕霞, 無非所以有助者。是亭之成, 吾可無一賀。觀夫世之宦第門戶, 侈然自豪, 以誇耀一時, 而須臾轉滅無有。古與今何限? 而公後承益繁益昌, 田園第舍, 克荷前人之析意。其先有潛光隱德之士, 飭躬礪行於巖木之間, 不食之報, 至是將發之, 向所意者, 公殆其人歟? 夫子曰: "歲寒, 然後知松柏之後凋。"在詩之六義, 比也。夫君子在平時, 無甚異於恒人。及至板蕩, 挺然特立, 爲後凋之松。是則公以此自脩, 亦以此勉來許。盖當日名扁之義在此, 而不在彼也。嗚乎! 起公九原, 庶不以爲吾言不可矣。

---

158) 공자(孔子)를 지칭하는 말.
159) 설 전후의 추위라는 뜻으로, 매우 심한 겨울의 추위.
160) 시경(詩經)의 문장에 대한 6가지 기본 요소로 첫째는 정이 깊어도 속이지 않고, 둘째로 기풍이 많고 효잡하지 않으며 세 번째는 일이 믿을 수 있고 허탄하지 않으며 네 번째. 의리가 곧고 비틀어지 않으며 다섯 번째 체제가 요약하지만 황무지 않으며 여섯 번째. 글이 화려해도 음탕하지 않다는 것이다.

만산기(晩山記)

지난 날로 오늘을 보면 이미 늦은 것이지만, 다가오는 날로 오늘을 보면 일찍이지 않는 것은 아니다. 주인공인 김성희(金聖希)씨는 산에 일찍 들어가지 못한 것을 한스러워하며, 그 산에 늦게 들어 왔다고 자기의 호를 '만산(晩山)이라고 지었다. 이것은 도연명(陶淵明)의 깨달음이고, 이것은 거백옥(蘧伯玉)[161]의 지혜로서 사실상 세상과 보기 드물게 일치하지 않는 것이다. 때는 같지 않으므로 때로는 벼슬을 하고 때로는 은거를 하며 때로는 늦게 은거를 하거나 혹은 일찍 은거를 할 수도 있다. 일찍 은거를 하였다 하였다고 하여 이익이 있는 것도 아니며, 늦게 은거하였다 하여 그의 명성이 손해를 받는 것도 아니다. 주인공은 일찍부터 미리 석양의 기수(氣數)[162]를 일찍 인식하고 고거(高擧)[163]하고 멀리 떠나 세속의 고저경중을 따지는 풍기와 함께하지 않았다. 연잎 옷을 입고 혜초(蕙草)[164]로 띠를 만들어 질끈 동이고는 소요(逍遙)하며 자적(自適)한 생활을 누리었다. 청산(靑山)을 지기(知己)의 벗으로 삼고, 백운(白雲)을 불청객으로 여기고, 명월을 보고 청풍에 귀를 기우리며 아무리 가난하다고 하여도 청렴에 어긋나는 일을 하지 않으며 무궁무진하게 모든 일을 마음껏 해 나갔다. 미록(麋鹿)[165]들이 자유로이 바위 사이나 숲 속에 몸을 맡기듯이 산외의 풍상은 꿈결에서 조차 받아드리지 않았다. 오늘날에 지나간 세월을 보면 주인공이 산으로 들어간 것은 이르다고 말할 수 있는데, 다른 일에 마음을 두다가 늦게야 은퇴하였다고 말한 것으로 미루어 보아 아마 주인공의 자기수양을 기탁한 것이 아니겠는가? 그로부터 신이 깊으면 깊을수록 그 곳을 찾아 다녔고, 숲이 우거지면 우거질수록 그 곳으로 숨어들면서도 혹 때가 늦지는 않았는가 하고 두려워하였었다. 끊임없이 은거하는 가운데서 가면 갈수록 그 미묘함을 각성하게 되었다. 그렇다면 도연명(陶淵明)이 옳다고 깨달은 것이 내일의 깨달음으로 된 것이다. 그렇지만 오늘 이렇게 하고 있으니 어찌 어제로 돌아가는 지혜가 아니라는 것을 알 수 있단 말인가? 이것은 거백옥(蘧伯玉)의 지

---

161) 춘추(春秋), 위(衛)나라 현대부(賢大夫), 그의 나이 50세에 49년간의 잘못을 알았다고 한다. 위령공(衛靈公)의 부인 남자(南子)는 거백옥(蘧伯玉)이 궁전 앞을 지나갈 때 거백옥이 간다는 것을 알았다고 한다. 그는 대궐 앞을 지날 때 수레에서 내려 절을 하고 갔기 때문이다.
162) 저절로 옥가고 한다는 길흉화복(吉凶禍福)의 운수.
163) 높이 날아 오름, 세속(世俗)을 일탈(逸脫)하여 은거함, 높은 지위에 오름.
164) 난초의 일종.
165) 고란이와 사슴.

혜가 아닌 만큼 명년에 거백옥의 지혜가 나타날 수 있는 것은 아니다. 그렇다면 오늘의 지혜는 작년으로 돌아가려는 지혜를 모를 때와 같지 않다는 것을 어떻게 알 수 있단 말인가? 다른 사람의 눈으로부터 주인공의 입산을 본다면 아마 일찍 한 것으로 될 수 있겠지만, 주인공의 안목으로 본다면 아마 이미 늦은 것으로 될 것이다. 일찍 한다면 옳은 것이지만 늦었다고 하면 그것은 옳지 않은 것이다. 지팡이를 짚고 한 걸음 한 걸음 걸음을 옮기면서 주인공을 따라 푸른 산 여울 물소리를 들으면서 일찍이 인가 아니면 늦었는가하는 설법을 마무리 지으려 한다.

晚山記

以昨視今, 今已晚矣。以後視今, 今未嘗不早也。主翁金聖希氏, 恨入山之不早, 晚其山而號焉。盖淵明之覺, 是伯玉之知, 非實曠世一致也。時有不同, 則或顯或隱, 或晚或早。早未必加益, 晚未必加損。主翁早見夕陽氣數, 高舉遐引, 不與世軒輊。衣荷而帶蕙, 逍遙自適。靑山爲知己之友, 白雲作不速之賓。目之於明月, 耳之於淸風。貧不害廉, 用無窮盡。麏鹿遊而木石居, 山外風霜夢不與接。以今視昔, 主翁之山, 可謂早矣。顧用晚而退, 托盖主翁自修之義也歟？自此入山之益深, 入林之益密, 猶恐時之或晚焉。進進不已, 益覺其妙。則淵明之覺, 是又有來日之覺。而今是, 安知不卒歸於昨？非伯玉之知, 非又有明年之知。而今知, 亦安知不同歸於去年之未知哉？以人視翁, 其山常早。以翁自視, 吾山常晚。其早可, 及其晚不可。及行將以一筇一屐, 從主翁於林翠澗響之間, 以畢早晚之說。

월담기(月潭記)

나의 친구인 김경담(金景潭)은 가정이 대대로 유학(儒學)을 업으로 하고 있다. 공도 일찍 구도(求道)에 뜻이 있어 자신의 수양에 독실하였다. 우리 유학계에서는 바라보기를 오위(五緯)[166]가 하늘에 있는 것과 같이 여기었다. 나도 계의 말석에 자리를 잡

---

166) 지구에서 가장 가까운 다섯 개의 별, 즉 금성,목성,수성,화성, 토성을 말한다.

고 앉아 그 서여(緒餘)¹⁶⁷⁾를 얻어 들을 수가 있었다. 친구의 대열에 있지만 비근하게 대하지 않으므로 그 전하는 가업(家業)을 들을 수 있었다. 공은 언제나 조석으로 무이도가(武夷櫂歌)¹⁶⁸⁾를 외우고 또 말하기를 "도(道)에 나가는 차례가 요연(瞭然)히 여기에 있다. 그리고 제 4곡(曲)에 '달은 공산에 가득하고 물은 못에 가득하다(月滿空山水滿潭)'의 구절은 얼마나 좋은 의사이며 또 얼마나 오묘한 경계인가"라고 하면서 덩달아 무릎을 치며 감탄 하였다. 확연히 얻은 것이 있는 것 같았다. 그 자호(自號)를 '월담(月潭)'이라고 한 것은 대개 이런 점에서 취한 것일까. 아! 어느 밤인들 달이 없으며 어느 땅인들 못이 없겠는가. 밝게 비추는 것은 나는 달이라는 것을 알고, 맑게 고여 있는 것이 나는 못이라는 것을 알고 있다. 이것을 가지고 논한다면 누가 달이 나이고, 못이 나라고 말하지 않겠는가. 종이를 말아서 귀를 막으면 우뢰소리도 듣지 못하고, 가시가 눈을 멀게 하면 태산의 형체도 보지 못한 것이다. 이것은 태산의 형체가 작아서 그런 것이 아니며 우뢰소리가 미약해서 그런 것이 아니다. 모두 막고 있기 때문이다. 저! 권력을 다투며 달리는 무리들은 잠영(簪纓)¹⁶⁹⁾에 생각이 얽히고 득실(得失)에 마음을 애태워 내적으로 막힌 것이 하나뿐 아니다. 그렇다면 저 밝고 맑은 것이 자신에게 어찌 상관이 있겠는가. 오직 고결한 선비만이 험한 세상을 벗어나고 세속을 초월하여 외물에 그 마음이 얽히지 않고 담담하게 수월(水月)과 그 마음을 함께하는 것이니, 이것이 내 친구이게만 오직 볼 수 있는 것이며, 외물이 다툴 수 없는 것이다. 그러나 선비가 도(道)를 구하는 것은 어찌 자신의 수양에만 그칠 뿐이겠는가? 자신이 서면 남들도 세워주고, 자신이 통달하면 남들도 통달하게 하는 것이 인자(仁者)의 마음이다. 지금 천지는 이미 밤을 지속하고 있고 탁한 물은 이미 하늘까지 넘치고 있는데, 어두운 거리를 밝히고 맑은 파도를 들추워 낸다면, 그것이 어찌 도가(櫂歌)의 말 밖에 뜻이 아니라는 것을 알 수 있겠는가? 암화(巖花)¹⁷⁰⁾에 이슬이 드리운 때를 기다리어 금계동천(金鷄洞天)에 있는 그대를 따라가서 여광(餘光)과 여파(餘波)를 접하리라.

---

167) 본업 이외에 하는 일.
168) 주희(朱熹)가 무이산(武夷山) 밑에 무이정사(武夷精舍)를 지어 교육하면서 무이산 계곡의 정경 중 서시(序詩)를 포함하여 시 십수를 지었다. 무이산에는 36개의 산봉우리와 99개의 기암(奇巖)이 있다고 전한다.
169) 관직이 높은 사람을 말함.
170) 무이도가(武夷櫂歌) 제 4곡(曲)의 시구(詩句)에 암화수로벽람삼(巖花垂露碧㲯毵)이란 구절을 인용한 것이다.

月潭記

吾友金景潭, 家世儒者也。蚤有求道之志, 篤於自修。吾黨望之如五緯在天, 不鄙余置在契末, 獲聽其緒餘矣。每風晨月夕, 朗誦武夷櫂歌, 且言曰: "進道次第, 瞭然在此。"而第四曲"月滿空山水滿潭"之句, 是何等好意思, 又何等妙境界? 因擊節歎賞, 確然若有所得。其自號以月潭, 盖取諸此歟? 噫, 何夜無月, 何地無潭? 皎然能昭者, 吾知其爲月; 澄然渟滀者, 吾知其爲潭。執此而論, 其孰不曰月吾而潭吾。夫紙丸塞耳, 不聞雷霆之聲; 毫芒眯目, 不見泰山之形, 非泰山之形小, 而雷霆之聲微也。有所窒耳。彼奔競之徒, 縈思簪纓, 炎情得喪, 窒於內者非一端, 則彼皎然者、澄然者, 於我奚與? 惟高潔之士, 脫塵鞿而超俗竂, 外物不能嬰其心, 湛然與水月同其衿懷。此吾友之所獨賞, 而物莫能爭也。雖然士之求道, 豈終於自修已也? 己立立人, 己達達人, 仁者之心也。見今乾坤, 已長夜矣, 濁流已滔天矣。燭昏衢而揚淸波, 又惡知非櫂歌言外之義也耶? 第待岩花垂露, 從子于金鷄洞天, 以挹剩光餘波。

도암속기 (道庵續記)

　무릇 도(道)는 하나일 뿐이다. 군자(君子)는 뜻을 얻어 암랑(巖廊)[171]에 앉아서 그 몸에 자주 빛 관복을 몸에 걸치고 있다 해도 그의 도는 나머지가 있을 리 만무하고, 뜻을 이루지 못 하여 견묘(甽畝)[172]에 처하여 자리 잡고 옥돌처럼 묻혀 있고, 야광주처럼 깊은 물에 잠기어 있다고 해도 모자라는 것이 보이지 않는다. 도에는 더 보태지는 것이 없고 더 모자란 것이 없지만 때에는 만나느니 만나지 못하느냐 하는 것이 있을 뿐이다. 최근에 고 처사 도암 김공(故處士道菴金公)은 탁월한 재주를 지니고 높은 덕을 쌓았으니 말 한마디, 행동거지가 도(道)를 떠났다고 자신을 과소평가하여 그 암자(庵子)를 '도(道)'로 이름 하였으니 대개 실상을 기록한 것이다. 돌아보건대, 시대의 액운을 만나 자신에게 축적된 것을 십분의 일도 펴지 못하고 빛을 감춘 채 은거생활을 하다가 일생을 마치었으나 그 세상이 공에게 어찌 손해가 되겠는가. 마침 세상

---

171) 궁전에 있는 행랑, 바꾸어 조정을 이름.
172) 시골, 전원 또는 밭고랑과 이랑

을 위해 개탄할 뿐이다. 즉 옥을 팔지 않고 주옥을 팔지 않으면 그 보물은 그대로 있을 뿐이다. 아! 호련(瑚璉)[173]은 명당(明堂)에서만 사용하는 것인데 구하지 않을 것을 구하여 산과 못에 놓아둔다면 어찌 별개의 보물이라고 할 수 있겠는가? 이에 거듭 공을 위해 슬퍼한다. 어느 날 공의 재종손 봉문군(鳳文君)이 저술한 도암기(道庵記)를 나에게 보여주면서 "자네가 어찌하여 한마디의 말로 그 뜻을 널리 알리지 않겠는가?"라고 하자, 정회(正會)는 회답하고 감탄하여 "공의 평생동안 지업(志業)을 남김 없이 발휘하여 독자로 하여금 백년 후에 경의(敬意)가 일어나게 하였으니, 자운(子雲)[174]과 요부(堯夫)[175]가 어찌 후세에 기다리겠는가.

고인(古人)이 말하기를 "산을 알지 못하면 그 나무를 보아야 할 것이다."고 하였는데, 군의 글과 덕행을 보니 나는 그 가풍의 유구한 유래를 알 수 있네. 원래부터 경모하여 왔으니 거기에 이름을 기탁하는 것은 다행한 일이라고 생각하거니와 항차 군의 명이 있으니 어찌 감히 사양할 수 있겠는가?

道庵續記

夫道一而己。君子達而坐巖廊、金紫其身, 而道不爲有餘；窮而處畎畝, 爲藏山玉、沉淵珠, 而不見其不足。道非有加損, 時有遇不遇耳。近故處士道菴金公, 負超卓之材, 蓄峻茂之德, 發言擧事, 離乎道者。自寔署菴以道, 盖記實也。顧厄於時, 蓄諸己者, 十不展一。韜光鏟采, 坎軻以終。厥世於公奚損？適足爲世路慨恨。卽玉不售、珠不衒, 其爲寶則自如。噫, 瑚璉之器, 明堂之用, 有不求求之。舍山與淵, 而別有所謂珍且寶哉？於是乎重爲公悲之日, 公再從孫鳳文君, 以所著道庵記示余, 曰："子盍一言以廣其義？"正會復而嘆曰："公生平志業, 發揮無餘蘊, 足使讀者起敬於百載之下。子雲堯夫, 更何竢乎後世。古人云：'不知山, 見其木。'君之文行, 吾知家風有自來矣。宿昔景慕, 托名猶幸, 況君有命敢辭諸？"

---

173) 서직(黍稷)을 담아 종묘(宗廟)에 바치는 제기. 또는 사람의 존경을 받을만한 품격(品格).
174) 서한시기의 사람.
175) 북송시기의 사람.

극재기(克齋記)

　선철(先哲)이 말한 바 있다. "중원(中原)[176] 땅의 흉노(匈奴)[177]를 몰아내기는 쉬운 일이지만 자기의 사욕(私慾)은 제거하기 어려운 노릇이다." 쉬운 일과 어려운 일이 이토록 현저한 차이가 있단 말인가? 흉노를 몰아낸다고 말하기는 하지만 그것이 어찌 쉬운 일일 수 있으랴! 천하에서 극도에 달하는 어려운 일을 예로 들어서 이 보다 더 한 것이 있다는 것을 증명하려는 것이니, 주요한 뜻은 아래의 구절에 있게 된다. 아무리 어떻다고 해도 오랑캐를 몰아내는 데는 술수가 있기 마련이다. 성곽을 튼튼히 쌓고 병장기를 날카롭게 갈고 법에 따라 출사하고 정의에 따라 출정하게 된다면 그것들을 몰아내는 것에 무슨 어려움이 있겠는가? 그러나 자신의 사욕은 감정에 따라 생기므로 처음에는 분수에 넘치는 짓을 하다가 나중에는 하늘까지 치달아 이로써 사람의 천성(天性)이 무너지고 이로써 사람의 국가가 망하여 그 화가 홍수나 맹수보다 더 심한 것이다. 아무튼 튼튼한 성곽(城郭)이라고 하여도 지켜낼 수 없고 아무리 날카로운 병장기라도 제압할 수 없다. 그렇다면 일신의 사심(私心)이 끝까지 싸워 이겨내지 못한단 말인가? 나는 이렇게 말하였다. "이 곳의 주인공인 강공(主翁姜公)은 그 재사(齋舍)의 편액(扁額)을 '극(克)'이라고 지었다. 공은 학문에 뿌리를 두고 글로 성취를 이루면서 백발이 성성할 때까지 게을리 하지 않았으며, 오히려 갈수록 더욱 정성을 다하여 적을 싸워 반드시 이길 그날을 기약하고 있습니다. 말인 양 마구 날뛰는 심신을 경계하고 비뚤어지는 수레 같은 마음을 정리하여, 성심과 신의를 신부(身符)[178]로 삼고 사물(四勿)[179]의 문에 붉은 기를 꽂고서 용맹스럽게 앞을 향해 전진한다면, 싸워 이기지 못할 근심은 필요조차 없습니다. 일신의 사심을 싸워 이길 수 있어야 예(禮)를 극복할 수 있으며, 천하가 인(仁)으로 도아 갈 수 있습니다." 이 말을 들은 주인공은 겸손하게 사양하면서 말하였다. "저는 그렇게 할 수 있는 사람이 아닙니다만 여기에 종사하다가 죽으면 그만입니다. 비단 나의 한 몸만이 아니라 다행히 자식이 있고 또 손자들이 있으므로 늙은이가 이렇게 서재의 편액을 단 것입니다. 더욱 노력을 기우린

---

176) 변경에 대하여 천하의 중앙인 황하(黃河)를 중심으로 중국 전체를 일컬은 말함.
177) 기원전 4세기에서 1세기 사이에 몽고 지방에서 세력을 떨치던 유목민족을 말함.
178) 조선시대 대궐에 드나드는 일정한 하예(下隷)에게 병조(兵曹)에서 내어주던 문표.
179) 논어(論語) 안연편(顔淵篇)에 안연(顔淵)이 자신을 극복하여 예의 본질로 돌아가는 것을 묻자 공자는 "예(禮)가 아니면 보지 말고 예가 아니면 듣지 말고 예가 아니면 말하지 말고 예가 아니면 움직이지 마라(非禮勿視, 非禮勿聽, 非禮勿言, 非禮勿動)"고 하였다.

다면 언제든지 우공(愚公)이 산을 옮긴 격으로 되지 않겠습니까? 이게 나의 소원이니 나를 위해 재기(齋記)를 지어 주시기 바랍니다.

克齋記

前哲有言：“中原之凶奴易逐，一己之私難除。”其難易，若是懸乎。曰逐凶奴，豈易也哉？擧天下之至難，以證有甚於此者，主義盖在下句也。雖然逐虜有術焉。修我城郭，利我兵器，師以律出，仗義而征之，其於逐也何有？惟己私也，隨感輒生，始濫觴，終至滔天。以之而壞人天常，以之而滅人家國。其禍，甚於洪水猛獸。非城郭所能守，非兵甲所能制也。然則己終不可克歟？曰：此主翁姜公之所扁齋以克也。公種學績文，老白首不懈，益篤與己，爲敵期在必克。戒意馬之擴逸，整心車之偏倚，誠信以爲符，樹赤幟於四勿之門，勇往直邁，何患不克。己之克，禮所以復也，將見天下之歸仁矣。主翁聞之，謙退曰：“非我能然也，請從事於斯，斃而後己。且不惟及吾身，幸有子有孫，因乃家翁扁齋之義。益加勉勵，則愚公之山，庶可移於異時也歟？是吾願也，請以爲吾齋記。”

양재기(陽齋記)

서산에 오른 백이(伯夷)를 본받고 동해 바다로 뛰어들려는 중연(仲連)을 본받아 우주(宇宙)를 동양(棟梁)로 삼으면 해와 달은 일식이나 월식을 면할 수 있게 되고, 인간의 기강(紀綱)이 만세(萬世)에 실추되지 않게 된다. 동방의 이 나라가 없어지는 날에 어떤 사람은 의롭게 몸을 바쳤으나 어떤 사람은 죽지 않고 의(義)를 지켰다. 죽고 사는 것은 각기 다른 길이라고 하지만 그들이 지킨 의(義)는 같이 않은 것이 없다. 의리가 참으로 같다고 한다면 산에 들어가고 바다에 뛰어내릴 수 있으니 비록 꼭 백이(伯夷)와 중연(仲連)이 아니라고 할지라도 그들이 두 사람의 무리인 것은 명백한 일이다. 봉곡처사 박공(鳳谷處士朴公)이 경술년(서기 1910)을 당하자 의롭게 하늘을 이고 살 수 없다고 역기고 오산(鰲山)의 오동(梧洞)으로 들어가 그 거실에 '양재(陽齋)'라는 편액을 걸어두고서, 우리의 물을 마시고 우리의 산언덕에 올라서며 동문 밖으로는 아예 한 걸음도 내딛지 않았다. 고비를 캐는 채미가(採薇歌)와 진나라를 물리치는 각진사(却秦辭)는 언제나 꿈결에서조차 부르곤 하였다. 그리고 무오년(서기1918)에 이르러 상황(上皇:高宗)이 빈천(賓天)[180]하자, 양립(凉笠)[181]을 쓰고 원통함을 잊고 은회(隱晦)[182]의 한평생을 마쳤다. 아! 다행이도 석과(碩果)[183]는 한 글자 편액에 남아있게 되었다. 음(陰)이 다하였는데도 양(陽)이 끝까지 나타나지 않는 법은 없으며 란(亂)이 극도에 달하면 그것을 다스려야 한다는 생각이 반드시 들기 마련이다. 지난 을유년(서기1945)에 적도(敵徒)가 그림자를 달고 도주하여 우리나라 강토를 찾게 되었다. 황천에서의 느낌도 아마 지상에서의 느낌과 마찬가지가 아니겠는가? 저승에서 일어날 수 없으니 다만 답답한 마음이 일기만 할 뿐이다. 공이 몰한 후 그 재사(齋舍)도 이미 빈터가 되었으므로 그의 아들 병현(炳現)과 병문(炳文) 형제가 참아 버려진 옛 터에 잡초에 잠겨 이는 것을 차마 보지 못하고 다시 집을 세워 새롭게 꾸미려고 마음먹었다. 가정이 가난하여 힘에 부치므로 칠(漆)을 업으로 하여 돈을 모아 일년을 지나서야 재사를 완성하게 되었다. 세상의 요호(饒豪)[184]들이 집을 새롭게 보수하는 것과 비교하여보면 그들의 뜻이 만배나 된다. 병현씨가 나 정회(正會)에게 기문(記文)을 부탁하니 어찌 사양할 수 있겠는가. 다만 마음속에서 우러러 나오는 것을 적어 크게 사모하는 마음을 표하였다. 공은 밀양(密陽)의 명가(名家)이며 종휴(鍾休)와 재명(在明)은 공의 휘와 자이다.

陽齋記

伯夷陟西, 仲連蹈東, 宇宙以爲棟樑, 日月免夫薄蝕, 而人紀所以不墜於萬世者也。東方無國之日, 有死而義者, 有不死而義者。死不死殊塗, 而義無不同。義苟同也, 入山蹈海, 雖未必遽(據)夷連, 而其爲二子之徒則明矣。鳳谷處士朴公, 當庚戌, 義不共戴, 走入于鰲山之梧洞, 扁居室曰陽齋。飮我泉而陟我岡, 足不出洞門一步地。採薇之歌, 却秦之辭, 每發於夢寐。及戊午, 上皇賓天, 着凉笠, 忍痛含寃, 隱晦而終其身。噫, 碩果幸存於一字扁上。陰窮而陽不能終

---

180) 한늘의 빈객(賓客)이 된다는 뜻으로 '천자(天子)의 죽음'을 이르는 말.
181) 삿갓.
182) 숨음. 또는 모습을 감춤.
183) 큰 과실.
184) 부자와 신분이 높은 사람.

无, 亂極而必有思治之理。往歲乙酉, 讎賊逃影, 彊土還我舊邦。未知泉下所感, 亦有如地上否耶？九原難作, 不禁於悒。公歿後, 齋已墟矣。之胤炳現炳文昆季, 不忍遺基之蕪沒, 欲肯搆而新之。顧貧無以爲力, 乃業漆, 蓄其直, 積年始克成之。視世之饒豪而續修者, 其志又相萬矣。炳現氏囑正會以文, 吾何敢？只書所感于中者, 以寓高景之私。公密陽名家, 鍾休在明, 諱若字。

녹등재(鹿嶝齋) 중건기(重建記)

무릇 사물이란 옛날에는 있었으나 지금에 없어지는 것은 파괴되어도 보수하지 않고 황폐하여도 수리하지 않은 탓이다. 사물은 워낙 영원히 존재하면서도 폐단이 생기지 않는 것은 없으며 천지간에 장구하고 우뚝 솟아 있는 것은 없는 법이다. 그렇다면 흐름과 높은 언덕도 때가 있다는 말인가? 물론 세월의 변화를 면할 수 없는 것이다. 옛 노인들에게서 들은 말이기는 하지만 이 산의 앞에 옛날에는 밀물과 썰물이 이 산 앞으로 들었다 나갔다 하였다고 하지만, 그 연대는 고증할 길이 없다. 그런데 지금은 벼와 기장이 무성하게 잘 자라는 기름진 옥토로 변하였다. 그렇다고 한다면 그것들을 잘 못 되게 만드는 것은 하늘에 달려 있는 것이고, 그것을 잘 못 되지 않게 보존하는 것은 사람에게 달린 것이다. 하늘에 달린 것은 사람들의 힘을 쓸 방법이 없지만, 사람에게 달려 있는 것은 어떻게 힘을 들이지 않을 수 있는가? 우리 십세조 부군으로부터 헤아려 보면, 4기의 묘소는 공음(孔音)의 녹등(鹿嶝)에 있다. 전에는 제사를 지낼 수 있는 재(齋)가 있어서 세시(歲時)에 함께 모여 밤을 새우는 곳으로 삼아 백여 년 동안 제사를 그렇게 지내왔다. 그러나 경인년(서기1950)의 난에 불에 타고 쑥대들이 키를 넘어서고 여우와 토끼가 날뛰었다. 매년 제일(祭日)만 되면 그 자손들이 주위를 배회하며 주저(躊躇)하여 오랫동안 탄식할 뿐이다. 십여 년 사이에 그것을 보수할 마음은 있었지만 워낙 아름찬 공정에 힘이 모자라는지라 속수무책으로 멀뚱멀뚱 바라만 보고 있었을 따름이었다, 계묘년(서기1963) 봄에 기회씨(錤會氏)가 많은 돈을 내고 창도하였는데, 시종 이 일을 주관한 이는 천회(千會), 범회(凡會), 모모씨 등이었다. 그 후 몇 개월이 안 되어 준공을 하였다. 예전에는 매년 이엉을 올렸으나, 지금은 기와를 얹었고 제도와 칸 수도 완비 되었다. 기회씨(錤會氏)는 정회(正會)에게 재기(齋記)를 써달라고 간청하므로 삼가 회답하기를 "춘추(春秋)로 서리와 이슬이 내릴 때에 그것을 밟는 군자들은 꼭 마치 선조들을 만난 듯이 숙연한 마음을 품기 마련인데, 하물며 묘 주위의 가래나무에 서리가 내리고 풀 위에 이슬이 맺힐 때에 오죽하랴! 조상들의 의복과 신발이 여기에 묻혔지만 그 전형을 이어가지 못하고 있으니 느끼는 마음은 어떻하며 사모하는 정은 또 어떠하랴! 우리는 선세(先世)이래 덕을 숨기고 벼슬길에 나가지 않았으므로 명성이나 지위나 사업이 비록 세상에서 빛을 내지는 못하였지만, 일신을 단속하고 힘껏 행하며 천작(天爵)[185]을 닦아 아름다운 공적을 길이 드리웠다. 그들을 이어가는 후손들은 조상을 그리면서 덕을 닦아야 하온 종친이 화목하게 지내며 세세대대로 변하는 법이 없어야 할 것이다. 그렇다면 이 재(齋)가 허물어져서 내려앉더라도 보수할 사람이 있을 것이고 정녕 오늘처럼 해 놓을 사람이 있게 될 것이다. 그렇게만 된다면 이 재는 영원토록 넘어지지는 안을 것이며, 강하가 흐르고 산이 우뚝 솟아 있드시 세월이 흐를수록 더욱 빛을 내며 영원하게 될 것이다. 이와 같이 노력을 아끼지 말아야 한다고 면려하는 한편 이 뜻을 후손들에게 밝히는 바이다."

鹿嶝齋重建記

凡物古有而今無者, 由乎壞而不補, 廢而不修也. 物固未有恒存而無弊, 天地間長久莫流峙. 若而流峙亦有時乎？未免桑海之變幻. 聞之故老, 昔日汐潮往來于此山前, 其年代雖不可攷, 而今爲秔粱之沃壤焉. 然其變而弊者, 在乎天；使毋弊而存者, 在乎人. 在天者, 難容人力於其間；在人者, 豈敢不勉乎哉？我十世祖府君以下數, 四墓在孔音之鹿嶝. 舊有齋, 以爲歲時齊宿之所, 已百餘禳祀矣. 燹於庚寅亂, 蓬蒿沒焉, 狐兎走焉. 每歲祼薦之日, 子孫之徊徨踟躇, 咨嗟永嘆. 己來十數年, 顧事鉅力綿, 束手瞻佇而已. 癸卯春, 鎭會氏捐巨貲而倡之, 始終幹其務者, 千會、凡會、某某某氏也. 不幾月工告訖功. 舊病歲苫, 今爲甕瓦, 制度間架, 苟完美. 鎭會氏命正會記其事, 謹復曰：春秋霜露之際, 君子履之, 必有怵然如見之懷. 況於墟墓之間, 梓木映霜, 屮樹含露. 衣履在此, 典型莫承, 其感想思慕之情, 尤當如何哉！我先世以來, 隱德不仕, 名位事業, 雖不烜爀當世, 而飭躬勵行以修天爵, 垂嘉猷於無窮. 爲後承者, 念爾祖而修厥

---

185) 천성적으로 타고난 인격과 덕성을 말한다. 맹자(孟子)는 천작(天爵)에 대하여 "인의충신(仁義忠信)과 선행을 좋아하여 게을리하지 않는것"이라고 하였다.

德, 合族講睦, 世世無替, 則是齋也, 雖壞復補, 雖廢復修, 必有如今日之爲者矣。然則是齋之悠久無弊, 反有勝於彼長久之流峙矣。請以是勉乎。今亦所以示諸後也。

춘곡서실기(春谷書室記)

용강(龍江)의 북쪽에 있는 골자기는 구불구불 돌아 깊숙하면서 외지지 않고 평탄하면서 속되지 않았다. 아름다운 산봉우리들이 눈앞에 전개되어 바둑알이 펼쳐 있는 것 같고 조석으로 일어나는 구름을 접할 여가도 없었다. 주인 김원득군(金源得君)은 명가의 아들로 포부가 크고 아름다워 그와 종유한 사람들은 모두 해내(海內)의 호걸들이었다. 집에 들어오면 시서(詩書)의 즐거움이 있고 밖으로 나가면 호산(湖山)의 흥이 있었다. 그는 그 서실에 편액을 '춘곡(春谷)'이라고 하자, 이를 힐난한 사람이 말하기를 "만일 꽃이 강성(江城)에 활짝 피면 따뜻한 기운이 피어오르고 무성한 나무에 짙은 그늘이 지면 산비가 내려 깨끗이 씻어 줄 것입니다. 그리고 바람이 높이 불고 서리가 깨끗이 펼쳐 있고 숲이 붉게 물들고 국화가 피거나 눈이 마을길에 가득하거나 푸른 소나무가 웃둑 솟아 있는 것은 산골자기의 사계절입니다. 그 사계절의 경치는 좋지 않는 것이 없는데 주인은 어찌 봄을 택하였습니까?"라고 하므로 주인이 대답하였다. "저때도 한 철이고 지금도 한 철이 아니겠습니까? 호수 위의 하늘에서 겨울이 가고 나면 봄바람이 솔솔 골짜기를 찾아들 제, 겨우내 잠을 자던 삼라만상은 단잠에서 깨어나 기지개를 펴고, 온갖 새들은 목청대로 즐겁게 우짖고 있으며, 생기 띤 나무의 꽃송이는 아름답게 붉은 빛을 토하고, 풀은 부드럽게 푸른 싹이 돋아나 생기 발랄하게 맞아주고 있습니다. 천지의 생생한 대덕(大德)을 사랑하여 나는 나의 '곡(谷)'을 그것으로 명명하였습니다. 왕원지(王元之)[186]는 '죽(竹)'으로 누각(樓閣)의 이름을 하였고, 소장공(蘇長公)[187]은 '우(雨)'자로 정자(亭子) 이름을 하였으니 옛날과 지금은 자기 좋은 대로 기록하는 것이 한결같습니다."라고 하였다. 그의 친구 보

---

186) 송(宋)나라 제주 거야인(濟州鉅野人). 명은 우이(禹偁), 송나라 태종(太宗) 때 사람. 9세 때 시가(詩歌)를 지어 문재(文才)를 인정받았음. 그는 호북성 황주(湖北省黃州)로 유배되어 있던 중 황주죽루기(黃州竹樓記)를 지었음.
187) 소동파 식(蘇東坡軾)을 말함. 소식(蘇軾)이 과거에 급제한 28세 때 봉상부판관(鳳翔府判官)으로 부임하여 휴식장소로 희우정(喜雨亭)을 지었다.

정자(普亭子)는 영인(郢人)의 편지[188]를 연인(燕人)의 설명으로 이렇게 말하였다. "봄은 사계절의 첫 번째입니다. 성(性)에 있어서는 인(仁)이며 인(仁)은 사덕(四德)[189]을 포함하며 건(乾)에 있어서는 원(元)으로 되는데 원(元)은 선(善)의 장(長)입니다. 그대의 가슴속에 장(長)은 사계절의 봄이 있으므로 성(性)마다 봄 아닌 것이 없고 시설마다 봄 아닌 것이 없는데, 어찌 꽃이 붉고 잎이 푸른 한 골자기의 봄에 그칠 뿐이겠는가. 《주역(周易)》[190]의 이치는 궁하면 변하고 변하면 통합니다. 지금 천하는 이미 순곤(純坤)이므로 박괘(剝卦)[191] 밑에는 반드시 7일에 오는 복괘(復卦)[192]가 있습니다. 내가 원 하건데 그대는 우리 봄을 한 골자기에 보존하였다가 만물이 모두 봄이 되는 인(仁)을 이루는 것입니다."라고 하였다. 이에 춘곡가(春谷歌)를 아래와 같이 지었다.

골자기의 흙은 삼과 뽕나무가 무성하고/골자기의 샘물은 씻기도 하고 끓이기도 하는구나./골자기의 집에는 밭갈이도 하고 독서도 하여/골자기의 즐거움을 자네만이 홀로 누리고 있네./ 오직 소나무 사이에 비껴드는 달빛을/ 여울 위에 불어드는 바람을/ 마음껏 가진들 그 누가 금할 수 있겠는가?/ 바위를 벗 삼고 사슴을 반려(伴侶)로 하니/ 자기와의 정은 갈수록 깊어만 가네./ 골짜기의 한 무(一畝)[193]나 혹은 반무(半畝)만 빌려주면/그대 춘광 나누어 이웃이 되어 주리/

春谷書室記

龍江之北有谷, 逶邐而環, 幽而不僻, 夷而不俗。錦峰綺峀, 散在眼前, 如棊子布列, 朝雲夕霞, 酬接之不可暇。主人金源得君, 以名家子, 懷負瑰瑋, 所與遊皆海內豪傑之士。入則有詩書之樂, 出則有湖山之興。扁其書室, 曰春谷。有

---

[188] 초(楚)나라 서울 영(郢)에서 사는 사람의 쓴 편지를 연(燕)나라 사람이 제대로 읽지 못하고 잘못 해석한다는 뜻으로 영서연설(郢書燕說)이라는 말이 있다. 이것은 후세에 남의 시문(詩文)을 잘 알지 못하고 오석(誤釋)하는 의미로 사용하였다.

[189] 인·의·예·지(仁義禮智) 네가지으 덕을 말한다.

[190] 주대(周代)의 역서(易書), 오경(五經) 중의 하나, 12책, 내용의 구성은 팔괘(八卦), 중괘(重卦), 괘사(卦辭), 효사(爻辭), 십익(十翼)으로 되어 있다.

[191] 주역 64괘 중 23번째 괘명(卦名), 초효(初爻)부터 5효까지는 음효(陰爻)이며 마지막 여섯 번째 괘만 양효(陽爻)로 아래 5개의 음효가 양효 하나를 깎아먹는다.

[192] 주역 64괘 중 하나, 곤괘(坤卦)와 진괘(震卦)가 거듭한 것으로 우레가 땅속에서 음직이기 시작하는 상징이다.

[193] 토지면적의 단위, 백보(百步), 또는 갈아놓은 밭의 한 두둑과 한 이랑을 아울러 일컬은 말이기도 하다.

難之者曰:"若其花爛江城, 萬和氤氳, 茂樹陰濃, 山雨如洗, 風高而霜潔, 林丹而菊英, 雪滿窮巷, 蒼松特秀者, 谷中之四時也。四時之景, 宜無不可。奚主人之獨於春爲?"主人曰:"彼一時也, 此一時也。寒盡湖天, 春風入谷, 則衆蟄已啓, 百舌爭巧, 花丰丰而吐紅, 草軟軟而抽靑。愛其天地生生之大德, 吾以名吾谷。王元之以竹名樓, 蘇長公以雨名亭。古與今, 志喜一也。"其友普亭子, 以郢書解燕說, 曰:"春, 四時之首也, 在性爲仁, 仁包四德;在乾爲元, 元者, 善之長也。君胸中長, 有四時之春, 則將無性而不春, 亦無時而不春矣。奚止戀紅綠於一谷之春也哉?大易之理, 窮則變, 變則通。今天下已純坤耳。固知剝底一線, 必有七日之來復矣。吾願君葆吾春於一谷之中, 將以致與物皆春之仁焉。乃作春谷之歌。

歌曰:谷之土, 宜麻宜桑。谷之泉, 可濯可湘。谷之居兮畊且讀, 谷之樂兮子所獨。惟松間月、澗上風, 取之誰禁兮。石爲友、鹿爲侶, 知己者深兮。願借谷中一畝或半畝地, 分我春光作鄰比。

학고서실기(學古書室記)

취령(鷲嶺) 아래의 동부(洞府)[194]는 그윽하고 바위와 골자기는 요철한데, 마을들이 여기저기에 흩어져 구름 감도는 밀림 사이에 자리 잡고 있으며, 닭이 울고 개 짖는 소리가 서로 들린다. 그 중에서 제일 꼭대기에 자리 잡고 산중의 경물(景物)[195]을 굽어보고 있는 곳이 바로 술항(戌項)이다. 이 마을의 풍속은 순후하고 질박하여 세상의 분화(紛華)[196]한 자태를 찾아보고자 하여도 찾아 볼 수가 없다. 바람 따라 이는 진토는 이곳에 침투하지 못 하고 사악한 학설은 떠들어대지를 못한다. 깊숙한 곳에는 삼고(三古)[197]시대의 유풍이 여전하여 오로지 들리는 것은 한산사(寒山寺)의 종소리가 때때로 적막함을 깨뜨릴 뿐 이다. 주인 박옥진(朴玉鎭)은 대대로 이곳에서 살면서 근검(勤儉)하고 행실이 돈독하며 세상을 잊고 지냈다. 그는 어려서부터 배우지 못할

---

194) 마을.
195) 계절에 따라 달라지는 경치.
196) 빛나고 화려함.
197) 고대(古代)를 상고(上古), 중고(中古), 하고(下古)로 나누어 말한 것임.

까 근심하여 외실(外室)을 지어 자질(子姪)들이 글을 익히는 곳으로 하고, 나의 벗인 전동일군(田東日君)을 숙사(塾師)로 맞이하였다. 지난 해 가을 그와의 인연으로 한번 그 곳을 한 번 다녀 온 적이 있다. 그 동네에서는 글 읽는 소리가 낭랑하게 들렸으므로 묻지 않아도 그 곳을 쉬이 찾을 수가 있었다. 반나절 앉아 기다렸더니 주인이 들어와 일을 열었다. "이 실(室)의 이름을 지어 주었으면 합니다." 내가 대답하였다. "제생들이 모두 고문(古文)을 배우고 있네. 그 이름을 구한다고 하니 '학고(學古)'라고 하는 것 보다 나은 것이 없을 듯 합니다." 그러자 전(田)군이 곁에 있다가 한 마디 곁들었다. "이름을 지었으면 어찌 기(記) 한 편을 지어주지 못합니까?" 이에 이름의 뜻을 연연하여 그 이유를 다음과 같이 설명한다.

지금 천하의 학문은 주리(侏離)[198]로 돌아가지 않으면 모두 모두 게처럼 옆으로 가는 행서로 돌아갔다. 다만 이 지역에서만이 아직도 한음(漢音)을 들을 수 있다. 대저 사람은 현대인이지만 문자는 고문(古文)이다. 내가 이 실(室)에 있는 제생들을 살펴보니, 《소학(小學)》[199]을 읽을 수 있었다. 이 책은 《대학(大學)》[200]의 기본으로 되는데, 그 절차는 쇄소(灑掃), 응대(應對), 진퇴(進退)를 하는 것이다. 그 도(道)는 애친(愛親;어버이를 사랑으로 섬김), 경장(敬長;윗사람을 공경), 융사(隆師;스승을 존경), 친우(親友;벗과 친함)이다. 참으로 이렇게 할 수 있다고 하면, 이로 인하여 격물(格物), 치지(致知)하여 성의(誠意), 정심(正心)에 이룰 수 있고 이로 인하여 수신(修身),제가(齊家), 치국(治國), 평천하(平天下)를 이룰 수 있다. 이 책이 천근(淺近)하고 아이들이 읽는 책이라고 홀시하지 말아야 한다. 전에 계찰(季札)[201]이 노(魯)나라에 갔을 때 말한 바 있다. "주(周禮)는 모두 동국(東國)에 있다"고 하였다. 아! 우리 동방 오백 년간 내려오던 예의의 기라침은 깨끗이 쓴 마당처럼 하나도 없다. 그런데 랑랑히 글을 읽는 소리가 아직도 궁벽한 산골자기에서 들려오고 있으니 다음 날 문학의

---

198) 동이(東夷)를 말함. 소인국(小人國) 또는 전(轉)하여 동이의 언어를 말한다.

199) 서명(書名), 6책, 구본(舊本), 송(宋)나라 주자(朱子)가 제사(題辭)를 찬(撰)하고 편집과정은 주자의 문인(門人)인 유자징(劉子澄)이 주자의 부탁을 받아 찬술(纂述)하였다고 한다. 이 책은 내외편(內外篇)으로 구분하여 내편은 입교(立教), 명륜(明倫),경신(敬身),계고편(稽古篇)으로 되어 있고 외편은 가언(嘉言)과 선행(善行)으로 되어 있다.

200) 서명(書名), 1권, 사마광(司馬光)이 예기(禮記) 중에서 발췌하였다. 주자(朱子)는 경(經) 1장은 공자(孔子)의 말이고 전(傳) 10장은 증자(曾子)의 문인이 증자의 뜻을 기록한 것이라고 평가 하였다.

201) 춘추, 오인(吳人), 오왕 수몽(吳王壽夢)의 제 4자, 아들 4명 중 계찰(季札)이 막내로 가장 어질어 수몽(壽夢)이 계찰(季札)에게 왕위를 전하려고 하였으나 계찰을 적극 사양하므로 수몽이 사후에 큰 아들 제번(諸樊)에게 전위하였고 수몽의 3년 상을 치른 후 제번은 상기를 마치고 계찰에게 전위하려고 하자 그는 또 사양하므로 수몽의 제 3자 여제(餘祭)에게 전위 되었다.

연수(淵藪)²⁰²⁾로 될지 어떻게 알 수 있으랴! 제생들이 회옹(晦翁)²⁰³⁾의 학고재명(學古齋銘)²⁰⁴⁾ 한통을 써서 벽에 붙혀 놓고 이 서실기(書室記)로 삼는 것이 좋을 것이니 내가 또 어찌 더 번거롭게 하겠는가?

學古書室記

鷲嶺之下, 洞府幽闃, 岩壑凹凸, 有村散在雲深林密之間, 鷄狗之聲相隣。其最占地頭, 俯視山中景者, 戌項也。民俗皆淳厖質樸, 無世俗紛華之態。風埃不能侵, 邪說不能喧。邃然有三古之風, 惟聞寒山鍾聲, 有時破寂寥耳。主人朴玉鎭甫, 世居玆土, 勤儉敦實, 與世相忘, 顧以早失學爲憂, 修外室爲子姪肄業之所, 延余友田東日君爲塾師。往年秋, 贛緣一往入。其洞書聲琅琅, 不問可知其處。坐半餉, 主人進, 曰:"請名此室。"余曰:"諸生皆學古文。求其名, 莫學古若。" 田君在傍, 曰:"旣名之, 盍一言記之?" 迺演其義, 而爲之說, 曰:"今天下之學, 不歸侏僞, 則歸于蟹行書。惟此一區, 猶聞漢音。蓋人今而文古也。余看室中諸生, 能讀小學。是書也, 爲大學之基本, 其節灑掃應對進退也。其道愛親敬長, 隆師親友。苟能乎此, 則以之而格致誠正, 以之而修齊治平, 不可以淺近小子之學而忽之也。昔季札適魯, 曰:'周禮盡在東。' 噫! 我東五百年禮義之敎, 掃地蕩然。而伊唔之聲, 猶在於窮山絶峽之間。安知異日不爲文學之淵藪矣乎? 願諸生取晦翁學古齋銘一通, 書諸壁上, 以爲書室記, 足矣。吾又何贅。"

태강기(台江記)

사문(斯文)²⁰⁵⁾나 만기(羅斯文萬機)는 은거하여 태봉(台峯)아래 인강(仁江)의 위에서 뜻을 구하고자 하여 호를 '태강(台江)'이라고 하였다. 이것은 사실을 기록한 기실

---
202) 사물이 모이는 곳. 또는 못과 숲 . 어수(魚獸)가 모여 드는 곳.
203) 주자(朱子)의 호가 회암(晦菴)이므로 주자의 호를 약칭한 것이다.
204) 포성(蒲城)의 주후사(周侯嗣)가 그의 아버지 휘유공(徽猷公)의 지은 학고재(學古齋)에서 종족의 자제(子弟)들을 교육할 때 주자(朱子)가 그 편액(扁額)을 써 주었는데 주후사(周侯嗣)가 다시 명(銘)을 간청하므로 주자가 명을 지었다. 그 내용은 자신을 위한 공부를 하라고 권고한 것이다.
205) '유학자'의 경칭.

(記實)이다. 이를 힐난한 사람이 말하기를 "본 현(本縣)의 서쪽 1십여 리 떨어진 곳에 뭇 봉우리들이 솟아 푸름을 자랑하고 있는데, 그 가운데서도 홀로 우뚝 솟아 있는 봉우리가 바로 태봉(台峯)이다. 여러 갈래 냇물이 합하여 굴곡을 이루면서 흐르는 것이 인강(仁江)이다. 그 산 옆에 강을 거슬러 올라가면 밥 짓는 연기기 피어오르고 계견(鷄犬) 소리가 들여온다. 산에 집을 짓고 물을 마주하여 지게문을 내었으니 강과 산의 주인이 아닌가? 그러나 나 사문(羅斯文)이 오로지 자기 소유로 하려고 자호(自號)를 하였으니, 아니 나 사문(羅斯文)이 해학(諧謔)을 잘한 것이 아닌가?" 그의 벗인 보정자(普亭子)가 말하였다. "천하에 같지 않는 것 같으면서 같은 것이 있고, 같은 것 같으면서 같지 않는 것이 있는데, 그것은 이름과 형상을 말한 것이 아닌데 자네의 견해는 어찌 그리 막혔는가. 이리 와서 앉게! 내가 자네에게 말해 주겠네. 저 산수(山水)는 사람을 기다려 이름이 생기는 것이며, 사람에게 이름을 지어주지는 못 하네. 이것은 예로부터 그러한 것이네. 신국(莘國)의 들에서 밭을 가는 사람이 없는 것도 아니지만 오직 이윤(伊尹)[206]을 일컬었으며, 위수(渭水)에서 낚시하는 사람이 어느 시대나 없는 것도 아니지만 오직 태공(太公) 이후에는 듣지 못하였네. 대저 태산(台山) 아래서 농사를 짓고 인강(仁江) 위에서 낚시를 하는 사람은 그 이름으로 말한다면 누구나 다 같지만 그 형식을 버리고 찾아보면 유독 나 사문(羅斯文) 한 사람이네. 나 사문(羅斯文)은 걸출한 호걸다운 선비이네. 사설(邪說)은 그의 귀를 선동하지 못하고, 금백(金帛)도 그의 뜻을 유혹하지 못하며, 물외에 초연하여 한 세상을 비예(睥睨)[207]하고 있네. 마치도 이 산이 홀로 우뚝 솟아 뭇 봉우리들과 높음을 다투지 않는 것과 같네. 부자(夫子)[208]가 냇가에서 (물을 보고) 탄복한 일과 맹씨(孟氏)[209]가 물을 보면 필관기란(必觀其瀾;반드시 파도를 구경해야 한다는 뜻−역자 주)을 사모하며, 뿌리를 찾고 근원을 파며 순서에 따라 점차적으로 나아가며 중도에서 스스로 그 기한을 정하지 않아 밝고 넓은 영역에 이르렀네. 이것은 마치도 강물이 곤곤(滾滾)[210]하게 흐르면서 마침내 바다에 이르는 것과 흡사한 것이네. 실제를 이름에서 구하면서도 여유가 있고,

---

206) 은(殷)나라의 현상(賢相), 명은 지(贄), 처음에 이윤(伊尹)이 신(莘)나라 들에서 농사를 짓고 있었는데 은(殷)의 탕왕(湯王)이 그가 어질다는 말을 듣고 세 번이나 초빙하므로 이윤이 나가서 은나라 재상(宰相)이 되어 탕왕을 도와 걸왕(桀王)을 정벌하고 천하를 통일하여 탕왕은 그를 아형(阿衡)이라고 칭하였다.
207) 눈을 흘겨 봄.
208) 공자(孔子)를 높이어 부르는 말임.
209) 추(鄒)나라 맹자(孟子)를 지칭한 말임.
210) 물이 성(盛)하게 흐르는 모양.

형태에서 뜻을 얻으면서도 아무런 모자람이 없네. 아! 뭇 사람과 함께 같은 지역에 거주하면서도 뭇 사람들과는 다른 뜻을 지닌 것이네. 이것은 태강(台江) 뿐이다. 나도 그 같은 뭇 사람 중의 한 사람이네. 함께 이 산을 오르고 함께 이 강물에 이르러 물을 거슬러 올라가기도 하고 물을 따라 내려가기도 하면서 푸르르고 수려한 산과 맑고 깨끗한 물 흐름에 이목을 마음껏 즐기게 하였지만, 같지 않은 경지에는 시종 미치지 못하였네.《주역(周易)》에 이르기를 "백성들이 살면서 날마다 사용한 것이지만 스스로 알지 못한다(民生日用而不自知)"라고 하였는데, 이것은 바로 이와 같은 부류를 두고 한 말일 것이네. "어떻게 하면 그 부동한 것을 얻어 뭇 사람과 같게 할 수 있으랴!"고 하자 그 힐난한 사람은 그만 눈을 휘둥그레 뜨고 물러가고 말았다. 이에 그 대화를 자세하게 적어 태강기(台江記)로 삼는다.

台江記

羅斯文萬機隱居, 求志於台峰之下, 仁江之上, 號曰台江。盖記實也。難者曰: "縣西十許里, 衆巒聳翠, 有峰兀然而起者, 台峰也。百川湊合, 縈回屈曲而流者, 仁江也。傍山沿江, 烟火相接, 鷄犬相聞。家山戶水無往, 而非此江山之主? 而斯文欲專之爲己有, 因以自號, 無乃斯文之善謔歟?" 其友普亭子曰: "天下有同而同者, 有同而不同者, 非名與象之謂也。何子之見之滯之固也? 居吾爲子解之。夫山水待人而名, 不能名人也, 久矣。莘野之畎, 不爲無人, 而獨稱伊尹。渭川之釣, 何代無之? 而太公之後, 無聞焉。盖畎於台山之下, 釣於仁江之上, 以其名而言, 則衆所同也。舍其象而求之, 則斯文之所獨也。斯文盖傑豪士也, 邪說不能煽其耳, 金帛不能誘其志。超然物表, 睥睨一世。有似乎此山之崢嶸特立, 不與衆巒殘麓爭雄也。慕夫子川上之嘆服, 孟氏必觀之訓, 務本窮源, 循序漸進, 無半塗自畫期, 臻昭曠之域。此猶江之滾滾不舍, 終歸于海者也。求實於名而自有餘, 取義於象而無不足。嗚乎, 居衆所同之地, 而有衆所不同之義焉。是則台江子己矣。余亦同中人也。同此山而登, 臨同此江而溯洄。而其蒼翠之秀, 瀅澈之流, 適足以悅乎耳目。而其不同者, 終不可及。易曰:'民生日用而不自知'者, 盖此類也。安得此不同之義, 與人人同之耶?" 難者瞠目而退。因悉次其話, 以爲台江記。

계석기(溪石記)

　천지에 지극히 맑고 지극히 곧은 기(氣)있는데, 그 기가 사람에게 모이면 청렴하고 자신을 지키는 선비가 되고 물건에게 모이면 맑은 강물이 되고 굳은 바위로 된다. 그것이 사물로 되는 것이 다르기는 하지만 그 기(氣)는 하나이다. 친구 강 주백 거사(姜居士周伯)는 호가 계석(溪石)이다. 나에게 호기(號記)를 지어도라고 하므로 사물을 빌어 그것을 비유하였다. 공자(孔子)는 말하기를 "인한 사람은 산을 좋아하고 지혜가 있는 사람은 물을 좋아 한다(仁者樂山,知者樂水)"고 하였다. 그러나 산과 물이 어떻게 어질고 지혜로운 것에 관여하게 되며, 그 뜻이 같은 바가 있어 어진 자와 지혜로운 자들이 그렇게 즐거워하게 되는가? 거사(居士)는 배움에 뿌리를 두고 행(行)에 삼가고 확실하게 스스로 지키고 있으므로, 횡의(橫議)가 그의 곧은 뜻을 빼앗지 내지 못하고, 어지로운 습속이 맑은 그의 기(氣)를 뒤섞어 놓지 못한다. 은연히 무형의 냇물이 되고 유정한 바위도 된다. 그렇다면 정조가 있는 자는 바위를 즐기게 되고 역시 남몰래 어질고 지혜로운 논의에 부의하게 되지 않는가? 어떤 사람은 이렇게 말하였다. "거사(居士)가 거처한 고을은 석곡(石谷)이며 마을은 강남(江南)이다. 그리고 그 곳은 바다가 가까우니 정말 그 이름을 취하려면 강이나 바다에서 이름을 취해도 될 턴데 실오라기 같은 실개천에서 이름을 취하며 그것도 냇가의 자그마한 바위에서 이름을 취했는지 모르겠네." 그 말을 듣고 누가 해석해 주었다. "냇물은 여러 갈래로 퍼지며 골골 소리를 내며 흐르는데, 맑으면 그 물에 갓끈을 씻고 흐리면 발을 씻을 것이니 작연히 넉넉하기 마련이다. 저 강 하나 바다가 만 길 깊이가 된다고 해도 나에게 더 보태주는 것이라고는 없지 않는가?" 이것은 《근사록(近思錄)》의 뜻이다. 또한 한 마디로 돌려 말해도 충분할 것이다. '강이나 바다는 자그마한 개울물을 마다하지 않기 때문에 커질 수가 있었다. 그렇다면 냇가의 돌이 크고 작던 무슨 상관인가? 초목이 무성하게 자라고 무진장한 보물이 묻힌 것도 아마 그 시작에는 주먹덩이 같은 돌로 시작하지 않았을까?' '나는 이것으로 어떤 사람의 질문을 해명하여 거사(居士)의 요청을 답하고자 한다.

溪石記

天地有至淸至貞之氣，鍾於人，而爲廉介自守之士；鍾於物。而爲瀅澄之流，爲介于之堅。其爲物雖殊，其氣則一也。友人康居士周伯甫，號曰溪石，要余記之，盖取物以類也。孔子曰："仁者樂山，知者樂水。"山水何預於仁知，而其義有同，則仁知者樂之？居士種學謹行，確乎自守，撗議不能奪吾貞，汚俗不能淆吾淸。隱然爲無形之溪，爲有情之石矣。然則貞者樂石，淸者樂溪，亦竊附於仁知之論耶？或曰："居士所居，坊石谷而里江南，且近於海，苟可取，取之江之海，不一而足矣。奚取夫如紳之一溪，而又溪畔小石爲？"解之者曰："溪瀓瀓循除鳴，淸斯纓而濯斯足，綽然有裕。彼江海萬斛水，於我無加損。此近思之義也。且以一轉語而足之，曰：江海之大，不辭細流，故能成其大。又未知溪畔石，巨細奚若。而草木之生，寶藏之興，亦未始不由乎一拳石之多。"吾以是解或者之難，以是塞居士之請。

남계기(南溪記)

　시내물이 남쪽에서 흘러오면 '남계(南溪)'라고 부르니, 동·서·북쪽에서 흘러오는 시내 물들도 각기 이런 식으로 이름을 지을 수 있다. 하지만 어느 하루 삽을 메고 지나가던 사람이 지나가면서 동쪽을 터놓으면 '동계'가 되고, 서쪽을 터놓으면 '서계'가 되어 다시는 '남계'로 되지 못할 것이다. 그렇다면 천하에 정해진 이름이 없단 말인가? 물을 관찰함에도 술법이 있는 법이다. 그것을 터득하여 내가 나아가고 수양하는 노력으로 삼는다고 한다면 근본에 힘 써야 할 것이다. 그렇다면 나의 시내 물은 '남계'에 근원을 둔 것이고 우리 시내 물 파별을 널리 배우도록 '동계'를 알고 '서계'를 안다고 한다면 그 흐름은 같지 않을 것이다. 성실함(誠)은 내가 버리지 못하는 바이고 나아가는 것은 영과(盈科)[211]하는 것이다. 선비는 현자를 바라고 현자는 성인을 바라기 마련이다. 나의 시내물이 흐르고 흘러 강하가 되고 바다가 된다고 하면 결국은 사해로 흘러드는 것이다. 주인은 이 도리를 얻어서 은퇴하여 자기가 살고 있는

---

211) 물의 흐름은 작게 패인 곳도 이것을 가득히 채운 다음에야 앞으로 나아간다는 뜻으로 '학문을 이루기 위해서는 점진적으로 나아가야 함.'을 비유하여 이르는 말.

남촌의 '남계'에 의탁하고 자신의 서재의 편액을 그렇게 단 것이 아닌지? 아! 지혜롭게 말하는 사람들의 말은 항언(恒言)[212]으로 덕성을 이룩하게 하는데 하물며 하나의 사물에 여러 모의 아름다움을 갖추는 것은 시내 물만한 것이 없다. 주옥 같이 맑아 만물을 비춰준다든가 이롭게 관개(灌漑)하여 생민(生民)[213]들에게 복을 준다든가 하는 일들은 그 중의 하나의 일일 따름이다. 이는 주인의 생각으로 불 보 듯 뻔한 것이니 더구나 이야기할 필요가 없다. 그런데 이것을 넘어 넘겨짚는다면 주인이 듣고자 하는 일이 아닐 것이다. 주인은 누구인가? 나의 친구 사문(斯文)인 나 인환(羅 仁煥)이다.

南溪記

溪, 從南來者爲南溪。東西北溪, 各以類稱也。一朝荷鍤者過之, 決諸東方, 則爲東溪；決諸西方, 則不復爲南溪矣。然則天下無定名乎？觀水有術, 得而爲吾進修之工, 則務本。吾溪源之來自南也, 博學吾溪派之或東西, 其流不一也。誠吾不舍也。進吾盈科也。士希賢, 賢希聖。吾溪流之爲江爲河, 而放于四海者也。主人其有得於此, 而姑退托於所居南村之南溪, 扁其讀書之室也歟？噫, 善知言者恒言, 可以成德。況一物而衆美具, 莫溪若也。若其琤映澄澈, 善鑑萬類；灌漑之利, 生民之福, 特其一事耳。此是主人己見之昭陵, 無用更贅。而過此以往, 亦非主人之所願聞矣。主人爲誰？吾友羅斯文, 仁煥其名。

외당기(畏堂記)

외당옹(畏堂翁)이 무엇을 두려워하는가? 못 위의 빙판(氷板) 미끄러워 보지도 듣지도 못 할가바 삼가고 두려워 언제나 조심조심하지만 외계의 사물이 이르는 것만은 두려워하지 않고 있다. 진(秦)나라 초(楚)나라의 부유함이 보이지 않았고 맹분(孟賁)[214]

---

212) 늘 말함. 또는 항상 하는 말.
213) 살아 있는 백성리란 뜻으로 일반 국민, 민생, 생령.
214) 戰國, 위인(衛人), 용사(勇士), 일명은 맹설(孟說)이라고도 함. 물로 가면 교룡(교룡)이 피하고 육지로 가면 호랑이와 물소가 피한다고 하였다.

과 하육(夏育)²¹⁵⁾의 용감함도 보이지 않았다. 그를 칭찬한다고 하여도 기뻐하지 않고 훼담(毀談)하여도 실망하지 않으며 아주 즐기면서 여유가 있다. 어찌하여 두려워하는가? 두려움과 두려워하지 않는 것이 병행하면서도 당호(堂號)를 반드시 '외(畏)'로 하였다. 그 뜻은 대개 내가 두려워할만한 것은 두려워하며 내가 두려워하지 말아야 할 것도 두려워 한다는 것이다. 두려워 않는 것을 두려워 하니 그의 두려워하지 않는 것에는 미칠만 하지만 그가 두려워하는 것에는 미치지 못한다. 사람들은 무엇인가를 두려워 한 다음에야 두려워하지 않게 된다. 세상에서 벼슬을 하거나 은거한 사람들이 고개를 들거나 숙이며 행(行)하는 사람들이 이 당(堂)에 들어서면 스스로 그 주저하는 것을 알게 될 것이다.

畏堂記

畏堂翁所畏何事？淵氷乎平坦，戒懼乎不聞睹？兢兢然惟恐不畏至外物來。秦楚不見其富，賁育不見其勇。譽不加喜，毀不加沮，沛然樂而有餘。惡在其畏？畏不畏幷行，而堂必曰畏，其意盖曰畏吾畏也，不畏亦吾畏也。以不畏爲畏，其不畏可及，其畏不可及。夫人有所畏也，而後可以無畏。世之以顯幽低昂其行者，入此堂而自知其趑趄矣。

추원재기(追遠齋記)

대저 먼 것을 소홀히 하고 가까운 것에 독실하게 하다는 것은 항상 인간 상정일 따름이다. 다만 효도하는 자손들이 선조에 대해서 어찌 멀거나 가깝다고 하여 간격을 가질 수 있는가? 이슬과 서리를 밟을 때마다 출척(怵惕)²¹⁶⁾의 마음이 생기고 송추(松楸)²¹⁷⁾를 바라 볼 때마다 공경어린 마음이 우러나게 된다. 이것이 추원재(追遠齋)를 중건하는 까닭이다. 모양(牟陽) 서쪽인 고수방(古水坊)의 초내(草乃) 뒷산에는 밀양박씨(密陽朴氏)의 선세 묘소가 있고 추산(萩山)은 그 안산(案山)이다. 옛날에는 병사(丙

---
215) 위인(衛人), 또는 제(齊)나라의 력사(力士)라고 하며 소 뿔을 즉각 빼버렸다고 한다.
216) 두려워함. 마음이 편하지 않음.
217) 선조의 묘목으로 즉 선조의 묘소를 의미한다.

舍)²¹⁸⁾가 있어 춘추로 재숙(齊宿)하는 장소로 하였으나, 수백 년이 지나면서 비바람으로 인하여 기둥 하나 지탱하기 어렵게 되므로 지난 을유년(서기 1945)에 문중에서 상의하여 새로 중건하기로 결의하고, 옛날 이엉을 지금은 기와로 바꾸니 옛날 좁던 것이 지금은 넓고 화려하게 단장 되었다. 이리하여 골목에 감돌던 구름은 모습이 바뀌었고 초목들은 생기를 띠게 되어 자손들은 길이 효(孝)를 이야기 하면서 더는 유감이 없게 되었다. 이에 하늘에 계시는 선조의 영현(英顯)들은 정녕 "우리들에게는 훌륭한 후손들이 있다."라고 하실 것이다. 그렇다면 제공(諸公)은 선조를 추모하는 것은 단지 강신제(降神祭)를 올리고 허리를 굽혀 사모의 정을 드러내는데 있을 뿐만 아니라 이것을 그리고 여기에 마음을 두고서 선조들을 이어나가는 것이니 자신의 덕이 두터워지는 것이다. 이것으로 미루어 온 종친이 화목하게 지난다면 향당(鄕黨)이 교화(敎化)를 받게 될 것이다. 이렇게 된다면 백성들의 덕이 어찌 두터운 데로 돌아서지 않겠는가? 이것은 비단 박씨(朴氏)일문의 성대한 거동일 뿐만 아니라 장차 풍교(風敎)에 관련되게 되니 어찌 작은 일이라고 하겠는가? 이에 졸렬함을 잊고 이 글을 써서 길이 고하도록 한다.

追遠齋記

夫忽於遠, 而篤於近, 恒情然耳。惟孝子仁孫之於祖先, 豈以近遠而有間哉？履霜露, 而有怵惕之心；瞻松楸, 而起敬止之思。此追遠齋之所由重建也。牟陽治西, 古水坊草, 乃後麓密陽朴氏, 先世衣履之藏, 而蒻山其案也。舊有丙舍, 以爲春秋齊宿之所。歷年數百, 未免上雨傍風, 殆一木之難支。往歲乙酉, 門議齊發, 易而新建。昔之茅茨者今爲陶瓦, 昔之湫卑者今焉輪奐。於是巷雲改觀, 艸樹增光。子孫永言之孝, 庶幾無憾。而祖先在天之靈其必曰："予有餘矣。"然則諸公之所以追之者, 不獨在於 薦祼俯興之間而己。念玆在玆, 克紹前烈, 則己之德厚矣。推而至於宗族講睦, 鄕黨化之。則民之德, 安得不歸厚乎？此不惟朴氏一門之盛擧也, 抑將有關乎風敎, 曷云少哉！遂忘拙書之, 以諗夫永永。

---

218) 선조의 묘소 옆에 묘직이 숙식할 수 있는 작은 집.

담재기(澹齋記)

　내가 일찍 올랐던 방장산(方丈山)은 매우 높아 남쪽 지방의 희망이다. 아침에는 구름 끼고 저녁에는 노을이 펼치었으며, 봄에는 잎이 피고 가을에서 최췌(憔悴)하여 앞을 보면 백 번 천 번 변화하지만 산은 담담한 그대로였다. 그 '담담함'을 기록하려고 먼저 산을 들먹이는 것도 설(說)이 있다고 할까. 나는 산으로는 방장산을 보았고, 사람으로는 김군 봉문(金君鳳文)을 보았다. 송사(松沙)[219] 이후로 방장산(方丈山)에 살면서 그 서재(書齋) 이름을 '담(澹)'으로 편액 하였다. 그 집은 쓸쓸히 경사(經史) 이외에 다른 물건이 없었다. 그는 종일 글을 읽은 소리가 금석(金石)과 같았다. 헌면(軒冕)[220]도 유혹하지 못하고 세리(勢利)도 그의 뜻을 굽히지 못했다. 비록 세상이 누차 변하여 물 한 바가지 밥 한 그릇도 계속 먹지 못했지만 담담하게 지낼 뿐이다. 이에 사람과 지역이 서로 맞아 사물이 다투는 일이 없었다. 세상에서 배속에 천권 만권의 글이 들어 자기 말처럼 외우는 사람이 얼마나 많지만 힘을 얻은 글자를 물어보면 막연히 넓은 바다를 바라보는 듯 대답을 못하고 있었다. '담(澹)' 자가 어데서 왔냐면 대개 무후(武侯)[221]의 기풍을 듣고 생긴 것이라고 할까. 그 말의 내용은 "담박(澹泊)하지 않으면 뜻이 밝지 못하고 조용하지 않으면 멀리 갈 수 없다(非澹泊無以明志, 非寧靜無以致遠)"고 하였다. 이 14자는 성인이 다시 태어나도 반드시 바꾸지 않을 것이다. 선비들이 아직까지 친구처럼 여기는 것은 천고(千古)에도 제각기 그 동류((同類)

---

[219] 조설말기 의병장, 호는 송사(松沙), 노사 기정진선생(蘆沙奇正鎭先生)의 손자, 서기 1896년에 의거하여 나주(羅州)까지 진출하여 고광순(高光洵),기삼연(奇參衍)과 합류하였으나 선유사 신기선(宣諭使申箕善)의 권유로 다시 고산(高山)으로 돌아와 백립(白笠)을 쓰고 삼성산(三聖山)으로 들어가 지내다가, 문인(門人)인 백낙구(白洛九)가 의병을 일으키므로 송사(松沙)가 조종한 혐의를 받고 다시 옥고 5개월을 치른 후 1916년 10월 16일 71세로 기세(棄世) 하였음.

[220] 종 2품관이 타고 다닌 초헌(軺軒)과 면류관(冕旒冠)을 쓴 고관(高官)을 일컬은 말임.

[221] 중국 삼국(三國), 제갈량(諸葛亮)의 시호가 충무(忠武)이며 봉호가 무향후(武鄕侯)므로 무후(武侯)로 약칭한 것이다. 자는 공명(孔明), 낭야인(琅琊人), 양양(襄陽)의 중융(隆中)에서 은거하고 있었으나, 선주 유비(先主劉備)가 하남(河南)의 여남(汝南)에서 조조에게 패하여 낭야의 유표(劉表)에게 와서 잠시 의지하고 있던 중, 제강량(諸葛亮)이 어질다는 말을 듣고 세 번이나 공명을 방문하므로 선주의 성의에 감동하여 출사하였다. 이후 그는 유비와 함께 오(吳)나라의 손권(孫權)과 친화적인 관계를 유지하여 적벽대전(赤壁大戰)에서 조조를 격파하고 성도(成都)와 형주(荊州), 익주(益州),한중(漢中) 등지를 점유하여 오,위,촉(吳魏蜀) 3국을 정립(鼎立)하였다. 유비가 황제위에 즉위한 후 승상에 임명되었고, 유비가 사망한 후 후주 유선(劉禪)을 도와 건무(建武) 초에 무향후(武鄕侯)로 피봉되고 익주목(益州牧)이 되었다. 그는 위(魏)를 공격하여 중원(中原)을 회복하는데 뜻을 두고 8년동안 위나라와 5차전을 하다가 마지막 오장원(五丈原)에서 사마의(司馬懿)와 대진 중 나이 54세로 사망하였다.

를 따르기 때문이다. 여러 경서(經書)가 많기도 하지만 '담(澹)'이란 한 글자가 부합하였다. 이것은 긴밀히 터득한 것이 있으므로 그 뜻을 기록한 것이며 하루 사이에 감개(感慨)하여 남아 있는 것이 아니다. 아! 천하의 진짜는 참으로 '담(澹)' 자에서 나온 것이다. 지금 산이 끔적도 하지 않고 고요한 모습으로 있으면 그 움직이는 것이 보이지 않지만 구름도 일어나고 비도 내리게 하여 그 이익이 만물에 미치고 있으니 담담하지 않고서야 그렇게 할 수 있겠는가. 간혹 때로는 같지 않는 경우가 있지만 출처(出處)가 각기 타당하다면 나는 후일에 생황(笙簧)과 보불(黼黻)로 국가의 훌륭함을 울릴 것이니, 이것은 오늘의 '담(澹)' 자로부터 시작되지 않을 수 없을 것이다. 그러나 이 말은 군(君)에게는 사족(蛇足)을 그린 것이 될 뿐이므로 고할 것이 없고 특히 천하에 분주하게 경쟁하고 요란스럽게 열을 낸 사람에게 고한 것이다.

澹齋記

余嘗登方丈, 傑特磅礴, 巍然爲南土之望。朝雲夕霞, 春榮秋穎, 千百幻於前。而顧山之澹, 自若也, 澹之。是記而首擧山, 亦有說歟？吾於山見方丈, 於人見金君鳳文。自松沙來, 寓方丈下, 扁其齋曰澹。蕭然一室, 經史外無長物。終日咿唔聲, 若出金石。軒冕不能惑, 勢利不能屈。雖滄桑屢變, 瓢簞不繼, 而澹焉已焉。於是乎人與地相稱, 而物莫能爭也。夫世之腹貯千萬卷, 口誦如己言者, 何限？而問一字得力處, 漠然如望洋而失對。澹字惡乎來？盖聞武侯之風而興也歟？其言曰："非澹泊無以明志, 非寧靜無以致遠。"此十四言, 聖人復起, 亦必不易矣。士之尚友, 千古亦各從其類也。群經浩浩, 澹爲一字符。此乃喫緊有得, 自誌其志, 非一日感慨而有餘也。噫, 天下之眞腴, 自眞澹出。今夫山恬靜凝然, 雖不見其運動而能興雲出雨, 功利及于物。非澹而能然乎？夫或時有不同, 出處各當其可, 則吾知異日笙簧黼黻, 以鳴國家之盛者, 未始不資於今日之澹矣。雖然斯語也, 於君爲畫蛇之足, 無用告, 特以告天下之奔競而熱鬧者。

경암기(敬菴記)

　친구를 사귀는데 이별의 조만(早晚)이 있겠는가. 참으로 마음을 안다면 일찍 사권 다고 해서 더 친할 것도 없고 늦게 사귄다고 어찌 소원 하겠는가. 나는 늦게 친구 조용승(曺龍承)을 만났다. 백발이 서로 대하여 말 한마디로 평생을 약속 하였다. 그와 작별할 때 자신의 지은 경암(敬菴)에 대하여 나의 글을 비근하게 생각하지 않고 기문을 간청 하였다. 그가 살던 집을 보니 남의 집을 세내어 벽을 사이에 둔 방이 조금 크지만 경사(經史) 수천 권을 간직하지 못한 것이 10에 5%로는 되고 정리한 것이 10에 2~3%로 되었으며 그 나머지는 또 시렁에 언저 두었다. 그리고 탑 하나를 그 가운데 두고 나니 빈 곳이 없었다. 친구들이 오면 좁게 앉아서 겨우 바둑 둘 정도였으니, 거의 회암(晦菴)[222]이 천석(泉石) 사이의 집을 짓지도 않아서 시(詩)를 먼저 지은 것과 같았다. 경암(敬菴)인들 어찌 하겠는가. 지금 세상은 풍우가 요동치고 세계가 육침(陸沈)하여 태사 양(太師襄)[223]이 건너 갈 바다가 없고 사공문명(司空文明)[224]이 들어 갈 산이 없다. 아! 한 조각 깨끗한 곳에 누각(樓閣)을 지을 곳이 없지만, 군(君)은 몸이 두어 칸의 집이 되어 그 밭(마음)은 오직 일편단심(一片丹心)이고, 그 재목은 오직 양호하다. 인(仁)은 나의 집이며 의(義)는 나의 길이다. 경암(敬菴)이란 두 글자를 집 문지방에 높이 걸고, 아침에는 동해(東海)[225], 저녁에는 서산(西山)[226]을 생각하며 이 곳에서 기거(起居)하고 이 곳에서 말하거나 침묵하여 잠시도 이 곳에 있고 순간도 이 곳에 있었다. 이 곳과 떨어져 있으면 공경이 아니다. 군(君)은 글 읽고 정하게 연구하는 것을 좋아하여 깊이 생각하기를 구슬에 개미 꿰듯 아무리 견고한 것도 뚫지 않는

---

222) 주자(朱子)의 호.
223) 춘추(春秋), 노(魯)나라의 음악담당관리, 경쇠를 잘 쳤으며 거문고도 잘 통기어 공자(孔子)가 거문고를 배웠다.
224) 중당(中唐)의 시인 사공서(司空曙), 자는 문명(文明), 또는 문초(文初)라고 하며 하북성(河北省)의 평광인(平廣人)이다. 그는 성품이 결백하여 가정이 가난해도 권신(權臣)을 가까이 하지 않았다. 전기(錢起)와 함께 대역십재자(大曆十才子)에 뽑히고 관직은 검남절도사(劍南節度使)의 막료(幕僚)와 낙양(洛陽)에서의 주부(主簿), 장림현승(長林縣丞), 좌습유(左拾遺), 우중랑중(虞中郎中)을 역임 하였다. 저서로는 사공문명시집(司空文明詩集)이 전한다.
225) 전국(戰國), 제(齊)나라 은사(隱士), 그는 무도한 진(秦)나라가 천하를 정복하면 자신은 동해(東海)로 가서 바다에 빠저 죽겠다고 하였다.
226) 백이(伯夷),숙제(叔齊)가 은거하다 아사(餓死)한 수양산(首陽山)을 가리킨 말임. 주(周)나라 무왕(武王)이 은(殷)의 주왕(紂王)을 정벌하려고 하자 백이와 수제는 이를 만류하였으나 무왕이 듣지 않으므로 수양산에 들어가 고사리를 케어 먹고 살다가 결국 아사하였다.

것이 없었으므로 여러 책 속에서 글자 한 자라도 터득하였으니 가히 요체를 안다고 할 만 하다. 주부자(朱夫子)[227]의 경재잠(敬齋箴)[228] 1편은 천고의 진결(眞訣)이니 좌우에 써 붙여놓기 바란다. 이외에 또 무슨 글이 필요하겠는가.

敬庵記

交有早晚別乎？苟識心也，早未必加親，晚何嘗爲疎？余晚而後獲曹友龍承，白首相對，一語足平生矣。臨別以其自署敬庵者，不鄙徵余文。及見其居家矣，儼人隔壁，室斗如差，大而若經若史可千數。顧無以置藏焉者十五，案焉者十二三，其餘又架焉，設一榻，其中傍無餘虛，有友人至，夾而坐，僅容一局棋矣。殆晦菴泉石屋，未就而詩獨成者也，奈菴何？見今風翻雨覆，大界陸沉，太師襄無可渡之海，司空文明無適入之山。嗟，夫一片乾淨，無地起樓。惟君身爲數間屋子，厥田惟丹，厥材惟良。仁，吾宅也；義，吾路也。敬庵二大字，高揭靈始之楣，可以朝東海而暮西山。起居於斯，語默於斯，造次必於是顚沛，必於是可離。非敬也。君好讀書硏精，覃思如珠孔穿蟻，無堅不入。於群書林叢中得一字來，可謂知要矣。朱夫子敬齋箴一篇，千古眞訣，請書諸左右，外此又安用文爲？

위은기(渭隱記)

닭이 우는 새벽부터 열심히 선행을 한다고 어찌 갑자기 순(舜)[229]임금과 같이 되랴마는 그 순임금의 무리가 되기에는 넉넉할 것이며 위수(渭水)[230]에서 낚시하며 여망(呂望)[231]이 은거(隱居)하는 것처럼 은거한다고 어찌 갑자기 여망(呂望)이 되랴마는

---

227) 남송(南宋)의 주자(朱子)를 높이어 부른 말.
228) 주자(朱子)가 지은 잠언 "(箴言), 행실을 삼가하고 마음을 지키라"는 내용이다.
229) 중국 고대 성천자(聖天子), 성은 요(姚), 명은 중화(重華), 재위 39년 만에 아들 상균(商均)이 불초하여 우(禹)에게 양위하였다.
230) 중국 황하(黃河)의 큰 지류(支流), 감숙성(甘肅省)의 동남부에서 지작하여 협서성(峽西省)을 거처 황하(黃河)로 들어가는 강명.
231) 주(周)나라 동해인(東海人), 사악(四岳)의 후예, 본성은 강씨(姜氏), 그 선조가 여(呂)에 피봉하여 여상

그 여망(呂望)의 무리가 되기에는 결정된 것이다. 인강(仁江)의 아름다움은 이 고을에서 제일이다. 그 수원은 멀리 동남쪽에서 내려와 이 곳에서 물이 모이면 호수가 되고 물이 급하면 여울이 되었다. 양안(兩岸)에는 푸른 산과 나무들이 즐비하고 종종 기암(奇巖)과 괴석(怪石)이 교묘한 자태를 드러내고 있다. 그 호수를 끼고 걸어가면 한 구비가 다른 구비보다 더 좋은 것 같으며 10리도 못가서 바다로 들어간다. 경내 "(境內)의 누사(樓榭)와 정관(亭觀)은 멀리 반쪽만 보여 갑을(甲乙)을 다투는 것 같다. 주옹 강공(主翁姜公)이 거주한 곳은 맞은 편에 있어 온 산골자기를 주관하고 있으므로 주요한 곳을 차지하고 있어 진경(眞景)에 가깝고, 산봉우리가 우뚝 솟고 골자기가 오목하게 깊으니 은사(隱士)가 거처 할 만 하다. 공이 젊었을 때 글을 읽고 생업에 열중하여 은연 중 세상의 관직으로 나가 사람에게 혜택을 주려는 뜻을 자기고 있었으나 세상과 자신이 맞지 않아 삿갓을 쓰고 하의(荷衣)²³²를 입은 체 안개 낀 강 위에서 거닐며 한 낚시대와 맑은 바람을 지기(知己)로 삼았으며 어떤 사람이 와서 시국의 일을 말하면 낚시 줄을 손질하고 있다고 사양 하였다. 옛날 여망(呂望)이 위수(渭水)²³³에서 고기를 낚을 때 세상과 잊은 것 같았지만 일조에 응양장(鷹揚將)²³⁴이 되어 주(周)나라의 장수가 되었으니, 그 곤궁하게 사는 것과 출세하여 사는 것이 과연 어떠하였는가? 아! 지금 500년의 기한이 이미 지났으니 왕자(王者)가 일어나면 이 강가에서 그런 사람을 얻기를 문왕(文王)²³⁵이 위수(渭水)에서 얻듯이 할 수 있을까. 혹 위수(渭水)와 인강(仁江)이 같지 않음을 혐오로 생각할까. 나는 그렇지 않다고 생각한다. 물이 어찌 모두 위천(渭川)이라야 하겠는가. 여망(呂望)의 무리라면 고기를 낚는 곳이

(呂尙)으로 칭한다. 자는 자아(子牙)이며 문왕(文王)의 스승으로 태공망(太公望) 또는 사상보(師尙父)로 칭한다. 무왕(武王)을 도와 은(殷)나라 주왕(紂王)을 정벌하여 천하를 평정하고 그 공으로 제왕(齊王)에 봉해졌다.

232) 은사(隱士)가 연잎으로 옷을 만들어 입는다고 한다.
233) 황하(黃河)의 큰 지류(支流), 감숙성(甘肅省) 동남부에서 발원하여 협서성(陝西省)을 거쳐 황하(黃河)로 들어간다.
234) 매가 하늘높이 날으듯 무용을 떨치는 장수를 말하며 이는 즉 주(周)라나 무왕(武王)을 도와 천하를 정복한 여상(呂尙)을 가리키는 말임. 이숭인(李崇仁)이 위천어조도(渭川魚鳥圖)에 시를 지어 쓰기를 "비바람 쓸쓸히 낚시터에 부는데 위천(渭川)의 어조(魚鳥)는 세상을 잊을줄 아네. 어찌 늙어서 응양장(鷹揚將)이 되어 공연히 백이(伯夷), 숙제(叔齊)에게 고사리를 케먹다 굶어죽게 하였나(風雨蕭蕭拂釣磯,渭川魚鳥識忘機, 如何老作鷹揚將, 空使夷齊餓採薇)"라고 하였다.
235) 주(周)나라 계역(季歷)의 아들이자 무왕(武王)의 아버지, 명은 창(昌), 그의 아저비 계역(季歷)의 왕업을 이어 협서성 기산(陝西省岐山)에 기반을 두고 위천(渭川)을 따라 점차 지역을 확창해 내려와 풍(豊)에 도읍(都邑)을 정하고 이를 호경(鎬京)이라 하였으며 그후 다시 황하(黃河)를 따라 내려오며 황하의 건널목인 맹진(孟津)을 제압하므로서 은(殷)나라로부터 서백(西伯)의 칭호를 얻었으며 이때 제후의 3분의 2가 문왕을 추종하였다.

모두 위수(渭水)인 것이다. 더구나 공과 태공(太公)은 기운이 전하고 있으니 인강(仁江)을 가리켜 위수(渭水)라고 한들 어찌 옳지 않다고 하겠는가. 그러나 은거하여 혼자 선행을 하는 것이 어찌 군자의 뜻이겠는가. 시대가 그렇게 하는 것이니 조금 풍파를 자자진 때를 기다리면 초은시(招隱詩)[236] 한 곡을 반드시 공을 위해 지은 사람이 있을 것이다. 그렇다면 공이 은거하고 벼슬하는 것에 따라 나는 시운(時運)의 승침(昇沈)을 점칠 것이다.

渭隱記

孳孳爲善於鷄鳴, 何遽能舜? 而其爲舜之徒則優矣. 釣渭川隱呂望, 隱亦何遽能呂? 而其爲呂之徒, 則決矣. 仁江勝槩, 一邑之最. 其源遠自東南來, 鍾滙于此, 渟而湖焉, 激而湍焉. 兩干皆靑山綠樹, 往往奇岩老石, 獻巧呈態, 如夾鏡而行, 一曲勝似一曲. 不能十里入于海. 境內之樓榭亭觀, 遙得其半面, 輒亨甲乙, 主翁姜公所居. 在的對之地主盟全堅, 領要而逼眞. 有峰崒然而秀, 有谷窈然而深, 可隱者之盤桓也. 公少日劬經治業, 隱然有需世澤物之志, 而世與我違, 則篛笠綠簑, 逍遙烟波江上, 一竿淸風爲知己友. 有時事來談者, 輒謝以理綸焉. 昔呂望之方漁釣渭也, 若相忘于世, 一朝鷹揚爲周家老將, 其窮其達, 果何如也? 噫, 今五百之期已過, 有王者作, 或將有獲於此江之濱, 如文之於渭也歟? 或以渭與仁不同爲嫌者. 余曰: 不然. 水何嘗皆渭川, 苟呂之徒也, 所釣皆渭水? 況公於太公 309傳之氣類指仁而曰: 渭有何不可? 雖然隱而獨善, 豈君子素志哉? 時使然耳. 稍竢風靖波晏, 招隱一闋, 必有爲公賦者. 然則公之隱顯, 吾以占時運之昇沈.

청강기(靑江記)

청강(靑江)이여! 모든 강은 모두 탁한데 어찌 홀로 푸른가? 모든 물은 모두 웅덩인데 어찌 홀로 푸른 강이 되었는가? 맑은 물이 쌓이면 조수(鳥獸)나 작은 풀잎이 만나

---

236) 한(漢)나라 회남왕 안(淮南王安)이 은사(隱士)를 발굴하기 위해 초은시(招隱詩)를 짓도록 하여 진(晉)나라 좌사(左思)와 육기(陸機) 등이 이 시를 지었다.

서 도망하지 못하고, 그 형태가 강이며 몸이 크면 간계(澗溪)와 천독(川瀆)의 물이 들어가도 그 많은 물을 사양하지 않으니 그 강으로 호를 한 사람은 도(道)를 안다고 할 것이다. 그 몸과 아량을 크게 하는 것은 뜻이 서 있는 것이며, 그 내적인 사용을 밝히는 것은 이치를 통달한 것이다. 유군 자명(柳君子明)은 지금 분발하고 있다. 고인은 학문에 있어서 생각하지 않을망정 생각하였다면 밝히지 않고서는 다른 것을 하지 않는다고 하였다. 그리고 어제하지 못한 것을 오늘 할 수 있도록 하였으며, 아침에 눈물을 흘렸던 것을 저녁에는 매끄럽게 하였다. 이것은 기어이 소광(昭曠)한 지역에 이르기 위해 아직 이것에 의탁하여 표방(標榜)한 것일까. 오직 더러운 것을 감추고 더욱 그 아량을 키우고 탁한 물을 급하게 하여 맑은 물로 돌아오게 하고, 그 내면의 것을 더욱 밝게 한다면 천하의 여울이고 냇물이 이 강을 놓아두고 어데로 가겠는가? 자명(子明)은 노력하기 바란다.

靑江記

靑江乎, 衆皆溷淆, 奚獨靑爲？衆皆窊窪, 奚獨江爲之靑也？淸之積也, 羽毛纖芥, 遇之而莫逃。其形之江也, 體之大也。澗溪川瀆, 湊之而不讓其多。爲號者其知道乎？弘其量體, 所以立也；明其內用, 所以達也。柳君子明, 方憤悱古人學有弗思, 思之不明不措也, 使昨之未能, 能於今朝之所渋, 暮已滑焉。期致昭曠境界, 姑托此以標榜歟？惟願納汚藏穢, 益弘其量；激濁反淸, 益明其內, 則天下之爲磵爲川者, 舍此江奚之？子明勉乎哉！

송농기(松儂記)

소나무를 가리켜 말하기를 "소나무인가"라고 하면 말하기를 "소나무라고 하는 것이 옳다"고 할 것이다. 그러나 사람을 가리켜 묻기를 "소나무인가"라고 하면 옳지 않다고 할 것이다. 개개 소나무로 소나무를 보면 필연적으로 옳다 옳지 않다라고 할 것이다. 덕(德)으로 소나무를 본다면 사람들은 소나무가 아니라고 말하지 않을 것이다. 그렇다면 소나무로 소나무를 비유하는 것이 소나무 아닌 것으로 소나무를 비유하는 것만 못할 것이다. 겨울 철 눈이 가득한 산곡에 우뚝 빼어나 다른 초목과 마르지 않는 것은 소나무의 소나무다. 그리고 세상의 운세가 어지러워 특별히 서서 홀로 행하며 세속을 따라 행동하지 않는 것은 사람의 소나무이다. 푸른 수염과 붉은 갑옷으로 용처럼 세리고 이무러기처럼 꿈들거리고 있으니, 나는 그 소나무의 모습을 알 수 있고 천년이 지나고 사시(四時)를 지나도 가지와 잎을 바꾸지 않으니 나는 그 소나무의 덕을 알고 있다. 형체로 소나무를 아는 것은 소나무를 아는 품격이 낮고, 덕으로 소나무를 아는 것은 소나무를 아는 품격이 높은 것이다. 지금 풍상으로 잎들이 떨어져 모든 풀들이 노랗게 말라가는데 소나무가 아닌 소나무와 함께 차가운 계절을 서로 지키기를 원한다. 송농 김공(松儂金公)이 혹 그런 사람이 아닐까? 내 친구 김우천(金牛川)은 그의 친구들이 이미 호를 지어 주고 또 나에게 호기(號記)를 지어라고 부탁하였는데, 주인이 다행히도 나를 비근하게 생각하지 않고 지난여름에 적막한 변두리에 사는 나를 방문하여 한번 보고 평생을 허락하였다. 대개 공은 성균관 도서관장(成均館圖書館長)으로 재직하면서 좌우의 도서 속에서 앉아 입으로 외우고 손으로 책장을 넘기고 살므로 서로 떨어 질레야 떨어질 수 없었다. 그는 조용하고 결백하여 세리(勢利)도 그 뜻을 유혹하지 못하고 세속(世俗)도 그의 마음에 미련이 없었으며 여가가 있으면 높은 산에 올라 휘파람으로 불고 험한 길을 넘어 명승지를 탐방하여 그 기운을 도왔다. 대개 사람 가운데 소나무인 것이다. 주인 소나무가 이미 무성하지만 어찌 나의 잣나무의 기쁨을 이기겠는가. 이것으로 호기(號記)를 하였다.

松儂記

指松而問曰："松乎？"曰松，可也。指人而問，曰松，不可。盖以松視松，則曰可不可，固也。以德視松，則人不可謂非松。然則以松喩松，不若以非松喩松之非松也。大冬雪堅，挺然獨秀，不與閑艸木同萎者，松而松也。世運淆駁，特立獨行，不隨俗而同流者，人而松也。蒼髥赤甲，龍蟠而虬蜿，吾知其松之爲形，閱千歲，貫四時，不改柯易葉，吾知其松之爲德也。以形而知松，知松之下也；以德而知松，知松之上也。顧今風霜搖落，百艸萎黃，願見非松之松，與之歲寒相守。而松儂主金公〇〇，倘所謂其人歟？吾友金牛川，其同僚也。旣號之，而且介余記之。主人亦幸不鄙余。往年夏，訪余寂寞之濱，一見而道平生矣。盖公職長成均圖書舘左圖右書。身處其中，口誦手閱，欲相離不可得也。清靜雅雅，勢利莫誘其志, 俗累莫嬰其懷。暇則登高叙嘯, 歷險阻而探形勝, 以助其氣。盖人中松也, 主人之松己茂, 曷勝吾柏？悅之私, 是爲之記。

취헌기(醉軒記)

　내가 김군 수중 자 경(金君壽中子敬)과 종유한지 이미 30년의 세월이 흘렀다. 군(君)이 명가의 아들로 뜻이 높고 기개가 있으며 인자하고 자상하여 자신에게는 마음이 화기롭고 몸은 펴며 가정에 있어서는 종족을 종가를 존중하고 종족을 보호하며 세상에 있어서는 상하가 모두 즐거워하고 친구들은 믿었으며 온 세상이 취한 가운데 홀로 깨어 있었다. 난양(爛羊)[237]도 그 마음을 취하게 하지 못하고 금기(金璣)[238]와 성색(聲色)도 그 이목을 취하게 하지 못하여 항시 일편 영대(一片靈臺)[239] 위에서 깨어 있었다. 10여년 이후 세상이 변하여 서로 보지 못한지 오래 되었는데, 지난 해 봄에 완산(完山)의 목대(穆坮)와 하미(下楣) 사이에 군(君)을 방문하였는데 그가 스스로 '취헌(醉軒)'이란 두 글자로 서명하여 내가 입을 다물고 웃다가 말하기를 "이름과 실상이 서로 맞는 것이 소중한 것인데 어제는 깨었다가 오늘은 취하였으니 이 것은 그대의 해학(諧謔)이 아닌가?"라고 한 후 잠시 침묵하다가 그 설(說)을 터득 하였다. 아! 그 깨어있는 것은 따를 수 있어도 그 취한 것은 따를 수 없다. 지금 천지(天地)가 뒤바뀌어 사람이 짐승이 되고 낮이 밤이 되어 날마다 듣지 못할 말을 듣고 보지 못한 것을 본다. 백륜(伯倫)[240]이 이미 떠나고 청연(靑蓮)[241]이 일어나지 않아 망망한 우주의 안에서 누구와 함께 살아갈까. 오직 혼돈(混沌)한 한 구역이 나의 즐거운 곳이다. 조용히 있을 때는 술을 마시고 다닐 때는 술병을 가지고 한잔 술에 취하고 두잔 술에도 취하여 29일동안 취한 중에 하루도 깨어 있는 날이 없었다. 크게는 산악(山嶽), 해도(海濤), 하운(霞雲), 풍월(風月)과 작게는 충어(蟲魚), 금조(禽鳥), 풀 한포기, 나무 하

237) 후한서(後漢書) 유현전(劉玄傳)에 관직을 받는 사람들은 모두 군소 상인((商人)과 선부(膳夫), 포인(庖人)들이므로 장안(長安)에서 말하기를 "부뚜방 밑에서 중랑장(中郎將), 란양주(爛羊肩), 란양두(爛羊頭)를 기루었다"고 하였다. 란양주는 기도위(騎都尉)를 말하고 란양두는 관내후(關內侯)를 말한다.
238) 금옥(金玉)을 말함.
239) 영특한 일편(一片)의 심성(心性)을 말함.
240) 서진(西晉)의 사상가 유령(劉伶)의 자. 죽림칠현(竹林七賢)의 한 사람. 장자(莊子)의 사상을 실천하였으며 신체를 토목(土木)으로 보아 의욕의 자유를 추구 하였다. 저서로 주덕송(酒德頌)을 남겼다.
241) 당(唐)나라 이백(李白)의 자.

나가 모두 술에 의지하고 시(詩)로 소리내어 세상의 모든 영췌(榮悴), 총욕(寵辱), 훼예(毁譽), 득실(得失)을 막연히 잊고 우레 소리도 크게 느끼지 않고 태산도 높게 여기지 않았으며, 온 세상을 흘켜보고 삼고(三古) 위에서 꿈을 꾸고 있었다. 아! 이것은 취헌자(醉軒子)만 할 수 있을 뿐이다. 그러나 세상의 비태(否泰)는 운이 있고 술이 취하고 깨는 것은 그때그때의 일이니 크기도 하다! 공자(孔子)는 말하기를 "영무자(甯武子)[242]는 나라에 도(道)가 있으면 지혜롭고 나라에 도가 없으면 어리석다"고 하였으니, 나는 군(君)이 취하고 깬 것으로 세상의 변화를 볼 것이다.

醉軒記

余與金君壽中子敬遊, 己三十易寒暑矣. 君以名家子, 志豪氣雄, 濟以慈祥. 以之於己, 則心和而體舒；以之於家, 則尊宗而保族；以之於世, 則上下悅而朋友信. 獨能醒於擧世昏醉之中, 爛羊不能醉其心, 金璣聲色不能醉其耳目, 常惺惺於一片靈抬上矣. 十數年來, 海幻桑變, 不相見已久. 往年春, 訪君于完之穆垤下楣間. 自署以醉軒二大字. 余啞然笑, 曰："名實貴其相稱. 昨醒而今醉, 無奈君之善謔歟？"沈吟而得其說焉. 噫, 其醒可及, 其醉不可及. 顧今玄黃倒位, 人而獸, 晝而夜. 日聞所不欲聞, 日見所不欲見. 伯倫已去, 靑蓮不作, 茫茫宇內, 誰與歸者？惟混沌一區, 爲吾樂地. 居則枕藉麴蘗, 行則提罌挈壺, 一盃亦醉, 二盃亦醉, 有二十九日醉, 而無一日之醒. 大而山嶽海瀆, 霞雲風月, 細而蟲魚禽鳥, 一卉一木, 寓於酒而鳴於詩. 凡世間榮悴寵辱, 毁譽得喪, 漠然與之相忘. 雷霆之聲, 不足爲大；泰山之形, 不足爲高. 睥睨一世, 夢寐三古之上. 嗚乎, 此醉軒子已矣. 雖然世之否泰有運, 酒之醉醒有時. 時之義, 大矣哉. 孔子稱甯武子, "邦有道則知, 邦無道則愚." 吾於君之醉醒, 可以觀世變.

---

[242] 주말(周末)의 위(衛)나라 현대부(賢大夫), 성은 녕(甯), 명은 유(俞), 시호는 무(武), 공자(孔子)보다 1세기 전의 인물이다. 공자(孔子)는 그를 칭찬하여 "나라에 도(道)가 있을 때는 지례롭고 나라에 도가 없을 때는 어리석었다(邦有道則智, 邦無道則愚)"고 칭찬 하였다.

심재기(心齋記)

　세상의 산사 "(山榭)와 수정(水亭), 암관(巖觀), 임루(林樓)가 얼마나 한정이 있겠는가만 그것을 취하지 않고 단전(丹田)의 상방(上方)에서 작은 집을 취하여 문 위에 심재(心齋)라는 편액을 걸어두고 이 곳에서 기거하고 이 곳에서 침식하여 잠깐 사이에도 이 곳을 떠나지 않으므로 항시 주인옹에게 묻기를 "정신이 깨고 깨입니까?"라고 하였다. 아! 이것은 심재주인(心齋主人)일 뿐이다. 주인은 나의 친구 정헌규 중언(鄭憲僑仲彦)이다. 그는 일찍 그의 조부 오천선생(梧川先生)에게 수업 하였다. 선생은 심학(心學)에 독실하여, 이것을 전수하였으니 이 재사(齋舍)는 대개 대대로 지키야 할 선조의 유업이다. 그렇다면 나의 이 말은 주인을 위한 것이 아니라 다만 천하에 편안한 집을 비워두고 거처하지 않는 사람에게 고하는 것이다.

心齋記

世之山榭水亭, 岩觀林樓, 何限而不取, 取丹田上方, 一寸之舍, 顏曰心齋。起居於斯, 寢食於斯, 以至造次顚沛不相離。常問主人翁, "惺惺否？"嗚呼, 此可謂心齋主人也已。主人, 吾友鄭憲僑仲彦。嘗受學于其王父梧川先生。先生篤於心學, 以是傳授。是齋也, 盖世守之箕裘也。然則吾之此語也, 非爲主人也, 只爲天下之曠安宅而不居者告焉。

자하기(紫霞記)

　친구 오군 숭경(吳君崇敬)이 용진산중(湧珍山中)에서 후석선생(後石先生)을 사사(師事) 하였다. 그는 순실하고 근신하여 오직 덕을 숭상하였으므로 친구들은 그를 능가할 사람이 없었다. 그는 짐을 정리하여 자초동(紫草洞)으로 은거한 이후 한 결 같이 학문에 뜻을 두어 사설(邪說)에 현혹되지 않았다. 하루는 그가 나를 방문하여 말하기를 "지난해에 선생의 큰 손자 천경(天卿)이 나의 호를 '자하(紫霞)'라고 하였는데, 대개 거주한 곳을 인하여 지은 것이네. 그리고 동문(同門)인 최윤로씨(崔潤魯氏)가 그의 말을 듣고 말하기를 '이미 호를 지었으면 호기(號記)를 안 지으면 되겠는가?' 라고 하자, 천경(天卿)은 사양하지 않고 승낙 하였는데, 그 후 얼마 안 되어 그가 세상을 버리어 호기를 짓지 못했으니 자네가 어찌 말 한마디 하시어 짓지 못 했던 한을 이룰 수 있도록 하지 않겠는가?"라고 하였다. 나는 대답하기를 "나만 혼자 깨우치지 못하고 있었네. 일찍 들으니 지초와 난초는 사람마다 향기롭지 않게 여기는 사람이 없고, 군자(君子)가 세상을 등지어 남이 알아주지 않아도 민망하게 생각하지 않는다고 하였네"라고 하였다. 오군(吳君)의 집 뒤에 지금 지초(芝草) 몇 개가 나 있을까. 지초라고 일컬은 것은 덕을 일컬은 것이며 형상을 일컬은 것은 아니니 어찌 그 뿌리가 붉어야만 하며 그 잎이 향기로워야 하며 1년에 세 번 자라난 후에 영지(靈芝)라고 하겠는가? 그 집에 들어가면 경사(經史) 이외에 다른 물건이 없고 그 생업을 물으면 다만 구름 속에서 밭을 갈고 달빛아래 고기를 낚으며 산 밖에는 한 걸음도 나가지 않다고 하였다. 그는 때로 기하(芰荷)로 옷을 지어입고 혜초와 난초로 띠를 두른 체 산수(山水) 사이에서 시를 읊고 휘파람을 부르며 유연(悠然)히 세상 밖에 벗어나는 모습이 있었다. 그러나 어찌 임천(林泉)에 고맹(膏盲)이 되고 연하(煙霞)에 고질이 된 방외사(方外士)같다고 말할 수 있겠는가? 더욱 그 덕을 축적하고 그 참된 마음을 보존하여 세한(歲寒)[243]의 지조를 기대하기 바란다. 아! 천경(天卿)이 오늘날 있었다면 그 오군(吳君)에게 고할 말이 아마도 이 말과 크게 다르지 않을 것으로 생각하는데, 그대는 어떻게 생각하는가.

紫霞記

友人吳君崇敬, 師事後石先生于湧珍山中。恂恂雅飭, 惟德是尙。在儕流無有能駕焉者。一自治任, 歸隱紫草之洞, 一於傳習, 不爲邪說所移。一日過余, 曰：｀上年先生冢孫天卿, 號我以紫霞, 盖因所居也。同門崔潤魯氏聞而賞之, 曰：'旣號之, 不之記, 可乎？'天卿不辭而諾, 未幾遽已就世, 記終不果作矣。子盍一言以追成其未暇者乎？"余曰："卽不佞獨不相喩。嘗聞芝蘭不以無人不芳, 以比君子遯世不見。知而无憫, 盖艸之隱逸者也。君屋後, 今生幾莖芝？芝之稱, 以德不以形。何必紫其根, 薰其葉, 一年三秀, 而後謂之靈哉？入其室, 自經史

---

[243] 날씨가 차가운 계절, 공자(孔子)가 말씀하기를 "차거운 계절이 된 후에 송백(松柏)이 뒤에 마른 것을 알 수 있다(歲寒然後, 知松柏之後凋)"고 하였다.

外無長物。叩其業, 只課畊雲釣月, 不作山外一步地。時以製芰荷, 而帶蕙蘭, 嘯詠於爭流競秀之間, 悠然有出塵之表。雖然豈以膏盲泉林, 痼疾烟霞, 必如方外士之謂。益蓄其德, 益葆其眞, 盖相期於歲寒一節也。噫, 使天卿無恙於今日, 其所以告君者, 恐無大異於斯也。君以爲如何?"

학천기(學川記)

 학문은 무엇이 소중할까? 이를 이행하는 것이 소중한 것이다. 행실은 무엇이 소중한 것일까? 그 진실한 것이 소중한 것이다. 배우고 이행하지 않고 이행하고 진실하지 않으면 어찌 배웠다고 할 수 있겠는가? 만일 말하기를 "배우지 않고 잘할 수 있다"고 한다면 그 바탕이 아름다운 것을 속일 수 없을 것이다. 내 친구 정헌국 복일(鄭憲國福一)은 죽천(竹川)의 들에서 농사를 짓고 살다가 일찍 배우지 못한 것을 평생의 한으로 생각 하였다. 나는 그가 가정에 있을 때를 보니 아버지 섬길 때 힘을 다하고, 자식을 가르칠 때 옳은 방도를 다하고, 종족들은 친소(親疎)가 없이 모두 그가 화목하다고 칭찬 하였다. 그리고 그가 선조를 받드는 것을 보면 제사 때는 반드시 좋은 음식을 올리고, 선영에는 반드시 석의(石儀)를 갖추었으며, 자신이 할 수 있는 일은 다른 사람에게 미루지 않았다. 그리고 그가 사람들에게 대하는 것을 보면 말은 반드시 믿음이 있고, 행실은 반드시 공경하였으며 가난한 사람을 보면 미치지 못한 것처럼 급하게 구제하고 남에게 자랑하지 않았으며 동정(動靜)과 어묵(語黙)에 있어서 도리에 어긋나는 일이 적었다. 학문은 이와 같이 할 뿐이다. 입으로 책 하나도 외우지 못하고, 몸으로 여러 아름다운 행실을 축적하였다면 이것을 배우지 않았다고 말할 수 있을까? 세상에 복중(腹中)에는 많은 글이 저장되고 날마다 많은 말을 기록하는 사람들은 관(冠)이 높지 않는 사람이 없으며, 띠가 넓지 않는 사람이 없다. 그러나 그 행실을 살펴보면 종종 패륜적이고 강상(綱常)을 해치며 세상을 속이고 명예를 절취하니, 이것은 말을 잘하는 앵무새일 뿐이니 어찌 배웠다고 하겠는가? 군자(君子)는 바탕을 숭상하고 겉치레를 숭상하지 않는지 오래 되었다. 내의 친구 같은 사람은 부자(夫子)[244]가 보지 못한 몸소 실천하는 군자(君子)라고 할까? 아니면 예악(禮樂)을 좋아하는 야인(野人)이라고 할까? 나는 그가 거처하는 문미(門楣)에 '학천(學川)'이라고 써 놓

---

244) 공자(孔子)를 높이어 일컬으는 말.

앉으니 자하씨(子夏氏)[245]가 다시 살아나도 내 말을 바꾸지 않을 것이다.

學川記

學惡乎貴? 貴其行也。行惡乎貴? 貴其實也。學之而不行, 行之而不實, 將焉用學爲? 如曰不學而能之, 其質美, 不可誣也。吾友鄭憲國福一, 耕於竹川之野, 早失學爲生平恨。吾見其居家矣, 事親竭其力, 敎諸子有義方。族無親疎, 咸稱其睦。見其奉先矣, 祭必獻賢, 塋必具石儀, 凡所當爲者不推餘人。見其與人矣, 言必信, 行必敬, 見人窮乏, 救之汲汲如不及, 亦不矜伐。動靜語默, 違乎道者自寡。夫學求如是而已。口未誦一經, 而身蓄衆行之美, 可不謂之學乎? 世之腹貯群經, 日記萬言者, 冠非不岌矣, 帶非不博矣, 迹其行, 往往悖倫賊綱, 欺世而竊名, 是能言之鸚鵡鳥, 可曰學乎哉? 君子之尙質不尙文久矣。若吾友者, 夫子所未見之躬行君子歟? 抑禮樂之野人歟? 余題其燕居楣, 曰學川。子夏氏復起, 不易吾言矣。

춘호기(春乎記)

춘호(春乎)여! 옹(翁)의 흉중(胸中)에는 사시의 봄을 간직하여 그 화기롭고 부드러운 기운이 자신과 가정과 국가에 미칠 것이니, 어찌 90일간의 봄바람에 자라는 풀에 그치겠는가? 내가 옹(翁)의 덕을 보니 하나의 자상함이 표면으로 넘칠 뿐 아니라 접하면 봄의 화기로운 기운이 엄습하고 또 가정에서 거처한 것을 보니 윗사람은 화목하고 아랫사람은 순종하여 제각기 그 즐거움에 안주하고 가정 내에서 이간하는 말이 없으니, 이것은 내 몸에 간직한 봄의 화기로운 기운이 가정에 미친 것이며 또 이를 미루어 국가에 미친 것이다. 일찍 왜놈과 뜨거운 비바람 속에서 싸우고 또 거칠고 궁색한 산곡에서 사람들이 흩어져 이미 세상과 자신이 맞지 않고 뜻도 이루지 못했으므로,

---

[245] 전국(戰國), 성명은 복상(卜商), 자는 자하(子夏), 위인(衛人), 또는 온인(溫人)이라고 한다. 공자(孔子)의 제자이며 공자보다 44세가 적다고 한다. 공문십철(孔門十哲) 중 한 사람, 시례(詩禮)에 통달하여 공자 사후에 서하(西夏)에서 교육할 때 위(魏)나라 문후(文侯)의 스승이 되고 송나라 진종(眞宗) 대중상부(大中祥符) 2년에 동아공(東阿公)으로 추증되었다.

뜻을 거두고 돌아와 자신의 봄을 마음속에 보존하고 천고(千古)를 소영(嘯詠)하고 마음을 구해(九垓)[246]밖에 두었으니 그 정상이 또한 슬프다. 아! 지금 천하는 봄이 오지 않은지 오래 되었으니 어찌 옹(翁)의 봄을 빌어 우리 3천리 근역(槿域)에 가지와 잎마다 모두 봄이 오도록 하기 바란다. 옹(翁)의 성은 정(鄭)이며 계원(啓源)은 그의 이름이다.

春乎記

春乎乎, 翁胸中藏四時春, 其冲融敷腴之氣, 將使身而家而國矣, 奚止競芳爭菲於九十東風也哉！余觀翁之德, 不一慈祥溢表, 接之若襲春和。且見其處家, 上和下順, 各安其樂, 門庭無間言。是推吾身上春, 及乎一家也, 又欲推而及乎國。嘗鬪倭於爆風燁(爗)雨之間, 且散迹於荒山窮谷之中, 旣世與我違, 未遂所志。則卷而歸之, 葆吾春於方寸間, 嘯咏千古, 放懷九垓之外, 情亦慽矣。噫, 今天下不春久矣, 安得借翁一團春, 使我槿域三千里, 枝枝葉葉都是春？翁姓鄭, 啓源其名。

향산서실기(香山書室記)

연(燕)나라와 조(趙)나라에는 옛날부터 비분강개(悲憤慷慨)한 선비들이 많았다. 고점리(高漸離)[247]는 비파를 잘 쳤고, 형가(荊軻)[248]는 화답하여 천고의 지사(志士)들의

---

246) 구중천(九重天), 또는 나라의 끝이나 중국 국토의 전체를 말하기도 함.
247) 전국(戰國), 연인(燕人), 비파를 잘 퉁기었음. 그는 형가(荊軻)와 함께 진(秦)나라에 들어가 형가가 진시황(秦始皇)을 저격하는데 실패하자 고점리(高漸離)는 성명을 바꾸어 남의 집 고용살이를 하였는데 진시황은 고점리가 비차를 잘 친다는 소문을 듣고 그에게 특히 죄를 용서한 대신 눈을 멀게하고 궁중에서 비파를 치도록 하였다. 진시황을 그를 더 가까이 와서 치라고 하자 고점리는 가까지 가서 비파속에 납덩어리를 넣고 비파를 들어 진시황을 내려쳤으나 맞지 않고 그는 결국 처형되었다.
248) 전국(戰國), 위인(衛人), 그는 독서와 검기(劍技)를 좋아하였는데 일찍 연(燕)나라 태자 단(丹)의 식객이 되어 형경(荊卿)으로 칭하였다. 태자 단(太子丹)이 형가(荊軻)에게 간청하기를 진시황(秦始皇)을 시해하든지 아니면 빼앗긴 땅을 돼찾아오든지 하라고 하자 형가는 번어기(樊於期)의 머리와 독항도(督亢圖)를 가지고 고점리(高漸離)와 함께 역수(易水)에서 태자단의 전별을 받으며 진(秦)나라로 들어가 진시황을 시해하기 위해 독항도 밑에 칼을 숨기고 독항도를 바친척 하면서 진시황을 접근하여 저격하려는 순간 진시황이 먼저 피해 형가가 도리어 체포되어 살해되었다.

눈물을 자아내었다. 근세에 중주(中州)²⁴⁹⁾의 향산(香山)에 손씨(孫氏)²⁵⁰⁾는 삼민설(三民說)²⁵¹⁾을 주창하여 만주(滿洲)를 배격하고 사해(四海)²⁵²⁾를 격동시키므로 호걸들은 서로 사모하여 화답하였다. 그때 우리 한국의 3천리 강토와 3천만 국민은 저 왜놈들의 노예가 되어, 뜻있는 선비들은 역수(易水)의 칼²⁵³⁾과 박랑(博浪)의 철퇴를 품지 않는 사람이 없었다. 이군 동환(李君東煥)이 약관의 나이에 척수(隻手)로 시랑이 같은 왜놈을 저항하여 산과 바다 밟기를 평탄할 길을 가듯 하였고, 부월(斧鉞) 보기를 촌정(寸梃)같이 여기었으니 아! 장하다! 아! 태산은 이미 기우러져 한 산더미의 흙으로 보충하기 어렵고 광란(狂瀾)은 이미 꺾이어 촌토(寸土)로 만회할 수 없으니, 사방의 지사(志士)들이 이미 게을러지므로 아픈 마음을 참고 원한을 간직한 체 육영(育英)에 자취를 의탁하고 손씨(孫氏)의 거처한 집을 사모하여 자호를 향산(香山)이라고 하였다. 비록 땅은 만리나 되고 세대는 선후(先後)가 있지만 의담(義膽)이 서로 통하고 신교(神交)는 무간하여 연.조(燕趙)의 비가사(悲歌士)와 같았으니 그 뜻이 가상하였으며 그 정상이 또한 슬펐다. 그러나 그는 본래 성품이 꿋꿋하여 세상과 어울리지 않았으므로 벽향(僻鄕)에 있으면서 바쁘게 지내느라 여가도 없었고 바쁘게 지내도 원망하지 않았다. 더욱이 그는 정유년(서기1957) 봄에 고창고교(高敞高校)의 교장으로 부임하였다. 나는 담재(澹齋) 및 경암(敬菴) 두 친구와 인연이 되어 한두 번 그의 집을 방문 하였는데, 가정에는 담석(甔石)의 저장도 없고 오직 천권의 책만 축적되어 좌우에 경사(經史)가 가득 하였다. 그는 퇴근 후에는 시 읊기를 그치지 않았고 《사기(史記)》를 읽다가 충신, 의사가 몸을 잊고 순국한 대목이 나오면 책상을 치고 외치기를 자신이 당한 것처럼 여기었으니 평일의 장한 마음을 알 수 있다. 나의 친구 효당(曉堂)이 일찍 서실기(書室記)를 지었는데, 군(君)이 또 나에게 거듭 간청하니 부처님

---

249) 중국(中國)의 다른 이름.
250) 중국 근대 형명가 손문(孫文;서기1866~1925.)을 가리킴. 그는 호콩에서 의학을 전공하였으나 반청혁명을 목표로 서기1894년 흥중회(興中會)를 설립하고 서기1905년에는 중국혁명동맹회를 설립 하였으며 서기1911년에는 신해혁명(辛亥革命)에서 임시대통령에 추대되고, 익년(翌年)에는 중화민국 성립과 함께 대통령에 취임 하였으나 원세개(袁世凱)에게 양보하고 그 후 망명 생활을 하다가 서기1917년 광동군정부를 수립하여 대원수(大元帥)로 취임, 서기1918년에는 상해(上海)에서 중국국민당을 설립, 서기1924년 북벌군을 일으켰으나 익년에 북경에서 사망 하였다.
251) 중국의 손문(孫文)이 주창한 삼민주의(三民主義), 즉 민족, 민권, 민생(民生)으로 자유, 평등, 박애(博愛) 정신을 포함한 국민혁명의 이론임.
252) 사방, 또는 천하를 말함.
253) 역수는 하북성 역현(근처에서 발원하여 대청하와 합류하는 강, 진시황을 저격하러간 형가(형가)는 고점리와 함께

이 있는 마을에 어찌 존경하는 사람이 없겠는가. 그러나 나도 방장산(方丈山) 밑에서 불우금(不遇琴)[254]을 퉁기고 있으니 아아(峨峨)하고 양양(洋洋)하다[255]! 그대는 지금 자이(子期)[256]이다. 아!풍천장(風泉章)[257]을 그대를 위해 두 번 세 번 반복해 읽는다.

香山書室記

燕趙古多慷慨悲憤之士，漸離之荊，筑軻(漸離之筑，荊軻)之和，足以釀千古志士之淚矣。近世中州之香山有孫氏，倡三民說以排滿，激淸四海，豪傑爭慕而和之。方其時也，我韓三千里彊土，淪爲氈裘之域，三千萬生靈，沒爲彼倭之奴隸。有志之士，莫不懷易水之劒，博浪之椎矣。李君東煥甫，以弱齡隻手，抗豺虎之倭，蹈嶺海如坦地，視斧鉞如寸梃。吁，壯矣哉！噫，泰山已傾，竟一簣以難補；狂瀾旣倒，非寸土可挽回。四方之志，旣倦矣。則忍痛含寃，酒托跡育英慕孫氏之居，自號曰香山。雖地隔萬里，世有後先，而義膽相照，神交無間，殆若燕趙悲歌之流。其志尙矣，其情亦云戚矣。然素肮髒不與世軒輊。以故低回僻鄕，墨突不暇，黑亦不怨。尤歲丁酉春，來長于高敞高校。余寅緣澹敬二友，嘗一再往訪。家無甁石之貯，而惟蓄書千卷，左經右史。自公退，輒吟哦不絶。讀史至忠臣義士忘身殉國處，搏案叫號，若 身親當之，聊以見平日壯心矣。吾友曉堂，曾記書室。君又俾余申之。有佛之洞。安敢妄尊？雖然余亦彈不遇琴於方丈下，峨峨哉洋洋哉，君今子期矣。嗚乎，風泉之章，爲君三復。

진수헌기(進修軒記)

성와 이공(醒窩李公)이 젊어서부터 독서에 열중하여 이 세상에 뜻을 두었으나, 이미 자신은 세상과 맞지 않아 그 경륜을 펴지 못하고 만년에 자신이 살던 남쪽 산언덕

---

254) 보정선생(普亭先生) 자신도 시대를 잘 만나지 못한 불우한 사람임으로 한가히 거문고를 퉁기며 불운의 한을 삭인다는 뜻이다.
255) 백아(伯牙)가 즐겨 퉁겼다는 금곡(琴曲)의 하나로 즉 아양곡(峨洋曲-山水曲)을 표현인 것이다.
256) 백아(伯牙)의 금곡(琴曲)을 알아들었다는 종자기(鍾子期)를 말함.
257) 미상(未詳).

밀림(密林)이 우거진 곳에 정사(精舍)를 지어 한 집에서 언앙(偃仰)하며 천고(千古)의 고인들과 친구가 되었다. 그의 집에서 세 과녘 남짓 된 거리이므로 손님이 오면 반드시 밥을 가져왔다. 그리고 아들과 손자가 모두 훌륭하여 부모가 생각하지 전에 뜻을 받들므로, 남쪽 지방의 선비 집에서는 가법(家法)이 순미(純美)하여 모두 공을 제일로 추대 하였다. 그는 한 결 같이 후진(後進)의 계도(啓導)를 자신의 책임으로 생각하므로 학문하는 선비들이 날마다 더욱 많았다. 손자 학용(學庸)은 별도로 서당 밑에 집을 지어 강학(講學)하는 곳으로 정하고 이름을 진수헌(進修軒)이라고 하였다. 대개 《주역(周易)》의 진덕수업(進德修業)에서 취한 것이다. 그리고 나에게 헌기(軒記)를 부탁하므로 나는 사양하지 않고 수락하면서 말하기를 "군(君)은 부모님께 조석으로 문안하고 물러난 후에는 성현의 글을 읽었으며, 효제(孝悌)를 독실하게 행하고 가학(家學)의 연원(淵源)을 소술(紹述) 하였으니 이른바 덕을 닦고 학문을 익히는 것은 가문을 벗어나지 않고 이 곳에 있었네."라고 하자 군(君)은 말하기를 "선언(善言)은 두 번은 생각해야 할 것이니 여기에서 그치면 안 되네."라고 하였다. 나는 말하기를 "《주역(周易)》에 이르기를 '가히 오래가는 것은 현인의 덕이며, 큰 것은 현인의 학업이다'고 하였으니 부자(夫子)[258]가 후세를 걱정하는 것이 깊고 간절하였네. 오직 성인이라야 오래가고 큰 학업을 이루되는 것이니 급하게 서둘지 말게. 이를테면 성인이 아직 말하기를 '현인이 사람마다 순서에 따라 점차 진도가 있게 하면 그 량을 채워서 이를 수 있을 것이다'고 하였으니, 여기에 나가는 것인가?"라고 하자 군(君)은 말하기를 "선언(善言)은 세 번 생각해야 할 것이니, 여기에 그쳐서는 안 될 것이네."라고 하였다. 나는 말하기를 "주역에서 또 말하지 않았던가? '덕은 높고 학업은 넓다'고…주자(朱子)는 이를 해석하기를 '이치를 연구하면 높기가 하늘과 같은 줄 알아 덕이 높아지고 이치를 따르면 예(禮)의 낮기가 땅과 같아 학업이 넓어진다.'고 하였네. 그렇다면 천지가 높고 낮은 것과 성인의 덕이 높고 학업이 넓은 것도 나의 성분(性分) 안에 있는 것이니 어찌 밖에서 빌리겠는가. 군(君)은 집으로 돌아가서 구하면 스스로 스승이 남아돌 것이네"라고 하자 이 말로 기문(記文)을 청하였다.

進脩軒記

醒窩李公, 少日劬經, 有志斯世。而旣與我違, 未展厥蘊。迨其晩年, 就所居之

---

258) 공자(孔子)를 지칭하는 말임.

南岡, 結精廬於雲深林密之處。俛仰一室, 尙友千古, 距家數三帿强, 而賓至必傳食焉。能子肖孫, 鸞停鵠峙, 先意而承順, 南中士友家, 家法純美, 咸推公爲第一矣。一以導迪後進爲己任, 問學之士日益衆之。孫學庸別搆數椽於堂下, 以爲講學之所,名曰進脩軒。盖取諸易之'進德脩業', 而徵余文之。余不辭而諾, 曰:"君晨昏於堂上, 退而讀聖賢書。敦行孝悌, 紹述家學淵源。則所謂德業者, 不出戶而在是矣"君曰:"善言必再其毋以止此也"余曰:"易曰:'可久則賢人之德, 可大則賢人之業。'夫子之憂患後世, 可謂深且切矣。惟聖人可以致可久可大之業而不遽。曰聖人姑曰賢人, 欲使人人循序漸進, 可充而至也。其進於此者乎?"君曰:"善言必三, 其毋以止此也。"余曰:"易又不云乎?'崇德而廣業。'朱子釋之, 曰:'窮理則知崇如天。而德崇循理, 則禮卑如地, 而業廣然。'則天地之所以崇卑, 聖人之所以崇廣, 亦吾性分內所固有者, 尙何假於外哉?君歸而求之, 自有餘師矣。請以是爲記"

수송정기(秀松亭記)

　　겨울에 푸른 나무도 매우 많은데 어찌 소나무를 취했을까. 모둔 화훼(花卉)와 초목(草木)은 한번 문인(文人)의 품제(品題)를 거쳐야 불후(不朽)할 것인데, 더구나 소나무는 부자(夫子)[259]의 말 한마디로 만세에 빛나므로 후일 이 유학(儒學)에 뜻을 둔 사람들은 그 차가운 계절이 되어야 마른다(歲寒後凋)는 말을 사랑하여 많은 사람들이 호로 인용하니 이들도 부자(夫子)의 무리이다. 주옹 유공(主翁柳公)은 수산(秀山) 남쪽에 은거하여 시서(詩書)를 업으로 삼고 효제(孝悌)를 독실하게 행하므로, 옛날 고수남 선생(高秀南先生)이 호를 지어 '수송(秀松)'이라고 하였다. 대개 만년을 보호하여 그 잠언(箴言)을 홀로 빼어난 소나무에게 부친 것이다. 공은 그 이름을 돌아보고 일어나 지금 백발이 되어서도 뜻을 가다듬고 몸을 조심하여 조금도 게을리 하지 않고 더욱 독실하여 환란(患亂)을 겪고 이적(夷狄)의 나라에 가더라도 바른 도를 행하며 자신의 진심을 보존하고 자신의 천성대로 즐기시니 즉 천척의 비탈에 백장의 소나무가 아니라도 옹(翁)의 칠 척의 몸은 이미 빼어난 소나무가 되었다. 그렇다면 수남옹(秀南翁)은 옛날에 부치었던 잠언(箴言)이 오늘의 송(頌)이 되었을까. 그의 아들 완영(完

---

259) 공자(孔子)를 지칭하는 말임.

永)은 선친의 뜻을 이어 한 조각 상쾌하고 높은 땅에다가 정자(亭子)를 지어 옹(翁)의 만년에 수양하는 곳으로 정하였으니, 이것이 어찌 연하(煙霞)나 바라보고 천석(泉石)에 정을 붙일 뿐이겠는가. 대개 옹(翁)이 소나무에 대하여 자신에게만 꾀할 뿐 아니라 자신이 얻은 것을 자손에게 전하여 영원히 이르도록 한 것이다. 그렇다면 이 소나무는 옹(翁)의 가정에 청전(靑氈)[260]이며 그 창염(蒼髥)과 적갑(赤甲)으로 용처럼 꿈틀거린 몸매는 해를 가려주고 그 그늘은 사람 천명을 덮어주니 사람에게 미친 이익이 과연 어떠하겠는가. 나는 이 정자가 벽오동과 함께 수(壽)를 같이 할 것을 알고 있다. 그리고 회옹(晦翁)[261]의 시(詩)인 "다만 푸르고 푸른 골자기 나무는, 계절이 차거워도 마음이 변하지 않네(秪有靑靑谷中樹, 歲寒心事不相違)"라는 구절을 외워 마음을 다스려 본다.

秀松亭記

冬靑, 種亦多矣, 奚獨取夫松？凡花卉草木, 一經文人之品題, 足可不朽, 况松也？得夫子一言之重, 而榮耀萬世, 後之有志斯學者, 愛其歲寒後凋, 多取而爲號. 是亦夫子之徒也. 主翁柳公, 隱居秀山之陽, 業詩書而敦孝弟. 昔高秀南先生, 嘗賜號曰秀松. 盖以葆晩節, 寓其箴於獨秀之松也. 公能顧名而起興, 至今老白首, 勵志飭躬, 不懈益篤, 患難焉, 夷狄焉, 而素乎而行, 保吾眞而樂吾天. 卽不待千尺之崖, 百丈之松, 而翁七尺之軀, 己爲挺然特秀之松矣. 然則秀南翁, 伊昔之寓箴, 乃所以爲今日之頌也歟？之胤完永甫, 克紹親志, 搆亭於一片爽塏之地, 爲翁晩年藏修之所. 此豈徒騁目烟霞, 結情泉石而己哉？盖翁之於松, 不惟自謀其身, 亦以其得於己者, 將以傳之子而孫而, 至於無窮矣. 則是松也, 爲翁家之靑氈, 其蒼髥赤甲, 龍蟠而蚪蜒者, 足以蔽虧雲日, 可蔭庇千人矣. 其功利之及人者, 果何如哉？吾固知是亭之傳, 能與碧梧同其壽矣. 且誦晦翁詩, '秪有靑靑谷中樹, 歲寒心事不相違'之句以爲亂.

---

260) 대대로 전해온 푸른 전으로 만든 방석, 즉 가보(家寶)를 의미한다.
261) 자재(朱子)의 호.

영화재기(永華齋記)

 김공 영수씨(金公榮洙氏)는 시례가(詩禮家)에서 태어나 청백(淸白), 근신(謹愼)한데다가 문학까지 겸하고 효성과 우애로 고을에서 명성이 높았다. 공은 나를 멀리하지 않고 누차 적막한 곳을 방문하여 망년지교(忘年之交)가 되어 혹 10일과 1개월 동안 머물기도 하였으며, 언제나 춘산(春山)에 아침 기운이 왕성할 때와 추당(秋堂)의 밤이 적막할 때는, 옛 일을 생각하다 슬퍼하고 지금 일을 생각하다 마음 상하여 말이 미치지 않는 것이 없었고 술에 약간 취하면 늘인 소리로 길게 읊어 옆에 있는 사람도 아무 거리낌이 없이 세속을 초월한 기풍이 있었다. 하루는 나에게 말하기를 "내가 3칸짜리 집이 아곡산중(阿谷山中)에 있는데, 편액을 '영화(永華)'라고 하였네. 지금 스승을 사모하는 정신이 날마다 사라지고 세상의 풍속도 옛날 같지 않아 거문고를 어루만지며 주위를 방황하다가 원학(猿鶴)과 함께 수심하고 멀리 북두성(北斗星)을 의지하여 구름 끼 아득한 사이에 서울을 바라보았네. 그러나 서리시(黍離詩)²⁶²⁾와 맥수가(麥秀歌)²⁶³⁾를 누구와 외우고 누구와 화답하겠는가. 자네가 말 한마디 기록해 주기 바라네"라고 하자 나는 말이 끝나지도 않아서 눈에 눈물이 고였다. 정회(正會)는 삼가 다음과 같이 회답하였다.

 부자(父子)의 사랑과 군신(君臣)의 의리는 하늘에서 얻은 것이므로, 궁달(窮達)로 풍색(豊嗇)의 차이가 있지 않고 고금(古今)으로 존망(存亡)이 나누어지지 않으므로 칠실(漆室)²⁶⁴⁾의 과부(寡婦)가 나라를 걱정하였고, 야인(野人)은 헌근(獻芹)²⁶⁵⁾의 성의가 간절하였는데 공의 몸은 초야에 있으면서 마음은 선왕(先王)의 구장(舊章)²⁶⁶⁾을 잊지 않고 궁검(弓劍)의 탄식과 수구(首邱)²⁶⁷⁾의 그리움을 시(시)로 나타내었으니 그 정상이 슬펐다. 기류(氣類)를 숭상한지 오래 되었다. 공은 하서 문정공(河西 文正公)²⁶⁸⁾의 후예로 그의 외조인 참판 장공(張公)에게 수업하여 충의(忠義)의 교훈이 골수에 배

---

262) 망국(亡國)의 궁지(宮址)에 무성한 기장을 보고 탄식하는 시를 말한다.
263) 은(殷)나라의 현신(賢臣)인 기자(箕子)가 은나라가 망한 후 은허(殷墟)를 지나다가 보리고 무성하게 자라는 것을 보고 이 노래를 지었다.
264) 노(魯)나라의 고을 이름. 이 곳에 사는 관부가 나라걱정을 하였다.
265) 송(宋)나라 어떤 농부가 미나리를 먹고 하도 맛이 좋아 임금에게 바치고 싶다고 한데서 나온 말로 작은 물건을 바친다는 겸사(謙辭)이다.
266) 선왕(先王)의 예악(禮樂)과 형정(刑政)을 말함.
267) 고향을 말한다. 여우가 죽을 때 머리를 가기의 굴을 향해 죽는데서 연유한 말이다.
268) 김인후(金麟厚)를 말함.

어 있다. 충의의 마음이 비록 천성으로 타고난다고 하지만 그 교육으로 습득되는 것을 속일 수 없는 일이다. 아! 지사(志士)와 인인(仁人)이 때를 만나지 못하여 임하(林下)에서 늙어간 사람이 고금에 얼마나 많겠는가. 양자운(揚子雲)[269]은 《태현경(太玄經)》[270]을 지어 자운(子雲)같은 사람을 기다리고 소요부(邵堯夫)[271]는 《경세서(經世書)》[272]를 지어 요부(堯夫)같은 사람을 기다리었으니, 공의 고충(孤忠)과 적강(赤腔)을 아는 사람이 누구일까. 오직 천년 후의 영화(永華)를 기다릴 뿐이니 아아! 슬프다!

永華齋記

金公榮洙氏, 生長詩禮家, 淸愼有文, 以孝友著鄕黨. 公不我遐, 累過寂寞之濱, 忘年而交, 或至旬月留連, 每春山朝榮之時, 秋堂夜寂之境, 吊古傷今, 殆無言不到. 酒微酣, 曼聲長吟, 傍無顧忌, 有超俗風味焉. 一日語不佞, 曰: "我有三間茅屋, 寄在阿谷山中, 扁以永華. 今江漢日下, 世道不古. 撫孤桐而徊徨, 與猿鶴而共愁, 遙倚北斗; 望京華於雲天縹緲之間, 黍離之詩, 麥秀之歌, 誰與唱而誰與和? 願子一言記之." 語未終, 而眼欲洒. 正會謹復, 曰: "父子之仁, 君臣之義, 得之於天, 不以窮達而豐嗇, 不以古今而存亡." 故嫠婦有漆室之憂, 野人切美芹之誠. 公身在草野, 而心不忘先王舊章, 弓釰之歎, 首丘之懷, 每發於諷咏之間, 情亦戚矣. 夫氣類之尙久矣. 公以河西文正之后裔, 就學于其外祖枩判張公. 忠訓義戒, 浹于肌髓. 忠義之心, 雖曰所性, 其薰陶漸染, 亦不可誣也. 嗚乎, 志士仁人之不遇於時, 空老林下者, 今古何限? 揚子雲著'太玄經'以待子雲, 邵堯夫作經世書以待堯夫. 公之孤忠赤腔, 知德者誰? 亦惟待夫千載後永華而已. 噫嘻, 悲夫.

---

269) 한(漢)나라 양웅(揚雄), 성도인(成都人), 자는 자운(子雲), 젊어서부터 학문을 좋아하여 군서(群書)를 박람(博覽)하고 성풍이 간이(簡易)하고 호탕하였으며 말을 더듬었으나 이야기를 잘 하였다. 그는 생각하기를 좋아하고 문장에 능하여 성제(成帝) 때 부름을 받아 많은 부(賦)를 지어 아뢰고 그후 왕망(王莽)에게 벼슬하였다. 태현경(太玄經)과 양자법언(揚子法言) 등을 지었다.

270) 서명(書名), 한(漢)나라 양웅(揚雄) 지음, 주역(周易)의 이원론(二元論)을 대신하여 시(始), 중(中), 종(終) 삼원론(三元論)으로 하여 주역의 법을 가미 하였다.

271) 송인(宋人) 소옹(邵雍), 자는 요부(堯夫), 시호는 강절(康節), 북해(北海)의 이지재(李之才)에게 도서선천상수(圖書先天象數)를 배우고 주역(周易)에 정통하였으며 저서로 관물편(觀物篇), 어초문답(漁樵問答), 이천격양집(伊川擊壤集), 선천도(先天圖), 황극경세서(皇極經世書) 등이 있다.

272) 서명(書名), 12권, 송인(宋人) 소옹(邵雍)이 지음. 수리(數理)로 천지만물의 생성을 풀이 하였다.

죽파서실기(竹坡書室記)

　부자(夫子)[273]가 위(衛)나라에서 노(魯)나라도 돌아와 기수(淇水)[274] 위에 서 계시다가 바람이 대나무를 음직이자 쓸쓸하고 단란한 소리가 들이므로 그 소리를 즐기며 3개월 동안 고기 맛을 모르고 하인 청(靑)을 돌아보고 말하기를 "소자(少子)야 기록해라"라고 하였다. 대나무는 하나의 식물(植物)이지만 성인(聖人)을 감동시킨 것이 이와 같이 깊을까. 아! 성인의 글을 읽고 성인의 사랑하는 것을 사랑하는 사람은 또한 성인의 무리이다. 주옹(主翁)인 조공(曺公)은 본래 대나무를 사랑하여 자신이 거처한 방을 죽파(竹坡)라고 하였다. 대나무의 덕은 전인(前人)들의 품제(品題)에서 이미 다 말해 두었으므로 다시 덧붙일 말이 없다. 오직 공은 대나무를 위하는 일이 한 가지만 아니다. 공의 일생동안 마음을 갖고 행동을 억제하는 것은 명백하고 직절(直截)하여 터럭만큼의 왜곡됨이 없었으니 이것은 대나무의 곧은 것이며 이설(異說)이 그의 뜻을 앗아가지 못하고 세리(勢利)가 그 마음을 음직이지 못하여 만년의 절개를 혼탁한 세상에서 보존하였으니 이것은 대나무가 상설(霜雪)을 무시하고 그 푸른빛을 바꾸지 않는 것이다. 사람은 현우(賢愚)와 귀천(貴賤)이 없이 화기애애하게 대하므로 접견한 사람은 심취(心醉)하여 기뻐하지 않는 적이 없었다. 이것은 대나무의 맑은 그늘과 구슬 구르듯 한 소리가 사람을 즐겁게 하여 맛을 잊게 하는 것이다. 이것은 공이 대나무가 되어 다른 물류(物類)와 겨루지 않는 것이다. 내가 일찍 공을 뵈었는데, 그때 산비(山雨)가 내리고 맑은 바람이 대나무를 음직이자 쓸쓸하고 단란한 소리가 들리자 공은 기뻐하기를 부자가 기수 위에 있을 때와 같이 명하기를 "어찌 자네는 기록하지 않는가?"라고 하였다. 정회(正會)는 외람됨을 잊고 붓을 빼어들고 기록하여 '죽파서실기(竹坡書室記)'로 하였다.

竹坡書室記

夫子自衛返魯，立于淇上，有風動竹，聞蕭瑟團欒之聲，欣然樂之，三月不知肉味。顧謂僕靑，曰：" 少子誌之。"夫竹一植物也，而能感聖人若是其深歟？噫，讀聖人之書，愛聖人之所愛者，其亦聖人之徒也。主翁曺公，素愛竹，號燕居之

---
273) 공자(孔子)를 지칭하는 말임.
274) 중국 하남성 임현(河南省林縣)을 경과하는 강. 임현의 양안(兩岸)에는 죽림(竹林)이 무성함.

室, 曰竹坡。竹之爲德, 前人之品題, 固已備盡, 無用更贅。惟公之爲竹, 非一端也。公一生, 立心制行, 明白直截, 無一毫之邪曲。此竹之貞固也。異說不能奪其所守, 勢利不能撓其中。保晚節於濁世, 此竹之凌霜雪而不改其靑也。人無賢愚貴賤, 待之以和, 接之者心醉, 而無不悅服。此竹之淸陰琅韻, 使人樂而忘味也。此公之所以爲竹, 而物莫與競也。余嘗拜公矣。時山雨初過, 淸風動竹, 有聲蕭瑟焉, 團欒焉。公欣然若夫子之於淇上, 輒命之曰: "子盍記之?"正會不揆猥越, 遂援筆書之, 以爲竹坡書室記。

해초기(海初記)

군(君)이 살고 있는 곳은 모두 산이다. 좌측에는 방장산(方丈山)과 태봉(台峯)이 있고, 그 남쪽으로는 공후산(拱後山)이 읍(揖)을 하듯이 푸르름이 얽히고 설키어 눈길을 돌리면 산들이 옹기종기 솟아 있으므로 산과 떨어질래야 떨어질 수 없었다. 그러나 산을 취하지 않고 바다를 호로 취하는 것은 무슨 일일까. 우리나라는 3면이 바다이며 북쪽 한 구석만 채화(泰華)와 연결되었다. 이것은 섬이 아니다. 그렇다면 3면에 속한 것은 즉 바다가 아니라 이것도 포함하고 있는 가운데 한 지역이라고 할 것이다. 그 대륙으로부터 보면 소위 태화(泰華)라고 한 것은 바다 가운데 한 흑자(黑子)이므로 어디로 간들 바다가 아니겠는가. 반드시 그 가까운 뒤에 취한 것은 어떤 물건을 취할 것이 없기 때문이다. 방장산(方丈山)의 후중함과 태봉(台峯)이 우뚝 일어나는 것은 바다의 안이며 횡 하게 깊은 것은 산의 안이며, 집의 지붕처럼 조금 큰 것은 동굴의 아니며, 내 몸을 폈다 구부렸다 할 만 하면서 7척이 되지 못한 것은 집의 안이다. 내 몸 밖은 모두 멀기만 하다. 집의 지붕과 같은 것과 횡 하게 깊은 것과 산이 후중하고 웃둑 솟은 것은 가까이 갈수록 더욱 멀어지니 어떤 것을 취하고 어떤 것을 놓아두겠는가. 아! 길눈이 어두운 사람은 가까이 보는 것에 익숙하고 먼 곳은 가려 있다. 이에 물건과 나의 형체가 구분되어 서로 빼앗는 권리가 생기므로 술에 취하며 살다가 꿈속에 죽는 것처럼 영원히 뗏목없는 나룻터에 오르니 슬프다! 저… 달은(達人)은 울을 부스고 너와 내의 경계가 없으므로 고금에 쌓여도 오래 쌓이지 않고 사람이 많아도 번거로움을 볼 수 없다. 불면(紱冕)[275]도 귀 하지 않고 순갈(鶉褐)[276]도 가난하지 않아 물형과 같

---

275) 고관들이 착용한 인수(印綬)와 면류관을 말함.
276) 헐름한 갈포옷을 말함.

이 어두우므로 나는 그 가까운 것이 산인지 멀리 있는 것이 바다인지도 알 수 없다고 할까. 저, 시간에 구애받고 지역에 국한된 사람들은 말을 아는 사람이 아니다. 군(君)은 재주가 영민하고 뜻이 또 영준(英儁)하여 사우(士友)들이 원대하게 기대하였다. 해초(海初)여! 처음에는 원근(遠近)에 가두어 있지 않았는데 어찌 그 처음과 끝을 논하겠는가. 그러나 처음이 있으면 어렵지 않지만 끝을 이기면 어려워지니, 군은 이미 처음부터 뜻을 세워 본령(本領)이 서 있으므로, 나에게 고하지 않아도 처음도 잘하고 끝도 잘 이겨낼 것이니 이것으로 군에게 돕는다. 군의 성은 유(劉)이며 을종(乙鍾)은 그의 이름이다.

海初記

君居皆山也，左方丈台峰，其南面者，拱後者揖。縈靑繚碧，顧眄嶙峋，欲離山不可得。不取，取諸海爲號矣。我東土其三面海，所爭北一隅，陸續泰華，靡是島也。然則凡屬於三面者，直不海耳，是亦懷抱中物。自其大而觀之，所謂泰華者，又海中之一黑子也，焉往而非海也耶？必其近而後取，將無物可取。方之磅礴，台之突兀而起者，海之內也；有洞窈然而深者，山之內也；有室如盖而差大者，洞之內也；偃仰吾一身而未七尺者，室之內也。身之外，皆遠也。室如盖者，洞窈然者，山磅礴而突兀者，愈往而愈遠。又奚取奚舍？噫，昧者狃於近而蔽諸遠。於是乎物我之形分，攘奪之權生。醉生夢死，永登岸於無筏之津。哀哉！夫達人者，破藩籬而無爾我境界。古今之積而不爲久，人物之衆而不見其繁。紱冕未必貴，鶉褐未必貧。能與物俱冥，吾不知其近者山歟，遠者海歟。彼拘於時局於地者，非知言者也。君才敏志又英儁，士友方期以遠大。海初乎，初不囿於近遠，復奚論其初終？雖然有初非難，克終爲艱。君旣勵志於初，本領立矣，吾不必告。善始惟克終，是勉君。君姓劉，乙鍾其名。

용연서실기(龍淵書室記)

김군 원근(金君源根)은 공순한 선비이다. 대개 용계(龍溪)에서 살고 있는데 인강(仁

江)의 서쪽으로 사우(士友)들은 '용강(龍江)'이라고 칭한다. 그는 일찍 나에게 말하기를 "용강(龍江)이 세속을 초월하였으니 다행히 말씀해 주실 수 있겠습니까?"라고 하므로 나는 사양하지 않고 승낙한 후 말하기를 "용은 강에서 떠 있다가 멀리 떠나고, 대군(大軍)의 기마대(騎馬隊)가 나왔다가 너무 멀어 돌아가지 못하고 있네. 그것이 무엇일까? 그만두지 않는다면 용연(龍淵)에 대하여 말해 보겠네"라고 하고 또 따라서 말하기를 "건괘(乾卦)의 구사(九四)는 혹 뛰어서 연못에 있으므로 허물이 없다(乾之九四, 或躍在淵, 无咎)"라고 하였으니, 역(易)의 시의(時義)는 위대하다! 용은 연못에서 편안하게 있다가 혹 뛰기도 하여 상하(上下)가 무상(无常)하다. 혹 가기도 하고 혹은 나가기도 하여 진퇴(進退)하는데 걱정이 없다. 선비의 출처(出處)도 어찌 다르겠는가. 이 곳에 물러나 자수(自修)하는 것은 잊은 것이 아니라 그 때를 기다리는 것이다. 세상에 나가서 내 몸을 파는 것은 영화(榮華)가 아니라 나의 분수 안에 있는 일이다. 그리고 시대가 은거할 시기인데 나가는 것은 중용지도(中庸之道)[277]가 아니며 세상에 나갈 만 한데 은둔하는 것도 중용지도(中庸之道)가 아니다. 그 세상에 나가기 적당한 기회를 때라고 하는데 나는 더욱 그 덕이 높아지고 그 학업을 더욱 닦기를 원한다면 용이 연못에 있는 것처럼 스스로 때를 시험하는 것이 옳을 것이다. (龍은) 구름을 일으키고 비를 내려 하늘에 오르내리는 것이 어렵지 않을 것이다. 아! 500년의 기한이 이미 지났으나 천년에 한 번의 기회인 깨끗한 세상도 늦어지고 있다. 문왕(文王)[278]이 일어나 사냥을 나가면서 용도 아니고 이무래기도 아니고 곰도 아니고 곰 같은 짐승도 아니고 호랑이도 아니고 표범도 아닌 것을 포획하였으니 오직 그대는 깊이 기다리기 바란다.

龍淵書室記

金君源根, 愷悌士也。盖所居龍溪, 仁江其西。士友稱龍江焉。嘗謂余曰:"龍江頗涉俗, 幸有以教之也。"余不辭而諾, 曰:"龍於江, 泛耳遠耳。大軍游騎出, 太遠而無所歸。何哉？無已則龍淵乎？"又從而爲之說, 曰:"在乾之九四, 或躍在淵, 无咎。'夫易之時, 義大矣哉。龍於淵, 所處旣安, 或躍處, 上下之

---

277) 한쪽으로 치우치지 않고 정상적이고 상식적인 중도를 선택하는 길임.
278) 주(周)나라 계역(季歷)의 아들이며 무왕(武王)의 아버지, 명은 창(昌), 은(殷)나라 말기에 서쪽의 변방에서 거주하고 있었으며 협서성 기산현(陝西省岐山)에 자리잡은 제후국(諸侯國)의 왕, 은(殷)나라로부터 서백(西伯)으로 인정받았으며 그의 아들 무왕(武王)이 은(殷)나라를 정벌하여 천하를 통일 하였음.

无常, 或去或就, 進退之无恤。士之出處, 奚異乎？此退而自修, 非果忘也。待其時也, 出而需世, 非爲榮也, 乃分內事也。時可隱而出, 非中也。可以出而隱, 亦非中也。當其可之謂時, 吾願益進其德, 益修其業, 如龍在淵。而自試時乎？可矣。興雲出雨, 上下于天, 不難也。噫, 五百之期已過, 千一之淸亦晩。有文王者興將出獵, 非龍非彲非熊非羆非虎非彪者, 皆爲其所獲。惟君淵焉而竢之。"

유린당기(有隣堂記)

　점리(漸離)279)는 축(筑)280)을 치고 형가(荊軻)281)는 화답하기 위해 노래를 불렀던 것은 뜻이 같은 것을 서로 느낀 것이며, 백아(伯牙)282)가 거문고를 퉁길 때 자기(子期)283)가 태산곡(泰山曲)284)과 유수곡(流水曲)285)이라는 것을 아는 것도 지조가 같아 서로 화답한 것이다. 그리고 춘호 정공(春乎鄭公)의 유린당(有隣堂)은 덕이 같아 서로 응한 것이다. 공이 송강 문청공(松江 文淸公)의 후손으로 우리 한국(韓國)이 망한 날을 당하여 개연(慨然)히 왜적(倭賊)을 저항하는 뜻을 간직하고 있다가 상황(上皇)

---

279) 전국(戰國), 고점리(高漸離), 연인(燕人), 축(筑)을 잘 쳤으며 형가(荊軻)의 친구로 형가와 함께 진(秦)나라로 들어가 시황제(始皇帝)를 시해하려고 하였으나 형가의 거사가 실패하자 고점리는 성명을 바꾸어 숨어살다가 진시황이 그가 축(筑)을 잘 친다는 말을 듣고 죄를 사면한 대신 궁중에 들어와 축을 치라고 하여 그는 궁중으로 들어가 축을 치다가 축을 들어 진시황을 향해 내려쳤으나 실패하여 처형되었다.
280) 비파(琵琶)와 비슷하게 생긴 악기임.
281) 전국(戰國), 위인(衛人:지금의 河南省), 그는 젊어서부터 독서와 검기(劍技)를 좋아 하였는데, 일찍 연 태자 단(燕太子丹)의 식객(食客)이 되어 태자단(太子丹)으로부터 진시황을 살해하던지 우리가 빼앗겼건 땅을 되찾아 오던지 둘 중 하나를 선택하라고 하자 형가는 진시황 살해를 택하여 번어기(樊於期)의 머리와 독항(督亢:河北省固安縣)의 지도(地圖)를 가지고 친구 고점리(高漸離)와 함께 진나라로 들어가 독항지도 밑에 비수를 숨겨 독항지도를 줄 때 진시황을 자살(刺殺)하려 하였으나, 진시황에게 발각되어 형가는 처형되고 고점리는 민가에 숨어 지냈다.
282) 춘추(春秋), 거문고를 성연(成連)에게 배워 잘 퉁겼음. 그의 거문고 소리를 알아주던 친구 종자기(鍾子期)가 죽자 그는 거문고 줄을 모두 뜯어버리고 다시는 거문고를 퉁기지 않았다.
283) 춘추(春秋), 백아(伯牙)의 친구, 그는 백아의 태산곡(泰山曲)과 유수곡(流水曲)의 고상한 음률을 알아 백아의 지기(知己)로 인식되었다.
284) 백아(伯牙)의 금곡(琴曲).
285) 백아(伯牙)의 금곡(琴曲).

이 승하하자, 해내(海內)의 호걸들이 낱낱이 흩어져 고토(故土)를 회복하려고 꾀하므로, 공의 의담(義膽)도 충격을 느껴 책을 던지고 나가 척수(隻手)로 봉적(鋒鏑)을 무릅쓰고 시호(豺虎)와 충돌하여 10년 동안 망명하면서 몸소 천신만고(千辛萬苦)를 겪었다. 일은 비록 이루지 못했지만 그 뜻은 사라지지 않았다. 그는 서남(西南)으로 떠돌아다니며 하늘을 장막으로 삼고 땅을 자리로 삼아 무릎을 편안히 받아드릴 떼집 하나도 없었고 아내는 굶주림을 고하고 아이는 추위에 울고 있었다. 아! 군자(君子)가 이와 같이 궁색할 수 있을까. 원천 오재욱(源泉 吳在昱)이 본래 널리 구제하는 인자한 성품이 있으므로, 한 사람이 주창하면 천 사람이 상의 하지 않아도 함께 화답하여 앞을 다투며 돈을 내므로, 서석산(瑞石山)의 서쪽이자 극낙강(極樂江)의 남쪽에다 두어 칸의 집을 지어놓고 작은 방과 좁은 난간 사이에서 손님도 맞이하고 친족들과 모임도 갖고 바람도 부르고 달도 들어오게 하였으니, 여기에서도 선행을 좋아하고 의리를 좋아하여 이성이 같다는 것을 엿볼 수 있다. 아니 강산(江山)의 령(靈)이 도운 것일까. 내 친구 김월담(金月潭)이 그 집의 이름을 '유린당(有隣堂)'이라고 하였다. '유린(有隣)'이라고 하는 것은 대개 덕유린(德有隣)이라는 말을 취한 것이다. 아! 소리가 같으면 서로 응하고 기운이 같으면 서로 구하며 구름은 용을 따르고 바람은 호랑이를 따른 것이다. 이것은 대개 각기 그 종류를 따른다는 것이다. 청컨대, 이것으로 장로(張老)[286]가 되기를 빈다.

有隣堂記

漸離擊筑, 荊軻和而歌之, 是同志相感也. 伯牙鼓琴, 子期知其爲泰山流水, 是同操相和也. 春乎鄭公, 有鄰之堂, 是同德相應也. 公以松江文淸之肖裔, 當我韓社墟日, 慨然有抗倭之志. 及上皇賓天, 海內豪雋之士, 星馳電散, 謀復

---

286) 진(晉)나라의 선인(仙人), 그는 혼자 농사를 짓고 있다가 하루는 매파(媒婆)에게 너 마을의 부가(富家)인 범문자(范文子)의 딸을 자신에게 중매하라고 하므로 매파는 깜짝 놀아 지체도 낮고 혼자 농사를 짓는 사람에게 어떻게 중매를 하냐고 거절 하였다. 그러나 그는 다시 한번 생각하여 말해 보라고 하자 매파는 범문자의 집으로 가서 어렵게 그 이야기를 하였다. 범문자는 웃으며 예물을 말해 주며 "그럼 황금으로 내가 요구한 만큼 보내라고 하시오" 라고 하였다. 이것은 가난한 농부가 그 많은 돈을 낼 수 없을 거라고 생각하여 사실상 그 혼담을 거절한 것이었다. 그러나 그 총각 농부는 그 다음날 황금을 요구한 수량대로 범문자에게 보내므로 범문자는 깜짝 놀아 어쩔 줄 모르고 있는데 그의 딸이 그 총각 농부와 결혼하겠다고 하자 범문자는 할 수 없이 두 사람을 결혼하였다. 그들은 결혼 후 몇 일만에 수례를 타고 어디론가 가버렸다. 그후 범문자의 하인 곤륜(崑崙)이 왕옥산 천단(王屋山天壇) 남쪽으로 가서 그들이 신선이 되어 행복하게 살고 있는 것을 보았다고 하였다.

故土。公義膽攸激，投經而赴，徒以隻手，冒鋒鏑，衝豺虎。亡命十載，身經千楚萬刧。事雖不諧，其志義則有不可磨滅者矣。顧漂泊西南，幕天席地，無一茅容膝之安，妻告饑而兒啼寒。噫，君子若是其固窮耶？源泉吳在昱，素有廣濟之仁。一人倡之，千人不謀而同和。爭先捐金，乃營數間屋于瑞石之西，樂江之南。斗室夾欄，可以延賓聚族，可以招風納月。此可見樂善好義，秉彝攸同。而抑亦江山之靈，有以助之也歟？吾友金月潭，名其契曰有鄰堂。曰有鄰，盖取諸德有鄰之語。噫，自我不有其德，其何鄰之有？易曰："同聲相應，同氣相求。"雲從龍，風從虎，盖言各從其類也。請以是爲張老之頌。

용산재 중건기(龍山齋重建記)

오산(鰲山) 서쪽 30리 거리에 우치(牛峙)라는 마을이 있는데, 라씨(羅氏)들이 대대로 살고 있어 남쪽 지방의 명족(名族)이 되었다. 그리고 용고미산(龍顧尾山)이 있는데 비단 같은 산봉우리가 구불구불 두르고 있고 두 여울이 앞에 흐르며 긴 냇물을 띠고 있다. 이 곳은 유인 신씨(孺人申氏)의 묘소가 있다. 송재선생(松齋先生)의 증손인 진사 매월당(進士梅月堂) 휘 봉서(逢緖)의 아내이다. 그 후 2대를 지나 매곡(梅谷) 휘 강중(綱重)의 묘소도 같은 언덕에 있는데, 지금 3백년이 지나는 동안 자손이 번창 하여 시례(詩禮)를 업으로 삼고 있으니 이것이 어찌 그 원인이 없이 이루어지겠는가? 가지가 무성하면 그 뿌리가 견고하다는 것을 미루어 알 수 있고, 물이 멀리 흐르면 그 수원이 길다는 것을 입증할 수 있다. 그렇다면 라씨(羅氏)의 선조는 인(仁)이 깊고 경사(慶事)가 쌓여 행장(行狀), 묘지(墓誌), 묘갈(墓碣), 묘표(墓表)가 아니라도 후손들이 성창한 것을 보면, 그 근원을 입증할 수 있을 것이다. 묘소에는 옛날에 재사(齋舍)를 두어 춘추로 재숙(齊宿)하는 장소로 삼았는데 지난 경인년(서기1950)의 병란(兵亂)에 소실(燒失)되어 기해년(서기1959) 봄에 문중에서 회의한 후 서로 달려와 일을 도우므로 그 터에 옛날처럼 건물이 서고 그 지은 건물은 새로웠다. 그리고 없어진 건물이 다시 있게 되니 옛날보다 더 완전 하였다. 이에 10대의 고향과 두 묘소의 송추(松楸)가 울창하여 가지가 서로 푸르다. 아! 저 겁화(劫火)와 혹염(酷焰)이 집의 대들보와 서까래는 태울 수 있어도 사람은 선조를 추모하는 정성은 없에지 못하였다. 자손의 수가 많지 않을 뿐 아니라 하나로 합한 힘으로 10년도 안되어 새롭게 단장되고 바뀌어 눈앞에 우뚝 솟아 있으니 훌륭하다! 아니 나는 이 재사(齋舍)에 특별히 느낌이 있다. 세상에 묘사(墓舍)와 병각(丙閣)[287]이 가는 곳마다 굉장히 크고 화려하여 다만 재계하는 장소로 삼거나 빈조(蘋藻)[288]를 올려놓거나 석물(石物)을 꾸며 놓고 춘추로 성묘하는 일 이외에는 대개 적막 하였다. 11대손 갑주군(鉀柱君)은 영준(英俊)한 선비이므로 속세를 초탈하여 이 곳에서 거처하고 이 곳에서 학문을 강론하여 자제들을 효제(孝悌)와 시서(詩書)로 교육하고 이미 지난 선조들의 덕을 기록하고 미래의 후손에게 법도를 전하고 있으니, 그 계절마다 제향을 모시는 것과 비교할 때 빈조(蘋藻)를 차려놓지 않아도 깨끗하고 석물(石物)을 차려놓지 않아도 훌늉하다고 할 것이다. 《서경(書經)》[289]에 이르기를 "기장이 향기로운 것이 아니라 오직 명덕(明德)이 향기롭다(黍稷非馨, 明德惟馨)"이라고 하였으니 명덕(明德)을 누리도록 나는 라씨(羅氏)의 재사(齋舍)를 위해 빈다.

龍山齋重建記

鼇山治西一舍許, 有洞曰牛峙。羅氏之世居, 以仕宦閥閱, 蔚爲南州名族。有山曰龍顧尾。綺峀羅峰, 拱揖逶邐, 襟雙澗而帶長川。孺人申氏之衣履攸托。松齋先生曾孫進士梅月堂, 諱逢緖配也。二傳而梅谷諱綱重之葬。在同阡。今去三百年而遺雲遠仍繁且昌, 濟以詩禮。此豈無所因而致哉? 枝茂焉而可推其根固, 流遠焉而必知其源深。然則羅氏之先, 深仁積慶, 不待狀誌碣表而觀。後承之盛, 可徵其本源矣。墓舊有齋, 以爲春秋齊宿之所。往庚寅, 火于兵亂。己亥春, 門議齊發, 爭趨而樂赴。厥基惟舊, 厥制惟新。化亡爲存, 視古加完。於是乎, 十世之桑梓, 二墓之楸松, 欝欝交柯凝翠矣。噫, 彼刧火酷焰, 能燬屋之棟櫨榱桷, 而不能滅人追先之誠。以不億之麗, 出合一之力, 不十年輪奐者、翬革者, 遽突兀於眼前。盛矣哉! 抑余於斯齋, 別有感焉。世之墓舍丙閣, 在在宏偉傑麗, 而只爲齊明之所也, 蘋藻之薦也, 儀物之賁也。春秋省掃外, 盖寂寥也。十一世孫鉀柱君, 雋英士也。脫塵鞿而超俗窠, 起居於斯, 講學於斯。課子弟以

---

287) 묘소 옆에 지어놓은 조그마한 집, 묘사(墓舍)는 묘소 옆에 지어놓은 재사(齋舍)를 말하지만 병각(丙閣)은 조금 작은 집으로 그 안에 고인의 사적을 적은 비(碑)가 모셔져 있다.
288) 제물(祭物)을 말한다.
289) 서명(書名), 10책, 5경(經) 중 하나, 일명 상서(尙書)라고도 한다. 우서(虞書), 하서(夏書), 상서(尙書), 주서(周書) 등 당우삼대(唐虞三代)에 걸쳐 중국 고대의 정치를 기록 하였다.

孝友詩書, 述先德於旣往, 裕後謨於方來。其所謂時節之薦享者, 不待蘋藻而潔, 不待儀物而賁者矣。書曰:"黍稷非馨, 明德惟馨。"明德之享, 吾爲羅氏齋頌禱。

국헌기(菊軒記)

　지기(知己)를 만나는 것은 매우 어려운 일이니 어찌 사람뿐이겠는가. 물건도 그렇다. 염옹(濂翁)[290]의 시대는 연명(淵明)[291]과의 시대가 천여 년(千餘年)이 되었지만 오히려 국화를 사랑한다는 사람은 연명(淵明) 이후 들은 적이 적다. 해마다 국화는 사람들이 사랑하지 않는 사람이 없다. 꽃은 고금이 다르지 않지만 사람은 그때 사람이 아니다. 이것은 이른바 연명(淵明)을 가장하여 국화를 대하는 것이다. 오직 향기만 사랑하는 것은 군자(君子)는 꽃을 사랑하는 것이라고 말하지 않는다.

　마루 위에 주인(主人)인 친구 조모(曺某)는 9월 초 9일에 태어났다. 그의 이름은 욱승(旭承)이며 자는 중양(重陽), 호는 국옹(菊翁)이다. 그는 연명(淵明)이 사랑하는 국화와 하늘이 정해준 바꿀 수 없는 인연이 있으므로, 그가 사랑하는 것이 이와 같으니 그 사람(陶淵明)을 사랑하는 것은 더욱 알 수 있을 것이다. 옹(翁)이 일생동안 갖은 뜻이 연명(淵明)과 다른 것은 자신의 덕이 적다고 생각하기 때문이지만 그 높은 정신과 풍도는 세속을 추월하고 시비(是非)와 흔척(欣戚)은 그 마음을 동요할 아무것도 없었으니 연명(淵明)과 그 뜻을 같이 한 것이다. 그리고 거칠어가는 전원(田園)을 손질하고 자신의 샘물을 마시며 자신의 산을 올랐다. 그리고 담 안이 쓸쓸하고 가정이 가난 하였지만 편안히 여기었으니 이것은 연명(淵明)과 자취를 같이 한 것이다. 그리고 삼경(三徑)[292]을 왕래하며 소나무를 어루만지며 시를 읊고 동쪽 울에서 국화꽃을 채

---

290) 송(宋)나라 주돈이(周敦頤)의 호 렴계(濂溪)를 약칭한 것임. 송학(宋學)의 개조(開祖), 여산 연화봉(廬山蓮花峯)밑인 렴계(濂溪)에서 살면서 태극도설(太極圖說)과 통설(通說) 등 많은 저서를 하였다.

291) 진(晉)나라 심양 시상인(尋陽柴桑人). 도간(陶侃)의 증손, 자는 연명(淵明), 또는 원량(元亮), 혹 이름이 원량(元亮)이라고도 하며 존칭으로 정절선생(靖節先生)이라고 함. 어려서부터 취미가 고상하여 박학(博學)하였으며 글을 잘 하였음. 가친이 늙고 가정이 가난하여 본주(本州)의 제주((祭酒)가 되었으나 관리로서 직책을 감당하지 못하여 사직하고 그후 팽택령(彭澤令)이 되었으나 부임한지 80여일만에 사직하고 돌아와 귀거래사(歸去來辭) 등 많은 저서를 남기고 나이 63세에 사망 하였다.

292) 본래 한(漢)나라 장후(蔣詡)가 정원(庭園) 안에 세갈래 좁은 길을 만들고 그 곳에 송(松),죽(竹),국(菊)을 심어 친구인 양중(羊仲)과 구중(求仲)만이 그 길을 통하여 장후(蔣詡)를 방문 하였는데 도연명(陶

취하거나 북창(北窓)밑 시원한 자리에 누어 천고(千古)를 벗으로 삼고 우주(宇宙)밖에 마음을 두는 것은 연명(淵明)과 그 취지를 같이한 것이다. 그 사람으로 인하여 그가 사랑하던 것을 사랑하는 것은 비록 후연명(後淵明)이라고 해도 가할 것이다. 아! 국화가 연명(淵明)을 만나는 것은 하나의 기이한 일이지만, 천년(千年)이 지나서 또 옹(翁)을 만나는 것도 또한 두 번째 기이한 일이다. 나는 국화로 지기(知己)가 된 것을 축하하고 있는데, 잘 알 수 없지만 지금 이후 옹(翁)과 같은 사람이 몇이나 있을까. 오류선생(五柳先生)[293]이 자찬(自讚)하기를 "술을 즐기고 시를 지어 그 뜻을 즐겁게 하니 무회씨(無懷氏)[294]의 백성일까. 갈천씨(葛天氏)[295]의 백성일까"라고 하였는데 나는 옹(翁)을 위해 한번 외우고 기록 하였다.

菊軒記

知己之遇, 盖難矣。豈惟人也？物亦然耳。濂翁之世, 去淵明千餘年而猶曰菊之愛, 陶後鮮有聞。年年黃花, 無人不愛。然花無古今之異, 而愛之者非其人, 是所謂假淵明對眞黃花者也。惟臭香是愛, 君子不謂之愛也。軒上主翁曹友以九月之初九庚降, 錫嘉曰旭承。重陽其表德, 又號以菊翁。於淵明所愛之物, 有天定不易之緣。愛其所愛猶如此, 愛其人尤可知也已。翁一生所志, 違乎淵明者自寡, 若其高情逸韻, 迥出塵外。是非欣戚, 漠然無一動其中者, 與淵明同其義也。理將蕪之田園, 飮我泉而陟吾岡, 環堵蕭然, 箪瓢屢空, 亦晏如也。此與淵明同其跡也。往來三逕之間, 撫孤松而吟哦, 採東籬之英, 臥北窓之凉, 尙友千古, 放懷宇宙之表者, 與淵明同其趣也。以其人而愛其所愛, 雖謂之後 淵明, 可也。噫, 菊之遇淵明, 一奇也。歷千載而又遇翁, 再奇也。吾爲菊賀其遇知己, 未知今與後同翁者又何人？五柳先生自贊曰："酣觴賦詩, 以樂其志。無懷氏之民歟？葛天氏之民歟？"余爲翁一誦之, 以記之。

淵明)의 귀거래사(歸去來辭)에도 松菊荒三徑)이란 구절이 있는 걸 보아 도연명도 삼경을 만든 것으로 추측된다.

293) 도연명(陶淵明)이 지은 《오류선생전(五柳先生傳)》에 오류선생이 누구인지 알 수 없다고 하였으나 즉 자신을 가리켜 하는 말이므로 도연명을 말한 것이다.
294) 중국 오제기(五帝紀)에 고대의 제왕 중 한 사람이라고 하였다.
295) 중국 태고(太古)의 제왕 중 한 사람.

운계기(雲溪記)

　　세상에 은둔(隱遁)한 선비는 세상과 서로 뜻이 맞지 않아 운림(雲林)과 계석(溪石) 사이에서 살며 미록(麋鹿)과 벗이 되고, 어하(魚鰕)와 짝이 되며, 자신의 밭을 갈고 자신의 샘물을 마시며, 저 명성과 이권(利權) 및 화려한 생활을 더러운 듯 여기었다. 김군 도중(金君道中)은 광산고가(光山故家)에서 태어나 은거생활을 하면서 오암산중(鰲巖山中)에서 몸을 수양하여 평생동안 권문귀가(權門貴家)에는 발을 들려놓지 않고, 오직 효우(孝友)를 한 가정의 정사로 삼아 차라리 야할망정 빛나게 살지 않고 질박할망정 아름답게 꾸미지 않았으며, 그 사실(私室)의 문미(門楣)에 편액을 '운계(雲溪)'라고 하였다. 여울에서 그 맑은 물을 접하고 구름에서 그 한가한 것을 취하여 자신의 몸을 의탁한 것과 매우 비슷하니 그 뜻이 깊고 멀다고 할 것이다. 내가 일찍 그 집을 방문하였는데 그때 처마에 구름이 아직 흩어지지 않고 있고, 여울물은 맑게 흘러 나의 마음을 넓게 하고 정신을 기쁘게 하여 세속을 초월한 느낌이 들므로 산 밖에 누가 조맹(趙孟)[296]인지 알 수가 없었으니, 어찌하여 이 한 조각구름을 나누고 이 한 폭은 여울물을 길러다가 이 세상에 바쁘고 혼료(混淆)한 자들을 치료할 수 있을까. 그의 아들 선일(善一)이 간혹 나와 종유하면서 그의 아버지가 보시도록 이 사실을 기록해 달라고 간청 하였다.

雲溪記

　　世之隱淪之士, 與時相違, 處乎雲林溪石之間, 麋之與友, 魚鰕之爲侶, 畊吾田而飮吾泉。彼聲利芬華, 若浼焉。金君道中甫, 以光山故家隱居, 飭躬於鰲岩山中。生平足不涉權貴門, 惟孝友爲一家之政。寧野不史, 寧質毋文, 扁其燕居室曰雲溪。溪而挹其淸, 雲而取其閑。所托甚近, 而其義深且遠矣。余嘗一叩山門。于時簷雲未散, 溪流瀅淥, 令人心曠神怡, 灑然有超俗之思, 不知山外孰爲趙而孰爲孟也。安得分此一片雲, 汲此一幅溪, 以醫斯世之奔忙, 而混淆者哉? 之胤善一, 間相從余遊, 請書此爲其大人觀。

---

[296] 진(晉)나라 경(卿)으로 가장 귀한 사람을 말한다. 조행(趙行)의 후손들이 서장(庶長)이 되었으므로 그들은 자신들을 말할 때 항시 맹자(孟字)를 붙여서 말하였다.

운초기(雲樵記)

　　나의 친구 조옹 회승(曺翁晦承)이 방장산(方丈山) 밑에서 은거(隱居)하여, 아침이면 구름을 헤치고 나무를 채취하고 밤이면 집으로 돌아와 고인(古人)의 글을 읽으며 그가 거처한 집의 편액을 '운초(雲樵)'라고 하였다. 대개 실제 상황을 기록한 것이다. 옹(翁)의 가정은 대대로 유학(儒學)을 계승하여 그의 선대인(先大人) 오암공(梧巖公)은 면암(勉庵)[297]과 송사(松沙)[298] 두 문하를 출입하고, 효행(孝行)으로 칭송을 받았다. 옹(翁)은 가정의 유훈(遺訓)을 이어받아 오암(梧巖)이 아버지 섬기는 도리로 오암(梧巖)을 섬기었으니, 효(孝)라는 한 글자가 옹(翁)의 가정에 전해온 보물이다. 나는 옹(翁)의 가정과 여러 대를 사귀어온 사이므로, 총각 때부터 서로 잘 알고 지낸지 이미 40년이 되었다. 그의 말은 효우(孝友)를 떠나지 않고 지금 백발이 되었으나 이야기만 하면 한결 같이 그 선대인(先大人)을 언급하여 반드시 눈물을 머금거나 눈물을 흘리었다. 비록 가정에서 배울 것이라 하더라도 그의 천성은 속을 수가 없었다. 아! 지금 천하에 풍우가 몰아치듯 한 곳도 조용한 곳이 없고 눈에 보이는 것은 적인(赤人:인디안)과 흑인(黑人:남아프리카인) 아닌 것이 없고, 귀에 들은 것마다 절반은 서얼(庶孼) 아닌 사람이 없으니, 뜻 있는 선비들이 산으로 은둔하지 않으면 바다로 숨어 미록(□鹿)을 벗으로 삼고, 어해(魚蟹)로 짝을 지어 세상이 잘 다스려지고 어지러운 것은 들어 보려고도 하지 않고 오직 목숨만 부지하려고 하니, 이것은 세상이 쇠퇴하였다는 것을 의미한 것이다. 나는 장자 지팡이 하나와 신 한 컬레로 방장산(方丈山)의 운하(雲霞) 사이에서 옹을 따라 상수리도 줍고 섶도 채취하며 효제(孝悌)의 설(說)을 들을 것이다.

---

297) 구한국(舊韓國) 말의 한학자(漢學者), 서기1855년 명경과(明經科)에 급제하여 사헌부 지평을 시작으로 사간원 정언, 성균관 직강 등 관직을 거치면서 경복궁 중건정지, 당백전 폐지 등을 주장하였고 1873년에 다시 승정원 동부승지에 임명되어 대원군(大院君)의 정책을 비난하다가 관직이 삭탈되고 1876년에는 정부가 일본과 통상조약을 체결하자 지부복권소(持斧伏闕疏)를 올리므로 임금을 위협하였다는 죄목으로 흑산도로 유배되었으며 그후 갑오갱장과 갑오개혁의 규정을 비난하는 등 숫한 정쟁을 하다가 서기1905년 대마도로 유배되어 사망하였음.

298) 구한말의 의병장 기우만(奇宇萬)의 호, 1896년 2월에 거의(擧義)하여 고광순(高光洵), 기삼연(奇參衍)과 나주(羅州)에서 회동하였으나 선유사 신기선(宣諭使申箕善)의 권유로 의병을 철수하여 장성 삼성산(三聖山)으로 들어가 백립(白笠)을 쓰고 지내다가 다시 제자인 백낙구(白洛九)의 거의(擧義)로 다시 옥고를 5개월동안 치르고 나와 지내다가 나이 71세에 사망 하였음.

雲樵記

吾友曺翁晦承, 隱居方丈下。朝而披雲採樵, 夜歸讀古人書, 扁其居曰雲樵。盖記實也。翁家世儒術, 其先大人梧巖公, 出入勉松二門, 以孝見稱。翁孺染庭訓, 以梧巖之所, 事其親, 事梧岩。孝之一字, 爲翁家靑氈也。余與翁累世交孚。自丱角相識, 伊來四十年于玆矣。雅言不離乎孝友, 至今老白首, 語一及其先大人, 必含淚釀涕。雖曰家學, 而其天植, 亦不可誣也。噫, 今天下風翻雨覆, 無一片乾淨土。觸目無非赤黑, 入耳半是胥象。有志之士, 不于山焉, 則于海焉。麋鹿與友, 魚蟹爲侶, 理亂不相聞。惟性命是全。此衰世之意也。吾將以一笻一屐, 從翁於方丈雲霞之間, 拾橡取薪, 以聽孝悌之說。

난계기(蘭溪記)

이소(離騷)[299]는 여러 가지 방초(芳草)의 보고이다. 삼여(三閭)[300]는 오직 난초에만 정중한 뜻을 두어 중복으로 들먹이며 한두 번에 그치지 않고 구원(九畹)[301]에서 길러 허리춤에 차고 다니었으니 너무 지나치게 좋아했다고 할 것이며, 그 취하는 것도 저렴하지 않다고 할 것이다. 임군 종수(林君鍾秀)는 금계(錦溪) 위에서 독서하여 호를 '난계(蘭溪)' 라고 하였다. 그대에게 묻기를 금계(錦溪) 위에는 지금 몇 떨기는 난초가 나 있는가. 구원(九畹)에서 자란 것과 같은지 같지 않는지는 알 수 없지만, 이름이 같으면 뜻도 같고 뜻도 같으면 그 사람도 같지 않을 수 없다. 지금 군(君)은 그 뜻을 사모하고 그(屈原)가 사랑했던 것(蘭草)를 사랑 하였다. 그 사랑하는 것도 부족하여 또 난초를 취하여 호로 하였으니 대개 빛을 머금고 곧은 절개를 지키어 세상에 알려지지 않아도 원망하지 않았으니, 더욱 난초가 깊은 산곡에서 나 사람이 없어도 아름다운 것과 같은 것이다. 그러나 오직 그 몸만 착한 것이 어찌 군자(君子)가 하고 싶은 일이겠는가. 오직 그 때만 볼 뿐이다. 그러나 때는 옳지 않으므로 물러나서 몸을 깨끗이 하여 스스로 아름답게 하는 것이 참으로 그가 할 일이다. 만일 그 때가 좋았다면

---

299) 중국 초(楚)나라 충신 굴원(屈原)이 지은 부(賦)로 초사(楚辭)의 최초본임.
300) 초(楚)나라 관직 이름으로 삼여대부(三閭大夫)를 말한다. 초나라 충신 굴원(屈原)이 이 관직에 있었으므로 굴원을 가리키는 말이다.
301) 面積單位, 초(楚)나라 때 12무(畝), 또는 30무(畝)를 말함.

세상에 나가서 단 하루라도 장안(長安)에 가서 꽃을 구경하는 것도 먼저 해야 할 일이다. 오직 군(君)은 더욱 독서를 많이 하여 그 아름다움을 더욱 축적하여 때를 기다리고 있다가 이 세상 사람들과 함께 아름다움을 누린다면 그 향기로운 덕(德)이 어찌 구원(九畹)에만 그치겠는가? 바라건대, 난초 한 뿌리만 빌어 나의 뜨락 위에 옮겨서 그 향기를 맞고 싶은데 군(君)이 허락해 줄까.

蘭溪記

離騷衆芳淵海也，三閭惟於蘭，致意丁寧重言，複語不一再而止。至以滋九畹紉而爲佩，可謂愛之酷，而取又不廉也。林君鍾秀，讀書錦溪之上，號曰蘭溪。問君溪上今生幾叢蘭？第未知與九畹之滋同不同如何？而名同則義同，義同則其人亦無不同矣。今君慕其義而愛其所愛，愛之不足，又取以號之。盖含光守貞，不見知於世亦不怨，尤有似乎蘭生幽谷不無人不芳也。雖然獨善其身，豈君子所欲？惟其時之視耳。時乎不可，退而潔身自芳，固其所也。如其可矣，出而觀光一日，長安花亦前頭事也。惟君益讀其書，益蓄其芳，待時而發，與斯世之人共享，馨德奚止九畹而已哉？願借一根蘭，移我階上，以挹其剩芬。君肯許之否？

농은정기(農隱亭記)

은둔(隱遁)하는 것도 그 기술이 다양하다. 유령(劉伶)[302]은 술로 하고, 한강(韓康)[303]은 약으로 하였으며, 왕유(王維)[304]는 시화(詩畵)로 하였으니, 시대가 그렇게 하

---

302) 서진(西晉), 자는 백륜(伯倫), 죽림칠현(竹林七賢) 중 한 사람. 장자(莊子)의 사상을 실천하였으며 신체를 토목(土木)으로 인식하고 마음의 자유를 추구 하였다. 그는 술을 좋아하고 주덕송(酒德頌)을 지었다.
303) 동한(東漢)의 은사(隱士), 자는 백휴(伯休), 그는 평생 동안 산에서 약을 채취하여 시중에 팔며 생계를 유지 하였다. 하루는 약을 파는데 한 부인이 약가(藥價)를 깎아달라고 하자 한강(韓康)은 약가를 깎아주는 예가 없으므로 그 부른 가력대로 요구하였다. 그 부인은 "당신이 한백휴(韓伯休)나 되시오 약가를 깎아주지도 않게"라고 하자 한강은 "나는 내 이름이 알려지는 것을 싫어하는데 이 부인까지 내 이름을 알고 있으니 약을 팔아 무엇하겠는가"라고 하고는 산으로 들어가 숨어 살면서 왕이 수레를 보내 맞이하였으나 끝까지 응하지 않았다.
304) 당(唐)나라 시인(詩人), 화가(畵家), 자는 마힐(摩詰), 불교에도 깊은 조예가 있고 음률도 잘 알며 비파도 잘 퉁기었다. 그는 특히 산수화(山水畵)를 잘하여 남종화(南宗畵)의 창시자라는 평을 받았다.

도록 한 것이다. 그는 "술과 거문고와 약(藥)과 시화(詩畵)에 특히 마음을 둔 것이며 의탁하는 것이다"고 하였다. 친구 고광송(高光松)군은 성곡(星谷)의 들에서 은거(隱居)하며 그 정자의 편액을 '농은(農隱)'으로 하였다. 이름과 실상이 서로 맞은 것이 좋다. 그러나 군(君)의 정자는 실상과 맞지 않는데 어찌하겠는가? 이를테면 농사에는 크고 적은 것이 있다. 그 적은 것은 여러 사람들이 함께 하는 농사이며, 그 큰 것은 군(君)이 혼자 하는 농사이다. 군(君)은 1촌(寸)정도 된 아직 피지 않는 연꽃을 전시(田地)로 삼고 분전(墳典)[305]으로 쟁기를 삼아 게을리 하지 않고 열심히 노력하여 그 실상을 자책하면서 농사질 때 밭갈이를 하는 것처럼 종자를 심고 김을 메고 수확하고 있으니, 이것을 이른바 큰 농사라고 한 것이다. 그는 아직 적은 농사에 의탁하고 있지만 그의 덕(德)은 참으로 아름답고 그 겸양하는 빛은 더욱 아름답다. 나도 지금 갈건(葛巾)을 쓰고 야복(野服)을 입고 동쪽 언덕에서 상마(桑麻)를 물어보고 서쪽 밭에서 화서(禾黍)를 이야기하고 있으니 즉 하나의 농부이다. 전부(田夫)가 농정(農亭)을 기록하는 것은 직책이므로 이에 농가(農歌)를 지었다. 그 노래는 "저 성곡(星谷)의 산봉(山峯)을 바라보니 비가 부슬부슬 내리네./ 이에 초립(草笠)과 도롱이를 착용하고 밭을 갈고 씨앗을 뿌리었네./ 나는 고인(古人)을 생각하니 신(莘)[306]나라의 들과 남양(南陽)[307]의 언덕이라네./"라고 하였다.

農隱亭記

隱亦多術。劉伶以酒，魏野以琴，韓康以藥，王維以詩畵，時使然耳。其曰酒曰琴曰藥曰詩與畵，特其寓耳，托耳。友人高光松君，隱居星谷之野，以農扁其亭。夫名實貴其相稱，君之亭，奈非其實何？曰：農有大有小。其小者衆所同也，大者君所獨也。君以方一寸未敷蓮花爲田地，典墳以爲耒耜，孳孳不怠，以責其實，如農之耕，而種而耘而穫，是所謂農之大者也。而姑退托於小者，德固

---

305) 삼분(三墳),오전(五典)의 약어로 중국 고대의 제왕인 삼황(三皇)과 오제(五帝)에 관한 서적(書籍)을 말한다.
306) 중국 고대나라 이름. 지금 협서성 합양현(陝西省郃陽縣)에 있었으며, 주(周)나라 무왕(武王)의 어머니 태사(太姒)가 이 나라의 사람이었으며 이윤(伊尹)의 모국이었음. 이윤(伊尹)의 명은 지(摯), 은(殷)나라 태종(太宗) 때의 현신(賢臣), 신(莘)나라의 들에서 농사를 하였으나 탕왕(湯王)을 도와 하(夏)나라 걸왕(桀王)을 멸하고 관직이 윤(尹), 아형(阿衡), 보형(保衡) 등에 이르렀다.
307) 지금 중국의 하남성 신야현(河南省新野縣)의 서쪽에 있는 지명(地名)으로 제갈량(諸葛亮)이 이 곳 와룡강(臥龍岡)에서 살았었다.

美矣， 而謙光尤爲美也。余方以葛巾野服， 問桑麻於東阡， 談禾黍於西疇， 卽一田夫也。以田夫記農亭， 職耳。乃爲之農歌， 其歌曰："瞻彼星峰， 其雨濛兮。乃笠乃簑， 畊且種兮。我思古人， 莘之野兮。南陽之隴"

희양서실기(希陽書室記)

　천리마(千里馬)를 바라면 또한 천리마를 타고, 안회(顏回)[308]를 희망하면 또한 안회(顏回)의 무리이다. 내 친구 정군 휴조(鄭君休祖)는 일찍 사방(四方)에 뜻을 두어 동쪽 만리(萬里)밖에서 유학하고 있었으나 세상과 자신이 맞지 않아 이미 발전할 희망이 없으므로 뜻을 거두고 귀국하여 자양산중(紫陽山中)에서 회옹(晦翁)[309]의 글을 읽고 그의 도(道)를 좋아하고 그 산을 사랑하여 그 서실의 이름을 희양(希陽)이라고 하였다. 옛날 주자(朱子)를 사모한 사람이 풀 속에 있는 거미를 사랑하였는데, 주(朱)와 주(蛛)는 글자가 달라도 음이 같아서 오히려 사랑한 것이다. 더구나 이름과 뜻이 같지 않는 것이 없는데서야…. 희(希)라는 것은 바란다는 것이다. 그러나 주자(朱子)를 바란다고 해서 주자같이 될 수 있을까. 그의 친구 정회(正會)는 말하기를 "선비는 뜻을 높이 갖는 것이다. 뜻이 있는 곳이면 어찌 멀다고 가지 못하겠는가. 백리(百里)를 갈 때 눈이 밟이자 먼저 가지 않는 적이 없고, 발이 비록 그 곳에 도착하지 않았다고 하더라도 눈이 먼저 그 곳을 알고 있다면 땅을 밟고 가는 걸음걸이가 넓어 칼날을 놀리는 것과 같을 것이니, 그대는 이미 대의(大義)를 본 것이다. 말이 온화하여 안자(顏子)[310]의 화를 옮기지 않는 것을 배웠고, 시종 뜻을 한 결 같이 하는 것은 맹자(孟子)의 부동심(不動心)과 같다. 그렇다면 주자(朱子)의 도(道)도 내 성분(性分) 안에 있는 일이다. 그 시를 외우고 글을 읽고 그 도(道)를 사모한다면 반드시 주자(朱子)가 되지는 못하더라도 그 주자의 무리가 되는 것은 결정된 것이다. 사람은 하지 않는 것이 걱정이니 걱정하기를 이와 같이 한다면 성인이 어찌 우리를 속이겠는가. 지금 천하는

---

308) 춘추(春秋), 노인(魯人), 무요(無繇)의 아들, 명은 회(回), 자는 자연(子淵), 공자제자, 천성이 명예(明睿)하여 가정이 가난하였으나 학문을 좋아 하였다. 공문사과(孔門四科) 중 덕행과(德行科)에 속하고 제자 중에서 가장 어질어 공자가 칭찬하기를 "화를 남에게 옮기지 않고 과실을 두 번 범하지 않는다(不遷怒, 不貳過)"라고 하였다. 29세에 머리가 모두 희였고 32세에 사망 하였다. 후세에 복성공(復聖公)으로 추칭 하였다.
309) 주자(朱子)의 호가 회암(晦菴)이므로 회옹(晦翁)이라고 한다.
310) 안회(顏回)를 존칭하는 말.

궁음(窮陰)이 폐색(閉塞)하고 풍우(風雨)가 회명(晦冥)하지만 오직 이 자양(紫陽) 한 산봉우리가 우러러 볼수록 더욱 높아 후일의 학자는 반드시 희양(希陽)]에 희망을 갖을 수 있을 것이니 노력하기 바란다"라고 하였다.

希陽書室記

希驥之馬, 亦驥之乘也。希顔之徒, 亦顔之倫也。吾友鄭君休祖, 早有四方之志, 遊乎扶桑萬里外。世與我違, 旣不可進取, 則卷而歸之, 讀晦翁書於紫陽山中。悅其道而愛其山, 扁其書室曰希陽。昔人有慕朱者, 愛其草間之蛛。朱與蛛, 字異而音同, 猶且愛之。況名義之無不同乎！曰："希望也, 朱子可望而至乎？"其友正會爲之說, 曰："士尙志, 志之所在, 何遠不到。夫百里之行, 未有不眼先於足。足雖未到彼境, 而眼能先知其境, 則地步恢恢如游刃, 君乎已見大義也。言溫氣和, 可以學顔子之不遷怒；終始一意, 可以如孟子之不動心。然則朱子之道, 亦吾性分內事也。誦其詩, 讀其書, 慕其道, 未必遽爲朱, 而其爲朱之徒, 則決矣。人患不爲, 有爲者亦若是, 聖豈欺我哉？今天下窮陰閉塞, 風雨晦冥。惟紫陽一峰, 仰之彌高。後之來學者, 必有希希陽者矣。勉乎哉！"

춘강기(春江記)

월출산(月出山)은 낭주(朗州)[311]의 명산이며 서호(西湖)는 또 그 산 밑에 뛰어난 강이다. 산을 옆으로 하고 강을 가까이 임한 마을은 구림(鳩林)이다. 인근에 많은 마을과 접해 있어 계구(鷄狗)의 소리가 사방에 들리고, 인물도 많고, 풍속도 순후하여 옛날부터 좌해(左海)[312]에서 가장 큰 고을로 칭하였다. 내 친구 최군 일석(崔君日錫)이 대대로 이 곳에서 거주하며 효우(孝友)의 가풍을 계승한데다가 문학(文學)을 더하여 우리 유학계(儒學界)에 명사(名士)가 되었다. 지령(地靈)은 인걸(人傑)이라고 하더니 그렇지 않은가? 나는 군(君)과 30년을 같이한 오랜 친구로서 그의 얼굴을 대하면 윤이 난 옥 같고 그의 말을 들으면 난초의 향기 같았다. 군(君)의 마음은 일원(一

---

311) 전남 영암(全南 靈巖)의 옛 이름.
312) 우리나라를 말함.

元)³¹³⁾의 봄을 간직하고 있다. 그는 특히 강 위의 봄을 빌어 그 서실의 편액을 '춘강(春江)'이라고 하였다. 아! 이것은 시인(詩人)이 강령(綱領)을 숭상하는 뜻이다. 강령을 숭상하면 비단의 문채가 더 드러나고 강의 봄을 간직하면 마음의 덕이 더욱 드러난다. 더구나 산천이 솟고 흐르는 것과 운하(雲霞)가 펼쳤다 오므렸다 하고 초목이 영췌(榮悴)하는 것은 나의 기운에 도구노릇을 하지 않는 것이 없으므로 인자(仁者)는 산을 좋아하고 지자(智者)는 물을 좋아 하여 제각기 그 류(類)를 따르는 것이다. 이로 말미암아 나간다면 그 나가는 것이 그치지 않을 것이며, 그 흐름을 거슬러 그 근원을 탐지하면 기수(沂水)³¹⁴⁾에서 바람 쐬고 목욕하는 봄과 정천(程川)의 방화수류(訪花隨柳)³¹⁵⁾의 봄이 즉 눈앞에 별경(別景)일 것이다. 만일 그 봄이 강 위에 올라와 어조(魚鳥)의 맹주(盟主)가 되고 연하(煙霞)의 품제(品題)가 된다면 만물(萬物)이 모두 봄기운이 있을 것이니 곧 남쪽의 서호(西湖)에서 배를 빌어 타고 가서 군(君)에게 즐거운 것이 무엇이냐고 물을 것이다.

春江記

月出朗州之勝山也, 西湖又山下之秀江也。傍山臨江, 有村曰鳩林。比接千鄰, 鷄狗之聲, 達于四境。人物富庶, 風俗淳厚, 自古稱左海之最。吾友崔君日錫, 世居於此。承襲孝友家風, 濟以文學, 蔚爲吾黨名士。地靈人傑, 不其然乎？余與君三十年久要也。接其容, 溫玉之潤也。聽其言, 芝蘭之馨也。君方寸上, 自有一元之春矣。而特借江上之春, 扁其書室曰春江。噫, 此詩人尙綱之義也。綱之尙, 而錦之文益；彰江之春, 而心之德尤著矣。況山川之流峙, 霞雲之舒卷, 艸木之榮悴, 莫非爲吾養氣之具。故仁者之於山, 知者之於水, 亦各從其類也。由是而進, 進不已, 溯其流而探其源, 則沂水風浴之春, 程川花柳之春。卽眼前別景耳。若其春入江上, 主盟魚鳥, 品題烟霞, 頗有與物皆春之意矣。行當南爲, 借棹西湖上, 問君所樂何事？

---

313) 송(宋)나라 소옹(邵雍)의 황극경세론(皇極經世論)에 일원(一元)은 천지(天地)의 단위(單位)라고 하였다.
314) 천명(川名). 산동성 기수현(山東省沂水縣)에서 발원하여 사수(泗水)로 들어감.
315) 송(宋)나라 정호(程顥)의 춘일우성(春日偶成)이란 제목의 시에 "꽃을 보고 버드나무를 따라 앞 냇물을 지나간다(訪花隨柳過前川)"는 시구에서 따온 것이다.

동초기(東樵記)

　옛날 경륜(經綸)을 가지고 있는 선비들은 시대가 좋지 않으면 종종 마음을 다른 곳에 의탁하여 그 빛을 숨기고 있었다. 그것은 오래동안 숨는 것이 아니라 때를 기다리는 것이다. 신(莘)[316]나라에서 밭을 갈고 위수(渭水)[317]에서 낚시질 하는 일이 일찍 있었다. 영척(寗戚)[318]이 우각(牛角)을 치며 노래하고 백리해(百里奚)[319]가 소를 먹인 것은 모두 이것에(때를 기다리기 위함) 의탁한 것이다. 몸이 비록 절룩거리지만 도(道)는 더욱 통하며 난리는 비록 극도에 달하지만 뜻은 더욱 견고 하였으니 군자(君子)가 어디로 가든 적응하지 않겠는가? 내 친구 정옹 철환 상규(鄭翁喆煥尙珪)는 영준한 선비이다. 진세(塵世)를 벗어나 물외(物外)에 초연하고 뜻을 거두고 은거하여 용덕(龍德)의 동쪽에서 초부(樵夫)로 의탁하고 있으므로 사우(士友)들은 그를 '동초(東樵)'라고 하였다. 이에 군만(羣巒)이 흔쾌히 그를 맞이하고 여러 산곡들이 서로 칭송하여 명산이 자연히 그 주인을 두게 되었다. 한 방에 도서(圖書)가 가득하고 천고(千古)를 소영(嘯詠)하였으며 여가에는 옷을 걷고 저 산에 올라 숲과 여울을 벗으로 삼아 천석(泉石)의 맹주(盟主)가 되고 화조(花鳥)를 논하였으므로 세상의 희락(喜樂)과 우척(憂戚)이 그의 마음에 끼어들지 못하였으니, 대개 초부(樵夫) 중에 신선이었다. 은둔한 선비들은 암혈(巖穴)에서 살고 여울 물을 마신다. 비록 세상에서 도를 행하지는 못하더라도 그들이 행하는 술(術)은 이미 그 마음속에 간직하고 있다. 자벌레가 몸을 구부리는 것은 허리를 펴기 위한 것이므로, 선비가 세상에 나와 몸을 파는 것도 많지 않고 산림에 숨어서 뜻을 지키는 것도 적지 않다. 나는 지금 삿갓과 도롱이를 착용하고 날마다 인강(仁江) 위에서 낚시질을 하고 있으니 이것은 어부(漁夫)이다. 이 어부(漁夫)가 초부(樵夫)의 글을 쓴다는 것은 크게 맞지 않지만 어찌하겠는가? 그러나 나

---

316) 옛날의 유신국(有莘國), 성은 사(姒), 하(夏)나라 우왕(禹王)의 후예. 주(周)나라 무왕(武王)의 어머니 태사(太姒)가 이 나라 사람이었으며 이윤(伊尹)이 이 나라 들에서 농사를 하였다.

317) 황하(黃河)의 지류(支流), 감숙성(甘肅省)의 동남쪽에서 발원하여 협서성(陝西省)을 거쳐 황하(黃河)로 들어가는 강명.

318) 춘추(春秋), 위인(衛人), 그는 제(齊)나라 환공(桓公)이 인재를 구한다는 소문을 듣고 제(齊)나라로 가 우각(牛角)을 치며 노래를 하였는데 그 노래를 들은 제환공(齊桓公)은 그를 불러 대부(大夫)로 임명하였으며 그는 포숙아(鮑叔牙), 관중(管仲) 등과 환공을 도와 패업(覇業)을 이루었다.

319) 우인(虞人), 백(百)은 성(姓), 리(里)는 씨(氏), 해(奚)는 이름이며 자는 정백(井伯)이다. 진(秦)나라 목공(穆公)이 양피(羊皮) 5장을 초(楚)나라 성왕(成王)에게 주고 그를 대부(大夫)로 삼았다. 그는 처음에 가정이 가난하여 우연히 초(楚)나라도 들어가 목부(牧夫)가 되었는데 목공을 그가 어질다는 소문을 듣고 채용한 것이다.

는 일찍 소자(邵子)[320]의 《문대편(問對篇:漁樵問答)》을 읽었는데 그 내용에는 "어부와 초부가 만나면 나무를 쪼개서 고기를 삶아 실컷 먹은 후에는 《주역(周易)》을 논한다."고 하였다. 《주역》의 이치는 비(否)하면 태(泰)하고, 박(剝)하면 복(復)한다. 그러나 천자에 순곤(純坤)이 지배한지 오래 되었으니 칠일(七日)의 복(復)이 멀지 않았다. 만일 성인(聖人)이 나시어 위에 있으면서 암곡(巖谷)과 해빈(海濱)에서 은사들을 부를 것이니 그 때가 되면 나는 옹(翁)에게 축하하기를 "손에서 용산(龍山)의 꼴을 버리고, 머리에 장안(長安)의 꽃을 꽂아라."고 할 것이다.

東樵記

古之懷抱瑰瑋之士, 時乎不可, 則往往有所托而鏟其光, 非長往也, 蓋有待也。莘之畎, 渭之釣, 尙矣。甯戚刀歌, 百里奚飯牛, 皆是托也。身雖塞而道益亨, 亂雖極而志益堅。君子安往而不自得哉? 吾友鄭翁喆煥尙珪, 儁英士也。脫塵輞而超物外, 卷而晦之, 托樵於德龍之東。士友因以稱東樵。於是群巒欣迎, 列壑爭頌。名山自有其主矣。圖書一室, 嘯咏千古, 暇輒褰裳陟彼, 與林侶澗徒爲友, 主盟泉石, 批判花鳥。凡世之可喜可樂可憂可戚者, 無以嬰其情。蓋樵中仙也。夫隱淪之士, 岩處澗飮, 雖不得行道於當世, 而其所以行之之術, 已畜乎其中。尺蠖之屈, 乃所以求其伸也。故出而需世, 非加多; 處而求志, 非加少也。余方以篛笠綠簑, 日事釣竿于仁江之上, 是漁者也。以漁者記樵仙, 大不着題。何? 雖然余嘗讀邵子問對之篇矣。其曰: "漁樵相遇, 析薪烹魚, 食之飫而論易。" 夫大易之理, 否而泰, 剝則復。天下純坤久矣, 七日之復庶乎未遠。如有聖人者出而在上, 招隱於岩谷濱海之間。方其時也, 吾將以祝翁, 曰'手擲龍山蒭, 頭戴長安花。'"

---

[320] 북송(北宋)나라 소옹(邵雍)을 말한다. 자는 요부(堯夫), 호는 안락선생(安樂先生), 시호는 절(節), 낙양(洛陽)에서 30년동안 있으면서 정호(程顥), 정이(程頤), 사마광(司馬光), 부필(富弼), 장재(張載), 등 많은 학자들과 사귀었고 황극경세서(皇極經世書),26편, 관물내외(觀物內外) 2편, 어초문답(漁樵問答) 1권 등 많은 저서를 남겼다.

인곡기(仁谷記)

　　인강(仁江)의 위에는 산과 냇물이 두르고 있고 깊고도 먼 골짜기가 있다. 그 비단 같은 산봉우리들이 푸른빛과 하얀빛을 띠고 있고 중앙에는 평평하고 넓은 땅이 펼쳐져 있어 계견(鷄犬) 소리가 서로 들리고 있으니 이른바 선향(仙鄕)으로서 세속과 떨어져 있지 않다. 조군 수훈(趙君修勳)은 대대로 이 산중에서 살면서 봄에는 밭을 갈고 가을에는 글을 읽어 고가(古家)의 유규(遺規)를 지키고 있다. 그는 일찍 이 세상에 뜻을 두고 있었으나 세상이 자신과 함께 할 수 없게 되므로 이미 암랑(巖廊)에 서서 백성들에게 혜택이 미치게 할 수 없어 자신은 물러나 조금 그 간직하고 있는 경륜(經綸)을 한 고을에서 시험하였다. 그는 인천(仁川)에서 학교를 설립하여 후진(後進)들이 학문할 수 있도록 계도(啓導)하고 운곡(雲谷)에다 제방(堤防)을 축조하여 영원히 수원(水源)을 확보하였으니 그 백성들에게 미치는 혜택이 과연 어떠하겠는가. 군(君)의 공(功)은 당연히 인강(仁江), 운곡(雲谷)과 함께 영원히 같이 할 것이다. 참으로 그의 호를 인곡(仁谷)이라고 하지 않더라도 만일 따라서 말을 한다면 선유(先儒)들이 말하기를 "천하의 재상(宰相)을 구하지 못하면 천하의 명의(名醫)를 구하는 것이 좋을 것이다"고 하였다. 재상과 명의는 명위(名位)와 사업이 비록 다르지만 그 사람을 구제하는 것은 같다. 고인들의 뜻은 세상을 구제하는 마음이 간절하였으니 가히 깊고 원대한 생각이라고 할 것이다. 그렇다면 군(君)이 지금 하는 사업은 비록 크고 작거나 넓고 좁은 차이는 있으나 그 뜻은 이미 넓은 집 천만칸에 있다. 더구나 군(君)의 나이와 근력은 아직 젊고 강하므로 중단 없이 전진해 나간다면 후일의 성취를 어찌 헤아릴 수 있겠는가? 군(君)은 나를 종유한지 한 해가 되었는데, 대개 그의 천성은 영민하고 준수하며 조행은 확고하므로 더욱 노력하면 나는 천하의 영재를 교육하고 천하의 도탄에 빠진 백성을 구제하기를 군(君)에게 기대할 것이다.

仁谷記

仁江之上, 山川繆廻, 有谷邃然而夐. 錦峰綺峀, 紆靑繚白, 中通平廣, 鷄犬相聞, 所謂仙鄕, 不離俗也. 趙君修勳, 世居玆山之中. 春而耕, 秋而讀, 克守故家遺規. 嘗有志斯世. 而世不我與, 旣不得立乎巖廊, 澤被斯民, 退而少試其蘊於一坊之內。設仁川校, 以啓後進之學;築雲谷堤, 以資無窮之源。其爲民惠, 果何如哉?君之功, 當與仁江、雲谷, 同其悠久。苟號之莫仁谷, 若從而爲之說, 曰:先儒云:"卜天下宰相不得, 天下名醫可矣。"宰與醫, 名位事業雖不侔, 而其爲濟物則均。古人之志, 切救世, 可謂深且遠矣。然則君今之業, 雖有大小, 廣狹之不同, 其志已在夫廣廈千萬間焉。況君年力富強, 進進不已, 他日成就, 何可量哉?君從余遊有年, 盖其天賦英秀, 操履堅確, 惟益加勉勵。吾方以育天下英.濟天下溺, 爲君期之。

춘원정기(春園亭記)

　　효자가 아버지를 섬길 때 맛있는 음식으로 그 입을 즐겁게 하고 성음과 채색(采色)으로 그 이목을 즐겁게 한다. 그러나 이것은 대개 한계가 있어 효자의 한없는 정을 다하여 봉양하지 못하고, 그 아버지가 작고한 후에 초상 때 슬퍼하고 제사 때 공경하여 그 성의를 다하고 있으나, 이것도 제한이 있으므로 효자의 무궁한 정을 다하기에는 부족하다. 이것은 큰 효자라야 종신토록 부모를 사모하고 부모를 잊지 않는 것이다. 주인옹(主人翁)인 김원익(金源益)씨는 시례(詩禮)의 전통을 갖은 가정에서 태어나 어려서부터 효우(孝友)하는 성품이 있으므로 다 섬기지 못한 것을 필생의 한으로 생각하여 황용강(黃龍江) 위에 정자를 지어놓고 고인(古人)의 촌초춘휘(寸草春暉)[321]라는 시구(詩句)를 취하여 '춘원(春園)'이란 편액(扁額)을 하고 종신토록 그 사모하는 뜻을 담았다. 그것은 대개 "나를 나으시느라고 고생하신 그 은혜를 봄에 풀이 돋아나듯 큰 덕과 같은데 촌초(寸草)와 같은 이 마음으로 그 봄빛 같은 은혜를 갚기 어렵다"는 것이다. 아버지가 비록 작고 하셨지만 이 몸이 죽지 않아 그 사랑도 사라지지 않았으므로 한마디의 말을 할 때와 발 한걸음 걸을 때 그 착한 이름을 잃지 않고 그 아버지를 나타내는 것은 이 옹(翁)의 뜻이다. 효도는 모든 행실의 근본이다. 근본이 서 있으면 도(道)가 생기는 것이다. 옹(翁)은 한 후원(後園)의 봄을 미루어 선조를 추모하는데 열중하면서 선조의 미행(美行)을 천양하는데 급급하고 있다. 당연히 할 일이 있으면 다른 사람을 기다릴 것이 아니라 또 이런 마음을 미루어 종족과 화목하고 고을 사

---

321) 당(唐)나라 시인 맹교(孟郊)의 유자음(遊子吟)이라는 오언시 중에 "누가 이 촌초(寸草)의 마음으로 삼촌(三春)의 햇빛을 보답할까{誰言寸草心, 報得三春暉}"라는 구절에서 취한 것이다.

람들과 믿음을 갖어 접촉한 사람마다 회기로운 봄이 엄습하듯 해야 할 것이다. 이것은 오직 옹(翁)의 몸에만 미칠 것이 아니라 이 마음을 아들에게 가르치고 또 이런 정신을 손자에게 가르치어 대대로 긴 봄처럼 화기로움을 지속해야 할 것이다. 아! 이것은 춘원(春園) 뿐이라고 말할 수 있다. 내가 일찍 요월정(邀月亭)에 올라 제현(諸賢)들이 서술한 글을 모두 읽어 보고 옹(翁)의 선조의 덕이 모두 효도에서 나온 것을 알았고 또 그 효도가 충성으로 변하여 호남(湖南)의 망족(望族)이 되었다. 그렇다면 이 정자의 위에 봄은 위로 받은 사람이 있고 아래로 전하는 사람이 있으니 아! 이것이 옛 조상의 사업 중에서 가장 보물이라고 할 것이다.

春園亭記

孝子之事親, 耍脆旨美, 以悅其口 ; 聲音采色, 以娛其耳目. 此盖有限, 不足以盡孝子無窮之情. 以養致之樂, 因而及於親沒之後. 喪致哀而祭致敬, 以效其誠. 此亦有制, 不足以盡孝子無窮之情. 此大孝, 所以終身慕, 而不敢忘父母也. 主翁金源金氏, 生長詩禮故家, 幼有孝友至性, 以不逮事爲畢生恨. 爲亭於黃龍江上, 取古人寸艸春暉之詩, 扁以春園, 以寓終身之慕其意. 盖曰生我鞠我之恩, 如春生大德, 難以寸艸之心, 報得其暉也. 親雖沒, 身不亡, 愛亦不亡. 一出言, 一擧足, 而不敢忘身, 不失令名, 以顯其親, 此翁之志也. 夫孝本百行, 本旣立矣, 道以之生. 翁以一園之春, 推而勤於追遠. 汲汲乎闡揚先徽, 事有當爲者, 不待餘人. 又推而睦于族戚, 信于鄕黨, 接之者春和可襲. 此不惟及翁之身, 以是教子 ; 又以是訓孫, 將以爲世世長春. 嗚乎, 此可謂春園子己矣. 余甞暮春者, 登邀月亭, 讀諸賢叙述. 知翁之先德, 皆由乎孝. 又能移孝於忠, 蔚爲湖南望族. 然則亭上之春, 上有所受, 下有所傳. 嗚乎! 此可謂舊業之靑氈也夫!

성남서실기(城南書室記)

나의 친구 홍군 석희(洪君錫憙)가 도천(道川) 위에서 학문을 강론하고 있을 때, 그 서실의 편액을 '성남(城南)'이라고 하였다. 대개 금성(錦城)의 남쪽이라는 뜻이다.

군(君)의 가정에는 대대로 유학(儒學)을 업으로 삼아 그의 선대인(先大人) 모(某)는 우리 선군(先君)과 함께 송사 기선생(松沙 奇先生)[322]의 문하에게 수업 하였는데, 선생에게 크게 칭찬을 받았다. 나의 친구는 가정의 유훈(遺訓)으로 교육을 받아 문학과 성망(聲望)이 사림들 사이에 높았다. 선유(先儒)들이 이르기를 "우리 도(道)가 남쪽에 있다"고 하였는데, 그것이 아닐까? 병오년(서기1966) 봄에 내가 어머니의 거상(居喪) 중에 있을 때 군(君)이 친구의 의리를 잊지 않고 백리 길을 걸어서 문상하러 와 서로 고금(古今)을 논하고 간패(肝肺)를 말하였는데, 이별할 때 그의 서실기(書室記)를 나에게 부탁 하였으나 나는 글을 잘 할 줄 모른다고 사양 하였었다. 그러나 조용히 생각해 보니, 이것도 대대로 사이좋게 지내는 일인데, 어찌 글을 잘하고 못하는 것을 논하겠는가? 선비는 뜻을 숭상할 뿐이다. 부귀에 뜻을 둔 사람은 공명을 말할 수 없고 공명에 뜻을 둔 사람은 도덕을 말할 수 없고 도덕에 뜻을 둔 사람은 부귀도 그 뜻을 바꾸지 못하고 공명도 그 뜻을 앗아가지 못할 것이다. 옛날 성인(聖人)의 문생(門生)들이 자신의 뜻을 말하던 날, 부자(夫子)[323]는 세 제자들의 말에 혹 쓴웃음을 짓기도 하고 혹은 은미하게 인정하기도 하였으나 오직 기수(沂水)에서 목욕하고 무(舞雩)[324]에서 바람 쐬며 돌아오겠다는 대답에 "나와 함께 하겠다"고 감탄 하였다. 기수(沂水)[325]는 노(魯)나라의 성 남쪽에 있는데 군(君)이 살고 있는 냇물이 기수(沂水)와 어떻게 같기에 그 뜻이 같을까? 천년도 조석이 만나는 것인데 더구나 지명이 약속 없이 서로 같다면 어찌 우연이라 하겠는가? 군(君)은 견고한 뜻을 가지고 깨끗한 행실을 실천하고 있으므로, 탁류(濁流)가 가득히 흐르는 세상에 다른 사람들은 모두 물을 건너가도 나만 가지 않고, 명성과 이윤을 초월하여 매년 봄바람이 불거나 가을철 달이 밝으면 시를 읊고 술에 취하여 좋은 산수를 모두 탐방하고 있으니 비파를 놓아두고 일어난 일과 같이 맞는 일이다. 만일 부자(夫子)가 계셨다면 또 감탄을 연발

---

322) 구한국 말 의병장 기우만(奇宇萬), 호는 송사(松沙), 노사선생(蘆沙先生)의 손자, 서기1896년 2월에 의병을 일으켜 나주(羅州)에서 고광순(高光洵), 기삼연(奇參衍), 이관상(李觀相) 등과 회동하고 광주(光州)의 향교로 갔다가 선유사 신기선의 권유로 의병을 파하고 장성 삼성산(三聖山)으로 돌아와 은거하던 중 제자 백낙구(白洛九)의 거의(擧義)로 5개월동안 옥고를 치르고 돌아와 71세의 나이로 서거하였다.

323) 공자(공자)를 높이어 부르는 말.

324) 중국 농성(魯城) 남쪽 기산(沂山)에 있는 기우제단(祈雨祭壇)임.

325) 산동성 기수현(山東省沂水縣)에서 발원하여 강소성 비현(江蘇省邳縣)을 거쳐 사수(泗水)로 들어가는 천명이다. 공자(孔子)의 제자 증석(曾晳), 자로(子路),염유(冉有), 공서화(公西華) 네 사람이 공자를 모시고 있을 때 공자가 각기 자신의 뜻을 말해 보라고 하므로 그 중 증석은 봄바람이 불면 동자(童子) 5~6인과 기수(沂水)에서 목욕하고 무(舞雩)에서 바람을 쐬고 시를 읊으며 돌아오겠다고 하자 공자는 "나도 증석과 같이 하겠다"고 하였다.

하였을 것이다. 나는 지팡이 하나와 신 한 켤래로 군(君)이 시를 읊으며 돌아오는 그 뒤를 따라 관자(冠者) 5~6인의 수를 채우려고 하는데 혹 속인이라고 뿌리치지나 않을는지….

城南書室記

吾友洪君錫憙, 方講學于道川之上, 扁其室曰城南。盖以其錦城之南也。君家世儒術, 其先大人○○公, 與我先君, 同受學于松沙奇先生門, 大爲先生奬。予君擩染庭訓, 文學聲望重士林, 殆先儒氏所云: "吾道其南者, 非耶?" 丙午春, 余居母喪, 君不忘故交誼, 百里來問, 相與道古今, 說肝肺, 臨別以其書室, 要一言記之。余辭不文。因竊惟之, 此亦講世好, 奚論文之工拙。夫士尙志焉己耳。志於富貴者, 不足以語功名; 志於功名者, 不足以語道德; 志於道德, 則富貴不能易其所守, 功名不能奪其所操。昔聖門言志之日, 夫子於三子者之譔, 或哂之, 或微許之。惟於浴沂之對, 發'吾與之'嘆。沂水在魯之 城南, 未知君所居之川, 與沂上之流奚若? 而志苟同也, 千載亦朝暮遇也; 況地名之不謀相符? 夫豈偶然哉! 君以堅確之志, 飭澡潔之行。濁流滔滔, 人涉卬否? 超卓乎聲利之表, 每春風秋月, 吟鞭醉車, 偏在勝山秀水間。其所志與舍瑟之作, 泂然同歸。夫子在者, 必又發喟然嘆矣。余將以一笻一鞋, 從君詠歸之後, 以充冠者五六之數。而倘不以俗流而揮之否?

풍낙정 중건기 (豊樂亭重建記)

누관(樓觀)의 흥폐는 대개 시운의 융체(隆替)에 빠져 있다. 우리 도산촌(道山村) 뒤에 한 구역인 사지(社地)는 매우 우뚝 솟아 있어 상쾌하고 높으므로 옛날부터 정자가 있었다. 매년 농사철이면 노소(老少)가 모두 무성한 나무그늘아래 모여 앉아 맑은 바람을 쐬며 그 풍년을 즐기었다. 그런 시기에 백성들의 풍속은 순박하여 삼고(三古)의 기풍이 있었다. 아! 세상이 변한 이후 그 정자도 비어있는지 이미 수 십 년이 되어 땅에는 묵은 풀이 가득하여 사람들로 하여금 수심을 자아내게 하였는데 정미년(서기

1967) 봄에 여러 사람들이 상의하여 옛 섬돌을 이용하여 다시 새롭게 단장 하므로 임목(林木)은 푸름을 더하고 새들도 축하를 하였다. 세상이 다시 태평해질 징조일까? 이 일은 웃 사람과 아랫사람이 모두 참여하였는데, 시종 그 일을 주관한 사람의 이름은 임군 한욱(林君漢郁)이다.

豊樂亭重建記

樓觀興廢，盖有關乎時運之隆替也。我道山村，後一區社地，甚突兀而爽塏。舊有亭，每農月，少長咸集坐茂樹，而挹淸風，以樂其豊。方其時也，民淳俗尨，有三古之風焉。噫，一自滄幻桑變，亭隨而墟者，忽已數十星霜。滿地荒艸，使人興嗟。丁未春，詢謀僉同，因舊砌而重新之。林木蔚其增翠，禽鳥爲之獻賀。世道之復泰，或將有兆也耶？是役也，上下爭相樂赴。而始終尸其事者林君，漢郁其名。

여송재기(麗松齋記)

묘소 밑에 재사(齋舍)를 마련하여 춘추로 제(祭)를 지내는 것은 대개 조상을 존중하고 근본을 중시하는 뜻이 있다. 무송(茂松)의 삼태봉(三台峯) 밑인 연비치(燕飛峙)에 큰 재각(齋閣)이 숲 사이로 보일 듯 말 듯 자리하고 있는데 유씨 안정공(庾氏安貞公)의 묘사(墓舍)이다. 공의 휘는 녹숭(祿崇)이며 고려조(高麗朝)의 명신(名臣)으로 태자소부(太子少傅)이다. 평주(平州)에서 무송(茂松)으로 이거하여 자손들이 거주하고 있으면서, 그 수효가 번창하여 과거(科擧)에 급제한 후 성균관(成均館)에 있기도 하였으므로 지금 수 백년 동안 의관(衣冠)을 갖춘 혁혁한 가문으로 호남의 거족이 되었다. 무신년(서기1968) 봄에 종족의 회의를 통하여 이 재사(齋舍)를 건립하였는데, 기둥이 5개인 4칸으로 중간에는 대청과 동·서로 방을 만들어 몇 개월도 되지 않아서 공정을 마치고, 그 편액을 '여송(麗松)'이라고 하였다. 대개 그 근본을 잊지 않도록 기록한 것이다. 《고려사(高麗史)》를 살펴보면 공(公)의 천성은 정직하고 유술(儒術)이 온 세상에서 제일이었으며 관직에 있는지 40여 년 동안 충성심을 갖고 있었다고 하였다. 대개 공이 남긴 음덕과 후손들에게 전해준 것이었으니, 냇물이 풍성한 것은 반드시 근원이 있는 것이다. 정회(正會)가 다행히 이웃에서 거주하고 있으므로 제공(諸公)들과 서로 알고 지내는데, 모두 법도가 있고 헛된 사치를 부러워하지 않으며, 오직 효우(孝友)와 화목(和睦)을 제일로 알고 가정마다 시례(詩禮)를 장려하므로, 이 고을의 모범이 되어 수백 년 동안 이와 같이 선조를 추모 하였으니, 그 가까운 친족에게 돈독하다는 것을 더욱 알 수 있을 것이다. 내가 알기로는 그 재사(齋舍) 뒤의 숲에 특이한 가지가 연하여 꽃이 피고 또 날아온 새가 서로 싸우지 않고 알을 낳아 새끼를 가리지 않고 먹이를 먹이었다. 나의 친구 화봉(華鳳)은 그의 19세손인데, 문중 어른들의 명으로 나에게 와서 재기(齋記)를 부탁하였다. 그 일을 시종 주관한 사람은 용중(庸中)과 건풍(健風)과 맹식(孟植) 세 사문(斯文)이었다.

麗松齋記

齋於邱墓下, 爲春秋苾芬之供, 盖出於尊祖重本之義也。茂松之三台峰下鷺飛, 峙有宏搆鬼閣, 隱映於林木之間者, 庾氏安貞公之墓舍也。公諱祿崇, 麗朝名臣也。爲太子少傅, 自平州移籍於茂松, 子性奠店之, 宴繁且昌。登第升庠, 至今累百年。衣冠門戶, 赫然爲湖南巨族。歲戊申春, 宗議齊發, 營建斯齋。齋凡五楹四間, 而中間爲堂, 東西爲室, 不幾月而工告訖功, 額曰麗松, 盖誌其不忘本也。按: 麗史, 公天性正直, 以儒術冠一世, 居官四十餘年, 以忠自持。盖公之遺廳餘烈, 熹庇後昆。可知川豊者, 必有源也。正會幸接隣壤, 與諸公相識, 皆循循雅飭, 無慕於浮華, 惟孝友敦睦是尙。家詩而戶禮, 足爲鄕黨模楷。能追遠於數百載之後若是, 其勤其篤於近者, 尤可知也。吾知其齋後之林, 必將有異枝連帶而花者, 又有翔集之禽, 不爭捿而卵, 不擇子而哺矣。吾友華鳳, 其十九世孫也。以門長老之命, 囑余記實之文。始終幹其務者, 庸中、健風、孟植三斯文。

양천기(陽川記)

　　정군 성윤(鄭君聖胤)이 자양산(紫陽山) 밑에서 은거하여 아침에는 밭을 갈고 저녁에는 글을 읽으며 여가에는 낚시 하나와 삿갓 하나로 인천(仁川)에서 고기를 낚았는데 그 서실의 편액을 '양천(陽川)'이라고 하였다. 대개 실제를 기록한 것이다. 우리나라 산수(山水)는 중화(中華)와 우연히 그 이름이 같아 한 두 개의 수가 아니다. 군(君)이 살고 있는 곳에 산은 자양(紫陽)과 회암곡(晦菴谷), 운곡(雲谷), 신안(新安) 등 종종 좋은 이름이 있는데, 이것은 우연이 아니다. 회옹(晦翁)보다 뒤에 태어난 사람은 그 도(道)를 사모하고 그 이름을 사랑하였으며 그 사랑도 부족하여 또 호를 지었다. 그 이름을 돌아보고 천재(千載) 후에 일어날 것이다. 회옹(晦翁)의 도(道)는 비록 날마다 사용하는 윤리는 아니지만 실제의 일에서 옳은 것을 찾는 것일 뿐이다. 내가 보기에 군(君)이 집에 있을 때는 평범한 말고 평범한 행실을 하고 순근(諄謹)하고 아측(雅飭)하여 외물을 사모하지 하지 않고 남에게 바라지도 않았다. 이것으로 아들을 교육하고 이것으로 손자에게 훈계하였으며, 걸어서 성시(城市)에 들어가지 않고 이름을 권귀(權貴)의 가정에 알리지 않고 언제나 한가하게 즐거운 마음으로 근심을 잊었으며 큰 형인 희양(希陽)과 우애가 독실하여 조석으로 모여서 형이 말하면 아우가 화답하여 이 산중에서 함께 즐겁게 살았다. 그렇다면 일편(一片)의 자양(紫陽)이 군(君)의 가정에 전해온 보물이다.

陽川記

鄭君聖胤甫, 隱居紫陽山下, 朝而畊, 暮而讀。暇則一竿一笠, 往釣于仁川之上。扁其室曰陽川。盖記實也。夫吾東山水, 與中華偶同其名者, 不一二數也。君所居地有山, 曰紫陽, 曰晦庵有谷, 曰雲谷, 曰新安。種種嘉名, 有若不偶然者矣。凡後乎晦翁者, 慕其道而愛其名。愛之不足, 而又因以爲號。顧其名而起興於千載之下。夫晦翁之道, 不雖乎日用彝倫, 而實事求是而己。吾見君之居家矣, 庸言庸行, 諄謹雅飭, 無慕乎外, 不求於人。以是教子, 以是訓孫。足不入城市, 名不刺貴權之門, 常囂囂然, 樂而忘憂。與伯公希陽, 友于篤至, 晨夕相聚, 塤唱而篪和, 同樂乎此山之中。然則一片紫陽, 君家傳授之靑氈也夫。

춘호유거기(春湖幽居記)

춘호주옹(春湖主翁)은 나와 친한 친구이다. 지난 해 모춘(暮春)에 작은 차에 술 한 병을 실고 보도산중(普道山中)에 있는 나를 방문하여 나는 '춘호(春湖)' 두 글자를 크게 써서 그의 사실(私室)에 부치도록 하였고 또 따라서 기록하기를 다음과 같이 하였다.

옹(翁)은 월성세가(月城世家)로 재사당선생(再思堂先生)의 후예이다. 공의 성품은 인후(仁厚)한데다가 성근(誠謹)하기까지 하여 일생동안 선조(先祖)의 사적을 기록하고 모든 일 중에 당연히 하여야 할 것은 반드시 자신이 주창하고 남에게 맡기지 않았으며 또 그 인자한 마음을 미루어 위로 문묘(文廟)로부터 제현(諸賢)의 서원제향(書院祭享)까지 춘추로 반드시 그 성의를 다하였으며, 안으로 종족과 밖으로 친구에 이르기까지 그 훈훈한 덕을 베풀지 않는 사람이 없었다. 대개 그의 가슴 속에는 사시(四時)의 봄이 길게 있어서 화기로운 기운이 말과 얼굴에 나타나 공을 대한 사람들은 봄의 화기로운 기운이 엄습한 것 같았으니, 본성이 그렇지 않고야 어찌 그렇게 하겠는가? 아! 지금 세상이 날로 혼탁하여 사욕이 하늘을 찌르듯 한데 어떻게 공과 같은 몇 사람을 얻어 나라에 두어 비부(鄙夫)의 마음을 너그럽게 하고 박부(薄夫)의 정신을 돈독하게 할 수 있을까/

春湖幽居記

春湖主翁, 余所深契也。往莫春者, 以小車載一壺酒, 訪余普道山中。余以春湖二大字, 書其燕處之室, 且從而爲之記。曰:翁月城世家, 而再思堂先生肯裔也。性本仁厚, 濟以誠謹, 一生篤於述先。凡事之所當爲者, 必有我唱之, 不委餘人。又推其仁, 上自文廟, 以至諸賢院享, 春秋必效其誠。內以宗族, 外而知舊, 無不被其煦煦之德。蓋翁胸中, 長有四時之春, 冲融慈和之氣, 溢於辭色, 接之者若襲春和。非性而能之乎?噫, 顧今江漢日下, 慾浪滔天, 安得如公者幾人, 布在邦郡, 則庶使鄙夫寬, 而薄夫敦。

소해헌기(笑海軒記)

 강군 봉영(姜君奉永)이 걸어서 바다와 산을 모두 돌아다녔으며 웃기기도 잘 하고 해학(諧謔)도 잘 하였으므로 세상 사람들은 그를 '소해(笑海)' 군이라고 하였고, 그도 달게 받아들이어 그 사실(私室)의 편액을 '소해(笑海)'라고 하였다. 그의 친구 보정자(普亭子)는 헌기(軒記)를 다음과 같이 기록 하였다.
 군(君)은 구속받기를 싫어하는 선비이므로, 평생 동안 가정의 산업을 돌보지 않고 호방(豪放)하고 일탕(佚宕)하여 적은 일에 구애받지 않았다. 세상 사람들은 모두 자신을 버렸고 자신도 세상을 버렸다. 연하(煙霞)에 벽(癖)이 생기고 풍월(風月)이 지기(知己)였다. 그리고 그와 같이 종유한 사람들은 모두 해내(海內)의 걸특한 선비들이었다. 친구가 술을 마련하여 초대하면 사양하지 않고 가고, 간 후에는 술에 취하였으며, 취한 후에는 광태(狂態)를 보이며 옆에 있는 사람도 꺼리지 않았다. 모든 세속에서 이른바 영고(榮枯), 출척(黜陟)과 기예(譏譽), 득상(得喪) 및 기쁘고 슬프며 화를 내고 한이 되는 것을 한 웃음에 부쳐 정을 주지 않았고 마음에도 두지 않았다. 산에 오르면 웃고, 물에 임하여 웃고, 꽃도 웃고 새도 웃어 백년 삼만 육천 일을 수시 웃지 않는 날이 없었으며, 가는 곳마다 웃지 않는 곳이 없었다. 아! 것은 소해자(笑海子)라고 한다. 옛날 나의 친구 효당선생(曉堂先生)이 일찍 그 집에다 쓰기를 '일소빈해(一笑濱海)'라고 하였는데, 아! 이 구절이 알고 하는 말이라고 할까?

笑海軒記

姜君奉永, 逍遙自遍于海山縹緲之間。善笑善諧謔, 故世稱笑海君, 亦受而甘焉, 扁其燕居室曰笑海。其友普亭子, 爲之記, 曰 : 君不羈士也, 生平不事家人產業, 豪放佚宕, 不拘拘於小節, 世皆棄我, 我亦棄世。烟霞焉成癖, 風月焉知己。與遊皆海內奇傑之士。有友置酒招延, 輒不辭而往, 往輒醉, 醉輒狂, 傍無忌顧。凡世俗所謂榮枯黜陟, 譏譽得喪, 可喜可悲, 可怒可憾者, 付之一笑, 不嬰情, 不留心。登山而笑, 臨流而笑, 花亦笑, 鳥亦笑。百年三萬六千日, 無時不笑, 無處不笑。嗚呼 ! 此可謂笑海子矣。昔者吾友曉堂先生, 嘗題其軒, 曰 : '一笑濱海。' 噫, 斯其知言也夫。

발문(跋文)

담포유고발(澹圃遺稿跋)

　글이 어찌 귀할까? 정치(政治)와 교화(敎化)에 관계가 있으면 귀한 것이다. 이것이 아니면 어찌 글이라고 하겠는가? 나는 담포 이공(澹圃 李公)의 군(軍), 시(市), 적(糴) 3정책(政策)을 개괄 하였다. 그 논리는 기강(紀綱)을 부식(扶植)하여 원(圓)은 규(規), 방(方)은 구(矩)로 하고 치도(治道)를 모두 시행하는 것인데, 당시의 집권자로 하여금 그 학술을 시험하게 하였다면 서민들의 고막(痼瘼)을 치유할 수 있을 것이며, 서정(庶政)도 잘 다스려졌을 것이다. 그러나 애석하게도 그 중에 보류해 두고 사용하지 않아 공언(空言)이 되고 말았다. 백년 후에 태어난 사람들은 어찌 한이 되지 않겠는가? 그러나 책임은 돌아갈 것이지만 공에게 무슨 소용이 있겠는가. 공은 일찍 과거공부를 하여 과거장에서는 당시의 거벽(巨擘)[326]들도 옷깃을 여미였다. 그러나 과거시험이 불리하여 유사(有司)가 버리고 돌아보지 않으므로 가정으로 돌아와 육적(六籍)[327]에서 찾아보았으니 매우 순수하였다. 그의 시문(詩文)은 아름답게 꾸미지 않고 평실(平實)하기만 힘을 쓰므로 윤리에 관계되지 않는 것이 드물었다. 대개 입에서 나온 덕(德)이 그러한 것이다. 공이 작고한지 거의 백년이 되어 후손 동범군(東範君)의 선대인(先大人)이 모두 흩어지고 남은 상자 속에서 남은 자료를 수습하여 겨우 책 하나를 만들었는데, 군(君)이 그 아버지의 뜻을 이어받아 현손 재경(載敬), 재호(載昊)와 함께 인쇄하여 오래 전하고자 하였으나, 전고(全稿)를 수습하지 못한 것이 한이었다. 조용히 생각하니 삼정일책(三政一策)은 전고(全稿)를 대표 할 만 하므로 아는 사람은 깃 하나로 봉황(鳳凰)의 전체를 알 수 있는 것이다. 군자(君子)는 많아야 하는가? 많이 남겨두지 않는 것이다.

澹圃遺稿跋

文惡乎貴？貴關乎治敎, 微是文乎哉。吾於澹圃李公, 軍、市、糴三政策, 可槩焉其論也。扶綱立紀, 圓爲規, 方爲矩。治道畢張, 使當時秉勻者, 試其術, 則

---

326) 으뜸이 되는 사람, 즉 재주 있고 글을 잘하는 선비를 말한다.
327) 시경(詩經), 서경(書經), 예기(禮記), 주역(周易), 악기(樂記), 춘추(春秋)를 말한다.

庶民瘼可救，而庶政得以乂矣。惜其留中不下，歸之空言。所以生百載下者，不能不飮恨於其間。雖然責有歸焉，於公何有？公早以功令學蜚英場屋間，一時巨擘皆歛衽。豎旗顧不利有司棄不治，反而求之六籍，純如也。爲詩文，不事繡繪，務爲平實,不有關乎倫理者鮮。盖德之發於口者，然也。公沒殆將百年之從，後孫東範君，先大人哀收於萊笥烟散之餘，僅一弓。君克紹父志，與玄孫載敬、載昊，謀鋟梓壽之，而頗恨未全收，竊謂三政一策,可蔽全稿。知者一羽，足以全鳳。君子多乎哉？不多也。

영가세적발(永嘉世蹟跋)

　우리 선조 영모당 선생(永慕堂先生)의 유문(遺文)이 400년 후에 간행 되었으니 아! 너무 늦었다. 대개 선생의 학문이 효도에서 시작하여 가정과 국가와 천하의 효도에서 끝났다. 문장은 그 나머지의 일이다. 그러나 덕이 있는 말은 반드시 후생을 계도(啓導)하는 것인데, 여러 차례 병화(兵火)의 액을 당하여 백분의 일도 전하지 않고 다만 글이 1편, 시는 약간에 그치고 있다. 이것도 일찍 세상에 내놓지 않고 오랫동안 상자 속에 간직하여 장차 벌레와 쥐의 침해를 당할 뻔하였다. 옛날 우리 선군(先君)께서 개연(慨然)히 이를 걱정하시어 일찍 모아서 편집해 두셨는데, 선생의 증손인 은송 현무(隱松賢武)가 선생의 행록(行錄) 및 도암사(道巖祠)의 건립전말(建立顚末)을 그 후미에 부(附)하였으니 같은 책에 다른 내용이었다. 아! 그러나 일이 끝나지도 않아서 선군이 작고하여 9년이 지난 병술년(서기1946) 여름에 소자(小子)가 선군께서 손수 정리하신 것을 인쇄하기 시작하였다. 그것은 선군의 뜻을 이으려고 한 것이지만 아직 학문이 얕아 숨겨진 뜻을 천명하지 못하여 불효의 죄를 거듭 범할까 두려웠던 것이다. 글이라는 것은 도(道)를 실은 기구이다. 글이 도를 실었다면 비록 글이 적다고 어찌 마음 상할 것이 있겠는가？ 세상에 붓을 들고 글을 쓰는 사람들은 그 글이 상자에 가득하여 벌레와 새들이 마음대로 우는 것과 같으므로 있어도 도움이 없고 없어도 빠질 것이 없으니 이것이 어찌 소중한 글이 되겠는가？ 우리는 선생의 후손으로서 자계문(自戒文) 6조(條)를 익히 읽어 그 궁극적인 목적에 도달한다면 아래로 배우고 위로 통달하는 오묘(奧妙)함도 여기에 벗어나지 않을 것이니, 이것을 서로 노력하고 또 이것을 지금과 후손에게 알려야 할 것이다.

永嘉世蹟跋

惟我先祖永慕堂先生遺文，始刊行於四百年之後。吁，其晚矣。蓋先生之學，始於孝而終於孝，家而國而天下。文章，餘事也。雖然有德之言，必多啓後。而顧厄於累燹，百不傳一文，只有一篇，詩若干首而止。此亦未能早出於世，藏之巾衍者，殆將入於蟲鼠。昔吾先君慨然爲是之憂，嘗裒收編次。而先生曾孫隱松賢武，而先生行錄，及道岩建祠顚末，幷附其後，爲同卷異部。嗚乎，功未就而先君沒。越九年丙戌夏，始余小子，敢以所嘗手定者付剞劂。思欲承先志，而尙懼學淺識蔑，靡足以發潛闡幽，以重不孝之罪也。夫文，載道之器也。文而載道，雖少奚傷？世之操觚弄墨，而其文充箱溢篋，如候虫時鳥之自鳴其不平者，有之無所補，無之無所闕。此奚足爲重輕。凡我後裔，於先生者熟讀自戒文六條，以求至乎其極。則下學上達之妙，亦不外是矣。以是自勉，亦以是告今與後。

삼가 만수유고(晩睡遺稿) 후미에 씀

　위는 우리 선군(先君)의 유문 약간편(遺文 若干篇)이다. 고인(古人)이 말하기를 "태상(太上)은 덕(德)을 세우고 또 그 다음은 공(功)을 세운다."고 하였는데, 우리 선군(先君)은 일생동안 덕에 힘을 기우렸지만 그 소위 공을 세우는 것은 천명(天命)에 달려 있는 것이며 인력으로 이루는 것이 아니다. 그러나 오직 효우(孝友)로 정치를 하여 한 가정의 천지(天地)에 위치하고, 한 가정의 만물(萬物)을 육성하여 구족(九族)에 이르기까지 모두 화목하게 지내므로, 군자(君子)는 그 의리를 간직하고 소민(小民)은 그 은혜를 간직 하였으니 이것은 덕이 사업에 나타난 것이다. 문장(文章)은 선군에게 있어서 기타의 일에 속하므로 단 하루도 붓을 잡고 글을 쓰기를 문인(文人)이 하는 것처럼 할 여가가 없었다. 그러므로 세상에 전해진 글이 몇 편에 그치었다. 그러나 족보(族譜), 서문(詩文)을 보면 효제(孝悌)의 마음이 불숙 생기고 그 면옹(勉翁)[328]의 제문(祭文)을 읽으면 충의(忠義)의 기운이 뭉클 일어나니, 그것은 이른바 덕이 입에서 나오는 것이라고 할까? 선인(先人)의 금슬(琴瑟)과 장궤(杖几) 및 기완(器玩)도 진중

---

328) 명암(勉庵) 최익현 선생(崔益鉉先生)을 말함.

하게 간직해야 하거늘 더구나 정신과 심사에서 나온 훌륭한 글이야 말할 것이 있겠는가? 그러나 너무도 수량이 적어 한 권의 책도 되지 않으므로 제가(諸家)의 제영(題詠)과 서술(敍述)을 수록하여 한 책을 만들어 우리 가정의 자손에게 만세에 전하고자 한다.

敬題晚睡遺稿後

右吾先子遺文若干篇也。古人云:"太上立德, 其次立言, 又其次立功。"吾先子一生惟德是懋, 其所謂立功者, 有命在焉, 非人力可致。然惟孝友爲政, 位一家之天地, 育一家之萬物, 以至九族咸親。君子懷其義, 細民懷其惠。是德之見於事爲者也。文章在先子爲餘事耳, 未暇一日執管弄墨, 如文人之爲是, 以傳乎世者, 寥寥數篇而止。然觀其譜序, 則孝弟之心, 油然而生。讀其祭勉翁文, 則忠義之氣, 立功者, 有命在焉, 非人力可致。然惟孝友爲政, 位一家之天地, 育一家之萬物, 以至九族咸親。君子懷其義, 細民懷其惠。是德之見於事爲者也。文章在先子爲餘事耳, 未暇一日執管弄墨, 如文人之爲是, 以傳乎世者, 寥寥數篇而止。然觀其譜序, 則孝弟之心, 油然而生。讀其祭勉翁文, 則忠義之氣, 蔚然而興。其所謂德之發於口者耶? 凡先人琴瑟杖几器玩, 猶爲之珍藏之。況精神心思之, 出於寶睡者乎? 然太零星, 不成卷弓。收錄諸家之題咏及叙述, 合爲一册, 以爲吾家子孫, 萬世之傳。

만수당(晚睡堂)의 편액(扁額) 후미에 씀

옛날 고종조(高宗朝)에서 김 해사 성근(金海士聲根)이 호남안찰사(湖南按察使)가 되었을 때, 우리 증왕고(曾王考)이신 만수부군(晚睡府君)을 방문하자 부군께서 영모당(永慕堂) 및 만수당(晚睡堂) 두 편액을 써달라고 간청 하므로, 공은 즉시 붓을 꺼내 영모당(永慕堂)의 편액을 써 주어, 그 즉시 영모당 문미(門楣)에 걸어 놓았다. 지금 도암사(道巖祠)의 강당(講堂)이다. 그리고 만수당(晚睡堂)은 아직 완성하지 못하여 진중히 간직하고 있다가 부군이 작고하신 후 2년이 지난 계축년(서기 1913)에 우리 선군(先君)이 그 뜻을 이어 집을 구축하고 판서 윤 석촌(尹石村)의 필(筆)을 사용하였으나, 대개 해사공(海士公)이 그 후 왜인(倭人)의 작위(爵位)를 받았으므로 그 글씨를 사용하지 않았고 그 후 10년이 지나 그 분묵(粉墨)을 다시 바르려고 할 때 불초(不肖)가 종조 항재공(恒齋公)에게 아뢰기를 "해사(海士)와 석촌(石村) 두 분의 필적은 누가 더 우수한지 열악한지는 잘 모르겠지만, 해사(海士)의 필적은 부군이 세상에 생존해 계실 때 친히 얻은 것입니다. 그리고 왜작(倭爵)을 받아 비록 더럽기는 하지만 《주자강목(朱子綱目)》[329]에도 조조(曹操)를 적이라고 하여 정통(正統)을 주지 않았지만, 그 서법(書法)은 배우기를 싫어하지 않았습니다. 더구나 영모당(永慕堂)의 편액은 왜작을 받기 전에 쓴 것인데, 무슨 하자가 있겠습니까?"라고 하자 항재공(恒齋公)은 오랫동안 말이 없으시다가, 이에 허락해 주시어 결국 해사(海士)의 필적을 다시 걸어 두었다.

書晚睡堂扁額後

昔在高宗朝, 金海士聲根按察湖南時, 訪吾曾王考晚睡府君。府君請永慕堂及晚睡堂二額字, 公卽泚筆, 永慕之額, 直己揭于堂楣今道巖祠講堂, 晚睡則堂姑未就, 珍而藏之。府君沒後二年癸丑, 我先君繼其志而搆堂額, 用判書尹石村筆。蓋以海士公, 厥後受倭爵, 故不用其書。後十年, 將改塗粉墨。不肖禀于從祖恒齋公, 曰 : "海士與石村二公筆, 不敢知其孰優孰劣。而海士筆則府君在世時親得之者也, 且受爵雖曰爲累, 朱子綱目貶曹操爲賊, 不予正統, 而其書法則學之不厭。況堂額受爵前筆, 何不可之有?" 恒齋公默然良久, 乃許之。遂揭海士筆。

선세유묵(先世遺墨) 후미에 씀

아! 이것은 우리 선세(先世)의 유묵(遺墨)이다. 조용히 생각해보니 우리 만수당부

---

329) 사마광(司馬光)의 《자치통감(自治通鑑)》 294권을 주자(朱子)가 59권의 강목체(綱目體)로 정리한 자치통감강목(資治通鑑綱目)을 약칭하여 통감강목, 또는 강목이라고 한다. 주(周)나라 위열왕(威烈王) 23년(西紀前 403)에서 후주(後周)의 세종(世宗) 현덕(顯德) 6년(서기959)까지의 1,362년간의 역사를 편년체(編年體)로 기록한 책이다.

군(晚睡堂府君)은 당일 국중의 훌륭한 사대부(士大夫)들과 교유하여 왕복한 간찰(簡札)이 집안에 가득하였으나, 지금 남아있는 것은 겨우 몇 가지에 그치었다. 아! 적막하다! 그리고 우리 선군(先君)에 이르러서 필한(筆翰)이 유려하여 종이에 붓을 대면 여러 천언 만언을 기록하여 사람들은 그 촌지(寸紙)와 척독(尺牘)을 금옥처럼 간직하였으나 선군께서는 이것을 훌륭하게 생각하지 않으셨다. 그것은 대개 덕행(德行)을 근본으로 삼고 문예(文藝)를 기타의 일로 여기셨기 때문이다. 그러나 선세의 의리(衣履)는 진중하게 간직하였는데 더구나 손 떼가 어제 일같이 묻고 기침을 들은 것 같은 데서야 두 말할 것이 있겠는가? 내가 어렸을 때에도 서신을 받아본 것이 한 두 장 뿐만이 아니지만 불초(不肖)가 형편이 없으므로 그 회중(懷中)의 간찰을 보존하지 못하였으니, 그 좌보다 무엇이 더하겠는가? 그리고 간찰에 있어서도 옛날 경학원(經學院)에서 받은 것인데 눈 한번 깜짝할 사이에 벌서 작고 하셨으므로, 오랜 세월이 흐르면 더욱 잃을까 두려워 책 1권을 만들어 가정의 보물로 간직 하였고 또 사우들의 가정에 흩어져 있는 것을 약간 수집하여 별도로 책 1권을 만들었으니, 천개 만개에서 십분의 일만 보존하였다고 할 것이다. 그리고 당시의 홍유(鴻儒), 석덕(碩德)들과 명공(明公), 거경(巨卿)들이 만수공(晚睡公)과 왕복한 간찰도 3권으로 나누어 5책을 만들었으니 이것이 가히 그 세대를 논할 수 있고 그 정의를 강론한다고 말할 수 있을 것이다.

題先世遺墨後

嗚乎！此吾先世遺墨也。竊惟吾晚睡堂府君當日，遍交國中賢士大夫，書簡往復，宜其充棟溢牛。而至今遺存者，僅家書數度而止。嗚乎！寂寥矣。及乎先君，則筆翰如流，操紙筆立，書累千百言，人獲其寸楮片牘，珍之若金璧。然而先君不以是自多，蓋以德行爲本，而文藝則餘事耳。雖然先世之遺衣履，猶且寶藏之，況手澤如昨，而怳承警咳者乎。余幼少時，亦嘗親承書示，不止一再，而不肖無似，未能保懷中之簡，罪孰加焉。至手札，則昔在經學院時所奉承也，而轉眄之間，遽纏風樹，懼夫愈遠而愈失，裝爲一卷，以爲家藏之珍。而散在士友家者，亦若干收拾，別爲一卷，可謂存十一於千百。且當時鴻儒碩德，名公巨卿之與晚睡公往復者，分爲三卷。合五册也。此可以論其世，亦可以講其誼。

항재선생(恒齋先生)이 쓰신 《천자문(千字文)》의 후미에 씀

옛 기미년(서기 1919) 겨울에 선생이 해서(楷書)로 《천자문(千字文)》을 쓰시고, 그 주각(註脚)은 불초(不肖)에게 명하여 세서(細書)로 쓰라고 하시었다. 선생의 필력은 매우 강하여 그 점(點)과 획(畫)이 조금도 방심하지 않았으므로 시문(詩文) 뿐 아니라 필획(筆劃)에 있어서도 그 덕성(德性)과 상관이 있어 이를 가정에 간직하여 보물로 전하면서 수시 보았는데 아직 손 떼가 새로웠다. 아! 슬프다.

題恒齋先生書千字文後

昔己未冬, 先生以楷書寫千字文, 其註脚, 則命不肖細書之。竊惟先生筆力遒勁, 點點畫畫, 無一毫放過。始知不惟詩文, 至筆畫亦有德性相關也, 藏之爲家傳之珍, 有時奉閱, 手澤尙新。嗚乎, 欷矣。

선군(先君)이 손수 쓰신 《병첩(屛帖)》 후미에 씀

아! 이것은 선군(先君)이 손수 쓰신 《성학십도(聖學十圖)》[330]이며, 뒤 8첩(疊) 《호학론(好學論)》[331]도 종조 항재공(恒齋公)의 유묵(遺墨)이다. 조용히 항옹(恒翁)의 독실한 학문과 우리 선군(先君)의 순수한 덕을 생각해 보니, 마을 부녀들도 이야기를 하며 감탄 하였고, 예원(藝苑)의 시문(詩文)에 있어서는 특히 남은 일로 하는 것이다. 아! 작고하신지 백년이 되어 그 음용(音容)을 다시 이 세상에 듣고 볼 수도 없고 오직 그 정신과 심사가 유묵(遺墨)에 나타나 있으니 어찌 중하지 않겠는가. 그 사람이 소중하면 당연히 소중하지 않는 것이 없는 것이다. 고인(古人)들은 반우(盤盂)와 종정(鐘鼎)에도 모두 명(銘)이 있어 물건마다 잠언(箴言)을 써 놓았으니, 가는 곳마다 배우지 않는 것이 없다. 《성학도(聖學圖)》와 《호학론(好學論)》은 이 도(道)의 극치이며 후

---

330) 서기1568년 12월에 퇴계 이황선생(退溪李滉先生)이 차자(箚子), 태극도(太極圖) 등 10개 도해(圖解)를 17세된 선조(宣祖)에게 올린 유학의 종합적인 해설도(解說圖)임.
331) 송(宋)나라 이천 정이(伊川程頤)가 지은 호학(好學)에 관한 논문.

학들의 표준이다. 이것을 병풍에다 써서 후손에게 주셨으니 그 당일에 생각하던 것을 상상할 수 있을 것이다. 차례차례 열어보면 묵향(墨香)이 질펀하여 언제나 볼 때마다 한 번씩 눈물이 난다.

題先君手書屛帖後

嗚乎, 此先君手書'聖學十圖', 而後八疊'好學論', 亦從祖恒齋公遺墨也。竊惟恒翁篤實之學, 及我先君純粹之德, 里巷媍婦亦能誦說欽歎, 而至藝苑遺馥, 特其餘事耳。嗚乎！風樹百年音容, 不可復承於斯世, 惟其精神心畫, 形諸紙墨者, 可不爲重乎？重其人, 而宜無所不重矣。夫古人之於盤盂鍾鼎, 皆有銘焉。隨物寓戒, 無往而非學。聖學之圖, 好學之論, 乃斯道之極致, 後學之準的也。用此書諸屛, 以遺後。其當日所志, 可想像矣。次第開展, 墨香淋漓, 每一玩而每一涕。

선군(先君)의 필적(筆蹟) 뒤에 씀

아! 우리 선군(先君)은 서예에 능하여 간찰(簡札)과 책서(册書)에 더욱 정묘(精妙)하였으며, 《주역총목(周易總目)》과 《역대편년(歷代編年)》[332] 및 《염낙(濂洛)》[333] 등 제책은 선군이 젊었을 때 친히 초(抄)한 것이다. 서예 뿐 아니라 시문(詩文)에 있어서도 능하지 않는 것이 없었다. 불초(不肖)가 어렸을 때부터 옆에서 모시고 있을 때는 자리에 손님들이 가득히 모여 있는 것을 보았는데, 가정 일이 아무리 급해도 사방에서 친구들이 보낸 서신을 받은 즉시 답해 주시어 서신을 쓰실 때 조금도 막힘이 없었으며, 혹 많을 때는 10여 장이 되기도 하였으나, 일각(一刻)도 붓을 멈추지 않았고 언제나 양신(良辰)과 가절(佳節)에 친구들이 모이면 반드시 운(韻)을 내어 시를 화답하고, 언제나 모임이 있을 때는 반드시 먼저 시축(詩軸) 첫머리에 시를 쓰시므로 혹 시를 속히 지은 사람이라 하더라도 혹 따르지 못하였다. 그러나 사람들이 이것을 칭찬

---

332) 서명(書名), 저자 및 간행연대 미상.
333) 서명(書名), 송(宋)나라 렴계(濂溪)에 거주한 렴계 주돈이(濂溪周敦頤)와 낙양(洛陽)에 거주한 명도 정호(明道程顥), 이천정이(伊川程頤) 및 기타 주희(朱熹) 등 송대(宋代)의 시를 수록하였다.

하지 않는 것은 무엇일까? 대개 선군의 일생동안 오직 덕을 숭상하여 가까이는 친척으로부터, 멀리는 서로 알지 못하는 행인에게 이르기까지 모두 화기로운 혜택이 미쳤으므로 지금까지 사람들이 칭송하여 시문(詩文)과 서예(書藝)가 가려져 다른 사람에게 있는 것처럼 여겨졌으니, 이 세 가지에 그친 것도 족히 불후(不朽)하다고 할 것이다. 아! 아버지를 잃은 사람이 비록 하찮은 유물이라도 정중히 간직해야 할 것인데, 하물며 손 때가 지묵(紙墨)에 묻은 것을 어찌 하찮게 여기겠는가? 손으로 만진 나머지 눈물을 머금고 썼다.

題先君筆蹟後

嗚乎, 我先君能於書, 惟簡札及冊書, 尤極精妙。'周易總目', '歷代編年', 及濂洛諸冊, 先君少日手抄者也。不惟書也, 於詩與文, 亦無不能。不肖自幼侍側, 見其賓客滿座, 家務繁劇, 自四方知舊書簡還至, 隨應隨答, 筆翰如流, 或多至十餘簡, 無一刻停筆。每良辰佳節, 賓朋(朋)萃止, 必拈韻唱和, 每會必先占軸頭。雖號稱捷銳者, 莫或及焉。雖然人不以是稱之者, 何也? 蓋先君一生, 惟德是尙, 近自親戚, 遠至不相識之路人, 咸被春和之澤, 民到于今稱之。所謂詩與書與文, 反爲其所揜, 如在他人。此三者而止, 亦足不朽矣。嗚乎! 風樹殘生雖尋常, 遺什猶且珍藏之, 況手澤之著於紙墨者, 曷可少之哉? 摩挲之餘, 凝涕而書。

오암유고(梧巖遺稿)의 발문(跋文)

시문(詩文)을 간행하여 오래 전하려고 한 것은 고금에 어찌 한정할 수 있겠는가? 그 전하는 것은 할결 같지 않다. 글로 전하는 사람도 있고 사람으로 전하는 경우도 있다. 글은 그 문장(文章)과 조감(藻鑑)이 후세에 법이 되어 사람들이 애독하면 영원히 전해지고, 사람은 그 문장이 사람들의 이목에 띠지 않더라도 학문이 고금에 통달하거나 행실이 신명(神明)에 이르러 그 고을이나 나라에 모범이 된다면 그가 지은 시문도 후세에 소중하게 여겨지는 것은 그 이치상 당연한 것이라고 할까? 최근에 고 처사 오암 조공(故處士梧巖曺公)이 일찍 족부(族父)인 동오선생(東塢先

生)에게 사사하여 이미 학문에 전력하고 또 오래되어 덕기(德器)가 이미 이루어졌고 그 후 또 면암(勉菴)³³⁴⁾과 송사(松沙)³³⁵⁾ 두 선생의 문하에서 수업하여 엄연히 덕행과(德行科)에 들었으므로 당시 학자들은 그를 따를 사람이 없었다. 그러나 세상이 한번 변한 이후 동강(東岡)을 고수하며 더욱 성리학(性理學)의 심오한 이치를 연구하고 지행(志行)을 더욱 독실하게 닦아 온 고을 사람들을 교육하므로 완악한 사람을 청렴하게 하고 나약한 사람에게 뜻이 서도록 하는 기풍이 있었다. 그는 저술을 좋아하지 않았고 혹 읊은 시가 있을 때는 세련되게 다듬지 않았으므로 천기(天機)가 자연히 시에서 노출되었고 글도 진지하고 전아(典雅)하여 결국 인의(仁義)와 효제(孝悌)에 미치는 혜택이 융숭하여 저! 구이(口耳)의 학에 치중하는 속유(俗儒)들처럼 이백(李白)³³⁶⁾과 두보(杜甫)³³⁷⁾ 의 시를 표절하거나 한유(韓愈)³³⁸⁾, 구양수

---

334) 최익현 선생(崔益鉉先生)의 호.

335) 구한말 의병장 기우만(奇宇萬)의 호.

336) 당(唐)나라 무후(武侯) 장안 원년(長安元年:701)에 중앙 아세아 쵀엽(中央亞細亞啐葉: 지금의 키르기스스탄 共和國 北部 토크마크에 해당함)에서 태어나고 5세 때 아버지를 따라 사천지방(四川地方)으로 이거 하였으며 이 곳에서 25세까지 살며 공부에 열중하다가 천하의 명승(名勝)을 탐방하기 위해 유람길에 나서 맹호연(孟浩然)과 만나고 42세에 현종(玄宗)이 한림대조(翰林待詔)로 징소하였으나 관직에 있는지 얼마 안 되어 사직하고 안록산(安祿山)이 반란을 일으켰을 때 그는 심양(尋陽: 江西省 九江縣)에 있다가 숙종(肅宗)의 아우 영왕(永王)이 장강(長江)의 남부에서 나라를 세워 이백(李白)을 초청하였으나 얼마 안 되어 영왕(永王)의 군대가 폐하여 이백도 옥고를 치르다가 곽자의(郭子義)의 도움으로 탈옥하여 만년에 장강유역(長江流域)에서 지내다가 사망하였다.

337) 성당(盛唐), 자는 자미(子美), 두예(杜預)의 13세손, 소릉(少陵: 長安附近)에서 거주하여 호를 두소릉(杜少陵)이라하고 공부원외랑(工部員外郞)을 지내어 두공부(杜工部)라고도 함. 하남(河南)의 공현(鞏縣)에서 태어나 어렸을 때 어머니 최씨(崔氏)를 잃고 뢰양(耒陽)에 거주한 숙모의 집에서 자랐다. 그는 24세 때 진사시험(進士試驗)에 낙방하고 여행 중에 이백(李白)을 만났으며 서기751년 집현원 대제(集賢院待制)가 된 후 우위부 주조참군(右衛府胄曹參軍)이 되었으나 서기756년 숙종(肅宗)의 행재소(行在所)로 가다가 도둑에게 붓잡혀 유폐(幽閉)되었다가 탈출에 성공하여 봉상(鳳翔)에서 좌습유(左拾遺)에 임명되었으며, 서기759년 관직을 사직하고 가족과 함께 감숙성 진주(甘肅省秦州)로 여행을 떠나 성도(成都)의 완화계(浣花溪)에 도착하여 초당(草堂)을 짓고 거주하며 약을 채취하고 채소를 기루며 살다가 764년에 그의 친구 엄무(嚴武)의 추천으로 공부원외랑(工部員外郞)이 되었으나 그의 친구와 불화하여 사직하고 가족과 함께 중경(重慶)을 거쳐 (雲陽)에 도착한 후 폐병과 당뇨병 등에 시달리며 기주(夔州)에서 2년 동안 요양하다가 다시 무협(巫峽)을 떠나 공안(公安),장사(長沙), 충주(衝州) 등지에 전전하다가 서기770년 사망 하였다. 그가 남긴 두공부집(杜工部集)에는 고체시(古體詩) 399수와 근체시(近體詩) 1,006수가 수록되어 있다.

338) 당(唐)나라 창여인(昌黎人), 자는 퇴지(退之), 시호는 문(文), 당송팔대가(唐宋八大家) 중 한사람, 태어난지 3세에 부모를 모두 잃고 백부(伯父) 집에서 자랐다. 그는 어려서부터 독서(讀書)를 좋아하고 장성한 후에는 육경(六經)과 백가(百家)를 모두 독파하였으며 진사시(進士試)에 급제한 후 장건봉(張建封)이 추관(推官)으로 맞이하고 그후 사문박사(四門博士)로 옮겼으며 또 감찰어사(監察御使)가 되었을 때 헌종(憲宗)이 궁중으로 불골(佛骨)을 들여오므로 상소하여 간하다가 조주자사(潮州刺史)로 좌천되었다가 다시 원주자사(袁州刺史)로 옮기었으나 다시 국자제주(國子祭酒)로 부른 뒤 병부시랑(兵部侍郞)

(歐陽脩)[339]의 글을 모방하여 일시적으로 과시하는 무리가 아니다. 공자(孔子)가 말하기를 "덕이 있는 사람은 반드시 말이 있다(有德者,必有言也)"고 하였는데, 이것은 말이 있는 것이 아니라 덕이 입으로 나온다는 말이다. 그렇다면 공은 사람과 글이 같이 전할 것이며 하나만 전한 것이 아니라는 것을 알 수 있다. 그의 아들 회승(晦承)은 그 손 때가 묻은 서상(書箱)을 차마 버리지 못하고 급하게 서두르기를 미치지 못한 것처럼 낡은 글씨와 폐지가 된 종이에 남은 문자를 수습하여 제가(諸家)의 만장(輓章), 뢰사(誄辭), 행장(行狀), 묘지(墓誌) 및 사문(師門)과의 왕복서(往復書)를 합하여 책 1권을 만들고 장차 간행하려고 하면서 정회(正會)에게 권미(卷尾)에 말 한마디 부탁 하므로, 정회(正會)는 옛날부터 사권 사이지만 늦게 태어나 문하(門下)에서 수업하지 못하였지만 그 덕과 의리를 사모하는 마음이 친히 수업하는 것에 내리지 않고, 이 일에 이름을 올리는 것이 어찌 다행한 일이 아니겠는가? 드디어 사양하지 않고 위와 같이 기록 하였다.

梧巖遺稿跋

詩文之刊行, 以蘄壽傳者, 古與今何限? 而其所謂傳不一, 有以文傳者, 亦有以人傳者焉。以文者, 其文軌藻範, 足可法於後世, 使人愛而讀之, 固可傳之無窮。以人者, 文雖不足耀人耳目, 而學通古今, 行格神明, 以模楷鄕邦, 則咳唾之, 爲後世重其理亦宜哉。近故處士梧巖曹公, 早師族父東塢先生, 旣專且久, 德器已成。後又遊學于勉松二先生門, 儼然列於德行科, 當時學者, 無有能駕軼者。一自世刼滄桑, 固守東岡, 益究性命之奧, 益勵志行之篤, 熏陶一鄕, 有廉頑立儒(懦)之風雅。不喜著述, 或有吟哦, 不雕繪以爲工, 而天機流露於行墨

으로 승진하고 진주란(鎭州亂)에 선무사(宣撫使)로 나간 후 돌아와 이부시랑(吏部侍郎)으로 임명되었으며 장경(長慶) 4년에는 57세의 나이로 사망 하였다.

339) 자는 영숙(永叔), 호는 취헌(醉軒), 육일거사(六一居士), 시호는 문충(文忠), 당송팔대가(唐宋八大家) 중 한 사람. 사천성 면양(四川省 綿陽)에서 태어났으나 4세 때 아버지를 잃고 어머니를 따라 호북성 수주(湖北省 隨州)에서 거주한 백부 구양엽(歐陽曄)의 집에서 자랐다. 가정이 가난하여 그의 어머니는 갈대로 모래에 글자 쓰기를 가르쳤다고 한다. 그는 10세 때 한유(韓愈)의 글을 접하고 그로부터 독서를 좋아 하였으며 경역(慶曆) 중에 간원(諫院)의 간관(諫官)이 되어 국사를 논할 때 절직(切直) 하였고 관직이 한림시독학사(翰林侍讀學士)와 추밀부사(樞密府使), 참지정사(參知政事) 등을 거치면서 군소(群小)들의 모함을 받아 누차 파출(罷黜) 되었으나 지기(志氣)가 태연하였다. 그후 청주장관(靑州長官)이 되었으나 왕안석(王安石)의 비위를 거슬여 고향으로 돌아와 문명을 일시에 떨치었다. 저술은 신당서(新唐書), 신오대사(新五代史), 문충집(文忠集) 등 많은 저술을 남겼다.

間。文亦眞摯典雅，卒澤于仁義孝悌，藹如也。非彼口耳俗儒之剽竊李杜，擬摹韓歐，以夸衒一時者所可倫也。孔子曰："有德者必有言。非有言也，德之發於口者也。"然則公可謂人與文俱傳，而不可偏傳也，審矣。哲嗣晦承，不忍其手澤之棄諸篋笥，汲汲若不及，收拾於殘墨敗楮之餘，附以諸家輓、誄、狀、誌，及師門往復書，合爲一卷，將入榟，俾正會置一言卷尾。正會故交晚生，雖未獲列於禩衣，慕其德，誦其義，庶不下於親炙，托名是役，顧不自幸也歟？遂不辭而書之如右。

성암유고발(惺庵遺稿跋)

《시경(詩經)》에 "그 사람 같지 않다(不如其人)"라는 말이 있는데, 대부분 옛날 말이다. 성암처사 나공(惺庵處士 羅公)의 유고(遺稿)를 읽은 사람들은 이 말이 착제(着題)[340]가 된다는 것을 알 수 있을 것이다. 공(公)은 명가(名家)의 준재(俊才)로 올바른 연원(淵源)을 만나 학문하기를 목마르듯이 하였고 함께 종유한 사람들도 모두 당세의 홍유(鴻儒)와 석덕(碩德)으로 송사 기 선생(松沙奇先生)[341]은 일찍 공을 칭찬하여 말하기를 "경륜(經綸)을 간직하고 있어 속사(俗士)와 비할 바가 아니다"고 하였으니, 그 품격이 이미 고상 하였다. 그 행실을 상고해 보면, 그는 선조(先祖)를 기술하는데 독실하였고, 선행(善行)이 있으면 반드시 알았으며, 알면 반드시 천양(闡揚)하기에 급급하여 절서가 차겁거나 더울 때나 중단하지 않으므로 머리가 모두 하얗게 되었다. 평생 글을 하는 것도 행실과 같아 선조를 추모하거나 화목을 강조하는 것과 관계되지 않는 것이 거의 없었으며, 시(詩)도 평실(平實)한 것에 힘을 기우려 차라리 야(野)할 망정 혹 사치스럽지 않았으며 차라리 과하게 담담할망정 헛된 과시를 하지 않았으니, 세상에서 실상이 없이 공연히 분묵(粉墨)으로 도대하여 기교나 부리고 고운 것을 취하는 사람과 함께 비교할 수 없다는 것을 알 수 있을 것이다. 그러나 공이 공다운 것이 시문(詩文)보다 앞선 것이 있는데, 만일 이것으로 공을 논한다면 공을 너무 얕게 아는 것이 될 것이다. 정회(正會)가 한 후생(後生)과 사귄 것은 거주가 매우 가까워 어렸을 때부터 그 가르침을 받아 비록 그 시문(詩文)이 아니라도 공의 전체를 알

---

340) 행실이나 내용이 이름이나 제목에 꼭 들어맞는 것을 말함.
341) 구한말 의병장 기우만 선생(奇宇萬先生)의 호가 송사(松沙)임.

수 있지만 후일 공은 보지 못한 사람들은 이 유고(遺稿)가 아니면 어찌 그 한 부분이라도 엿볼 수 있겠는가. 공의 둘째 아들 수찬(綬燦)이 자료를 모아 한 책을 만들고 행장과 묘지 등을 책 후미에 부합하여 외람되이 교정을 부탁하니 그 밑에 효성에 대한 말 한마디 엮어두기를 감히 사양하겠는가?

惺庵遺稿跋

詩不如其人, 盖古語。而讀惺菴處士羅公遺稿者, 知此言之爲着題也。公以名家雋才, 得淵源之正, 求學如渴, 所遊從皆當世之鴻儒碩德, 松沙奇先生嘗稱公曰:"負抱經綸, 非俗士可比。"其品格固已高矣。玫其行, 又篤於述先, 有善必知, 知之必汲汲闡揚, 寒暑不廢, 鬚髮爲之盡白。生平所爲文, 亦類行。其不有關於追先講睦者, 無幾矣。詩亦務爲平實, 寧失野, 毋或史;寧過淡, 不浮侉。世之無其實, 而徒事粉墨塗抹, 以衒技取姸者, 不同年而語, 審矣。雖然公之爲公, 前乎詩若文而有在。若以此論公, 則淺之爲知耳。顧正會故交一後生, 居又密邇, 自幼承咡詔, 雖不於詩文, 足可以知公全體。後焉而未見公者, 非因此稿又焉能窺其一斑哉?次胤綬燦, 衷粹爲一册, 狀誌附尾, 猥以讎校見屬, 俾一言綴其下孝思也, 敢辭諸?

사위유고발(史謂遺稿跋)

아! 사위공(史謂公)의 유고(遺稿)가 장차 세상에 간행 되었는가. 공이 고가(古家)의 연원(淵源)으로 사마시(司馬試)[342]에 괴과(魁科)로 급제하고 대과(大科)[343]에 발탁되어 석거(石渠)[344]와 난실(蘭室)[345]을 출입하여 문학과 명성이 당세에 으뜸이었다.

---

[342] 고려(高麗)와 조선시대(朝鮮時代)의 과거제도 중 하나. 생원, 진사를 뽀븐 소과(小科)로 초시(初試)와 복시(覆試)로 나누었다.
[343] 사마시(司馬試:生員, 進士)에 합격한 사람이 보는 시험. 즉 3년마다 실시하는 정기시(定期試)와 수수로 보는 증광시(增廣試), 별시(別試), 알성시(謁聖試), 정시(庭試), 춘당대시(春塘臺試) 등을 말한다.
[344] 한(漢)나라 소하(蕭何)가 축조한 각명(閣名). 미앙전(未央殿) 동쪽에 있으며 이 곳에서 오경(五經)을 강론 하였다.
[345] 한 대(漢代)의 관아 이름으로 상서원(尙書院)을 난대(蘭臺)라고 부른데서 나온 말임.

공의 문장은 백가(百家)를 총괄하고 육경(六經)[346]에서 취재(取材)하여 그 신채(神彩)가 혁혁하고 그 음조(音調)가 깨끗하여 유문(儒門)의 우익(羽翼)이며 관각(館閣)의 형범(型範)이었다. 아! 훌늉하다! 중년(中年) 이후 오문(廒門)[347]이 자정(自靖)하여 비록 암랑(巖廊)[348]에서 시행하여 경륜을 펴지는 못하였지만 명절(名節)을 수련하고 후학(後學)에게 혜택을 주었으니 사원(詞苑)의 향기는 그 남은 일이었다. 공이 작고하신지 3년째에 아들 재은(在殷)이 옛 서상(書箱) 중에서 자료를 수습하였으나 사라진 자료 중 십분의 일도 안되는 자료를 간행하여 오래 전하기 위해 나에게 발문(跋文)을 간청하였다. 아! 이것은 길광(吉光)[349]의 일우(一羽)에 불과한 것이지만 가히 고기 한 점으로 솟 전체의 고기 맛을 알 수 있다고 할 것이다. 서술은 내가 맡을 일이 아니지만 조용히 생각할 때 천리마(千里馬)에 붙은 사행(私幸)이 있으므로 대충 마음속에 느낀 것을 써서 재은(在殷)의 간청에 답한다.

史謂遺稿跋

嗚乎！史謂公遺稿，其將行于世乎？公以故家淵源，魁司馬擢大科，出入石渠蘭室，文學聲望，蔚爲當世之稱首。公之於文，該括百家，取材六經，奕奕乎其神采也，瀏瀏乎其音調也。實儒門之羽翼，舘閣之型範。吁，其盛矣。自中歲後，廒門自靖，縱未能施諸巖廊，以展所蘊。而砥礪名節，嘉惠後學，詞苑剩馥，特其餘事耳。公沒後三年，胤子在殷，收拾於舊篋中，亦散佚不能十一，將付剞劂，以壽其傳。請不佞書諸尾。噫，此不過吉光之一羽，而亦可謂一臠(臠)而知全也。叙固非不佞所可任，而竊有附驥之私，略書所感于中，以塞在殷之請。

쌍산음사 창수집(雙山吟社 唱酬集)의 발문(跋文)

우리 선군(先君)이신 회천공(晦泉公)이 을해 년(서기1935) 겨울에 몸의 왼쪽이 아

---

346) 시경(詩經), 서경(書經), 예기(禮記), 악기(樂記), 역경(易經), 춘추(春秋)를 말함.
347) 미상(未詳).
348) 지금의 의사당(議事堂), 즉 조선시대 의정부(議政府)를 말함.
349) 신비한 짐승으로 그 모피(毛皮)로 갖옷을 만들어 입으면 물에 넣어도 젖지 않고 불에 넣어도 타지 않는다고 하는 매우 진귀한 모피(毛皮)이다. 이것은 잔존한 진귀한 문물(文物)을 일컬은 말이다.

파 어머니의 조석문안과 크고 작은 가사 등을 모두 포기하고 날마다 친구들과 시를 짓거나 술을 마시며 한 해가 지나도 부족하게 여기어 아무것도 알지 못하였다. 그러나 정신이 혼모하여 운자(韻字)를 택하지 못하고 혹 낮은 자를 사용하기도 하고 혹은 높은 자를 사용하기도 하였으나, 염재 송상사공(恬齋宋上舍公)이 성산(聖山) 밑에 거주하면서 날마다 점운(坫韻)을 정하여 서로 전하기를 옛날 향산(香山)[350]의 시통(詩筒)과 같이 하고, 그 시첩에 쓰기를 "쌍산음사 창수집(雙山吟社唱酬集)"이라고 하였다. 대개 성산(聖山)과 도산(道山) 두 산을 취한 것이다. 첫머리에 한 가지 매화를 그리고 또 두어줄 서문을 썼는데 모두 송공(宋公)의 필적이다. 그리고 수촌 이공(水村李公)과 인재 김공(忍齋金公) 및 우리 숙부님 도은공(道隱公)도 참여 하였다. 아! 선군(先君)은 4년동안 병을 앓다가 무인년(서기1938) 겨울에 작고하시고, 제공(諸公)들도 차례로 세상을 버리시어 벌써 30년이 되었으니 고금으로 가로막히었다. 옛 서상(書箱)에서 이 시첩이 보여 들어 내보니, 그 남기신 시들이 즐퍽 즐퍽 주먹으로 쥘만 하였다. 당일을 추모해 보면 이 불초 정회(正會)는 떼떼옷 입고 옆에서 모시고 있는데 언제나 시를 지으시면 시를 읊고 그 화기로움은 온 집에 가득 하였다. 그때 부모가 모두 계시고 형제들도 아무 탈 없이 있어 군자(君子)의 일락(一樂)[351]이 있었다고 할 수 있었으나, 그것이 매우 즐거운 일인 줄 알 수 없었으니, 천금(千金)의 만물과 비유하면 금(金)이 귀한 줄 모르고 굶 줄인 후에 콩잎국도 향기로운 줄 알고, 차거운 후에 비단옷이 따뜻하다는 것을 알게 되는 것이다. 지금 생각하면 천사(千駟)[352], 만종(萬鍾)[353]을 준다해도 어찌 옛 하루의 즐거움과 바꿀 수 있겠는가? 하늘이 다하고 땅이 다하더라도 이 한을 어찌 씻을 수 있겠는가. 몸을 어루만지며 세 번 한탄하니 나도 모르게 두 줄기 눈물이 비오듯 흐른다.

---

350) 향산(香山). 평안북도 동부에 있는 군.
351) 맹자(孟子)의 삼락(三樂) 중에서 일락(一樂)인 "부모와 형제가 아무 탈 없이 잘 있는 것이 일락(一樂)이라고 하였다.(父母兄弟無故, 一樂也)"
352) 말 4천마리, 많은 말을 말한다.
353) 많은 량의 곡식을 말함. 종(鍾)은 용양(容量)의 이름으로 일종(一鍾)은 6곡(斛) 4두(斗)라고 하고 혹은 8곡(斛)이라고 한다. 그리고 소이아(小爾雅)의 광량(廣量)에는 "2부(缶)를 일종(一鍾)이다"고 하고 또 10곡(斛)을 일종(一種)이라고 하였다.

雙山吟社唱酬集

我先君晦泉公, 乙亥冬病左體不仁, 猶晨昏於萱堂, 至家務無巨細, 都却不問知, 日與朋舊賦詩命酒, 不知年數之不足。然神精昏耗, 韻不擇或平或上。念齋宋上舍公方寓聖山下, 課日拈韻以帖, 相傳如故香山之詩筒。然題其帖曰雙山唫社唱酬集。盖取聖與道之兩山也。首寫一枝梅, 且有數行序, 皆宋公筆也。水村李公, 忍齋金公, 及我叔父道隱公, 亦與焉。嗚乎! 先君病四載, 沒于戊寅冬。諸公亦次第, 徂謝人世。三十年, 古今隔矣。舊篋中忽見此帖, 奉而閱之, 其餘韻遺馥, 淋漓可掬。追念當日, 不肖正會以斑衣侍側, 每詩成取次唫哦, 祥和滿一室。方其時, 父母俱存, 兄弟無故, 可謂有君子之一樂, 而恬然不知其可樂焉。比之千金之子, 不知金之可貴。飢, 然後知藜藿之香;寒, 然後知布帛之暖也。以今思惟, 千駟萬鍾, 豈能換伊昔一日之樂矣乎! 窮天極壤, 此恨曷逮, 撫玩三嘆, 不覺涕雨雙下。

甲辰十月上旬 不肖正會 謹識

완당필적(阮堂筆蹟) 후미에 씀

이 '한수(寒水)' 두 글자는 완당 김공(阮堂金公)[354]의 필적이다. 내 친구 김월담(金月潭)이 보관하고 있는지 오래 되었다. 지난 무인년(서기 1938)에 내가 8월부터 유행병에 걸려 섣달에 들고 일어나 위기를 겪은 지 여러 차례였다. 나는 우연히 완당의 필적이 보고 싶어 월담에게 서신을 보내 보내주기를 간청 하였다. 병중에 손이 떨리고

---

[354] 김정희(金正喜:서기1786(正祖10)~1856(哲宗7), 자는 원춘(元春),호는 추사(秋史), 완당(阮堂), 예당(禮堂), 과로(果老), 농장(農丈), 천축고선생(天竺古先生) 등으로 부른다. 문신(文臣), 실학자(實學者), 서화가(書畵家), 충남 예산(忠南禮山) 출생. 아버지 경주김씨(慶州金氏)인 김노경(金魯敬)과 어머니 기계유씨(杞溪俞氏) 사이에 태어났으나 백부 김노영(金魯永)에게 입양되었다. 공의 가정은 왕가(王家)와 종척(宗戚)관계가 있으므로 서기1819년에 문과에 급제하여 암행어사, 예조참의, 설서, 검교, 대교, 시강원보덕 등 관직을 거치다가 헌종이 즉위한 후 순원왕후가 수렴청정하자 이때 10년 전의 윤상도 "(尹商度)의 옥사에 연루되어 서기1840년부터 1848년까지 9년간 제주도에서 유배생활을 하다가 헌종 말년에 석방되고 서기1851년에는 친구인 영의정 권돈인(權敦仁)의 일에 연루되어 함경도 북청으로 유배 되었다가 2년만에 석방 되었다. 이 때는 안동김씨들이 득세하여 정계에 들어오지 못하고 과천(果川)에 있으면서 학예(學藝)와 선리에 심취하였다가 사망 하였다.

글자도 모양을 이룰 수 없으므로, 월담이 나의 병중에 보낸 서신까지 보낸 것을 가엽게 생각하여 아끼지 않고 즉시 보내 주었다. 나는 한참 그 글씨를 구경하고, 나니 나도 모르게 병이 나은 것 같았다. 아! 세상 사람들은 공연히 완당의 필적이란 것만 알지, 그 필적이 완당에게 있어서 작은 기예(技藝)라는 것은 모른다. 대개 공의 필적은 그 글만 못하고, 그 글은 그의 인격만 못하니, 이것이 어찌 그를 모른 사람과 말할 수 있겠는가? 혹자는 그의 글씨가 너무 초라하여 서첩(書帖)이 되지 못한 것을 흠으로 생각 하였으나, 송현(宋賢)은 유공권(柳公權)355)의 글씨는 완전하지 않는 것이 더욱 아름답다고 하였다. 구양공(歐陽公)356)은 일찍 고서(古書)를 구경할 때는 "물건이 부족한 후에 그 즐거움이 무궁하다. 대개 적은 것을 귀하게 여긴 것은 옛날부터 그러하였으니 무엇이 병이겠는가?"라고 하였다.

書阮堂筆蹟後

此寒水二字, 阮堂金公筆也。吾友金月潭, 葆藏之久矣。往歲戊寅, 余自八月罹輪疾, 至臘月始擡頭。濱危者, 累矣。偶欲見阮筆, 亟馳書月潭, 懇請之。病中手顫, 字不成樣。月潭憐我病書, 卽惠之不吝。玩賞之餘, 不覺病欲蘇矣。噫, 世人徒知玩堂筆, 不知筆於阮堂, 猶爲小藝也。蓋公筆不如其文, 文不如其人。此豈可與不知者道哉? 或謂病其太草草不成帖。然宋賢以柳公權書不完爲尤佳, 歐陽公嘗把玩古書, 曰: "物惟不足, 然後其樂無窮。"盖以少爲貴, 自昔然矣, 奚病之云。

두번 째 서신(再信)

세상에서 공의 필법을 논할 때 조화의 묘를 앗았다고 하고 귀신이 비호(秘護)했다

---

355) 당인(唐人), 학자, 서예가, 자는 성현(誠懸), 원화 원년(元和元年)에 진사(進士), 목종(穆宗) 때 시서학사(侍書學士)로 있다가 사봉원외랑(司封員外郞)으로 옮겼으며, 목종이 붓 사용하는 법을 묻자 그는 "마음이 정직하면 붓도 바르게 된다(心正則筆正)"이라고 대답 하였다. 이것은 붓을 의탁하여 왕이 뉘우치기를 간하는 말이었다. 문종(文宗) 때 중서사인(中書舍人)이었으나 그 후 하동군공(河東郡公)으로 봉해지고 함통(咸通) 초에 태자태보(太子太保)로 진급 하였다.
356) 당(唐)나라 구양수(歐陽脩).

고 하였다. 나는 어렸을 때 이 말을 듣고 혼자 생각하기를 "예술이란 것은 이런 지경에 이를 수 있을까?"라고 하였다. 그리고 경인년(1서기950)년 나리가 일어난 후 3년 만에 월담(月潭)과 만났는데, 이때 그는 말하기를 "우리 집에서 12대째 전해오는 구물이 모두 불에 타버리고 백분의 일도 남지 않았고, 그 다음 '한수(寒水)' 두 글자도 예전 같지 않으나, 자네가 간청하는 것도 모두 화재를 면치 못 하였는 줄 알고 있었는데, 이것도 반드시 남도로 시키는 것이 그 사이에 있는 것이니, 어찌 인력으로 이룰 수 있겠는가. 거의 고문상서(古文尙書)[357]도 공자(孔子)의 벽속에 간직하여 진(秦)나라 병화를 벗어난 것과 같네. 아! 귀신이 비호하는 것은 대개 이런 류이니 자네는 기록해 두게."라고 하였다.

再書

世之論公筆, 奪造化之妙, 鬼護而神秘之。余幼少時聞如是, 自以謂藝盖至此乎？自庚寅亂後三年, 始與月潭相見, 其言曰："吾十數世傳來舊業, 盡歸火德, 百無一存焉。次及寒水二字, 如非疇昔。吾子之請, 亦不免俱樊也。審矣。此必有使之者存乎其間, 豈人力可致哉？殆如古文尙書, 藏孔壁而脫奏(秦)焰。噫, 鬼護而神秘之者盖此類也。子誌之。"

삼희당 법첩(三希堂法帖) 뒤에 씀

지난 신사년(서기1941) 봄에 내가 이 법첩(法帖)을 서울 서점에서 구입 하였는데 모두 36책이다. 진(晉)나라 및 당(唐),송(宋)으로부터 원(元), 명(明)에 이르기까지 상하 수 천년 동안 법가(法家)의 글씨가 모두 여기에 모아 두었다. 필법은 각기 다르지만 법은 각기 오묘하여 언제나 보면 이 글씨는 이대로 오묘한 법이 있고 저 글씨는 또 저 글씨대로 기이하여 파사시(婆娑市)를 들어갔을 때 온갖 진귀한 물건들이 눈을 비추어 눈을 바로 볼 수 없는 것 같았다. 그러나 우군(右軍)[358]은 우군의 법이 있고, 노

---

357) 한(漢)나라 경제(景帝) 때 노(魯)나라 공왕(恭王)이 공자(孔子)의 구택(舊宅)을 헐자 벽에서 고문상서(古文尙書)가 나왔는데 모두 과두문자(蝌蚪文字)로 기록되어 있었다고 한다.
358) 진(晉)나라 왕희지(王羲之)를 일컬음. 회계인(會稽人), 자는 일소(逸少), 원제(元帝) 때 우군장군(右軍

공(魯公)³⁵⁹⁾은 노공의 법이 있으며, 미불(米芾)³⁶⁰⁾은 조맹부(趙孟頫)³⁶¹⁾가 하는 것을 하지 못하고, 조맹부는 동기창(董其昌)³⁶²⁾이 하는 것을 하지 못하여 각기 일정한 발꿀 수 없는 묘법이 있었다. 조용히 생각하니 글씨를 배우는 사람은 먼저 법에 뜻을 두고 마음으로 붓을 음직일 것이며, 법을 반드시 우군(右軍)처럼 할 것이 없고 노공(魯公)처럼 할 것도 없으며 미불(米芾)과 조맹부(趙孟頫)와 동기창(董其昌)처럼 할 필요도 없다. 만일 왕희지(王羲之)와 안진경(顔眞卿)의 법을 본받고 미불과 조맹부의 법을 본받고자 한다면 이것은 고인(古人)의 조백(糟粕)일 뿐이며 더 이상 쓸데없는 물건일 뿐이므로 그 오묘함을 볼 수 없으므로 반드시 제가(諸家)의 글씨를 많이 보아 나에게 맞는 것을 절충하여 일가의 법을 이루어야 할 것이다. 그러므로 자료를 넓게 수집하고 지키기는 요약하게 하여 왕희지와 안진경을 반드시 본받을 필요는 없지만, 왕희지와 안진경에 바탕을 두지 않을 수 없으며 미불과 조맹부와 동기창과 같을 필요는 없지만 미불과 조맹부와 동기창의 법을 취하지 않을 수 없다. 그러나 글씨도 덕성(德性)과 관계가 있을 때문에, 그 요체는 마음으로 바로 하여 글씨를 써야 하는 것이다. 아! 어찌 오직 글씨뿐이겠는가?

將軍), 회계내사(會稽內史)를 역임하여 왕우군(王右軍)으로 부르기도 하며 서예(書藝)에 능하여 못가에서 글씨 연습을 하였으므로 못물이 모두 검었다고 한다. 그의 초서(草書)와 예서(隸書)는 고금에 제일이며 난정서(蘭亭序), 악의론(樂毅論), 황정경(黃庭經) 등 작품을 남겼다.

359) 당(唐)나라 안진경(顔眞卿)의 봉호(封號), 임기인(臨沂人), 자는 청신(淸臣), 시호는 문충(文忠), 박학(博學)하여 사장(辭章)에 능하고 부모에게 효성이 지극 하였으며 개원진사(開元進士)로 관직이 시어사(侍御使)가 되었으나 양국충(楊國忠)이 미워하여 평원태수(平原太守)로 좌천되었다. 그는 안록산(安祿山)이 난리를 일으킬 알고 미리 대비하여 난이 일어난 후에 오직 평원(平原)만이 무사 하였다. 이 때 그는 종부의 형인 고경(杲卿)과 병을 동원하여 적을 토벌하고 하삭제군(河朔諸郡)의 맹주가 되었으며 그후 호부시랑(戶部侍郞), 하북초토사(河北招討使) 등 많은 관직을 역임하다가 이희렬(李希烈)이 배반한 후에 초유사(招諭使)로 갔다가 도리어 체포되어 항복하지 않고 처형되었다.

360) 송(宋)나라 양양인(襄陽人). 불(芾)은 불(黻)로 할 때도 있음. 세상에서 미양양(米襄陽), 미남궁(米南宮), 미전(米顚) 등으로 부르며 호는 해악회사(海嶽外史), 회양외사(淮陽外史) 녹문거사(鹿門居士) 등 많은 호가 있음. 그는 글에 능하고 그림에도 산수(山水), 인물(人物)에 능하여 일가(一家)를 이루었으며 관직은 예부원외랑(禮部員外郞), 회양군지(淮陽軍知) 등을 역임 하였다.

361) 원(元)나라 호주인(湖州人), 자는 자앙(子昂), 호는 송설도인(松雪道人), 구파(漚波), 수정도인(水晶道人), 시호는 문민(文敏). 송(宋)나라의 종실(宗室)로 원(元)나라에 항복하여 관직이 한림학사(翰林學士), 승지(承旨)에 이르렀으며 행서(行書)와 해서(楷書)에 능하고 산수화(山水畵)에도 능하여 남종화(南宗畵)에 속하였으며 시문(詩文)도 잘하였다.

362) 명(明)나라 송강화정인(松江華亭人), 호는 원재(元宰:玄宰), 사백(思白), 향광(香光), 시호는 문민(文敏), 만력진사(萬曆進士), 관직은 편수(編修), 황장자(皇長子)의 강관(講官)이 되었으나 집정자(執政者)의 비위를 거슬려 호광부사(湖廣副使)로 좌천되었고 신병으로 귀가하여 옛 관직으로 복직되고 광종(光宗) 때에 태상소경(太常少卿)으로 불러 부임하는 등 많은 관직을 역임하다가 관직을 그만두고 사망 하였다. 그의 서법(書法)은 특이하여 미불(米芾), 조맹부(趙孟頫)와 비교되었다.

書三希堂法帖後

往辛巳春, 余購得此帖於京書肆, 摠(總)三十六册也。自晉及唐宋, 至于元明, 上下數千年間, 號稱法家者, 萃聚乎此也。筆各異法, 法各有妙。每一披玩, 此焉而惟此之妙, 彼焉而又彼之奇, 如入婆娑市, 千瓌萬珍, 光怪奪目, 眩然莫能定視。雖然右軍有右軍之法, 魯公有魯公之法, 米不能爲趙, 趙不能落董, 各有一定不易之妙矣。因竊念學書者, 必意先於法, 而運毫於胸臆。法不必右軍, 不必魯公, 不必米與趙與董也。若規撫王顔之法, 摸擬米趙之繩尺, 則是古人之糟粕己耳, 蒭狗己耳, 未見其妙也。必也泛覽諸家, 折衷於己, 以成一家之法。故取材也博, 而守之以約, 不必王顔, 而未嘗不原乎王顔; 不必米與趙與董, 而亦未嘗不取乎米與趙與董也。然書亦有關乎德性, 其要在正心而行墨。噫, 奚獨書乎哉!

해강난죽보(海岡蘭竹譜) 발문(跋文)

　　난죽(蘭竹)의 계보(系譜)가 있는 것은 오래 되었다.《개자원(芥子園畵譜)》[363]에 각기 계보(系譜)가 있는데 문여가(文如〈與〉可)[364]의 죽(竹)과 조운문(趙雲門)[365]의 난(蘭)과 왕야매(王冶梅)[366]의 매국(梅菊)은 모두 계보 중에 뛰어난 것이다. 해강 김공(海岡金公)은 옛 계보를 더 넓혀 윤색하고 화법(畵法)과 도본(圖本)을 만들어 옛 계보보다 더 정밀하게 하였으므로, 초학(初學)들의 지남서(指南書)가 되었다. 공은 예술성을 천성적으로 타고나 배우지 않고도 잘 하였고, 서예(書藝)도 전서(篆書), 예서(隸書), 초서(草書), 해서(楷書)에 능하였으며 회화(繪畵)에도 산수(山水), 인물(人物), 화훼(花卉) 등에 있어서 각기 오묘한 경지에 이르러 당시 명가들도 따르지 못하였다. 순

---

363) 청(淸)나라 초기 화가 왕개(王槪), 왕시(王蓍), 왕얼(王臬) 3형제가 편찬한 화보(畵譜)로 총 4권이다.
364) 청나라 문이훈(文二訓)의 호, 자는 명시(命時), 의징인(儀徵人), 난초를 잘 그렸고 그의 학파를 문란(文蘭)이라고 하였다.
365) 청(淸)나라 조화룡(趙化龍), 자는 운문(雲門), 부자(父子)가 모두 묵죽(墨竹)을 잘 하였다.
366) 청(淸), 화가(畵家), 남경인(南京人), 명은 인(寅), 자는 야매(冶梅), 인물(人物), 산수(山水), 목석(木石), 금어(禽魚)의 그림을 잘 하였다.

종황제(純宗皇帝)가 세자(世子)로 있을 때, 공이 시종관으로 입시하여 필법을 가르쳤는데 하루는 어명이 내려 통천(通川)에 가서 총석정(叢石亭)의 전경을 모사(摹寫)해 오라고 하였다. 그 중 하나가 지금 박물관에 있다. 신미년(서기1931) 봄에 내가 서울에 있을 때, 언제나 해가 지거나 해가 돋을 때 붓을 갖고 (海岡에게) 가서 서예를 배웠다. 공은 서법을 가르켜 주고 또 말하기를 "글씨와 그림은 비록 곡예(曲藝)와 말기(末技)지만 전문성 있게 하지 않고 널리 연구하지 않으면 정하게 되지 않는다. 내가 젊어서 여러 가지 기예(技藝)를 섭렵하였지만, 지금은 모두 버리고 하는 것이라고는 오직 난초와 대나무 그림이니, 이것이 두 계보(系譜)를 짓게 된 것이다. 사군자(四君子) 중에 오직 대를 그리기가 어렵고, 대 가운데서 연운(煙雲), 풍로(風露), 설월(雪月), 음청(陰晴)은 경치가 다르지만, 오직 풍죽(風竹)이 더욱 어렵다. 그대가 참으로 배우고 싶으면 반드시 풍죽(風竹)을 배워야 할 것이다. 이것만 잘하면 그 나머지는 스스로 깨달아 알게 될 것이다"고 하였다. 나는 수개월동안 기량(伎倆)만 배울 뿐이었다. 그러나 나는 친히 그 지휘를 받아 붓을 잡고 그림을 그리는 오묘한 법을 눈으로 익혔으니, 후일 이 기예를 배우는 사람들은 이 계보가 아니면 어찌 법을 배울 수 있겠는가?

海岡蘭竹譜跋

蘭竹之有譜, 盖久矣。芥子園畫, 各有其譜。文如可之於竹？趙雲門之於蘭, 王冶梅之於梅菊, 皆譜中之傑然者也。海岡金公, 因其舊而增廣之, 修潤之, 設法作圖視舊, 加精密, 足爲初學子之指南也。公於藝得之天性, 殆不學而能。於書則篆隷艸楷, 於畫則山水人物花卉, 各臻其妙。當時號稱名家者, 莫之或追焉。純宗皇帝爲世子時, 公以侍從官入侍, 教筆法。甞以御命往通川, 摹寫叢石亭全景, 其一本今在博物舘云。歲辛未春余, 遊漢師, 每中星輒携筆具往學焉。公旣告之法, 且語之曰：『書與畵, 雖曰曲藝末技, 不專不工, 博則不精。吾少也, 博涉群藝, 今乃盡棄。其所爲惟蘭竹, 是寫此二譜之所由作也。四君子中, 惟竹爲難。竹之中有烟雲風露, 雪月陰晴之殊景。而惟風竹爲尤難。君苟學也, 必也風竹乎？能乎此, 則其餘可反三也。』余學之數月, 惟伎倆蛾述己矣然。余則親承指揮, 目其執管行墨之妙矣。而後之學斯藝者, 微此譜, 安所取法。

다시 씀

내가 이 화보를 좋아한 것은 종이가 부풀 때까지 먹의 흔적이 그대로 있어서였다. 그러나 불행히도 경인년(서기1950)에 혹독한 폭탄이 진(秦)나라 때 시서(詩書)를 태운 불과 같았으니 아까웠다. 홍용강군(洪龍岡君)은 이 예술에 뜻을 두어 간혹 나와 놀 때는 이 화보를 보여주면, 그는 받아서 보고 그 중 붓으로 그릴만 한 것이 있으면, 그리도록 벌서 30년 전에 옛 수송정(壽松亭)에서 가르쳤다. 그때 나는 책(화보)을 어루만지고 큰 한숨을 쉬며 그에게 주면서 말하기를 "이 화보에서 찾아보면 스승이 되고도 남을 것이니, 그대는 잘 간직하게"라고 하였다.

갑진년(1964) 소춘(小春)에 보도산인(普道山人)이 씀

再書

余愛玩此譜, 至紙毛而墨欲穩矣。不幸逸於庚寅, 酷爆如詩書之火秦。惜哉, 洪龍岡君, 有志斯藝, 間嘗從予遊日, 示以此譜, 輒取而閱之。其圖式中, 手執筆而行法者, 怳若三十年前, 設敎於壽松舊莊矣。撫卷太息而歸之, 曰："求之此譜, 自有餘師。君其葆藏之。"歲甲辰小春, 普道山人書。

사임당(師任堂)이 그린 포도병(葡萄屛)의 발문(跋文)

이것은 율곡선생(栗谷先生)[367]의 어머니 사임당 신씨(師任堂申氏)[368]가 그린 것이다. 병풍은 모두 8폭으로 화려하고 찬란하여 한 폭 한 폭을 바꿀 때마다 그림이 다르니, 입신(入神)의 경지이며 조화(造化)의 흔적을 앗았다고 할 만 하다. 법에 앞서 그 재주는 탁월하여 천년 후에서 상상할 수 있을 것이니, 당연히 선생(先生)을 낳으시고

---

367) 이이(李珥)의 호. 또는 석담(石潭), 우재(愚齋) 등으로 부르기도 함. 자는 숙헌(叔獻), 관직은 호조좌랑, 예조좌랑, 이조좌랑, 이조판서를 역임하였으며 저서로는 율곡전서(栗谷全書)를 남겼음.
368) 1504(연산군 10)~1551(명종 6), 조선 중기 문인(文人), 화가(畵家), 시인(詩人), 평산신씨(平山申氏)인 신명화(申明和)의 딸이며 이율곡(李栗谷), 이매창(李梅窓)의 어머니다. 아직 그의 그림 초충도(草蟲圖)와 포도도(葡萄圖)가 전하고 있다.

선생의 어머니가 되실 만 하므로 그 이름이 더욱 나타난 것이다. 이 목인본(木印本)은 진적(眞蹟)과 비교해 볼 때, 별로 차이가 없었다. 그러나 문인(門人)들이 전하는 것은 증자(曾子)[369]와 같다고 하였는데, 더구나 수필(手筆) 중 모뜬 것이겠는가. 폭마다 모두 원형(圓形)으로 되어 있고 장단(長短)과 광협(廣狹)도 한 모형(模型)에서 나온 것 같으니 또한 무엇일까? 혹자는 말하기를 "선생의 친구들이 그 붓을 보려고 선생에게 부탁하므로 부인(夫人)은 수적(手蹟)이 세상에 드러날까 두려워하여 둥근 소반에다가 그려서 내 준 것이므로 다시 씻으면 아무것도 없어 진다"고 하였다. 그러나 그 때 모사하여 전하는 사람이 없지 않으므로, 그 형태가 둥글다고 하였다.

師任堂畵葡萄屛跋

此惟栗谷李先生母夫人師任堂申氏所作也。屛凡八疊，琳琅璀璨，隨疊改觀，可謂入神妙而奪造化之跡。先乎法而才思卓越，可想像於千載下矣。宜其生先生,母於先生，故名宜其益顯也。顧此是印木，視眞蹟不能無差殊觀。雖然門人之傳，猶云曾子，況手筆中摸出者哉？幅皆圓形，長短廣狹如出一型者，抑又何也？或曰："先生知舊輩，欲見其筆，介于先生。則夫人恐手蹟之或露于世，寫諸圓盂，而出示之，輒復拭之，無有矣。然其時不能無描傳者，故厥形皆圓"云。

조선고적도보(朝鮮古蹟圖譜) 뒤에 씀

나는 본래 물건에 마음이 적어 사람들이 좋아하는 것을 좋아하지 않고, 오직 서책과 그림을 사람들이 좋아하는 것처럼 좋아 한다. 옛날 동자(童子) 때 화가(畵家)가 채색 사용하는 것을 보고 즉시 모를 떠서 그 형상과 비슷하게 그리자, 선군(先君)께서 보시고 매우 엄하게 경계 하시므로, 이 때부터 그림을 가까이 하지 않았지만, 마음만은 늘 잊을 수가 없었다. 정숙자(程叔子)[370]는 관화회(觀畵會)를 가지 않으면서 말하

---

369) 춘추(春秋), 노(魯)나라 남무성인(南武城人). 명은 삼(參), 증점(曾點)의 아들, 자는 자여(子輿), 공자(孔子)의 제자, 공자보다 나이가 46세나 적다. 저서로 효경(孝經)이 있다.
370) 송(宋)나라 낙양인(洛陽人), 정향(程珦)의 아들이자 명도 정호(明道程顥)의 아우. 자는 정숙(正叔), 시

기를 "나는 그림을 모른다."고 하였고, 주부자(朱夫子)[371]는 말하기를 "성품이 가장 그림을 좋아하니 성현(聖賢)의 성품과 같지 않다"고 하였다. 그리고 백륜(伯倫)[372]과 술, 우군(右軍)[373]과 글씨, 도자(道子)[374]와 그림에 있어서 모두 편파적으로 좋아 하였다. 시기는 고금(古今)이 없고 사람은 현우(賢愚)가 없이 각기 좋아하는 성품이 있다. 계묘년(서기1963) 여름에 어떤 사람이 고금(古今)의 화보(畵譜) 2첩(帖)을 가져와 난죽(蘭竹) 10폭과 서로 교환하기를 간청 하므로, 나는 사양하지 않고 붓을 들어 그려 주고 즉시 그림을 주고 화첩을 받았다. 일기가 흐리거나 화창하게 개인 날 차례로 보니 모두 고금의 명류(名流)들이었다. 그 첫째는 산수(山水), 화훼(花卉), 인우(麟羽)로 체격을 갖추지 않는 것이 없었고, 그 둘째는 궁전(宮殿), 학당(學堂) 및 불우(佛宇), 도관(道觀)으로 모두 누워서 구경할 수 있는 자료였다. 나의 졸한 작품을 돌아볼 때, 그 가치에 해당하지 못하지만, 고인들이 말하기를 "산을 탐내는 것은 청렴한 마음에 해가 되지 않는다."고 하였으니, 이것도 산수보(山水譜)이므로 혹 청렴한 마음을 상하지 않을까. 이를 보는 사람들의 판단이 있을 것이다.

題朝鮮古蹟圖譜後

余素迂於物, 不愛衆人之所愛, 惟書與畵, 愛之如衆人之愛其所愛。記昔童子時, 見畵家之用彩, 卽摹而肖其形。先君見之, 戒之甚嚴。自是不敢近, 而志則未嘗忘也。程叔子不赴觀畵會, 曰:"某不識畵。"朱夫子自云:"性偏好畵。"聖賢之所性, 亦有不同。伯倫之於酒, 右軍之於書, 道子之於畵, 皆好之癖者也。時無古今, 人無賢愚, 各有所好之性耳。癸卯夏, 有人携古今畵譜二帖來請, 以

호는 정공(正公), 주돈이(周敦頤)의 제자, 나이 18세에 태학(太學)에서 공부 하였다. 철종(哲宗) 초에 숭정전(崇政殿)의 설서(說書)가 되어 언제나 강회(講會)에 나갈 때는 얼굴이 매우 엄숙하였고 왕에게 간언(諫言)이 많았으며 서경(西京)의 국자감(國子監)이 되기도 하였다.

371) 송(宋)나라의 주희(朱熹)를 말함.
372) 진(晉), 유령(劉伶)의 자, 패국인(沛國人), 완적(阮籍), 혜강(嵇康) 등과 죽림칠현(竹林七賢) 중 한 사람. 예절을 멸시하고 술을 좋아 하여 주덕송(酒德頌)을 지었음.
373) 진(晉), 왕희지(王羲之)를 말함. 원제(元帝) 때 우군장군(右軍將軍)을 역임하여 왕우군(王右軍)이라고도 함.
374) 당(唐), 하남인(河南人), 화가(畵家)인 오도자(吳道子)를 말함. 그는 장승요(張僧繇)와 장효사(張孝師)의 화풍을 배워 그의 필력은 웅준(雄俊) 하였다. 그는 특히 벽화를 잘 그려 장안(長安)의 여러 사찰(寺刹)에 일장 월장 경변(日藏月藏經變) 및 금교도(金橋圖)가 지금까지 전하고 있으며 후인들이 그를 화성(畵聖)으로 칭하고 있다.

蘭竹十幅相換。余不辭, 而揚筆寫之, 卽與之受之。暖日晴窓, 次第披閱, 皆古今名流也。其一, 山水花卉鱗羽, 體無不具。其二, 宮殿學堂, 及佛宇道觀, 足爲臥遊之資。顧余拙品, 未當其直。然古人云: "貪山不害廉。" 此亦山水譜也。或無以傷廉否? 覽者必有以辨之矣。

조선역사(朝鮮歷史) 후미에 씀

　조선역사 15권은 조군 월초(曺君月樵)가 지은 것이다. 간엄(簡嚴)하게 체제를 세우고 널리 수집하여 자상하게 서술 하였으므로 그 상략(詳略)이 서로 어울리어, 이에 그 전체를 볼 수 있었다. 아! 진(秦)·한(漢)·당(唐)·송(宋)은 초부(樵夫)와 목수(牧竪)들도 잘 들먹이지만, 본국(本國)의 일에 있어서는 노인들도 혹 어두우니, 이것이 또한 우리나라에 한 폐단이었다. 군(君)은 오직 이것을 걱정하여 상하(上下) 5천년을 찬수(纂修)하는데 급급하여 한번 책을 열면 그 내용을 일목요연(一目瞭然)하게 알 수 있도록 하였으니, 사문(斯文)[375]의 공이 제 2에 있지 않다고 할 것이다. 한 말로 말하자면 조선인(朝鮮人)은 당연히 조선역사(朝鮮歷史)를 읽어야 할 것이다.

題朝鮮歷史後

鮮史十五卷, 曹君月樵作也。書簡嚴以爲體, 博蒐以爲詳。詳略相須, 于以見其全也。噫, 曰秦曰漢曰唐曰宋, 樵牧類能言之, 至本國事, 稱老碩而或昧焉。亦我東一弊也。君惟是之憂, 汲汲纂修上下五千年。一開卷, 瞭然其羽翼, 斯文功不在第二。一言蔽之, 曰: "朝鮮之人, 當讀朝鮮歷史"

---

375) 유생(儒生) 또는 유학(儒學)의 문화(文化)를 말함.

박의사 도경(朴義士道京)[376]의 추모비(追慕碑) 뒤에 씀

지난 을사년(서기1905)에 도이(島夷;왜적)가 창궐(猖獗)하여 우리 국권(國權)을 탈취하므로, 팔역(八域)의 의병들이 전후로 분연(奮然)히 일어나 하늘을 가리켜 적을 초멸할 것을 맹서하지 않는 사람이 없었다. 이 때 기 성재(奇省齋)[377] 등 제공(諸公)이 호남(湖南)에서 의병을 일으켜 의성(義聲)을 크게 떨치었고, 박공 도경(朴公道京)이 그 막하로 가서 많은 계획과 책략을 친히 내놓았으며, 성재(省齋)가 순국(殉國)한 후 공이 척포(隻包)와 단병(單兵)으로 저! 적들을 저항하다가 포위를 당하여 사망 하였으니, 그 고충(孤忠)과 적혈(赤血)을 귀신에게 물어봐도 의심이 없을 것이다. 그 후 수십 년이 지나 왜적(倭賊)에게 제압되어 입을 다물고 공에 대한 말을 할 수 없었으며, 을유년(서기1945)에 적이 물러나도 국내에 어려움이 많아 그 장렬한 사적을 표하지 못하였다. 그러나 계묘년(1963) 봄에 군수(郡守) 신후 상우(申侯祥雨)가 많은 자금을 내어 비석을 세우기로 상의하여, 자신이 비문을 짓고 나에게 글씨를 쓰라고 간청 하였다. 아! 본향의 선비들이 10여 년 동안 하지 못한 일을 신후(申侯)가 일조에 추진하여 이 위대한 열의(烈義)가 천추(千秋)에 밝게 전하게 되었다. 아! 훌륭하다! 그 다음 해인 갑진년(1964) 정월에 나의 친구 김월담(金月潭)이 공의 비에 관한 이야기를 듣고 나에게 말하기를 "지난 기유년(서기1909)에 저들이 말한 병참소장(兵站所長)이었던 중위(中尉) 실전구치(室田久治)란 사람이 복흥(復興)으로 와서 주차(駐箚)하고 있었는데, 그는 문자도 알고 있었으므로, 수시 내방하고 있었네. 그가 하루는 간직하고 있던 군사기밀첩(軍事機密帖)을 보여주었는데, 즉 옛날 우리 의병들이 체포되었을 때 찍은 사진이었네. 그 기밀첩 중에는 손을 밑으로 내리고 수염이 분연(奮然)히 서 있는 사람도 있고, 두 손으로 애걸복걸하며 엎드려 있는 사람도 있고, 대포와 총을 가지고 저격하는 모습을 하며 서 있는 사람도 있어서 그 까닭을 물으니 그는 '장차 사형

---

376) 박도경(朴道京):서기1874(고종 11)~1910(순종 3), 이명(異名)은 박경래(朴景來), 자는 화경(華京), 화옥(華玉), 전북 고창에서 태어남, 서기1905년 기상연(奇參衍)이 의병을 일으키자, 무기를 제공하고 전수용(全垂鏞)과 함께 종사(從事)로 활약하였음. 공은 포대(砲隊)에서 소속되어 있으면서 천자포(千字砲)를 가지고 광주(光州)와 담양(潭陽)에서 활약 하였으며 그 후 장성(長城)으로 돌아와 군자금(軍資金)을 모았고 서기1909년에 전수용과 남포(南蒲)와 부안(扶安)에서 활약 하였다. 그 해 4월에 부안 상서면에서 일본 기병대(騎兵隊)와 교전하다가 패하여 가협(加峽) 산중으로 피신하였으나 일병에게 체포되어 서기1909년 12월에 광주재판소 전주지부에서 교수형을 선고받고 익년(翌年) 2월에 옥중에서 음독자결 하였다.
377) 정미년(서기1907)에 의병을 선도(先導)하였던 의병장이며 서기1908년에 광주(光州)에서 순국(殉國)하였다. 명은 삼연(參衍), 호는 성재(省齋)이다.

할 때 제각기 그들이 원하는 것을 물은 것인데, 손을 내리고 있는 사람은 묵묵히 말이 없는 사람이며, 애걸복걸한 사람은 살려달라고 애원하는 사람이며, 저격하는 모습을 하는 사람은 대답하기를 '이것으로 너희들을 죽이는 것이 나의 소원이다'고 한 사람이다"고 하였다. 이것이 참으로 의사인 것이다. 총으로 저격하는 모습을 하는 사람은 즉 고창(高敞)의 박포대 도경(朴砲隊道京)이었다. 나는 이 말을 듣고 감탄하기를 "애석하다! 일찍 이 기이한 사적을 들었다면 당연히 대서특필하여 한번 쓰는 것에 그치지 않았을 것이다"라고 하였다. 아! 곤륜산(崑崙山)의 옥(玉)과 합포(合浦)의 주옥(珠玉)은 천 길이 비탈과 백 미터나 되는 연못에 묻혀 있어도 그 빛을 간직하고 있다가 결국 후일에 명당(明堂)에 사용되는 것은 그 이치상 당연한 것이다. 공과 같이 기이한 절개와 탁월한 의리를 갖은 사람이 비밀의 첩중(帖中)에 기록되어 있으니, 어찌하여 결국 세상에 드러날 수 있을까? 나는 그 사적이 나타나고 숨겨진 때가 있다는 것을 알고 있다.

書朴義士道京追慕碑後

往在乙巳, 島夷猖獗, 奪我國權。八域義兵, 前後奮起, 莫不指天誓滅賊。于時奇省齋諸公, 倡義于湖南, 義聲大振。朴公道京, 樂赴其幕下, 規劃籌策, 多出其手。及省齋殉國, 公以隻砲, 單兵抗彼豺虎, 被圍而死。其孤忠赤血, 可謂質鬼神而無疑矣。爾來數十年, 爲倭所箝制, 噤暗而不能公誦焉。乙酉賊退, 則又國內多難, 未能表其壯蹟矣。癸卯春, 本倅申侯祥雨, 出巨貲, 謀堅碑, 自爲文而囑余書之。噫, 鄕人士十數年未遑之事, 侯一朝克辦, 使此偉烈, 昭揭千秋。吁, 盛矣哉! 越明年甲辰春正月, 余友金月潭, 聞公之碑, 語余曰: "去己酉年間, 彼所謂兵站所長中尉室田久治姓名者, 來駐福興, 頗識文字。有時來訪。一日示其所藏軍事機密帖, 卽曩昔我義兵之被逮撮影者也。帖中有垂手奮髯而立者, 有雙手乞哀而伏者, 有以炮銃爲狙之之樣而立者。問其故, 彼曰: '將刑時, 各問其所願。其垂手者, 含默無言也。其哀者, 圖其苟活也。其狙擊樣者, 答曰: 以此殺汝, 等是吾願也云。'是眞義士也, 狙銃者, 卽高敞朴炮隊道京也。"余聞之, 歎曰: "惜哉! 早聞有此奇蹟, 則當大書特書, 不一書止也。噫, 崑崙之玉, 合浦之珠, 方其埋沒於千仞之崖, 百丈之淵, 而光怪自衛, 卒以爲異日明堂之用, 其理則然耳。如無其理, 如公奇節卓義, 潛藏於千機萬密之帖中,何以終能暴白於世哉？吾固知顯晦自有其時也"

체화첩(棣華帖)의 발문(跋文)

　계미년(서기1943) 섣달 22일 막내아우 순회(舜會)가 학도병(學徒兵)에 징집되었으므로 하루 전일 저녁에, 나는 두 아우와 함께 각기 한 두 구절을 이 첩자(帖子)에 써서 후일의 기념물로 대비하였다. 대개 이 시기는 즉 세계 2차 대전 중이었다. 우리 3천리 강토와 3천만 국민들이 왜놈의 철망(鐵網)속에 들어간지 벌서 30여년이 되었다. 오늘 징집에 응한 사람은 백 명 중에 한 사람도 살아돌아오지 못할까 의심되는 것이다. 그러므로 촛불을 켜놓고, 서로 얼굴을 마주 대하여 눈물을 머금고 말이 없었다. 다만 형제간이라는 것과 관련하여 글씨를 써서 '체화첩(棣華帖)'이라고 하였다. 그 후 3년째인 을유년(서기1945) 3월 21일 어린 손자들이 갑자기 밖에서 들어와 홍정할아버지(紅亭祖父)가 오셨다고 하였다. 처음에는 매우 놀랍고 당황하여 이것이 참말인가 꿈인가 하고 엎어지듯 동문(洞門)밖으로 나가보니 문밖에 한 병사가 하얀 모자와 복장을 하고 환자 같은 모습으로 섬짓 다가왔다. 그를 바라보니 우리 아우였다. 서로 부둥켜 안고 들어왔다. 온 집안이 환호하며 하늘이 처음으로 열리는 것 같았고, 소경의 눈이 열리는 것 같았다. 그리고 한 보호병이 뒷 따라 왔다. 대개 우리 아우가 병대에서 복무하고 있을 때, 말 한마디와 행실 한 가지도 그 상관에게 신중하게 보였으므로, 하룻 사이에 신병이 발생하자, 그 상관은 군의관(軍醫官)에게 진단을 받아 귀국치료를 하도록 한 것이다. 그리고 도중에 증상이 악화될까 두려워 보호병 한 사람을 호위하도록 한 것이다. 공자(孔子)의 말씀대로 "말이 충신(忠信)하고 행실이 공순하면 비록 만맥(蠻貊)의 나라에도 다닐 수 있다"고 한 것을 우리 아우에게 징험 한 것이다. 옛날 이 첩자(帖子)가 후일의 고사(故事)가 될 거라고 하였지만, 누가 오늘날 현실이 될 줄을 알았겠는가? 그 다음달 3일 우리 형제와 제매(娣妹) 9인은 종족과 친구들을 초대하여, 우리 어머니를 회갑잔치를 하느라고 생황(笙簧) 소리가 요란하고 송축(頌祝)하는 시가 넘쳐나 모두 말하기를 "어머니가 훌륭하시어 이런 경사가 있었다."고 하였다. 만일 어머니가 안계셨다면 조상의 영영(英靈)에게 그 경사를 돌렸을 것이다. 이날 가형 정회(正會)가 첩자 뒤에 이 글을 썼다.

棣華帖跋

癸未臘月二十二日，季弟舜會勒被所謂學兵之徵。前一夕，余與二弟，各手書一兩句於此帖，以備異日故事。盖此時卽，世界二次大戰亂也。我三千里疆土，三千萬生民，入于倭政之鐵網已三十餘年矣。今日應徵者，咸疑其百不一生還矣。是以剪燭相對，含淚不語，只書關於兄弟之倫者，名之曰棣華帖。粤三年乙酉春三月二十一日，稚孫輩自外至忽，傳紅亭祖父來(註:娶于紅亭)，初甚驚慌，此眞耶？夢耶？癲倒而出洞，門外有一兵，着素帽素裝如患者樣，閃然而近，熟視之，迺吾弟也。相扶而入，擧室驪號，如天之始闢，如瞽之開眼。有一保護兵隨後，盖吾弟在兵役日，一語一動，頗見重於其所謂上官。一日有採薪疾。其上官診斷於軍醫，使之歸國治療，且慮有途中添症，使一兵保護之。孔子曰："言忠信 行篤敬，雖蠻貊之邦行矣"者，可驗於吾弟矣。伊昔此帖之爲異日故事者，孰謂今日反成眞面目也哉。翌月三日，吾兄弟娣妹九人，招延族戚知舊，以壽吾老母。笙簧幷作，頌禱洋溢，咸曰："母氏之賢，宜有此慶。"母氏不有，歸之祖先之靈。是日家兄正會題于帖尾。

막내 동생이 동경(東京)에서 시 1절(絶)을 부쳐와 그 후미에 씀

을유년(서기 1945) 상사일(上巳日)에 우체부가 서신 한 장을 전해 주었는데, 우리 동생 순회(舜會)의 서신이었다. 그 서신 끝에 시 1절(絶)을 기록하기를 "눈 속에 차갑게 소나무 한 그루 서 있는데, 물 서쪽에서 기러기 외롭게 우네. 멀리 회정(晦亭) 위를 생각하니, 장차 훈지(塤篪)[378] 소리 들릴 듯하네(雪裏寒松立, 水西孤雁鳴, 遙憶晦亭上, 將聞塤篪聲)"라고 하였다. 나는 세 번이나 반복하여 읊고 감탄 하였다. 그 말구(末句)에 "將聞塤篪聲"이란 다섯 글자는 의심과 믿음이 서로 섞이어 정신이 정해지지 않았으므로, 꿈속의 소리 같았고 또 비전(秘傳)한 참서(讖書) 같았다. 지금 천하에 병란(兵亂)이 그리지 않아 그는 고향으로 돌아오지 못할 것이고, 또 단속이 매우 엄하여 그 그물 속을 탈출하지 못할 것이다. 이렇게나 저렇게 생각해도 서로 만날 이치는

---

[378] 塤은 壎(훈)자임. 壎篪(훈지)는 피리의 한 가지, '壎(=塤)'은 흙으로 만들며, 부르짖는 듯한 소리를 내고. '지(篪)'는 대나무로 만들며, 어린 아이의 울음소리를 닮았다.

만무하다. 그런데 시의 뜻을 미루어 보면, 혹 만분의 일도 가망이 없는 것은 아니다. 기밀이 혹 누설될까봐 말하지 못하고, 걱정으로 나날을 보낼 것이다. 그러나 이 달 21일 그는 돌아와, 비로소 이 다섯 글자의 시는 암호를 먼저 부친 것이므로 붓을 들어 그 기쁨을 기록 하였다.

題季君自東京奇來詩一絶後

乙酉上巳之日, 郵夫傳一封書, 乃吾弟舜會手札也. 書末有一絶, 詩曰: "雪裏寒松立, 水西孤腸(雁)鳴. 遙 憶晦亭上, 將聞塡箎聲." 余三復詠歎, 至末句 "將聞塡箎聲" 五字, 疑信相雜, 莫能定魄, 如夢中之音, 又如秘傳之讖. 今天下兵革未息, 必不使之歸鄕. 且撿束甚嚴, 不可脫網而逃. 以彼以此, 萬萬無相見之理. 然以詩意推之, 則或不無萬一之望. 然而恐機密之或漏, 不敢向人道. 以是愁亂度日, 果以是月二十一日得歸, 始知五字詩, 乃所以暗號先寄也. 遂揚筆誌喜.

변군 영호(卞君榮濩)를 위해 써준 글씨 뒤에 씀

영호(榮濩)는 사방에 뜻이 있었으므로 일본(日本)으로 가려고 하였다. 그가 가려고 할 때, 나에게 글씨를 요구하여 후일 내 얼굴 대신에 보려고 한다고 하였다. 나는 굴레를 벗어나는데 어두웠지만 그 뜻을 외롭게 할 수 없어 이 네 글자를 써서 주고 또 말하기를 "동경(東京)에 가거든 이 동범(李東範)이 있네. 그는 지금 대학(大學)에 있는데 나의 친구일세, 한번 만나보면 옛 친구처럼 대할 것이니, 이 글씨를 보여주게…"라고 하였다.

爲卞君榮濩書贈筆後

榮濩有四方之志, 欲遊日本. 將行, 要余筆跡, 以爲異時顔面. 余昧趨勒, 而其意亦不可孤, 聊書此四字而贈之, 且告之曰: "其入東京有李東範, 方在大學, 吾友也. 想一見如舊, 請以此示之".

연파유고(蓮坡遺稿)의 발문(跋文)

　　공의 가정은 대대로 유학(儒學)을 업으로 삼았다. 그는 영민한 재주를 타고나고 효도하고 우애하는 행실이 있으므로, 이를 미루어 선조를 기술하고 가정을 다스림이 모두 충신(忠信)에 바탕을 두어 찬연(燦然)히 조리(條理)가 있었고, 그 재주와 학문이 향방(鄕邦)에서 높았으므로 만일 암랑(巖廊)[379]에 있었다면 혹 모든 일을 잘 다스려 아무리 잘못된 일이라도 이롭지 않는 것이 없었을 것이다. 그러나 아깝게도 어지러운 시대를 만나 결국 포의(布衣)로 늙어가지만 그것도 원망하지 않았다. 중년에 영주(瀛洲)의 두승산(斗升山) 밑으로 이거하여 꽃과 나무를 심고 아들에게 농사도 짓고 독서도 하도록 하였고, 산 빛을 들어마시며 마음에 맞도록 주위를 거닐어 정신은 더욱 순수해지고 기운은 더욱 왕성하였으니, 명산(名山)은 스스로 주인이 있었다. 아! 연원(淵源)이 있는 고가(古家)로 대대로 사이좋게 지내어 누차 방문해 주시고 나에게 10년 동안 독서를 하라고 하셨으나 정회(正會)는 본래 굴레를 뛰어넘는 일에 어두웠지만 참으로 사용할 곳이 있을 것이므로 글씨를 쓰라고 하명 하였었다. 대개 나를 사랑하는 것이 깊었으므로 무엇이든 사랑하지 않는 것이 없었으니, 모두 하자(瑕疵)가 있는 옥돌에서 약간의 옥이라도 바라시는 것이었을까? 공이 작고하신 후 2년이 되는 갑진 년(서기 1964) 봄에 그의 아들 남서(南紋)가 그 아우 정서(正紋)와 함께 나를 보도산실(普道山室)로 방문하여 "나의 선친이 저술을 좋아하지 않고 간혹 좋은 경치를 만나면 시를 쓰셨으나 그것도 모아 후세에 전하려고 하지 않았습니다. 그러나 불초(不肖)의 마음에 참아 그 시문이 흩어져 사라지게 할 수 없으므로 약간 모은 시문을 간행하여 가정에 전하려고 하니 자네가 어찌 말 한마디 하여 이 일을 돕지 않겠는가? 그리고 옛날을 생각해서라도 어찌 참아 사양할 수 있겠는가?"라고 하였다. 아! 공은 일생동안 뜻을 독실하게 갖고 행실에 힘을 썼으며 시문이나 짓는 선비로 자처하지 않았다. 그러나 시는 정성(情性)에 바탕을 두고, 글은 사실을 기록하기를 위주로 하여 미사여구(美辭麗句)로 꾸미는 것을 전공으로 하지 않았으니, 그 진솔한 마음을 엿볼 수 있을 것이다. 그러나 공을 반드시 이 적은 것으로 전한다고 말한다면 그것은 공을 아는 것이 얕다고 할 것이니, 이를 보는 사람들은 그 연원(淵源)을 거슬려보기 바란다.

---

[379] 의경부(議政府)의 별칭.

蓮坡遺稿跋

公家世業儒，以英慧明敏之質，有孝友恪勤之行。其推之述先也，理家也，皆本諸忠信，而粲有條理，才學聲望重鄉邦。若使置之巖廊，則庶可以綜理庶務，投之盤錯，而無不利矣。惜乎遭時不祥，終老布衣，而亦不怨尤焉。中歲移寓于瀛洲之斗升山下，蒔花種木，課子畊讀，呼吸山光，逍遙自適，神益粹而氣益旺，名山自有主矣。噫，以淵源故家，兼有世好之篤，累蒙枉屈，使之讀十年書。正會素昧趣，勒而苟有用也，輒命之書，盖愛余之深，而無所不愛，求微埋於全瑕也歟？公沒後二年甲辰春，肖胤南叙與其弟正叙，訪余普道山室，曰："吾先人生平不喜著述，間有遇境之寫，而亦不蓄稿以爲傳後 計。然於不肖之情，不忍任其散佚，迺以收拾零星詩若文若而篇，將付諸手民，以爲家傳。子盍一言相役，爲之撫念疇昔？"豈何忍辭？嗚乎！公一生篤志力行，不以文詞自居。然而詩本情性，文主記實，不繡鏤以爲工。可見其率意任眞耳。然謂公必待是寥寥者傳，則淺之爲知公也。覽者其尙沿流而溯源也夫。

육심만세 체험록(六十萬歲 體驗錄) 뒤에 씀

위의 만세록(萬歲錄)은 내 친구 향산 이군(香山 李君)이 친히 쓴 것이다. 아! 우리 순조황제(純祖皇帝)의 인산(因山)이 병인년(서기1926) 6월 10일에 이루어졌는데, 군(君)이 나이어린 한 학생으로 강개(慷慨)한 뜻을 간직하여, 동지(同志) 11인과 하늘에 맹서하고 호랑이 굴속에서 "우리 대한만세(大韓萬歲)"를 외쳤으니, 어찌 그리 장할까? 그의 나이가 겨우 약관(弱冠)을 넘었는데 의리가 서로 통하고 정렬이 막히지 않아 한갓 적수(赤手)로 저 백인(白刃)을 저항 하였으니, 이것이 어찌 이익(利益)으로 유혹하고 상(賞)으로 권할 수 있는 일이겠는가? 대개 의기(義氣)가 치솟아 눈 속에 왜놈이 보이지 않았던 것이다. 아! 만세 소리가 끝나지도 않아서 포승(捕繩)으로 몸을 묶어 감옥으로 들어가자 1년 사이에 그의 의성(義聲)이 사해(四海)밖까지 진동하여 천하 사람들로 하여금 우리 한국(韓國)이 비록 나라는 빼앗겼지만 민심(民心)은 아직 죽지 않고 종종 연기가 잠기고 소리가 끊긴 나머지에 나타난다는 것을 알게 하였으니 지난 을유년(서기1945) 광복(光復)도 어찌 이 일이 돕지 않았을까?

書六十萬歲體驗錄

右萬歲錄者, 吾友香山李君手寫也。嗚乎！我純宗皇帝因山成於丙寅之六月十日。君以眇然一學生, 慷慨有志節, 與同志十有一人, 盟天誓日, 呼"我大韓萬歲！"。於虎窟豺穴之中, 何其壯也！年皆甫踰弱冠, 而義膽相照, 烈肺無隔, 徒以赤手, 抗彼白刃。是豈利以誘之, 賞以勸之哉！盖義氣攸激, 眼中無倭也。噫, 萬歲之聲未了, 拏縲之繩, 先迫身入囹圄, 一年之間, 而義聲震于四海之外, 使天下之人知我韓雖曰國, 已墟矣。而猶有不死之民心, 往往發於烟沉響絶之餘。去乙酉之光復, 亦安知非此一擧爲其助也歟？

박물관 기사(博物館記事) 뒤에 씀

이것은 월담선생(月潭先生)이 친히 기록한 것이다. 경인년(서기 1950) 봄에 공이 일찍 민족박문관(民族博物館)에 들어갔다가, 우연히 벽에 걸린 적괴(賊魁) 이등박문(伊藤博文) 이하 7대 총독(總督)의 사진을 발견하고 얼굴빛을 바로하여 꾸짖으므로 십년동안 걸려있던 적괴의 사진이 일조에 쫓겨났으니, 어찌 그리 장할까? 걸어놓은 사람이 누구인지는 알 수 없었다. 그리고 날마다 이 박물관에 들어온 사람이 그 수를 헤아리기 어렵지만 한 사람도 거절하였다는 말을 듣지 못하였다. 그렇다면 공이 당일 벌였던 이 일은 장안(長安)에 만인(萬人)의 입을 대신하여 하는 말이며, 한 혓바닥이 부월(斧鉞)보다 엄하였다. 아! 공의 이 한 말이 아니었다면 천하 만국(天下萬國)에 웃음거리가 된 지 오래 되었을 것이다. 천지(天地)의 지강지정(至剛至正)한 기운은 고금을 통하여 그 열기가 사라지지 않는 것이므로, 송(宋)나라의 담암(澹菴)[380]의 상소(上疏)가 흉노(匈奴)를 물리치고, 오늘날 월담(月潭)의 혀가 추적(醜賊)의 사진을 쫓아내었으니, 군자(君子)가 말하기를 "말 한마디가 태산보다 중하다"고 하였는데, 아! 이

---

[380] 송(宋)나라 충신 호전(胡銓)의 호. 그는 추밀원편수관(樞密院編修官)으로 있을 때 상소하여 당시 금(金)나라와 친화정책을 주장하던 진회(秦檜)를 주살(誅殺)하기를 간청 하였다가 관직이 삭직되고 소주(昭州)로 유배 되었다.

말이 참으로 그렇다고 할 것이다.

書博物館記事後

此維月潭先生手錄也。歲庚寅春, 公嘗一入民族博物舘, 偶見壁上偃然掛賊魁伊藤以下七代總督寫眞, 正色罵言：" 十年魁像, 一朝逐退！" 一何壯也！第未知掛之者何人, 且日日入此舘者難以數計, 而未聞有一人能言拒之者。然則公之當日此擧, 代長安萬口而發, 而一舌嚴於斧鉞。噫, 微公一言, 幾見笑於天下萬國也久矣。夫天地純剛至正之氣, 亘古今而不滅烈烈。在宋爲澹菴之疏而凶奴却, 在今爲月潭之舌而醜影滅。君子曰：" 一言重於泰山。" 嗚乎！斯其信然矣夫。

염재 송공(念齋宋公)의 호접도(胡蝶圖) 뒤에 씀

이 호접도(胡蝶圖) 8폭은 고 송상사 염재(故宋上舍 念齋)의 진적(眞蹟)으로 송암 박군(松菴朴君)이 간직한지 오래 되었는데, 하루는 보도산실(普道山室)에서 나에게 보여주어 두 세 번 보고 옛 생각을 금치 못하였다. 대개 공은 예술에 있어서 천성적으로 터득하여 오직 글씨와 그림만 그 오묘한 경지에 이른 것이 아니라, 시에 있어서도 당인(唐人)과 가까워 삼절(三絕)로 칭하였다. 박군(朴君)이 나에게 그 호접도(胡蝶圖) 끝에 기록하기를 요청 하였다.

題念齋宋公胡蝶圖後

維此蝴蝶圖八幅, 故宋上舍念齋眞蹟也。松菴朴君, 葆藏之久矣。日示余於普道山室, 披玩再三, 不禁感舊之思。盖公於藝, 得之天性, 不惟書與畵俱臻其妙, 詩亦逼唐人, 稱三絕。朴君要余誌其圖末。

홍 용강군(洪龍岡君)의 병첩(屛帖) 뒤에 씀

아! 이 십폭의 그림은 내 친구 홍 용강군(洪龍岡君)이 그린 것이다. 군(君)이 서예(書藝)에 뜻을 두고 간혹 나에게 와서 놀았다. 비록 전공하지는 않았지만 취미는 가상하였는데, 그가 병이 들어 목숨이 위태롭자 자제들이 부축하고 앉아 붓을 들고 그림을 그리고 또 나의 글씨와 합장(合粧)하라는 유언을 남기었다. 아! 이것은 절필(絶筆)한 것이다. 군(君)이 작고한 후 몇 달이 안 되어 셋째 아들 판길(判吉)이 나를 방문하여 눈물을 흘리면서 "이것은 우리 선인(先人)의 유명(遺命)이니, 어르신은 인색하시지 마시기 바랍니다."라고 하였다. 나는 옛날을 생각할 때, 어찌 참아 사양할 수 있겠는가. 드디어 한문공(韓文公)이 지은 동생행(董生行) 1편을 써서 그의 부탁에 부응 하였다. 솜씨가 비록 졸렬하지만, 의미가 있는 것이므로, 이를 보는 사람들은 혹 이로 인하여 우리 두 사람이 상종하는 자취를 알았으면 다행으로 생각할 것이다.

題洪龍岡君屛帖後

嗚呼！此十幅畫, 吾友洪龍岡君筆也。君有志書藝, 間嘗從余遊, 雖未克專工, 而趣則可尙。方病革命, 子弟扶坐, 取筆寫得。且遺戒以得余筆合粧。噫, 此可謂絶筆也。君沒後未幾月, 三胤判吉, 踵門而泣, 曰："此吾先人遺命也, 願吾丈勿慳。"撫念疇昔, 豈何忍辭, 遂書韓文公所著'董生行'一篇, 以副之。墨雖拙, 意亦有在覽之者, 或因此而知吾兩人過從之迹則幸矣。

유당(裕堂)이 쓴 편액(扁額) 뒤에 씀

내가 인회(麟會)와 상종하지만 그의 병은 어떤 일에 임하여 조급한 것이다. 그가 나에게 약을 구하므로, 나는 그 증상에 대하여 투약하기를 "유(裕)라고 하는 것은 넉넉히 여유가 있다는 뜻이다. 이것으로 마음을 세우면 큰 것을 멈금어 관대해지고, 이것으로 행동을 하면 마음에 펴져 조급하지 않고, 이것으로 가정을 위하고 국가를 위하고 천하를 위하면 가는 곳마다 타당하지 않는 것이 없을 것이다"고 하였다. 천하의 걱정은 자기의 병을 모르는 데에 있는 것인데, 군(君)은 잘 알고 있으니 생각이 절반은 넘는 셈이다. 이와 같이 하는 것이 병인 줄 아는 것보다 이 약을 사용하는 것 같이 좋은 것은 없을 것이니, 어찌 나에게 구할 것이 있겠는가. 아! 나도 또한 함께 병을 앓고 있는 사람이므로, 서로 불쌍하게 여기어 지금 백발이 된 노인이 되어 이미 약도 필요 없는 병이 들었으므로 화타(華陀)와 편작(扁鵲)이 바라보고 도망칠 것이니, 군(君)은 이를 거울로 삼아야 할 것이다. 아는 것이 소중한 것은 이행하기 위한 것이네, 유당(裕堂)이시여!

書裕堂題額後

吾從麟會, 病其臨事躁動, 求藥於余, 余以裕之一字, 對症而投, 曰:"裕者, 綽然有餘之義也。以之立心, 則含弘而寬大 ; 以之行己, 則舒泰而不跲 ; 以之爲家而國而天下, 無所處而不當矣。夫天下之患在不自知病。君能知之, 思過半矣。知如此是病, 不若是便是藥, 尙何事乎求余爲。噫, 余亦同病相憐, 至今老白首, 己入膏盲, 殆乎華扁, 望而走之矣。君其鑑之哉。夫所貴乎知者, 爲其行也裕堂乎?"

《고당집(顧堂集)》의 발문(跋文)

아! 우리 고당(顧堂)이 남긴 시문(詩文)이 벌써 세상에 간행이 되었는가? 엊그제 산과 바다에서 창수(唱酬)하고 한묵장(翰墨場)에서 토론하던 일이 눈길한번 돌리는 사이에 천고인(千古人)이 되었으니, 세상 일이 이와 같이 바쁠까? 공은 개제(愷悌)한 선비이다. 경전(經傳)으로 그 심오한 이치를 탐구하고 사우(師友)로 그 덕을 이루었으며, 그 명예와 세리(勢利) 등 온 세상 사람들이 급급히 향해가는 것을 일찍부터 자신에게 깨끗하게 생각하지 않고 쓸쓸히 한 집에서 즐겁게 살며 걱정을 잊었다. 그는 문장(文章)에 있어서 보불(黼黻)처럼 문채를 이루고, 큰 수원(水源)처럼 강하(江河)에 이르렀다. 그리고 서예(書藝)에도 전공하여 약간 술기운이 들면 붓을 저어 우레를 채찍하고 풍우(風雨)를 몰 듯 하였으므로, 산사(山榭)와 수정(水亭)에 긴 비석과 짧은 묘갈명(墓碣銘)이 금옥(金玉)으로 장식되지 않는 곳이 없었다. 그러나 세상 사람들은 그의 글씨만 알고 글은 알지 못하였으며, 그 글을 알더라도 그 깊은 학문과 높은 덕이 있다는 것을 알지 못하였다. 대개 기예(技藝)는 공에게 있어서 특히 하고 남는 일이다. 그렇다면 공이 백세(百世)에 불후(不朽)한 것은 자연히 있는 것이니, 어찌 내가 말할 필요가 있겠는가? 그러나 공의 일부 유집(遺集) 중에서 보인 학업을 논한다면, 공을 얕게 아는 것이 될 것이며, 일부 유집 밖에서 공의 뜻을 찾는 것도 공을 잘 모르는 일이니, 이것으로 후세를 기다려보기를 바란다.

顧堂集跋

嗚乎！吾顧堂遺詩文，已刊行于世耶？咋（昨）日唱酬於山海之間，討論於翰墨之場者，轉眄之頃，如讀千古。人世事若是其忽耶？公愷悌士也。經傳以探其奧，師友以成其德。聲名勢利，一世之所汲汲奔趨者，早已視若浼己。蕭然一室，亦足以樂而忘憂。其於文也，黼黻之期乎？成章也，洪源之達于江河也。且工於書藝，當其微醺揮毫，鞭霆駕風，山榭水亭，脩碑短碣，無不被金玉之淋漓。然世之人，徒知其書，而不知其有文；徒知其文，而不知其有邃學茂德。蓋藝於公，特餘事耳。然則公不朽百世者，自有在矣，奚余辭之費。雖然論公之業，於一部遺集之內者，固淺之爲公也；求公之志，於一部遺集之外者，亦不知公者也。請以是竢來世。

당계 김공(棠溪金公) 《어사보연실록(御賜寶硯實錄)》의 발문(跋文)

　벼루가 보물일까? 그 바탕은 옥이며 그 무늬는 붉고 그 각(刻)은 오직 동식물(動植物)이다. 이와 비슷한 것을 파사시(婆娑市)에서 구한다면 얻을 수 있는 것이니, 어찌 보물이라고 할 수 있겠는가. 그렇다면 임금이 하사한 것은 보물일까? 금옥(金玉)으로 총애하고 종정(鐘鼎)으로 포상하는 일이 어느 시대든지 사람이 없는 것은 아니나, 이것이 어찌 보물이 되고 귀한 것이 될 수 있을까. 보물이란 것은 그 심법(心法)을 전수하는 것이다. 임금은 이것을 신하에게 전하고, 아버지는 이것은 아들에게 전하고, 아들은 이것을 손자에게 전하여 그 세대가 12~3세가 되고 해 수로 300여년이 된다면 우주(宇宙)에 게양하여 고금을 빛낼 것이다. 만일 그 마음을 보물로 여기지 않고 오직 물건만 보물로 생각한다면 그 자랑은 일시적일 뿐이다. 오직 마음은 마음으로 전하기 때문에 신령(神靈)이 남모르게 보호해 주고 수화(水火)가 침노[381]하지 않으며 난리(亂離)가 앗아가지 못하고 백세(百世)에 전해져도 영체(零替)되지 않는 것이니 이것은 한 가정의 보물이 아니라 온 나라의 보물인 것이다. 김군 영일(金君 永日)이 책 하나를 가지고 나를 보도산방(普道山房)으로 방문하여 "옛날 우리 12세조 당계공(棠溪公)이 기주(記注)로 있을 때, 인조(仁祖)가 보연(寶硯)을 특사(特賜)하여 지금까지 가정에서 간직하고 있는데, 이것이 바로 그 보록(寶錄)입니다. 장차 더 간행하여 후세 많이 전하려고 하니, 권미(卷尾)에 말씀 한 마디 기록해 주시기 바랍니다."라고 하므로 나는 사양하지 못하고 마음을 전하는 묘리(妙理)를 기록하여 그가 잘하고 있는 것을 더욱 격려한다. 공이 당일에 조우(遭遇)한 성사(盛事)는 전일(前人)들이 자상하게 기록 하였는데, 어찌 덧붙일 것이 있겠는가?

棠溪金公御賜寶硯實錄跋

硯可寶乎？厥質惟玉，厥文惟丹，厥刻惟動，植物肖此，求之婆娑市，可得也。斯奚足爲寶？然則君賜也。斯爲寶乎？金玉以寵之，鍾鼎以襃之，代不乏人。斯奚足爲寶所貴乎？寶者，以其心法之傳授也。君以是傳之臣，父以是傳之子，子以是傳之孫。以世則十有二三，以年則餘三百，足以揭宇宙而光耀今古矣。如不寶其心，而惟物是寶，則誇榮一時己耳。惟以心傳心，故神靈爲之冥護，水火不能侵，亂離不能奪，傳之百世而無替。此非一家之寶，乃一國之寶也。金君永日，袖一册，訪余普道山房，曰："昔吾十二世祖棠溪公爲記注時，仁廟特賜寶硯，至今藏之于家。此其實錄也。將增刊以廣其傳，願置一言卷尾。"辭不獲，遂書傳心之妙，以勖其所已能。若公當日際，遇之盛，前人之述詳矣，何用贅爲。公諱某，光山人。

---

381) 분산(分散)된 시장 거리.

《가산서원지(佳山書院誌)》의 발문(跋文)

　　원우(院宇)의 흥폐(興廢)는 대개 세도(世道)의 오융(汚隆)과 관계가 있는 것이니, 원우(院宇)의 설립이 어찌 승강(昇降), 읍손(揖遜)과 보궤(簠簋), 변두(籩豆)에만 일로 여기겠는가? 반드시 그 글을 읽고 그 사람을 사모하고 그 도(道)를 높여야 이 도(道)가 현회(顯晦)로 다르지 않고 천지(天地)와 시종(始終)을 같이 할 것이다. 문충공 익재 이 선생(文忠公益齋李先生)[382]이 고려(高麗)의 현신(賢臣)이었고, 먼 후손인 백사 선생(白沙先生)[383]도 또 시호가 문충(文忠)으로 국조(國朝)의 명신(名臣)이었으니 이 조손(祖孫)은 심법(心法)을 서로 전하여 그 정충(精忠)과 위훈(偉勳)이 우주(宇宙)의 동양(棟樑)이 되어 일성(日星)처럼 빛나므로 머리가 둥글고 발꿈치가 방정한 사람이라면 누구나 존경하고 친하지 않았을까? 그러나 무진년(서기1928)에 훼철(毁撤)되는 것은 운수가 다한 것이 아닐까? 그러나 오늘날 다시 원우(院宇)를 설립하였으니, 혹 이 유도(儒道)가 다시 빛날 조짐일까? 원우(院宇)에는 원지(院誌)가 없을 수 없으며, 원지는 상하 두 편으로 나누어졌다. 상편은 창건과 중건의 원인과 향사(享祀)의 절목(節目)을 기록하고, 하편은 두 선생님의 전(傳)과 묘도문(墓道文) 및 명물(名物), 제도(制度) 등을 소상하게 갖추어 그 글을 읽고 더욱 두 선생의 도(道)를 사모하게 하였으니, 이것이 세상의 교육에 도움이 있을 것이다. 그 후손 면우(冕雨)는 찬집(纂輯)한 공로가 가장 크다고 할 것이다. 내 친구 김월담(金月潭)과 송술암(宋述菴)이 서문을 지어 하나도 남김없이 발휘하였다. 그리고 원유(院儒) 김채수(金采洙)와 김황중(金黃中)이 그 후손 종관(鍾寬), 홍우(洪雨) 두 사문(斯文)을 시켜 나에게 발문을 써달라고 하였으나 그 자취는 높고 글은 낮은데 어찌 감히 일을 도울 수 있겠는가. 다만 흥폐(興廢), 현회(顯晦)의 설(說)을 열거하여 속초(續貂)[384]를 삼고자 한다.

---

382) 익재(益齋):서기1287~1367, 고려 후기 현신(賢臣), 자는 중사(仲思), 호는 익재(益齋), 시호는 문충(文忠), 관직은 정당문학(政堂文學), 판삼사사(判三司事), 정승 등을 역임했음.
383) 명은 항복(恒福), 자는 자상(子常), 호는 필운(弼雲), 청화진인(淸化眞人), 동강(東岡), 백사(白沙), 시호는 문충(文忠), 관직은 형조판서, 도총관, 대사헌, 병조판서, 원접사, 이조판서, 우의정, 좌의정, 영의정 등을 역임하였으며 호성공신(扈聖功臣) 1등에 봉해졌음.
384) 구미속초(狗尾續貂)의 줄인 말. 진(晉)나라 대신(大臣)을 임명할 때 그 관(冠)에는 담비꼬리를 달았는데 많은 관리를 임명한 관계로 담비 꼬리가 없어 개 꼬리를 대신 붙였다고 한다. 즉 남이 하던 일을 자신이 맡아 한다는 뜻이다.

佳山書院誌跋

院宇興廢，盖有關乎世道之污隆。院之設，豈徒升降揖遜，簠簋籩豆之是事哉？必使讀其書而慕其人，慕其人而尊其道。斯道也，不以顯晦有殊，而能與天壤相終始矣。文忠公益齋李先生，在麗爲賢臣。及其遠裔白沙先生，亦文忠，在國朝爲名臣。是祖是孫，心法相傳，其精忠巍勳，棟樑乎宇宙，幷耀乎日星。凡圓顱而方趾者，孰不尊親之？戊辰之見撤，無乃夕陽氣數，今日之復設。其或斯道重熙之兆也歟？院不可以無誌，誌分上下二編。上編記剏復之源委，享祀之郞目。下編載二先生傳，及墓道文，與夫名物制度，昭然咸備，使讀其書，而益慕二先生之道。寔有補於世教，後孫冕雨。纂輯之功，於是爲大矣。吾友金月潭、宋述菴，弁其文，發揮無餘蘊。而院儒金采洙、金黃中，俾其後孫鍾寬、洪雨二斯文，徵不佞以跋語。顧跡高文卑，何敢爲役？只擧興廢顯晦之說，以爲續貂。

《흠재문고(欽齋文稿)》의 발문(跋文)

아! 이것은 흠재선생(欽齋先生)이 남기신 시문(詩文)이다. 선생은 동오옹(東塢翁)의 손자로 가정의 학문을 이어받아 어렸을 때부터 명성이 자자하였고 장성한 후에는 송사 기선생(松沙奇先生)[385]에게 수업하여 견해가 더욱 높고 학문의 조예가 더욱 깊었다. 공은 본래부터 자질이 탁월한데다가 학문까지 더하였으며, 가정에서 닦은 것이 모두 옛날 독실한 행실이었으며 군자(君子)들이 어렵게 여기던 것이다. 백발의 나이에 경서를 연구하여 질문과 판단 및 사색이 의리와 훈고(訓詁)의 밖에서 나오지 않았으므로 문장에서 나타난 것이 전아(典雅)하고 핍진(逼眞)하여 순수하게 정직한데서 나와 질서가 정연하고 찬연히 빛을 발하였으니, 어찌 속유(俗儒)들처럼 화려함과 자랑을 일삼겠는가. 아! 선생은 우리 선군(先君)과 여러 대를 사귀어 뜻도 같고 도(道)도 맞아 50년 동안 상종 하였다. 정회(正會)는 어렸을 때부터 입으로 가르쳐 주시어 그 덕에 감복하고 그 글을 사모 하였다. 둘째 아들 병후군(秉厚君)이 그 선군의 유고

---

[385] 구한국 말기의 의병장 기우만(奇宇萬), 자는 회일(會一), 호는 송사(松沙), 노사 기정진선생(蘆沙奇正鎭先生)의 아들로 1896년에 의병을 일으켰으나 선유사 신기선(申箕善)의 설득으로 의병을 철수하고 장성(長城)의 삼성산(三聖山)으로 들어가 지내다가 71세의 나이로 사망 하였다.

(遺稿)를 참아 좀이 먹은 서상(書箱)에 방치하지 못하고 장차 간행하여 오래 전하고자 하므로, 나의 친구 정홍채(鄭泓采)가 나에게 발문을 간청하였으나, 나는 선생을 위하는 처지에 놓여 있는 사람이므로 감히 사양하지 못하였다. 아! 선생은 참으로 글로 나타나기를 바라지 않았으니, 어찌 또 서문의 경중을 기대하겠는가? 나는 선생의 글에 의존하여 평소에 사모했던 마음을 나열 하였으니, 이를 보는 사람들은 혹 그 참람함을 용서할 수 있을까?

欽齋文稿跋

嗚呼！此欽齋先生遺詩文也。先生以東塢翁之肖孫, 襲服庭敎, 自齠齡聲譽已藉甚。及長, 就正于松沙奇先生, 所見益高, 所造益深。素以超卓之資, 濟以學問。修于家者, 皆古篤行, 君子之所難也。白首窮經, 問辨思索, 不出乎義理訓詁之外。故發於文辭者, 典雅逼眞, 粹然一出於正秩乎其有序, 粲乎其有章, 豈俗儒浮華誇靡之是尙哉。嗚呼！先生與我先君, 累世交孚, 志同道合, 垂五十年過從矣。正會自幼承咡詔, 服其德而慕其文矣。次胤秉厚君, 不忍其先稿之委諸蠧笥, 將鋟摔而壽傳。吾友鄭泓采甫, 屬余以跋語。余以爲苟有効於先生之地者, 所不敢辭也。嗚呼！先生固不待文而自見者, 而又何待於叙之重輕。顧余竊幸自托於先生之文, 以申其平昔慕用之誠。覽者或可以恕其僭也夫。

연연당문고 권7

명(銘)

감수 : 연정 김경식(淵亭 金璟植)
     (연정교육문화연구소장)
번역 : 박정양(朴正陽)
     (중국: 연변대학 도서관 전 관장 ·
      조선언어문학부 교수)

명(銘)

서상암명(書牀巖銘) 유서(有序)

  농암 김공(農巖 金公)이 옛날 임진년간(壬辰年間;서기1652년경)에 서해(西海)의 왕등도(旺嶝島)에 터를 닦아 은둔 하였는데, 그 집터 뒤에 있는 바위는 평편하여 그 위에 두어 사람이 앉을 수 있었다. 공은 일찍 그 위에서 글을 읽었으므로 지금도 그 바위를 '서상암(書牀巖)'이라고 부른다. 아! 이름이 기이하여 그 바위를 사랑하게 되었고, 그 바위를 사랑하여 그 사람을 흠모하게 되었다. 바람을 맞으며 바위를 만지면 문득 백년 세월이 흘러갔어도 느낌이 많으므로 이 명을 지었다.

  굳센 공의 뜻을 공의 행실과 비교하면 어찌 득실(得失)에 관계가 있겠는가? 총욕(寵辱)을 모두 잊었다. 일엽편주를 혼자 타고 오니 그 모습이 깨끗 하였다. 그 장식품은 무엇일까? 사서(史書)와 경서(經書) 뿐이었다. 아침에 집을 나가 저녁에 돌아오니 누구와 함께 거닐었을까? 내 마음을 먼저 챙기었다. 옛날의 사양(師襄)[1]이란 사람이 있어 그 여운이 아직 사라지지 않았다. 초목도 향기를 머금고 있으니, 고인의 생각이 지금 새롭게 떠올라 손으로 '서상암' 어루만지며 방황 하였다. 왕등산(旺嶝山)은 높고 높은데 그 아래는 큰 바다였다. 오직 이 일편석(一片石)에 아름다운 자취가 남아 아직 삼백 년 전 적막한 가운데 경서를 품고 있던 군자(君子)의 상(像)을 알고 있다.

書牀巖銘 有序

礱巖金公昔在龍蛇間, 遯于西海之旺嶝島, 始基焉。墟後有石平正, 可坐數人。公嘗讀書其上, 故至于今稱之曰書牀岩。噫, 奇其名而愛其石, 愛其石而慕其人。臨風摩挲, 頗有曠百而相感者。乃爲之銘, 曰:
堅惟公之志, 方惟公之行, 得喪何與, 寵辱兩忘。扁舟獨來, 瀟灑行裝。厥裝何有? 曰史曰經, 朝往暮歸。孰與徜徉? 我心先獲。古有師襄, 餘韻不沫。草樹含芳, 感舊愴新。摩挲徊徨, 旺山崇崇, 其下大洋。惟此一片, 石芳尙識。其爲三百年前, 寥寥抱經之君子象。

---

[1] 춘추(春秋), 위인(衛人), 공자(孔子)가 사양(師襄)에게 거문고를 배웠다.

비천당명(丕闡堂銘) 서문(序文)이 있음

사문(斯文)2)의 성쇠는 천지의 변화에 참여하고 치란(治亂)의 운수에 관련되어 있다. 옛날 우리 열성조(列聖朝)에서는 정치과 교화(敎化)의 휴명(休明)을 과거시험에서 인재를 취하는 글로 정하였다. 그 문장은 어떠한 것인가? 경의(經義)와 시부(詩賦) 등이다. 그 과거시험장은 어디인가? 비천당(丕闡堂)3)이었다. 마루 위에 '비천(丕闡)'이라고 한 것은 무슨 뜻인가? 이 도(道)의 뜻을 밝힌다는 것이다. 바로 그 시대에 향당(鄕黨)과 주현(州縣)에 서숙(書塾)이 없는 곳이 없었지만, 오직 이 비천당은 인재를 선택하는 최고의 장소였으므로 홍유(鴻儒), 석덕(碩德)들도 이 곳을 거치지 않는 사람이 없었고, 출세의 시발점이 되었던 것이다. 그렇다면 이 비천당이 세도(世道)에 관련이 있고 동방(東方)에서 문학을 숭상하는 훌륭한 곳이라는 것은 공전절후(空前絶後)라고 할 것이다. 아! 세상이 한번 바뀐 이후로 드디어 과거법이 폐지되어 과거를 보지 않고, 오직 비천당이라는 이름만 높로 걸려 있는지 지금 40년이 되었다. 그러나 곡삭지양(告朔之羊)4)이 예(禮)와 함께 사라지지는 않는다면, 그 이름도 사라지지 않을 것이니 그 실제에 있어서는 혹 거행될 수도 있을 것이다. 이 학원이 오늘에 창시된 것은 선비들이 여기에 모이고 도(道)를 여기에서 강론한다면 후일 (文運)이 또 어찌 여기에서 일어날 조짐이 있지 않을 줄 알 수 있겠는가. 이에 아래와 같이 명(銘)을 하였다.

옛날 승평시대(昇平時代)에 선비를 취하는 법도가 있었다. 부자(夫子)5)의 묘(廟) 뒤에는 당(堂) 한 채가 높이 솟아 있다. 이 유도(儒道)를 천명하고 인문(人文)의 문이 열리었다. 온 세상을 다시 만들고 여러 현인(賢人)들을 양성하였으니 아! 훌륭하다. 선왕(先王)이 남기신 공열(功烈)이여! 그러나 세상이 말세가 되어 현송(絃誦)이 끊긴지 오래되므로 전현(前賢)을 계승하고 후생(後生)에게 길을 열어주기 위하여 학원이 또

---

2) 유학자. 또는 유학의 문화를 일컬음.
3) 서울 종로구 명륜동 성균관대학교 내에 있는 옛날의 과거시험장.
4) 《논어(論語)》에 자공(子貢)이 정월 초하루가 되면 종묘(宗廟)에 양(羊)을 잡아 제사하고 책력을 나누어 주는 풍습이 있었다. 그러나 춘추시대에 와서 그 예가 없어지고 초하루에 양을 잡아 제사하는 예만 행해지자 자공(子貢)은 이 예를 폐지하려고 하자 공자(孔子)는 말하기를 "너는 양을 아끼느냐. 나는 예를 아낀다."고 하면서 그 예를 패지하는데 반대 하였다. 이것은 전통 예절이 사라진다고 해서 그 흔적까지 없애려는 근시안적인 시각을 버리고 정통 문화와 예속을 위하여 옛 날의 예절을 지켜 전통문화를 계승하는 정신을 가져야 한다는 좋은 교훈이다.
5) 공자(孔子)를 지칭한 말임.

이 학원을 창설 하였으니 사문(斯文)의 운(運)이 어느 곳이든 부흥하지 않는 곳이 없으니, 혁혁한 이 공(功)은 천백 년에 전해지리라.

丕闡堂銘 有序

夫斯文之盛衰, 有以㕘天地之化, 關治亂之運。昔我列聖朝, 治敎休明, 以科爲取士之文。厥文伊何？經義詩賦等也。厥處維何？丕闡堂也。堂顔用丕闡奚大？明斯道之義也。方其時也, 鄕黨州郡, 無不有學。而惟是堂也, 爲遴選之最。鴻儒碩德, 莫不由此而爲出身之權輿, 則堂之有關於世道。而東方右文之盛, 可謂空前絶後矣。噫, 一自世換滄桑, 科擧之法, 遂廢而不擧。而惟堂之名, 巍然獨存, 盖四十年于玆矣。雖然告朔之羊, 不與禮而俱亡, 則名未泯而其實或可擧也。此學院所以剏始於今日, 聚士於斯, 講道於斯, 異日文運之治, 又安知不兆於此也？遂爲之銘, 曰：

昔在昇平取士有則, 夫子廟後有堂屹屹。闡明斯道人文, 其闢陶鑄一世胚胎群哲。猗歟盛哉！先王遺烈。降自叔季, 絃誦久絶。紹前啓後, 學又剏設。斯文之運, 無往不復。赫赫斯功, 有來千百。

가장(家藏)한 고연(古硯)의 명(銘) 소서(小序)

옛날 우리 증조고 만수공(晩睡公)이 서울에서 당석연(唐石硯)을 구하여 보물처럼 간직하고 있었는데, 그 바탕은 단단하고 윤기가 있었고 그 색갈은 푸르고 검었으며 그 모양은 겉은 네 모가 나고 안은 둥글었으며, 그 각(刻)은 오직 구름 속에 용마(龍馬)가 그림을 지고 나온 모습이었고 그 넓이는 6촌(寸) 정도이며 길이는 1자가 되지 않았다. 아! 이것은 가정에 전하는 보물이므로, 명(銘)이 없어서는 안 되므로 아래와 같이 명하기를

오직 견고하여 비늘이 일어나지 않고 오직 조용하여 오랜 세월을 견딜 수 있다. 그 겉은 방정(方正)하여 의리가 서고, 그 속은 비어 지혜를 간직하고 있으니, 오직 구경하는 물건이 아니라 오직 법을 삼으면 만족하지 않을 수 없을 것이다.

家藏古硯銘 小序

昔我曾王考晩睡公遊京師，求得唐石硯，爲之寶藏。厥質惟剛而潤，厥文惟靑而黑，厥制外方而內圓，厥刻惟雲惟龍馬，如負圖而出。廣可六寸，長未尺者一寸。嗚乎，此傳家之寶也，不可以無銘，曰：
惟其堅也，可以不磷；惟其靜也，可以永年。方其外，義之所以立也；虛其中，知之所以蓄也。非直玩物，惟取法而無不足。

용지연(龍池硯)의 명(銘) 소서(小序)

　국내(國內)의 독 중에서 남포산(藍浦産)을 제일 소중하게 여기고 있다. 그러나 남포에서 나는 독을 모두 벼루로 만드는 것이 아니라, 반드시 8척 이상의 깊은 물속에서 잠긴 돌만을 연석 중에서 최고로 친다. 이것이 이른 바 국조(國朝)에서 진상한 공물(貢物)이다. 무술년(서기 1958) 봄에 우리 익원 선조(翼元先祖)의 신도비(神道碑)를 세울 때 종중(宗中)의 어른들이 불초(不肖)에게 그 비문을 쓰라고 하시면서 이 벼루를 나에게 주시었는데, 그 이름은 '용지(龍池)'라고 하였다. 나는 그 벼루를 소중하게 간직하고 또 자손에게 전하고자 하면서 다음과 같이 명(銘)을 하였다.
　오직 독이 아름다우나 갈지 않으면 단단하지 않는 것은 운모석(雲母石)과 용지석(龍池石)이다. 그 조각(彫刻)은 오직 정(精)하였으니, 이것은 누가 준 것일까? 조상의 영령(英靈)이므로 대대로 지키어 잃지 않고 시서(詩書)와 같이 할 것이다. 그 지키기를 어떻게 할까? 마음과 뜻을 다하여 공부할 것이니; 마음을 다하여 공부하는 것이 백세(百世)동안 가정의 명성을 유지할 것이다.

龍池硯銘 小序

通國之石，惟藍浦産最爲貴。藍石未必皆爲硯，惟沈水尋以上者爲硯石之最，所謂國朝進貢品也。歲戊戌春，我翼元先祖神道碑斁立，宗中諸長老命不肖書之。自宗中惠我以此硯，名曰龍池。奉而珍之，亦以傳諸子孫。銘曰：

惟石惟美, 不礪不硌, 曰雲曰龍, 厥雕惟精。是誰之惠？祖宗攸靈。世守勿失, 詩書與幷。其守如何？心織意耕。耕兮織兮, 百世家聲。

옥도(玉刀)의 명(銘) 소서(小序)

선조들의 금슬(琴瑟), 궤장(几杖), 서책(書册), 기완(器玩) 등은 자손들이 잘 지키어 잃지 말아야 할 것이다. 이 칼은 온전히 옥(玉)으로 만들어지고 다른 조식(彫飾)은 있으니 가히 순수한 것 중에 순수하다고 할 것이다. 우리 고조이신 진사공(進士公)께서 일찍 타고 다니시던 것이므로, 그 손때가 100년이 지났지만 아직도 사라지지 않고 있어, 이것을 들어 보고 있으면 감회가 새로워 큰 아들과 딸들로 하여금 잘 간직하여 영원히 가정의 보물로 전해지도록 하고 삼가 아래와 같이 명(銘)을 하였다.

기 바탕은 윤기가 나고 그 빛은 깨끗하여 군자(君子)가 차고 다닐만하며 그 모양은 규장(圭璋)과 같다. 볼 것 없는 물건으로 생각하지 말라. 손때가 온통 묻어 있다. 우리 가정에 보물이니 영원히 보물로 간직할 것이다.

玉刀銘 小序

夫先人之琴瑟、几杖、書册、器玩, 宜子孫之守而勿失也。是刀也, 全以玉爲體, 無他雕飾, 可謂純乎純矣。我高王考進士公所嘗佩也。手澤歷百歲而不沬, 奉而玩之, 感慕維新。使主鬯蘭會葆藏之, 永爲家傳之寶。謹爲之銘。曰：溫潤其質, 皎潔其光。君子可佩, 如圭如璋。莫曰細物, 手澤瀼瀼。吾吾家靑氈, 其永珍藏。

소명(梳銘) 소서(小序)

계해년(서기 1923) 여름 내가 용진정사(湧珍精舍)에서 공부를 하다가 집으로 돌아올 때, 선생이 빗 하나를 주시면서 "옛날 송사옹(松沙翁)이 어떤 사람에게 빗을 주시면서 다른 말은 하시지 않고 오직 '보발(保髮)을 잘 하라'고만 하셨는데, 내가 하고 싶은 말도 이 말이네"라고 하면서 잘 간직하도록 하고 다음과 같이 명(銘)을 하였다.

빗이여, 빗이여! 나의 머리를 빗었네. 아침마다 빗어주니 그 공을 못 잊을 수 없네. 두발이 있으면 빗도 있는 것이니, 서로 헤어지면 안 되리라. 선생님이 주시었으니, 혹 잃어버리지 않기를 바란다.

梳銘 小序

癸亥夏, 余受學于湧珍精舍, 將歸, 省先生贈以一梳, 曰:"昔松沙翁贈人梳, 無別語, "惟願保髮。"我亦願言者, 此也。奉而藏之, 因爲之銘, 曰:
梳兮梳兮, 理我髮兮。朝復朝兮, 功無闕兮。髮存與存兮, 毋相離兮。惟先生賜兮, 毋或遺兮。

주천명(珠泉銘) 소서(小序)

이 샘은 만수당(晩睡堂) 북편 연못 위에 있는데 그 수원(水源)은 담장 넘어 10보 밖에 있는데. 옛날 우리 종조부 항재공(恒齋公)이 그 물을 끌어와 그 이름을 '주천(珠泉)'이라고 하였다. 대개 이 만수당의 터는 모두 암반(巖盤)으로 이루어져 한 자 깊이도 삽질을 할 수가 없었고, 옛날부터 전해온 말에 의하면, 용이 구슬을 희롱하였으므로 동네 이름을 '주서(珠嶼)라고 하고, 또는 '주동(珠東)'이라고 하였다고 한다.

샘의 근원은 서쪽에 있고, 샘물은 동쪽으로 흐르네. 처음에는 그 수원이 진흙 속에 묻힌 것도 잘 몰랐으나, 뚫고 파서 비로소 맑은 샘을 얻었고, 물길을 인도하고 끌어서 그 물소리를 나게 하였네. 웅덩이가 차야 앞으로 나가는 것이며, 근본이 있어야 바다에 이른 것이니 수시로 물을 뜨면 수시로 물이 차고 맛도 달고 깨끗 하였네. 누가 주창 하였을까? 항재옹(恒齋翁)의 혜택이었네. 천년 만년 그 샘물이 쉬지 않고 흐르기를 바라네.

珠泉銘 小序

泉在晚睡堂北蓮塘之上，源自隔墻十武外來。昔吾從祖恒齋公，引而爲泉名之曰珠泉。盖堂址全以石盤根，深未尺，确不可錯。古傳盤龍弄珠，故洞曰珠嶼。又曰珠東云。泉源在西，泉流其東。始也源迷，彼泥之中，鑿之疏之，爰得我淸。導之引之，迺放厥聲。盈科後進，有本者達。隨郯隨滿，味甘且潔。誰其倡者？恒翁之澤。千斯萬斯，厥流不息。

우헌명(愚軒銘) 소서(小序)

　우헌(愚軒)의 주인이 방장산(方丈山) 밑 들에서 은거(隱居)하면서 조용히 그의 뜻대로 즐기고 있었는데 하루는 나에게 말하기를 "나와 같이 어리석은 사람이 없기 때문에 자호를 '우(愚)'자로 하였으니, 그대가 내 거실의 명(銘)을 지어 주게."라고 하였다. 처음에는 매우 좋게 들리어 오래 생각한 끝에 그 설(說)을 깨달았다. 대개 어리석으면 그 어리석은 것을 어리석다고 하지만, 참으로 어리석지 않는데 어리석다고 한 것은 자신에게 겸손 하는 덕이다. '우헌(愚軒)'이 비록 자신을 어리석다고 하였으나, 그 덕은 더욱 드러날 것이다. 이에 다음과 같이 명(銘)을 지었다.
　나라에 도가 없을 때 어리석은 것은 영무자(寗武子)의 지혜로 어리석은 것이며, 어리석은 듯한 모습을 어기지 않는 것은 안자(顔子)의 총명으로 어리석은 것이다. 그러므로 어리석지 않으면서 어리석다고 한 것은 우헌(愚軒)이 그 겸사로 어리석음을 지킨 것이다. 그는 밭을 갈고 글을 읽으며 자신의 분수에 편안하였고 부유하고 높은 관직을 뜬 구름처럼 여기었다. 강한 것을 알지만 순한 것을 지킨 것은 도(道)가 응고(凝固)한 것이며, 비단옷을 입었지만 웃옷을 비단옷 위에 입는 것은 《시경(詩經)》에서도 일컬었다. 이미 순후한 풍속이 멀어지고 기예(技藝)를 서로 팔고 산다. 모두가 자기만 잘한다고 하며 세상 사람들이 다 그런 사람이다. 스스로 아는 척 하는 사람들은 오직 덕이 없고 자신이 어리석다고 하는 사람은 오직 덕이 있다. 아! 천하 사람들은 모두 어리석어 이롭고, 기능 있는 사람은 사라지고 지혜 있고 교묘한 사람은 쫓아내고 있다.

愚軒銘 小序

愚軒主翁，隱居方丈之野，囂囂然樂其志，日謂余曰：＂愚莫吾如，故自號以愚。君其銘。＂吾軒初甚聽瑩。沈吟而得其說。盖愚而愚，其愚也眞不愚。而愚謙德之自牧也。翁雖自愚，其德彌彰，乃爲之銘。曰：邦無道則愚，甯武子之知而愚也。不違如愚，顏子之睿而愚也。不愚而愚翁，其撝謙而守愚也。畊且讀兮，安吾分也。富且貴兮，視如雲也，知雄守雌，道之凝也。衣錦尙絅，詩之稱也。淳風旣遠，技藝相市也。俱曰予聖，滔滔皆是也。自聖者，德惟獝也。自愚者，德惟吉也。噫，天下皆愚，利機息而知巧黜也。

필명(筆銘) 병서(幷序)

해강 김공(海岡金公)은 예원(藝苑)의 거장(巨匠)으로, 그 명성은 해외까지 떨치었다. 신미년(서기1931) 사이에 내가 서울에 때 여가만 있으면 그를 찾아가 배웠다. 그 때 학생들이 집에 가득하여 어떤 사람은 서예를 공부하고, 어떤 사람은 그림을 배워 각기 자기가 배운 것을 익히고 있었는데, 그 중에서 오직 내가 외람되게 많은 사랑을 받아, 대 그림을 그리는 붓 하나를 선물로 받아 나는 그 붓을 아끼며 사용 하였다. 그 후 집으로 돌아와 지내고 있을 때, 아버지께서 나에게 경계 하시기를 ＂예술이란 말기(末技)이므로, 이것에 가까이 하면서도 더욱 원대(遠大)한 것에 힘을 기우리어 유가(儒家)의 본업을 잃지 않아야 할 것이다.＂라고 하시었다. 그 후 갑진년(1964) 봄에 우연히 옛 상자를 뒤지다가 이 붓을 보았다. 눈 깜짝할 사이에 벌서 손가락을 세 번 꼽을 만큼 세월이 흘러, 지금 머리가 이미 백발이 되도록 외물(外物)에 시달리다가 예술에 있어서는 하나도 손을 데지 못하고 있으니, 더구나 그 원대(遠大)한 것을 어찌 하겠는가. 안으로는 아버지의 훈계에 부응하지 못하고, 밖으로는 해강공(海岡公)이 당일 사랑하신 뜻을 저버렸으니, 옛날을 생각할 때 감회가 새로울 뿐이다. 이에 다음과 같이 명(銘)을 하였다.

털은 기북(冀北) 준마(駿馬)의 갈기로 만들었고, 붓 자루는 상강(湘江)의 푸른 대나무로 만들었으니, 마땅히 대 그림을 그리기에 알맞고 난초와 국화를 그리기에 마지않다. 아! 이것은 오직 조선(朝鮮)에서 이름난 붓으로 해강 김규진선생(海岡金圭鎭先生)이 주신 것이다.

筆銘 並序

海岡金公, 以藝苑巨匠, 名溢海外。歲辛未年間, 余遊漢師, 暇輒往學焉。于時諸生滿堂, 或於書, 或於畵, 各習其業。惟余猥蒙眷厚, 賜寫竹筆一枝。愛而用之, 善毫而藏之。他日趨庭, 先君戒之, 曰：ʺ藝是末耳。進乎此而益務乎其遠者大者, 不失儒家本實焉。ʺ今年甲辰春, 偶閱舊箱, 見此筆。轉眄歲月, 指己三屆伸餘矣。至今老白首, 役役外物。於藝雖一點半墨, 尙未窺其法。况於遠者大者乎？內而不克副庭訓, 外而辜負公當日之意, 撫念疇昔, 感慨猶新。銘曰：毛兮冀北之鬣, 管兮湘江之綠, 宜寫竹, 不宜蘭與菊。嗚乎！此惟朝鮮名筆, 海岡金圭鎭先生之錫。

필명(筆銘) 소서(小序)

계묘년(1939) 중추(仲秋)에 서석산(瑞石山) 밑에 사는 친구 기관해(奇觀海)를 방문하였다. 뜨락에는 푸른 숲이 가득하여 사람을 엄습하고 괴석들은 열을 지어 있으므로 형문(衡門)[6]의 정치를 느낄 수 있었다. 그의 집으로 들어가니 좌우에는 도서(圖書)와 서폭(書幅)이 즐비하여 한 점 먼지도 없었는데, 그는 나와 작별할 때 붓 하나를 주었다. 이것은 현해탄(玄海灘)을 건너 온 것이다. 매우 정교하게 만들어져 대나무 그림을 그리기에 적합하여 손에서 떠나지 않았으므로 아래와 같이 명을 하였다.

나에게 구슬을 주면 구슬일 뿐이고, 나에게 옥을 주면 옥일 뿐이다. 이것은 군(君)이 가지고 있는 중 비교할 수 없는 서보(書寶)로 그 정변기교(政變奇巧)는 각기 사람의 뜻에 따라 다르다. 누가 준 것일까? 관해(觀海)가 준 것이다.

---

6) 형문(衡門)은 처사(處士)의 문을 말함.

筆銘 小序

歲癸卯秋仲, 訪奇友觀海於瑞石之下。滿庭林翠襲人, 怪石成列, 可念衡門淸致也。入其室左右圖書, 古墨淋漓, 無一點塵埃氣。臨別贈我以一枝筆。此是玄海灘渡來品也。製甚精, 適於寫竹, 愛玩不能釋手, 遂爲之銘, 曰：錫我以珠, 珠己矣。錫我以玉, 玉己矣。此君中書, 寶莫比, 正變奇巧, 各隨人意。誰其惠之？觀海之義。

금명(琴銘)

그대의 소리가 화기로워 성정(性情)을 바르게 키울 수 있고, 그대의 소리가 맑아 사특한 마음이 싹트지 않았다.
　상간복상(桑間濮上)[7]의 음악은 사람들의 마음을 음탕하게 하고, 소호(韶濩)[8]를 배우면 날 새와 짐승들이 몰려와 열을 서고 있었다. 갑 속에 간직하고 있으면 그 마음이 아양곡(峨洋曲)에 있으니 누가 주인일까? 누구인지는 알 수가 없어 술에 취하여 월랑대(月朗臺)에 누워 있었다.

琴銘

爾聲和, 可以養性情之正。爾音淸, 可以禁邪意之萠。放濮桑蕩人心之淫逸, 學韶濩致鳥獸之來列。藏于匣, 志則在夫峨峨哉洋洋哉。誰其主？不知何許人, 而方醉臥月朗臺。

---

7) 위(衛)나라 령공(靈公)이 진(晉)나라 평공(平公)을 방문하기 위해 길을 가다가 복수(濮水) 위에서 유숙하고 있는데, 한 밤 중에 복수에서 거문고 소리가 들리어 좌우의 신하들에게 거문고 소리가 들리느냐고 물었으나, 모두 들리지 않는다고 대답 하므로 악사(樂師)인 사연(師涓)을 불러 그 음악을 기록하도록 하고 날이 밝아 진나라로 가서 평공(平公)을 만났다. 평공은 령공을 대접하자, 령공은 자신이 복수 위에서 하룻밤을 자면서 새로운 금곡(琴曲)을 들었다고 하면서, 사연에게 그 음악을 평공에게 들려주도록 하자 이대 진(晉)나라 악사인 사광(師曠)이 자라를 함께하여 그 음악이 그치기도 전에 음악을 중단하기를 청하면서, 이 음악은 망국지악(亡國之樂)이니 들을 것이 없다고 하자, 평공은 그 이유를 물었다. 사광은 이 노래는 옛날 은(殷)나라 악사 사연(師延)이 지은 미미악(靡靡樂)이라고 하는데, 주(周)의 무왕(武王)이 주(紂)를 정벌할 때 사연(師延)이 동쪽으로 달아나 복수(濮水)에 투신하여 죽었으므로, 이 음악소리기 복수에서 들린다고 하였다.
8) 소(韶)는 순(舜)임금의 악(樂)이며 호(護)는 탕(湯)임금의 악(樂)임.

잠언(箴)

계주잠(戒酒箴)

　천명(天命)으로 술이 생겼지만 거기에는 예(禮)가 있는데 사람들이 덕이 없어 절도가 없이 술을 마시었다. 술이란 본래는 신기를 화기롭게 하는 것이지만 지나치게 마시면 정신을 상하는 독이 되는 것이며, 예(禮)에 있어서 술이 없어서는 안되지만, 난잡하게 마시면 예를 무너뜨린 흉물이 되므로, 우(禹)임금은 그 음일(淫佚)한 술을 미워 하였고, 《周易》에서는 곤괘(困卦)[9]를 지어 욕심대로 마시는 것을 경계 하였다. 나라가 잘 다스려지고 어지러워지는 것과 가정이 흥하고 망하는 것은 결국 여기서부터 나온 것이다. 시경 《詩經》에 이르기를 "이미 취했다고 하는 것"[10]은 그 덕을 찬미한 것이며 "매우 양(量)이 없었지만 란(亂)에 미치지 않았다"고 하였다. 아! 지금 사람들은 그 입에다가 걸고 날마다 술에 취하여 마음은 황폐하고, 학업은 폐지하고 있으니 슬프다. 그 술을 마실 때는 어떻게 마실까 덕으로 맞이할 것이며, 그 조심은 어떻게 할까 예로 방어해야 할 것이다. 오직 덕 때문에 술이 수시로 도움이 되고, 오직 술 때문에 덕을 수시로 잃기도 하므로, 적은 일이라고 소홀히 생각하지 마라 온갖 화를 부를 수 있다. 그리고 적은 덕이라고 삼가지 않아서는 안 될 것이다. 온갖 행실이 이오부터 나타나기 때문이다. 조심하면 덕이 되고 그렇지 않으면 욕이 될 것이니 이 글에 의탁하여 내 자신을 질책한다.

戒酒箴

天命有酒, 厥有禮數。民乃不德, 縱飮無度。夫酒所以和神也, 而過則爲傷神之

---

9) 《주역》 17권 곤괘(困卦)의 구이(九二)에 구이(九二)는 주식(酒食에 곤(困)하지만 주발(朱발〈糸+犮〉)이 오기 때문에 형사(亨祀)에 리(利)로우니 정(征)하면 흉하니 허물이 없으리라(九二,困于酒食, 朱紱)方來, 利用亨祀, 凶, 無咎)라고 하였다. 주식은 사람마다 먹고 싶어 하는 것이므로 남에게 베푸는 것이다. 그러나 여기에서 이(二)의 자리는 강중(剛中)의 재주를 가지고 곤궁(困窮)에 처하고 있는 때이므로 군자(君子)는 현재 처하고 있는 환경이 비록 험난하지만 마음에 동요하지 말고 그 곤궁한 것도 걱정하지 말라고 한 것이다.
10) 《시경(詩經)》의 대아 생민지십(大雅 生民之什)에 "이미 술에 취하고 이미 덕을 많이 쌓았으니 군자(君子)는 만년동안 큰 복을 누리리라(旣醉以酒,旣飽以德, 君子萬年,介爾景福)"

藥。於禮無敢或廢也， 而亂則爲壞禮之物。禹惡旨爲其淫佚也， 易著困戒其縱欲也。國之理亂， 家之興替， 究厥攸作， 職此之由。詩云《旣醉》， 美其德也， 孔有無量， 亂不及也。嗟今之人， 藉之其口。日就酣醺， 思荒業廢。哀哉其飮， 伊何德以將之其戒？伊何禮以防之？惟德， 酒有時乎爲養；惟酒， 德亦隨而必喪。勿謂細故而忽之。萬禍之所由召， 勿謂小德而不謹， 百行之所由著。戒之爲德， 否則爲辱。託玆墨卿， 用以自責。

방학(放學)할 때 방심(放心)하지 않는 잠언(箴言)

학문은 마음으로 하기를 바란다. 그러나 잃어버리기 쉬운 것은 마음이며 정(精)하기 어려운 것은 학업이다. 학문은 때로 방심하기 쉬우므로 수시 잘 보존하지 않을 수 없다. 방학에는 마음을 잘 보존해야 하며, 방심하면 학문이 진척되지 못한다. 학문과 마음이여, 방심과 보존이 비록 다르지만 서로 병행하여 어긋나지 않아야 그 진척이 한결같을 것이다. 맷돌이 비록 움직이더라도 그 주축이 돌지 않고, 수레바퀴가 비록 돌지만 그 주축이 돌지 않으면 그 주축이 한번 움직인다고 해서 만사가 이루어지지 않을 것이다. 나는 학문을 잠시 방심하더라도 나의 마음은 잠시라도 방심하여서는 안 될 것이다. 그 마음을 보존하고 잃은 것은 오직 성인을 배우고 광인을 배운 것에 달려 있는 것이므로, 군자는 스스로 강하여 쉬지 않고 두려워하는 마음을 간직하고 조석으로 노력해야 할 것이다.

放學不放心箴

惟學有要， 心爲之。則易失者心， 難精者業。學有時乎放心無時， 不養放學， 乃所以養心放心， 則無以進學。學與心兮， 放存雖殊， 幷行不悖， 其進也一。磨石雖動， 厥柱不動。車輪雖轉， 厥軸不轉。柱與軸一動， 萬事濟不得。我學雖暫放， 我心不可失。其存其亡， 惟聖惟狂。是以君子自强不息， 戰兢自持， 乾乾日夕。

찬(贊)

사우찬(四友贊)

모영(毛穎, 붓)

그 몸은 가래처럼 날카롭고 그 바탕은 강하기도 하고 부드럽기도 하다. 입신(立身)과 도(道)를 행하는 요체는 곧으며 발휘하면 만 번 변하지만, 그 시작은 미세하다. 기용되면 도를 행하고 관직을 놓으면 자취를 숨기어 그 출처를 어기지 않았다. 다행히 나와 사이가 좋아 손을 잡고 함께 간다.

毛穎

銛銳其體, 剛柔其質, 立身行道, 其要則直, 發揮萬變, 其端則微, 用行舍藏, 出處莫違, 惠以好我, 携手同歸。

도홍(陶泓, 벼루)

쇠의 바탕과 옥의 뼈를 가졌으니 그 덕은 후하고 견고하다. 생김새는 모가 나고 둥글며 그 중앙은 평탄하다. 묵묵히 현기(玄機)[11]를 움직이니 건원(乾元)[12]과 짝이 되었다. 누가 그와 같을까 나는 그 사람을 그리워한다.

陶泓

金質玉骨, 德厚而堅。器度方圓, 中心坦然。默運玄機, 克配坤元。誰其似之? 我懷其人。

---

11) 깊고 묘한 이치(理致).
12) 땅, 또는 왕후를 말함.

진현(陳玄, 먹)

짙고 옅은 까만빛은 그 정채(精彩)가 입신(入神) 하였다. 예로부터 변하지 않았으니 그 생김새가 검다. 향현태수(香玄太守)[13]는 직위와 덕이 맞지 않다. 머리를 갈아 발꿈치에 이르니 그 공이 죽백(竹帛)[14]에 미치었다.

陳玄

濃淡光黑, 精彩入神。亘古不渝, 其德則玄。香玄太守, 位不稱德。磨頂放踵, 功被竹帛。

저생(楮生, 종이)

옥설(玉雪)같은 자태로 모든 것을 포용한다. 오직 깨끗하여 글만 받아들이며, 모든 것을 포용하니 모든 말을 다 기록한다. 고금에 이르면서 쌓이고 쌓여 마치도 손가락으로 밀어가며 가리키는 듯하고, 사물에 명명한 것이 하도 많아 마치도 손바닥을 보는 것과 같다. 이것은 나의 친구가 아니라 나의 스승이다.

楮生

玉雪之姿也, 包容之全也。惟其潔也, 能受其文。惟其全也, 能載萬言。古今之積也, 若指其推, 名物之衆也, 如掌之示。此非余之友, 乃吾師也。

열효찬(烈孝贊)

열부(烈婦) 윤씨(尹氏)는 적(籍)이 해남(海南)이며, 그의 아버지는 제민(濟民)이다.

---

13) 먹을 의인화(擬人化)하여 일컬은 것임.
14) 서책 또는 역사를 말함.

부인은 15세의 나이로 행정 정공(杏亭鄭公)의 계배(繼配)가 되었는데, 그는 진양(晉陽)의 세가(世家)로 명일(明一)과 백거(伯擧)는 그의 휘와 자이다. 부인은 시가로 가기 전에 정공(鄭公)이 사망하자, 그 소문을 듣고 백 여리의 길을 달려가 시신을 붙들고 통곡하고, 습렴(襲斂) 등 모든 일을 예에 맞지 않는 것이 없도록 하였으며, 상가(喪期)를 마친 후에는 부군의 조카를 후사(後嗣)로 삼아 종가(宗家)의 제사를 받들게 하고, 집안에 사람이 없는 틈을 살피고 있다가 스스로 목을 매여 끝내 자신의 뜻을 이루었다. 이때 그의 나이는 겨우 21세였으며 즉 영조(英祖) 신묘년(서기 1771)이었다. 그리고 전실(前室)의 딸은 한창 어린 나이였지만 맷돌에 손가락을 갈아 피가 나자 (尹氏夫人의) 입으로 피를 넣었고 계속해서 이로 손가락을 물어뜯고 칼로 손가락을 잘라 손가락이 모두 상처투성이었다. 이렇듯 효성는 천지(天地)로부터 얻은 것이니, 누가 그렇게 시킬 수 있겠는가? 그 후 정조(正祖) 때 정여(旌閭)되었는데, 장보(章甫)들이 추천한 것이다. 그리고 행장(行狀), 묘지명(墓誌銘), 묘갈명(墓碣銘) 등도 모두 큰 선비들이 지었고, 명필들이 썼었다. 이를 간행하여 후세에 전하는 것은 후손들의 효성이라 하겠다. 아! 이것은 백세(百世)의 불후작(不朽作) 이다. 이에 다음과 같이 찬(贊)을 하였다.

    어머니는 열부(烈婦)이며 딸도 효녀(孝女)이니
    고금에 드믄 일이네.
    인간 기강(紀綱)이 이로 인하여 세워 지고
    해와 달도 이로부터 일식 월식이 사라졌네.
    숭고한 표문이 하늘로부터 내려왔으니
    '열효(烈孝)' 두 글자가 대문 밖에 걸려 있네
    강산(江山)도 빛을 더하니
    그 전하는 광채는 영원히 사라지지 않으리라.

烈孝贊

烈婦尹氏, 籍海南也。濟民, 其考也。及笄, 爲杏亭鄭公繼配, 晉陽世家也。明一伯擧, 諱若字也。未及歸也, 鄭公沒聞報。星奔百里餘也, 扶屍哭擗其戚也。

襲斂諸節, 無不中禮。其易也, 取姪立後, 爲宗祀也。候室空, 從容自縊, 遂其志也, 死時年二十纔一也。卽英廟辛卯也, 前室女方幼少也, 以磨輪壓指, 出血注口, 繼而齒以囓也。刀以斫也, 至於列指, 皆爛也。孝自性天地, 是孰使之然也。正廟㫌贈章甫之薦也。狀誌也, 碣銘也, 鴻儒文也, 名公筆也, 刊布壽傳, 後嗣之孝也。嗚乎！此可謂百世不朽也。

贊曰：母烈兮女孝, 今古所罕覯。人紀賴以立, 日月免薄蝕。崇報自天降, 二字表厥宅。溪岑猶增彩, 流光永不泐。

계서 유공(溪西柳公)의 효행찬(孝行贊)

* 벽오(碧梧) 3장, 매장(每章)에 4구(句)임

저 푸른 오동 바라보니 우뚝 솟고 우거졌네.
위를 볼수록 더욱 높아 하늘높이 솟아 있네

차거운 저 샘물 졸졸졸 흘러가네.
결국 바다에 이르러서 넓게 퍼지며 쉬지 않네.

진실한 손 군자(君子)여！ 효행(孝行)은 백행(百行)의 근본이라네.
아, 그 유풍(遺風)은 산수(山水)와 함께 영원하리라.

溪西柳公孝行贊

碧梧三章, 章四句

瞻彼碧梧, 維欝嵯峨。仰之彌高, 可以凌霄。
冽彼寒泉, 涓涓其流。終焉歸海, 滔滔不休。
允矣君子, 孝源百行。嗟遺風兮, 山水俱長。

혼서(婚書)

병수(丙洙) 혼서
― 갑술년(서기 1934) 이월에 가군(家君)을 대신하여 ―

조용히 생각하니 두 성(姓)이 합하는 것은 대개 만화(萬化)의 시작이다. 육예(六禮)의 제도를 고증하여 여피(儷皮)의 의례를 행하였으므로, 외람되게 비사(卑辭)를 올리오니 한번 보시기를 바랍니다. 엎드려 생각하니, 존집사(尊執事)께서는 하서(河西)의 후손이며, 해동(海東)의 명가(名家)로 시례(詩禮)의 교육을 계승하고 있으니, 선양(線陽)이 바로 여기에 있으며, 그 전형(典型)을 준수하고 계시니 유풍(遺風)이 아직 남아 있습니다. 이에 존집사(尊執事)의 둘째 여식을 저의 장손인 병수(丙洙)의 배필로 허락해 주시었습니다. 오직 영애(令愛)는 기품이 순진하고 일찍부터 아름다운 사덕(四德)[15]을 나타내었습니다. 그리고 병수(丙洙)는 지금 지학(志學;15세―역자 주)의 나이로 육예(六藝)[16]를 익히지 않았으니, 어찌 존자로서 겸허하여 빛을 내는 것을 기대할 수 있을 가만은 결국에는 배필로 채택하였으니 좋은 때를 택하여 얼음이 풀리지 않는 시기에 맞도록 하겠습니다. 손부가 돌아오면 오랫동안 복사나무에 열매가 주렁주렁 열린다는 시를 들을 것입니다. 이와 같이 성의를 베풀어 주시니, 다 말씀 드리지 못하고 이만 아룁니다.

丙洙婚書
甲戌二月, 代家君

竊以合二姓之歡, 盖爲萬化之始。考六禮之制, 庸行儷皮之儀。猥修卑辭, 仰塵崇鑑。伏惟尊執事, 河西肖裔, 海東名家。詩禮之丕承, 線陽斯在。典型之克遵, 遺風尙存。茲承以尊第二令女, 許室于僕之長孫丙洙。惟令愛禀旣婉嫺, 夙著四德之美。而丙洙年今志學, 未習六藝之文, 豈期謙光之不卑, 終見采擇之有

---

15) 부덕(婦德), 부언(婦言),부용(婦容), 부공(婦功)을 말함.
16) 예(禮),악(樂),사(射),어(御),서(書),수(數)임.

定。良辰已揀用，符氷未泮之期，之子于歸，佇聞桃有蕡之詠。惟此悃款，未戩敷宣。

정수(晶洙)의 혼서(婚書)
무신년(서기 1968) 9월 20일

  조용히 생각하니, 건(乾)은 건장하고 곤(坤)은 유순하여 만복(萬福)의 근원이 됩니다. 달은 길하고 때는 좋아 두 성(姓)이 합하기에 좋으므로, 옛 법에 따라 외람되이 비사(卑事)를 올립니다. 저의 조카 정수(晶洙)는 나이가 이미 장성하였으나, 학업이 정숙(精熟)한 지경에 이르지 않았으며, 영애(令愛)는 일찍부터 규호(閨壺)의 아름다운 훈도를 받아 어질고 손순한 명성이 드러나므로 재덕(才德)이 서로 맞지 않아 비록 훌륭한 사위라고 할 수는 없지만, 서로 취미가 가까워 결혼할 기회가 되었으므로 기운도 같고 소리도 같으니, 이로부터 계의(契誼)가 더욱 돈독하고 가정이 더욱 화목하여 가문이 모두 기쁘기를 기대합니다. 염려해 주시어 아뢸 바를 모르겠습니다.

晶洙婚書
戊申九月二十日

竊以乾而健，坤而順，將基萬福之源。月其吉，辰其良，式好二姓之合。用遵舊典，猥修卑辭。僕之姪晶洙，年己及乎長成，業未至乎精熟。惟令愛，早服閨壺之之嘉訓，方著賢婉之令名，才德不侔。縱乘龍之難副，臭味維近，迨噰鴈之趁期，同氣同聲。從此契，誼之益篤，宜家宜室。期以門闌之共歡，鑑念是荷，敷陳莫究。

장손 경식(璟植)의 혼서(婚書)

을유년(서기 1969) 11월 20일

조용히 생각하니, 그 기일(期日)을 청하고 납채(納采)를 하는 것은 대개 육례(六禮)[17]를 참고 합니다. 위대하다 건(乾)이여! 지극하다 곤(坤)이여! 만세(萬世)의 위업을 열어 두었습니다. 크게 경앙한지 오래되어 새로운 친의(親誼)가 더욱 아름답습니다. 엎드려 생각하니, 영애(令愛)의 호의(壼儀)는 단정하여 좋은 소문이 일찍부터 드러났습니다. 저의 장손 경식(璟植)은 본래 노둔한 기질을 타고나 아직도 시례(詩禮)를 듣지 못하였고, 또 재주도 맞지 않고 덕도 맞지 않아 실제로 힘을 헤아려 보면 부끄러움이 많습니다. 기(氣)를 서로 구(求)하고 소리를 서로 호응하여 오직 사랑으로 염려해 주시므로, 구시(龜筮)에 물어 따르기로 하였고, 봉력(鳳曆)을 들춰봐도 매우 길(吉)하였습니다. 그리고 일양(一陽)이 다시 찾아들어 천지(天地)의 진심을 볼 수 있었습니다. 백가지 상서로운 일이 모여들어 결국 가내의 큰 복을 기대합니다. 감히 이 글로 단심(丹心)을 아뢰었습니다.

長孫璟植婚書

己酉十一月二十日,

竊以請其期, 納其采。盖嘗攷六禮之文, 大哉乾, 至哉坤, 將以開萬世之業。景仰維久, 新誼孔嘉。伏惟令愛, 壼儀寔端淑聞早著。僕之長孫璟植, 素以駑駘之質, 尙昧詩禮之聞, 才不稱, 德不侔, 實量力而多愧。氣相求, 聲相應。惟眷念之是荷, 問龜筮而協從, 披鳳曆而式吉。一陽來復, 可見天地之眞心。百祥幷臻, 終期室家之洪福。敢將尺素, 以道寸丹人。

---

17) 관(冠), 혼(婚), 상(喪), 제(祭), 향음주(鄕飮酒, 鄕射 포함), 상견례(相見禮).

상량문(上樑文)

익원공(翼元公)의 부조묘(不祧廟)를 이건(移建) 상량문(上梁文)

엎드려 조상의 덕을 생각하여 사모하는 마음이 간절하므로 삼가 축원을 고합니다. 이에 침묘(寢廟)가 준공되어 존령(尊靈)을 편안하게 모실 수 있고, 한 지방에 자랑거리가 되었습니다. 오직 우리 선조이신 익원공 부군(翼元公府君)은 세상에 드문 기개(氣槪)로 기회에 응하여 태어났을 때 태조(太祖)가 일어나 천명(天命)을 받들고 왕명으로 토벌하라는 일을 전하므로, 오직 공(公)이 대책(對策)을 도와 원훈(元勳)을 이루고, 적(狄)과 서(舒)를 응징하여 해도(海島)에 이르기까지 그 덕을 감복하였으며, 국난을 평정하고 사직(社稷)을 안정 하였으므로 지금까지 그 공로를 칭송하고 있다. 공은 화산 고가(花山古家)의 유풍을 이어받아 청구(靑邱)[18]의 순환(循環)하는 운에 속하였다. 그 위대한 공적은 국사(國史)에 기재되어 나오는 말로도 입증할 수 있다. 그 유문(遺文)은 화재에 사라져 선비들은 앞을 다투어 사모하고 한을 간직 하였다. 태조(太祖)의 묘(廟)에 배향되고 기로사(耆老社)에 들었으므로, 조정에서 은전을 내려 부조묘(不祧廟)로 제향하고 사손(嗣孫)을 수록(收錄)하여 군자(君子)의 혜택이 다하지 않았다. 아! 말세를 당하여 세상은 전일과 같지 않고 후손들이 한 곳에 모여 살지 못하게 되었으니, 저 아득한 하늘을 바라보면 동토(東土)에는 하청(河淸)의 날이 더디기만 하다. 지금은 거세게 몰아치는 것이 모두 물결이므로 중주(中州)가 육침(陸沈)한 것이 개탄스럽다. 영(靈)에서 원(原)으로, 원에서 부성(扶城: 扶餘)으로 세 번이나 옮겨(가묘를) 중건하였다. 뿌리에서 줄기가 나고 줄기에서 가지가 뻗어 그 잎이 만 가지로 다르지만 실제로 하나의 뿌리에서 나온 것이다. 비록 세상의 도(道)는 운수에 따라 승침(昇沈)하지만, 사람의 일이 소술(紹述)과 관련되거나 혹은 마음속으로 운수(運數)를 헤아리어 호남(湖南)으로 와서 집터를 본 것일까. 시초점과 거북점이 맞아 위로는 신명(神明)이 길지(吉地)를 묻고 아래로 길지를 물었으며, 화수((花樹)의 정화(情話)를 기뻐하여 가까운 친척도 친하고 먼 친척도 친하였으므로, 제종(諸宗)들은 달려와 길일(吉日)에 일을 시작 하였다. 뭇 산들은 향하고 있어 이름난 지역에 명물이 들어선 것은 어찌 우연이라고 하겠는가. 대개 오랫동안 기다렸던 것이다. 체제가 단정하지만

---

18) 우리나라의 별칭.

오랫동안 보고 있으면 빼어나고 날듯하며, 규모가 정명(精明)하므로 특히 모년 모월이라고 쓰고 이로 인하여 동우(棟宇)의 제도를 고치었으니, 어찌 계산(溪山)이 빛나기를 물이 지중(地中)에서 흐른 것과 같을 뿐이겠는가. 영영(英靈)이 척강(陟降)에 어둡지 않고 신명(神明)이 그 위에 있는 것 같아 춘추로 제사를 게을리 하지 않았으므로, 죽어도 살아 있고 없어도 있는 것과 같았으며, 비가 오거나 이슬이 내리면 슬픈 마음이 들므로 남의 뜻을 계승하고 남의 일을 기술하여 일찍 자고 일찍 일어나는 부지런함을 생각하여 감히 육위사(六偉辭)[19]를 나열하고 삼가 만년(萬年)의 복을 맞이한다.

어기어차, 들보를 동쪽으로 밀어 던져보니, 성덕(盛德)이 우리 대동(大東)을 보우하네. 선각(先覺)이 후각(後覺)을 계도(啓導)하여, 오백년 동안 예의(禮儀) 속에 있었구나./

어기어차, 들보를 남쪽으로 밀어 던져보니, 정령(精靈)이 호남(湖南)에 표본이 되어, 물이 지하에서 흐르듯 척강(陟降)이 오래 전하네./

어기어차 들보를 서쪽으로 밀어 던져보니, 그 혜택이 동서(東西)에 미치고, 산하(山河)의 맹약은 피 한잔을 마시어, 단서(丹書)가 지금까지 희미하지 않네.

어기어차, 들보를 북쪽으로 밀어 던져보니, 일생동안 단충(丹衷)은 북궐(北闕)을 향하였네. 머리 돌려 나라 망한 것을 탄식하니 누가 다시 돕겠는가./

어기어차, 들보를 위로 밀어 던져보니, 넓고 넓은 하늘에 계신 듯하네. 상로(霜露)가 내리고 비가 적실 때, 쑥불 피우니 배나 슬퍼지네. /

어기어차, 들보를 아래로 밀어 던져보니, 그 모습을 천년 후에 상상 하였네. 한 마디 말씀이이 세벽 별 같은데, 백세(百世)동안 알아주는 사람 만나기 어려워라.

엎드려 삼가 바라건데, 상양(上樑)한 후에 부조묘(不祧廟)의 모습은 오래 지속되어 선조의 공렬(功烈)이 더욱 드러나기를 바란다. 조상을 존경하고 종족을 공경하여 화목하게 살기를 강구하고, 백성들의 덕을 후하게 할 것이며, 가정을 이어받고 학업을 계승하여 충효(忠孝)를 책임지고 인륜(人倫)을 돈독하게 하여 제향을 모시고 영원히 많은 복을 구하여 넘치지 않고 잊지도 않아 끝까지 나를 낳아준 선조를 더럽히지 말고, 목을 세워 기대하는 마음을 저버리지 말기 바란다.

---

19) 상양문의 끝에 여섯 가지 노래.

翼元公不祧廟移建上樑文

伏以祖德聿修, 私切羹墻之寓慕, 工祝致告, 爰覩寢廟之竣功。尊靈妥安, 一方矜式。惟我先祖翼元公府君, 間世之氣, 應期而生。太祖龍興, 奉天垂命討之業, 維公翼贊策名, 有元勳之尊。膺狄而懲舒, 迄于海服其德。靖難而定社, 到于今稱其功。承花山故家之風, 屬靑邱循環之運。偉績載載國史, 吾能言而足徵。遺文化刼灰, 士爭慕而齎恨。配太廟, 入耆老, 朝家之典已隆。享不祧, 錄嗣孫, 君子之澤未艾。嗚乎！値季世之非復前日, 奈子姓之不恒厥居。視薈薈之彼天, 遲河淸於東土。方滔滔者皆水, 慨陸沉於中州, 自靈而原, 自原而扶城, 盖重建者三矣。由根而幹, 由幹而枝葉, 實萬殊而一焉。雖世道任運而升沈, 抑人謀有關於紹述。幾運籌於胸裏, 來胥宇於湖南。契蓍龜而神明, 上詢吉, 下詢吉, 悅花樹之情話。近亦親, 遠亦親, 諸宗奔趨爰經始於吉日。群山拱揖, 擅形勝於名區。夫豈偶然？盖有待也。體勢端嚴, 佇見如跂如飛, 規矩精明, 特書某年某月。玆因棟宇改制, 奚但溪山增輝, 若水流地中, 英靈不昧於陟降。如神在其上, 享祀匪懈於春秋, 死如生, 亡如存, 可展雨露之悽愴。繼人志, 述人事, 克念夙夜之憂勤。敢陳六偉之蕪辭, 恭迓萬年之嘉禧。

兒郎偉, 抛樑東, 盛德佑我大東。
先覺能, 啓後覺, 五百年禮儀中。

兒郎偉, 抛樑南, 精靈格之湖南。
水流地, 無不在, 涉降及於普覃。

兒郎偉, 抛樑西, 惠澤及于東西。
山河盟, 一盃啼, 丹書至今不迷。

兒郎偉, 抛樑北, 一生丹衷向北。
回首嘆, 息風泉, 復有誰能贊翼。

兒郎偉, 抛樑上, 洋洋乎如在上。

霜露降, 雨露濡, 熏蒿倍切感愴

兒郞偉, 拋樑下, 可想像千載下。
片言僅, 若晨星, 百世難遇知者。

伏願上樑之後, 廟貌長鞏, 先烈益彰。尊祖敬宗, 講睦婣而厚民德。承家開業, 責忠孝而篤人倫。以享以禋, 永言自求多福。不愆不忘, 終期无忝。所生勿替, 引之所望此耳。

도암사(道巖祠)의 중건 상량문(重建上樑文)

엎드려 생각하니, 효도를 백행(百行)의 근원으로 삼으면 그 기풍은 산수(山水)처럼 영원할 것이다. 한 가문이 협력하여 훌륭한 일에 힘을 써 동우(棟宇)가 거듭 새롭게 되었으므로 선비들이 의지할 곳이 있고, 영령(英靈)은 척강(陟降)한 것 같다. 오직 우리 선조 영모당선생(永慕堂先生)은 도(道)를 자신의 책임으로 삼았다. 공의 효성은 천성적으로 타고나 예(禮)를 익히고, 시(詩)를 배우며, 아버지의 뜻을 어기지 않고 뜻을 받들고, 몸을 봉양하여 까마귀가 어미를 먹여 살리는 정성을 다하였다. 성인(聖人)의 교훈을 따라 경서(經書)를 연구하고, 의리를 추환(蒭豢)처럼 즐기었다. 어머니를 위로하기 위해 과거시험에 참여하였으나 부귀는 뜬구름처럼 여기었고, 이름이 고관들에게 알려지는 것을 싫어하고, 자식의 도리를 다하였으며 부모님의 종기의 피고름을 빨아내고 측궁네서 기도하였으며, 이곳저곳 다니며 백방으로 마시고 드실 것을 구하였다. 부모님이 세상을 떠나자 상여(喪廬)에서 거처한지 12년을 하루같이 여기었다. 집이 가난하여 제사에 쓸 제물이 없어 통곡을 하니 날으던 꿩이 떨어졌고, 제사에 쓸 장을 쥐가 흐려 놓아 이를 한탄하니, 밤사이에 쥐들이 무리를 지어 장독 아래에 죽어 있었다는 전설이 지금까지 전해 오고 있으니, 이것은 그의 신뢰감이 돈어(豚魚)에 까지 미친 것이다. 백설도 묘소 옆에는 내리지 않았었다. 지성이 하늘까지 미치면 흑치(黑齒)도 당우(堂宇)를 침범하지 못할 것이다. 사랑이 사람들에게 미친 것이 깊어 죽수원(竹樹院)의 청풍《오율시화(淸風五律詩話)》을 공적으로 강송하고 제청산(祭廳山)의 아름다운 이름은 백세(百世)동안 구비(口碑)가 변하지 않았다. 온공(溫恭)하고 개제(愷悌)한 모습으로 전일하고 진실한 힘을 가하여 《효경(孝經)》과 《소학(小學)》을 교육할 때, 각기 재량에 따라 따라 배우도록 하였으며, 비록 호향(互鄕)[20]과 궐당(闕黨)의 동자라도 함께 대화하여 모두 산을 이루는데 흑 한 산더미를 보탠 것처럼 하였다. 그리고 50세가 되도록 아버지를 사모한 일은 담옹(湛翁)의 편액(扁額)에서 입증할 수 있다. 그 효성이 구중천(九重天)에 알려져 조정에서 공의 집에 정표(旌表)를 한 일이 어제 같다. 지난 날을 돌이켜 보니, 만력(萬曆)년간에 사우(祠宇)가 건립되었는데, 이것은 여려 선비들이 상소하여 성중(城中)에서 창의(倡義)하였다. 그리고 위에서 의병을 창도하자 의병을 일으켜 성을 지킨 은송당(隱松堂)은 학문과 충효(忠孝)를 겸비하였고, 지존(至尊)을 등에 엎고 호위하여 위기를 면한 현무재(賢武齋)의 호종(扈從)의 공(功)도 길이 남아 있다. 이것은 조손(祖孫)을 당연히 한 몸같이 제향하는 것도 난형난제(難兄難弟)라고 할 것이다. 여러 세대를 이어가던 연원은 지난날 조정에서 지휘하였는데, 원우(院宇)의 훼철(毁撤)을 면하지 못하였다. 세월이 오래 흘러 누차 세상이 바뀌었으니, 이 장수(藏修)한 곳을 생각할 때, 단 후손의 마음만 상할 뿐 아닐 것이다. 저 구학(丘壑)을 바라보면 얼마나 선비들의 슬픔이 더하겠는가만 다행히 이성(理性)이 하늘에서 떨어지지 않고 결국 후세의 공의(公議)도 사라지지 않아 옛 터가 거북점도 맞으므로 푸른 대나무와 소나무를 의존하여 건립하기로 하고 후손들과 상의하여 아름다운 목재를 구입하였다. 위의 건물과 아래 건물의 천석(泉石)은 녹동(鹿洞)[21]의 유풍(遺風)이 아직 남아있고, 조용한 구름과 숲은 용문(龍門)[22]의 여운(餘韻)이 다하지 않았다. 영원히 사모의 정을 기리는 곳이 되어 산천만 빛을 더할 뿐 아니다. 이제 건립을 마치었다고 우리의 일이 다 끝났다고 말하지 말고, 문학을 강론하고 도학을 강론하는 것이 조상을 위하여 덕을 닦는 일이므로 매년 봄 중정(仲丁)에 제향을 모시도록 하였다. 이로부터 선비와 신사들이 질서있고 위엄있게 나올 것이다. 오랫동안 현송(絃誦) 소리가 널리 퍼지는 소리를 듣고 이에 긴 들보를 들었다.

어기어차, 들보를 동쪽으로 밀어 던저보니, 푸른 봉황산(鳳凰山)이 강 건네에 있네.

---

20) 읍명(邑名), 지금 강소성 패현(江蘇省沛縣), 일설(一說)에는 하남성 항성현(河南省項城縣)이라고 하며 이 고을에 대한 설이 많은데 풍기(風氣)가 나쁘다고 한다. 풍속이 순후하면 인리(仁里)라고 하고 풍기가 나쁘면 호향(互鄕)이라고 한다고 하였다.

21) 백록동(白鹿洞)의 약칭. 중국 강남성성자현(江南省星子縣) 북쪽 여산(廬山) 밑에 있는 동명(洞名). 당(唐)나라 덕종(德宗) 때 이발(李渤)이 그의 형 섭(涉)과 함께 여산(廬山)에서 독서하며 항시 하얀 사슴을 그들을 따라 다녔으므로 그 동명을 백녹동이라고 하였다. 그후 누차 흥폐를 거듭 아가 효종(孝宗) 때 주자(朱子)가 남강태수(南康太守)로 부임하여 다시 백록동에 학규(學規)를 지어 학문을 강론하였으며 명, 청시대에도 서원으로 계속 유지되었다.

22) 산서성(山西省) 황하(黃河)의 상류에 있음, 사마천(司馬遷)이 태어난 곳임.

높은 저 모습 오랫동안 우러러, 그 유풍을 백세(百世)동안 함께 하였네.

　어기어차, 들보를 남쪽으로 밀어 던져 보니, 우리 할아버지 당시에 우리 유도(儒道)도 남쪽에 있었네. 춘광(春光)이 깃든 한 나무 영원하리니, 평생의 지기(知己)는 유미암(柳眉巖)이었네.

어기어차, 들보를 서쪽으로 밀어 던져 보니, 창문 앞 풀이 동서(東西)로 펼쳐 있네. 옛 현인(賢人)이 떠난 후 정채(精彩)만 남아 지금까지 남토(南土)에는 유도(儒道)가 전해지네.

　어기어차, 들보를 북쪽으로 밀어 던져 보니, 만년의 유택(幽宅)이 북쪽에 있네. 교송(喬松)과 노백(老柏)의 그림자 빽빽하지만, 초부(樵夫)는 침해하지 않아 지나간 길손도 본받네.

　어기어차, 들보를 위로 밀어 던져 보니, 오르내리는 정령(精靈)이 위에 계선 듯하네. 향사(享祀)가 높은 그 공훈을 보답한 것이 아니라, 단 효우(孝友)를 가지고 우리 유사(儒士)들의 우의를 지키는 것이라오.

　어기어차, 들보를 아래로 밀어 던져 보니, 당시의 영명(令名)이 천하에 떨치었네. 효악(孝岳)이 효자의 마을과 이웃하고 있어 조석으로 바라보고 감화(感化)하였네.

　엎드려 바라는 것은, 상양한 후에 물도 마르지 않고 땅도 황폐하지 않으며, 들어오면 효도하고 나가면 공순하여 현조(賢祖)의 뜻을 어기지 말고, 겨울이면 음악을 배우고 봄이면 시를 배워 말세의 오속(汚俗)을 만회하리라.

道巖祠重建上樑文

伏以孝爲百行源, 風聲與山水悠久。謀協一門力盛事, 見棟宇重新, 士有依歸, 靈若陟降。惟我先祖永慕堂先生, 道爲己任, 孝自性天。學禮學詩, 無違鯉庭之對。養志養體, 克致烏哺之誠。服聖訓而硏經義理, 悅若蒭豢。慰母心而赴試富貴視如浮雲, 念絕聞達之求。務爲子職, 是盡吮疽。應禱左右, 就而百方飮啖, 居廬十二年如一日。尙傳感得雉鼠, 是謂信及豚魚。白雪不下墓傍, 誠之格天者。至黑齒莫犯堂宇, 仁之入人者。深竹樹院淸風, 五律之詩話公誦。祭廳山嘉號, 百世之口碑不渝。以溫恭愷悌之姿, 下專一眞實之力。必孝經小學以敎授, 莫不飮河充量。雖互鄕闕黨, 而與言亦皆爲山進簣, 終慕五十。湛翁之扁額, 足徵孝達九重, 天朝之表宅如咋。念昔萬曆建宇, 寔是多士。上言倡義, 旅於城中, 隱松堂之學兼忠孝。護至尊於背上, 賢武齋之功存扈從。此謂是祖是孫, 宜一體之祭祀。亦曰難兄難弟, 承累世之淵源。曩緣朝家指揮, 未免院宇見撤。屬歲月之滋久, 奈滄桑之屢遷。念玆藏修, 非直雲仍之傷感, 瞻彼丘壑, 幾增士林之咨嗟。幸秉彝罔墜於極天, 終公議未泯於後世。卽舊墟而龜契, 依如綠竹蒼松。謀諸孫而鳩材美矣, 上棟下宇。居然泉石, 鹿洞之遺風尙存；窈窕雲林, 龍門之餘韻未歇。永爲羹墻之寓慕, 不但山川之增輝。肯其搆, 肯其堂, 勿謂吾事已了。講斯文, 講斯道, 是爲祖德聿修。春仲丁, 秋仲丁, 自是襟紳濟濟。翼如也, 趨如也, 佇聞絃誦洋洋。善頌斯陳, 脩樑載擧。

兒郞偉, 拋樑東, 鳳岫靑蒼隔水東。
節彼巖巖仰止久, 遺風百世與之同。

兒郞偉, 拋樑南, 吾祖當年吾道南。
一樹春光長不老, 生平知己柳眉巖。

兒郞餘, 拋樑西, 窓前春艸遍東西。
昔賢去後留精采, 南士至今道不迷。

兒郞偉, 拋樑北, 萬年幽宅在其北。
喬松老柏影森森, 樵竪勿侵過者式。

兒郞偉, 拋樑上, 陟降精靈如在上。
享祀未爲報崇功, 只將孝友扶吾黨。

兒郞偉, 拋樑下, 當世令名達天下。
孝岳相鄰孝子閭, 暮朝瞻仰感而化。

伏願上樑之後, 水不忍荒, 地不忍廢。入則孝, 出則悌, 無替賢祖嘉謨。冬而樂, 春而詩, 庶回叔季汚俗。

새 집 상량문(新舍上樑文) 대작(代作)

 죽천(竹川)밑 오봉(梧峯) 서쪽에 천연적으로 이루어진 이름난 장소를 서술하고자 한다. 지령(地靈)을 얻어야 인걸(人傑)이 나는 것이다. 계산(溪山)이 만일 눈앞에 어렴풋 연하(煙霞)가 피어오르기를 기다리어 동우(棟宇)를 새로 건립하였다면 어느 듯 지구에서 가장 훌륭한 천석(泉石)이 어우러져 이로부터 마을에 빛이 더할 것이니 이것은 풍우(風雨)를 막을 뿐 아니라 주인인 모(某)는 화산(花山)의 고가(古家)이자 근역(槿域)[23]의 명족으로 낙포옹(洛圃翁;金士衡)이다. 그는 훌륭한 덕망 및 위대한 공렬(功烈)과 외이(外夷)에서 군려(軍旅)를 겸하였고, 통찬공(通贊公;金乙萬)은 의지와 절개가 광명정대하였고, 남쪽 지방으로 은둔(隱遁)하였다. 비록 생소하고 멀었지만 문관(文官)과 음직(蔭職)이 아직까지 적막하지 않았으니 하늘과 사람을 감동시킨 것이며 진실하다. 영모공(永慕公;金質)은 종신토록 효도하시어 선조의 사적을 잘 기술하고 잘 계승하였으며, 아! 만수당(晩睡堂)은 인자(仁慈)하게 처세(處世)하여 조석으로 공경하여 가정의 명성이 혹 실추될까 싶어 자제들에게 부지런히 교육하고 가업을 분담해 주어 각기 살도록 하였다. 오직 이 '도산(道山)'이란 이름을 얻은 것은 참으로 아름다운 일이다. 대개 이 마을이 아름다운 물과 둘려있는 산들이 우뚝 솟았으니, 명승지의 유래를 모두가 담론하고 있다. 그러므로 옛날부터 사람들은 함께 가을에 글을 읽고, 봄에는 밭갈이를 하면서 옛 선조 때로부터 전해 내려오는 가업(家業)이 실추되지 않도록 하고 있다. 이에 문밖에 높은 곳에다가 터를 마련하고 말없이 마음으로 계획하니 송죽(松竹)은 무성하게 자란 것 같았고, 신이 보호하고 귀신이 비장해 둔 것과 같았다. 묶은 판자를 위아래로 덥고 건축하는 소리는 쩡쩡 소리가 났다. 마침 좋은 날 좋은 때를 만나 오직 그 뜻이 완전하므로 그 새 집을 매우 쉽게 이루어졌다. 군자(君子)의 거소(居所)가 존대(尊大)한 것은 예부터 그러하였다. 석인부(碩人賦)[24]와 아육가(阿陸歌)[25]는 지금도 매우 간절하다. 이에 거처한 곳을 얻었으니 누가 그 거소를 다투겠는가? 아버지는 아버지 노릇을 하고 아들은 아들 노릇을 하고 아우는 아우노릇을 하고 형은 형의 노릇을 하는 것은 한 가문의 위치를 이루는 것이므로, 조심하고 두려워하여 여러 세대의 법을 수호하여 선열(先烈)들에게 빛나도록 하였으니, 이것은

---

23) 우리나라의 이칭.
24) 시경 위풍(詩經衛風)의 편명.
25) 시경 위풍의 고반편(考槃篇)을 말함.

후생(後生)에게도 힘쓰도록 한 것이다. 동백산(桐柏山)[26]의 산수(山水)는 지금도 은거하였던 동생(董生)[27]과 친구가 되었고, 신야(莘野)[28]의 연운(煙雲)은 낙도(樂道)하는 이윤(伊尹)[29]을 사모하고 있다. 절략하게 사용하는 것은 사람을 구제하기 위한 것이며, 세상을 건지고 세상의 수요를 만족시키려고 하자면 반드시 치가(治家)에 바탕을 두어야 하고, 이 곳에 모이고 이 곳에서 노래 부르며 친척들과 정담을 나누고 이와 같이 전수(傳授)한다면 시례(詩禮)를 송독하는 유풍이 이로부터 담담하게 천리(天理)를 즐기고 실컷 놀면서 이 땅에서 편안히 살아갈 것이다. 큰 들보를 들어 올리니 축하하는 소리도 드높다.

 어기어차, 들보를 동쪽으로 밀어 던져 보니, 방장산(方丈山)에 아침마다 붉은 해가 떠오르네. 나가면 밭을 갈고 돌아오면 글을 읽은 것을 경제(經濟)의 근본으로 삼았으니, 만사(萬事)가 원래 이것으로부터 나온 것이다.

 어기어차, 들보를 남쪽으로 밀어 던져보니 옥(玉)같은 태봉(台峯)이 맑은 기운 머금었네. 오가는 풍연(風烟)은 마음대로 오므렸다 폈다 하는데, 은거(隱居)의 즐거움을 누구에게 말할까.

 어기어차, 들보를 서쪽으로 밀어 던져보니, 울퉁불퉁한 농간 길은 동서로 뻗이었구나. 푸른 삿갓 쓴 사람과 도롱이 입은 사람이 서로 짝이 되어, 다리 위에 이슬비 맞으며 앞 여울을 지나가네.

 어기어차, 들보를 북쪽으로 밀어 던져보니, 예로부터 주례(周禮)는 본래 우리 동방에 있다 하네. 비록 세상은 자주 변하지만 분명 성인(聖人)의 훈계는 책에 다 실려 있다네.

 어기어차, 들보를 위로 밀어 던져보니, 구름 걷히고 비 개어 본래의 하늘 모습 보이네. 맑은 하늘 밝은 달 빛 옷 깃을 스치니, 이제야 뜨락이 넓은 것을 느끼네.

 어기어차, 들보를 아래로 밀어 던져보니, 문 밖에 청계수는 쉬지 않고 흐르네. 바라노니 인간의 단비로 되어 해마다 풍년이 들게 하고 농부와 함께 즐겼으면 좋겠네.

 엎드려 바라건데, 상량한 후에 온갖 상서로운 일이 운집하고, 모든 영령(英靈)들은 남모르게 도와 주옥 같은 인재들이 더불어 무성하여 효제충신(孝悌忠信)을 계승하여

---

26) 하남성동백현(河南省桐柏縣)의 서남쪽에 있는 산명.
27) 한(漢)의 순유(醇儒) 동중서(董仲舒)를 말함.
28) 중국 고대(古代)의 나라 이름. 은(殷)나라 현신 이윤(伊尹)이 처음 은거할 때 유신(有莘)이란 나라에서 농사를 지었음.
29) 은(殷)나라 탕왕(湯王) 때 현상(賢相).

향당(鄕黨)의 본보기가 되어야 할 것이다.

新舍上樑文 代作

述夫竹川之下, 梧峯之西, 自天作之名區。得地靈而人傑, 溪山若待縹緲眼前之烟霞。棟宇新成, 居然寰中之泉石。自是閭里增色, 不但風雨攸除。主人某, 花山故家、槿域名族洛圃翁之盛德偉烈, 兼軍旅於外夷。通贊公之志介昭明, 肥嘉遯於南土窮鄉, 雖云疏逖, 文蔭尙不寂寥, 感天感人允矣。永慕公終身之孝, 善繼善述猗歟? 晩睡堂, 處世之仁, 早夜恭寅, 懼家聲之或替, 勤儉教子, 授職業而各居。惟玆道山之得名, 盖是仁里之爲美。水廻山盡, 形勝由來共談。秋讀春畊, 舊業傳之不墜。爰卜門外爽塏, 默運心上經綸, 松如茂, 竹如苞, 有若神護鬼秘約之閣、椓之橐。適及日吉辰良, 惟其志之苟完, 是以成之孔易。君子著芋寧之所, 自古已然。碩人賦阿陸之歌, 在今尤切。爰得處矣, 誰爭所乎? 父父子子, 弟弟兄兄, 致一門之位, 育洞洞屬屬, 戰戰兢兢, 守累世之典謨。俾有光於前脩, 是所朂於後進。桐柏山水, 尙友董生之隱居; 莘野烟雲, 景慕伊老之樂道節用。將欲以濟物需世, 必本於治家, 於斯聚。於斯歌, 悅親戚之情話。以是傳, 以是授, 誦詩禮之遺風。從此恬澹而樂天, 聊可優遊而安土。鴻樑載擧, 鷰賀共騰。

兒郞偉, 抛樑東, 方丈朝朝旭日紅。
出畊歸讀本經濟, 萬事元來從此中。

兒郞偉, 抛樑南, 玉立台峯淑氣含。
來往風烟任舒卷, 隱居眞樂共誰談。

兒郞偉, 抛樑西, 南阡東陌路高低。
綠笠靑簑聊同伴, 橋風細雨過前溪。

兒郞偉, 抛樑北, 素稱周禮在東國。
縱然世路幻滄桑, 聖訓分明載方冊。

兒郎偉, 拋樑上, 雲消雨歇見眞像。
光風霽月入襟懷, 庭戶伊今覺昭曠。

兒郎偉, 拋樑下, 門外淸溪流不舍。
願得人間去作霖, 樂豐歲歲同于野。

伏願上樑之後, 百祥畢臻, 千靈陰隲。瑤環珥瑜而幷茂, 宜子姓之繼承；孝悌忠信以用傳, 爲鄕黨之矜式。

호산재(壺山齋)의 상량문(上樑文)

　조용히 생각하니, 그 덕(德)과 인(仁)을 사랑하고 기풍(氣風)은 산수를 같이 즐기며 오랫동안 조상의 뜻을 계승하고 조상의 사행(事行)을 기록하여 그 효성과 동우(棟宇)가 모두 새로워진다면, 세월은 얼마나 흘러갔으며 천석(泉石)은 그 사람을 기다리고 있는 것과 같았다.
　삼가 생각하니, 변호암(卞壺巖)과 인천(仁川) 두 선생은 금옥(金玉)과 같은 형제(兄弟)로 도(道)와 덕(德)이 같다. 형은 화기롭고 아우는 엄격하여 그 기상이 하남부자(河南夫子)30)와 같았다. 덕행(德行)을 우선시하고 문예(文藝)를 다음으로 하였으며, 그 연원(淵源)은 동해(東海)의 명현(名賢)이었다. 효성은 선천적으로 타고나 묘소 옆 상여(喪廬)에서 맹수(猛獸)가 감동하였으니, 그 빛남이 어찌 아침 해보다 적다고 하겠는가? 전부(田夫)가 간인(奸人)을 거절하였으니, 백세(百世)에 한번이라도 이런 일이 있기가 어려운 것인데, 하물며 한 가정에서 두 사람이 미행(美行)을 이루어 제현(諸賢)들이 모두 칭찬 하였다. 그것은 시(詩)와 글로 증거를 들 수 있을 것이다. 우애가 돈독하여 함께 격려하는 것은 경사(經史)였으며, 도(道)를 걱정하고 나라를 걱정하여 서로 같은 출처(出處)에 해가 되지 않고 산과 물을 즐기면 이것을 인(仁)과 지(知)라고 하는데 저 한 구역의 깊은 산골자기를 바라보면 이 곳은 두 현인(賢人)의 유허(遺墟)로 반산(盤山) 우측의 호산(壺山)에서 소요(逍遙)하던 고촉(高躅)과 제단(祭壇)과 묘소를 오르내리는 정령(精靈)을 볼 수 있을 것이다. 그러나 아직 재사(齋舍)를 건립하지 못하여 자손들이 한을 간직하고 있다가 제족들이 힘을 합하였으니, 이것은 선

---

30) 송(宋)나라 정호(程顥)를 말함.

조를 추모하는 마음에서 나온 것이다. 훌륭한 공인(工人)들은 설계도를 마련하여 속히 건립하기 시작하므로, 몇 칠이 안 되어 완성하여 아름답고 완전한 건물을 보게 되었다. 이에 중춘(仲春)에 제향을 모시었다. 비록 세상이 변하여 번복되더라도 자손들은 선조의 정신을 이어받고 사행을 기술하는 마음이 간절하였다. 산에는 달이 뜨고 강에는 바람이 불고 있으므로 바라본 곳마다 사모하는 마음이 일어나며, 가을에 서리를 밟거나 봄에 이슬을 밟으면 가는 곳마다 제향하고 싶은 마음을 느끼었다. 이것은 그 자손들의 사적인 마음을 펴는 것 뿐 아니라 행운이 돌아올 날이 멀지 않다는 것을 점칠 수 있는 것이다. 정천(程川)의 여운(餘韻)이 사라지지 않고 의젓하게 존재하며, 용문(龍門)과 팔탄(八灘)의 유풍(遺風)이 오래 전해진 것이다. 그리고 이것은 완연(宛然)히 무이구곡(武夷九曲)[31]의 천인석벽(千仞石壁)에 장구(杖屨)가 황홀하게 강림하고 눈에 보인 운림(雲林)속에 아직 피어오른 정채(精彩)를 접할 수 있을 것이다. 이 기풍을 들은 사람들은 심취(心醉)하여 가정을 나서지 않아도 그 도(道)가 모구(某山), 모구(某邱)에 호산(湖山)의 좋은 경치를 독점하여 영원히 고향을 보존할 것이므로 감히 칠언시(七言詩)를 엮어 육위(六偉)의 노래를 돕고자 한다.

어기어차, 들보를 동쪽으로 밀어 던져보니, 봄바람이 난산(亂山)[32] 중에 끝도 없이 불어오네. 마주 선 푸른 쌍봉 재난 속의 두 형제. 천년세월 당체화 붉기도 하네.

어기어차, 들보를 남쪽으로 밀어 던져보니, 인강(仁江)의 물이 쪽물보다 더 푸르네. 사품치며 흘러가며 거침없이 인간세의 단비 되어 여태까지 젓줄기로 은택을 내렸구나.

어기어차, 들보를 서쪽으로 들어 던져보니, 추기 도는 사나이 저녁 바람에 여울 건네 가네. 호산(壺山)이 창공에 높이 솟았으니 모든 산봉우리가 낮게 서 있네.

어기어차, 들보를 북쪽으로 밀어 던져보니, 산에는 푸른 소나무가 둘러있네. 좋은 소문이 백세(百世)동안 사람들에게 깊이 인식되어 초부(樵夫)도 침해하지 않고 행인도 공경하네.

어기어차, 들보를 위로 밀어 던져보니, 두암(斗巖)이 높이 솟아 세상 사람들 우러러 보네. 글 한 편(篇)을 기록하여 성인의 법언을 지으려고 한다면 《소학(小學)》을 넓고 밝게 익혀야 하리,

어기어차, 들보를 들어 아래로 밀어 던져보니 연못물이 쉬지 않고 졸졸 흘러가네. 예천(醴泉)도 근원이 있고 영지(靈芝)도 뿌리가 있으니, 대대로 계승하면 하늘이 복을

---

31) 무이(武夷)는 복건성숭안현(福建省崇安縣)의 남쪽에 있는 산명으로 36봉(峯)과 37암(巖)이 있어 경치가 매우 아름다워 주자(朱子)가 무이구곡가(武夷九曲歌)를 지었다.
32) 높낮이가 고르지 않게 어지러이 솟은 산들.

내리리.

 엎드려 바라건데, 상양한 후에 암학(巖壑)이 늙지 않고 임만(林巒)이 오랫동안 봄을 누렸으면 한다. 땅은 호산(壺山)을 굳게 지켜 상전벽해 변한단들 변하지를 말아 주며, 강을 향해 문을 열고 저 멀리 렴락(濂洛)[33]의 근원으로 거스려 올리 가소. 채번(采繁〈上加++〉)[34]과 채빈(采頻〈上〉加++)을 중단함이 없이 영원히 향화(香火)를 피워야 하리라. 그리고 《시경(詩經)》과 《예기(禮記)》도 배워 현조(賢祖)의 아름다운 계책(計策)을 실추하지 말아야 하리라.

壺山齋上樑文

竊以愛其德, 憐其仁, 風韻共山水悠久。繼人志, 述人事, 孝思與棟宇俱新。日月曾幾何, 泉石若有待。恭惟卜壺巖仁川兩先生, 金昆玉友, 道合德侔。伯團和, 季方嚴, 氣像類河南夫子；先德行, 後文藝, 淵源是海東名賢。誠孝自性天, 感猛獸於廬側, 炳微乎旱日；拒奸人於田間, 曠百世猶爲難。況一室而幷美, 諸賢獎許, 足徵於若詩若書。于友湛和, 共勵者曰經曰史。憂道憂國, 不害出處相同；樂水樂山, 是謂仁知亦合。睠彼一區幽壑, 寔維兩賢遺基。在盤右壺, 尋逍遙之高躅；下壇上墓, 想涉降之精英；尙丙舍之靡遑, 而子姓之齎恨。諸族齊力, 實由追先之心。良工陳圖, 亟擧經始之役, 成之不日, 遽見苟美苟完。迨玆仲春庶期, 我將我享。雖世變任其翻覆, 亦人謀切於紹述。山有月, 江有風, 寓目起羹墻之慕。秋履霜, 春履露, 觸處感君蒿之誠。莫曰雲仍之, 私伸可占陽復之不遠。程川之餘韻未沫, 依然龍門八灘。晦庵之遺風長傳, 宛是武夷九曲。千仞石壁, 仰杖屨之。怳臨滿目雲林, 挹精采之尙賁。盖聞風者心醉, 不出家而道存。某水某邱, 獨占湖山之勝, 肯堂肯構, 永保桑梓之鄕。敢陳七言燕辭, 用助六偉善頌。

兒郞偉, 抛樑東, 東風無際亂山中。
雙峯對翠難兄弟, 千載遺芳棣萼紅。

---

33) 송나라 렴계(濂溪)에 거주한 주돈이(周敦頤)와 낙양(洛陽)에서 거주한 정호(程顥)와 정이(程頤)를 말함
34) 시경 소남편(詩經召南篇)의 편명.

兒郞偉, 抛樑南, 仁江春水碧於藍。
沛然去作人間雨, 餘澤于今自有甘。

360兒郞偉, 抛樑西, 晩風醉帽渡淸溪。
玉壺倒出蒼空立, 萬岫千千峯盡欲低。

兒郞偉, 抛樑北, 遍山蒼翠後凋色。
令聞百世入人深, 樵牧不侵過者式。

兒郞偉, 抛樑上, 屹立斗巖世所仰。
欲識一篇作聖模, 須將小學入昭曠。

兒郞偉, 抛樑下, 滾滾長淵流不舍。
醴有其源芝有根, 繼承世世自天嘏。

伏願上樑之後, 巖塾不老, 林巒長春。地秘壺中, 不問桑海之變;門臨江上, 遠 溯濂洛之源。采蘩采蘋, 无替永世香火;學詩學禮, 勿墜賢祖嘉謨。

남강정사(南岡精舍)의 상량문(上樑文)

여울 가의 산언덕에 은거하여 편안한 마음을 지닌 석인(碩人)은 아무리 괴로워도 오 매해도 떠나지 않을 맹세를 다짐하면서 흰 구름 피는 숲 속에 터를 잡고 집을 세웠다. 군자(君子)가 장수(藏修)하기에 마땅한 한 곳을 얻기 위한 것이다. 이로부터 그 곳은 내 산이고 내 구릉(丘陵)이니 참으로 여기에서 거처 할만 하다.

조용히 생각하건데, 성암옹(惺菴翁)의 조행은 장음정(長吟亭)의 유풍(遺風)을 이어 받아 효우(孝友)를 가정에 전하였으므로, 선비들의 법이 되었고 시서(詩書)를 열심히 읽고, 아들들을 바르게 교육하여, 현사(賢師)를 따라 먼 지방에서 유학하면서 연재선 생(淵齋先生)에게 칭찬을 받았으며, 은둔하면 길하다는 점을 치고 회암(晦菴)[35]을 사 모하여 의귀(依歸)하였으니, 인(仁)과 지(知)에 부끄럼이 없었다. 산수(山水)를 매우

---
35) 주자(朱子)의 호.

즐기어 그 원류를 따라 높고 먼 곳까지 지팡이와 나막신으로 영·호남(嶺湖南)의 산천을 두루 유람하고 명승지를 택하여 기특하다는 표시를 하기도 하였다. 성품이 연운(煙雲)과 풍월(風月)을 좋아하였다. 이것은 산수(山水)에 따라 그 동정(動靜)이 덕성(德性)과 관련이 있는 것이니, 어찌 성색(聲色)과 미향(味香)으로 그 이목(耳目)을 충족시키는데 그치겠는가? 화려한 관직을 사양하고 소행(素行)을 만년에 편안하게 하였다. 눈에 보이는 것마다 비린내 나는 세상, 백번 바다가 육지로 변하여도 아득히 뜻을 지키었고 큰 암석과 하나의 구학(邱壑)에서 자유롭게 지내며 숲을 사랑하고 물소리를 들었으니 가히 반초조(反招操)[36]로 화답한 것이다. 그리고 금서(琴書)를 즐기고 정화(情話)를 즐기었으며, 언제나 귀거래사(歸去來辭)를 외웠다. 오직 이 남강(南岡)의 경계가 유한(柔閒)하여 동산(東山)의 집과 방불하였다. 근처의 토질은 비옥하고 샘물은 시원하므로 은사(隱士)가 거닐기에 알맞았으며, 숲은 빽빽하고 나무 그늘은 짙어 고사(高士)의 구경거리를 도왔으며, 운물(雲物), 암석(巖石)도 취미가 같았으니 서간시(西澗詩)를 보면 알 수 있을 것이다. 구롱(邱隴)과 청만(靑巒)이 앞을 다투어 맞이하고 있으니, 누가 《북산이문(北山移文)》[37]을 지을 수 있겠는가? 가정에 들어온 현자(賢子)는 달력을 보고 길신(吉辰)을 점 쳤으며, 아름다운 재목으로는 저래산(彳+且)徠山)[38]의 소나무와 신보(新甫)[39]의 잣나무가 오고, 양공(良工)은 즐거이 달려왔다. 공수(公輸)[40]는 먹물을 들이고 이루(離婁)[41]는 먹줄을 퉁기어 크고 아름다운 집이 건립 되었으니, 대개 위아래로 집을 지어 완전하고 아름다웠다. 사루(榭樓)와 정대(亭臺)를 겸하였다. 마음속의 경륜(經綸)을 동원하여 눈앞에 우뚝 솟은 건물을 보게 된 것이다. 여울과 산들은 기다렸다는 듯이 천연적으로 이 영구(靈區)를 이루었다. 세월이 얼마간 흘러 천석(泉石)이 우리 소유가 되었다. 백세(百世) 후에 태어나 서산(西山)[42]의 맑은 풍도를 접하고, 드물게 다른 시대임을 느끼어 간혹 동해(東海)[43]의 달을

---

36) 초은조(招隱操)에 반하는 노래, 즉 조정에서 은사(隱士)를 부른 노래에 반하여 은사가 그 부름에 반대하는 노래라는 뜻이다.
37) 공치규(孔稚圭)가 지은 글, 남제인(南齊人). 그의 선조가 북산(北山)에 은거하였다가 해염현령(海鹽縣令)으로 임명되자 관직을 물리치고 다시 북산(北山)으로 되도라오려고 하므로 공치규가 북산의 산신을 가장하여 해염현령에게 경고하는 내용임.
38) 산동성태안현(山東省泰安縣)의 동남쪽에 있는 산명.
39) 산동성신태현(山東省新泰縣) 서북쪽에 있는 산명, 한무제(漢武帝)가 이 산에 봉선(封禪)하였다.
40) 춘추(春秋), 노(魯)나라 명장(名匠), 공수자(公輸子)라고도 함.
41) 고대의 눈이 밝은 사람, 100보 거리에서 가는 털을 보았다고 한다.
42) 백이숙제(伯夷叔齊)가 은거한 산으로 백이숙제의 청백한 기상을 말한다.
43) 동해(東海)로 은거하겠다는 노중연(魯仲連)의 지조를 의미한다.

안았다. 좌측에는 도서(圖書)를 진열하고 우칙에는 사서(史書)를 비치하였으며, 술잔을 들고 시를 지었으니, 우리 유도(儒道)가 남도(南道)에서 일맥(一脈)의 선양(線陽)을 계승하게 되었다. 이 속에서 홀로 즐기며 몸과 세상을 모두 잊었다. 기(沂)[44]에서 목욕하고 우(雩)에서 바람 쐬는 증점(曾點)[45]의 동자(童子)가 관을 쓰고 봄에 나물밥을 먹고 물을 마시었으며, 중니(仲尼)[46]가 부귀를 뜬 구름처럼 여기었다. 이것은 이른바 속세의 고인(高人)이라고 한 것이니 누가 조용히 살며 한가한 취미를 갖었다고 하지 않겠는가. 이에 목장(木匠)의 도끼를 잠깐 거두고 장노(張老)[47]의 노래를 열거한다.

　어기어차, 들보를 동쪽으로 밀어 던져보니, 들죽 날죽 산봉우리들이 그림 속에 펼쳐 있네. 뜨락에 꽃 붉고 문앞 버드나무 푸르니 봄 내내 흥을 사람들과 나누네.

　어기어차, 들보를 남쪽으로 밀어 던져보니, 구황봉(九皇峯)이 남기(嵐氣)를 띠고 있네. 조석으로 오랫동안 우러러보며 옛날부터 그 경치 함께 이야기했네.

　어기어차 들보를 서쪽으로 밀어 던져보니, 문이 한 폭 여울과 마주보고 있네. 물이 맑으면 갓끈 씻고, 물이 탁하면 발을 씻는다 했는데 누가 유자(孺子)의 노래를 맡겠는가?

　어기어차, 들보를 북쪽으로 밀어 던져보니, 샘물소리와 산 빛이 사랑스럽네. 문밖에 세상의 변화를 말하지 마소. 이 가운에 즐거움을 스스로 알고 있네.

　어기어차, 들보를 위로 밀어 던져보니, 소나무를 스치는 바람 맑고 달빛은 밝네. 자연히 띠 끌 한 점도 없으니, 마음이 다시 밝아짐을 느끼었네.

　어기처차, 들보를 아래로 밀어 던져보니, 맑은 물이 바위 틈새에서 흘러나오네. 비록 거문고로 이 소리를 흉내 내지만 누가 들어줄 사람 있겠는가?

　엎드려 바라건데, 상양한 후에 처마의 구름이 아무 탈 없고 뜨락 꽃이 오랜 봄을 띠었으면 한다. 지역은 사람으로 이름이 나는 것이니, 이로부터 바위는 더욱 기특하고 산은 더욱 빼어나 경계와 마음이 맞으니 소나무처럼 무성하고 대숲처럼 무성하리라.

---

44) 산동성(山東省)에 있는 수명(水名).

45) 춘추, 노인(魯人), 공자의 제자, 자는 석(晳), 일찍 공자를 모시고 있을 때 공자가 그의 뜻을 묻자 그는 봄 옷이 만즐어지면 관자(冠者) 5~6명과 동자 6~7명과 함께 기수(沂水)에서 목욕하고 우단(雩壇)에서 바람을 쐬고 시를 읊으면 돌아오겠다고 하였다.

46) 공자의 자(字).

47) 속현괴록(續玄怪錄)에 나온 신선임.

南岡精舍上樑文

述夫在澗阿而考槃, 碩人矢窹歌之樂, 拓雲林而結屋。君子得藏修之宜, 自是我岡我陵, 允矣爰居爰處。竊惟惺庵翁之雅操, 善繼長吟, 亭之遺風, 孝友傳家, 爲多士之矜式。詩書勤業, 教諸子以義。方從賢師遠遊, 亟蒙淵老之獎詡。筮嘉遯貞吉, 竊慕晦翁而依歸。自無愧於仁知, 深有樂於山水。極源流而窮高遠。杖屨遍嶺湖, 山川選勝狀而標奇形, 性癖是烟雲風月。是謂流峙動靜。自與德性相關, 奚止聲色味香, 以充口耳之欲?謝朱門之桃李, 安素履於桑楡。觸目而腥塵, 百變之, 滄海渺漠, 守志以介石一片之邱壑自如, 愛陽林而聽寒淙可和, 反招之。操樂琴書而悅情話, 每誦歸來之辭。維玆南岡之境幽, 髣髴東山之宅近。土肥而泉冽, 宜隱者之盤旋, 林密而陰深深叶, 高賢之淸賞。雲石聊同趣, 西澗之詩可觀。隴巒爭欣, 迎北山之文。誰作入蘭庭而趨, 賢子披蓂曆而占吉辰。美材自來, 徂徠松而新甫柏良工樂赴。公輸墨而離婁繩, 如輪焉, 如翼焉。蓋取諸上棟下宇, 苟完矣, 苟美矣。兼備乎月榭風楹, 默運心上之經綸, 遽見眼前之突, 凡溪山若待, 自天作之靈區, 日月幾何, 爲我有者。泉石興起百世下, 挹西山之淸風。曠感异代間, 抱東海之明月。左圖而右史, 酬觴而賦詩。吾道其南, 扶陽脉於一線。獨樂這裡, 將身世之兩忘。浴沂風雩, 曾點之童冠春日, 飯蔬飮水, 仲尼之富貴浮雲。是所謂塵世高踪, 孰不曰靜居閑趣, 匠氏之斤, 乍輟張老之頌斯陳。

兒郎偉, 抛樑東, 亂峯列於畫中。
庭花紅門柳綠, 一春興, 與人同。

兒郎偉, 抛樑南, 九皇峯帶晴嵐。
朝而暮, 仰止久, 形勝由來共談。

兒郎偉, 抛樑西, 門對一幅寒溪,
淸斯纓, 濁斯足, 孺子歌誰典偕。

兒郎偉, 抛樑北, 可愛泉聲岳色。

休說門外滄桑, 箇中樂, 祗自識。

兒郞偉, 拋樑上, 松風淸, 桂月朗。
自無一點塵埃, 襟懷更覺昭曠。

兒郞偉, 拋樑下, 淸流自石間瀉。
縱援琴, 寫此聲, 誰復有賞音者。

伏願上樑之後, 簷雲無恙, 砌花長春, 地以人名, 自此石益奇, 而山益秀。境與心會, 其永松如茂而竹如苞。

경선재(敬先齋) 중건 상량문(重建上樑文)

  누대 조상의 묘가 있는 고향을 서술함에는 반드시 공경어린 마음과 지극한 정성을 다해야 한다. 자손들은 선조를 추모하는 마음이 간절하므로 향화(香火)를 피우고자 한다. 이에 재사(齋舍)의 중건을 꾀하여 집을 짓고, 우리 선조의 제향을 올린다.
  엎드려 생각하건데, 경선재(敬先齋)는 장사(長沙)의 명승지이다. 우리 김씨들이 대대로 지켜온 곳인데, 더구나 제청산(祭廳山) 중에서 만년동안 풍수(風水)의 길지(吉地)이다. 통찬공(通贊公) 이하 여러 세대의 묘소를 모시어 지금도 그 유택(遺澤)이 새롭기만 하여 그 덕을 차례로 상고할 수 있다. 옛날을 생각하면, 낙향한지 오래되어 그 후손이 대대로 거주하였으나, 대개 중엽에 재사(齋舍)를 두어 묘소에 올라가 쉴 수 있는 장소가 마련되었으므로 송추(松楸)를 바라보고 사모하는 마음을 영원히 둘 수 있었고, 계절이 바뀐 것을 느끼어 해마다 한번 세제(歲祭)를 모시었다. 그후 오랜 세월이 흘러 비바람이 침식하므로 옛 건물을 개수하였다. 여러 의견이 다르지 않는 것은 없었지만 결함이 있는 섯가래를 보충하였다. 그러나 나무 하나로 오래 지탱하기는 어렵고, 오랜 세월이 흐르면 선조의 공렬이 사라질까 싶어 충분히 생각하고 충분히 공경하여 그 책임을 누구에게 맡기겠는가? 이에 상의한 후 힘을 모아 정중히 건립하기 시작하니 이 곳에 별세계가 전개되어 송죽(松竹)이 완연히 무성하게 자랐다. 새 터를 옛 터의 서쪽에 잡아, 의연이 물은 마르지 않고 땅도 거칠지 않는 곳이었다. 여러 목공들은 기술을 다하여, 이리 저리 뜯어보아도 마치 나래를 펼쳐 나는 듯한 기상을 이루었다. 모든 종족들이 모여들어 공사를 하였으므로, 오랜 시일이 걸리지 않고 이루어진 것이다. 이에 묘소와 재사(齋舍)가 모두 아름답게 지어졌으므로, 이로부터 산수가 편액(扁額)을 빛내 주었다. 이로 인하여 항시 경계하기를 명예와 의리를 생각하고, 뜻과 사업을 잘 계승하여 후손이 잘 살고, 선조를 받들게 하였으며 이 곳에서 모이고 이 곳에서 제사하였다. 아마도 정령(精靈)이 어렴풋이 오르내릴 것이며 숙연할 것이다. 상로(霜露)를 밟고 슬픈 마음이 일어나 잠시 장인의 도끼를 멈추고 감히 어기어차 노래를 아뢰고자 한다.

　어기어차, 들보를 동쪽으로 밀어 던져보니, 봄에는 꽃들이 뜨락 가득 붉었네. 용이 날고 봉황이 춤추는 천년의 땅에 조손(祖孫)이 제사를 함께 하였네.

　어기어차, 들보를 남쪽으로 밀어 던져보니, 줄줄이 선 산들이 맑은 기운 머금었네. 이에 새 터를 마련하여 길상(吉祥)이 많으니 준공을 고하는 날은 춘삼월(春三月)이었네.

　어기어차, 들보를 서쪽으로 밀어 던져보니, 춘추로 성묘 길 잊을 이가 어디 있나? 산소에 오를 때면 후조(後凋) 절개 그리나니, 노송 애솔 푸른 빛 찬연하네.

　어기어차, 들보를 북쪽으로 밀어 던져보니, 따뜻한 날 화기로운 바람 쉬지않고 불어 오네. 임천(林泉)이 한 결 더 빛나는데, 봄에 글 외우고 여름에 거문고 퉁기는 장소, 모두가 스스로 얻은 바네.

　어기어차, 들보를 위로 밀어 던져보니, 푸른 효산(孝山)이 높이 솟아 있네. 주민들은 아직도 충효(忠孝)를 들먹이고 있으니, 천재(千載)의 유풍(遺風)을 상상할 수 있으리라.

　어기어차 들보를 아래로 밀어 던져보니, 후손들이 질서 있게 뜨락을 거니네. 오직 시례(詩禮)를 열심히 공부하니, 영원히 가정의 명성이 실추되지 않으리라.

　엎드려 삼가 바라옵건데, 상량한 후 종족이 화목하여, 고을의 법이 되고, 충효(忠孝)를 익히어 조상의 덕을 계승하며, 묘소에 절 올리고 재사(齋舍)에 들어서며 기록된 사적들이 바뀌지 않게 하여주시기 바라네.

敬先齋重建上樑文

迪夫桑梓必恭誠切，子姓之追遠苾芬式薦，爰謀丙舍之重新，肯構肯堂，我將我享。伏惟敬先齋長沙勝界，我金世阡，況祭廳山中，萬年風水之惟吉。自通贊公下，累世衣履之攸藏，至今遺澤尙新。先德次第可孜。念昔落鄕其久，後孫因以世居。盖中葉而置齋，用上墓之有所，瞻松楸而俯仰，慕寓無窮。感時序之迭遷，歲薦一祭。伊來歲月之滋久，於焉風雨之傍侵，仍舊改新，不毋僉議之携貳，架漏補闕，殆將一木之難支。愈久愈忘，恐前烈之或墜。克念克敬，任後責於其誰？迺詢謀之齊同，方營始之鄭重，開別界於這裏，宛是松如茂而竹如苞。卜新址於稍西，依然水不荒而地不廢。群工殫技，佇見翼然如彙。諸宗赴功，是以成之不日，於是墓與齋匹美。自此山之水增輝，扁額因仍恒戒，顧名思義。志事繼述益切，後承先。聚於斯，祭於斯，想精靈之陟降。俊然也，肅然也，感霜露之愴悽。暫輟匠氏之斤，敢奏兒郞之頌。

兒郞偉，抛樑東，春來花樹滿庭紅。
龍飛鳳舞千年地，祖祖孫孫祭祀同。

兒郞偉，抛樑南，羅列群峯淑氣含。
爰卜新基多吉祥，告功政是暮春三。

兒郞偉，抛樑西，省掃春秋路不迷。
登臨愛彼後凋節，老柏稚松色色齊。

兒郞偉，抛樑北，暖日和風吹不息。
林泉自是倍增顏，春誦夏絃皆自得。

兒郞偉，抛樑上，孝岳靑蒼高百丈。
居人尙說孝而忠，千載遺風可想像。

兒郞偉，抛樑下，雲仍濟濟趨庭也。

惟將詩禮須勤勞， 永世家聲期勿墜。
伏願上樑之後， 宗族敦和， 鄕邦矜式， 責忠課孝， 念祖德之聿修， 拜墓入齋， 將祀事之無替。

양지재(養志齋)의 상량문(上樑文)

엎드려 생각하니 좌측에 계시는 듯, 우측에 계시는 듯, 선조들의 정령이 끊임없으며, 터를 닦고 재사(齋舍)를 세우고자 하니, 선조를 그리는 자손들의 마음은 갈수록 절절하기만 합니다, 바야흐로 금년 모춘(暮春) 3월이라 천추만대를 삼가 기원할 뿐이다. 오직 우리 증조고 만수당 부군(晚睡堂府君)이 호매(豪邁)하고 영준(英俊)한 자질로 충실하고 빛난 덕을 가져, 효도와 자애와 우애로 교육하므로 가정이 화목하였으며, 시서(詩書)와 예절에 마음을 두어 고을의 법이 되었으므로, 관민(官民)이 맹주(盟主)로 추대하여 여망이 이미 양원의단(羊猿義壇)에 높아, 사우(士友)들이 도상(道庠)으로 칭하였고 명예가 이미 사마방(司馬榜)에 높았다. 그리고 유인(孺人)의 의범(懿範)은 두루 화목하여 규문(閨門)의 법도도 아울러 아름다웠으며, 두 미행(美行)의 유풍은 전인(前人)과 멀지 않았다. 다행이 계술(繼述)의 구업(舊業)을 이어받았으니, 선행이 쌓인 가정에는 반드시 여경(餘慶)이 있는 것이므로 장차 남은 복을 받게 될 것이다. 우면산(牛眠山)은 이미 사척(四尺)의 봉(封)함이 차지하였고, 묘소의 비문이 백세(百世)에 입증할 것이다. 당호(堂號)를 '만수(晚睡)'라고 하였으니 주(周)나라 사람의 속임이 없다는 감탄이 간절하고, 마을 이름을 '양지(陽志)'라고 하였으니, 증씨(曾氏)의 '양지(養志)'의 뜻을 취한 것이다. 어느 듯 오랜 세월이 흘렀으나 아직 재사(齋舍)를 마련하지 못하고 있었는데, 지금이 어느 기시인가, 이에 하루도 늦추지 않고 건립을 시작 하였는데, 미리 자금을 계산해 둔 것이 여러 해가 되었다. 산천이 둘러있으니 천연적인 영경(靈境)이 이루어지고, 매년 가절에는 동우(棟宇)와 헌창(軒窓)에 사람들의 여론이 더하였으니, 어찌 운림(雲林)만 더 빛나겠는가. 영원히 사모하는 마음으로 재(梓)나무를 심어 정지방중(定之方中)의 규모를 따랐으며, 융성하기가 무성한 소나무와 같아 질서 있는 사간(斯干)의 복록(福祿)을 기약 하였다. 여기에서 모이고 여기에서 제사를 모시니, 장차 실(室)과 당(堂)에서 선조를 보는 듯 하할 것이다. 이 생각에 있고 이 이름에 있으니, 그 뜻을 미상(楣上)의 편액(片額)을 생각하여,

나의 일을 이미 다했다고 말하지 말라. 이것을 이른바 봄에 이슬을 밟고 가을에 서리를 밟을 때마다 언제나 두려워 하는 감회를 느껴야 하고, 아침에는 밭을 갈고 저녁에는 글을 읽어, 생각하고 수양하는 정성을 소홀히 하지 말아야 할 것이다. 선조의 미행을 서술하여 감히 용강(龍江)의 유표(遺表)를 본받고, 영원히 효도를 다하려는 생각을 아뢰면서 견정(甄亭)의 구규(舊規)[48]가 우러러 본다. 좋은 노래가 떠오르고 긴 들보를 들어본다.

 어기어차, 들보를 동쪽으로 밀어 던져보니, 방장산(方丈山) 산마루에 붉은 해가 솟아 오르네. 일편단심(一片丹心)이 이와 같으니, 모든 자손들은 선조의 기풍을 실추하지 말기 바라네.

 어기어차, 들보를 서쪽으로 밀어 던져보니, 숲 속에 장마(林雨) 개이고, 꽃 그림자는 낮게 펼쳤네. 재사(齋舍)를 지은 후 봄은 저문데, 재비는 축하하고 꾀꼬리는 우네.

 어기어차, 들보를 남쪽으로 밀어 던져보니, 높은 산 산세가 장엄하네. 당년에 세운 당우(堂宇)와 함께 높이 솟아 있으니, 의리(義理)를 추환(芻豢)처럼 즐겨하였네.

 어기어차, 들보를 북쪽으로 들어 던져보니, 뭇 별은 총총하여 북두성(北斗星)을 감싸고 있네. 산하(山河)를 돌아보니, 옛날과 달라, 나라가 망한 지금 공연히 탄식만 하네.

 어기어차, 들보를 위로 밀어 던져보니, 푸른 산들이 병풍처럼 둘러싸여 있네. 어진 하늘 비이슬이 밤 따라 짙어지니, 벼는 생기 나고 뜨락 풀은 자라나네.

 어기어차, 들보를 아래도 밀어 던져보니, 아름다운 냇물이 평야를 감돌고 있네. 우리들의 학문도 이와 같으니, 근본이 있으면 장차 바다로 들어간다네.

 앞드려 삼가 바라건데, 상량한 후에 신령께서는 이르시고, 백성들의 마음이 후하게 되기를 바란다. 음악은 겨울에 배우고, 예절은 여름에 배우며, 심법(心法)을 전하여 서로 이어받고, 돌아가신 분을 산 사람처럼 섬기면서 변함없이 제향을 중단하지 않아야 하리라.

養志齋上樑文

伏以如在左, 在如右, 祖先之精靈無窮 ; 肯其構, 肯其堂, 子姓之追慕彌切. 追玆暮春三月, 祈以千秋億齡. 惟我曾祖考晚睡堂府君, 以豪邁英俊之資, 有充實光輝之德. 孝慈友爲政, 閨門雍如, 詩書禮存心, 鄕黨矜式. 官民推爲盟主, 望

---

48) 송(宋)나라 때, 진(甄) 씨 집안의 사람 진군(甄君)의 정자 사정(思亭)의 구규(舊規).

己重於羊猿義壇。士友稱以道庠，名己高於司馬恩榜。暨孺人之懿範周睦，見壺彝之幷美齊休。遺風未遠乎前，幸承繼述之舊業。積善必有其後。庶能逢將於餘庥。牛眠旣占四尺之封，烏碣足徵百世之遠。 堂號晚睡，幾切周人無訛之歎。里名陽支，竊取曾氏養志之義。遽然歲月滋久，尙爾齋舍未遑。顧今時何時，玆擧不可緩於一日。而經始營始，宿籌盖有積於多年。山川拱環，自天作之靈境。棟宇軒敞，加人謀於良辰。奚但雲林增輝，永爲羹墻寓慕。樹之以梓，式遵定方中之規模。茂矣如松，將期秩斯干之福祿。於斯聚，於斯祭，如將見於室堂。在玆念，在玆名，思其義於楣額。莫曰吾事己了，所謂斯之未能。春履露，秋履霜，可展怵惕之感。朝而畊，暮而讀，無忽念修之誠。陳述先休，敢効瀧岡之遺表。永言孝思，可仰甄亭之舊規。善頌斯騰，脩樑載擧。

兒郞偉，抛樑東，方丈山頭旭日紅。
一片丹心有如此，諸孫勿墜先人風。

兒郞偉，抛樑西，林雨初晴花影低。
棟宇新成春且暮，際看鷟賀又鶯啼。

兒郞偉，抛樑南，高山山勢政巖巖。
當年所立與之卓，義理悅如蒭豢甘。

兒郞偉，抛樑北，衆星森列拱辰極。
回首山河異昔時，風泉今日空嘆息。

兒郞偉，抛樑上，群巒蒼翠繞屛幛。
仁天雨露夜來多，嘉木生生庭艸長。

兒郞偉，抛樑下，縈廻錦水環平野。
吾人學業亦如斯，有本從知將入海。

伏願上樑之後，神其格思，民之歸厚，學樂於冬，學禮於夏，傳心法而相承，事死如生，事亡如存，薦孝享而無替。

선운사 향운전(香雲寺) 중건 상량문(重建上梁文)

　지원(祇苑)⁴⁹⁾의 새로운 빛인 홍원(弘願)은 극락(極樂)에 힘을 쓰고, 향주(香厨)⁵⁰⁾의 옛 전문(篆文)은 영원히 공덕(功德)을 넓이는 것이다. 구름을 인 산골짜기는 상서로운 기운이 오르고, 간천(澗泉)에서 흐르는 물은 운치를 더해준다. 　생각건대, 도솔산(兜率山)의 선운사(禪雲寺)는 아득한 옛날 신라왕(新羅王)이 보시(普施)를 하고 검단선사(黔丹禪師)가 창건할 때의 모습이다. 동명(東明) 십이천(十二天)은 환하게 밝아져 달이 오랫동안 비추고, 지역은 삼천쟁토(三千淨土)를 넓히어 향풍(香風)이 쉬지 않고 불어왔다. 호랑이가 걸터앉고 용이 새리고 있는 기상은 영원히 대가람(大伽藍)의 선굴(仙窟)을 펼쳐 놓았고, 기괴한 암석은 소금강(小金剛)이라는 아름다운 명칭을 얻었다. 묘체(妙諦)를 선천(先天)에 세우고 법요(法曜)⁵¹⁾를 내세(來世)에 베풀었으며, 자항(慈航)⁵²⁾은 풍랑(風浪)이 없고 삼독(三毒)⁵³⁾을 초월하여 등안(登岸)하였고, 대계(大界)는 성등(星燈)⁵⁴⁾과 같았으며, 중생(衆生)을 구제하는 것은 모래로 계산할 만큼 많았다. 도는 상하(上下)를 서로 이어, 백파(白坡)와 설파(雪坡)는 역사가 2천년동안 끊기지 않았고, 선불(先佛)과 후불(後佛)은 사람과 지역이 아름다웠으며, 산과 물도 모두 이름이 나 있다. 월전(月殿)과 성감(星龕)은 황홀한 단전(檀㫋)⁵⁵⁾의 서상(瑞相)⁵⁶⁾이며, 웅장한 누각(樓閣)은 높은 연화(蓮華)의 보대(寶臺)이다. 그러나 연대가 오래되어 풍우(風雨)로 인한 퇴이(頹圮)를 면지 못하였다. 옛날 행호(幸浩)가 수집(蒐輯)하는 것은 문헌에서 입증할 수 있는데, 아! 석문(石門)에서 새로운 공사를 시도하는 현로(賢勞)는 매우 가상한 일이다. 봉역(鳳曆)을 열어보니, 모월 모일이 길(吉)하다고 고하고 거북점과 시초점도 이를 따랐으며, 목재와 석물도 매우 질이 좋았다. 토규(土圭)⁵⁷⁾

---

49) 승사(僧舍)를 말함.
50) 승원(僧院)의 식주(食廚).
51) 불법(佛法)을 말함.
52) 부처님의 자비(慈悲)를 가지고 중생(衆生)을 구제한다는 비유임.
53) 불교의 탐(貪), 진(瞋), 치(癡)를 말함.
54) 佛) : 별의 등불.
55) 佛) : 시(普施), 시여(施與)라는 뜻.
56) 佛) : 서조(瑞兆)라는 뜻.
57) 주 "(周)나라 때 땅 깊이를 측량하고 햇볕을 바로하는 기구임.

는 바르고, 수얼(水臬)⁵⁸)은 방정하여 영경(靈境)에 새 터를 정하였다. 짜귀와 도끼를 잡은 신통한 장인(匠人)은 천궁(天宮)을 건립하였다. 마음속의 경륜(經綸)을 운행하여 눈앞에 우뚝 솟은 건물을 보게 된 것이다. 조각한 용마루와 아름다운 서까래는 전일보다 더 빛나고 감로(甘露)와 향연(香煙)은 백세동안 영체됨이 없을 것이다. 이것은 기다림이 있었던 것이며 우연이 아니다. 타기(墮機)에서 묘원(妙圓)을 잡았으니, 가히 회명(晦冥)에서 현달(顯達)로 회복되었다고 할 것이니, 진조(眞照)를 왕겁(往劫)에서 되돌리었다. 이것을 멸한 즉시 되살아난다고 말할 수 있을 것이다. 이에 신물(神物)이 보호하고 임만(林巒)이 환영하여 새벽이면 종소리가 들리고 저녁이면 경자(磬子) 소리 들리니 도장에서는 법언을 외운다. 달아나는 짐승과 날아간 새들은 물외(物外)에서 천진(天眞)을 즐기있다. 상(相)이며 낙(樂)이며 아(我)이며 정(淨)이라고들 하니 심전(心田)에서는 육진(六塵)이 마음에 비어 있게 된다. 도대체 무엇이 부귀이며, 무엇이 얻고 잃는 것일까? 만 가지 사념(思念)이 꿈나라에서 재로 변하니. 무지개 핀 들보에 긴 들보를 들어보니, 깃을 들일 재비가 축하를 올리고 있네.

　어기어차 들보를 동쪽으로 밀어 던져보니, 푸르른 자연강(長淵江)은 십주(十洲)와 통하였네. 도원(桃源)이 모두 어부(漁父)의 뱃길이라. 산수(山水) 중에 뱃노래가 들리네.

　어기어차, 들보를 남쪽으로 밀어 던져보니, 푸른 숲엔 말게 개인 산봉우리 남적(嵐滴)이 떨어지네. 천만년 내려와도 늙을 줄 모르며, 창공이 우뚝 솟아 정정(亭亭)함을 자랑하네.

　어기어차, 들보를 서쪽으로 밀어 던져보니, 도솔산(兜率山)을 오르는 길은 울퉁불퉁 험준하기만 하네. 흘러가는 유수(流水) 따라 한가히 왕래하니, 구비마다 푸른 병풍이 환하게 비춰 길 잃을 일 업겠네.

　어기어차, 들보를 북쪽으로 밀어 던져보니, 영취산(靈鷲山)⁵⁹)이 높이 솟아 북두(北斗)와 가지런하네. 한줄기 향연(香煙)이 바로 창공에 올라 비단 같은 산빛이 더더욱 아름답네.

　어기어차, 들보를 위로 밀어 던져보니, 푸른 송회(松檜)는 백장(百丈)이나 높네. 드리운 그림자에 대낮에도 어두우나, 영롱(玲瓏)한 맑은 기운 허공에 드네.

　어기어차 들보를 아래로 밀어 던져보니, 만세루(萬歲樓) 앞에 맑은 물이 흐르네. 온

---

58) 건축에 사용하는 수준기(水準器).
59) 중인도 마갈타국 왕사성 부근에 있는 산, 부처님이 설법하시던 곳, 이 산에는 신선들이 살았고, 독수리가 많이 있으므로 영취산(靈鷲山)이라고 한다.

종일 지팡이 집고 늦바람에 서 있으니, 유람한 사람이 어찌 무심한 사람이겠는가.

엎드려 삼가 바라건데, 상량한 후에 연운(煙雲)이 무량(無恙)하고, 원조(猿鳥)는 놀라지 않으며, 십방(十方)에 관음보살(觀音菩薩)을 생각하고, 보조선사(普照禪師)가 구층탑(九層塔)의 사리(舍利)에 나타난 것을 귀감으로 삼으서서. 여주(驪珠)의 빛은 보기(寶氣)가 충만하니 어찌 암석만 더 기특하고 숲만 더욱 빼어나겠는가. 그 자애가 미친 곳에 물이 사라지지 않고, 땅은 황폐하지 않기를 바라소서.

禪雲寺香雲殿重建上樑文

述夫祇苑新光, 弘願力於極樂, 香厨舊篆, 普功德於无窮. 雲壑呈祥, 澗泉增韻. 惟兜率山禪雲寺, 邈矣新羅王之捨施, 儼乎黔丹師之羝, 開洞明十二諸天. 古月長照, 地闢三千淨土, 香風不休, 虎踞龍.盤, 永奠大伽藍之仙窟. 巖幻石詭, 擅得小金剛之嘉稱. 立妙諦於先天, 宣法曜於來世. 慈航無風浪, 超三毒而岸登大界如星燈, 渡衆生以沙籌道, 相繼於上下白坡雪坡, 史不絶於二千先佛後佛. 人與地匹美, 山之水幷名月殿星龕. 悅爾檀旃瑞相, 壯樓雄閣, 巍然蓮華寶臺, 第以年代之迭侵, 未免風雨之頹圮. 昔幸浩之修葺文獻足徵. 嗟, 石門之圖新, 賢勞可尙. 鳳曆披而日月告吉, 龜筮從而太石孔良. 圭正臬方, 開新址於靈境, 風斤雲斧, 攝神匠於天宮. 運心上之經綸, 見眼前之突兀. 雕甍綺桷, 俾有光於前脩. 甘露香烟, 永无替於百世. 夫有待也, 盖非偶然. 握妙圓於墮, 機可以由晦復顯. 回眞照於往刦, 是謂隨滅卽生. 於是神物護持, 林巒歡迎. 晨而鍾, 夕而磬, 誦法言於道場. 走者獸, 飛者禽, 樂天眞於物外. 曰相曰樂曰我曰淨, 六塵空於心田. 孰富孰貴? 孰得孰喪? 萬念灰於夢界, 舡樑載驚賀爭陳.

兒郞偉, 抛樑東, 長淵江碧十洲通.
桃源盡是漁郞路, 欸乃一聲山水中.

兒郞偉, 抛樑南, 林外晴峯滴翠嵐.
萬古千今長不老, 亭亭玉立與天叅.

兒郞偉, 抛樑西, 登登兜率路高低,

步隨流水閑來往, 曲曲蒼屛映不迷。

兒郞偉, 抛樑北, 靈鷲高飛齊斗極。
一抹香烟直上空, 羅峯綺岀倍增色。

兒郞偉, 抛樑上, 松檜靑蒼高百丈。
落影參差白日昏, 玲瓏淑氣入空曠。

兒郞偉, 抛樑下, 萬歲樓前玉流瀉。
盡日倚筇立晩風, 遊人豈是無心者。

伏願上樑之後, 烟雲無恙, 猿鳥不驚。念觀音於十方, 龜鑑普照, 現舍利於九塔。驪珠輪光, 寶氣惟充。奚但石益奇, 而林益秀, 慈意攸曁其永, 水不廢而地不荒。

낙고정(樂古亭)의 상량문(上梁文)

서술하노니, 한 몸을 희생하여 강상(綱常)을 부식(扶植)하니, 그 의기(義氣)는 일성(日星)과 빛을 다투어 천고(千古)를 비추고 있고, 그 즐거운 바람소리 산수(山水)와 함께 영원하구나. 천석(泉石)은 모습을 바꾸고, 운림(雲林)은 빛을 더하였다. 조용히 생각하니, 몽암 신공(蒙菴申公)은 평산(平山)의 화벌(華閥)이며, 신재(愼齋)의 초손(肖孫)이다. 문헌을 통하여 고증하면 조상의 덕을 닦아 조상을 더럽히지 않았고, 재사(才思)가 총명하여 사문(師門)에 들어간 후 그를 앞서는 사람이 없었다. 고인(古人)을 대하여 상양(徜徉)하고 낙토(樂土)에 자리 잡고 분수를 지켰으며, 영재들을 양육하여 성취시켰으니, 누구나 하수(河水)를 마시고 배를 채우지 않은 사람이 없었. 그 은거(隱居)한 정조(貞操)를 돌아볼 때, 결국 씩씩한 의려(義旅)가 되었고, 우이(嵎夷)의 창궐(猖獗)을 분통하게 여기었으니, 그들과 하늘을 같이 이고 다니지 못한 것은 저 원수들이기 때문이었다. 면암선생(勉菴先生)을 따라 주선하였으니, 격려할만한 것은 오직 의리 뿐 이었다. 도산검수(刀山劍水) 속에서 비록 아홉 번을 죽더라도 오히려 달게 여기었고, 그 철심석장(鐵心石腸)은 백번 형벌을 당해도 굽히지 않았다. 이것은 몸을 잊고 나라에 순사(殉死)하는 것이니, 누가 위충(危忠)과 고절(孤節)이 아니라고 하겠는가? 우리 오백년의 의관(衣冠)을 반드시 사관(史官)이 책택할 것이며, 삼천리 강토에 인재가 없다는 소리는 듣지 않을 것이다. 옛날의 낙고(樂古)를 생각하여 정자를 건립 하였으니, 참으로 이 곳이 학문을 강론하는 곳이었다. 무극(無極)이 태극(太極)이라고 한 염계옹(濂溪翁)의 도서(圖書)를 논할 수 있고, 선천(先天)과 후천(後天)이라고 한 포희(庖犧)의 효상(爻象)을 구경할 수 있었다. 농사지어 밥을 먹고 샘을 파서 물을 마시었으니, 당우(唐虞)의 순박한 풍속이며, 그 이익을 도모하고 그 공을 계산한 진한(秦漢)의 비루한 풍속을 더럽게 여기었다. 세월이 오래되어 풍우(風雨)로 퇴이(頹圮)하였다. 옛 터를 버리지 않았으니 어찌 후손이 중건하지 않겠는가? 옛 편액을 걸고 전인(前人)의 유규(遺規)를 준수 하였다. 동우(棟宇)가 다시 새롭게 건립되었으니, 이것을 선조의 뜻을 이어 사업을 기술한다는 것이다. 제도도 완전하고 아름다웠으니 참으로 이 곳에서 거처 할 만 하니 어찌 자손들만 빛나겠는가? 사림들도 얼굴빛을 달리 하였다. 층함(層檻)에는 팔창(八窓)이 넓으니 서산(西山)의 청백한 기풍을 접할 수 있고, 반듯한 연못을 개설 하였으니 동해(東海)의 밝은 달을 구경할 수 있다. 오직 고서만 배우고 몸은 예법의 장에서 놀았다. 지금 세상을 잊고 마음속에 두지 않았으니 명예와 이권의 세계에서 초월하였다. 땅이 기다리고 있었으니 또한 즐겁지 아니한가? 하늘이 우리 동방에 복을 주시어 현해(玄海)로 적을 물리치셨다. 팔역(八域)에는 봄이 돌아와 그 충혼(忠魂)을 황천에서 위로 하였으니, 대서특필(大書特筆)한 제가(諸家)의 찬술(撰述)에 구비되어 있다. 천세(千世)와 백세(百世)가 흘러가도 후인들의 추앙은 이 곳에 있으리라 저 도끼를 멈추고 나의 노래를 들어보라.

　어기어차 들보를 동쪽으로 던져보니, 군왕봉(君王峯) 위에 붉은 해가 솟아 있네. 일심(一心)으로 보국(報國)하여 남은 일이 없으니 절의(節義)를 모두 학문대로 따랐네.

　어기어차, 들보를 남쪽으로 밀어 던져보니, 무수한 산봉우리에 남기(嵐氣)가 둘러 있네. 차례로 보아도 싫지 않은데, 어렴풋 창옥(蒼玉)처럼 보이는 것이 구암(龜巖)이었네.

　어기어차, 들보를 서쪽으로 밀어 던져보니, 눈앞에 풍물(風物)들이 제멋대로 높고 낮네. 어부야, 도원 길을 가지 마라. 평천(平川)의 10리 길에 비가 온단다.

　어기어차, 들보를 북쪽으로 밀어 던져보니, 정당(庭堂)이 이로부터 더욱 모양이 나네. 사람들이 지금 옛 것을 배우는 것은 옛날이 지금과 같기 때문이니, 혼자 천추(千秋)를 즐기고 있는 줄 누가 알겠는가.

어기어차, 들보를 위로 밀어 던져보니, 티끌 한 점 없이 달빛이 밝네. 천도(天道)는 돌아오고, 물의(物議)도 같은데, 지금 남쪽 선비들은 그 높은 여망을 말하고 있네.
　어기어차, 들보를 아래로 밀어 던져보니, 모습은 당당하고 의리는 높네. 아마 유문(遺文)을 7분정도 강론할 것이니, 영특한 기운과 준걸한 풍채가 빛을 발하리라.
　엎드려 바라옵건데, 상량한 후에 처마에 감도는 구름은 가시지 않고, 뜨락 꽃이 오래 새로웠으면 하네.. 옛 일에 넓게 알고 지금 시사도 통달하여, 봄에는 시를 배우고 겨울에는 음악을 익히며, 효도하는 방법을 배워 온 고을에 효도하는 기풍이 일어났으면 하네.

樂古亭上樑文

述夫捐一身而扶綱義氣爭， 日星幷照尙千古而寓樂， 風聲與山水俱長， 泉石改觀， 雲林增彩。竊惟蒙菴申公， 平山華閥， 愼齋肖孫， 文獻足徵。修祖德而无忝， 才思聰悟， 登師門而莫先。撫古人而徜徉， 于以樂土安分， 育英材而成就， 莫不飮河充量。顧以嘉遯之貞， 遂爲義旅之壯。忿獷夷之猖獗， 不共戴者彼讐。從勉翁而周旋， 所可勵者惟義， 刀之山， 紉之樹， 雖九死而猶甘。鐵其心， 石其腸， 當百刑而不屈。是所謂忘身殉國也。孰不曰：'危忠孤節哉。'五百年衣冠， 必待良史之探。三千里彊土， 庶免無人 之譏。念昔樂古爲亭， 實是講學之所。無極太極， 濂翁之圖書， 可論先天後天， 庖犧之爻象是玩。畊而食， 鑿而飮， 夢唐虞之淳風。謀其利， 計其功， 陋秦漢之卑俗， 屬歲月之滋久。慨風雨之圮頹， 不棄舊基， 那無後承之改建， 仍揭故額， 克遵前人之遺規， 棟宇重新， 是謂善繼善述， 制度苟美允矣。爰處爰居， 奚但玉樹流輝， 抑亦士林動色 做八窓於層檻， 挹西山之淸風， 開一鑑於方塘， 賞東海之明月， 惟古是學， 身遊禮法之場， 絶今不爲心超名利之界， 夫有待者， 不亦樂乎！天祚東邦退仇賊於玄海， 春回八域， 慰忠魂於黃泉， 大書又特書， 諸家之贊述， 備矣。千世而百世， 後人之景仰在玆， 停彼郢斤， 聽我巴唱。

兒郞偉， 抛樑東， 君王峯上旭暉紅。
一心報國無餘事， 節義皆從學問中。

兒郎偉, 拋樑南, 無數晴峯繞翠嵐。
次第看來相不厭, 依烯蒼玉是龜岩。

兒郎偉, 拋樑西, 眼前風物任高低。
漁郎莫向桃源路, 雨露平川十里堤。

兒郎偉, 拋樑北, 庭堂自是增顏色。
人今學古古猶今, 獨樂千秋誰復識。

兒郎偉, 拋樑上, 一洗塵埃星月朗。
天道好還物議同, 至今南士說令望。

兒郎偉, 拋樑下, 狀貌堂堂義磊砢。
講誦遺文想七分, 英風俊采足令射。

伏願上樑之後, 簷雲無改, 砌花長新, 博古通今, 春以詩, 冬以樂, 責忠課孝, 鄕而化, 州而興。

기산재(箕山齋) 상량문(上梁文)

 서술하노라, 반드시 상재지향(桑梓之鄕)[60]을 공경하면 항시 염수(念修)하는 정성이 간절하여 분필(芬苾)을 올리고 제숙(齊宿)하는 장소를 건립한다. 이로부터 천륙(川陸)이 모습이 달라지니 어찌 풍우(風雨)만 방어하겠는가. 조용히 생각하니, 도천 신공(道川 申公)은 남주(南州)의 고가(古家)이며, 평산(平山)의 화벌(華閥)로 미원(薇垣)의 직책에 증직되었고, 신후(身後)에 영명을 더욱 떨치게 되었다. 아들은 오산공(梧山公)으로 정훈(庭訓)을 이어받아 서업(緒業)을 전수하고 효우(孝友)로 향방(鄕邦)의 법이 되었다. 만년에는 토구(菟裘)를 정하여 영원히 편안히 있을 곳을 남기었다. 저 축원(丑原)의 한 골짜기 안에는 참으로 신씨들의 여러 세대의 묘소이다. 바위는 기이하

---

60) 누대 조상의 묘가 있는 고향.

고 물은 맑으며 초목은 아직도 정채가 남아 있고 귀신이 비장하여 강산이 스스로 주인이 있었다. 그러나 아직도 병사(丙舍)를 지을 겨를이 없어, 자손들이 한을 간직하였다. 선조께서 좌측에 계신 듯 우측에 계신 듯하므로, 이에 추모하는 마음을 가지고 윗사람과 아랫사람에게 물어 조속히 건립을 시작하였다. 질서가 바로잡혀 종중의 뜻을 같이 하였으므로 동우(棟宇)를 새롭게 단장 하였다. 이것은 대개 대장(大壯)의 상(象)을 취한 것이다. 비록 세대가 오래 되었지만 아직도 풍도가 남아있다. 따뜻한 곳은 방이며 시원한 곳은 마루이다. 이것을 참으로 완전하고 아름답다고 하는 것이다. 가을에는 서리를 밟고 봄에는 이슬을 밟으니 우리가 일을 보고 우리가 제향하기에 알맞다. 혹 정령(精靈)이 오시면 백성들의 덕이 후해질 것이다. 잠시 도끼를 멈추어라. 상량 노래가 울려 퍼진다.

　어기어차, 들보를 동쪽으로 밀어 던져보니, 뜨락에 비추는 보수(寶樹)는 춘풍(春風)을 띠고 있네. 강성(江城)에 꽃 난만히 피어 있고, 사람은 옥(玉)같이 아름다워, 백세(百世)동안 가성(家聲)이 현송(絃誦)으로 전하네.

　어기어차, 들보를 남쪽으로 밀어 던져보니, 푸른 산들이 남기(嵐氣)[61]를 띠고 있네. 여러 산들은 공읍(拱揖)하여 모든 자태 드러내고 종소리는 지란(芝蘭)과 연남(檾楠)[62]에서 나오네.

　어기어차, 들보를 서쪽으로 밀어 던져보니, 백척(百尺)의 봉소(鳳巢)가 구름속에 낮게 있네. 봉황은 떠나 집은 비고, 사람도 이미 멀어졌으니 맑은 세상 소식은 꿈에도 희미하네.

　어기어차 들보를 북쪽으로 밀어 던져보니, 위태로운 증자산(曾子山)이 북두성(北斗星)과 같이 높네. 성인의 문하에 당일 높은 재주가 많았지만 일관(一貫)으로 전한 것은 노둔(魯鈍)한 사람이 터득 하였네.

　어기어차, 들보를 위로 밀어 던져보니, 치송(穉松)과 노회(老檜)가 그늘을 맞대고 있네. 산위에 묘소가 있고 산 밑에 재사(齋舍)가 있어 봄 이슬과 가을 서리에 한을 배나 느끼네.

　어기어차, 들보를 아래로 밀어 던져보니, 10리길 상마(桑麻)가 평야와 연해 있네. 사람들은 옛 풍속이 여기에 있다고 하니, 초수(樵豎)와 계동(溪童)들도 모두 따라서네.

　엎드려 생각하건데, 상량한 후에 산천(山川)이 서기(瑞氣)를 드러내고, 섯가래가 오

---

61) 산에 가득찬 산기운.
62) 구연나무와 전나무.

래 전해지기 바라네. 정결한 제사는 영원히 영체되지 않고 백대(百代)의 향화(香火)는 충효(忠孝)를 장려 하였으니, 선조의 가모(嘉謨)를 실추하지 않으리라.

箕山齋上樑文

述夫必恭桑梓, 恒切念修之誠。式薦苾芬, 方營齊宿之所, 自是川陸改觀, 奚但風雨攸除, 竊惟道川申公, 南州故家, 平山華閥, 贈以薇垣, 職益振。身後令名子曰梧山公。丕承庭訓, 緒業相傳, 孝友可矜, 式於鄕邦, 晩卜菟裘, 永遺安於千百。彼丑原一壑之內宴, 申氏累世之阡, 石益奇, 水益淸, 艸木尙留精采。鬼之慳, 神之秘, 江山自有主人。尙丙舍之未遑, 而子姓之齋恨, 左如在, 右如在, 肆將追先之心, 上詢同, 下詢同, 亟擧營始之役。階序旣正, 可期同人于宗。棟宇維新。蓋取大壯之象, 雖世代之久遠, 尙風韻之有存, 燠而室, 凉而軒, 是謂苟完苟美, 秋履霜, 春履露允宜, 我將我享, 庶精靈之格思, 殆民德之歸厚, 郢斤乍輟, 巴唱載騰。

兒郞偉, 抛樑東, 映庭寶樹自春風。
江城花爛人如玉, 百世家聲絃誦中。

兒郞偉, 抛樑南, 萬蒼千翠帶晴嵐。
群山拱揖都呈態, 鍾出芝蘭與檾楠。

兒郞偉, 抛樑西, 百尺鳳巢雲畔低。
鳳去巢空人己遠, 河淸消息夢中迷。

兒郞偉, 抛樑北, 巖巖曾子齊天極。
聖門當日高才多, 一貫之傳魯以得。

兒郞偉, 抛樑上, 穉松老檜影相嚮。
上山拜墓下山齋, 春露秋霜倍感悵。

兒郞偉, 抛樑下, 桑麻十里連平野。
人言古俗在斯間, 樵竪溪童盡學子。

伏願上樑之後, 山川呈瑞, 檍桷長春, 精紀明禋永勿替。百代香火課忠責。孝期不墜, 先世嘉謨。

운곡사(雲谷祠) 상량문(爽樑文)

　조용히 생각하니 가학(家學)을 계승하면 누가 백세(百世)의 사종(師宗)으로 생각하지 않겠는가? 원우(院宇)를 새롭게 세우는 것은 참으로 한 지방의 긍식(矜式)으로 된다. 승침(昇沈)은 비록 하늘이 정한다고 하더라도 흥폐(興廢)도 지령(地靈)으로부터 생기는 것이다. 삼가 생각해 보니 네 분의 선생님은 좌해(左海)의 명가(名家)이다. 선산(善山)의 세덕(世德)은 백암(白巖)과 농암(籠巖)의 충절(忠節)은 우열을 가리기 어렵고 강호(江湖)와 점필재(佔畢齋)의 도학(道學)과 문장(文章)은 그 아버지에 그 아들이었다. 두 조정을 섬기면서 아름다운 공을 세웠으니, 어찌 한 가문에서 그렇게 현인(賢人)이 많았을까. 평해(平海)[63]의 먼 곳에 부유하다가 자취를 거두고 어느 곳으로 향했을까? 압록강(鴨綠江)에서 대성통곡을 하고 조의(朝衣)를 부친 후 중국(中國)으로 들어갔으며, 석가(釋迦)의 교리(敎理)를 내쫓고 대륜(大倫)을 바로잡아 말세의 더러운 풍속을 크게 변화시키고, 사도(師道)를 천명하고 후진(後進)을 맞이하여 군현(群賢)의 연원(淵源)을 여러 놓았다. 이에 기율이 서고 강령이 유지되었으니 당연히 그 공을 보답하고 덕을 숭상해야 할 것이다. 조정으로부터 편액(扁額)이 내려져도 성조(盛朝)의 전례(典禮)를 밝힐 여가가 없었으나, 이것은 향사(鄕社)와 자별한 것이다. 지난번에 대동법(大同法)을 철수한 것은 국가가 금지한 것으로 임만(林巒)이 빛이 없어지고 길을 가는 행인들이 탄식을 자아냈다. 제향을 오랫동안 빠뜨려 누차 우리들의 탄식을 일으켰으나 다행히 자손들이 동의하고 사림들도 성원하여 서원을 짓고 제향하였으며 재사(齋舍)를 지어 학문을 강론 하였으며, 사모하는 마음을 의탁할 곳이 있어 물은 마르지 않고 땅은 화폐하지 않았다. 이미 현송(絃誦)이 끊긴 후에 현송 소리가 들리니 오직 박괘(剝卦) 위에 한 줄기 볕으로 혹 이 유도(儒道)가 회복될 수 있을까. 마을은 운곡(雲谷)이고, 산은 자양(紫陽)이니 천고(千古)의 회암(晦菴)을 사모하

---
63) 옛 군명(郡名). 경북 울진군 평해읍에 해당함.

는 것이며, 무우(舞雩)에서 바람 쐬고 기수(沂水)에서 목욕하는 것은 증씨(曾氏)의 모춘(暮春)을 상기한 것이다. 산은 더욱 높고 물은 더욱 길게 흐르니 아직 유풍이 사라지지 않았으며 신령이 왼쪽으로 내려오고 우측으로 올라가니 기침소리를 친히 들은 것 같다. 감히 육위(六偉)의 글로 삼가 만년송(萬年頌)을 아뢴다.

어기어차, 들보를 동쪽으로 밀어 던져보니, 고산(高山)을 우러러 사종(師宗)으로 여기었네. 위대한 충의(忠義)가 세상에 밝았으니 군현(羣賢)들이 일체로 제사를 지내었네.

어기어차, 들보를 남쪽으로 던져보니, 천심(千尋)의 벽처럼 선 것은 오직 회암(晦菴:紫陽山)이었네. 조석으로 바라봐도 오래 오래 늘 푸르러 한결같은 경치가 사시(四時)를 간직했네.

어기어차 들보를 서쪽으로 밀어 던져보니, 천고(千古)의 청백(淸白)한 기풍은 백이(伯夷), 숙제(叔齊)를 우러렀네. 산 가득 난 고사리 봄비가 지난 후 캐어 돌아오니 길도 희미하지 않네.

어기어차, 들보를 북쪽으로 밀어 던져보니, 뭇 별들이 북두성을 감싸고 있네. 흥망을 어찌 전조(前朝)에만 묻겠는가. 풍천장(風泉章)[64]을 세 번 읽고 탄식만 자아내네.

어기어차, 들보를 위로 밀어 던져보니, 그 여운(餘韻)과 유풍(遺風)을 상상할 수 있네. 함석(函席)이 당년에 봄바람에 앉아 계신 듯, 많은 금패(襟珮)들이 읍양(揖讓)하고 있네.

어기어차, 들보를 아래로 밀어 던져보니, 인강(仁江) 강물이 쉬지 않고 흐르네. 조석으로 부지런하기 이와 같이 하였으니, 바다로 가는 것이 근본이 있음을 알겠네.

엎드려 생각하건대, 상량한 후에 냇물이 칭송하고 산도 푸른 빛을 드러내어 좌측에는 보궤(簠簋), 우측에는 변두(籩豆) 놓아 영원히 향화(香火)가 중단되지 않고, 겨울에는 시(詩)를 배우고 여름에는 예악(禮樂)를 배워 순실한 풍속이 만회되기를 바랄 뿐이네.

雲谷祠上樑文

竊以家學相繼, 誰非百世之師宗, 院享重新允, 爲一邦之矜式。昇沉雖曰天定, 興廢亦由地靈。恭惟四先生, 左海名家, 善山世德, 白巖籠巖之精忠大節, 難弟而難兄。江湖佔畢之道學文章。是父而是子, 歷二朝而濟美。何一門之多賢？平海遠浮, 歛踪跡而向何處？鴨江大慟, 寄朝衣而入中州。黜釋敎, 正大倫, 丕變

---

64) 《시경(詩經)》 '회풍(檜風)'의 비충장(匪風章)과 조풍(曹風)의 하천장(下泉章)을 말함. 이 두 편은 나라가 망하여 현인들이 탄식하고 소국이 피폐한 것을 설파 하였다.

叔季之污陋，闡師道，迪後進，佑啓群賢之淵源。斯立紀而扶綱宜，報功而崇德。恩額之降，縱未遑乎盛朝典禮之明，自有別於鄉社。曩也，大同之撤，寔是邦家之禁，林巒無光，幾增行路之嘆。蘋蘩久闕，累興吾黨之嗟，幸雲仍之謀同，亦士林之聲應，院而享，齋而講，寓羹墻之維新。水不廢，地不荒，聞絃誦於旣絕，惟線陽之剝上，庶斯道之復初。洞曰雲谷山，曰紫陽，慕晦菴於千古，艮乎舞雩，浴乎沂水，想曾氏之暮春。山益高而水益長，尙遺風之未沫。左如降，而右如陟，悅警效之親承，敢將六偉之文，恭陳萬年之頌。

兒郞偉，拋樑東，高山仰止是師宗。
精忠大義昭于世，一體群賢祭紀同。

兒郞偉，拋樑南，壁立千尋惟晦菴。
瞻仰暮朝靑不老，一般淸景四時含。

兒郞偉，拋樑西，淸風千古仰夷齊。
滿山新蕨經春雨，採採歸來路不迷。

兒郞偉，拋樑北，衆星夜夜拱辰極。
興亡奚獨問前朝，三復風泉空嘆息。

兒郞偉，拋樑上，餘韻遺風可想像。
函席當年如坐春，銑銑襟珮揖而讓。

兒郞偉，拋樑下，仁江江水流無舍。
日乾夕惕亦如斯，放海從知有本者。

369伏願上樑之後，潤玉爭頌，峯翠呈祥。左籩簋，右豆籩，永香火之无替。冬詩書，夏禮樂，庶淳風之挽回。

축문(祝文)

도암사 봉안(道巖祠奉安) 영모당(永慕堂), 은송당(隱松堂), 현무재(賢武齋)의 삼선생 축문(三先生祝文)

삼가 생각해 보니, 선생은 자질이 순수하고 기운이 온화하였으며 학문에 전일하고 덕망이 높았습니다. 그 시종을 구명해보면, 오직 효를 근본으로 삼아 지성으로 부모를 섬기었습니다. 어릴 때부터 50세에 이르기까지, 누차 기이한 영험이있었습니다.. 큰 근본을 세우고 여력(餘力)으로 글을 배워 《오전(五典)》과 《삼분(三墳)》을 깊이 축적하여 세밀하게 분석하고, 오직 《소학(小學)》과 《효경(孝經)》에 힘을 써 윤리(倫理)를 살피고 성명(性命)을 통달하였으며, 육잠(六箴)으로 자신을 경계하여 백세(百世)에 의혹이 없었으며, 꾸준히 열심히 노력하여 몸소 실천하고 마음속으로 터득하여 혼자서 그 진척을 느끼었으니, 누가 그 문장(門墻)을 엿볼 수 있었겠습니까? 당시 제현(諸賢)들이 궁상(宮商)같이 기뻐하고 황조(皇朝)에서 그 집에 정표(旌表)를 하였으니, 그 행실이 더욱 드러났습니다. 효자(孝子)가 다하지 않아 그 효류(孝類)도 더욱 창성 하였습니다. 오직 은송당 선생(隱松堂先生)과 영모당(永慕堂)의 초손(肖孫)이 효성과 우애를 천성적으로 타고나고 일찍부터 시례(詩禮)를 들어 세대의 덕을 거듭 빛냈으며, 학문을 자신의 책임으로 생각하고 성명이 조정에 알려지는 것을 바라지 않았으며 사람을 교육하는데 게을리 하지 않아 현송(絃誦)이 그치지 않았습니다. 효성을 충성으로 옮기어 의로운 소문이 열렬(烈烈) 하였습니다. 이 할아머지와 이 손자가 심결(心訣)을 전수 하였습니다.

오직 현무재 선생(賢武齋先生)은 형 은송당(隱松堂)이 있어 가정의 연원(淵源)을 가지고 금옥 같은 형제가 날마다 매진하고 달마다 발전 하였고, 호위(扈衛)하는 공이 있고, 사행은 죽백(竹帛)에 빛났습니다. 참으로 세상의 모범이 되었으니, 영원히 천년백년 절하리라. 아! 융성하다! 한 가문에 세 현인(賢人)이 나온 것은 세상에 드물게 있는 일이므로 소문만 들어도 용기가 일어날 것인데 하물며 이와 같이 높은 행실이 한 집에 모여 있으니, 영원히 그 기풍을 심어 세상이 끝날 때까지 잊지 못할 것입니다. 옛날에는 사우(祠宇)가 있어 우리 선생의 제사를 높이 받들어 모셨으므로 우리 고을에 자랑이 되었다. 그러나 중간에 나라에서 제향을 금지하여 참아 황무지가 된 것을 보았으나 사람들이 한을 간직하고 있어도 일을 시작할 여가가 없다가 천성적인 이성을 가지고 있는 이상 공의(公議)가 사라지지 않아, 옛 터에다가 동우(棟宇)를 다시 건립하고, 오늘이 연길(涓吉)의 길일(吉日)이라 예에 따라 봉안하였으니, 천추(千秋)에 두 미행(美行)을 조손(祖孫)과 형제(兄弟)가 갖게 되었습니다.

道巖祠奉安永慕堂, 隱松堂, 賢武齋三先生文

恭惟先生， 姿純氣和， 學專德尊。 究厥終始， 惟孝爲源。 事親盡誠， 已自齠齡， 終慕五十， 累致異靈。 大本旣立， 餘力學文。 典墳蘊奧， 縷析毫分。 惟其用力， 小學孝經。 察乎倫理， 達乎性命。 六箴自戒， 百世不惑。 乾乾不息， 躬行心得， 獨覺其進， 孰窺門墻？同時諸賢， 歡如宮商。 皇朝表宅， 厥行彌彰。 孝子不匱， 厥類彌昌。 惟隱松堂先生， 永慕肖孫， 孝友天植。 早聞詩禮， 重光世德， 學爲己任， 不求聞達， 誨人不倦， 絃誦不絶， 移孝於忠， 義聲烈烈。 是祖是孫， 傳授心訣。 惟賢武齋先生， 有兄隱松， 淵源家庭， 金昆玉友， 日邁月征， 功存扈衛， 事光竹帛。 允爲世範， 永垂千百。 猗歟盛哉！一門三賢， 曠世倘有， 聞猶興焉。 矧此卓行， 咸萃一堂， 永樹風聲， 沒世不忘。 維昔有祠， 紀我時屈先生， 崇奉有所， 矜式吾鄕。 中經邦禁， 忍見水荒， 士林齊恨， 時屈未遑， 秉彝有天。 公議不泯， 相玆舊址， 棟宇重新， 今涓吉辰， 妥侑如禮。 千秋幷美， 祖孫兄弟。

서산(西山)의 기우제문(祈雨祭文)

갑자년(서기 1924) 6월

오직 서산(西山) 산신이 이 곳에 집을 마련하여 묵묵히 현기(玄機)[65]를 운행하였으므로, 그 덕이 하늘과 같고 만물을 이롭게 하여 장양(長養)하는 시절에 당연히 고택(膏澤)이 있는 것인데, 지금 어찌하여 오랫동안 숨기고 있는 것일까. 한발(旱魃)이 혹독하여 냇물의 고기들이 입김만 하고, 언덕과 습지대는 금이 나, 모든 싹은 마르고 추수(秋收)는 바랄 수 없었습니다. 여러 사람들의 뜻으로 모였으나 해는 다시 더웠고 존망(存亡)의 기회는 하루나 이틀 이었습니다. 백성들이 의지할 곳을 잃어버렸으니, 신

---

65) 오묘한 이치.

(神)인들 어디에 의탁하겠습니까? 대명(大命)이 가까웠지만 하늘을 불러도 미치지 못하였습니다. 사랑으로 덮어 주시고 민망한 마음을 내려주시어야 할 것인데 어찌 한 점의 물방울을 아끼실까요. 신(神)의 내려 보심이 매우 밝으실 것이니, 어찌 모를 수 있겠습니까? 감히 작은 성의를 펴서, 신이 강림하기를 바라오니, 속히 단비를 내려 주시어 우리 곡물을 자라게 하여 주소서!

西山祈雨祭文
甲子六月

曰維西山, 神焉是宅。默運玄機, 配天利物。長養之節, 宜有膏澤。今胡久閟, 旱魃肆虐？百川魚喁, 原隰龜坼。苗其萎矣, 西成望絕。有渰纔集, 杲日旋曝。存亡之機, 一日二日。民失所天, 神亦何托？大命近止, 籲天靡及。仁覆下憫, 何慳一滴？神監孔昭, 亦豈不識？敢展微忱, 冀神來格。亟施甘霖, 蘇我百穀。

주부자(朱夫子)의 팔백 년 기념제 축문(八百年記念祭祝文)

성인 공자(孔子)는 전성(前聖)을 계승하고, 래내(來學)의 길을 열어 놓았으며, 선생은 여러 현인(賢人)들을 집대성(集大成)하여 후세의 학자를 계도(啓導)한지 지금 800년이 되었지만, 그 훌륭한 덕은 지난날과 같으므로 전(奠)하여 정성을 고하오니 지금 밝게 강림 하옵소서!

朱夫子八百年紀念祭祝文

孔聖繼開, 先生乃作, 集厥群賢, 佑啓來學。干茲八百, 盛德如咋。奠以告虔, 尙其昭格。

사직단(社稷壇)의 기양제 축문(祈禳祭祝文)

본쉬(本倅)를 대신해 지음

　　엎드려 생각해 보니, 사랑으로 덮어 주시고 민망하게 여겨 주시어 오직 살아가는 것을 덕으로 삼았습니다. 우리의 농사를 일으켜 주셨으니, 그 베푸심이 극에 이르렀는데 어찌하여 최근에는 가뭄이 매우 심하여 기근(饑饉)이 거듭 되므로 백성들은 골짜기에 가득하고, 이의(二儀)는 화기(和氣)를 잃었으며, 여역(癘疫)이 또 유행하고 있으니, 어찌 하늘에 죄를 돌리겠습니까. 적자(赤子)[66]는 피눈물을 흘리고, 사람들은 봄이 와 장차 농사가 시작된다고 하니 바라건데, 이 땅의 백성들을 생각하시어 모두 혜택을 베풀어 주시고, 재앙을 풍년으로 바꾸어 비바람을 수시 내려 주시고, 우리의 마른 초목을 소생하고 우리의 곡물이 풍년들게 하여 주소서!

社稷壇祈禳祭祝文

代本倅作

伏以仁覆下憫, 惟生爲德。興我穡事, 厥施斯極。如何挽近, 旱氣太劇, 饑饉荐臻, 民塡溝壑, 二儀失和, 癘疫又作? 何辜于天, 赤子血泣? 人告春及, 將事東作。願哀下土, 均宣惠澤。轉災回穰, 風雨時若。蘇我群槀, 登我百穀。

노산사(蘆山祠) 봉안문(奉安文)

김연, 김석원, 김기서, 김경희, 심진

　　엎드려 생각하니, 오현(五賢)의 덕과 학문은 백세(百世)의 스승으로 추앙합니다. 이미 사우(祠宇)가 훼철된 후 제단을 만들어 제향하였고, 그렇게 지낸지 한 해가 되어 동우(棟宇)를 건립하기로 동의하니 기와 굽고 흙을 발라 새롭게 단장 하므로 사당의 모습이 거듭 빛납니다. 일하기 처음처럼 공손히 향화(香火)를 피우니 선비들이 의지할 곳이 있게 되어 산처럼 오래가고 물처럼 영원하리라. 천추(千秋)의 영령(英靈)이 널리

---

[66] 임금이 '갓난 아이'처럼 사랑한다는 뜻에서, 백성을 이름.

오르내리옵소서. 그리고 묵묵히 이 유도(儒道)를 도와 영원히 흠향하기 바랍니다.

蘆山祠 奉安文

伏以五賢德學, 百世師仰。既祠見撥, 设壇復享。經紀有歲, 爰謀棟樑。陶墼維新, 廟儀重光。卽事之初, 式薦芬芳。士有依歸, 山高水長。千秋精靈, 陟降洋洋。默佑斯道, 永享无疆。

서강사(瑞岡祠)에서 남원백 벽송 윤공(南原伯尹公)을 봉안(奉安)하는 글

엎드려 생각하니, 승국(勝國)⁶⁷⁾의 명신(名臣)으로 사문(斯文)에 공로가 있고, 송나라의 정삭(正朔)에 대하여 명분을 정해주자 중조(中朝)의 초빙을 받아 황제의 총애가 융성하였습니다. 호남(湖南)의 염찰사(廉察使)가 되었을 때 토비(土匪)가 침노하자 단기(單騎)로 입부(入府)하니, 적이 바로 감동하였습니다. 나라의 주석(柱石)이 되었고 선비들은 북두성(北斗星)처럼 앙모하였습니다. 그 혜택이 후세에 미치었으니 뿌리가 깊으면 가지가 무성한 것입니다. 그 수효가 억(億)명일 뿐 아니었으니, 오직 하늘에서 도운 것입니다. 여러 공경(公卿)들도 선후로 서로 계승 하였습니다. 후손들이 힘을 모아 묘우(廟宇)를 창건하고 길한 날을 택하여 영령(英靈)을 봉안한 후 흠향을 권하였습니다.

瑞岡祠奉安南原伯碧松尹公文

伏以勝國名臣, 功存斯文。有宋正朔, 以定名分。聘于中朝, 帝寵隆貰。兼察湖南, 土匪浸氛。單騎入府, 賊酒感欣。國爲柱右, 士仰星斗。澤流于後, 根深末茂。其麗不億, 自天維佑。累公累卿, 相繼先后。後昆齊力, 刱新廟宇。日月之吉, 以妥以侑。

---

67) 전조(前朝)를 일컬은 말임. 즉 조선조에서 고려를 말할 때 사용함.

함안백(咸安伯) 행촌 윤공(杏村尹公)의 봉안문(奉安文)

조용히 생각하니, 선조는 벽손공(碧松公)이며 문평공(文平公)의 아들입니다. 전렬(前烈)을 배태(胚胎)하여 그 미행을 계승하였습니다. 재주는 문무(文武)를 겸하였으니 《고려사(高麗史)》에서 고험(考徵)할 수 있습니다. 한 마음을 독려(督勵)하여 왕실(王室)을 도왔으며 후직(后稷)과 설(契)처럼 책임을 갖고 한범(韓信), 범증(范增)과 짝을 할만 하였습니다. 함안(咸安)의 자사(刺史)로 나가니, 백성들이 비로소 농업에 안착할 수 있었습니다. 왕은 그 높은 성적을 가상하게 여기어 백작(伯爵)을 하사 하였으나, 마음을 바꾸어 고향으로 돌아와 친히 살구나무를 심고 실컷 놀면서 한 해를 마치었고, 성상(聖上)의 덕을 음영(吟詠)하였습니다. 천년동안 그 높은 덕을 추모하니 그 유풍이 사라지지 않았습니다. 조묘(祖廟)에 모시고 제향을 지내니 넓고넓은 하늘에 계시며 남모르게 이르시기 바랍니다.

咸安 伯杏村 尹公 奉安文

竊以有祖碧松, 文平肖子, 胚胎前烈, 克趾厥美。才兼文武, 徵諸麗史, 勖勵一心, 以獎王室。稷契之責, 韓范之匹。出刺咸州, 民始安業。王嘉茂績, 錫以伯爵。翻然歸鄉, 杏其手植。優游卒歲, 歌詠聖德。高景千載, 遺風不沫。躋于祖廟, 蘋蘩式潔。洋々在上, 永垂陰隲。

영평부원군 문현 윤공(鈴平府院君文顯尹公)의 봉안문(奉安文)

공은 명문에서 태어나 천성이 침착하고 조용하며, 학문은 깊고 도는 높아 그때 충렬왕(忠烈王)을 만나 고기가 물을 만난 듯이 기뻐하셨으며, 여러 차례 내직과 외직을 거쳤습니다. 금옥같이 순결하고 자신을 겸손하고 낮추었으니, 그 덕이 더욱 높았으며, 그 혜택은 온 세상에 미치고, 그 공은 후학에게 전하였습니다. 만년에 벼슬을 그만두고 시종 딴 마음을 갖지 않았으니 참으로 군자시니 사람들이 어찌 잊을 수 있겠습니까? 오직 저 서강(瑞岡)에 수무(數畝)의 면적에 새 사당을 건립하고 공을 배향하였으니, 선조에게 빛이 낫습니다. 밝게 술잔을 올리오니 영원히 끊임이 없으시기를 바랍니다.

鈴平府院君文顯尹公奉安文

於惟我公, 篤生名門。稟旣沉靜, 學邃道尊。際遇忠烈, 魚水其歡。歷試內外, 金精玉潔。謙卑自牧, 其德彌屹。澤被當世, 功垂後學。晚節致仕, 始終不貳。允矣君子, 俾也可忘。惟彼瑞岡, 數畝新宮。躋配以公, 于前有光。明薦齊醴, 永永無疆。

제문(祭文)

정오천선생(鄭梧川先生) 제문(祭文)

　을축년(서기 1925) 12월 15일 간지(干支)에 세생(世生) 안동 김정회(安東金正會)가 삼가 주과(酒果)를 오천선생(梧川先生)의 영연(靈筵)에 올려 아룁니다. 아! 슬프다. 선생은 천성이 순수하고 덕기(德器)가 혼후하며 총명이 절륜한데다가 신중성을 겸하였습다. 일찍 경서(經書)를 업으로 삼아 날마다 만언(萬言)을 외웠으므로 혀가 돌아가지 않는 글이라도 잘 해독 하셨으며, 뜻이 깊고 요긴 것도 막힘이 없어, 당시의 과거장은 모두 휩쓸었으므로 사람들은 과거에 급제하는 것은 호주머니 속에 물건을 더듬는 격이라고 하였습니다. 그러나 불리한 유사(有司)로 인하여 창공애 떠 있는 구름처럼 여기고 마음을 접고 집으로 돌아와 자신을 반성하여 마음을 지키고 성정을 잘 보존하며 모든 것을 하늘에 맡기셨습니다. 만년에는 《주역(周易)》을 좋아하시여 날마다 열중하여 깊은 이치를 터득하고, 아무리 작은 것이라도 세밀하게 분석하였으므로, 스승에게 배우지 않아도 그 진리에 부합하였으며, 기우(奇耦)의 변화와 음약(陰陽)의 소장(消長)에도 묵묵히 연구하여 시초점(蓍草占)과 거북점에 어둡지 안으셨습니다. 산중에 살면서 성명이 조정에 알려지기를 바라지 않고, 안자(顔子)의 즐거움을 바꾸지 않고, 누추한 시골 마을에 집 찬 채에서 지내셨습니다. 아! 나같은 소자(小子)는 여러 세대동안 종유하여 어려서부터 가르침을 받고 사랑도 가장 깊이 받아, 책을 들고 질문하면 얼음이 녹듯 해석해 주시었으므로, 스스로 의지할 곳이 있다고 생각하여, 결국 주역(周易)을 배웠습니다. 그러나 어찌 한번 병환이 들어 갑자기 작고하실 줄 생각이나 하였겠습니까? 소경이 어두운 길을 걸어가듯, 미칠 것 같은 마음으로 갈 수가 없습니다. 옛날 병진년(서기1916) 봄에 삼관(三冠)을 할 때, 외람되이 손님으로 초대하여 번거롭게 일을 주선하도록 하였는데, 뜨락에 올라 저를 축하하면서, 그 복을 빌고 읍하여 저에게 자(字)를 주시고, 그 덕을 표명 하였습니다. 이 어리석은 저를 돌아볼 때 세월만 보내고 기대를 저버리어 그 말씀에 부응하지 못하였으니 조용히 생각해 보면, 부끄러워도 어찌 미칠 수 있겠습니까? 아! 옥같은 얼굴과 쇠소리 같은 음성이 이로부터 영원히 보고 들을 수 없어 추서(墜緖)가 망망하니 그 누가 그 뜻을 이어 갈 수 있겠습니까? 백여 년의 한을 품고, 하늘을 우러러 보고 땅을 굽어보며, 감히 이 작은 정성을 가지고 공경히 술 한 잔을 올립니다. 척강하시며 밝게 이 마음을 헤아려 주시옵소서!

祭鄭梧川先生文

維歲次乙丑十二月十五日干支，世生安東金正會，謹以酒果之奠，告于梧川先生之靈筵。曰：嗚乎哀哉！先生天賦粹穩，德器渾凝。聰悟絶夷，濟以戰兢。早業明經，日誦萬言。佶倔聱牙，舟輕風順。蘊奧肯綮，恢恢游刃。當世場屋，咸趨下風。人謂取第，如探囊中。不利有司，浮雲過空。卷懷而歸，反求諸躬。存心養性，聽我天公。晚喜羲易，日夕孳孳。探賾玩微，銖分粒剖。不資師承，妙契眞知。奇耦變化，陰陽消長。默運湛思，蓍龜莫爽。捿止林樊，不求聞達。顏樂不改，陋巷一室。嗟余少子，累世交孚。自幼承誨，眷愛偏厚。執經就質，怡然氷釋。自謂依歸，卒以學易。孰謂一疾，遽爾易簀。摘埴冥行，倀倀靡遍。昔丙辰春，將加三冠，猥荷筮賓。敢煩周旋，升階祝我。以綏其福，揖而字我。以表其德，顧此愚蒙，愒日玩時，辜負期望。未副厥辭，靜言思之。愧懼曷追？嗚乎！玉色金聲，從此永閟。墜緖茫茫，孰繼厥志？百年遺恨，仰天俯地。敢將微忱，敬奠一酌。陟降昭昭，鑑此衷曲。

종조 항재선생(恒齋先生) 제문(祭文)

　오호라! 선생은 을해년(서기 1935) 12월 26일 돌아가시고, 이듬해 2월 초 7일 영폄(永窆)을 갖기로 하였습니다. 그 하루 전 간지(干支)에 종손 정회(正會)는 삼가 주과(酒果)를 갖추어 종조 항재선생(恒齋先生)의 영구 앞에서 통곡하며 영결을 고하기를 아! 애통합니다. 우리 종중이 복이 없고 사문(斯文)이 불행하여 결국 병이 한번 든 후 일어나지 못했습니다. 만사가 꿈과 같습니다. 우리 고을이 장차 누구에게 법을 삼겠으며, 또한 누구를 믿고 소중하게 여기겠습니까? 음성과 얼굴을 영원히 뵐 수 없고 천지는 무궁합니다. 오직 선생은 지극히 강한 기질을 타고나시어, 바르게 기르시고 근검한 덕을 갖추었으되 항시 지키었으므로 표리(表裏)의 차이가 없었습니다. 오직 그 항심(恒心)을 유지하였으므로 시종을 잘 넘기었습니다. 옛날 면암옹(勉庵翁)이 호서(湖西)에서 도학을 일으킬 실 때, 선생이 늦게 학문에 주력하여 책상(册箱)을 지고 종유하면서 마음속으로 기뻐하며, 그 곳에서 의지하였을 때 하늘의 구름이 확 거치는 것 같고 봄에 얼음이 슬슬 풀리는 것 같았다. 누차 의리에 관한 문변(問辨)을 올려 자주 스승의 권유를 받았습니다. 그리고 오직 효우(孝友)로 한 가문의 정사를 삼았으며, 계신(戒愼)과 공구(恐懼)를 평탄한 곳에서도 연못의 얼음을 밟는 듯 하여, 마음에 간직하고 있는 것은 아무리 작은 것이라도 성의를 다하지, 않는 것이 없었으며, 몸으로 실천하는 것은 잠시라도 게을히 하지 않았습니다. 사람들이 기예(技藝)를 가지고 있으면 자신이 가지고 있는 것처럼 여기어 온통 봄날의 회기로운 기운을 띠고 인자하지 못한 일을 미워하는 것은 추상같이 하시어 무서서웠으며, 사물을 접할 때는 충신(忠信)과 독경(篤敬)으로 하였으며, 자손을 훈계할 때는 효제(孝悌)로 써 하여, 경독(耕讀)과 득상(得喪), 영욕(榮辱)으로 그 마음에 동요하는 일이 없었으며, 임천(林泉)의 화석(花石)으로 그 락을 두어 그 곳을 맴돌며 지내셨고, 늙으신 후에는 더욱 독실하여 70세가 되도록 건강하셨으므로, 종족들이 모두 기뻐하여 80세에서 90세를 기대하며 오랜 동안 우리 후배들을 보호해 주시기를 바랐는데, 누가 오늘 갑자기 돌아가실 줄 생각이나 하였겠습니까? 이치는 참으로 믿을 수 없는 것이며, 기수도 믿지 못하겠습니다. 아! 한번 천지가 번복된 이후 도술(道術)이 파괴되고, 사문(斯文)이 양구(陽九)의 액운(厄運)을 당하여, 인류(人類)가 금수(禽獸)의 지역으로 들어가고, 추로(鄒魯)의 풍속이 말로 멀어지며, 구라파(歐羅巴)의 풍속이 크게 일어나고 있습니다. 아! 선생은 화하(華夏)가 변해가는 것을 가슴 아프게 생각하고 《춘추(春秋)》의 유법(遺法)을 외워 이권(利權)과 의리의 구분을 한 칼로 두 갈래로 쪼개어, 지금 것은 끊어 버리고, 오직 옛 것만 배웠으며, 항시 후사(後嗣)가 황망(荒妄)하여 선조에게 수치를 끼칠까 두려워 하셨고, 성학(聖學)을 옹호하고 사교(邪敎)를 물리치며, 조석으로 열심히 노력하여 스스로 믿기를 독실하게 하고, 지키기를 확고하게 하여 소진(蘇秦)과 장의(張儀)도 일깨우기 어렵고 맹분(孟賁)과 하육(夏育)도 그 뜻을 빼앗을 수 없었다. 탁류(濁流) 속에 의젖한 지주(砥柱)이며 깊은 겨울에 빼어난 송백(松柏)이었습니다. 나타나고 숨기는 것은 비록 다르지만 돕는 것은 하나였으니, 그 고심과 혈성은 귀신을 전당잡혀도 될 것입니다. 이것을 수성(修成)하였으니 천지(天地)가 부끄럽지 않다는 것이다. 아…. 선생은 양강(陽剛)한 기질로 신중한 공부가 있어 바라보면 엄격해도 나가면 혼화하였으며 뜻은 주밀하고 행실은 법도가 있었습니다. 사자서(四子書)에 마음을 두고 《근사록(近思錄)》를 존중하셨고, 백발의 나이에 《주서(朱書)》를 조석으로 완미(玩味) 하였으며, 명분에 엄정하고 성리(性理)에 침잠(沈潛)하였으며, 문장(文章)은 남은 여가에 하는 것이므로 화려한 것을 버리고 총실하게 하였고,

필법(筆法)도 정하게 연구하여 심획(心畫)을 위주로 하였습니다. 선생은 사람을 가르칠 때 길을 잘 열어주어, 옆으로도 통달하게 하였으며, 마음대로 논의하되 모두 결단하였다. 언제나 한마디의 말씀을 들을 때는 마음이 확 뚫리었습니다. 아…. 저는 불초하고 아무것도 아는 것이 없었지만 어려서부터 사랑을 받아, 제시해 주시고 일깨워 주시어, 날마다 노력하시여 만분의 일이라도 성취하려고 반드시 지극한 정성으로 교육하였습니다. 이것은 조손(祖孫)간의 의리가 중한 것이지만, 사생(師生)간에는 그 의혜를 저버렸으니 그 아품이 가슴에 맺혔습니다. 이 어리석은 제가 그 경계의 말씀을 따르지 못하고 풍조에 시달리고 포기하는 것이 편하게 생각 한 것이 슬픕니다. 수년 이후에는 후회하는 마음이 다시 생기어 선생님을 모시고 조석으로 가르침을 받아 백년동안 받들기를 기약하였습니다. 아…. 이제는 모든 일이 그만입니다. 경계하시던 음성이 아직 귀에 남아 있는데, 그 모습을 다시 뵈올 수 없습니다. 옛날 저를 사랑하시고 자상하게 가르쳐 주시었으니, 사랑도 지극하고 가르침도 열중하였는데, 지금은 어찌도 이리 어둡고 막연합니까. 외쳐도 대답 없고 불러도 들리지 않으니, 가슴 아프고 가슴 아픕니다. 다시는 좋은 교훈이 없고 책망하는 편달도 없으니 영아가 젖을 잃은 것 같습니다. 구원(九原)에서 일어나기 어려워 가슴 아픕니다. 사설(邪說)은 크게 유행하고 있는데 누가 엄하게 방어하며 학문의 화려함이 날로 더하지만 누가 바로잡을 수 있겠습니까? 물 위에 달빛은 그 방불한 모습을 상기하고, 선정(先亭)의 화석(花石)은 아직도 어제의 손떼가 묻은 것 같습니다. 아! 사람의 수명은 세상이 맑을 때까지 미치지 못하고 먼 길은 해가 저문 때 갈 수가 없으니, 저는 영령(英靈)이 흩어지지 않고 별과 산하(山河)가 되어 요얼(妖孼)이 그치고 세상의 도(道)가 좋아져 가정마다 염낙(濂洛)의 연원으로 시서(詩書)를 탐독할 줄 알고 있습니다. 오직 우리 모든 종형제들이 법을 이루어 놓으신 법을 지키고 그 유훈(遺訓)을 두려워하여, 선생의 지극한 뜻에 부응하고 우리들 형제 벌들이 정사(情私)를 내밀지 말았으면 하는 희망뿐입니다. 아! 가슴 미여집니다. 일월이 얼마나 흘렀는지 벌서 장례일이 가까워졌습니다. 눈 한번 굴리는 사이로 천고(千古)가 영원히 막혔으니 어찌 말 한마디로 이 서러운 마음을 다 표현하겠습니까. 존령(尊靈)은 널리 계시므로 혹 오실 수 있겠습니까. 아! 슬픕니다. 많이 드시옵소서!

祭從祖恒齋先生文

嗚乎！先生易簀于乙亥十二月二十六日，翌年二月七日將行永窆之禮。前一日干支，從孫正會謹具酒果之奠，哭訣于從祖恒齋先生之柩前。曰：嗚乎痛哉！吾宗無祿，斯文不幸，竟一疾而不起。慨萬事之如夢，鄉里將於何而矜式？一門亦何恃而爲重？音容永閟，天地無窮。於惟先生，禀至剛之氣，而養之。以直有勤儉之德，而守之以恒。惟其直也，是以表裏無間；惟其恒也，是以善始令終。在昔勉翁倡道，湖西先生晚而力學，負笈從之，心悅誠服，以爲依歸。豁然天雲之若披，渙然春氷之如釋。屢進義理之問辨，亟蒙師席之獎勸。惟孝友爲政於一門，戒愼恐懼淵氷於平坦，存諸心者不敢有一毫之不誠。行諸身者，未嘗有造次之怠。忽人之技，若已有渾然。春和之融融，惡不仁如惡臭。凜乎秋霜之烈烈，接事物而忠信篤敬，訓子孫以孝弟畊讀。得喪榮辱，不能動其中；林泉花石，可以寓其樂。逍遙自遍，老而彌篤。七耋康寧，宗族咸喜。期享期頤之壽，以保我後輩。孰謂今日遽爾啓手？理誠不可諶，氣亦不可恃。噫！一自玄黃翻覆，道術飇裂，斯文遭陽九之厄，人類歸翔走之域。鄒魯之俗日遠，歐巴之風大作。嗚乎！先生痛華夏之淪胥，誦春秋之遺法。利義之辨，一刀兩決。絕今不爲，惟古是學。恒恐後嗣之荒妄，以貽祖先之羞辱。閑聖闢邪，日夕乾惕，自信之篤，自守之確。儀秦難誘，賁育莫奪。巍然濁流之砥柱，挺然大冬之松柏。顯晦雖殊，補化則一。苦心血誠，鬼神可質。是曰修之，俯仰無怍。嗚乎！先生以陽剛之資，有戰兢之工，望儼而卽溫，志圓而行方。潜心四子，尊尙近思，白首朱書，晨夕玩味，嚴正乎名分之別，沉潛乎性理之奧。餘事文章，去華就實，精研筆法，專主心畫。先生教人，善於開發。曲暢傍通，刃游河決。每聞一語，心竅便豁。嗟余不肖無似，自幼荷愛，偏至提撕誘掖，日惟亹亹，欲成就之萬一，必諄諄而教誨。恩是祖孫，義重師生。辜負恩義，痛結中腸。哀此頑愚，不克遵戒。迫於風潮，自安暴棄。數年以來，悔心復起，侍側杖屨，朝夕承誨，願言奉戴，百年爲期。嗚乎！萬事今焉已矣。警咳尙此在耳，典型不可復覩。昔我眷眷諄諄，愛之至而教之勤，今何冥然邈然，叫不應而呼不聞？痛矣痛矣！無復有式穀之訓誨，無復有警責之鞭撻。如嬰兒之失乳，痛九原之難作。邪說大熾，誰能嚴防？浮靡日肆，誰能規正？滄浪風月，像儀形之，髣髴先亭花石，尙手澤之如咋。嗚乎！人壽不及於河淸，遠路莫追於日暮。吾知英靈不散，爲星辰、爲山河, 庶使妖孼熄而世道好, 家濂洛而戶詩書。惟吾諸從昆季, 成法是守, 遺訓是畏, 以副先生之至意少伸吾輩之情私。嗚乎痛哉！曾日月之幾何, 奄 范夅之將迫, 轉阿之間, 千古永隔。豈一言之可盡, 庶哀衷之可洩？尊靈洋々, 庶幾來格。嗚乎哀哉！尙饗。

재 제문(再祭文)

　　임오년(서기1942) 구월 병신 삭(丙申朔) 19일 갑인(甲寅)에 종조 항재선생(恒齋先生)을 천봉(遷奉) 하는 날이므로, 종손 정회(正會)가 삼가 비박(菲薄)한 제물을 갖추어 선생의 새 분묘에 고합니다. 아! 가슴이 아픕니다. 선생이 떠나신지 지금 헤아려 보면 8년이 되었습니다. 지금 세도(世道)와 인사(人事)는 물이 더욱 깊어지고 불이 더욱 뜨거운 것과 같습니다. 아!. 이 소자(小子)는 장차 누구를 믿고 의지해야 하겠습니까? 언제나 한 밤 중에 생각하면 긴 한숨과 통곡을 하지 않을 수 없습니다. 옛날 소동파(蘇東坡)가 구양 문충공(歐陽文忠公)의 제문(祭文)에서 "큰 강이나 높은 산은 비록 움직임이 보이지는 않지만 그 공리(功利)가 사물에 미치는 것이 다 헤아릴 수 없다는 것은 주지(周知)하는 바 일 것이다."고 하였고, 또 말하기를 "깊은 산과 큰 못에는 용이 사라지고 호랑이가 떠난다면 별별 요괴들이 다 나타나 미꾸라지나 두렁허리가 춤을 추고 여우나 삵이 울부짖을 것이다."고 하였다. 조용히 생각해 보니 가정과 나라는 비록 크고 작은 것이 다르기는 하지만 그 규칙은 하나입니다. 아! 선생이 세상에 계실 때는 온 문중이 의앙(依仰)하기를 큰 강과 높은 산을 의지한 것 같았지만, 선생이 떠나신 후에는 용이 사라지고 호랑이가 떠나버린 듯이 거의 10년도 못되어 성헌(成憲)이 무너지고 유규(遺規)가 실추되는 것 같았습니다. 태산이 무너진 것일까요? 대들보가 꺾어진 것일까요? 아직도 마치 눈앞에 계시는 듯하여 답을 구하려하지만 더는 구할 길이 없게 되었습니다. 그렇기 때문에 긴 탄식을 금하지 못한지 한 두 번이 아니며, 이를 이어 통곡을 금치 못한지 한 두 번이 아닙니다. 아! 용당(龍塘) 위에 의리(衣履)를 영원히 간직하려고 하면서 묘혈(墓穴)에 임하여 영결을 고하오니 산도 슬퍼하고 포구(浦口)도 생각한 듯 합니다. 영령(英靈)이 아신다면 혹 이 끝없이 슬퍼하는 마음을 굽어 주소서!

再祭文

維歲次壬午九月丙申朔十九日甲寅, 卽我從祖恒齋先生遷奉之期也. 從孫正會謹以菲薄之奠, 伏告于先生之新阡. 曰：嗚乎痛哉！先生之歿, 距今八年矣. 世道人事, 如水益深, 如火益烈. 嗟余小子, 將何恃而依歸耶？每中夜思惟, 未嘗不長太息, 而繼之以痛哭也. 昔東坡祭歐陽文忠公文, 有曰："如大川喬嶽, 雖不見其運動, 而功利之及於物者, 不可數計而周知." 又曰："深山大澤, 龍亡而虎逝, 則變 怪百出, 舞鰌鱔而號狐狸." 竊念家與國, 小大雖殊, 其規則一也. 嗚乎！先生之在世, 一門依仰, 如大川喬嶽. 及其歿也, 如龍亡而虎逝, 殆不十年, 成憲壞矣, 遺規墜矣. 泰山頹歟？樑木折歟？求其髣髴於前, 而不可得矣. 此所以長太息者, 不止一二. 繼之以痛哭者, 亦不止一二也. 嗚乎！龍塘之上, 衣履永閟, 臨穴一訣, 山哀而浦思. 恩靈有知, 庶鑑此無窮之悲.

매서(妹壻) 후벽 임(林)공(後碧林公)의 제문

정축년(서기1937) 12월 갑신삭(甲申朔), 16일 기축(己丑)은 바로 나의 매서 후벽 임공(後碧林公)의 재기(再朞) 하루 전입니다. 처남 김정회(金正會)가 삼가 주과(酒果)를 갖추어 동생 장회(章會)와 함께 상생(象生)[68]의 자리 앞에서 곡을 하며 고합니다. 아! 애통합니다. "지극히 슬퍼하면 글이 없고, 지극한 정에는 말이 없다(至哀無文, 至情無辭)"라는 말이 있습니다. 그러나 저는 글이 없을 수 없으며 또 말이 없을 수 없습니다. 그것은 무엇일까요? 아! 하늘이 어찌 매서를 이렇게 속히 빼앗아 갔으며, 매서는 어찌 우리를 이렇게 갑자기 버리실 수 있습니까? 하늘을 우러러 물어보아도 하늘은 막막하기만 하고, 매서에게 물어봐도 매서는 묵묵히 말이 없습니다. 나는 이 아픔을 하소연할 곳이 없습니다. 사람들은 말하기를 "하늘은 착한 사람에게 복을 내리고, 음란한 사람에게 화를 준다."고 하였습니다만, 지금 보면 얼마나 어긋나는 말인가요？ 오직 매서는 온윤(溫潤)하고 개제(愷悌)한 자질을 타고나 화순(和順)하고 단결(端潔)한 행실로 아버지를 섬기었으므로, 부모님들이 말하기를 "나를 잘 섬긴다"

---

68) 상생(象生): 제사 때에 망자가 생전에 사용하던 물건을 상징으로 삼거나 혹은 실물을 모방함.

고 하였고, 형제들을 대처할 때도 시종 그 사랑을 온전히 하였으며, 그 사람을 대하고 사물을 접할 때도 한결 같이 충신(忠信)과 독경(篤敬)으로 하였으니, 당연히 오랫동안 복을 누릴 것으로 생각하였습니다. 그러나 나이가 중년도 되지 않아 갑자기 작고하시어 부모님으로 하여금 서하(西河)의 눈물을 머금게 하고, 슬하(膝下)로 하여금 일생동안 애통을 안게 하였으니, 하늘이 좋아하고 싫어하는 것이 사람들과 다른 것일까? 이른바 화복(禍福)이란 것은 단 후인에게 경계하는 말일까? 태사공(太史公)이 말한 "천도(天道)"라는 것이 옳은 것일까? 그른 것일까? 그리고 한자(韓子)가 말한 "하늘은 참으로 헤아리기 어렵고 이치라는 것은 추측하지 못할 것이다"라고 한 것은 원망하는 말이 아니라 당연한 것입니다. 오직 매서가 알고 있다면 반드시 측은(惻隱)하고 권련(眷戀)한 생각이 있어 저승에서 한을 간직하고 있을 것입니다. 아! 옛날 세상에 있을 때를 생각하니 매서와 내가 왕래하며 소문난 사찰(寺刹)에서 창수(唱酬)하거나 혹은 꽃피는 계절과 달이 뜬 저녁에 대화를 나누면서 매서가 옳다고 하는 것은 내가 그르다하고, 내가 그렇다고 한 것을 매서가 혹 그렇지 않다고 하였습니다. 이와 같이 학문을 갈고 닦아서 서로의 부족한 점을 보완 하였으므로 혹 백년 동안 이 즐거움을 보존할 것으로 생각 하였습니다. 아! 슬픕니다. 세월이 얼마나 흘러 묘소에 풀은 두 번이나 잠을 자고, 차가운 구름과 처량한 달은 공연히 마음만 상합니다. 그러나 이것은 나의 사정(私情)으로 말한 것입니다. 아! 어린 조카들은 두각(頭角)이 높고 총명이 특이하여 능히 사가(謝家)의 보수(寶樹)가 될 원대한 기대가 있습니다. 화복(禍福)의 이치가 혹 일시에 어긋나더라도 반드시 장구한 세월 속에서 검증되기 마련입니다. 조물주의 뜻이 전날에는 인색해 보이다가 후세에 넉넉하게 만들어 주는 것이 아닌지 어떻게 알 수 있겠습니까? 하늘을 믿을 수 있는 것이 장자 이런 점에 있을 것이니 매서가 그 보답을 받는 것도 또 여기에 있을 것입니다. 아! 슬픕니다. 많이 드시옵소서!

祭娣壻後碧林公文

維歲次丁丑十二月甲午朔十六日己丑, 卽我娣兄後碧林公再朞前一日也。婦弟金正會, 謹具酒果之奠, 與家弟章會, 來哭于象生之筵, 而告曰：嗚乎哀哉！語曰：'至哀無文, 至情無辭。'然吾不能無文, 亦不能無辭。何也？嗚乎！天何奪兄之斯速, 而兄何棄吾生之斯忽歟？問天而天漠漠, 問兄而兄默默。此生之痛, 向訴無地。人之言曰：'天道, 福善而禍淫。'由今觀之, 一何其舛？惟兄稟溫潤愷悌之資, 有和順端潔之行, 以之事親。父母曰：〝善事我。〞以之處兄弟, 終始克全其愛。及其待人接物, 一以忠信篤敬, 宜其享遐福。而年未中世, 遽爾返眞, 使堂上含西河之淚, 使膝下抱終天之痛。抑天之所好惡, 與人有異。所謂禍福者, 只箴勸戒後人語耶？太史公所謂〝天道是耶？非耶？〞韓子所謂〝天者誠難測理者, 不可推者。〞非怨也, 宜也。惟兄有知, 必有所惻隱眷戀, 而飮恨於冥冥中矣。嗚乎！念昔在世之日, 我造兄柱, 唱酬於名寺勝利, 或劇談於花辰月夕。兄之所是, 我或非之；我其然之, 兄或不然。切磋琢磨, 麗澤相新。庶幾百年永保此樂。嗚乎悲夫！日月幾何, 墓岬再宿。寒雲凄月, 徒自傷心。雖然此以吾之情私言耳。嗚乎！幼姪輩頭角嶄然, 聰明穎異, 能作謝家之寶樹, 庶有遠大之期望。禍福之理, 或舛於一時, 而必徵於久遠, 安知造物者之意, 不以嗇之於前者, 豐之於其後也耶？天之可諶者, 將於此乎？在而兄之食其報, 亦將在斯歟？嗚乎哀哉！尙饗。

만취 유공(晩翠柳公)의 제문(祭文)

아! 공은 몸은 우람지고 성품은 순후하였으며, 한 가정을 다스릴 때 효도와 우애를 다하고 사람을 화기롭게 대하고 자식을 의리로 써 교육 하였으며, 세상의 이권과 화려한 것에는 담담하게 마음을 끊고, 산에서 나무하고 물에서 고기잡아 어부(漁夫), 초부(樵夫)와 친구가 되어, 와룡을 높이 우러러 봄날에는 혼곤이 잠든 제갈 공명을 특히 흠모하였고, 스스로 호를 '만취(晩翠)'라고 하여 성인이 훈도하신 찬 서리 속에서도 푸른 솔을 절절한 뜻으로 삼았습니다. 오직 조용하고 편안하여 남모르게 그 몸을 수양하면서 글을 읽고 밭을 갈아 후손에게 가모(嘉謨)를 전해 주었으니, 이것이 아름다운 덕으로 하늘에서 복을 받은 것입니다. 그러므로 아들이 많은 것을 초료편(椒聊篇)[69]에서는 산초가 번성하듯 하다고 하였으므로, 그 수명은 반드시 80세를 채울 것으로 생각하여 혹 봄이나 가을에 누차 공을 뵈었을 때 자상하게 대해 주시어 화기롭고 인자하였으므로 당연히 강녕하고 오랜 수를 누리어 백세를 기대하였는데, 어찌 한번 병이 들어 이와 같이 속히 떠나셨습니까? 이로 하여 대신 산마루엔 별안간 저녁 구름이 감돌며 유한으로 처절한 빛을 띠고 못가 누대에 뜨는 달은 어제 날의 의태를 그려보

---

69) 시경(詩經) 당풍(唐風)의 편명(篇名).

고 있습니다. 가지 않고 남은 사람은 어이면 천리마의 후예인상 싶고, 사우들이 발르여 바탕이 아름답고 학문에 힘을 씁니다. 거기에 더하여 우리들은 함께 산천계(山川契)로 모인 사람이니, 연원을 따른다면 남들과 다르지 않습니까? 이리하여 바람을 맞으며 전(奠)을 드리고 함께 통곡하오니 영령(英靈)이시여! 사라지지 않으셨거든 오시어 드시옵소서!

祭晚翠柳公文

嗚乎！惟公體宇傑，梧性度醇厚。爲政一家，既孝既友。接人以和，教子以義。世利芬華，澹然絶意。山椒水涯，漁樵同侶。高臥龍，偏慕孔明之春睡，自號晚翠，志切聖訓之後凋。惟靜惟恬，用晦養於其身。曰讀曰畊，垂嘉謨於後昆。是曰懿德，受祿于天。是以多男，椒聊之蕃。是以必壽，滿八其年。或春或秋，累拜公床，諄諄接與，慈和且詳。宜康宜考，期以遐百云。胡一疾逝哉？斯亟台岀暮雲，帶遺恨之凄切。池臺落月，想儀形之如咋。不亡者存，如驥有胤。士友推重，質美學進。矧在生等共契山川，有從源源，自別餘人，臨風一奠，齊聲來哭。英靈不昧，庶其歆格。

족조(族祖) 희재선생(希齋先生)의 제문(祭文)

아! 비통합니다. 선생은 우리 문중의 시귀(蓍龜)입니다. 어떤 크고 작은 일을 가릴 것 없이 반드시 질문하면 말씀마다 반드시 고증이 있었으므로 우리 종중에서는 북두성(北斗星)처럼 우러러 보았고 신명(神明)처럼 믿었습니다. 이것은 대개 학문의 힘에 근본을 두고 있었으며, 그 학문은 《주역(周易)》을 위주로 하였으므로, 후생(後生)을 대할 때 첫째도 주역이고 두 번째도 주역이었으며, 음양(陰陽)과 오행(五行)의 설(說)을 떠나지 않고 80년을 하루같이 보내 왔습니다. 아! 선생님이 일찍 불초(不肖)에게 말씀하시기를 "나는 역설(易說)을 지어 후생들이 지남(指南)으로 삼게 하고 싶지만, 함께 할 사람이 없으니 그 점을 생각해야 할 것이다."라고 하셨습니다. 그러나 불초(不肖)는 세속 일에 얽매이어 결국 그 뜻에 부응하지 못 하였습니다. 일찍 이럴 줄 알았다면 어찌 하루라도 지체하여 그 가르치신 지극한 뜻을 욕되게 하고 결국 무궁한 한을 간직하였겠습니까? 여기까지 생각하니, 간이 썩어 들어가고 창자가 찢어진 듯 합니다. 이제 궤연(几筵)을 철거하려고 하니 생전의 모습을 영원히 뵙지 못하겠습니다. 태극(太極)과 양의(兩儀)의 이치와 사상(四象), 팔괘(八卦)의 수(數)는 변화가 무궁한데 실추한 그 서론(緖論)은 아득합니다. 넓고 큰 그 진원(眞源)을 어느 곳에서 찾을 수 있을까요?

祭族祖希齋先生文

嗚乎痛哉！先生吾門之蓍龜也。事無巨細，必以就質，言必有徵。是以吾宗仰之如星斗，信之如神明。是盖本乎學問之力，而學以易爲主。對後生學者，一則易，二則易，不離乎陰陽五行之說，八十年如一日矣。嗚乎！先生嘗語不肖，曰："吾欲著易說，以爲後生之指南。而無可與共者，爾其念之哉！"不肖汨於世累，終未副盛旨。早知如此，何敢一日遲緩？以孤辱敎之至意，而終結無窮之恨耶。言念及此，肝蝕矣，腸裂矣。几筵將撤，儀形永隔。太極兩儀之理，四象八卦之數，變化無窮，墜緖茫茫。浩浩眞源，何處尋求？

성암 나공(惺菴羅公)의 제문(祭文)

아! 성암 나공(惺菴羅公)은 경진년(서기 1940) 12월월 12일 정침(正寢)에서 돌아가셨으며, 이달 20일 을축(乙丑)에 남촌(南村)에 장례를 치르고 세상에 생존한 후손 모 모 등은 삼가 주과(酒果)를 갖추어 제를 올리며 두 번 절하고 통곡하며 영가(靈駕) 앞에 고합니다. 아! 슬픕니다. 하늘이 우리 공을 빼았기를 어찌 이와 같이 빠를까요? 공이 후생들을 저버린 것이 어찌 이와 같이 갑작스러울까요? 덕스러운 말씀은 아직도 귀에 쟁쟁한데, 그 모습은 지금 다시 볼 수 없습니다. 아! 공은 성품이 화기롭고 후하며 풍채는 호방하였습니다. 그 고상한 지조와 부지런한 행실은 가정에서 독실하고 고을에서 자랑거리였습니다. 그리고 영남(嶺南)과 호남(湖南)의 산천(山川)을 두루 유람하시어 혹 편지로 전하시고 혹은 집지(執贄)[70]를 하여 이름난 현사(賢士)들과 두

---

70) 예물을 말함.

루 교류하고, 종족을 보호하고 가정에 화목하였으므로 종족들이 모두 화목함을 칭찬하였으며 형제간에도 화목 하였습니다. 만년에는 남강(南岡)에 집을 지어 문을 닫고 뜻을 수양하고 좌우로 도서(圖書)와 사기(史記)를 배치하여 천 년 전의 인물을 벗삼고 풍월(風月)을 지기(知己)로 삼았으며, 성품이 연하(煙霞)의 벽(癖)이 생겼으며, 옥(玉)을 빈랑나무에 쌓은 것 같고, 천리마(千里馬)가 마판에 엎들려 있는 것 같았습니다만 포부를 펴지 못하여 구학(丘壑)의 생활을 달게 받아들였습니다. 무엇이 부유한지, 무엇이 귀한지 모두 부운(浮雲)처럼 보았으며, 혹 득상(得喪)에 있어서도 한 결 같이 하늘에 맡겨 두었습니다. 세상에는 자신을 알아주는 사람 없어도 자신은 민망하게 생각하지 않고 확고하게 뜻을 지키고 자신을 지키는 엄격하였으므로 세도(世道)가 이에 의뢰 하였고, 우리들이 의지할 곳 있었습니다. 아! 우리들이 일찍부터 인정을 받아 우리를 사랑하고 우리에게 혜택을 주시어 자질(子姪)처럼 대해 주었습니다. 선조와 뜻을 같이 한 것을 생각할 때, 여러 세대동안 중단하지 않고 문병(門屛)을 출입하여 1개월은 드문 방문이었습니다. 언제나 자상한 가르침을 받으면 봄의 화기(和氣)를 접한 것 같았습니다. 아! 지난 그믐날 정사(精舍)에 가서 안부를 살필 때, 신기(神氣)가 아직 왕성 하시어 말씀도 잘 하셨는데, 그 후 얼마 안 되어 갑자기 부음이 왔습니다. 우리 고을에 어르신들이 차례로 떠나시고, 오직 공만 혼자 남으시어 영광(靈光)처럼 여기었는데 이제는 그만입니다. 만사가 아득하였을 때 오직 그 훌륭한 법을 배웠고 그 전형(典型)을 계승하여 학문도 있고 행실도 독실하여 사우들이 추대하였는데, 더구나 생(生) 등은 교유를 통하여 마음을 같이 하면서 서로 보고, 서로 꾸미어 의리의 친구를 기약 하였으니, 혹 영령(英靈)이 시종 사랑하시거든 수시 가르침을 주시어 반도(半途)에서 머물지 않도록 하시기 바랍니다. 아! 한 구역에 새로 봉한 묘소에서 만고(萬古)에 깊은 밤이 시작되었으니, 수심어린 구름이 막막하고, 차거운 바람이 쓸쓸하기만 합니다. 정리되지 않는 말과 한 잔의 술을 올리오니, 눈물이 샘솟듯 합니다. 신명(神明)이시여! 오시거든 이 마음을 살펴주시옵소서!

祭惺菴羅公文

嗚乎！惺菴羅公，以歲庚辰十二月十二日，考終于正寢。是月二十日乙丑，克葬于南村。後昆世下生某某等，謹具酒果之奠，再拜，哭告于靈駕之前。曰：嗚乎哀哉！天奪我公，何若是之速？公棄後生，何若是之忽？德音尙爾在耳，令儀不可復覩。嗚乎！維公賦性和厚，風彩豪爽，高尙之操，勤儉之行，篤于家庭，矜式鄕黨。于嶺于湖，周覽山川，或書或贅，遍交名賢。保族宜家，宗族稱睦，塤唱篪和，昆季湛翕。晚築南岡，杜門求志。左圖右史，尙友千載。風月知己，烟霞性癖。如玉蘊櫝，如驥伏櫪。負抱未展，自甘溝壑。孰富孰貴，視之浮雲。或得或喪，一聽於天。世無知我，我亦无憫。碻然有守，儼乎自持。世道是賴，吾黨有依。嗟我生等，早蒙奬知，愛我惠我，子姪同視。追惟先契，累世无替。出入門屛，一月爲疎。每承諄誨，如接春和。嗚乎！去月之晦，來候精舍。神氣尙旺，笑語娓娓。曾未幾日，訃車忽至。吾鄕長老，次第逝矣。惟公獨存，巋如靈光。今亦已矣，萬事茫洋。惟是式穀，典型克紹。有文有行，士友咸推。矧乎生等論交結契，相觀胥飾，義以爲期。倘或英靈，終始德愛，時垂默誨，俾不半塗。嗚乎！一區新阡，萬古厚夜。愁雲漠漠，寒風凄凄，蕪辭單觴，有淚泉傾。神其格思，庶鑑此情。

흠재 조공(欽齋曺公)의 제문(祭文)

　　경자년(서기 1950) 12월 21일에 흠재 조공(欽齋曺公)이 후생을 버리시어, 이달 27일에 장예를 치르므로 전 1일 을해(乙亥)에 세생(世生) 안동 김정회(安東金正會)가 삼가 주과를 갖추어 영궤(靈几) 전에 곡을 하며 영결을 고합니다. 아! 공(公)은 영혜(英慧)하고 걸특(傑特)한 자질로 얼음을 밟듯이 신중한 행실이 있었고, 동강(東岡)에게 수업하여 일찍 학문하는 방법을 들었으며, 삼산(三山)에게 종학하였을 때는 시우(時雨)같은 교육을 받아 경사(經史)를 연구하면서 미세한 뜻도 일일이 분석하며 백가(百家)를 섭렵(涉獵)하여 고금을 통달하였으므로 스승으로부터 칭찬을 받았으며, 문하생 중에서 공을 앞서는 사람이 없었습니다. 아버님에게 효성을 다하여 뜻과 음식을 겸하여 봉양하고 선조를 받드는 것도 생전처럼 성의를 다 하였으며, 윤리에도 독실하여 멀고 가까운 친척들이 모두 화목하게 지내고 사물에도 밝아 정(精)하고 추(麤)한 것을 모두 맞게 하였으며, 세상의 변화가 아무리 끝이 없어도 마음을 더욱 견고하게 지키었으며 오직 구학(丘壑)에서 지냈지만 세상일을 모르고 민망한 생각도 하지 않았습니다. 날로 치성한 사설(邪說)을 배척하고 장차 끊어질 정맥(正脈)을 붓잡았습니다. 아! 노사 노선생(蘆沙老先生)은 세상에서 뛰어난 학문으로 남쪽 지방에서 창도(唱道)하시었는데, 스승을 거치지 않고 비록 낙민(洛閩)의 근원을 소급(遡及)하여 척수(隻手)로 무너진 광란(狂瀾)을 되돌리어 놓았는데, 이때 동오선생(東塢先生)이 엄연(儼然)히 그 문하의 덕행과(德行科)에 나열하여 계셨고, 송옹(松翁)은 가학(家學)을 조술(祖述)하여 당세의 사종(師宗)이 되었습니다. 아! 공은 동오(東塢)의 초손(肖孫)이며, 송옹 문하(松翁門下)의 적통(嫡統)이었으니, 그 문로(門路)의 정통과 수수(授受)의 적실함을 속일 수 없었습니다. 그 연원(淵源)을 두루 돌아볼 때 제가(諸家)의 선배들과 덕망 높은 어르신들이 차례로 작고하시므로 후생 학자들이 영광(靈光)처럼 우러러 받들고 미도(迷途)의 지남(指南)으로 삼아 혹주(惑舟)[71]의 북두성(北斗星)같은 분은 오직 공 한 분 뿐 이었습니다. 그러나 공도 또 호연(好演)히 세상을 버리고 조금도 돌아보지 않으셨으니 사문(斯文)을 잃었으며 태산(泰山)이 무너졌습니다. 아! 옛날 우리 선군(先君)을 비롯하여 대대로 교류하면서, 뜻한 바에 뜻을 두고 배운 것을 배워 그 규모가 한결같았으며, 그 근심을 근심하고 그 즐거움을 즐거워 하여 아프나 가려움이 가려지지 않았고 서로 방문하는 것도 한 달이 멀었으며 서신의 왕복도 서상(書箱)이 넘치었으며, 창공에 솟은 석벽(石壁)에 그 이름도 나란히 써 놓으시어 방장산(方丈山)이 평탄하지 않으나 그 자취는 사라지지 않았습니다. 아! 바람 맞은 나무 같은 이 남은 여생은 정신없이 엎어지고 넘어질 때 오직 공이 선군과 사이좋게 지내셨으므로, 불초에게도 깊이 사랑하시어 자질처럼 여기시고 가르침을 게을리 하지 않았으며 규잠(規箴)도 아끼지 않아 혹 백년동안 의지할 것으로 생각 하였는데, 이제는 그만입니다. 이제는 그만입니다. 장례일이 다가오므로 그 경해(警咳)소리는 더욱 멀어지고 있으니, 영령(英靈)이시어! 사라지지 않았거든 혹 이 마음을 굽어살피소서!

祭欽齋曺公文

歲之庚子十二月二十一日, 欽齋曺公, 奄棄後生。將以是月二十七日行永窆之禮。前一日乙亥, 世生安東金正會, 謹以酒果之奠, 哭訣于靈几之前。曰：烏乎！公以英慧傑特之姿, 有戰兢臨履之行。服襲東岡, 早聞爲學之方, 樞衣三山, 得沾時雨之化, 研經究史, 毫分而粒析, 涉獵百家, 博古而通今。亟蒙師席之獎許, 莫有及門之或先。孝親而兼志物之養, 奉先而致如在之誠。篤倫理而親

---

[71] 방향을 잃은 배는 북두성을 보고 방향을 찾아간다는 뜻. 혼탁한 세상에 훌륭한 사람을 비유하여 하는 말임.

疎咸睦, 明庶物而精粗畢格。雖世變罔極, 所守益堅 ; 惟邱壑自在, 不知无憫。
斥邪說於日熾, 扶正脉於將絕。嗚乎！蘆沙老先生, 以命世之學, 倡吾道於南,
不由師承, 直溯洛閩之源, 徒以隻手, 勇廻狂瀾之頹。時則有若東塢先生, 儼然
列於德行之科。至松翁, 則祖述家學, 爲世師宗。嗚乎！我公以東翁肖孫, 爲松
門嫡傳, 門路之正, 授受之的, 不可誣也。環顧淵源, 諸家前輩長德, 次第徂
謝。後生學者, 仰之如靈光, 作迷塗之指南, 爲惑舟之斗極者, 惟公一人己耳。
公又浩然遺世, 不少顧留。斯文喪矣, 泰山頹矣。嗚乎！昔我先君, 世世交乎。
志所志而學所學, 規模一如 ; 憂其憂而樂其樂。痾癢無隔, 相尋相問。一月爲
疎, 魚往鴈復, 盈箱溢篋。臨空石壁, 聯題其名。方丈不平, 其跡不沫。嗚乎！
風樹殘生, 顚倒蒼黃。惟公以先君之好, 施及不肖, 眷愛深重, 視以子姪。教誨
之不倦, 規箴之不斬, 庶幾百年依以爲歸。今焉已矣, 今矣已矣。窀穸將至, 謦
欬愈邈。英靈不昧, 庶鑑此衷。

삼종조(三從祖) 금파공(錦坡公)의 제문(祭文)

　　계사년(서기 1953) 12월 15일 을해(乙亥)에 삼종손 정회(正會)가 삼가 비박(菲薄)한 제물로 상생(象生)의 자리에 곡하고 고합니다. 아! 옛날 우리 증왕고(曾王考) 만수부군(晚睡府君)이 세상에 계실 때, 족당 제인들의 수효가 많아 모두 번창하였지만 그 종족을 수합할 때 모두 만수당(晚睡堂)께서 원근이 없이 한결 같이 대하였습니다. 오직 공은 아들처럼 보았고 공도 아버지와 같이 섬기었습니다. 무릇 종중에 큰 일이 있을 때는 반드시 공에게 맡기어 그 일을 주관 하였으니, 대개 공이 공다운 것을 이것만 보아도 그 반열을 엿볼 수 있을 것입니다. 아! 공은 높은 뜻이 있어 세력이나 이권도 공을 굽힐 수 없었고 사설(邪說)도 그 마음을 옮기지 못하였습니다. 씩씩하면서도 화기로워 대면한 사람들은 봄바람을 쐐인 듯하였고, 그 풍도도 추측할 수 없어 조금도 용서하지 않았으므로 고을 사람들은 큰 논제가 있으면 공을 중요하게 추대하지 않는 사람이 없었으며, 담소(談笑)로 제압하였으므로, 모든 여론이 공의 의견으로 돌아갔습니다. 성품은 술을 즐기시었는데 당시를 민망하게 여기고 풍속에 마음이 상한 뜻을 언제나 술이 취했을 때 이야기를 하다가 꾸짖는 말을 하시어 옆에 있는 사람도 거리낌이 없었습니다. 당세에 액운을 만나 간직한 경륜을 펴보지도 못하고 시골에 박혀 계시다가 일생을 마치셨습니다. 아!슬픕니다. 십수년간 문중의 어른들이 차례로 작고하시고 공이 우뚝 혼자 계시어 후진들을 맞이하여 각기 그 재주에 따라 노력하게 하였습니다. 아! 우리 종족이 복이 없어 갑자기 한 번의 병으로 일어나지 못하였으니, 후생들은 장차 누구에게 고징(考徵)을 할 수 있겠습니까. 불초는 가장 사랑을 받았고, 살고 있는 거리도 10리정도 되므로 춘추(春秋)로 반드시 방문 하였고, 방문하면 반드시 의리로 써 일러 주시었으며 선조의 뜻을 받들고 후손들을 위하는 것도 열 중 하시고 귀에다가 대고 일어 주시고 대면하면 말씀해 주시는 것도 늙어가면서 더욱 독실하게 하였습니다. 이렇게 30년이란 세월이 흘러 그 충언(忠言)과 지론(至論)이 귀에 쟁쟁하게 남아 있으나 기질이 노둔하고 행실이 비루(卑陋)하여 그 기대를 저버리었으니 마음속으로 부끄러워 몸 둘 바를 모르겠습니다. 세월이 흘러 궤연(几筵)을 장차 철거할 예정이니 이로부터 그 모습을 영원히 볼 수 없어 술 한 잔을 가지고 와서 곡하오니 어찌 그 사정(私情)을 만분의 일이라도 표할 수 있겠습니까. 아! 슬픕니다. 많이 드시옵소서!

祭三從祖錦坡公文

維歲次癸巳十二月十五日乙亥, 三從孫正會, 謹以菲薄之奠, 哭告于象生之筵, 曰：嗚乎！昔我曾王考晚睡府君在世時, 族黨諸子, 林林叢叢, 號稱蕃衍, 而收族咸睦, 無遠近一也。惟於公子視之, 公亦事之如父。凡宗中有大事, 必委公幹其務, 盖公之爲公, 卽此可窺其斑矣。嗚乎！公卓犖有大志, 勢利不能屈, 邪說不能移。莊而濟和, 接之者若襲春風。義有所不可, 則少不假貸。鄕中有斯文大議論, 莫不推公。爲重談笑, 揮之物論, 咸歸性嗜酒, 憫時傷俗之意, 每發於醉罵言辭之間, 傍無顧忌顧厄。於時未展蘊抱, 坎壈以終其世。嗚乎欷矣！十數年間, 門內諸長老, 次第徂逝。惟公巋然獨存, 導迪後進, 各因其材而勉焉。嗚乎！吾宗無祿, 遽一疾不起。後生少輩, 將於何考德？顧不肖見愛偏重, 地距一舍, 春秋必枉, 枉必規箴以義, 眷眷於承先裕後之道。弭詔面命, 老而彌篤。積三十年所忠言至論, 洋洋盈耳。而質駑行墮, 辜負期望, 中心慚惶, 措躬無地。居諸流駛, 几筵將撤, 音容從此永閟。一觴來哭, 曷足以表情私之萬一？嗚乎哀哉！尙饗。

춘포 김공(春圃金公)의 제문(祭文)

　　병오년(서기1966) 2월 초10일 기미(己未)에 춘포 김공(春圃金公)이 작고하신지 3일 신유(辛酉)에 사중(社中)의 모모가 삼가 닭과 술을 갖추어 곡하고 영가(靈駕) 앞에서 영결을 고합니다. 아! 슬픕니다. 공의 체격은 걸출하고 성품은 화기로웠고 뜻은 세도(世道)를 만회 할 만 하였습니만, 임천(林泉)에서 지내시었며, 덕은 백봉(百福)을 갖추었지만 48세 사이에 액운을 당하였으니, 이것은 인정상 함께 탄식할 일이며, 복잡한 천도(天道)에 대하여 의심을 하는 것입니다. 아! 공의 기상을 말한다면, 화풍(和風)과 감우(甘雨) 같고, 그 포부를 말한다면 한수(寒水)와 추월(秋月) 같았으며, 사람들과 사귈 때는 노소(老少)와 현우(賢愚)의 차이가 없이 한 결 같이 흡족하게 대하고, 간혹 해학(諧謔)을 하기도 하였고, 다른 사람과 경쟁하는 일도 없이 동쪽 이웃과 서쪽의 모임을 날마다 방문 하였으며, 한 두실(斗室)에서 몸을 마음대로 할 수 없이 좁았지만 가난하게 살면서 누차 굶 줄이는 일이 있어도 언제나 좋은 계절이 되면 반드시 배반(杯盤)을 마련하여 손님과 친구를 초대하여 날이 저물어 가는 것도 인식하지 못하였고, 사정이 급한 사람이 있을 때는 반드시 주머니를 털어서 꾸어주면서 조금도 인색한 기색이 없었습니다. 아! 공은 본래 세상에 높은 관직으로 맞이하고 사람들에게 해택을 끼치려는 뜻을 가지고 있었지만 좋은 시국을 만나지 못하여 세상에 나가서 기용되지 못하고 물러나 조금 그 의술(醫術)에 뜻을 두었으나 가격을 논하는 사람에게 가격이 많고 적은 것을 구차하게 논하지 않았습니다. 성품이 또 술을 즐기어 백 년 동안 3만 6천일을 취하지 않는 날이 없었으니, 세상에서 말한 총욕(寵辱)과 득상(得喪)을 한 결 같이 마음에 두지 않고, 날마다 동지들과 산수(山水)를 논평하고 풍월(風月)을 즐기시며, 스스로 희황상인(羲皇上人)이라고 하였습니다. 그리고 임종하실 때, 물과 곡물을 끊은지 10여일이었고, 오직 술만 입에 적실 뿐 이었습니다. 아! 봄의 화기로운 얼굴과 옥을 구른 듯한 음성을 다시는 이 세상에서 듣고 볼 수도 없으므로 일제히 와서 통곡하오니 봄비만 부슬부슬 내립니다. 영령(英靈)이시어! 아시거든 반드시 이 잔을 비우시기 바랍니다. 아! 말은 다했지만 뜻은 끝이 없고, 눈물은 다했지만 슬픔은 다 히지 않았습니다. 아! 슬픕니다. 많이 드시옵소서!

祭春圃金公文

維歲之丙午二月十日己未, 春圃金公, 沒越三日辛酉。社中某某等, 謹以鷄酒哭訣于靈駕之前, 曰：嗚乎哀哉！惟公體幹傑梧, 性度和厚, 志可以挽廻世道, 而婆娑林樊之下。德可以備應百福, 而厄窮八六之間。此人情之所共齎咨歎息, 而致疑於天道之紛綸者也。嗚乎！惟公語其氣像則和風甘雨。論其胸懷則寒水秋月。與人交, 無老少賢愚, 一以疑洽, 間之諧謔。與物無競, 東隣西社, 課日相訪。如斗一室, 殆不能容。簞瓢屢空, 而每良辰勝節, 必設盃盤, 招延賓朋, 不知日之將夕。人有告急者, 必傾橐而賑之, 少無慳吝之色。嗚乎！公素有需世澤物之志, 而遭時不祥, 進不得爲世用, 則退而少試其志於醫人之術, 亦不區區於論價。人之償之, 限其多寡焉。性又嗜酒, 百年三萬六千, 殆無日不醉。世之所謂寵辱得喪, 一不嬰情。日與同志, 談山評水, 問月招風。自謂羲皇上人。方其臨終, 絕水穀者旬餘, 而惟盃酒沾口而已。嗚乎！春和之容, 玉如之音, 不復聞覩於斯世矣。齊聲來哭, 春雨濛濛。英靈有知, 必盡此觴。嗚乎！言有窮而意不窮, 淚有盡而哀不盡。嗚乎哀哉！尙饗。

인암 금공(忍菴金公)의 제문(祭文)

아! 슬픕니다. 오직 공은 청명(淸明)하고 순수(醇粹)한 기질과 단중(端重)하고 전아(典雅)한 표정으로 각고(刻苦)의 노력으로 진지한 학문을 하였고, 개제(愷悌)하고 온량(溫良)한 덕을 쌓으셨으니, 어찌 말세에 보기 드문 아름다운 옛 군자(君子)와 비해도 부끄럽지 않았습니다. 아! 공이 일찍 정회(正會)에게 말하기를 "옛날 내가 약관의 나이에 선군자(先君子)께서 청계재(淸溪齋)에서 서로 학문을 갈고 닦으면서 서로 도움이 많았고, 나를 사랑하고 나를 경계하여 그 정이 골육(骨肉)과 같았으니, 내가 스승으로 여기며 친구로 여기지 않았고 그 창수(唱酬)한 시축(詩軸)도 지금 간직하고 있다."고 하였습니다. 아! 바람맞은 나무 같은 잔약한 인생이 엎어지고 넘어져 의지할 곳도 없었는데, 오직 공과 대대로 좋아하여 불초에게 사랑이 지극하였습니다. 비록 한 가지 기예(技藝)라도 사랑하지 않는 것이 없어, 혹 비갈(碑碣)과 편액(扁額)을 사용할 때는 반드시 써주라고 명하였습니다. 어도 어찌 취할 것이 있겠습니까만 또한 나를 사랑하는 것이 끝이 없었습니다. 아! 세도(世道)가 날로 저하되어 선비의 습관이 날로 가식만 늘어나고 있으므로, 박학(博學)으로 소문난 사람도 그 실천하는 행실은 없었습니다. 아! 오직 공은 정성으로 쌓아 한결 같이 지키시어 알지 못하면 모르지만 알고 있으면 반드시 실천 하였고, 실천하지 않았으면 모르지만 실천을 하였다면 반드시 독실하게 하였습니다. 몸이 옷을 이기지 못하였지만 조행이 확고하여 맹분(孟賁)과 하육(夏育)이라도 그 뜻을 빼앗지 못하였습니다. 말씀을 할 때도 입에서 말이 나오지 못할 것 같이 하였지만, 의리를 분석할 때는 장의(張儀)와 소진(蘇秦)이라도 답변하기 어려웠을 것입니다. 가정을 다스릴 때도 예의로 써 하시고 구족(九族)[72]을 대할 때도 모두 화목하게 하였으며, 사람을 대할 때는 회기롭게 대하여 현우(賢愚)가 모두 기뻐하였으며, 표리(表裏)가 한결같고 종시(終始)가 빈 틈이 없었으므로, 위로 사대부(士大夫)로부터 부유(婦孺)와 초목(樵牧)에 이르기까지 다 같이 군자(君子)라고 칭하였으니, 이것이 어찌 이권으로 유혹하고 상을 주어 권할 수 있는 일이겠습니까? 아! 수일 전에 어떤 사람이 와서 전하기를 공이 한질(寒疾)이 있었지만 약을 사용하지 말라고 하였다고 하였는데, 어찌 부음이 갑자기 올지 알았겠습니까? 사문(斯文)의 한 맥(脈)이 이제부터 사라졌습니다. 후생(後生), 말학(末學)들이 다시 어느 곳에 고징을 할 수 있겠습니까? 선군의 친구와 어르신들이 차례로 모두 작고하시었으니, 이것이 창자가 찢어지고 간이 꺾어져 눈물이 샘물처럼 흐릅니다. 만약 영령(英靈)이 불매(不昧)하다면 거울처럼 훤하게 살펴보고 있을 것입니다.

祭忍菴金公文

嗚呼哀哉！惟公淸明醇粹之質，端重典雅之表，與夫刻苦眞摯之學，愷悌溫良之德，豈惟叔季之所罕覯？求之古君子，殆將匹美，而無愧作矣。嗚乎！公嘗語正會。曰："昔我弱冠，與先君子同捿于淸溪齋室，切偲講磨，麗澤旣多。眷我規我，情同骨肉。余以師而不以友，其唱酬詩軸，至今藏弄云。"嗚乎！風樹殘生，顚倒無依。惟公以世好之篤，施及不肖，愛之至，而雖一藝末技，亦無不愛。或碑或碣，或扁或額，苟有用也，必命之書。豈書之可取？亦見其愛我無斁也。嗚乎！世道日下，士習日趨滋僞，以博學聞者求其踐履之實，則無有也。以

---

72) 고조, 증조, 할아버지, 아버지, 나, 아들, 손자, 증손자, 현손자를 말함.

文辭名者, 求其造詣之眞, 則亦無有也。嗚乎！惟公誠以積之, 一以守之。有不知, 知之必行；有不行, 行之必篤。體若不勝衣, 而操履之堅確, 賁育難奪。言若不出口, 而利義之析, 儀秦難辯。理家以禮, 九族咸睦。接人以和, 賢愚悅服。表裏如一, 終始無間。是以上自士夫, 下至嬌 孺樵牧, 一辭稱君子。人是豈利以誘之, 賞以勸之哉？嗚乎！數日前, 有人傳公有寒疾, 謂當勿藥。孰知訃車忽至？斯文一脉, 從此剝矣。後生末學, 更於何考德？先執長老, 次第盡逝。此所以腸裂肝摧, 有淚泉傾也。惟靈不昧, 庶其鑑止。

남계 나형(南溪羅兄)의 제문(祭文)

아! 슬프기만 하네. 하늘은 어찌 형에게 따뜻하고 공순한 덕을 주시고 수(壽)를 주시지 않았을까? 하늘은 어찌 형에게 효우(孝友)와 돈목(敦睦)의 행실을 경계하면서 끝까지 그 효도로 봉양하지 않도록 하였을까? 다행히 천리마 같은 아들과 기린 같은 손자만이 고가(故家)의 미행(美行)을 실천하고 있네. 정회(正會)는 비록 9년 뒤에 태어났지만, 망년지교(忘年之交)로 돌과 옥(玉)이 여러 분간할 수 없을 정도이었네. 황차 선대부터 내려온 친분으로 하여 일찍 장성하면서부터 알고 지냈지만 나의 마음을 알고 정성으로 대해 주시어 나의 어리석은 것도 안쓰럽게 여기시고 경계를 더욱 간절히 하여주셨네. 의리로는 친구의 대열에 있지만, 정으로는 실제로 골육(骨肉)과 같았으므로, 서로 평생 동안 함께 공부를 하며 갈고 닦아 도움이 있을 것을 기대 하였는데, 어찌 51세의 나이로 이 제를 이렇게 속히 버리셨는가?. 옛날 잠시 모이고 해어진 것도 아직 그 해어진 것을 감당하지 못하는데, 더구나 유명(幽明)으로 영원히 막혔으니 어찌 그 슬픔을 참을 수 있겠는가? 세월은 어느 듯 멈추지 않아 묘소의 풀이 벌서 한번 시들었네 그려! 아! 남계(南溪) 위에는 소나무 바람이 차겁게 불고 남계 밑에는 물 소리가 울리고 있네만은 그 따뜻하고 공순한 모습을 다시 볼 수 없으니, 효우(孝友)와 돈목(敦睦)의 행실을 어찌 다시 볼 수 있겠는가? 슬픔을 머금고 글을 쓰니 간장(肝腸)이 꺾히는 것 같네! 신령이여! 불매(不昧)하다면 강림하소서!

祭南溪羅兄文

嗚乎哀哉！天胡賦兄以溫潤愷悌之德，而不幷與以其壽夭？胡飭兄以孝友敦睦之行，而不俾之終 養其慈？幸驥子而麟孫，將故家之克趾。顧正會，生雖後於九齒，卽忘年而石玉講，累世之交誼，早見知於卯角。識余心而丹誠相照，矜余愚而規箴益切義。則列於朋友情，實均於骨肉。謂相期於生平，共切磋於輔益。何半百之纔一，棄此生之斯亟？昔聚散之暫忽，尙不堪其離索，況幽明之永隔，其何忍乎悲憾？日月忽其不淹，己墓艸之一宿。嗚乎！南溪之上，松風凄切；南溪之下，水聲嗚咽。溫潤愷悌之德，不可復接，孝友敦睦之行，於何更覯？含哀賦辭，腸摧肝蝕。不昧者存，庶其來格。

자은 김공(芝隱金公)의 제문

　기로사(耆老社)의 모모 등은 닭 한 마리와 술 한 잔으로 지은 거사 김공(芝隱居士金公)의 영구(靈柩) 앞에서 곡을 하며 영결을 고합니다. 아! 슬픕니다. 오직 공은 효우(孝友), 개제(愷悌), 간중(簡重), 과묵(寡黙)하여 마음속에는 추호의 사심(私心)이 없었으며, 몸으로 행하는 것은 잠시도 실수한 적이 없었습니다. 만나면 그 얼굴은 화기롭고 바라보면 벽(壁)이 서 있는 것처럼 엄숙하였으며, 가정을 다스릴 때는 법이 있었고, 아들을 교육할 때는 경독(耕讀)을 병행 하였으며, 백번 참는 것을 부작(符爵)으로 삼아 온 가문이 화목하였고, 남의 장단점을 말하지 않았으며, 세상에 누구의 득상(得喪)도 묻지 않았고, 안으로 조수(操守)가 있고 밖으로 규각(圭角)이 없었으며, 한 두 섬의 곡식도 저장한 것이 없었지만 편안하게 족한 줄을 알았으니, 누가 배우지 않았다고 하겠습니까? 이것이 실학(實學)입니다. 우리 두어 사람은 만년에 마음을 맞추어 나이를 잊고 서로 사귀었으며, 날마다 상종하여 당실(堂室)이 좁을 정도였으며, 서로 대하면 무릎을 재촉하며 상마(桑麻) 이야기를 하고 실컷 마음대로 놀았고, 아름다운 계절에는 반드시 주연을 마련하였는데, 밖으로는 담담한 것 같았지만 정의가 진지하였습니다. 아! 공은 기품이 지극히 건전하고 섭양이 절도가 있어 백발에도 강녕하므로 7~80세를 기대하였는데, 어찌 한번 병이 들어 천고(千古)에 영원히 막힐 것을 생각이나 하였겠습니까? 인(仁)한 사람은 뒷이 있는 것은 그 이치가 빗나간 것이 아니니, 아들을 효성을 다하고 손자는 어질어 모두 그 직분을 다하고 있습니다. 저의 말을 믿지 않으신다면 이 남은 복을 보시기 바랍니다. 완연(宛然)한 저 묘소는 태산(台山)의 산기슭에 있습니다. 하얀 눈을 맞고 돌아오던 길에 붉은 정기(旌旗)가 나부꼈습니다. 수어줄의 무사(蕪辭)를 가저와서 함께 곡하오니 영령이시여, 사라지지 않았던든 이 마음을 살펴옵소서….

祭芝隱金公文

耆老社某某等，謹以隻鷄單觴，哭訣于芝隱居士金公之柩前，曰：烏乎哀哉！惟公孝友愷悌，簡重寡默。存乎心者，無一毫之私，行乎身者，無造次之失。卽之也，春和其容；望之也，壁立其肅。理家有法，教子畊讀，百忍爲符，一門雍睦。不言人之曰長曰短，不問世之孰喪孰得。內有操守，外無圭角。甑石無儲，晏如知足。孰云未學？是曰實學。吾輩數人，晩托契末，忘年相交，課日從逐，堂室難容，相對促膝，談桑說麻。優遊自適，嘉時令節，盃盞必設。外似恬淡，情誼藹蔚。嗚乎！我公禀氣至健，攝養有節，白首康寧，可期耄耋。孰謂一疾，千古永隔？仁者有後，其理不忒。子孝孫肖，能盡其職，如不我信，視此餘祿。苑彼佳城，台山之麓，白雪歸路，丹旌颺拂，數行蕪辭，齊聲來哭。英靈不昧，鑑此衷曲。

나형 태강(羅兄台江)의 제문

아! 슬프기만 하네. 지난 9월 5일은 형의 54회의 수신(晬辰)이었네. 그 날은 하늘이 청명하고 기후도 상쾌 하였었네. 나는 하나의 지팡이와 한 컬래의 신발로 남강정사(南岡精舍)로 형을 방문 하였었네. 그 때 선조의 사적을 초록하느라 매우 바쁜 기색이었으나, 술자리를 마련하여 종일 정성껏 대접을 받고 돌아올 때 10일 경에 한번 방문하겠다고 약속을 하였으므로 나는 그 날을 기다리고 있었으나, 발걸음 소리는 결국 적막하고 겨우 하루 지나서 사망하였다는 기별이 온 성안에 가득 하였네. 한 번의 전한 말을 듣고 의심하였으나 두 번째 전해 듣고 진실한 말로 믿게 되었네. 아! 나는 바라보고 있던 날, 형은 병이 들어 누어 있던 때였네. 지척의 강산에 아프고 가려운데도 서로 느끼지 못하였네. 아! 바쁘고 급하기도 하네. 누가 지난번의 의별이 천고에 작별이 될 줄 알았겠는가?. 지난날에는 선조의 사적을 기술하기에 급급하였던 것은 자신의 죽음이 멀지 않았다는 것을 알고 있었건 것일까? 외람되이 일찍 오늘같이 될 것을 알았다면 더욱 헤어지지 않고 못 다한 마음을 모두 이야기나 하였을 것인데, 이것이 절반은 노쇠한 증거이네. 아! 하늘이여! 형에게 괴위(瑰偉)[73]하고 걸특(桀特)한 자질을 부여하고 또 형에게 인서(仁恕)와 자상(慈祥)한 덕을 닦도록 하여 장차 큰 일을 하려고 한 것이지만, 시속에 구애되어 십분의 일도 펴보지 못하고 중도에 작고 하시어 90세의 노모(老母)로 하여금 효도하는 아들에게 통곡하도록 하고, 원근의 종족들에게 큰 인재를 잃게 하였으며, 친구로 하여금 믿는 사람이 없게 하고 사문(斯文)으로 하여금 우러러 볼 곳이 없도록 하였으니, 우리는 어찌 하늘을 향햐 울부짖지 않을 수 있겠는가? 아! 강하(江河)같은 음성이 아직도 귀에 쟁쟁히 남아 있는데, 그 화기로운 얼굴을 이 세상에서 다시 볼 수 없네. 아! 오직 형은 모습이 영준(英俊)하시어 여러 사람 중에서 특별히 표가 나고 담소(談笑)도 온 자리를 압도하여 봉황(鳳凰)이 바람 밖을 날고 있는 것 같고, 학이 여러 닭 중에 서 있는 것과 같아, 헌칠한 장자(長者)의 기풍이 있었으므로, 만나면 비부(鄙夫)는 너그러워지고, 박부(薄夫)는 돈독해 졌습니다. 아! 형이시여! 강하고 건전한 필력(筆力)이 있었지만, 그 시(詩)만 못하고, 빼어난 산수(山水)같은 문장이 있었지만 그 사람보다 보하였으니, 대개 사람 가운에 호걸이었네. 아! 형은 나보다 5세가 많았지만 총각 때부터 알고 지내어 지금 40년이 되도록 서로 추종하여 10일만 안보아도 오랜 시간이었으므로, 자주 와도 빈번한 것이 아니고, 자두 가도 번거롭지 않았으며, 만나면 기뻐하여 간(肝)을 다 내어주다시피 하였네. 간혹 경서를 강론하기도 하고 혹은 역사에 나오는 사람을 논하기도 하였으며, 혹 자집(子集)을 꺼내어 수편(數篇)식 보기도 하였네. 이와 같이 하다가 작별하고, 이와 같이 하다가 또 만났네. 매년 좋은 계절과 여가가 있을 때는 청강군(靑江君)과 3인이 일행이 되어 술을 가지고 산수(山水) 중에 함께 다니며, 시문(詩文)을 짓고, 간혹 해학(諧謔)도 곁드리며, 답답한 기운을 쏟아내었네. 친한 것으로 말하면 형제와 같고, 그 즐거움을 말하면 사죽(絲竹)에 비할 바가 아니었네. 아! 글은 내가 어찌 감히 논할 수 있겠는가?. 나를 매우 사랑하였기 때문에 거의 사랑하지 않는 것이 없어, 내가 하는 것이라면 비록 단간(短簡)과 편구(片句)라도 온통 하자 투성인 미약한

---

73) 뛰어나고 큼.

정(珵 ; 正會)에게 요구하고, 형이 지은 글은 반드시 보여주시며 고쳐도라고 하였네. 아! 나는 어찌하여 이런 인연을 얻었을까? 아! 나를 보아주는 사람도 태강(台江)이며, 나를 경계해 주는 사람도 태강(台江)이네. 태강은 지금 떠났네. 내 소리를 누가 들어주며, 내 허물을 누가 말해 줄까? 고점리(高漸離)의 격축(擊筑)을 다시 볼 수 없고, 백아(伯牙)의 거문고 줄도 이로부터 끊기었네. 옛날의 풍류를 생각하면, 빈 구름이며 흩어진 물이네. 아! 지금 천하가 큰 난리를 겪고 있으므로 형이 일찍 나에게 말하기를 "세한(歲寒)의 한 절개를 사생(死生)의 사이에 지켜야 한다"고 하네. 형은 지금 나를 먼저 버리고 떠나시어 나만 혼자 세상에 머물고 있으면서 풍우(風雨) 속에 주저하고 있으니, 외로운 새가 혼자서 방황하며 갈 곳을 모르고 있는 것과 같네. 이제는 그만이네. 이제는 그만이네. 장차 누구와 함께 갈 수 있겠는가?. 슬프네. 철인(哲人)과 달사(達士)는 모두 저승에 있으니, 형은 계획대로 되었다고 하겠지만, 쓸쓸히 방황하는 사람은 내가 아니겠는가? 이것은 창자와 담(膽)이 찢어지고 목이 쉬도록 통곡하는 일로 오직 다른 사람과 매우 다른 점이네. 아! 태산(台山)은 아득하고, 인강(仁江)은 넓고 넓어, 그 여운(餘韻)과 유풍(遺風)이 오래 전해질 것이네. 내가 와서 술 한 잔을 올리오니 만고(萬古)에 황량하기만 하네. 아! 슬프네. 많이 드시옵소서!

祭羅兄台江文

嗚乎哀哉！去九五兄五十四晬也。是日也，天晴氣爽，予以一笻一屐，訪兄于南岡精舍。方抄其先蹟，頗有汲汲色態，輒設盃酒，欸洽盡日而歸。且約以旬一過。予指日而竢，跫音竟寂矣。纔經宿云，亡之。報滿一城。一傳而疑，再傳而眞。噫！予望之之日，兄臥病時也。咫尺江山，痛癢不相及。嗚乎！其忙矣，遽矣。孰知疇曩一別，遂成千古隔耶？抑向也汲汲乎述先者，自知其奄忽在卽也歟？猥乎早知有今日，加盍不相離，說盡未了之衷，庶此哀減一半分矣。嗚乎天乎！卽賦兄以瑰瑋傑特之資，又修兄以仁恕慈祥之德，則若將大有爲。而拘於時，十不展一，遽中途不起，使九耋萱堂哭孝養之子，使遠近族黨失棟樑之重，使朋舊無所信，使斯文無所仰。我安得不籲天而長號也哉！嗚乎！江河之音，尙覺餘錚在耳，春和之容，不可復覩於今世矣。嗚乎！惟兄俊彩英範，衆中殊表，談笑傾一座，如鳳翔風表，如 鶴立鷄群。軒豁焉。有長者風味，接之者庶鄙夫有以寬，薄夫有以敦也。嗚乎！兄有遒勁豪健之筆，而不如其詩；有山出水湧之文，而不如其人。盖人中傑也。烏乎！兄長予五歲，自卯角相識于今，垂四十年矣。與之追從，隔一旬猶以爲濶。數來不爲頻，數往不爲煩。逢輒欣倒，畢輸肝腑。或經而講其義，或史而論其人，或子或集，抽看各數篇。如是而別，又如是而合。每良辰暇日，與靑江君，作三人行，携酒相隨於萬水千山之中。著詩文唱和，間之諧謔，快洩幽欝之氣。其親也，若季若昆；其樂也，非絲非竹。噫！文吾豈敢？以愛予甚，故殆無所不愛。苟余爲雖短簡片句，求微理於全瑕。至盛作，必示以郢斤。噫！予奚爲而得此？嗚乎！賞我者台江，規我者台江也。台江今逝矣，我音誰賞？我過誰規？漸離之筑，不可復擊。伯牙之絃，從此斷矣。念昔風流，雲空耳，水散耳。嗚乎！今天下大亂，兄嘗謂予以歲寒一節，相守於死生之際。兄今棄我先逝，使我獨留人世。蹰躇燀雨矢風間，如窮山孤禽，形單影隻，徊徨焉，莫知所之。已矣已矣。將誰與歸哉？悲夫！哲人達士，盡在泉裏。於兄可謂得計，而踽踽者，非我耶？此所以腸摧膽裂，失聲慟哭，獨異於人。人，萬萬也。嗚乎！台山蒼蒼，仁水瀁瀁，餘韻遺風，與之俱長。我來一觴，萬古荒凉。嗚乎哀哉！尙饗。

두번째 제문(祭文)

　아! 슬프네. 예기《禮記》에 "친구의 무덤에 풀이 두번 시들면 곡을 하지 않는다."는 말이 있지만, 오늘 한 해가 바뀌어 궤연(几筵)을 장차 철거하려고 하니 애통한 마음이 더욱 심하고 눈물은 금할 수가 없네. 이것은 한갓 나의 사정(私情)만이 아니라 오직 형의 영매(英邁)한 기개와 의로운 행실이 족히 세상에 모범이 되고 풍속을 일깨워 주기 때문이네. 세상을 살펴보아도 다시는 이런 사람을 볼 수 없으니, 세상을 위해 길이 탄식할만한 일이네. 아! 지난해 봄에 아들과 조카가 나에게 말하기를 "유문(遺文)을 간행하려고 한다"고 하기에 내가 말하기를 "그렇지 않네. 옥이 산에 있고, 구슬은 냇물에 있는 것이네. 천세(千世), 백세(百世)만에 알아보는 한 사람만 있으면, 그것이 진귀한 보물인줄 알아보고, 알아보는 사람이 없으면 비록 오도삼가(五都三街)에서 팔더라도 은(銀)을 불러 철(鐵)을 만드는데 가깝지 않는 경우가 드물 것이네."라고 하였네. 아! 옛날 공을 아는 사람과 함께 그 덕을 사모하고, 서로 알지 못한 사람과 함께 그 풍도를 이야기하니 그 사모하는 마음이 더욱 간절하고 이야기하는 사람들이 더욱 많아졌네. 나는 이것으로 봐서, 형의 글이 비록 지금 시급하게 간행을 서둘지 않더라도 사라지지 않을 것을 의심하지 않습니다. 아! 그럴까? 그렇지 않을까? 저승에서 일어나지 않으시니, 누구과 창수(唱酬)하며 누구와 화답하겠는가? 아! 이제는 그만이네. 이로부터 영원히 결별하는 바이네.

再祭文

嗚乎哀哉！禮曰："朋友之墓, 有宿艸, 而不哭。"今星霜再換, 筵几將撤, 而痛彌劇而涕不禁者, 非徒余之私也。惟兄英邁之氣, 行義之篤, 足可以範世警俗, 而俯仰人世, 今不可再見。此所以爲世道長吁, 而永嘆也。嗚乎！上年春, 胤哀若, 咸謂余而欲刊遺文。余曰："不然。夫玉在於山, 珠藏於川也, 千百世遇一知者, 尙釀其爲瓊瑋珍貴。苟無其知, 雖衒鬻於五都三街, 不幾乎喚銀作鐵者, 鮮矣。"噫！念昔公與識者慕其德, 其不相識者誦其風, 及其沒而慕之者益切誦之者益衆。吾以是知兄之文, 雖不汲汲圖今, 而終不埋滅也, 無疑矣。嗚乎！其然乎, 不然乎？九原不起, 誰與唱, 而誰與和。嗚乎, 已矣。從此永訣。

망제 순회(亡弟 舜會)의 제문

신묘(서기 1951) 11월

아! 슬프다. 우리 아우여! 병들었다는 말을 듣지 못했는데 갑자기 영구(靈柩)가 돌아오니 천지가 다한들 어찌 이런 변이 있겠는가? 가을에 금산고등학교장(錦山高等學校長)으로 부임하였을 때, 다만 두 어린 딸만 데리고 가고 제수는 가사에 정신 쓰느라 1개월 후에 길을 떠났다가 도중에 변을 듣고 돌아왔으니, 어찌 조금의 시간도 기다리지 못하고 잠시도 만나지 못하였단 말인가? 두 딸에게 들어보니, 인묘(寅卯)에 병이 생겨 신묘년(서기 1951) 11월 6일 생을 마감하였으니, 수가 어찌 그리 짧을까? 또 어찌 그리 갑작스러울까? 아! 두 딸이 아직 어려 일을 살피지도 못한데, 그 병이 낫을 때 누가 의사에게 약을 물어보고 물과 곡물을 가져다 주었을까? 가슴 속에는 하고 싶은 말이 있을 것인데 적막하였고, 관사에서 우거하고 있었으니, 누구와 대화를 나누고 누가 말을 들어주었을 것인가? 아! 너는 순수한 효자였고 회기로운 인자(仁者)이기 때문에 위로는 80세의 노모를 염려하지 않았고, 아래로는 약한 아내와 어린 아이들을 걱정하지 않았는데, 왜 갑자기 신을 벗어 던지듯 세상을 버렸을까.? 내가 들은 말은 기운이 맑은 사람은 운수가 국한되어 있다하고 또 들은 말에 인자(仁者)는 반드시 수를 누린다고 하였는데, 오직 너는 청수한 기운을 타고나 비록 운수가 비록 촉박하더라도, 그 인자하고 효성스러운 행실로 어찌 수를 누리지 못하겠는가? 아! 우리 선조와 선군(先君)은 인덕(仁德)을 쌓아 당연히 그 남은 경사를 누려야 할 것인데, 불초한 내가 이런 역리(逆理)의 참변을 당해야 한단 말인가? 아! 선군이 세상에 계실 때, 우리 형제 세 사람은 즐겁게 모시고 지내며 군자(君子)의 일락(一樂)을 소유하고 있다고 생각하였는데, 갑자기 10여년 사이에 부모님을 잃고, 지금 또 아우를 잃었으니, 아득한 우주 안에 이것이 무슨 사람인가. 옛날 계미년(서기 1943) 가을에, 네가 대학을 졸업하고 동경에서 짐을 챙겨 돌아올 때, 배를 타자마자 두통이 생겨 지탱하지 못하고 즉시 육지로 내렸는데, 잠시 후에 배가 중간도 못가서 잠수함(潛水艦)을 접촉하여 한 사람도 살아돌아오지 못하였으니, 어찌 그리 참혹하였을까? 두통이 조금 점차 사라져 그 다음날 바다를 잘 건너 집으로 돌아왔었지 않았느냐?. 이것은 우리 선군(先君)의 영령(英靈)이 만리 창파 밖에서 남모르게 도우시어 떠나지 못하게 한 것이었네. 그 때 만일 두통이 없었다면 선중 사람들과 모두 물에 빠져 어복(魚腹) 중에 장례를 치룬지 오래 되었을 것인데, 어찌 위엄스럽지 않겠는가. 지난 경인년(서기1950)의 난리는 옛날에도 드문 일로, 도검(刀劍)이 숲을 이루고 있어, 이를 해불탕(海沸盪)이라고 하였다. 조금 성명이 있는 사람들은 그들의 예봉을 피하기 어려웠지만, 나는 두 아우와 함께 그 화를 벗어났으니, 어찌 우리 선군의 영령이 남모르게 도운 것이 아니라고 하겠는가? 아! 선군의 영령이 전일에도 멀리 창해(滄海)까지 미치었고, 그후 또 폭우(暴雨) 때도 도우셨는데, 지금은 어찌 즐겁겠는가? 병이 기세를 부리면 금할 수도 없고, 기수가 변천하면 옛 성현들도 면할 수 없었던 것일까? 아! 오직 너의 공순한 성품으로 나에게 잘한 것을 바꾸어 남에게 미치었으므로, 사람들도 그 의리를 믿고 그 은혜를 간직하였다. 네가 세상에 있는 기간은 36년간이었지만, 늙어서 죽을 때까지 한 가지 선행도 없는 사람과 비교할 때, 과연 누가 우수하고 누가 모자랄까? 아! 이 점은 조금 나의 한없는 슬픔에 위로가 될 수 있을까? 학교에 종사한지 10여 년 동안 여가가 있을 때는 경전(經傳)을 펴고 의심난 것이 있으면 나에게 물었고, 혹 운을 내어 형제가 화답하기도 하여, 만년에 참으로 형제의 정을 느끼었다. 아! 이제는 그만이구나. 혼자서 외롭게 있으니 누구와 같이 살까? 아! 지정(至

情)은 말이 없는 것이지만, 슬픔이 마음속에 가득하여, 나도 모르게 입에서 말이 나왔다. 영령이여! 알거든 혹 이 마음을 살피거라!

祭亡弟舜會文
辛卯十一月

嗚乎哀哉！吾弟乎未聞有病, 遽以柩歸。窮天極地, 是何變耶？秋間, 赴職于錦山之高校長, 只率二幼女行, 婦則抖擻家務, 歷一月始登程。中路聞變而徑歸, 胡不少須曳相待, 使其不暫覿耶？聞諸二女, 疾作於寅卯, 而終辛卯十一月六日也。何其短也？又何其匆匆也？嗚乎！二女尚幼, 不省誰有問醫藥, 而進水穀？胸中應有所欲言者, 而寂寞官寓, 誰與道而誰與聽者？嗚乎！以君純乎之孝, 慈和之仁, 上不念八耋老母, 下不恤弱妻稚兒, 瞥然棄世, 如脫屣也歟？吾聞'氣淸者數局。'又聞'仁者必壽。'惟君淸粹之氣, 雖曰數或偏促, 而其仁孝之行, 獨不得其壽乎？嗚乎！吾先祖先父, 積仁累德, 宜其享餘慶, 而以吾之不肖, 致此逆理之慘耶？嗚乎！先君在世之日, 吾昆季三人, 怡愉列侍, 自以爲有君子之一樂矣。而倏忽十載之間, 奄哭風樹, 今又折常棣。茫茫宇內, 此何人斯？念昔癸未秋, 君卒大學業, 自東京治任將歸, 方其艦也, 頭痛酷發, 甚不可支, 旋卽下陸焉。俄而船未中渡, 觸潛水機, 無一人登岸者, 何其慘也。痛稍霽, 越翌日, 利涉歸家。此吾先君之靈, 有以陰隲于萬里滄溟之外, 使之尼其行也。向如頭不痛, 與船中人淪胥咸溺, 同葬於魚腹之中, 久矣。曷不危乎岌岌。昨歲庚寅之亂, 亘古所罕, 刀山紒樹, 曰海沸盪, 稍有姓名者, 難乎避其鋒矣。吾與二弟, 得脫乎崑崗之炎, 亦安知非吾先君之靈, 有以冥佑者耶？嗚乎！先君之靈, 前旣遠曁乎滄海之上, 後又陰助乎爆雨之間, 今胡爲樂乎？使二竪得肆其不仁, 而莫之或禁也？其或氣數之變遷, 從古聖賢, 亦此不免也歟？嗚乎！惟君愷悌, 易以善於我者, 推而及於人, 人人亦信其義而懷其惠。君在世者三十纔六, 而視諸老死, 而無一善可稱者, 果孰長而孰短？嗚乎！是則差可慰余無窮之悲耶？從事學校十數年矣, 而暇輒披閱經傳, 有疑必問於余, 或以拈韻, 塤唱篪和, 晩節眞知兄弟之情矣。嗚乎！今焉已矣。踽踽凉凉, 將誰與歸哉？嗚乎！至情無語, 而痛寃彌中, 自不覺聲之發於口也。靈其有知, 庶幾諒此衷情。

매서(妹壻) 반호 김군(槃湖金君)의 제문

　아! 슬프네. 세월은 달려가고 궤연(几筵)은 철거하려고 하니, 화기로운 그 얼굴과 옥같은 그 음성이 더욱 멀어지고 더욱 숨겨지니, 하늘이 인색하다고 말할 수 있는데, 어찌 그대에게 따뜻하고 공순한 자질을 주시었으며, 하늘의 덕이라라고 말할 수 있는데, 어찌 중도에 앗아가 70세의 늙은 어머니로 하여금 뜻을 받드는 효성을 잃게 하였으며, 원근 종족으로 하여금 의지할 곳이 없게 하였을까? 그 기질이 청결한 사람은 운수가 국한되어 수명을 겸할 수 없을까? 이런 점에서 하늘을 향해 울부짖으며 한이 없지 않는 것이다. 아! 지난 경인년(서기 1950)에 국가가 대란을 겪고 있을 때, 조그마한 원한과 원수가 되면 그들의 예봉을 면할 수 없었으나, 그대는 의연(毅然)히 서서 사랑으로 어루만저 주고, 의리로 무마해 주었으므로, 밝은 지혜로 자신을 보호하고, 종족에게까지 미치었다. 저들이 비록 시랑이처럼 독하여 감히 누가 자기들을 무시하겠느냐고 하겠지만, 그들도 인한 마음과 인자한 소문이 사람들에게 깊이 인식되었음을 알고 있었네. 아! 이러한 자질로, 이러한 덕을 겸하여 당연히 하늘로부터 보답을 받아야 할 것인데, 41세에 결국 일어나지 못하였으니, 하늘이여! 하늘이여! 전일을 말한다면 도검(刀劍)이 숲을 이룬 속에서도 무사하였고, 후일을 말한다면 결국 병을 이겨내지 못하였으니, 혹 하늘과 사람 사이에 정도(正道)와 변화가 있어서 일정한 운수가 없는 것일까? 그 변화로 말한다면, 옛날부터 성현(聖賢)들도 이 하늘이 하는 일을 면하지 못하였으니, 이것을 무엇이라 말할 수 있을까? 아! 우리 형제와 자매 9인은 성현의 글을 읽고, 인의(仁義)를 논하였지만, 크게 이 유도(儒道)에 뜻을 둔 사람은 오직 그대만 믿었는데, 이제는 그만이니, 장차 누구와 의논하고 누구와 들어줄까? 아! 호암산(壺巖山) 중에 그 봉만(峰巒)이 비단같이 아름답고 강물은 맑고 맑아 세상에서 호남(湖南)의 금강산(金剛山)이라고 칭하였는데, 그대가 이 산의 현주(賢主)가 되어 산수(山水)도 빛이 낫었네. 나는 그 형승(形勝)을 사랑하여 언제나 꽃피고 단풍들면 지팡이 하나와 신발 한컬레를 신고 그대의 강학소(講學所)를 찾아가 서로 담소하며, 산 빛과 푸른 물속에서 만났는데, 지난날 비단같이 아름다운 산과 맑고 맑은 강물은 다만 참담한 구름과 수심어린 안개만 자욱하여 한 걸음도 가고 싶지 않았네. 아! 슬프네. 이때 마침 황화(黃花)가 피어 그대에게 술 한 잔 권하오니, 영령이시어, 사라지지 않았거든 혹 이 마음을 살피옵소서!

祭妹堉槃湖金君文

嗚乎哀哉！日月奔趨，靈几將撤。春和之容，玉如之音，愈邈矣、愈閟矣。謂天嗇之，胡界君以溫潤愷悌之資？謂天德之，胡中途遽奪，使七耋老母失志養之孝，使遠近族黨無所仰庇其所？謂氣淸者數局。而齒不能兼角歟？此以籲天長號，不能無憾也。嗚乎！往在庚寅，國家大亂，苟有寸憾錙讐，莫逃其鋒。惟君毅然自立，仁以撫之，義以摩之，明哲自保，施及宗族。彼雖豺虐狠毒，莫敢誰何？固知仁心仁聞，之入人者，深也。嗚乎！以若之資，兼若之德，宜其受天之報。而四十纔一，竟一夕不起。天乎天乎，以言乎前，則能無恙於刀山釼樹之間。以言乎後，則終未免乎二竪子之所困。其或天人之際，有正有變，385無一定之數也歟？自其變者而言，從古聖賢，亦此不免。天乎，謂之何哉？嗚乎！吾兄弟姊妹九人，讀聖賢，談仁義，大有志所斯道者，惟君是恃。今焉已矣。將誰與論，而誰與聽哉！嗚乎！壺岩之中，其峯巒之如繡如錦，江流之瀅然澄然，世稱湖南之金剛。君爲此山之賢主，而山水與有光焉。余愛其形勝，每花辰楓令，必一笻一屐，訪君講學之室，相與笑唔於山光水綠之中。自君逝矣，昔之如綿如繡者，瀅然澄然者，只增雲慘霧愁，不欲投一步也。嗚乎，欷矣。時遍黃花政英，侑君一觴。靈如不昧，庶鑑此情。

구호 김군(龜湖金君)의 제문(祭文)

아! 이 슬픔을 어찌 참아 말할 수 있겠는가? 그대의 순후한 자질과 정성스런 행실로 이와 같이 천고(千古)에도 없는 변을 당하였으니, 혹 이른바 천도(天道)의 옳은 것일까 그른 것일까? 아! 사람이라면 누구나 죽지 않는 사람은 없지만 그대처럼 참혹하게 죽은 사람은 없었네. 그대를 알지 못한 행인들도 그 소리를 들으면 이를 싫어하는데, 나와 같은 친구에 있어서는 어찌 하겠는가? 나도 그러한데 더구나 70세 부친의 마음은 당연히 어떠하겠는가? 착한 사람도 이와 같은데, 무었을 믿고 선행을 하겠는가? 아! 나와 그대는 어렸을 때부터 종유하여 서로 이익이 된 것이 많았네. 언제나 좋은 날이면 지팡이를 짚고 나란히 운림(雲林)과 수석(水石) 사이를 거닐어 정의가 칠옷과 같았고, 그 의리는 형제와 같았는데, 누가 일조에 일어나지 못하고 조화와 한 무리가 될 줄 생각이나 하였겠는가? 아! 세월이 얼마나 흘렀어도 강산은 적막하기만 하네. 나는 언제나 농로(農路)를 따라 그대 문앞을 지나가면, 혹 넓은 이마에 풍성한 수염을 한 한 사람이 어렴풋이 울 밖에서 기쁘게 맞이하는 것 같았네. 옛날의 풍류를 생각하면, 나 혼자 방황하며 차마 떠나지 못한지 한 식경 또는 반식경이 되었네. 아! 슬프네. 구천(龜川)에 임하면 밝은 달이 그대의 기상과 방불하고 서산(西山)의 맑은 바람을 쐬이면 말 없이 그대의 마음을 상상하였네. 그대의 끝 아우 능무(能武)는 형의 뜻을 간직하여 위로는 두 어르신을 효성으로 받들고 아래로는 여러 가족을 이끌고 좋은 소문이 들리니, 이것이 저승에서 눈을 감지 못한 눈물을 위로가 된다고 할까? 아! 어찌 차마 말을 다하겠는가? 말로 다하겠는가?

祭龜湖金君文

嗚乎！哀尙忍言哉！以君醇厚之質，熟慤之行，罹此千古所未有之變，倘所謂天道，是耶？非耶？嗚乎！人孰無死，而慘酷無有如君者也。行路不知，聞之猶爲之齒酸。其在友誼之如余篤者，又何如？如余且爲然，況乎七耋高堂，尤當如何？作懷善人而猶如此，將何恃而爲善？嗚乎！余與君，自幼相追從，麗澤已多。每當良辰勝日，吟笻醉鞋，聯袂逍遙於雲林水石之間。情如膠漆，誼同弟兄。孰謂一朝不起，與化爲徒耶？嗚乎！日月幾何，江山寂寞。余每於農，路過其門，庶幾廣頰豐髥，依俙若欣，迎於籬林之外。念昔風流，獨自徊徨，不忍去者一餉或半餉矣。嗚乎，欷矣。臨龜川明月，則髣髴君之氣像，挹西山淸風，則默想君之胸懷。惟令季君能武乃兄之志，上以孝奉雙老，下以導率群眷，蔚有令聞。此可慰泉臺未瞑之淚也歟？嗚乎！尙忍言哉！尙忍言哉！

청강 유군(靑江柳君)의 재문(祭文)

아! 슬프네. 내 나이 겨우 55세에 친구들을 모두 저승으로 보내었으니, 내가 어찌 저 하늘에 한이 없겠는가? 언제나 하늘을 원망한다는 말을 지묵(紙墨)으로 나타내었네. 지금 청강군(青江君)이 공적인 천리(天理)를 원망하는 것은 사정(私情)에서 나온 것이라는 것을 잘 알고 있을 것이니, 어찌 하늘에게 사실을 파헤칠 수 있겠는가? 하늘은 이미 그대에게 돈후(敦厚)한 기질을 부여하고, 그대는 근독(勤篤)하는 행실을 닦아, 나이 50세에 좋은 명성을 잃지 않고 있고, 사우(士友)들 사이에 주요하게 추대되고 있었네. 그리고 그 남은 자녀들도 한창 일어나 아름답고 수효도 많았네. 봉황(鳳凰)들 새끼는 평범한 것이 없고, 등림(鄧林)[74]에는 다른 가지가 없는 것이므로, 우리 고을에서 복 많은 사람이라면 그대가 반드시 제일에 해당할 것이네. 그 중 가장 적은 것은 수명이었네. 가령 그대가 90~80~100세의 수를 누렸다면, 위에서 지적한 좋은 소문이란 것과 남은 자녀라고 하는 것은 조금 오늘보다는 못할 것이니, 곱하고 나누더라도 그 득실(得失)이 어찌 이것에 해당하겠는가? 하늘이 그대에게 주는 것은 가히 후하다고 할 만하니, 나는 다시 하늘을 원망하는 말을 하지 않겠네. 아! 그대는 독서를 좋아하여 경전(經傳)을 그치지 않고 순독(循讀)하였고, 제가(諸家)의 글에 있어서도 이름과 작자만 들먹여도 글을 외워 침식(寢食)을 잊었었네. 그리고 글을 보면서 난해한 곳이 있으면 비록 사람이 많은 좌중이라도 반드시 벽을 향해 머리를 숙이며 풀이를 한 후에 그치었네. 아! 옛날 우리 5~6인이 '명산대천계(名山大川契)'를 창설하여, 천하의 큰 명승지를 모두 구경하려고 금강산(金剛山)부터 시작하였네. 이때 전원(全員)이 다 가지 못하여 날 자를 물리치자, 그대는 나를 억지로 일으키므로 나는 날마다 길을 재촉하여 나로 하여금 일만이천봉(一萬二千峯)을 보게 하였으니, 이것이 모두 그대의 힘이었네. 아! 한번은 산의 서쪽에 있었고, 한번은 물의 동쪽에 있었는데, 거리가 10리 남짓 되었으나 매년 360일에 만나지 않는 것이 며칠도 되지 않았으며, 40년 동안 그대와 나처럼 상종한 사람을 해내(海內)에서 찾아봐도 몇이 되지 않았네. 지난 섣달에 경암(敬菴), 담재(澹齋)와 괴로운 심정으로 함께 방문하였을 때, 원기는 다하였지만 정신은 그대로였으므로, 서로 옛날 술 마시며 권하던 일을 이야기하였는데, 슬프게도 그 모습을 영결하였네. 아! 이 한번의 이별이 이미 천고(千古)를 이루어졌네. 속광(屬纊;임종)하기 전, 한 시간도 되지 않아서 여러 차례 '보정(普亭)'을 불렀다는 말을 들었네. 아! 보정(普亭)이 어떤 사람이 길래 우리 청강(青江)이 죽음에 임하여 잊지 못하였을까? 자기(子期)[75]가 떠났으니, 누가 나의 음악을 들어줄

---

74) 과보(夸父)가 해를 쫓아 해 속으로 들어가 갈증이 심하므로 하수(河水)와 위수(渭水)를 다 마셨으나 부족하여 북쪽으로 가서 대택(大澤)을 마시려고 하였으나 도중에 갈증이 심하여 죽었는데, 그의 지팡이가 등림(鄧林)이 되었다고 한다.
75) 춘추(春秋). 거문고의 명수인 백아(伯牙)의 친구, 종자기)는 백아의 고산유수곡(高山流水曲)을 알아들

까? 내 한쪽 그림자가 외로운데 강호(江湖)는 아득하네. 청산(靑山)에 백설(白雪)이 가득한데 내가 와서 술 한 잔 올리오니 영령(英靈)이 사라지지 않았거든 혹 이 무궁한 슬픔을 살피옵소서!

祭靑江柳君文

嗚乎哀哉！余年纔五十五，盡送故友爲泉臺人。吾不能無憾於彼蒼，每作怨天語，形諸紙墨間矣。今於靑江君，始知天理公，而怨之者特出於私耳。何以覈諸天？既賦君以敦厚之質，修君以勤篤之行，行年五十身不失，令名推重於士友間。且餘庥蔚然方輿，瑤環珥瑜，林林叢叢。鳳雛無凡毛，鄧林無別枝。吾鄕中稱福翁，君必居首。所少者，特壽耳。借令君享期耄頤耋之壽，而向所謂令名者、餘庥者，少遜於今日。乘除之其得失，何居於是乎？天之餉君，可謂厚矣，吾不敢復作怨天語。嗚乎！君好讀書，於經傳循環不已，至諸家文，苟號名作，輒成誦，至忘寢食。凡看書遇難解處，雖稠人廣坐中，必向壁屈首，解而後已。嗚乎！昔年吾輩五六人，設名山大川契，將以盡天下之大觀。觀自金剛始，時余以全員未偕退期，君強起余刻日促程。使我見萬二千峯，君之力也。嗚乎！一在山之西，一在水之東，距十里強，而年三百六旬，未逢者無幾日矣。四十年過從，如君與我者，歷數海內，亦無幾矣。去臘與敬菴、澹齋，含蔘同訪，元氣萎薾，而神精自如。相與道故舊，命之酒而勸之飮，悵然有永訣氣象。嗚乎！此一別，遽已千古矣。聞屬纊前未一時，累呼普亭。噫！普亭何似者？使吾靑江臨死猶不忘耶？子期去，我音誰可賞？隻影踽踽，江湖茫茫，靑山白雪，我來一觴。不昧者存，庶鑑此無窮之悲。

월초 조군(月樵曺君)의 제문

을미년(서기 1955) 11월 29일은 월초 조군(月憔曺君)이 땅에 들어간 날이다. 1일 전 병자(丙子)에 그의 세우(世友) 안동 김정회(安東金正會)는 제문을 지어 구전(柩前)

었으나 종자기가 죽자 백아는 거문고 줄을 다 뜯어버리고 다시 거문고를 퉁기지 않았다고 한다.

에 영결을 고하고 통곡하네.

 아! 슬프네. 오직 그대는 평범한 사람을 초월한 재주를 타고나서 크고 강한 큰 뜻을 간직하여 앞으로 끊임없이 나가는 기개가 있었으니, 하늘이 그대를 내는 것은 장차 이 세상에 큰일을 하려고 한 것인데, 한번 병이 들어 15년까지 지속하다가 결국 일어나지 못하였으니, 그 기운이 밝은 사람은 수명이 국한되어 있어 이(齒)와 뿔(角)을 온전히 주지 않는 것은 그 이세상(理勢上) 필연적일까? 아! 그대의 아름다운 기질은 천성적이고 그 학문은 가정에서 얻었으니, 옛날 편찬했던 《조선사(朝鮮史)》 3편도 남은 힘으로 수록하여 이룬 것이지만, 사문(斯文)을 도울만 하기에 족하였네. 그러나 그대는 이것을 만족하지 않으므로 그 기대가 여기에 그치지 않았었네. 아! 오직 우리 양가(兩家)는 여러 세대 동안 사이좋게 지내어 오늘에 이르도록 변함이 없이 내가 걱정이 있으면 그대는 나보다 먼저 걱정해 주고, 그대가 기쁜 일이 있으면 나도 그와 같이 하여 정의가 골육(骨肉)과 같았고, 보기도 한 집안과 같이 하여, 언제나 간절하고 엄숙히 경계하여 삼밭 속에 숙대처럼 곧게 자랄 수 있었으니, 대개 그 숫자를 헤아릴 수가 없다. 나이로 말하면 그대가 나를 형이라고 부르고, 덕으로 말하면 내가 그대를 스승으로 여기었으므로, 장차 백 년 동안 서로 적막한 세상에서 서로 위지하려고 하였는데, 녹나무(櫟樟)[76]가 먼저 꺾이고 사석(沙石)이 뒤에 일을 줄 생각이나 하였겠는가? 아! 나의 정의를 말한다면, 오직 부모님이 집에 계시어 쇠퇴한 얼굴과 백발로 눈에 보이는 것 마다 쓸쓸한데, 그대같이 천성적으로 지극한 효자가 어찌 참아 이런 일을 당할 수 있을까? 이치란 헤아릴 수 없으며, 하늘이란 혹 정해지 못한 일도 있는 것일까? 아! 나는 언제나 괴로운 마음을 간직하고 가서 위문 하였을 때, 그대는 자리에 누어서 말을 잘 하지 못하고 있으면서 세상이 옛날과 같지 않음을 개탄하며 일찍 지어놓은 《윤리론(倫理論)》 1편을 나에게 보여주었네. 아! 그 뜻이 아직도 떠오르고 있으니, 그 일단을 엿볼 수 있겠네. 하늘이 나이를 더 연장해 주었더라면 그 성취하는 것을 어찌 다 헤아릴 수 있겠는가? 아! 그대의 성망(聲望)이 온 세상에 가득하여 원근에 사는 알고 모른 사람들이 서로 조상하여 눈물을 흘리지 않는 사람이 없었으니, 이 세상에 있는 시간이 겨우 44세였지만, 그 죽지 않는 명성은 그 몇 천 년, 백년이 될지 알 수 없었을 것이네. 그대의 큰 아들의 나이는 겨우 15세가 넘어 모든 일에 숙성하므로, 그 가정을 충분히 이어갈 것이니, 이것이 저승에서 눈늘 감지 못한 영령(英靈)에게 위로가 된다고나 할까? 아! 술 한 잔을 들고 와서 곡하고 창졸간에 제문도 글답게 이루어지지 않았으니, 붉은 깃대와 백설(白雪)이 한갓 산색과 여울 물소리에 슬픔

---

76) 곧고 크기로 유명한 나무.

만 더할 뿐이네, 그대의 영령(英靈)이 나의 슬픔을 이해할 수 있을까? 아! 슬프기만 하네. 많이 드소서!

祭月樵曺君文

歲乙未十一月二十九日, 月樵曺君入地之期也。前一日丙子, 其世友安東金正會爲文告訣于柩前而哭之, 曰：嗚乎哀哉！惟君禀超夷之奇材, 抱雄剛之大志, 蔚有方進未艾之氣。謂天之生君, 殆將有爲於斯世。而一疾沈綿十五載而竟不起。其所謂氣淸者數局, 而齒角不兩全, 亦理勢之必然也歟？嗚乎！君之美質得之天, 而其學問得之家庭。昔年所纂鮮史三編, 亦餘力之所蒐錄而成者也, 足以羽翼斯文。而君不以是自多, 盖其所自期, 將不止此已也。嗚乎！惟吾兩家累世交好, 至于今不替。我有憂, 君先我而憂。君有喜, 我亦如之。情均骨肉, 視同一室。每切偲規箴, 其爲蓬麻之益, 盖不可以數計。以乎齒, 則君兄呼我。以乎德, 則我師以君。將謂百歲相依於寂寞之濱。孰謂櫟樟先折, 而沙石在後歟？嗚乎！我之情私, 猶可說也。惟是雙親在堂, 蒼顔白髮, 滿目蕭然。以君根天之孝, 胡寧忍此？所謂理者, 不可測。而所謂天者, 或有所未定歟？嗚乎！余每含蓼往問, 君委席, 言不能成聲。猶惓惓於世道之不古。嘗著倫理論一篇, 以示余。烏乎！其志尙有在卽, 此可窺其一斑矣。天假之年, 則其所成就曷可量哉？嗚乎！君聲望滿一世, 遠近知不知, 莫不相吊而隕涕。其在世, 纔四十四, 而其不死者, 不知其幾千百春矣。君長胤, 年僅踰舞象, 凡百夙就, 能世其家矣。此可慰泉臺未瞑之靈也歟？嗚乎！一觴來哭, 倉卒不成文, 丹旌白雪, 徒增山哀而澗咽。想君之靈, 有以諒余之悲也。嗚乎哀哉！尙饗。

효당 김공(曉堂金公)의 제문(祭文)

유세차, 경자년(서기1960) 9월 초 5일 을유(乙酉)에 벗을 잃은 안동 김정회(安東 金正會)는 두어 줄의 글을 가지고 와 효당선생 김공(曉堂先生金公)의 상생(象生)[77] 궤연

---

77) 상생(象生) : 제사를 지낼 때 죽은 사람이 생전에 사용하던 물건으로 상징하는 일.

에 곡을 하며 올립니다.

  아! 슬픕니다. 천세(千世) 전에 공 같은 분이 떠난 사람은 몇 사람이며, 만세(萬世) 후에 공 같은 분이 오는 사람은 몇 사람일까요? 간다면 나는 공이 한유(韓愈), 유종원(柳宗元), 소식(蘇軾)이 될 줄 알고 있지만, 뒤를 따라 오는 사람들이 공과 방불한 사람이 있을 줄은 아직 모르고 있네. 나는 공의 글을 마치도 태산(泰山)같이 바라보고 북두성(北斗星)과 같이 우러러 보았네. 북두성은 떨어지지 않고 태산은 평지가 되지 않네. 공의 문장이 태산, 북두성과 함께 천추(千年)와 만년(萬年)에 전해질 것이네. 아! 천지는 적막 세계에서 유유하지만 나의 사모는 불어오는 서풍에 술 한 잔을 올리니, 산도 슬퍼하고, 강물도 비통한 심정을 안고 흘러가네. 적막하고 나의 생각이 아득이네. 오직 영령(英靈)이시어! 신령이 만약 지각이 있다고 하면, 끝 없는 나의 그리움을 거울 같이 비추어 주소서.

祭曉堂金公文

維歲庚子九月五日乙酉, 損友生安東金正會, 操數行文, 來哭于晚堂先生金公象生之筵。曰：嗚乎哀哉！千世在前, 公之去者幾人？萬世在後, 公之來者幾人？去者, 吾知其爲韓爲柳爲歐爲蘇。來者, 未知其能有髣髴者乎？余於公之文, 望之如泰山, 仰之如北斗。北斗不墜, 泰山不平, 公之文, 能與之俱傳於千秋而萬春矣。嗚乎！天地寂寞悠悠, 我思西風一觴, 山哀浦思。惟靈有知, 庶鑑此無窮之思。

유인 정씨(孺人鄭氏)의 제문

  갑진년(서기 1964) 11월 21일 정미(丁未)에 삼종손 김정회(金正會)가 삼가 주과(酒果)를 올리며 삼종조모 유인 정씨(孺人鄭氏)의 영구(靈柩) 앞에 곡하며 아룁니다.

  아! 유인(孺人)은 우리 종족의 주인(主人)이 된지 80년이 가깝습니다. 선세(先世)의 기진(忌辰)과 명절 제사 때에는 몸소 팽임(烹飪)을 극히 정(精)하게 하시고, 족당(族黨)들이 매우 번창 하였지만 화목하게 지내며 원근(遠近)과 친소(親疎)가 없었고 문중에는 이간하는 말이 없었습니다. 노복(奴僕)에게도 은의(恩義)가 두루 미치어, 그들을 위로 하였으므로 그들은 원망하지 않았습니다. 그 곧고 정숙한 모습과 인자하고 회기로운 덕은 규호(閨壺)의 법이 되었습니다. 아! 중년에 남편을 잃은 주곡(晝哭)에 얽히었지만 5남(男)을 기른 후에 전답은 나누어 각기 가정을 만들어주고, 그 농업에 편안히 살게 하였으니, 증자(曾子)가 말한 "육척(六尺)의 고아(孤兒)를 의탁하고 백리(百里)의 면적에 임명한다(托六尺之孤, 寄百里之命)"는 것은 군자(君子)도 어려운 일인데, 유인(孺人)이 일생동안 감당하였으니, 이것이 참으로 어진 일입니다. 하늘이 무도(無道)하여 그 만년에 누차 아들의 상을 당하여, 결국 한 사람도 남지 않았으니, 어머니라 부르는 아들은 이치상 참으로 예측할 수 없습니다. 아니 혹 기수(氣數)가 변하면 성현(聖賢)도 피하기 어려운 것일까요? 그러나 손자와 증손자가 집에 가득하여 잘 자라고 있으니, 모든 것을 인정하여 보시(報施)하기를 감당하지 못할 지경에 이른 것이, 여기에 있는 것일까. 아! 옛날 내가 뵈이러 왔을 때, 은근한 은혜가 많았는데, 지금 내가 와서 곡을 올리니, 모습을 뵐 수 없습니다. 이것이 어찌 한 사람의 사적(私的)인 슬픔이겠습니까? 참으로 우리 모든 종족들이 슬퍼할 일입니다. 정령(精靈)이시여! 아시거든 혹 강림하여 살피옵소서.

祭孺人鄭氏文

歲甲辰十一月二十一日丁未, 三從孫金正會, 謹以酒果之奠, 哭告于三從祖母孺人鄭氏之柩前, 曰：嗚乎！孺人爲吾宗之主, 殆八十年矣。先世忌辰, 及時節薦享, 躬執烹飪, 務極精鐍, 族黨甚蘩, 而雍睦和翕。無遠近親疏之別, 門無間言, 至奴僕恩義, 周洽勞之, 而亦不怨焉。其貞靜之姿, 慈和之德, 足可爲閨壺柯則矣。嗚乎！中歲罹晝哭。教養五男, 割田立戶, 使各安其業。曾子所謂托六尺孤, 寄百里命者, 君子以爲難矣。而迹孺人一生, 可以當之, 是眞賢矣哉。嗚乎！天道無知, 迨其晩年, 累哭西河, 終無一人呼母者, 理誠不可測也。抑或氣數之變, 聖賢亦有所難逃也耶？雖然, 孫曾滿堂, 蘭茁而玉映。至不勝點頭, 報施之天, 其在斯歟？嗚乎！昔我拜床, 撫惠慇慇。今我來哭, 典型莫憑。此豈徒一人之私悲？實吾擧宗之咸哀也。精靈有知, 庶其鑑臨。

망실(亡室) 이씨(李氏)의 제문

　　갑진년(서기 1964) 10월 25일 술시(戌時)에 거문고는 현이 끊어졌습니다. 6일이 지난 정해(丁亥)에 안동 김정회(安東金正會)는 삭전(朔奠)을 인하여 망실(亡室) 이씨(李氏)의 영령(英靈)에 영결을 고 합니다. 아! 하늘이 이미 그대에게 아름다운 자질을 부여하고, 또 기이한 병으로 그 몸을 질곡(桎梏)하는 것은 무슨 까닭일까? 이것이 위대한 천지에 한이 되지 않을 수 없습니다. 아! 그대가 세상에 있는 기간은 64년간이었지만, 그 중 3분의 2는 병으로 신음하고 있었으므로, 사계절을 어떻게 보냈는지 알지 못하였으니 어찌 세상의 즐거움을 알 수 있겠습니까? 하루를 더 세상에 있으면 하루의 고통이 있고, 이틀을 세상에 있으면 이틀간의 근심어린 말이었습니다. 나는 그대가 작고한 것을 슬퍼하는 것이 아니라 축하를 드립니다. 장생(莊生)[78]이 질그릇을 치면서 노래하는 것[79]은 참으로 일찍 깨우친 것이라고나 할까? 그러나 나는 슬퍼하지 않는다고 말한 것은 사람들이 알지 못하는 슬픔을 간직하고 있고, 소리 없는 눈물을 옷깃에 적시고 있습니다. 다행히도 일찍 1남 1녀를 두어 지금은 이미 내외 손자 11명을 안게 되었으니 이것은 세상을 헛되이 산 것이 아니라고 말할 수 있을까? 불씨(佛氏)가 말한 윤회(輪廻)의 설(說)이 없으면 그만이지만, 있다면 나와 그대는 후일 태어날 때 만종(萬鍾)[80]의 부귀도 원치 않고 또 높은 벼슬도 원치 않으며 오직 말하고 싶은 것은 그 몸이 편안하여 활기찬 곳에서 훨훨 날고 화락한 동산에서 실컷 놀면서 세상에도 이런 즐거움이 있다는 것을 알았으면 하는 것입니다. 이것은 내가 위로 하늘에 빌고, 아래로 땅에 고하는 것입니다. 아! 공산(空山)[81]에서 혼자 지내는 밤에는 그 영혼이 상천(上淸)의 집으로 내려와 인간세상의 흔척(欣戚)을 굽어본다면, 한 번의 웃음거리도 되지 않을 것입니다. 저 매미에 비유한다면, 더러운 속에서 태어나 하루아

---

78) 장자(莊子)를 말함.
79) 장자가 그의 아내가 돌아갔을 때, 질그릇을 두드리다. 《장자(莊子)》의 '지락(至樂)'에 나오는 이야기다.; "장자가 그의 아내가 죽자 해자가 문상을 갔더니,장자는 두 다리를 벌리고 앉아 옆에 질 그릇을 엎어 놓고 두두리며 노래를 부르고 있었다. 해자가 꾸짖자 장자는 "살펴보니 사람이란 처음부터 생긴 것이 아니다. 본래 형태가 없고 , 형태가 없으니 기도 없이 잡다한 사물에 섞여 있다가 기를 얻게 되고, 기가 있어 생겨나게 되었지요. 그런데 오늘 죽어 춘추동하 사시절과 더불어 운행하게 되었습니다. 광실의 침실에서 죽었다고 내가 눈물 콧물을 흘리며 운다는 것은 명을 모르는 일이므로 울음을 거둔 것이요."라고 말하였다.
80) 후한 봉록(俸祿).
81) 사람이 없는 산.

침에 껍질을 벗고, 나뭇가지 맑은 바람 속에서 자연을 노래하고 있으니, 어찌 그리 신선 같으며, 어찌 그리 한가로울까? 두어 줄의 무사(蕪辭)로, 이 평생에 지니고 있던 극도의 여한을 토로하였습니다. 떠나 간 사람이 아시거든, 참으로 나의 말이 거짓 없는 말이이라는 것을 아시기 바랍니다.

祭亡室李氏文

歲甲辰十月二十五日戌時，琴絃已斷矣。越六日丁亥，夫安東金正會，因朔奠而告訣于亡室李氏之靈，曰：嗚乎！天旣賦君以洵美之質，而又以奇疾桎梏其身者，抑何歟？此所以不能無憾於天地之大也。嗚乎！君在世者六十四年。而其三之二，沉痾吟楚。四時之序，猶懵然不能記，又焉知人世之樂也？一日在世，則有一日之苦；二日在世，則有二日之憫。吾於君之逝也，不以悲而以賀。莊生之擊缶而歌者，眞先獲也歟？雖然吾所謂不悲者，乃所以爲人不及知之悲，而無聲之淚，已沾沾於襟焉。幸早得一男一女，今已抱內外孫，總十有一焉。此可謂不虛度此世也耶？佛氏所謂輪廻之說無則已，有之，吾於君他生之日，不以萬鍾之富爲願，又不以軒冕之貴爲願，惟願言者，康壯其身，翺翔乎快活之場，優游乎和樂之園。以知人世之有此眞樂。此吾所以上而祝天，下而告地者也。嗚乎！空山獨夜，想精靈淑魂，翩然陟降于上淸之家，俯視塵世之日欣日戚，曾一笑之未滿矣。比之彼蟬，出自汚穢，一朝脫殼。鳴其自然於樹末淸風，胡然而仙也，胡然而閒也。數行蕪辭，洩此平生之至恨。逝者有知，諒知吾言之不爽也。

신촌 전공(新村全公)의 제문

 모년 모월 모일에 도산(道山)의 기로사(耆老社) 모모 등은 대충 주과(酒果)를 마련하여 신촌 전공(新村 全公)의 영가(靈駕) 앞에 올리고, 곡하며 영결을 고하고자 하네. 아!슬픕니다. 인생이 바쁘기는 눈 한번 깜박이는 사이입니다. 오직 공의 청수한 기질과 편안한 모습이 백세를 살줄 알았는데, 한 번 병이 들어 3일 동안 앓다가 갑자기 일어나지 못하였으니, 어찌 이와 같이 바쁠 수 있겠는가? 아! 공은 일찍부터 사방(四方)

의 뜻이 있어 북쪽으로 서울을 유람하여 사귀는 사람들이 모두 당세의 호걸들이었으나, 이미 세상과 자신의 뜻이 맞지 않아 군평(君平)[82]처럼 세상을 버리었다. 세상을 버리고 뜻을 거두어 돌아온 후 문을 닫고 자취를 감추어, 선조의 덕을 기술하고 후손의 길을 열어, 이것이 한 가정의 정사(政事)로 발전하였으니, 세상의 조맹(趙孟)[83]을 어찌 득상(得喪)으로 생각하겠는가? 담연(澹然)히 마음속에서 잊었다. 그리고 성품이 술을 좋아하였으나, 가정이 가난하므로 효성이 지극한 아들과 사랑하는 손자들이 누룩과 쌀을 마련하여, 오랜 세월 취하여 하루도 깨어 있는 때가 없지만, 한번 취해도 술에 빠지지 않고, 즐거울 정도에 그치었으며, 외물과도 다투는 것이 없었으니, 이것만 보아도 그 심성(心性)의 수양이 얼마나 잘 되었는지 엿볼 수 있을 것이네. 우리 친구 두어 사람은 한 마을에 살고 있으므로, 나이가 같을 필요도 없지만, 뜻이 다르지 않아 조석으로 상종하며 상마(桑麻)를 이야기하기도 하고, 풍월(風月)을 읊기도 하여 하루도 보지 않으면 삼년동안 같이 여겨졌다. 아! 공의 맑은 모습과 아름다운 수염은 그 풍채가 사람에게 비추었으며, 옛 사람들의 언행(言行)을 논할 때는 분명하게 분석하여, 듣는 사람으로 하여금 싫증이 나지 않게 하였고, 여러 사람과 함께 있으면서도 즐겁게 대하여 조금도 규각이 없었으므로, 공을 좋아한 사람들이 많았다. 아! 공을 보지 못한지 겨우 수일이었지만, 벌써 시내와 산색이 쓸쓸하게 변하고, 풍월이 한적하게 되었네. 옛날 우리가 만나면 술타령을 하였고, 잔을 기울이면 반드시 술병의 굽을 보아야 하였는데, 오늘 내가 술을 권하여도 잔은 축나지 않고 묻는 말에도 암 대답이 없으니, 정말로 영원한 밤이 되어쏘, 천고(千古)로 변하였네. 아! 말은 끝이 있지만 뜻은 끝이 없네. 영령(英靈)이여! 사라지지 않았거든 우리들의 오늘의 마음을 살피옵소서!

祭新村全公文

維年月日, 道山耆老社員某某等, 略具酒果之奠, 哭訣于新村全公靈駕之前, 曰：嗚乎哀哉！人生日忙似瞥眼。惟公淸粹之氣, 安閑之表, 可以期百歲。而一疾三日, 遽爾不起。何若是其忙耶？嗚乎！公早有四方之志, 北遊京師。所與交

---

82) 엄준(嚴遵)의 자. 그는 서한(西漢)의 촉군(蜀郡) 사람이며 노장 사상(老莊思想)을 즐기었다. 은거하여 벼슬에 나서지 않고 일찍부터 성도(成都)에서 점괘(占卦)를 보며 생계를 유지하였다.
83) 춘추시대 진(晉) 나라 조씨(趙氏)들은 높은 관직을 누리는 사람으로 세상의 부귀연화를 누린 사람의 대명사가 되기도 하였다.

者, 皆當世豪傑之士. 旣世與我違, 爲君平之棄, 棄則卷而歸之, 杜門鏟跡. 述先德而牖後進, 以爲一家之政. 世之曰趙曰孟, 孰得孰喪, 澹然忘諸懷. 性又嗜酒, 家甚窶, 而孝子仁孫, 能辦麯米舂. 百年長醉, 無一日或醒. 然而醉, 未嘗沉冥, 陶然而樂, 與物無競, 此可見存養之一端也. 吾輩數人居同閈, 年未必皆同, 而志無乎不同. 晨夕相逐, 只課談桑說麻, 吟風礎月, 一日不見, 殆若三秋矣. 嗚乎! 公淸標美鬚, 風采映人, 其論前言往行, 娓娓辨晳, 足使聽者不厭. 群居樂易, 不露圭角. 是以悅之者, 衆矣. 嗚乎! 與公不相見纔數日, 溪山已寂寥矣, 風月亦多閑矣. 昔我相逢, 逢輒呼酒, 酒必乾壺. 今來侑酒, 酒不縮而問無答, 其眞長夜矣, 千古矣. 嗚乎! 言有盡而意不窮, 英靈不昧, 庶鑑吾輩此日之情.

유인 강씨(孺人姜氏)의 제문

아! 슬픕니다. 유인(孺人)은 비녀를 꽂을만한 나이에 우리 재종숙 재명씨(在明氏))의 아내가 되어, 19세 때 딸 하나를 두었으나 불행히 요절하였고, 20세에 남편을 잃었으나 미망인(未亡人)으로 자처하며, 시부모님에게 슬퍼하는 기색을 보이지 않고, 밤이면 베를 짜고 낮이면 물래를 돌리면서 시부모님이 기뻐하시도록 극진한 성의를 다했으며, 시동생들과 시누이를 잘 기루어, 결혼을 시켰는데, 누구하나 때를 어기게 한 적이 없었습니다. 가정 안팎에 궂은 일이 있으면 손수 수의(襚衣)와 모든 일을 모두 자신이 제출(裁出)하여 반드시 정성을 다하고 믿음이 있도록 하여 하나도 한이 되지 않게 하였으며, 4세(世)의 주창(主鬯)하는 책임을 이어받아 언제나 기일(忌日)이 되면 제수를 씻고 삶을 것을 남에게 시키지 않고 영혼이 생존해 계신 것처럼 성의를 다하였으며, 동서들을 대할 때도 이간하는 말이 없고, 노복(奴僕)을 대할 때도 은의(恩義)를 병행하였으니, 절개와 공(功)을 아울렀다고 할 것입니다. 조카 난회(蘭會)를 남편의 후사로 영입하여, 기루고 교육하였고 장성한 후에는 오씨(吳氏)를 며느리로 맞이하였으나, 오씨(吳氏)도 혈육 하나를 두지 못하고 작고하였고, 또 금년 봄에 양아들도 작고 하였습니다. 아! 저 푸른 하늘이 어찌하여 처음에는 현철(賢哲)한 자질을 부여하였다가, 나중에는 사람이 감당할 수 없는 참혹한 액운을 내리시어, 연약한 몸을 적막한 규방에서 청춘을 헛되이 보내게 하였을까요? 아! 이것은 한갓 유인(孺人)

한 사람의 액운이 아니라, 우리 모든 종중이 복이 없는 일입니다. 그러나 고인(古人)들이 말하기를 "옥(玉)도 깨뜨릴 수 있고, 칼도 부러트릴 수 있지만, 정부(貞婦)의 마음은 앗을 수 없으며, 산도 무너트릴 수 있고 구릉도 헐어버릴 수 있지만, 정부(貞婦)의 지조를 옮길 수 없다"고 하였습니다. 유인(孺人)같이 곧은 마음과 높은 절개는 일월(日月)을 메달아 놓은 것처럼 빛나고, 귀신도 울게 하여 고인(古人)의 말에 부끄러움이 없습니다. 아! 천지의 강상(綱常)과 백세(百世)의 풍속을 유인(孺人)이 책임을 졌으니, 이 세상에서 액운에 처한 것이 79년이었지만, 후세에 그 남긴 빛은 천년 내지 억년이 될 것입니다. 대충 무사(蕪辭)를 엮어 술 한 잔으로 충정을 고하오니, 영령이시여! 사라지지 않았거든, 이 마음을 살피옵소서!

祭孺人姜氏文

嗚乎哀哉！孺人及笄，歸爲吾再從叔在明氏室。年十九育一女，不幸夭札。二十喪所天，以未亡人自居。未嘗以悽嵯色見舅姑。夜織晝纊，務極承歡，撫育諸弟，授室迎壻，使各不失時。人看上遭內外憂，襚衣凡節，皆手中裁出。必誠必信，一無攸憾。承四世主鬯之任，每値忌日，洗滌烹飪，不使人代，以致如在之誠。處姒娌而無間，言待婢僕，恩義並行，可謂節與功，并也。取姪子蘭會，以立夫後。養之敎之，及長娶 婦吳氏。而吳氏亦無一愧血而卒，又哭西河於今春。嗚乎！彼蒼者天，胡爲乎始而賦與以賢哲之姿，終焉阨之以人所不堪之慘，千酸萬毒，叢集于軟軟一軀。寂寞空閨，靑春虛老。嗚乎！此豈徒孺人一身之阨窮？實吾擧宗之無祿也。雖然古人云：'玉可裂，釗可折，貞婦之心不可奪。山可摧，陵可隳，貞婦之操不可移。'若孺人之貞心卓節，可以揭日月，可以泣鬼神，可以無愧於古人之語矣。嗚乎！天地綱常之重，百世風聲之植，以孺人而任之責之。其在世而阨窮者七十九年，而其遺光於來世者，能千秋而億齡矣，略掇蕪辭，單觴告哀。英靈不昧，庶鑑此衷。

고당 김공(顧堂金公) 제문(祭文)

 아! 슬프기만 하네. 세월이 속히 흘러 연기(練期)가 다가오고 있네. 시절이 순환하여 만물이 소생하지 않는 것이 없네만, 형은 어찌 날마다 보이지 않는가? 그 맑은 표상(標像)과 맑은 음성은 막연히 서로 잊었섰네. 아! 형이시여! 그 높은 재주와 공순한 덕으로 또 아름답고 걸출한 학문을 축적하였으나, 세상 사람들은 그 덕을 아는 사람이 없었네. 일생동안 구덩이에 갇혀 살며 임천(林泉)에서 서식하다가, 수명도 그 인자한 성품에 맞지 않아 64세에 작고하시어 선비들의 의지할 곳이 없었고 후학들은 지남(指南)을 잃었으니 혹 하늘은 결국 믿지 못하는 것일까요? 아! 지난 갑오년(서기1954년) 겨울에 효당(曉堂)을 통하여 형을 알게 되었으니 가히 늦다고 말할 수 있네. 그러나 말 한마디에 평생동안 심간(心肝)을 열어놓고 서로 지기(知己)로 허락하여 문주(文酒)로 써 모이고 도의(道義)로 써 경계하기를 서로 기약 하였으며, 매년 봄과 가을에는 혹 나를 두류산(頭流山)의 천첩(千疊) 사이로 초대하거나 혹은 봉해(蓬海)의 만경창파(萬頃蒼波)로 형과 약속하여 이야기를 안 하는 것이 없었고, 간혹 해학(諧謔)도 하여, 이 답답하고 불평한 기운을 쏟아내었으니, 그 정상이 가히 슬프기도 하였네. 아! 형의 기미(氣味)는 지란(芝蘭)의 향기와 같고, 마음은 빙옥(氷玉)같이 깨끗 하였으며, 학문의 연원(淵源)은 사우(師友)로부터 간절하고 엄격한 경계가 있어 효제(孝悌)에 더욱 독실하였고, 신명(神明)처럼 통달하였지만 만족하게 생각하지 않았으며, 의리는 온 세상을 감복하였지만 스스로 만족하게 생각하지 않으셨네. 자신에게는 겸손하고 사람들에게는 공경하고 화기롭게 대하였으며, 명분을 닦고 절개를 과시하여 확고히 자신을 지키었으니, 대동(大冬)의 동백(冬栢)이며, 고상하여 흔들리지 않았으니, 중류(中流)의 주석(柱石)이었네. 위에서 말한 "일생동안 구덩이에서 살았다"고 한 것은 하늘이 옥(玉)을 그릇으로 이루어 둔 것이라고나 할까? 아! 형은 굴레를 벗어나는 묘기도 깊고, 술이 약간 취하면 붓을 빼어들어 우뢰를 채찍질하고 바람을 타고 날았으며, 용이 세리고 봉황이 날아간 듯 하였네. 사람들은 그 척자(隻字)라도 얻으면 보물로 생각 하였네. 그러나 세상 사람들은 그 필력(筆力)이 있는 줄은 알아도 글이 있는 줄은 몰랐으며, 그 글이 있는 줄은 알아도 그 깊은 학문(學問)과 아름다운 덕(德)이 있는 줄은 몰랐네. 아! 예술(藝術)의 정심(精深)한 것이 어찌 형의 경중(輕重)이 좌우되겠는가? 아! 지난 해 봄에, 내가 어머니 상을 당하였을 때, 형이 먼 길에 오셔서 나를 위문하시고, 새벽이 되도록 쌓인 회포를 나누다가 섭섭하게 헤어졌는데,

그 후 몇 개월이 되지 않아 친구 이 송농(李松儂)이 나에게 와서 말하기를 형이 병이 심상치 않다고 하므로, 나는 서신을 보내 증세가 심한지 가벼운지를 살피었는데, 답서는 오지 않고, 부음(訃音)이 먼저 와, 처음에는 꿈인지 의심 하였었네. 일찍 이럴 줄 알았다면 서신을 보내지 않고 그 곳을 가서 영결을 고했을 것이네. 아! 지난 봄에 방문하는 것이 천고(千古)가 될 줄 누가 알았겠는가?. 나는 형을 매우 사랑하고, 형은 나를 매우 깊이 알아주시었는데, 지금 형이 영원히 떠나셨으니, 글을 누구와 정정하며, 회포를 누구와 다 나눌 수 있을까? 왕양명(王陽明)이 말하기를 "슬픔에 당하여 마음대로 곡을 하는 것도, 문득 슬픔 중에 즐거움이다."고 하였으니, 나는 죄인으로 상여(喪廬)에 칩거(蟄居)하고 있으므로, 장례하는 날 가서 통곡하여 이 정을 다 쏟아내지 못하였으니, 다만 간장이 찢어진 듯 하네. 이것을 가히 슬픈 중에 슬픈 것이라고 할까? 옛날 효당(曉堂)이 나에게 말하기를 "고당(顧堂)은 글씨를 쓰고, 나는 시를 짓고, 보정(普亭)은 그림을 그려, 우리 세 사람이 합작하여 병풍을 만들어 후일의 고사(故事)가 되게 하세."라고 하였는데, 이 일이 이루저지기 전에 효당(曉堂)이 먼저 떠나셨고, 형이 또 뒤를 이어 떠나시니, 나에게 한을 남겼네. 아! 나도 또 쇠잔하여 일찍 힘이 없어지고 있으니, 어찌 세상에 오래 있을 줄 보장할 수 있겠는가? 조만간에 함께 돌아가서, 우리 세 사람이 저승에서 서로 웃으며, 지상(地上)에서 정해진 약속를 보상할 수 있을까? 아! 온 집안에 쌓인 도서(圖書)에 가을 달빛이 처량하게 비추고, 뜨락에 가득한 아들들은 봄에 향기를 머금고 있으며, 방장산(方丈山)은 높고, 섬진강(蟾津江)은 넘실거리니 그 흐른 향기가 백세동안 이들과 함께 영원하기 바랄 뿐이네. 인간의 백발은 그림자만 배회하고 있네. 술 한잔을 가져와서 곡을 올리오니 만고(萬古)에 아득하네..

祭顧堂金公文

嗚乎哀哉！日月流駛, 練期奄迫, 天時環周, 無物不復。兄何日閱月, 邁其淸標雅韻, 漠然相忘？嗚乎！兄乎！禀雋茂之才, 修愷悌之德, 又蓄之以瑰瑋奇傑之文。世無知德, 坎軻一生, 捿遲林木之下, 壽不稱仁, 六十四而止。使士林無所依仰, 後學失其指南。倘所謂天者, 終不可諶耶？嗚乎！往歲甲午冬, 始緣夤曉堂, 遇知於兄, 可謂晚矣。然而一語足以平生披心露肝, 相許以知己。會必文酒, 規以道義相期。每春風秋月, 或招我於頭流千疊之中, 或約兄于蓬海萬項之波。無言不到，間之諧謔，以洩此堙欝。不平之氣，其情亦云戚矣。嗚乎！兄之氣味，若芝蘭之馨馥；胸懷如氷玉之皎潔，學問之淵源，有自師友之切偲。尤篤孝悌，通神明而不自以爲足。行義服一世，而不自以爲多。謙卑自牧，和敬待人，修名夸節，確乎自守者，大冬之柏也。嶷然不撓者，中流之石也。向所謂坎軻一生者，乃天之玉，其成也歟？嗚乎！兄深於趨勒之妙，及其微醺，抽毫鞭霆駕風，龍蟠而鳳翔。人得隻字，珍以爲寶。然而世之人知有其筆而不知有文。知有其文而不知其有邃學懿德。噫！游藝之精深，曷足爲兄之重輕哉？嗚乎！去年春，余方居母喪，兄遠來問我，達曙抒積，悽悵而別。曾未幾月，李友松儂過余語兄有愼節政不尋常。余卽馳一書以候劇歇，來鴈不到，先以訃車來，始而疑其夢。早知如此，不以書，而以躬以作面訣矣。嗚乎！孰知往春一訪，因作千古耶？我愛兄之酷，而兄知我其深。兄今長逝矣，文誰與訂，而懷誰與罄者。王陽明云：'當哀而哭，盡情便是哀中之樂。'余罪蟄窮廬，未能往哭於歸土日，以盡此情。只自肝摧而肚裂，此可謂哀中之哀耶？記昔曉堂甞謂余，曰："顧以書，曉以詩，普以畫，吾三人合作爲屛，以做異日故事。"噫，此事未成，而曉堂先逝，兄又繼之，以遺後死者之恨矣。嗚乎！余亦摧殘早褁，安可保其久於世也。早晏同歸之日，與吾三人相笑於泉臺下，以償地上之宿約否？嗚乎！一室圖書，秋月蒼凉。盈庭玉樹，春暉含芳。方丈崇崇，鴨江洋洋。流馨百世，與此俱長。白首人間，隻影徊徨。一觴來哭，萬古茫茫。

연연당문고 권8

비문(碑文)

감수 : 연정 김경식(淵亭 金璟植)
　　　(연정교육문화연구소장)
번역 : 박정양(朴正陽)
　　　(중국: 연변대학 도서관 전 관장 ·
　　　　조선언어문학부 교수)

비문(碑文)

전첨 김공(典籤金公)의 단비(壇碑)

　공의 휘는 종윤(宗潤)으로 종친부(宗親府)의 전첨(典籤)[1]이다. 우리 안동 김씨(安東金氏)의 세가(世家)는 고려(高麗)의 명신(名臣)인 충렬공(忠烈公) 휘 방경(方慶)과 문영공(文英公)의 휘 순(恂)이며 육세조(六世祖) 및 오세조(五世祖)인 상락군(上洛君) 휘 영후(永煦)와 영삼사(領三司) 천(蔵)은 고조와 증조이다. 휘 조(祖)인 익원공(翼元公)과 휘 사형(士衡)은 처음으로 우리 조정에서 벼슬하였다 고(考)인 밀직사(密直司)의 휘는 승(陞)이며 비(妣)는 정부인(貞夫人) 광산 김씨(光山金氏), 계배(繼配)는 숙인(淑人)인 안동 권씨(安東權氏)로 사간(司諫)인 훈(壎)의 딸이다. 삼남(三男)을 두어 맏아들 침(琛)은 사헌부 감찰(司憲府監察)을 지내고 둘째인 인(璘)은 부정(副正)을 역임하였으며, 세 번째인 영(瑛)은 대향(大鄕)을 역임 하였다. 손자와 증손들은 다 기록하지 않는다. 아! 병란(兵亂)으로 인하여 문자(文字)가 산일(山日)하여 전해지지 않고, 생몰년대(生沒年代)도 전하지 않으며 전하는 것은 오직 그 유풍(遺風)과 남은 음덕(陰德)이 후손에게 전해져 백세(百世)에 변하지 않고 있으므로, 무술년(서기 1958) 가을에 16세손 성묵씨(聖黙氏)가 처음으로 포천(抱川)의 내촌(內村) 뒷 산에다가 제단(祭壇)을 축조하여 매년 한 번씩 제를 지내고, 또 정석(貞石)을 깎아 비문을 새기고자 하므로 15세손인 영설씨(榮卨氏)가 종인(宗人)들과 상의한 후 힘을 모아 땅을 헌납하였고 여러 장로(長老)들의 뜻으로 나에게 사실(事實)을 기록하도록 하였는데, 17대손인데 17세손 재헌(在憲)이 그의 이름이다.

典籤金公壇碑

公諱宗潤, 官宗親府典籤。我金安東世家, 高麗名臣, 忠烈公諱方慶。文英公, 諱恂。六世若五世。上洛君永煦, 領三司蔵, 高曾諱。祖翼元公, 諱士衡, 始仕國朝考密直司。諱陞, 妣貞夫人, 光山金氏。配淑人, 安東權氏司諫壎女。三男

---

1) 종친부의 정(正) 4품직.

長琛, 司憲府監察。次璘副正瑛大鄉。孫曾以下不盡錄。嗚乎！兵餘文缺, 字無傳, 生卒無傳, 墓亦無傳。所可傳者, 惟遺風餘昧, 足以垂昆而百世無替矣。戊戌秋十六世孫聖默氏, 始設壇于抱川之內村後麓, 薦歲一祭, 治貞石以圖顯刻。十五世孫榮高氏謀於宗, 齊力獻土。以諸長老之意, 徵余記實者, 十七世孫, 在憲其名。

노하 임공(蘆下林公)의 유허 비명(遺墟碑銘)
병서(幷序)

집을 표시하여 백세(百世)의 풍도를 심는 것은 옛날의 훌륭한 법이며, 비석을 세워 사모하는 정을 두는 것은 자손들의 효성이다. 예법이 비록 고금과 다르지만 타고난 천성(天性)은 세상을 따라 있거나 없어지는 것이 아니다. 임 병호(林炳鎬)씨께서 나에게 부탁하기를 "우리 선친이 평생 동안 근본에 돈독하고, 실사(實事)에 힘을 쓰시어 저술(著述)을 좋아하지 않아 다만 《노하당운(蘆下堂韻)》 시 한 편만 있을 뿐이다. 옛날 선친께서 집을 하나를 지어놓고 원운(原韻)을 걸어놓고자 하였으나, 뜻만 간직한 채 이루지 못하고 작고하였으므로, 지금 불초(不肖)가 두 아우인 부호(富鎬), 재호(在鎬)와 함께 선친의 뜻을 이어 재목을 모으고 곡식을 모은 지 이미 1년이 되었으나, 세상이 급류처럼 변하고 있으니, 두어 칸의 집을 짓더라도, 어찌 반드시 수호할지 알 수 있겠는가? 오직 그 효행(孝行)과 아름다운 덕을 후손을 위해 본받도록 한다면 차라리 금석(金石)에다가 글자를 새겨 영원히 전한다면 구릉(丘陵)과 골자기도 옮기지 못하고 풍우(風雨)도 마모(磨耗)하지 못할 것이므로, 장차 비석을 마련하여 옛 터라고 기록하려고 하였다. 나는 그 지극한 뜻에 감명을 받아 참아 사양하지 못하였다.

삼가 살펴 보건데, 공의 휘는 노성(魯聲)이며 자는 지일(致一), 노하(蘆下)는 그의 호이다. 평택(平澤)의 세가(世家)이며 목릉(穆陵)의 절신(節臣)인 송호(松湖) 휘 박(樸)의 후손이다. 태어나서부터 의표가 의젓하고 영매(英邁)하였으며, 계부(季父) 상욱(相旭)의 후사(後嗣)가 된 후에도 생부 및 양부에게 효성을 다하여 몸소 농사를 지으면서 고기도 잡고 나무도 하여 맛있는 음식을 혹 빠뜨리지 않았고, 남은 여가로 글을 배워 식견(識見)이 넓어 과거장에 들어가면 시제(試題) 쓰기를 물이 흘러가는 것 같이 하므로, 과거장에 있던 노숙(老宿)한 선비들은 소년 재사(少年才士)라고 칭하였으나 유사(有司)에게 불리(不利) 하므로 과거(科擧)도 깨끗하게 생각하지 않고 수남고공(秀南高公)과 도의(道義)로 사귀어 날마다 서로 방문하며 경사(經史)를 논하여 늙어가는 줄도 몰랐었다. 그리고 향교(鄕校)에 있을 때는 그 영특한 품채와 준수한 모습이 여러 범인들과 달라 고을에서 크게 논의할 일이 있으면 공의 말 한마디를 중요하게 생각하지 않는 적이 없었다. 갑오년(서기1894) 가을에 관군(官軍)이 동학농민군을 해산할 때, 무고한 백성들이 화를 면치 못하였는데, 공(公)이 그 진위(眞僞)를 구별하여 살리는 사람이 매우 많았다. 대개 그는 몸속에서 쌓여있는 강직하고 호걸스러운 기개(氣槪)가 밖으로 분출하여 웅변(雄辯)이 되고, 대의(大義)를 논하므로 그 늠름한 모습은 만부(萬夫)가 앗아갈 수 없는 용기가 있었다. 공은 경신년(서기1920) 5월 3일 작고하여 그가 태어나던 헌종(憲宗) 무신년(서기1848)과 헤아려보면 73세의 수를 누리었다. 아! 공의 재주와 기량(器量)은 세상에 기용되어 그 혜택이 사람들에게 미칠 만 하였으나, 자사(刺史)가 공을 추천하지 않아 그 간직하고 있는 경륜을 백분의 일도 펴지 못하고 포의(布衣)로 임천(林泉)에서 늙어 작고 하였으니 세상을 위해 개탄스러운 일이다. 명(銘)은 다음과 같다.

  우뚝 솟은 저! 노산(蘆山)은 백세(百世)에 우러러 보네. 은거하여 노산(蘆山) 밑에서 의로운 행실을 하였으니, 그 기풍을 들은 사람들은 야박한 마음을 돈독하게 하고, 마음이 비루한 사람들은 너그럽게 하였으니, 앞으로 천년 억년동안 어찌 이 비문(碑文)을 보지 않겠는가.

蘆下林公遺墟碑銘
序并

表宅而樹百世風, 古昔之盛典。堅碑而寓羹墻慕, 子姓之孝思也。典禮雖古今有殊, 秉彝之天, 不隨一世而存亡也。林丈炳鎬氏囑不侒, 曰：" 吾先子生平敦本務實, 不喜著述, 詩只有蘆下堂韻一篇而止。昔先人欲經紀一構, 以揭原韻, 齎志未就而沒。今不肖與二弟富鎬、在鎬, 欲承先志, 鳩材聚石, 已有年。而世變如急湍下, 數間屋子, 亦安知保其必守也。惟至行懿德之爲後承效效則者, 寧勒之金石, 以示久遠。庶陵谷不能遷, 風雨不能磨也。將伐石表舊墟, 子記之。" 不侒感其至意, 不忍辭, 謹按：公諱魯聲, 字致一, 蘆下其號也。平澤世家, 穆陵節臣松湖諱樸后。生而儀表魁梧, 英悟絶夷。系季父相旭後, 孝奉生養兩庭,躬畊漁樵, 甘旨之供, 無或闕焉。餘力學文, 見識淹博。嘗入場屋, 筆翰如流, 場中老宿, 咸稱少年才士。顧不利有司, 亦不屑也。與秀南高公爲道義交, 課日相尋, 譚(談)經論史, 不知老之將至。在校宮英風俊彩, 衆中殊表, 凡鄕中有大議論無不待公一言爲重。甲午秋, 官軍收東匪, 民之無辜者多不免。崑岡之炎, 公辨別淑慝, 得活甚衆。蓋其肮髒傑豪之氣, 積中發外, 騁雄辯論, 大義凜凜, 有萬夫不可奪之勇矣, 卒于庚申五月三日, 距其生憲宗戊申, 壽七十三。噫, 公才諝器局, 足以需世澤物, 而刺史不能薦, 未展所蘊之百一, 以布衣終老林下, 爲世路慨恨。銘曰屹彼蘆山, 百世仰止。隱居行義于山之趾, 聞風者興敦薄寬鄙。有來千億, 盍觀乎此。

열부(烈夫) 유씨(柳氏)의 기행비(紀行碑)

천지(天地)가 다하고 고금(古今)을 통하여 바꿀 수 없고 사라지지 않는 것은 충(忠), 효(孝), 렬(烈)이다. 이것은 하늘의 존작(尊爵)이며 백성들의 이성(理性)이다. 이군 인엽(李君仁燁)이 행장(行狀)을 안고 내 집을 방문하여 말하기를 "이것은 우리 고장의 선비들이 우리 형수 유씨(柳氏)의 행적을 추천한 것인데 앞으로 우리 마을에 비석을 세우려고 하오니, 비문(碑文)을 써 주시기 바랍니다"라고 하였다.

삼가 행장을 살펴보니, 유인(孺人)의 본관은 고흥(高興)이며, 은석(殷錫)이 그의 아버지이다. 나이 17세에 전주(全州) 이준명(李準明)의 아내가 되었는데, 시가에 가기 전에 남편이 병을 앓고 있다는 소문을 듣고, 한 밤중에 달려가 하늘에 빌기를 자신이 대신 죽게 해 달라고 빌었고, 병환이 위급할 지경에 이르자, 손가락에 피를 내어 3일 동안 연명케 하였으며, 결국 작고한 후에는 바로 따라 죽으려고 하다가, 다시 뉘우치기를 "시부모가 집에 계시고, 시신이 편상에 있는데, 내가 아니면 누가 봉양하며, 누가 장례를 치르겠는가?"라고 하고, 즉시 일어나 왔다 갔다 하며 초상과 종상에 조금도 여한이 없도록 치르고, 시부모님도 편안하게 지내었다. 그리고 3년 상을 치른 후, 길지(吉地)를 택하여 장례를 치렀으나, 맹서했던 일을 하루도 잊지 않고 있다가, 목욕한 후 새 옷을 갈아입고, 침실에 들어가 목을 메어 자결 하였다. 이 때 나이 23세였다. 그 때 서기(瑞氣)가 창공에 오르고 하늘에 해도 빛이 없었다. 아! 유인(孺人)이 바로 그 뜻을 이루었으니, 누가 열부(烈婦)라고 하지 않겠는가? 그는 남모르게 참고 겪정을 간직하여, 그 직분을 다 하여 조금도 빠뜨린 것이 없었으니, 어찌 그리 조용히 알맞게 가셨을까? 한 몸애 온갖 선행(善行)이 다 모여 7척의 몸은 죽었지만, 사라지지 않는 것은 강상(綱常)이었으니, 모두 혈기(血氣)가 있는 사람들은 이 곳을 지나면서 공경하지 않을 수 있겠는가?

烈婦柳氏紀行碑

極天壤，亘古今，而改易他不得，殄滅他不得者，曰忠曰孝曰烈。而天之顯民之彝也，李君仁燁抱狀踵門而言，曰："此鄉多士之所以薦吾邱嫂柳氏行也。將樹石宅里，請一言勒之。"按狀：孺人籍高興，殷錫其考。年十七爲全州李準明室，未及歸，夫公病。聞即星奔，禱天乞代。至危就裂指垂血，延三日命，及其竟不救也，直欲下從，燔然悟曰："舅姑在堂，夫尸在床，微我，其誰養而誰葬者。"起即周章，使初終无憾。舅姑得以安焉。喪三年，畢求吉地以克葬。然而所矢，未嘗一日忘也。乃沐浴新衣，入寢室而縊。時年二十三。于瑞氣騰空，天日無光。嗚乎！使孺人直遂其志，夫孰不曰烈矣。而隱忍含恤，曲盡其職，而無或闕焉，何其從容得宜耶？以一身而萬善畢集，其可亡者七尺之軀，而其不殄不滅者綱耳、常耳。凡有血氣者，過此而其有不式乎？

효부(孝婦) 박씨(朴氏)의 기행비(紀行碑)

수원(水原) 백남표(白南杓)는 그 어머니 박씨의 효행(孝行)으로 누차 고을에서 추천한 포상(褒賞)을 받았으나, 세월이 흐르고 세상이 바뀌면 혹 사라질까 두려워 장차 길가에 비석을 세우려고 하면서, 나에게 비문을 써달라고 하였다.

삼가 살펴보니, 박씨는 밀양인(密陽人)인 둔재 연생(遯齋衍生)의 후손이며, 치서(致瑞)의 따님으로 나이 18세 때 백낙구(白樂九)의 아내가 되었다. 그는 친가에 있을 때부터 효성과 순종으로 명성이 났는데, 출가한 후 시부모님이 말하기를 "우리를 잘 섬기고 남편도 예절과 공경으로 잘 받들어라"고 하였다. 그러나 그후 얼마 안 되어 시아버지의 병환이 심하자, 박씨는 목욕 제계하고 하늘에 빌기를 수개월만이라도 명을 연장해 달라고 하였고, 거상(居喪)할 때는 예의에 지나치도록 슬퍼하였으며, 낙구(樂九)가 선조의 묘소를 길지(吉地)를 구하여 이장하므로, 가정의 형편이 갑자기 궁색해지자, 박씨는 홀로 되신 시어머니가 집에 계시지만 음식을 계속 드릴 수 없어, 남에게 노임을 받고 방아도 찌어주고 밭도 메 주었으며 길삼도 해 주어 비가 오나 눈이 오나 밤 내내 고통스러워도 쉬지 못하고 맛있는 음식을 봉양 하였고, 시어머니가 한번 눕고 한번 일어난 것과 한번 주무시고 한번 밥을 드시는 것까지 오직 며느리만 의존하여 수명대로 사시다가 작고하였다. 박씨는 두 아들을 두어 장남은 즉 남표(南杓), 둘째 아들은 남만(南滿)이며 광산 김갑순(光山金甲順), 전주 이대엽(全州李大燁), 이영종(李永鍾)은 세 사위이다. 아! 세상의 풍속이 날로 그릇되어 경사(經史)를 읽고 성명(性命)을 논하는 사람들도 그 행실이 독실한 사람을 보기가 드문 일이다. 그러나 박씨는 시골 마을의 한 부인으로 전수받은 곳도 없으나, 이미 윤리가 끊기는 때 부도(婦道)를 다하여 멀리 사는 사람을 즐겁게 하고, 가까이 사는 사람에게 교화(敎化) 하였으니 그 세상을 도운 것이 어찌 적다고 하겠는가?

孝婦朴氏紀行碑

水原白南杓, 以其母夫人朴氏卓行, 已屢爲鄕里所薦褒, 而懼夫星換世移, 或將泯焉無傳, 將樹石道周, 求余文甚勤。按：朴氏密陽人, 遜齋衍生后致瑞女, 年十八適白氏爲樂九室。自在家著孝順, 及歸, 舅姑曰："善事我, 奉君子以禮敬。"未幾舅疾革, 朴氏齊沐, 祝天延數日命。及居喪, 哀毁逾禮, 樂九爲先墓求吉, 家計驟落。朴氏以寡姑在堂, 菽水不繼, 賃舂鋤傭擗鑪, 雪楚雨苦, 夜不得休, 以供甘旨。姑之一臥一起, 一寢一飡, 惟婦焉是賴, 得以天年終。朴氏生二男, 長卽南杓, 次南滿。光山金甲順、全州李大燁、李永鍾, 三女壻也。噫, 世道日下, 讀經史、譚性命者, 求其行之篤, 盖鮮矣。朴氏以閭巷一夫人, 無所傳受, 能盡婦道於倫綱旣絶之日, 足使遠者悅而近者化。其爲世敎補, 曷可少哉。

월담 김공(月潭金公)의 유허비문(遺墟碑文)

병서(序文과 함께)

　옛 장사현(長沙顯)의 북쪽인 망월산(望月山) 밑에 한 마을이 있었는데, 그 곳은 깊고 숲은 무성하였으며, 토질은 비옥하고 샘물은 맛이 좋았다. 이 곳에는 일찍 월담 김공(月潭金公)이 은거하고 있었는데, 그 사적을 기록하는 비석 하나 없으니, 후인들이 어찌 동백산(桐柏山)에 동안풍(董安豊)이 살고 있는 줄 알겠겠는가? 이에 그의 아들 영중(泳中)이 이 일을 서두르며 나에게 비문을 지어달라고 하였다.

　공은 광산인(光山人)이며 포월당(抱月堂) 휘 순(純)의 후손이다. 공은 어렸을 때부터 가정을 다스리는데 법도가 있어 가정이 화목하였고, 여가가 있을 때는 학문에 열중하여 종유(從遊)한 사람들이 모두 당세에 명망 있는 현인들이었다. 공은 늙지도 않아서 아들에게 가사를 맡기고, 마음을 편안히 하여 언제나 가절(嘉節)에는 친구를 초대하여 술을 마시며 시를 지어, 그 높은 뜻과 운치는 깨끗하고 드문 일이었다. 모든 세상의 득상(得喪)·총욕(寵辱)과 훼예(毁譽)·유척(愉戚)을 하나도 그 마음에 두지 않았으며, 속세에 섞이어 함께 가지 않았고, 또 세속을 바로잡으려고 하거나 자신을 높이 자랑하려고 하지 않았다. 혹 산에서 나무를 채취하고 혹은 물에서 낚시를 하여 몸이 편안하고 천명(天命)을 따르는 것에 여유가 있었다. 옛날 유인(幽人)과 일사(逸士)들은 모두 마음에 더러운 것을 간직하지 않았지만 또한 몸에는 더러운 것이 없지 않았으므로, 그들이 처한 곳에는 때로는 궁박(窮迫)한 것이 있었다. 그러나 공은 두 곳에 더러움이 없었다고 할 것이다. 그는 일찍 호를 월담(月潭)이라고 하고 집 가깝고 높은 지대에 정자 하나를 지어 만년을 보내려고 하였으나 세상이 바뀌어 시(詩)는 이미 지어놓고 정자를 짓지 못하였는데 공이 작고한 재명년(再明年)에 영중(泳中)이 그 남긴 자취가 풀과 함께 묵어간 것을 참아 보지 못하고, 비석을 깎아 그 사적을 기록하여 아버지의 뜻을 밝히었으니 그 여울과 산이 빛나고 화목(花木)도 배나 정채(精彩)를 더하여 공이 갈건(葛巾)과 야복(野服)차림으로 지팡이를 짚고 돌길과 긴 숲 사이를 왕래하는 것과 같았다. 영연(英靈)이 있거든 반드시 말하기를 "나는 후사(後嗣)가 있어 터를 버리지 않았다"고 할 것이다. 아! 이것이 가히 명(銘)을 할만 하였다. 그 명은 물을 참아 폐하지 못하고 땅도 참아 묵힐 수 없었다. 차거은 못을 돌아보니 옛 달이 처량하네.

月潭金公遺墟碑銘

幷序

古長沙縣北, 望月山下, 有洞窈然而深, 林木蓊翠, 土肥而泉甘。月潭金公, 隱處其中, 如無紀蹟一石, 則後之人安知桐柏山之董安豐攸居耶？此肖胤泳中甫之所以汲汲斯役, 而徵余以文者也。公光山人, 抱月堂諱純后。公少日治家有法, 門蘭雍翕。暇輒從事問學, 所與遊者, 皆當世賢豪知名。公未老, 聽子休營息慮, 良辰嘉節, 則招延賓友, 擧酒賦詩。遐情逸韻, 颼灑閑曠, 凡世間得喪寵辱, 毁譽愉戚, 無一嬰其懷。不混俗而同流, 亦不矯俗而矜高。或山而採, 或水而釣, 安身立命之地, 綽有餘裕。古之幽人逸士, 固皆無累於心, 亦未必無累於身, '則所處往往有以迫之。公可謂兩無累矣。嘗自號月潭, 欲築一亭於宅近爽塏地, 以資送老。世悋滄桑詩已成, 而屋未就焉。公歿後再明年, 泳中不忍其遺躅之與草俱荒, 酒伐石勒其事, 以昭父志。溪岑爲之動色, 花木倍增精彩, 猶髣髴公葛巾野服, 負杖往來於石逕脩林間。英靈在者, 其必曰："予有後, 不棄基哉！"嗚乎！此可以銘矣, 銘曰：水不忍廢, 地不忍荒。顧視寒潭, 古月凄蒼。

유인 조씨(孺人曺氏)의 기적비(紀蹟碑)

선행(善行)이 일이 있으면 반드시 드러난다는 것은 《詩經》의 《증민장 (蒸民章)》의 뜻이다. 조유인(曺孺人)은 적(籍)이 창산(靑山)으로 직제학(直提學)을 지낸 청간서(淸澗庶)의 후손이며, 석언(錫彦)이 그의 고(考)이다. 집에 있을 때부터 규범(閨範)이 드러나 나이 17세에 참봉(參奉) 고종관(高宗觀)의 아내가 되었다. 그의 현조(顯祖)는 옥성군(玉城君)인 문충공 경(文忠公慶)이다. 그는 늙은 시어머님을 봉양하고 종족과는 화목하였으며, 가정에서는 이간하는 말이 없었다. 남편이 병이 위태로웠을 때, 단(壇)을 쌓아두고 샘에서 정화수를 떠다가 자신이 대신 죽게 해 달라고 빌었으나, 결국 구하지 못하고 초상을 치루면서 조금도 여한이 없이 하였으며, 시어머니 봉양하는 것도 조금도 게을리 하지 않았다. 두 아들을 두어 장남은 병만(炳萬)이며, 차남은 병익(炳翼)이다. 옳은 방도로 교육하여 아버지가 없다고 더 사랑하지 않았다. 선산(先山)

에 천수(天水;빗물)의 변(變)이 있을 때, 혼자 그 비용을 감당하였는데, 꿈에 신(神)이 그 남편의 길지(吉地)를 인도해 주었으며, 여러 세대의 묘소에 석물(石物)을 하나도 빠짐없이 갖추었다. 성품이 궁핍한 사람에게 베풀기를 좋아하여, 살리는 사람이 매우 많았으며, 성묘(聖廟)를 개수할 때 큰돈을 희사하기도 하였다. 아! 한 몸으로 백가지 선행을 하였으니, 유인(孺人)은 그 당연히 해야 할 직분을 다했다고 할 것이다. 수척(數尺)의 비석이 어찌 더하고 덜할까마는 이와 같이 하지 않으면 백세(百世)에 권하고 말세에 깨우쳐 줄 수 없으므로, 이 고을 사람들이 이 일을 시급히 서둘러 나에게 비문을 지어 달라고 하였으나, 내가 어찌 감히 지을 수 있겠는가? 후세에 사관(史官)들이 여기에서 한두 건을 채취하기 바란다.

孺人曹氏紀蹟碑

有善必揚, 蒸民首章之義也。曹孺人, 籍昌山, 直提學淸澗庶后錫彦其考。在家夙著閨範。年十七歸, 爲汆奉高宗觀妻。其顯祖玉城君文忠公慶也。養老姑, 睦宗族, 庭無間言。夫病濱危, 築壇汲子井, 禱以身代, 竟不救送, 終無遺憾。奉姑孝猶不衰。有二子, 長炳萬、次炳翼, 敎之義方, 不以無父而加愛。先壠有天水變獨辨其費, 夢有神導葬其夫, 得吉。累世墓石儀無闕。性好施, 窮乏之賴而得活者, 甚衆。捐鉅貲以助聖廟之改修。嗚乎！以一身而百行具美, 孺人則能盡其職之所當, 數尺貞珉有何加損。然而不如是, 無以勸來百, 而警頹於叔季也。此鄕人士所以汲汲圖是徵余文之文, 吾豈敢後之。董史氏作庶一二採取於斯也。

초남 배공(楚南 裵公)의 유인 김씨(孺人金氏) 효행비명(孝行碑銘)
병서(序와 함께)

사람을 보내어 글을 지어달고 하면 아무리 학식이 적어 오랜 세대에 믿음을 입증하지 못하더라도, 윤리에 관계된 일이라면 내 힘을 헤아리지 않고 만분의 일이라도 무너진 예속을 일개우지 않을 수 없어 언제나 사양하지 않았다.

삼가 살펴 보건데 공의 휘는 성규(性奎)이며 자는 인택(仁澤)이다. 달성 배씨(達城

裵氏)는 신라(新羅)의 문양공 지타(文讓公祗沱)로부터 시작하여 고려조(高麗朝)를 거쳐 본조(本朝)에 이르기까지 높은 공렬(功烈)을 쌓아 사가(史家)들이 기록을 그치지 않았는데, 주일(周鎰), 한진(漢振), 달권(達權)은 고조, 증조, 조부이며 고(考)의 휘는 계옥(啓沃)이며, 호는 연촌(蓮村)으로 효성과 우애가 지극 하였다. 공은 천성이 순후하여 아버지를 섬길 때도 힘을 다하였다. 가정이 가난하여 봉양하기가 어려웠으므로 상업(商業)을 시작하여 가정이 조금 여유가 생긴 후에는 수답(水畓)을 사서 백씨(伯氏)에게 주면서 "숙수(菽水)를 제공하는 일이 어찌 형에게만 맡길 수 있겠습니까?" 라고 하였다. 항시 다른 집에서 살면서 조석으로 모시고 있지 못한 것을 한탄 하였다. 언제나 살필 때는 하루를 넘기었지만 반드시 어육(魚肉)을 제공 하였으며, 종족과는 친소(親疎)를 가리지 않고 마음을 다하여 도와주었고, 아버지가 병을 앓고 있을 때는 성의를 다하여 구호하고, 그 병이 심하였을 때는 손가락을 깨어 누차 목숨을 연장 하였으며, 상을 당한 후에는 예의에 지나치도록 슬퍼하고, 삭망(朔望)으로 성묘하여 3년 상을 마치었다. 일찍 고(考)의 묘소가 남에게 점령을 당하자, 거금(巨金)을 들여서 돌려받았고, 비문을 받아 묘소에 세웠으며 세대가 먼 묘소에게 각기 석물(石物)을 마련 하였다. 아내 수원 김씨(水原金氏)는 그의 아버지가 용진(庸鎭)인데, 효성과 순종으로 일찍 소문이 났는데, 결혼한 후에는 시아버지와 시어머니가 말씀 하시기를 "나를 잘 섬기어라"고 하였다. 그 후 병이 들자 음식과 약을 먹는 것으로부터 이부자리와 옷을 빠는 일까지 성의를 다하지 않는 것이 없었고, 상을 당하는 일로부터 종상하기까지 모든 일을 여한이 없이 하였으므로, 세상 사람들은 모두 효자이다. 이 사람이여! 효부이다, 이 사람이여! 라고 하였다. 그의 아들 종춘(鍾春)이 장차 비석을 마련하여 그 행적을 기록하려고 하면서 먼 길에 와서 나에게 글을 지어달라고 하므로 아래와 같이 명(銘)을 엮었다.

남편이 아내에게 말하기를 같다고 한다. 같다는 것은 그 몸이 같다는 것이다. 이런 부부는 그 몸만 같은 것이 아니라 그 효성도 같은 것이다.

楚南裵公孺人金氏孝行碑銘

并序

走人固微, 文亦塞淺, 不足徵信於久遠, 而苟關乎倫綱也。不量力敢泚筆以警頵於萬一, 在所不辭也。按: 公諱性奎, 字仁澤, 達城之裵。始自新羅文讓公祗沱, 歷麗迄于本朝, 功偉烈, 史不絶書。曰周鎰曰漢振曰達權。高曾祖諱考, 曰:"蓮村諱啓沃, 以孝友著。"公賦性醇厚, 事親能竭力, 顧窶甚, 難爲養。迺業商, 資稍饒, 買水田, 納于伯氏曰:"菽水之供, 豈可專委之兄乎?"常恨居異室, 不得朝夕侍側, 每候間一星, 必伴魚肉。族無親疎, 必盡心周恤。父有疾殫, 誠救護其革也, 斫指屢延其命。及遭'n, 哀毁過情。朔望省掃, 以終三年。嘗考墓爲人所占, 捐巨貲而還之, 謁文豎至遠世。墓亦各具石儀。配水原金氏, 庸鎭其考。孝順夙著, 及歸, 舅姑曰:"善事我。"舅嘗遘疾, 自飲食藥餌, 以至衾褥衣服之澡潔, 無不盡誠。遭艱送終諸節, 一無攸憾。世之君子咸稱孝子哉若人, 孝婦哉若人。其胤鍾春, 將伐石以表其行遠, 而徵余文。遂銘曰:
夫謂婦曰齊齊者, 其軆齊也, 是夫是婦, 不惟齊其軆, 厥孝與之齊也。

방장산(方丈山)의 기로사 기적비(耆老社紀蹟碑)

　방장산(方丈山)은 삼산(三山)[2] 중에 하나로 중첩으로 이루어져 여러 주(數州)에 걸쳐 뿌리를 사리고 있고, 천년 억년을 지나도 무너지지 않고 그 웅장하고 높은 기상은 기이한 물건을 배태(胚胎)하여 영초(靈草)와 양재(良材)가 되었으며, 이를 사람들이 먹고 장수를 누리거나 충성하고 믿음있는 선비가 되었다. 조용히 생각하니, 선생안(先生案)[3] 중에 있는 제공(諸公)은 모두 이 산중에서 태어나 그 정기가 모이어 중후하고 돈박하여 절대 부미(浮靡)한 관습이 없었으며, 수를 누리고 강녕하고 뜻과 기개도 서로 같았으며, 학업을 서로 권하고 과실이 있으면 서로 경계하였으며, 예의로 서로 사귀고 어려운 일에 서로 구제하여 흡사 남전(藍田)[4]의 유풍(遺風)이 있었다. 지령(地靈)은 인걸(人傑)이라고 하더니 과연 속이는 말이 아니었다. 지낸 해 정유년(서기 1957)에 강신계(講信契)를 결성하여 정의가 더욱 돈독 하여졌다. 그 이름은 방장기로사(方丈耆老社)라고 하였는데 총 42인이었다. 매년 가절(嘉節)마다 의관(衣冠) 차림

---

2) 백두산, 한라산 지리산을 말함.
3) 조선시대 중앙과 지방의 각 기관과 관서에서 전임 관원 명, 생년, 본관 등을 적어놓은 책으로 일명 안책(案册)이라고도 한다.
4) 중국 협서성(陜西省) 중앙부에 있는 현명(縣名), 서안(西安)의 동남쪽에 있음. 송(宋)나라 때 이 곳에서 살던 여대균(呂大鈞)이 그의 형 대방(大防), 아우 대림(大臨)과 함께 향약(鄕約)을 지어 이를 여씨향약(呂氏鄕約)이라고 한다. 이 향약이 후에 우리나라로 전해져 각 고을마다 향약을 두었다. 이것이 지방자치에 크게 활용되었다.

을 한 선비들이 모두 모여 하얀 머리가 서로 비추고 산수(山水)를 논평하여 한 점 티끌도 없었으며 산 밖의 시비(是非)에는 관심도 없었다. 이에 남악(南嶽)은 서기(瑞氣)를 드러내고 북농(北隴)은 송가(頌歌)올리어 바라보면 낭원(閬苑)[5]에 오르고 봉래(蓬萊)[6]를 건네어 안기생(安期生)[7]·적송자(赤松子)[8]와 함께 노는 것과 같았다. 향산사(香山寺)[9] 낙사(洛社)[10]의 천고(千古)에 좋은 일을 생각하니 낙사(洛社)는 그후 또 인수조약(仁壽條約)을 맺어 외로운 사람들을 구제하였으니 이 얼마나 아름다운 일인가? 그러나 이것은 대개 물력(物力)으로 구제한 것이다. 물력은 유한(有限)하고 구제하는 것은 끝이 없으니 어찌 유한적인 물력으로 그 끝이 없는 구제를 확보할 수 있겠는가? 오직 제공(諸公)이 효제(孝悌)의 덕을 존숭하여 더욱 그 인(仁)을 확충(擴充)하고, 성정(性情)을 기루고 그 수명을 더욱 증진하여 사방 사람들로 하여금 그 풍도를 듣고 일어나 그 인수(仁壽)의 영역에 올라 다만 선생안(先生案) 중에 있는 사람들과 동락(同樂)하는데 그칠 뿐만 아니라면 그 풍속과 교화가 어찌 적다고 하겠는가? 제공(諸公)이 앞으로 비석을 마련하여 영원히 전하려고 하므로 수송 유장(秀松柳丈)이 그 뜻을 정회(正會)에게 전하여 비문을 지어달라고 하였다. 정회(正會)는 그 자리에 참석하여 그 사안 듣기를 간절히 바랐으나, 내 분수가 선연(仙緣)과의 인연이 드물어 벽오동(碧梧桐)의 신령이 속객이 들어오는 것을 허락하지 않아 장차 가지를 낮게 드리우고 그 속객의 자취를 쓰러버릴까 싶었는데 이 일에 이름을 올리는 것이 빛나는 일이므로 사양하지 않고 그 뜻에 부응(副應) 하였다.

方丈耆老社紀蹟碑

方丈三山之一也。重巒疊峀, 盤根數州, 閱千億而不騫不崩。其雄偉傑特之英,

---

5) 신선의 거소(居所).
6) 금강산의 일명.
7) 진인(秦人), 포박자(抱朴子)에 이르기를 "약을 팔며 살다가 봉래산(蓬萊山)에 들어가 신선이 되었다"고 한다.
8) 신롱씨(神農氏) 때 우사(雨師)로 후에 곤륜산(崑崙山)에 들어가 신선이 되었다고 한다.
9) 중국 뢰양(耒陽)의 용문산(龍門山)에 있는 사찰로 당나라 시인 백거이(白居易)가 친구 원진(元稹)이 사망하자 허무함을 느끼고 이 향산사(香山寺)를 수리하여 거주하면서 자호를 향산거사(香山居士)라고 하고 구로회(九老會)를 결성하였다.
10) 송(宋)나라 문언박(文彦博)이 낙양(洛陽)에 있을 때 당(唐)나라 백거이(白居易)의 구로회(九老會)를 모방하여 부필(富弼) 등과 함께 낙양기영회(洛陽耆英會)를 결성 하였다.

足以胚胎奇異。物得之而爲靈艸、爲良材；人得之而爲壽考，爲忠信之士。竊惟案中諸公，生長此山之中，鍾其氣而挹其精，敦厚重信，絕無浮靡華簁之습。壽而且康，志氣亦同。業相勸而過相規，禮相交而難相恤，蔚有藍田之遺風焉。地靈人傑，非可誣也。往歲丁酉，迺結契，講其信，而誼愈篤，名曰方丈耆老社。摠四十二人也。每嘉辰令節，衣冠畢集，皓髮相映，談山評水，無一點塵埃氣。山外之曰雌曰黃，盖恬如也。於是南嶽呈瑞，北隴獻頌，望之怳若登閬苑、涉蓬萊，與安期赤松而遊也。第念香山洛社千古勝事。而洛社則後又有仁壽約條，以濟無告者。是何等美擧，然而此盖以物力濟之爾。夫物力有限，濟之者無窮，安能以有限之物，保其無窮之濟哉？惟諸公敦尙孝悌之德，益充其仁存，養情性之正，益增其壽，將使四方之人聞風而興起，共躋仁壽之域。而不但與案中人同樂而己，則其於風化之補曷云少哉！諸公將謀伐石以徵久遠，秀松柳丈致諸公之意，命正會以一言叙之。正會切欲着膝於席末，以聽緖餘。而顧分疎於仙緣，恐碧梧之靈，不許俗客之欄入，將低枝而'呪E矣。託名玆役，亦足爲光，遂不辭而副之。

경모비(景慕碑)

오 신곡선생(吳愼谷先生)

《예기(禮記)》에 "스승은 오복(五服)[11]에 해당하지 않는다"고 하였으나, 오복과 친근하지 않을 수 없다. 오복의 친척은 스승을 기다리고 있는 것이다. 스승의 도(道)는 인륜(人倫)에서 어찌 중대하지 않겠는가? 유학(儒學)이 폐지되므로 사도(師道)도 폐지되어 강론하지 않는지 오래 되었다. 오직 강론하지 않을 뿐 아니라 어제 경서(經書)가 있는 자리에서 읍(揖)하고 유락(唯諾) 하였다면, 오늘은 갱참(坑塹)에서 헐뜯고 모함하고 있으니, 나는 신곡 오공(愼谷吳公)의 휘 병식(炳植)의 문하에 매우 느낌이 있다. 공은 행실에 독실한 군자(君子)이다. 어렸을 때부터 부모 사랑할 줄 알고, 어른 공경할 줄 알았다. 일찍 아버지가 아팟을 때 손가락을 찢어 피를 아버지 입에 쏟아 넣었으니 부가(夫子)가 말씀하신 "종족이 효자로 칭하고 향당(鄕黨)이 공순하다"고 하는 말을 공이 가지고 있었다. 공은 경술년(서기1910) 나라가 없어진 후, 동강(東岡)

---

11) 전통적 복제로. 즉 참최(斬衰), 제최(제衰), 대공(大功), 소공(小功), 시마(緦麻)를 말한다.

을 지키며 세상의 모든 총욕(寵辱)과 득상(得喪) 및 시비(是非), 흔척(欣戚)에 그 마음이 움직이지 않았다. 언제나 여가가 있으면 그는 폭건(幅巾)과 야복(野服)차림으로 구왕산(九王山) 비탈에서 소요(逍遙)하고, 연당(蓮塘) 가에서 시를 읊었다. 이 시대를 민망히 여기고 유도(儒道)를 걱정하는 뜻이 한결같이 시로 발산하였다. 그 후 무오년(서기 1918)에 상황(上皇)이 승하하자 제단(祭壇)을 설치하여 슬퍼하여 더욱 자취를 감추고 깨끗한 곳에다가 작은 정자(亭子)를 세워, 경사(經史)를 연구하며, 세월이 흐르는 것도 모르고 지내므로, 이에 사방에서 오는 학자들이 매우 많았는데, 그 재주가 있고 없는 사람에게 따라 각기 성취 하였다. 하루는 문생인 백남철(白南哲) 등이 돈을 거두어 계(稧)를 창설하고 이름을 보인(輔仁)이라고 하였다. 대개 위로는 스승의 도(道)를 존숭하고 아래로는 친구들과 한문의 도움을 주는 것을 기본으로 삼은 것이다. 공이 작고한지 벌서 20여년이 되었으나, 그의 문인들이 존경하는 마음은 생사를 막론하고 차이가 있지 않고 오래될수록 더욱 독실하여 돈의 이자를 모아서 갑진년(서기 1964) 봄에 비석을 마련하여 그의 뜻을 기록 하였다. 내 친구 정경모(鄭敬模)는 공의 수제자로, 나에게 비문을 받아 각을 하겠다고 하므로, 나는 그 말을 듣고 기꺼이 말하기를 "스승이 있는 것은 도(道)가 있고, 그 스승을 높이는 것은 그 도를 높이는 것이니, 제군들의 뛰어난 의리는 참으로 아름답네!"라고 하였다. 공의 가르침이 사람들에게 크다는 것을 속일 수 없는 일이니, 어찌 이 비석으로 하여금 국내에 세워 사도(師道)가 다시 떨치고 말세의 풍속이 후하게 될 수 있을까?

景慕碑

吳愼谷先生

記有之師, 無當於五服, 而五服不得不親。夫五服之親, 而有待於師。師道之於人倫, 豈不重且大矣乎。自教衰, 師道廢, 而不講久矣。不惟不講昨而揖遜唯諾於橫經之席, 今而詆毀背陷於坑壍之底者, 亦有之。吾於愼谷吳公諱炳植之門, 甚有感焉。公篤行君子也。自幼能知愛敬, 嘗親瘠裂指注血,夫子所謂宗族稱孝, 鄉黨稱悌者.公有焉。自庚戌無國後, 固守一岡, 凡於世間寵辱得喪是非欣戚漠然無以動其中。每暇日則幅巾野服, 逍遙於九王之崖, 行吟於蓮塘之畔, 憫時憂道之意, 一於詩發之。及戊午上皇賓天, 設壇擧哀, 益復韜光滅影。築一小亭於潔淨淨地, 研經究史, 不知年年數之不足。於是四方來學者甚眾, 隨其材之高下, 各有所成成就之. 一日門生白南哲等釀金 刱契, 名曰輔仁, 盖上以尊師門之道, 下以資朋友之麗澤也. 公沒已二十餘裘葛矣. 其徒尊信之, 誠不以存歿有間, 愈久愈篤. 拮据其子母之息. 甲辰春, 謀伐石以表其志. 吾友鄭敬模, 公之高足也, 徵正會以所以刻之. 余樂聞而爲之說, 曰:師之所存, 道之所存, 尊其師, 乃所以尊其道也. 諸君拔萃之義, 固可美矣. 而公之敎之及人深, 亦不可誣也. 安得使此石衆錯列於邦內, 庶師道復振而末俗歸厚也夫.

절부(節婦) 공씨(孔氏)의 기행비(紀行碑)

 옛날 방망계(方望溪)는 남의 집안의 글짓기를 좋아하지 않았으나, 윤리(倫理)에 관계가 있으면 아낌없이 붓을 들어 기록 하였다. 대개 은미한 뜻이 있기 때문이었다. 아! 이것도 세상이 쇠퇴한 의미가 있는 것이라고 할까? 유군 종필(柳君鍾弼)이 흥성(興城)으로부터 나를 보정산방(普亭山房)으로 방문하여 말하기를 "문중 어른들이 우리 조모 공씨(孔氏)의 행적을 위해 장차 길 가에 비석을 세우려고 하니, 말씀 한마디 해주시기 바랍니다."라고 하므로 나는 고인(古人)의 의리에 의하여 참람함을 잊고 그 행장을 살필 후 다음과 같이 기록 하였다.
 유인(孺人)은 남편이 병을 앓고 있을 때, 다리를 베어 국에 섞어서 먹이었고, 또 손가락에서 피를 내어 하루 동안 연명 하므로, 그 남편이 유인에게 말하기를 "내가 후사(後嗣)가 없이 죽으니, 이보다 더 큰 죄가 없습니다. 내 신후(身後)의 일은 오직 부인만 믿겠습니다."라고 하고 말을 마친 후 사망 하였다. 이때 유인의 나이는 겨우 17세였는데, 남모르게 후원의 나무에 목을 메어 자결하려고 하였으나 가족의 만류로 뜻을 이루지 못하고, 이에 탄식하며 힘을 내기를 "남편이 작고할 때 부탁한 말이 귀에 쟁쟁하니 어찌 참아 나의 뜻을 이룰 수 있겠는가?"라고 하고, 일어나 가사를 보았고 장례를 치르기까지 모든 일을 하나도 빠짐이 없었으며 3년 상을 마칠 때까지 상례를 준수하였고, 사람을 대할 때도 한번도 웃음을 짓지 않았으며, 머리를 빗지도 않고 세수도 하지 않았으며, 말 한마디와 동작 하나도 반드시 근신하고 조카 만규(滿圭)를 아들로 입양하여, 남편의 가정을 일으키도록 교육하였으니 아! 훌륭하다. 유인의 적(籍)은 곡부(曲阜)이며 남(楠)이 그의 고(考)이다. (유인은) 효도하고 근신하였으며 민첩하고 공순하여 친정에 있을 때부터 이미 숙덕(淑德)이 드러나고 16세에 고흥 유희진(高興柳熙眞)에게 출가 하였다. 그는 영밀공 청신(英密公淸臣)의 후손이며 허재 혜원(虛齋惠遠)의 7세손이다. 만규(滿圭)는 광산김익현(光山金益鉉)의 딸에게 장가를 들어 종길(鍾吉)·종필(鍾弼)·종삼(鍾三)·종영(鍾英) 4남을 낳았다. 아! 고인(古人)이 말하기를 "일시적으로 열부인(烈夫人)으로 칭송되기는 쉬워도 시종(始終)한 절개의 본분을 지키는 사람 되기는 어렵다"고 하였는데 유인(孺人)은 일생동안 몸을 해치며 남편을 구제하고, 과부로 살면서 절개를 온전히 하였으니, 그 고심(苦心)과 단심(丹心)을 천지(天地)의 신명(神明)이 위에서 임하여 보시고 마을마다 사람들의 입으로 전해오므로 정포(旌襃)의 은전(恩典)과 태상(太常)[12]의 기록은 바라지도 않았다. 가히 백세(百世)를 기다려도 불후(不朽)할 것이다. 저 일편(一片)의 비석이 유인에게 어찌 손익(損益)이 있겠는가마는 다만 세상의 풍속을 격려하고 후세에 윤리가 서게 하기 위함이니, 이 일이 어찌 도움이 없다고 하겠는가?

節婦孔氏紀行碑

昔方望溪不喜作人家文, 至關乎倫綱, 亦不靳泚筆, 盖有微義存焉。嗚乎！此亦衰世之意也歟。柳君鍾弼, 自興城訪余于普山房, 曰：門長老爲吾祖母孔氏行, 將樹石道周, 願一言表之。余竊附古人之義, 忘其僭而遂按狀, 爲之記, 曰：孺人於夫疾, 刲股和羹而進。又血指, 延一日命。夫謂孺人曰：吾無嗣而逝, 莫大之罪也。身後事, 惟夫人是恃。言訖遂溘然。孺人時年纔十七, 暗從園樹自縊, 爲家人所止。乃慨然自力, 曰：夫子臨終之託, 洋洋在耳, 豈忍直遂吾志。强起視事, 送終諸節, 無有闕焉。終三年, 一遵其禮。對人未嘗見齒, 不櫛不洗, 一語一動, 必以謹愼。取姪滿圭, 子之, 養之, 敎之, 以昌夫家之后。呀, 盛矣哉！孺人籍曲阜, 楠其考。孝謹敏順, 自在家淑德己著。年十六歸于高興柳熙眞英密公淸臣后虛齋惠遠七世孫嬉植第四子也。滿圭娶光山金益鉉女, 生四男, 鍾吉、鍾弼、鍾三、鍾英。噫, 古人有言, 曰："做一時盛稱烈婦人易, 作終始一節本分人難。"迹孺人一生, 戕身以救夫, 守寡而全節, 其苦衷赤腔, 天祗神明臨之在上, 巷誦閭誦傳之在人。不待旌襃之典、太常之紀, 而可以竢百不朽矣。彼一片貞石於孺人有何加損？只以激礪世風, 立倫綱於來許。是役也, 曷云無補。

---

12) 해와 달, 별, 교룡(蛟龍)을 기려놓은 왕의 기(旗), 신하가 공적이 있으면 널리 알리기 위해 그 공적을 이 기에 적어 두었음.

열부 김씨(烈婦金氏)의 기행 비명(紀行碑銘)

외로운 절개와 단심(丹心)이 해와 별에 걸고 귀신을 울릴 만 하며, 백세후에 사람들을 일깨울만한 사람은 내는 열부 김씨(烈婦金氏)에게 볼 수 있었다. 김 씨의 본관은 청도(淸道)이며, 재일(在一)은 그의 아버지이다. 김해 김 훈배(金海金勳培)에게 출가 하였으나, 2개월이 되지 않아서 남편의 부음을 받고 한 밤중에 달려가 통곡 하였다. 이때 나이가 17세로 살고 싶지 않으려고 하였으나, 아들을 잃은 시부모를 누가 봉양 하며, 남편의 가정을 자신이 아니면 누가 부지하겠는가라고 생각하여, 슬픔을 머금고 염습(斂襲)에서부터 장례에 이르기까지 조금도 성의를 다하지 않는 것이 없었다. 가정이 매우 가난하여 숙수(菽水)[13]를 계속하지 못하였지만, 머리는 헝크러지고 얼굴에는 떼가 끼도록 길삼과 호미질로 고용하여, 맛있는 음식으로 봉양하고 또 3세의 어린 애를 기루어 동기(同氣)와 다름없이 하여 성취시키었고, 시부모님도 모두 수명이 다할 때까지 사시다가 작고하였으며 상을 당한 후에는 예절대로 상을 마치었다. 미망인이 세상에 계신지 60년이었는데, 양자를 들이고 김씨(金氏)의 영혼을 굶주리게 하지 않았다. 아! 일시적인 감정을 참아 백 년 동안 신고를 겪었으니, 기둥 하나가 큰 집을 지탱하고 한 치의 땅으로 광란(狂瀾)을 만회하여 강상(綱常)이 서고, 무너진 풍속을 격려 하였으니, 어찌 비석이 필요하겠는가? 비석은 족당(族黨)이 사적으로 세운 것이다. 석윤(錫允)·응태(應泰)·길태(吉泰) 등이 그 일을 주관하면서 나에게 비명(碑銘)을 간청하므로 다음과 같이 명(銘)을 엮었다.

이미 남편을 잃고 또 혈육이 하나도 없었다. 꽃다운 나이에 규방에 홀로 남아 눈물을 흘리고 고초를 겪었다. 믿는 사람은 아무도 없는데 어찌 이와 같이 고생을 하였던가? 그것은 다름이 아니라, 비록 아홉 번을 죽더라도 두 마음을 갖지 않았다. 저 일월(日月)이 자신의 마음을 비추고 있었다. 백년 천년 후에 이 비명(碑銘)을 읽고 누가 감탄하지 않겠는가?

烈婦金氏紀行碑銘

孤節赤腔, 可以揭日星, 可以泣鬼神, 可以風百世之下者。吾於烈婦金氏見之矣。金貫淸道, 在一其父, 適金海金勳培。未二朔, 聞夫公訃, 星夜奔哭, 時年

---

13) 변변치 못한 음식을 일컬음.

十七。崩迫不欲生，忽念"喪子舅姑，誰能養之。夫 家門戶，微我其誰持？"遂茹痛含哀，自歛襲至窆窆，無一毫之不誠。家甚貧，菽水無繼，蓬頭垢面，賃織傭鋤，以資甘旨之具。有三歲小郎，撫之育之，無異同氣，使得成就之。舅姑皆以壽終，執喪如禮，以未亡人，在世六十年，立螟嗣，俾不餒金氏之鬼。噫，忍一時激烈之情，甞百年辛苦之味。一木而支傾廈，寸土而廻狂瀾。綱常以之立焉，頹俗以之勵焉。又安用碑爲。碑焉者，族黨之私也。錫允應泰吉、泰實尸其事，要余紀其實。爲之銘曰：旣喪所天，又無一塊血。芳年獨閨，泣雨而楚雪。所恃者無有何，乃自苦如此，斷斷無他，雖九死其二. 瞻彼日月，照我素志。苟百千之後，讀此銘者，疇不興喟。

절부 서씨(節婦徐氏)의 기행비(紀行碑)

아내가 남편을 따라서 죽는다는 것은 참으로 어려운 일이다. 결백한 몸으로 일생을 잘 마치어, 어려운 일을 겪고도 꿋꿋하게 사는 것은 또한 어려운 가운데 어려운 일이다. 대개 일시적으로 목숨을 판단하여 강력히 그 뜻을 이루는 사람보다 꽃다운 나이에 빈 규방만 지키고 그 절개를 온전히 하는 사람과 누가 더 가상할 것 같은가? 더구나 여울에 수초(水草)와 길 위에 고인 빗물로 제사를 지내고, 시부모님에게 효성을 다하여 천수(天壽)를 다하고 작고 하였으며, 어린 시동생을 기루어 가문을 이루게 하였으니, 이것은 천하에 지극히 어려운 일을 한 부인이 맡았었다. 이것은 군자(君子)도 어려운 일이었다. 서씨(徐氏)의 관향은 이천(利川)이며, 원국(源國)의 딸로 선비인 이복모(李福模)에게 출가 하였으나, 나이 23세에 남편을 잃었다. 이때 시부모가 집에 계시었는데 나이가 모두 60세가 넘었고, 어린 아이가 태어난 지 7개월이었다. 이에 마음을 바꾸어 죽으려고 하였으나, 정조를 지키려는 뜻을 가지고 염(斂)·빈(殯)·장(葬)·제(祭)에 정성을 다하지 않는 것이 없었으며, 불을 켜놓고 아침까지 길쌈을 하였고, 시부모에게 웃음을 드리고자 곡(哭)을 다른 사람으로 대신 하였으므로, 시부모님이 편안하게 지내었다. 어린 아이인 백홍(柏烘)을 기루면서 옳은 방도로 가르쳤고, 장성한 후에는 사우(士友)들에게 소중하게 추대되었다. 아! 한 행실을 착하게 하는 것도 매우 아름다운데 더구나 여러 미행(美行)을 소유하고 있으니, 옛날에도 겨룰 사람이 드믈었는데 하물며 풍속이 쇠퇴한 세상이겠는가? 당연히 표시하고 드러내어 세상을 교화(敎化)에 도아야 할 것이다. 백홍(柏烘)이 뜻만 가지고 있다가 이행하지 못하고 작고하므로, 그의 아들 현범(賢範)이 그의 아버지의 뜻을 따라 넓은 길 가에 비석을 세우려고 하면서 나에게 비문을 부탁 하였다. 이씨(李氏)의 관향은 함풍(咸豊)이며 죽곡 장영(竹谷長榮)의 후손이다.

節婦徐氏紀行碑

婦從夫死固難矣，潔身令終，履艱而貞，是又難之尤難也。盖辦命一時，硁硁然直遂其情者，孰若芳齡空閨守婺而全其節者哉？况澗毛行潦以繼蒸，甞孝舅姑以終天年，養遺孤以持門戶，是天下之至難。以一婦人任之，此君子之所難也。徐氏籍利川源國女，適士人李福模，年二十三。喪所天時，舅姑在堂，皆年逾六旬。呱呱之兒，生纔七朔。於是幡下從之計，礪守貞之志，斂殯葬祭，靡誠不極，績燈繼以朝供笑晤，代以晝哭。舅姑以之安焉。育遺孤柏，烘敎之義，方及長爲士友所推重。噫，一行之善，固可美矣，况衆美畢具，於古罕有其肩，况於衰俗乎！是宜表而揚之，以補世敎也。柏烘含志，未就而卒之。胤賢範克，遵父志，將竪碑康莊，囑予以記實之文。李貫咸豊竹谷長榮后。

경모비(景慕碑) 김남애선생(金南崖先生)

　고인(古人)이 말하기를 "산을 보지 못하였으면 나무를 보면 된다."고 하였다. 나는 성의가 적은 선비이므로 남산재(南山齋) 위에 가르침을 청할 기회를 얻지 못하고 간혹 그 문도들과 종유 하였다. 그들은 모두 순종하고 근신하여 그 연원(淵源)이 유래가 있음을 입증 하였다. 삼가 살펴 보건데 공의 휘는 근호(根鎬)이며 김씨의 본관은 상산(商山)으로, 학자들이 남애선생(南崖先生)이라고 칭하였다. 선생은 천성이 정중하고 언소(言笑)를 구차하게 하지 않았으며 화기가 얼굴에 넘치었고, 사람들은 그의 신의(信義)를 믿었다. 그는 일찍 송사 기 선생(松沙奇先生)에게 수업하여 덕이 몸에 배었으나, 겸손한 마음은 늘 부족하게 여기었고 내면에 학문은 꽉 찼으나, 오직 미치지 못한 것처럼 여기었다. 세상이 변하자 문을 닫고 자취를 감추었으며, 마음을 분

(三墳)[14]·오전(五典)[15]에 두고 있으므로, 사방에서 학자들이 모여들어 글 읽는 소리가 산과 강가에 울려 퍼졌다. 송사(松沙)에게 받은 것을 그의 문도들에게 전수한 것이다. 그리고 언제나 좋은 계절에는 동자(童子)들과 높은 산에 올라 휘파람을 불고 강물에 들어가 시를 지어 봄바람에 시를 읊고 돌아오는 기상이 있었다. 그 문도 수백명도 그 도(道)를 기뻐하고 그 의리에 복종하였으므로, 앞을 다투어 자금을 내고 계(契)를 설립하여 이름을 단화(團和)라고 하였다. 대개 정백자(程伯子)[16]의 일단화기(一團和氣)라는 뜻을 취한 것이다. 수산 오공(壽山吳公)이 그 서문을 지어 한 가지 일도 빠짐없이 발휘 하였다. 공은 88세의 수를 누리고 갑진년(서기 1964) 봄에 작고하자, 문하생들은 작고해도 생존한 것처럼 섬기어, 2년이 지난 병오년(서기 1966) 봄에 비석을 세워 사모하는 마음을 기리었다. 내 친구 박동엽(朴東燁)이 여러 군자(君子)들의 의견으로, 나에게 비문을 요청하므로 사양하지 않고 승낙하고 말하기를 "또한 좋은 일이 아닌가? 지금 도술(道術)이 천하에 사라지고 경전(經典)이 폐지되었는데, 오늘 이 일은 스승을 존경한 것이네. 스승의 도는 옛 성현들이 서로 전수한 도인데, 내가 알기에는 한조각 비석에 그 도학(道學)을 옹호하는 마음을 기록 하였으니, 천지가 바뀌고 세상의 도가 사라져 이 유학(儒學)이 후세에 전할 상구(上九)의 석과(碩果)라고 할 것이니 지금 이 곳을 지난 사람들은 어찌 공경하지 않겠는가"라고 하였다.

景慕碑金南崖先生

古人云, "不見山, 見其木可矣"。走誠薄, 緇衣未獲, 請敎於南山齋上, 間與其門徒遊, 率皆循循雅飭, 可徵其淵源之有自來矣。按: 公諱根鎬。金氏本商山學子, 稱南崖先生。天資凝重, 言笑不苟。慈和溢于色, 信義孚于人。嘗從松沙奇先生學, 德周乎身, 而謙謙然如有所不足。學充乎內, 而汲汲然惟恐其不及。自世幻滄桑, 杜門鏟迹, 潛心典墳。四方來學者雲集, 咿唔之聲, 洋洋乎山椒水涯。以所受於松翁者, 傳諸其徒。每良辰與童冠其數, 登高而舒嘯, 臨流而賦詩, 蔚然有春風咏歸之像焉。其徒數百人, 悅其道而服其義, 爭先出貲設契, 而名之曰團和, 盖取諸程伯子一團和氣之義。壽山吳公序其案, 發揮無餘蘊。公以

---

14) 중국 삼황(三皇)에 관한 글.
15) 중국 오제(五帝)에 관한 글.
16) 송(宋)나라 대학자 정호(程顥)를 가리키는 말.

壽八十八, 沒于甲辰春。門下諸生, 事亡如存, 越二年丙午春, 伐石堅碑, 以寓羹墻之慕。吾友朴東燁君, 以僉君子之意, 徵不佞文之, 遂不辭而諾。曰：不亦善乎！見今道術爲天下裂而經傳廢, 今日此擧, 所以尊師也。師之道, 乃古聖賢相傳之道也。吾知一片貞珉表厥衛道之赤衷。天壤易, 世道敗, 而斯學之傳, 可占上九之碩果矣。今與後, 過此者盍式諸。

효자(孝子) 가선대부 문공(嘉善大夫文公)의 기행비(紀行碑)

　효도는 천성적으로 얻은 것이며, 여러 선행(善行) 중에서 가장 으뜸이 되므로, 이 곳에서 행하면 저 곳에서 호응하는 것은 소리와 그림자가 서로 따르는 것과 같은 것이다. 삼가 살펴 보건데, 문공(文公)은 일생동안 시종 효(孝) 한 자에서 벗어나지 않았다. 그는 어렸을 때부터 효성이 지극하여 사랑하고 공경할 줄 알았으므로, 부모님이 말하기를 "나를 잘 섬긴다."고 하였다. 이것은 그 효성을 아버지가 인정한 것이다. 형제를 대할 때도 즐겁게 대하여 종신토록 이간질하는 말이 없었으니, 이것은 그 효도가 우애로 미루어진 것이며, 친구들은 그의 신의(信義)를 믿고 고을 사람들은 그의 인(仁)에 감복 하였으며, 대여(臺輿)와 비복(婢僕)들도 모두 그의 은혜를 받았으니, 그 효도가 세상에 드러난 것이다. 그는 30리 밖에서 교거(僑居)하고 있을 때 아버지가 편찮으시다는 말을 듣고 밤중에 혼자 가는데 호랑이가 앞길을 인도 하였다 하니, 이것은 그 효성이 짐승에게 감동하여 이렇게 특이한 일이 있었으며, 또 스님이 공의 효성을 듣고 장지(葬地)를 가르쳐 주었으니, 이것은 그 효성이 사람들에게 감동된 것이며, 서울과 각 도의 선비들이 서로 추천장을 올렸으니, 이것은 그 효성을 선비들이 믿었던 것이며, 그는 건원릉(健元陵)의 참봉이 되어 가선대부(嘉善大夫)와 동지중추부사(同知中樞府事) 겸 오위장(五衛將)에 올랐으니, 이것은 그 효성이 왕에게 전해진 것이며, 증조 필보(必輔)와 할아버지 덕명(德明)과 아버지 진광(晉光)은 통훈대부(通訓大夫), 통정대부(通政大夫), 가선대부(嘉善大夫)로 3세(世)가 공의 효성으로 은전(恩典)을 받았으니, 이것은 그 효성이 선조를 영광스럽게 한 것이다. 공의 효성은 참으로 크다! 그것은 분수상 당연히 해야 할 일이지만, 이와같이 호응을 받는 것이 이와 같이 많은 것은 무슨 까닭일까? 아! 이와같이 하지 않으면 효도가 되지 않을 것이니, 이것을 권하는 것은 이른바 군자(君子)의 충실(忠實)과 광휘(光輝)이기 때문에 그런 것이다.

공의 휘는 규현(奎現), 자는 치삼(致三)으로 남평백(南平伯)인 다성(多省)이 본관을 받은 조상이며, 김해 김달부(金海金達夫)가 외조(外祖)이다. 공은 헌종(憲宗) 을사년(서기1845)에 태어나 72세의 수를 누리고, 병진년(서기 1916) 11월 17일에 작고하여 장흥 운곡촌 침장원(長興雲谷村枕長原)에 장례를 치루었다. 부인은 정부인(貞夫人)인 김해김씨(金海金氏)로 성관(聖寬)의 딸로, 묘는 합폄(合窆) 하였다. 4남을 두어 장남 사성(思誠)은 그 효성을 이어갔고, 차남은 사욱(思旭), 사형(思衡), 사운(思雲)으로, 사형은 사운의 후사(後嗣)로 입양 하였으며, 따님 한 분은 광주 이원회(廣州李元會)에게 출가 하였고, 손자 기환(基煥), 기룡(基龍)은 사성이 낳았고, 종기(鍾基), 복형(福衡)은 사형이 낳았다. 기룡이 공의 행장을 가지고 나를 도산서실(道山書室)로 방문하여 말하기를 "우리 선군(先君)의 효행과 미적(美蹟)은 참아 사라지게 할 수 없으므로, 장차 길 가에 비석을 세워 그 평생의 사적을 기록하고자 하니 말씀 한마디 해 주시어 각할 수 있도록 해 주시기 바랍니다."라고 하므로, 나는 김탄 하기를 "효자는 효손이 있는 것이니 이것은 그 효성이 후손에게 전하는 것이다. 《시경(詩經)》에 이르기를 '효자가 다한 것이 아니라 영원히 너 같은 효자를 주겠다' 고 하였습니다"라고 하였다. 아! 이 점을 공의 비석에 새길만 하다.

孝子嘉善大夫文公紀行碑

孝是得於天而爲衆善首。故行于此而應于彼者，如韻影之相隨也。按：文公一生成始成終，不出乎孝之一字。幼有至性，能知愛敬。父母曰："善事我。"是孝之獲於親也。處兄弟怡怡湛樂，終身無間言。孝之推於友也，朋友信其義，鄕黨服其仁，至臺輿婢僕咸戴其恩。孝之著於世也，僑居一舍，外聞親癖，夜半獨行，有虎導前，孝之感於物有異。僧聞公孝聲，指示葬地，孝之孚於人也。自京及道，章甫交薦，孝之信於士林也。行健元陵，衆奉陞嘉善大夫同知中樞府事兼五衛將，孝之達於天聰也。曾祖必輔祖德，明考晉光通訓，通政嘉善三世恩典，以公貴。孝之榮於先也。公之孝固大矣，亦分所當爲也。而應于彼者，若是其廣，何也？噫，不如是無以爲爲孝者勸。此所謂君子之充實光輝者，然也。公諱奎現，字致三，南平伯多省爲受貫之祖。金海金達夫外祖。公生憲宗乙巳，以壽七十二，卒于丙辰十一月十七日，葬在長興雲谷村中枕長原。配貞夫人金海金氏, 聖寬女, 墓合兆。四男, 長思誠, 克世其孝。次思旭、思衡、思雲。出后廣州李元會一女壻。孫男基煥、基龍。誠出基章, 旭出鍾基, 福衡出基龍。甫狀公行, 訪余普道山室, 曰:"吾先子至行懿蹟, 實有不忍泯者, 將樹碑道周, 使過者溯其平生。願一言所以刻者。"余爲之嘆, 曰:"孝子有孝孫, 是亦孝之垂於後也。詩曰:'孝子不匱, 永錫爾類。'"嗚乎!此可以銘公之石。

의사(義士) 박공(朴公)의 추모비(追慕碑)

공이 작고하신지 벌서 40여년이 되었으나, 위로 진신(搢紳)으로부터 아래로 초부(樵夫)·목동(牧童)에 이르기까지 공의 의거(義擧)를 추모하고, 공의 기풍을 칭송 하였으니, 이것만 보아도 그 칠분(七分) 정도는 상상할 수 있을 것이다.

공의 휘는 경현(敬鉉), 자는 여직(汝直)이며, 박씨는 순천(順天)의 세가(世家)이다. 공은 어렸을 때부터 강개(慷慨)하여 뜻과 절개가 있었고, 일을 만나면 의리로 판단하여 늠름하기가 추상(秋霜) 같았으며, 온 세상을 엿보며 기개가 만부(萬夫)보다 컸다. 그는 남의 원통한일 돕기를 좋아 하였다. 구한국 (舊韓國) 말기에 본군의 군수가 장물법(贓物法)을 범하여 군민들이 분통해 하므로, 공은 의관(議官) 김학권(金學權)과 함께 전주영문(全州營門)에 소송하여 승소하므로, 고을 사람들은 무슨 일이 있으면 반드시 공이 결정해 주기를 바랬었다. 공은 나이 35세 때, 아내를 잃고 다시 재취하지 않으므로, 재취를 권한 사람이 있으면 즉시 사양하면서 "가정이 화목하지 못한 것은 모두 여기서 시작된 것이다"고 하였다. 성품이 호협(豪俠)하여 생업에 종사하지 않고 두루 명산(名山)의 사찰(寺刹)을 유람하거나, 혹은 산약(山藥)을 케어 술빚을 갚았었다. 경인년(서기 1890)부터 나라가 없어지자, 늘 분개한 마음을 간직하고 한번 죽는 것을 통쾌하게 여기었는데, 무오년(서기 1918)에 상황(上皇)이 승하하고, 그 익년(翌年) 3월에 전국이 궐기하여 대한독립 만세를 외칠 때, 공이 옷을 벗어 던지고 일어나 즉시 시중(市中)으로 들어가 태극기를 들고 크게 만세를 부르므로, 온 시중 사람들이 호응하자 저 일본 헌병들이 발포하며 사방을 포위하므로, 공이 나서서 가슴을 드러내며 "나를 죽여라"하고 꾸짖는 혀가 더욱 강하고 눈빛은 전광(電光)과 같았다. 그러나 결국 감옥에 연행된 사람이 많자, 공이 그 책임을 전담하여 혹독한 형벌을 받았으나 결국 한 사람도 발설하지 않아, 온 경내(境內)가 편안 하였고 9개월 만에 석방 되었다. 공은 언제나 지팡이로 동쪽을 가리키며, "저…. 왜놈들은 우리와 하늘을 같이 이고 다닐 수 없는 원수이다"라고 하였다. 그 울분과 불평한 기운은 취중에 자주 발로 되었다. 공은 계해년(서기 1923) 8월 초 2일 작고하여 그 태어난 철종 기미년(서기 1859)부터 65세의 수를 누리었다. 아! 한갓 척수(隻手)[17]로 몸을 일으켜, 포탄(砲彈) 중에서 적을 꾸짖었으니 그 죽지 않는 것만도 다행이라 할 것이다. 감옥에서 약 1년간 있으면서 의성(義聲)이 사방에 펴졌으니, 이것으로도 강력한 적의 사기를 꺾고, 이미 끊어진 국맥(國脈)을 소생시킨 것이다. 을유년(서기 1945)의 광복(光復)은 공의 이 한 의거(義擧(의거))가 조짐이 되었다고 하지 않을 수 없을 것이다. 적이 물러간 후 성내(省內)의 지난날 의사(義士)들도 모두 금석(金石)에 그 공적을 새겨 놓았으나, 오직 공만 기록이 없으므로, 군수 이외에 각 기관장들이 서로 이 일을 개연(慨然)히 생각하고, 사림 제공들과 상의하여 비석을 마련하고, 그 장한 공적을 새기고자 나에게 비문을 요청하여, 장차 만세(萬歲)를 부르던 옛 시장 위에다가 세우려고 하였다. 아! 그 높은 기풍과 의기(義氣)는 두류산(頭流山)과 그 높이를 같이 할 것이다

義士朴公追慕碑

公歿己四十餘星霜, 而上自搢紳, 下至樵牧, 皆能慕公之義, 誦公之風。卽此可像其七分矣。公諱敬鉉, 字汝直。朴氏順天世家, 自少慷慨有志節, 遇事辨義理, 凛若秋霜, 睥睨一世。氣雄萬夫, 喜爲人伸屈。當韓之末, 本郡守犯贓, 郡民憤怨。公與議官金學權, 代訴于全州營門, 得勝訴。凡鄉中有事, 必待公一言決之。年三十五喪耦, 不復卜姓。有勸之者, 輒謝曰:"人家失和多由此。"性任俠, 不事生產作業, 遍遊名山巨刹, 或採藥以償酒債。自庚戌無國, 常懷憤惋, 得以一死爲快。戊午上皇御天, 越翌年三月, 全國奮蹶, 呼大韓獨立萬歲。公投袂而起, 卽入市中, 手太極旗, 大呼萬歲, 全市呼應。彼倭憲兵發砲四圍。公乃挺身露胸, 曰:"速殺我!"罵舌愈勁, 目光煒如電。遂逮獄, 連累甚衆。公全擔, 酷加虐刑, 而終不洩一人, 全境得晏。九閱月被釋。每以杖指東, 曰:"彼倭者, 與我不共戴之讐也。"憤欝不平之氣, 累發於醉罵間。癸亥八月二日終, 距其生哲廟己未, 壽六十五。噫, 徒以隻手挺身罵賊於砲風彈雨之中, 其不死特幸耳。處囹圄一年之間, 而義聲已震乎四海之外。此足以摧仇賊於方强, 蘇國脉

---

17) 썩 외로운 처지를 일르키는 말.

於旣絶。乙酉光復, 未始非諸公此一擧爲其兆也。自賊返後, 省內曩日諸義士皆得以銘金石而公獨無述。自郡守外, 各機關長胥慨于此。謀士林諸公, 伐石而表厥壯蹟, 徵不佞文之, 將以堅于呼萬舊市上。嗚乎！其卓風峻義, 能與頭流山色同其崢嶸。

이천 서씨 헌성(利川徐氏獻誠)의 기적비(紀績碑)

　모양(牟陽)의 서씨(徐氏)는 통덕공(通德公) 휘 적(積)으로부터 시작하였는데, 자손들이 번창하여 수군(數郡)에 산재하면서, 모두 효우(孝友)가 독실하고 조상들의 자취를 본받아 호남(湖南)의 명족(名族)이 되었다. 공의 묘소에는 옛날에 비갈(碑碣)이 있었으나 후손들이 비석이 열악한 것을 흠으로 생각하여, 장차 바꾸려고 하므로 한 사람이 주창하자 여러 사람들이 화답하여 서로 앞을 다투어 헌금한 후, 높은 비석이 언덕 위에 웃둑 솟아 있어 선산의 경치가 확 달라졌다. 시종 그 일을 주관한 사람은 종운(鍾運)・용현(用鉉)・치일(致馹)・원직(源直)・춘환(春煥)・종수(鍾銖)・삼현(三鉉)이다. 나의 친구 치용(致用)이 종운(鍾運)・용현(用鉉)과 함께 나를 방문하여 말하기를 "우리 종족들이 이 일에 헌성(獻誠)하여 비석에 글자를 새기려고 하니, 자네가 지어주기 바라네."라고 하므로, 나는 기꺼이 듣고 글을 지어 주고, 인하여 그 이름을 좌측에 나열하여 영원히 전한다.

利川徐氏獻誠紀績碑

牟陽之有徐氏, 自通德公諱積, 始椒聊繁衍, 播在數郡。皆孝友敦實, 承襲祖武, 蔚爲湖南名族。公墓舊有碣, 後孫病其品劣字泐, 將謀改堅。一唱群和, 爭先獻金, 穹然貞珉突兀阡間, 林楸爲之改觀。始終幹其務者, 鍾運、用鉉、致馹、源直、春煥、鍾銖、三鉉。吾友致容甫, 與鍾運、用鉉二君來訪, 曰：我諸族之獻誠斯役者, 欲記之石, 子其圖之。余樂聞而爲之, 因列書其名于左方, 以視永永。

농은 김공(農隱金公)의 효행비(孝行碑)

　공이 효도한 것은 직분상 당연히 해야 할 일인데 어찌 비석을 세울 수 있겠는가. 비석이라는 것은 후세에 권하기 위한 것이다. 공은 광산세가(光山世家)로 아버지는 기찬(箕燦)으로 수(壽)로 가선대부(嘉善大夫)가 되었으며, 고종 정해년(서기 1887) 10월 18일 태어났다. 공의 천성은 지극히 효성하여 가정이 가난하므로 친히 농사와 나무와 고기잡이를 하여 맛잇는 음식을 부모에게 제공 하였고, 겨울과 여름에는 따뜻하고 시원하게 하여 이와 같이 봉양하는 즐거움이 있었다. 아버지가 병을 앓고 있을 때, 허리띠를 풀지 않고 의약으로 구제하였으며, 대변을 맛보고 노숙(露宿)하며 빌어, 할 수 있는 일은 안 해본 것이 없었다. 병(病)에 걱정을 이와 같이 하였다. 상을 당한 후에는 몸에 바싹 말라 뼈만 앙상하게 남았으나, 질대(絰帶)를 벗지 않고 주육(酒肉)도 먹지 않았으며, 날마다 반드시 묘소에 가 눈물을 흘리므로 초목이 말랐고 무릎이 닿은 곳에 구덩이가 만들어졌었다. 상중에 슬퍼하기를 이와 같이 하였던 것이다. 그리고 원근에 있는 선조의 묘소에 제전(祭田)을 두고 누차 석물(石物)을 마련하여 친소(親疎)의 차이를 두지 않았다. 먼 선조를 추모하는 것이 이와 같았던 것이다. 그리고 형인 퇴은공(退隱公)과 화목하게 지내어 한 상에서 밥을 먹고, 한 이불을 덮고 잠을 자며, 잠시도 떠나지 않았다. 우애가 이와 같이 독실 하였던 것이다. 이것은 부유(婦孺)와 초목(樵牧)들도 서로 칭송 하였고, 도내(道內)의 선비들이 서로 추천 하였다. 공은 경자년(서기 1900) 5월 24일 작고하였고, 묘소는 고수(古水)의 은사산 뒷산의 묘좌원(卯坐原)이며, 배(配)는 밀양박씨(密陽朴氏)와 전주이씨(全州李氏) 두 분이었으나, 혈육이 없으므로 형의 둘째 아들인 민석(敏錫)을 입양 하였다. 민석은 가정교육을 받아 양부의 미행(美行)을 이어받아, 비석을 마련하여 집이 있는 마을에 세우고 불후(不朽)로 전하도록 하였다. 이것은 백세(百世)를 일깨우고 무너진 풍속을 진작시키는 것이다. 시경(詩經)에 이르기를 "효자가 다하지 않아 영원히 너와 같은 사람을 주리라(孝子不匱, 永錫爾類)"고 하였는데, 이 사람을 두고 하는 말이라고 할까?

農隱金公孝行碑

公之孝, 固職分所當爲, 奚以爲碑? 碑焉者, 爲來世勸也。公光山世家。考曰箕燦, 壽嘉善。高宗丁亥十月十八日生。公天性至孝, 家貧躬畊漁樵, 以供甘。冬夏以溫淸, 養致之樂, 有如此者。親癖夜不解帶, 醫藥救護, 甞糞露, 禱靡不用極。病致之憂, 有如此者。遭艱柴毀骨立, 不脫絰帶, 不御酒肉, 日必展墓, 淚迸卝枯, 當膝成坎。喪致之哀, 有如此者。遠近先墓, 廣置祭田, 累修石儀, 不以親疎有間。追遠之誠, 有如此者。與伯氏退隱公湛和以翕, 食同卓, 寢同被, 暫不相舍, 友于之篤, 有如此者。此嫗孺樵牧之所爭誦, 而鄕道多士之所交薦也。終于庚子五月二十四日, 墓古水之隱士後嶝卯原。配密陽朴氏、全州李氏, 并無育, 取伯氏第二子敏錫子之。敏錫撟染家訓, 克趾厥美, 治貞珉樹于宅里, 以圖不朽。噫。此可以風百世而振頹流矣。詩曰: "孝子不匱, 永錫爾類。" 其斯之謂也與。

정재 고공(靜齋高公)의 기적비(紀績碑)

　부자(夫子)[18]가 말한 "종족들이 그 효성을 칭찬하고 고을에서 그 신의(信義)를 믿는다."고 하는 것을 나는 최근에 고 정재 고공 휘 제준(故靜齋高公諱濟駿)에게서 믿게 되었다. 공이 세상을 떠난 후 묘의 나무는 이미 한 아름이 되었으나 원근의 친척들은 그의 효성을 칭송하며 앞을 다투어 힘을 내고 비석을 마련하여 천년, 만년에 전하려고 하니, 이것은 어찌 집집마다 일깨우고 설득해서 될 일이겠는가? 공의 효행과 덕망은 당세에서 믿었고 또 길이 전하여졌다. 공은 장흥인(長興人)으로, 요은선생(鬧隱先生)의 후손인 휘 윤진(允鎭)이 그의 아버지다. 공은 태어나서부터 장대하고 언행을 친구들이 따르지 못하였으며, 아버지를 섬길 때도 사랑과 공경을 다하였으며, 친척을 대할 때도 화목한 기풍이 있었고, 일생동안 아버지를 사모하였으며, 모든 종중(宗中)의 일도 할 수 있는 것은 반드시 자신이 주창하여 다른 사람에게 맡기지 않고, 풍우를 무릅쓰고 험난한 일과 부딪치면서 손가락이 모두 못이 박혀 성의가 금석(金石)도 뚫을 수 있었다. 아! 공 같은 분이 세상에 나가서 높은 관직에 있었다면, 백성들이 마음이 후해졌을 것이지만, 말세의 병통도 조금은 나아졌을 것이다. 그러나 그의 덕을 아는 사람이 드물어 결국 포의(布衣)로 시골에서 늙었으니 애석하다. 내 친구 좌상(佐相)이 그 문중의 어르신들의 의견으로 나에게 비문을 지어달라고 요구하였다. 정회(正會)는 생각할 때, 공의 뜻과 행실은 참으로 지극 하였으나, 직분으로 당연한 일이

---

18) 공자를 말함.

니 어찌 비석을 세울 필요가 있겠는가? 공에게는 비록 더 영예롭고 손해될 것도 없지만, 이 일은 장차 후세 사람들을 격려하는 것이니, 그 세상의 교화(敎化)에 도움이 어찌 적다고 하겠는가?

靜齋高公紀績碑

夫子所云, 宗族稱其孝, 鄕黨信其義者, 吾於近故靜齋高公諱濟駿信然矣. 公觀化後, 墓木已拱矣. 而遠近諸族咸稱其誠孝, 爭先出力勒碑, 示千百. 是其家喩戶說, 而致此哉. 蓋公之至行懿德, 孚于當世, 而垂諸久遠也. 公長興人, 聞隱先生后諱允鎭其考. 公生而岐嶷, 出言制行, 儕流莫或追. 事親盡愛敬之道, 處族戚有睦婣之風. 一生篤於慕先, 凡宗事之所可當爲者, 必自我倡之, 不委餘人. 冒風雪, 觸險難, 禹指胼胝, 誠足透金石. 噫, 如公出而需世, 則庶可民德歸厚, 而末世膏肓, 爲之少瘳矣. 知德者稀, 使布衣終老林下. 惜哉！吾友佐相甫, 以其門長老之意, 要余文之. 正會竊惟公之志之行, 固已至矣, 亦職分所當者, 尙何事乎碑？在公雖無加損, 而是役也, 將以勵夫來世也, 其爲世敎補, 曷云少哉！

윤씨 4세대(尹氏四世代)의 열효비(烈孝碑)

천하에 지극히 순수하고 지극히 곧은 기운이 있어 사람이 그것을 얻으면 효성이 되고 충성이 된다. 이 기운은 고금에 풍부하고 인색한 것이 있는 것이 아니다. 이것을 이른바 삼강(三綱)이라고 한다. 하루 동안 쬐하지 않으면 아침과 대낮을 구별하지 못하는 것이니, 어찌 사람과 짐승을 가릴 수 있겠는가? 삼가 살펴 보건데, 숙부인(淑夫人) 양씨(梁氏)는 적(籍)이 남원(南原)이며, 아버지는 도유(道裕)이다. 친정에 있을 때부터 규범(閨範)으로 소문이 자자하였는데, 증사복 사정 윤공 휘 상엽(贈司僕寺正尹公諱相燁)에게 출가한 후 시부모 섬기기를 친부모 섬기듯이 하여 그 뜻을 기쁘게 하였으며 맛있는 음식으로 봉양 하였고, 상을 당한 후에는 애통해 하며 성의를 다하여 제사를 모시었다. 그의 나이 32세 때 남편이 병을 앓고 있자 백방으로 구제하고 밤이면 하늘에 빌기를 자신이 대신 아프게 해 달라고 빌었으며, 병이 위급 하였을 때 남편이 유언하기를 "늙은 어머니가 집에 계시고, 어린 아이들이 품안에 있으니 잘 섬기고 보호하여 가정의 명성을 떨어뜨리지 마시기 바라오."라고 한 후 작고하자, 숙부인(淑夫人)은 그 애통함을 참고 원한을 간직한 채 그 유언을 잊지 않고, 시어머니를 잘 봉양하여 천수(天壽)를 다하게 하였고, 어린 아이를 잘 기루어 가정을 일으켰으니, 이것이 어찌 일시적으로 운명을 판단하여, 바로 그 뜻을 이루는 사람과 비교할 수 있겠는가? 이것은 참으로 훌륭한 일이며 열부답다고 할 것이다. 시정(寺正)의 아들은 휘 성병(聖炳)이며, 호는 모재(慕齋)로 통정대부 좌승지(通政大夫左承旨)에 증직되었으나, 일찍 아버지를 잃어 일생동안 지극히 애통하여 날마다 반드시 묘소에 나가 성묘하여 풍우(風雨)도 피하지 않았으며, 어머니도 효성을 다하여 봉양하여 뜻과 몸을 모두 봉양 하였고, 아버지가 병을 앓고 있을 때는 친히 미음을 끓이고 약을 다리어 가족에게 맡기지 않았고, 병환이 위급 하였을 때는 손가락을 깨어 수일동안 목숨을 연장 하였으며, 상을 당한 후에는 피눈물을 흘리며 여묘(廬墓) 생활을 하였다. 그리고 언제나 남편의 제사를 지낼 때는 3일 동안 제계 하였다. 승지(承旨)의 아들은 휘 수중(壽重)으로, 호조참의(戶曹參議)에 증직되었으며, 천성적으로 효성이 지극하여 부모를 즐겁게 해 드리고 성품을 거스리지 않았으며, 아버지가 병을 앓고 계시면 밤에도 띠를 풀지 않았고, 상을 당한 후에는 물 한 모금고 마시지 않고 통곡 소리가 그치지 않았으며, 초상과 종상의 모든 일에 여한이 없도록 하고 또한 여묘(廬墓) 생활을 하였으니 옛날 효자의 기풍이 있었다고 할 것이다. 참판공(參判公)의 아들 휘 석철(錫哲)은 어렸을 때부터 사랑과 공경할 줄 알아 한 가지 맛좋은 음식을 보면, 먼저 입에 넣지 않고 반드시 부모에게 드렸으며, 10세 때 아버지를 잃자 애통해 하기를 성인(成人)과 같이 하여, 고기를 보더라도 입에 넣지 않았고, 어머니가 강하게 권하더라도 끝까지 좋아하지 않았고, 날마다 반드시 성묘하여 3년을 하루같이 여기었다. 그리고 어머니에게 효성을 다하여 봉양하며 조석으로 살피고 달고 부드러운 음식을 봉양하였으며, 아버지에게도 기뻐하도록 힘을 써 밖으로 나갈 때는 말씀 드리고 돌아온 후에는 대면 하였으나, 공에 있어서는 오히려 하찮은 행실로 여기었다. 상을 당한 후에는 상례(喪禮)를 형식적으로 치르기보다는 슬프게 치렀으며, 제삿날이 되면 반드시 제계를 하고 초상 때와 같이 슬퍼하였다. 공은 효성으로 동돈녕(同敦寧)에 증직 되었다. 아! .열부(烈婦)가 1명, 효자가 3명을 내놓았으니 어찌 그리 훌륭하지 않겠는가?. 혹 그 순수하고 곧은 기운이 가장 윤씨(尹氏)의 한 가문에만 모인 것일까? 윤씨는 파평세가(坡平世家)로 고려(高麗)의 태사(太師)인 휘 신달(莘達)이 시조이며 감정공(監正

公) 휘 득열(得悅)이 혼조(昏朝)를 당하여 용성(龍城)으로 유배되었는데, 이로 인하여 함평(咸平)의 바닷가에서 우거하게 되었다. 돈녕공(敦寧公)이 12세조이다. 석철(錫哲)의 아들 효순(孝淳)이 선군의 유적이 사라진 것을 개탄하여 장차 길 가에서 비석을 세우려고 사적을 초안하여 그의 아우 충순(忠淳)으로 하여금 나에게 비문을 써 달라고 간청하였으나, 사람과 글을 돌아볼 때, 이 일을 감당할 자격이 없어 누차 사양하다가 마지못해 아래와 같이 명(銘)을 엮었다.

열부와 효자가 한 집에 모였다. 하나도 어려운데 네 사람이나 빛이 난다. 유풍(遺風)이 사라지지 않고 백세(百世)에 전하리라. 높은 비석이 매곡(梅谷)의 남쪽에 있다.

尹氏四世烈孝碑

天下有至純至貞之氣, 人得之而爲忠爲孝爲烈。是氣也, 不以古今有豐嗇。是所謂三綱也。一日不講, 則朝晝莫辨, 人獸奚擇。謹按：淑夫人梁氏, 籍南原, 父道裕。自在家, 夙著閨範, 及笄歸于贈司僕 寺正尹公 諱相燁。事舅姑如事父母, 和愉而悅其志, 甘旨而養其體。喪致哀, 而祭誠。年三十二。夫公嬰奇疾, 百方救護, 夜則祝天乞代。病革, 夫公託遺, 語曰："老母在堂, 幼兒在懷, 善事育, 勿替家聲。"言迄 而迄。淑夫人忍痛含冤, 不失遺託, 養姑以盡天年, 育孤以立門戶。是豈辦命一時, 直遂其情者比也？是眞賢矣哉！烈矣哉！寺正生諱聖炳, 號慕齋, 贈通政大夫左承旨, 以早失怙爲一生至痛, 日必展墓, 不以風雨或廢, 孝奉偏慈, 志體俱養, 親癬躬親嘗藥, 不委家人。病欲斫指, 延數日命。遭艱泣血, 廬墓, 每值夫日, 齊素三日。承旨生諱壽重, 贈戶弁。誠孝根天, 愉婉無忤。親有不安節, 夜不解帶。及遭憂, 水醬不入口, 號哭不絶聲, 初終凡百, 能無遺憾。亦廬墓, 有古孝子之風。弁判生諱錫哲, 自幼能知愛敬, 遇一美味, 不先入口, 必獻諸父母。十歲喪父, 哀毀如成人。凡有腥物, 一不近口。母夫人强之, 終不肯。日必省墳, 三年如一日。奉母以孝, 晨昏之節, 甘脆之供, 務爲悅親, 出告反面, 在公猶云疏節。丁憂易戚備至, 祭必行素, 哀如袒括。公孝贈同敦寧。噫, 一烈三孝, 何其盛哉！或是氣之純且貞者, 偏厚於尹氏一門也歟？尹氏坡平世家, 自高麗太師諱莘達始, 監正公諱得悅, 當昏朝謫于龍城, 因寓咸平之海際。於敦寧, 公爲十二世也。哲嗣孝淳, 慨先蹟之湮滅無傳, 將竪石道周, 草事狀, 使其季忠淳, 請不佞以所以刻者, 顧人文俱下, 不堪是役, 而累辭不獲, 遂爲之銘, 曰：曰烈曰孝, 咸萃一堂。一之爲難, 四美俱光。遺風不沬, 百世其芳。屹屹穹石, 梅谷之陽。

이씨(李氏)의 어머니 광산 김씨(光山金氏)의 기행비(紀行碑)

어진 어머니가 있는 후에 효자가 있는 것이므로 하나의 비석이 샘 위에 세워져 있다. 유인(孺人)의 적(籍)은 광산(光山)이며 아버지는 기엽(箕燁)이다. 17세에 전주 이씨(全州李氏)에게 시집을 와 수산(水山)의 석구(錫九)의 아내가 되었다. 전실(前室)인 유씨(柳氏)의 아들 춘우(春雨)를 자기 아들처럼 기루어 4남을 낳았는데, 전우(銓雨)가 즉 장남이다. 수강(水岡)의 밑에 있는 종산동(鍾山洞)에는 맛이 좋고 깨끗한 샘이 있는데, 유인(孺人)이 결혼한 후 언제나 해가 지면 불결한 것을 깨끗이 씻고, 밤에 반드시 샘물을 길으며 제계하고 하늘에 빌기를 "자손이 창성하게 해 주십시오."라고 하였다. 참으로 지성이 아니면 어찌 50년을 하루같이 할 수 있겠는가? 아들이 어머니의 가르침을 따라 자식의 직분을 다 하였다. 봉(鳳)의 새끼는 평범한 새가 없으며 등림(鄧林)에는 특별한 가지가 없는 것이니, 그 베푼 은혜를 보답 받는 날이 참으로 어긋나지 않을 것이다. 전우(銓雨)가 그의 어머니의 미행(美行)을 기록하고 그 샘으로 가는 길을 닦아 그 길가에 비석을 세우므로, 나는 그 소문을 듣고 다음과 같이 노래를 엮었다.

차거운 저 종산동(鍾山洞)의 샘물이여! 수산(水山)에서부터 흘러오니, 이에 물을 뜨고 물을 길렀네. 이에 복을 빌어, 그 지성이 쌓여 이 비석에 응결(凝結) 되었네, 몸을 구부려 샘 밑을 보니, 그 물은 쉬지 않고 흐르네.

李母光山金氏紀行碑

有賢母而後有令子。此一片貞石以立于井上者也。孺人籍光山, 考箕曄。十七歸于全州李氏, 爲水山錫九室。前室柳氏, 有一男春雨, 撫育如己出。生四男, 銓雨卽其長也。水岡之下洞曰鍾山。有井味甘且潔。孺人自于歸, 每中星必疏滌不潔, 夜必汲泉, 齋沐祝天, 以禱子孫之昌, 苟非至誠, 孰能五十年如一日哉。諸

子克遵慈激, 各盡子職。鳳雛無凡毛, 鄧林無別枝, 報施之天, 信不爽也。銓雨
爲述母氏懿德, 修治井路, 因樹碑其周, 余樂聞而爲之歌, 曰：
洌彼鍾井, 出自水岳。迺斸迺汲, 于以祝福。至誠攸積, 凝結此石。俯視井中,
厥流不息。

경헌 정공(敬軒鄭公)의 효행 비명(孝行碑銘)
유서(序文도 있음)

참으로 행실이 풍교(風敎)에 관련된다면 비록 작은 선행과 미행도 고인(古人)들은 반드시 수록하여 후세 사람들에게 권하였는데, 하물며 효도는 모든 선행 중에서 으뜸이므로, 천지가 다하고 고금을 통하여 사라지지 않았음이랴. 경헌 정공(敬軒鄭公)은 진양(晉陽)의 세가(世家)로, 봉환(鳳煥)과 내의(來儀)는 바로 그의 휘와 자이다. 조부는 상상(上庠)[19]인 용오(龍塢)로, 휘 관원(官源)이며 고(考)는 극재(克齋)로 휘는 방규(枋珪)이다. 공은 총명한 기질을 타고나 일찍 가정의 교육을 받았으므로 어렸을 때부터 아버지에게 지극히 효성을 다하여 잠시도 곁을 떠나지 않았으며, 기꺼이 대하고 삼가 하였으며, 모든 봉양하고 순종하여 그 뜻에 맞은 것은 정성을 드리지 않는 것이 없었다. 겨우 동자(童子)이 되었을 때 어머니의 상을 당하여 정의와 예절이 지극하여 노성인과 같았으며, 계모 황씨(黃氏)를 섬길 때도 정성과 공경을 다하였으므로 황씨도 자기가 낳은 아들처럼 사랑 하였고, 아버지 상을 당하였을 때는 조총(初終)의 범절(凡節)을 한 결 같이 예제(禮制)를 따랐으되, 넘친 것이 있을지언정 미치지 못한 것은 없었으며, 날마다 반드시 묘소에 성묘하여 비바람이 몰아쳐도 혹 빠진 적이 없었다. 공의 성품은 본래 술을 좋아하였으나, 거상 생활을 시작한 후로 술을 가까이 하지 않았고, 병이 심하지 않으면 상복을 벗지 않았는데, 결국 상제를 이기지 못하고 46세로 작고하였다. 아! 슬프다. 공은 일찍 이 세상에 뜻이 있었으나 시대와 자신이 서로 맞지 않으므로, 이에 그 고을에 재산을 투자하여 학교를 세우고 후학을 교육하였으니, 이것으로도 한 면을 엿볼 수 있을 것이다. 이외에 여러 가지 선행을 기록할 만 것이 많지만, 그 중에서 가장 기록할만한 것을 든다면, 효성과 우애라고 할 수 있으니, 공은 가히 근본이 서 있는 사람이라고 할까? 세상에서 효도를 말한다면 언제나 얼음 속

---
19) 성균관 진사를 일컬은 말임.

에서 잉어를 얻었다거나, 눈 속에서 죽순이 나와 하늘이 감동했다는 증거를 내세웠지만, 왕상(王祥)[20]과 맹종(孟宗)[21] 이후에는 그런 말을 들은 적이 적었다. 효도는 사람이 무리 중에서 떳떳한 것이니, 대개 하늘을 입증한 것이 사람에게 입증한 것보다 못하다. 공이 작고한 후, 고을 선비들은 그 효성을 사모하여 사(社)에서 제사를 지내고, 또 계(稧)를 설립하여 존숭한 사람이 많게는 100명에 이르렀다. 유사(有司) 강태규(姜台奎)가 시종 그 일을 주관 하였다. 아! 여러 의견을 모아 이 비석이 마련되었으니, 이것이 어찌 사람이 감동하는 증거가 아니겠는가? 비석을 이미 갖추어 덕림(德林)의 길 가에 세우려고 하면서, 나에게 말 한마디 해 달라고 간청 하였다. 내가 돌아보니 30년 동안 지낸 오랜 친구이므로 그의 뜻과 행실을 잘 알고 있다. 옛날을 생각하니, 어찌 참아 사양할 수 있겠는가? 비문을 간청한 사람은 조석호(曹錫祜), 김규환(金奎煥), 박기용(朴麒容) 사문(斯文)이었다. 명(銘)은 다음과 같다.

　백가지 행실 중에 효도가 첫째이다. 공은 그 첫째에 능하였으니, 남은 백가지는 다 행하는 것 같다. 가정을 다스리는 데는 효도를 미루어 하고, 사람을 구제할 때도 그 술(術)를 적용 하였으니, 나는 그것을 표하여, 천년 백년에 전해질 것을 입증 한다.

敬軒鄭公孝行碑銘有序

苟行有關乎風教, 雖寸善尺美, 古人猶且蒐錄之, 以勸來世。況孝首萬善, 窮天壤, 亘古今而不廢者乎！敬軒鄭公, 晋陽世家, 鳳煥來儀, 諱若宇。祖曰上庠龍塢諱官源。考曰克齋諱坊珪。公以聰慧之質, 早服庭教。自幼事親至孝, 暫不離側。怡柔謹恪, 凡所以就養而順適其志者, 靡不盡其方。纔成童丁, 內憂情文克至, 頗如老成。事繼母黃氏, 極其誠敬。黃氏亦撫愛如己出。及遭外憂, 初終凡

---

20) 진(晉)나라 낭야인(琅琊人), 일찌기 어머니를 잃고 계모를 섬기었는데, 계모는 자주 왕상을 그 아버지에게 참소하므로, 결국 아버지로부터 사알(私謁)을 잃었다. 한 겨울철을 당하여 그 계모는 물고기를 먹고 싶어 하므로, 왕상은 강가로 가서 옷을 벗고 고기를 잡으려고 하자, 두 마리의 물고기가 뛰어나오므로, 자기고 돌아와 계모에게 탕을 만들어 드렸고, 또 계모가 참새구이를 먹고 싶어 하자 참새 떼 수십마리가 그의 장막안으로 들어와, 잡아 구어서 계모에게 주었으며, 계모가 오얏나무 열매를 지키라고 하였으나 언제나 비바람이 불어 그 오얏 열매가 다 떨어지므로, 왕상은 오얏나무를 붓들고 울었다. 그리고 계모가 죽은 후 상례를 다하였으며 그 후 벼슬을 하여 직위가 삼공(三公)에까지 이르렀다.

21) 24효(孝) 중 한 사람임. 삼국(三國), 오(吳)나라 사람. 자는 공무(共武), 어렸을 때 아버지를 잃고 어머니를 모시고 살면서 효성을 다 하였다. 하루는 그의 어머니가 병이 들어 죽순을 먹고 싶어 하자 맹종은 대숲으로 들어가 대나무를 안고 통곡하자, 죽순이 땅에서 올라와, 그것을 가지고 집으로 돌아와 죽순탕 해 드리자 병이 소생 되었다.

百, 一遵禮制, 有過之無不及。日必展墓, 不以雨雪或闕。性本嗜飮, 自居憂, 不近麯蘖, 非甚病衰經不去。身竟不勝, 喪以壽四十纔六終。嗚呼悲夫！公嘗有志斯世, 而時與我違, 迺於一坊傾貲立校, 以惠來學, 亦可見其一端矣。群行綽綽, 固多可書, 而撮其最則孝友也。公可謂本立者歟？世之言孝者, 每稱氷鯉雪筍, 以爲感天之證。然而王孟之後, 鮮有聞焉。夫孝是人道之常, 蓋證之於天, 不若證之於人。公歿后 鄕人士慕其孝, 而祭於社, 且設禊而崇之, 多至數百人。有司姜台奎, 始終幹其務。噫, 衆謀融合凝結此石, 斯豈非感人之證也耶？石旣具, 將竪于德林道周, 徵不佞以一言記之。顧三十年久要也, 稔知其志行, 撫念疇昔, 其何忍辭。來請文者曹錫祜、金奎煥、朴麒容三斯文。銘曰：
行有百, 孝居一。公能其一, 餘百類悉。理家孝之, 推濟人亦其術. 我庸表而揭之, 千百春兮可質。

열부 김씨(烈婦金氏)의 기적비(紀蹟碑)

천도(天道)는 지성으로 행하고, 인도(人道)는 성실을 생각하여 세워진 것이므로, 사람들이 항상 성실하지 않으면 도(道)가 어디로부터 생기겠는가? 날마다 사용한 사이에 동정(動靜)과 어묵(語默)이 각기 절도가 있는데, 잠시 방심하고 지나치면 문득 위선(僞善)과 망녕이 되는 것인데, 더구나 사람의 기강(紀綱)인 대도(大道)이겠는가? 조용히 생각하면, 최근에 열부(烈婦)인 청풍김씨(淸風金氏)는 종두(鍾斗)의 딸이며, 진사(進士)인 휘 개경(漑卿)의 후손이다. 그는 가정에 있을 때 규범(閨範)으로 소문이 났었는데, 고흥유씨(高興柳氏)인 풍기(豊基)에게 출가 하였다. 그이 아버지는 지환(志煥)이며, 할아버지는 성식(成植), 증조는 발(潑)로 이 분의 호는 월계(月溪) 또는 계석(溪石)이며, 휘 운(澐)의 후손이다.

열부(烈婦)는 매우 부도(婦道)를 잘 행하였으나, 나이 20세에 갑자기 남편을 잃어 하염없이 애통해 하여 즉시 따라 죽으려고 하였는데, 이윽고 뉘우치고 말하기를 "남편이 죽고 아무 혈육이 없으니, 유씨(柳氏)의 영혼을 어찌 편안히 모실 수 있겠는가?"라고 하고, 애통함을 참고 초상과 장례를 예절에 맞게 치른 후, 날마다 길삼 하여 생계를 도왔으며, 숙부 판기(判基)가 강씨(姜氏)에게 장가를 가서, 아들 한 분을 낳았는데 즉 용운(龍雲)이다. 그를 입양하여 남편의 후사(後嗣)를 잇게 하고, 가정 간에 동서들이 서로 외로운 한 아들을 길렀다. 강씨(姜氏)는 젖을 주고, 김씨(金氏)는 업어주고 안아 주었으며, 밭 메기와 길삼 하기를 반드시 함께 하였고, 감고(甘苦)도 함께 하여, 끝까지 이간하는 말이 없었으므로, 온 고을 사람들은 그의 훌륭함을 칭찬 하였다. 그가 작고한 후, 고을 사람들은 열부로 추천 하였다. 이것은 모양 삼강록(牟陽三綱錄)에 기록되어 있다. 용운(龍雲)도 일찍 어머니의 교육을 받아 항시 본생 부와 양부의 가정에 효성을 다하였다. 그리고 생부가 일찍 작고하여, 후사가 없자, 용운(龍雲)이 원통하게 생각하여 삼종(三從)인 강선(江善)을 입양하고, 가산을 풍족하게 마련하여 그 제사를 받들게 하였다. 열부(烈婦)의 의로운 교훈이 더욱 드러난 것이다. 그리고 용운(龍雲)도 훌륭한 자손들을 두어 사람들은 아결(雅潔)하고 근칙(謹飭)하다고 칭송 하였으니, 열부의 음덕이 더욱 깊었던 것이다. 아! 규방의 절개(節介)는 정자(程子)[22]와 주자(朱子) 이전에는 그 특별한 사람을 듣기 드물었으나, 주(周)나라 문왕(文王)[23]이 훌륭한 덕으로 친히 교육 하였고, 그 말기에는 단 위(衛)나라 공강(共姜)[24]과 기(紀)나라 숙비(叔妃)[25] 두 사람 뿐이며, 그 이외에는 들은 적이 없으니 정열(貞烈)이 어찌 쉽다고 하겠는가? 하물며 이 말세에는 사람의 윤리가 무너져 입으로 참아 말할 수도 없는데, 이와 같이 탁월한 행실을 어디에서 볼 수 있겠는가?

烈婦金氏紀蹟碑

夫天道至誠而行, 人道思誠而立。人非恒誠, 則道何由生乎？凡日用間動靜語默, 莫不各有節度而纔放。過, 便僞耳、妄耳。況人紀之大道乎？窃以挽近烈婦淸風金氏, 鍾斗女, 進士諱漑卿后。在家以壼範聞, 及笄歸于柳。豊基, 籍高興, 考志煥。祖成植。曾祖濚號月溪石灘諱震后。烈婦甚執婦道, 年二十奄喪所天。哀遑罔極, 卽欲下從。己而幡然悟, 曰："夫死而無一遺育, 柳氏之靈安可妥享乎？"於以忍痛含血, 喪葬如禮。日事女紅以資家計。及叔判基娶姜氏生一

---

22) 송(宋)나라 대학자, 낙양인(洛陽人), 명은 호(顥), 자는 백순(伯淳), 시호는 순공(純公), 호는 명도(明道), 그의 아우 정이천(程伊川)과 함께 이정(二程)으로 일컬어진다.
23) 주(周)나라 무왕(武王)의 아버지, 명은 창(昌), 서백(西伯)으로 칭하며 기산(岐山)에서 아들 무왕이 천자 된 기반을 튼튼히 닦았음.
24) 위(衛)나라 세자 공백(共伯)의 아내, 공백이 일찍 죽자 공강(共姜)의 부모가 공강을 재가시키려 하므로 공강이 백주시(柏舟詩)를 지어 수절할 것을 맹서하였음.
25) 노(魯)나라 환공(桓公)의 부인, 환공이 사망한 후 장례를 치루고 부도(婦道)를 다하여 절개를 지키었음.

男, 卽龍雲, 取而子之, 以繼夫后。家庭間姒娌相須, 撫育一孤。姜氏乳而金氏負抱, 鋤織必併, 甘苦必共, 終無間言, 一坊咸稱其賢。沒後, 鄉里有剡薦, 見牟陽三綱錄。龍雲早襲母教, 甞致孝于生養兩庭, 而且生考早夭無嗣, 龍雲心切痛恨, 取三從江善豊家産, 以奉其祀。烈婦義方之訓, 益彰矣。且龍雲多有賢子孫, 人稱雅飭。烈婦之遺蔭, 益深矣。嗚乎! 閨門之節, 程朱以前罕聞其特。而周文王盛德之身教, 其末也但有衛共姜紀叔妃數人, 而其外無聞焉。烈, 其易云乎哉? 況此叔季, 人道大壞, 敗倫亡常, 口不能忍道, 而如此卓行, 安所得哉?

묘갈명(墓碣銘)

종성부사 김공(鍾城府使金公)의 묘갈명(墓碣銘) 병서(幷序)

운곡(雲谷)의 매봉 밑에 묘방(卯方)을 향하고 있는 무덤은 고 부사 김공(故府使金公) 휘 엄(淹)이 묻힌 곳이다. 그의 선조의 적(籍)은 청풍(淸風)으로, 고려 문하시중(高麗門下侍中)을 역임한 대유(大猷)로부터 시작되어 본조의 의정부 좌찬성(議政府左贊成)을 지낸 관(灌)에 이르고, 그의 손자 오(珸)는 지평(持平)에 증직되고, 이 분의 아들 현손(賢孫)은 별좌(別坐)를 지냈으며, 이 분의 아들 개(漑)는 그 고을 생원(生員)을 지내고, 이 분의 아들 복원(復元)은 첨지중추부사(僉知中樞府事)를 지냈다. 이 분들은 공의 사세(四世)이다. 외조는 죽산안세균(竹山 安世勻)으로, 공은 만력(萬曆) 때 사람이며, 자는 전하지 않고 생졸년도 자상하게 알 수 없어 그의 사행(事行)을 알 수 없고 단 관직의 약력만 상고할 수 있다. 그의 교첩(敎帖)에는 "만력 48년에 행용양위 부호군(行龍驤衛副護軍)"이라고 하였고 또 "천계원년(天啓元年)에 종성진 병마첨절제사(鍾城鎭兵馬僉節制使) 겸 도호부사(都護府使)"가 되었다고 하였으며, 또 천계(天啓) 2년에 소강진 수군절제사(所江鎭水軍節制使)가 되었다고 하였고 또 "천계(天啓) 3년에는 칙유(勅諭)를 하사 하였다"고 하였다. 배(配)는 숙부인 광산이씨(淑夫人光山李氏)이며, 계배(繼配)는 안동김씨(安東金氏)로 영모당 질(永慕堂 質)의 증손녀이다. 그리고 두 아들은 중현(重鉉)과 중일(重鎰)이며 승의랑(承議郞)과 판관(判官)을 지낸 익화(益華)는 장남의 아들이다. 이하는 다 기록하지 않았다. 십세 손(十世孫)인 인성(仁性)이 선후(先后)의 세계(世系)를 엮어와서, 나에게 비문을 부탁하므로 정회(正會)는 한 마을에 사는 후생(後生)이지만, 수 백년 전에 인물을 천명하자니 어찌 어렵지 않겠는가? 사마천(司馬遷)이 유후(留侯)를 기록 하면서 화공(畫工)처럼 입증하라고 하였다. 공이 가정에 있을 때는 예의를 다하였고, 관직에 있을 때는 첨렴 하였다고 구전으로 전해 온다. 아! 이것이 어찌 화공(畫工)처럼 입증할 뿐이겠는가? 다음과 같이 명(銘)을 엮었다.

    청성(淸城)의 고가(故家)이며 성조(聖朝)의 노신(老臣)이다. 기송(杞宋)[26]의 문헌(文獻)을 고징할 수 없는 것이 어찌 하자가 되겠는가? 고을 사람의 구전(口傳)이 사라지지 않았다. 운산(雲山)은 푸르고 묘소는 높다. 아! 백세(百世) 후에 이 명(銘)을 읽은 사람들은 엄숙해 지리라.

鍾城府使金公墓碣銘 幷序

雲谷之鷹峰下, 向卯而阡者, 故府使金公諱淹藏也。其先淸風, 出自高麗門下侍中大猷, 歷至本朝議政府左贊成瓘之孫, 曰瑤, 贈持平。是生賢孫別坐, 是生溉鄕生員, 是生復元, 僉樞宴公四世。外祖竹山安世勻公, 萬曆間人也, 字無傳, 生終未詳, 事與行不槩見。但從宦略歷, 可考信於敎帖。曰萬曆四十八年行龍驤衛副護軍, 曰天啓元年爲鍾城鎭兵馬僉節制使兼都護府使, 曰天啓二年爲所江鎭水軍節制使, 曰天啓三年特賜勅諭者是也。配淑夫人光山李氏, 繼配安東金氏。永慕堂質曾孫二男。重鉉, 主簿, 重鎰, 承議郎。判官益華, 長房出也。以下不盡記。十世孫仁性, 狀先后系, 囑以賁隧之文, 正會同閈一後生也。以闡明數百載之上, 不其難乎？史遷記留侯, 徵諸畫工。公之處家以禮, 居官以廉者, 流來口傳。噫, 此豈徵畫已也？遂爲之銘, 曰：淸城故家, 聖朝老臣。杞宋奚病, 巷誦不湮。雲山蒼蒼, 有封穹如。嗚乎！百世之下, 讀此銘者其肅諸。

해주판관 김공(海州判官金公)의 묘갈명(墓碣銘) 병서(幷序)

    아! 한 가문이 삼강(三綱)으로 명성이 높다면, 백세(百世) 후에도 오히려 흠앙하는 마음이 쇠퇴하지 않을 것이니, 공이 공인(公人)되는 것이 이것이면 괜찮을 것이다.

---

[26] 공자(孔子)가 말하기를 기국(杞國)과 송(宋)나라의 문헌이 부족하여 하(夏)나라와 은(殷)나라의 예(禮)를 고징할 수 없다고 하였다.

공의 휘는 천록(天祿)이며 자는 천수(天壽)로 초휘(初諱)는 효침(孝忱)이며 호는 난재(蘭齋)이다. 김해(金海)의 세가(世家)로 고려말(高麗末)에 금자광록대부(金紫光祿大夫)인 장사군(長沙君) 휘 선(璇)은 공의 7세조(世祖)이다. 그리고 병조참의(兵曹參議)로 병조참판에 증직된 휘 니(泥)와 군수(郡守)로 병조참의에 증직된 휘 부석(負石)과 병사(兵使)로 병조판서에 증직된 휘 수연(秀淵)은 공의 고조, 증조, 조부 및 고(考)이며 외조부는 광산 김수행(光山金守行)이다. 공은 갑오년(서기 1594)에 태어나 음직(蔭職)으로 해주판관(海州判官)을 지내고, 임진년(서기 1592)에는 의주(義州)로 어가(御駕)를 호위하고 갔다가, 갑자기 어머니의 상을 당하여 여묘(廬墓) 생활을 하였을 때, 까치의 특이한 일이 있었고 ,정유년(서기 1597)에는 남원(南原)에서 순절(殉節) 하였다. 이때 나이는 44세였으며, 무송 외원(茂松外院)의 간좌원(艮坐原)에 장례를 치렀다. 을사년(서기 1605)에는 선무원종공신(宣武原從功臣)으로 기록되어 특별히 녹권(錄券)을 하사받았다. 배(配)는 숙부인(淑夫人)인 연안이씨(延安李氏)로, 남편이 사망 하였을 때 자결하여 묘소 동폄(同窆) 하였다. 아들 4인을 두어 위(緯)는 강동현령(江東縣令)으로 있던 중 아버지가 사망하였다는 말을 듣고 순절(殉節) 하였다. 이때 그는 즉시 남원(南原)으로 가서 전적(戰績)이 있었으나, 결국 벽파정(碧波亭)에서 순사(殉死) 하여 아버지와 함께 원종훈(原從勳)에 기록 되었으며, 순(緟)은 현령(縣令)을 지내고 군(繂)은 주부(主簿)를 지냈으며 한(樸)은 판결사(判決事)를 역임 하였다. 그리고 양몽의(梁夢義)는 사위이다. 아! 공의 기록할만한 미행(美行)은 여기에 그치지 않지만 문헌을 많이 잃어버려 생졸(生卒)한 날도 근거가 없으니 다른 일을 어찌 말할 수 있겠는가? 그러나 그가 이록한 큰일은 이미 해와 별처럼 빛나고 있으니 그 작은 일들은 그 속에 포함되어 있을 뿐이다. 9세손(世孫)인 치방(致方)이 행장을 가져와서 비명을 지어 달라고 하므로, 그 글을 지을 사람이 되지 못한다고 사양 하였지만 결국 허락을 받지 못하여 다음과 같이 명(銘)을 엮었다.
 저! 송백(松柏)이 우거진 언덕을 바라보니 아직도 빛이 나 이 곳을 지나간 사람들이 반드시 공경한다. 오직 이 곳은 충의(忠義)가 간직되었다.

海州判官金公墓碣銘并序

嗚乎！一門三綱, 義聲隆隆, 百世之下, 尙有高景而不衰。公之所以爲公, 於此可也。公諱天祿, 字天壽。初諱孝忱, 號蘭齋。金海世家, 麗末有金紫光祿大夫長沙君諱璇公, 七世祖也。兵曹參議贈兵曹判書諱泥, 郡守贈兵曹參判諱負石, 兵使贈兵曹判書諱秀淵, 高曾祖禰外, 王考光山金守行。公生甲寅, 以蔭行海州判官。壬辰, 扈駕龍灣, 奄遭內艱, 廬墓有白鵲之異。丁酉, 殉節於南原, 壽纔四十四, 葬于茂松之外院負艮之原。乙巳, 錄宣武原從功臣, 特賜錄券。配淑夫人延安李氏, 夫死下從, 墓同兆。四男, 曰緯, 江東縣令。聞父殉節, 卽赴南原, 有戰績, 竟以立懂于碧波亭, 幷錄原從勳, 曰絢縣令, 曰緷主簿槩判決事。梁夢, 義壻也。噫, 公美可書者, 宜不止此。而文獻多佚, 生卒月日, 亦無從而據焉。則他尙何言哉。雖然其所立之大, 已炳朗乎日星, 其細者可槩也已。九世孫致方以狀徵牲石之銘, 辭非其人, 終不獲, 乃爲之銘。曰：
瞻彼松柏之邱, 尙有餘光。過者其必式, 是維忠義之攸藏。

장사랑 조공(將仕郞趙公)의 묘갈명(墓碣銘) 병서(幷序)

　장사랑 조공(將仕郞趙公)이 만년동안 묻친 묘소는 아산방 사신원 서당동(雅山坊使臣院書堂洞) 좌측 산의 임좌원(壬坐原)이다. 9세손(世孫)인 동섭(東燮)이 공의 행장을 나에게 가져와서 비문을 지어달라고 하였다. 공의 세대는 지금 300년이 되어 그 평생의 사행을 자상하게 알 수 없지만, 그 남긴 가르침과 혜택이 지금까지 자손들에게 전해져 사라지지 않고 있으므로 모두 몸을 근신하고 행실이 결백한데다가 시례(詩禮)를 배워, 그 고장에 모범이 되고 있다. 뿌리가 튼튼하면 가지가 무성하며 수원이 깊으면 흐름이 길다는 것은 속일 수 없는 일이다.

　삼가 살펴보니, 공의 휘는 숙(淑)이며, 그 선조는 옥천(玉川人)으로 고려(高麗)의 문하시중(門下侍中)을 역임한 휘 원길(元吉)이 시조이다. 그리고 우리 단종조(端宗朝)의 둔세암(遯世庵) 휘 윤옥(潤屋)은 문과(文科)에 급제하여 대사간(大司諫)을 역임하고 신귀래 말주(申歸來末舟)와 그 출처(出處)를 같이하여 덕천사(德川祠)에 배향되었다. 이 분들이 고조와 증조이다. 휘 계홍(繼弘)은 생원(生員)을 지내고 휘 방보(邦寶)는 교수(敎授)를 지냈으며. 아버지인 휘 덕린(德隣)은 호가 모암(慕菴)으로, 참봉(參奉)을 지내고 수(壽)로 첨지중추부사(僉知中樞府事)에 승진 하였다. 공은 충후(忠厚)하고 성실하여 덕은 높이고 글은 높이지 않았다. 그는 평일에 뜻을 굳게 갖고 성현(聖賢)의 위기지학(爲己之學)을 연구하여 윤강(倫綱)을 부식(扶植)하고 후진(後進)을 개도(啓導)하는 것을 자신의 책임으로 생각하였으며, 구릉과 산곡을 산책하며 벼슬에 나가기를 좋아하지 않았다. 배(配)는 단인(端人)인 전주최씨(全州崔氏)로, 호(浩)가 그의 아버지이며 공(公)과 같은 장소에 쌍봉(雙封)으로 장사하였다. 아들 3남은 두어 장남은 상하(相夏), 차남은 시웅(時雄)과 상열(相說)이며, 손자와 증손 이하는 수효가 많아 다 기록하지 않는다. 고인(古人)이 말하기를 "산을 알지 못하면, 그 나무만 보아도 괜찮다."고 하였다. 동섭(東燮)은 공순한 사람이므로, 그의 말이 영원히 입증할 만 하니, 어찌 화공(畵工)으로 입증하고, 의약(醫藥)으로 비교할 수 있겠는가? 아래와 같이 명(銘)을 엮었다.

온화한 옥(玉)의 자태로 명문(名門)에서 태어났다. 능히 선조의 정렬(貞烈)을 계승하였으니, 이것은 후한 덕을 쌓아 나타난 것이다. 자손이 번창하여, 그 흐름을 따라 구하면 그 근원을 거슬러 올라갈 수 릴 수 있을 것이다. 가정마다 시례(詩禮)를 교육하니 그 유풍이 아직 남아 있다. 인강(仁江)의 위에 그 무덤이 있다. 비문이 아름답지 못하니 감히 백세(百世)를 속일 수 있겠는가?

將仕郞趙公墓碣銘 幷序

將仕郞趙公萬年之藏在雅山坊使臣院書堂洞左崿壬坐原。九世孫東燮甫, 狀公行, 請不佞以阡刻之文。公之世, 今殆三百年矣, 雖其生平有不可得詳, 而其遺教餘澤, 至于今傳諸子孫而不沬, 率皆飭躬潔行, 誦詩說禮, 爲模楷鄕里。根固者支必暢, 源深者流必達, 理不可誣也。謹按:公諱淑, 其先玉川人, 高麗門下侍中諱元吉爲肇祖。我端宗朝遯世菴諱潤屋, 文大司諫與申歸來, 末舟同其出處, 享德川祠宴, 爲高祖。曾祖諱繼弘, 生員。祖諱邦寶, 敎授。考諱德鄰, 號慕菴, 袟奉, 以壽陞僉知中樞府事。公忠厚敦愨, 尙德不尙文。其平居勵志從事於聖賢, 爲己之學。要以扶植倫綱, 開導後進, 爲己任。婆娑丘壑, 不屑仕進。配端人全州崔氏, 浩其考。葬公同原雙封。三男, 長曰相夏、次曰時雄、曰相說。孫曾以下, 蕃不盡記。古人云:"不知山, 見其木可矣。"東燮, 愷悌士也。其言, 足以徵諸久遠, 豈徵畵工與醫藥之比哉? 遂爲之銘, 曰:溫玉之姿, 篤生名門。克紹前烈, 惟德是敦。積厚而發, 椒聊其蕃。沿流而求, 可以溯源。家詩戶禮, 遺風尙存。仁江之上, 有苑其墳。琢辭不媚, 百世敢謾。

무민옹 조공(无憫翁趙公)의 묘갈명(墓碣銘) 병서(并序)

　덕호(德湖)의 맏은 인(仁)이며, 둘째는 덕(德)이며, 셋째는 석(石)인데, 이는 세상 사람이 말하는 삼호선생(三湖先生)이다. 공은 덕호(德湖)의 아들로 가학(家學)이 그의 연원(淵源)이며, 효우(孝友)가 그의 천직이다. 그는 아버지를 섬길 때 그 뜻을 받들어 조금도 어기지 않았으며 맛있는 음식을 빠뜨린 적이 없었으니, 이것은 봉양할 때 아버지를 즐겁게 하위한 것이며, 처방을 살피어 약을 사용하고, 웃을 때는 이를 보이지 않고, 다닐 때는 활기를 띠지 않았으니, 이것은 병을 앓고 계실 때 걱정을 위한 것이며, 몸이 바짝 마르도록 상제(喪制)를 수행하고 상례(喪禮)를 간소하게 하는 것은 슬퍼하였으니 이것은 거상에 그 슬픔을 다한 것이며, 제계하고 목욕하여 소찬(素饌)을 하고 그 모습을 보는 것 같이 여기고, 제계하는 것은 제사를 지낼 때 그 공경을 하다는 것이며, 아우 인겸(寅謙)과 침금(枕衾)을 같이하고 기물(器物)도 내것 네것 없이 하였으니, 이것은 우애가 독실한 것이며, 윤리(倫理)에 독실하여 가정에 이간하는 말이 없었으니, 이것은 가정을 다스리는 법이며, 널리 사랑하되 인(仁)한 사람을 친근히 하였으므로 상하와 귀천이 기뻐하지 않는 사람이 없었으니, 이것은 사람을 접대하는 인(仁)이었으며, 벼슬길에 나가지 않고 문을 닫고 뜻을 구하였으니, 이것은 학문을 닦는 방법이었으며, 언덕 위에 올라 읊으며, 물에 임하여 시를 읊었으니 이것은 주위를 거닐며 자적(自適)한 것이다. 아! 여기에 하나만 해당해도 선사(善士)라고 할 수 있는데, 더구나 여러 가지 덕(德)을 갖지 않는 것이 없었다. 동수(東燧)는 그의 5세손(世孫)으로 그 행장을 정회(正會)에게 가져와, 묘갈명을 지어달라고 간청 하였다. 이것은 종회의 여론에 의한 것이니, 어찌 감히 글을 잘하지 못한다는 이유로 사양할 수 있겠는가?

　삼가 살펴 보건데, 인건(寅建)과 사일(士一)은 공의 휘와 자이며, 무민(无憫)은 옹의 호이다. 그리고 조(趙)는 성이고, 옥천(玉泉)은 관향이다. 고려조(高麗朝)의 문하시중(門下侍中)인 원길(元吉)이 시조이며, 둔세암 윤옥(遁世菴潤玉)은 대사간(大司諫)을 역임한 분으로 그의 8세조(世祖)이다. 그리고 장사랑(將仕郞)을 역임한 숙(淑)과 상열(相說), 정래(鼎來)는 고조, 증조, 조부의 휘이다. 덕호(德湖)의 휘는 후동(垕東)이며 영조(英祖) 정사년(서기 1737)과 정조(正祖) 정사년(서기 1797)은 그의 생졸년(生卒年)이며, 아산 사신원(雅山使臣院)의 후록(後麓)은 그의 유택(幽宅)이다. 그리고 원주 원 씨(原州元氏)는 정길(貞吉)의 딸이며, 묘는 공의 묘소와 같은 장소로, 그 뒤는 임좌(壬坐)이며, 그 앞은 병좌(丙坐)이다. 경집(景集)과 경두(景斗), 경국(景國) 세 아들이다. 명(銘)은 다음과 같다.

둔세공(遁世公)의 고가(고가)는 대개 높은 덕이 많았다. 삼호(三湖)가 함께 나와 계승하였으니 잘 알 수 없으나 무민공(无憫公)이 지키는 것은 독실 하였다. 저 묘소를 바라보니 사신원(使臣院)의 산록(山麓)에 있다. 비석에 그 사행을 새겨 초부(樵夫)와 목동(牧童)을 일깨웠다.

无憫翁趙公墓碣銘 并序

湖之伯也仁, 仲也德, 季也石, 世所稱三湖先生也。公德湖肖子也。家學其淵源也, 孝友其天植也。事親也, 承順無違。甘毳無闕者, 養致其樂也。檢方用藥, 不矧翔者。病致其憂也, 柴毀盡制。與易寧戚者, 喪致其哀也。齊沐行素, 如見所爲。齋者, 祭致其敬也。與弟寅謙, 長枕大衾, 服食器用, 無物我者, 其友于之篤也。雍翁正倫, 庭無間言者, 其治家之法也。泛愛而親仁, 上下貴賤無不悅服者, 其接人之仁也。不求進就, 杜門求志者, 其自修之道也。登皐而嘯, 臨流而賦者, 其逍遙自適之樂也。噫, 有一於此, 猶得爲善士也。況衆德之無不借也。東燧, 其五世孫也。狀行囑正會以文者, 宗議也, 曷敢以不文辭也。謹按: 寅建士一公, 諱表德也, 无憫, 翁號也。趙姓, 玉川貫也。麗朝門下侍中元吉鼻祖也。遁世菴潤屋, 大司諫, 其八世也。將仕郞淑, 相說鼎來, 高曾祖諱也。德湖諱星東也。英廟丁己, 正廟丁己, 其生卒也。雅山之使臣院後麓, 其幽宅也。原州元氏, 貞吉女齊也, 墓同公原, 厥背壬, 厥面丙也。景集、景斗、景國三男也。系以銘曰:
遁世故家, 盖多令德。三湖幷出又繼作, 不知无憫所守其篤。瞻彼佳城, 使臣之麓。鑱諸貞珉以警樵牧。

오천처사 정공 묘갈명(梧川處士鄭公)의 묘갈명(墓碣銘) 병서(并序)

우리 고을의 선진(先進) 중에서 경륜(經綸)을 간직한 체, 세상에 나가지 않고 끝끝내 임천(林泉)에서 늙어가며, 민망한 생각을 갖지 않는 사람은 오직 오천처사 정공(梧川處士鄭公)이다. 공의 휘는 인철(仁哲)이며, 자는 준여(濬汝)로 진주세가(晉州世家)이다. 대개 고려(高麗) 때 평장사(平章事)를 지낸 예(藝)로부터 시작하여 어모장군(禦侮將軍)을 지낸 우손(友遜)에 이르기까지, 지절(志節)로 본조(本朝)에서 저명하였고, 누대를 지나 택신(宅臣)은 문과로 예조참판을 역임 하였는데, 이 분이 공의 고조이며, 증조인 중현(重賢)은 동지중추부사(同知中樞府事)와 호군(護軍)을 역임하고, 할아버지 존감(存鑑)은 통덕랑(通德郞)을 지냈으며, 고(考)인 풍일(豊一)은 통덕랑(通德郞)을 지내고, 비(妣)는 고성김씨(固城金氏)로 상택(相宅)이 그의 아버지이다. 공은 철종 경술년(서기1850) 4월 15일 태어났다. 그는 키가 크고, 눈썹이 빼어났으며, 영민함이 범인을 초월 하여 성동(成童)[27]이 되지 않아서 경사(經史)를 통달하고, 아버지의 명령으로 명경업(明經業)을 배워 익히었다. 누차 향시(鄕試)를 보아 낙하(洛下)의 선비들이 조만간 계방(桂榜)에 급제할 것으로 생각 하였으나, 끝내는 유사(有司)에게 아첨하지 않아 낙방하는 것을 보고, 짐을 챙기고 돌아와 문을 닫고 뜻을 지키며 우러러 보는 것이 더욱 높고 발전하는 것이 더욱 깊어, 세상을 화려한 것을 대수롭지 않게 여기었다. 그리고 경술년(서기1910)에 나라를 잃은 때에 이른바 수금(讐金)[28]을 강제로 청백한 사람들에게 주므로 공은 겸손한 말로 거절 하였으니, 더욱 그 마음이 확고하다는 것을 알 수 있었다. 평일에도 사물을 마음속에 두지 않아 신명(神明)을 대한 듯하였고 종일 어깨를 펴고 있는 소상(塑像)과 같았으며, 일찍 발을 세우고 있거나 기대고 있는 태도를 보이지 않았다. 그러나 고금(古今)의 치란(治亂)과 인물의 현부(賢否)를 논할 때는 기세가 당당하였고, 그와 대화를 나눈 사람들은 봄바람을 쐬는 것 같았다. 공은 역학(易學)에 깊어 음양의 진퇴, 소장 존망의 이치에 있어서, 마음으로 통하였고, 저술한 계몽편(啓蒙篇)도 후학들에게 지남(指南)이 되었다. 공은 을축년(서기1925) 12월 15일 향년 76세로 작고하여, 구암(龜巖) 뒤인 곤좌원(坤坐原)에 장례를 치루었다. 부인은 의성김씨(義城金氏)인 석환(錫煥)의 딸로 현숙(賢淑)하여 내조가 있었으나 공보다 8년 먼저 작고하여 합폄(合窆) 하였다. 아들 장남은 근삼(近三), 차남은 정삼(鼎三), 응삼(應三)이며 창녕 조병륜(昌寧曺秉倫)은 사위이다. 장남의 아들은 헌규(憲奎)이며 딸은 울산 김종한(蔚山金鍾漢)에게 출가하고 차남의 아들은 헌기(憲箕), 헌용(憲容), 헌도(憲度)로 이 분은 후사(後嗣)로 출계(出系)하고 딸은 광산 김영봉(光山金永鳳), 울산 김봉중(蔚山金鳳中)에게 출가 하였다. 그리고 막내의 아들은

---
27) 나이가 열 다섯된 소년.
28) 경술국치후 일제가 유지들에게 내밀던 이른바 보상금.

헌윤(憲尹), 헌열(憲說), 헌징(憲徵), 헌경(憲敬)이며 증손과 현손은 너무 많아 다 기록하지 않는다. 헌규(憲奎)와 헌용(憲容)이 공의 묘문을 간청 하였다. 조용히 옛날을 생각해 보니 우리 증조 만수공(晚睡公)과 서로 사이좋게 지내어 수시로 왕래 하였으므로 정회(正會)가 어렸을 때부터 옆에서 그 깨끗한 모습을 보고 그 말씀을 들었는데 그 쇠소리 같은 음성이 아직도 귀에 쟁쟁하지만 그 얼굴을 뵈올 수 없으니 어찌 공을 위해 긴 탄식을 안할 수 있겠는가. 이어서 다음과 같이 명(銘)을 하였다.

『銘』하늘이 인색하다고 말한다면, 어찌 그 재주와 학문을 겸전(兼全)한 것 뿐이며 하늘이 덕을 베풀었다면 어찌 그 쌓은 학문을 다 펴도록 하지 않는 것이겠는가. 군자(君子)는 자신의 본성(本性)을 닦는 것이니, 어찌 득상(得喪)이 공에게 무슨 소용이 있겠는가. 이 한 조각 비석의 명(銘)이 백년과 천년 후에 전하리라.

梧川處士鄭公墓碣銘 幷序

吾鄕先進, 有懷抱瑰瑋, 不售於世, 終老林樊, 而能无憫者, 曰梧川處士鄭公, 諱仁哲, 字濬汝, 晋州世家。盖自高麗平章事藝始, 歷至禦侮將軍友遜以志節著。本朝累傳至宅臣文禮曹叅判寔公高祖, 曾祖重賢, 同樞護軍。祖存鑑, 通德郞。考豊一, 通德郞。妣固城金氏, 相宅其考。公生哲廟庚戌四月十五日。長身秀眉, 穎慧超夷, 未成童, 淹貫經史, 以親命治明經業。累叅鄕解洛下士友, 期以朝暮桂榜, 而竟不媚有司, 遂卷而歸之。杜門求志, 所見益高, 所造益深。視世之芬華若浼焉。及庚戌無國之日, 所謂讐金勒加淸名之列公, 遜言絶之, 尤可見所守之確也。平居不以事物經心, 儼若有思, 對越神明, 終日疎肩, 如泥塑像, 未嘗有箕倨之態, 及論古今治亂、人物賢否, 滂沛若流。接其語者, 如襲春和。公邃於易學陰陽進退, 消長存亡之理, 默契心融所著。啓蒙一篇, 足爲後學指南。沒於乙丑十二月十五日, 壽七十六。葬於九巖後負坤原。夫人義城金氏, 錫煥女。賢淑有內助。先公八年歿, 合封。男長近三, 次鼎三, 應三。昌寧曺秉倫, 壻也。長房男憲奎。僑女蔚山金鍾漢。次房男憲箕、憲容、憲度, 出一后女光山金永鳳, 蔚山金鳳中。季房男憲尹、憲說、憲徵、憲敬。曾玄蕃不錄。憲奎、憲容請所以題公墓者。竊惟昔吾曾王考晚睡公與之相善, 往還無時。正會自幼從傍, 欽其淸標, 而承其緖餘矣。金聲尙在耳, 德容不可復覩, 安得不爲公長嘆而繼之以銘。銘曰:

謂天嗇之, 曷爲其才學兼全。謂天德之, 胡不使展厥所蘊。君子修吾所性, 得喪於公何有？銘此一片貞石, 以諗夫千百後。

의금부도사 죽계김공(義禁府都事竹溪金公)의 묘갈명(墓碣銘) 병서(幷序)

정회(正會)는 옛날 교분이 깊었던 가문의 한 후생이다. 어려서부터 죽계서실(竹溪書院)에서 공을 뵈웠다. 높은 기개와 화기로운 말은 그와 대하는 사람이라면 마음이 빠져들고 감복되었으므로, 그 흠모하는 마음은 생전과 사후의 차이가 없었다. 공의 휘는 상룡(相龍), 자는 경찬(京贊)이며 광산김씨(光山金氏)는 신라 왕자 흥광(興光)으로부터 시작되는데, 그 후 8대에 걸쳐 평장사(平章事)가 있었고, 여러 대를 자나 휘 경희(景熹)는 성균생원(成均生員)이 되고, 세상에서 노계선생(蘆溪先生)으로 칭하였으며, 이 분의 아들 휘 홍우(弘宇)는 호가 백곡(白谷)으로 좌랑(佐郎)을 역임하여, 임란(壬亂) 때 특수한 공훈이 있었으므로 남원부사(南原府使)에 제수되고 이조판서에 증직 되었으며, 이 분의 아들 휘 여중(汝重)은 호가 만오(晩悟)로 병자호란 때 남한산성으로 호가(扈駕)한 공훈이 기록되고 통정대부로 승진하였으며, 5대를 지나 휘 명길(命吉)과 휘 진원(進源)은 조부와 부친이다. 비(妣)는 천안 전씨(天安全氏)인 수인(守仁)의 딸이다. 공은 테어나서 부터 몸이 크고 재주와 기량이 다른 친구들보다 탁월하여 스스로 활 쏘는 일이 육예(六藝) 중에서 가장 첫 번 째 일이라고 생각하고, 붓을 던지고 일어나 고종 정해년(서기1887)에 궁마술(弓馬術)로 과거에 급제하였고, 신묘(서기1891)에는 의금부도사(義禁府都事)가 되어 통정대부(通情大夫)로 승진하였다. 그러나 경술년(서기1910)에 나라가 망하자 관직을 사직하고 종적을 감추었으며, 계묘(서기1903)에는 모부인(母夫人)에게 효성을 다하여, 그 뜻을 받들고 음식을 봉양하는 것이 옛날 효자들의 효행에 부합되었다. 이때 여가가 있으면 경서(經書)를 연구하여 그 뜻을 스스로 터득하였고, 어머니의 상을 당한 후에는 나이가 이미 64세가 되었지만 예(禮)를 행하여 게을리 하자 않으므로 사람들을 그렇게 하기가 매우 어렵게 생각 하였다. 아! 공은 무예(武藝)를 업으로 삼았지만, 결국 경서(經書)를 연구하는 학자로 돌아와, 마음을 산수(山水)와 연하(煙霞)에 두었으므로, 창가에 앉아 있거나 궤

(几)를 비기고 있는 풍채는 사람들을 감동시켜 속세를 벗어난 모습이었다. 그 마음을 추적해보면, 어찌 들어가면 나올 줄 모르고, 가면 돌아올 줄 모르는 사람의 범주에 있는 사람과 방불하다고 할 수 있겠는가? 공은 정묘년(서기 1927) 12월 15일 작고하였다. 그가 태어난 철종 임자년(서기 1852)과 비교하면 76년 동안 수를 누리었으며, 안덕(安德)의 뒷산 부간원(負艮原)에 장사하였다. 아내는 숙부인(淑夫人)은 장택 고씨 시중(長澤高氏時中)의 딸과 청도 경환(淸道敬煥)의 딸인데, 모두 합장하였다. 3남 1녀를 두어 기용(箕用), 기휴(箕休)는 고씨(高氏)의 소생이며, 기준(箕俊)은 박로선(朴魯善)의 처 김씨(金氏)의 소생이다. 기용의 아들은 제풍(在豊), 제휴의 아들은 재천(在千)이다. 나머지는 다 기록하지 않는다. 제풍이 그의 종조(從祖)의 아우 재신(在信)이 지은 행장을 가져 와서 비문을 지어달라고 간청하였으나, 누차 사양해도 허락을 받지 못하여, 다음과 같이 명(銘)을 엮었다.

  공이 분발하여 군복을 입었으니 그 뜻이 대장부이었네. 공이 임천(林泉)으로 돌아왔으니, 그의 머르름이 군자(君子)다웠네. 공은 효성과 우애를 다 하였으니, 이런 분을 독실하다고 할 것이다. 내가 비석에 명(銘)을 엮은 것은 후세에 공을 입증하도록 읽게 하려는 것이다.

義禁府都事竹溪金公墓碣銘 并序

正會, 故交家一後生也. 自丱(?)爾屢拜公於竹溪書室, 其軒昻之氣, 慈和之辭, 足令接之者心醉而悅服. 是以慕仰之私, 不以存歿有間也. 公諱相龍, 字京贊, 光山之金. 出自新羅王子興光, 後有八代平章事, 累傳至諱景熹, 成均生員, 世稱蘆溪先生. 生諱弘宇, 號白谷, 佐郞. 壬辰亂有殊勳, 特除南原府使, 贈吏曹叅判. 生諱汝重, 號晚悟. 丙子駕南漢, 錄勳, 陞通政. 五傳而諱命吉. 諱進源, 祖禰也. 妣天安全氏, 守仁女. 公生而體幹傑梧才諝氣局, 超出等夷. 自謂射亦六藝中一事, 投筆而起. 高宗丁亥, 竟以弓馬登第. 辛卯, 行義禁府都事. 癸卯, 陞通政. 及至庚戌, 國已無矣, 遂歛迹而退, 孝奉母夫人, 志物之養, 暗合古孝子跡. 暇日劬經, 造詣自得. 及居憂, 公年己六十四, 猶能執禮不懈, 人以爲難. 噫, 公以業武終焉. 反經結情於水竹烟霞之間, 明窓裵几, 風采動人, 灑然有出塵之表, 迹其心, 豈入而不知出, 往而不知返者, 所可髣髴其藩籬哉. 卒于丁卯十二月十五日, 距其生哲廟壬子, 壽七十六, 葬于安德後岡負艮原。配淑夫人，長澤高氏時中女，淸道敬煥女，墓合兆。三男一女，箕用、箕休高氏出。箕俊，朴魯善妻金氏出。箕用男在豐、箕休男在千，餘不盡記。在豐以其從祖弟在信狀，求爲 牲石之文，累辭不獲，遂爲之銘，曰：
公奮軼韋，丈夫其志。公歸林樊，君子其止。公盡孝友，是曰其篤。我銘樂石，庸竢後之欲徵公者讀。

왕자사부(王子師傅)인 죽오당 김공(竹梧堂金公)의 묘갈명(墓碣銘)

건(健)과 중견仲堅)은 공의 휘(諱)와 자(字)이며, 김씨 본관(本貫)은 서흥(瑞興)이다. 승국(勝國:高麗) 때 참의(參議)를 지낸 고조(高祖)의 휘 중곤(重坤)으로부터 저명하였으며, 소형(小亨)은 봉훈랑(奉訓郞)을 지낸 소형(小亨)과 부호군(副護軍)을 지낸 총(總)은 증조와 조부이며, 휘 혁세(奕世)는 아버지이고 휘 유(愉)는 관직이 부사정(副司正)을 역임 하였는데 한훤당(寒暄堂)의 당제(堂弟)이며, 이분이 공의 형(兄)이다. 비(妣)는 한씨(韓氏)로 적(籍)은 청주(淸州)이며, 판서(判書)가 그의 아버지로 매우 부덕(婦德)이 있었으며, 정덕(正德) 계유년(서기 1513)에 공이 태어났다. 공의 자태는 공순하고 성품은 효성과 우애에 독실 하였으며, 8세 때 외가로 가서 공부하였는데, 집에 가고 싶어 눈물을 흘리자, 외조부가 책망하기를 "과거에 급제하여 아버지를 영광스럽게 해 드리려면 어찌 공부를 하지 않을 수 있겠느냐?"라고 하자, 공이 대답하기를 "아닙니다. 조석 문안을 오랫동안 드리지 못하여, 이것은 불효이니 남은 일을 어찌 미치겠습니까?"라고 하므로, 시 1절(絶)을 쓰시었다. 그는 사리(辭理)가 모두 통달하고 가정의 교훈을 받았고 한결같이 『소학(小學)』을 준수하여, 새벽이면 일어나 사당으로 나갔으며, 조용히 책을 대하였고, 항시 자손들을 경계하되, 충효(忠孝)에서 벗어나지 않았다. 겨우 약관(弱冠)을 넘어서는 생원시(生員試)에 급제하여 성균관(成均館)에서 친구들과 함께 있으면서 서로 간절하고 씩씩하게 도움을 주었다. 그 후 왕자(王子)의 사부(師傅)가 되고 행의(行誼)로 추천되기도 하였으며, 계묘년(서기 1543)에는 예산현감(禮山縣監)으로 나갔는데, 백성 중 형제가 소송하므로, 공은 윤리로서 일깨워 주었고, 들에 황충(蝗蟲)의 재앙이 심 하자, 자신의 불인(不仁)함을 질책 하였으며, 어려운 일을 당하여 관직을 버린 후에는 다시 벼슬할 생각을 끊고 영암(靈巖)에서 나주(羅州)로 이거하여 임천(林泉)에서 은거하다가 향년 72세로 집에서 작고 하므로, 가사등(袈裟嶝)에 장례를 치루었으며, 그 앞은 미좌(未坐)인 축좌원(丑坐原)이다. 그리고 부인은 이씨(李氏)로 그의 아버지는 귀남(貴男)이며, 극창(克昌)의 후손이다. 3남 3녀를 두어 응연(應蓮),응란(應蘭)은 모두 참봉(參奉)을 지내고 응추(應蒭)는 무과에 급제하여 현감(縣監)으로 나갔으며 송준현(宋俊賢), 이여연(李礪硏) 및 정렴지(鄭磏砥)는 그의 사위이다. 손자 4인은 모두 남원(南原)에서 절사(節死) 하였다. 가학(家學)을 연원(淵源)으로 하여 그 몸을 근신하고 가정을 법도로 다스이고 관직에 있을 때는 인(仁)으로 하였다. 일찍부터 화려한 것에 뜻을 두지 않고, 자신의 심성(心性)을 온전히 하였다. 덕이 없으면 출세를 할 수 없으므로 어진 자손들이 대대로 그 미행(美行)을 본받아 그 선조를 빛내었다. 아! 공이 작고하신지 400여년이 되는 동안, 누차 병란(兵亂)을 겪어 유문(遺文)이 없어졌으므로, 백세(百世)의 공의(公議)로 강옹(剛翁)이 행장(行狀)을 기록 하였다. 옛 묘갈명이 있었으나 이끼가 끼고 비에 마모되어 무술년(서기1958) 가을에 비석을 바꾸기로 상의하고, 나에게 묘갈명을 부탁한 사람은 후손 의섭(義燮)이다. 나는 경박하고 글도 졸하여 누차 사양 하였으나 받아들이지 않았다.

저! 높은 승걸(僧傑)은 천억(千億)이 승앙하였으니, 이 곳을 지난 사람들은 공경할 것이다. 이 분은 오직 인인군자(仁人君子)이므로 옷과 신을 간직 하였다.

王子師傅竹梧堂金公墓碣銘

曰健仲堅公, 諱表德, 金貫瑞興. 著自勝國高祖叅議諱曰仲坤, 小亨, 奉訓總副護軍. 曾若祖, 諱奕世. 其顯考諱曰愉, 官副司正, 於寒暄堂爲堂弟兄. 妣則韓氏, 淸州之籍判書其考. 甚有婦德正德. 癸酉, 寔公降嶽, 愷悌其姿, 孝友性篤. 纔及八歲, 就學外宅, 思歸或涕. 外祖斯責, "中第榮親, 盡勉學業." 公對曰: "否, 宅之, 省久闕. 是亦不孝, 餘事曷及." 因題一絶, 辭理俱達. 襦染家庭, 一遵小學. 晨興謁廟, 靜對方册, 恒戒子姓, 忠孝不出. 甫跨弱冠中生員, 式同處泮. 友切偲, 以昴王子師傅行誼之薦. 癸卯, 出監禮山. 其縣民訟兄弟, 諭以彝倫. 野有蝗災, 自責不仁. 遭艱棄官, 念絶復進, 自靈寓羅, 遯跡林泉. 壽七十二, 考終于寢. 以禮葬之, 袈裟之坎, 厥向惟未丑原. 是枕齊以李氏, 父曰: "貴男, 厥后克昌。"男三女三。應蓮、應蘭俱衆奉衛。應蒻武科, 出爲縣監。宋李及鄭舘甥俊賢, 李礪硏鄭磏趾。有孫四人, 幷以宣傳立僅南原。猗公盛德, 惟孝爲元。淵源家學, 淑愼厥身。御家以法, 居官以仁。早謝芬華, 全吾性天, 無德不售。能子肖孫, 世趾其美, 有光于先。嗚呼! 公沒殆將四百, 累經兵火, 遺文殘缺, 百世公議, 剛翁狀德。墓舊有碣, 苔蝕雨泐。 歲戊戌秋, 謀改貞石。屬余爲銘, 後孫義燮。人輕詞拙, 屢辭不獲。

卓彼僧傑, 高景千億。過者其式諸此, 惟仁人君子衣履之攸託。

통덕랑 김공(通德郎金公)의 묘갈명(墓碣銘)

오산(鰲山)의 남쪽 진원(珍原)의 상작동(上雀洞) 북쪽을 등진 언덕에 있는 두 무덤은 고 통덕랑 김공(故通德郎金公)과 그의 부인인 공인장씨(恭人張氏)가 묻친 곳이다. 아! 묘목(墓木)은 이미 한 아름이 되었지만, 그 앞을 지나간 사람들은 반드시 주저하며 차마 가지 못하고 있었다. 이것은 무슨 이유일까? 대개 공의 효성과 우애 및 공인(恭人)의 탁월한 규범(閨範)과 의리를 사람들이 믿은지 오래되도록 잊혀지지 않는 것이라고 할까?

공은 울산인(蔚山人)으로 회중(會中)과 원일(元壹)은 휘와 자이며 호는 원회(元會)이다. 상조(上祖)는 학성부원군(鶴城府院君) 휘 덕지(德摯)이며 신라왕자(新羅王子)로 울산(蔚山)이 식읍(食邑)이었으므로, 자손들이 관향으로 정한 것이다. 그 후 여러 세대를 거처 군(君)으로 봉해지고, 고려(高麗)에 이르러서도 혁혁하였으며, 본조(本朝)의 휘 온(穩)은 좌명공신(佐命功臣)에 기록되고 가선대부(嘉善大夫)와 여산군(麗山君)에 피봉 되었으며, 이 분의 아들 휘 달원(達源)은 충좌위(忠佐衛)의 중영(中領)과 사정(司正)을 역임 하였고, 4대를 지나 휘 인후(麟厚)[29]는 도학(道學)과 문장(文章),절의(節義)로 백세(百世)의 사종(師宗)이 되어, 세상에서 하서선생(河西先生)으로 칭하였고 종호(從虎)는 자여찰방(自如察訪)을 역임 하였으며, 남중(南重)은 호가 취옹(醉翁)으로 선교랑(宣敎郎)을 선조(宣祖) 때 광국원종훈(光國原從勳)으로 장성군(長城郡)의

---

29) 서기1510-1560. 조선 초기 문인, 자는 후지(厚之), 호는 하서(河西), 담재(潭齋), 시호는 문정(文正), 서기1540년 문과에 급제하여 1543년 홍문관 박사 겸 세자시강원 설서 등을 역임하여 당시 세자였던 인종을 가르쳤으나 인종은 그후 승하하고 을사사화가 일어나자 고향으로 내가여 성리학과 후학 양성에 정진하였다.

북쪽에 있는 회계사(晦溪祠)에 배향하였고, 형우(亨祐)는 호가 야은(野隱)으로 사복시정(司僕寺正)에 증직되었으며, 기하(器夏)는 호가 각재(각재)로 우재 송선생(尤齋宋先生)의 문하에서 수업하여 후릉참봉(厚陵參奉)을 지내고 좌승지(左承旨)에 증직되어 현호사(峴湖祠)에 배향 되었고, 우서(禹瑞)는 호조참판에 증직되었으며 국현(國賢)과 경시(敬時)는 공조참판(工曹參判)에 증직되었다. 이상은 5세(世)의 휘이다. 고조의 휘는 정휴(貞休)이며, 조(祖)의 휘는 식환(湜煥)인데, 고종 임인년(서기 1902)에 수(壽)로 통정대부(通政大夫)가 되었고, 고(考)의 휘는 요덕(堯德)이며 호는 강석헌(江石軒)으로 노사 기선생(蘆沙奇先生)[30]에게 수업하였고, 비(妃)는 청안이씨(淸安李氏)인 기환(璣煥)의 딸이며 공은 고종 기사년(서기 1869) 9월 6일 태어났다. 공은 자품이 범아들과 달라 효성스럽고 근신하여 아버지를 기쁘게 하고 아버지의 뜻을 거스리지 않았으며, 6형제가 모두 우애하고 효성이 독실하였으나, 평생 동안 학문에 주력하지 못한 것을 한탄하였으므로, 원근의 사우(士友)들과 종유하며 견문을 넓혔으니, 자하(子夏)가 말한 "비록 배우지 않았더라도 나는 반드시 배웠다고 말할 것이다"는 말이 공에게 가까운 말이라고 할 것이다. 향년 75세로 계미년(서기 1943) 5월 2일 작고하였다. 공인(恭人)의 적(籍)은 인동(仁同)이며 참판(參判)을 지낸 태수(泰秀)의 딸이다. 친정에 있을 때부터 정숙하고 효성스러웠는데 출가한 후 예절과 공경이 몸에 배어 시부모님들이 말하기를 "우리를 잘 섬긴다."고 하였고. 동서들을 대할 때도 화목하게 지내어 가정에 이간하는 말이 없었으며, 비복(婢僕)을 거느릴 때도 은혜와 의리가 지극하여 여사(女士)로 칭하기도 하였다. 그리고 정미년(서기 1907)에 의사 김봉삼(義士金鳳三)이 공에게 의지하여 살고 있고 있었는데, 그 일이 발각되자, 왜추(倭酋)가 공을 체포하여 사형에 처하려고 하였으나, 공인(恭人)이 혈서(血書)를 보내 자신이 대신 죽겠다고 하므로 왜추(倭酋)는 그 일을 의롭게 여기어, 모두 석방해 주었으며, 경술년(서기 1910)에는 참판(參判)인 장공(張公)이 순사(殉死)하자 공인(恭人)이

---

[30] 조선 후기 성리학자, 자는 대중(大中), 호는 노사(蘆沙), 행주인(幸州人), 초명은 금사(金賜), 아버지는 기재우(奇在祐) 어머니는 안동권씨 권덕언(權德彦)의 딸임. 7세부터 사서 등 제자백가를 탐독하여 신동으로 명성을 떨쳤으며 서기1828년에 31세의 나이로 향시에 응시하고 서기1831년에 사마시를 장원으로 급제하여 이듬해에 강릉참봉(康陵參奉)을 지작으로 현릉참봉(顯陵參奉)에 이명되었으나 모두 사양하고 1837년에는 유일로 천거되어 사옹원 주부(司饔院主簿)에 임명되었으나 6일만에 사직하고 그 후 전설사 별제(典設司別提), 무장현감(茂長縣監) 등 많은 관직에 제수되었으나 모두 사양하고 서기 1865년부터 임술의책(壬戌擬策),병인소(丙寅疏) 등을 올렸으며 이때 사헌부집의(司憲府執義), 동부승지(同副承旨),호조참의(戶曹參議), 가선대부 동지중추부사(嘉善大夫 同知中樞府事), 경연특진관(經筵特進官), 호조참판(戶曹參判) 등 관직이 내려졌으나 모두 사양하고 서기1877년 장성(長城)으로 옮겨 담대헌(澹對軒)에서 지내다가 사망 하였다.

그 초상에 달려가 호곡(號哭)하자, 피눈물이 뚝뚝 떨어져 붉은 흔적이 무늬처럼 생겨 의상(衣裳)이 모두 물들려졌었다. 아! 공인(恭人)같은 사람은 옛 역사에서 찾아보아도 그와 같은 사람이 드물었다. 그러나 공보다 먼저 23년 전에 작고하였으니, 신유년(서기 1921) 11월 2일이었다. 4남을 두어 장남은 영수(榮洙), 차남은 희수(熹洙), 길수(吉洙), 도수(度洙)이며, 두 딸은 나주 임종목(羅州林鍾穆)과 황주 변온섭(黃州邊溫燮)의 처가 되고, 영수(榮洙)의 아들은 상국(相國)이며, 도수(度洙)의 아들은 상봉(相鳳)이며 우택용(禹澤龍)과 택림(澤林)은 사위의 아들이다. 아들 영수(榮洙)가 정회(正會)에게 말하기를 "우리 선고(先考)와 선비(先妣)의 탁월한 행실과 의리를 사라지게 해서는 안 되므로, 어찌 그대의 말 한마디를 받아 묘소 앞에 비를 세우지 않을 수 있겠는가?"라고 한 후 목이 메이고, 눈물을 흘리므로, 정회(正會)가 감히 감당할 수 없는 일이지만, 참아 사양하지 못하고 세계(世系)와 원인 및 그 사행(事行)을 대충 서술하여 후일의 군자(君子)를 기다리며 다음과 같이 명(銘)을 엮었다.

공은 고가(故家)에서 태어나 효성과 우애가 지극하고 성품이 곧았다. 위대한 현원(賢媛)이여, 그 모습이 사특하지 않았네. 학정(鶴頂)의 남쪽에 사척(四尺)의 봉분이 있으니, 내가 그 묘도(墓道)에 명(銘)을 남기어 백세(百世)에 밝게 전한다.

通德郎金公墓碣銘

鰲山治南珍原之上雀洞負坎而雙封, 故通德郎金公、配恭人張氏之藏也。嗚呼! 墓木將拱矣, 而過其前者必徊徨躊躇, 不忍去者, 此曷故焉? 蓋公孝友至行, 及恭人之卓範峻義, 孚於人者, 久而不衰也歟。公蔚山人 會中 元壹 諱若宇 號曰元會 屋上祖鶴城府院君諱德摯 以新羅王子食邑蔚山 子孫仍貫焉 其後累世封君 至麗亦烜爀 入本朝諱穩 錄佐命功臣 嘉善大夫 麗山君 生諱達源 忠佐衛中領司正 四傳至諱麟原 道學文章節義爲百世師宗 世所稱河西先生 曰從虎自如察訪 曰南重 號醉翁堂 宣敎郎 宣廟光國原從勳 享長城郡北晦溪祠 曰亨祐 號野隱 贈司僕寺正 曰器夏 號覺齋 受學于尤齋宋先生門 厚棱尒奉 贈左丞旨 享硯湖祠 曰禹瑞 贈戶曹叅判 曰國賢 曰敬時 贈工曹叅判 五世以上諱也 高祖諱志鎔 曾祖諱貞休 祖諱湜煥 高宗壬寅 壽階通政 考諱堯德 號江石 軒從蘆沙奇先生學 妣淸安李氏 璣煥女 公以高宗己巳九月六日生 姿稟殊凡 孝謹承歡 不咈親志 兄弟六人 友愛篤至 恒以不專力學問爲畢生恨 從逐遠近士友 以廣見聞 子夏氏所云 雖曰未學 吾

必謂之學矣者 公殆庶幾焉 壽七十五 卒于癸未五月二日 恭人籍仁同 叅判泰秀女 自在家端淑且孝 及歸 禮敬自持 舅姑曰 善事我 處妯娌雍睦 門無間言 御婢僕恩義幷至 有女士稱 丁未 義士金鳳三家屬 依公資生 事覺 倭酋拘拿公 欲處死刑 恭人投之血書 願以自代 倭酋義之 幷釋 庚戌 叅判張公殉義 恭人奔喪 號哭血淚 滴滴紅暈如紋 衣裳盡染 噫! 若恭人者 求之往牒 亦罕其儔矣 先公二十三年卒 辛酉十一月二日也 四男 長榮洙 次熹洙 吉洙 度洙 二女 羅州林鍾穆 黃州邊溫燮妻 榮洙男相國 度洙男相鳳 禹澤龍澤林壻男胤也子 榮洙氏命正會曰 吾先考先妣之卓行高義 有不可泯者 子盍記一言以揭阡道 因而哽塞涕滋 正會固不敢當 亦不忍辭 叙次世系源委行 治大槩以竢後之君子 系之以銘 曰 公生故家 孝友質直 顯顯碩媛 其儀不忒 鶴頂之南 有崇四尺 我銘其隱 昭眎來百

열부 유인 최씨(烈婦孺人崔氏)의 묘갈명(墓碣銘) 병서(竝序)

 6척(尺)의 고아(孤兒)를 부탁하고 백리(百里) 땅을 맡기는 것을 증자(曾子)는 군자(君子)라고 하였는데, 작은 부인의 몸으로 아픔을 견디고 슬픔을 삼키면서 남편의 가문을 세워주었으니, 고아를 부탁하고 백리 땅을 맡기는 군자와 동일하다고 할 것이다. 고금의 열부(烈婦)들을 세어보면, 유인(孺人)도 그 중 한 사람이다. 최씨(崔氏)의 적(籍)은 경주(慶州)이며, 영사정 한형(永思亭漢亨)의 후손으로, 부친은 기란(基鸞)이며 고종 정해년(서기 1887) 7월 14일 태어났다. (孺人)은 어릴 때부터 정숙(貞淑)과 효성과 자애(慈愛)로 명성이 자자하였는데, 겨우 20세가 되어 석포 이공 재경(石圃李公在瓊)에게 출가하여, 시부모에게 효성하고 남편에게 공경 하였다. 공이 병을 앓고 있을 때 유인은 친히 약이(藥餌)를 조절하여 성의를 다하지 않는 것이 없었다. 하늘의 북두성(北斗星)에 절을 하고, 자신이 대신 아프게 해 달라고 빌었으며, 결국 남편이 사망하자 훌적훌적 뛰면서 호곡하다가 기절한 후 다시 깨어나기를 여러 차례 하였다. 그러나 유인은 마음을 바꾸어 말하기를 "늙은 시어머니가 집에 계시니 내가 아니면 누가 봉양하며, 배속에 있는 혈육은 사내 이이일 것이니 남편의 뒤를 이을 것이다"고 하면서 억지로 일어나 예전처럼 일을 보고 초종상의 모든 일에 여한이 없도록 하였고, 1개월이 다하여 과연 아들 기종(琦鍾)을 낳았다. 그러나 은정(恩情)과 사랑으로 가르침을 느슨하게 하지 않고 결국 학문을 성취하여 남편 가정의 명성을 자자하게 하였다. 아! 시어머니를 봉양하여 천수(天壽)를 다하게 하는 것은 망부(亡夫)의 마음이며, 외로운 아들을 교육하여 가문을 세우는 것도 망부의 마음인데 유인의 마음이 망부의 마음과 같아 자기 마음데로 하여 이루는 일이 없었으니 이것이 참으로 훌륭한 열부(烈婦)라고 할 것이다. 이씨(李氏)는 청안세가(淸安世家)인 석탄선생 휘 기남(石灘先生諱箕南)이 그 10세(世)의 현조(顯祖)이다. 그리고 진삼(鎭三), 양낙(陽洛), 윤신(允新), 지환(智煥)은 4세(世)의 휘이다. 기종(琦鍾)은 두 아들을 두어, 장남은 항낙(恒洛)이며 차남은 영낙(永洛)이다. 유인의 춘추는 74세로 경자년(서기1950) 2월 24일 작고하여 장성군 북이면 이동(長城郡 北二面 梨洞)의 안산(案山)인 모원(某原)에 장례를 치루었다. 기종(琦鍾)이 그의 어머니의 열행(烈行)이 혹 사라질까 두려워하여 장차 비석을 마련하여 그 묘도(墓道)를 표하려고 그 족인 병상(炳相)을 나에게 보내 묘갈명(墓碣銘)을 지어달라고 요천 하였다. 그러나 문자(文字)가 천박하면 남에게 믿음을 주지 못한 것이지만 유인의 덕이 오랫동안 전해와 누차 사양하였으나, 받아들이지 않으므로 아래와 같이 명(銘)을 엮었다.

아! 위대한 현원(賢媛)은 여러 행실이 갖추어져 부도(婦道)를 다 하였다. 사후에는 후손에게 전하였으니, 쌓은 것이 있으면 반드시 호응이 있는 것이다. 아들은 기린(麒麟)이고 손자는 천리마(千里馬)이네 이것이 족히 규범(閨範)이 될만 하니 천세 백세에 전하리라

烈婦孺人崔氏墓碣銘 幷序

託六尺孤 寄百里命 曾子以謂君子 而眇然一夫人忍痛茹哀 以立夫家之門 亦足與託孤寄命之君子同一揆也 歷數今古貞烈孺人 亦其一耳 崔氏籍慶州 永思亭漢亨后 父曰基鷺 以高宗丁亥七月十四日生 自幼以貞靜孝慈著 甫笄歸爲石圃李公在瓊室 孝舅姑 敬君子 公嬰奇疾 孺人躬調藥餌 靡誠不殫 祝天拜斗 乞以身代 竟不起 號哭擗踊 絕而復甦者 累矣 乃燔然悟曰:"老姑在堂 微我其誰養 腹有遺血 或者男也 可以繼夫." 后強起 視事如故 初終凡百 俾無攸憾 彌月而果產 男琦鍾也 不以恩愛而弛敎督 卒能成就之 以昌夫家之聲 噫 養姑以天年終 亡夫心也 育遺孤而立門戶 亦亡夫心也 心亡夫心 不徑情直 遂是眞賢乎烈矣 李氏淸安世家 石灘先生 諱箕南 其十世顯祖也 曰鎭三 曰陽洛 曰允新 曰智煥 四世諱也 琦鍾二男 長恒洛 次永洛 孺人以春秋七十四 卒于庚子二月二十四日 葬于長城郡北二面梨洞案山某

原 琦鍾懼母烈之或堙 將謀伐石 表厥阡道 使其族炳栢甫 遠而徵余銘 顧文字之淺 不能信孺人之德於久遠 累辭不獲 遂爲之銘 曰:猗猗歟碩媛衆行畢備 生而盡婦道 沒也垂後庇 有積者必有應 子兮麟 孫兮驥 足爲閨範之柯 則斯千百世兮昭示

경재 정공(敬齋丁公)의 묘갈명(墓碣銘) 병서(幷序)

나의 친구 정본수(丁本秀) 군은 문장과 행실이 모두 지극하였으니, 가히 법가필사(法家拂士)를 생각하게 한다. 하루는 그 선대인 경재공(敬齋公)의 행장(行狀)을 나에게 가지고 와서 비문을 부탁하였다. 나는 그것을 읽고 공의 평생을 잘 알게 되어 비로소 공의 문장과 행실이 전수받은 것이 속일 수 없었다는 것을 알았다. 공의 가르침이 여기에 있으니, 그 청을 감히 사양할 수 있겠는가?

공의 휘는 영두(永斗), 자는 남칠(南七)이며 호는 경재(敬齋)이다. 그의 모습은 단정하고 엄숙 하였으며 총명이 범인보다 초월하였다. 그러나 그는 일찍 아버지를 잃은 것이 지극히 한이 되어 편모를 모시면서 효성을 다하여 맛있는 음식을 가난하여도 빠뜨리지 않았으며, 낮에는 들에 나가 밭을 갈고 밤에는 집으로 돌아와 글을 읽어 스승의 번거로운 독촉을 받지 않아도 조금도 게을리 하지 않았고, 장성한 후에는 연재 송문충공(淵堂宋文忠公)의 문하에서 의심난 글을 질문하다가 누차 칭찬을 받았으며, 아버지의 상을 당하였을 때는 슬픔을 다하고, 형제간에도 우애롭게 지내어 맛있는 음식이 있으면 형제가 모이지 않으면 먹지도 않았다. 그리고 아들을 교육할 때도 옳게 지도하여 각기 자기가 할 수 있는 직책을 주었다. 그리고 상자에 간직한 세고(世稿)를 차례로 간행하고, 낡은 선조의 정자(亭子)도 이건하여 새롭게 단장하였으므로, 종족들이 그의 성의를 칭찬하고 고을 사람들은 그의 인자함을 칭송 하였다.

공은 고종 계유년(서기 1873)에 태어나 임진년(서기 1951) 5월 2일 돌아가셨으며, 삼각산(三角山) 밑인 모좌원(某坐원)에 장례사하였다. 정씨(丁氏)의 관향은 영성(靈城)이며 당(唐)나라 대양군(大陽君) 휘 덕성(德盛)이 신라 헌안왕(憲安王) 때 우리나라로 들어왔는데, 이 분이 시조이다. 그리고 고려 때 휘 찬(贊)은 영성군(靈城君)으로 봉해졌는데, 신라로부터 고려에 이르기까지 잠조(簪組:高官)가 계속되고, 휘 인(寅)이 처음으로 본조에서 태인군사(泰仁郡事)가 되었으며, 여러 대를 지나 휘 순(珣)은 생원(生員)이 되었다. 호는 경근재(敬謹齋)이며 문장(文章)으로 세상에 명성이 높았다. 이 분의 아들인 휘 희맹(希孟)은 호가 선양정(善養亭)으로 성청송(成聽松)에게 수업하여 율곡(栗谷), 우계(牛溪)와 함께 도의(道義)로 사귄 친구가 되었으며, 순조(純祖) 정묘년(서기 1807)에 집의(執義)에 증직되었는데, 이 분이 공의 10세조(世祖) 이다. 이 분의 아들인 휘 건(鍵)은 호가 성경재(誠敬齋)로 성우계(成牛溪)를 사사하여 순조(純祖)가 그 충효정신(忠孝精神)을 계승하는 것을 가상하게 여기어 지평(持平)을 증직 하였으며, 이 분의 아들인 휘 제원(濟元)은 호가 취우당(醉愚堂)으로 사계문인(沙溪門人)이었으며, 갑(甲), 정(丁) 양란(兩亂)에 병사와 군량을 모집하였고, 병자년(서기 1876)에 강화(講和)가 이루어졌다는 소식을 듣고 통곡하였으며, 평생동안 서쪽으로 향하여 앉지 않았다. 고조의 휘는 취일(醉日)이며, 증조의 휘는 명환(命煥)이며, 조의 휘는 대로(大老)로 이 분은 효행이 있었고, 고의 휘는 명덕(銘德)으로 이 분은 효제(孝悌)하고 근검(勤儉)하여 송약재병화(宋約齋炳華)가 행장(行狀)을 지었으며, 오후석 준선(吳後石駿善)이 묘갈명을 지었다. 비(妣)는 밀양박씨(密陽朴氏)인 만호(萬號)의 딸로 정숙한 덕이 있었고, 또 배(配)인 광주이씨(廣州李氏)는 아버지가 관회(寬會)로 무술년(서기) 7월 17일 작고하여 묘소는 합폄(合窆) 하였다. 이 분은 하음이씨(河陰李氏)인 승교(昇圭)의 따님으로 공보다 9년이 늦었는데, 생몰연대(生沒年代)는 공과 동년인 9월 5일이며 묘소도 동조(同兆)이다. 3남을 두어 장남은 태수(泰秀), 차남은 군수(郡秀), 본수(本秀)이다. 봉씨(봉씨)는 6녀를 두어, 청도 김원용(청도 김원용)에게 출가하고, 이씨는 전의 이 모(某), 모(某), 모(某), 모(某)에게 출가하였으며, 모(某), 모(某)는 봉씨(奉氏)가 낳았다. 남은 사람은 모두 기록하지 않았다.

 아! 공은 조예가 깊고 행실이 독실하였으나, 맞지 않는 시대를 만나 그 경륜을 펴지 못하고, 임천에서 늙어가며 이 세상에서 그의 혜택을 받지 못하였으니 애석하다. 그러나 오직 효도와 우애를 한 가정을 다스리는 도구로 삼아 후손에게 물려주었으니, 자손이 많고 높은 관직이 많았다. 사람들은 선행이 쌓이지 않는 것을 걱정 하지만 선행을 쌓아도 발복되지 않는 경우는 있지 않는 것이다. 이에 다음과 같이 명(銘)을 엮었다.

 이미 기질이 단정하고 후중하였으며 그 독이 또한 순수하고 온화 하였다. 한 가문을 다스리어 후손에게 전해 주었다. 높이 봉해진 4척(尺)의 묘소는 저…. 삼각산(三角山)의 언덕에 있다. 이 일편의 비석을 반드시 천세(千世), 백세(百世)에서 논할 것이다.

敬齋丁公墓碣銘并序

吾友丁本秀君 文行俱至 可念法家拂士也 日抱其先大人敬齋公事狀 徵余銘厥阡 余閱而讀之 悉公生平 始知君之文之行 有所傳受 不可誣也 公之敎在是者 於其請敢辭諸 公諱永斗 字南七 敬齋號也 儀表端肅 聰悟絶夷 早失怙爲至恨 養偏慈篤孝 甘旨不以貧或闕 晝而出耕 夜歸誦讀 不煩師督 能孳孳不怠 及長 贄謁淵堂宋文忠公門 質疑問辨 累蒙奬詡 及遭憂 易戚備 至友于昆季 得一美味 不集不食 敎諸子以義 各授其職 世稿之巾衍者次第創刊 先亭頹圮者 移建而新之 宗族稱其誠 鄕黨誦其仁焉 公生高宗癸酉 卒于壬辰五月二日 春秋八十 葬三角山下某坐原 丁氏貫靈城 唐大陽君 諱德盛 新羅憲安王時入東 是爲鼻祖 高麗有諱贊封靈城君 自羅迄麗 簪組相承 至諱寅 始仕本朝 行泰仁郡事 累傳諱珦 生員 號敬謹齋 文章鳴世 生諱希孟 號善養 亭 受學于成聽松門 與栗谷牛溪爲道義交 純廟丁卯 贈執義 寔公十世也 生諱鍵 號誠敬齋 師事成牛溪 純廟嘉其承襲忠孝 贈特平 生諱濟元 號醉愚堂 沙溪門人 甲丁兩亂 募兵糧 及丙子 聞媾成 痛哭終身 不西向坐 高祖諱就日 曾祖諱命煥 祖諱大老 有孝行 考諱銘德 孝悌勤儉 宋約齋炳華撰狀 吳後后駿善銘碣 妣密陽朴氏萬號女 有淑德 配廣州李氏父寬 會戊戌七月十七日卒 墓合兆 河陰奉氏昇圭女 後公九年生 歿與公同年九月五日 墓亦同兆 三男長兌秀 次郡秀 本秀 奉氏出六女 適淸道金元容 李氏出全義 李某某某某某 奉氏出餘不盡錄 嗚呼 公造詣之深 踐履 之篤 遭値不辰 未能展厥蘊 終老林樊 使斯世不得蒙其澤 惜哉 雖然惟孝友爲一家之政 以裕後昆 椒聊之蕃 瑤環珥瑜 人患不積 耳積而不發者 固未之有也 是可以銘 曰:
質旣端重 德又粹溫 爲政一門 有貽後昆 崇封者四尺 彼三角之原 視此一片貞珉 必千百世可尙

수산 오공(壽山吳公)의 묘갈명(墓碣銘) 병서(并序)

우리 고을에 어른들이 차례로 작고하시어, 그 전형(典型)이 막연하므로 다시 뵈올 수 없지만, 어찌 공처럼 두어 사람이 임천(林泉)에서 거주하여 계시니 혹 말세의 풍속이 다시 순박하게 돌아오고, 고질적인 병이 조금이라도 나을 수을까? 이에 구원(九

原)에서 살아나기 어려운 것을 개탄한 것이다.

 삼가 살펴 보건데, 공의 휘는 병수(秉壽), 자는 극경(克卿), 호는 수산(壽山)이다. 오씨(吳氏)가 처음 함양(咸陽)에 적(籍)을 둔 것은 광휘(光輝)이다. 고려조(高麗朝)에서 상서(尙書)를 역임, 함양부원군(咸陽府院君)에 봉해져 관직이 혁혁하였고, 두어 세대를 지나도 침체되지 않아 상덕(尙德)에 이르러서는 소부시(少府寺)의 소감(少監)으로, 고려 말기에 의리를 지키어 신복하지 않았다. 이 분의 호는 두암(杜菴)이다. 이 분의 아들인 치선(致善)은 국조(國朝)에서 처음으로 벼슬하여 이조판서(吏曹判書)를 역임하였고, 6대를 지나 익창(益昌)은 정랑(正郞)을 지냈다. 이 분의 호는 사호(沙湖)로 임란(壬亂) 때 의병을 일으켜 이충무공(李忠武公)을 도와 선무훈(宣武勳)에 기록되고, 이 분의 아들 전의(腆議)는 의정부 사인(議政府舍人)을 역임하였는데 호는 절암(節菴)이다. 이 양세(兩世)는 죽산사(竹山祠)에 배향되었으며 공의 10세조가 된다. 그리고 증조인 이규(以逵)는 학행(學行)으로 호조좌랑(戶曹佐郞)에 증직되고 효자로 그 마을 문에 정표(旌表)가 내려졌으며 조(祖)인 진성(鎭成)이며, 고(考)는 흥원(興源)으로 모두 고답적(高踏的)이고 뜻이 높았다. 외조부는 경주 김규현(慶州金圭鉉)으로 홍릉(洪陵)³¹⁾ 계미년(서기 1903) 9월 21일 죽산리(竹山里) 본가에서 공을 낳았다. 공은 어렸을 때부터 종숙인 호산(壺山)과 죽하(竹下) 두 분의 문하에서 남이, 하나를 잘하면 공은 열 가지를 잘하고, 남이 백가지를 잘하면 공은 천 가지를 잘하는 노력으로 공부 하였다. 그러므로 재주가 둔하게 들어가서 영리하게 나와 물리가 날로 발전하고 달로 성취되었다. 공의 성품은 엄격하여 남을 인정하는 예가 드물었으나, 공을 사랑하였으므로 공은 언제나 사람들에게 칭찬하기를 "참으로 우리 집에 천리마(千里馬)다"고 하였는데, 장성한 후에는 시국이 어지러운 것을 보고, 문을 닫고 경적(經籍)속에 자취를 거두어 섭렵(涉獵)하지 않는 책이 없었다. 선현(先賢)의 심성이기론(心性理氣論)과 태극무극론(太極無極論)을 자세하게 분석하여 스스로 터득한 점이 많았으므로 이석전(李石田), 이육봉(李六峯) 등 제공(諸公)이 모두 호남(湖南)의 독보적인 인물로 추대 하였다. 그리고 부모님의 3년상을 최마복(衰麻服)과 수질(首絰)을 벗지 않았으며 슬퍼하기를 단괄(袒括)³²⁾ 때와 같이 하여 차라리 과할망정 혹 미치지 못한 일은 없도록 하였다. 성품이 겸손하여 화려한 것을 멀리하고 세리(勢利)를 싫어하여 의복과 곡할 때 사용하는 물건으로부터 가정의 물건까지 오직 토산물(土産物)만 사랑하고 한 번도 권력가에 명함을 건네지 않았으며 만년에는 거주하고 있는 남쪽 조용한

---

31) 조선조 제 26대왕 고종과 명성왕후의 릉호. 경기도 남양주시에 있음.
32) 초상 때 팔 한쪽에 상복을 걸치지 않는 상태를 말함.

곳에 한 재사(齋舍)를 지어 '야귀(夜歸)'라는 편액을 달았는데, 학문을 강론한 사람들이 주야로 모여들어 한 방 안에서 누었다 일어섰다 하고 천고(千古)의 위에서 수영(嘯詠)하여 쓸쓸하고 담담하게 지내므로 어떤 물건 하나도 더럽히지 않았으니, 그 마음속에 얻은 것을 기뻐하고 그 몸이 늙어간 줄도 잊은 체 조용하게 지내었다. 이에 사방에서 문안하는 사람들이 날로 많아 방과 마루에서 글 읽는 소리가 가득 하였고 가르침도 자상하여 게을리 하지 않았으므로 그 고을 자제들 중 학문과 행실로 명성을 떨치는 사람들이 그 문하에서 많이 배출 되었다. 그리고 손수 강학록(講學錄) 1권을 초록(抄錄)하여 지금까지 전하고 있다. 공은 신축년(서기1901) 2월 19일 향년 79세로 작고 하므로, 마건(麻巾)을 쓴 문인(門人)이 수 십명이었다. 죽산(竹山)의 안산(案山) 유좌원(酉坐原)에 장사하였다. 부인은 진주정씨(晉州鄭氏)로 그의 아버지는 종철(鍾喆)인데 공보다 26년 먼저 작고하였으나, 묘소는 같은 언덕에 모시었으며 (또 한 부인은) 순천박씨(順天朴氏)로 그의 아버지는 영환(永煥)이다. 3남 1녀를 두어 장남 방환(芳煥)은 정씨(鄭氏)가 낳았는데, 가학(家學)을 계승 할 만 하였으나 불행히 일찍 작고하고, 차남은 동환(東煥)이다. 남은 사람은 아직 어린데 박씨(朴氏)가 낳았다. 방환(芳煥)은 딸 두 분을 두어 영광 정뇌성(靈光丁雷聲)과 남양홍모(南陽洪某)에게 출가하였다. 아! 공과 나의 선군(先君)은 대대로 사이좋게 지내어 서로 종유 하였으므로 정회(珵會,正會)는 어려서부터 뵈어왔는데, 공의 기우(氣宇)는 헌걸차고 의론은 굉대(宏大)하여 한번 대한 사람들은 완부(頑夫)가 청렴해지고 나부(懦夫)가 뜻을 세웠다. 공의 문생 오균호(門生吳均鎬)가 지은 행장(行狀)을 가져와서 그 묘도(墓道)를 빛낼 글을 지어달고 간청 하였다. 그 행장 중에는 엄연(儼然)하기가 높은 산봉 같고 크기가 넘실거린 바다와 같다고 하였는데, 참으로 덕을 안다고 말한 수 있다. 덕을 아는 사람이 있는데 어찌 전함이 없다고 걱정 하겠는가. 큰 탄식을 하며 다음과 같이 명(銘)을 엮었다.

　시례(詩禮)의 고가(故家)에서 태어나 대대로 전한 선조의 가업을 계승 하였다. 믿음이 확실하였으니 소진(蘇秦)[33]과 장의(張儀)[34]가 논평하기 어렵다. 조행이 견고하여

---

33) 전국(戰國), 낙양인(洛陽人). 자는 계자(季子), 귀곡자(鬼谷子)를 사사하여 종횡가(縱橫家)가 되었으며 몇 년동안 그의 설을 시행하기 위해 사방을 다니었으나 먹히지 않자 초췌한 모습으로 돌아오자 아내는 배틀에서 내려오지도 않고 형수는 밥도 해주지 않았는데 그는 음부경(陰符經)을 읽으면서 철퇴로 다리를 지르면서 공부하여 육국(六國)의 정승이 되었다.

34) 전국(戰國), 위인(魏人). 귀곡자의 제자. 소진과 함께 배웠음. 진(秦)나라 혜왕(惠王)에게 연형책(連衡策)을 설득하여 육국(六國)을 다니며 연형책을 설명하자 육국은 모두 소진(蘇秦)의 종횡책을 버리고 연횡책을 따라 진(秦)나라를 섬기었다.

무력도 겁내지 않았다. 높기가 탁유(濁流)속에 지주(砥柱)와 같고 늠름하기는 겨울의 송백(松柏)과 같았다. 세상에서 군자(君子)를 논하려거든 이 한 조각 비석을 보라.

壽山吳公墓碣銘幷序

吾黨長老 次第徂謝 邈然典型無復覿 安得如公數革夅錯居林下 庶末俗回淳 膏盲少瘳 於是乎慨九原之難作 謹按: 公諱秉壽 字克卿 壽山其號也 吳氏始籍咸陽者 光輝 麗朝尚書 咸陽府院君 簪組烜㷊 歷數世無替 至尙德 以少府寺少監 當麗季 守罔 僕義號曰杜菴 是生致善 始仕國朝吏曹判書 六傳益昌正郎 號沙湖 壬辰擧義 佐李忠武 錄宣武勳 生晪 議政府舍人 號節菴 兩世 享竹山祠 於公爲十世也 曾祖曰以逹 有學行 贈戶曹佐郞 以孝命㫌其閭 祖曰鎭成 考曰興源 皆高蹈尙志 外祖曰慶州金圭鉉 以洪陵癸未九月二十一日擧公于竹山里第 自幼學于從叔壺山竹下二公門 加己百己千之工 是以鈍而入 銳而出 文理日就將 竹下公性嚴 少許可而鍾愛 公常稱於人 曰:眞吾家良驥 及長 見時事搶攘 杜門斂迹 於經籍無不涉獵 先賢心性理氣之論 太極無極之說 毫分縷析 所自得爲多 李石田 李六峯諸公 皆推以湖南獨步 父母喪 三年不脫衰絰 哀毀若括 寧過之無或不及 性廉介 泊芬華 厭勢利 自衣服器用 至家間什物 惟土物是愛 不一投刺於權貴門 晚築一齋於所居南靜僻處 扁以夜歸 講學著書 夜以繼晷 偃仰一室之內 嘯咏千古之上 蕭然淡然 不以一物自累 欣乎其有得於心 囂乎其忘身之老也 於是四方問學子日益衆 伊唔滿堂室 教之諄諄不倦 鄕子弟以文行名者 多出其門 手抄講學錄一卷 至今遺傳耳 辛丑二月十九日終 壽七十九 門人加麻者數十人 葬于竹山之案山 枕西阡齊 晋州鄭氏 父鍾喆 先公二十六年 均墓同原 順天朴氏 父永煥 三男一女 長芳煥鄭出 能世家學 不幸早矢 次東煥 餘幼朴出也 芳煥二女 適靈光丁雷聲 南陽洪某 嗚呼 公與我先君世好 相追從理會自幼獲拜 公氣宇軒昂 議論宏大 接之者足令頑夫有以廉 懦夫有以立志 門生吳均鎬述事行爲狀 托以貢厥隨狀中 儼若峻峯之萃崔 宏若滄海之汪洋者 眞可謂知德 知德有人 何患乎無傳 遂太息而爲之銘 曰: 篤生詩禮 故家克趾 箕裘世業 所信之確 儀秦難辯 所操者堅 威武不怯 屹若濁流之砥柱 凛乎大冬之松栢 世之尙論君子 視此一片貞石

경재 김공(敬齋金公)의 묘갈명(墓碣銘) 병서(幷序)

 부인(婦人)과 초부(樵夫),목동(牧童)이 모두 말하기를 "욕심이 없고 천기(天機)를 온전히 하여 까치의 집으로 올라가서 엿볼 수 있는 사람은 오직 경재 김공(敬齋金公) 한 사람 뿐이다"고 하였다. 아! 이 말이 가히 공을 논평한 말이다.
 삼가 살펴 보건데, 공은 청주인(淸州人)이며 명철(明喆)과 자순(子舜)은 휘와 자이다. 신라왕자(新羅王子)인 청주군(淸州君) 휘 정(錠)이 시조이며, 본조(本朝)에 이르러 휘 린(麟)은 호가 동촌(桐村)으로 호조좌찬성(戶曹左贊成)을 역임하고, 여러 대를 지나 휘 덕중(德重)은 이조참의 겸 동지의금부사(吏曹參議兼同知義禁府事)에 증직되었는데, 이 분이 장흥(長興)에서 고창 윤성(高敞潤城)으로 이거 하였고, 양정(良鼎)과 상규(相奎)는 고조와 증조의 휘이며, 고(考)의 휘는 두휘(斗暉)로 강개(慷慨)한 지절(志節)이 있었고, 비(妣)는 강릉 유씨(江陵劉氏)인 현진(炫鎭)의 딸과 흥덕장씨(興德張氏)인 성휴(成休)의 딸로, 공은 고수(古水)의 조산(造山)에서 무인년(서기 1878) 9월 22일 태어나 무술년(서기 1958) 8월 17일 작고하였으므로, 안산면(雅山面)의 후록(後麓)인 임좌원(壬坐原)에 장례를 치루었다. 고흥유씨(高興柳氏)와 진주강씨(晉州姜氏)는 공의 부인으로 모두 공보다 먼저 작고하여 유씨의 묘는 아산 용문암(雅山龍門巖) 산 앞인 유좌원(酉坐原)이며, 강씨의 묘는 조산(造山)의 후록(後麓)인 축좌원(丑坐原)이다. 유씨는 3남 4녀를 낳아 장남은 석봉(錫鳳), 차남은 석홍(錫洪), 석구(錫龜)이며, 함평 이재성(咸平李在成)과 신창 표명종(新昌表明鍾), 상산 김천호(商山金千鎬), 진주 정휴신(晉州鄭休信)은 사위이다. 그리고 석봉(錫鳳)의 아들은 종수(鍾洙),동수(東洙),남수(南洙)이며, 석구의 아들은 평수(平洙)이다. 정회(珽會)가 공을 알고 지낸지 지금 40년이 지나면서 혹 한 집에서 함께 있기고 하고, 또한 5~6년을 함께 있기도 하였다. 대개 공은 심학(心學)에 독실하여 평탄(平坦)하는 것을 좋아하고, 듣고 보지 못할까 두려워 하였으며, 밝다고 기절을 펴지 않고 어둡다고 행실을 떠러뜨리지 않았으니, 혼자 있을 때에도 근신하는 공부가 이와같았고, 날마다 새벽이면 일어나 세수하고 경전(經傳)을 암송하며 종일 단정히 앉아 다리를 기대거나, 몸을 비기고 있지 않아 거만한 자태를 보이지 않았고, 비속하고 남의 비위를 거스리렸다는 소문도 없었으니, 그 몸에 자율적인 예절이 이와같았으며 책을 든 학생들이 모여들면 반드시 자상하게 가르쳐주되 그 재질에 따라 독실하게 노력하도록 하여 그들이 마음으로 통하고 이치를 해석하도록 하므로, 종아리를 치지 않아도 위엄이 있고 가까이 하지 않아도 기뻐 하였으니, 그 사람을 그르치는 술이 이와 같았고, 남들이 선행이 있으면 좋아하여 자신의 일처럼 여기었으며, 남의 시비와 고하(高下)를 말하지 않고, 누구나 사랑하되 인(仁)한 사람을 친근히 하므로 호향(互鄕)과 궐당(闕黨)의 동자 같은 사람도 모두 데려다가 지도해 주었으니 남을 대하는 사랑이 이와같았으며 금전으로도 그의 뜻을 유혹할 수 없었고 사설(邪說)로도 그의 귀를 어지럽게 하지 못하였으며 자신을 알아주지 않는다고 민망하게 여기지도 않았고 종신토록 즐겁게 살며 근심을 잊었으니 그 지도의 확고함과 믿고 따르는 독실함이 이와 같았던 것이다. 이것은 정회(珵會, 正會)가 40년동안 친히 보았고, 사람들도 다른 말을 하지 않았다. 문인 강인환(姜仁煥)이 나에게 묘갈명을 간청하므로, 나는 옛날을 생각할 때, 어찌 사양할 수 있겠는가. 다음과 같이 명(銘)을 엮었다.

　공자(孔子)가 말하기를 "시(詩) 삼 백편을 말 한마디로 말하자면 사무사(思無邪)라고 할 것이며, 예의(禮儀) 삼 천 가지를 한 마디로 말하자면 무불경(無不敬)"이라고 하였다. 아! 공의 마음속에 간직한 것은 추호도 사심(邪心)이 없었고, 행실에서 보인 것도 잠시도 공경하지 않는 것이 없었다. 대개 그의 평생동안 공부가 편액(扁額) 위에 있는 '경(敬)'자 한 글자에서 나오지 않는 것이 없었다.

敬齋金公墓碣銘 并序

娘孺樵牧咸曰 嗜慾淡而天機全 烏鵲之巢 可攀而窺者 惟敬齋金公一人巳耳 嗚呼 此可謂公評矣 謹按: 公淸州人 明喆 子舜 諱若宇 新羅王子 淸州君 諱錠爲始 至本朝諱麟 號桐村 戶判左贊成 累傳諱德重 贈吏奈兼同知義禁府事 自長興來居高敞潤城 良鼎 相奎高曾祖諱 考諱斗暉 慷慨有志節 妣江陵劉氏炫鎭女 興德張氏成休女 劉氏生公于古水之造山 戊寅九月二十二日 戊戌八月十七日 公生卒也 葬在雅山面龍庄後麓壬坐原 高興柳氏 晋州姜氏 夫人也 皆先公坊 柳氏墓 雅山龍門巖山前酉坐 姜氏墓造山後麓丑坐 柳氏生男三女四 男長錫鳳 次錫洪 錫龜 咸平李在成 新昌表明鍾 商山金千鎬 晋州鄭休信 婿也 錫鳳男鍾洙 東洙 南洙 錫龜男平洙 珵(正)會 受知於公四十年于玆 而或同處一堂 亦五六星霜矣 盖公篤於心學 淵冰乎平坦 戎懼乎不聞睹 不以昭昭而伸節 不以冥冥而墮行 其謹獨之工有如此者 日必晨興盥洗 默誦經傳 終日端坐 未嘗見箕倨傲慢之態 未嘗聞鄙俚啡戾之聲 其律已之禮有如此者 執經問學子坌集 必諄諄然因其材而篤之 使之心融理釋 不扑而

威 不狎而悅 其敎人之術有如此者 人有善必好之 若己有 不言人是非高下 泛愛而親仁 雖互鄕闕黨 亦皆引而導之 其接人之仁有如此者 金帛不能誘其志 邪說不能亂其耳 不見知而無憫 終身樂而忘憂 其所操之確 所信之篤 有如此者 是則珵(正)會之四十年所親覩 而人亦無異辭者也 門人康仁煥 請牲石之銘 撫念疇昔 其何忍辭銘 孔子曰:"詩三百 一言蔽之 曰思無邪 禮三千 亦一言蔽之 曰無不敬" 噫 公之存諸心者無一毫之邪 見於行者無造次之不敬 蓋其生平用工莫不由乎扁上一字之敬

통덕랑 정공(通德郞鄭公)의 묘지명(墓誌銘) 병서(幷序)

언제나 세상에 의관(衣冠)을 갖춘 가족을 보면, 여러 세대를 서로 이어가면서 명성이 있었고, 그 고을을 주관한 사람들은 반드시 선대에 시서(詩書)와 인효(仁孝)로 그 근본을 배양하여 불식지과(不食之果)가 그 시기를 기다렸다가 소기의 목적을 달성 한 것과 같았는데, 나는 통덕랑 정공(通德郞鄭公)이 참으로 그렇다고 생각한다.

삼가 살펴 보건데, 공의 휘는 풍일(豊一)이며 자는 대유(大有), 호는 경춘당(景春堂)이다. 진양씨(晉陽氏)는 승국(勝國)에서 평장사(平章事)를 지낸 분으로, 시호 휘예(諱藝)가 그의 시조이다. 어모장군(禦侮將軍)인 휘 우손(友遜)은 본조에서 벼슬하였으나 기묘사화(己卯士禍)가 일어나자 관직을 버리고 남하(南下) 하였고, 고조인 덕호(德湖) 휘 만준(萬俊)은 이조참판 겸 동지의금부사(吏曹參判兼同知義禁府事)와 오위도총부 부총관(五衛都摠府副摠官)에 증직되었으며, 증조인 휘 택신(宅臣)은 문과에 급제하여 예조참판(禮曹參判)으로 있다가 남포현감(藍浦縣監)으로 나가 가의대부(嘉義大夫)로 승진 하였고, 조(祖)의 휘 중현(重賢)은 아들이 높은 직위에 있었으므로 첨지중추부사(僉知中樞府事)의 품계에 오르고, 고(考)인 통덕랑(通德郞)의 휘 조감(存鑑)은 호가 성재(省齋)로 문행(文行)이 있었으며, 두 아우인 헌랍(獻納) 재감(在鑑) 및 통덕랑(通德郞)인 우감(右鑑)과 함께 백발의 나이에 한 방에서 동거 하였는데, 마루의 편액은 '담락(湛樂)' 이었다. 비(妣)는 공인(恭人)인 밀양 손씨 일제(密陽孫氏日濟)의 딸이다. 공은 어렸을 때부터 보통 아이들보다 총명하였으며, 약관의 나이가 되지 않아서 사서(四書)와 오경(五經)을 자기 말처럼 외웠다. 그러나 숙수(菽水)를 이어가기 어려워, 책을 놓고 쟁기를 잡아 부모를 봉양하며 맛있는 음식을 다 제공 하므로, 참판(參

判)으로 있던 당형 성일(堂兄誠一)이 그 효성에 감동하여 자신의 전토(田土)를 주었다. 전수상(前後喪)에 걸쳐 몸이 말랐으나 예절에 지나치도록 상예를 지키었고, 몸은 정직한 것으로 근신하였으며, 가정을 거느리는 것도 은위(恩威)를 병행 하였다. 만년에는 오로지 역학(易學)에 전력하여 남모르게 도(道)를 통하므로 후학들에게 지남(指南)이 되었다. 공은 순조 계유년(서기 1813)에 태어나 고종 임진년(서기 1892)에 향년 80세로 작고하였는데, 기일(忌日)은 3월 8일이며, 고창(高敞)의 지동(池洞) 앞 산 부곤원(負坤原)에 장사하였다. 배(配)인 공인(恭人)은 고성김씨(固城金氏)인 상택(相宅)의 딸로 병신년(서기 1956) 9월 10일 작고하여 공의 묘에 부장 하였다. 3남을 두어, 장남은 인기(仁綺)이며, 차남은 인철(仁哲)로 이 분은 학행(學行)이 있어 세상에서 오천처사(梧川處士)로 칭하였으며, 다음 아들은 인선(仁善)이다. 그리고 딸은 곡부 공학수(曲阜孔學洙), 여산 송진태(礪山宋鎭泰) 등에게 출가 하였고, 인기(仁綺)의 아들은 구삼(龜三), 용삼(龍三)이며, 인철(仁哲)의 아들은 근삼(近三)인데, 이는 효성과 우애로 고을에서 저명 하였고 정삼(鼎三)은 가학(家學)을 계승 하였으며, 다음 아들은 응삼(應三)이다. 그리고 인선(仁善)의 아들은 기삼(基三)이며, 증손과 현손 이하는 다 기록하지 않았다. 아! 지금 공의 세대는 이미 멀지만 그 유풍은 아직 사라지지 않고 있다. 시례(詩禮)는 그의 조상으로부터 내려온 가업이며 효우(孝友)는 그의 다반사이다. 지금 비석을 세우는 일에 후손들이 힘을 같이하므로, 증손인 헌국(憲國)이 나에게 비문을 요청여, 나는 같은 마을에 살고 있으므로, 그 정의상 사양하지 못하고 다음과 같이 명(銘)을 엮었다.

관직으로 화려하게 살지 않고, 종정(鐘鼎)[35]으로 부자가 되지 않았다. 행실을 몸에 쌓아 그 덕이 후손에게 빛났다. 그 조리(操履)[36]를 보면 복 받을 일이 어둡지 않다. 나의 말을 믿지 않거든 어찌 자손이 번창하는 것을 보지 않는가?

通德郎鄭公墓碣銘并序

每觀世之衣冠門戶 累數世相承 蔚有聲望 于鄉邦者 必其先世詩書仁孝 以培其根 不食之報 待其時而發 余於通德郎鄭公 信然矣 謹按: 公諱豊一 字大有 號景春堂

---

35) 종(鍾)은 곡식 8가마니를 말하며 정(鼎)은 삼정(三鼎)과 오정(五鼎)을 말한 것으로 고대 중국의 대부(大夫)는 삼정, 제후는 오정을 두고 살았다.
36) 조행(操行)과 같은 말임.

晉陽氏 勝國平章事 謚諱藝 其上祖 禦侮將軍諱友遜 仕本朝 己卯禍作 棄官南下 高祖德湖 諱萬俊 贈吏曹叅判兼同知義禁府事五衛都摠府副摠官 曾祖諱宅臣 文禮曹叅判 出宰藍浦 陞嘉義 祖諱重贄 以子貴 恩階僉知中樞府事 考通德郎 諱存鑑 號省齋 有文行 與二弟獻納在鑑 通德郎右鑑白首同居一室 軒曰湛樂 妣恭人密陽孫氏 日濟女 公幼聰悟絶夷 未弱冠 四子五經 如誦己言 家寠甚 菽水難繼 乃釋經執耒 躬耕養親 甘毳畢給 堂兄叅判誠一 感其孝 分己田與之 前後喪 柴毁逾禮 飭躬以正 御家恩威幷行 晚而專用力於易學 默契道妙 爲後學指南 生純廟癸酉 卒憲宗壬辰 壽八十 三月八日 其忌也 葬于高敞之池洞前嶝負坤原 配恭人固城金氏 相宅女有士女稱丙申九月十日卒 祔公墓 三男 長仁梡 次仁哲 有學行 世稱梧川處士 仁善二女 適曲阜孔學洙 礪山宋鎭泰 梡男龜三 龍三 哲男近三 孝友著於鄕黨 鼎三 克述家學 應三善男基三 曾玄以下 不盡記 噫 今去公之世己遠矣 而遺風不抹 詩禮其箕裘也 孝友其茶飯也 今於金石之役 後昆齊力 嗣曾孫憲國 請 銘於不佞 同閈故交 誼不敢辭 銘曰:
匪靑紫而爲華 不鍾鼎而爲富 行積于身 德耀于後 視履考祥 報施不爽 所不我信 盍觀乎椒聊之繁且昌

송파 유공(松波柳公)의 묘갈명(墓碣銘) 병서(幷序)

공은 스스로 호를 '송파(松波)' 라고 하였다. 대개 소나무는 절조(節操)가 확고하고 그 푸른 잎이 바람을 만나면 파도가 일 듯이 한다. 이에 공의 결백한 지조에다가 봄같이 화기로운 기상을 엿볼 수 있으므로, 이에 살펴려고 한다.

공의 휘는 항숙(恒淑)이며, 자는 대여(大汝)로, 유씨(柳氏)는 고흥(高興)의 대성(大姓)으로 고려의 문하시랑(門下侍郎)과 평장사(平章事)를 지낸 분이 시조이며, 본조에 들어와 허재(虛齋) 휘 원경(源經)은 행의(行誼)와 수신(修身)에 밝고 사문(斯文)에 공이 있었으므로 창효사(彰孝祠)에 배향 되었다. 이 분은 공의 7세조이다. 고조는 수성(壽星), 증조는 현(賢), 조(祖)는 세언(世彦), 고(考)는 동순(東淳)으로 이 분은 통정대부 돈녕부도정(通政大夫敦寧府都政)을 역임하였고, 비(妣)는 숙부인(淑夫人)인 죽산안씨(竹山安氏)로 고종 정묘년(서기 1867)에 공을 낳았다. 공은 자질이 영민하고 그 성품은 효우(孝友) 하였으며, 어려서부터 동정(動靜)과 어묵(語默)에 있어서 엄연히 노성(老成)한 사람 같았고, 스승에게 나가 공부할 때는 일과에 스승의 독촉을 받지 않고 노력 하였으며, 아버지를 섬길 때는 뜻을 잘 받들고 음식으로 잘 봉양 하였고, 상을 당하였을 때는 슬픔을 다 하였으며, 자질에게도 자상하게 교육하고 종족에게도 화목하였고, 세상이 옛날 같지 못한 것을 개탄하고 권귀(權貴)의 문을 가지 않았으며, 높은 산에 올라서는 읊고, 물에 임하여서는 시를 읊었으며, 시국을 민망하게 여기고 풍속에 마음 상하게 여기던 뜻을 시가(詩歌)로 표현 하였다. 공은 정축년(서기1937) 3월 5일 향년 71세로 작고하여, 신림방 외화리(新林坊外化里) 안산(案山)의 유좌원(酉坐原)에 장사하였다. 배(配)는 죽산 안씨(竹山安氏)인 진사 중섭(進士重燮)의 딸로 혈육을 두지 못하고, 임오년(서기 1942) 10월 20일 작고하여 공의 묘에 부장 하였다. 계배(繼配)는 장성 서씨(長城徐氏)인 후인(厚寅)의 딸로, 갑오년(서기1954) 7월 8일 작고하여 환산(環山)의 앞산 유좌원(酉坐原)에 장례를 치루었고, 두 아들을 두어 장남은 희석(熙碩), 차남은 희수(熙洙)이며, 세 분의 딸은 진주 정동인(晉州鄭東仁), 전주 이재근(全州李載根), 광산 정승호(光山鄭升鎬) 등에게 출가 하였고, 희석(熙碩)의 아들은 현철(顯轍〈*(편집 주의)좌측 車字 자리에 月字를 넣음〉)이며 초명은 갑규(甲圭), 길규(吉圭)이며, 희수(熙洙)의 아들은 진규(津圭), 택규(澤圭), 원규(洹규)이다. 대개 공은 학문으로 자부하지 않고 마음을 바로 세우고 충의(忠義)를 위주로 하였으며, 행실을 실천을 근본으로 삼아 속세와 혼동하지 않았고, 또한 바로 잡으려고 하거나 자랑하지 않았으므로, 공을 대한 사람들은 봄기운을 만난 듯 하였으니, 어긋난 소장부(小丈夫)와 함께 논할 바가 아니었다. 아들 희석(熙碩)은 가업을 계승하여 사우(士友)들이 존중하고, 장차 그 묘소에 비석을 세우려고 하면서 비문을 나에게 부탁 하므로 다음과 같이 명(銘)을 엮었다.

　환산(環山)의 남쪽에 있는 산은 뱀처럼 길다. 그 산 허리에 있는 묘는 상쾌하여 천년 백년에 빛나리니! 그 송파 유공(松波柳公)의 무덤임을 알 수 있으리라.

松波柳公墓碣銘 并序

公自號松波，盖取諸松固貞操而千翠萬蒼，遇風成波。于以見公以介潔之操，兼有春和之像，遂按 而爲之叙。公諱恒淑，字大汝，柳氏高興大姓，高麗門下侍郎平章事爲遠祖。至本朝虛齋諱惠源。經 明行修，功存斯文，配享彰孝祠宴，公七世也。高祖曰壽星，曾祖曰賢，祖曰世彦，考曰東淳，通政大夫敦寧府都正。妣曰淑夫人平澤林氏，曰淑夫人竹山安氏。生公于高宗丁卯，明敏其資，孝友其性。自在童穉，動靜語默，儼如老成。甫就傅，不煩程督，而能自勉勵。事親備志物，居喪盡易戚，諄諄於教子姪，倦倦於敦睦宗族。慨世道之不古，足不涉乎權貴門。登高而嘯，臨流而賦，憫時傷俗之意，每發於歌咏。以壽七十一，卒于丁丑三月五日，葬于新林坊外化里案山酉坐原。配竹山安氏，進士重爕女。無育，壬午十月二十日卒，祔公墓。繼配長城徐氏，厚寅女，甲午七月八日卒，葬在環山前嶝酉坐。二男長曰瀗碩，次曰熙洙。三女壻，晋州鄭東仁，全州李載根，光山鄭升鎬。瀗碩男顯瞰，初名甲圭，吉圭。熙洙男津圭，澤圭，洹圭。蓋公未嘗以學問自居，立心忠義爲主，制行以踐履爲本，不混俗而同流，亦不矯而矜高，是以接之者如襲春和，非齷齪小丈夫所可同日而語矣。肯胤熙碩，堯述家業，士友推重，將堅石厥阡，顯刻之托鄙在，余爲之銘。曰：環之南有山蛇然，而長山之腰有丘爽然。而光於千百年，知其爲松波柳公之藏。

증참의 김공(贈參議金公)의 묘갈명(墓碣銘) 병서(幷序)

영조 무인년(서기 1758) 4월 14일에 참의(參議)에 증직된 김공(金公)이 작고 하였다. 그가 태어난 숙종 병술년(서기 1706)으로부터 향년 53세이며, 고사면 내고리(古沙面內古里)의 뒤인 축원(丑原)에 장사하였다. 후손 혜면 수가 쉰셋이다. 고사면 내고리 후축원(古沙面內古里後丑原)에 묻었다. 후손 재덕(在德)과 구현(九鉉)이 나에게 비문을 간청 하였다.

삼가 살펴 보건데, 공의 휘는 이겸(履謙), 자는 윤보(允甫)이다. 광산 김씨(光山金氏)는 신라 왕자 흥광(興光)으로부터 시작되고 고려에 이르기까지 12명의 평장사(平章事)를 배출하였으며, 판서 인우(仁雨)가 장사현감(長沙縣監)으로 부임할 때부터 그 곳에서 살게 되었고, 여러 대를 지나 생원(生員)인 휘 경희(景熹)에 이르러 세상에서는 그를 노계선생(蘆溪先生)이라고 불렀다. 이 분이 공의 고조이다. 증조는 백곡(白谷), 휘는 홍우(弘宇)이다. 임정지역(壬丁之役)에서 공훈을 세워 남원부사(南原府使)에 제수 되어 장악원정(掌樂院正)에 증직되었고, 휘 여진(汝振)은 부친으로 참의(參議)에 증직되었는데 휘는 남철(南哲)이다. 비(妣)는 조양 임씨(兆陽林氏)인 기(杞)의 딸이다. 공은 태어나면서부터 효우(孝友)를 타고났으며, 선조로부터 시례(詩禮)를 가

업으로 계승하였으며, 부모에게 봉양은 즐겁게 하였고, 병을 앓고 계실 때는 근심하여 손가락을 잘라서 피를 드리어 수일동안 수명을 연장 하였으며 부모의 상을 당하였을 때는 슬픔을 다하였고 전후의 상에 모두 그렇게 하였다. 본래 성품이 베풀기를 좋아하여 언제나 흉년을 되면 친척들이 그를 기다렸고, 독서를 좋아하고 실천에 힘을 써 만년에는 학문이 깊고 행실이 독실하여, 고을과 본도(本道)에서 추천장을 주고 받아 포상하는 은전이 있었다. 배(配)는 숙부인(淑夫人)인 신평송씨(新平宋氏)와 남원윤씨(南原尹氏)이며 묘는 구성(九星)의 뒤 산과 죽림등(竹林嶝)에 있는데 모두 사좌원(巳坐原)이다. 두 아들을 두어 주광(胄光)과 중광(重光)이며, 허국태(許國泰)와 조창하(曺昌夏), 김언채(金彦采), 유익풍(庾益豊) 네 분은 사위이다. 하기(夏器), 하구(夏九), 하덕(夏德)은 큰 아들의 아들이며, 하삼(夏三)은 차남의 아들이다. 증손과 현손 이하는 모두 기록하지 않았다. 다음과 같이 명(銘)을 엮었다.

선조들의 정렬(貞烈)을 서술 하였으니, 가학(家學)의 연원(淵源)이었다. 사후에 증직 하였으니 조상에 빛이 났다. 자손이 많아 가정이 창성 하였으니 예천(醴泉)은 근원이 있고 영지(靈芝)는 뿌리가 있는 것이다. 좋은 덕이 천추에 전하였으니 하여금 속일 수 있겠는가.

贈僉議金公墓碣銘 并序

英廟戊寅四月十四日, 贈僉議金公卒。距其生肅廟丙戌, 壽五十三, 葬在古沙面內古里後丑原。後孫在德、九鉉, 徵余銘牲石。按：公諱履謙, 字允甫, 光山氏, 自新羅王子興光始, 至麗有十二平章事。至判書仁雨遷長沙監, 因家焉。累傳至生員諱景熹, 世稱蘆溪先生, 公高祖也。曾祖白谷諱弘宇, 壬丁之役, 以勳除南原府使臣, 贈掌樂院正。諱汝振, 考贈僉議, 諱南哲。妣兆陽林氏杞女。公胚胎孝友, 弓冶詩禮。事父母養致樂, 而病致憂, 至斷脂進血, 延數日命。喪則致哀前後皆然。性喜施, 每凶歉, 親戚以爲歸。好讀書, 務以踐履。迨乎晚年, 以學邃篤行, 鄕道交章至有褒贈之典。配淑夫人新平宋氏, 南原尹氏, 墓在九星後麓及竹林嶝皆巳原。二男胄光、重光。許國泰、曺昌夏、金彦采、庾益豊四壻。夏器、夏九、夏德, 長房出。夏三 次房出。曾玄以下, 不盡錄。銘曰：
祖述先烈, 家學淵源。身後榮贈, 賁于丘園。詵詵克昌, 醴源芝根。令德千秋, 俾也可諼。

율정 조공(栗亭曺公)의 묘갈명(墓碣銘) 병서(幷序)

계묘년(서기 1963)

　자하씨(子夏氏)가 다시 일어나더라도 반드시 공을 배웠다고 말할 것이다. 현인(賢人)을 어질게 여기어 얼굴빛을 바꾸는 것을 공이 이행하고, 아버지 섬기는 일에 힘을 다하기를 공이 이행하고, 친구를 사귈 때 신의(信義)를 갖는 것도 공이 이행 하였으니, 대저 학문은 이와 같이 구할 뿐이니, 배우지 않고 이행하면 누가 배우지 않았다고 하겠는가? 공의 효우(孝友)는 그의 성품이며 온화한 것은 그의 기질이었다. 그가 겨우 배우려고 할 때는 희롱하고 노는 것을 좋아하지 않고, 배운 것을 적극적으로 공부 하였다. 그러나 가정이 가난하여 부모를 봉양하지 못한 것을 가슴 아프게 생각하여, 아버지에게 학문을 그만두고 농사를 지어 맛있는 음식을 제공하겠다고 여쭙고, 여가만 있으면 족장 동오공(東塢公)에게 나가 아버지 섬기는 도리를 물어보고, 그 말을 들으면 이행하였다. 그러나 학문을 하지 못한 것이 평생 동안 한이 되어 스승을 맞이하여 자여질(子姪)을 교육하고, 원근에 사는 종족들에게도 가정이 가난하여 학문을 하지 못한 사람들은 반드시 도와주었으며, 문행(文行)을 겸한 선비가 있으면 비록 나이가 적더라도 반드시 공경하였고, 항시 아들에게 경계하기를 "옛날 내가 어렸을 때 부모를 봉양하면서 음식을 계속 제공하지 못하였는데, 지금 너희들은 콩잎 국이라도 배불리 먹고 사니, 학문에 노력하고 행실을 닦아 나의 원을 이루워 주기 바란다."고 하였는데, 상을 당한 후 정의와 예절이 지극하고 두 형과 우애가 지극하여 물건도 네것 내것이 없었고, 가취(嫁娶)에 있어서도 빈부를 막론하고 오직 법가(法家)를 택하였다. 그리고 성품도 담담하여 남들과도 친한 사이가 아니라도 정이 넘치었으므로, 그 덕 있는 모습을 보는 사람들은 공경하지 않는 사람이 없었다. 하루는 선산(先山)에 투매(偸埋)[37]하는 일이 발생하여, 공이 그 사람을 불러놓고 이치로 일깨웠으나, 그는 결국 뜻을 굽히지 않으므로, 관청에 고발하여 처리하게 하였는데, 그는 폭행하는 동비(東匪)들을 토벌하자, 그는 밤에 공을 찾아와 살려달라고 애걸하므로, 공은 서서 그에게 말하기를 "네가 죄를 알면 다행이다"고 하자, 그는 눈물을 흘리며 결국 양민(良民)이 되었다. 아! 이것은 공의 행실의 대략이다. 경승(敬承)과 덕현(德賢)은 공의 휘와 자이며, 율정(栗亭)은 호이다. 조씨(曺氏)의 계통은 창녕(昌寧)이며, 보문각(普文閣)의 직제학(直提學)을 역임한 휘 서세(庶世)는 청간선생(淸澗先生)으로 칭

---

37) 남의 산에 산주 모르게 묘를 쓰는 것.

하는데, 이 분이 현조(顯祖)이다. 그리고 여러 대를 지나 부장(部將)인 휘 침(琛)이 처음으로 남쪽 지방으로 내려오고, 이 분의 아들 휘 인숙(仁淑)은 행의(行誼)로 현릉참봉(顯陵參奉)에 제수되었으며, 휘 여일(汝一)은 임란(壬亂) 때 초야에서 거의(擧義)하였고, 휘 흡(洽)은 호가 계암(溪菴)으로 문행(文行)을 겸하고 이괄(李适)의 란(亂) 때 병사를 모집 하였으며, 휘 세규(世規)는 자계(資階)가 통정대부(通政大夫)였으며 응택(應澤), 석구(錫龜), 우신(禹臣), 영식(榮植)은 4세(世)의 휘이다. 비(妣)는 진원박씨(珍原朴氏)인 상득(相得)이 그의 고(考)이다. 공은 헌종 무신년(서기 1848)에 태어나 고종 임인년(서기 1902) 2월 14일 향년 55세로 작고하여 장성(長城)의 금곡(錦谷)의 후록(後麓)인 모자원(某坐原)에 장사하였으며, 원배(原配)인 초계변씨(草溪卞氏)는 문화(文華)의 딸로 공보다 23년 늦게 작고하여, 천북면 중리(川北面中里)의 좌록(左麓)인 모좌원(某坐原)에 장사하였다. 아들 4남을 두어 병연(秉年), 병택(秉澤), 병문(秉文), 병효(秉孝)이며, 두 딸은 안석충(安錫衷), 유홍선(柳泓善) 등에게 출가하였고, 장남의 아들은 창섭(昌燮), 윤섭(胤燮)인데 이 분은 넷째의 후사(後嗣)로 입양하고, 둘째의 아들은 영섭(永燮)이며, 셋째의 아들은 형섭(亨燮)이다. 증손 기덕(基德)이 현곡 유영선(玄谷柳永善)이 지은 행장을 나에게 가지고 와서, 비명(碑銘)을 간청하므로, 글을 지을 사람이 못된다고 사양하지 못하고 다음과 같이 명(銘)을 엮었다.

효우(孝友)에 독실하여 남도 선비들이 그를 앞서지 못하였네. 사정(私情)을 극복하여 성력(誠力)을 보존하여 자신의 본성을 이루었네. 이미 그 성품을 풍족히 받았으나, 어찌 그 수(壽)는 인색하였을까? 사적으로 그 비석에 명(銘)을 지었으며, 금곡(錦谷)에 묘소가 있었네.

栗亭曹公墓碣銘 并序 癸卯

子夏氏復起, 必謂公學矣。賢賢易色, 公以之事親竭力, 公以之交友有信, 公以之盖學求, 如是而已。不學能行, 孰不曰學也哉！公孝友其性, 溫潤其質。甫上學不好弄所受是極, 顧傷貧無以爲養, 遂禀于親, 易經以耒, 以資供甘。暇輒就族丈東塢公問事親之道, 聞輒能行。以失學爲畢生悔恨, 延師敎子姪, 遠近族戚, 貧不能學者, 必使資之。有文行士雖妙齡, 必加敬。恒戒子姓, 曰："昔我少也, 養不繼寂水。今汝曹藜藿尙飽, 須勉學修行, 以償吾願。"丁憂, 情文兩摯。友二兄, 物無彼我。凡嫁娶不論貧富, 惟法家是擇。性又恬淡, 與人未嘗款洽而情溢于表, 覿德者無不欽服。先壟嘗有偸埋變, 公公招致其人, 以理諭之, 終不屈, 遂告官處理。彼因東匪行暴及討平, 乘夜乞哀。公徐謂曰: "若知罪, 幸矣。"彼感泣, 卒 爲良民焉。嗚呼! 此公行己大畧也。敬承德賢, 公諱若字。 栗亭號也。曺系昌寧, 寶文閣直提學諱庶, 世稱淸澗先生, 是爲顯祖。累傳至部 將諱琛始南下。生諱仁淑, 以行義除顯陵㕱奉。至諱汝一, 壬亂 草茅仗義。諱 洽 號溪庵 有文行 适變募兵 諱世規 壽階通政 曰應澤 曰錫龜 曰禹臣 曰榮植 四 世諱 也。妣珍原朴氏 相得其考。公生憲宗戊申 卒于高宗壬寅二月十四日, 壽 纔五十五, 葬于長城 之錦谷後麓某坐原。配草溪卞氏, 文華女, 後公二十三年 歿, 葬川北面中里左麓某坐原。四男, 秉年、秉澤、秉文、秉孝。二女, 適安錫 夷, 柳泓善。長房男昌燮。胤燮爲四房後。二房男永燮。三房男亨燮。曾孫基 德, 以玄谷柳永善狀, 徵銘不佞, 不敢以非其人辭, 爲之銘。曰:

曰篤孝友, 南士莫先。克私存誠, 遂吾性天。旣豐厥賦, 胡嗇之年。私銘其石, 錦谷之阡。

통정대부 홍문관 전한(通政大夫弘文館典翰)의 유백당 문공(流百堂文公)의 묘갈명(墓碣銘) 병서(幷序)

아! 영암의 노송리 허문동 갑자원(靈巖老松里許文洞甲坐原)은 유백당 문공(流百堂 文公) 휘 재상(載尙), 자 계직(季直)의 묘이다. 공의 후손 견선(見善)과 영범(永範) 두 사문(斯文)이 종후손 영목(永穆)이 지은 행장(行狀)을 가지고 백리 길에 나를 방문하 여 비명(碑銘)을 지어달라고 간청하였다.

삼가 살펴보니, 공은 광해(光海) 신유년(서기 1621)에 태어났다. 그는 출중하고 남 달리 영리하였으며, 가학(家學)에 젖어 독서를 좋아하고, 자신이 알려지기를 바라 지 않았으며, 오직 효우(孝友)를 가정을 다스리는 가르침으로 삼았고, 일생동안 사심 (私心)을 버리고 천리(天理)를 밝히며 인심(人心)을 바로잡는데 전력 하므로, 그의 조 부 풍애공(楓崖公)이 사랑하여 말하기를 "우리 가정을 창성하게 할 사람은 이 아이 다."고 하였다. 공의 성품은 또 강직하여 남의 선행을 보면 자신의 일처럼 여기었고, 의롭지 못한 일을 보면 조금도 용서하지 않아 결코 범할 수 없는 기상이 있었다. 그는 나이 겨우 23세로 인조 계미년(서기 1643) 9월 29일 작고하였으니, 아! 너무도 단명하여 원근에서 아는 사람과 모른 사람들이 모두 그의 수명이 인자한 덕에 맞지 않는 것을 슬퍼하였다. 문씨(文氏)의 관향은 남평(南平)이며, 족보에 삼한벽상공신 무성공(三韓壁上功臣武成公) 휘 다성(多省)을 시작으로 대대로 관직이 혁혁하였으며, 고려조에 이르러 평장사(平章事)를 지낸 시호 충숙(忠肅), 휘 극겸(克謙)과, 그의 아들 휘 유필(惟弼)도 평장사를 역임하여 순평부원군(順平府院君)에 피봉되어 시호를 효혜(孝惠)라고 하였고, 휘 달한(達漢)은 삼중대광문하찬성사(三重大匡門下贊成事)를 역임하여 순평부원군(順平府院君)에 피봉된 시호 충익(忠翊)은 역사에 많은 기록이 있으며 본조(本朝)에 들어와 휘 효종(孝宗)은 판중추부사 겸 홍문관 대제학(判中樞府事兼弘文館大提學)을 역임하여 시호를 호간(胡簡)이라 하였다. 충순위 직장(忠順衛直長)을 지낸 휘 좌화(座和)는 단종(端宗)이 손위(遜位)할 때 영암(靈巖)으로 내려와 은거하며 관직에 나가지 않고 구암사(龜巖祠)에 배향되었는데, 이 분이 공의 고조이다. 그리고 승사랑(承仕郞)을 역임한 명견(命堅)과 호가 풍애(楓崖)인 팽담(彭聃)과 관상감(觀象監)의 훈도(訓導)를 역임한 호 애송당 익현(愛松堂益顯)은 3세(世)의 휘이며. 외조는 통천최씨(通川崔氏)로 참의(參議)를 지낸 홍제(弘濟)이다. 배(配)는 숙부인(淑夫人)인 수성최씨(隨城崔氏)인 선조조(宣祖朝)의 원종공신(原從功臣)인 희량(希亮)의 딸로 유순하고 정숙하여 군자(君子)의 배필이 될 만 하였으며 숙종(肅宗) 경오년(서기1690)에 작고하여 그가 태어난 경신년(서기 1620)부터 향년 71세로 작고하였고, 묘는 공과 합폄(合窆) 하였다. 아들 3남을 두어 장남 봉래(鳳來)는 선공감정(繕工監正)을 역임하고 차남은 봉거(鳳擧)와 봉조(鳳朝)이며 승정원 좌승지(承政院左承旨)를 역임한 창화(昌華)와 광산 김광전(光山金光琠)의 아내는 장남이 낳았고, 창환(昌煥)은 차남이 낳았다. 아! 불후(不朽)의 비명(碑銘)을 부탁하였으나, 나는 그 글을 맡을 사람이 아니지만 기수(氣數)의 변화를 저 하늘에서 느끼지 않는 것이 없으므로, 거듭 슬퍼하여 다음과 같이 명(銘)을 엮었다.

  하늘이 이미 영특한 기질을 부였고 또 공순한 덕을 닦았다. 장차 크게 수용될 것이지만 어찌 또 속히 앗아갔을까? 신후(身後)의 은질(恩秩)은 공이 후한 덕을 쌓은 데서 나온 것이다. 후한 덕을 심으면 복이 오는 이치는 어긋나지 않는다. 세상에 있는지 겨우 23년이었지만, 그 유풍과 여운은 족히 백세(百世)에 전해도 사라지지 않을 것이다.

通政大夫弘文舘典翰流百堂文公墓碣銘 并序

嗚呼！有封若堂於靈巖之老松里許文洞甲坐原者，流百堂文公，諱載尙，字季直藏也。公後孫見善、永範二斯文，以其從後孫永穆狀，十舍見訪，求爲牲石之銘。謹按：公生光海辛酉，體幹傑梧，穎慧絶夷。擩染家學，喜讀書，不求聞達，惟孝友爲一家之政。一生用力，專在克去己私，以明天理、正人心爲主。王父楓崖公鍾愛之，曰："昌吾家者，必此兒也。"性又剛直，見人善若已有之，見不義少不假貸，截然有不可犯之義。年纔二十三卒于仁廟癸未九月二十九日。嗚呼，短矣！遠近知不知咸惜其壽不 稱仁。文氏，貫南平，譜自三韓壁上功臣武成公諱多省始。奕世烜嚇，至麗朝平章事謚忠肅諱克謙。生諱惟弼，亦平章事順平府院君謚孝惠。至諱達漢，三重大匡門下贊成事順平府院君謚忠翊，史不絶書。入本朝諱孝宗，判中樞府事兼弘文舘大提學謚胡簡忠順衛直長。諱座和，端廟遜位，南遯于靈岩，遂隱不仕，享龜岩祠。寔公高祖，承仕郎命堅。糸奉，號楓崖，彭聃。觀象監訓導，號愛松堂，益顯。三世諱也。外祖通川崔氏叅議弘濟也。齊淑夫人，隨城崔氏，宣廟原從功臣希亮女。嘉柔貞淑，克配君子，卒于肅廟庚午，距其生庚申，享年七十一，墓合兆。三男，長鳳來，繕工監正。次鳳擧、鳳朝。丞政院左承旨昌燁，光山金光琠妻，長房出。昌煥，次房出。噫，不朽之托，吾非其任，而氣數之變，不能無憾於彼天，重爲之悲系以詞曰：
天旣賦以英慧之質，又修以愷悌之德。若將可以大受，而又何奪之斯逼。身後恩秩，由公厚積。積厚則發，其理不忒。在世者僅二十三，而其遺韻剩馥，足以流百世而不沫。

통훈대부 사복시정(通訓大夫司僕寺正)인 우은 문공(愚隱文公)의 묘갈명(墓碣銘) 병서(并序)

선비가 당우(唐虞)의 융성한 시대에 태어나지 못하여 도유(都兪)의 사이에서 읍양(揖讓)하고 주선(周旋)하지 못하였다면, 다행히 우리나라의 성대(晟代)에 태어나 제현(諸賢)의 문하에서 수업하는 것이 또한 만족할 것이다. 우은 문공(愚隱文公)은 명문의 가문에서 생장하여 송우암(宋尤庵), 송동춘(宋同春) 두 선생의 문하에서 수업하여 그 높은 식견과 독실한 조행이 덕행과(德行科)에 나열할 만 하였다. 공이 작고한지 거의 300년이 되어가지만 남쪽 지방의 선비들은 지금까지 그의 의리를 칭송하고 그의 풍도를 흠모하고 있다. 아! 참으로 훌륭하다.

　삼가 살펴 보건데, 공의 휘는 봉래(鳳來), 자는 성징(聖徵)이며 우은(愚隱)은 호이다. 그의 선조는 남평인(南平人)으로 휘는 다성(多省)이며, 삼한벽상공신(三韓壁上功臣)에 수록되고 시호는 무성(武成)인데, 이 분이 시조이다. 신라(新羅)로부터 고려(高麗)에 이르기까지 충효(忠孝)와 높은 관직이 계승되었고, 본조(本朝)에 들어와 휘 효종(孝宗)은 대제학(大提學)과 판중추부사(判中樞府事)를 역임하고 시호는 호간(胡簡)이며, 휘 맹화(孟和)와 충화(忠和)는 忠順衛直長(忠順衛直長)으로 있을 때, 광해(光海) 때를 당하여 영암(靈巖)으로 내려와, 자손들이 거주하게 되었다. 고조는 승사랑(承仕郞)을 지낸 휘 명견(命堅)이며, 증조는 참봉(參奉)을 지낸 휘 팽담(彭聃)로 호는 풍애(楓崖)이며, 조부는 관상감훈도(觀象監訓導)를 지낸 휘 익현(益顯)으로 호는 애송당(愛松堂)이다. 이 분은 선조 정유년(서기 1597)에 의병을 일으키어 국란에 참여하고 호종공신(扈從功臣)이 되었다. 고(考)는 유유당(流有堂)으로 휘는 재상(載尙)이며 통정대부 홍문관전한 집경전직(通政大夫弘文館典翰集慶殿直)에 추증 되었고, 비(妣)는 숙부인 최씨(淑夫人崔氏)로 수성(隨城)의 세족(世族)인 선무원종공신(宣武原從功臣) 희량(希亮)이 그의 고(考)이다. 문장(文章)을 잘 지어 여사(女士)의 기풍이 있었다. 공은 인조 경진년(서기 1640)에 태어났으며 천성이 순후하고 관대 하였다. 그는 어려서부터 효성과 우애가 지극 하였다. 4세에 부친이 작고하자 성인처럼 사모하므로, 이웃마을 사람들은 모두 감탄하지 않는 사람이 없었다. 어머니의 명으로 성암이공 인수(醒庵李公仁壽)에게 수업할 때, 제의(祭義)의 "이미 상로(霜露)가 내려 군자(君子)가 밟고(霜露旣降, 君子履之)"라는 대목에 이르러서는 목이 메어 소리도 나지 않았고, 장성한 후에는 우암(尤庵), 동춘(同春) 두 선생에게 제자의 예를 갖고, 도(道)를 당론하고 학업을 열중하여 조금도 게을리 하지 않았으므로 그 문하의 학자들이 중하게 여기었다. 그 후 짐을 꾸리어 집으로 돌아온 후에는 문을 닫고 뜻을 구하여 선생에게 배운 것을 학생들에게 가르쳐며 반드시 실천하는 것을 근본으로 삼고 문예(文藝)는 말기(末技)로 생각 하였다. 그리고 거주하던 곳이 수석(水石)이 아름다운 곳이어서 매년 가절(佳節)에는 울부짖으며, 시도 읊으며 유연(悠然)히 멀리 떠난 생각을 갖고 있었으며 선조의 유업을 계승하고 인륜(人倫)에 독실하여 의장(義莊)을 두고 화목을 강론하였고, 동계(洞稧)를 결성하여 백성들의 풍속을 권하였다. 숙종 신묘년

(서기 1711) 5월 3일 향년 71세로 작고하여 영암 금정면 연소(靈巖金井面鷰巢)의 북쪽 산 임좌원(壬坐原)에 장사하였다. 배(配)는 숙부인(淑夫人)인 광산김씨 돈(光山金氏墩)의 딸로, 공보다 4년 먼저 태어나고, 공보다 1년 후에 작고하여, 공의 묘소 밑에 장사하였다. 외아들 창엽(昌燁)은 승정원 좌승지 겸 경연참찬관(承政院左承旨兼經筵參贊官)을 역임하고, 딸 한 분은 광산 김광전(光山金光琠)에게 출가 하였다. 손자는 한붕(翰鵬)과 덕붕(德鵬)으로 이 분은 병조참판(兵曹參判)을 역임하였으며, 증손 찬유(粲猷)는 공조참의(工曹參議)를 역임하고, 찬규(粲奎)는 호조참판(戶曹參判)을 역임하였다. 이하는 수효가 많아 다 기록하지 않는다. 아! 공의 기질은 충후(忠厚) 한데다가 학문을 겸하였는데, 그의 관직은 선공감정(繕工監正)으로 나가 조금 시험한 것이다. 그의 신후(身後)의 영광스러운 명예는 손자의 높은 관직으로 은전(恩典)이 내려졌다. 흙탕물은 와부(瓦缶)에 쏟아지지 않고 복택(福澤)은 음인(淫人)에게 내리지 않는 것이니, 공에게 그렇다고 믿을 수 있을 것이다. 손자 견선(見善)과 영범(永範)이 행장을 나에게 가저와서 비명(碑銘)을 간청하므로 그 선조를 추모하는 열의에 감동하여, 참아 사양하지 못하고 다음과 같이 명(銘)을 엮었다.

시례(詩禮)의 가정이며, 도학(道學)의 연원(淵源)이었네. 행실은 효도에 바탕을 두고, 덕(德)은 인(仁)을 위주로 하였네. 이런 사람이 인인(仁人)이니, 효자(孝子)의 묘소라네. 백세(百世) 후에 이 곳을 지난 사람들은 반드시 공경 하리라.

通訓大夫司僕寺正愚隱文公墓碣銘 幷序

士不生唐虞盛際, 旣未得揖讓, 周旋於都俞之閒, 幸生我東晟代, 摳衣執簡於諸賢之門, 斯亦足矣。愚隱文公, 生長名門, 受學于宋尤庵、同春兩先生門, 其見識之高, 操履之篤然, 列於德行之科。公沒始將三百年矣, 而南方之士, 至于今誦其義而慕其風。吁盛矣哉！謹按：公諱鳳來, 字聖徵, 愚隱堂號也。其先南平人諱多省, 三韓壁上功臣, 諡武成, 爲肇祖。歷羅迄麗, 世襲忠孝, 軒冕相承。入本朝諱孝宗, 官大提學判中樞諡胡簡。至諱孟和, 忠和順衛直長, 當光廟時, 南下靈巖, 子孫仍家焉。高祖承仕郞諱命堅, 曾祖叅奉諱彭聘, 號楓崖。祖觀象監訓導諱益顯, 號愛松堂。宣廟丁酉倡義勤王, 有扈從勳。考流有堂, 諱載尙, 贈通政大夫弘文舘典翰, 集慶殿直。妣淑夫人崔氏, 隋城世族, 宣武原從功臣希亮其考。善屬文, 有女士風。公生仁廟庚辰, 賦性醇厚仁恕, 幼有孝友至行。

四歲而孤, 悲慕如成人, 隣里莫不嘆賞。以母命就學于醒庵李公仁壽, 讀祭義至 "霜露旣降, 君子履之。"之文, 嗚咽不成聲。及長, 贄謁尤、春兩先生, 執弟子禮甚勤, 講道問業, 孜孜不懈。及門諸子, 多推重焉。及治任而歸, 札門求志, 以學於先生者敎來學者, 必以踐履爲本。文藝則末耳, 所居有水石之勝, 每良辰令節, 嘯咏自適, 悠然有遐擧之想。紹述先業, 篤於人倫。置義庄以講敦睦, 修洞禊以勸民俗。肅廟辛卯五月三日卒, 壽七十一, 葬在靈巖金井面鷲巢北嶝負壬之原。配淑夫人光山金氏, 墩女。生先公四年, 後公一年歿, 葬公墓下。一男曰昌燁, 承政院左承旨 兼經筵叅賛官。一女, 適光山金光琠。孫曰翰鵬、德鵬, 兵曹叅判。曾孫曰粲猷, 工曹叅議。粲奎, 戶曹叅判。以下繁不記。嗚呼! 公以忠厚之質, 濟以學文, 其官繕工監正, 出而少試也。其身後榮名以孫貴, 推恩金氏視其品。黃流不注於瓦缶, 福澤不降于淫人, 於公信然矣。孫見善、永範以狀, 徵余表隧之文, 感其追先之勤, 不忍終辭, 爲之銘, 曰:
詩禮家庭, 道學淵源, 行本乎孝, 德主乎仁。是維仁人孝子之阡, 百世之下過者其式焉。

송강의사 안공(松岡義士 安公)의 묘갈명(墓碣銘) 병서(幷序)

안씨(安氏)는 죽산(竹山)의 세가(世家)로 문학(文學), 절의(節義), 사환(仕宦)이 역사에 끊임없이 기록되어 매우 여망이 있었는데, 공이 그 중 한 사람이다. 공은 선조 병술년(서기 1586)에 태어나 인조 정축년(서기 1637)에 작고하여, 지금 황산(黃山) 뒤인 남성동(南星洞)의 을좌원(乙坐原)에 장례를 치루었다. 공의 휘는 진(晋), 자는 퇴보(退甫), 호는 송강(松岡)로 고려(高麗)의 상호좌복야(尙號左僕射) 휘 영의(令儀)가 그의 시조이다. 본조(本朝)에 들어와, 휘 증관(曾官)은 진현관직제학(進賢館直提學)을 역임하고, 휘 계인(季仁)은 병조참의(兵曹參議)를 역임하였으며, 휘 초(超)는 홍예문량관제학(弘藝兩館提學)을 역임하고, 휘 초(超)는 음직(蔭職)으로 사과(司果)를 역임하였으며, 휘 자전(子銓)은 서울에서 고창(高敞)으로 내려왔는데, 이 분이 공의 5세조(世祖)이다. 진사(進士) 열(悅)과 현령참봉(顯陵參奉) 세경(世卿)과 의로운 행실로 호조좌랑(戶曹佐郞)에 증직된 복(福)과 처사(處士) 처약(處約)은 고조(高祖) 이하 4세(世)의 휘이다. 공은 명가(名家)에서 태어나 일찍 가정 교훈을 받아 효제(孝悌)의 도(道)를 다 하였다. 공은 기우(器宇)가 괴위(魁偉)하고 강개(慷慨)한 뜻이 있었으므로 언제나 『사기(史記)』를 읽다가 충신(忠臣), 의사(義士)가 순절한 대목에 이르러서는 무릎을 치면서 감격하여 자신이 그 사이에 있는 것처럼 여기었다. 인조 갑자년(서기1624)에 이괄(李适)의 란(亂)이 일어났을 때, 책을 놓고 일어나 의병을 모집하고 군량도 모아 영광군수(榮光郡守)인 원공 두표(元公斗杓)와 함께 성(城)을 지키었고, 정묘년(서기 1627)의 노란(虜亂) 때는 사계 김선생(沙溪金先生)이 양호 호소사(兩湖號召使)로 격문을 띠워, 의병과 군량(軍糧)을 모집하면서 열읍(列邑)의 유사(有司)를 선정 하였는데, 본 현(本縣)의 양향유사(粮餉有司)는 공이었다. 그는 의분이 복바쳐 죽을힘을 다 하였으며, 많은 의곡(義穀)을 강도(江都)의 행재소에 조납(漕納)하고, 또 의병을 이끌고 전주 도의청(全州都義廳)으로 갔는데, 강화(講和)가 체결되자, 동궁(東宮)을 호위하여 전주(全州)에서 여산(礪山)까지 가서 전송하고 돌아와, 과거(科擧)에 뜻을 두지 않고 문들 닫고 몸을 편안하게 하고 경사(經史)를 연구하여 일생을 마치려고 하였으나, 정축년(서기 1637)의 난(亂)을 당하여 공도 노쇠하고 병이 들어 무슨 일을 할 수 없었는데, 갑자기 성하(城下)의 맹약(盟約)을 듣고, 분통한 마음이 병이 되어 작고하였다. 이 일은 『양호거의록(兩湖擧義錄)』에 기재되어 있다. 그 고을 선비들은 벽산(碧山)에 사우(祠宇)를 건립하여 제공(諸公)과 함께 배향 되었다. 유씨(柳氏)는 고흥인(高興人)으로 전력부위(展力副衛)인 익(瀷)의 딸이며 묘(墓)는 같은 장소이다. 아들 4명은 익로(翼老), 정로(鼎老), 현로(鉉老), 태로(台老)이며 딸 한분은 전주 이규일(全州李圭一)에게 출가 하였다. 5세손 건정(建廷)과 형근(逈近) 형제 4인이 모두 효행(孝行)으로 호조좌랑(戶曹佐郞)에 증직되고, 아울러 정여(旌閭)도 되었다. 아! 공은 초야(草野)에 한 포의(布衣)였으나 마음은 대궐에 있어 나라에 변란이 있을 때는, 죽을 곳에 임하기를 집으로 돌아가는 것처럼 여기었으니, 비록 그 일이 이루어지지 않았더라도 그 충성과 의리는 수 백년 후에도 상상할 수 있을 것이다. 후손 병일(秉一)과 병호(秉浩) 및 장환(章煥)이 행장을 가지고 나를 방문하여 묘도(墓道)에 말 한마디를 해주기 바라므로 위와같이 서술하여 명(銘)을 엮었다.

 몸은 초야에 있으나 마음은 왕사(王事)에 간절하였다. 나가서는 의병(義兵)과 군량(軍糧)을 모집하였으니, 웅비(熊羆)같은 장수였고 물러나면 성현을 글을 읽었으니, 그 빛이 금옥(金玉)과 같았다. 간직한 경륜을 펴지 못하였으나, 뜻은 더욱 드러났다. 오직 충성과 의리만 의존하였으니 초동(樵童)과 (牧豎)들은 그 묘소 옆도 밟지 마라.

松岡義士安公墓碣銘 并序

安氏, 竹山世家, 文學也, 節義也, 仕宦也. 史不絕書, 蔚有望實. 公亦其一也. 公以宣廟丙戌生, 卒於 仁祖丁丑, 今黃山後南星洞枕乙之原, 卽其藏也. 公諱晋, 字退甫, 松岡號也. 高麗尙號左僕射 諱令 儀 其肇祖. 本朝進賢舘直提學 諱曾官, 兵佐. 諱季仁, 弘藝文兩舘提學. 諱迢蔭, 司果. 諱子銓, 自京南下高敞, 寔公五世也. 進士悅, 顯陵叅奉世卿, 行義贈戶曹佐郞福, 處士處約, 高祖以下四世諱也. 公生名家, 早服庭訓, 能盡孝悌之道. 器宇魁偉, 有慷慨之志. 每讀史至忠臣義士立懂處, 輒擊節感激, 若身處其間. 仁祖甲子适變, 投經而起, 募兵聚穀, 與靈光倅元公斗杓同守城. 丁卯虜亂, 沙溪 金先生時以兩湖號召使發檄募兵粮, 選定列邑, 有司本縣粮餉, 有司則公也, 奮義戮力, 多劃義穀, 漕納江都行在所, 遂率義旅赴全州都義廳, 及媾成扈東宮自全州至礪山, 祗送而歸. 因廢公車業度夂 門,自靖硏經究史, 若將終身. 值丁丑亂, 公已衰病矣, 不能有爲, 遽聞城下之盟, 憤欝成疾而終, 事載兩湖擧義錄. 鄕章甫建祠碧山, 與諸公幷享. 配柳氏, 高興人, 展力副衛漢女, 墓同原. 四男, 翼老、鼎老、鉉老、台老. 全州李圭一, 女壻. 五世孫建、廷、逈、近兄弟四人, 俱以孝行, 贈戶曹佐郞, 幷旌其閭. 噫! 公以草野一布衣, 心懸魏闕, 國有變, 輒赴死如歸. 雖其事之未成, 而其忠膽義膈, 可想像於數百載下矣. 後孫秉一、秉浩, 及章煥甫, 袖狀來訪, 徵一言, 用表阡道, 遂叙次如右, 系以銘. 曰:
身在草野, 志切勤王, 出而募兵穀, 熊狵其將, 退而讀聖賢, 金玉其光. 蘊雖未展, 志則益彰, 是惟忠義之攸托, 樵牧勿躝躋其傍.

낙포처사 문공(樂圃處士文公)의 묘갈명(墓碣銘) 병서(并序)

천작(天爵)은 나에게 있고 인작(人爵)은 저기에 있으므로, 궁달(窮達)과 흔척(欣戚)을 일삼지 않고 자신의 일을 닦고 자신의 본성(本性)을 즐기어, 끝까지 후회하지 않는 사람은 최근 고 락포처사 문공 휘 찬조, 자 지영(故樂圃處士文公諱燦祖字止榮) 뿐이다. 공은 어려서부터 아버지 죽산당공(竹山堂公)을 모시고 성담 송선생(性潭宋先

生)에게 수업하여 문리가 숙달하고 견식이 탁월 하였으므로, 사람들은 구산부자(龜山父子)가 정명도 문하(程明道門下)에 출입하는 것과 같이 여기었다. 대개 그 타고난 성품이 순수하고 영명하여 몸에 있어서는 자신을 위한 학문을 하되, 실천을 근본으로 삼고 문예(文藝)는 중시하지 안았으므로 일생동안 과거장에 나가지 않았고, 아버지를 섬기면서 순종하여 비위를 거스리지 않았으며, 맛 있는 음식으로 봉양하여 비록 가난하지만 빠뜨리지 않았으며, 상을 당한 후에는 예절에맞게 하며, 슬퍼하여 모든 것을 갖추었고, 복을 벗은 후에는 삭망(朔望)으로 묘소를 다니어 아무리 춥고 덥거나 비가 오더라도 중단하지 않았으며 형제간에 우애하여 종신토록 이간하는 말이 없었으므로, 종족들은 그 화목한 것을 칭찬 하였고 고을 사람들은 그의 사랑에 감복 하였다. 그의 마음속에 간직한 것은 성의와 공경 뿐이어서 근본이 있으므로 밖으로 풍기는 것이 순실하고 거짓이 없었다. 정참의 재룡(丁參議載龍), 유상사 성렬(庾上舍聖烈), 안상사 중섭(安上舍重燮)과 도의(道義)로 사귀어 깊은 산 밀림 속과 맑은 바람 밝은 달빛 아래에서 서로 시를 읊으며 세상의 총욕(寵辱)은 마음속에 두지 않았다. 공은 고종 정축년(서기 1877) 3월 30일 향년 66세로 정침(正寢)에서 작고하였으며 묘(墓)는 고창 고수면 추산봉(高敞古水面蒭山峯) 밑 정계(淸溪) 좌측 산기슭 계좌원(癸坐原)에 있다. 배(配)는 영성정씨(靈城丁氏)로 합폄(合窆) 하였다. 문씨(文氏)는 그 선조가 남평인(南平人)이며 상세(上世)에 휘 다성(多省)은 삼한벽산공신 무성공(三韓壁上功臣武成公)으로 시라(新羅) 때 크게 저명 하였으며 신라 고려를 거처 본조에 이르러 대대로 명공(名公)과 거경(巨卿)이 있어 그 높은 공훈(功勳)과 사업을 명백히 상고할 수 있다. 충순위 직장(忠順衛直長)이었던 휘 맹화(孟和)는 단종(端宗)이 손위(遜位)할 때 파주(坡州)에서 영암(靈巖)으로 은둔하였으니 이 분이 남쪽으로 내려간 조상이다 그후 3대를 지나 휘 익현(益顯)은 관상감 훈도(觀象監訓導)를 지내다가 정유년(서기 1597)에 민근신 여의(閔瑾慎汝誼)와 함께 의병(義兵)을 일으켜 남원(南原)의 소사전투(素沙戰鬪)에서 많은 전공(戰功)을 세웠고 또 2대를 지나 휘 봉기(鳳紀)는 호가 묵와(黙窩)로 큰 형 송구공 봉의(松邱公鳳儀)를 따라 송우암(宋尤庵), 송동춘(宋同春) 두 선생의 문하에서 수업하여, 연원(淵源)과 세가(世家)로 남쪽 지방에서 칭송 되었는데 이 분이 공의 6세조이다. 고조 재두(在斗)의 호는 수촌(睡村)이며, 증조는 세인(世仁), 조(祖)는 상엽(祥燁)인데, 모두 문행(文行)으로 저명 하였고, 고(考)인 명신(命臣)은 즉 산죽당(山竹堂公)이다. 비(妣)는 고흥유씨 덕천(高興柳氏德天)의 딸과 광산김씨 계명(光山金氏啓明)의 딸로 공은 김씨가 낳았다. 배(配)는 정석두(丁錫斗)의 딸로 부덕(婦德)을 갖추었고 공보다 4년 늦게 태어났으며 공보다 12년 먼저 작고 하였다. 두 아들은 규창(圭彰)과 규장(圭璋)이며 딸 한 분은 이천 서상유(利川徐相裕)의 아내가 되었다. 손자 형선(炯善)과 고선(高善)인데 이 분은 규창(圭彰)의 후사(後嗣)로 입양하고, 차남은 응선(應善)이다. 증손 영태(永泰)가 공의 행장을 나에게 가져와서 비명(碑銘)을 간청하므로, 정회(正會)는 다행이 그의 고을과 가까이 살고 있으므로, 선배와 어른들을 통하여 공의 행실이 독실한 군자(君子)라는 말을 실컷 들었다. 공은 일찍 심성리기(心性理氣) 등의 설(說)을 저술하여 유고(遺稿) 2권이 있었으나 병화(兵火)에 소실되어 글자 한 자도 전하지 않으므로, 영태(永泰)가 이 점을 한탄 하였다. 그러나 그의 아름다운 행실과 덕은 사람들의 이목으로 전하여 지금까지 칭송되고 있으니, 글이 전해지지 않는 것을 어찌 가슴아파 하겠는가? 다음과 같이 명(銘)을 엮었다.

효우(孝友)는 여러 행실에서 첫째인데, 공이 천성적으로 타고났네. 명리(名利)는 사람마다 달려가는데, 공은 뜬 구름처럼 여기었네. 자신은 자신의 천성을 즐기며 종신토록 주위를 맴돌았네. 백세(百世)동안 그대의 영영(英靈)을 누가 한 조각 돌에 새겨 영원히 전할까.

樂圃處士文公墓碣銘 幷序

天爵在我, 人爵在彼。不以窮達欣戚, 修吾職而樂吾天, 終無怨悔者, 近故樂圃處士文公, 諱燦祖, 字止榮是己。公妙齡陪從皇考山竹堂公, 受業于性潭宋先生門, 文理夙達, 見識卓越, 人擬以龜山父子之於程門。蓋其賦性純粹淸明, 在躬爲學, 以爲己實踐爲本, 文藝則不屑焉。故一生不赴場屋, 事親承順無忤, 甘毳之養, 雖窶亦無闕。及遭易戚, 備至服関, 朔望必上塚, 不以祁寒暑雨而或廢。友昆季, 終身無間言。宗族稱其睦, 鄕黨服其仁, 存諸中者誠敬而有本, 發於外者純實而無僞。與丁叅議 載龍、庚上舍聖烈、安上舍重燮爲道義交, 相與諷詠於山深林密之中, 風淸月白之辰。世間寵辱, 無所嬰其懷。以高宗丁丑二月三十日考終于寢, 壽六十六, 墓在高敞之古水面蕤山峰下淸溪左 麓枕癸原。配靈城丁氏, 合兆。文氏其先, 南平人。上世有諱多省, 三韓壁上功臣武成公, 大顯於新羅。歷羅麗, 及本朝, 世有名公巨卿, 磊落勳業, 班班可考也。忠順衛直長諱孟和, 端廟遜位, 自坡州遯于靈岩, 是爲南下之祖。三傳諱益顯, 觀象監訓導。丁酉與閔瑾慎汝誼, 倡義南原, 素沙役多戰功。又再 傳諱鳳紀, 號默窩,隨伯兄松邱公鳳儀同學于宋尤、春兩先生門，以淵源世家，稱於南方。於公六世也。高祖曰在斗，號睡村。曾大父曰世仁，大父曰祥燁，皆以文行著，曰命臣，卽山竹堂公也。妣曰高興柳氏，德天女，曰光山金氏，啓明女。公金出也。配丁氏，錫斗女，婦德甚備。後公四年生，其沒先十二年。二男，圭彰、圭璋。一女，利川徐相裕妻。孫男炯善、高善出，后圭彰應善，曾孫永泰，狀公行，請不佞以銘厥阡。正會幸密邇鄭鄉，從先輩長老稔聞公之爲篤行君子。公嘗著心性理氣等說，有遺稿數二卷而入于兵燹，隻字無傳。永泰以是爲恨。然其姱行懿德，塗人耳目，到于今稱之，文不傳奚傷。銘曰：

孝友群行之首，公得之於天。名利衆人之趨，公視浮雲然。樂吾天于吾圃，終其世以徜徉。百世子靈，其誰一片石示無疆。

후운당 김공(後雲堂金公)의 묘갈명(墓碣銘) 병서(幷序)

아! 공이 작고한지 이미 50여 성상이 흘렀으나 그 고을 사람들이 지금까지 칭송하는 말이 그치지 않는 것은 어찌 그 원인이 없이 이렇게 되겠는가? 삼가 살펴 보건데, 공의 휘는 재담(在澹), 자는 치순(致順), 호는 후운당(後雲堂)이며, 광산 김씨(光山金氏)는 화벌(華閥)[38]로서 고려(高麗) 때 명신 양간공(良簡公) 휘 연(璉)이 현조(顯祖)이다. 여러 대를 지나 본조(本朝)에 이르러, 군기시정(軍器寺正)을 역임한 휘 오행(五行)이 장사(長沙)로 내려오고, 아들 휘 기서(麒瑞)는 호가 돈목재(敦睦齋)이며, 이 분의 아들 휘 경희(景熹)는 생원(生員)을 지낸 분으로 세상에서는 노계선생(蘆溪先生)이라고 칭하였으며, 그의 아들 휘 홍우(弘宇)는 호가 백곡(白谷)이며, 그의 아들 휘 여진(汝振)은 호가 죽계(竹溪)로 정묘년(서기 1627;정묘호란)의 난(亂)이 일어나자, 의병(義兵)과 군량(軍糧)을 모집하여 전주(全州)로 가서, 왕세자(王世子)를 맞이하여 장악원악정(掌樂院樂正)과 첨중추부사(僉中樞府使)에 증직되었다. 명건(命建), 아욱(以旭), 상룡(相龍)은 고조, 증조 및 조부의 휘이다. 고(考)의 휘는 기수(箕洙)로, 덕을 감추고 벼슬하지 않았으며, 비(妣)는 말양 박씨(密陽朴氏)인 기렴(基廉)의 딸이다. 공은 철종 경신년(서기1860)에 태어났으며, 어렸을 때부터 성인처럼 풍도가 있었다. 그는 일찍 아버지를 잃고 편모를 섬기면서 가난으로 봉양할 수 없으므로 친히 농사를 짓

---

38) 세상에 드러난 높은 문벌.

고 고기도 잡고 나무도 하는 것을 자신의 분수 안에 있는 일로 생각하고, 남은 여가가 있으면 공부하여 식견이 고매하고 말마다 효우(孝友)와 경학(經學)을 떠나지 않았으며, 공검(恭儉)하고 겸양(謙讓)하여 처세(處世)를 말조심하는 것을 간절한 요체(要諦)로 삼았으며, 아버지 상을 당한 후에는 거의 이성을 잃을 번 하였고, 삭망(朔望)으로 묘소에 전배(展拜)하여 종신토록 폐지하지 않았다. 언제나 상(喪)을 당하면 항시 초상 때처럼 여기었고, 친척을 대할 때도 원소(遠疏)를 막론하고 은정이 두루 미쳤으며, 다른 나라의 호화로운 물건과 시골의 잡다한 기예(技藝)는 몸에 가까이하지 않았으며, 평생 동안 남의 선행(善行)만 말하고, 나의 허물을 말하지 않았으므로, 사람들은 모두 그를 사모 하였다. 공은 신해년(서기 1911) 6월 26일 향년 52세로 작고하여 전불선영(典佛先瑩)의 앞산 묘좌원(卯坐原)에 장례를 치루었으며 배(配)는 전주 이락우(全州 李樂宇)의 딸이었으나 혈육이 없었고, 정축년(서기 1937) 정월 24일 작고하였고 묘소는 내고(內古)의 뒤인 손원(巽原)이며, 또 한 분의 배(配)는 청도김씨 백여(淸道金氏 白如)의 딸로, 이 분은 유순하고 덕이 있어 군자(君子)의 배필이 될 만하였다. 종족과 동서들이 담장을 맞대고 살면서 극히 화목하게 지내어 가정에는 이간하는 말이 없었다. 남편이 병이 들었을 때 백방으로 약을 구하여 구제하였고, 상을 당한 후에는 초상과 장례 및 제사 등에 있어서 온갖 성의를 다하였고, 어린 아들을 기루면서 항시 유업(儒業)에 종사하여 선조의 덕을 떨어뜨리지 말기를 경계하였다. 공 보다 41년 후인 신묘년(서기 1951) 6월 20일 작고하여 묘소는 공과 같다. 아들 4명을 두어, 장남은 규현(奎鉉), 차남은 창현(昌鉉), 구현(九鉉), 필현(祕鉉)이며 강릉 유찬종(江陵劉贊鍾)은 사위이다. 규현(奎鉉)의 아들은 영무(永武), 창현(昌鉉)의 아들은 영택(永澤), 구현(九鉉)의 아들은 준영(準永), 영무(永武)로, 무영은 영우(永雨)의 후사로 입양하였고, 필현(祕鉉)의 아들은 영인(永仁)이며, 준영(準永)의 아들은 명수(明洙), 의수(義洙),춘수(春洙),준수(俊洙)이다. 남은 사람은 어리다. 아들 구현(九鉉)이 어머니의 유훈(遺訓)을 따라, 그 가정을 창성하게 하였으므로 사우(士友)들이 모두 소중하게 여기었는데, 하물며 나와 나이도 같고 생일도 같으니, 이것은 친구의 정이 골육과 같은 것이니, 지금 이 일에 어찌 사양할 수 있겠는가? 다음과 같이 명(銘)을 엮었다.

  세상은 모두 명예만 힘쓰지만, 그는 실천에 힘을 썼으며, 세상은 모두 문장(文章)이 우수하기를 힘썼지만, 그는 오직 질박한 것만 힘을 썼었네. 조석으로 열중하여 몸가짐을 엄하게 하였고, 효우(孝友)와 시서(詩書)에 관하여 이를 서술하였네. 이 비석에 그 사실을 새겨두니 그 전형(典型)과 방불하네. 묘목(墓木)이 무성하니 혹 베어가지 말기 바란다.

後雲堂金公墓碣銘 幷序

嗚呼！公沒已五十餘星霜矣，而鄕人士到于今誦慕不衰者，豈無所因而致此哉！謹按：公諱在澹，字致順，後雲其堂號也。金氏光山華閥，麗朝名臣良簡公諱璉爲顯祖。累傳，至本朝軍器寺正 諱五行，南下長沙。至諱麒瑞，號敦睦齋。生諱景熹，生員，世稱蘆溪先生。生諱弘宇，號白谷。生諱汝振，號竹溪。丁卯亂，募義兵粮，迎謁王世子于全州，贈掌院樂正僉中樞。命建、以旭、相龍，高曾及祖諱。考諱箕洙，隱德不仕。妣密陽朴氏，基廉女。公以哲宗庚申生，幼有成人儀度。早失怙，孝奉偏慈，貧無以爲養，躬耕漁樵，視爲分內。餘力輒學文，見識高邁，雅言不離，孝友經學，恭儉謙讓，處世以金三緘爲切要。遭哀，幾滅性，朔望展墓，終身不廢。每値喪餘，恒如袒括。於族戚不問親疎，恩愛周洽。凡異國芬華之物，閭巷荒雜之技，不近身手。平生稱人善，不言人過，是以人皆愛慕之。卒于辛亥六月二十六日，壽纔五十二，葬于典佛先塋前麓卯坐原。配全州李樂宇女，無育。丁丑正月二十四日卒，墓內古後 巽原。淸道金氏，白如女。嘉柔貞淑，德配君子，族黨姒娌，連墻而居，務極雍睦，門無間言。夫病百方救護，及不起，喪葬及祭，盡誠竭力。撫育遺孤，恒戒以從事儒業，勿墜先德。後公四十一年辛卯六月二十日卒，同公墓。四男，長奎鉉，次昌鉉、九鉉、祕鉉。江陵劉贊鍾，一女壻也。奎鉉男永武，昌鉉男永澤，九鉉男準永，永武出后永雨。祕鉉男永仁，準永男明洙、義洙、春洙、俊洙，餘幼之胤。九鉉克遵慈訓，以昌厥家，士友咸推重，況與余同庚同辰，誼是朋友，情同骨肉。今於斯役，曷可以辭諸？銘曰：

430世皆衒名，我獨務實。世皆文勝，我獨尙質。日夕乾惕，持身嚴密。孝友詩書，是曰善述。鑱此貞珉，典型彷彿，有菀邱木，毋或拜伐。

첨중추 송천 김공(僉中樞金公)의 묘갈명(墓碣銘) 병서(幷序)

을사년(서기 1965) 정월

김군 재복(金君在卜)이 나에게 자기의 아버지 경암공(敬庵公)의 묘지명(墓誌銘)을 지어달라고 간청하고 또 자리에서 일어나 말하기를 "6세조(世祖)인 첨추공(僉樞公)

의 장례를 치룬지 200년이 가까운데 아직 묘비를 세우지 못하고 있으니, 이 비문도 함께 지어주시기 바랍니다."라고 하였다. 아! 산을 보지 않고 나무를 볼 수 있다는 것도 옳은 말일 것이다. 공의 시대가 비록 오래 되었지만, 그 후손들이 모두 순종하고 근신하여, 헛된 거짓이나 화려함이 없고, 근본에 돈독하고, 실행에 힘을 쓰고 있으니, 이것은 공이 쌓은 은덕이 미친 것이라고 할 것이다.

삼가 살펴 보건데, 공의 생졸연대는 82세였는데, 임천(林泉)에서 덕을 기루고 명리(名利)를 바라지 않았다. 공은 일찍 그의 작은 할아버지 훈도공(訓導公)에게 수업하여 문리(文理)가 일찍 나고 또 서법(書法)도 전공하여 사람들은 한 획과 반 획의 글씨도 진귀하게 여기었으며, 천성적으로 효우(孝友)를 타고나 아버지를 섬기며 그 뜻을 어기지 않았고, 병을 앓고 계셨을 때는 걱정하였고, 상을 당하였을 때는 슬퍼하고, 제사 때는 공경하여, 이런 마음을 미루어 사람들을 대하였으며, 처세(處世)를 한결 같이 충신(忠信)을 위주로 하여, 이런 마음으로 자제들을 거느리고, 이런 마음으로 후진(後進)들을 교육 하였다. 순조 원년인 신유년(서기1801)에는 노인을 우대하는 은전으로 통정대부(通政大夫)에 승진하여 첨지중추부사(僉知中樞府事)가 되었다. 이것은 대개 3대의 나이를 높이어 시행하는 유법(遺法)이다.

공의 휘는 덕승(德升)이며 자는 문원(聞遠), 송천(松泉)은 그의 호이다. 광산 세가(光山世家)는 신라왕자 흥광(新羅王子興光)이 시조이며, 고려조(高麗朝)에서 8명의 평장사(平章事)가 배출되었고, 누대를 지나 전리판서(典利判書)인 인우(仁雨)는 장사감무(長沙監務)로 좌천되었다가 그 곳에서 거주하였고, 이 분의 아들 승길(承吉)은 고려 말기에 포은(圃隱)[39]·목은(牧隱)[40] 제현과 망복의(罔僕義)[41]를 고수 하였는데, 공은

---

39) 정몽주(鄭夢周)의 호. 고려 후기의 학자, 문신, 문하찬성사(門下贊成事), 예문각 제학(藝文閣提學) 등 많은 관직을 역임하고 이성계의 일파인 조준(趙浚) 등을 제거하려다가 이를 눈치챈 이방원(李芳遠)이 이성계에게 이 사실을 알려 속히 개성(開城)으로 돌아오도록 하고 그날 이성계에게 문병하고 돌아가는 정몽주를 선죽교(善竹橋)에서 살해 하였다.

40) 이색(李穡)의 호. 고려 후기의 학자, 정치가, 이제현(李齊賢)의 문인, 포은(圃隱鄭夢周), 야은 길재(冶隱吉再)와 함께 삼은(三隱)의 한 사람. 국사원 편수관(國史院編修官), 중서사인(中書舍人), 우간의대부(右諫議大夫), 동지춘추관사(同知春秋館事) 등 많은 관직을 역임 하였으며, 이경계(李成桂)가 위화도 회군 후 우왕(禑王)이 강호도로 추방되자 그는 창왕(昌王)을 옹립하여 즉위하게 하고, 판문하부사(判門下府事)가 되어 명나라에 사신으로 가서 창왕의 입조와 명나라가 감국해 줄 것을 력설 하였으며 이성계의 일파가 집권한 후 오사충(吳思忠)의 상소로 장단(長湍)에 유배되고, 또 이초(彛初)의 옥사에 연루되어 청주(淸州), 함창(咸昌) 등지에서 안치되었다가 서기1391녕에 석방되어 한산부원군(韓山府院君)에 피봉되었고, 서기1392년 정몽주가 피살된 후 금주(衿州)에 유배되었다가 석방되었다. 그는 이성계의 춘사(出仕)를 누차 권유받았으나 끝까지 사양하고 여강(驪江)으로 가던 중 도중에서 사망 하였다.

41) 다른 왕조의 신하가 되지 않고 지조를 지키는 의리를 말한다.

이 분의 10세손이다. 그 후 3대를 지나 돈목재 기서(敦睦齋麒瑞)와 그 후 4대를 지나 노계 경희(蘆溪景禧)는 노산사(蘆山祠)에 배향되었으며, 고조 여극(汝極)은 수(壽)로 첨지중추부사(僉知中樞府事)에 오르고, 증조 남숙(南翻)은 효성으로 세상에 명성이 자자하였으며, 조부 이서(履瑞)는 통덕랑(通德郎)을 지내고, 아버지 만억(萬億)도 통덕랑을 지냈으며, 비(妣)는 장흥 고씨(長興高氏)인 전성(傳聖)의 딸로 경종 신축년(서기 1721)과 순조 임술년(서기 1742)은 공의 생졸연(生卒年)이다. 배(配)는 숙부인(淑夫人)인 나주정씨(羅州鄭氏)로 동숙(東淑)의 딸이며 아름다운 덕과 행실로 규호(閨壼)의 모범이 되었고, 정유년(서기 1777)에 태어나 기유년(서기1849)에 작고하였으며, 고수(古水)의 삼암촌(三巖村) 뒷인 유좌원(酉坐原)이 공과 숙부인의 묘소이다. 아들과 딸은 각 1명으로, 아들은 성(城)이며, 딸은 나주 임제진(羅州林悌鎭)의 처가 되었다. 손자와 증손 이하는 다 기록하지 않았으며, 다음과 같이 명(銘)을 엮었다.

  인(仁)하고 또 수(壽)를 누렸고, 은전은 화려한 화질(華秩)이 더해졌으며 3개의 존작(尊爵)⁴²⁾을 갖추었으니, 공은 하나도 빠진 것이 없었네. 후손이 창성하여 능히 선조를 계승 하였네. 전하는 음덕이 후하였으니, 백세(百世)에 살아질 수 있겠는가?

僉中樞松泉金公墓碣銘　并序　乙巳正月

金君在卜, 懇余爲銘。其先大父敬庵公墓又作而言曰："六世祖, 僉樞公葬殆近二百, 而墓闕顯刻, 願卒惠焉。" 噫！不見山見木斯可矣。公之世雖曰久遠, 而其後承類, 皆循循雅飭, 無浮誇華靡之習, 有敦本務實之行, 可知公積蔭攸曁。謹按: 公生卒八十有二年。養德林下, 不求名利, 早從其叔祖訓導。公學文理, 夙將且工於趯勒, 人得一畫半墨, 爭爲之珍。孝友天植, 事親無違志, 病致憂, 喪致哀, 祭致敬。推而接人處世, 一以忠信爲主。以之而率子弟, 以之而敎後進。純廟元年辛丑, 用優老典, 陞通政大夫, 爲僉知中樞府事, 蓋三代尙齒之遺法也。公諱德升, 聞遠其表德, 松泉其號也, 光山世家, 自新羅王子興光始, 麗代八平章。累傳, 典利判書仁雨謫長沙監務, 仍居焉。生承吉。麗季與圃牧諸賢同守罔僕義。公其十世孫也。三傳敦睦齋麒瑞, 四傳蘆溪景熹, 幷享蘆山祠。高祖曰汝極, 壽僉樞。曾祖曰南翻, 以孝名于世, 祖曰履瑞, 通德郎。考曰萬億, 亦通德。妣曰長興高氏, 傳聖女。景宗辛丑, 純廟壬戌, 公設弧屬纊之干支也。

---

42) 덕(德), 치(齒), 작(爵) 세가지의 높은 위치를 말한다.

配淑夫人羅州鄭氏, 東淑女。淑德懿行, 爲閨壺柯法。生丁酉, 沒己酉, 古水之三巖村後酉坐原, 公及淑夫人之藏也。男女各一, 男珹。女羅州林悌鎭妻。孫曾以下不盡記。系之以銘, 曰：

仁且壽兮恩加華秩, 達尊三兮公無闕一。後其昌兮克善繼述, 流光厚兮百世可沒。

승정원 좌승지(承政院左承旨)인 월암 김공(月庵金公)의 묘갈명(墓碣銘) 병서(幷序)

　　월암 김공(月庵金公)의 묘는 부안(富安)의 수광(水光) 서쪽 손좌원(巽坐原)에 있으며, 숙부인(淑夫人)인 행주 기씨(幸州奇氏)와 부장 하였다. 하루는 그의 9세손 규병보(奎炳甫)가 문중 어른들의 명으로 가첩(家牒)을 소매에 넣고 나를 방문하여 말하기를 "우리 선조의 묘소에 나무는 이미 한 아름이 되었는데, 아직도 비석을 세우지 못하고 있으니, 비명(碑銘) 하나 지어 주십시오."라고 하였다. 나는 불후작을 지을 사람이 아니라고 사양 하였지만, 더욱 강하게 간청하니 어쩔 수가 없었다. 그러나 수백 년 후에 태어나 수백 년 전의 일을 서술하는 것은 어두운 방에서 물건을 찾는 격이니, 어찌 부싯돌로 초불을 켜는 것만 같겠는가? 그 가첩 중에는 다만 "효성과 우애와 문학이 당세 에 드러났다(孝友文學著當世)는 글귀만 있을 뿐이다. 아! 이것은 비록 적막한 한 마디 말이지만, 옛날을 비춰주는 초불이 다. 효제(孝悌)는 인(仁)의 근본이니, 근본이 세워지면 도(道)가 생기고, 그것으로 몸을 수양하고, 그것으로 가정을 다스리고, 그것으로 사람을 대하여, 처세에 있어서 어디를 가든 못하는 일이 없었다. 그리고 또 문학으로 당세에 주요하게 추대를 받았으니, 공이 공으로 된 것을 여기에서 알 수 있을 것이다.

　　삼가 살펴 보건데, 공의 휘는 한우(漢宇)이며, 한보(漢甫)와 월암(月庵)은 그의 호이다. 그 세계(世系)는 김해(金海)이며, 홍무왕 유신(興武王庾信)이 가장 저명하다. 신라(新羅)를 거쳐 고려(高麗)가 말까지 관직이 이어져 동방(東方)의 거족(巨族)이 되었다. 본조(本朝)에 들어와 남호 휘 용(南湖諱勇)은 세종조의 홍문관 박사(弘文館博士)와 집현전 교리(集賢殿校理)를 역임하고, 아들인 휘 한손(漢孫)은 호가 운천(雲川)으로 종성부사(鍾城府使)를 역임 하였으며, 이 분의 아들 휘 응형(應馨)은 호가 수재(修

齋)로 진사(進士)가 된 후 승정원 좌승지(丞政院左承旨)에 추증 되었다. 이 분이 바로 공의 고조이다. 증조부인 망미당(望美堂) 휘 복원(福遠)은 제주목사(濟州牧使)를 역임하고 조부 남강(南江)은 휘가 축(軸)으로 승정원 좌승지(承政院左承旨)를 역임하였고, 고(考) 모재(慕齋) 휘 기욱(起郁)은 통덕랑(通德郎)이며 비(妣)는 홍성 장씨(興城張氏)인 제안(濟安)의 딸이다. 공은 선조 신미년(서기 1571) 2월 12일에 태어나 병진년(서기1616) 8월 20일 향년 46세로 작고 하였다. 장남 중신(重信)은 통훈대부 의금부도사(通訓大夫義禁府都事)를 역임하고 차자는 진련(震連)이며 남은 사람은 기록하지 않았다.

목릉(穆陵)[43]이 융성할 때, 여러 현인(賢人)들이 떼로 몰려갔지만, 공은 포의(布衣)로 임천(林泉)에서 일생을 마치어 자사(刺史)의 추천으로 은질(恩秩)과 높은 관직에 증직되었으니, 그 사람의 재능과 학문이 과연 어떠하겠는가? 이에 다음과 같이 명(銘)을 엮었다.

사후에 높은 관직이 국왕으로부터 내려졌으니, 그 재주를 세상에 팔지 않았어도 좋은 명성이 대궐에 전해졌네. 울창한 저 수광(水光)에는 비석이 우뚝 솟아 있네. 내가 그 유사(遺事)를 기술하여 천년동안 전하고자 한다.

承政院左承旨月菴金公墓碣銘 并序

月菴金公之葬, 在富安之水光西麓巽原。淑夫人幸州奇氏祔焉。日其九世孫奎炳甫, 以門長老命, 袖家牒而訪余, 言曰："我先祖邱木已抱, 尙未有表石, 願賜一言, 銘之。"余辭非不朽人, 而奈懇益堅何。然生數百載下, 而欲述數百載之前, 殆闇室索物, 曷若鑽燧而燭之。其牒中惟傳孝友文學著當世。嗚乎！此雖寂寥一語, 而亦足爲照古之燭也。夫孝弟爲仁之本, 本立而道生, 以之而身修, 以之而家齊, 以之而接人處世, 無往不自得。又能濟以文學, 爲當世所推重。公之爲公, 居可知矣。按：公諱漢宇, 漢甫、月庵號也。系出金海, 興武王庾信最著。歷羅迄麗, 珪珇相承, 爲東方巨族。入本朝南湖諱勇, 世宗朝弘文博士 集賢殿校理。生諱漢孫, 號雲川, 鍾城府使。生諱應馨, 號修齋, 進士, 贈承政院都承旨。寔公高祖, 曾祖望美堂, 諱福遠, 濟州牧使。祖南江, 諱軸, 承政院左承旨。考慕齋, 諱起郁, 通德郎。妣興城張氏, 濟安女。公生宣廟辛未二月十二

---
43) 선조(宣祖)의 릉호(陵號).

日, 卒於丙辰八月二十日, 壽纔四十六。長男重信, 通訓大夫, 義禁府都事。次震連, 以下不盡記。竊謂穆陵盛際, 衆賢彙征, 而公以布衣終於林樊矣。而刺史能薦贈以恩秩崇班, 其人望才學, 果何如也。此可以銘公墓矣。迺爲之銘曰: 身後緋玉, 有降自天。才不售世, 令聞可傳。苑彼水光, 有石穹然。我述遺事, 垂示來千。

통훈대부 의금부도사(通訓大夫義禁府都事) 김공(金公)의 묘갈명(墓碣銘) 병서(并序)

공의 휘는 중신(重信), 자는 성헌(聖獻), 호는 송운(松雲)이다. 김씨(金氏)의 선조는 김해인(金海人)이며 가락(駕洛) 수로왕(首露王)으로부터 시작되어 대를 이어가며 공경(公卿)들의 이름이 족보의 기록에서 끊기지 않았다. 국조(國朝)에 들어와서, 남호 휘 용(南湖諱勇)은 세종조(世宗朝)에서 홍문관박사(弘文館博士)와 집현전교리(集賢殿校理)를 역임 하였는데 이 분이 바로 공의 7세조이다. 1대를 지나 휘 한손(漢孫)는 호가 운천(雲川)으로 종성부사(鍾城府使)를 역임 하였고, 2대를 지나 휘 응형(諱應馨)은 호가 수재(修齋)로 진사(進士)가 된 후 승정원도승지(承政院都承旨)에 증직되었으며, 휘 복원(福遠)은 호가 망미당(望美堂)으로 문과에 급제하여 제주목사(濟州牧使)를 역임하였다. 그 후 휘 축(軸)은 호가 남강(南江)으로 승정원 좌승지(承政院左承旨), 휘 기욱(起郁)은 호가 모재(慕齋)로 통덕랑(通德郞), 휘 한(漢)은 호가 월암(月庵)으로 통정대부 승정원좌승지(通政大夫承政院左承旨)에 증직되었는데 이상이 4세(世)이다. 비(妣) 숙부인(淑夫人)은 행주 기씨(幸州奇氏)이며 외조부는 종호(鍾浩)이다.

공은 태어나서부터 재능이 뛰어나고 바르고 묵직하여 성인(成人)의 풍도가 있어 여러 아이들과 어울리지 않았고, 스승에게 나가 공부할 때는 스승에게 번거로운 가르침을 받지 않고, 스스로 노력하였으므로, 어른들은 모두 원대하게 기대 하였다. 성품이 본래 효성스럽고 우애하여 두 부모를 섬기면서 즐겁게 도와드리고 뜻을 받들어 순종하였으며, 가정을 거느리는 것도 검소하여 사치스러운 것은 접하지 않았고 종족을 의리로 도움을 주었으며, 시마복(緦麻服)과 공복(功服)에 해당한 친척과 한 집에서 생활하였으나 규문(閨門) 안이 화목하여 슬퍼하는 기색이 없었다. 한가히 지낼 때는 산인(山人)의 건(巾)과 야인(野人)의 복장으로 표방(標榜)하는 뜻이 없었으므로, 사람들이 혹 과거의 급제를 권하면 공이 대답하기를 "천작(天爵)[44]을 닦지 못했는데, 어찌 인작(人爵)[45]을 생각하겠는가?"라고 하였다. 그는 선비들에게 훈계하기를, 좋아하여 자질이 아름다운 사람만 보면 반드시 격려하고 개발하였으므로, 당세의 학자들 중 그 풍도를 듣고 일어난 사람들도 있었다. 숙종 경오년(서기 1690)에 향년 81세 때 통정대부에 증직되었는데, 이것은 대개 특이한 예절이었다. 그 다음 해인 임신년(서기 1691) 9월 9일 작고하여 부안면 초당등(富安面草堂嶝)의 곤좌원(坤坐原)에 장사하였으며, 배(配)는 숙부인(淑夫人)인 연일정씨(延日鄭氏)도 우측에 부장 하였다. 후손들이 선조의 사적이 혹 사라질까 두려워하여, 을사년 봄에 비석을 마련하기로 합의하고, 나에게 비문을 간청 하였다. 그 명을 받든 사람은 8세손 규병(奎炳)으로 다음과 같이 명(銘)을 엮었다.

　나의 천작(天爵)을 닦으면 인작(人爵)이 오는 것이다. 덕(德)과 수(壽)와 존작(尊爵)을 잘 갖추어 백세(百世)에 사라지지 않았다. 공의(公議)로 비문(碑文)을 각(刻)하였으니, 그 비석이 부끄럼이 없을 것이다.

通訓大夫義禁府都事金公墓碣銘 并序

公諱重信, 字聖獻, 號松雲。金氏其先金海人, 自駕洛首露王始, 累公累卿, 譜不絶書。入國朝南湖, 諱勇, 世宗朝弘文博士集賢殿校理, 寔公七世。一傳諱漢孫, 號雲川, 鍾城府使。二傳諱應馨, 號修齋, 進士, 贈承政院左丞旨。諱福遠, 號望美堂, 文科行濟州牧使。諱軸, 號南江, 丞政院左丞旨。諱起郁, 號慕齋, 通德郎。諱漢, 號月庵, 贈通政大夫 丞政院左丞旨。四世也。妣淑夫人幸州奇氏, 外祖鍾浩公。生而岐嶷, 凝重如成人儀度, 不隨群兒遊戲, 就傅不煩師教, 能自勉勵, 長老皆期以遠大。性根孝友, 事二親怡愉承順, 御家以儉, 奢靡不接。恤族以義, 緦功同爨。閨門之內, 和順雍睦, 無容嗟色。燕居山, 巾野服, 未嘗有標榜意。人或勸之擧業, 公答曰: "未修天爵, 奚暇念及人爵。" 好獎訓士, 類見有資質之, 美者必激厲, 開發當世學者, 往往有聞風興起者焉。肅宗庚午, 以年八十一, 階通政, 盖異數也。越明年壬申九月九日卒, 葬在富安面草

---

44) 하늘에서 받은 벼슬이라는 뜻으로, 존경을 받을 만한 선천적 덕행.
45) 사람이 정해준 벼슬이란 뜻으로, 공경대부(公卿大夫)를 이르는 말.

堂峴向坤原。配淑夫人延日鄭氏，祔右。後孫懼先蹟之或泯，乙巳春，合謀伐石，求余文之將命者，八世孫奎舸。銘曰：

修吾天爵，人爵自至。曰德曰壽，三尊克備。遺風不沫，百世公議。刻辭貞珉，庶乎無愧。

통정대부 첨추(通政大夫僉樞) 김공(金公)의 묘갈명(墓碣銘) 병서(幷序)

공의 장사한 뒤 지금 300여년이 되었지만, 그 유풍(遺風)[46]과 여운(餘韻)[47]은 오랫동안 사라지지 않고 있어, 목동(牧童)과 초수(樵叟;나뭇군)들이 서로 가리키며 말하기를 "이 곳은 첨중추부사김공의 묘소이니 저 무성한 구목(丘木)[48]을 함부로 베지 말아야 한다"고 하였다. 아! 이것만 보아도 그 인자한 마음이 사람들의 가슴에 깊이 새겨졌다는 것을 알 수 있을 것이다.

삼가 살펴 보건데, 공의 휘는 남주(南胄), 자는 군성(君晟)이며 광산인(光山人)으로 양간공(良簡公) 휘 연(璉)이 중시조(中始祖)이다. 그의 명성과 의기(義氣) 및 높은 훈벌(勳閥)이 서로 줄을 이어 동방(東方)의 거족(巨族)이 되었다. 전리판서(專利判書) 휘 인우(仁雨)가 장사감무(長沙監務)로 유배되어 그 후손들이 고창인(高敞人)이 되었다. 고조 돈목재(敦睦齋) 휘 기서(麒瑞)는 광릉참봉(光陵參奉)으로 제수 되었으나 나가지 않았고, 증조인 노계(蘆溪) 휘 경희(景熹)는 생원(生員)이었는데 부자가 함께 노산사(蘆山祠)에 배행되었으며, 조부인 백곡(白谷) 휘 홍우(弘宇)는 문과(文科)에 급제하여 좌랑(佐郞)에 임명되었고 임진왜란에 큰 공을 세웠다. 고(考) 만오(晚悟)는 휘가 여중(汝重)으로 병자호란 때 어가(御駕)를 호위하여 원종훈(原從勳)에 기록되었고 통정대부(通政大夫)로 승진하였으며, 비(妣) 숙부인(淑夫人) 은 청풍 김씨(淸風金氏)로 봉사(奉事) 담(湛)이 그의 고(考)이다. 공은 광해 경술년(서기 1610)에 태어나 숙종 임신년(서기1692) 2월17일 향년 83세에 작고하였는데, 노인을 우대하는 은전이 가해져 통정대부 첨지중추부사(通政大夫僉知中樞府事)가 되었으며, 배(配) 숙부인(淑

---

46) 옛날부터 내려오는 풍속, 유속.
47) 어떤 일이 끝안 뒤에 아직 가시지 않고 남아 있는 느낌이나 정취.
48) 무덤 주위에 가꾸워 놓은 나무, 묘목(墓木)

夫人)은 진주정씨(晉州鄭氏)로 그의 고(考)는 회(恢)이며 공보다 2년 먼저 태어났고, 공보다 6년 6월 25일 먼저 작고하여, 아산면 오방동 (雅山面五坊洞)의 손좌원(巽坐原)에 장사하여 상하의 봉분으로 되어 있다. 두 아들은 이원(履元)과 이관(履觀)이며 큰 아들의 소생은 덕○(德○), 차자의 소생은 곤덕(孫德), 보덕(普德),근덕(謹德), 휘(徽)이다. 이하는 수효가 많아 기록하지 않는다. 공은 충효(忠孝)의 세가(世家)에서 태어나 일찍부터 시예(詩禮)를 익히었으므로, 효행(孝行)과 미덕(美德)을 당연히 전해질 것이지만, 오랜 세월이 지나는 동안 그 자상한 것은 들을 수가 없고 오직 가첩(家牒)에 기록된 것은 "문장과 행실을 겸하여 고을에서 모범이 되었다(文行俱至, 模楷鄉里)"고 하는 8자(字)만 있다. 아! 어찌 이것만 입증할 뿐이겠는가? 그의 문행(文行)이 고을의 모범이 되었다고 하였으니, 그 덕이 참으로 높다고 할 것이며, 연세가 80을 넘겼으니 수명도 높았으며, 만년에 관직이 왕으로부터 내려졌으니 관작이 높다고 말하지 않을 수 없을 것이다. 큰 것은 이미 수백 년 동안 전해오면서 칭송되고 있으니, 그 적은 것이 전해지지 않는 것을 어찌 가슴 아파하겠는가? 8세손 조주(朝周)가 정회(正會)에게 비명(碑銘)을 부탁하므로 말단 후생(後生)이 어찌 감히 그 일을 할 수 있겠는가? 고인(古人)이 말하기를 "예천(醴泉)에는 근원이 있고, 지초(芝草)에는 뿌리가 있다"고 하였는데, 지금 그 자손들이 한 고을에 가득 살고 있고, 모두 효성과 우애가 돈독하며 문학을 숭상하니, 참으로 뿌리가 견고하면 가지가 창성하고, 근원이 깊으면 그 흐름이 멀다는 것을 알 수 있으므로, 이 점을 다음과 같이 명(銘)을 엮었다.

충효(忠孝)의 고가(古家)에 세덕(世德)이 밝게 드러났다. 선조의 영광을 배태(胚胎)하여 공이 태어났다. 문장과 행실을 겸하였고 나이와 관직도 높았다. 보시(報施)가 빛나가지 않아 자손들이 번창 하였다. 내 명(銘)이 명백히 밝혔으니, 높은 비석이 웃둑 솟아 천년 만년동안 산처럼 높고 물처럼 기리 전하리라.

通政大夫僉樞金公墓碣銘 幷序

公之葬今三百餘年, 而遺風餘韻久而不泯, 至牧兒樵叟相指點戒告, 曰:"此僉樞金公之墓也, 苑彼邱木, 毋或輕伐。"嗚呼！此可見仁之入人者, 深也。謹按：公諱南胄, 字君晟, 光山人。良簡公, 諱璉, 爲中祖。名義勳閥, 磊落相望, 爲東方巨族。典利判書諱仁雨謫長沙監務, 厥后遂爲高敞人。高祖敦睦齋,

諱 麒瑞, 光陵叅奉, 不就。曾祖蘆溪, 諱景熹, 生員, 幷享蘆山祠。祖白谷, 諱弘宇, 文佐郎, 壬辰立殊勳。考晚悟, 諱汝重。丙子扈駕南漢, 錄原從勳, 陞通政。妣淑夫人淸風金氏, 奉事湛其考。公生光海庚戌, 卒肅廟壬申二月十七日, 壽八十三, 用優老典型, 通政爲僉知中樞府事。配淑夫人晋州鄭氏, 父恢。後公二年生, 先公六年, 六月二十五日卒, 雅山面五坊洞負巽而上下封者, 卽其藏也。二男, 履元、履觀。長房孫德〇, 次房孫德、普德、謹德, 徽以下甚繁, 不盡記。公生忠孝世家, 早服詩禮, 至行懿德, 宜有可傳者, 而世代久遠, 其詳不可得以聞。惟〇牒所載, 只有"文行俱至, 模楷鄕里"一句八言。噫！是奚但徵醫而已哉！其文其行爲鄕黨之模楷, 德固尊矣。年踰八耋, 壽亦高矣。晚年緋王有降自天, 爵不可謂不顯矣。大者己公誦於數百載之下, 其細節之無傳, 庸何傷乎？八世孫朝周屬正會以牲石之銘。膚末後生, 安敢爲役？古人云："醴有源而芝有根。"今其雲耳遍滿一鄕, 類皆眞率敦孝弟而尙文學, 固知 根固者枝必暢, 源深者流必遠。此可以銘公墓矣。遂爲之銘。曰：
忠孝故家, 世德彰明, 胚胎前光, 公乃篤生。有文有行, 齒爵俱尊。報施不忒, 椒聊其蘩。我銘昭揭, 有穹貞珉。山高水長於千萬春。

우송처사 표공(友松處士表公)의 묘갈명(墓碣銘) 병서(幷序)

선비가 어려서 배운 것은 장성하여 행하려고 하는 것인데, 천하에 행하지 못하면 한 나라에서 행하고, 또 한 나라에서 행하지 못하면 한 지방에서 행한 것이므로, 비록 포관격탁(捕關擊柝)[49]이라도 성인(聖人)은 사양하지 않을 것이다. 참으로 나의 뜻이 이행된다면, 어찌 관직이 낮고 높음을 논하겠는가? 우송 표공(友松表公)은 임천(林泉)에서 사는 선비로 훈장(訓長)의 직책을 맡고 있었으므로, 바닷가의 한 고을에서 아름다운 추로(鄒魯)[50]의 풍속이 생기어 지금까지 칭송되고 있다.

삼가 살펴 보건데, 공의 휘는 석령(碩玲)이며, 관향은 신창(新昌)으로, 고려조(高麗朝)에서 명신인 충(忠)은 봉선대부(奉善大夫)로 중국(中國)의 사신(使臣)으로 가 금자어대(金紫魚袋)를 하사받았고. 그 후 높은 관직이 계속되었으며, 본조(本朝)에서 올

---
49) 관문을 지키고 야경을 도는 비천(卑賤)한 구실.
50) 공자는 노(魯)나라 사람이고, 맹자는 추(鄒)나라 사람이라는 뜻으로, 공자와 맹자를 가리킴.

산부사(蔚山府使)를 지낸 휘 윤(贇)은 대광보국숭록대부 의정부영의정 겸 경연춘추관 홍문관 관상감사 세자사부(大匡輔國崇祿大夫議政府領議政兼經筵春秋館,弘文館,觀象監事,世子師傅)를 지낸 호 모재(茅齋)가 공의 7대조이다. 이 분의 아들 헌행(憲行)은 숭록대부 지중추부사(崇祿大夫知中樞府使)·대호군(大護軍)을 역임하고 선무원종일등공신(宣武原從一等功臣)으로 보국숭록대부 영 돈녕부부사 겸 의금부사 오위도총부도총관(輔國崇祿大夫領敦寧府府使兼義禁府事五衛都摠府都摠管)에 증직되고, 이 분의 아들인 휘 정구(廷耉)는 진사(進士)가 되었다. 고조의 휘는 준언(俊彦)이며 참봉(參奉)을 지내고, 증조의 휘는 도흥(道興)로 가선대부 의정부찬정(嘉善大夫議政府贊政)에 증직 되었으며, 조부 망화당(望華堂)의 휘는 만복(萬福)으로 통정대부(通政大夫)에 증직되고, 부친의 휘는 덕기(德器)로 문학과 행실로 세상에 명성을 떨치었다. 외조부는 한양 조씨(漢陽趙氏)로 통덕랑(通德郎)인 환조(桓祖)이다. 공은 숙종 계유(서기 1813년) 3월 6일에 태어났다. 어려서부터 남달리 총명하고 부모에게 힘을 다하여 섬기었으며, 경사(經史)를 널리 통달하여 견식이 탁월하였다. 영조(英祖) 때 백의(白衣)로 훈민향사(訓民鄕師)가 되어, 스스로 대소민(大小民)의 경문(警文) 각 8장을 지어 솔선수범하므로 백성들이 모두 기뻐하였다. 그는 제생(諸生)을 거느리고 뜨락의 소나무 밑에서 예(禮)를 강의하였으므로, 호를 우송정(友松亭)이라고 하였다. 높은 언덕에 올라서 읊으며, 냇가에서 부시(賦詩)를 지어 읊으며 외래의 사물을 생각하지 않았고 부귀를 뜬구름 같이 여기었다. 순조 갑오년(서기 1834) 2월 24일 향년 82세로 작고하여 장사 상하면 광촌 뒤인 계좌원(癸坐原)에 장례를 치루었고 배(配)인 전주이씨(全州李氏)는 유순하고 정숙하여 기사년(서기 1809) 10월 11일 태어나 경오년(서기 1870) 11월 2일 작고하여 공과 같은 장소에 장사하였다. 2남 1녀를 두어, 장남 천유(天維)는 문행(文行)으로 가정을 계승하였고, 차남 천강(天綱)도 난형난제(難兄難弟)였으며, 딸은 남궁선(南宮璇)에게 출가 하였다. 손자와 증손 이하는 다 기록하지 않았다. 후손 재덕(在德)과 한종(漢鍾) 두 사람이 장령(掌令) 정화석(鄭華錫)이 지은 행장을 가지고 와서 비명(碑銘)을 지어달라고 간청하므로, 나는 그 원조(遠祖)를 추모하는 성의에 감동하여, 차마 사양하지 못하고, 그 행장에 의하여 다음과 같이 명(銘)을 엮었다.

 신창(新昌)의 고가(古家)이며, 성대(聖代)의 일민(逸民)이었다. 경문(警文)을 짓고 훈장(訓長)이 되어, 한 지방이 인(仁)하게 되었다. 조금 시험하였다고 말하지 마라, 그 법은 하나이다. 운한시(雲漢詩)를 읊고 예(禮)를 행하였으니, 그 전형(典型)이 방불하다. 그 가정을 보니, 소나무 그늘이 뜨락에 가득하다.

友松處士表公墓碣銘 并序

夫士幼而學之，壯行欲之。不能行於天下，則可行之一國；又不能行於一國，則可行之一方。雖抱關擊柝之徵，聖人猶不辭焉，苟行吾志，奚論官之卑高。友松表公，以林下士，任訓長之職，使濱海一邑，彬彬然有鄒魯民俗之到于今稱之。按：公諱碩玲，貫新昌，麗朝名臣 忠奉善大夫 使中朝 賜金紫魚袋。厥后簪組相承。本朝蔚山府使，諱贇，贈大匡輔國 崇祿大夫 議政府領議政 兼經筵春秋舘 弘文舘 觀象監事 世子師傅 號茅齋，於公爲七世。是生憲行崇祿大夫 知中樞府事 大護軍 宣武原從一等功臣 贈輔國崇祿大夫 領敦寧府事 兼判義禁府事 五衛都總府都總管。是生諱廷者，進士。高祖，諱俊彥，叅奉。曾大父諱道興，贈嘉善大夫，議政府贊政。大父望華堂，諱萬福，通政。父諱德器，文行著世。外祖漢陽趙氏，通德郎桓祖。公生肅廟癸酉三月六日，幼而聰慧殊凡，事親竭力。博通經史，見識卓越。英廟朝以白衣爲訓民鄉師，自著警大小民各八章，以身先之，民皆悅服。率諸生 講禮于庭松下，號曰友松亭。登高而叙嘯，臨流而賦詩。無慕乎外，視富貴若浮雲。然行年八十二卒，于純廟甲午二月二十四日，葬于長沙之上下面光村後負癸原。配全州李氏，嘉柔貞淑，己巳十月十一日，庚午十一月二日，其生卒也，同公墓。二相一女。長男天維，文行克家。次天綱，難弟難兄。女適南宮璇。孫曾以下，不盡錄。後孫在德、漢鍾二君，以掌令鄭華錫氏狀來，請堅矸之文，余感其追遠之誠，不忍終默，遂按狀叙次，係之銘。曰：
新昌故家，聖代逸民。以警以訓，一方歸仁。莫曰少試，其揆則均。雲詩仍禮，髣髴典型。顧視其家，松陰滿庭。

운헌처사 박공(雲軒處士朴公)의 묘갈명(墓碣銘) 병서(幷序)

문공(文公)[51]은 《小學》[52]으로 처음 쇄소(灑掃)하고 응대(應對)하는 것을 가르치고

---

51) 송(宋)나라 주희(朱熹)의 시호.
52) 송나라 주자(朱子)의 지시로 그의 제자 유자징(劉子澄)이 서기1187년(南宋純佑 14)에 완성한 성동(成童)들의 수양서. 내편(내편) 4권과 외편(外篇) 2권으로 모두 6권으로 되어 있다.

《大學》[53]으로 수신(修身)·제가(齊家)·치국(治國)·평천하(平天下)하는 것을 기초를 삼았다. 이 책이 행하는 것은 자고로 성현들의 책을 읽는 사람들이 누구나 이 책을 근본으로 삼지 않은 사람이 없기 때문이다. 그러므로 이 책은 성인(聖人)이 되는 생각이 이미 반은 되어 있는 것이다. 운헌 박공(雲軒朴公)은 일찍부터 아버지 양오공(陽梧公)의 교육을 받아 10여 년 동안《소학(小學)》을 전공하여 다른 책과 바꾸지 않았으므로, 자신의 법도로 행실을 행하여, 이 글과 어기는 일이 적어, 당시 사람들은 '소학처사(小學處士)'라고 칭하였다.

공은 천성이 영특하고 문리(文理)가 숙달하여 오서(五書)와 오경(五經)[54]을 자기 말처럼 외워 정밀하게 연구하지 않는 것이 없었고, 더욱 예학(禮學)에 조예가 깊어 당시 경의(經義)를 조금 이해하고 행실이 근엄한 사람들도 그 문하를 거치어 성취하지 않는 사람이 없었다. 후손 준근(準根)과 병현(炳現) 두 사문(斯文)이 나를 방문하여 비명(碑銘)을 간청하면서 "우리 선조의 높은 행실과 덕망이 후세에 전할 만 한 것이 여기에 그치지 않지만 병화(兵火)에 소실되어 백분의 일도 보존하지 못 하였습니다."라고 하므로, 정회(正會)가 대답하기를 "군자(君子)가 많기를 바라겠는가? 많지 않는 것이네. 아는 사람은 깃 하나만 보아도 봉황임을 알고, 모르는 사람은 뿔 전체를 보아도 그것이 기린(麒麟)이라는 것을 모르는 것이네,"라고 하였다. 공은 학문의 근본이 이미 서 있어, 위로 가정의 학통을 계승하고, 아래로 후인들의 길을 열어 주었으니, 그 나머지 작은 일은 하찮은 일들이었다.

삼가 살펴 보건데, 공의 휘는 송남(松楠), 자는 교년(喬年)이며, 밀성세가(密城世家)로 고려(高麗)의 판도판서(版圖判書)으로 은산부원군(銀山府院君)에 피봉된 시호 문헌(文憲), 휘 영균(永均)이 시조이다. 고조인 송재(松齋) 휘 문경(文卿)은 이조판서(吏曹判書)를 역임하여 시호가 충간(忠簡)이며, 증조인 성헌(惺軒) 휘 민(敏)은 교리(校理)를 지내고, 조부인 춘파(春坡) 휘 신추(信樞)는 진사(進士)에 급제하고, 양오공(陽梧公) 휘 서봉(瑞鳳)은 성종 계묘년(서기1483)에 사마시(司馬試)[55]에 급제하고 갑진년(서기1484)에 문과에 급제한 후 청직(淸職)을 역임하였으며, 누차 경상관찰사(慶尙

---

53) 송(宋)나라 사마광(司馬光)이 예기(禮記) 49편 중에서 42편에 있던 대학(大學)을 분리하여 대학광의(大學廣義)를 짓고 그 후 이정자(二程子)가 초학자의 도덕입문서(道德入門書)로 지정하여 대학정본(大學定本)을 짓고 사서(四書)의 하나로 칭 하였다.
54) 시경(詩經), 서경(書經), 주역(周易), 춘추(春秋), 예기(禮記)를 말함.
55) 고려와 조선시대에 과거제도의 하나. 생원(生員), 진사(進士)를 뽑는 소과(小科)로 초시(初試)와 복시(覆試)로 나누어진다.

觀察使)에 임명 되었다. 그러나 무오사화(戊午士禍)[56]가 일어나자 관직을 버리고 남쪽 모양산(牟陽山)의 양동(陽洞)으로 은둔 하였으며, 비(妣) 정부인(貞夫人)은 진주정씨(晉州鄭氏)로 참봉(參奉) 호(皓)가 그의 아버지인데 부덕(婦德)을 갖추었다. 공은 중종 기사년(서기 1509)에 태어나 선조 경진년(서기 1580)에 작고하여 수곡면 초내리(水谷面草乃里)의 유좌원(酉坐原)에 장례를 치루었으며, 배(配)인 영성정씨(靈城丁氏)는 만영(萬榮)의 딸로, 공보다 5년 전인 을해년(서기 1575)에 작고하여 노례(魯禮)로 장사하였다. 외아들 정림(挺林)은 효자로 소문이 났으며, 5인의 손자로 의(義)는 인조 갑자년(서기 1624)에 무과에 급제하여 만호(萬戶)가 되었고, 병자호란(丙子胡亂)[57]에는 의병을 일의켜 왕을 돕고 수훈(殊勳)을 세웠으며, 차손은 인명(仁明)이며 인순(仁純)은 백형을 따라 함께 적을 격파 하였고 다음은 인채(仁采)이다. 인자(仁者)는 뒤가 있다는 것을 어찌 믿지 않을 수 있겠는가? 다음과 같이 명(銘)을 엮었다.

평생동안 『소학(小學)』을 전공하여 잠시라도 이 책을 떠나지 않았으니, 과연 당세의 군자(君子)라 모두 소학처사(小學處士)라고 칭 하였다.

雲軒處士朴公墓碣銘 幷序

文公小學書始敎以灑掃應對, 爲大學修齊治平之基。是書行, 自古讀聖賢者莫不本乎此, 其於作聖思過半矣。雲軒朴公, 早服皇考陽梧公訓, 十數年專工小學, 不易他書, 其律己制行, 違乎此書者鮮。當世稱小學處士。公天姿穎慧, 文理夙達, 五書五經, 誦若已言, 無不硏精究奧, 尤深於禮學。當時之稍解經義而筋躬勵行者, 寔不經其門而成就焉。後孫準根、炳現二斯文, 幷轡訪余, 求爲泉塗之賁。曰: "我先祖卓行茂德, 可傳者宜不止此。而火于兵, 百不存一矣。"正會謹復, 曰: "君子多乎哉, 不多也。知者見一羽, 可知其爲鳳。不知者, 雖見全角, 不知其爲麟。公爲學大, 本旣立, 上以繼家學, 下以牖後人, 其餘細節, 可觸類也。"按: 公諱松楠, 字喬年, 密城世家, 在麗版圖, 判書銀山府院君諡文憲, 諱永均爲上祖。高祖松齋, 諱文卿, 吏曹判書, 諡忠簡。曾祖惺軒, 諱敏, 校理。祖春坡, 諱信樞, 進士。陽梧公, 諱瑞鳳, 成宗癸卯中司馬甲辰文科, 歷

---

56) 서기 1498년(연산군 4) 김일손(金馹孫) 등 신진사류가 유자광(柳子光) 중심의 훈구파에게 화를 입은 사건, 조선시대의 4대사화 중 첫 번째 사화임.

57) 서기 1636년 12월 12일~1637년 1월까지 일어난 조선과 청나라의 싸움. 서기 1623년 인조반정 이후 조선은 금나라를 배척하는 정책을 내세우자 서기 1627년 후금(後金)이 조선을 침입한 사건.

斁淸要, 累拜慶尙觀察。及戊午禍起, 投紱南遜于牟陽之山陽洞。妣貞夫人晋州鄭氏, 尒奉皓其考。婦德極備。中宗己巳, 宣廟庚辰, 公生卒也。葬于水谷面草乃里枕酉原。配靈城丁氏, 萬榮女。先公五年乙亥卒, 葬以魯禮。一男挺林, 以孝著。五孫曰義, 仁廟甲于武爲萬戶, 丙子亂, 擧義勤王, 立殊勳。曰仁瑞、曰仁明、曰仁純, 從伯兄同力破敵。曰仁采。仁者有後, 詎不信然。銘曰：生平專工在小學, 造次顚沛必於是。宜其當世之君子, 咸稱曰小學處士。

통정대부 부호군(通政大夫副護軍) 애련당 고공(愛蓮堂高公)의 묘갈명(墓碣銘) 병서(幷序)

고씨(高氏)는 장흥(長興)의 세가(世家)이다. 재창(在昌)과 자광(子光)은 공의 휘와 자이며 애련(愛蓮)은 그의 당호(堂號)이다. 공은 통정대부(通政大夫)가 되었는데, 노인을 우대하는 은전(恩典)이었다. 상서(尙書) 휘 협(協)은 9세조이다. 휘 여인(汝仁)과 의녕 여씨(宜寧余氏)는 고비(考)와 비(妣)이며, 요은(鬧隱)은 휘는 여흥(汝興)이며 ○○씨는 본생부(本生父)이다. 인조 을유년(서기1645)과 영조 정미년(서기 1727)은 공의 생몰 연대(生沒年代)이며, 흥성 수산(興城秀山)의 해좌원(亥坐原)은 그의 묘이다. 숙부인(淑夫人)은 금구 경씨(金溝景氏)로 진휴(震休)의 딸이며 별도로 복룡(伏龍) 앞 산에 장사하였는데, 또한 해좌원(亥坐原)이다. 나를 방문하여 비명(碑銘)을 간청한 사람은 공의 9세손 광송(光松)이다. 이에 다음과 같이 명(銘)을 엮었다.

수산(秀山)의 산수(山水)에는 숙기(淑氣)[58]가 모여. 참으로 군자(君子)의 온화함이 옥(玉)과 같네. 어려서부터 영특하고 장중(莊重)하여, 만년의 성취가 저와 같이 탁월하였네. 천성적으로 아버지에게 효도하고 아우에게 우애 하였으며 종족들이 추대하기를 모두 화목하다 하였네. 시서(詩書)를 좋아하여 가학(家學)을 계승하고 인륜(人倫)과 유도(儒道)를 배양하여 고을 풍속을 바로잡았네. 일곱 번이나 향공(鄕貢)[59]으로 추

---

58) 자연의 맑은 기운.

59) 고려 때 계수관시(界首官試)에 합격한 사람을 일컬음. 계수관은 현종 때 설치된 3경(京), 4도호부(都護部), 8목(牧)의 지방장관을 말하며 1024년(현종 15)부터 계수관시(界首官試)를 실시하고 이를 토대로 덕종(德宗) 때부터는 국자감생(國子監生)과 합쳐 국자감시(國子監試)를 실시 하였다. 이들은 국자감시에 합격하면 향공진사(鄕貢進士)가 되었고 다시 예부시(禮部試)에 합격하면 개경(開京)으로 생활근거를 옮겨 임사계층(入仕階層)으로 출세 하였다.

대되고, 세 번이나 왕에게 아뢰었으니, 그 밝고 밝은 명예가 죽백(竹帛)[60]에 전하였네. 문장(文章)은 제쳐 놓고, 경사(經史)를 통달 하였으며, 깊은 이치를 연구하기를 늙을수록 독실하게 하였네. 가까운 사람은 기뻐하고 먼 사람은 일어났으니, 가는 곳마다 제생(諸生)은 함석(函席)[61]으로 추대 하였네. 천년의 염계옹(濂溪翁)[62]과 마음을 같이 하여, 애연당(愛蓮堂) 위에서 무극(無極)을 관찰 하였네. 세상의 공명(功名)은 자신에게 구름과 같아, 나물반찬과 마실 물을 쌀밥과 고기처럼 여기었네. 80년 동안 임천(林泉)에서 살았으니, 참된 즐거움을 누가 알까? 자사(刺史)[63]는 그 덕(德)과 수(壽)를 추천하여, 만년에 화려한 관직으로 높이었네. 오직 공은 삼달존(三達尊)[64]을 하였다고 일컬을만 하니, 백세(百世) 후에 그 높은 자취 흠앙 하리라. 울창한 저 수산(秀山)의 묘소가 우뚝 솟아 있으니, 나는 비명(碑銘)을 지어 초부(樵夫)와 목수(牧豎)들에게 경계 하였네.

通政大夫副護軍愛蓮堂高公墓碣銘 幷序

高氏, 長興世家也。在昌子光公, 諱表德也, 愛蓮其堂號也, 階通政, 優老典也。尙書諱恊, 其九世也。諱 汝仁, 宜寧余氏, 考妣也。鬧隱, 諱汝興, ○○氏本生也。仁廟乙酉, 英廟丁未, 懸弧及屬纊也。興城之秀山枕亥原, 其葬也。淑夫人金溝景氏, 震兆女, 齊也。別葬于伏龍前麓, 亦亥原也。要余表隱文者, 九世孫光松其名也。系以銘曰 : 秀山山水淑氣鍾, 允矣君子溫如玉, 英悟莊重自妙齡, 晩來成就如彼卓。孝親友弟根于天, 推之族黨咸曰睦。敦詩說禮承家學, 扶倫衛道正鄕俗。七擧鄕貢三啓天, 昭昭令名垂竹帛。餘事文章通經史, 探

---

60) 옛날 중국에서 종이가 없을 때 청죽(靑竹)에 간찰이라 비단에 글자를 쓴 데서 책 또는 역사책을 말함.
61) 스승을 일컬은 말임.
62) 중국 북송(北宋)의 성리학자(性理學者) 주돈이(周敦頤), 초명은 본실(本實), 자는 무숙(茂叔), 호는 렴계(濂溪), 시호는 원공(元公), 저서로 주자전서(周子全書), 택극도설(太極圖說), 통서(通書), 애연설(愛蓮說) 등서를 저술 하였음. 어려서 아버지를 잃고 8세 때 어머니 정씨(鄭氏)와 함께 호남성 형양(湖南省衡陽)에서 사는 외삼춘 형향(鄭向)에게 가서 살고 그후에 또 개봉(開封)으로 이사하여 살았다. 정향(鄭向)의 추천으로 분녕현(分寧縣)의 주부(主簿)로 임명되고 그후 건주통판(虔州通判), 광동전운판관(廣州轉運判官) 등 많은 관직을 역임 하였다.
63) 중국 한(漢)나라 때 민정(民政)과 군정(軍政)을 겸한 지방장관을 함함. 수(隋), 당(唐) 시대에는 주지사(州知事)였으나 송(宋)나라 이후 업어졌음. 여기서는 지방관을 말한 것임.
64) 맹자(孟子)가 말한 덕(德)과 치(齒)와 작(爵) 세가지로 세상을 다스리는데는 덕이 제일이고 고을에서는 나이가 제일이고 조정에서는 관직이 제일이라고 하여 이를 삼달존(三達尊)이라고 하였다.

索玄奧老彌篤。近者悅服遠者興, 所在諸生推亞席。千載濂翁獨契心, 愛蓮堂上玩無極。世間功名於我雲, 蔬食水飮視粱肉。捿遲林下八十年, 箇中眞樂有誰識。刺史能薦德與壽, 晚加華玉尊以爵。維公可謂三達尊, 百世之下仰高躅。苑彼秀麓四尺崇, 我述銘章警樵收。

취산 이공(翠山 李公)의 묘갈명(墓碣銘) 병서(幷序)
을사년 (1965) 3월

지난해에 외람되이 취산 이공(翠山 李公)의 행장(行狀)을 서술하였는데, 현손 은우(殷雨)가 다시 초려(草廬)의 문을 두드리며 비명(碑銘)을 부탁하였다. 한 번 지어준 것도 참람한 일 인데, 하물며 두 번이나 짓는단 말인가하고 사양을 고집하면 더욱 더 간청하여 마지않았으니, 이것이 효도가 아니겠는가?

삼가 살펴 보건데, 공은 천성이 인후(仁厚)하고 총명함이 남달라 가르치지 않아도 일찍 문리를 터득 하였다. 그리고 효성과 우애가 지극하여 부모를 즐겁게 하고 뜻을 잘 받들었으며, 말 한마디와 걸음 한 발자국도 혹 함부로 하지 않았으므로 부모가 불의(不義)에 빠질 것을 걱정하지 않았다. 가정이 매우 가난하여 친히 고기도 잡고 나무도 하였으나, 부모님의 뜻과 몸을 다 같이 봉양하여 영초(靈草)[65]를 기루어 부모의 영위(榮衛)를 돕고, 어머니가 병을 앓고 계실 때는 손가락을 깨어 7일동안 연명 하였고, 아버지가 병을 앓고 계실 때는 2개월 동안 좌우로 부축해 드리며, 별을 향해 빌고 다시 깨어나기를 빌었으며, 상을 당한 후에는 슬픔과 예절을 극진히 하여, 날마다 두 번 성묘하여 비가 내려도 막지 못하므로 하얀 새가 와서 사는 특이한 징조가 있었으며, 기일을 당하였을 때는 반드시 제계하고 목욕하여 새벽까지 잠을 자지 않았고, 석물(石物)과 제전(祭田)도 선조의 묘소에 마련하였으며, 형제간에 우애하여 한 집에서 동거하므로, 아내의 동서들도 그것을 본받아 이간하는 말이 없었다. 그리고 평생 동안 남의 단점을 말하지 않았으며, 사람들과 어울릴 때도 성실하고 믿음을 실천 하였고, 처세하는 것도 근신하고 공순하여 자신을 낮추었으니, 이것이 모두 효도로 미루어 하는 일이었다. 철종 계축년(서기 1853) 정월 14일에 졸하여 병인년(서기 1866)에 사당에 이르니 겨우 향년 48세였다. 종산촌(鍾山村) 뒷 산 건좌원(乾坐原)에 장사하였

---

65) 약초로 뛰어난 효력이 있는 풀.

다.

 또 살펴 보니 공의 휘는 문현(文顯), 자는 장언(章彦)이며, 보황세가보(寶潢世家譜)에는 익양군(益陽君) 휘 회(懷), 시호 순평(順平)으로부터 시작 하였다고 하였다. 그 후 누대를 지나 포(浦)에 이르러, 광해(光海)의 어지러운 조정을 만나, 멀리 남쪽 지방으로 은둔 하였다가, 인조반정(仁祖反正) 때 정사공신(靖社功臣)으로 기록 되었으며, 병자호란(丙子胡亂) 때에는 의병을 모집하여 공주(公州)까지 왔다가 강화(講和)하였다는 소식을 듣고, 대성통곡을 하며 남쪽 고부(古阜)의 수광산(秀光山) 밑으로 내려 갔는데, 이 분을 양천선생(陽川先生)이라고 한다. 이 분이 공의 8세조이다. 고조의 휘 희태(喜泰)는 호조참의(戶曹參議)에 증직되고, 이 분의 아들 휘 성(성〈木+聖〉)은 호가 해은(海隱)이며 수직(壽職)으로 동지중추부사(同知中樞府事)에 증직되고, 이 분의 아들은 휘가 호문(好問)이며, 이 분의 아들 휘는 종기(宗麒)로 이 분이 공의 고(考)인데, 대대로 문행(文行)이 있었다. 비(妣)는 의성김씨(義城金氏)인 유적(維迪)의 딸과 밀양박씨(密陽朴氏)인 민승(敏承)의 딸로 공은 박씨가 낳았다. 공은 전후배(前後配)를 두어 울산김씨(蔚山金氏)는 순조 갑자년(서기 1804)에 태어나 계사년(서기 1833) 5월 29일 작고하여 묘촌(墓村)의 남쪽 산 해좌원(亥坐原)에 장례를 치루었으며 창년성씨(昌寧成氏)는 순조 병인년(서기 1806)에 태어나 철종 신유년(서기 1861) 6월 2일 작고하여 창외동(倉外洞)의 유좌원(酉坐原)에 장례를 치루었다. 김씨는 외아들 두룡(斗龍)을 낳고, 성씨(成氏)는 두 아들 두옥(斗沃)과 두규(斗圭)을 낳았으며, 큰아들은 아들 규훈(奎薰)과 성산 배병구(星山裵秉龜)에게 출가한 딸을 낳았으며, 셋째의 아들은 상훈(相薰)과 용훈(用薰)이며, 둘째의 후사로 입양하는 사람은 상훈(相薰)이다. 증손과 현손은 매우 많아 다 기록하지 않았다. 아! 가정마다 자손들이 영준(英俊)하여 고을에서 부러워하는 사람들은 반드시 돈독하고 인후한 군자(君子)가 전세(前世)에 뿌리를 내리어 때를 기다리고 있다가 창달(暢達)하였으니, 공 같은 사람이 그런 사람이 아니겠는가? 다음과 같이 명(銘)을 엮었다.

 백가지 행실의 근본은 그 효도이다. 근본이 서 있으면 백가지 행실이 모두 돈독해진다. 수명은 비록 짧았지만 덕은 남아 있었으니, 이 곳을 지나가는 사람은 어찌 엄숙하지 않을 수 있겠는가?

翠山李公墓碣銘　幷序 乙巳三月

走上年猥述翠山李公狀矣，玄孫殷雨，再叩草廬，謀所以阡刻，一之猶爲僭，況於再乎？辭愈固而請益懇無已，則孝乎。謹按：公天姿仁厚，聰悟殊凡，不煩程督，文理夙達，有孝友至性，愉婉承順。一出言，一擧足，未之或妄。父母不患其陷於不義，家甚寠，躬耕漁樵，志軆兼養。栽靈草以資雙親之榮衛。母病，裂指以延七日命。父病，數朔扶持左右，禱辰祝甦。丁憂，情文備至。日再展墓，雨雪不能阻，有白翎 來棲之異。値夫日，必齋沐，達曙不眠，石儀祭田，致力於先墓。友昆季，同處一室，娣姒亦化而無間言。生平不言人短，與人也誠信爲主，處世也謹恭自卑。是皆孝之推也。卒于哲廟癸丑正月十四日，距純廟丙寅之生，壽纔四十八，葬于鍾山村後負乾之原。

又按：公諱文顯，字章彦，寶溝世家，譜自益 437陽君，諱懷，謚順平始。累傳至浦値，光海昏朝，遐擧南陬，仁廟改玉錄靖社勳。丙子亂，倡義至公州，聞媾成，痛憤南下于古阜之壽光山下，世稱陽川先生。是爲公八世。高祖諱喜泰，贈戶叅。子諱樫，號海歐，壽同樞。子諱好問。子諱宗麒，是爲公考，世有文行。妣義城金氏，維迪女。密陽朴氏。敏承女。公，朴氏出也。前後配蔚山金氏，純廟甲子生，癸巳五月二十九日卒，墓村之南麓亥坐。昌寧成氏，純廟丙寅生，哲廟辛酉六月二日卒，墓倉外洞酉坐。金出一男，曰斗龍。成出二男，曰斗沃、斗圭。長房男女，奎薰。星山裵秉龜室。三房男相薰、用薰，後二房者相薰。曾玄孫甚繁，不盡錄。噫，人家子孫俊茂，爲鄕黨所欽艶者，必有敦厚君子根於前，待時而暢達，若公者非其人歟？銘曰：

行之百，孝其本。本旣立，百皆敦。命雖嗇，德有餘。過此者，盍肅諸。

죽포 이공(竹圃李公)의 묘갈명(墓碣銘)

　이공(李公)의 관향은 전주(全州)이며, 좌해(左海)[66]의 거족(巨族)이다. 선조 천우(天祐)는 태조(太祖)를 보필하여 삼조(三朝)동안 공훈(功勳)을 기록되었으므로 그 사업이

---

66) 우리나라의 이칭(異稱). 바다가 동쪽에 있다는 뜻으로 중국에서 볼 때 우리나라는 동쪽에 있기 때문에 일컬어진 것임.

혁혁하였고, 그 관직을 서로 계승하여 죽백(竹帛)에 빛났었다. 그 후 정(楨)에 이르러 남방 선비들의 표준이 되었고, 사마시(司馬試)에 급제 하였으며, 숙종 정축년(서기 1697)에는 고조 해종(海宗)이 선조들의 덕(德)을 서술하였고, 증조 병원(炳遠)은 가정교육을 계승 하였으며, 조부 이곤(以坤)은 문학으로 저명하였고, 고(考)의 휘는 윤기(潤幾), 호는 백헌(柏軒)이며 비(妣) 윤씨(尹氏)는 적이 파평(坡平)으로, 그 덕(德)이 군자(君子)의 배필이 될 만 하였고 유순하고 명석 하였다. 공은 철종 계축년(서기 1853)에 태어나 병인년(서기 1926) 2월 20일에 작고하였다. 어려서부터 지행(至行)을 갖추어 효도와 우애는 천성적으로 타고났다. 어린 나이에 부모를 잃고 형제도 없었으나, 90세가 된 늙으신 조모 장씨(張氏)를 봉양하여 성의를 다하지 않는 적이 없었다. 산에서 나무를 채취하고 물에서 고기를 잡아 맛있는 음식을 빠뜨리지 않았으며, 수년 동안 병환을 돌보면서 잠시도 옆을 떠나지 않았으며, 그 병이 위급하자 손가락을 깨물어 흐른 피를 입에 넣으므로 하늘은 그의 효성을 사랑하여 3일 동안 수명을 연장 하였다. 그러나 갑자기 망극한 상을 당하여 몇 번이나 기절하도록 슬퍼하였고, 집상(執喪)할 때는 상례(喪禮)를 다하여 오직 미치지 못할가 걱정 하였으므로, 고을 사람들은 공의 효행에 감탄 하였고 조상(弔喪)하는 사람들도 기뻐하였다. 공의 성품은 또 종족과도 화목하였으며, 사람을 대할 때는 인자하였고, 자신의 몸가짐을 겸손과 공경으로 하였다. 공은 숲속의 작은 집안에서 소요(逍遙)하며, 조맹(趙孟)[67]은 국외(局外)의 과녁이었고, 대국인 초(楚)나라가 남아 있든 소국인 범(凡)나라가 망하든 모두가 칠원리 장자(漆園吏莊子)[68]가 꿈에 나비로 변한 것과 같이 여기었으니, 이것을 세절(細節)이라고 말하지 않아야 할 것이다. 이것이 공의 행적에 대한 대략이다. 공은 송용(松龍)의 임좌원(壬坐原)에 장사하였다. 공의 휘는 문양(文亮), 자는 광덕(光德)이며 자호는 죽포(竹圃)로 그 절개에 부끄럼이 없다고 할 것이다. 배(配)는 창녕조씨(昌寧曺氏)로, 그의 종족 순우(順禹)가 그의 고(考)이며 성품과 행실이 단정하고 정숙 하였다. 기미년(서기 1859)에 태어나 계묘년(서기 1903)에 작고 하였으며 노례(魯禮)[69]로 장례를 치루고, 공의 묘와 함께 합폄(合窆) 하였다. 세 명의 아들은 동섭(東燮), 관섭(寬燮), 재섭(在燮)이며, 남노(南老), 석노(石老), 경노(敬老)는 장남

---

67) 진(晉)나라에서 가장 귀족을 말함. 진(晉)나라 조씨(趙氏)는 조행(趙行)의 후손으로 서손(庶孫)의 장(長)을 맹(孟)이라고 하였으므로 조앙(趙鞅), 조둔(趙盾), 조무(趙武), 조무휼(趙無恤) 등이 모두 맹(孟)을 칭하였다.
68) 주(周)나라 사람. 전국시대(戰國時代)의 도가(道家), 남화진경(南華眞經) 33편을 저술 하였다.
69) 3년상을 마치고 태조(太祖)와 합제하고 그 다음 해에 여러 묘(廟)에 체천(遞遷)흐는 예절을 말함.

이 낳았고, 희해(熙海), 흥영(興永)은 둘째 아들이 낳았으며, 남노(南老)의 아들은 오현(五鉉)으로 기기일 향도(金其一鄕道)와 서신을 왕래 하였으니, 천년 백년에 고할만 하다. 내가 어찌 덧부치겠는가 석로(石老)가 부탁 하였다.

竹圃李公墓碣銘

簪組相承, 輝映竹帛, 傳至之槙, 南士標臬中司馬試。肅廟丁丑李系全州左海巨族, 爰祖天祐, 太祖輔弼, 三朝錄勳嚇嚇。其業, 高祖海宗, 克述先德。曾祖炳遠, 庭訓是服。祖曰以坤, 著名文學。考諱潤幾, 軒號曰柏。妣則尹氏, 坡平之籍, 德配君子, 嘉柔克哲。惟公懸弧哲廟癸丑, 卒於丙寅二月廿日。幼有至行, 孝友天植, 早失怙恃, 終鮮且了。祖母張氏, 九十隆耋, 左右就養, 靡誠不極, 探山釣水, 甘毳無闕, 侍疾數載, 暫不離側。及其革也, 斷指注血, 天春其孝, 俾延三日。罔極奄遭, 哀號幾絶, 執喪以禮, 惟恐不及。鄕里嘖嘖吊者之悅, 性又和厚, 睦于宗族。接人以仁謙恭。自牧林下, 斗屋逍遙自適。曰趙曰孟, 局外之鵠。楚存凡亡, 漆園之蝶。舍曰細節, 此其大略。葬于松龍負壬之麓。諱則文亮, 字曰光德, 自號竹圃, 無愧其節。齊以曹氏, 昌寧其族, 順禹其考, 性行端淑。生於己未, 癸卯以卒, 葬用魯禮, 公原同穴。三男, 東燮、寬燮、在燮。南老、石老、敬老, 長出。熙海、興永, 次房之育。南老男五, 鉉金其一。鄕道交章, 可詔千百。不佞何贅, 石老之托。

덕음 김공(德隱金公)의 묘갈명(墓碣銘) 병서(并序)

나는 두 집안의 후생(後生)으로 누차 공을 뵈었는데, 그 덕스러운 얼굴이 순수하고 따뜻하였으며, 논의(論議)가 진지(眞摯)하여 봄바람이 부는 듯하여 비루한 사람이 너그러워지고, 박정한 사람이 돈독해질 수 있었다. 언제나 우러러 모셨다. 공이 작고한 후 14년 만에, 그의 아들 상일(相一)이 비석을 마련하여, 나에게 비명(碑銘)을 간청하여 후세에 입증하려고 하므로 옛날을 생각하여 차마 사양하지 못하였다.

삼가 살펴보니, 공의 휘는 영수(榮洙), 자는 인부(仁夫), 호는 덕은(德隱)이다. 김씨(金氏)는 울주(蔚州)의 망족(望族)으로 하서선생(河西先生) 휘 인후(麟厚)가 공의 13

세조이다. 그 후 4대를 지나 각재(覺齋) 휘 기하(器夏)가 우암 송선생(尤庵宋先生)의 문하에서 수업하여, 덕망과 학문이 온 세상에서 소중하게 여기어, 후릉참봉(厚陵參奉)으로 조승지(左承旨)에 증직 되었으며, 고조 문휴(文休)는 가선대부 공조참판(嘉善大夫工曹參判)에 증직되었고, 증조 휘 경환(景煥)은 수직(壽職)으로 가선대부(嘉善大夫)가 되었으며, 요준(堯俊)과 석중(錫中)은 조(祖)와 고(考)의 휘로 모두 덕을 숨기고 벼슬하지 않고 오직 가법(家法)을 지키었으며, 외조(外祖)인 장택 고일주공(長澤高一柱公)이다. 공은 고종 계미년(서기 1883) 11월 22일 덕재리(德在里)의 본제(本第)에서 태어났다. 천성이 자애롭고 효성과 우애가 독실하여 생전에 섬기던 예절로 초상과 제사에 이르기까지 한결 같이 정성과 공경으로 조상을 추모하는 일에 열중하여 수세(수세)의 선조 묘소 비석을 빠뜨리지 않고 마련하였으며, 사람을 구제하는 일을 시급하게 여기어 오직 힘이 미치는 데까지 그들의 환심을 샀으며, 자질(子姪)의 교육에 있어서도 자상하게 계도하여, 급하게 서둘지 않았고, 손님들을 좋아하여 밤에도 문을 닫지 않았으며, 많은 가족이 살면서도 즐겁게 지내었으므로, 가정이 가난해도 항시 사람들이 가득 하였다. 평일에 글과 역사를 좋아하고 세리(勢利)에 담담하여, 권문(權門)과 요로(要路)에 머뭇거리며 어떤 요구를 하지 않았으며, 좋아하는 것은 사람들의 가언(嘉言)과 선행(善行)이었고, 방문하는 곳은 이 나라의 현인과 덕 있는 사람들었다. 언제나 여가가 있으면 친구와 함께 경치 좋은 산수(山水)속에서 시를 읊었으나, 갑오년(서기 1954) 10월 7일 향년 72세로 작고하여, 덕재리(德在里) 앞 산인 대마구곡(大馬口谷)의 곤좌원(坤坐原)에 장사하였다. 배(配)는 영광김씨(靈光金氏)인 명현(命鉉)의 딸로, 가정의 교훈을 받았고 성품도 자애로워 사족(士族)들의 가문에 모범이 되었으며, 공보다 5년 뒤인 경인년(서기1950) 9월 6일 작고하여, 묘는 공과 합폄하였다. 아들 4남을 두어 장남은 상만(相萬), 차남은 상일(相一)·상삼(相三)·상오(相五)이며 풍산 홍기응(豊山洪起膺)과 도광 김두술(道光金斗述)은 두 사위이다. 장남의 아들은 형길(炯吉)이며, 차남의 아들은 형준(炯俊)·형소(炯昭)·형규(炯珪), 셋째의 아들은 형무(炯武)·형철(炯喆), 넷째의 아들은 형문(炯文)·형섭(炯燮)이다. 내외의 손자와 증손은 다 기록하지 않았다. 아! 공의 남은 복은 다하지 않았다. 뿌리가 견고한 것은 반드시 가지가 무성하고, 근원이 깊으면 반드시 흐름이 먼 것이다. 이에 다음과 같이 명(銘)을 엮었다.

　명벌(名閥)의 가정에서 태어나 시례(詩禮)를 가업으로 삼았다. 선조의 덕을 더럽히지 않고 효성과 공순하게 대하였다. 또 경사가 남아 있으니 영특한 인재가 즐비 하였다. 누가 심어놓고 수확하지 못하겠는가? 그 이치는 자명하다. 오직 묘소에 있는 나무를 혹 상하지 마라. 아! 이 곳은 오직 현인(賢人)이 묻힌 곳이다.

德隱金公墓碣銘　幷序

不佞以通家後生, 屢拜下風。其德容之粹溫, 論議之眞摯, 若襲春和, 庶乎寬鄙而敦薄矣。公沒後十四年, 肖胤相一, 將治石表隧, 囑余文, 以徵後世。撫念疇昔, 誼不忍終辭。謹按：公諱榮洙, 字仁夫, 號曰德隱。金氏, 蔚州望族, 河西先生, 諱麟厚, 寔公十三世祖也。歷四世覺齋, 諱器夏, 學于尤奄宋先生門, 德學聲望重一世。厚陵衾奉, 贈左承旨。高祖汶休, 贈嘉善大夫 工曹參判。曾祖諱景煥, 壽階嘉善。堯俊錫中, 祖若考諱。皆隱德不仕, 祗守家法。外祖長澤高一柱公。以高宗癸未十一月二十二日生于德在里第, 天賦慈良, 篤於孝友, 推生事之禮, 以及乎喪祭。一出於誠敬, 勤於追遠, 數世先墓使無石儀之或闕。濟人之急, 惟力所及, 各得其懽心。敎子訓姪, 諄諄導迪, 絶無疾遽聲色。喜賓客, 夜不關鍵。群居樂易, 戶屨常滿。平居文史自娛, 澹於勢利, 權門要逕, 未嘗爲趑趄囁嚅。所樂道者人之嘉言善行, 所趨嚮者是邦之賢有德者。每暇日携朋挈儔, 觴詠乎勝山韻水中。以壽七十二, 終于甲午十月七日, 葬在德在前麓大馬口谷面坤原。配靈光金氏, 命鉉女, 服家訓, 性又慈惠, 足爲士族家閨範。先公五年, 庚寅九月六日卒, 墓合祔。生四男, 長相萬, 次相一、相三、相五。豐山洪起鷹, 道光金斗述, 二女壻也。長房男炯吉, 二房男炯俊、炯昭、炯珪。三房男炯武、炯喆。四房男炯文、炯燮。內外孫曾不盡錄。噫, 公之餘庥, 殆未艾也。根固者枝必暢, 源深者流必遠。此可以銘公。銘曰：
篤生名閥, 濟以詩禮。無忝先德, 曰孝曰悌。亦粤餘慶, 停鸞峙鵠。孰種不獲, 厥理孔晢。惟邱有木, 母（毋）或拜傷。嗚呼！此維仁賢攸藏。

삼산처사 서공(森山處士徐公)의 묘갈명(墓碣銘) 병서(幷序)

　광해(光海)가 폭정(暴政)을 할 때는 많은 간신들이 조정에 가득하여 륜리(倫理)가 사라지므로, 공이 일찍 은미한 기미(機微)에 밝아, 그 아버지 노은공(蘆隱公)을 모시고 바다를 따라 남쪽 지방으로 내려와 고부(古阜)의 삼산(森山)에 은둔(隱遁) 하면서 문을 닫고, 뜻을 지키고 친구와 교류를 끊고 어초(漁樵)로 삶을 즐기므로 세상 사람들은 공을 삼산처사(森山處士)라고 하였다.

  삼가 살펴 보건데, 공의 휘는 보언(保彦)이다. 서씨(徐氏)는 이천세가(利川世家)로 시조인 절효선생(節孝先生) 휘 능(稜)이 고려조(高麗朝)에서 벼슬하여 관직이 시중(侍中)에 이르렀다. 공은 도덕(道德)을 갖추어 세상의 사종(師宗)이 되었고, 여러 대를 지나 휘 굉(紘)은 홍문관(弘文館)의 교리(校理)를 지내어 승정원(承政院)의 좌승지(左承旨)에 증직되었으며, 이 분의 아들 휘 신(愼)은 홍문관의 부수찬(副修撰)을 역임하여 사헌부(司憲府)의 대사헌(大司憲)에 증직되고, 이 분의 아들인 휘 자건(子建)은 병절교위(秉節校尉) 겸 홍문관 교리(校理)를 역임하여 예조판서(禮曹判書)에 증직되었는데, 이 분이 공의 6세조 이상이다. 고조 기수(箕壽)는 충순위(忠順衛)의 부수찬(副修撰)을 역임하고, 증조 전(荃)은 사직(司直)을 지냈으며, 조(祖)인 응추(應秋)는 가선대부(嘉善大夫)로 용양위(龍驤衛)의 부호군(副護軍)을 역임하고, 고(考)인 노은(蘆隱) 휘 우종(佑宗)도 가선대부(嘉善大夫)가 되었으나 군소(群小)들에게 노여움을 사서 은둔생활을 하였다. 공은 일찍 이지봉(李芝峯)의 문하에게 수업하여, 덕학(德學)과 성망(聲望)이 당세에 중히 여겨졌으나, 좋은 시대를 만나지 못하여 경륜(經綸)을 펴지 못하고, 궁벽한 산곡에서 은둔하여 일생을 그 곳에서 마치었지만 원망하지 않았다. 공은 정토칠봉(淨土七峯) 밑인 삼산(森山)의 북쪽 산 오좌원(午坐原)에 장사하였고, 배(配)인 금성오씨(錦城吳氏)의 고(考)는 길생(吉生)이며 유순하고 정숙 하였으며 군자(君子)의 배필이 될 만 하였는데, 묘는 공과 같은 곳에 쌍조(雙兆)이다. 외아들 옥상(玉尙)은 호가 요정(曜靖)이며 손자는 재삼(載三)이다. ○은 통훈대부 군자감정(通訓大夫軍資監正)을 역임하였다. 증손과 현손 이하의 세대는 훌륭한 사람이 많아 가보(家譜)에 기재되어 있으므로 다 기록하지 않았다. 모든 자손들이 오랫동안 비석을 마련하지 못하였으므로, 천도(阡道)를 아름답게 꾸미기기로 상의한 후 8세손 용현(榕鉉)과 광옥(光玉)이 나를 방문하여 비명을 지어달라고 간청하고, 나도 이미 공의 유풍을 사모하고 그 효성도 흠모하고 있으므로, 다음과 같이 명(銘)을 엮었다.

  멀리 운둔(隱遁) 하였으니 이미 명철(明哲) 하였다. 저 삼산(森山)을 바라보니 토지는 비옥하고 샘물을 깨끗하다. 여기에서 밭을 갈고 샘을 파놓고 한 집에 경사(經史)를 진열 하였다. 이 비석에 명(銘)을 하였으니 저 하늘이 볼모가 될 것이다.

森山處士徐公墓碣銘 并序

當光海淫虐之日，群姦滿朝，彜倫斁廢。公炳微於早，奉其父蘆隱公，遵海而南，遠遯于古阜之森山，杜門求志，息交絶遊，漁樵以自娛，世稱森山處士。謹按：公諱保彦。徐氏，利川世家。上祖節孝先生，諱稜，仕高麗，官至侍中，道全德備，爲世師宗。累傳至諱絃，弘文舘校理，贈承政院左承旨。是生諱愼，弘文舘副修撰，贈司憲府大司憲。是生諱子建，秉節校尉 兼弘文舘校理 贈禮曹判書。寔公六世以上。高祖曰箕壽，忠順衛副修撰。曾祖曰荃，司直。祖曰應秋，嘉善大夫行龍驤衛副護軍。蘆隱諱佑宗，亦嘉善。慍于群小，因以退隱。公早受學于李芝峯門，德學聲望，重於當世。顧遭時不祥，未展所蘊。甘心樞遯于荒山窮谷之中，坎壈以終其身，亦不怨尤焉。公之葬，在淨土七峯下三山北麓向午原。配錦城吳氏，考曰吉生。嘉柔貞淑，克配君子，墓同原雙兆。一男，玉尙，號燔靖。孫男載三，○通訓大夫 軍資監正。曾玄以下，世多聞人，而自有家譜，不盡著。諸承以久闕阡刻，謀所以賁之。八世孫榕鉉光玉甫與其從東鉉來，徵余文之。旣慕公之遺風，且欽其孝思，遂爲之銘曰：遐擧遠引，旣明且哲。睠彼森山，土肥泉潔。爰畊爰鑿，經史一室。銘此貞石，蒼旻可質。

구암거사 백공(龜巖居士白公)의 묘갈명(墓碣銘) 병서(幷序)

선비의 명성이 당세에 떨치고 그 혜택이 후세에 전하는 경우는 대개 고가(古家)의 연원(淵源) 중에서 나온 사례가 많았는데근고(近古)의 구암거사 백공(龜巖居士白公) 휘 낙환(樂煥)이 그런 사람에 가까울 것이다. 공은 수원(水原)의 세가(世家)로 자는 진여(辰汝)이다. 시조는 송계(松溪) 휘 우경(宇經)이며 시호는 문경(文景)인데, 당(唐)의 이부상서(吏部尙書)로 있다가 참소를 당하여, 동방으로 나와 신라(新羅)의 광록대부 좌복야(光祿大夫左僕射)로 있었다. 고려 때 평장사(平章事)로 있던 휘 천장(天藏)은 수성백(隋城伯)으로 피봉 되었고 시호는 문익(文益)이며, 이를 전후(前後)로 높은 관직을 역임한 사람들이 대대로 이어졌으며, 본조(本朝)에 이르러 우참찬(右參贊) 휘 인걸(仁傑), 시호 문경(文敬)은 정암선생(靜庵先生)에게 수업하여, 그 도(道)가 율곡(栗谷), 우계(牛溪) 두 현인(賢人)에게 정하였으며, 세상에서 휴암선생(休

庵先生)으로 일컬었고, 7대를 지나 휘 사복(師復), 호 두서(斗西)는 공의 고조이며, 증조 휘 동직(東直)은 수직(壽職)으로 통정대부(通政大夫)에 올랐으며, 조부의 휘 찬진(瓚鎭)은 모두 문행(文行)으로 저명하였으며, 고(考)의 휘는 영수(英洙)이며 어머니는 전주 이씨(全州李氏)로 이 분은 섭구(燮求)의 딸이다. 공은 철종 임술년(서기 1862) 정월 9일에 태어났으며 천성적으로 효성과 우애가 독실하여 부모를 섬기는데 있어서 조금이라도 빠진 것이 없었고 장례를 치를 때 산제(山祭)를 100일 동안 지내고 결국 길지(吉地)를 얻었으며, 남들에게 베풀기를 좋아하여 언제나 흉년이 들면 가난한 사람들을 구제하였는데, 그 수효가 매우 많았으며, 또 육영사업(育英事業)에도 뜻을 두어 전토(田土)를 학교에 희사하여 송덕비(頌德碑)를 세웠으나, 공이 그 소식을 듣고 즉시 철회하도록 하여 자신이 그 공을 오로지 하지 않았으니 그의 겸손한 덕은 대개 그 성품이 그러하였던 것이다. 그러나 향년 78세인 순조 기묘년(서기 1819) 10월 10일 작고하여 부안 산내면 격포(扶安山內面格浦) 앞 산 간좌원(艮坐原)에 장사하였는데, 제문(祭文)을 지어 애통한 사람들이 모두 그를 효자(孝子)와 인인(仁人)이라고 칭 하였다. 배(配)는 언양김씨(彦陽金氏)로 한구(漢龜)가 그의 고(考)이며 공보다 1년 후인 계해년(서기 1803)에 태어나 공보다 8년 먼저인 신미년(서기 1811) 10월 13일 작고하여 공의 묘소에 부장(附葬) 하였다. 아들 2남을 두어, 장남 남렬(南烈)은 동몽교관(童蒙敎官)을 역임하고, 차남은 남식(南栻)이며, 3녀는 이병환(李秉煥) · 변동식(邊東植) · 이동렬(李東烈)에게 출가 하였다. 동몽교관의 아들은 영기(永基) · 용기(龍基) · 종기(鍾基) · 홍기(弘基)이며, 남식의 아들은 병기(丙基) · 웅기(雄基) · 걸기(傑基) · 형기(炯基)이다. 딸 한 분은 고재윤(高在潤)에게 출가 하였다.

　나는 일찍 봉래산중(蓬萊山中)에서 공을 뵈온 적이 있었는데, 공은 하얀 머리와 붉은 얼굴로 그 화기로운 기운이 사람을 엄습 하였고, 종일 자상하게 가르쳐 주시어, 효우(孝友)의 범주를 떠나지 않아 정서스러운 군자(君子)의 기풍이 있었다. 그 후 공의 아들과 손자와 교류하여 보니, 돈후(敦厚)하고 영준(英俊)하여 그 가정을 계승할 만 하였으니, 누가 냇물이 많은 것은 근원에 의하지 않는다고 하겠는가? 남식(南栻)이 행장을 나에게 가져 와서 비명(碑銘)을 지어달라고 간청 하므로, 옛날과 지금을 생각할 때 어찌 사양할 수 있겠는가? 이상과 같이 서문(序文)을 짓고 다음과 같이 명(銘)을 엮었다.

　공은 명가(名家)에서 태어나 어진 자손이 되었다. 공이 명산(名山)에 있으면서 좋은 주인이 되었다. 그 덕은 두루 베풀지 않는 것이 없고, 모든 사람들은 그를 인인(仁人)

으로 추대 하였네. 인인(仁人)은 반드시 뒷이 있는 것이니, 그 자손들이 많이 번창 하였다. 서포(西浦)의 언덕 주위는 산도 밝고 물도 맑다. 내 명(銘)은 속이는 말이 아니니 만년(萬年)에 밝힌다.

龜巖居士白公墓碣銘 幷序

夫士之令名重當世, 惠澤垂於後者, 盖多故家淵源中出來。近古龜巖居士白公, 諱樂煥, 殆其人也。公水原世家, 字辰汝。上祖松溪, 諱宇經, 諡文景, 唐吏部尙書被讒東出, 爲新羅光祿大夫, 左僕射。麗朝平章事, 諱天藏, 封隋城伯, 諡文益。前紳後紱, 奕世相承。至本朝右叅贊, 諱仁傑, 諡文敬, 學受於靜庵先生, 道傳於栗牛兩賢, 世所稱休菴先生。歷七代諱師復, 號斗西, 是爲公高祖。曾祖諱東直, 壽階通政。祖諱瓚鎭, 皆以文行著。諱英洙, 全州李氏, 夑求女, 考妣也。公生哲廟壬戌正月九日, 孝友天植, 於事親之, 節无或缺。及其葬, 致祭於山, 百日卒得吉地。好施與, 每値歉荒, 周恤窮乏, 所濟活甚衆。有志育英, 割田土以資校地。頌石立立, 公聞卽撤收。不自有其功謙德, 盖其性然也。以壽七十八, 歿于純宗後己卯十月十日, 葬於扶安之山內面格浦前麓枕艮之原。操文致哀者, 咸稱其孝子仁人。配彦陽金氏, 漢龜其考。生後公一年癸亥, 先公八年辛未十月十三日歿, 祔公墓。二男, 長南烈, 童蒙教官。次南栻。三女, 適李秉煥、邊東植、李東烈。教官男永基、龍基、鐘基、弘基。南栻男丙基、雄基、傑基、炯基。高在潤, 一女壻也。不佞嘗拜公於蓬萊山中, 皓髮朱顔, 盎和襲人, 盡日諄誨不離, 孝友肫肫然, 有君子之風。厥后與若子若孫遊擧, 敦厚俊茂, 克世其家。孰謂川豐而不源？南栻以狀請余文, 賁其泉道, 俯仰今昔, 其何敢辭？爲之序而銘, 曰：

公生名家, 爲賢子孫。公居名山, 爲好主人。德無不周, 咸推其仁。仁必有後, 厥類振振。西浦之原, 山明水潾。我銘匪諛, 用昭萬春。

중추원 의관(中樞院議官)
회계 김공(晦溪金公)의 묘갈명(墓碣銘) 병서(并序)

　고인(古人)이 말하기를 "나무를 보면 그 산을 안다(見木而知其山)"고 하였는데, 공의 아들 봉진(鳳振)이 일찍 성균관(成均館)에서 공부할 때, 나도 재주가 없지만 그와 함께 배우고 있으면서 그의 행실을 보니 여러 사람 가운데 표상(表像)이 될 만 하였으니, 법도가 있는 가문에 선비라는 것을 알 수 있었다. 그 후 30년이 넘은 정미년(서기 1967) 겨울에 그가 그의 선친의 사적을 초안하여 그의 종족이자 내 친구 진명(振明)을 통하여, 나에게 비명(碑銘)을 간청 하였다. 나는 그 사적을 읽고 그에 대한 칠분(七分)은 알 수 있었으므로, 이에 더욱 봉진(鳳振)이 어질어 가르침을 받은 것이 있다는 것을 믿을 수 있었다.

　삼가 살펴보니 공의 휘는 한경(翰卿)이며, 자는 치문(致文), 회계(晦溪)는 그의 호이다. 김씨(金氏)는 강릉세가(江陵世家)로 그 시조는 신라(新羅)의 태종(太宗) 5세손인 명주군왕(溟州郡王)인 휘 주원(周元)이며, 고려 초기에 휘 예(乂)는 관직이 시중(侍中)에 이르러 왕씨(王氏)의 성을 하사받았으며, 왕씨의 딸이 고려 태조(太祖)의 비(妃)가 되었고, 13대를 지나 휘 지(輊)는 국조(國朝)에 들어와 도평의(都評議)의 관직에 올라 그의 두 형 헌(軒)과 예(輗)가 본성(本姓)을 사용하였고, 그의 아들 다섯이 모두 문무 대소과(文武大小科)에 올라, 당 시대 사람들은 영광으로 칭송 하였으며, 휘 자흠(子欽)은 세 번째의 아들로 문과(文科)에 급제하여, 호조참의(戶曹參議)를 역임하였고, 호는 회정(檜亭)이다. 위는 15대 이상이다. 수태(壽泰), 구준(龜俊), 시룡(始龍)은 고조, 증조 및 조부로, 모두 덕을 숨기어 벼슬하지 않았으며, 고(考)의 휘 연성(演聲)은 예식원(禮式院)의 주사(主事)로 성주이씨(星州李氏)인 여련(如璉)의 딸에게 장가를 들어 고종 갑술년(서기 1874) 12월 5일 강릉 백교촌(江陵白橋村)에서 공을 낳았다. 공은 천성이 순수하고 온화하여, 부모에게 효성을 다하여 봉양 하고, 그 부모님이 나이가 많다고 조금도 게을리 하지 않았고, 그 세 아우들과 우애 하였으며, 분가할 때는 그 박전(薄田)을 차지하고, 비옥한 전답을 주었으며, 흉년에는 가난한 사람을 도왔으므로 그 고을 사람들은 송덕비(頌德碑)를 세웠으며, 매월선생(梅月先生)의 유집(遺集)이 널리 보급되지 못한 것을 개탄하고, 많은 돈을 들여 간행하고 또 성인(聖人)을 사모하는 마음이 지극하여 일찍 향교의 전교(典校)를 맡고 있으면서 정성을 다하여 교궁(校宮)을 보수 하였다. 그는 자신을 돌보는 데는 매우 간소하였고, 집 주위에는 푸른 소나무와 잣나무가 울창하게 서 있고, 못도 파서 버드나무를 심고하여 관어대(觀魚臺)를 지어, 매년 가절(佳節))에는 친구를 불러 술을 마시고 시를 지으며, 울회(鬱懷)를 달래었고, 영욕(榮辱)을 마음속에 두지 않고, 헐뜯는 말과 칭찬하는 말은 관심도 갖지 않고, 집에 들어오면 경사(經史)를 즐기고, 집을 나가면 호수와 명산을 즐기어, 세상을 초월하고 세속을 벗어나는 등 깨끗한 기상이 있었으니, 어찌 속유(俗儒)와 곡학(曲學)들이 본받을 수 있겠는가? 한 시대에 선비들이 군자(君子)와 장자(長者)로 추대하여 통훈대부 중추원의관(通訓大夫中樞院議官)의 관직이 내려졌으나, 공은 혹 그런 경우가 있을 것으로 보아 넘겼다. 공의 시문(詩文) 2책이 가장에 간직되어 있다. 공은 75세인 무자년(서기1948) 11월 7일에 작고하여 강릉부(江陵府)의 북쪽인 대전리 도니곡(大田里道尼谷)의 을좌원(乙坐原)에 장사하였고, 배(配)인 숙인(淑人)은 강릉최씨(江陵崔氏)로, 그의 아버지는 재혁(在赫)이며, 기사년(서기 1869)에 태어나 임신년(서기 1932) 2월 29일 작고하여 공의 묘소에 부장(附葬) 하였다. 외아들은 즉 봉진(鳳振)이며, 풍양 조정재(豊壤趙正載)와 강릉 박용각(江陵朴容珏), 영월 신○○(辛○○)은 세 사위이다. 봉진의 아들은 윤기(潤起)·기영(起泳)·기용(起溶)·기철(起澈)·기수(起洙)·기원(起源)이며 내외 증손과 현존은 기록하지 않았다. 아! 공의 뜻과 덕망은 신명(神明)과 통할만 하고 세상을 후손을 도울만하다. 나의 말을 믿지 않으려면, 이 자손들이 번창한 것을 보라. 다음과 같이 명(銘)을 엮었다.

　세상은 요란해도 공은 담박(澹泊) 하였고, 세상 사람들은 모두 어긋났지만 공은 즐겁게 지냈다. 그 담박한 것은 뜻이 명철(明哲)하기 때문이며 그 즐기는 것은 덕이 이루어지기 때문이다.

中樞院議官晦溪金公墓碣銘 并序

古人云見木而知其山。公有子鳳振, 嘗遊學于泮宮, 余亦以不才, 忝在同學, 觀其擧止, 繩尺衆中, 殊表可念, 法家拂士也。越卅年丁未冬, 手艸其先公事狀介其族, 吾友振明甫, 徵以表隱之刻, 讀其狀目, 可槩公七分。於是乎益信鳳振之賢, 有所受矣。謹按：公諱翰卿, 字致文, 晦溪其號也。金氏江陵世家, 肇祖曰新羅太宗王五世孫溟州郡王諱周元。麗初有諱乂, 官至侍中, 賜姓王氏, 以女爲麗太祖妃也。十三傳諱軽, 入國朝官都評議, 與二兄軒、輗, 幷復本姓。有子五人俱登文武大小科, 一世稱榮。諱子欽, 第三房, 文戶曹叅議, 號檜亭, 十五代以上也。壽泰、龜俊、始龍, 高曾若祖諱, 俱隱德, 不仕。考諱演聲, 禮式院主事。娶星州李氏, 如璉女。以高宗甲戌十二月五日生公于江陵之白橋村, 天姿粹溫, 孝養二親, 不以年老而或懈。友于三弟, 及析箸取其薄, 而推其厚。値歉荒, 周恤窮乏, 鄉人立石頌德。慨梅月先生遺集之刊布未廣, 捐巨貲以完役。篤於慕聖, 曾典校宮, 殫誠修補, 其於自奉甚菲焉。環屋皆蒼松老栢, 欝然成行。鑿池種柳, 臺曰觀魚。每良辰勝節, 賓朋萃止, 則命酒賦詩, 以暢幽欝。榮辱不嬰情, 毀譽不相關。入則有經史之樂, 出則有湖山之興, 灑然有超世出塵之象, 豈俗儒曲學之所可髣髴哉。一時人士, 咸推以君子長者。官通訓大夫 中樞院議官, 公視以爲倘來。遺詩文二卷藏于家。壽七十五, 戊子終於十一月七日, 葬在江陵府北大田里道尼谷乙坐原。配淑人江陵崔氏, 父在赫。生己巳, 壬申二月二十九日忌也, 祔公墓。一男卽鳳振。豊壤趙正載、江陵朴容珏、寧越辛○○, 三女婿。鳳振男潤起, 起泳、起溶、起澈、起洙、起源, 內外曾玄, 繁不錄。噫, 公之志之德, 足以通神明, 足以庇後昆。所不我信, 視此子孫之俊茂。繼之以銘, 曰:

世皆熱鬧, 公則澹而泊。世皆拂戾, 公則怡而樂。惟其澹志, 所以明也。惟其怡德, 所以成也。

태강 나공(台江羅公)의 묘갈명(墓碣銘) 병서(幷序)

지난 임오년(서기 1942) 봄에, 나는 공 및 두 세 친구들과 함께 봉래산(蓬萊山)의 청연암(靑蓮庵)에 올랐다. 이때 공은 시를 읊어 "바다는 넓어 하늘은 끝이 없고, 산은 높아 암석(巖石)을 세워둔 심정일세(海闊天無際, 山高石立心)"라고 하므로, 나는 그 기백이 장수를 누릴 증거라고 생각하여, 남모르게 기대한지 오래 되었는데, 어찌 그 수명이 54세에 그칠 줄 생각이나 하였겠는가? 아니 말세의 운수가 효박(淆薄)하여 시가 정성(情性)에서 나온다는 말도 믿을 수가 없는 것일까? 아! 슬프다. 공의 휘는 수찬(綬燦), 자는 만기(萬機)로, 나씨(羅氏)의 관향은 안정(安定)이다. 고려조의 시중(侍中)을 역임한 안정백(安定伯) 휘 천서(天瑞)가 시조이기 때문이다. 그 후 휘 식(湜)은 조정암(趙靜菴) 문하에서 수업하여 을사명현(乙巳名賢)이 되었고, 세상 사람들은 '장음정 선생(長吟亭先生)'이라고 칭하였다. 운암 수 난강(雲菴 垂蘭岡), 집 야헌(鎌野軒), 이 분은 도정(都正)을 역임하였고, 길순(吉淳), 성암 상일(惺菴相一)은 고조 이하 4세(世)의 휘로, 모두 학문과 행실로 명망이 온 세상에 높았으며, 비(妃)는 평산신씨(平山申氏)로 그의 아버지는 현기(鉉基)이다. 공은 고종 무술년(서기 1898) 9월 5일 남촌(南村)에서 태어났는데, 기상이 준수하고 영민하여 범인보다 뛰어나 눈으로 한번 본 것은 잊지 않았으며, 어려서부터 가정학에 길들여 학문과 서예(書藝)를 일찍 성취 하였고, 성장한 후에는 기상사 춘담(奇上舍春潭)의 문하에서 수업하여 박식(博識)으로 칭찬을 받았었다. 내가 볼 때, 그는 가정에 있으면서 모든 봉양을 오직 아버지 뜻대로 받들고, 큰 형인 륜찬(綸燦)과 한 책상에서 공부하고 한 식탁에서 식사하여 서로 발전하는 이익이 있었으며, 종족을 대할 때도 가난한 사람과 혼인하는 사람에게 모두 도와주고, 친구를 사귈 때도 은혜와 의리를 지키므로 그를 사랑하지 않는 사람이 없었다. 백형과 집 북쪽의 송림(松林)속에 정사(精舍)를 지어, 그 아버지가 만년에 유식(遊息)하는 장소로 삼고, 하루도 그 옆을 떠나지 않았으며, 경진년(서기 1940)에 상을 당하였을 때는, 예절에 넘도록 슬퍼하여, 날마다 묘소에 나가 성묘하고 어머니를 효성으로 모시어, 사시는 곳이 냇물 하나를 사이에 두고 있었으나 문안하고, 반찬 살피기를 비바람이 거세도 혹 중단하지 않았으며 신묘년(서기 1951) 9월 모일 우연히 병이 들어 작고하였는데, 속광(屬纊)하기 전에 누차 끝까지 봉양하지 못한 것을 들먹이었고, 장례를 치를 때는 만장(輓章)이 줄을 이어 사람들은 모두 인후(仁厚)한 장자(長者)라고 칭송 하였다. 모원(某原)에 장사하였다. 배(配)는 울산김씨(蔚山金氏)인 모(某)의 딸이며, 5남 1녀를 두어 장남은 기휘(基徽)이며, 차남은 기성(基渻), 기진(基珍), 기(基炯), 기원(基元)이며, 딸은 이근태(李根兌)에게 출가 하였다. 아! 나는 공과 여러 대를 사귀어온 사이므로, 성동(成童) 때부터 친하게 지내온지 벌써 40년이 되었다. 대개 공은 효우(孝友)의 행실과 호걸을 풍도가 있고, 고금을 통달하였으며, 언론도 상쾌하여 강호(江湖)에 자취를 두고 권귀(權貴)의 문에 발을 들여놓지 않았고, 입으로 세리(勢利)에 대한 말을 깨끗이 여기지 않고, 언제나 가절(佳節)에는 동지들과 좋은 산수(山水)를 찾아 술을 마시고 시를 지으며 그 뜻을 즐기었다. 그의 아들 기휘(基徽)가 내가 공을 가장 잘 안다고 말하면서 비병(碑銘)을 지어달라고 하였다. 나는 세상 일이 날로 잘 못되어가는 것을 가슴아파하고, 친구들이 날마다 작고하는 것을 한탄하고 있는데, 지금 이 일에 어찌 사양할 수 있겠는가. 다음과 같이 명(銘)을 엮었다.

장음정옹(長吟亭翁)의 고가(古家)에 대대로 덕이 밝게 드러났네. 전렬(前烈)의 빛을 배태(胚胎)하여 오직 공이 태어나셨네. 학문과 행의(行誼)를 아름답게 이루었네. 타고난 성품이 후하였는데 어찌 그 수(壽)에는 인색하였을까. 내가 비석에 명(銘)을 새긴 것은 후인(後人)의 책임이기 때문이네.

台江羅公墓碣銘 幷序

昔壬午春, 余與公及三數契友登蓬萊之靑蓮菴, 公有詩曰: "海濶天無際, 山高石立心." 意以謂其氣魄足以享遐壽之徵. 竊自期者久矣, 孰謂壽僅五十四而止? 抑或叔季運氣澆薄, 詩之出於情性者, 亦不可恃也歟? 嗚呼欷矣. 公諱綏燦, 字萬機. 羅氏本安定, 自高麗侍中安定伯諱天瑞始, 至諱湜, 受學于趙靜庵門, 爲乙巳名賢, 世所稱長吟亭先生也. 雲菴垂蘭, 岡鐩野軒, 官都正吉淳, 惺菴相一, 高祖以下, 四世諱也. 俱以儒行, 名望重一世. 妣平山申氏, 父鉉基. 公以高宗戊戌九月五日生于南村, 氣象俊茂, 穎慧出倫, 凡耳所經輒不忘. 幼而擩染庭訓, 文藝夙就. 及長, 就正于奇上舍春潭門, 以淹博見詡. 余嘗見其居家, 左右就養, 惟親意是順. 與伯公綸燦同案同桌, 有征邁之益. 及其處宗族, 貧窮昏葬, 皆有助給. 於朋友之交, 恩義周偏, 無不愛慕. 與伯公搆精舍於家北松林下, 爲其親晚年遊息之所. 未嘗一日離其側. 及庚辰遭憂, 哀毁過禮, 日必展墓, 孝奉偏慈, 所居隔一川, 問寢視膳, 不以風雨而或癈. 辛卯九月○○日偶得疾而逝, 未屬纊前累致於未及終養. 及葬, 輓誄相屬, 咸稱以仁厚長者, 葬○○某原. 配蔚山金氏○○女. 五男一女. 男長基徽, 次基渲、基珍、基炯、基元. 女適李根兌. 嗚呼! 余與公累世交孚, 自卯角結交, 垂四十年矣. 盖公以孝友之行, 有傑豪之風, 博古通今, 言論美爽, 鏟迹江湖, 足不涉權貴門, 口不屑勢利語. 每良辰佳節, 挈同志, 飮酒賦詩於山靑水綠間, 以樂其志. 肯胤基徽甫, 謂余知公深, 要以銘阡道. 余傷時事之日非, 歎朋知之日落, 今於金石之役, 其何忍終辭, 爲之銘曰:

長翁古家, 世德彰明. 胚胎前光, 惟公篤生. 有文有行, 斐然其成. 賦旣厚矣, 年胡其嗇. 我銘貞石, 後死者責.

성균관 진사 권공(成均館進士權公)의 묘갈명(墓碣銘) 병서(幷序)

고 성균관 진사 권공(故成均館進士權公)이 만년동안 묻힌 곳은 장성 삼계면 삼태(長城三溪面三台)의 뒷산인 간좌원(艮坐原)이다. 묘목(墓木)이 이미 한 아름이 되었지만, 지금도 초부(樵夫)와 목동(牧童)들은 서로 경계하여 묘소를 침노하지 말라고 한다. 아! 이것은 인인(仁人)과 군자(君子)의 기풍이 사람들에게 깊이 인식되었다는 것을 볼 수 있는 것이다. 공의 5세손 영봉(寧奉)이 나에게 비명(碑銘)을 간청하므로, 나는 조용히 생각해 보니, 여러 세대동안 서로 사귀고 있는 처지이므로, 내가 어찌 그 책임이 없다고 사양할 수 있겠는가?

삼가 살펴보니, 공의 휘는 기일(基一), 자는 일지(一之)이며, 안동(安東)의 대성(大姓)으로 휘 중달(仲達)은 추성정책 안사공신 대광 지밀직사사 화원군(推誠定策安社功臣大匡知密直司事花原君)에 피봉 되었으며, 시호는 충헌(忠獻)으로 이 분이 중시조이며, 추재(楸齋) 휘 준(準)은 통선랑(通善郎)으로 임란(壬亂) 때 무장(茂長)으로 내려왔다. 이 분이 공의 7세조이다. 고조 지성(志成)은 부호군(副護軍)을 역임하고 증조는 석(錫)이며 조(祖)는 매죽헌 후경(梅竹軒厚經)인데 효자로 추천되었고, 고(考)는 경(泂)으로 문학과 행실로 세상에 저명하였고. 비(妣)는 울산김씨(蔚山金氏)인 참봉(參奉) 술조(術祖)의 딸이다. 공은 정조 기해년(서기 1779)에 태어나 어려서부터 사랑과 공경할 줄을 알았으니, 그 천성이 그러 하였다. 임오년(서기 1822)에 진사(進士)가 되고 문학과 성망이 온 세상에 저명 하였다. 그는 멀리 조상으로 추모하여 종족들은 효손으로 칭송 되다가 결국 본도(本道)에서 추천되었다. 대개 공은 인륜(人倫)에 독실하여 벼슬길에 나가기를 바라지 않고, 오직 가족에게 돈독하고 실제적인 일에 힘을 써 이런 마음으로 몸을 조신하고, 이런 마음으로 후손의 길을 열어 주었으며, 향년 86세인 갑자년(서기 1804) 5월 30일 작고하였다. 배(配)는 전주최씨(全州崔氏)인 창협(昌俠)의 딸로 계묘년(서기 1783)에 태어나고 정유년(서기 1837)에 작고하여, 별도로 추산봉(秋山峯)의 신좌원(辛坐原)에 장례를 치루었다. 아들은 득현(得賢), 인현(仁賢), 의현(義賢) 3형제를 두었는데, 장남과 계남(季男)은 후사(後嗣)로 나가고, 인현(仁賢)의 아들은 대연(大連)이다. 증손과 현손 이하는 수효가 많아 다 기록하지 않았다. 조용히 생각하니, 사람들의 가정에 선조들은 예의(禮義)와 명교(名敎)로 그 기반을 세우지 않는 경우가 없지만, 두어 세대를 지나면 계승한 사람이 드물다. 그러나 지금 권씨(權氏)들은 인덕(仁德)을 쌓아 그 자손들이 백년 후에도 전형(典型)은 비록 멀지만 그 전하는 덕택은 아직 사라지지 않고 있다. 근원이 깊으면 그 흐름이 반드시 먼 것이다. 다음과 같이 명(銘)을 엮었다.

화산(花山)의 세벌(世閥)은 남주(南州)에서 유망한 종족이다. 벼슬을 못하면, 덕을 닦아 그 사업이 대대로 독실 하였다. 공은 그 서업(緒業)을 계승하여 오직 그 근본에 돈독 하였다. 효우(孝友)로 사스렸고 시서(詩書)를 다반사로 여기었다. 삼태(三台)의 산기슭에 울창한 그 빈터가 있다. 이 곳을 지나간 사람들은 덕을 상고할 것이니, 아직 길을 가던 수래도 멈추리라.

成均進士權公墓碣銘 并序

故成均進士權公萬年之藏, 在長城之森溪面三台后負良原。墓木己拱抱矣, 而至今樵牧相戒以勿侵。嗚乎！此可見仁人君子之風, 入人深也。五世孫寧奉甫, 屬余以阡銘。竊念累世交孚, 其可以非其任辭諸。謹按：公諱基一, 字一之, 安東大姓, 諱仲達, 推誠定策安社功臣大匡 知密直司事 花原君諡忠憲, 是爲中顯之祖。楸齋諱準, 通善郞。壬辰亂, 南下茂長, 於公七世。高祖曰志成, 副護軍。曾祖曰錫, 祖曰梅竹軒, 厚經幷以孝薦。考曰洄文, 行著世。妣蔚山金氏, 叅奉述祖女。公生正廟己亥, 幼能 444 知愛敬, 其天得也。壬午, 成進士, 文學聲望重一世。誠於追遠, 宗族稱其孝, 竟有道繡之薦。盖公篤於人倫, 不求進取, 惟敦本務實。以之而持己, 以之而牖後, 享壽八十六, 甲子五月三十日終。配曰全州崔氏, 昌俠女。卒癸卯丁酉, 別葬於秋山峰上辛坐之原。三男, 得賢、仁賢、義賢。長與季出后。仁賢男大連, 曾玄以下蕃不盡記。竊惟人家祖先, 莫不以禮義名教立得根基, 而數世之後, 鮮克嗣述。今權氏積德累仁, 雲仍百載, 典型雖邈, 遺澤尙未泯。源深者流必遠也。爲之銘曰：
花山世閥, 南州望族。宦替德修, 其業世篤。公承厥緒, 惟本是敦。孝友爲政, 詩書茶飯。三台之麓, 有苑其墟。過者考德, 尙亦式車。

자헌대부 지사(資憲大夫知事)
김공(金公)의 묘갈명(墓碣銘) 병서(幷序)

　자헌대부 지사(資憲大夫 知事)인 김공(金公)이 작고한지 이미 200여년이 지났으나, 아직 묘소에는 비석이 세워지지 않았으므로 7대손 원직(源直)이 그 종족 기업(琪業), 원회(源會)와 함께 선대인(先大人)의 행장(行狀)을 (正會)에게 가지고 와서 비명(碑銘)을 간청하였다. 나는 식견이 고루하고 글도 비속하여 남의 금석사(金石事)에 대하여 감당할 수 있는 사람이 아니지만 선조의 덕을 천명하는 데는 사람의 이성이 같으므로 사양하기 어려웠다.
　삼가 살펴보니, 공의 휘는 천상(天相), 자는 대재(大哉)이다. 그의 선조는 광산인(光山人)으로, 신라 때부터 고려까지 문벌이 세상에 빛나 동방에서 저명한 성씨가 되었다. 휘 자진(子進)은 호가 수산정(首山亭)으로, 이 분은 고려가 망하자 의리를 지키어 조선조의 신하가 되지 않았고, 본조의 휘 숭조(崇祖)와 휘 기구(紀俱)는 홍문관의 전한(典翰)을 역임 하였으며, 휘 경우(景愚)는 호가 요월정(邀月亭)으로 공조좌랑(工曹佐郎)을 역임 하였고, 휘 대진(大振)은 손자의 관직으로 좌승지(左承旨)에 증직 되었으며, 휘 우열(友說)은 병조참판에 증직 되었다. 이 분이 공의 고조이다. 증조의 휘 여흠(汝欽)은 가선대부 종지중추부사(嘉善大夫同知中樞府事)를 역임하고, 조(祖)의 휘 필광(必光)은 호조참의(戶曹參議)에 증증 되었으며, 고(考)의 휘 하영(夏英)은 호조판서에 증직 되었다. 모두 공의 관직으로 은전(恩典)이 추서된 것이다. 비(妣)는 정부인(貞夫人)으로 전의이씨(全義李氏)인 병사(兵使) 홍조(弘肇)의 딸이다. 공은 숙종 무자년(서기 1708) 정월 18일 서울 관동(館洞) 집에서 태어나 어려서부터 헌걸차게 생기어 사람들이 바라보면 태악(泰嶽)같은 기상이 있었고, 문무(文武)의 재능을 가지고 있어, 영조 임술년(서기 1742)에 과거에 급제하였다. 이때는 태평성대를 만나, 그 은전에 감격하여 일찍 시를 지어 "용광(龍光)이 밤마다 두우(斗牛)에 빗겨 음산(陰山)에서 사냥 마치고 병사들을 호궤(犒饋)하네. 대장부가 당연히 국사(國事)에 순직국할 것이니, 구차하게 어찌 함부로 경영(經營) 하겠는가(龍光夜夜斗牛橫, 獵盡山陰餉萬兵, 大丈夫當殉國事, 苟苟何必妄經營)"라고 하였다. 이것은 그 몸을 잊고 순국(殉國)하는 의리와 존화양이(尊華攘夷)의 마음으로 일월(日月)과 빛을 다툴만 하다고 할 것이다. 공은 풍덕(豊德)·무산(茂山)·경성(鏡城)·삼화(三和)·구성(龜城) 및 본도의 중군(中軍)을 역임하여 부임한 곳마다 정사는 깨끗하고 형벌은 간략하였으므로, 백성들이 사랑하여 거사비(去思碑)[70]까지 세워 두었다. 공은 일찍 인읍(隣邑) 원님에게 서신을 보내어 "높은 마루에 앉아서 굶주린 백성들을 구제하는 것이 고통스러우면 순의(鶉衣)[71]를 걸어놓고 미죽(糜粥)을 바라보는 것이 어떻 하겠습니까?"라고 하였으니, 그 마음 가짐과 사람들에게 혜택을 끼치는 것을 또한 상상할 수 있을 것이다. 공이 풍덕(豊德)에 있을 때, 일찍 잃어버렸던 선대 문숙공(文肅公)의 묘소를 정성을 다해 찾고, 봉분(封墳)을 개축(改築)하여 지금까지 변함없이 향사(享祀)하고 있다. 그리고 아들에게 경계하는 편지를 보내 "너희들에게 글을 읽으라고 한 것은 어찌 다른 것이 있겠느냐? 아버지의 가르침을 알지 못하면 독서하는 것이 아무 이익이 없는 것이다. 아들이 되어 아버지를 섬기고, 신하가 되어 임금을 섬기는 것은 당연히 '성(誠)'자를 앞세워야 할 것이니, 혹 정성을 다하지 않으면 비록 충성과 효도를 다한다 하더라도 참된 충효(忠孝)가 아닌 것이다"라고 하였다. 이것은 대개 몸소 실천하고 마음으로 터득하여 그 후손에게 미치는 것이다. 공은 나이 80세가 넘어 기로사(耆老社)에 들어가 자헌대부(資憲大夫)에 오르고 지사(知事)가 되었고, 임자년(서기 1732) 2월 8일 노성 대명동(魯城大明洞) 집에서 작고하여 공주역 왕우래산(公州驛王雨來山)에 장사했다가 기유년(서기 1789)에 춘원(春源)이 유언을 받들어 장성 장전산(長城長田山)의 선영 밑 감좌원(坎坐原)에 이장 하였다. 배(配)는 정부인(貞夫人)인 원주원씨(原州元氏)로 아버지는 후석(後錫)이며, 기축년(서기 1709)에 태어나서 공보다 16년 먼저인 병신년(서기 1776)에 작고하여, 공주 계룡면 효포(公州鷄龍面孝浦)의 안산(案山)인 월출산(月出山)의 갑좌원(甲坐原)에 장사하였다. 자녀 각 2인을 두어, 큰 아들 윤철(允喆)은 통덕랑(通德郞)으로 백부(伯父)의 후사로 입양 하였으며, 차남 윤길(允吉)은 通德郞이며 판서(判書) 이보온(李普溫)과 부사(府使) 신재문(申載文)이 사위이다. 7세손 원삼(源三)이 해외에서 유학 하였으나 선고(先考)의 유훈(遺訓)을 잊지 않고 힘과 성의를 다하였으니, 이것도 효도로 써 선조를 위하는 지성스런 마음이다. 다음과 같이 명(銘)을 엮었다.

 태악(泰嶽)은 그의 기상이며 충효(忠孝)는 그의 자질이다. 이때 융성한 시운을 만나 천구(天衢)를 기대할만 하였다. 날개를 펴고 다 날지 못하여 그 시로 마음을 읊었다.

---

70) 지방관이 그 지방에 큰 공적을 남기고 떠났을 때 그 고을 주민들이 그에 대한 사모비를 세워준 비를 말함다.
71) 폐의(弊衣)를 말함.

조금 큰 솜씨를 발휘하여, 백성들이 거사비(去思碑)[72]를 세웠다. 나이와 덕망이 높아 관직도 따랐다. 이것을 삼존(三尊)[73]이라고 하니, 그와 견줄 사람은 드물었다. 참으로 군자(君子)이니 백세(百世)가 되어도 사라지지 않으리라. 후손에게 효자를 주었으니, 그 감동은 어긋나지 않았다. 그 내용을 비석에 게시하니 천년 만년에 전하리라.

資憲大夫知事金公墓碣銘 并序

資憲大夫知事金公沒后二百有餘, 禋墓闕顯刻, 七世孫源直甫, 與其族琪業、源會二君, 抱其先大人狀, 聯轡訪正會, 而請銘。顧不佞識陋文下, 不堪任人金石事, 至若闡發先德, 彝性攸同, 難容固辭。謹按: 公諱天相, 字大哉, 其先光山人, 自羅迄麗, 奕世閥閱, 爲東方著姓。有諱子進, 號首山亭, 麗社屋守罔僕義。本朝有諱崇祖, 諱紀俱, 弘文典翰。諱景愚, 號邀月亭, 工曹佐郞。諱大振, 以孫貴, 贈左承旨。諱友說, 贈兵叅, 寔公高祖。曾祖諱汝欽, 嘉善大夫, 同知中樞府事。祖諱必光, 贈戶叅。考諱夏英, 贈戶判。皆以公推恩。妣貞夫人全義李氏, 兵使弘肇女。以肅宗戊子正月十八日生公于京舘洞第。幼而岐嶷, 人望之有泰嶽氣像, 才兼文武。英廟壬戌, 被選登第際, 遇晟代感恩激義, 甞有詩曰: "龍光夜夜斗牛橫, 獵盡陰山餉萬兵。大丈夫當殉國事, 苟苟何必妄經營。" 其忘身殉國之義, 尊華攘夷之心, 可謂與日月爭光也。歷典豐德、茂山、鏡城、三和、龜城, 及本道中軍, 所至政淸刑簡, 民愛戴之, 有去思石。甞貽書鄰邑宰, 曰: "坐高堂, 救飢民, 謂太苦。則懸鶉衣, 望糜粥, 果如何?" 其存心澤物, 又可想矣。其在豐德也, 先世文肅公墓失其傳, 公誠心搜得, 改築封塋, 至今享紀無替。其誡于書, 曰: "使汝讀書, 豈爲他哉。不知父敎爲重, 讀書無益。爲子事父, 爲臣事君, 當以誠字爲先。倘不以誠, 雖自謂忠孝, 非眞忠孝也。" 是盖躬行心得, 以及於後昆也。年踰八耊, 入耆社, 陞資憲, 爲知事。壬子二月八日終于魯城大明洞邸, 葬于公州驛王雨來山。己酉春, 源直克遵遺戒, 移葬於長城之長田山先塋下負坎原。配貞夫人原州元氏, 父後錫。生己丑, 先公十六年, 丙申卒, 公州鷄龍而孝浦案月出山甲原其葬也。男女各二, 男長允喆, 通德郞, 出爲伯父后。次允吉, 通德郞, 判書李普溫, 府使申載文婿也。七世

---

72) 예전에, 감사나 수령이 갈려 간 뒤에 그 선정(善政)을 기리어 백성들이 세운ㄴ 비.
73) 맹자(孟子)가 말한 나이, 덕망, 관직을 말한다.

孫, 源三方遊海外, 不忘先考之遺訓, 竭力致誠, 是亦以孝爲先之誠心也。銘曰：泰嶽其像, 忠孝其資。際會盛運, 天衢可期。飛不盡翰, 咏懷其詩。薄試牛刀, 民有去思。年德俱邵, 爵位隨之。是曰三尊, 罕有其比。允矣君子, 百世不麾。錫類後昆, 感應靡差。揭詞貞珉, 於千萬斯。

일재 허공(逸齋許公)의 묘갈명(墓碣銘) 병서(并序)

가정에서 어진 부형(父兄)이 있고, 밖에서 엄한 스승이 있으면, 이것은 선비에게 도움이 되어 학문을 성취하는 것이니, 일재 하공(逸齋河公)같은 분은 그 안팎의 연원(淵源)으로부터 성취되었다는 것을 속일 수 없을 것이다. 공의 아버지 농와공(農窩公)은 위기지학(爲己之學)에 전력하여, 밖에 나가서는 밭을 갈고 집에 돌아오면 글을 읽었으며, 산에서는 나무를 하고 물에서는 고기를 잡아 동안풍(董安豊)[74]과 같은 행의(行誼)가 있었다. 공은 가정에서 학문을 배우며 어려서부터 여러 아이들과 어울리지 않고 이미 성인(成人)다운 모습을 지니고 있었다. 스승에게 나가《소학(小學)》을 읽으며 친히 청소할 때 오직 조심하면서 말하기를 "이 일이 치국(治國)과 평천하(平天下)하는 근본이다."고 하고, 일과를 스승이 번거롭게 돕지 않아도 열중하게 공부하여 문리가 일찍 나고, 아버지의 명으로 계부(季父)의 후사로 입양 하였으나, 가정이 가난하여 공부를 할 수 없으므로, 농사도 짓고 나무도 하고 고기도 잡아 생활을 유지 하였으며, 남은 여가로 공부하여 부모에게 기쁘게 해드리고, 행동을 조심하여 말 한마디 할 때와 걸음 한번 걸을 때 감히 자기 마음대로 하지 않았다. 그 후 임진년(서기 1802)에 김상서 문현(金尙書文鉉)이 영릉참봉(英陵參奉)[75]으로 추천하였으나, 나가지 않았고 상을 당한 후에는 한결 같이 상례를 따라 예절에 넘는 일은 있어도 예절에 미치지 못한 일은 없었으며, 친생 부모의 초상에도 그렇게 하였다. 공은 선조를 받드는데 독실하여 여러 세대의 선산에 길을 택하여, 이장하고 각기 제전(祭田)을 마련하였으며, 을미년(서기 1895)에는 연재 송문충공(淵齋宋文忠公)[76]의 문하를 방문하여,

---

74) 당(唐)나라 사람. 진사(進士)에 급제한 후 벼슬을 구하지 않고 오직 동백산(桐柏山)에 은거(隱居)하면서 농사를 지으면서 나무하고 고기 잡으며 부모에게 효도한 고사(高士)이다. 그는 안풍(安豊)에서 살았으므로 동안풍(董安豊)이라고 한다.
75) 영릉(英陵)은 세종(世宗)의 릉호(陵號).
76) 서기1836~1905. 송병선(宋秉璿)의 호. 자는 화옥(華玉), 호는 동방일사(東方一士), 연재(淵齋). 시호

의심나는 글을 질문하면서 여러 차례 스승으로부터 칭찬을 받았으며, 치발령(薙髮令)이 내렸을 때는 분연히 말하기를 "머리는 자를지언정, 머리털은 자르지 못한다."고 하였고, 동 년에 연재옹(淵齋翁)이 순절(殉節)할 때는 공이 스승의 사망을 애통해 하여 3년동안 심상(心喪)을 하였으며, 경술년(서기1910)에 국가가 없어질 때는 분통으로 병이 생겨, 문을 닫고 자신을 편안히 하였다. 공은 정사년(서기 1917) 2월 13일 작고하여 용암산(龍巖山)의 임좌원(壬坐原)에 장사하였고, 배(配)는 공인(恭人)인 경주최씨(慶州崔氏)로, 공의 묘소 좌측에 부장 하였다. 공은 진양(晉陽)의 세가(世家)로 휘는 만(滿), 자는 도진(道臻)이 고려조(高麗朝)에서 사직(司直)을 역임한 진(珍)이 시조이며, 본조에 들어와 대사간(大司諫)을 역임한 결경재 연(潔敬齋演)이 그의 아우이다. 단종(端宗)과 세조(世祖) 사이에 초산(楚山)으로 은둔한 이후 2대를 지나, 치(治)는 삼군(三郡)의 군수(郡守)를 역임하여 거사비(去思碑)가 있었고, 이 분이 복천(福川)으로 이거하여 자손들이 그 곳에서 가정을 꾸리고 거주 하였다. 고조의 휘는 지청(지청), 증조는 복정(僕正)을 역임한 휘 정옥(廷玉)이며, 조(祖)는 서암(瑞巖) 휘 진렬(鎭烈), 고(考)는 농와(農窩) 휘 준원(俊源)이며, 김해 김영규(金海金永圭)는 외조이다. 그리고 휘 성원(成源)과 밀양박씨(密陽朴氏)는 공을 낳아준 부모이며, 조카 인수(麟秀)의 아들을 입양하였고, 외동딸은 이만(李蔓)에게 출가 하였다. 아! 공의 학문은 이미 《소학(小學)》 한 책을 근본으로 삼았다. 그러므로 일생동안 고집하는 것이 천인(千仞)이나 된 절벽과 같았으니, 그 연원(淵源)의 도움이 학문을 성취하게 된 것이다. 공의 손자 응운(應雲)이 행장을 엮어, 나에게 비명(碑銘)을 간청 하였으나, 나는 학식이 고루하여 감히 감당할 수 없으나 광간(狂簡)을 택하는 것은 옛 도리므로 끝까지 침묵할 수 없어, 다음과 같이 명(銘)을 엮었다.

농와(農窩)의 아들이며, 연재(淵齋)의 고족(高足)[77]이다. 공이 선조이 공렬(功烈)을 답습하였으니, 기질이 아름답고 학문을 좋아 하였다. 사설(邪說)을 배척하고 정학(正學)을 부식하였으니, 그 의리가 탁월하다. 오직 이와 같았으므로, 사우(士友)들이 독실하게 존중 하였다.

는 문충(文忠), 송시열의 9세손. 송면수(宋勉洙)의 아들. 경연관(經筵官), 가의(嘉義) 등 관직을 내렸으나 모두 응하지 않고 신사봉사(辛巳奉事), 십조봉사(十條封事) 및 상복에 관한 솟장을 올리고 1905년 12월 30일 국권을 강탈당한데 대한 통분으로 고종과 국민에게 유서를 남기고 자결 하였다.

77) 수제자(首弟子)를 다르게 일컬은 말.

逸齋河公墓碣銘 并序

內而賢父兄, 外而嚴師父。此士之所資以有成者也。若逸齋河公, 其內外源淵之所自不可誣也。考農窩公, 專心爲己之學, 出畊歸讀, 採山釣水, 有董安豐之行。公擩染家學, 自髫齔不隨群兒嬉, 己有 成人儀度, 就傅受小學書, 手執灑掃, 惟謹曰:"此爲治平之本也。" 不煩程督, 喫緊孜孜, 文理夙達。以親命出而爲季父后。家窶甚, 未專學業, 耕稼漁樵, 以資一菽水。餘力則學, 怡愉洞屬, 一出言, 一擧足, 不敢有其身。壬辰金尙書文鉉薦除英陵叅奉, 不就。遭艱, 一遵禮制, 有過之無不及。生考妣喪, 亦然。篤於奉先, 累世墓擇吉改窆, 各置祭田。乙未, 贄謁淵齋宋文忠公門, 質疑問辨, 累蒙師席之獎詡。聞薙髮令, 奮然曰:"頭可斷, 髮不可斷。" 乙巳, 淵翁殉節, 公痛, 深山樑心喪三年。至庚戌無國, 憂憤成病, 因杜門自靖, 竟以丁巳二月十三日卒, 葬于龍岩山寅原。配恭人慶州崔氏祔左。公晋陽世家, 諱滿, 字道臻。高麗司直珍爲上祖。入本朝大司諫潔, 敬齋演弟也。莊光之際, 南遯楚山, 再傳治歷, 典三郡, 有去思碑。移居福川, 子性仍家焉。高祖諱之淸, 曾祖僕正諱廷玉。祖瑞岩諱鎭烈。農窩諱俊源, 金海金永圭外祖也。諱成源, 密陽朴氏, 生考妣也。取姪麟秀子之。一女適李蔓。嗚乎 ! 公學問頭腦, 己本乎小學一書, 是以一生秉執如壁, 立千仞源淵之所資。以成者此也。肖孫應雲, 艸事狀, 徵以賁隱之文。顧淺陋不敢當, 而擇狂古道, 不容終默, 遂爲之銘曰 :

農窩肖子, 淵門高足。公襲前烈, 質美好學。斥邪扶正, 秉義其卓。維其如是, 惟士友之所篤。

일신재 조공(日新齋趙公)의 묘지명(墓碣銘) 병서(并序)

나의 친구 조동섭(趙東燮)이 자기 5대조 일신재공(日新齋公)의 비명(碑銘)을 나이게 간청하면서 "우리 선조께서는 평생 동안 가난하게 살면서 도(道)를 지키어 오직 효도와 우애를 돈독히 하였으니 후생들의 본보기가 되기에 충분합니다. 그러나 묘목(墓木)이 이미 한 아름 자랐어도 아직 비석을 세우지 못하였으니 한 마디 말씀 해 주시면 영원히 전하고자 하네."라고 하였다. 정회(正會)는 그 글을 지을 사람이 아니라고 사양하였지만, 끝내 허락을 받지 못하였다.
　삼가 살펴보니, 공의 휘는 인겸(寅謙), 자는 군중(君重)이며, 서재의 이름은 일신(日新)이다. 공은 옥천(玉川)의 명족(名族)으로 둔세암(遯世庵) 휘 윤옥(潤屋)이 그의 8대조이다. 고조는 장사랑(將仕郎)을 역임한 숙(淑)이며, 증조는 상열(相說), 조부는 통덕랑(通德郎)을 역임한 병래(鼎來)이며, 고(考)는 덕호 후동(德湖塤東)으로 학문으로 세상에 명성을 떨치었다. 비(妣)는 진주주정씨(晉州鄭氏)로 아버지는 세양(世陽)이다. 영조 병인년(서기 1746)과 순조 정묘년(서기 1807)은 그의 생몰 연대이다. 묘는 사신원(使臣院) 좌측에 있는 기구(基舊)의 임좌원(壬坐原)에 있는데, 그 기록에 이르기를 "창녕 조씨(昌寧曺氏)는 하익(夏翊)의 딸로 임신년(서기 1752)에 태어나 임오년(서기 1822)에 작고하였고, 공의 묘에 부장(附葬) 하였다. 두 아들은 경유(景裕)와 경호(景昊)이며, 외동딸은 선산 유경락(善山柳慶洛)에게 출가 하였다. 손자인 진옥(進玉), 진주(進周), 진장(進章)은 큰 아들이 낳았으며, 진대(進大)과 짚채(進采)는 작은 아들이 낳았다. 증손과 현손 이하는 다 기록하지 않았다. 조용히 생각해 보니, "군자(君子)의 덕(德)은 5세(世)에 그친다(君子之澤, 五世而斬)"고 한 것은 세대에 의하여 논한 것이며, 덕교(德敎)와 유운(遺韻)을 두고 논한 것이 아니다. 공의 자손들이 여러 세대를 내려오면서 고가(故家)의 전형(典刑)을 지키어, 공의 가르침이 여기에 있는 것이다. 아! 공의 묘소에 명(銘)을 할만하므로 아래과 같이 명(銘)을 엮었다.
　관직이 아니어도 높고 녹을 받지 않아도 영광스러우니, 이것은 하늘에서 얻은 것이니, 그 이름도 오래 전할 것이다. 인강(仁江)의 위에 높은 비석이 있으니, 나의 말이 사람들을 속이는 것이 아니라 천고(千古)에 게시(揭示)한다.

日新齋趙公墓碣銘 幷序

吾友趙東燮甫, 以其五世祖日新齋公表隱之文, 囑不佞曰："我先祖一生固窮守道, 惟孝友是敦, 足可爲後生規範矣。墓木已拱, 尙闕顯刻, 願垂一言之重, 以詔久遠。"正會辭非其人, 而終不獲。按：公諱 寅謙, 字君重齋, 號日新, 玉川名族。遯世菴諱潤屋, 其八世祖也。高祖曰將仕郎淑。曾祖曰相說。祖 通德郎鼎來。考曰德湖, 塤東文學著世。妣曰晉州鄭氏, 父世陽。英廟丙寅, 純廟丁卯, 生卒也。墓在使臣院左基舊壬原。紀曰：昌寧曺氏, 夏翊女。壬申生, 壬午沒, 祔公墓。二男, 景裕、景昊。一女, 適善山 柳慶洛。孫男進玉、進周、進

章, 長房出。進大、進采, 次房出。曾玄以下多不盡錄。竊謂君子之澤五世而
斬者, 蓋以世序而論也, 非謂德教遺韻也。公之雲仍, 歷累數世, 而克守故家典
刑, 公之教在是矣。嗚呼！可以銘公墓也, 己因爲之銘, 曰：
匪位而尊, 匪祿而榮。得之於天, 能壽厥名。仁江之上, 有崇四尺。我詞匪諛,
庸示千百。

묘표(墓表)
학생 송공(學生宋公)의 묘표(墓表)

장사(長沙)의 해리(海里) 수락(水洛) 뒤이며 입암(立巖) 아래정(丁)좌인 묘소는 고 송공 병찬(宋公秉贊)의 묘이다. 그의 손자 재춘(在春)이 장차 비석을 세워 초부(樵夫)와 목동(牧童)을 경계하려고 하므로, 나의 친구 송군 재립(宋君在立)이 지은 행장(行狀)을 나에게 가져와 묘표(墓表)를 간청 하였으니, 내가 어찌 글을 잘하지 못한다고 사양할 수 있겠는가?

삼사 살펴 보건데, 공의 자는 덕필(德必)이며, 은진세가(恩津世家)로 시조는 대원판원사(大原判原事)이며, 3대를 지나 명의(明誼)는 포은(圃隱)·목은(牧隱)과 친구이며, 극기(克己)는 진사(進士)에 급제하고, 유(愉)는 호가 쌍천당(雙淸堂)으로 정절사(靖節祠)에서 배향하고 있으며, 계사(繼祀)는 사헌부 지평(司憲府持平)을 역임하고, 순두(順斗)는 예조정랑(禮曹正郞)을 지내고 역학(易學)에 조예가 깊었으며, 여해(汝諧)는 안동대도호부사(安東大都護府使)를 역임하고, 세양(世良)은 건원릉 참봉(健元陵參奉)을 역임하였으며, 구수(龜壽)는 효행으로 새를 감동시켰고, 4대를 지나 기상(起想)은 벽동군수(碧潼郡守)를 역임 하였으며, 반석(班錫)은 호가 일산(一山)으로 장사(長沙)에 우거하고 있었고, 후원(厚源)·탁상(鐸相)·환건(煥建)·달규(達圭)·흠장(欽章)·민수(敏洙)는 고(考) 이상의 조상이다. 비(妣)는 신창 표씨(新昌表氏)인 종우(宗于)의 딸로, 고종 기사년(서기 1869) 2월 26일 태어나 경오년(서기 1930) 14일 향년 62세로 작고하였고, 배(配)는 초계 변씨(草溪卞氏)인 호암 성온(壺巖成溫)의 후손인 춘수(春洙)의 딸로, 공보다 16년 뒤인 을해년(서기 1935) 4월 16일 작고하였으며, 묘는 칠성동(七星洞) 남쪽 산 인좌원(寅坐原)이며, 공의 묘와 수 십 보의 거리이다. 6남 1녀를 두어 장남은 일찍 작고하고, 다만 어린 아들만 두었으니, 즉 재춘(在春)이며, 차남은 모모(某某)이나 아들을 두지 못하고, 모(某)는 재엽(在燁)·재영(在

榮)·재창(在昌)을 낳았으며, 모(某)는 재천(在天)을 낳고, 모(某)는 재인(在仁)과 재은(在銀)을 낳고, 외동딸은 나주 오몽렬(羅州吳夢烈)에게 출가 하였으며, 재춘(在春)의 아들은 수호(修鎬)·윤호(潤鎬)이다. 아! 공의 평생을 돌아보면, 비록 학문으로 자부하지는 않았지만, 언행이 도리에 맞지 않는 경우는 매우 적었다. 공자(孔子)가 말하기를 "10호(戶)의 읍(邑)에 반드시 충직(忠直)하고 신실(信實)한 이 있다(孔子曰十室之邑,必有忠信云云)"고 하였는데 공이 참으로 그런 사람이라고나 할까?

學生宋公墓表

長沙之海里水洛後立巖下負癸向丁而封者, 故宋公秉贊之墓也。孫在春將竪石, 以警樵牧, 以吾友宋君在立狀, 徵文於不佞, 曷敢以不文辭？謹按：公字德必, 恩津世家。上祖大原判原事。三傳明誼, 圃牧友善。曰克巳進士。曰愉, 號雙清堂, 享靖節祠。曰繼紀, 司憲府持平。曰順斗, 禮曹正郎, 邃於易學。曰汝諧, 安東大都護府使。曰世良, 健元陵叅奉。曰龜壽, 孝感禽鳥。四傳曰基想, 碧渾郡守。曰珽錫, 號一山, 寓跡長沙。曰厚源, 曰鐸相, 曰煥建, 曰達圭, 曰欽章, 曰敏洙, 考以上也。妣新昌表氏, 宗于女。以高宗己巳二月二十六日生, 卒于庚午十四日, 享年六十二。配草溪卞氏, 壺岩成溫后春洙女。後公十六年, 乙亥四月十六日卒, 墓七星洞南麓寅坐, 距公墓數帿地也。生六男一女, 男長某早夭, 只有遺腹兒, 卽在春。次某某, 無育。某生在燁、在榮、在昌。某生在天, 某生在仁、在銀。女適羅州吳夢烈。在春男修鎬、潤鎬。噫, 迹公生平, 雖不以學問自居, 而庸言庸行, 不合於道者自寡。孔子曰："十室之邑, 必有忠信。"公實其人也歟。

호은처사 김공(湖隱處士金公)의 묘표(墓表)

자신을 닦고 반드시 얕보지 않으며, 그 실상에 힘쓰고 이름을 팔지 않아 오랫동안 고을 사람들의 흠모를 받은 사람은 족조(族祖)인 호은처사 김공(湖隱處士金公) 휘 영태(榮泰), 자 찬익(燦益)이 이 분이다. 이 분은 관향이 안동(安東)이며, 고려(高麗)의 상락백(上洛伯)인 충렬공(忠烈公) 휘 방경(方慶)이 원조(遠祖)이며, 그후 휘 사형(士

衡)은 우리 조선조(朝鮮朝)에서 좌의정(左議政)을 역임하여 시호가 익원(翼元)이며, 4대를 지나 휘 을만(乙萬)은 통찬(通贊)을 역임한 분으로 무송(茂松)으로 내려와 거주 하였고, 3대를 지나 휘 질(質)은 진사(進士)에 급제 하였으며 효행이 천하에 알려져 그 마을에 정표(旌表)를 명 하였고 하서 김문정공(河西金文正公)이 그 마루에 이름을 영모(永慕)라고 하였다. 이 분이 도암사(道巖祠)에 배향 되었다. 이 분의 아들인 휘 사욱(士勗)은 생원(生員)이었고, 이 분의 아들인 휘 익철(益哲)은 호가 현무재(賢武齋)로, 선조(宣祖) 신묘년(서기 1591)에 음직(蔭職)으로 직장(直長)으로 관직이 주부(主簿)였으며, 임진왜란에 용만(龍灣)으로 호가(扈駕)한 공으로 1등훈(等勳)에 책록되고, 특별히 녹권(錄券)을 받았으며 도암사(道巖祠)에 배향 되었다. 이 분들이 공의 8세조 이상이다. 고조의 휘는 종서(鍾瑞), 조(祖)의 휘는 용(墉), 고(考)의 휘는 양탁(養鐸)으로 모두 덕을 숨기고 벼슬을 하지 않았다. 비(妣)는 청도김씨(淸道金氏)로 방용(邦龍)이 그의 아버지이다. 공의 성품은 순후하고, 아버지를 섬길 때, 뜻과 음식을 잘 받들었으며, 형제를 대할 때도 화목 화였다. 가정이 매우 가난하였으나, 선조를 받드는데 독실하여 제사를 지낼 때는 반드시 제계하고 목욕하여 깨끗이 하면서 말하기를 "제물은 당연히 그 있고 없는 것에 맞추어야 한다. 풍성하고 깨끗하지 않으면 소략하면서 성의를 다하는 것만 못한 것이다"고 하였다. 사람들을 대할 때도 반드시 온화하고 공순하여 자신을 낮추고, 사람들이 자기와 친하지 않으면 반드시 자신을 반성하여, 그 이유를 찾아냈으며, 학문에 크게 힘을 쓰지 않았지만, 행동과 말이 옛날 독실한 군자(君子) 같았고, 세상이 옛날 같지 않는 것을 탄식하며, 서해(西海)의 왕호(旺湖) 사이를 왕래하며, 초연히 뜻을 높게 갖고 세리(勢利)와 화려한 것에 담박하였다. 공은 경신년(서기 1920) 정월 12일 작고하여, 그가 태어난 헌종 경자년(서기 1840)과 비교할 때 향년이 81세였으며, 고창면 죽림(高敞面竹林) 뒤인 복정산(伏鼎山)의 손좌원(巽坐原)에 장사하였고, 배(配)는 광산이씨(光山李氏)인 종환(鍾煥)의 딸로, 공보다 10년 먼저인 정월 7일 작고하여 묘는 공의 묘와 합폄(合窆) 하였다. 3남 3녀를 두어, 아들은 정묵(貞黙)·중묵(中黙)·윤묵(允黙)이며, 박규영(朴奎榮)·강일영(康日永)·이병수(李炳秀)는 세 사위이다. 둘째의 아들은 재홍(在洪)·재운(在雲)·재첩(在㯆)·재은(在銀)·재화(在華)이며, 셋째의 아들은 재린(在麟)이다. 그후 큰 아들의 아들은 재봉(在奉)·재용(在鏞)·재언(在彦)이다. 증손과 현손은 다 기록하지 않았다. 윤묵씨(允黙氏)가 정회(正會)에게 말하기를 "선인(先人)의 묘목(墓木)이 이미 늙도록 아직 비석을 세우지 못하고 있으니, 불초(不肖)의 나이가 80세에 가까우므로, 급히 서둘지 않으면 후세에 누가 들먹이겠습니까? 시(詩)에 이름을 천명할 사람은 없지 않지만, 우리 종족들의 말은 믿을 수 있는 기록을 원하고 있으니, 어찌 말 한마디 하지 않을 수 있겠는가?"라고 하므로 정회(正會)는 감히 글을 잘하지 못한다는 핑계로 사양할 수 없어, 삼가 그 세계(世系)의 근원과 지행(志行) 등을 대략 발췌하여, 초부와 목동으로 하여금 묘목을 베거나 묘소를 흙을 뭉기지 말도록 하였다.

湖隱處士金公墓表

修於巳而不必施, 務其實而不售名, 久爲鄕人所欽誦者。族祖湖隱處士金公, 諱榮泰, 字燦益, 是耳。本安東高麗上洛伯忠烈公諱方慶爲遠祖。傳至諱士衡, 仕我朝左議政, 謚翼元。四傳而諱乙萬, 通贊, 南下茂松, 仍家焉。三傳而諱質, 進士, 孝達天下, 命旋其閭。河西金文正, 名其堂曰永慕。享道巖祠。生諱士勗, 生員。生諱常, 贈工曹叅議。生諱益哲。號賢武齋, 宣廟辛卯蔭直長官主簿。壬辰扈駕龍灣策功一等, 特賜錄券, 配享道巖祠。於公爲八世以上。高祖諱鍾瑞, 祖諱埔, 考諱養鐸, 皆隱德不仕。妣淸道金氏, 邦龍其考。公賦性醇厚, 事親致志, 物之養處, 兄弟盡翕和之樂, 家窶甚而篤於奉先。祭必齊沐致潔, 曰: 祭物當稱其有無, 豐而不潔。不若略而盡誠。與人必溫恭自卑, 人有不親, 必反身求之。不大肆力於學問而勵靜云。爲暗合於古篤實君子, 傷世道之不古, 往來西海旺湖之間, 逍遙自適, 颺然有遐擧遠引之想。於勢利芬華, 泊如也。卒于庚申正月十二日, 距其生憲宗庚子, 壽八十一, 葬于高敞面竹林後伏鼎山負巽原。配光山李氏, 鍾煥女。先公十年正月七日, 均墓合兆。三男, 貞默、中默、允默。朴奎榮、康日永、李炳秀, 三女婿也。二房男在洪、在雲、在堞、在銀、在華。三房男在麟。長房在奉、在鏞、在彦。曾玄不盡錄。允默氏囑珵會曰: "先人墓梓巳老, 尙無顯刻。不肖亦年迫八十, 不汲汲圖之, 嗣世曷稱焉?顧詞華擅名, 非無其人, 而不如吾族黨之言爲可徵信。君盍一言以重珵。" 會不敢以文拙辭, 謹撮其世系源委志行梗槩, 俾樵牧毋剪樹, 毋夷土。

학생 송공(學生宋公)의 묘표(墓表)

공의 휘는 정헌(正憲), 자는 모(某)로 은진인(恩津人)이며, 대원판원사(大原判院事)가 시조이다. 여러 대를 지나 유(愉), 호 쌍청당(雙淸堂)이 정절사(靖節祠)에 배향되었고, 계기(繼紀)는 司憲府持平)을 역임 하였으며, 순두(順斗)는 예조정랑(禮曹正郎)을 역임하고 역학(易學)으로 세상에 명성을 떨쳤으며, 여해(汝諧)는 안동대도호부사(安東大都護府使)를 역임하고, 세량(世良)은 건원참봉(健元參奉)을 지냈으며, 구수(龜壽)는 효행(孝行)으로 짐승을 감화시켰고, 5대를 지나 정석(玼錫), 호 일산(一山)은 장사(長沙)에서 은둔(隱遁) 하였다. 후원(厚源), 탁상(鐸相), 환건(煥建)은 5대 이상이며, 달규(達圭), 흠장(欽章), 민수(敏洙), 병찬(秉贊)은 고조, 증조, 조부이다. 비(妣)는 초계 변씨(草溪卞氏)로 아버지는 춘수(春洙)이며, 호암 성온(壺巖成溫)의 후손이다. 공은 정유년 5월 2일 태어나 향년 29세로 을축년 11월 21일 작고하여 해리 성동 남록 좌자원(海里星洞南麓子坐原)에 장사하였다. 배(配)는 함흥 이씨(咸興李氏)로 필성(必成)의 딸이며, 유복자 재춘(在春)을 두었다. 재춘의 아들은 수호(修鎬)와 운호(潤鎬)이다. 아! 행실을 닦지 않은 것이 아니고 재주가 훌륭하지 않은 것도 아니지만, 오직 수(壽)를 누리지 못하였으니, 하늘이 나이를 빌려주었다면 그의 발전을 어찌 헤아릴 수 있었겠는가? 아! 그가 단명하므로, 나는 그 묘표를 지어 이곳을 지나가는 사람들에게 그 지사(志士), 인인(仁人)의 묘라는 것을 알린다.

學生宋公墓表

公諱正憲, 字某, 恩津人。大原判院事爲鼻祖。累傳至愉號雙淸堂, 享靖節祠。繼紀, 司憲府持平。順年, 禮曹正郎, 以易學名于世。汝諧, 安東大都護府使。世良, 健元陵叅奉。龜壽, 孝致異物之感。五傳玼錫, 號一山, 遯于長沙。厚源、鐸相、煥建, 五世以上。達圭、欽章、敏洙、秉贊, 高曾祖稱也。妣草溪卞氏, 父春洙。壺岩成溫后, 生公于丁酉五月二日, 卒于乙丑十一月二十一日, 壽纔二十九, 葬于海里星洞南麓子坐原。配咸豐李氏, 必成女, 只有遺腹兒在春。在春男修鎬、潤鎬。嗚呼！行非不修, 才非不茂, 而壽獨不畀天假之年。其進, 何可量哉？噫！其短矣。我表其阡, 使過者知其爲志士仁人之藏。

백천 김공(白川金公)의 묘표(墓表)

　광산 김재덕(光山金在德)이 그의 아버지 백천공(白川公)의 행장(行狀)을 가지고 나에게 와서 비문을 간청 하였다. 그 행장은 소박하고 화려하지 않아 세속에서 자랑하는 말이 없어 오랫동안 입증할만 하였다. 이에 살펴 보건데, 공의 휘는 기창(箕彰), 자는 성칠(成七)이며, 신라왕자 흥광(興光)이 시조이다. 8대를 평장사(平章事)로 이어져 고려조(高麗朝)에서 저명하였다. 공민왕(恭愍王) 때에 전리판서(典理判書)인 휘 인우(仁雨)는 장사감(長沙監)으로 옮겨왔다가, 이곳에서 집을 짓고 살았다. 국조(國朝)에 들어와 돈목재(敦睦齋) 휘 기서(麒瑞)는 효행(孝行)으로 광릉참봉(光陵參奉)에 제수 받았으며, 정암선생(靜菴先生)의 문하생이라고 일생동안 숨어살다가 세상을 마치었다. 그의 아들 휘 경희(景熹)는 호가 노계(蘆溪)로 나이 20세에 생원(生員)에 급제 하였으나, 을사사화(乙巳士禍)가 일어나자 은거하여 벼슬을 하지 않았으므로, 고을 선비들은 전동(典洞)에다가 사우(祠宇)를 건립하여 양세(兩世)를 배향 하였고, 그의 아들 휘 홍우(弘宇)는 호가 백곡(白谷)으로 임진년(서기 1592) 소사(素沙)의 일에 예조좌랑(禮曹佐郞)으로 명나라 장수의 접반사(接伴使)가 되어 "생등(生等)이 승첩(勝捷)하는 공이 있었다"고 해명 하였으므로, 상(上:선조)이 가상하게 여기어 특별히 남원부사(南原府使)로 제수 하였으며, 그 후 이조참판(吏曹參判)에 증직 되었다. 위는 10세(世) 이상이다. 그리고 우옥(友玉)·명린(命麟)·한택(翰澤)·상원(相元)은 4세(世)의 휘이다. 외조는 조양임씨(兆陽林氏)인 영필(永弼)이다. 공은 철종 임술년(서기 1862) 8월 15일 태어나 병신년(서기 1896) 5월 8일 작고하여, 고창 내동(高敞內洞)의 뒷인 해좌원(亥坐原)에 장사하였다. 배(配)는 장택고씨(長澤高氏)인 제익(濟益)의 딸로, 현명하고 정숙하여 내조가 있었으며, 병자년(서기 1876) 2월 29일 작고하여, 묘는 합폄(合窆) 하였다. 1남 1녀를 두어, 아들은 재덕(在德)이며, 딸은 안동 김순회(安東金淳會)에게 출가 하였다. 공은 효도하고 우애 하였으며, 기질이 정직하여 겉을 치장하지 않고 밖의 일을 생각하지 않고 오직 자기 분수를 지키고 좋아하는 것은 글이었다. 선유(先儒)들이 말하기를 "사치스러우려면 차라리 야(野) 하겠다."고 하였다. 이것은 질박하고 문채에 치우치지 않겠다는 것이다. 아! 이 곳은 질박한 것을 숭상하는 군자(君子)의 묘이므로, 이곳을 지나가는 사람들은 어찌 공경하지 않겠는가?

白川金公墓表

光山金在德, 狀其大人白川公行, 請余以阡刻。狀質而不華, 無世俗夸毗之辭, 可徵諸久遠矣。按: 公諱箕彰, 字成七。新羅王子興光爲上祖。八代平章事, 顯于麗。恭愍朝, 典理判書, 諱仁雨, 遷長沙監, 因家焉。入國朝, 敦睦齋諱麒瑞, 孝除光陵叅奉, 以靜庵先生門徒, 坎軻沒世。生諱景熹, 號蘆溪, 二十中生員。乙巳禍作, 隱德不仕。鄉人士建祠, 典洞兩世享之。生諱弘宇, 號白谷。壬辰素沙役, 以禮曹佐郎, 接伴明將解生等有勝捷功, 上嘉之, 特除南原府使, 後贈吏曹叅判。十世以上也。友玉、命麟、翰澤、相元, 四世諱也。外祖兆陽林氏永弼。以哲宗壬戌八月十五日生, 丙申五月八日卒, 葬于高敞之內洞後亥坐原。配長澤高氏, 濟益女。賢淑有內助, 丙子二月二十九日卒, 墓合兆。生一男一女, 男卽在德, 女適安東金淳會。公孝友質直, 不事表幅, 無慕乎外, 惟分是安。所少者, 文耳。然而先儒氏云: "與其史也, 寧野以質, 不以文也。" 嗚呼! 此尙質君子之攸藏, 過者盍式焉。

학생 하공(學生河公)의 묘표(墓表)

공은 진주(晉州)에서 태어났다. 젊었을 때 삼으로 신을 삼고 지내다가 호남(湖南)의 장사(長沙)로 이거 하였는데, 그 고운 산수(山水)를 사랑하기 때문이었다. 그 중에 해리(海里)는 또 장사에서 명승지이다. 풍속은 순후하고 백성들은 순박하며, 어해(魚蟹)는 풍요로웠으니, 이것은 자손들을 위하는 것이므로, 그 곳에서 집을 짓고 거주한 것이다. 그는 자손을 교육하는 것도 농사와 독서에 힘을 쓰고, 그 밖의 일은 생각하지 않았으며, 서로 사귀는 사람들도 모두 고을에서 지명인사들이었다. 아! 이것은 공을 7분(分)은 엿볼 수 있을 것이다. 공의 휘는 시일(時日), 자는 일진(一振)이다. 하씨(河氏)는 진주(晉州)의 거족(巨族)으로, 호정(浩亭) 휘 륜(崙)은 고려 때 우리 태종(太宗)을 도와 정사좌명공신(定社佐命功臣)으로, 의정부 영의정(議政府領議政)이 되어, 진산부원군(晉山府院君)에 봉해지고, 태종(太宗)이 글씨를 써서 포상하기를 "경이 천자(天子)에게 아뢰어 우리 자손에게 만세에 끝없는 아름다움을 끼쳐 주었다"고 하고 청화정(淸和亭)에서 잔치를 베풀어 주었다. 그 후 공은 태종묘(太宗廟)에 배향하고, 시호를 '문충(文忠)'이라고 하였는데, 이 분이 가장 훌륭한 조상이다. 고조의 휘는 수 징(水澄)으로 가선대부(嘉善大夫)에 증수되었고, 증조의 휘는 원삼(元三)이며 호는 농 강(農崗)으로 좌승지(左承旨)에 증직되고, 조(祖)의 휘는 득구(得龜)로 호조참의(戶曹 參議)에 증직되었다. 이 분들은 모두 행의(行義)로 추천된 것이다. 고(考)의 휘는 원 규(院奎)이며, 비(妣)는 김해김씨(金海金氏)인 기련(起鍊)의 딸로, 순조 무인년(서기 1818) 8월 17일 공을 낳았고, 그 1주갑(周甲)의 익년(翌年)인 기묘년(서기 1879) 9 월 20일 작고하였으며, 배(配)는 전주이씨(全州李氏)로, 공보다 20년 먼저인 경신년 (서기1860) 4월 19일 작고하여, 공의 묘소 옆에 장사하였으며, 외아들은 종필(鍾弼), 손자는 민순(敏淳), 증손은 춘수(春水)인데, 이 분이 선조의 사적이 사라져 후세에 전 하지 못할까 급히 서둘러, 그의 아들 관태(官太)에게 명하여, 나에게 묘표(墓表)를 간 청 하므로 사양타 못해 대충 그 대강만 서술하여 초부(樵夫)와 목동(牧童)에게 경계하 기를 "이 곳은 해리방(海里坊)의 광승산(光升山)의 남서쪽을 등지고 북동쪽을 향하는 묘소는 최근 고 하공(故河公)이 만년동안 계실 묘소이니, 한 아름 된 묘목(墓木)을 함 부로 베지 마라"고 하였다.

學生河公墓表

公晉州產也。少日嘗履及于湖南之長沙，愛其山水明麗，海里又長之勝也。俗厚 民樸，魚蟹豐饒。此可以爲子孫計也，仍家焉。課子訓孫，惟耕讀是務，無慕乎 外。所與交者，皆鄕中知名士。嗚呼！卽此可見公七分矣。公諱時日，字一振。 河氏晉州巨族。浩亭諱崙麗，佐我太宗爲定社佐命功臣，議政府領議政，封晉山 府院君。太宗賜書，褒之曰："卿入奏天子，以遺我子孫萬世無疆之休。"賜宴于 淸和亭，後配享太宗廟庭，諡文忠，爲其最顯。高祖諱水澄，贈嘉善。曾祖諱元 三，號農崗，贈左丞旨。祖 諱得龜，贈戶叅，皆以行義薦也。考諱院奎，妣金 海金氏，起鍊之女。以純祖戊寅八月十七日生，周甲翌年己卯九月二十日卒。配 全州李氏，先公二十年，庚申四月十九日卒，葬從公同原異穴。生一男，鍾弼。 孫敏淳。曾孫春水，汲汲乎先蹟之或堙無傳，命其胤官太，請不佞以表阡，辭不 獲，略敘梗槩，以戒樵牧。曰：此維海里坊，光升之麓，枕未而面丑者，近故 河公萬年幽堂也。拱抱之木，毋或輕伐。

단인(端人) 이씨(李氏)의 묘표(墓表)

갑진(서기 1964) 2월

　홍성 신림방(興城新林坊)에 있는 구암산(九巖山) 뒤의 서북쪽을 등지고 남동쪽을 향하는 언덕에 있는 4척(尺)의 무덤은 고 지릉참봉(故智陵參奉)인 고흥 유공(高興柳公)의 휘 계식(溪植)의 아내인 단인(端人) 이씨(李氏)의 묘소이다. 하루는 그의 아들 희옥(熙玉)이 큰 모습으로 나의 문을 들어와, 그 얼굴을 접하고 그 말을 들어보니, 그가 충신(忠信)하고 성실한 사람이라는 것을 알게 되었는데, 잠시 있다가 나에게 청하기를 "제의 작고하신 어머니의 높은 행실과 아름다운 덕은 참으로 사라지게 하여서는 안 될 것인데, 묘목(墓木)이 이미 한 아름 자라도록 아직 비석을 마련하지 못하고 있으니, 어르신께서 말씀 한마디 해주시기를 바랍니다"라고 하였다. 정회(正會)는 그 비문을 지을 사람이 못된다고 사양하였으나, 그 간청이 더욱 강력하여 조용히 생각하니 부인의 행실은 참으로 말하기 어려웠다. 대개 규문(閨門) 안에 깊이 있었으므로 세상에 없는 높은 행실이 있지 않으면 사람들이 알 수가 없는 것이다. 그러나 사천(史遷)[78]은 형경(刑卿)[79]이 제의(諸醫)를 징계하는 것을 전하고 있는데, 하물며 희옥(熙玉)은 기질이 정직하고 거짓이 없어 그 말이 믿을만 하였다. 삼가 살펴보니, 이씨(李氏)의 적(籍)은 전주(全州)이며, 운상(雲相)이 그의 고(考)이다. 그는 집에서 효도하고 순종하여 규호(閨壺)[80]의 모범이었는데, 출가한 후에는 시부모에게 조석으로 문안하였고, 부엌에 들어가면 맛있는 음식을 만들어 봉양하고 시부모를 즐겁게 하여 뜻을 어기지 않았으니, 이것은 시부모를 효도로 써 봉양하는 것이며, 화기롭게 받들어

---

78) 전한(前漢)의 학자. 자는 자장(子長).용문(龍門)에서 태어나 10세 때 고문(古文)을 외우고 20세 때 남쪽 지방으로 강회(江淮)회계(會稽)우혈(禹穴)구의(九疑)원(沅)상(湘) 등지를 유람하고 북쪽 지방으로는 문수(汶水)사수(泗水) 등지를 유람 하였으며 제(齊)나라와 노(魯)나라에서 학문을 강론 하기도 하다가 양(梁)나라와 초(楚)나를 거쳐서 고향으로 돌아왔다. 관직이 태사령(太史令)에 올랐으나 흉노(匈奴)에게 항복한 이릉(李陵)을 옹호하다가 무제(武帝)의 비위를 거스려 부형(腐刑)을 당했으며 20여 년간의 세월을 오직 사기(史記)를 저술하는데 힘을 써 사기 130권을 마치었고 그후 사면되어 중서령(中書令)에 제수된 후 사망 하였다.

79) 전국(戰國), 제인(齊人). 위(衛)나라로 이사하여 위인(衛人)이라고 하며 경경(慶卿)으로 칭하기도 하고 연(燕)나라로 갔기 때문에 연경(燕卿)이라고도 한다. 언제나 독서하기를 좋아하고 검(劍)을 잘 쳤으며 연(燕)나라에서 개를 잡는 사람들 및 고점리(高漸離)와 친하게 지냈다. 날마다 술을 마시고 시중(市中)에서 노래를 불렀는데 연(燕)나라 태자(太子)인 단(丹)의 명령을 받고 번어기(樊於期)의 머리와 독항(督亢)의 지도(地圖)를 가지고 진(秦)나라에 들어가 독항의 지도 속에 칼을 숨기고 진시황(秦始皇)을 자살(刺殺) 하려다가 실패하여 죽었다.

80) 규문(閨門)과 같은 말.

손님을 대한 것처럼 공경 하였으니, 이것은 군자(君子)를 예절로 섬기는 것이며, 언제나 선조의 제사에는 반드시 친히 음식을 장만하여 아주 청결하게 힘 써 생존해 계시는 것처럼 여기었으니, 이것은 선조를 예절과 효성으로 받드는 것은 것이며, 동서들과도 화목하게 지내어 가정에 이간하는 말이 없었으니, 이것은 가정을 다스리는 법이었으며, 방아를 찧거나 호미질을 하여 생활을 하였고, 가정에는 저축한 곡식이 없었으나 친척과 이웃마을 사람들이 급한 일이 있을 때는 반드시 아낌없이 도와주었으니, 이것은 사람을 대하는 사랑이었다. 이와 같이 부인은 오덕(五德)[81]을 갖추었으니, 그 나머지는 미루어 알 수 있을 것이다. 단인(端人)은 철종 임술년(서기1862)에 태어나 순조 후 갑술년(서기 1934) 6월 19일 향년 73세로 작고하였다. 아들 2남을 두어, 장남은 희근(熙根), 차남은 즉 희옥(熙玉)이며, 두 딸은 원주 김룡환(原州金龍煥), 광산 김영덕(光山金永德)에게 출가 하였고, 희옥(熙玉)의 아들은 찬규(燦圭)이며, 딸은 장흥 고성상(長興高聖相)과 천안 전용한(天安全龍漢)의 아내가 되었다. 다음과 같이 명(銘)을 엮었다.

참으로 오덕(五德)이 아름다우니, 규호(閨壺)의 모범이네. 후손들이 어지니 그 베품이 어긋나지 않았네. 이 비석에 명(銘)을 엮어 백세(百世)에 전하네.

端人李氏表 甲辰二月

有崇四尺于興城之新林坊九岩後麓負乾而向巽之原, 故智陵叅奉, 高興柳公, 諱溪植配端人李氏之斧堂也。日之胤熙玉甫, 頎然入門。接其容, 聽其言, 可知其爲忠信敦慤之人也。旣而, 請曰："吾先妣卓行懿德, 實有不可泯者, 而墓木已拱, 顯刻尚闕, 願吾子一言表之。"正會辭非其人, 而請益敦迫。竊惟婦人之行, 固難言矣。盖深處閨門之內, 非有絶世卓異之行, 人莫得以知。然史遷傳荊卿, 徵諸醫。況熙玉質直無僞, 其言足以徵信。謹按：李氏籍全州, 雲相其考。在家孝順, 範壺模閨。及歸, 晨夕問燠寒, 入廚供甘毳, 怡愉無違者, 其孝養舅姑也, 和而承之, 敬待如賓者, 其禮事君子也, 每先忌, 必躬執烹飪, 務極蠲潔, 致如在之誠者, 其奉先之節, 誠也。雍睦妯娌, 庭無間言者, 其處家之法也。春鋤資生, 家無甕貯, 而族戚隣里之告急, 必與之不吝者, 其接物之仁也。五德旣備, 其餘可類推也。端人生哲宗壬戌, 卒于純宗後甲戌六月十九日, 享壽

---

81) 온(溫)·양(良)·공(恭)·검(儉)·신(信)으로 부인의 다섯가지 덕을 말함.

七十三。二男，長曰熙根，次卽熙玉。二女適原州金龍煥，光山金永德。熙玉男女。粲圭。長興高聖相天、安全龍漢室。銘曰：
五德洵美，閨壼柯則。子孫後賢，厥施不忒。銘此樂石，告諸來百。

학생 김공(學生金公)의 묘표(墓表)

　김군 종윤(金君鍾閏)이 천리 길을 걸어 나의 문을 들어와 말하기를 "불초(不肖)가 어렸을 때 생업(生業)이 몰락하여 서남(西南)으로 떠돌아 다녔으므로, 저는 부모님을 생전에 모시지도 못하였고, 작고하신 후에도 장례에 참여하지도 못하였으니, 천지를 걸어 다닌들 이 한이 어찌 다하겠습니까? 작고하신지 32년 만에 아산 점촌(雅山店村)의 좌측 산 곤좌원(坤坐原)에 개장을 하였으니, 공이 한 말씀 해 주시기를 간청하여 묘도(墓道)에 비석을 세우고자 합니다."라고 한 후 눈물을 줄줄 흘렸다. 나는 그 효심에 감동하여 참아 입을 다물 수가 없었다.

　삼가 살펴보니, 공의 휘는 기배(己培)이며 자는 인옥(仁玉)이다. 김해김씨(金海金氏)는 가락국왕(駕洛國王)의 큰 아들로 여러 대를 지나 흥무왕(興武王) 때에 이르러 그 공훈이 우주를 진동시켰으며 그 위세는 사해(사해)에 미치었고, 그 후 관직이 이어져 역사의 기록이 끝이지 않았다. 금영군 목경(金寧君牧卿)이 중시조이며, 고조는 상설(相卨), 증조는 복담(福聃), 조(祖)는 기인(基仁), 고(考)는 영운(英雲)으로, 이 분은 영릉참봉(英陵參奉)이며, 통정대부(通政大夫)를 받았고, 비(妣)는 전주이씨(全州李氏)이며, 아버지는 제룡(濟龍)이다. 단정하고 씩씩하여 규문(閨門)의 모범이 되었다. 공은 고종 계유년(서기 1878)에 태어났다. 어려서부터 효도하고 우애하는 지극한 성품이 있었다. 가세가 매우 가난하였으나 아버지의 봉양은 힘을 다하여, 산에서 나물 캐고 물에서는 고기잡아 맛있는 음식을 제공 하였으므로, 항시 얼굴이 즐거워하였다. 공은 오직 아버지의 뜻이 기쁘도록 힘을 쓰고, 상을 당하였을 때는 예절에 넘도록 슬퍼 하였으며, 삭망(朔望)에는 반드시 성묘를 하므로, 고을 사람들은 모두 효자로 추대 하였다. 공은 분수를 지키어 스스로 취미에 맞도로 지냈으며, 세상에 바라지도 않았고, 이해(利害)를 따져 나가거나 피하지 않았고, 세상에서 기로(岐路)를 분주히 다니며 늙을 때까지 그치지 않는 사람을 보면 그 고하(高下)와 우열(優劣)이 과연 어떠하겠는가? 순조 두 번째 계미년(서기 1823) 2월 2일 작고하였고, 배(配)는 전주이씨

(全州李氏)인 진사(進士) 광섭(光燮)의 딸이다. 외아들은 종윤(鍾閏)이며 두 손자는 영준(永俊)과 영환(英煥)이다. 《주역(周易)》에 이르기를 "적선하는 가정에는 반드시 여경(餘慶)이 있고, 먹지 않는 보답은 때를 기다려서 나타난다."고 하였으니 아! 이 점을 보아서도 선행을 하는 사람들에게 권하는 것일까?

學生金公墓表

金君鍾閏千里踵余門而語, 曰:"不肖少也, 生業剝落, 漂泊西南。於吾兩親, 生不能養, 沒不克葬。踢天蹐地, 此恨曷極? 沒後三十二年, 始改葬于雅山之店村左麓負坤原。請公一言以表隱道。"語畢, 淚潸潸下。余感其孝思, 不忍終默。按:公諱已培, 字仁玉。金海之金, 冑于駕洛國王, 歷累世至興武王, 功掀宇宙, 威加四海。厥后簪組相承, 史不絕書。金寧君牧卿爲中祖。高祖曰相高、曾祖曰福聘、祖曰基仁、考曰英雲, 英陵叅奉, 贈通政。妣全州李氏, 父濟龍。端莊有閨範。公生高宗癸酉, 幼有孝友至性, 居甚寠, 養親竭力, 採山釣水, 以繼甘旨, 愉色惋容, 惟悅志是務。遭憂, 哀毀逾禮, 朔望必展墓。鄉里咸推其孝。守分自適, 無求於世, 不以利害而趨避。視世之奔走岐路, 至老死不止者, 其高下優劣果何如也? 卒于純宗後癸未二月二日。配全州李氏, 進士光燮女。一男, 鍾閏。二孫永俊、永煥。易曰:"積善之家, 必有餘慶。"鍾閏君生於甓牖之下, 風雨嘵嘵, 隻手扶旣傾之廈, 使父祖青山有光百世。始知種之有因, 而不食之報, 待時而發也。嗚呼!此可以爲爲善者勸也夫。

가선대부 동지중추부사(嘉善大夫同知中樞府事) 예천 안공(禮川安公)의 묘지명(墓表)

한문공(韓文公)[82]이 동생행(董生行)[83]을 지어 자사(刺史)가 추천하지 않는 것을 애석하게 여기었는데, 예천 안공(禮川安公)은 동생(董生)의 효행(孝行)으로 도수(道繡)[84]가 추천하여 국왕으로부터 고관직이 내려졌다. 공에게 있어서는 더 좋을 것도 손해 볼 것도 없지만, 선한 사람에게 권할만한 일이라고 할 것이다.

공의 휘는 석찬(錫瓚), 자는 내성(乃成), 호는 예천(禮川)이다. 안씨(安氏)의 관향은 죽산(竹山)으로 승국(勝國)[85]의 명조(名祖)인 상서좌복야(尙書左僕射) 휘 령의(令儀)가 원조(遠祖)이며, 본조에 들어와 휘 증관(曾官)은 현관(賢館)[86]에 나아가 직제학(直提學)을 역임 하였으며, 2대를 지나 휘 초(超)는 청직(淸職)을, 경기와 충청 및 전라 3도의 찰리사(察理使)를 역임하고, 조정에 들어와서는 형조와 호조 양조(兩曹)의 참판(參判)이 되었으며, 이 분의 아들인 휘 우(于)는 사과(司果)를 제수 하였으나 벼슬길에 나갈 뜻을 갖지 않고 모양(牟陽)으로 내려왔으며, 3대를 지나 휘 정(貞)은 선략장군(宣略將軍)으로 임진왜란(壬辰倭亂) 때 조중봉(趙重峯)과 함께 금산(錦山)에서 순절하였다. 위는 공의 10세조(世祖) 이상이다. 고조·증조·조(祖)·고(考)의 휘는 기택(紀宅) 만익(萬益) 광욱(光煜) 종수(宗壽)이며, 비(妣)는 광산김씨(光山金氏)로 고(考)는 동한(東翰)이다. 공은 철종 정사년(서기1857)에 태어났다. 그는 어려서부터 효도와 우애가 지극하여 아버지를 섬길 때 사랑과 공경을 다하였으며, 상을 당하였을 때

---

82) 문(文)은 한유(韓愈)의 시호. 당(唐)나라 창여인(昌黎人). 또는 등주(鄧州)의 남양인(南陽人)이라고도 한다. 자는 퇴지(退之), 당송팔대가(唐宋八大家)의 한 사람. 3세 때 고아가 되어 형수 정씨(鄭氏)가 기루었으며 독서를 좋아하여 장성한 후에는 육경(六經)과 백가(百家)를 통달하고 진사시(進士試)에 급제하여 장건봉(張建封)의 부름을 받고 부(府)의 추관(推官)이 되었으며 그후 사문박사(四門博士)와 감찰어사(監察御使) 등의 관직을 역임하던 중 궁시(宮市)를 논하는 사소(上疏)로 산양령(山陽令)으로 좌천되고 원화(元和) 중에는 박사(博士), 중서사인(中書舍人), 형부시랑 등 많은 관직을 역임하다가 나이 57세에 사망 하였다.

83) 당대 문장가(唐代文章家)인 한유(韓愈)가 동소남(董邵南)에게 준 글 이름. 당인(唐人). 안풍 동백산(安豊桐柏山)에서 농사짓는 여가에 독서하며 어머니에게 효성을 다하여 섬기었다. 그는 진사시(進士試)에 낙방하여 뜻을 이루지 못하자 하북(河北)으로 떠날 때 한유(韓愈)가 동생행(董生行)이란 글을 지어 보냈다.

84) 도지사(道知事)의 이칭.

85) 조선조에서 고려(高麗)를 가르킨 말임.

86) 성균관의 이칭. 반궁(泮宮)이라고도 함.

는 3년 동안 소반(素飯)[87]을 먹었고, 자가 몸가짐을 예절로 써 하여 언충신행독경(言忠信行篤敬) 이 6자를 부절(符節)로 삼아 조신(操身)을 확고히 하기를 겨울철에 빼어난 동백나무와 같이 하였다. 후진(後進)을 대할 때도 화기로운 봄볕이 옷깃을 엄습한 것 같았으니, 대개 마음속에 축적한 것이 밖으로 나타나기를 그림자가 형체를 따르는 것과 같은 것이다. 공은 고종 임진년(서기 1891)에 효행(孝行)으로 추천되어 사헌부감찰(司憲府監察)의 관직이 내려졌으며, 그 후 돈녕부 도정(敦寧府都正)으로 발령되었고, 또 얼마 안되어 가선대부(嘉善大夫)에 올랐으니, 이것은 특별한 예우였다. 그 후 공은 78세의 나이로 순조 갑술년(서기 1814) 8월 6일 작고하여, 부안면 대동촌(富安面大洞村) 앞산인 유좌원(酉坐原)에 장사하였다. 배(配)는 정부인(貞夫人)인 영광정씨(靈光丁氏)로 계현(桂鉉)의 딸이다. 생졸(生卒)의 선후(先後)는 공보다 1년 차이로 묘는 합봉(合封) 하였다. 아들과 딸 각 2명을 두어, 장남은 달연(達淵), 차남은 수연(守淵)이며, 딸은 천안 전찬(天安全瓚)과 고흥 유제윤(高興柳濟允)에게 출가 하였다. 달연의 아들은 병희(秉希), 수연의 아들은 동엽(東燁)·동선(東宣)이며, 병희는 두환(斗煥)을 낳고, 동엽은 균환(均煥)을 낳았으며, 동선은 연환(連煥)과 성환(成煥)을 낳았다. 이하는 다 기록하지 않았다. 병희(秉希)는 공의 손자로 선조의 사적을 기록하는데 열중하여, 각 가정에 간직한 보첩(譜牒)에 기구(耆舊)[88]들이 공적으로 말한 자료를 수집하여 행장을 기록한 후, 정회(正會)에게 묘표를 간청하므로 사양을 할수록 간청이 더욱 간절하여, 그 행장을 살펴보고 차례로 서술하여 백세(百世)에 전하고자 하니, 누가 감히 공경하지 않겠는가?

嘉善大夫同知中樞府事禮川安公墓表

韓文公作董生行, 惜其刺史之不能薦。禮川安公, 以董生之孝, 有道繡之薦, 恩秩靑紫有降自天, 於公雖無加損, 而亦足爲爲善者勸矣。公諱錫璨, 字乃成, 號曰禮川。安氏貫竹山, 勝國名相尙書左僕射, 諱令儀爲遠祖。入本朝, 諱曾官, 進賢舘直提學。再傳諱迢, 歷敭淸顯, 出爲京忠全三道察理使, 入爲刑戶兩曹叅判。生諱于詮, 司果, 絶意進取, 南下牟陽。三傳諱貞, 以宣略將軍, 龍蛇亂, 同趙重峯殉于錦山。公十世以上也。高曾祖禰, 諱曰紀宅、曰萬益、曰光煜、

---

[87] 고기반찬 없이 먹는 밥.
[88] 학덕(學德)이 높은 나이 많은 학자.

曰宗壽。妣光山金氏，考東翰。公以哲宗丁巳生，幼有孝友至性，事親極其愛敬，居憂啜素三年，律己以禮，言忠信行篤敬爲六字符，操守堅確，挺如大冬之栢。及接引後進，藹然如春和之襲裾。盖和順積中，發於外者，如影之隨形也。高宗壬辰以孝薦，官司憲府監察，俄而遷敦寧府都正。又未幾，陞嘉善，盖異數也。壽以七十八，卒于純宗後甲戌八月六日，葬富安面大洞村前嶝枕酉原。配貞夫人，靈光丁氏，桂鉉女。生卒先後公一年，墓合封。男女各二，男長達淵，次守淵。女適天安全瓚、高興柳濟允。達淵男秉希，守淵男東燁、東宣。秉希生斗煥，東燁生均煥，東宣生連煥、成煥。以下不盡錄。秉希甫以公之肖孫，述先克勤，叅諸家牒，收錄耆舊公誦，狀其行，徵正會以表阡，辭愈固，而請愈懇，遂按狀而叙次之，以告來百，過之疇，敢不式。

명사 김공(明史金公)의 묘표(墓表)

갑진(서기 1964)

내가 아직 철부지일 때 한두 번 공을 뵙고 가르침을 들어보았는데, 그 탁월하신 기상과 웅장한 언론을 접하는 사람들은 마음이 도취되고 기뻐해 하였다. 그의 아들 기주(箕周)가 공의 사행(事行)을 초안하여 비문(碑文)을 간청 하였다. 옛날을 생각하니 감회가 더욱 새로웠으니, 어찌 백세(百世) 후와 견줄 수 있겠는가?

공의 휘는 상우(相宇), 자는 태경(太敬), 명사(明史)는 그의 호이다. 광산김씨(光山金氏)는 신라왕자 흥광(新羅王子興光)이 시조이며, 그 후 관직이 계속되어 전리판서(典利判書) 인우(仁雨)가 장사감무(長沙監務)로 좌천되었고, 여러 대를 지나, 기서(麒瑞), 호 돈목재(敦睦齋)는 효행으로 광릉참봉(光陵參奉)에 제수되었으며, 이 분의 아들 경희(景熹)는 생원(生員)이며 호는 노계(蘆溪)로, 고을 선비들이 노산사(蘆山祠)에 배향하고 있으며, 이 분의 아들 홍우(弘宇), 호 백곡(白谷)은 문과에 급제하여 좌랑(佐郞)이 되었고, 임진왜란에 큰 공훈을 세웠으며, 이 분의 아들 여중(汝重), 호 만오(晚悟)는 병자호란 때 남한산성(南漢山城)으로 호가(扈駕)하여 그 공로로 통정대부(通政大夫)에 올랐다. 이 분이 공의 8세조이다. 고조는 일대(一大), 증조는 수채(秀埰), 조(祖)는 명정(命鼎), 고(考)는 지택(池澤)이다. 창녕 성언진(昌寧成彦鎭)은 공의 외조이다. 공은 철종 신유년(서기 1861) 5월 19일 태어났다. 공은 어려서부터 총명하여 기억력이 좋아 당형(堂兄)인 농와공(農窩公)에게 나가 배웠는데, 성동(成童)이 되기 전에 경사(經史)를 통달하고, 장성한 후에는 가문을 세우고자 과거(科擧)를 보았으나 뜻을 이루지 못하고, 돌아와 예전에 하던 공부를 하면서 심신을 수양하는데 힘을 써 항시 시를 지을 때 그 뜻이 나타났다. 세상의 득실(得失)을 잊고, 두 아우와 함께 우애가 돈독하여 한 탁상에서 밥을 먹고 한 책상에서 공부 하였으며, 장성한 후에도 큰 이불을 같이 사용하여 고인(古人)의 기풍이 있었다. 사람을 교육하는 데도 기술이 있어 각기 그 재주에 따라 독실히 지도하여, 마음과 지혜를 다하여 반복해서 깨우쳐 줌으로로 제각기 기뻐하였고, 이로 인하여 한 고을에서 많은 학자들이 모여들었다. 공은 향년 59세로 기미년(서기 1919) 8월 19일 작고하였으며, 배(配)는 김해김씨(金海金氏)인 봉익(鳳翊)의 딸이다. 외아들은 즉 기주(箕周)로 거창신씨(居昌慎氏)에게 장가를 들었다. 재진(在鎭)과 장현(長鉉)은 손자와 증손이다. 아! 공은 마음이 넓어 세속을 초월한 기상이 있었으며, 시(詩)를 잘하여 아름다운 경치를 만나면 시를 썼다. 그 비단 같은 정서는 읊었다 하면 시가 이루어졌다. 그는 세상을 걱정하고 풍속을 한탄하여 그 뜻이 한결같이 시에서 나타나므로 강산(江山)과 풍월(風月)이 하루도 편안하지 못하였다. 술기운이 약간 나면 《출사묘(出師表)》와 《귀거래사(歸去來辭)》를 외워 그 소리가 낭랑하게 금석 소리가 났으므로 그 소리를 듣는 사람들이 주위를 둘러있었다. 아! 물은 흘러가고 구름은 비어있다. 그 맑은 의표(儀標)와 헌걸찬 형체를 어찌 다시 볼 수 있겠는가. 서산(西山)의 성방(城坊) 밑에 북쪽을 등지고 서쪽을 향하는 곳은 공과 유인(孺人)의 만년 유택(幽宅)이니 모든 군자(君子)들은 어찌 감히 엄숙하지 않겠는가?

明史金公墓表 甲辰

走未省事時, 一再覿公之德, 而聽公之教矣. 卓犖之氣, 雄偉之論, 接之者心醉而悅服焉. 肯胤箕周, 卅事行, 要以揭隱之文. 撫念疇昔, 感懷采新, 豈可與尙論百世下者比也. 公諱相宇, 字太敬. 明史其號. 光山之金, 以新羅王子興光爲始, 簪組相繼. 典利判書仁雨, 黜爲長沙監務. 累傳而麒瑞, 號敦睦齋, 以孝薦光陵叅奉, 是生景熹, 生員, 號蘆溪, 鄕人士俎豆之. 是生弘宇, 號白谷, 文佐郎, 壬辰立殊勲. 是生汝重, 號晩悟, 丙子扈聖南漢, 錄勳陞通政, 寔公八世也。高祖曰一大, 曾祖曰秀球, 大父曰命鼎, 父曰池澤。昌寧成彦鎭, 外祖。公生哲宗辛酉五月十九日, 幼而聰慧善記, 就堂兄農窩公學, 未成童淹通經史。及長, 思欲立門戶計, 嘗從擧子入場屋, 竟不如意。則歸溫舊業, 務克存養其心。常賦詩見志, 忘懷得喪。與二弟友于篤摯, 食必同盤, 業必同案, 長枕大被, 有古人風。誨人有術, 各因其材而篤, 剖心竭智, 反復曉告, 俾各悅服, 以是一方多歸之。己未八月十九日終, 享壽纔五十九。配金海金氏, 鳳翊女。一男卽箕周。娶居昌愼氏。在鎭、長鉉, 若孫若曾。噫! 公襟懷疎曠, 翛然有出塵之像。長於吟咏, 遇境輒題, 錦心繡肚, 咳唾成律。憂世病俗之意, 一以詩而鳴之。江山風月, 未曾一日閑矣。酒微醺, 朗誦'出師表' '歸去來辭'等文, 聲琅琅然, 若出金石, 聽者環堵。嗚呼! 水逝矣, 雲空矣。其淸標雋彩, 於何復覩? 西山之城坊下, 肯坎而面离者, 公與齋萬年幽堂也, 凡百君子, 孰敢不肅。

송평 김공(松坪金公)의 묘표(墓表)

　전불산(典佛山)의 응봉(鷹峯) 아래의 동남쪽을 등지고 4척의 높이로 솟아있는 묘소는 송평 김공(松坪金公)의 묘소이다. 공의 휘는 재두(在斗), 자는 성심(誠心)이며, 적은 광산(光山)으로 고려(高麗) 때부터 우리 조선조에 이르기까지 높은 관직이 이어지고 덕망 높은 선비들이 족보의 기록에서 그치지 않고 있다. 매은(梅隱) 휘 오행(五行)은 군기시정(軍器寺正)을 역임한 분으로 남쪽 장사(長沙)로 내려왔으며, 누대를 지나 휘 기서(箕瑞), 호 돈목재(敦睦齋)는 효행으로 광릉참봉(光陵參奉)으로 추천되었으며, 이 분의 아들인 휘 경희(景熹), 호 노계(蘆溪)는 노산사(蘆山祠)에 배향되었다. 이 분은 공의 13세조와 12세조이다. 4세(世)의 휘는 명래(命來) · 기택(基澤) · 상홍(相弘) · 기선(箕鮮)이며 외조는 고흥 유지권(高興柳志權)이다. 공은 고종 기사년(서기 1869) 9월 20일 태어났다. 공은 어려서부터 모습이 다른 사람과 달리 출중한 대장부의 기상이 있어, 행동과 말하는 것이 상도(常度)가 있었다. 아버지를 섬기는 것도 그 뜻에 맞도록 힘 썼으며, 봉양하는 것은 거역함이 없었고, 종족들도 모두 그에게 환심을 갖고 있었다. 몸 가짐과 일을 처리할 때 실제에 힘을 쓰고 화려한 것을 숭상하지 않았으며, 사람들과 친구를 대할 때도 회기롭고 공경하였으며, 사람들이 조그마한 선행을 보면 자신이의 일처럼 기뻐하고, 남이 과실이 있으면 자상하게 가르쳐주어 깨달도록 하였으므로 기뻐하는 사람이 많고 원망하는 사람이 없었다. 자신을 위하는 것은 매우 소박하고, 제사를 지낼 때는 매우 풍족하게 하였으며, 가정의 쌀독에 곡식은 없어도 마을 사람의 생활이 어려울 때는 반드시 돕고 인색하지 않았으니, 대개 그의 성품이 그러하였다. 을축년(서기 1925) 2월 22일 작고하자, 고을 선비들은 모두 "장자(長者)가 사셨다"고 하였다. 배(配)는 언양 김씨(彦陽金氏)인 연기(璉基)의 딸로 공보다 23년 먼저인 계묘년(서기 1903) 6월 4일 작고하여 공의 묘소에 부장(附葬) 하였다. 김해김씨(金海金氏)는 감찰(監察)을 역임한 정선(正善)의 딸이며, 경신년(서기 1920) 8월 20일 작고하여 묘는 사점(沙店) 뒤의 유좌원(酉坐原)이다. 3남 중에서 동현(東鉉)은 후사(後嗣)로 출계(出系)하고, 이현(二鉉)과 삼현(三鉉)인데, 이 분도 후사(後嗣)로 출계 하였다. 두 사위는 전주 이규문(全州李奎文)과 김해 김은술(金海金銀述)이며, 손자와 증손 이하는 수효가 많아 다 기록하지 않았다. 지금 세상이 날로 저하하여 명리(名利)만 찾고 있는데 공같이 돈독한 사람은 세속의 모범이 되겠지만, 저승에서 일어나지 않고 있으니 아!슬프다.

松坪金公墓表

維典佛之鷹峰下，枕巽而崇四尺者，號曰松坪金公之藏也。公諱在斗，字誠心。貫光山，自麗迄我，簪纓相繼，鴻儒碩德，譜不絕書。梅隱諱五行，軍器寺正，南下長沙。累傳諱麒瑞，號敦睦齋，孝薦光陵祭奉。生諱景熹，號蘆溪，幷享蘆山祠。寔公十三十二世也。四世諱曰命來、曰基澤、曰相弘、曰箕鮮。外祖高興柳志權。高宗己巳九月二十日生。公幼而殊表，軒軒有丈夫像。動靜語默，自有常度。事親務適其志，就養無方。推而至宗族，咸得其歡心。持身處事，務實不尙華。接人與朋友，和厚敬信，見人寸善，喜若已有。人有過，諄諄然教之，使自悟。是以悅者衆，而怨者自寡。自奉甚薄，而祭必豐。潔家無甕貯，而鄰里有急必施之不吝。蓋其性然也。乙丑二月二十二日終。鄉人士咸曰："長者逝矣。"配彦陽金氏，璉基女。先公二十三年，癸卯六月四日卒，祔公墓。金海金氏，監察正善女。庚申八月二十日卒，墓沙店後向酉原。三男。東鉉出后，二鉉三鉉亦出后。二婿，全州李奎文、金海金銀述。孫曾以下，多不盡記。顧今江漢日下，惟名利是求。是徇如公敦實，可以範俗風世。九原不可作。嗚呼！嘻矣。

후계 김공(後溪金公)의 묘표(墓表)

　종족과 고을 사람들이 모두 충직하고 신의가 있는 선사(善士)라고 칭송하면 이것만 해도 만족한 일인데, 김공(金公)의 휘 재면(在勉), 자 흥범(興範), 호 후계(後溪)가 그런 사람이다. 공은 어려서부터 재주가 민첩하고 기개가 순수하였으며, 효성과 우애를 천성적으로 타고나 부모 섬기는 일에 혹 빠진 것이 없었고, 약관의 나이에 송사 기선생(松沙奇先生)에게 수업하면서 엄연히 덕행과(德行科)에 나열되어 예절로 몸을 닦아 비록 적을 일이라도 그냥 지나치지 않았으며, 분수를 지키고, 학문은 독실하게 하여 사색과 연구로 공부 하였고, 문예(文藝)는 그 나머지 일이었다. 공순하고 검소한 것으로 자신을 닦고, 입으로는 남의 시비를 말하지 않았으며, 사람들과 사귈 때도 담담한 물과 같이 하였으나 정의는 깊었고, 천한 비복(婢僕)을 대할 때도 은혜와 의리가 지극 하였으며, 의리에 타당하지 않는 일은 비록 친한 사이라도 조금도 용서하지 않아, 그 공사(公私)·리의(利義)·화이(華夷)·인수(人獸)의 분별을 단칼로 쪼개듯이 하였으므로, 함부로 범할 수 없었다. 그리고 선조의 일에 열중하여 제전(祭田)과 석물(石物)을 정신을 다하고 힘을 다하지 않는 것이 없었으며, 부귀(富貴)와 분화(芬華)는 하찮게 여기었다. 공과 함께 왕래한 사람들도 오직 문학하는 선비로 여가가 있을 때는 술을 부르고 시를 지었으며, 바둑을 둘 때는 바둑 뒤는 소리가 청계(淸溪)·백석(白石)의 사이에 울려퍼져, 세상 밖에서 초연히 자기 뜻대로 맞게 살다가 향년 51세인 갑술년(서기 1874) 6월 1일 작고하여 학동선영(鶴洞先塋) 밑 손좌원(巽坐原)에 장사하였다. 그의 선조는 광산인(光山人)으로, 고려 때 양간공(良簡公) 휘 연(璉)이 가장 저명 하였고, 노계선생(蘆溪先生) 휘 경희(景熹)는 중종(中宗) 갑오년(서기1534)에 생원(生員)으로 사림들이 노계사(蘆溪祠)를 건립하여 제향 하였는데, 공의 12세조이다. 명래(命來), 기택(基澤), 상홍(相弘), 기태(箕泰)는 고조, 증조, 조(祖), 고(考)의 휘이며, 외조는 창녕 조석후(昌寧曹錫厚)이며, 배(配)는 무송 유씨(茂松庾氏)인 태현(台鉉)의 딸로 공보다 2년 뒤에 태어나 공보다 12년 뒤인 을유년(서기 1885) 11월 2일 작고하여, 공의 묘소와 같은 곳에 장사하였다. 3남 1녀를 두어, 장남은 주현(儔鉉), 차남은 완현(完鉉)으로 이 는 후사(後嗣)로 출계(出系)하고 그 다음은 형현(亨鉉)이며, 안동 김재연(安東金在淵)은 사위이다. 공의 아들 주현(儔鉉)이 행장의 초안한 후 그의 종족 구현(九鉉)에게 부탁하여, 나이게 비명을 간청하였으니, 대대로 사이좋게 지내는 사이에 어찌 사양할 수 있겠는가? 다음과 같이 명(銘)을 엮었다.

　충직(忠直)·신의(信義)·독실(篤實)·공경(恭敬)은 오직 공이 능한 일이다. 천년만년토록 이곳을 지나간 사람들은 반드시 공경할 것이다.

後溪金公墓表

稱於宗族, 誦於鄕黨, 而咸曰忠信善士。斯亦足矣。金公諱在勉, 字興範, 號曰後溪, 殆其人也。公自幼才敏氣粹, 孝友天植, 事親之節, 無或闕焉。弱冠就學于松沙奇先生, 儼然列於德行之科。以禮飭躬, 雖微細不放過。安分篤學, 以沉潛玩繹爲工, 文藝則餘事耳。恭儉自牧, 口不出雌黃。與人交, 淡然如水, 而情誼藹蔚。至婢僕之賤, 恩義幷至, 義有所不可, 雖所親厚少不假借。其於公私利義, 華夷人獸之別, 如一刀兩叚, 截然不可犯矣。勤於述先, 祭田石儀, 無不弊精竭力。富貴芬華, 若浼焉。所與性來者, 惟文學之士。暇日則命酒賦詩, 紋枰落子, 丁丁於溪淸石白之間, 超然物表, 自適其意。行年五十一, 沒于甲戌六月一日, 鶴洞先塋下枕巽之原, 公墓也。其先光山人, 在麗良簡公諱璉爲最著。蘆溪先生諱景熹, 中宗甲午生員, 士林建祠蘆山, 俎豆之。於公爲十二世也。命來、基澤、相弘、箕泰, 高曾祖禰諱。外祖曰昌寧曺錫厚。齊曰茂松庾氏, 台鉉女。生先公二年, 後公十二年乙酉十一月二日卒。同公原。男三女一。男長儔鉉, 次完鉉, 出后。亨鉉, 安東金在淵婿。哲嗣儔鉉, 草狀介其族, 九鉉要余以顯刻文。世好何敢辭也, 爲之銘曰：

忠信篤敬, 惟公是克。千斯萬斯, 過者其法式。

춘파선생(春坡先生)의 묘표(墓表)

　내가 겨우 성동(成童) 때 선군(先君)의 명으로 신동(新洞)으로 가서 공을 뵈었는데, 정원은 깨끗하고 화목은 줄을 지어 있었다. 그 방으로 들어가니, 밝은 창가의 책상 위에는 책들이 정연히 놓여있고, 먼지 한 점이 없었다. 공을 대해보니 화기가 넘치어 봄바람이 스쳐가는 듯 했다. 《시경(詩經)》에 말한 "즐거운 군자(君子)!"라고 하는 말이 공을 두고 하는 말이었다.

공의 휘는 진현(進鉉), 자는 중거(仲擧), 호는 춘파(春坡)이다. 김씨(金氏)의 선조는 광산인(光山人)으로 고려로부터 조선조에 이르기까지 명공(名公) 석보(碩輔)들이 대대로 끊기지 않아 죽백(竹帛)[89]에 빛이 났다. 이것은 족보를 볼 필요도 없는 것이다. 노계(蘆溪) 휘 경희(景熹)는 중종 갑오년(서기 1534)에 생원(生員)으로 사림들이 노산사(蘆山祠)에 배향 하였다. 이 분이 공의 13세조이다. 고조의 휘는 경택(慶澤)으로 세상에서 처사(處士)로 칭하고, 증조의 휘는 상찬(相纘), 호는 송백당(松柏堂)이며 조(祖)의 휘는 기복(箕馥), 호는 운파(雲波)이다. 고(考)의 휘는 재운(在運)이며, 재호(齋號)는 청계(淸溪)로 학문과 행실로 세상에 저명 하였으며, 비(妣)는 연안이씨(延安李氏)인 채지(埰之)의 딸로 부덕(婦德)을 갖추었고, 공은 고종 을해년(서기 1875) 12월 8일 태어났으며, 모습이 단정하고 눈빛이 밝았다. 어렸을 때부터 총명하여 범아들과 달랐는데, 스승에게 나가 공부할 때는 친구들이 공을 앞서지 못하였고, 종족들도 모두 원대한 그릇으로 인정 하였으며, 장성한 후에는 송사 기선생(松沙奇先生)[90]에게 나가 의심난 글을 질문하여 누차 송사로부터 칭찬을 받았다. 가정을 다스리는 데도 법이 있어, 은혜와 위엄을 함께 베풀어 가문이 숙연(肅然) 하였고, 아울러 주관도 뚜렷하여 종중과 사림들이 어떤 논의할 일이 있으면 모두 공의 의견을 따랐었다. 공은 일찍 향교의 임원이 되어 정신을 가다듬고 성의를 다하여 온갖 폐단을 모구 혁신 하였으며, 처세(處世)하는 것도 언제나 법이 있어 세속을 바로 잡을려고 하거나 자신을 높게 자랑하지 않았고, 세속을 따라 함께 혼동하지 않았으며, 모두 사랑하고 인자한 사람과 친하게 지내므로 공에게 복종하는 사람이 많았다. 공은 순조 이후 병술년(서기 1946) 9월 11일 회갑을 1년 앞두고 작고하였으며, 장례를 치루던 날 만장(輓章)이 길에서 줄을 이었다. 고수(古水)의 두평(斗坪) 앞산 유좌원(酉坐原)이 득 공의 묘이다. 배(配)는 창녕조씨(昌寧曺氏)인 석표(錫杓)의 딸로, 공보자 13년 뒤인 무술년(서기 1958) 10월 28일 작고하여 노례(魯禮)[91]로 장사하였다. 4남은 영달(永達)·영덕(永德)·영만(永萬)·영철(永哲)이며, 3녀는 광주 이영순(廣州李榮淳)·황주 변동검(黃州邊東劍)·고령 신수영(高靈申秀榮)에게 출가 하였고, 손자는 갑수(甲洙)·을수(乙洙)·병수(丙洙)로 이 분들은 장남이 낳았고, 동수(東洙), 태수(台洙), 종수(宗

---

89) 서적 특히 사서(史書)의 일컬음.
90) 의병대장 기우만(奇宇萬)의 호가 송사(松沙), 노사 기정진선생(蘆沙奇正鎭先生)의 손자.장성군 진원면 고산리(長城郡珍原面高山里)에 거주하였으며 1896년 2월에 의병을 일으켜 광주향교(光州鄕校)까지 갔으나 선유사 신기선(宣諭使申箕善)에게 설득되어 장성으로 돌아왔다.
91) 법대로의 뜻. 좌전(左傳)에 "주(周)나라 예(禮)가 모두 노(魯)나라에 있다"고 하였다. 이것은 즉 춘추(春秋)가 노나라 예라는 것이다. 지금 노나라 예라고 한 것은 춘추를 가리키어 하는 말이다.

洙)・○수(洙)는 둘째 아들이 낳았으며, 양수(陽洙)・인수(仁洙)는 셋째 아들이 낳았다. 나머지는 아직 어리다. 아! 공과 우리 선군(先君)은 동문(同門)으로 사이좋게 지내어, 언제나 꽃이 피고 단풍이 붉게 물든 계절에는 명구(名區)와 승경(勝景)을 찾아 창수(唱酬)하고, 서신도 왕래하여 거의 빈 날이 없었다. 선인(先人)은 베풀기를 좋아하여 불초(不肖)에게까지 그 혜택이 미쳤으므로, 그 덕을 입은 것이 많을 뿐만 아니었다. 공의 아들 영덕군(永德君)이 나에게 묘표를 부탁하면서 말하기를 "사원(詞苑)의 거장(巨匠)이 없는 것은 아니지만 우리 아버지를 깊이 알고 계신 분은 공 같은 사람이 없으니 어찌 말 한마디 기록하여 불후(不朽)의 전기로 하지 않을 수 있겠는가?"라고 하였다. 나는 그 일을 맡을 사람이 못된다고 고사하였으나 끝까지 침묵할 수 없어 위와 같이 엮어 주어 비석에 각하도록 하였다.

春坡金公墓表

不佞才成童, 以先君命往拜公于新洞。庭園瀟灑, 花木成列入, 其室明窓, 棐机卷帙整然, 無一點塵埃氣。卽之也, 慈和溢而若襲春風, 詩所謂嘉樂君子, 公則有焉。公諱進鉉, 字仲擧, 號春坡。金氏其先光山人, 歷麗迄我, 名公碩輔, 代不乏人。有光竹帛, 不須譜也。蘆溪, 諱景熹, 中宗甲午生員, 士林享蘆山祠, 寔公十三世也。高祖諱慶澤, 世稱處士。曾祖諱相纘, 號松栢堂。祖諱箕馥, 號雲波。考諱在運, 齋號曰淸溪。以文行著世。妣延安李氏, 徠之女。婦德純備。生公于高宗乙亥十二月八日, 儀表端雅, 眼光瞭然。自幼穎悟絶夷, 就傅受讀, 儕流莫之或先, 宗黨皆許其遠大器。及長, 贄謁松沙奇先生, 質疑問辨, 累蒙師席之獎詡。御家有法, 恩威幷至。門庭肅然, 兼有幹局。凡宗中及斯文有大議, 勿論, 多歸之。嘗爲校任, 硏精殫誠, 使百弊俱革。處世有常度, 不矯俗而矜高。亦不隨俗而同混。泛愛而親仁, 是以悅服者衆矣。沒于純宗後丙戌九月十一日, 未周甲者一年, 葬之日挽誄相屬於道。古水之斗坪前麓酉坐原, 卽其墓也。配昌寧曹氏, 錫杓女。後公十三年戊戌十月二十八日卒, 葬用魯禮。四男。永達、永德、永萬、永哲。三女, 廣州李榮淳、黃州邊東釗、高靈申秀榮。孫男甲洙、乙洙、丙洙, 長房出。 東洙、台洙、宗洙、○洙, 二房出。陽洙、仁洙, 三房出。賢洙。榮洙、權洙, 季房出。餘幼。噫！公與我先君同門交好, 每花辰楓節, 相酬唱于名區勝境, 書疏往復, 殆無虛月。以先人好施及不肖, 獲承德教不啻多矣。之胤永德君，囑以表隱之文，曰：" 詞苑巨匠，非無其人，而知吾父深，莫公若也。盍一言謀不朽。" 余固非其任，而亦不忍終默，遂撰次如右，俾歸而刻諸石。

경암 김공(敬菴金公)의 묘표(墓表)

광산 김씨(光山金氏)는 신라왕자 흥광(新羅王子興光)으로부터 시작되었다. 고려(高麗) 때에는 평장사(平章事)가 8명이나 나오고, 그 후에 양간공(良簡公) 휘 연(璉)과 장영공(章榮公) 휘 진(稹)이 서로 이어가며 명신(名臣)이 되었고, 사은(沙隱) 휘 승길(承吉)은 함종현령(咸從縣令)으로 고려(高麗)가 망할 때 조선조의 신하가 되지 않았으며, 누대를 지나 돈목재(敦睦齋) 휘 기서(麒瑞)는 광릉참봉(光陵參奉)이 되었으며, 노계(蘆溪) 휘 경희(景熹)는 생원(生員)으로 노산사(蘆山祠)에 배향되었다. 이 분들이 공의 10세(世) 이상이다. 고조 송천(松泉) 휘는 덕승(德升)은 첨중추부사(僉中樞府事)를 역임하고, 휘 성(城)과 휘 명열(命悅), 휘 수택(守澤) 3세(世)는 모두 문학과 행의로 저명 하였다. 비(妣)는 김해 김씨(金海金氏)인 상갑(相甲)의 딸로 규중(閨中)의 모범이 되었다. 공은 어려서 아버지를 잃고 홀로 남은 어머니를 섬기면서 효성을 다하여, 그 마음을 기쁘게 하여 아무리 적은 일이라도 감히 혼자 결정하지 않고 어머니에게 아뢴 후에 행 하였다. 아침에는 집에서 나가 농사를 짓고 저녁이면 집으로 돌아와 글을 읽었으므로, 사람들은 그를 오늘의 동생(董生)[92]으로 칭 하였다. 무신년(서기 1728)에 란(亂)이 일어났을 때, 온 동네가 잿더미로 변했는데 공은 이미 이 때 연세가 많았으나 어머니를 업고 가시덤풀도 가리지 않고 도보로 걸어 마침내 화를 면하고 살다가 작고하였으며, 상을 당한 후에는 너무 슬퍼하여 이성을 잃을 번하였으며 염(斂)과 장례 등의 일을 사람들에게 시키지 않고 자신이 짖접하였으며, 3년 상 동안 술과 고기를 먹지 않고 매일 묘소에 올라 통곡 하므로 풀이 모두 말랐었다. 만년에는 한 집에서 조용히 살면서 책을 대하고 사물을 마음속에 두지 않았으며, 오직 마음과 성품을 보존하는데 힘을 써 삼시 사이라고 반드시 이런 일을 살피었다. 그리고 그 방의 편액을 '경암(敬菴)'이라고 하였다. 이것은 공의 마음갖임과 행동이었던 것이다. 이

---

92) 당(唐)나라 고사(高士)인 동소남(董邵南)을 일컬음. 그는 동백산(桐柏山)에 은거하며 부모에게 효성을 다하였으며 하북(河北)으로 여행을 갈 때 한유(韓愈)가 동생행(董生行)을 지어 주었다.

것은 대개 그 요체를 알고 일생동안 사용한 일이라는 것을 속일 수 없을 것이다. 공은 정축년(서기 1937) 9월 5일 작고하여, 헌종 기유년(서기 1849)에 태어난 이후 향년 89세였으며, 묘는 고수(古水)의 노학동(老鶴洞)에 있다. 부인은 천안전씨(天安全氏)로 그 부덕이 군자(君子)와 배필이 될만하였다. 부인은 공보다 2년 후에 태어나 공보다 7년 먼저인 경오년(서기 1930) 5월 29일 작고하여, 공과 같은 곳에 장사하였으며 그 좌향은 공은 건좌(乾坐)이며 배(配)는 정좌(丁坐)이다. 두 아들을 두어 장남은 기문(箕文), 차남은 기열(箕烈)이며, 넷 딸은 고흥 유우선(高興柳雨善), 초계 변종원(草溪卞鍾瑗), 진주 강만흠(晉州姜萬欽), 선산 기권풍(善山金權豊)에게 출가 하였고, 손자는 재봉(在俸)과 재팔(在八)이며, 고흥 유공석(高興柳公錫)의 아내는 기문(箕文)이 낳았고, 재복(在卜), 재화(在和)는 안동 김엽회(安東金燁會), 함열 남궁상(咸悅南宮相), 여산 송용태(礪山宋鏞泰)의 아내는 기렬(箕烈)이 낳았다. 재복군(在卜君)이 공의 사행(事行)을 초안하여 정회(正會)에게 묘표를 간청 하였다.

敬庵金公墓表

光山之金, 肇自新羅王子興光。在麗, 連八平章。厥後有良簡公諱璉、章榮公諱積, 相繼爲名臣。沙隱諱承吉, 咸從縣令, 麗社屋守罔僕義。累傳至敦睦齋諱麒瑞, 光陵叅奉。蘆溪諱景熹, 生員, 幷享蘆山祠, 是公十世以上也。高祖松泉諱德升, 僉中樞。諱城, 諱命悅, 諱守澤, 三世文行著世。妣金海金氏, 相甲女。閨範極備。公早失怙, 事偏慈, 以孝愉怡承歡, 雖微細事, 毋敢自專, 必經稟而行。朝出耕, 夜歸讀, 人稱今之董生。戊申之亂, 一洞盡入灰燼, 公已衰老, 負母徒行, 眼無荊棘, 竟免禍, 以終養。及遭憂, 哀毁幾滅性, 斂窆諸節, 不使人代。三年不御酒肉。每上墓號哭, 草爲之枯黃。晩年靜居一室, 敬對方冊, 不以事物經心, 惟存養省察。顚沛必於是, 造次必於是。扁其室曰敬庵, 是則公之持心行巳, 盖亦知要而爲一生受用之地者, 不可誣也。卒于丁丑九月五日, 距憲廟己酉之生, 壽八十九。墓在古水之老鶴洞。夫人天安全氏, 德配君子, 其生後公二年, 其沒先公七年, 庚午五月二十九日, 葬同原, 其向公乾配丁也。生二男, 長箕文、次箕烈。四女, 適高興柳雨善、草溪卞鍾瑗、晉州姜萬欽、善山金權豊。孫在俸、在八, 高興柳公錫室, 箕文出。在卜、在和, 安東金燁會, 咸悅南宮相, 礪山宋鏞泰室, 箕烈出。在卜君草事行, 徵正會以表幽堂。

모암 안공(慕菴安公)의 묘표(墓表)

　　경암 김공(敬菴金公)이 모암(慕庵)을 기록하여 "50세가 되도록 부모를 사모 하였다"고 하였다. 50세가 되도록 부모를 사모한 것은 순(舜)임금 이후에 듣기 드문 일인데, 공이 종신토록 부모를 사모하였으니, 공도 순(舜)임금의 무리라고 할까? 공은 고종 임인년(서기1902) 3월 14일 태어났다. 공은 효성이 지극하여, 어렸을 때부터 부모를 사랑할 줄 알고, 오직 부모의 뜻을 순종하여, 그 동정(動靜)과 어묵(語默)에 맞추어 그 법도에 어긋나는 일이 대체로 적었으므로, 부모는 오직 그 질병 이외에 걱정이 없었으며, 가정이 가난하였으나 맛있는 음식을 혹 빠뜨리지 않았고, 그 남은 여가로 공부하여 일찍 문리가 났다. 공은 《소학(小學)》과 《효경(孝經)》을 더욱 좋아하여, 부모 섬기는 일이 지극한 곳에 이르러서는, 반드시 띠에다가 써서 종신토록 패부(佩符)로 삼았고, 이런 정신을 미루어 종족과 화목하게 지냈으며, 사람들과 사귈 때는 겉으로만 사귀는 것이 아니라 담담하게 화려한 태도를 좋아하지 않았다. 아버지가 10년 동안 병들었지만 약과 거두는 일 및 오물을 씻는 것까지 다른 사람에게 시키지 않고, 다닐 때 활기차게 걷거나 웃을 때 이를 보이지 않고 시종 게을리 하지 않았다. 공은 향년 55세인 병신년(서기1956) 정월 10일 작고하였는데, 고수(古水)의 정침제(靜沈堤)의 해좌원(亥坐原)이 즉 공의 묘소이다. 안씨(安氏)의 관향은 죽산(竹山)이며, 구덕(舊德)과 병옥(秉玉)은 양수공(良守公)의 휘(諱)와 자(字)이며 모암(慕菴)은 그의 호이다. 현릉참봉(顯陵參奉)을 역임한 휘 세경(世卿)이 중시조이다. 고조는 휘 광선(光善), 증조의 휘 종수(鍾壽)이며, 석렬(錫烈)·진연(振淵)은 조부와 아버지의 휘이다. 비(妣)는 경주최씨(慶州崔氏)이며, 외조부는 봉환(鳳煥)이다. 배(配)는 창녕조씨(昌寧曺氏)로 두 아들을 두어 장남은 익환(益煥), 차남은 길환(吉煥)이며, 외동딸은 강릉 유인종(江陵劉仁鍾)에게 출가 하였고, 익환(益煥)의 아들은 재술(載述)이며 길환(吉煥)의 아들은 재진(載鎭)이다. 나머지는 아직 어리다. 효도는 인성(人性)에 고유(固有)한 것이며 자신의 일이므로, 사람이라면 누구나 행해야 할 일이다. 그러나 대체로 기(氣)에 먼저 구애되고 뒤에 가려지려고 한다. 하나라도 잘한 것이 있는 것은 분수 밖의 일이 아닌 것이 아니라 그 직분인 것이다. 공같은 사람은 그 고유의 본성을 잃지 않고 그 당연히 해야 할 일을 행하였던 것이다. 나는 공과 오랫동안 사귀던 친구이다. 그는 개제(愷悌)하고 즐기어 온화한 옥(玉)과 같은 성품이다. 나는 일찍 그가 사는 것을 아실〈亞+土〉室)[93]에서 보았는데 얼굴은 수척하고 슬픔은 소리를 이루지 못하였다. 아! 이것이 거상(居喪)을 잘한 것이라고 할 것이다. 그 비석에 쓰기를 "효자 모암 안공지묘(孝子慕菴安公之墓)"라고 하였다.

慕庵安公墓表

敬庵金公'記慕庵'曰:"五十而慕五十而慕舜後鮮有聞。"公能終身慕之, 其亦舜之徒也歟? 公生高宗壬寅三月十四日, 性至孝。自幼能知愛, 惟親志是順是適, 動靜語默, 違乎繩尺者自寡。父母惟其疾之外, 無所事憂。家甚貧, 而無甘毳之或闕。餘力之學, 文辭夙就, 尤喜讀小學孝經, 至切於事親處必書, 紳以爲終身佩符。推而睦于宗族。與人交, 不事表穩, 恬淡無浮華之態。父病十載, 藥餌調護。及溷穢之滌, 不使人代行, 不翔笑, 不矧始終無怠。行年五十五, 以丙申正月十日終, 古水坊靜沉堤有 原負亥, 卽其藏也。安氏, 竹山舊德, 秉玉良守。公諱表德, 其曰慕庵, 號也。顯陵衆奉。諱世卿, 爲中祖。高祖諱光善。曾祖諱鍾壽。錫烈、振淵, 祖若禰諱。妣慶州崔氏, 外祖鳳煥。配昌寧曹氏, 生二男。男長益煥, 次吉煥。一女, 適江陵劉仁鍾。益男載述, 吉男載鎭。餘幼。夫孝於性所固有, 於職所當爲。然而人不 能行之者, 盖以氣拘於前, 而欲蔽於後也。一有能之者, 非分外也, 乃其職耳。若公者, 不失其所固有, 而能修其所當爲者也。余與公久要也, 愷悌樂易, 溫乎其玉。嘗見其居堊梅容欒欒, 哀不能成聲。嗚呼! 此可謂善居喪矣。題其石曰: 孝子慕庵安公之墓。

성재 김공(醒齋金公)의 묘표(墓表)

성제 김공(醒齋金公)은 신묘년(서기 1951) 6월 26일 작고하여 그가 태어난 홍릉(洪陵)[94] 갑오년(서기 1894)과의 사이에 향년 68세였으며, 고수(古水)의 학동(鶴洞) 축좌원(丑坐原)에 장사하였다. 공의 조카 재복(在卜)이 공의 행장을 나에게 가져 와서 묘표를 간청 하였다. 나는 다행히 공이 살고 있는 곳과 접경에 살고 있었으므로, 공

---
93) 상인(喪人)이 거처하는 집.
94) 고종(高宗)의 연호.

의 덕망과 모습을 보아 그의 말씀과 행실을 보고 느끼는 것이 깊었으니, 내가 아니고 누가 그 일을 하겠는가? 공의 휘는 기문(箕文)이며 자는 정천(正千)으로, 김씨(金氏)의 세계(世系)는 광산(光山)으로 동방(東方)의 거족(巨族)이 되어, 고려 때에는 평장사(平章事)가 잇달아 나왔고, 문안공(文安公)의 휘 양감(良鑑)은 송(宋)나라에 들어가 태학(太學)과 태묘(太廟)를 그려 돌아와 도학(道學)을 밝히었으며, 군기시정(軍器寺正)을 역임한 휘 오행(五行)은 고려말(高麗末)에 장사(長沙)로 내려와 집을 짓고 살았으며, 돈목재(敦睦齋) 휘 기서(麒瑞)는 효행으로 광릉참봉(光陵參奉)에 추천되고, 노계(蘆溪) 휘 경희(景熹)는 생원(生員)으로 노산사(蘆山祠)에 배향되었다. 이 분은 공의 11세조 이상이다. 고조는 성(城), 증조는 명열(命悅), 조부는 수택(守澤), 아버지는 상진(相鎭)이며 호는 경암(敬菴)인데 세상에서 인인효자(仁人孝子)라고 하였다. 비(妣)는 천안전씨(天安全氏)이다. 공은 천성이 범인과 달라 총명하고 강직하였으며, 어렸을 때부터 여러 아이들을 따라 장난하지 않았으며, 부모를 섬길 때 그 뜻을 맞추어 조금이라도 뜻을 어기지 않았으며, 송사 기선생(松沙奇先生)에게 수업하여 학문하는 요령을 터득하고 마음으로 기뻐하고 정성껏 복종하여 72인(人)이 부자(夫子)에게 하는 것과 같이 하였다. 그리고 경술년(서기 1910) 국치(國恥) 이후에는 문을 닫고 뜻을 구하여, 요란스럽게 세상의 화려한 것을 사모하지 않고, 오직 날마다 쓰는 인륜(人倫)만 실천하고 힘을 썼으니, 그 지조를 지키고 행실이 깨끗하였고, 경사(經史)를 연구하여 의리(義理)가 있는 곳에는 침식(寢食)을 잊고 후진(後進)들을 인도하였으며, 화려한 시(詩)를 숭상하지 않고, 반드시 실천하는 것을 위주로 하였으므로, 종족들이 그는 화목하다고 칭송하고, 친구들은 그의 의리를 믿었다. 그러나 세상은 흐리고 택하여 남들은 합류해도 자신은 합류하지 않고, 그가 한거(閒居)한 집에 편액을 '성재(醒齋)'라고 하였다. 대개 굴사(屈士)[95]의 기풍을 듣고 일어난 것이라고 할까? 배(配)는 광주이씨(廣州李氏)로 성래(成來)가 그의 아버지이다. 아들 둘을 두어 장남은 재봉(在俸), 차남은 재팔(在八)이며 외동딸은 고흥 유공석(高興柳公錫)에게 출가 하였고, 재봉(在俸)의 아들은 방현(芳鉉), 종현(宗鉉)이며, 딸은 장흥 고광천(長興高光天)과 함풍 이재만(咸豊李在萬)에게 출가 하였고, 재팔(在八)의 아들은 규석(圭錫)과 명석(明錫)이며, 딸은 함평 이재금(咸平李載金)에게 출가 하였다. 증손과 현손은 모두 기록하지 않았다. 아! 백세(百世) 후에도 학문을 하는 명사(名士)가 될 것이다.

---

95) 과거에 낙방한 선비.

醒齋金公墓表

醒齋金公以辛卯六月二十六日卒, 距生洪陵甲申, 壽六十八, 葬于古水之鶴洞丑原。侄子在卜以事狀, 謀余以表其塞者, 余幸居接壤, 獲承公德儀, 其庸言庸行, 觀感者深, 匪余文之而誰？公諱箕文, 字正千。金氏系出光山, 東方盛族。麗代連八平章。文安公諱良鑑, 入宋圖太學太廟而歸, 倡明道學, 軍器寺正。諱五行, 麗季南下長沙, 仍家焉。敦睦齋諱麒瑞, 孝薦光陵叅奉。蘆溪諱景熹, 生員, 幷享蘆山祠, 於公爲十一世以上。高祖曰城。曾祖曰命悅。大父曰守澤。父曰相鎭, 號敬庵, 世稱仁人孝子. 妣天安全氏。公天姿異凡, 聰明剛毅。幼不隨群兒戲, 養親務適其意, 一不違忤。受業于松沙奇先生, 得聞爲學之要, 心悅誠服, 如七十子之於夫子。自庚戌國恥, 杜門求志, 囂囂無外慕, 惟人倫日用。是蹈是務, 其守介, 其行潔。硏經究史, 至義理融會處, 殆忘寢與食, 導迪後進, 不尙詞華, 必以踐履爲主。宗族稱其睦, 朋友信其義。濁流滔滔, 人涉卬否？扁其燕居室曰醒齋, 盖聞屈士之風而興者歟？配廣州李氏, 成來其考。二男。長在俸, 次在八。一女。婿高興柳公錫。在俸男女, 芳鉉、宗鉉, 長興高光天, 咸豊李載萬。在八男女, 圭錫、明錫, 咸平李載金。曾玄孫不錄。嗚呼百世之下, 尙徵其爲學問名士

만은 안공(晚隱安公)의 묘표(墓表)

우리 고장 어른들의 행실 중에서 효행과 우애가 지극한 선비로 칭한 사람은 만은 안공(晚隱安公)이 그 중 한 분이다. 나는 옛 친구의 아들이므로 누차 그 얼굴을 뵈었는데 그 하얀 머리와 붉은 얼굴에 화기로움이 사람을 엄습 하였다. 그 동안 벌서 10년의 세월이 흘러 그 모습을 다시 볼 수가 없었는데, 공의 아들 석환(石煥)이 나에게 말하기를 "선친을 가장 잘 아시니 묘표를 지어주시기 바랍니다."라고 하였다. 옛날을 회상하니, 그 사랑하던 마음을 어찌 참아 저버릴 수 있겠는가?

삼가 살펴보니, 공의 휘는 병훈(秉勳), 자는 자경이며 안씨(安氏)의 관향은 죽산(竹山)이다. 옛날 저명한 인사로는 호조참판 겸 홍문(弘文)·예문(藝文) 양관(兩館)의 제조(提調)를 역임한 휘 초(迢)가 그 현조(顯祖)이며, 택하(宅厦)·순수(純壽)·석우(錫

佑)·광연(廣淵)은 4세조(世祖)의 휘이다. 비(妣)는 고흥 유씨(高興柳氏)로 지인(志仁)이 그의 아버지 휘이며, 구연(龜淵)과 신천 강씨(信川康氏)는 본생(本生)의 아버지와 어머니이다. 공은 고종 갑신년(서기 1884) 8월 12일 태어 났다. 공은 성품이 순후하여 어려서부터 간중(簡重)하고 과묵하여 부모를 섬길 때 뜻을 받들고 맛있는 음식을 제공하였으며, 상을 당한 후에는 슬픔과 예절을 다하였고, 선조를 추모하는데도 성의를 다하여 제전(祭田)과 석물(石物)을 갖추는 일을 시급하게 여기어 오직 힘이 미치지 못할까 걱정 하였으며, 남은 힘으로 학문을 하여 오직 실천하는 것을 근본으로 삼았고, 문장과 시(詩)는 말기(末技)로 생각 하였다. 공은 문을 닫고 덕을 쌓아 세상에서 명예와 이권을 바라지 않고 일생동안 한 번도 권문에 명함을 내민적이 없었으며, 여가가 있을 때는 문인(文人), 운사(韻士)와 함께 경치 좋은 곳을 거닐며 시를 읊고, 천고(千古)의 몸과 세상을 모두 잊었고, 그 한거(閒居)한 집에 편액(扁額)을 '만은(晩隱)'이라고 하였으니, 그 명성과 실상이 어긋나지 않았다고 할 것이다. 공은 남의 선행을 말하기 좋아하고 사람들의 장점 및 단점과 세상에 더러운 일을 말하지 않았다. 외국어가 날마다 성행한 것을 개탄하고, 이 유도(儒道)가 떨치지 못한 것을 걱정하여, 당시에 유행한 것은 하지 않고 오직 옛 의관(衣冠)만 입다가 기해년(서기1959) 10월 4일 작고하여 황산(黃山) 앞산의 진좌원(辰坐原)에 장사하였으며, 배(配)는 전주이씨(全州李氏)이며, 그의 아버지는 통정대부(通政大夫)인 건호(建浩)로 공보다 10년 먼저인 기축년(서기 1949) 8월 29일 작고하여 공의 묘에 부장(附葬) 하였다. 2남을 두어 장남은 강환(岡煥), 차남은 석환(石煥)이며 안동 김재형(安東金在炯)·밀양 박병곤(密陽朴炳坤)·광산 김희수(光山金喜洙)는 세 사위이다. 손자인 재중(載中)·재우(載友)·재흠(載欽)은 큰아들이 낳고 재찬(載燦)·재준(載俊)·재종(載鍾)은 둘째 아들이 낳았다. 아! 정회(正會)는 공의 덕행(德行)을 40년 동안 보고 느껴 터득하였으나, 글이 졸(拙)하여 만분의 일도 밝히지 못하였으니, 백세(百世) 후에 이 글을 읽은 사람들은 간략한 글을 인하여 자상하게 미루어 보고, 그 흐름을 거르려 근원을 탐지한다면, 공에 대하여 7분은 알 수 있을 것이다.

晚隱安公墓表

吾鄉丈人行稱以孝友愷悌之士，晚隱安公居其一焉。不佞以故交子，累拜德容，其素髮朱顔，盎和襲人。倏忽十載之間，典型不可復覩矣。之胤石煥，謂余知公深, 要以賁隱之文。念昔眷愛之至, 其何忍負？謹按：公諱秉勳, 字子敬。安氏竹山舊德。戶曹叅判兼弘藝文兩舘提學諱沼爲其顯。曰宅廈、曰純壽、曰錫佑、曰廣淵, 四世諱。妣高興柳氏, 志仁其考。諱龜淵, 信川康氏, 本生考妣。高宗甲申八月十二日生, 賦性醇厚, 自幼簡重寡默, 事親極志物之養。居憂, 備易戚之情。誠於追先, 祭田石儀之具, 汲汲惟恐不及。餘力學文, 惟以踐履爲本, 文詞抑末耳。杜門壁德, 不求名利於世, 生平一不刺於權貴門。暇日則與文人韻士, 徜徉于勝壤奧區之中, 嘯咏千古。身世兩忘, 扁其燕居室曰晚隱。名實可謂不爽矣。樂道人之善, 所不言者惟人之長短。世俗鄙俚之說也。慨異言之日熾, 憂斯道之不振, 絶今不爲, 惟舊衣冠。而逝己亥十月四日也, 葬黃山前嶝辰坐原。配全州李氏, 父通政建浩。先公十年, 己丑八月二十九日坮, 祔公墓。二男。長岡煥, 次石煥。安東金在炯、密陽朴炳坤、光山金喜洙, 三壻也。孫男載中、載友、載欽, 長房出。載燦。載俊。載鍾, 次房出。噫！正會於公之德之行, 四十年所觀感而得者也。顧文拙不能撮揚其萬一。苟百世之下, 讀此文者, 庶因略而推詳, 沿流而探源, 可以知公七分也夫。

강암 안공(剛菴安公)의 묘표(墓表)

한 고을의 선사(善士)라면 한 나라의 선사(善士)도 될 수 있는 것이다. 그 장단(長短)과 광협(廣狹)은 만남이 같지 않기 때문이다. 그러나 그 실제에 있어서는, 어찌 고을과 나라를 논할 것이 있겠는가? 강암안공(剛菴安公)의 휘는 병직(秉直)으로, 변지(邊地)에서 생장하여 그 재주를 세상에 펼치지 못했으므로, 고을 사람들은 모두 그를 선사(善士)라고 하였다. 나는 공이 일생동안 한 고을에서 묻혀 포의(布衣)로 작고한 것이 애석하였다. 공은 고종 기해년(서기 1899) 5월 4일 태어났는데, 재주가 민첩하여, 한번 보고 듣는 것은 잊지 않았고, 부모의 뜻을 받들어 거스르지 않았고 조석으로 살폈으며, 맛있는 음식도 빠뜨리지 않았으니, 이것은 부모를 효도로 섬기는 것이며, 책상과 밥상을 같이하여 이미 즐겁고 화목하게 지내어 가문에 이간하는 말이 없는 것은 형제간에 우애가 돈독한 것이며, 독(櫝)에 저장한 곡식이 없어도 생활이 시급한 사람들이 있으면 반드시 구제하여, 친소(親疎)와 원근(遠近)의 차이가 없이 대하였으니 이것은 친척과 지극히 화목한 것이며, 세대수가 먼 묘소에 묘사(墓舍)

와 석물(石物)을 마련하고 그고 작은 족보를 간행하여, 그것이 자기의 책임으로 생각하는 것은 선조를 열심히 기록하는 일이며, 자상하고 겸손하여 규각(圭角)을 나타내지 않고 겉모습에 신경 쓰지 않는 것은 인(仁)으로 처세하는 것이다. 이와 같이 온갖 아름다운 행실은 나 한 사람이 아첨해서 하는 말이 아니라, 위에서 말한 고을 사람들이 모두 선사(善士)라고 한 것이다. 향년 64세인 임인년(서기 1902) 2월 30일 작고하여 황산(黃山) 뒷산 모좌원(某坐原)에 장사하였다. 공의 자는 사언(史彦)이며 강암(剛菴)은 별자(別字)이다. 그의 선조는 죽산인(竹山人)으로, 승국(勝國)[96]의 상서좌복야(尙書左僕射)인 휘 영의(令儀)는 국조(國朝)에서 벼슬하고, 휘 계인(季仁)은 병조참판을 역임 하였으며, 휘 초(沼)는 호조참판 겸 홍문(弘文)·애문(藝文) 양관(兩館)의 제학(提學)을 역임하고, 이 분의 아들 전(詮)은 사과(司果)를 역임한 후 남쪽 지방으로 내려온 조상이 되었으며, 누대를 전하여, 휘 지(祉)는 학행(學行)으로 저명하여 학자들이 취령선생(鷲嶺先生)으로 칭 하였고, 8대를 지나 휘 광선(光善)과 휘 필수(弼壽), 휘 석운(錫運), 휘 기연(起淵)은 고조·증조·조부·고(考)이며, 통훈(通訓)·통정(通政)·가선(嘉善)·통정(通政)은 4세(世)의 수직(壽職)이다. 비(妣)는 모씨(某氏)이며, 배(配)는 진천송씨(鎭川宋氏)인 형순(炯淳)의 딸로, 공보다 먼저 작고하였는데 4월 4일이 그의 기일(忌日)이며, 묘는 공과 같은 곳이다. 3남을 두어, 장남 명환(明煥)은 효행이 있었고, 차남은 방환(方煥)·윤환(鈗煥)이며, 외동딸은 울산 기요갑(蔚山金堯甲)에게 출가 하였으며, 명환의 아들은 재관(載涫)·재렬(載烈)·종진(鍾鎭)이며, 방환의 아들은 재삼(載三), 윤환의 아들은 재종(載鍾)이다. 아! 공은 높은 재주와 학식으로 사물에 밝고 기무(機務)에 민첩하며, 변화에 대처하고 수작에 대응하기를 자유자재로 하였으므로, 관직에 나가면 암랑(巖廊)[97]에 있어 서정(庶政)을 다스렸을 것이니, 그 백성들에게 미칠 공리(公利)를 어찌 헤아릴 수 있겠는가? 그러나 세상이 그를 받아주지 않아 결국 여리(閭里)에서 늙어 공연히 지사(志士)의 한을 더 하였었다. 차남 방환(方煥)이 공의 사행(事行)을 초안하여 나에게 묘도(墓道)에 장식할 묘표(墓表)를 간청하므로, 그의 성의에 감탄하여 다음과 같이 명(銘)을 엮었다.

  울창한 저 황산(黃山)의 기슭에 불룩 솟은 봉분이 있으니, 오래오래 바라건데 강암 안공의 묘를 알라.

---

96) 조선조에서 고려(高麗)를 일컬은 말.
97) 조선시대 의정부(議政府)의 별칭.

剛菴安公墓表

一鄉之善士, 可以爲一國之善士。其長短廣狹, 特其所遇, 不同耳。乃若其實, 奚鄉與國之論哉？剛菴安公, 諱秉直, 生長遐陬, 才不售世, 鄉黨咸曰善士。吾爲公惜其坎坷一生, 以布衣終也。公生于高宗己亥五月四日, 才思捷敏, 一見聞輒不忘。承順無忤, 晨昏必省, 甘旨無闕者, 事親之孝也。同案同盤, 旣翕且湛, 門無閒言者, 友于之篤也。甑石雖匱, 而有告急必救, 無親疎遠近之殊者, 睦婣之至也。世遠墓丙舍石儀之經紀大小修譜擔荷己任者, 述先之勤也。慈和恭謙, 不露圭角, 不事邊幅者, 處世之仁也。凡此百行之美, 非余一人所阿好也, 向所謂鄉黨咸稱之善士也。行年六十四, 屬纊于壬寅二月三十日, 葬于黃山後麓某坐。公字史彥。其曰剛庵, 別字也。其先竹山人。自勝國尙書左僕射, 射諱令儀始。仕國朝諱季仁, 兵曹叅判。諱迢戶曹叅判, 兼弘藝文兩舘提學。子詮, 司果, 爲南下之祖。累傳至諱祉, 以學行著名。學者稱鷲嶺先生。八傳諱光善, 諱弼壽, 諱錫運, 諱起淵, 高曾祖禰。曰通訓, 曰通政, 曰嘉善, 曰通政, 四世壽職也。妣某氏。配鎭川宋氏, 炯淳女。先公歿, 四月四日其忌也, 墓同公原。三子。長明煥, 有孝行。次方煥、銃煥。一女, 適蔚山金堯甲。明煥男載涫、載烈、鍾鎭。方煥男載三。銃煥男載鍾。噫公以高才卓識, 明於事物, 敏於機務, 處變應酬, 恢恢游刃, 使進而置之巖廊, 則可以綜理庶政, 其功利之及人者, 何可量哉？而世不我與, 終老閭里, 徒增志士之恨也。次胤方煥, 艸事狀, 懇余文, 用貢泉埏遂。嘆息而爲銘, 曰：
菀彼黃山之麓, 有封若堂。千秋萬春, 尙知其爲剛庵安公之藏。

소경원 참봉(昭慶院參奉) 서공(徐公)의 묘표(墓表)

부자(夫子)의 말에 "종족이 효자로 칭하고, 고을에서 그 의리를 신임한다."고 하였는데, 공과 같은 사람이 그런 사람에 가깝지 아니할까? 공의 휘는 경윤(慶潤), 자는 윤화(允和), 호는 계은(溪隱)이며 소경원참봉(昭慶院參奉)이다. 서씨(徐氏)는 선조가 이천인(利川人)이다. 공은 순조 무인년(서기 1818) 2월 25일 태어나 환갑(回甲)이 되는 해의 2월 21일 작고하여, 고수방 오십정(古水坊五十井) 뒷산 남서쪽을 향하는 자리에 장사 하였다. 배(配)인 경주김씨(慶州金氏)는 부장(附葬) 하였다. 고려 때 진사(進士)가 되어 남원부사(南原府使)를 역임하고 이조참판(吏曹參判)에 증직된 휘 호(灝)가 상조(上祖)이며, 국조(國朝)에 들어와 휘 적(積)은 통덕랑(通德郎)으로 모양(牟陽)에서 처음으로 거주 하였으며, 휘 필명(必明)은 공의 고조이다. 성화(聖和)·인수(仁修)·영태(永泰)는 증조·조부·고(考)의 휘이며, 외조부는 전주 이찬옥(全州李燦玉)이다. 공은 어렸을 때부터 효성이 지극하여, 친히 농사를 지으면서 부모를 봉양하여 성의를 다하지 않는 적이 없었으며, 그 마음을 미루어 종족과도 화목하여 가정에 이간하는 말이 없었고, 내외의 상을 당한 후에는 상례(喪禮)를 준행하여 옛날 효자의 기풍이 있었다. 아들 4형제를 두어, 장남은 정철(廷喆), 차남은 석철(碩喆)·성철(聖喆)·양철(良喆)인데, 이 분은 그 가정의 가풍을 이어 사림들에게 저명 하였으며, 딸 한 분은 변홍기(邊弘基)에게 출가 하였다. 진(榛)은 정철이 낳았고, 원익(源翊)·원홍(源洪)·원주(源柱)는 성철이 낳았으며, 원규(源奎)·원길(源吉)·원경(源璟)·원순(源淳)·원채(源采)·원장(源章)은 양철이 낳았다. 아! 공의 선행(善行)은 기록할 것이 많으나, 오직 효자라는 한 말로 다 표현할 수 있으므로 다른 것은 생략 하였다. 손자 원장(源章)이 나에게 그 묘도를 장식할 묘표를 간청 하였다.

昭慶院叅奉徐公墓表

夫子之言曰："宗族稱其孝，鄉黨信其義。"若公者殆庶幾焉。公諱慶潤，字允和，號溪隱。昭慶院叅奉。徐氏其先利川人，以純廟戊寅二月二十五日生，周一甲，二月二十一日卒，葬在古水坊五十井後嶝向申原。配慶州金氏，祔。在麗進士、行南原府使、贈吏叅、諱灝爲上祖。至國朝諱積，通德郎，始居牟陽。傳至諱必明，公高祖。聖和、仁修、永泰，曾若祖禰諱。外祖全州李燦玉。公幼有至性，躬耕養親，靡不用極。推而睦于族黨，終無間言。遭內外憂，克遵禮制，有古孝子風焉。四男。長廷喆，次碩喆、聖喆、良喆。克世其家，名著士林。一女，適邊弘基。源榛，廷出。源三，碩出。源翊、源洪、源柱，聖出。源奎、源吉、源璟、源淳、源采、源章，良出。噫！公之善行可述者多，而惟孝可一言蔽之，他可略也。肖孫源章，請余表厥阡道。

양지(陽支)의 천표(阡表)[98]

선군(先君)의 묘는 양지 선롱 후량(陽支)의 선산 뒤인 간좌원(艮坐原)에 있다. 만수공(晩睡公)의 묘소와 10보 정도의 거리에 있다. 선군(先君)은 공의 큰 손자로 휘는 재종(在鍾), 자는 백응(伯應), 호는 회천(晦泉)이다. 김씨(金氏)의 본은 안동(安東)으로, 그 세계(世系)는 모두 공의 묘갈(墓碣)에 기재되어 있다. 공은 5남을 두었는데, 선군은 둘째 아들이 낳았는데 큰 아들 미제(薇齋) 휘 학묵(學默)의 후사(後嗣)로 입양 하였다. 비(妣)는 장택 고씨(長澤高氏)인 제봉 경명(霽峯敬命)의 후손인 제국(濟國)의 딸이다. 오계(梧溪) 휘 응묵(應默)과 행주 기씨(幸州奇氏)는 부모(父母)이다. 공은 고종 경진년(서기 1880) 6월 30일 태어났다. 모습은 단정하고 눈빛이 밝았으며, 겨우 이를 가는 나이네 사숙(私塾)의 선생(先生)이 그의 재간을 알아보고자 아침에《통서(通書)》300줄을 가르쳐 주었는데, 저녁에 하나도 막힘없이 배송(背誦) 하였고, 문리도 속히 발전 하였다. 공은 어려서부터 희롱하기를 좋아하지 않고, 말을 함부로 하거나 웃음을 함부로 웃지 않았으므로, 공이 사랑하여 원대(遠大)하게 기대 하였는데, 약관의 나이에 송사 기선생(松沙奇先生)에게 나가 공부할 때, 선생으로부터 크게 칭찬을 받았고, 공이 병환으로 4년 동안 누어 있었으나, 약을 한 번도 빠뜨리지 않았었으며, 공이 작고한 후에는 초상과 장례 및 제사 등을 한결 같이 예법을 따랐고, 계축년(서기1913)에는 만수당(晩睡堂)을 건축하였다. 그 곳은 공이 일찍 드나든 곳이었다. 그 후 또 얼마 안되어 가묘(家廟)를 지었는데, 종중의 일을 먼저하고, 가정의 일을 뒤에 하였다. 하루는 고유인(高孺人)이 나에게 말하기를 "너의 아버지가 성동(成童)도 되지 않았을 때, 공이 탄식하기를 '나도 한 칸의 가묘(家廟)와 작은 정자(亭子)를 지으려고 하였으나 힘이 미치지 않는구나!' 라고 하셨는데, 너의 아버지가 옆에 있다가 갑자기 대답하기를 '그 뜻이 있으면 어찌 이루는 것을 걱정할 수 있습니까?' 라고 하자, 공이 웃으시며 말하기를 '너의 힘으로 그와 같은 일을 이룰 수 있겠느냐' 라고 하셨다. 이 말이 아직도 귀에 생생하게 남아 있다. 나는 이제야 너의 아버지가 어렸을 때부터 특이한 뜻이 있었다는 것을 알았다. 말을 안했으면 몰라도 말을 했으면 반드시 실천해야 하는 것이다."라고 하였다. 정사년(서기 1917)에 미재공(薇齋公)이 작고 하시자 오래 봉양하지 못한 것을 한탄하고, 편모(偏母)에게 효성을 다하여 크고 적은 일을 가리지 않고 반드시 아뢴 후에 실천 하였으며, 사람들이 진귀한 먹거리를 주거

---

98) 회천공의 묘는 서기 2017년 7월 3일 전남 장성군 북이면 달성리 후록 부군의 묘 아래로 이장하였다.

든 밖에서 돌아와 반드시 어머니 앞에 먼저 보여 기뻐하시도록 힘을 다하였으며, 제부(諸父)를 섬길 때도, 극히 성의를 다하여 평상시의 예법을 잃지 않았고, 여러 종형제에게도 우애하여 은혜와 사랑이 두루 미치어, 가정에 이간하는 말이 없었고, 남들과 주고받을 때도 차라리 은혜가 부족할망정 청렴한 마음이 부족하지 않아 반드시 제각기 그 뜻에 만족한 후에 떠났으며, 비복(婢僕)을 대할 때도 믿음과 위엄이 있었고, 자신을 봉양하는 데는 지극히 검소하였으나, 의리를 챙겨야 할 곳이 있으면 비록 곳집을 다 터는 일이 있어도 인색하지 않았고, 선조의 묘와 재사(齋舍), 제전(祭田)석물(石物) 및 원저(遠祖)의 부조묘(不祧廟) 이축(移築)과 문묘(文廟)의 수리 등을 독담(獨擔) 하였으며, 언제나 흉년을 만나면 구제한 사람들이 매우 많았고, 가정이 가난하여 결혼을 하지 못하거나 장례를 치루지 못한 사람이 있으면 적절한 시기를 잃지 않도록 하였다. 선군의 얼굴에는 자애로운 기색이 넘치어 여러 사람과 함께 마냥 즐겁기만 하고 성벽을 쌓지 않았고, 사람들의 장점과 단점을 말하지도 않았지만, 선행과 사특한 일에는 매우 엄격 하였으며, 천권의 책을 좌우에 두고 마음이 가는 곳이 있으면 음일(淫佚)하고, 그 금석(金石)같은 소리가 났다. 공의 글은 간곡하고 유창하지만, 시를 더욱 잘하여 그 성조(聲調)가 서로 화합하므로, 좋은 경치를 만나면 즉시 시를 지었으나, 그 시를 모으지 않았으며, 중년에 풍이 들어 보행을 마음대로 하지 못하였으나 주무실 때 문안과 반찬을 살피는 일을 혹 빠뜨린 적이 없었고, 언제나 마루에 오르면 반드시 어머니를 불렀으며, 가정에서는 아직 품안에서 벗어나지 못한 것처럼 여기었으며, 병이 위급하였을 때는 끝까지 봉양하지 못한 것을 한탄하다가 결국 무인년(서기 1938) 10월 25일 작고 하였다. 아! 향년이 겨우 59세에 부고가 나가자, 위로는 선비로부터 아래로 부유(婦孺)와 초부(樵夫)·목동(牧童)에 이르기까지, 모두 슬퍼하면서 말하기를 "어진 사람이 떠났다"고 하였다. 선비(先妣)는 광산김씨(光山金氏)인 수형(壽衡)의 딸이며 추담 우급(秋潭友伋)의 후손으로, 웃어른께 공경하고 아랫사람에게 은혜를 끼쳐 주어, 한결 같이 유순 하였으므로, 종족과 고을 사람들이 그의 훌륭함을 칭찬하지 않는 사람이 없었으며, 공보다 1년 먼저 태어나 갑진년(서기1964) 6월 13일 향년 86세로 작고하여, 묘는 고(考)의 좌측, 비(妣)의 추측에 공과 함께 합폄 하였다. 3남 6녀를 두어, 아들은 정회(正會)·장회(章會)·순회(舜會)이며, 사위는 임종혁(林鍾爀)·장도규(張燾圭)·이병두(李丙斗)·김상일(金相一)·김용수(金龍洙)·윤치영(尹致英)이다. 정회의 아들은 병수(丙洙)·만수(萬洙)·덕수(德洙)·길수(吉洙)이며, 장회의 아들은 성수(晟洙)·창수(昌洙)로 이 는 후사로 충계하였으며, 형수(亨洙)·윤수(允洙)·연수(鍊洙)·치수(治洙)이며, 순회의 아들은 정수(晶洙)·학수(學

洙)이며, 병수의 아들은 경식(璟植)·명식(明植)·영식(永植)·종식(鍾植)·동식(東植)·용식(用植)·정식(正植)다. 아! 선군(先君)의 행실를 길록할만한 것이 매우 많지만, 모드 기록하면 너무 번거롭게 의심하고 간략하게 기록하면 혹 빠뜨릴까 두려웠다. 그러나 선군이 일생동안 간직하고 있어도 없는 것처럼 여기고, 채우고도 빈 것처럼 여기어, 겸손하고 자랑하지 않으셨다. 나는 이 일이 번거로운 것보다 차라리 간략하였으면 한다. 위로 선군이 평일에 갖었던 뜻을 본받기 위함이다. 오직 그 뜻은 선군의 마음을 이어받아 후손에게 잘 하려는 마음만 남아 있으니, 그 밝은 마음은 신명을 볼모로 삼아도 좋을 것이다. 선군께서는 항시 저에게 경계하시어 말씀마다 반드시 만수공(晚睡公)을 들먹이셨다. 공의 도(道)는 효제(孝悌) 뿐인데, 공은 이 도를 미재(薇齋)에게 전하고, 미재(薇齋)는 이 도를 선군에게 전하고, 선군의 뒤에는 전하는 사람이 없었다. 선군의 후손들이 다행히 서로 격려하고 분발하여 전하지 안는 도를 전할 수 있다면, 하늘에 계신 선군의 영영이 천년 만년토록 영원히 편안하실 것이다. 병오년(서기 1966) 12월 상순(上旬)에 불초 정회(正會)는 삼가 기록하다.

陽支阡表

先君之葬在陽支先壠後良原, 距晚睡公墓十許步。先君, 公大孫也, 諱在鍾, 字伯應, 號曰晦泉。金氏本安東世系, 具載公墓碣。公有五男, 先君以二房生, 系長房薇齋諱學默后。妣長澤高氏, 霽峯敬命后濟國女。梧溪諱應默, 幸州奇氏生父母也。以高宗庚辰六月三十日生, 儀表端正, 目視瞭然。甫齓塾師, 欲叩其才, 朝授通書三百行, 暮背誦如流, 文詞驟進。幼不好弄, 不妄言笑。公鍾愛之, 期以遠。到弱冠, 從松沙奇先生學, 先生大加獎勉。公病臥四載, 醫藥無或闕。辛亥公沒, 喪葬及祭, 一遵禮制。癸丑, 築晚睡堂。於公嘗杖屨地。又未幾, 營廟先宗。而後家高孺人語不肖, 曰: "汝父未成童, 公嘗自嘆 曰: '我亦欲營一間廟, 數椽亭, 顧力不贍耳。'汝父方侍側, 率爾對曰: '有其志, 何患不成。'公哂之, 曰: '以若 之力, 成若之事乎?'語猶洋洋在耳。吾於今日知汝父之幼有異志, 有不言, 言必行之。"丁巳薇齋公歿, 以不及終養爲至恨。孝奉偏慈, 事無巨細, 必稟而後行。有珍饌品自外至, 必先陳於前。和色愉容, 務盡慰悅之。方事諸父, 極其誠敬, 不失常度。友于群從, 恩愛周洽, 門無間言。凡與人取予, 寧傷惠, 無傷廉, 必使各飫其意而去。至婢僕, 孚威並臻。自奉甚菲,而義之所在雖傾困不吝。先墓齋舍，祭田石儀，遠世不祧廟之移築，文廟之修理，皆獨擔其力。每值歉荒。所濟活甚衆。貧不能昏葬者，使不失時。慈和溢於色，群居樂易，不設城府。未甞長短人，而淑慝甚嚴。貯書千卷，置之左右。営其會心處，諷誦淫佚，聲若出金石。爲文委曲暢達，尤長於詩，聲調諧和，隨遇輒寫，而亦不蓄錄。中歲患風，崇行步不任，而問寢視膳，未之或廢。每上堂，必呼母庭，中如未免懷。疾革累致，恨於不得終養。竟以戊寅十月二十五日終。嗚呼！享年纔五十九。訃聞，上自章甫，下至娠孺樵牧，咸咨嗟，曰："仁者逝矣。"先妣光山金氏，壽衡女。秋潭友伋后，祗上惠下，一於和順。族黨隣里，無不稱其賢。先先君一年生，卒于甲辰六月十三日，壽八十六，墓合兆，考左而妣右。生三男六女。男正會、章會、舜會。林鍾爀、張燾圭、李丙斗、金相一、金龍洙、尹致英，壻也。正會男丙洙、萬洙、德洙、吉洙。章會男晟洙、昌洙出后，亨洙、允洙、鍊洙、治洙。舜會男晶洙、學洙。丙洙男璟植、明植、永植、鍾植、東植、用植、正植。嗚呼！先君之行，可書者多，而悉書之疑其太繁，略之恐其或遺。然先君一生有若無實若虛，謙退不矜伐。不肖於是役，與其繁也，寧略之。仰體先君平日之志，惟其志切承先，心存穀後。炯炯然可質神明，恒戒不肖輩，言必稱晚睡公。夫公之道，孝弟而已。公以是傳之薇齋，薇齋以是傳之先君，先君之後無傳焉。凡後於先君者，幸或有以激礪奮發，使不傳之緒，得有傳焉。則先君在天之靈永安於千萬麟矣。丙午十二月上旬，不肖正會謹識。

가선대부 김공(嘉善大夫金公)의 묘표(墓表)

공의 5세손 영배(永培)가 행장(行狀)을 가지고 나에게 와서 비문(碑文) 간청하여 그 묘도(墓道)를 장식하고자 하였다. 그 행장 중에는 "임천(林泉)에서 덕을 기루어 융성한 시대의 일민(逸民)이다(養德林泉,晟代逸民)"고 하였으니, 공의 가정은 덕을 알았다고 할 것이다. 삼가 살펴보니, 공의 휘는 성준(盛峻), 자는 신여(慎汝)이다. 광산김씨(光山金氏)는 신라왕자 흥광(興光)으로부터 시작하여 고려(高麗)에 이르기까지 관직이 세상에 빛났고, 본조(本朝)에 들어와 창주(滄洲) 휘 남우(南雨)는 공조전서(工曹典書)를 역임하고, 누대를 지나 휘 구창(九昌)은 무과에 급제하여 부사직(副司直)을 역임한 후 남쪽 무장(茂長)으로 내려와 자손들이 집을 짓고 거주 하였다. 이 분들이 공의 8세조 이상이다. 고조 식록(式祿)은 임진란(壬辰亂) 때 의병을 일으켜 즉시 청주(淸州)까지 도착하였으나, 화의(和議)가 결성되었다는 소식을 듣고 돌아와, 문을 닫고 학문에 주력 하다가, 작고한 후에는 통정대부 승정원 좌승지 겸 경연참찬관(通政大夫承政院左承旨兼經筵參贊官)에 증직되었다. 이 일은 《호남절의록(湖南節義錄)》에 기록되어 있다. 증조 우정(禹鼎)도 통정대부였으며, 조부 기징(起澄)은 호가 장암(長菴)이며 무과에 급제하여 주부(主簿)와 절충장군(折衝將軍)을 역임하고, 고(考)인 상린(相麟)은 좌승지(左承旨)를 역임 하였으며, 비(妣)는 의령남씨(宜寧南氏)인 명(溟)의 딸이다. 공은 영조 을묘년(서기 1795) 12월 10일 태어났는데, 천청이 효우(孝友)하여 종족들이 그를 화목하다고 칭찬하고, 고을 사람들이 그의 의리를 믿었으며, 마음을 학문에 두어 명리(名利)를 바라지 않았다. 가선대부(嘉善大夫)는 그의 수직(壽職)이다. 병인년(서기 1806) 8월 25일 작고하여 공음(孔音)의 미륵동 금야등(彌勒洞金冶嶝) 유좌원(酉坐原)에 장사하였으며, 배(配)는 영월엄씨(寧越嚴氏)로, 병진년(서기1796)에 태어나 임신년(서기 1812) 11월 12일 작고하여, 무장면 구지동(茂長面求芝洞) 뒷산에 장례를 치루고, 배(配)인 밀양박씨(密陽朴氏)는 정사년(서기1797)에 태어나 신사년(서기 1821) 2월 25일 작고하여, 영지동(永芝洞)에 쌍분(雙墳)으로 장사하였으며, 배(配)인 김해김씨(金海金氏)는 정원(鼎源)이 그의 고(考)로 갑자년(서기 1804)에 태어나고, 임자년(서기 1792) 2월 12일 작고하여, 묘는 성송면 구왕봉(星松面九王峯) 밑 을대(乙臺)의 손좌원(巽坐原)이다. 6남을 두어, 장남은 세홍(世泓)이며, 차남은 찬홍(纘泓)·처홍(處泓)·수홍(守泓)·근홍(近泓)·서홍(瑞泓)으로 이 분들은 김씨가 낳았다. 아! 공은 포부를 안고 융성한 시대를 당하여 당연히 큰 일을 할 것으로 알았으나, 작록(爵祿)이 마음에 들지 않아, 시서(詩書)를 즐기며 그 뜻을 고상하게 갖았었다. 아이 점을 공의 묘소에 표한 것이다.

嘉善大夫金公墓表

公五世孫永培甫, 以狀徵余文而表厥阡。狀中有曰:養德林泉, 晟代逸民者, 可謂公家知德也。按:公諱聲峻, 字愼汝。光山之金, 始於新羅王子興光, 迄于麗, 簪組奕世。入本朝, 滄洲諱南雨工曹典書。累傳至諱九昌, 武副司直, 南下茂長, 子姓仍家焉。寔公八世以上也。高祖曰式祿, 丙子亂, 倡義旅卽向淸州, 聞媾成而還。杜門力學, 卒贈通政大夫, 承政院左丞旨, 兼經筵叅贊官, 事載湖南節義錄。曾祖曰禹鼎，亦通政。祖曰起澄，號長菴，武主簿，至折衝將軍。考曰相麟，左丞旨。妣宜寧南氏，溟女。公生英宗乙卯十二月十日，天性孝友，宗族稱其睦，鄉黨信其義。潛心問學，不求名利。嘉善其壽職也。卒于丙寅八月二十五日，葬于孔音之彌勒洞金冶嶝負酉原。配寧越嚴氏，丙辰生，壬申十一月十二日卒，墓茂長面求芝洞後麓。配密陽朴氏，丁巳生，辛巳二月二十五日卒，雙窆于永芝洞。配金海金氏，鼎源其考。甲子生，壬子二月十二日卒，墓星松面九王峰下乙臺巽坐。六男。長世泓，次纘泓、處泓、守泓、近泓、瑞泓，金氏出也。噫！以公負抱，生當晟際，宜其大有所施。而爵祿不入於心，詩書自娛，高尙其志。嗚呼！此可以表公之阡也夫。

지운 송공(止雲宋公)의 묘표(墓表)

송림산(松林山) 동쪽 기슭에 남서쪽을 등지고 동북쪽을 향하는 곳은 지운 송공(止雲宋公)의 묘이다. 공의 아들 병하(炳夏)가 행장(行狀)과 폐백(幣帛)을 동생 병연(炳涓)에게 주어, 나에게 묘도(墓道)를 장식할 비문을 간청 하였다. 삼가 살펴보니, 공의 휘는 원식(元植), 자는 백영(伯英), 호는 지원(止雲)이다. 일찍 춘재 김공(春齋金公)은 그의 재주와 학문을 칭찬 하였으니, 지지선생(知止先生)의 후손된 것이 부끄럽지 않았다. 신평 송씨(新平宋氏)는 승국(勝國)[99]의 서운관정(書雲觀正)인 휘 구진(丘進)으로부터 시작하여 휘 현덕(玄德)의 대에 이르러 국조(國祖)에서 판사재감사(判司宰監事)가 되었고, 이 분의 아들인 휘 구(龜)는 병조판서(兵曹判書)를 역임한 후 영광(靈光)의 발산(鉢山)에서 거주하여 자손들이 집을 짓고 살게 되었다. 그 후 3대를 지나, 휘 흠(欽)은 즉 지지당선생 "(知止堂先生)이 성종조(成宗朝)의 명신이 되어 '효헌(孝憲)'이란 시호를 받았는데, 이 분이 공의 15세이다. 그리고 대근(大根)·덕찬(德燦)·치영(致永)은 고조·증조 및 조(祖)의 휘이며, 고(考) 만회(晩悔) 휘 한봉(漢鳳)은 영성(靈城)에서 송사(松沙)로 이거하였는데, 공은 성품이 곧고 강직하여 스스로 절개를 지키므로 그 여망은 사림(士林)들게 높았다. 비(妣)는 청도김씨(淸道金氏)로, 이옥(以沃)이 그의 아버지이며 고종 기해년(서기 1899) 9월 13일 청해방 안산리(靑海坊安山里)의 본가에서 태어나고, 가정의 교육을 받아 행동이 일정한 법도가 있었으

---

99) 조선조에서 고려를 가리킨 말.

며, 어려서부터 다른 것은 좋아하지 않고, 학문 좋아하기를 추환(芻豢)[100]처럼 여기므로, 번거로운 감독을 받지 않고, 열심히 공부하여 조금도 게을리 하지 않았다. 시와 글을 지을 때는 사람들이 놀라워 한 글이 많아, 어른들이 모두 기이하게 여기었는데, 장성한 후에는 육봉 이공(六峯李公)의 문하에서 공부하며, 마음을 경사(經史)에 두고, 섭렵(涉獵)[101]에는 힘쓰지 않았고, 의리가 주요한 곳을 만나면 침식을 잊고 반드시 깨우친 후에 그만 두었다. 공은 시문(詩文)을 좋아하지 않고, 오직 행동으로 실천하는 것에 힘썼으며, 부모 섬기는 일에 힘을 다하여, 뜻을 잘 받들고 몸의 봉양을 잘 하였고, 아버지가 2년 동안 병을 앓고 계실 때, 그 기와(起臥)와 시수(矢溲)[102]를 반드시 사람이 도와야 하므로, 공은 주야로 그 옆에서 거들며 조금도 게을히 하지 않았으며, 상을 당한 후에는 호곡하다가 거의 실신할 정도에 이르렀으며, 치상할 때 모든 일을 상예에 맞도록 아실(亞〈亞+土〉室)에서 있을 때는 맛있는 음식을 먹지 않고, 날마다 묘소에 나가 절을 올리어 비가오나 바람이 부나 성묘를 빠뜨린 적이 없었고, 어머니의 상중에도 그와 같이 하였다. 공의 성품은 베풀기를 좋아하여 생활이 위급한 사람이 있으면 곡물을 대여하여 조금도 인색한 기색이 없고, 사람들을 대할 때도 성신(誠信)을 바탕으로 하여 겉치레로 대하지 않았으며, 임천(林泉)에서 자취를 감추어, 세속의 화려한 것을 그 마음에 두지 않고, 유학(儒學)의 부식(扶植)을 자신의 책임으로 생각하였으므로, 원근의 학자들이 문하(門下)에 가득 하였고, 공도 자상하게 교육하여 각기 그 재질에 따라 독실하게 가르쳐 주었다. 공은 향년 42세로 경진년(서기 1850) 정월 19일 작고하였고, 배(配)는 언양김씨(彦陽金氏)인 동환(東煥)의 딸로 그 부덕(婦德)이 군자(君子)와 배필이 될만하였는데 정유년(서기1897)에 작고하여 을유년(서기 1945) 2월 3일 산전등(山前嶝)의 정좌원(丁坐原)에 별장(別葬)을 하였다.. 2남 1녀를 두어, 아들은 즉 병하(炳夏)·병연(炳涓)이며, 딸은 청도 김○○(淸道金○○)에게 출가 하였다. 아! 공의 뜻과 학문으로 하늘이 나이를 연장해 주었다면, 이 유도(儒道)에 큰 공이 있었을 것인데, 중도에 갑자기 명을 앗아갔으니 아! 슬프다. 모든 군자(君子)들이 이곳을 지나갈 때 어찌 공경하지 않겠는가?

---

100) 소, 돼지, 염소 등의 맛있는 고기를 말함.
101) 많은 책을 거충 거충 읽음의 비유.
102) 똥과 오줌.

止雲宋公墓表

松林山之東麓負申而面寅, 止雲宋公之壽藏也。胤子炳夏, 具狀與幣, 使其弟炳涓誤請余以賁隧之刻。遂按：公諱元植, 字伯英, 號曰止雲者。春齋金公稱"其才學, 可無愧爲知止先生之雲孫也。"新平之宋, 肇於勝國書雲觀正, 諱丘進。傳至諱玄德, 始仕國朝, 判司宰監事。生諱龜, 兵判, 始居靈光之鉢山, 子姓家焉。三傳諱欽, 即知止堂先生, 爲成廟朝名臣, 諡孝憲。寔公十五世。曰大根、曰德燦、曰致永, 高曾若祖諱。考晚悔, 諱漢鳳, 自靈城遷于松沙, 耿介自守, 望重士友。妣淸道金氏, 以沃其考。高宗己亥九月十三日生公于靑海坊安山里第。早襲庭訓, 動止有常度。自幼無他好, 嗜學如葤蓼。不煩程督, 而能孜孜匪懈。作詩文多出驚人語, 長老皆奇之。及長, 從六峯李公學, 潛心經史, 不務涉獵。至義理肯綮處, 忘寢與食, 必待融會而後已。不尙詞藻, 惟踐履是求是篤。事親竭其力, 養兼志體。父寢疾二載, 起臥矢溲, 必須人晝夜遑遑其側, 罔有或怠。及不救, 號擗幾絶, 送終以禮, 寢苫堊室, 絶甘飮, 却厚味。日必展墓, 風雨不爲沮。母喪, 亦如之。性喜施, 有告急者, 輒賑之不吝。與人以誠信, 不事表襮, 韜晦林壑, 世俗粉華, 無以嬰其心。惟扶植斯文爲己任, 遠近來學者塡門。諄諄然各隨材以篤焉。以享年四十二, 沒于庚辰正月十九日。齊彦陽金氏, 東煥女。德配君子, 生丁酉, 卒乙酉二月三日, 別葬於山前崎丁坐原。二男一女, 男卽炳夏、炳涓。女適淸道金○○。噫！以公之志之學, 天假以年, 則大有功於斯道, 而中途遽奪。嗚乎, 欷矣。凡百君子, 孰不過此而起敬。

송아 성공(松阿成公)의 묘표(墓表)

장사(長沙)의 해리방 송산리(海里坊松山里)는 땅이 비옥하고 샘물이 달며 풍속은 순박하였다. 송아성공(松阿成公)은 높은 덕망과 행실로 조정에 자신의 이름이 전해지는 것을 바라지 않고 은거생활을 하다가 작고하였으며, 공의 장례를 치룰 때, 사람들은 모두 슬프다고 큰 한숨을 쉬며 말하기를 "우리 유학자들이 불행하여 착한 사람이 죽었다"고 하였다. 아! 이것이 어찌 그 이유가 없이 하는 말이겠는가? 공의 둘째 아들 하원(夏源)이 나에게 와서 비문(碑文)을 간청 하였다.

삼가 살펴 보건데, 공은 고종 정해년(서기 1887) 손산리(松山里)의 본제(本第)에서 태어났다. 모습은 단정하고 성품은 순수하였으며, 어릴 때부터 말과 행동을 친구들이 미치지 못하였다. 아버지를 섬길 때는 좌우의 봉양에 기뻐하시도록 도리를 다하고, 형제간에도 화목하게 지냈으며, 선조의 사행을 기록하는데 열중하고 종사(宗事)에 있어서도 언제나 앞서서 인솔 하였으며, 성인(聖人)을 사모하고 유학(儒學)을 좋아하여 크게 상의할 일이 있으면 한번도 빠지지 않았고, 아들이게도 의리를 가르쳤으며, 학문과 행실이 높은 손님과 친구를 대할 때는 성의를 다하여 맞이하고, 혹 경서(經書)와 예절에 대하여 어려운 질문하거나 혹은 시주(詩酒)를 수창(酬唱) 하였어도, 세상의 명리(名利)에 대하여는 마음을 두지 않았으며 자신은 겸손하고 공순한 자세로 낮추고, 사람을 대할 때는 성의를 다하였으므로 사람들은 현불초(賢不肖)를 막론하고 공을 사랑하고 믿지 않는 사람이 없었다. 공은 향년 66세로 임진년(서기 1892) 8월 17일 작고하여 공이 거주한 뒷산의 ○좌원(○坐原)에 장례하였다.

공의 휘는 은수(殷修), 자는 군경(君敬)이며 창녕인(昌寧人)이다. 상조(上祖)는 고려의 중윤(中尹)을 역임한 휘 인보(仁補)이며, 이후부터 잇달아 관직이 혁혁하여, 휘 부(溥)는 문과에 급제하여 형부총랑(刑部摠郎)을 역임하였으나 고려가 망하자 의리를 지켜 복종하지 않았으며, 태조(太祖)가 대사간(大司諫)으로 불렀으나 부임하지 않았다. 그 후 누대를 지나 휘 대승(大承)은 홍문관 교리(弘文館校理)를 역임 하였다. 이 분이 남쪽 지방으로 내려온 조상이며 공의 10세조이다. 이 분의 아들 여원(汝源)은 인조조에 사마시(司馬試)에 합격하여, 관직이 이조좌랑(吏曹佐郎)에 이르렀다. 이 분은 우계선생(牛溪先生)을 사사하였는데, 선생은 언제나 "마음속에 충효(忠孝)를 간직하고 조행도 독실하다"고 하였다. 안락와 윤욱(安樂窩胤旭)·정조(貞祚)·인암구진(忍菴龜鎭)·호석영문(湖石永文)은 4세조의 휘이다. 외조는 상산 김석섭(商山金錫燮)이며, 휘 영운(永雲)과 전주이씨(全州李氏)는 공을 낳은 고비(考妣)이다. 배(配)는 청도김씨(淸道金氏)인 규일(奎一)의 딸로 현명하고 부덕이 있었으며, 병술년(서기1886)에 낳고 ○○년에 작고하여 묘는 공과 부장(附葬) 하였다. 아들 2인을 두어, 장남은 하형(夏炯), 차남은 즉 하원(夏源)이며, 딸 3인은 고흥 유완영(高興柳完永), 파평 윤형중(坡平尹炯重), 안동 김기회(安東金箕會)의 아내가 되었다. 하형의 아들은 종규(鍾奎)·○규(○奎)·린규(麟奎)이며, 하원의 아들은 용기(溶基)·봉기(琫基)이다. 정회(正會)가 어렸을 때, 누차 그르침을 받았는데, 그 온화하고 자상한 기운이 말씀과 얼굴빛에서 표현되었다. 이것은 덕이 가슴속에서 쌓아 밖으로 나타나지 않으면 어찌 이와 같을 수 있겠는가? 나는 이런 점을 표현하여 세상에 실질적인 일에 힘을 쓰지 않고 밖의 일만 따르는 사람에게 고하고자 한다.

松阿成公墓表

長沙之海里坊里曰松山, 土肥泉甘, 俗尙淳朴。松阿成公, 以茂德秀行, 不求聞達, 隱約以終其身。及葬, 引而送者, 咸咨嗟太息, 言:"吾黨不幸, 善人亡矣。"嗚乎! 豈無致而然哉? 次胤夏源來, 請余以墓石之文。遂按: 公以高宗丁亥生于松山里第, 形容端正, 賦性粹溫。自在幼年, 出言持行, 儕流莫或及焉。事親左右, 養務盡慰悅之道。友于昆季, 一門雍洽。勤於述先, 凡宗事必倡先而導率之。篤於慕聖, 觀文有大議論, 未嘗或闕焉。敎子以義, 賓朋之有文行, 盡心力而致之。或經禮以問難, 或詩酒以唱和。世間名利, 一不嬰其志。謙恭自卑, 與人以誠。是以人無賢不肖, 無不愛慕而信服。壽六十六, 以壬辰八月十七日沒, 葬所居後麓○坐原。公諱殷修, 字君敬。昌寧人。上祖高麗中尹諱仁補。自後連世烜赫。至諱溥文, 刑部摠郎, 麗社屋守罔僕義。聖祖徵以大司諫, 不起。累傳至諱大承, 文弘文校理, 是爲南下之祖, 塞公十世。生諱汝源, 仁廟朝中司馬, 官吏曹佐郎, 師事牛溪先生。先生每稱"持心忠孝, 操行純篤, 安樂窩胤旭貞祚。"忍菴、龜鎭、湖石、永文, 四世諱也。外祖商山金錫燮。諱永雲, 全州李氏, 生考妣也。配淸道金氏, 奎一女。賢有婦德, 生丙戌, 卒○○, 祔公墓。二男。長夏炯, 次卽夏源。三女, 高興柳完永, 坡平尹炯重, 安東金箕會妻。炯男鍾奎、麟奎。源男溶基、珥基。正會自幼少時, 累承淸誨, 溫潤慈祥之氣, 溢於辭色, 非德之充于內, 發於外者, 能若是乎? 吾欲表以出之, 以告夫世之不務實而 徇其外者。

소송 박공(小松朴公)의 묘표(墓表)

박군 필종(朴君弼鍾)이 그의 중부 소송공(小松公)의 행장(行狀)을 가지고 그의 종제 내봉(來奉)과 함께 나를 방문하여 비문(碑文)을 간청 하였는데 그 말이 질박하고 헛된 과장이 없어 믿을 수 있었다. 삼가 살펴보니, 공의 휘는 부구(富求), 자는 부근(富根), 호는 소송(小松)이다. 박씨(朴氏)의 세계(世系)는 달성(達城)에서 나왔으며, 족보에는 명관(名官)과 석덕(碩德)들의 기록이 끊임없이 기록 되었다. 단종조에서 둔재(遯齋) 휘 연생(衍生)은 대호군(大護軍)을 역임하고, 세조(世祖)가 불렀으나 나가지 않았으며, 3대를 지나 휘 종원(宗元)은 이조판서를 역임하고, 이 분의 아들 휘 사침(士琛)은 습독(習讀)을 역임 하였으니, 이 분은 공의 13세조이다. 누대를 지나 휘 원양(元陽)은 흥덕 세곡(興德細谷)에서 장사(長沙)로 이거하였고, 고조의 휘는 성백(成白), 증조의 휘는 만필(萬弼), 조(祖)의 휘는 종용(從容)인데, 이 분은 효행(孝行)으로 고을과 본도(本道)의 추천을 받았고 고(考)인 송계(松溪) 휘 균진(均鎭)은 문학(文學)으로 세상에 저명 하였으며, 비(妣)는 신창표씨(新昌表氏)로 기홍(基洪)이 그의 고(考)이며 부덕(婦德)을 갖추었다. 공은 고종 신묘년(서기 1891) 10월 3일 태어났는데, 천성이 인후(仁厚)하여 어렸을 때부터 사랑하고 공경할 줄 알았고, 장성한 후에는 아버지의 명으로 족부 휘 균찬(均燦)의 후사(後嗣)로 입양하였으며, 생부(生父)와 양부(養父)에게 효성을 다하여 뜻과 몸을 봉양 하였고, 형제간에도 화목하게 지냈으며, 가정을 다스리는 것도 일정한 법도가 있었고, 선조의 제사를 지낼 때도 극히 풍성하고 청결히 하였으며, 몸가짐은 공순하고 겸손하여 자신을 낮추고, 사람들을 대할 때는 관후(寬厚)하고 성신(誠信)하였으며, 문을 닫고 뜻을 정하여 세상의 화려한 것을 생각하지 않았고, 세상의 학자들이 실천에 힘쓰지 않고 시문(詩文)만 숭상하는 것을 보고 탄식하기를 "성인(聖人)으로 가는 문이 닫히고, 세도(世道)가 낮아지는 것은 모두 이 시문만 숭상하는 데서 시작되는 것이다."고 하였다. 공은 항시 자질(子姪)들에게 경계하기를 "농사짓고 독서하는 것 중에서 하나도 폐지하여서는 안 될 일이다. 분수는 경중(輕重)이 있는 것이다"고 하였고 남의 자제들을 대할 때도 자상하게 가르쳐주며, 화려한 것을 버리고 진실한 것을 추구하도록 하였으므로, 사람들은 현우(賢愚)를 막론하고 사랑하고 믿지 않는 사람이 없었다. 공은 향년 62세인 순조 임진년(서기1802) 2월 15일, 아산면 선운봉 암치등(雅山面禪雲峯巖峙嶝)의 임좌원(壬坐原)에 장사하였다. 배(配)는 함열 남궁씨(咸悅南宮氏)인 승기(承基)의 딸이며, 3남 4녀를 두어 아들은 내풍(來豊)·래성(來性)·래봉(來奉)이며, 딸은 강릉 유석종(江陵劉錫鍾)·김해 김용반(金海金龍盤)·김재택(金在澤)·천안 전경수(天安全京洙)의 아내가 되었다. 아! 말세에 가짜가 판을 치고, 소박한 기풍이 이미 무너지고 있는데, 공과 같이 진실한 것을 추구한 사람은 세상의 모범이 될 것이다. 울창한 저 선운산(禪雲山)에 4척(尺)의 비가 엄연히 보이니, 백세(百世) 후에 누가 공경하지 않겠는가?

小松朴公墓表

朴君弼鍾甫狀其仲父小松公行，與其從弟來奉聯轡訪余，請以揭阡之文。質而無浮誇，亦足徵信。按；公諱富求，字富根，號曰小松。朴氏系出密城，達官碩德，譜不絕書。端廟朝遯齋諱衍生，官大護軍。世祖徵，不起。三傳諱宗元，吏曹判書。生諱守溫，叅奉。生諱士琛，習讀，寔公十三世也。累傳至諱元陽，自興德細谷移寓長沙。高祖諱成白，曾祖諱萬弼，祖諱從容，以孝行有鄕道之薦。考松溪，諱均鎭，文學著世。妣新昌表氏，基洪其考。婦德咸備。公生高宗辛卯十月三日，天姿仁厚，幼能知愛敬。及長，以親命出系族父諱均燦后。孝事生養兩庭，志體俱養，友昆季，睦宗族，治家也必有常度，奉先。極其豐潔持身，恭謙而自卑。接人寬厚而誠信。杜門求志，無慕乎外。見世之厚者不務實行而徒尚詞華，嘆曰："聖門之所榛塞，世道之所汚下，皆由此也。"恒戒子姪曰："耕讀不可偏廢，而分有輕重。"對人子弟，諄諄然教以去華就實。是以人無賢愚，莫不愛慕而信服焉。享年六十二，卒于純宗后壬辰二月十五日，葬于雅山面禪雲峯巖峙嶝壬原。配咸悅南宮氏，承基女。三男，來豊、來性、來奉。四女，江陵劉錫鍾、金海金龍盤、金在澤、天安全京洙，壻也。噫！叔季滋僞，大樸已壞，如公實行，可以範世楷俗。菀彼禪雲，有儼四尺。百世之後，誰有不式者。

부사과 박공(副司果朴公)의 묘표(墓表)

공은 밀양인(密陽人)이며 승국(勝國)의 명신(名臣)인 은산부원군(銀山府院君) 시호 문헌(文憲), 휘 영균(永均)이 공의 원조(遠祖)이다. 수많은 공경(公卿)들이 우리 국조(國朝)에도 영체(零替)[103]되지 않아, 휘 신추(信樞)는 관찰사(觀察使)가 되었으나, 연산군(燕山君)의 학정(虐政)으로 관직을 버리고 아버지를 모시고 남쪽으로 내려와 모양현 산양동(牟陽縣山陽洞)에 은둔(隱遁)하였는데, 이 분이 공의 5세조(世祖)이다. 고조는 양오(陽梧) 휘 서봉(瑞鳳)이며, 증조는 운헌(雲軒) 휘 송남(松楠)이며, 조(祖)는 도계(道溪) 휘 정림(挺林)인데, 모두 덕을 숨기고 벼슬하지 않았다. 고(考)인 경헌(敬軒) 휘 인순(仁純)은 병자호란(丙子胡亂) 때 형 만호공(萬戶公)과 함께 의병을 일으켜

---
103) 세력이나 살림이 아주 보잘 것 없이 됨.

전공(戰功)이 있었다. 이 분은 남원양씨(南原梁氏)인 의형(義亨)의 딸에게 장가를 들어 인조 신미년(서기 1631) 7월 9일 공을 낳았다. 공은 체격이 우람하고 음성이 크며 장중(莊重)하고 기량(器量)이 있어, 희노(喜怒)를 얼굴에 나타내지 않았고, 사람들이 어려운 일이 있으면 굶주릴 때 밥을 찾든 목마를 때 물을 찾듯 급하게 구제하였다. 성품이 본래 화기롭고 후중하지만 강하고 과단성이 있어 무슨 일을 당하더라도 바르게 결단하여 정직함을 잃지 않았었다 대개 그 자신을 지키는 것이 독실하여 아무리 분육(賁育)[104] 같은 사람도 그의 뜻을 앗아갈 수 없었다. 숙종 병진년(서기 1676)에 무과에 급제하여 진용교위(進勇校尉)와 부사과(副司果)를 역임하였는데, 태화(泰華)와 태화(泰和)는 공의 휘와 자이며, 호는 도곡(道谷)이다. 공은 향년 78세인 무자년(서기 1708) 12월 8일 작고하여, 초내지(草乃池)의 뒷산 선영(先塋)의 우측 해좌원(亥坐原)에 장사하였고, 부인은 광주이씨(廣州李氏)이며, 형복(亨復)이 그의 고(考)로, 부덕을 갖추어 모두 화목 하였으며, 임신년(서기1692)에 태어나 계미년(서기 1763) 7월 9일 작고하여, 묘(墓)는 공의 묘와 같은 장소인 유좌(酉坐)에 있다. 외아들은 추웅(樞雄)이며, 손자와 증손은 수효가 많아 다 기록하지 않았다. 9세손 병구(炳九)가 공의 사장(事狀)을 가지고 나에게 와서 묘표(墓表)를 간청하므로, 사양하다 못해 위와 같이 사장을 살펴서 산정(刪定)하였다. 이 일을 시종 주관한 사람은 병엽(炳燁)과 병래(炳來)이다. 아래와 같이 명(銘)을 엮었다.

  공의 시대가 멀지만, 그 남긴 정렬(貞烈)은 아직 남아 있다. 나무 끝이 무성한 것은 그 뿌리에 있으며, 냇물이 많은 것은 반드시 그 수원(水源)에 있는 것이다. 자손들이 법을 삼아 계승하고 있으니, 그 복이 창성하리라, 이 묘(墓)를 꾸미오니 백년 천년 전하리라.

副司果朴公墓表

公密陽人, 勝國名臣銀山府院君謚文憲諱永均爲遠祖。累公累卿, 迄我無替。傳至諱信樞, 觀察使。燕山虐亂, 棄官負親, 南遯于牟陽縣山陽洞。寔公五世也。高祖曰陽梧, 諱瑞鳳。曾祖曰雲軒, 諱松楠。祖曰道溪, 諱挺林。皆隱德不仕。考曰敬軒, 諱仁純, 丙子亂與兄萬戶公, 倡義有戰績。娶南原梁氏, 義亨女。生公于仁廟辛未七月九日。體宇傑梧, 聲音弘亮, 莊重有器量, 喜怒不形于色。

---

104) 전국(戰國), 제(齊)나라의 력사(力士)인 맹분(孟賁)과 하육(夏育)을 말함.

急人之難，有如飢渴。性本和厚，濟以剛果，遇事直截，不失於正。盖其自守之篤，賁育莫能奪也。肅宗丙辰登武科，行進勇校尉、副司果。泰華、泰和，諱若字。號曰道谷。以享年七十八，終于戊子十二月八日。草乃池後崗，先塋右，負亥原，其葬也。夫人廣州李氏，亨復其考。婦德咸宜。生壬申，卒癸未七月九日，墓公同原酉坐。生一男，樞雄。孫曾以下蕃不盡錄。九世孫炳九甫，抱公事狀，要不佞以表阡之刻。辭不獲，遂按狀而刪略之。是役也，始終幹其務者炳燁、炳來。銘曰：公世綿遠，遺烈尙存。末茂由根，川豊必源。子孫繩武，克昌厥祉。斯阡之修，惟千百禩。

종조(從祖) 학생부군(學生府君)의 묘표(墓表)

우리 종조 조부 학생공(從祖祖父學生公)은 융희 계축년(서기 1913) 11월 4일 정침(正寢)[105]에서 작고하였다. 정회(正會)는 그때 어렸으나 아직도 그 임종하실 때 아들들에게 경계하여 소학《小學》을 읽으라고 하시고, 말을 마친 후 작고 하였다. 향년이 겨우 43세였다. 아! 너무도 단명 하였다. 공의 휘는 효묵(孝黙)이며, 자는 여진(汝眞)이다. 우리 김씨(金氏)의 본관은 안동(安東)이며, 상조(上祖)는 고려(高麗)의 명신(名臣)인 충렬공(忠烈公) 휘 방경(方慶)이며, 국조(國朝)에 들어와 익원공(翼元公) 휘 사형(士衡)과, 누대를 지나 영모당선생(永慕堂先生) 휘 질(質)은 공의 12세조이며, 고조의 휘는 규서(奎瑞), 증조의 휘는 진기(振基)인데, 모두 덕을 숨기었고, 조(祖)의 휘 양대(養大)는 진사(進士)가 된 후 우로전(優老典)으로 통정대부(通政大夫)에 오르고, 용양위 부호군(龍驤衛副護軍)을 역임 하였으며, 고(考)인 만수당(晩睡堂) 휘 영철(榮喆)은 생원(生員)이 되었고, 효성과 우애가 지극하여 세상 사람들에게 추앙을 받았다. 비(妣)는 울산김씨(蔚山金氏)로 방풍(邦豊)이 그의 고(考)이다. 5남중에 공이 넷째 아들이며, 고종 신미년(서기 1871) 4월 17일에 태어났다. 눈썹은 밝고 신채(神彩)는 사람들에게 비추었으며, 성품은 효도하고 회기로웠으며, 행실은 깨끗하고 근신(謹愼)하였으며, 마음은 단정하고 온화하며, 아버지가 생존해 계실 때 하나의 일이라도 아버지의 뜻에 맞지 않는 일이 없었다. 만수공(晩睡公)이 손님을 좋아하여 공이 예절

---

105) 제사 지내는 몸채의 방, 또는 거처하는 곳이 아닌, 주로 일을 집행하는 몸체의 방을 뜻한다. 사람이 죽으려 할 때는 일정한 방을 정하여, 거기에서 운명게 한다.

로 접응(接應)하였으며, 좌우로 도와 일정한 방향이 없었으므로, 사람들은 모두 아버지와 할아버지의 명예를 더럽히지 않았다고 칭송 하였다. 성품이 또한 자상하여 거처와 음식으로부터 사물(事物)을 수작(酬酌)하는데 이르기까지, 모두 법도가 있어 조금도 어기는 적이 없었고, 사람들과 사귈 때도 그 지우(智愚)에 따라 각기 대응 하였으므로 모두 기뻐하였다. 여러 가지 장점 중에서, 논변을 잘하여 무슨 일이 있을 때는 만수공(晚睡公)이 일의 추진을 명하면, 공은 말 한마디로 결정 하였다. 이것은 넓고 넓은 마음으로, 칼을 마음대로 휘두르며, 느슨하게 여유가 있는 것이다. 그리고 공이 사는 고장에 땅을 지킨 관리들이 많은 집을 지어서 공경 하였으니 대개 그 재주가 급한 일을 잘 판단하여 변화에 대응 하였으므로, 그 기절(氣節)이 족히 탁한 물을 내보내고 맑을 물을 받아 들일만 하여 기용할 수 있는 재목감이었으나 수명이 국한되어 그 포부를 백분의 일도 펴지 못하였으니, 식자(識者)들이 개탄 하였다. 공은 공음(孔音)에 장사하고, 배(配)는 영광김씨(靈光金氏)인 익현(益鉉)의 딸로 공보다 20년 먼저인 모년 6월 29일 작고하여 묘를 공의 묘소에 합조(合兆) 하였으며, 안정나씨(安定羅氏)는 홍근(泓瑾)의 딸로, 부덕(婦德)을 갖추었고 여사(女士)의 기풍이 있었으며, 신사년(서기1941) 12월 10일 작고하여, 묘는 누태(樓台)에 있었다. 아들 재덕(在悳)은 기씨가 낳아 출계(出系) 되었고, 차자는 재준(在濬)·재형(在炯)이며, 딸은 고재구(高在久)·성하형(成夏炯)·이회지(李會智)에게 출가하였는데, 이 분들은 나씨가 낳았고 재준(在濬)의 아들 인회(仁會)는 큰 아들의 후사(後嗣)로 출계하고, 차남은 기회(琪會)·상회(相會)·완회(完會)이며, 재형의 아들은 경회(垌會)·극회(克會)·일회(日會)·선회(璇會)·윤회(允會)·건회(健會)·숭회(崇會)이며, 내외의 손자와 증손자는 모두 30여인이다. 아! 이는 조상의 음덕으로 물려주신 응보(不食之報)[106]라고나 할까? 대충 그 뜻과 행실을 기록하여 그 묘를 지나가는 사람들에게 인인군자(仁人君子)의 높은 묘소임을 알리는 것이다.

從祖學生府君墓表

我從祖, 祖父學生。公以隆熙后癸丑十一月三日考終于正寢。正會方幼小, 尙記臨屬纊, 戒諸子 以"勉讀小學書。"言訖而逝, 壽僅四十三。嗚乎！其短矣！公

---

106) 이는 《주역》'산지박(山地剝)괘'의 효사에서 나오는 말. 큰 과실은 다 먹지 않고 남긴다는 뜻으로, 자기의 욕심을 버리고 후손들에게 복을 준다는 말이니 결국 조상의 음덕으로 후손에게 물려준 응보(應報)라 할 것이다.

諱孝默, 字汝眞。我金本安東, 上祖高麗名臣忠烈公諱方慶。入國朝翼元公, 諱士衡。累傳而永慕堂先生, 諱質, 十二世祖也。高祖諱奎瑞、曾祖諱振基, 皆有隱德。祖諱養大, 進士, 以優老典, 陞通政, 行龍驤衛副護軍。考晚睡堂, 諱榮喆, 生員, 孝友至行, 望重一世。妣蔚山金氏, 邦豐其考。生五男。公序居四, 高宗辛未四月十七日弧辰也。眉宇秀朗, 神采凝人。性孝而和悅, 行潔而謹恪。存心愷悌, 過庭之日, 無一不可於親意。晚睡公好賓客, 公接應有禮, 左右就而無方, 人咸稱無忝父與祖性。又周詳, 自居處飲食, 以至酬酌事物, 皆有規矩, 無尺寸之或失。其與人交, 隨其智愚, 各爲之輸瀉, 是以悅之者衆。長於辨說, 遇事有盤錯處, 晚睡公必命之行。公片言折之, 恢恢游刃, 綽然有裕。所居守士諸宰, 多造廬致敬。蓋其才足謂以剸劇應變, 其氣節足以激濁揚淸。庶乎有用之成材, 而年命局之, 未展其負抱之百一。識者至慨恨。葬于孔音。配靈光金氏, 益鉉女。先公二十年, 六月二十九日卒, 墓合兆。安定羅氏, 泓瑾女, 壼儀克備, 有女士風。辛巳十二月十日卒, 墓樓台。男在悳, 金氏出。在濳、在炯, 高在久, 成夏炯、李會智妻, 羅氏出也。在澹男仁會, 糸長房后。琪會、相會、完會。在炯男坰會、克會、日會、璇會、允會、健會、崇會。內外孫曾摠三十餘人。嗚乎！此其不食之報也歟？略述其志行梗槩, 使過者知其爲仁人君子, 嵩高之封。

만포 황공(晩圃黃公)의 묘표(墓表)

행실을 깨끗이 닦아 세상의 높은 자리를 연연하지 않고 임번(林樊)을 거닐며, 즐거운 마음을 갖고 걱정을 잊은 사람은 고 만포 황공(故晩圃黃公) 휘 종기(鍾基)가 그런 사람이다. 공은 평해인(平海人)이며 자는 택준(澤俊)이다. 고려(高麗) 때 보국공신(輔國功臣)인 평해군(平海君) 휘 숙경(淑卿)이 중시조이며, 본조(本朝)에 들어와 높은 관직이 대를 이어, 휘 수평(守平)은 조사랑(從事郞)을 역임하고 효행(孝行)으로 저명하였으며, 서울에서 남쪽 지방인 흥성(興城)으로 내려와 거주 하였고, 휘 이후(以厚)는 학자들이 안촌선생(安村先生)으로 칭하여 세상의 명유(名儒)가 되었고, 갑자년(서기 1624)에 이괄(李适)의 란(亂)과 병자호란(丙子胡亂) 때 의병의 군량(軍糧)을 모아 강화도(江華島)로 수송하였던 바, 헌종 갑진년(서기 1844)에 본군(本郡)의 구동(龜洞)

에다가 사우(祠宇)를 건립하였다. 이 분이 공의 10세조이다. 보한(輔漢)수정(秀精) 이 분은 진사(進士)이며, 현섭(顯燮)·재용(在涌)·여산송씨(礪山宋氏)인 봉수(鳳洙)의 딸은 4세(世) 및 외조(外祖)이다. 공은 고종 신묘년(서기1891)에 태어났다. 천성이 순후하고 강직하였으며, 고수남(高秀南)의 문하에서 수업하여 문리가 일찍 성취하였고, 현인(賢人)을 좋아하고 선행(善行)을 즐거워하였으며, 사물(事物)을 대할 때 각기 그 타당성에 맞도록 하였으며, 조카 사랑하기를 자기의 아들처럼 하였고, 가사를 독담하여 조카의 학문이 성취하게 하였다. 공은 신축년(서기 1901) 7월 20일 작고하여 성내면(星內面)의 대천(大川) 뒷산 을좌원(乙坐原)에 장례하였으며, 배(配)는 강릉유씨(江陵劉氏)와 밀양박씨(密陽朴氏)이다. 아들은 좌익(佐翼)·리익(理翼)이며, 딸은 남정수(南廷洙)·심재길(沈在吉)·유인필(柳寅弼)에게 출가 하였는데, 이분들은 유씨가 낳았고, 아들 호익(浩翼)·동익(東翼)과 정세환(鄭世煥)·안태승(安泰升)·김권기(金權基)에게 출가한 딸들은 박씨가 낳았다. 공의 종자(從子) 화익(和翼)은 독실한 선비로, 동지(同志) 수 십인과 공을 위해 계(稧)를 결성하고 그 본자와 이자를 합하여 묘도(墓道)에 비석을 세우려고, 나에게 비문을 간청하므로 나는 글 솜씨가 졸한 것도 잊고 비문을 지어 이 곳을 지나가는 사람들에게 공경하도록 하였다.

晚圃黃公墓表

制行修潔, 而不與世軒輊, 逍遙林樊, 樂而忘憂者, 故晚圃黃公諱鍾基, 其人也。公平海人, 字澤俊, 高麗輔國功臣平海君諱淑卿爲中顯之祖。入本朝簪組相繼。有諱守平, 從仕郎, 以孝著。自漢師南下興城。諱以厚, 學者, 稱安村先生, 爲世名儒。甲子适變, 及丙子亂, 募義兵粮, 獻于江都。憲宗甲辰, 建祠于本郡龜洞, 於公十世也。曰輔漢、曰秀精, 進士。曰顯燮、曰在涌、曰礪山。宋氏鳳洙女。四世及外氏也。高宗辛卯生, 天賦純厚剛直, 學于高秀南門, 文辭夙就, 好賢樂善, 應事物, 各稱其宜。愛姪如己出, 躬幹家務, 俾有成就之。辛丑七月二十日歿, 葬于星內面大川後麓乙原。配江陵劉氏, 密陽朴氏。男佐翼、理翼。女南廷洙, 沈在吉, 柳寅弼, 劉出。男浩翼, 東翼。女鄭世煥, 安泰升, 金權基, 朴出。公之從子和翼, 篤信士也, 與同志十數人, 爲公設一契, 取于母息, 謀伐石表隧, 請不佞以所以刻者。遂忘拙 撰次, 使遇者有以敬止。

사헌부지평 조공(司憲府持平趙公)의 묘표(墓表)

하루는 조군 수훈(趙君秀勳)이 가첩(家牒)을 가지고 나를 방문하여 말하기를 "우리 16세조인 지평공(持平公)의 묘소가 순창군 풍산면 등동(淳昌郡豊山面嶝洞) 사좌원(巳坐原)에 있는데, 단 문헌이 단절되어 그 사행(事行)을 찾아볼 수 없으니 후손으로서 끝없는 한입니다. 예전에는 비석이 있었지만 오랜 세월이 흘러 글자를 거의 읽어볼 수가 없으므로 경술년(서기 1910) 봄에 종중에의 회의에서 일제히 비석을 세우기로 결정하였으니 말씀 한마디 해주시기를 바랍니다"라고 하였다. 정회(正會)가 조용히 생각해 보니, 수백 년 후에 고인(古人)을 논한다는 것은 참으로 어려운 일이었다. 옛날 사천(史遷)[107]이 형가(荊軻)[108]의 전(傳)을 기록하면서 의사(醫師)들에게 고증(考證)을 하였는데, 지금 공의 자손들이 선조의 사행(事行)을 기록하는데 열중하여 시대가 더욱 멀수록 더욱 잊지 않아, 다만 공을 알고 있는 것은 반드시 쌓은 덕이 오랫동안 나타나기를 이와 같이 고증할 수 있으니, 그 자손들이 어찌 의사(醫師)들에게 고증하는 것과 비교할 수 있겠는가? 공의 족보를 살펴보면, 공은 옥천인(玉川人)이며, 고려(高麗) 때 문하시중(門下侍中)을 역임한 장(璋)이 시조이며, 옥천부원군(玉川府院君)인 원길(元吉)은 그의 현손이며, 옥천군(玉川君)의 아들 전공판서(典工判書)인 영(瑛)은 우리 태종조에서 누차 불렀으나 나가지 않았고, 판서(判書)는 생원(生員)인 구산(龜山)을 낳고, 생원(生員)은 사순(士淳)을 낳았는데, 이 분은 문과에 급제하여 사간원(司諫院)의 정언(正言)을 거쳐 면천군수(沔川郡守)를 역임 하였다. 이 분이 공의 고(考)이다.

공의 휘는 부(溥), 자는 달보(達甫)로 조봉대부 사헌부 지평(朝奉大夫司憲府持平)을 역임하고, 배(配)인 숙인(淑人)은 장수황씨(長水黃氏)로, 묘는 공의 묘에 부장(附葬)하였다. 아들 장남 희충(希忠)은 생원(生員)이었으며, 차남 희온(希溫)은 함열훈도(咸悅訓導)를 역임하고, 손자 윤옥(潤屋)은 호가 돈세옹(遯世翁)으로 세종조에서 문과에 급제하여 대사간(大司諫)을 역임하였으며, 5세손 덕인(德隣)은 참봉(參奉)이 되었으

---

107) 한(漢)나라의 학자 사마천(司馬遷)을 가리키는 말. 그는 사기(史記)를 기록하여 사천(史遷)이라는 이름을 얻었다.

108) 전국(戰國), 위(衛)나라 사람. 독서를 좋아하고 검기(劍技)가 있었으며 일찍 연(燕)나라 태자 단(丹)의 식객(食客)이 되어 형경(刑卿), 경경(慶卿)으로 부르기도 하였다. 태자 단이 형가에게 진시황(秦始皇)을 죽이라고 부탁하고 죽이지 못하면 진(秦)나라에게 빼앗겼던 땅을 되찾아오라고 하므로, 그는 번어기(樊於期)의 머리와 독항(督亢)의 지도(地圖)를 가지고 진나라에 가서, 진시황을 만나 그 지도 밑에 비수를 숨기어 자살하려고 하다가 발각되어 처형 되었다.

며 호는 모암(慕菴)인데, 그는 순창(淳昌)에서 고창(高敞)의 사신원(使臣院)으로 이거하였다. 아! 공의 공과 행실을 다 상고할 수는 없으나, 아무것도 나오지 않는 근원이었다면 어찌 흐른 물이 있었겠는가? 이 일에 시종 수고를 하는 사람은 정훈(正勳)과 수훈(秀勳)이다.

司憲府持平趙公墓表

日趙君秀勳, 抱其家牒來, 曰:"我十六世祖持平公, 墓在淳昌郡豐山面嶝洞之巳原。但文獻斷續, 事行不槩見。實爲後孫無窮之恨。舊有碑, 歲久字泐, 殆不可讀。庚戌春, 宗議齊發將謀改竪, 丐一言表"正會竊謂:"尙論古人於數百載之下, 誠難矣。昔史遷傳荊軻徵諸醫。今公之雲仍, 能勤於述先, 愈遠愈不忘, 亶知公必有積累之德, 發於久遠者。如此徵之子孫, 豈可與徵醫比哉。"按: 譜曰:"公玉川人。"自高麗門下侍中璋始。玉川府院君元吉。玄孫。玉川君生典工判書瑛。我太宗朝屢徵不起。判 書生生員龜山, 生員生士淳, 文司諫院正言, 行沔川郡守。是爲公考。公諱溥, 字達甫, 朝奉大夫, 司憲府持平。配淑人長水黃氏, 墓祔左。男長希忠, 生員。次希溫, 咸悅訓導。孫潤屋, 號遯世翁。世宗朝文大司諫。五世孫德隣, 叅奉, 號慕菴, 自淳昌入高敞之使臣院。噫, 公之功之行, 雖不可孜然莫爲之源, 曷有可流哉? 是役也, 始終賢勞者正勳秀勳。

계남 유공(桂南柳公)의 묘표(墓表)

초산(楚山)의 천원(川原)에 임좌(壬坐)를 등지고 우뚝 솟아 있는 묘는 계남 유공(桂南柳公)의 묘이다. 그의 아들 인현(寅炫)이 행장(行狀)을 가지고 와서 묘표(墓表)를 부탁하여 나는 고사하였으나, 그는 더욱 간청 하였다.

삼가 살펴보니, 공의 휘는 기남(基南)이며, 호는 계남(桂南)이다. 고종 신미년(서기 서기 1871) 10월 19일에 태어나 신해년(서기 1911) 12월 8일 작고하였다. 천성이 정중하여 겨우 공부를 시작할 때부터 가르침을 번거롭게 하지 않아도 조금도 게을리 하지 않고 공부에 열중하였으며, 아버지를 섬길 때도 뜻을 잘 받들고 음식도 잘 봉양하였으며, 종족들은 그가 화목하다고 칭송하고 친구들은 그의 의리를 믿었으며, 그는 명함을 권귀(權貴)의 문에 전하지 않아 세속에서 말한 득상(得喪)과 총욕(寵辱)을 뜬 구름같이 여기었다. 아들을 가르칠 때도 의리로 가르치고, 제각기 직업을 준 후 자신은 깊은 산골자기 바위 사이로 물러나 시서(詩書)를 즐기었다. 공은 문화세가(文化世家)로, 우리 태조조(太祖朝)에서 좌의정(左議政)을 지낸 휘 만수(曼殊)의 후손이다. 그후 누대를 지나, 어모장군(禦侮將軍)을 역임한 휘 양춘(陽春)이 처음으로 고부(古阜)로 이거하였는데, 이 분이 공의 10세조이다. 고조는 재언(載彦), 증조는 문철(文喆), 조(祖)는 경원(敬源), 고(考)는 우흥(禹興)으로 대대로 덕망이 있었으며, 비(妣)는 연안이씨(延安李氏)인 채조(埰祖)의 딸이며, 배(配)는 평산신씨(平山申氏)인 태흥(泰興)의 딸로 신축년(서기 1901) 12월 19일 작고하여, 묘는 공의 묘에 부장(附葬) 하였다. 아들 5인은 인영(寅映)·인낙(寅洛)·인현(寅炫)·인완(寅琓)·인병(寅柄)이며, 외동딸은 전주 이성렬(全州李成烈)에게 출가 하였다 큰 아들이 낳은 손자는 무렬(武烈)과 중렬(重烈)인데, 이 분은 후사(後嗣)로 출계(出系)하고 둘째 아들이 낳은 손자는 만렬(萬烈)이며 셋째 아들이 낳은 손자는 수렬(洙烈)·평렬(坪烈)·동걸(東杰)이며, 네째 아들이 낳은 손자는 택렬(澤烈)이며, 다섯째 아들의 손자는 즉 중렬(重烈)이다. 아! 공의 뜻과 행실은 세상과 맞지 않아 결국 임천(林泉)에서 늙었으니 애석하다. 그러나 그의 자손이 번창 하여, 공의 전형(典型)을 지키고 있으니, 이는 공의 음덕으로 물려주신 응보(不食之報)[109]가 여기에 있는 것일까?

桂南柳公墓表

惟楚山之川原背壬而有封阜如者, 桂南柳公之藏也。之胤寅炫抱事狀來, 囑以表阡。余辭固而請益勤, 遂按：公諱基南, 號桂南, 高宗辛未十月十九日生, 卒于辛亥十二月八日。性度簡重, 甫上學, 不煩教督, 能孜孜不懈。事親盡志物之養, 宗族稱其睦, 朋友信其義, 名刺不入於權貴之門。世俗所謂得喪寵辱, 視如浮雲。教諸子以義, 各授其職返處。堪岩詩書以自娛。公文化世家, 我太祖朝左議政諱曼殊。后屢傳至禦侮將軍諱陽春, 始入古阜, 寔公十世也。高祖曰載彦, 曾祖曰文喆, 祖曰敬源, 考曰禹興, 世有隱德。妣延安李氏, 錸祖女。配平山申氏, 泰興女。辛丑十二月十九日卒, 祔公墓。生五男, 寅暎、寅洛、寅炫、寅

---

109) 조상의 덕으로 자손이 부귀를 누리며 잘 사는 것을 말함. 《주역(周易)》의 '산지박(山地剝)괘'의 효사의 석과불식(碩果不食)에서 나온 말.

玩、寅柄。一女，適全州李成烈長房。孫武烈、重烈出后。二房孫滿烈，三房孫洙烈、坪烈、東杰。四房孫澤烈。五房孫卽重烈。噫，以公之志之行，世與寡合。終老林泉，惜哉。然其子孫蕃衍，克守典型，惟公不食之報，其在斯歟？

학생 유공(學生柳公)의 묘표(墓表)

   고 학생 유공 인병(故學生柳公寅柄)은 조용히 살면서 행실을 닦아, 효성과 우애가 돈독하므로, 고을 사람들이 감복 하였으나 불행히 수명이 짧아 지식인들이 애석하게 여기어 지금 30여년의 세월이 지났지만 어제 일처럼 칭송하고 있다. 아! 슬프다. 공은 문화인(文化人)이다. 우리 태조조(太祖朝)에서 좌의정(左議政)을 지낸 휘 만수(曼殊)가 그의 중시조이며, 누대를 지나, 어모장군(禦侮將軍)을 지낸 휘 양춘(陽春)은 남쪽 지방으로 내려와 거주하였는데 이 분이 공의 11세조이다. 고조의 휘는 문철(文喆)이며, 증조의 휘는 경원(敬源), 조(祖)의 휘는 흥우(興禹), 고(考)의 휘는 기남(基南)이며 호는 계남(桂南)으로 평산 신태흥(平山申泰興)이 그의 외조이다. 배(配)는 여흥민씨(驪興閔氏)인 상식(尙植)의 딸로, 후사(後嗣)를 두지 못하고 조카인 중렬(重烈)을 입양 하였으며, 두 딸은 전의 이은호(全義李銀鎬)와 고흥 유윤영(高興柳允永)에게 출가 하였고, 중렬(重烈)의 아들은 재환(在煥)·재원(在源)·재풍(在豊)·재일(在一)·재궁(在弓)이며, 딸은 전주 최세렬(全州崔世烈)에게 출가 하였다. 공은 천성이 영민하여 문중 어른들이 원대(遠大)한 사람으로 기대 하였으며, 장성한 후에는 농사와 독서를 병행하여 선조의 업을 지키었으므로 좋은 소문이 들리었으나, 갑자기 병자년(서기1936) 2월 7일 작고하여 공이 태어난 병오년(서기 1906)과 비교하면 향년이 겨우 31세이다. 묘는 정읍 대동치 계당산(井邑大洞峙桂堂山)의 건좌원(乾坐原)이다. 민씨부인(閔氏夫人)은 남편이 오래 살지 못한 것을 통한으로 여기고 또 그 유적이 사라질 것을 두려워하여 중렬(重烈)에게 영원히 전할 것을 명하므로, 중렬은 그 어머니의 훈계를 따라 급히 비석을 마련하고, 정회(正會)에게 묘도(墓道)를 장식할 글을 간청하였다. 나는 비록 글을 잘하지 못하지만 참아 사양할 수 있겠는가? 아! 하늘이여! 그 재주는 많이 주시고, 그 수명은 인색하게 주시니, 나는 이 고금(古今)의 통한을 누구에게 돌리겠는가? 조물주(造物主)에게 그 허물이 있을 것이다.

學生柳公墓表

故學生柳公寅柄, 潛居修行, 惟孝友是敦, 爲鄕黨所信服, 而不幸短命, 識者嗟惜. 今閱三十餘星霜, 誦之如昨. 嗚呼!悲夫. 公文化人, 我太祖左議政諱曼殊, 其中顯之祖. 屢傳至禦侮將軍諱陽春, 南下古, 仍家. 於公十一世祖. 高祖諱文喆. 曾祖諱敬源. 祖諱興禹. 考諱基南, 號桂南. 平山申泰興, 其外祖. 配驪興閔氏. 尙植女. 無嗣. 所取姪重烈子之. 二女適全義李銀鎬, 高興柳允永. 重烈男在煥、在源、在豊、在一、在弓. 女全州崔世烈. 公天賦穎慧. 門長老期以遠大. 及長, 春耕秋讀, 克守先業, 令聞方駿馳. 遽以丙子二月七日卒, 距其生丙午, 壽纔三十一. 墓在井邑之大洞峙桂堂山乾原. 閔夫人痛夫公之無年, 且懼遺跡之堙滅, 命重烈以圖不朽. 重烈能遵慈訓, 汲汲治石, 請正會以責阡阡之文. 余雖不文, 其忍辭諸?嗚呼!天乎. 豊其才而嗇其年, 今古痛恨, 吾誰咎? 尤眞宰乎?

학정 유공(鶴汀庾公)의 묘표(墓表)

통훈대부(通訓大夫)에 추증된 학정 유공(鶴汀庾公)은 순조 정축년(서기 1817)에 태어나 병술년(서기 1886) 8월 5일 작고하여, 아산방 죽촌(雅山坊竹村) 뒤인 간좌원(艮坐原)에 장사하였다. 배(配)인 숙인(淑人)은 경주김씨(慶州金氏)로 공의 묘에 부장 하였다. 공의 휘는 사연(師然), 자는 대현(大賢)이며 호는 학정(鶴汀)이다. 유씨(庾氏)는 무송(茂松)의 망족(望族)으로, 우리 태종조에 문과에 급제하여 찬참(參贊)을 지낸 휘 순도(順道)가 가장 훌륭하며, 휘 운억(運億)은 고종 무진년(서기 1803)에 선비들이 그 효행(孝行)을 추천하여 동몽교관(童蒙敎官)을 증직하였는데, 이 분이 공의 증조이며, 수(王+壽)와 우(木+宇)도 효행으로 저명하였는데, 이 분들은 공의 할아버지와 아버지의 휘이며, 비(妣)는 경주설씨(慶州偰氏)이다. 공은 어렸을 때부터 성품이 효성스러워 아버지가 병환을 앓고 계실 때 다리의 살을 베어 연명 하였고, 종중의 일도 도왔으며, 언제나 기일(忌日)에는 목욕·제계하고 소찬(素餐)을 드시어, 종신토록 게을리 하지 않았으므로, 그 황(鄕)을 거쳐 도(道)의 추천으로 은전(恩典)을 받았다. 숙인(淑人)은 갑신년(서기 1824)에 태어나, 갑인년(서기 1884) 6월 27일 작고하였다. 아들 3형제는 희양(喜良)·희신(喜紳)·희채(喜釆)이며, 손자 태현(台鉉)·학현(學鉉)·배현(培鉉)·경현(璟鉉)·수현(守鉉)은 큰 아들이 낳고, 규현(奎鉉)은 차남이 낳았다. 증손과 현손은 모두 생략 하였다. 공의 손자들이 일제히 정성을 의견을 합하여, 묘도(墓道)를 아름답게 장식하기 위해 증손인 동환(東煥)·동연(東連)이 함께 나를 방문하여 묘표(墓表)를 간청하니, 대대로 사이좋게 지낸 사이에 어찌 참아 사양할 수 있겠는가? 공은 대대로 효우(孝友)에 독실하여 위로 선조의 렬행(烈行)을 계승하고, 아래로는 후손을 도와 지금 그 자손들이 번창하여 공의 풍도가 연원히 전해지니, 그 혜택의 전하는 것이 이와 같이 멀 수가 있겠는가?

鶴汀庾公墓表

贈通訓大夫鶴汀庾公, 生純祖丁丑, 卒丙戌八月五日, 雅山坊竹村后艮原其, 萬年之藏也。配淑人慶州金氏, 祔。公諱師然, 字大賢, 號鶴汀。庾氏, 茂松望族。我太宗朝文贊衆諱順道, 是最顯。諱運億, 高宗戊辰章甫薦孝, 行贈童蒙教官。寔公曾祖。濤、以木宇, 幷以孝著, 祖若考諱。妣慶州俁氏。公自幼 性孝, 親癖, 割股延命。攝以宗事, 每忌日, 齊沐以素, 終其身懈不。鄉道薦得蒙貤典。淑人生甲申, 卒甲寅六月二十七日。三男。喜良、喜紳、喜釆。孫台鉉、學鉉、培鉉、璟鉉、守鉉。長房出。奎鉉, 次房出。曾玄幷省公之諸孫, 齊誠合謀, 以賁阡道。曾孫東煥、東連, 聯袂訪余, 請以麗牲之刻。世好, 何忍辭? 公世篤孝友, 上承前烈, 下牖後昆, 今其子姓益蕃榮, 使公風徽不朽於來永。其澤之流, 固若是遠哉。

증 사복시정 김공(贈司僕寺正金公)의 묘표(墓表)

순창군(淳昌郡)의 서쪽 복흥방 상리(福興坊上里)에 서쪽을 등지고 있는 봉분은 사복시정(司僕寺正)에 증직된 고 야은 김공(故野隱金公)의 묘소이며, 배(配)인 숙부인 시산허씨(淑夫人詩山許氏)도 부장(祔葬) 하였다. 11세손(世孫)인 상일(相一)이 나에게 부탁하기를 "우리 선조 야은공(野隱公)은 일생동안 덕을 쌓았으므로, 그 뜻을 후세에 전할만 한 것이 많지만 가첩(家牒)에는 겨우 휘호(諱號)와 직함만 기록되어 있고,

기타 사행(事行)은 조금고 보이지 않았으니, 오직 세대가 멀어지면 그 자취도 잊혀질까 두려워 비석을 세워서 초부(樵夫)와 목동(牧童)이 침해하지 못하도록 경계하고자 하오니, 묘도(墓道)를 수식할 글을 지어주시어 후손들이 상고할 수 있도록 해주시기 바랍니다"라고 하였다. 그러나 정회(正會)는 사람도 미약하고 글도 낮아 감히 금석(金石)에 관한 일은 맡을 수 없지만, 그가 선조을 위하는 마음에 감동하여 차마 사양하지 못하였다.

　삼가 살펴보니, 공의 휘는 형우(亨祐), 자는 태수(太綏)이며 천계(天啓) 계유년(서기 1683) 12월 20일 작고하였다. 김씨(金氏)는 울산세가(蔚山世家)로 신라왕자인 학성부원군(鶴城府院君) 휘 덕지(德摯)가 상조(上祖)이며, 고려를 지나 우리 국조(國朝)에 이르기 까지 여러 공경(公卿)들이 배출하여 동방(東方)의 망족(望族)이 되었다. 문정공 하서선생(文正公河西先生) 휘 린후(麟厚)에 이르러, 그 도학(道學)·절의(節義)·문장(文章)이 백세(百世)의 스승이 되었으니, 이 분이 공의 증조이며, 휘 종호(從虎)는 자여찰방(自如察訪)을 역임하고, 휘 남중(南重)은 호가 취옹당(醉翁堂)으로 관직이 선교랑(宣敎郞)이었으며, 선조조에서 광국원종훈(光國原從勳)으로 장성(長城)의 회계사(晦溪祠)에 배향되었는데, 이 분들이 공의 조(祖)와 고(考)이다. 허씨(許氏)는 선비인 설(說)의 딸로 기사년(서기 1689) 9월 22일 작고하였으며, 아들을 두지 못하여 조카 기하(器夏)의 아들을 입양 하였다. 이 분은 후릉참봉(厚陵參奉)으로 좌승지(左承旨)에 증직되고 학자들이 각재선생(覺齋先生)으로 칭 하였다. 아! 공은 위로 담옹(湛翁)을 계승하고 아래로 각재(覺齋)를 나게 하였으니, 그 가학(家學)의 연원(淵源)은 근원이 있다고 할 것이며, 또 지난날부터 지금까지 300여년이 되었지만 그 자손들이 선조의 일을 계승하여 그 전형(典型)을 방불하게 지키고 있으니, 냇물이 풍부하면 그 근원이 멀다는 것을 알 수 있는 것이므로 이것이 백세(百世)에 불후(不朽)할 것이다.

贈司僕寺正金公墓表

此維淳昌治西福興坊上里向卯負酉而封者, 故野隱贈司僕寺正金公萬年之藏。其配淑夫人詩山許氏, 祔焉。十一世孫相一甫, 囑不佞曰:"我先祖野隱公, 一生蘊德, 其志業, 宜有可傳者多。而家牒僅載諱號與職銜, 其他事行不少槩見。惟恐世日遠而迹日忘, 將竪石以警樵牧, 願賁一言表, 使來裔有所殁信焉。"顧正會, 人微文下, 不敢任金石事, 而感其述先之篤, 不忍終辭。謹按：公諱亨祐,字太綏，天啓癸亥十二月二十日卒。金氏，蔚山世家。以新羅王子鶴城府院君諱德摯爲上祖。歷麗迄我，累公累卿，爲東方望族。至文正公河西先生諱麟厚，道學也，節義也，文章也，縫爲百世師宗。寔公曾祖。諱從虎，自如察訪。諱南重，號醉翁堂，官宣教郎，宣廟光國原從勳，享長城晦溪祠。祖若考也。許氏，士人說女。己巳九月二十二日卒，無育，取姪器夏子之。厚陵叅奉，贈左承旨。學者稱覺齋先生。噫，公上承湛翁，下啓覺齋。其家學淵源，有所自而又有所往，至今三百有餘載，雲仍繼述克守典型之髣髴。川豐者，固知其源必遠。嗚乎！此足以不朽百世也夫。

연연당문고 권9

행장(行狀)

감수 : 연정 김경식(淵亭 金璟植)
　　　(연정교육문화연구소장)
번역 : 박정양(朴正陽)
　　　(중국: 연변대학 도서관 전 관장 ·
　　　　조선언어문학부 교수)

조고 미재처사 부군 행장(祖考薇齋處士府君 行狀)

　부군은 휘가 학묵(學默), 자가 명삼(明三)인데, 사우들은 '미재처사(薇齋處士)'라고 칭하였습니다.
　김씨는 본이 안동(安東)인데, 안동김씨는 고려시기의 상락백, 충렬공 휘 방경(方慶)으로부터 명성을 떨쳤습니다.
　본조에 들어서서, 휘 사형(士衡)은 좌의정(左議政)으로 있었고, 시호는 익원(翼元)이었습니다. 몇 대를 지나, 영모당(永慕堂)에 이르는데, 이는 휘가 질(質)이고 진사(進士)이며, 경서(經書)에 밝고, 행실을 닦아 유학(儒學)을 가르치고 보살펴 주었습니다. 본조와 명나라 황제가 효성이 뛰어났다고 특별히 정려(旌閭)를 내려 표창하였고, 사림(士林)에서는 도암사(道巖祠)를 세웠습니다.
　4대를 내려온 은송당(隱松堂)은 휘가 경철(景哲)인데, 남원(南原) 교수로 있으면서 충의와 학행이 있었기에 도암사에 배향하였습니다. 이들이 9세 이상의 선조들입니다.
　고조의 휘는 규서(奎瑞), 증조의 휘는 진기(振基)입니다. 조부의 휘는 양대(養大)인데 진사이며 늙은이를 존중한다는 옛 규례에 좇아 통정(通政)으로 승천하였고, 무장(茂長)에서 처음으로 고창(高敞)의 도산(道山)에 우거하였습니다. 효성이 있고 우애하고 순수하고 질박하여 옛 군자의 풍도를 지니고 있었으며, 최면암 익현(崔勉庵益鉉)이 묘갈문을 지었습니다.
　고(考) 만수당(晩睡堂)은 휘가 영철(榮喆)인데, 생원(生員)이며, 인(仁)을 쌓고 의(義)를 행하여, 지금까지도 사람들은 그를 기송사(奇松沙)라고 칭합니다. 우만(宇萬)이 그의 당기(堂記)를 적었고, 묘의 명문(銘文)을 지었습니다.
　비 울산 김씨(蔚山金氏)는 방풍(邦豐)의 딸로 하서(河西)선생의 후예이며, 아들 다섯을 낳았는데 부군(府君)이 장자이며, 경진(庚辰;서기 1820) 8월 2일에 태어났습니다.
　부군(府君)은 행동거지가 점잖았고 말을 하거나 웃음을 지을 때 구김이 없었습니다. 부모를 섬김에 있어서 즐겁게 해드리고 승순(承順)[1]하였으며, 감히 어기는 일이 없었습니다. 부모의 상(喪)을 당하자, 슬픔을 이기지 못하고, 도(道)를 넘어 결국 병으로

---

1) 웃어른의 말을 잘 좇음.

몸져누워 자리에서 일어나지 못할 지경이었지만, 질대(絰帶)[2]를 벗지 않았습니다.

여러 형제들과 우애롭게 지나면서 얼굴을 붉힌 적이 전혀 없었으며, 무엇을 달라는 눈치가 보이면 아끼지 않고 선선히 내어주었으며, 이로 말미암아 온 가정에서는 화기가 넘쳐흘렀고, 누구 하나 서로 흉보는 일이 없었습니다. 그리고 이것을 종친(宗親)과 향당(鄕黨)으로 미루어 가며, 하나 같이 성심과 신임을 보여주었습니다. 자제들이 착한 일을 하면 얼굴에 화색을 띠고 장려하곤 하였고, 착하지 못한 일을 하면 조용한 곳으로 불러다가 차근차근 깨우쳐 주었는데, 말소리는 이웃에 들리지 않았습니다.

원래 몸이 마르고 병이 많아, 생산이나 경영에는 종사하지 않았습니다. 재산을 아끼지 않고 베풀기를 즐기었고, 가난한 사람들을 두루 구(救恤)하여 주었습니다. 사귀는 데 있어서는 반드시 상도(常道)가 있어 친족들이나 친구들 사이에 비록 멀고 가까운 구별이 있다고는 하지만 후진으로 재질이 있고 덕이 있는 자로서 능히 가르칠 수 있는 사람이라고 한다면 꼭 양곡을 대어주면서 성공하게 하였습니다. 여종이나 노복들은 은혜와 의리를 병행하여 다스리었으므로, 모두가 마음속으로 우러나 열복하게 되었습니다.

문학(文學)을 알고 의(義)를 행하는 인사들을 날마다 불러 들여 연석을 차리고 마음껏 즐기고 친분을 다하였습니다. 공명이나 정계에는 아예 생각을 끊고, 권문귀족의 문전에 종래로 발걸음을 하지 않았습니다. 어떤 사람이 그러지 말라고 권유를 하면 마치도 더러운 말을 들은 듯 들은 척도 하지 않았습니다.

산수에 마음을 붙이고, 해마다 따스한 봄바람이 부는 봄철이거나 서늘한 바람이 부는 가을철이면, 당나귀를 타고 홀로 떠났다가 때로는 달포가 지나서야 집으로 돌아오군 하였습니다. 나라 안의 이름난 명산대천이라면 지팡이를 짚고 거의 다 답사하였는데, 보기 드문 나무 한 그루를 만나거나, 조금이라도 후미진 곳을 찾았다고 하면, 차마 발걸음을 되돌리지 못하고 꼭 배회하며 시를 읊곤 하였습니다. 부군을 잘 알고 있는 사람들은 그이를 기수 물에 미역을 감고 돌아오겠다고 한 공자의 제자 증석과 같은 흉금을 지니고 있으며, 소탈하게 진세(塵世)를 잊어버리려는 뜻을 지니고 있었다고들 말하곤 하였습니다.

집에서 십여 리에 살려고 생각해 둔 곳에는 산이 하나 있었는데 자양(紫陽)이라 하기도 하고, 회암(晦庵)이라 부르기도 하였으며 동굴이 하나 있는데 운곡(雲谷)이라 하기도 하고, 안덕(安德)이라 하기도 하였습니다. 아름다운 여러 가지 이름을 가지고 있는 것이 갸륵하여 공은 만년을 보낼 집을 하나 장만하려고 타산하였고, 집이 아직

---

[2] 수질(首絰)과 요대(腰帶)

채 완공하기도 전에 송사(松沙)선생은 미리 그 집을 '미재(薇齋)'라고 이름을 짓고 기를 적었던 것입니다.

　세월이 갈수록 화단이 심해지자 절제 없이 술을 마시기 시작했으므로 여러 동생들과 친지들이 자칫하면 수명이 짧게 된다고 말렸지만 부군은 한숨을 지으며 "내라고 어찌 술독에 빠지고 싶겠습니까? 서진(西晉)시기의 원적(阮籍)이란 사람은 술을 마시고는 막다른 골목에서 통곡을 하였고, 당(唐)나라 초기의 부혁(傅奕)이란 사람은 취하여 죽는 것도 마땅하다고 여기었습니다. 시대가 사람들을 두루 그렇게 만들었을 따름입니다."

　오호라! 부군의 뛰어난 지조는 완악한 자들을 염결하게 만들고 야박한 사람을 돈후하게 만들기에 충분하였지만, 세상이 그의 뜻과 어긋나 명성이 사라지고 견식이 있다는 말을 듣지 못하게 되었으니 실로 개탄할 일입니다.

　정사(丁巳 ; 서기 1917) 윤 2월 13일에, 정침에서 세상을 떠났으니, 향년 쉰여덟입니다. 부인 고씨는 제국(濟國)이 그의 고(考)인데, 제봉(霽峰) 충렬공(忠烈公)의 후손입니다. 후사가 없어서, 둘째네 아들 재종(在鍾)을 아들로 삼았습니다.

　재종의 3남은 정회(正會), 장회(章會), 순회(舜會)이고, 6녀는 임종혁(林鍾爀), 장도규(張燾圭), 이병두(李丙斗), 김상일(金相一), 김용수(金龍洙), 윤치영(尹致英)의 아내로 되었습니다.

　정회의 아들은 병수(丙洙)이고, 장회의 아들은 성수(晟洙), 창수(昌洙), 형수(亨洙)이며 순회의 아들은 정수(晶洙)입니다. 병수의 아들은 경식(璟植), 명식(明植)입니다.

　오호라! 부군의 행실이 후세에서 이어갈 본보기로 되는 것은 여기에 그치지 않습니다. 그렇지만 불초자가 어리석어서 하나하나 상세하게 기록할 수 없으니 어찌 천백에 열이나 하나를 적는 것이 아니겠습니까? 오로지 입언(立言)하는 군자들이 그 뜻을 불쌍하게 여기고, 그 마음을 자상하게 살피어 채납하기 바랄 뿐입니다.

　신사 삼월 상순 불초자 정회가 삼가 적습니다.

祖考薇齋處士府君行狀

府君諱學默, 字明三, 士友稱薇齋處士。金氏本安東, 其顯始於麗朝上洛伯忠烈公諱方慶。入本朝諱士衡, 左議政, 諡翼元。累傳而永慕堂, 諱質, 進士, 經明行修, 植儒扶敎, 本朝及皇明以孝幷命旌。士林建祠道岩。四傳而隱松堂, 諱景哲, 南原教授, 忠義有學行, 配享道岩祠。是爲九世以上。高祖諱奎瑞, 曾祖諱振基, 祖諱養大, 進士, 以優老典, 陞通政階。自茂長始居高敞之道山。孝友醇質, 有古君子風。崔勉庵益鉉, 撰墓碣。考晚睡堂, 諱榮喆, 生員, 積仁行義, 人到于今稱之奇松沙。宇萬記其堂, 銘其墓。妣蔚山金氏, 邦豐女, 河西先生后學五男, 府君其長也, 以庚申八月二日生, 擧止安詳, 言笑不苟, 事父母愉惋承順, 不敢違忤。及遭憂, 哀戚蹂制, 雖或病不能起, 而猶不脫絰帶。友于諸弟, 無一毫拂戾, 有所願欲, 輒與之不吝。一家之內和氣藹然, 人無一言間之。推之宗族鄉黨, 一以誠信。子弟有善, 和顏色而嘉獎之。有不善, 屏處招諭, 言不出隣。素淸羸多疾, 不營營於生產作業。輕財好施, 周恤窮。交必有常度, 自族黨知舊, 雖分疏家, 後進有才德可教者, 必庤糧而成就之。婢僕之輩, 恩義幷行, 衆皆悅服。文學行義之士, 日必招延, 設酒饌而怡如也, 欸如也。念絶功令, 未嘗入權貴之門。人或勸之, 若將浼焉。有山水雅趣, 每春暄秋凉, 匹驢獨性, 或至旬月而返。域內名山韻水, 杖屨殆遍。遇一嘉樹, 稍淸陰處, 必徘徊嘯咏, 不忍捨去。知府君者, 以謂浴沂之點, 襟懷灑落, 有遺却塵寰底意思。所居十許里, 有山曰紫陽、曰晦庵, 有洞、曰雲谷、曰安德。愛其種種嘉名, 欲營終老之計。屋未及就, 而松沙先生名之以薇齋。且爲之記。自世禍日深, 縱飮無節。諸弟及相知, 以戕害壽命爲言。府君嘆曰: "余豈好酒哉? 阮籍之途已窮, 傅奕之醉宜死, 時遍然耳。"嗚乎! 府君之高標雅操, 足使廉頑敦薄, 而世與相違, 名湮滅而不稱識者, 慨焉。以丁巳閏二月十三日考終于正寢, 享年五十八。夫人高氏, 濟國其考。霽峰忠烈公, 後無育, 子仲弟子在鍾。在鍾三男, 正會、章會、舜會。六女, 林鍾嚇、張熹圭、李丙斗、金相一、金龍洙、尹致英, 妻。正會男丙洙。章會男晟洙、昌洙、亨洙。舜會男晶洙。丙洙男璟植、明植。嗚乎! 府君之行, 可以爲後承之柯則者, 宜不止此。而不肖愚駿, 不能一一詳記, 豈可曰十一於千百哉? 惟立言君子, 哀其意而察其情, 有以財擇焉。

辛巳三月上旬 不肖孫正會謹識

조비 유인 고씨 행장(祖妣 孺人高氏行狀)

우리 조비(祖妣) 유인(孺人) 고씨(高氏)는 적관(籍貫)이 장택(長澤)이고 충렬공 제봉(霽峯) 휘 경명(敬命)의 후예입니다. 월봉선생(月峯先生)은 휘 부천(傅川)이고 11세조입니다. 증대부는 휘 시형(時亨), 대부는 휘 유진(猷鎭), 부친은 제국(濟國)이며, 모친은 광주이씨(廣州李氏) 기한(基漢)의 딸입니다.

조비(祖妣) 유인(孺人) 고씨(高氏)는 철묘(哲廟) 정사(丁丑; 1817) 9월 18일에 창평(昌平)의 수곡(水谷)에서 태어났습니다. 어려서부터 의표(儀表)가 단아하고 장중하고 행동거지가 무거워 일찍부터 규중의 본보기로 되었기에 부모들이 늘 이렇게 칭찬하였습니다. "얘가 만약 남자로 태어났더라면 우리 가문을 번성하게 할 것이다." 나이 열일곱에 우리 조고 미재 부군 휘 학묵(學默)에게 시집을 왔습니다.

우리 김씨는 안동(安東)의 세가입니다. 진사 만수당(晚睡堂)은 휘가 영철(榮喆)입니다. 만수당은 진사 휘 양대(養大)의 아들이며, 만수공의 자부인 조비는 시집 문에 들어서서부터 사랑과 공경으로 시부모를 모시었고, 예법에 어김이 없이 군자를 섬겼습니다. 이듬 해인 갑술(甲戌: 서기 1874)에 우리 고왕고 부군이 진사에 합격하여 문희연(聞喜宴)을 베풀었는데 온 향의 인사들이 모두 모여왔습니다. 그때 조비는 나이 겨우 열여덟이었으나, 음식을 차리거나 상하 손님들을 응접하는데 질서가 정연하여 보는 사람들은 모두 현철하다고 칭찬이 자자하였습니다. 고왕고부군은 법이 있는 가문의 딸이라고 극구 칭찬하며 이렇게 말하였습니다. "얘가 나를 참 잘 섬깁니다. 대를 내려가며 모두 이 며느리처럼 효도를 하고 공경을 한다면 우리 가문의 끝이 없는 복으로 될 것입니다."

증조비(曾祖妣) 김씨가 중년에 일찍 세상을 떠났으므로, 집안에는 집안일을 주관하는 주인이 없었습니다. 이리하여 조비가 모든 집안일을 전문 맡아보게 되었습니다. 시동생 넷을 부양하였는데, 그들이 장가를 들어 살림을 내게 되자, 그들을 위해 있는 힘을 다하여 살림을 꾸려주었고, 될수록 그들이 만족하게 하여 주었기에, 동서들은 마치도 어머니를 대하듯이 우러러보면서, 시종 변함이 없었습니다. 계집종이나 하인들이 아주 많았지만 여러 가지로 그들을 부리며 은혜를 내리고 의리로 다스리었기 때문에 아무리 힘이 든다고 하여도 누구 하나 원망의 말을 꺼내지 않았습니다. 종친들을 멀고 가까운 구별을 두지 않고 하나같이 성실과 신용으로 대하였고, 이웃에 굶주리고 헐벗은 사람들에게는 가내 일을 보는 성심을 보여 반드시 입을 것을 주고 먹을 것을 주었습니다. 불행하게도 후사가 없어 만수 부군의 명에 따라, 조카 재종(在鍾)을 데려와 모자로 되었습니다. 그를 키우고 가르치는데 친자식이나 다름이 없었습니다. 여러 조카들을 귀여워하며 매번 철에 따라 들어오는 과일이나 물건들을 꼭 골고루 나누어주곤 하였습니다만, 일단 잘못을 저지르면 조금도 사정을 두지 않고 도리를 따지며 차근차근 깨우쳐주었습니다. 손아래 누이들이나 동서 그리고 여러 시녀들에 이르기까지 혹 예의범절에 조금이라도 어긋난 일을 저지른 자들은 스스로 뉘우치고 주눅이 들어 감히 앞으로 선뜻 나서지 못하였습니다. 만수 부군은 빈객을 반겨 맞았는데 당세의 홍유 석덕, 명잠 승신(名簪勝紳)들이 수레나 가마를 타고 거의 매일이다시피 방문을 왔는데 그들을 응접하는 여러 그릇들이나 절차는 반드시 미리 챙기고 준비하여 두었다가, 손님이 도착하기만 하면 곧바로 알아 처리하여 잠시라도 지체한 적이 없어 존구(尊舅)가 시름을 들게 하였습니다. 만수 부군이 사년동안 병석에 누워 있었지만 곁을 떠나지 않고 시중을 들었으며, 몸소 대소변을 받아내고 그 빨래를 몸소 하며, 노비들을 시키지 않았습니다. 상을 당하게 되자 장례를 치르는 많은 일들, 그리고 조석으로 제사상을 차리는 일들은 반드시 정성과 조심성을 다하였으며, 삼년을 하루같이 지새웠습니다. 제사는 유월 염천에 들게 되었으므로 제사음식은 각별히 깨끗하게 만들고 보관하여, 파리나 벌레들이 범접하지 못하게 하느라고 날이 샐 때까지 눈을 붙이지 않았습니다. 평소에는 말수가 적고 웃음을 거두고 위엄을 차리었습니다. 자기가 가지는 것은 극히 적었고 옷은 몸을 가릴 수만 있으면 만족하였으며 나물을 달게 자시었습니다. 비록 가내 일이 번잡하다고 하지만 조금이라도 겨를이 있으면 손이 빨개질 때까지 일손을 멈추지 않았고 이른 새벽이면 일어나 마당을 둘러보았으며, 노복이나 시녀들에게 꼭꼭 일찍 자고 일찍 일어나도록 영을 내렸습니다. 무릇 집안의 기물들이거나 의복들은 본토의 것을 즐기고, 외국의 것이라면 아무리 화려하고 진귀하다고 하여도 가까이 하지 않았습니다. 정사(丁巳, 서기 1917)에 미재 부군이 세상을 하직하자, 미망인으로 자처하고 아무리 크고 작은 일이라고 하더라도 경사에 차리는 연석에는 참석하지 않았습니다. 그 후로부터 무릇 처리할 일이 있으면, 반드시 우리 선군(先君)의 의견에 따라 처리하였고, 선군 역시 크고 작은 일 할 것 없이 꼭꼭 품한 후에 명에 따라 행사하였습니다. 갑자년(甲子. 서기 1924)에 흉년이 들자, 을축(乙丑)년 봄에 선군은 토지세로 받아들인 양곡 백여 섬을 모두 마을의 굶주린 가정의 흉년구제에 돌렸습니다. 그때 조비께서는 불초자에게 이렇게 말하였습니다. "네 애비는 참으로 그 할아버지에 그 손자라고 할 수 있다. 지난 병자(丙子, 서기 1876)년와 무자(戊子, 서기 1888)년에 흉년이 들었을 때, 종친이나 마을의 이웃들이 네 증왕고의 도움을 받아 굴뚝에 연기를 낸 사람들이 매우 많았는데, 오늘에 네 부친이 조상의 자취를 이어 받았으니, 만약 그이의 신령이 지각이 있다고 하시면 정녕 '나는 후손이 있다.'라고 말씀할 것이다."

불초자의 형제자매는 아홉인데, 조비는 비단옷을 몸에 걸치지 못하게 하시면서, 이렇게 말하였습니다. "우리 가문에서는 진사 부군 이래로 근검하게 지내는 것이 덕으로 되었다. 너희들은 제 몸으로 이것을 체험하면서, 선세의 법도를 지켜야 한다. 사치한 풍습은 패가망신의 근본으로 되고, 덕을 갉아먹는 재앙으로 되는 법이다." 조비는 말씀을 하실 때마다 반드시 만수 부군을 예로 들었습니다. 향년 여든 아홉으로 을유(乙酉; 서기 1945) 12월 30일에 정침에서 세상을 하직하였습니다. 무덤은 두 번 옮겨 모셔 부군의 묘소 바른 편에 묻었으니, 바로 장성 북 이면 달성 후록 곤좌원(長城北之二面達城後麓坤坐原)입니다.

재종(在鍾)은 3남을 두었는데, 장남은 정회(正會) 즉 불초자이며 다음은 장회(章會), 순회(舜會)입니다. 6녀는 나주 임종혁(林鍾爀), 인동 장도규(張燾圭), 전주 이병두(李丙斗), 울산 김상일(金相一), 울산 김용수(金龍洙), 파평 윤치영(尹致英)에게 시집을 갔습니다.

정회의 아들은 병수(丙洙), 만수(萬洙), 덕수(德洙), 길수(吉洙)이고, 딸은 전주 이신(李新)의 아내이다.

장회의 아들은 성수(晟洙), 양자로 간 창수(昌洙), 형수(亨洙), 윤수(允洙), 연수(鍊洙), 치수(治洙)이며 딸은 풍천 노병길(盧秉吉)의 아내입니다.

순회의 아들은 정수(晶洙), 학수(學洙)이며, 딸은 장택 임성규(任聖圭)의 아내입니다. 친가나 외가나 증손, 현손들이 많기는 하지만 다 기록하지 않습니다.

오호라! 선군은 조비보다 7년을 앞서 우리로 하여금 견배(見背)하게 하였습니다. 선군은 임종 시에 지극한 효도로 조비를 끝까지 봉양하지 못한 것을 한으로 삼았습니다. 선군이 만약 생전이라고 한다면 조비의 바다 같이 깊은 덕을 홍보하기 위하여, 극도로 되는 방법을 사용하지 않을 수 없었을 것입니다. 그렇지만 불초자는 선군을 따르지 못하는데다가 학식에 어둡고, 식견이 좁아 조비의 공덕을 만에 하나도 제대로 형용하지 못하고 있으니, 불효하다는 죄명을 스스로도 벗어나기 어렵게 되었습니다. 그렇지만 불초자도 금년에 예순다섯이라, 언제 아침 이슬의 신세가 되어 갑자기 이 세상을 떠나가서, 이 일을 천고의 한으로 되게 할 지 모르고 있습니다.

만약 오늘에 내가 초고(草稿)라도 적어놓지 않는다고 한다면 비록 만억으로 헤아리는 자손들이 있다고 하여도 어디 가서 이것들을 고증하고 토론할 수가 있겠습니까?

이 떳떳한 일을 이 어린 자식은 자신의 어리석음을 헤아리지 않고, 감히 평소에 가정에서 보고 들은 일들 가운데서 한둘을 모으고, 집안 내외의 여러 장로들의 이야기를 참고하여, 위와 같이 서술하며 지언(知言) 군자(君子)들이 불쌍하게 여기고 채납하기를 기다리고 있을 따름입니다.

祖妣孺人高氏行狀

我祖妣孺人高氏, 貫長澤, 忠烈公霽峯諱敬命后。月峯先生諱傅川, 其十一世祖也。曾大父諱時亨, 大父諱猷鎭。父諱濟國, 母廣州李氏, 基漢女。哲廟丁丑九月十八日, 生于昌平之水谷。自幼儀表端莊凝重, 壼範夙就, 父母常稱之曰: "若爲丈夫, 子庶吾門其昌。" 十七歸于我祖考薇齋府君, 諱學默。吾金安東世家, 進士, 晚睡堂, 諱榮喆, 子進士, 諱養大孫。祖妣入門, 事舅姑愛敬, 待君子無違禮。翌年甲戌, 我高王考府君中進士, 及設聞喜宴, 傾一鄕咸集。祖妣年才十八, 營辦酒饌, 上下接應, 井井有條理, 觀者咸頌其賢哲。高王考府君亟稱以法家女, 曰: "是善事我。世世孝敬如新婦, 則吾家無疆之福也。" 曾祖妣金氏, 中世早歿, 家無主。饋閫以內, 祖妣專治之。撫養夫弟四人, 及聚婦析箸, 皆爲之極力周章, 務盡雍洽, 諸姒娌仰之如母, 終始無替。男女俾僕甚衆, 御之曲, 有恩義, 雖使之勞而亦不怨焉。待宗族無親疎, 一以誠信。至隣里有饑寒者, 必推而衣之、食之。不幸無育, 以晚睡府君命, 取姪在鍾, 遂爲母子。養之敎之, 無異己出。撫愛諸姪, 每有時果、時需之物, 必分而與之。然或有過差, 少不假貸, 諭之以義理。自諸娣諸婦, 以至衆婢, 少有違禮越規者, 自知畏縮而不敢前。晚睡府君好賓客, 當世鴻儒碩德, 名簪勝紳, 車盖相訪, 殆無虛日。其盃盤供接諸節, 必豫爲之備置, 賓至輒設無臨時窘迫之態, 以安尊舅之心。晚睡府君沈病四載, 左右調護, 溺垢洗滌, 不役俾僕。及遭憂, 送終凡百, 及朝夕奉筵, 必以誠愼, 三年如一日。忌辰在六月盛暑, 饌羞務極蠲潔, 不使蟲汚或侵, 達曙不交睫。平居簡言笑, 飾威儀。自奉甚菲薄, 衣取蔽體, 食甘藜藿。雖機務粉遝中有寸隙, 輒手紅不輟。昧爽必起, 巡回庭除, 令家人奴婢, 必夜寢夙興。凡家間被服器皿, 雖土物是愛, 不近異國粉華珍怪之物。丁巳薇齋府君下世, 以未亡自居, 雖大小家, 不叅慶筵。自後凡務必聽於我先君, 先君亦事無巨細必禀命而後行。甲子歲大饑, 乙丑春, 先君以租百餘苞, 賑一坊之飢戶。祖妣語不肖曰："汝父可謂賢祖肖孫。往丙子及戊子之凶，族戚鄕黨汝待曾王考而擧火者，甚衆今也。汝父克承祖武，靈如有知，必曰予有後。"不肖兄弟姊妹九人，雖甚恩愛，不使綺羅之屬着於身，曰："汝家自進士府君以來，勤儉成德。汝曹克體念之，以守先世成憲。夫華靡之習，敗家之本也，損德之孼也。"言必擧晚睡府君。享年八十九，以乙酉十二月三十日考終于正寢。葬再遷，祔于府君之墓右，長城北之二面達城後麓坤坐原也。在鍾三男。長正會，卽不肖。次章會、舜會。六女，適羅州林鍾噅、仁同張燾圭、全州李丙斗、蔚山金相一、蔚山金龍洙、坡平尹致英。正會男丙洙，萬洙，德洙。吉洙。女，全州李新妻。章會男晟洙，昌洙出后，亨洙，允洙，鍊洙，治洙。女，豐川盧秉吉妻。舜會男晶洙，學洙。女，長澤任聖圭妻。內外曾玄多，不盡記。嗚乎！先君前乎祖妣七年而見背。以先君之至孝，而未得終養，以爲臨終恨。使先君在者，闡揚懿德，宜無所不用其極。而不肖無似，學昧識蔑，不能形容其萬一。不孝之罪，無以自遣。然不肖年今六十五，亦未知溘先朝露，遂成千古之恨。今不自我草創之，雖有萬億子孫，亦何所考據而討論之？是庸不揆愚孩，敢撮平日所見聞於家庭者一二，叅之以內外諸長老之言，叙次如右，以竢知言君子，庶垂憐採撫焉。

종조 항재부군 가장(從祖 恒齋府君家狀)

공의 휘는 순묵(純默), 자는 덕문(德文)이며, 항재(恒齋)는 호입니다. 김씨는 안동(安東) 계보에 속하는데, 휘 방경(方慶)이 큰 공훈과 공로를 세워 상락개국공(上洛開國公)으로 봉(封)한 시호는 충렬(忠烈)이며, 비조(鼻祖)로 됩니다. 아들 휘 순(恂)은 밀직사(密直使)로 상락공을 세습하여 봉 받았으며, 시호는 문영(文英)입니다. 여러 대를 지나 휘 사형(士衡)에 이르러 처음으로 본조에서 벼슬하여 좌의정(左議政)으로 있었고, 상락백부원공(上洛府院公)으로 봉(封)되고, 시호는 익원(翼元)이었습다. 아들은 휘 승(陞)이며 좌찬성(左贊成)이었습니다. 3대에 이르러, 휘 을만(乙萬)은 통찬(通贊)으로 김안로(金安老)를 질책하는 상소문을 올리고, 남으로 무송(茂松)에 와 은둔하였습니다. 이 분이 휘 복중(福重)을 낳았는데, 음덕(蔭德)으로 통찬(通贊)이 되었습니다. 이 분이 휘 질(質)을 낳았는데, 진사(進士)로서 김하서(金河西)와 유미암(柳眉巖) 제 선생들과 도의(道義)로 사귀었습니다. 경서(經書)에 밝고, 행실을 닦으면서 유학(儒學)에 공을 세웠습니다. 부친과 모친 그리고 승중(承重)의 상을 당하는 초상을 치르면서, 죽을 마시며 여묘(廬墓)에서 12년을 보냈더니, 동물들이 감화(感化)되는 이상한 일들도 여러 번 생기곤 하였습니다. 김하서가 그의 당(堂)의 편액을 '영모당(永慕堂)'이라고 지어 주었고, 유미암(柳眉巖)이 '당기(堂記)'를 지어주었습니다. 소문이 조정에 이르자 조정에서 명을 내려 그 동네에 정문(旌門)을 세워 표창하였고, 천자에게 천거하였더니, 또 정문을 세워주라는 명이 떨어졌습니다. 사림에서 도암사(道巖祠)를 세워주었습니다. 3대에 이르러 휘 경철(景哲)은 남원교수로 활약하였는데 호는 은송(隱松)입니다. 용사(龍蛇)의 변란이 일어나자, 의병(義兵)을 일으키고, 전수(戰守)에서 모두 공적을 세웠습니다. 이괄(李适)이 반역을 꾀하자 의사들을 수습하고 인솔하였는데, 중도에서 역적들을 평정하였다는 소문을 듣고 돌아왔으며, 후에 도암사에 배향하였습니다. 이가 공의 9세조 이상입니다.

고조의 휘는 규서(奎瑞), 증조의 휘는 진기(振基)입니다. 조부의 휘는 양대(養大)인데, 진사(進士)였고 늙은 사람을 우대한다는 옛 법에 따라 통정(通政)을 수여받았습니다. 노사기선생(蘆沙奇先生)은 사우들에게 그를 극구 칭찬하여 말하였습니다. "하나의 향(鄕)에 만약 김아무개와 같은 사람이 한 분만 있다고 하여도 향의 풍기를 아름답게 하기에 충분하다."

고(考) 만수당(晩睡堂)은 휘가 영철(榮喆)이고, 생원(生員)으로 호매(豪邁) 영준(英俊)하여 세상의 수요에 따라 사물에 은택을 베풀 포부가 있기는 하였지만, 어려운 세상을 만나 그 포부를 실현하지 못하였습니다.

몇 대를 내려오면서, 세상에 드러나지는 않았지만, 모두 덕(德)을 감추고 빛을 숨기며 살아온 사람들입니다, 때문에 그들의 행적을 뇌문(誄文)[3]에 적은 사람들은 모두 당세의 명공대인이었습니다.

비(妃) 울산 김씨(蔚山金氏)는 방풍(邦豐)의 따님인데, 하서선생(河西先生)의 후손으로, 현숙하고 여자 선비의 행실이 있었습니다. 아들 다섯을 두었는데 공이 셋째 아들입니다.

공은 고종 병인(丙寅; 서기 1866) 11월 4일에, 고창(高敞)의 도산리(道山里) 가택에서 태어났습니다. 어려서부터 우람하고 정중하였으며 재능이나 도량이 남달리 뛰어났습니다. 철이 들면서 밖으로 나가 스승을 모셨는데, 학습과정에 대한 감독이 없어도, 능히 스스로 글 읽기에 애를 썼는데, 글자의 뜻을 아주 잘 터득하였습니다. 어른들은 모두 그에게 먼 장래가 있으리라고 믿으며, 장래를 기대하고 있었습니다. 나

---

[3] 죽은 사람의 명복을 비는 말이나 글.

이 방금 열다섯에 집일을 주관하는 사람이 없는 것을 보고 "농사일과 글공부는 어느 하나에만 치우치면 되지 않는다."고 말하고는, 낮이면 농사를 짓거나 고기잡이를 하거나 땔나무를 하기도 하였고, 짚신을 삼거나 삿자리를 엮기도 하면서, 하지 않는 일이라고는 없었고, 밤이면 아무리 찌는 듯 한 삼복염천에 비바람이 몰아친다고 하여도, 반드시 경전(經傳)을 읽으면서 잠시도 쉬지 않으며, 십여 년 고심하게 연찬하였습니다. 생계가 조금 풀리기 시작했을 때는, 바로 약관 전후 시기였습니다. 그는 또 이렇게 말하였습니다. "글을 읽고 자신의 수양을 닦는 것은 우리 유생(儒生)들의 본분이고, 부귀영달은 명에 달린 것이다." 그리고는 개연히 어려서부터 배움에 힘쓰지 않은 것을 근심으로 삼고, 예물을 갖추어 최면암(崔勉庵) 선생을 배알하고, 경서(經書)를 지니고 질의하였는데, 뜻이 성실하다는 칭찬을 받았습니다. 선생이 일찍 그에게 책을 선물하면서 대략 이와 같은 말을 하였습니다. "사람들에게 몸이 있으면 반드시 마음이 있기 마련이고, 이 마음이 있으면 반드시 공과 사, 선과 악이 있기 마련이다. 무엇을 버리고 무엇을 지니며, 무엇을 가지고 무엇을 던지는가 하는 그 사이의 거리는 비록 한 치밖에 되진 않지만, 일신의 옳고 그름이 가정과 나라와 천하 흥망의 득실에 관여된다. 다스려지거나 어지러워지는 것은 모두 여기에 따라서 갈라지게 된다." 대개 심법(心法)을 전한 것입니다. 이로부터 분발하여 뜻을 세우고 조용한 한 칸의 방에 자리를 정하고, 경전을 두루 구하여, 밤에 낮을 이어가면서 노력한 결과 조예는 날마다 깊어졌고 견식은 날마다 높아졌습니다. 특히 《중용》《대학》《논어》《맹자》와 《아언》에 힘을 기울이면서, 이렇게 말하였습니다. "이 두 책은 체(體)와 용(用)이 모두 겸비되어 있다. 이것을 버린다고 한다면 덕목(德目)이 나갈 토대를 잃은 것으로 된다." 그리고는 고개를 들고 사색을 하거나 고개를 숙이고 글을 읽으면서, 반드시 실행하는 것을 위주로 삼았습니다. 의혹이 있으면 사색을 하고, 사색을 하면 깨닫게 되어, 침식을 잊는 것도 달갑게 여기면서, 소광(昭曠)한 영역을 모을 기대를 지니고, 불안한 마음으로 부지런히 공부하며 물질적 영역에 마음을 두지 않았습니다. 또 해서(楷書)에 재질이 있어 필력이 매우 힘이 있었습니다. 짧은 묘갈(墓碣)이거나 긴 비문(碑文)으로 그의 혜택을 받은 사람들이 파다하였습니다. 과거시험장에 들어서는 사람들이 사용한 서적은 대부분 공의 손을 거치게 되었지만 이것을 자랑거리로 삼지 않았습니다. 만수공(晩睡公)이 일찍 중병으로 삼년 동안 병석에 누워계셨는데, 공(公)은 속이 매우 타서 옷도 미처 벗지 못하고 의원을 찾아뵙고 약을 달이며 시중을 들이는 등 극도의 정성을 다 하였습니다. 부친을 잃은 모든 비애를 참으며 염습(殮襲)으로부터 장(葬)할 때까지, 모든 일을 꼭 조심조심 성심을 다하여 처리하여 여한을 남기지 않았습니다. 매번 기일(忌日)이 돌아오면 반드시 먼저 목욕재계 하고 마치도 생전처럼 받들어 모셨습니다. 예학(禮學)에 조예가 깊어 원근의 사우들은 먼지를 날리며 찾아들어 물어보곤 하였다. 친척이나 안면 있는 사람들의 부고(訃告)를 듣기만 하면, 반드시 포복(匍匐)하며 찾아가 구휼해주면서, 자기의 애도의 마음을 표하였습니다. 친척집의 아이가 앓는다고 하면 가까운 친척이나 먼 친척을 따지지 않고 반드시 아침저녁으로 찾아가 병문안을 하였습니다. 무릇 일을 처리함에 있어서는 부지런하기도 하고 정성을 다하기도 하였으니, 아마 그의 천성이 그렇지 않은가 싶습니다. 선군 묘의 비석을 세울 때 다른 사람을 부리지 않고 반드시 손수 비석을 갈았었습니다. 먼 선조들의 묘소에 석의(石儀)가 결여되어 있는 것이 십여 곳이 되었는데, 공은 혼자 수고를 무릅쓰고 일일이 비석을 세워놓았고, 각기 제전(祭田)을 마련하여, 제(祭)를 지낼 자금으로 삼게 하였습니다. 만수당의 건축에 온갖 정성을 다 기울이었고, 시종 감독하며 수고를 아끼지 않았습니다. 진귀한 꽃이며 나무라고 한다면 아무리 깊은 산속이나 먼 바다에서 자란다고 하더라도 기어이 옮겨와 손수 주위에 심었으며, 땅을 파서 못을 만들고 연꽃을 심고, 샘물을 이끌어와 자그마한 정자(亭子) 하나를 세우고서는 '수정(水亭)'이라고 이름을 달았습니다. 이 일은 공(公)에게 있어서는, 자그마한 예절을 보여준 것이지만, 역시 선조를 사모하는 정성이 깃들어 있는 것입니다. 날마다 문생(門生)이거나 후배들과 함께 선정(先亭)에서 강학(講學)을 하고 지식을 연마하였습니다. 차근차근 가르칠 때에 마음가짐을 바로 잡는 것을 우선적인 위치에 놓고, 그 다음에야 문예(文藝)를 가르쳤습니다. 질의에 대답을 할 때에는 하나하나 투철하게 분석을 하여주었는데, 마치도 포정(庖丁)이 소를 잡듯이 회회한 곳에서 여지를 찾은듯 하였습니다. 일찍 친필로 글을 써서 벽에 걸어놓고 말하였습니다. "무릇 일이란 저절로 그렇게 되기만, 기다린다면 사람은 아무런 할 일도 없이 허송세월을 할 따름이다. 반드시 노력하여 따라잡아야 한다. 너희들이 일상생활에서 이것을 체험하게 된 다음에야, 이 말이 허망으로 한 이야기가 아니라는 것을 알 수 있게 될 것이다." 늘 《주서강목(朱書綱目)》과 《성리심경(性理心經)》 등 책을 읽고 배우는 자들에게 이렇게 말하곤 하였습니다. "학문의 두뇌(頭腦)는 성리책(性理冊)에 있다. 《소학(小學)》은 소자들이 읽는 책이지만, 첫 머리에 천도(天道)와 인성(人性)을 이야기하였다. 《근사록(近思錄)》은 사자(四子)의 사다리이지만 서두에서 심성(心性)을 설명하였다." 회옹(晦翁)의 미의(微意)를 여기에서도 볼 수 있습니다. 아동(我東)의 제현(諸賢)이 읽어보지 않은 것처럼 그토록 자연스러웠다. 혹 어떤 때에 주자(朱子)의 설책들은 거의 없다시피 되었고, 특히 이기(理氣)를 이야기한 대목에는 특별한 탐구가 있어, 마치도 자기가 할 말을 하는 법에 어울리지 않는 것이 있다면 이렇게 말하곤 하였다. "그 분의 자격과 품급은 높아, 아래 사람으로 비록 감히 논하지는 못하겠습니다만, 일생 동안 정력을 넣은 분으로서 주자만한 사람은 없습니다." 그가 성현들을 돈독하게 믿는 바는 대개 이와 같았습니다. 기로사선생(奇蘆沙先生)의 납량사의(納凉私議)하고 전심으로 주역(紬繹)한다는 설법에 가장 열복하여 이연히 깨닫는 바가 있어, 그것을 펴내어 책으로 만들었고 또 시 한 구절을 남기었습니다.

   배워서 떠나가면
   다 함께 일가견으로 돌아가고,
   각자가 일가견으로 찾아오나니
   모든 것이 전면이고 완전하구나.

실제로 이 경지에 들어가지 못하였다고 한다면, 어떻게 이런 도리를 이야기할 수가 있었겠습니까? 노년에는 개울가에 자그마한 누대를 세우고, '창랑대(滄浪臺)'라고 이름을 지었는데, 흐리거나 맑은 것을 스스로 취한다는 뜻을 담은 것이다. 굴원(屈原)을 본받아 연꽃으로 옷을 마르고, 혜초로 띠를 삼아 날마다 그 위에서 소요하였으며, 때로는 지어 집으로 돌아갈 생각조차 하지 않을 정도였습니다. 양진 길일을 만나면 문생 및 아들 손자들과 함께 산속이나 물가로 오가면서 아름다운 경치를 만나기만 하면 글을 적고, 목청을 길게 뽑으며 읊기도 하였습니다. 시(詩)는 성정(性情)을 적으면 그만이고, 문장(文章)은 뜻을 나타내면 그만입니다. 생각이 가는 대로 문장을 지었으나 쌀을 일듯이 일거나 삭제해 버리는 일은 없었습니다. 세상을 근심하고 풍속에 가슴 아파하는 뜻을 여러 번 언사나 시에서 드러내군 하였습니다. 항상 자성들에게 이렇게 경계하곤 하였습니다. "사악한 학설이 가져오는 재난은 홍수나 맹수보다도 더 심하다. 지금 세상에서 신학(新學)이라고 운운하는 것들은 모두 인간 윤리를 절단하는 도(道)이다. 인간 윤리를 절단 내는 것들과 사나운 짐승들이 어찌 명분이 바른 것을 고를 수 있으며, 사리와 의리를 분변할 수 있겠는가?" 끊고 베듯이 자르며, 결단을 내리는 데는 불가침범이라는 늠름한 기상이 돋보이고 있습니다. 오호라! 세상이 날마다 쇠퇴해지며 마치도 물이 붇는 것처럼 갈수록 깊어만 지고 있습니다. 아들이나 손자들이 점점 세속에 물들어 더는 구해내지 못하게 되자 통곡을 하고, 절식을 하였는데 때로는 몇날 며칠을 끌었습니다. 평소에 펴낸 시와 문장들이 쌓이고 쌓여 권질(卷帙)을 이루었지만, 모두 손수 불살라버리면서 "지금 세상을 만나니 성현들의 훈고(訓詁)는 마치도 관례 때에 한 번만 쓰는 치포관이나 동자의 더펄머리처럼 쓸모없는 변모(弁髦)로 되었으니, 이따위 문자들을 두었다가 어느 짝에 쓰겠는가?"라고 말하였습니다. 그렇지만 불초자는 그때 전에 공에게서 학문을 익힐 때의 답경의설(答經義說) 한 편을 진귀한 보물처럼 간직하고 있었습니다. "정회(正會)야, 요(堯)임금이 이미 만방을 협화(協化萬邦)하였지만, 순(舜)은 또 설(契)에게 명을 내려 이렇게 말한 적이 있다. '백성들이 가까이하지 않고, 오품(五品)벼슬들이 불손하고 있으니, 이것에 의혹을 품지 않을 수가 없다.' 단지 이 한 마디를 보더라도 안으로 앞으로 나아가려는 경향이 보이고 있습니다. 대개 성현들의 가르침은 모두 아직 미연(未然)일 때에 베푼 것이지, 그것들이 이미 그렇게 변해버린 이연(已然)에 힘을 쓰는 것이 아니다. 요와 순 임금 때에 어떻게 가까이하지 않고 불손하게 하는 일이 있을 수 있었겠느냐? 위에 있는 사람들의 교화(敎化)가 단 하루라도 사라지게 되면, 세속의 풍습이 퇴패(頹敗)하는 현실이 곧 눈앞에 나타나기 마련이다. 다섯 가지를 가르친다는 오교(五敎)는 교화를 바로잡는 근본이니, 어찌 공경하지 않을 수 있고, 명(命)으로 간주하지 않을 수가 있겠느냐? 그렇다면 대순(大舜)의 뜻은 다만 미연(未然)일 적에 근심한다는 것이지, 그것들이 이연(已然)으로 된 것을 보고서 이 말을 한 것은 아니다. 요(堯), 순(舜), 우(禹)가 대를 전할 때에는, 서로 정일집중(精一執中)으로 경계하였는데, 하물며 그들의 백성을 위하여 그 가르침을 세우는데 있어서야! 저 인군(人君)들이 교화(敎化)로 만민(萬民)들을 화(化)하는 것은 마치도 천지(天地)의 기(氣)가 화(化)하여 만민(萬民)을 만들어내는 것과 마찬가지이다. 만약 기(氣)가 변한 것이 성실(誠)하지 못하다고 한다면, 사물(物)은 생겨날 수가 없기 마련이고, 교화(敎化)가 중간에서 끊어지게 된다면, 백성들은 교화(敎化)될 수 없게 되는 법이다. 순(舜)이 어떻게 지극하게 다스린 요임금의 정사만을 믿고 편안하게 지낼 수가 있단 말이냐? 문왕(文王)과 같은 사람을 기다리지 않고, 일어난 사람들은 오로지 호걸들 뿐이다. 그들을 거느리고 포학하게 나간다면 포학해지고, 그들을 거느리고 어질게 나간다면 어질게 되는 것은 바로 백성들입니다. 바로 이 점에서 성인들도 경계를 하고 삼가면서 두려워하고 있을 따름이다."

 오호라! 공(公)의 글로 가히 전해내려 갈 것은 너무도 적료(寂寥)하여, 오직 이 한 편의 글만 남아있을 뿐 입니다. 이로부터 더욱 세상에 뜻을 두지 않고 개연히 천고(千古)에 남길 불평(不平)의 기(氣)를 지니고 있다는 것을 알 수 있습니다. 공은 날마다 촌 늙은이들이거나 고기잡이꾼들과 함께 벗이 되어 논밭 사이로 오갔을 뿐이었습니다. 이해 겨울에 우연히 풍에 걸려 기거를 마음대로 하지 못하였으나, 정신 상태만은 예전처럼 태연자약하였다. 미미(亹亹)한 가르침은 가무(家務)에 삐치지 않고 다만 세도(世道)에 관한 것들이었습니다.

 몇 달 동안 누어 계시더니 끝내 세상을 떠나셨는데, 바로 을해(乙亥; 서기1935) 12월 26일이며, 향년 일흔이었습니다. 병환이 한창 위중하실 때, 자식들과 조카들을 외출하지 말라고 명을 내리더니, 해가 졌는가를 물어보고는 조용히 세상을 떠나갔다. 여기에서도 역시 평소의 수양으로 말미암아 능히 이렇게 할 수 있었다는 것을 알 수 있습니다. 이듬해 2월 6일에 성송의 청송 후록(星松靑松後麓)에 장사(葬事)하였습니다. 글을 써서 제문(祭文)을 들고 온 사람들은 모두 공(公)은 뜻이 돈독하고 기운껏 실행하였다고 칭찬하였습니다. 이것은 대개 공이 실제적으로 행동에 옮기였기 때문입니다.

 배(配)전의 이씨(全義 李氏)는 근하(根夏)의 따님인데 전산군(全山君) 수남(壽男)의 후손으로, 공보다 36년 먼저 졸하였고, 합장하였습니다.

 계배(繼配) 장택 고씨(長澤 高氏)는 광한(光漢)의 따님이고 제봉 경명(霽奉 敬命)의 후손으로 공보다 17년 늦게 태어났고, 공보다 32년 앞서 몰하였으며, 묘는 고수의 학동 좌록(鶴洞左麓)에 있습니다.

 계배(繼配) 옥천 조씨(沃川 趙氏)는 광수(光洙)의 따님입니다.

 아들 재우(在禹), 그리고 고재면(高在冕), 정휴(鄭休)에게 시집간 딸들은 이씨(李氏)의 소생입니다. 이재식(李在植)에게 시집을 간 딸은 고씨의 소생입니다. 아들 재규, 김도(金濤)에게 시집을 간 딸은 조씨의 소생입니다.

 재우의 아들은 노회(櫓會) 명회(明會)이고, 딸들은 고광표(高光杓), 홍영기(洪泳基)에게 시집을 갔습니다.

 재규의 아들은 형회(亨會)입니다.

 생각하여 보니, 공(公)은 지극히 강직한 기(氣)를 타고 났고, 정직함으로 그것을 키웠으며 근검절약하는 덕성을 지니고 항구적으로 그것을 지켜왔습니다. 오로지 정직하였으므로 안팎이 다르지 않았으며, 오로지 항구적이였으므로 시종여일하게 행동하였습니다. 오직 효성과 우애로 한 집안을 다스려 왔고, 순수하고 정직하고 엄하고 강의(剛毅)하게 자기의 심성(心性)을 닦아왔습니다. 사물을 처리함에 있어서는 주도하고 상세하고 면밀하였고, 무릇 남들과 사귀면 표폭(表幅)하지 않고, 의롭지 못한 것에 대하여서는 조금도 사정을 두지 않았습니다. 이리하여 향(鄕)의 사람들 가운데서 착한 자는 그를 즐기었지만, 착하지 못한 자들은 그를 두려워하였습니다. 어려서부터 스승의 문하를 찾아들어 문호를 바르게 잡았으며, 대도(大道)의 요해를 들어 알게 된 후, 전심전의로 힘 다해 배웠고, 글귀에서는 그 뜻을 구하였고, 그 뜻을 한 눈끔씩 자래우고, 한치씩 누적하였던 것입니다. 동지섣달 찬바람이 기승을 부리고 삼복염천 찌는 듯한 무더위가 사람을 못살게 굴어도, 잠간 사이에도 한가한 적이 없었습니다. 그가 즐기는 것은 착한 것(善)이고 그가 받드는 것은 뜻(志)이었습니다. 태만한 기운은 몸에 지니지 않았고, 비속한 언사는 입에 담지 않았습니다. 바른 것을 부축이고 사악한 것은 질책(扶正斥邪)하였는데, 나이가 들면 들수록 더욱 돈독하였습니다. 이는 확실하게 힘을 낸 것이며, 자신의 마음을 굳게 다졌기 때문입니다. 천만 사람들이 아무리 칭찬을 하다고 하여도, 노력이 더 보태지지 않았고, 천만 사람이 헐뜯는다고 하여도 저정(阻挺)으로 느끼지 않아, 어이 보면 한겨울 추위에 푸름을 자랑하는 송백과도 같았고, 사나운 파도에는 끄떡없는 저주산과 방불하였습니다. 성리(性理)의 미묘함으로 마음을 가다듬고 추역(紬繹)⁴⁾하였고, 복잡하고 다단한 사물들을 방법을 대여 처리하였습니다. 무릇 사문(斯文)에 큰 의론이 생기면 공평을 앞세우고 한두 마디로 풀어놓았습니다. 이로 하여 선비들의 논의는 모두 그에게로 쏠리게 되었습니다. 장중하고 엄숙한 기상으로 하여, 사람들은 마치 북두성을 바라보고 태산을 바라보듯이 그를 우러러보았습니다. 화기로운 기운이 돌아 그와 접촉을 하기만 해도 마치도 따스한 봄바람이 옷자락으로 스며드는 듯 하였습니다. 견식이 높았지만도 겸허하게 보아내지 못한 듯 하였고, 돈독하게 실천을 하지만도 마치도 얻어내지 못한 듯이 노력을 하였습니다. 《중용》에서 말한 바가 있습니다. "배우지 않음이 있을지언정, 배울진댄 능통하지 못함을 그대로 두지 말며, 묻지 않음이 있을지언정, 물을진댄 알지 못함을 그대로 두지 말며, 생각하지 않음이 있을지언정, 생각할진댄 얻지 못함을 그대로 두지 말며, 분별하지 않음이 있을지언정, 분별할진댄 명백하지 못함을 그대로 두지 말며, 행하지 않음이 있을지언정, 행할진댄 독실하지 못함을 그대로 두지말아야 한다." 공의 자취를 더듬어보면 아마 여기에 힘을 많이 기우린 듯합니다. 다만 공이 남긴 시와 문장이 전해지지 않아, 비록 후생들에게 개탄할 수 있는 여한을 남기기는 하였지만, 지금 세상에서 붓을 잡고 먹을 묻혀 적어놓은 글들이 책장에 넘치고, 상자가 터질 지경으로 쌓여 있지만, 제 철에 울어대는 벌레나 새들과 마찬가지로, 단지 자기의 불평을 털어놓는데 불과하여, 전해진다고 하여도 세상의 교화(敎化)에 보탬이 없을 것이니, 전해지지 않는다고, 모자라는 것은 없을 것입니다. 그러나 공의 지행 의덕(至行懿德)은 사람들의 이목에 남아있으니, 비록 남긴 글이 없다고 하여도, 길이 남아있을 것은 의심할 바 없습니다.

---

4) 실마리를 뽑아내어 찾음.

오호라! 정회는 공(公)의 종조손으로 어려서부터 각별한 사랑을 받아왔습니다. 그때 직접 받은 지론(至論)과 격언(格言)은 언제나 귀에 쟁쟁하고, 가슴속에 가득 차 있습니다. 그렇지만 바탕이 질박하고 노둔하며 재간이 없어, 그것들을 힘 있게 실행하지 못하였으니, 전날의 그 기대에 어긋나게 된 것이므로, 이보다 더 큰 죄는 아마 없을 것입니다. 오늘 영연(靈筵)5)을 물리게 되면 성음이나 용모를 영별하게 됩니다. 세월이 흐를수록 잊여질가 두려워, 감히 한두 가지나마 서술하여, 지덕(知德)군자들이 알아보는 바탕으로 삼고자 합니다.

무인(戊寅 ; 서기 1938) 팔월 일 종손 종회가 삼가 지음.

從祖恒齋府君家狀

公諱純默, 字德文, 恒齋其號也。金氏系出安東, 有諱方慶, 有大勳勞, 封上洛開國公, 諡忠烈。寔其鼻祖。是生諱恂, 密直使, 襲封上洛君, 諡文英。累傳至諱士衡, 始仕本朝, 左議政, 封上洛伯府院君, 諡翼元。是生諱陞, 左贊成。三傳而諱乙萬, 通贊, 斥疏金安老, 南遯于茂松。是生諱福重, 蔭通贊。是生諱質, 進士, 與金河西, 柳眉巖諸先生, 爲道義交。經明行修, 植儒有功。連遭考妣及承重喪, 啜粥廬墓十二年, 累致感物之異。金河西額其堂曰永慕, 柳眉巖記之。聞于朝, 命旌其閭。薦于天子, 皇朝又命旌。士林建祠道巖。三傳而諱景哲, 南原教授, 號隱松。龍蛇之變, 擧義旅, 戰守皆有績。逆适叛, 收率義士, 中路聞賊平而還, 配享道巖祠。於公爲九世以上也。高祖諱奎瑞, 曾祖諱振基, 祖諱養大, 進士, 以優老恩例授通政。蘆沙奇先生亟稱於士友, 曰 : "一鄕有如金某一人, 則可使鄕風美矣。"考晚睡堂, 諱榮喆, 生員。豪邁英俊, 有需世澤物之志。而遭世孔艱, 有志未就。蓋累世不顯, 而皆有潛德幽光。故誄其行者, 皆當世名公大人也。妣蔚山金氏, 邦豐女。河西先生后, 賢淑有女士行。凡擧五男, 公卽其第三也。以高宗丙寅十一月四日降生于高敞之道山里第。幼而魁偉嚴整, 才諝器局, 衆中殊表。甫就外傳, 不煩程督而能自劬書, 甚解字義。丈人行皆以遠大期之。年纔逾十五, 見家事幹蠱無主, 曰 : "畊讀 不可偏廢。"晝則耕稼漁樵, 絪屨織席, 無不爲之。而夜則雖盛暑潦雨, 必誦讀經傳, 無暫閑時刻, 若是者十數年。生計稍饒, 是弱冠前後也。又曰 : "讀書修已, 吾

---

5) 신위(神位), 영상(靈牀)

儒本分。富貴利達，曰有命焉。"慨然以早不勤學爲憂，乃贄謁于崔勉庵先生，執經質疑。亟以篤志受獎。先生嘗以書贈，略曰："人有是身，則必有是心。有是心，則亦有公私、善惡之別。操舍存亡，其間毫釐，而一身是非，得失家國天下之興亡。治亂皆由是判焉。"蓋以心法相傳也。自是以後，奮發勵志，屛處一室，搜括經傳。夜以繼日，所造日深，所見日高。尤用力於庸、學、語、孟、雅言。曰："此二書，體用俱備，舍此，無以爲進德之基。"仰思俯讀，必以踐履爲主。疑而思，思而悟，怳然忘寢與食，期臻昭曠之域，而仡仡孳孳，不以事物經心焉。又工於楷法，筆力遒勁。短碣脩碑，無不被其澤。爲人科場之書，多出公手，而亦不以是自多。晚睡公嘗患重病三數年委席，而公憂惶未暇，未嘗解衣，醫藥調護，靡不用極。及其遭艱也，易戚俱至，初終凡百，必誠必謹，能無遺憾。每先忌，必前期齊沐，如見所爲齊者。遂於禮學，遠近士友，坌然就質。親戚知舊訃聞，必匍匐往恤，以盡其心。家間雖小兒有疾病，必朝夕往問，不以親疏有間。凡臨事，勤且誠，蓋其天性然也。先墓立石，必親自磨礱，不使人代。遠世先墓，石儀之闕者十數處，而公獨賢勞，一一竪之，各置祭田，以備香火之資。殫誠於晚睡堂建築，終始董役。嘉卉嘉木，遠致之窮山絶海，而手植於左右。鑿池種蓮，引流汲泉，別搆小亭，名曰水亭。此是在公爲疏節，亦可見其慕先之誠也。日與門生後輩，講磨於先亭。諄諄敎誨，先操履而後文藝。質疑問辨，毫分縷析，如庖丁解牛，恢恢有餘地。嘗手書揭于壁上，曰："凡事若待其自然，則無可爲之日。必須勉强，庶幾及之。汝輩體驗於日用間，則可知此言不妄也。"常目於朱書綱目，性理心經等書，每語學者，曰："學問頭顱在性理書。小學，小子之學，而首之以天道人性。近思錄，四子之楷梯，而首之以心性說。"晦翁之微意，此亦可見。我東諸賢，書無不陟獵，而其說理氣處，尤探索不置，如誦已。言或有不合於朱子說者，則曰："其資品之高，下雖不敢論，而一生用力無有如朱子者。"其篤信聖賢，類皆如此。最悅服於奇蘆沙先生，納凉私議，潛心紬繹，怡然而悟，著爲成書。又有詩一句，曰："習成去處同還異，各具來時偏亦全。"非實見得，安能如此道得？晚又築一始坮於小溪中，曰滄浪臺，以寓淸濁自取之意。荷衣蕙帶，日逍遙其上，或往而忘歸。每良辰吉日，則與門生及兒孫輩，往還於山椒水涯。遇境輒寫，曼聲長吟。詩止乎寫情，文止乎達意。信筆成章，不事淘刪。憫時病俗之意，屢發於言論詩文之間。恒戒子姓曰："邪說之害，甚於洪水猛獸。今世所謂新學云者，乃絶倫之道也。絶倫與禽獸，奚擇名分之正，利義之辨。"斬釘截鐵，凛凛乎有不可犯者矣。嗚呼！世道日下, 如水益深. 兒孫輩稍稍染俗, 知不可救, 則痛哭絶食, 或至數日. 平日所著詩文, 積成卷帙, 而皆手自火焉. 曰:"到今之世, 聖賢訓詁, 皆爲弁髦. 此等文字, 有何所用."但不肯疇昔受學於公, 時有答經義說一篇, 以爲珍藏其說. 曰:"正會兒, 以堯已協化萬邦, 而舜又命契, 曰:'百姓不親, 五品不遜. 此不能無致疑焉.'只此一着, 可有進步向上者也. 蓋聖賢之教, 皆施於未然, 而不待其已然而用力也. 堯舜之時. 豈有不親不遜底事? 若上之教化一日或息, 則風俗之頹敗卽隨而至. 五教, 正教化之本, 豈不以敬, 敷爲命乎? 然則大舜之意, 只有憂於未然, 不是見其已然, 而有此言也. 且堯舜禹相傳之時, 相戒以精一執中. 聖人授受, 亦有此相戒. 況錄其民而立其教乎? 夫人君教化之化萬民, 如天地氣化之生萬民也. 若氣化不誠, 則物不生. 教化間斷, 則民不化矣. 舜豈可徒恃堯之至治而無爲乎? 若夫不待文王而興者, 惟豪傑之士而已. 率之以暴而暴, 率之以仁而仁, 惟百姓然也. 惟於此處, 聖人亦戒, 愼恐懼也已."嗚呼! 公之文可傳者寂寥, 此一篇而已. 自是益無意於世, 慨然有千古不平之氣. 日與野老溪叟爲友, 往來於畎畝之間. 是年冬, 偶患風崇, 起臥不任, 而神精自若. 亹亹教誨不及於家務, 而惟 眷眷於世道. 沉綿數月而終, 乙亥十二月二十六日也, 享年七十. 方其疾革, 命子姪勿出外, 問日晏, 恬然而逝. 亦可見平日素養之攸致也. 以翌年二月六日, 葬于星松之靑松後麓. 操文以祭者, 皆稱 其篤志力行. 蓋其實行然也. 配全義李氏, 根夏女. 全山君壽男后, 先公二年生, 先公三十六年坊, 墓同兆. 繼配長澤高氏, 光漢女. 霽峯敬命后, 後公十七年生, 先公三十二年坊, 墓在右水之鶴洞左麓. 繼配沃川趙氏, 光洙女. 男在禹. 女, 高在冕、鄭休, 李氏出. 女, 李在植, 高氏出. 男在弓, 女, 金濤趙氏出. 在禹男櫓會、明會. 女, 高光杓、洪泳基. 在弓 男亨會. 惟公禀至剛之氣, 而養之以直. 有勤儉之德, 而守之以恒. 惟其直也, 是以表裏無間. 惟其恒也, 是以終始如一. 惟孝友于爲一家之政, 修己也純正而嚴毅. 接物也周詳而縝密, 凡與人交, 不事表幅, 見不義少不假借. 是以鄕人之善者好之, 其不善者畏之. 早登師門, 門路旣正. 得聞大道之要, 專心力學字, 求其義句, 求其旨銖累寸積. 祁寒暑雨(雨)造次顚沛, 未嘗有斯須之間所樂者. 善所尙者志, 怠慢之氣不設於身. 鄙俚之言不出諸口. 扶正斥邪, 至老彌篤, 用力之確也, 自守之堅也, 千萬人譽之而不加勸. 千萬人毁之而不加阻, 挺然大冬之松栢, 嶷然頹波之砥柱. 性理之微妙也, 而潛心紬繹. 事物之紏紛也, 而處之有方. 凡有斯文大議論, 則執衡公平, 片言折之。士論咸歸焉。莊嚴之氣, 望之如山岳。和沖之意, 卽之如春風。見識既高, 謙謙然如未及見。踐履既篤勉勉乎？如未有得。中庸曰："有弗學, 學之弗能, 弗措也。有不問, 問之弗知, 不措也。有弗思, 思之不得, 弗措也。有不辨, 辨之不明, 弗措也。有不行, 行之弗篤, 弗措也。"迹公生平, 用力殆庶幾乎此矣。惟其詩文之無傳, 雖爲後生之慨恨。而世之操觚弄墨, 文稿溢架盈篋, 而只是候虫時鳥之自鳴其不平者, 傳之無補, 不傳亦無闕。而公之至行懿德, 在人耳目, 雖無遺文, 可徵於久遠而無惑矣。嗚呼！正會以公之從祖孫, 自幼受敎荷愛偏重。至論格言之親承於當日者, 不啻充耳盈腹, 而質魯才下, 行之不力, 無以副宿昔之望, 罪孰大焉。今則靈筵既撤, 音容永隔, 懼夫愈遠愈忘。故敢叙述 其一二, 以質于知德之君。

于戊寅八月日　從孫正會謹識

선고 회천부군 가장(先考 晦泉府君 家狀)

　　오호라! 생각해보니 우리 선군(先君)께서 불초(不肖) 고아(孤輩)를 버리고 떠나신 지가 어언간 3년이라는 세월이 흘렀습니다. 성덕(盛德)을 기록하지 못하고, 후세들에게 명백하게 전하지 못할 것이 두려워 가슴을 아파하며 밤에 낮을 잇고 있지만, 이 일이 워낙 지극히 무거운 일인지라 입언(立言)[6]할 군자들의 손을 빌리지 않으면 전할 수 없을 것 같았습니다. 그렇지만 당금 세상에서 북두(北斗)나 태산(泰山)처럼 명망을 지닌 분은 애오라지 문하(門下) 밖에 없었는데, 게다가 불초자는 무상(無狀)하여, 옛날부터 주고 받고한 온 가문에 외람되기는 하지만, 어려서부터 나를 알아주고 덕목(德目)의 가르침을 직접 받은 내가, 그래도 백 세대를 내려가면서 명성을 듣고 떨쳐 일어난 사람들을 능가할 것 같았습니다. 이리하여 주살과 책벌을 받는 것도 아랑곳하지 않고, 비통함을 무릅쓰고 이마를 조아리며 진정을 우러러 올리는 바입니다. 엎드려 생각하니, 가엾게 살피시고 받아들이시기를 바라는 바입니다.

　　오호라! 선군은 휘가 재종(在鍾), 자는 백응(伯應), 회암산(晦庵山)하에 자리 잡고 있었으므로 사우(士友)들은 '회천(晦泉)'이라고 칭하였습니다.

　　김씨는 본이 안동(安東)인데, 명성을 떨치기 시작한 것은 고려시기의 상락백(上洛

---

[6] 후세에 모범이 될 만한 말을 함. 의견을 세상에 발표함.

伯), 충렬공(忠烈公) 휘 방경(方慶)으로부터입니다. 본조(本朝)에 들어서서, 휘 사형(士衡)은 좌의정(左議政)으로 있었고, 시호는 익원(翼元)이었습니다. 몇 대를 지나 영모당(永慕堂)에 이르는데, 영모당은 휘가 질(質)이고 진사(進士)이며, 지극한 효성으로 조정에 알려져 정려(旌閭)를 내려 표창하였고 천자에게 천거하여 황조에서 또 정려를 내려 표창하였으며, 사림에서는 도암사(道巖祠를) 세웠습니다. 3대에 전하여 은송당(隱松堂) 휘 경철(景哲)은 남원 교수를 담당하였고 충의와 학행이 있었으며, 도암사에 배향하였는데, 이가 10세입니다.

고조의 휘는 진기(振基)입니다. 증조의 휘는 양대(養大)인데 진사이며, 늙은이를 존중한다는 옛 규례에 좇아 통정(通政)으로 승천하였고, 처음으로 무송(茂松)에서 고창(高敞)의 도산(道山)으로 와 처음으로 살았습니다. 효성이 있고 우애하고 순수하고 질박하여 옛 군자의 풍도를 지니고 있었습니다. 최면암 익현(崔勉庵益鉉)이 묘갈(墓碣)을 지었습니다.

조부 만수당(晚睡堂)은 휘가 영철(榮喆), 생원(生員)이며, 인(仁)을 쌓고 의(義)를 행하여, 지금까지도 사람들은 그를 기송사(奇松沙)라고 부릅니다. 우만(宇萬)이 그의 당기(堂記)를 지었고, 묘의 명문(銘文)을 지었습니다. 아들 다섯을 두었는데, 장자는 휘 학묵(學黙)이고 이가 선군의 후고(後考)입니다.

모친 고씨(高氏)는 제국(濟國)의 따님이며, 제봉(霽峯)의 후예입니다.

본래 생고(生考)의 휘는 응묵(應黙)인데, 이가 후에 중부(仲父)로 됩니다.

본래 생비(生妣)는 기씨(奇氏)이며, 고봉(高峯)의 후예입니다. 생비는 선군(先君)을 경진(庚辰. 서기 1880) 6월 30일 병인 신시(申時)에 낳았습니다.

의표가 단정하고 남달리 총혜하였습니다. 방금 사숙(私塾)에 들어갔을 때 한번 본 것은 잊지를 않았습니다. 사숙(私塾) 선생이 그의 재간을 알아보고자, 아침에 주돈이(周敦頤)가 지은 《통서(通書)》 삼백 행을 가르쳤더니, 저녁에 이미 막힘없이 줄줄 내리외웠고, 글자 한자 틀리지 않았습니다. 문리(文理)는 막힘없이 이해하였고, 견식은 깊고도 엄박(淹博)[7]하였습니다. 시와 문장은 방금 읊기만 해도 어느 새 세간 사람들의 입에 오르기 시작하였습니다. 만수당(晚睡堂)께서 그를 무척 귀여워하면서 "우리 집의 문헌은 정녕 이 아이에게 달려있을 것이다."라고 말하였습니다. 약관이 안 되어 송사 기 선생(松沙 奇先生)을 스승으로 섬기고, 의귀(依歸)할 곳으로 삼았으며, 전문 강학을 들었으므로 제자백가의 저작들을 관통하지 않은 것이 없었습니다. 소견은 날로 높아졌고, 조예는 깊어만 가서, 마치도 강물이 사품 치며 거침없이 아래로 흘러가

---

7) 학식이 매우 깊고 넓다.

는 듯하여, 문하의 제자로서 그를 앞서 가는 자가 없었습니다. 기 선생은 그에게 각별한 기대를 걸고 있었습니다. 이로부터, 그의 명성은 영남호남에 널리 알려져, 유명한 석학들과 서로 오가며 수창(酬唱)[8]을 하였는데, 어느 하루도 조용한 적이 없었습니다.

  만수공이 병석에 4년 동안 누워계셨는데, 선군은 잠시도 그 곁을 떠나지 않고 가까이에서 시중을 들었고, 의원을 청하고 좋은 약이란 두루 다 써보았습니다. 신해(辛亥; 서기 1911) 년에 공이 세상을 뜨자, 상례나 장례나 하나 같이 예의 제도에 따랐습니다. 계축(癸丑, 서기 1913)에 만수당(晚睡堂)을 세웠는데, 공이 지팡이를 짚고 땅을 둘러보았습니다. 또 얼마 안 되어 선조를 모시는 묘당(廟堂)을 지었습니다. 만수공이 세상을 떠나자, 염습으로부터 장(葬)까지의 일, 그리고 석의(石儀)를 세우는 일 등 여러 가지 일에 성심을 다하고 삼가면서, 여한을 남기지 않게 처리하였습니다. 선조의 뜻을 이어 당(堂)을 세우고 편액(扁額)은 만수당이 지은 이름을 사용하여 선조를 그리는 정을 담았습니다. 정사(丁巳;서기 1917) 년에는 외간(外艱)[9]을 당하여 정감적으로나 물질적으로 지극한 정성을 다하였으며, 항상 끝까지 모시지 못한 것을 극도로 되는 한으로 삼았습니다. 홀로 남은 어머니를 효도를 다해 모시었고, 마음을 편하게 해드리고 일상 물질적 생활을 극도로 보살펴 드렸습니다. 무릇 크고 작은 일을 가리지 않고 반드시 어머니에게 품(禀)하고서야 행하였으며, 밖으로부터 들여온 물건이라면 꼭 어머니의 면전에 펼쳐 보이군 하였으며, 언제나 밝은 얼굴로 곁에서 시중을 들면서, 어머니가 마음속으로 만족하게 모시었습니다. 혼정신성하였고 겨울에는 따스함을, 여름에는 시원함을 보살펴드렸습니다. 먼 길을 떠나지 않았고, 떠나면 반드시 미리 여쭈었고, 돌아오면 반드시 먼저 배알하였습니다. 이것은 선군(先君)에게 있어서는 자그마한 일에 불과하였으나, 그의 정성을 남김없이 보여주었습니다. 항재공(恒齋公)을 마치도 엄부(嚴父)를 모시듯이 모시면서, 나들거나 만나 뵙고 물러가는 예의에서, 질의를 하며 문답하는 면에서 절대로 상도(常道)를 잃지 않았습니다. 항재공도 역시 그를 대단히 믿어주었습니다. 사람들은 그를 오늘날의 원함(阮咸)이라고 칭하였습니다. 선세(先世)의 기일(忌日)이면 반드시 목욕재계를 하고 소식(素食)하였으며, 몸소 제사음식을 두루 살펴보면서 만약 미비한 것을 발견하면, 반드시 먼 곳에서 구해오더라도 절대로 빼놓지 않게 만들었습니다. 가묘(家廟)는 먼저 종(宗)으로부터 세우고, 후에 먼 선조의 부조묘(不祧廟)에 미치게 하였습니다. 후손들이 미약하여

---

8) 시가(詩歌)를 서로 주고 받으며 부름.
9) 아버지의 상사(喪事).

향화(香火)를 모시지 못하게 되자, 가묘(家廟)를 자기가 살고 있는 동네로 옮겨와 종친을 거느리고 지키었으며, 제전(祭田)을 마련하여 제사를 이어가는 자금으로 삼았습니다. 집에 있으면 돈독하게 은혜를 베풀고 의리를 지키며 인간 윤리를 바르게 잡는 것을 근본으로 삼았습니다. 자식들과 조카들을 가르침에 피곤을 몰랐고 여러 사람들과 우애롭게 지내면서 얼굴 한번 붉히지 않았습니다. 은혜와 사랑을 두루 베풀고 게다가 엄하고 바르게 처사하였으며, 여종과 노복들에 대하여서는 신임과 위엄을 함께 사용하여, 가문에서는 화기가 돌았습니다. 가산(家産)을 다스리는 데에 상도(常道)가 있어, 자그마한 일에 서두르지 않아, 조상이 물려준 업이 배로 늘어나게 되었습니다. 항상 이렇게 말하곤 하였습니다. "내가 재질이 좋아 이렇게 된 것이 아니라, 선조의 음덕(蔭德)이 두텁기 때문이다." 옷은 가볍고도 따스한 것을 추구하지 않았고, 먹는 것은 별미를 추구하지 않았으며, 자기가 가지는 것은 적었고, 의리로 도와주어야 할 때에는 쌀은 곡창 채로, 보리는 배 채로 주면서도 아까와 하지 않았다. 가까운 것으로는 일 가문, 먼 것으로는 종친들, 그리고 사돈이거나 교분이 깊은 친구들로서 그의 힘에 의해 생활을 유지하게 된 사람들이 대단히 많았습니다. 무릇 사람들이 상(喪)을 당하면 반드시 포복(匍匐)하여 가 문상을 하였고, 가난하여 시집장가를 가지 못하거나 장례를 치르지 못하는 사람들은 때를 놓치지 않게 도와주었습니다. 매 번 기황이 들면 두루 구휼(救恤)하였는데, 지어 동네 사람들에게까지 은혜를 미친 것이 부지기수였기 때문에, 동네 사람들은 그것을 잊지 못해 '영사(永思)' 비석을 세워놓았습니다. 사람들이 선한 일을 하였다는 소문을 들으면, 반드시 칭찬하여 주었고, 사람들이 잘못을 빚어내면 단단히 경을 치르게 하는 것이 아니라, 조용히 불러 의리로 차근차근 타일러 당사자로 하여금 스스로 뉘우치게 하였습니다. 남의 자제들에 대해서는 효제(孝悌)는 장려하며 면려하였고, 농상공고(農商工賈)에 이르기까지도 그들이 경영하는 일에 따라 깨우쳐주었습니다. 빈객(賓客)들이 분주하게 드나들었는데, 반드시 술상을 챙겼고, 접대함에 도(道)가 있었고 예의로 맞아들이고 바래주었습니다. 기무(機務)가 쌓여있었지만 언제나 너그러운 마음으로 여유가 있었으므로 사람들은 가정 내부에서 목청을 높이는 일을 보지 못했습니다. 향(鄕)에서는 시끄러운 일이 생기면 모두 선군에게 위임하여 처리하게 하였는데, 선군은 번거롭게 여기지 않고 침착한 태도로 전일하게 처리하여, 인망이 돌아오게 하였습니다. 언제 한 번 한 장의 고소장을 쓴 적도 없었고, 사람들도 역시 소송을 하는 것도 없었습니다. 언젠가는 어떤 사람이 땅이 비옥하니 척박하니 하면서 선군과 다투어 들자, 선군은 그와 조금도 따지지 않고, 아예 비옥한 땅을 그에게 내어주고, 자기가 척박한 땅을 가지면서도, 얼굴에 아까워

하는 빛을 전혀 드러내앉아, 사람들은 한 때에 칭찬이 자자하였으며, 자기들은 그 경계에 미치지 못한다고 여기었습니다. 일찍 이렇게 말한 적이 있습니다. "대장부라면 마땅히 다른 사람을 받아들일 수가 있어야 하지, 다른 사람이 받아들이게 해서는 되지 않는다." 사문(斯文)에 대사(大事)가 생기면 선군(先君)은 먼저 꼭 그 일을 맡아 보았습니다. 교궁(校宮)10)이 무너지고 향(鄕)의 풍기가 문란해지는 것을 개연(慨然)히11) 여기고 투자를 하여, 그것을 수선하여 놓아, 향의(鄕)민속이 비변(丕變)12)하게 만들었습니다. 선현(先賢)과 원우(院宇)의 유문(遺文)을 간행하는 일이 한두 번이 아니었지만, 정성을 다하고 힘을 다하지 않은 적이 없었습니다. 어떤 무뢰한이 최면암(崔勉菴)의 영정을 찻집에 전당잡혔다는 소문을 들은 선군은 급급히 대신 그 값을 치르고, 영정을 봉환하였습니다. 선군이 현자들을 사모하는 정성은 대개 이와 같았습니다. 사색이 민첩하고 빈객들을 응수하며, 친필로 서신들을 주고받을 때, 붓끝은 마치도 줄기차게 흘러가는 강물처럼 거침이 없었습니다. 사람들은 그의 필적을 얻으면 보물처럼 진귀하게 여기고 감장하였습니다. 모아놓은 책들은 천권을 넘었는데, 가까이에 두고 섭렵하며 대수 읽어 내려갔으므로, 마치도 그리 정력을 집중하지 않은 것 같았지만, 사실상 그 대의에 통달하였습니다. 눈이 내리는 날이거나 비가 오는 날이면, 경전(經傳)을 낭송하는데 마치도 쇠 소리가 나는듯 하였습니다. 글월은 경서와 사서에서 나온 것으로 평담하고 전아하였으며, 문채는 아름다웠습니다. 시(詩)를 짓기 즐겨하였는데, 화려한 것과 실제 경물이 어울리었고 성조가 부드럽고 유창하였으며, 세속을 슬퍼하고 가슴아파하는 정서가 하나같이 시에서 피어나곤 하였습니다. 훌륭한 경물을 만나게 되면 곧 붓을 들었고, 적고나서는 곧 던져버리며 전할 생각을 하지 않았습니다. 중년에 중풍을 맞았어도 늙은 모친을 홀로 남기게 된다는 근심만 하였습니다. 몸의 왼편이 말을 듣지 않았고, 걸음걸이를 제대로 걷지 못하였지만, 자모(慈母)의 잠자리를 보살피고, 식사를 둘러보는 일은 종래로 멈추지 않았습니다. 가무(家務)는 전혀 돌아보지 않으면서도, 선조(先祖)들의 일에 정성을 다하며, 한가한 겨를이 없었습니다. 세월이 오래 지난 먼 조상들의 묘각(墓閣)들에 무너진 것들이 있으면 홀로 어진 마음으로 힘을 내여 새롭게 쌓아 놓군 하였습니다. 만수당(晩睡堂)의 묘소에 재숙(齋宿)할 곳이 없는 것을 보자, 며칠 동안 일을 벌려 으리으리하게 꾸며 놓았습

---

10) 각 고을에 있는 향교의 문묘(文廟), 재궁(齋宮).
11) 억울하고 분통하여 몹시 분하다.
12) 예로부터 내려오는 나쁜 풍속을 개뜨려 버림.

니다. 집안사람들이 이제는 조용하게 섭양(攝養)¹³⁾하라고 권고하였지만, 선군은 듣지 않고 날마다 문인 운사들과 어울리어 강론(講論)을 멈추지 않았으며, 과일(課日) 음영(吟詠)하다가 삼년이 지난 무인년(戊寅, 서기 1938) 시월에 병이 더 위중하여져 죽도 넘기지 못하게 되었지만도 노모의 침식은 반드시 물어보곤 하였습니다. 25일에 병이 위독해지자 자제들과 지구(知舊)¹⁴⁾들에게 "노모가 당상(堂上)에 계시는데, 이 길을 가야만 하니, 이보다 더 큰 죄가 어디에 있겠느냐!"라는 말을 남기고는, 곧 세상을 하직하였습니다. 향년이 겨우 쉰아홉이었습니다.

오호라! 가슴이 미어집니다. 그때 불초자는 시질(時疾)에 걸려 머리조차 들 수 없을 정도였고, 동경(東京)에 있던 막내 동생 순회(舜會)가 부고를 듣고, 서둘러 길을 떠나기는 하였지만, 염습(殮襲)이 끝난 다음에야 겨우 집에 당도하였던 것입니다. 부고를 받은 향(鄕)의 사우(士友)들과 동네의 남녀, 저자거리에 오가던 사람들은 어느 누가 달려가며 한탄을 하지 않은 사람들이 없었습니다. 이 해 12월 10일에 양지(養志) 뒷산의 선영 오른 쪽에 장사(葬事)하였습니다. 시(詩)를 만사(輓詞)로 삼거나, 문장으로 제사(題詞)를 올리는 사람들이 수백 명이 넘었지만, 모두가 인후(仁厚)하고 공경(恭敬)하고 공근(恭謹)하다고 찬송하였습니다.

선군은 광산 김씨에게 장가를 들었는데 김씨의 고(考)는 수형(壽衡)이며 추담(秋潭)의 후예입다.

3남6녀를 두었는데, 장남은 정회(正會), 다음은 장회(章會), 다음은 순회(舜會)이며 장녀는 임종혁(林鍾爀)에게 시집을 갔고, 그 아래 딸들은 장도규(張燾圭), 이병두(李丙斗), 김상일(金相一), 김용수(金龍洙), 윤치영(尹致英)에게 시집을 갔습니다.

정회(正會)는 이씨(李氏)에게 장가를 들었는데, 아들은 병수(丙洙)이고, 딸은 이신(李新)에게 시집을 갔습니다.

장회(章會)는 기씨(奇氏)에게 장가를 들었고, 아들은 성수(晟洙), 창수(昌洙)이며 딸은 아직 어립니다.

순회(舜會)는 백씨(白氏)에게 장가를 들었고, 아들은 정수(晶洙)이며 딸은 아직 어립니다.

병수(丙洙)는 김씨(金氏)에게 장가를 들었고, 아들은 경식(璟植), 명식(明植)입니다.

사위 임씨(林氏)는 2남 2녀를 두었고, 사위 장씨(張氏)는 3남을 두었으며, 사위 이씨(李氏)는 4남을 두었고, 사위 김씨(金氏)는 2남 2녀을 두었고, 사위 김씨(金氏)는 1

---

13) 양생(養生) 즉 몸과 마음을 건강하게 해서 오래 살기를 꾀함.
14) 오랜 친구

남1여를 두었다.

손자나 외손자 그리고 증손들이 도합 삼십 여명이나 됩니다.

오호라! 선군(先君)은 고명한 바탕에 전전긍긍하는 예술을 지니고 있었기 때문에, 가정교육에 물젖고, 배움을 알게 되어서부터 스승을 섬기고 친구들과 교제하는 사이에 전심전의로 힘껏 배워 몸소 그것들을 행동에 옮겼습니다. 모르는 것은 몰라도, 알면 반드시 행하였고, 행하지 않으면 몰라도, 행하면 반드시 돈독하게 하였습니다. 양친 부모를 모시면서 마음을 편히 해드리고, 물질 면에서도 만족을 주었으며, 선조들을 모시는데 있어서도 선조들을 좇아가려는 정성을 다하였습니다. 집안에서는 공경(恭敬)을 내세웠고, 동기간에는 돈독(敦篤)을 내세웠고, 사우(士友)들을 존경함에 있어서는 믿음(信)을 내세웠습니다. 차라리 남에게 괄시를 받으면 받았지, 남을 괄시하지 않았습니다. 남에게 대답한 일은 이해관계에 따라가면서 말을 바꾸지 않았으며, 다른 사람에게 베풀 때에는 보답이 없다고 달리 생각하지 않았습니다. 온화한 기운은 온 몸에 피어있었고, 개재의 뜻은 담소에 흘러넘쳤습니다. 이로 말미암아 귀하든, 천하든, 윗사람이든, 아래 사람이든, 지자나 현자든, 어리석거나 불초자이든 가리지 않고 모든 사람들이 달갑게 받아들이고, 진정 선군에게 열복(悅服)하였습니다.

오호라! 선군(先君)은 일생 동안 승선유후(承先裕後)의 도에 힘을 기우렸습니다. 선군은 항상 불초자 고아 또래에게 이렇게 말하였습니다. "우리 가문이 시례로 신중하게 처사하고, 집안을 단속하는 것을 대물림으로 한다는 이것은 너희들이 다 잘 알고 있다. 그러니 우리 선덕(先德)께서 가무(家務)를 정돈하고, 빈붕(賓朋)들을 접대한 가법을 등한히 여기지 말고, 언제나 어디서나 게을리 하지 말고 항상 그대로 지켜나가야 할 것이다." 또 말하였습니다. "반드시 틈을 없앨 줄 알아야 한다. 쓸데없는 일에 한가한 겨를을 빼앗기고 나면 글 읽을 날이 없게 된다."

오호라! 선군을 겉보기에는 부드러웠지만, 속은 강하였습니다. 사람들을 접촉하고 사물을 처리함에 있어서, 화기롭고 평이하고 온순하고 공손하였지만, 의(義)로운 일에서 불가한 것이 있으면, 엄숙하고 강의하고 장엄하고 엄격하여 에누리 없었습니다. 늠름한 그 기상에는 불가침범적 위엄이 역력하였습니다.

오호라! 선군은 평일에 겸손하고 자신을 낮추었으며, 자만하지 않았고, 자랑할 줄 몰라 마치도 아무런 실제가 없는 듯한 빈 그릇 같아 보이었지만, 자랑하지 않아도 스스로 훌륭하게 되었고, 말쑥하게 꾸미지 않았어도 스스로 결백하게 되었습니다. 교묘하게 꾸미어 명예를 가로채려는 자들을 보기만 하면, 마치도 더러운 물건을 보는 듯 하였습니다. 향중(鄕中)의 인사들이 그의 행실을 착함의 으뜸(首善)으로 여기고, 조정에 천거하고자 하였지만, 선군은 그 소문을 듣고 한사코 막아 나섰습니다. 그의 겸손한 덕성은 대개 그의 천성에서 우러나온 것입니다.

불초자 고아또래가 어찌 감히 한 마디라도 없는 말을 꾸며 선군의 뜻을 어기고 불효의 죄를 더 중하게 만들 수 있겠습니까? 평소에 하신 말씀과 문장은 산질(散帙)되고 제가 가정에서 가르침을 받을 때에 직접 듣고 기록한 몇 편만을 책궤에 보관하고 있지만, 그것은 천백에 열이나 한둘로 될 따름입니다.

오호라! 불초자가 무상하여 모실 때에는 선군의 뜻에 따르지 못하였고, 상(喪)을 당하여서도 예의를 다 갖추지 못하였습니다. 영연(靈筵)을 곧 물리려고 하지만, 덕목(德目)을 형상하는 문자도 남기지 못하였으니, 자칫하면 선군의 탁월한 행실과 고아한 의리가 사람들의 이목에 드러난 것들마저 세월의 흐름에 따라서 묻혀버리게 할 수 있으므로, 일찌감치 불후의 전기(傳記)에 맡기지 않으면 그 죄가 길이 남아 벗어나지 못하게 되고 말 것입니다. 이것으로 말미암아, 고민하며 밤낮으로 급급하게 서두르고 있는 바입니다. 둘러보니, 문장에 소문난 사람들이 이 세상에 흔하기는 하지만, 우리 선군의 덕목을 가장 깊이 알고 있고 또 불초자 등의 말을 믿어주는 사람으로는 단지 문하(門下)밖에 없습니다. 이리하여 감히 평소의 언행을 대체적으로 위와 같이 서술하기는 하였으나, 황미(荒迷)하여 누락된 것이 많고, 순서마저 제대로 갖추지 못하였는데도, 천만 다행으로 수집하여 주시기를 피눈물을 흘리며 지극히 간청하여 마지않는 바입니다.

경진(庚辰, 서기 1941)년 시월 일 불초자 정회 삼가 적음

先考晦泉府君家狀

嗚呼！惟我先君之棄不肖孤輩，己垂三載。懼夫盛德未紀，無以明示來世，疾首痛心，以日以夜。然斯事至重，非託之立言君子，莫能傳。而當今山斗之望，惟門下爲然。況不肖無狀，猥以故交家。自幼受知，獲承德教，庶有勝於百世下聞風而興者。是用不避誅責，啣哀叩誠，頓顙仰請。伏惟垂憐察納焉。嗚呼！先君諱在鍾，字伯應，居晦庵山下，士友稱晦泉。金氏本安東，其顯始於麗朝上洛伯忠烈公諱方慶。入本朝諱士衡。左議政，諡翼元。累傳而永慕堂諱質，進士，以孝聞于朝，命旌其閭，薦于天子，皇朝又命旌。士林建祠道巖。三傳而隱松堂，諱景哲，南原教授，忠義有學行，配享道巖祠。是爲十世。高祖諱振基，曾祖諱養大, 進士, 以優老恩例, 授通政, 自茂松始居高敞之道山. 孝友醇質, 有古君子風. 崔勉庵益鉉撰墓碣. 祖晚睡堂, 諱榮喆. 生員, 積仁行義, 人到于今稱之奇松沙. 宇萬記其堂, 銘其墓. 擧五男, 長諱學默, 寔先君所後考也. 母夫人高氏, 濟國女, 霽峯后. 本生考諱應默, 於銜後仲也, 本生妣奇氏, 高峯后. 生先君於庚辰六月三十日丙寅申時. 形容端正, 穎慧超倫. 甫上學, 覽輒記誦 塾師欲叩其才, 朝授通鑑書三百行, 當暮背誦無一字錯誤. 文理融解, 見識淹博. 詩文才出口, 已膾灸于世. 晚睡公鍾愛之, 曰: "吾家文獻, 必在此兒." 未弱冠, 師事奇松沙先生, 以爲依歸. 專精講學, 諸子百家, 無不貫通. 所見益高, 所造益深, 沛然如水之就下, 及門諸子莫之或先. 奇先生期許特深. 自是令聞, 日播于嶺于湖. 名碩相訪, 酬唱往復, 殆無虛日. 晚睡公沉病四載, 先君暫不離側, 左右就養, 醫藥無闕. 及其歿也, 初終凡百, 以至石儀之節, 誠愼無憾. 繼志搆堂, 顔用晚睡, 以寓羹墻之慕. 丁巳丁外憂, 情文備至, 常以不及終養爲至恨. 孝奉偏慈, 志體之養, 靡不臻極. 事無巨細, 必禀經而行. 凡物品之自外來者, 必先陳於前. 和色婉容, 談笑於侍側. 務盡慰悅之道, 若其定省而溫淸, 不遠遊. 遊有方, 出必告, 反必面, 在先君猶爲疏節也. 事恒齋公如嚴父, 出入進退, 質疑問辨, 不失常度. 恒齋公亦器重之. 人稱今之阮咸. 先世忌日, 必齊沐行素, 躬檢奠物, 或有未備, 必致之遠方而無闕. 將營家廟, 先立於宗, 而後及之遠祖不祧廟. 後孫微弱, 不能奉香火, 移建于所居洞. 率其宗而保之, 置祭田以資烝. 嘗居家, 以篤恩義正, 倫理爲本. 若子若姪, 教誨不倦. 友于群從, 無所拂戾. 慈愛周洽, 濟以嚴正. 婢僕之賤, 恩威幷行. 一門之內, 雍如也. 治産有常度, 不營營於事爲, 而倍增世業. 恒言曰: "非我能然, 惟先蔭攸厚." 衣不輕煖, 食不兼味. 自奉甚菲, 而義之所在, 則雖傾米囷而付麥舟, 無所顧戀. 親而服內, 疏而宗戚, 以及姻婭知舊待以擧火者, 甚衆. 凡民有喪, 必匍匐往問. 貧不能婚葬者, 使不失時. 每值歉荒, 周恤之及於坊曲者無筭. 居人樹永思之石, 以示不忘. 聞人有善, 必表而揚之, 見人有過, 不加顯斥, 微諷以義理, 使之自悟. 對人子弟, 獎勸孝弟, 以至農商工賈, 各因其事而寓教訓. 賓朋遝至, 必設盃盤, 接應有道, 送迎有禮. 機務萃集, 綽然有餘裕, 人不見其數數態自家政門事. 鄕里難處者, 皆委先君. 先君不煩, 辭氣從容處剸, 人望自歸. 未嘗以一紙訟人, 人亦不以訟. 嘗有一人以田地之彼薄此饒, 欲爭先君. 先君不與之較, 輒捨其饒而取其薄, 少無慳吝之色, 一時歎賞, 以爲難及. 嘗曰: "大丈夫當容人, 無以爲人所容." 凡有斯文大事, 先君必擔任之, 慨然於校宮之頹敗,鄉風之紊亂, 出而修整, 鄉俗丕變。先賢院宇遺文刊役, 不止一再, 而莫不殫誠竭力。有一無賴輩, 以崔勉庵影幀, 委典于茶店。先君聞之, 惶忙卽贖其直而奉還。慕賢之誠, 類如此也。才思捷給, 口酬賓客, 手答書疏, 筆翰如流, 人得之以爲珍藏。貯書累千卷, 置之左右, 陟獵看過, 若不經意而會通大義。每雪朝雨辰, 朗誦經傳, 若出金聲。爲文得於經史, 平淡典裁, 英辭斐然。長於諷咏, 華實相諧, 韻調和暢, 憫時病俗之意, 一於詩而發之。遇境輒寫, 寫輒遺棄, 不爲傳後計。中歲偶嬰風祟, 常以貽憂老慈爲憂。左部不仁, 行步不信, 而問寢視膳, 未之或廢。不問家務, 惟惓惓於先事之未遑。世遠墓閣之頹圮者, 獨賢出力, 易而新建。晚睡公墓齋宿無所, 不日經紀, 極其輪煥。家人請就靜攝養, 先君不聽, 日與文人韻士講論不輟, 課日吟哦。閱三年, 戊寅十月疾益沉重, 水穀不能呑, 而必問老慈寢食。至二十五日疾頓革, 謂子弟及知舊, 曰: "老母在堂, 忍作此行, 莫大之罪也." 言訖而逝, 享年僅五十九。嗚呼痛哉! 時不肖嬰時疾, 未能擡頭。季弟舜會留于東京, 聞疾亟馳, 斂後方至。訃聞鄉中士友, 坊曲男女, 市廛行路, 莫不奔走齎咨。是年十二月十日, 葬于陽支后麓先壟右。詩以挽, 文以祭者, 無慮累數百人, 而莫不以仁厚恭謹稱之。先君娶光山金氏, 壽衡其考, 秋潭后。生三男六女。男長正會、次章會、次舜會。長女林鐘嚇、次張熹圭、李丙斗、金相一、金龍洙、尹致英。正會娶李氏, 男丙洙, 女適李新。章會娶奇氏, 男晟洙、昌洙, 女幼。舜會娶白氏, 男晶洙, 女幼。丙洙娶蔚山金氏, 男璟植、明植。林壻生二男一女, 張壻生三男, 李壻生四男, 金壻生二男二女, 金壻生一男一女。內外孫曾摠三十餘人。嗚呼! 先君以高明之資, 加之戰兢之工, 旣襦染家庭, 已知向學, 及從事師友之間, 專心力學, 反躬實行。有不知, 知之必行。有不行, 行之必篤。孝親而致志物之養, 奉先而盡追遠之誠。處閨門也敬, 懷同氣也篤, 尊師友也信。寧人欺我, 無我欺人。諾人而不以利害而易辭, 施人而不以莫報而或替。和冲之氣, 達於面背。愷悌之意, 溢於言笑。是以人無貴賤上下知賢愚不肖, 無不心醉而悅服。嗚呼! 先君一生, 用力在於承先裕後之道。恒誡不肖孤等, 曰: "吾家以詩禮謹飭爲傳, 汝輩所共知, 母或忝我先德家務整頓, 賓朋酬接, 分寸暇隙, 必講究不懈。" 曰: "必待掃郤, 冗務占得優閑時節, 則無讀書之日矣。" 嗚呼! 先君外和而內剛, 待人接物, 樂易溫恭。而義有所不可, 則嚴毅莊厲, 少不假貸, 凜然有不可犯者。嗚呼! 先君平日謙謙自卑, 不伐不矜, 有若無實若虛, 不自勝而爲高。不皎皎而爲潔。視人之巧飾干譽者, 若浼焉。鄉中人士甞擧其行, 聞于首善之也。先君聞之力止之, 其撝謙之德，盖性然也。不肖孤輩，豈敢爲一毫溢美之辭，以違先君之志，以重不孝之罪哉！平日咳唾，散軼未收，親承於趨庭之間者若干篇，藏之巾衍，可謂存十一於千百。嗚呼！不肖無狀，養不能順其志，喪不能盡其禮。靈筵將撤，而狀德無文，使先君卓行高義之在人耳目者，日遠日亡，不能早托於不朽之傳，則其罪長無所逃。此所以疾首痛心，以日以夜汲汲圖之者也。顧詞華擅聲，世不乏人。而於我先君，知德最深，且以不肖等之言，不爲不信者，惟門下是仰。玆敢叙述其平日言行之大槩如右，而荒迷摧隕，譔次無倫，幸賜財擇，不勝泣血懇請之至。

　　歲庚辰十月日
　　不肖男正會謹識

호수 김공 행장 (湖叟金公行狀)

　　공의 휘는 양식(養湜), 자는 원유(元有), 호수(湖叟)는 호이다. 통정대부(通政大夫)로 발탁되었는데, 늙은이를 존중한다는 옛 법에 따른 것이다. 김씨(金氏)는 안동(安東)의 대성이다. 고려시기의 상락백 충렬공 휘 방경(方慶)이 먼 선조이다. 좌의정 휘 사형(士衡)은 본조에 들어서서 처음으로 벼슬한 선조이며 시호는 익원이다. 몇 대를 지나 통찬 휘 을만(乙萬)은 남하한 선조로서, 무장(茂長)의 갑평(甲坪)으로 내려왔고, 이리 하여 자손들이 여기에 자리 잡게 되었다. 한 대를 전하여, 휘 복중(福中)에 이르는데, 역시 통찬이다. 두 대를 전하여, 진사 휘 질(質)에 이르는데, 학자들은 그를 영모당(永慕堂)이라고 칭하였다. 연이어 노비(老妃)와 조고비(祖考妣)의 연이은 초상을 당하여 12년 동안 여모(廬墓)에서 죽을 마시었는데, 이것이 바로 그의 효성이다. 천거를 받은 본조(本朝)와 명(明)나라 조정에서는 정려(旌閭)를 내려 표창하여, 그의 효성이 천하에 알려지게 하였다. 도암사(道巖祠)를 세워 봄,가을에 향사를 지내게 하니, 이는 사림(士林)에서 숭봉(崇奉)하는 것이다. 3전하여, 생원 휘 사욱(士勗)에 이르고, 4전하여 공조참의(工曹參議)를 추증 받은 휘 상(常)에 이르며, 5전하여 주부(主簿) 휘 익철(益哲)에 이르러 임진왜란 때에 책훈일등(策勳一等)으로 녹권(錄券)을 특사(特賜)하였고, 도암사에 배향(配享)하였는데, 이가 현무재(賢武齋)이다. 이가 휘 옥(沃)을 낳고, 이가 휘 상려(尙麗)를 낳았는데, 공(公)에게로 말하면 5세 이상이다. 휘 성시(聖時), 경행(景行), 종서(鍾瑞), 용(墉)은 고조, 증조, 조부, 예(禰)이다.

비(妃)는 무송 유정서(庾廷緒)의 딸이다.

순묘(純廟) 정묘(丁卯, 서기 1867) 1월 7일과 헌묘(憲廟) 계미(癸未, 서기 1884) 5월 14일은 공의 생일과 졸(卒)한 날이다. 고창(高敞)의 고수방(古水坊) 평지리(平支里) 계당봉(溪堂峯)아래의 부갑원(負甲原)에 그의 넉 자 높이의 묘비가 있다.

숙부인(淑夫人) 광주 이씨(廣州 李氏)는 제(齊)로서, 공보다 후에 몰(歿)하였는데, 바로 12월 20일이다.

영식(榮植)과 조병원(曺秉源)은 아들과 사위이다. 손자는 중묵(重默)이고, 재현(在賢), 재구(在九)는 증손이다.

오호라! 공(公)은 온순하고 공경하는 자질을 지녔고, 게다가 진실하게 실천하는 재질을 소유하였다. 양친 부모를 섬기에 있어서, 어려서부터 혼정신성의 예법을 알았기에 양친은 숙수로도 모두 즐겁게 지내었다. 상을 당하자 비통하여 예의 이상으로 몸을 상하였고, 장례를 치르는 모든 절차에서 삼가고 정성을 다하여 유감을 남기지 않았다. 선세의 기일이 오면 반드시 목욕재계하고 소식하면서 생전처럼 모든 정성을 다 부었다. 집에 있을 때면 윤리를 돈독하게 하고, 아래 사람들에게 은혜와 위엄을 병행하여 문정(門庭)에는 화기가 넘쳤다. 사람들을 만날 때에는 너그럽게 맞아주고, 성실하게 접대하여. 자애로운 기운이 언행에 넘쳐났다. 집안 생활이 아주 어려워 저축이란 없었지만, 늘 즐거운 기분이었다. 항상 후진들을 깨우치는 일을 자기의 소임으로 간주하였기에, 경서(經書)를 들고 난제를 풀기 위해, 찾아드는 자들이 언제나 편안한 마음으로 무리를 지어 찾아들었지만, 순순히 가르치며 각기 자기의 재능에 따라 자라나게 하였다. 무릇 세상에서 누가 부하고 누가 귀한가 하는 것들을 마치도 부운(浮雲) 같이 여기었다. 그가 졸(卒)하자, 향(鄕)의 인사들은 글을 지어 제(祭)를 지냈는데, 한결 같이 그를 군자(君子)이고 장자(長者)라고 평하였다. 만약 사람들에게 믿음이 없었다고 한다면, 어떻게 이와 같은 일이 생길 수가 있겠는가?

현손 창회(昌會)가 그의 행장(行狀)을 짓고는, 정회(正會)에게 공(公)의 덕목(德目)을 사(辭)로 지어달라고 부탁하였다. 나는 그것을 적을 사람이 못된다고 사양하였지만, 끝내 허락하지 않아 감히 위와 같은 글을 적어 입언(立言)할 군자들이 여기에서 고증(考證)하기를 기다리기로 한다.

湖叟金公行狀

公諱養浞，元有字也，湖叟號也。擢拜通政，優老典也。金氏。安東大姓也。高麗忠烈公諱方慶，遠祖也。左議政，諱士衡，諡翼元，本朝始仕祖也。累傳而通贊。諱乙萬，南下祖也。茂長之甲坪，子孫仍居地也。一傳而諱福中，亦通贊也。二傳而進士諱質，學者稱永慕堂先生也。連遭考妣，及祖考妣喪，十二年啜粥廬墓，其孝行也。本朝及皇明，荐降旌，褒其孝之達于天下也。建祠道岩，春秋享紀，士林之崇奉 也。三傳而生員，諱士勖。四傳而贈工曹叅議，諱常。五傳而主簿，諱益哲，壬辰亂策勳一等，特賜錄券，配享道岩祠，是賢武齋也。生諱沃。生諱尙麗，於公爲五世以上也。諱聖時、景行、鍾瑞、埤，高曾祖禰也。妣，茂松庾廷緖女也。純廟丁卯正月七日，憲廟癸未五月十四日，公生卒也。高敞之古水坊平 支里溪堂峯下負甲原，其四尺之封也。淑夫人廣州李氏，齊也。後公坊，十二月二十日也。榮植，曹秉 源，子若壻也。孫重默。在賢、在九曾孫也。嗚乎公以溫恭愷悌之資，有眞實踐履之工。其事親也，自幼知定省，菽水俱歡。及遭憂，哀毀踰禮，送終諸節，誠愼无攸憾。先世忌日，必齊沐行素，以致如在之誠。其居家也，篤於倫理，御下恩威幷行，門庭雍睦。其待人也，接之以恕，處之以實，慈祥之氣，藹蔚辭表。家寠甚，甑石屢空，亦晏如也。常以導迪後進爲己任，執經問難者坌集，而諄諄敎誨，各隨其材而使之成就也。凡世間孰富孰貴，於我浮雲也。及其沒也，鄉人士爲文祭之，一辭推爲君子長者也。如非行孚於人，其何能致此也？玄孫昌會草事行，屬正會狀公之德。辭非其人，而終不獲也，乃敢撰次如右，以竢立言君子，尙有以考信於此也。

가선대부 동지중추부사 관란재 김공 행장
(嘉善大夫 同知中樞府事 觀瀾齋 金公行狀)

공의 휘는 양해(養海), 자는 덕빈(德彬), 호는 관란재(觀瀾齋)이다. 김씨의 본은 안동(安東)이다. 휘 방경(方慶)은 고려시기에 큰 공훈을 세워 상락개국공(上洛開國公)을 봉 받고 시호가 충렬(忠烈)이었다. 아들 휘 순(恂)은 밀직사로 있었고 상락군을 세습하였고 시호는 문영(文英)이다. 몇 대를 지나, 휘 사형(士衡)은 처음으로 본조(本朝)에서 벼슬하여 좌의정을 보았고 상락부원군을 봉 받았으며, 시호는 익원이다. 아들 휘 승(陞)은 좌찬성이었다. 3대를 전하여 통찬 휘 을만(乙萬)은 남하하여 무장의 갑평으로 내려왔고, 이로 하여 자손들이 여기에 자리 잡게 되었다. 아들 휘 복중(福重) 역시 통찬(通贊)이다. 아들 휘 질(質)은 진사이고 학자들은 그를 영모당선생(永慕堂先生)이라고 칭하였다. 연이어 고비와 조고비의 상을 당하여, 12년 동안 여묘(廬墓)에서 죽으로 살았다. 소문이 조정에 이르자, 조정에서는 정려(旌閭)를 내려 표창하였고, 천자에게 천거하자 황조에서 또 정려(旌閭)를 내려 표창하였다. 사림에서는 도암사(道巖祠)를 세웠다. 아들 휘 사욱(士勖)은 생원이다. 아들 상(常)은 참의(參議)로 있었다. 아들 휘 익철(益哲)은 주부(主簿)이고, 호는 현무제(賢武齋)로 용사의 전역에서 책공(策功) 일등하고, 녹권(錄券)을 특사하였고, 도암사에 배향하였다. 이가 휘 옥(沃)을 낳고, 이가 휘 상려(尙麗)를 낳았는데, 공에게로 말하면 5세 이상이다.

휘 성시(聖時), 경행(景行), 종서(鍾瑞)는 고조, 증조, 조부의 휘이다. 고(考)는 휘 방(坊)이다. 이들은 모두 덕을 숨기고 의(義)를 행하였다. 비 수안 봉씨(奉氏)는 경환(景煥)의 따님이다. 바다를 삼키는 태몽을 꾸고 임신하여 정묘(正廟) 정사(丁巳) 6월 23일에 공(公)을 장곡리(壯谷里)에서 낳았다. 모습이 남달리 단아하고 수려하였다. 왕고가 그를 특히 귀여워하였고 태몽에 응하여 이름을 해(海)라고 달았다. 여섯 살에 되던 해에, 이웃집으로 놀러 갔다가, 감을 주자 먹지 않고 품에 간직하기에, 이웃 사람이 넌지시 물어보았다. 그러자 아이는 "우리 할아버지에게 드리고자 해요."라고 대답하였다. 이로 하여 효자다운 어린애라고 하여, 효동(孝童)이라는 소문이 먼 곳으로까지 퍼지게 되었다. 사숙(私塾)에 다니면서 스승이 감독할 필요가 없었고, 문리에 날이 갈수록 통달하게 되었다. 약관에 과거시험에 참가하기는 하였으나, 유사(有司)의 비위를 맞춰주지 않았기에, 호연히 글을 읊고 귀가하였다. 상서(尙書) 김수근(金洙根)이 그와 작별하면서 이런 시를 남기었다.

"책과 검을 사람마다 서둘러 찾건 만
뉘가 낫고 못하여 성공 여부 있었던가?
원정을 떠난 봉황새, 힘찬 나래 펼쳐야
머리 한 번 끄떡여야 기린각에 오른다네.
풍당(馮唐)[15] 같은 그 뜻이야 팔자에 맡기고서

---

15) 풍당(馮唐): 서한 시기 대군(代郡, 지금의 張家口蔚縣) 사람이다. 한문제 시기 그는 한문제를 설복하여

원헌(原憲)[16]은 가난해도 수심을 몰랐다네.
한평생에 시와 술로 끝없이 즐겨하니
냇물은 친구, 산봉우리는 아내 서로 함께 더불어 살아보세나."

공(公)이 그의 운에 화답하여 이렇게 시를 지었다.

"세상에 사는 남아 제 갈길 따로 있네,
허물은 버리고 장점을 취한다네.
가난한 선비, 몸에 베옷을 걸치지만
귀인들의 머리 위엔 청사모가 얹혀있네
벼슬길에 남는 것은 남의 비방뿐이건만
구름 덮인 숲속에는 수심마저 가셔지리.
진충보국 그 마음이 누군들 없으랴만
양친 부모 모시는 건 인간 본성 아니런가."

공(公)은 그날로 작별하고, 고향으로 돌아와서 양친 부모를 모시었고, 마음이나 물질로 부모님들을 즐겁게 섬기었다. 나이가 쉰을 넘었지만 색동저고리를 입고 곁에서 시중을 들었으며, 부모가 병석에 눕자 자신의 손가락을 베어 피를 부모에게 드려 사흘 동안의 수를 연장하였다. 선후로 상을 당하자 비통을 이기지 못해 하마터면 몸을 해칠 뻔 하였다. 부모의 묘가 수십 리 밖에 있었지만, 한 달에 반드시 두 번씩 찾아가 성묘하였으며, 추운 겨울에도, 비 내리는 여름에도 그친 적이 없었다. 선조들에게 성심으로 효도하여 현무(玄武齋)의 녹권봉안각(錄券奉安閣)을 다시 수선하였다. 광서(光緒) 원년 을해년에 수로 하여 통정(通政)에 올랐다가, 얼마 후에는 가선 겸 지동중추부사(嘉善兼知同中樞副使)로 승진하였다. 고종(高宗) 병자(丙子) 2월 1일에 정침에서 별세하였고, 향년 여든하나이며 무장(茂長)의 공음방(孔音坊) 용수리(龍水里) 옥녀봉(玉女峯)아래의 선롱리(先壠里)의 바른 쪽 미좌원(未坐原)에 장(葬)하였다.

변방 장군 위상(魏尚)을 운중군(雲中郡) 군수로 임명하게 하여 흉노의 침입을 막았다. 한무제 시기 흉노가 또다시 변계를 소란시키자 누군가가 다시 풍당을 추천하였으나 나이 아흔이 넘었으므로 등용하지 않았다. 후세에서는 풍당으로 나이 많아 뜻을 이루지 못하는 사람을 형용하였다.

16) 원헌(原憲): 공자의 제자로서 고대 청고한 빈사였다. 《장자·양왕(莊子·讓王)》에 의하면, 노나라에 사는 원헌은 가난한 생활로 말미암아 지붕은 세고 바닥은 젖어있었지만 거문고를 타며 즐겁게 세월을 보냈다. 후세에서는 청빈한 문사들을 지칭하는 대명사로 되었다.

배(配) 정부인(貞夫人) 밀양 박씨(密陽 朴氏)는 명효(命孝)의 따님이다. 무인(戊寅) 8월 19일에 졸하였고, 합장하였다.

5남을 두었는데, 영적(榮迪), 영옥(榮玉), 영신(榮信), 양자로 간 영홍(榮泓), 영술(榮述)이다. 4녀는 광주(廣州) 이병두(李秉斗), 황주(黃州) 변진봉(邊鎭鳳), 연안(延安) 이병순(李炳淳), 진주(晉州) 정인시(鄭仁蓍)에게 시집을 갔다.

영적의 아들은 병묵(丙默), 장묵(章默), 감묵(坅默), 광묵(廣默), 상묵(湘默), 정묵(鉦默)이다. 영옥의 아들은 성묵(星默), 용묵(龍默), 양자로 간 구묵(龜默)이다. 연신의 아들은 헌묵(憲默), 호묵(鎬默), 경묵(敬默)이다.

증손 이하는 번성하여 기록하지 않는다.

공(公)이 졸한 지 오랜 세월이 지났지만 그 덕목을 붓을 들어 기록한 행장이 없었다. 대개 공은 문장과 행실이 모두 극치에 달하여 부자가 이른 바의 "종족에서는 그를 효자라고 칭하고, 향당(鄕黨)에서는 그를 제(弟)한 사람이라고 칭할"만 한 분이였다. 공(公)은 실로 이러한 것을 구비하기는 하였지만, 중년에 황무해지고 문헌마저 찾을 길 없게 되자, 증손 재철(在喆)이 처음으로 두려운 마음으로 귀로 듣고, 눈으로 보며, 전해오는 것들을 수록하여 정회(正會)에게 부탁하였다. "글을 잘 한다는 다른 사람에게 구하기보다 모든 것을 남달리 상세하게 알고 있는 종친에게 부탁하는 것이 더 낫지 않겠습니까?" 정중한 그의 기색을 보아 더는 사양하지 못하고, 가장(家狀)의 기록을 삭제할 것은 삭제하고, 약할 것은 약하여, 표수(表隧)하는 군자(君子)들에게 알리는 바이다.

嘉善大夫同知中樞府事觀瀾齋金公行狀

公諱養海, 字德彬, 號觀瀾齋。金氏本安東, 有諱方慶, 仕麗朝有大勳勞, 封上洛開國公, 諡忠烈。生諱恂, 密直司, 襲封上洛君。諡文英。累傳至諱士衡, 始仕本朝左議政, 封上洛府院君, 諡翼元。生諱陞, 左贊成。三傳通贊, 諱乙萬, 南下茂長, 子孫仍家焉。生諱福重, 亦通贊, 生諱質, 進士, 學者稱永慕堂先生。連遭考妣, 及祖考妣憂, 啜粥居廬十二年, 聞于朝, 旌其閭, 薦于天子, 皇朝又命旌。士林建祠道岩。生諱士勗, 生員。生諱常, 衆議。生諱益哲, 主簿, 號賢武齊, 龍蛇之役, 策功一等, 特賜錄券, 配享道岩祠。生諱沃。生諱尙麗, 於公爲五世以上也。諱聖時、景行、鍾瑞, 高曾祖。考諱坊, 皆隱德行義。妣遂安奉氏，景煥女，夢呑大海而有娠，以正廟丁巳六月二十三日生公于壯谷里。形容端秀超凡。王考鍾愛之，應其夢而名海。甫六歲，出遊隣家，得柿子不口懷之，試問之，曰："奉獻吾祖。"云。自是孝童之稱播遠近。上學不煩師督，文理日達。弱冠赴擧，不副於有司，浩然賦歸。金尙書洙根臨別贈詩，曰："書釰人人各有求，成功孰劣孰爲優？鵬程遙濶搏雙翼，麟閣崢嶸點一頭。志似馮唐元是數，貧如原憲未應愁，平生 詩酒無窮樂，溪友山妻與共謀。"公和韻曰："處世男兒各有求，捨其所劣取其優。麁布衣裝寒士體，靑紗帽戴貴人頭。宦路出身空得謗，雲林捿息頓忘愁。盡忠報國非無意，先事兩親本性謀。"卽日謝歸，孝奉兩親，志體俱養，年踰五十衣彩侍側。甞親劑，血指注口，以延三日之壽。前後喪，哀毁過情。親墓 在數十里外，月再必省，不以祈寒暑雨或廢。篤於爲先，重修賢武齋錄氽奉安閣。光緒元年乙亥，壽典通政，俄陞嘉善，兼知同中樞府事。高宗丙子二月一日考終于正寢，享年八十一，葬于茂長孔音坊龍水里玉女峯下先隴右未坐原。配貞夫人密陽朴氏，命孝女。戊寅八月十九日卒，墓合兆。五男，榮迪、榮玉、榮信、榮泓出后，榮述。四女，適廣州李秉斗、黃州邊鎭鳳、延安李炳淳、晋州鄭仁著。榮迪 男丙默、章默、基默、廣默、湘默、鋥默。榮玉男星默、龍默、龜默出后。榮信男憲默、鎬默、敬默。曾玄以下蕃，不錄。公沒已久，狀德未有屬筆，盖公文行俱至，夫子所謂宗族稱孝，鄕黨稱弟者，公實有焉。而中歲權欑攸，文獻無徵。曾孫在喆，始瞿瞿然收其耳目之傳吗，屬珵會曰："求之於他人善者，曷若吾宗黨之爲詳悉也。"顧鄭重，不敢辭，按家狀而刪略之，願以告于表隱之君子。

취석 김공 행장(醉石 金公行狀)

　공(公)의 휘는 제묵(濟默), 자는 용즙(用楫), 호는 취석(醉石)이다. 우리 김씨는 안동세(安東世家)가이다. 고려 상락개국공인 시호 충렬을 시조로 한다. 휘 사형(士衡)은 처음으로 본조에서 벼슬하여 좌의정을 지냈고, 상락부원군으로 시호는 익원(翼元)이다. 몇 대를 지나 휘 을만(乙萬)은 통례원 통찬으로, 남하하여 무장으로 내려왔고, 이리 하여 자손들이 여기에 자리 잡게 되었다. 이가 휘 복중(福重)을 낳았는데 역시 통찬이다. 아들 휘 질(質)은 진사이고 연이어 고비와 승중(承重)의 상을 당하여 12년 동안 (廬墓)살이를 하였다. 김 하서선생이 그의 당(堂) 이름을 '영모(永慕)'라고 달아주고, 시를 지어 증(贈)하였다. 효성이 천하에 퍼지자, 황조와 국조에서 모두 정려(旌閭)를 내려 표창하였고, 사림에서는 도암사(道巖祠)세웠다. 삼대를 지나 휘 경철(景哲)은 호가 은송당(隱松堂)이며, 남원교수로 있으면서 임진왜란에 의로운 종적을 남겨 도암사에 배향하였다. 이가 공에게는 9세조 이상으로 된다.

아들 휘 사욱(士勖)은 생원이다. 아들 상(常)은 참의로 있었다. 고조의 휘는 규서(奎瑞)이고, 증조의 휘는 진기(振基)이며, 조부의 휘는 양숙(養淑)이고, 고(考)의 휘는 이원(履元)인데, 모두 덕(德)을 숨기고, 벼슬길에 나서지 않았다. 비(妣) 진주 정씨(晉州鄭氏)의 부친은 운찬(運燦)이다. 하늘 같이 믿던 남편을 따라 죽었는데, 세상에서는 열부(烈婦)라고 칭하였다. 기 송사(奇 松沙)선생이 전(傳)을 지어 주었다.

생고(生考)의 휘는 영우(榮祐)이고, 비는 고흥 유씨(高興 柳氏)로 부친은 지익(志翼)이다. 고종(高宗) 경오(庚午, 서기 1870) 3월 13일에 선동리(扇洞里)의 가택에서 태어났다. 천성적으로 자질이 영오(英悟)하고, 신체가 수려하며 명랑하여 같은 또래들과 놀 때 보면, 유표(遊表)하게 두드러져, 마치도 닭 무리속의 두루미와 방불하였다. 방금 사숙(私塾)에 들어갔더니, 스승의 가르침과 감독이 없어도 능히 쇄소(灑掃)하고 진퇴(進退)의 예의를 갖추고 있었다. 견식이 날마다 매장(邁長)하여 장로들은 그에게 원대한 앞날을 기대하고 있었다. 열두 살에, 생고(生考)가 세상을 뜨자, 예의를 지키는 것이 마치도 성인(成人)들과 흡사하였고, 양자로 간 양부모의 얼굴을 뵙지 못한 것을 평생의 한으로 삼았다. 매번 제삿날이 오면, 반드시 생전인 듯이 정성을 다하였다. 방금 철이 들게 되자 책을 버리고는 탄식하여 말하였다. "사람으로서 명성을 날려 부모들을 빛나게 하는 것이 효의 최고의 경지라고 하지만, 이것은 팔자에 달린 것으로 억지로 해낼 수는 없는 것이다. 애오라지 산업을 경영하여 부모를 모시는 예절을 다하는 자본을 마련하여야 하고, 미루어서 친척들을 두루 돌보고 빈객들을 접대하여야 한다. 나머지 힘이 있다고 하면 문장을 배워야 한다. 이것이 선비가 지켜야 할 본분이다." 이로부터 밤낮으로 태만하지 않고 전문적으로 《시경》의 '주남(周南)'의 '갈담(葛覃)'》편과 《시경의 '빈풍(豳風)'의 작품들을 전공하기 시작하였고, 말 한 마디, 행동 한 가지도 모두 법도를 따를 수 있게 되었다. 갑오(甲午)에 동방의 비적들이 크게 기운을 떨치게 되자, 장차 매몰되고 말 것이라고 여기고, 의연히 불굴불요하며 부정척사(扶正斥邪)를 자기의 소임으로 삼고, 끝까지 결백한 지조를 스스로 지켰더니, 도적들도 감히 범하지 못하였다. 천성적으로 베풀기를 즐기어 쌀독이 비어있어도 향(鄕)에서 딱한 사정이 있다는 사람이 있으면 곧 있는 것을 내어주곤 하였는데,

아까워하는 기색을 볼 수 없었다. 그가 사귀는 사람들은 모두 당시의 명사들이었다. 일찍 학교를 짓는 일을 주선하였는데 의논이나 풍도는 좌중의 모든 사람들의 이목을 끌었다. 그와 접촉한 사람들은 마치도 옷자락으로 스며드는 봄바람과 같은 따스함을 느끼었다. 여러 자식들을 의(義)로써 가르치었고, 각기 직업을 맡겨주었다. 갑신(甲申;서기 1944) 7월 20일에 침실에서 세상을 마치었는데, 향년이 겨우 마흔 넷이었다. 오호라! 너무나 짧았구나. 부고가 들리자 원근의 사우들은 모두 "우리 향(鄕)에서 현자를 잃어버렸구나."라고 말하였다. 선동(扇洞) 후록의 부손원(負巽原)에 묻었다.

배 진주 정씨(鄭氏)는 학원(學源)의 딸이다. 정숙하고 아름답고 부드러워 지금 아흔이 되는 고령에도 너무나 정정하다.

5남2여를 두었는데 장남은 재남(在南), 다음은 재택(在澤), 재진(在珍), 재성(在星)과 재관(在官)이다. 청도 김사용(金思容), 광산 김관수(金觀洙)는 두 사위이다.

준회(俊會), 산회(山會), 길회(吉會)는 장방의 소생이고 오회(午會), 달회(達會)는 이방의 소생이고, 일회(一會)는 삼방의 소생이며, 평회(平會)는 사방의 소생이며, 원회(元會), 성회(聖會), 상회(商會)는 막내의 소생이다.

손자와 외손자 그리고 증손자들은 다 기록하지 않는다.

공(公)은 우리 증왕고인 만수당 부군(晚睡堂 府君)의 종질인데, 부군은 마치도 자기의 자식과 다름없이, 키워주고 이끌어주었고, 공(公)도 역시 부친을 섬기듯이 그를 섬기면서, 크고 작은 일 모두를 반드시 품한 다음에야 행하곤 하였으며, 한 가지 가르침을 받들기만 하여도 땅에 떨어질까 두려워하며 즉각 받들었다. 부군(府君)은 인생의 말기에 4년 동안 병석에 누워있었는데, 공(公)은 거의 달을 건너지 않고 문안을 왔다. 그때 정회(正會)는 아직 어린 나이에 철이 들지 않아 비록 공의 행위를 잘 알지는 못했지만, 우리 부군(府君)에게 대한 관심이 다른 사람들과 비해 각별한 것을 보고, 공이 남들과 다르다는 것을 알게 되었다. 지난 갑인(甲寅;서기 1914)년에 우리 집의 어른 아이 할 것 없이 모두 시질(時疾)에 걸려 사람들이 겁을 먹고 피해 다녔지만, 유독 공(公)만은 하루건너 찾아들어 문안하며, 식사할 겨를조차 없었다. 몇 달이 지나, 우리 집안의 우환이 완전히 사라지자, 공(公)은 돼지를 잡고 술을 독채로 싣고 와, 사촌 형제들과 마음껏 즐기었다. 나는 바야흐로 열두 살이었으므로, 옆에서 심부름을 하였다. 성대한 덕의(德儀)와 장한 의론은 아직도 눈앞에서 보는 듯 하고 귀에 쟁쟁하게 들리는듯하다.

오호라! 만약 하늘이 그에게 장수를 빌려주었더라고 한다면 가히 종친들이 의부할 수 있는 무거운 짐을 떠멜 수 있었을 것이며, 쇠퇴하는 민속이 그의 덕분으로 얼마간 나아질 수 있었을 것이다. 그러나 명은 주어진 것이기 때문에 우리 후생들로 하여금 더욱 무궁무진한 여한을 금할 수 없게 하였다.

막내아들 재관(在官)씨가 정회(正會)에게 공(公)의 덕목을 장(狀)으로 지어달라고 부탁하여 왔으므로, 사양하지 않고, 그때 보고 들은 것들 가운데서 한두 가지를 간단히 추려, 입언(立言)할 군자(君子)들이 수집하기를 기다리는 바이다.

醉石金公行狀

公諱濟默, 字用楫, 醉石其號也。吾金氏安東世家, 高麗上洛開國公, 諡忠烈爲始, 傳至諱士衡, 始仕本朝, 左議政。上洛府院君, 諡翼元。屢傳而諱乙萬, 通禮院通贊, 南下茂長, 子孫仍家焉。生諱福重, 亦通贊。生諱質, 進士, 連遭考妣, 及承重憂, 盧墓十二年。金河西先生名其堂曰永慕, 詩以贈之。孝達于天下, 皇朝及國朝, 皆命旌。士林建祠道岩。三傳而諱景哲, 號隱松堂, 南原教授, 壬辰有義蹟, 配享道岩祠。於公爲九世以上也。高祖諱奎瑞, 曾祖諱振基, 祖諱養淑, 考履元, 皆隱德不仕。妣晋州鄭氏, 父運燦。從所天致命, 世稱烈婦。奇松沙先生立傳。生考諱榮祐, 妣高興柳氏, 父志冀。高宗庚午三月十三日生公于扇洞里第。天資英悟, 神采秀朗, 與群兒遊, 表表然如鶴立雞群。甫上學, 不煩教督, 能安灑掃進退之節。見識日邁, 長老期以遠大。十二丁生考憂, 執禮如成人, 以未承所后考妣顏, 爲畢生至痛。每於忌辰, 必致如在之誠。才省事, 乃廢書太息曰:"爲人者, 立揚以顯父母, 雖曰孝之終, 而此有命焉, 不可强而致也。惟經理産業, 以資奉先之節。推而周族戚, 接賓客。餘力學文, 是亦士之本分也。"自是夙夜毋怠, 專功乎葛覃蟋蟀, 一語一動, 皆有法可則。甲午, 東匪大熾, 將未免淪溺。公毅然不撓, 以扶正斥邪爲己任, 終能潔淨自守, 彼輩亦不敢犯。性好施, 甑石無儲, 而鄉里有告乏者輒與之, 無吝色。所與交者皆當時名士, 嘗周旋於校宮, 論議風度, 傾一座接之者如襲春和。教諸子以義方, 各授其職。甲寅七月二十日考終于寢, 享壽纔四十四。嗚乎!短矣。訃聞, 遠近士友咸嘖嘖嘆曰:"吾鄉失賢矣。"葬于扇洞後麓負巽原。配晋州鄭氏, 學源女。貞淑嘉柔, 今九耋康寧。五男二女。男長在南, 次在澤、在珍、在星、在官。淸道金思容, 光山金觀洙, 二女壻也。俊會、山會、吉會, 長房出。午會、達會, 二房出。一會, 三房出。平會, 四房出。元會、聖會、商會, 季房出。內外孫曾不盡錄。公於我曾王考晚睡府君從 姪也。府君撫育訓廸無異已出，公亦事之如父，事無巨細，必禀經而後行。承一訓，惟恐墜地。府君末年病四載，公來候，殆無虛月。正會方幼少不省事，雖未悉公之行，治以吾府君之眷愛頗殊於餘人，知公之殊於衆衆也。往歲甲寅春，我小大全家沒染時疾，人皆危之，公間日往來，家訪戶問，不遑暇食。經數月，家憂快霽，公烹豚載酒而來，與諸從昆季團會怡悅。余年方十二，侍立其側。德儀之盛，議論之壯，至今歷歷乎心目間矣。嗚呼！天假之年，庶可使宗族依而爲重，衰俗賴而少瘳矣。年命限之，益不禁後生輩無窮之恨。季胤在官氏，囑正會狀公之德，以其知公深也。遂不辭而略叙當日見聞之一二，以竢立言君子之採撫焉。

희재선생 김공 행장(希齋先生 金公行狀)

선생은 휘가 준묵(峻默), 자가 치덕(穉德), 호는 희재(希齋)이다. 우리 김씨(金氏)는 본이 안동(安東)이다. 승국(勝國) 상락백(上洛伯)이며 충렬공(忠烈公)이신 휘 방경(方慶)을 상조(上祖)로 한다. 휘 사형(士衡)에 이르러 처음으로 본조(本朝)에서 벼슬하여 좌의정(左議政)을 지냈고, 상락부백으로 봉 해졌는데, 시호(諡號)는 익원(翼元)이다. 삼 대를 지나 휘 을만(乙萬)은 통례원(通禮院) 통찬(通贊)으로 있으면서 김안로(金安老)를 질책하는 상소문을 올렸다가, 그의 비위를 상하게 되어, 남으로 은둔하여 무송(茂松)으로 내려왔다. 이가 휘 복중(福重)을 낳았는데, 복중은 음덕(蔭德)으로 통찬을 지냈다. 아들 휘 질(質)은 진사(進士)이고, 세상에서 영모당선생(永慕堂先生)이라고 칭하였는데, 김 하서(金河西), 기고봉(奇高峯), 유미암(柳眉巖) 제현과 도의(道義)로 사귄 벗이다. 초상을 연이어 맞아 고비(考妣)와 승중(承重)17)의 상을 연이어 당하자, 죽을 마시며 12년 동안 여묘(廬墓)에서 살아왔다. 황조와 조정에서는 모두 정려(旌閭)를 내려 표창하였다. 만력(萬曆) 계축(癸丑) 장보(章甫)18)들이 상소문을 올려 도암사를 세웠다. 아들 휘 사욱(士勗)은 생원이다. 아들 상(常)은 공조참의로 있었다. 아들 휘 익철(益哲)은 주부이고 호는 현무재(賢武齋)인데 임진왜란에 대가가 파천할 때 지존을 등에 업고 도보로 팔십 리를 걸어 원종훈으로 책봉되었고 도암사에 배향하였

---

17) 아버지를 여읜 맏아들이당한 조부모의 초상.
18) 유생(儒生)

다. 이가 공의 9세조이다.

고조는 휘 종서(鍾瑞), 증조는 휘 용(埇), 조부는 휘 양홍(養泓), 고(考)는 휘 영풍(榮豊)이다. 비(妣)는 영광 김씨(靈光 金氏)로, 봉찬(奉燦)이 고(考)이다.

선생은 고종(高宗) 임신(壬申; 서기 1932) 8월 14일에 내창(乃倉)의 가택에서 태어났다. 모습이 단아하고 정숙하였으며, 행동거지가 온당하고 자상하였다. 어려서부터 섣불리 말을 하거나 웃지를 않았다. 나이 아홉에 모친의 상을 당하여 애달파하는 것이 성인(成人)들과 마찬가지이었다. 어려서부터 열심히 공부할 줄 알아 문리(文理)가 일찍부터 통달하였다. 송사 기선생(松沙 奇先生)을 스승으로 모셨는데, 질의를 하거나, 대답하는 것이 뛰어나 송사 기선생은 그를 대단히 칭찬하였다. 이로부터 옛사람들을 따라 배우는 것을 자기의 학업으로 삼았고 또한 자기의 소임으로 간주하였다. 혼정신성하고 나머지 겨를은 서실(書室)로 물러나 방책(方策)을 마주하였는데, 엄연한 자태는 마치도 상제가 강림한듯하였다. 독서에서는 '거경궁리(居敬窮理)' 네 글자를 신부로 삼았으며 경사자집(經史子集)을 읽지 않은 것이 없었다. 그렇지만 일생 동안 전문 공력을 기울인 것은 《주역》이라는 책, 하나뿐이어서 심지어 잘게 쓴 주석까지도 마치 자기 말을 하듯이 막힘이 없이 내리 외웠다. 병인(丙寅, 서기 1926)년에 부친의 상을 당하자, 초종장사(初終葬事)의 여러 범절들은 하나같이 예법에 따랐다. 삭망(朔望)이면 반드시 묘소를 찾았고, 아무리 비바람이 몰아친다고 해도 멈추는 법이 없었다. 형님들과 사이좋게 지내면서, 한 상에서 식사를 하고 한 이불을 덮고 자며, 잠시라도 떨어지지 않았다. 형처(刑妻)[19]에 의범(儀範)이 있었고, 자식을 가르침에 의(義)를 내세웠다. 규문(閨門)[20]이 정숙하고 화기가 돌았으며, 종친(宗親)이 화목하여 먼 친척이라고 하여도 간격을 두지 않았다. 공경(恭敬)으로 사람들을 맞아주었으므로, 농으로 하여 실수를 빚은 적이 없었다. 이웃 사이에 겸손과 공경을 앞세우며, 자기 수양을 드러내면서 종래로 변폭하지 않았다. 시비사정을 극도로 분별하여 엄숙한 언사로 정색을 하며 조금도 사정을 두지 않았다. 허투루 말을 하지 않았고, 언제나 자기 한 몸을 검소하게 거두었다. 남들이 착한 일을 하였다는 소문을 들으면 따라서지 못할까봐 극구 칭찬을 하여 주었으나, 일단 악한 사람들을 보기만 해도 마치도 더러운 것을 피하듯이 피해버리곤 하였다. 세상이 변한 다음부터는 문을 닫아걸고 그림자도 얼씬거리지 않았으며, 옛날 세상의 사람으로 변해 세상의 득상영욕(得喪榮辱)을 마치도 허공의 부운처럼 담담하게 여기었을 따름이다. 문수산(文殊山) 취령(鷲

---

19) 아내를 남에게 낮추어 부르는 말.
20) 규중(閨中), 부녀자가 거처하는 방.

嶺) 아래의 동내를 비학(飛鶴)이라고 하는데 그 곳의 깨끗하고 맑진 샘과 바위, 구름 덮인 숲속의 그윽한 기운에 반하여, 서까래 몇 대로 초가집을 지어놓고, '도춘정사(都春精舍)'라는 편액을 걸고, 만년을 보낼 장소로 삼았다. 마음이 내키면 갈건 차림에 지팡이를 짚고, 푸른 산속과 맑은 내가에서 오가며 유연하고 자적하게 세월을 보내며, 세월이 어떻게 흐르는 줄을 모르고 지냈다. 정유(丁酉;서기 1957) 정월 12일에 졸하였으니, 수는 여든 여섯이고, 정사의 뒷산 침병원(枕丙原)에 장(葬)하였다. 선생은 치명(治命)[21]을 남겼다.

배 고흥 유씨(柳氏)의 부친은 학규(學奎)이다. 남양 홍씨(洪氏)의 부친은 재경(在鏡)이다. 합장하였다.

아들은 하나로 이름은 제연(在淵)이고 딸은 둘인데, 청도 김래용(金來容), 진주 정균덕(鄭均得)에 시집을 갔다. 모두 홍씨가 낳은 자식이다.

재연의 아들은 강회(康會)이다. 나머지는 아직 나이가 어리다.

가만히 생각하여 보니, 공은 성품이 평온하고 사물의 원리를 파고드는 궁격(窮格)의 재능이 있어, 지킬 바는 든든히 하고, 지닐 것은 확실하게 하였기에, 천하에 용사로 소문난 전국 시기의 맹분(孟賁)과 하육(夏育)이라고 하더라도 그의 마음은 앗아내지 못할 것이다. 정회(正會)는 여러 번 그의 초려를 방문하였는데, 서가, 책상으로부터 섬계나 정원에는 먼지 한 점 찾아볼 수 없었고, 눈을 감고 단정하게 앉아 있어, 도의 기운이 온 몸에 엉켜 있는듯하였다.

밤에 촛불을 밝히지 않아도, 역경(易經)에 대해서는, 이것은 어느 괘(卦)의 어느 효(爻)라고까지 짚어내었다. 후생들이 그것을 너무나 신기하게 여기고, 정말인지를 알아보려고, 촛불을 밝히고 책에서 찾아보니, 과연 한 글자도 틀리지 않았다.

저술에 대해서는 아예 즐기지 않았고, 기분이 좋으면 때로는 시를 지어 읊기는 하였지만, 꾸미거나 삭제하지도 않았으며, 전할 생각은 도무지 없었다. 정회(正會)는 천성이 거칠고 지식이 천박하여, 어느 하나 이렇다고 할 것이 없지만, 외람되게 칭찬을 하여 주었다. 가히 제자(諸子)의 문장을 가르칠 수 있다고 하고서는 성현의 책으로 경계하여 주었고, 저술을 하는데 뜻을 두어야 한다고 하고서는, 또 이렇게 경계하여 주었다.

"학문의 요점은 오직 본원(本原)을 함양하고 의(義)와 이(利)를 분별하는데 있다. 수를 놓거나 그림을 그리듯이 화려한 언어로 문장을 꾸미는 것은 한 때에는 소문을 놓을 수가 있을지라도, 단지 새나 벌레들을 그리는 말단으로 될 따름이다. 반드시 실

---

21) 죽을 무렵에 맑은 정신으로 유언을 남기는 것.

제적인 학문(實學)을 배우는데 노력하여야 한다."

습관에 따라 허송세월을 보내온 이 불초자를 살펴보니, 단 하루라도 마음을 붙이고 공부를 하지 않아 높은 뜻을 어기게 되었으므로, 자다가도 생각하면 온 몸에 식은땀을 흘리게 된다.

후생 학자들과 온 종일 이야기를 하여도 첫째는 《역경》이고, 두 번째도 《역경》이다.
큰 것으로는 천지와 일월을 예로 들고 미세한 것이라면 초목과 곤충을 예로 들면서, 어두운 곳에 편안히 자라고 있는 사물들의 오묘함을 깊이 있게 분석하였다.

일찍 《역해(易解)》를 저술하여, 초학자들의 지남으로 삼고자 하였으나, 편장을 이루기도 전에 태산이 갑자기 무너지고 말았다. 태극 이오(二五)의 묘함, 괘효(卦爻)의 단상(彖象)의 수의 실마리가 망망한 곳으로 추락되었으니, 호호(浩浩)한 참된 근원을 어디 가서 찾아본단 말인가?

주공(周公)과 공자(孔子) 두 성인을 성심으로 믿어온 사람은 아동(我東)에서는 하서(河西) 김선생 뿐이다. 아무리 정(程), 주(朱)이학(理學)이라고 하여도 모두 따라서지는 않았을 것이다. 그 조예의 깊고 얕음을 비록 후생 말학(末學)들이 엿볼 것은 아니기는 하지만, 독자적인 밝은 견해가 아니라면, 어떻게 이렇게까지 할 수가 있으랴?

깊은 산과 골짜기를 팔십 년 동안 찾아다닌 그 정력이 모조리 이 책에 담겨져 있을 것이지만, 세상에 그 덕을 아는 사람이 없으니, 다만 백 세대를 내려가며 자운(子雲)과 요부(堯夫)를 기다릴 수밖에 없지 않은가?

그의 아들 재연(在淵) 공(公)의 덕을 장(狀)으로 만들어, 공의 덕을 길이 빛나게 하련다고 행장(行狀)을 부탁하면서, 선생을 아주 잘 알고 있기 때문이라고 덧 붙여 말하였다.

막대기로 어떻게 쇠북을 울리게 할 수 있으랴? 대강 간략하게 그의 정신세계의 원유(原由)와 행적의 요점만 밝혀, 글 솜씨가 훌륭한 군자에게 고하는 바이다.

希齋先生金公行狀

先生諱峻默, 字穉德, 號曰希齋。吾金氏貫安東, 勝國上洛伯, 忠烈公, 諱方慶爲上祖。傳至諱士衡, 仕本朝, 左議政, 上洛府伯, 諡翼元。三傳而諱乙萬, 通禮院通贊, 疏斥金安老, 見忤, 南遯于茂松。生諱福重, 蔭通贊。生諱質,進士, 世稱永慕堂先生, 與金河西、奇高峯、柳眉巖諸賢爲道義交。連遭考妣, 及承重喪, 啜粥居廬十二年, 皇朝及本朝皆命旌。萬曆癸丑, 章甫上言, 建祠道巖。生諱士勵, 生員。生諱常, 工曹叅議。生諱益哲, 官主簿, 號賢武齋, 壬辰大駕播遷, 背負至尊, 徒跣行八十里, 策原從勳, 配享道 巖祠。是先生九世也。高祖諱鍾瑞, 曾祖諱埔, 祖諱養泓, 考諱榮豐。妣靈光金氏, 奉燦其考。以高宗壬申八月十四日生于乃倉之第。形容端肅, 擧止安詳。自幼不妄言笑。九歲遭內艱, 哀毀如成人。早知劬書, 文理夙達。師事松沙奇先生, 質疑問辨, 松翁大加稱詡。自是充然有得以古人爲己之學, 爲己任。定省之暇, 退處書室, 敬對方策, 儼乎若上帝下臨。讀書以居敬窮理爲四字符。經史子集, 無不涉獵, 而一生用工, 專在周易一書, 至小註如誦己言。丙申, 丁外憂, 初終凡節, 一遵禮制, 朔望必上墓, 不以風雨或闕。與伯兄友愛篤摯, 同案被, 暫不相離。刑妻有規, 教子以義。閨門肅雍, 敦於宗族, 不以疏 而有間。敬於接人, 不以狎而有忽。處隣謙恭自牧, 不事表幅。至辨是非邪正, 嚴辭正色, 少不假饒。口無戲言, 體常檢束。聞人善, 贊揚如不及。見惡人, 望望然若將浼焉。一自世變後, 杜門息影, 與古爲徒, 凡世間之得喪榮辱, 澹然如太空之浮雲耳。文殊山鷲嶺之下洞曰飛鶴, 愛其泉石之淨明, 雲林之窈窕, 結數椽茅屋, 扁曰都春精舍, 以爲晩暮藏修之所。意至葛巾黎杖, 徜徉乎林翠澗韻中, 悠然自適不知老之將至。卒於丁酉正月十二日, 壽八十六, 葬于精舍後麓枕丙原。先生治命也。配高興柳氏, 父學奎。南陽洪氏, 父在鏡。墓同兆。一男在淵, 二女適清道金來容, 晉州鄭均得, 洪氏出也。在淵男 康會, 餘幼。竊惟先生禀性穩藉, 加之以窮格之工, 所守之堅, 所操之確, 賁育難奪。正會累造其廬, 自書几至庭階, 纖塵不入。瞑目端坐, 道氣凝人, 夜不燃燭。而於易, 則指其爲某卦、某爻, 後生輩欲叩之 擧燭照之, 無一差錯。雅不喜著述, 遇會心處, 或發於吟咏, 而不事陶刪, 亦不爲傳後計。正會質魯才薄, 無一可禰, 猥蒙獎許, 謂可以教看諸子文, 則戒以讀聖賢。有志述作, 則又戒之曰: "爲學之要, 只在涵養本原, 辨別義利。彼繡繪文藻, 取妍一時, 只是鳥蟲末技耳。盍以勉進乎實學也。" 顧不肖因循度了, 未克一日用力, 辜負期望之盛意, 每中夜思惟, 不覺汗沾。對後生學者, 終日論說一則易, 二則易。大而天地日月, 微而草木昆蟲, 無不頤其玄而柝其奧。甞欲著易解, 以爲初學指南。而未及成篇, 泰山遽頹。太極二五之妙, 卦爻象象之數, 墜緖茫茫。浩浩眞源, 何處尋得。篤信周孔二聖, 於我東則惟 河西金先生一人而已。雖程朱說, 或未必皆從。其造詣淺深, 雖非後生末學所可管窺, 而非獨見之明, 何以如此？林壑八十年, 精力盡在此書, 而世無知德, 惟竢百世下子雲、堯夫而已。嗣胤在淵, 屬以狀德, 爲其薰先生之德, 而知先生之深也。顧寸梃安能撞大鍾？略叙世系源委, 及行治梗槩, 以諗夫秉筆君子。

지산 정공 행장 (池山 鄭公行狀)

공의 휘는 흥삼(興三), 자는 유문(有文), 지동(池洞)에 은거하여, 호를 지산(池山)이라고 하였다. 정씨(鄭氏)의 선조는 진주(晉州)인으로, 고려시기의 병부상서(兵部尙書)이며 청주부원군(菁州府院君), 시호 문양공(文良公). 휘 을보(乙輔)를 시조로 한다. 본조(本朝)에 들어서서, 휘 이방(以方), 시호 효정(孝貞), 호 둔암(遯菴)이 이조판서(吏曹判書) 겸 대사홍문부제학(大司弘文館大提學)으로 있었다. 여러 대를 지나, 휘 택신(宅臣)이 문과(文科)에 급제하고, 각별히 남포현감(藍浦縣監)을 제수(除授)하였다가 좌부승지(左副承旨)로 승진하였고, 가선(嘉善)에 오르게 되었는데, 처음으로 고창(高敞)에 우거하였으므로, 자손들이 여기에 살게 되었다. 높은 벼슬을 대를 이어가며 세습하면서, 호남의 망족(望族)으로 되었다. 이가 공(公)의 5세조이다.

고조는 휘 중현(重賢)으로 통훈대부(通訓大夫), 첨지중추부호군(僉知樞副護軍)를 추증하였고, 증조부 휘 재감(在鑑)은 문과(文科)에 급제하고, 행통훈대부(行通訓大夫) 사간원헌납(司諫院獻納)으로 있었다.

아들은 둘로 맏이는 휘 시일(始一), 통덕랑(通德郞)으로 있었다. 차자는 휘 승일(昇一), 수계 절충장군 행용기위 부호군을 보았는데, 아들 휘 인민(仁珉)은 통적랑에게 양자로 갔으므로, 통덕랑이 바로 공의 고(考)이다.

비 진원 박씨(珍原 朴氏)는 만상(萬相)이 그의 고(考)이다.

공(公)은 고종(高宗) 임신(壬申, 서기 1872) 3월 16일에 태어났다. 어려서부터 지극한 천성이 있어, 일찍 어버이를 여이고, 너무나 슬피 울어 사람들의 심금을 울렸다. 남동생 유삼(裕三)과 서로 의지하고 살아가면서, 한 이불을 덮고, 한 상에서 밥을 먹으며, 날이 갈수록 형제의 우애가 더욱 돈독하여 갔다. 부지런히 글공부를 하여 사서(四書), 제자(諸子), 문집(文集) 등을 통달하지 않은 것이 없었고, 문자자료를 수집하기를 무척 즐겨, 사람들이 본받을 만한 선조들의 가언가행(嘉言嘉行)을 남김없이 손으로 베껴, 고증할 수 있고 읽을 수 있게 만들어, 후세에 전하였다. 선조들을 모시는 정성이 시종 여일하여 영폄(永窆)하지 못한 선조의 분묘들을 선영(先塋)으로 옮기거나, 새로 산을 차지하여 여한이 없도록 만들어 놓았다. 종친에서 무슨 일이 생긴다고 한다면, 크고 작은 일들을 가리지 않고, 추운 겨울이나 무더운 여름철이거나를 막론하고, 절대로 소홀히 하지 않았다. 제사를 올리거나 비석을 세우는 일에서 정성을 다하고, 기운을 다 내었으니, 온 가문에서 열복하지 않은 사람이 없었다. 그의 천성이 이렇게 만든 것이다. 향년이 겨우 마흔 여덟으로 기미(己未, 서기 1919) 8월 9일에 졸하였다.

배(配)는 안정 나씨(羅氏) 신순(臣淳)의 딸인데, 공보다 먼저 몰하였다.

고흥 유씨(高興 柳氏)는 중규(重圭)의 딸로 계배이다. 아들 헌필(憲弼), 헌복(憲福) 그리고 울산(蔚山) 김용덕(金容德)에게 시집을 간 딸은 나씨의 소생이다.

아들 헌직(憲稷), 헌창(憲昌), 헌상(憲相), 그리고 장택 고희상(高僖相)에게 시집을 간 딸은 유씨의 소생이다.

공은 총혜한 바탕에, 스스로 학문을 배우는데 힘을 기울이었다. 형제간에 아기자기하였고, 종친들과 화목하게 지냈으며 윗사람들을 공경으로 모시었고, 친구들에게는 믿음을 주었다. 자식들과 손자들의 글공부에 여념이 없었다. 자기의 취향을 잊지 않고 산과 물을 찾아가며 읊으면서 자적(自適)한 생활을 누리었다. 무릇 세상의 화려한 명예와 사리를 도모하는 일은 아예 담담하게 여기었다. 윗대에는 살림이 넉넉하여 갚지 않은 빚 문서들이 궤에 넘쳐날 정도였지만, 공은 그것들을 모조리 찢어 불살라 버리면서도, 조금도 아까와 하지 않았고, 단사표음(簞食瓢飮) 하였지만 언제나 즐거운 기색이었다. 만약 스스로 도를 얻지 못하고 외계 사물의 구속을 받았다고 한다면 이러한 일은 절대로 불가능한 일이었을 것이다.

아, 닭이 홰를 치기만 하면, 자리에서 벌떡 일어나 사리를 추구하기에 서두르는 자들이 우글거리는 이 때에, 이러한 탁행고의(卓行高議)을 지닌 사람을 헤아리지 않으면 그만이지만, 정작 헤아려 보면 구경 몇몇이나 될까? 만약 공이 오래도록 이 세상에 살아 있었다고 한다면, 탐욕한 자들로 하여금 자기들의 소행에 스스로 수치를 느끼게 할 수 있었을 것이지만, 하늘이 너무나도 야속하여, 그의 수를 일찍 앗아 가고 말았다.

오호라, 팔자로구나. 헌필(憲弼)이 행장을 급하게 적어 나에게 장문을 부탁하였다. 야무진 공의 뜻과 행실을 원래부터 흠상하여 왔는지라, 문장을 짓지 않을 수가 없으므로, 삼가 이상과 같이 삭제하고 윤색하여 입언(立言)할 군자(君子)들이 취사선택하기를 기다리는 바이다.

池山鄭公行狀

公諱興三, 字有文, 隱居池洞, 號曰池山。鄭氏其先, 晋州人高麗吏部尙書, 菁川府院君謚文良公, 諱乙輔, 是爲肇祖。入本朝, 諱以方, 謚孝貞, 號遯菴, 吏曹判書, 兼大司弘文副提學。累傳至諱宅臣, 文科特除藍浦縣監, 陞左副承旨, 階嘉義, 始居高敞, 子孫仍居焉。世襲簪纓, 爲湖南望族。於公爲五世。高祖諱重賢, 贈通訓大夫, 僉知中樞副護軍。曾祖諱在鑑, 文科行通訓大夫, 司諫院獻納。生二子, 長諱始一, 通德郎。次諱昇一, 壽階折衝將軍, 行龍驤衛副護軍。是生諱仁珉, 出後, 通德郎。寔公考也。妣珍原朴氏, 萬相其考。以高宗壬申三月十六日以生。公幼有至性, 早失怙恃, 悲慕動人, 與弟裕三, 相依而爲生, 同被同卓, 友愛日篤。餘力劬書, 史子集無不旁通。雅好蒐葺文字, 先世之嘉言喜行可效可則者, 無遺手抄, 以便攷覽, 傳諸後昆。奉先之誠, 終始如一。先世墳墓之未及永窆者, 或附先壠, 或占新山, 能無遺憾焉。宗中有事, 無細無大, 不以祁寒暑雨而或懈。薦享之節, 堅石之儀, 殫誠極力, 一門咸服。盖其性然也。享年僅四十八, 卒於己未八月九日。配安芝羅氏, 臣淳女。先公玧, 高興柳氏, 重圭女, 繼配也。男憲弼、憲福, 女蔚山金容德, 羅氏出。男憲稷、憲昌、憲相, 女長澤高僖相, 柳氏出。公以聰慧之質, 能自力於學文。處兄弟以湛樂, 待宗族以雍睦。事上必恭, 交友必信, 課子訓孫。不迷趨向而嘯傲溪山, 優遊自適。凡世之芬華名利, 一切澹如也。先世家業稍饒, 有假貸於人而不報者, 券積溢篋, 盡折而焚之, 少無慳吝之意。簞瓢屢空, 而處之晏然。非自得於道而不以外物累其心者, 不能也。噫, 鷄鳴孜孜爲利之徒, 盈天下皆是, 而如公卓行高義不數數有焉? 使久於世, 庶可貪夫知所恥。天奪之速。嗚呼! 命也。夫憲弼草草事行, 屬余以狀。稔公志行, 素所欽豔, 不可以不文辭。謹刪潤如右, 以竢立言君子之裁擇焉。

수촌 이공 행장(水村 李公行狀)

공은 휘가 인녕(璘寧), 자가 문영(文卿), 호가 수촌(水村)이다. 이씨(李氏)의 본은 연안(延安)이라 하는데, 실제로는 당(唐)나라 중랑장 무(茂)가 신라에 들어와 벼슬을 하면서, 연안을 식읍(食邑)으로 삼은 것이다. 이가 시조이다.

신라와 고려시기에, 자식들이 많이 퍼지고, 높은 벼슬들이 대를 이어가며 나타났다.

우리 조(朝)에 들어서서, 휘 원발(元發)이 좌의정으로 있었다. 아들은 판서 휘 귀산(貴山)이다. 아들은 사복사정부응교, 휘 속(續)이다. 아들은 참의, 휘 근건(根健)이다. 아들은 연안군 휘 인문(仁文)이다. 아들 연성군 휘 곤세(坤世)는 문과로 명성을 떨쳤다. 몇 대를 지난 사우당(四友堂)의 휘는 여상(汝相)이며, 수로 하여 동중추부사에 오르고, 호조참판을 추증하였고, 임진왜란 때에 어머니를 모시고 남으로 내려와, 고창(高敞)의 수곡(水谷)에 자리 잡았다. 아들 휘 만희(晩熙)는 효도로 호조좌랑을 추증하였다. 아들 휘 익용(翼龍)은 통덕랑이다. 아들 휘 세온(世溫)은 수(壽)로 통정에 올랐다. 아들 휘 광신(光信)은 성균관 생원이다. 이들은 공에게는 5세조 이상으로 된다.

고조는 휘가 서(墅), 증조는 휘가 야현(遇賢), 조부는 휘가 현구(玄九), 고(考)는 휘가 병한(炳瀚)이다. 이들은 모두 덕을 숨기고 벼슬길에 나서지 않았다.

비(妃)는 전의 이씨(全義 李氏)로 부친은 현두(鉉斗)이다.

공은 고종(高宗) 기묘(己卯, 서기 1879) 3월 10일에 태어났다. 재사(才思)가 영오(穎悟)[22]하고, 일찍부터 글공부에 노력하였으며, 한번 보고들은 것은 잊어버리지 않았다. 열다섯 좌우에 경전(經傳)과 사서(四書)를 섭렵하였으며, 같은 또래 중에서 그를 따를 수 있는 자가 없었다. 약관이 되자, 송사 기선생을 스승으로 모셔 견식이 날마다 넓어갔고, 문예가 손에 익게 되어, 이때부터 명성을 떨치게 되었다. 초라한 초가집은 비바람을 막지 못하였고, 전원은 거칠어 끼니를 잊지 못할 처지였으나, 손에서 책을 놓지 않고, 스스로 자랑할 바를 얻어 세월이 어떻게 흐르는 줄을 전혀 깨닫지 못하는듯 하였다.

더욱이 시에 흥취를 가지고 훌륭한 경물을 만나기만 하면 시를 지었다가 던져버리며, 건사하지 않았으니 전할 생각은 전혀 하지 않은 것이다.

병신 3월 3일에 졸하였으니, 수가 일흔 여덟이며 수곡 뒷산 부신원(負辛原)에 묻었다.

배 진주 강씨(姜氏)의 부친은 선흠(宣欽)이다.

고흥 유씨(柳氏)의 부친은 지대(志大)이다.

광주 이씨의 부친은 병옥(秉玉)이다.

---

22) 뛰어나게 총명함.

모두 공보다 먼저 몰하였다. 2남을 두었는데 장남 의복(義福), 그 아래의 의득(義得), 박래기(朴來基)와 박화석(朴化錫)에게 시집을 간 두 딸은 이씨의 소생이다.

의득이 정회(正會)에게 공의 덕을 행장으로 만들어 달라고 부탁하면서 이렇게 말하였다. "선인께서는 깊은 골에 생활하였기에, 남들에게 자랑할 사업은 없습니다만 독선궁행(獨善躬行)만은 신명에 물어보아도 거짓이 없을 겁니다. 다른 사람을 찾아 글을 맡겨도 되겠지만, 그대께서 적어주면 더욱 믿음성이 있지 않겠습니까?."

오호라! 공과 우리 선인(先人)은 서로 뜻이 맞아 무시로 오가면서 때로는 달포 동안 마주하고 있을 때도 있었다. 한 상에서 식사하고, 한 이불을 덮으며, 시를 주고받은 지가 아마 사십 년은 넘어될 것이다. 정회는 이로 하여 공의 일생을 알게 되었다. 공의 천성은 순수하고 돈후하며, 가까운 사람이나 먼 사람을 가리지 않고, 하나 같이 화기애애한 얼굴로 맞아주었다. 후생들이 잘못을 저질렀다고 하여도 반드시 차근차근 깨우치며, 성색을 내지 않았다. 권세가들의 문전으로 발걸음을 옮기지 않았고 입으로 남의 험담을 하지 않았다. 스스로를 낮추고 겸손하였기에 큰 포부를 지니고 있었지만, 종래로 남 앞에서 자랑할 줄 몰랐다. 술을 즐기는 것이 천성인지, 술을 들기만 하면 깊은 산 맑은 내의 시원한 바람과 밝은 달을 반기었다. 세상의 영화와 명리는 마치 더러운 물건을 본 듯이 외면하였다.

오호라! 눈 깜박할 사이에, 군과 나는 모두 부친을 잃어버렸으니, 아무리 하늘을 우러러보고, 땅을 굽어보며, 땅을 치고, 가슴을 두드린다고 하여도, 어찌 미칠 수가 있겠는가? 붓을 잡고 어물거리다가 '안차성(安且成)'이란 세 글자에 속사정을 담아, 다만 지난날 직접 보고 들은 견문을 간략히 서술하니, 입언(立言)할 군자의 취사선택을 기다리는 바이다.

水村李公行狀

公諱璘寧, 字文卿, 號曰水村。李氏貫延安, 實自唐中郎將茂入仕新羅, 食采延安, 是爲上祖。羅麗之際, 子姓繁衍, 簪纓相承。入我朝有諱元發, 左議政。是生判書諱貴山。是生司僕寺正副應教諱績。是生叅議諱根健。是生延安君諱仁文。是生延城君諱坤世, 以文科顯。累傳至四友堂, 諱汝相, 壽陞同中樞府事, 贈戶曹叅判。壬辰奉母夫人, 南下高敞之水谷。生諱晚熙, 以孝贈戶曹佐郎。生諱翼龍, 通德郎。生諱世溫, 壽陞通政。生諱光信, 成均生員, 於公爲五世以上也。高祖諱墅，曾祖諱遇賢，祖諱玄九。考諱炳瀚，皆隱德不仕。妣全義李氏，父鉉斗。公以高宗己卯三月十日生。才思穎悟，早知勏書。一過耳眼，輒不忘。成童前後，涉獵經史，儕流莫或及。弱冠師事松沙奇先生，見識日邁，文藝日就，自是名藉甚。茅茨蕭然，不庇風雨，田園荒蕪，不繼饘粥。而卷不離手，囂囂自得，不知老之將至。尤長於詩，遇境輒寫，亦委棄不收，不欲爲傳後計。丙申三月三日卒，壽七十八，葬于水谷後麓負辛原。配晋州姜氏，父宣欽。高興柳氏，父志大。廣州李氏，父秉玉。皆先公垗。二男，長義福，次義得。二女，適朴來基、朴化錫。李氏出。義得囑正會，狀其德曰：『先人窮居野處，事業無可以耀人者。而獨善躬行，可質神明。求文於他人作家，不如子言之爲，可徵信矣。』嗚呼，公與我先人志氣相得，時來訪，或至旬日相守。食同案，寢同被，間多酬唱，如是者殆四十年。正會以是稔知公一生矣。蓋其賦性醇厚，人無親疎，一以和顏接之。後生少輩，或有過差，必諄諄開導，不露辭色。足不涉權要之門，口不言人之短。謙恭自卑，雖負抱淹博，而未嘗以誇矜加人。性嗜酒，每微醺，嘯詠於椒涯風月之間。世之芬華名利，若浼焉。嗚乎！轉眄之頃，君與我，遽纏風樹，俯仰踢蹐，如何逮及？執筆沈唫，不得'安且成'三字以發揮之。略叙昔年親所見聞者，以告夫立言君子之採撫焉。

농은 임공 행장(農隱) 임공 행장(林公行狀)

공(公)은 휘가 영주(英周), 자가 문국(文國), 호는 농은(農隱)이다. 당(唐)나라 학사 팔급(八及)이 참소를 당하자, 피하여 고려에 와 벼슬을 하게 되었고, 공훈을 세워 평택백(平澤伯)으로 훈봉(勳封)되었으며, 시호는 충절(忠節)이다. 이가 시조로 된다. 휘 언수(彦脩)에 이르러 삼중대광(三重大匡)으로 평성부원군(平城府院君)에 봉해졌꼬, 시호는 충정(忠貞)이다. 아들 휘 성미(成味)는 상호군(上護軍)으로 있었고, 시호는 충간(忠簡)이며, 세상에서는 고려 말기의 명신으로 꼽는다.

본조(本朝)에 들어서서, 휘 첨(襜)이 사복시정(司僕寺正)을 보고 사온서직장(司醞署直長)을 추증하였으며, 한사(漢師)에서부터 나주(羅州)에 내려와 처가살이를 하였다. 아들 휘 종직(從直)은 수군우후(水軍虞候)로, 병조참의(兵曹參議)로 추증되었다. 아들 휘 백근(百根)은 임파 현재(宰臨陂)로 외직을 맡았다. 이들은 위엄을 떨쳤고 모두 정적을 남겼다. 아들 휘 주(嚋)는 부사직(副司直)에 있었는데 동생이며, 진사인 규(畦)의 둘째 아들 응수(應秀)를 양자로 삼았다. 금호(錦湖) 형수(亨秀)는 그의 종질이며, 진사에게서 글을 배웠다. 응수는 종사랑(從仕郞)이다. 응수의 아들 휘 박(樸)은 호가 송호(松湖)이며, 사옹봉사(司饔奉事)로 천거되었다. 정유(丁酉)에 대방(帶方)에서 재제(再擠)에게 입근(立慬), 절개를 위하여 죽음-역주)하여, 사헌부집의(司憲府執義) 추증되어 치제(致祭)하고 정려(旌閭)하였으며, 금강사(錦江祠)에 배향하였다. 부인 이씨는 목을 매여 순열(殉烈)하였다. 박의 아들 휘 결발(景發)은 나이 겨우 열셋에 부친의 시체를 거두려 달려갔다가 붙잡혀 끌려가, 왜(倭)에서 8년을 있었으며, 절개를 지키고 귀가하였고, 장례를 뒤늦게 치르고 육년 동안 여묘(廬墓)살이를 했다. 세상에서는 절효처사(節孝處士)라고 칭하였다. 결발의 아들 휘 대(岱)는 사헌부감찰(司憲府)로 있었고, 좌승지(左承旨)에 추증되었다. 이가 9세조 이상이다.

휘 달원(達遠)은 좌승지에 추증되었고, 고창(高敞)으로 이사를 왔다. 휘 수택(洙宅)은 호가 지산(芝山)이다. 휘 상규(相奎)는 호가 오은(梧隱)이다. 휘 노익(魯益)은 호가 만촌(晩村)이다. 이들이 4세이다.

전주 최달규(全州 崔達奎)는 외조부이다.

공은 고종(高宗) 병인(丙寅, 서기 1866) 5월 22일에 태어나 순종(純宗) 갑신(甲申, 서기 1884) 10월 30일에 졸하였고, 아산(雅山) 방운곡(坊雲谷) 앞산의 부갑원(負甲原)에 있는 사척(四尺) 봉분이 그의 묘이다. 청풍 김씨는 팔연(八淵)의 따님으로, 공의 제(齊)이다. 생일과 졸한 날이 모두 공보다 앞섰는데, 기일은 9월 6일이다. 묘는 공의 묘와 같은 벌에 있으며, 진간면곤(枕艮面坤)이다.

성호(誠鎬), 경호(敬鎬), 기호(起鎬), 용호(龍鎬), 봉호(鳳鎬)는 그의 5남이고, 청도 김수근(淸道 金秀根)은 하나 뿐인 사위이다.

한필(漢弼), 한두(漢斗), 한영(漢榮)은 장방의 소생이고 한울(漢郁)은 이방의 소생이며 한응(漢應)은 삼방의 소생이며, 한경(漢卿)은 사방의 소생이며, 한홍(漢弘), 한성(漢成)은 오방의 소생이다.

공과 우리 종조부 항재공(恒齋公)은 물 하나를 사이 두고 살았고, 아침저녁으로 서로 찾아다녔다. 정회(正會)는 어려서부터 덕용(德容)을 뵙고, 공의 기이한 언론을 들어 왔다. 한두(漢斗)가 나에게 행장을 적어달라고 왔는데, 대를 내려오며 정분이 두터웠으므로 어떻게 차마 사양할 수 있으랴? 이에 그의 세계(世系)와 원류를 삼가 서술하며 개괄하여 이렇게 논평한다.

공은 우람하게 생겼으며, 기개가 장하였고, 인간 윤리에 돈독하고, 선조를 서술함에 부지런하였고, 종친들 사이에 화목하여 온 가문에 화기가 돌았다. 사숙(私塾)을 꾸리고 스승을 초빙하여 자손들을 가르쳤는데, 사람마다의 재간에 따라 자기의 직업을 전수받게 하였다. 향(鄕)의 자제들을 이끌어줌에 있어서, 마치도 따스한 봄날의 기운을 느끼게 하였으며, 의롭지 못한 행위를 보게 되면, 아무리 가깝고 사랑하는 사람이라고 할지라도 사정을 두지 않아 늠름한 기색에는 절대로 범할 수 없는 감을 주곤 하였다. 변론(辯論)을 하게 되면, 좌중의 모든 사람들이 입을 다물고, 다만 공의 말에 따라 움직일 따름이었다. 종래로 남의 옳고 그름을 입에 담지 않았고, 누가 잘살고 못사는 것도 입에 옮기지 않았으며, 비속한 말은 던지지 않았다.

아! 공의 재서(才諝)와 도량은 동년배들을 아득히 초과하였으므로, 만약 조정에서 벼슬을 보았다고 한다면 기묘한 방책으로 여러 사물들을 다스릴 수 있었을 것이고, 복잡다단한 정사를 단칼에 베어버리듯이, 컴컴한 곳에서도 칼날을 마음대로 놀릴 수가 있었을 것이다. 그렇지만 세상이 군평(君平)[23]을 버렸더니, 군평도 세상을 버리고, 초연히 세속 밖에 나서서, 날마다 농사꾼과 초부들과 어울리며, 전간(田間)에서 농사일을 담론하고, 이웃들과 술 재간을 자랑하였다. 세상을 조롱하며 세세한 일에 구애되지 않으니, 어찌 곡학(曲學)들이나 속유(俗儒)들을 그와 함께 견줄 수가 있단 말인가? 비록 자그마한 집안에 고개를 들었다가 숙이곤 하였지만, 그 마음속의 생각은 구름 밖을 지나 하늘 한 끝으로 날고 있었고, 종당에는 포의(布衣)로 숲속에서 늙어, 공의 덕성을 알아주는 사람들이 드물기는 하였지만, 오직 자운(子雲)이나 요부(堯夫)[24] 같은 사람들을 기다리고 있었을 따름이었다. 오호라! 한 숨이 난다.

農隱林公行狀

公諱英周, 字文國, 農隱號也。唐學士八及被讒竄逐, 仕麗, 勳封平澤伯, 諡忠

---

23) 군평(君平): 한 나라시기의 고명한 선비 엄준(严遵)의 자이다. 《한서 · 왕공량공포렬전(漢書 · 王贡两龚鲍列传)》에 의하면 그는 촉군 성도사람이다. 황로철학을 즐긴 한성제(汉成帝) 시기에 성도 저자에 살면서 복서(卜筮)로 업으로 삼고 사람들을 착한 일을 하도록 이끌어 주었으며 노자의 도덕경을 선전하면서 사람들에게 은혜를 베풀었다. 은거한 이후로 저술을 하거나 생도들을 양성하였다. 그의 제자로서 제일 유명한 사람은 양웅(扬雄)이다.

24) 자운(子雲), 요부(堯夫) : 자운(子雲), 양웅(扬雄, 기원전 53년~기원 18년) 의 자가 자운이다. 그는 서한의 관원으로 학자이며 촉군 성도(蜀郡成都) 사람이다. 요부(堯夫), 소옹(邵雍, 1011년~1077년)의 자가 요부이다. 그는 북송 시기의 저명한 이학가이고 수학가이고 도사이며 시인이다. 조돈아, 장재, 정호, 정이와 함께 "북송 오자(北宋五子)"로 불리고 있다.

節。是爲肇祖。傳至諱彦脩，三重大匡，平城府院君，謚忠貞。生諱成味，上護軍，謚忠簡，世爲麗季名臣。入本朝諱襜，司僕寺正，贈司醞署直長，自漢師贅居羅州。生諱從直，水軍虞候，贈兵曹叅議。生諱百根，出宰臨陂。振威皆有治績。生諱疇，副司直，取弟進士畦第二子應秀子之。錦湖亨秀，其從姪，而受學于進士。應秀，從仕郎。生諱樸，號松湖，逸薦除司甕奉事。丁酉，再獮立僅帶方，贈司憲府執義，致祭旌閭，亨錦江祠。夫人李氏，自經殉烈。生諱景發，年才十三，爲父收屍奔往，押去。于倭八年，全節而還，追喪廬墓六年，世稱節孝處士。生諱岱，司憲府監察，贈左丞旨，九世以上也。諱達遠，贈左丞旨，移寓高敞。諱洙宅，號芝山，諱相奎，號梧隱，諱魯益，號晩村，其四世也。全州崔達奎，其外祖也。高宗丙寅五月二十二日，純宗甲申十月三十日，其生卒也。雅山坊雲谷前麓負甲原，其四尺封也。淸風金，八淵女，其齊也。生卒皆先公，九月六日其忌也。公墓同原枕艮而面坤也。誠鎬、敬鎬、起鎬、龍鎬、鳳鎬，五男也。淸道 金秀根，一女壻也。漢弼、漢斗、漢榮，長房出也。漢郁，二房出也。漢應，三房出也。漢卿，四房出也。漢弘、漢成，五房出也。公與我從祖恒齋公居隔一川，朝夕相追從。正會自幼承德容而聽奇論也。漢斗囑以狀行，世好何忍辭，謹叙次世系源流，總爲之論曰：公魁貌壯氣岸，篤於人倫，勤述先而睦宗黨，一門雍如也。設塾延師，敎子課孫，因其材而各授其職。接引鄉子弟，藹然有春和之氣。見不義，雖素親厚，95少不假借，凜乎其不可犯。騁雄辨論，滿座爲之禁口，惟公是聽。所不言人之或短或長，孰富孰貴。及鄙俚俗說也。噫，公才詣器局，迥出等夷，如使置之巖廊，則奇籌妙策，可以綜理庶物，剚截盤錯，恢恢 游刃矣。而世棄君平，君平亦棄，超然物表，日與畊叟樵老，問桑南阡。詫酒西隣。弄世傲俗，不拘拘於小節，豈可與曲學俗儒同日而語哉？偃仰一室之內，神游九垓之外，以布衣終老林樊。知德者希，惟 姪子雲堯夫而已。嗚呼！嘻矣。

월초 사가 조군 행장(月樵 史家 曺君行狀)

군(君)은 휘는 병렬(秉烈), 자는 경안(景安)이며, 월초(月樵)는 그가 스스로 지은 호이다. 흠재선생(欽齋先生) 덕승(悳承)의 장자이다.

조씨(曺氏)는 본이 창녕(昌寧)인데, 신라시기 창성부원군(昌城府院君) 휘 계룡(繼

龍)을 시조로 한다. 고려시기에 높은 벼슬들이 연이어 나타났는바, 여덟 사람이 평장사로 있었고 다섯 사람이 소감(少監)으로 있었다. 휘 서(庶), 호 청간(淸澗)은 우리 조(朝)에서 청환(淸宦)과 현직(顯職)을 역임하였고, 시는 《기아(箕雅)》[25]에 수록되었으며, 정산사(鼎山祠)에 배향하였다. 휘 침(琛)에 이르러 조정이 조용하지 않은 것을 보고, 남하하여 모양(牟陽)에 집을 잡았다. 5세를 지나 휘 언징(彦徵), 호 삼오(三吾)는 효우로 가선(嘉善) 계에 오르고, 벼슬은 동중추(同中樞)에 이르렀다. 수량(守亮), 영화(永華), 계성(啓聖), 현위(炫瑋)는 군의 고조 이상 선조의 휘이다.

증조부 휘 의곤(毅坤)은 노사 기(蘆沙 奇)선생에게서 학문을 익혔고, 고산사(高山祠)에 배향하였다. 세상에서는 그를 동오선생(東塢先生)이라고 칭한다. 조부의 휘는 석휴(錫休)이고, 호는 무우(無憂)이다.

흠재공은 전의 이씨, 이천 서씨, 여주 이씨, 금녕 김씨에게 장가를 들었고, 융희(隆熙)후 임자(壬子, 서기 1912) 7월 5일에 석정리(石汀里) 가택에서 공을 낳았는데 그날은 공교롭게도 군의 조부인 무우공(無憂公)의 환갑이었으므로, 시찰 어사 조공 협승(協承)이 그에게 병갑(秉甲)이라는 이름을 지어주며, 사랑의 뜻을 표하였다. 성인이 되어서야 지금의 이름으로 고쳐 부르게 되었다.

군은 기가 청수하고 재성이 총오하였다. 방금 사숙(私塾)에 다니게 되자, 글공부에 별로 힘을 들이지 않았지만 바로 암송하곤 하였다. 군이 아홉 살 나던 해에 무우공이 동시에 두 선조 묘소의 석의(石儀)를 손보게 되었는데, 공사를 벌리는 장소가 한 곳이었으므로 운부(運夫)들이 어느 것이 어느 곳의 석의인 줄을 몰라 어리둥절해 있을 때, 군이 비석에 새긴 글을 알아보고, 운부들에게 각기 제 자리로 옮겨 가라고 가르쳐 주었다. 이를 본 무희공이 대단히 기뻐하시며 "네가 바로 우리 가문의 천리마이구나."라고 칭찬하였다.

이로부터 해이하지 않고, 더욱 경전(經傳)과 사서(史書)에 힘을 들이어 섭렵하지 않은 것이 없었으며, 그 가운데서도 특히 사서(史書)에 힘을 기울이었다. 배우다가 의혹이 생기면 부친에게 물어보았다. 늘 유가(儒家)가 몰락해가는 것을 보고 탄식을 하더니, 선정(先亭)에서 강회(講會)를 하여, 현송(絃誦)이 다시 이어지게 하였다.

그때 서방의 조류(西潮)가 마치도 홍수가 터져, 당장 산봉을 삼켜버리려는 형세이었고 일정(日政)도 갈수록 가혹하여졌다. 유가가 너무나도 억눌리는 것을 보자, 그는 드디어 밖으로 나와 제가(諸家)들의 학설을 한 번 실험해 보았다. 시국을 둘러보고 구경을 따지면서 논변을 진행하였더니, 이른 바의 판을 치던 관리들이 누구 하나 찍소

---

25) 《기아(箕雅)》: 한국 삼대 시가 총집의 하나임.

리도 하지 못하였다.

흠재공이 한번은 월산(月山)에서 집을 지을 집터를 찾아보았는데, 왜인(倭人)들이 전답을 차지하여, 집터로 할 자리마저 찾을 수가 없었다. 이에 공(公)이 여러 곳으로 찾아다니며 주선하고서야 마침내 자기에게 속하여야 할 집터를 되찾아내고 말았다. 집은 아주 덩실하고 돋보이게 지었는데, 부친의 환심을 사기 위해서였다. 거액의 자금을 들이었기에 끼니를 잇지 못할 정도로 생활이 쪼들리게 되었고, 근심 끝에 결국 병을 얻어 목미, 금강 등 곳에서 섭양하게 되었다. 함께 노닐던 사람들은 모두 그때 당시의 호걸이라고 불리던 사람들이었다. 그와 접촉한 사람들은 모두 그를 천재라고 칭하였다.

집으로 돌아온 후에는, 동사(東史)를 편찬하기 시작하였는데, 고금의 사서들을 널리 수집하여, 종합하고 분석하여, 삼년이 지나서야 완성하게 되었고, 제목을 《조선역사》라 하고 가산을 털어 인쇄에 교부하고 널리 퍼뜨렸다.

을유(乙酉, 서기 1945)가 지나 당설(黨說)이 크게 일어나자, 마침내 풍패(豊沛)에 종적을 감췄다. 사우들이 억지로 강권하여 전주북중학교(전주 北中學校)에서 글을 가르쳤으나, 얼마 안 되어, 전에 앓았던 병이 도져 귀가하여 몸조리를 하였다. 비록 병상에 몸져 누워있었으나, 부모에 대한 문안은 좀처럼 해이하지 않았다.

이렇게 몇 년을 지나다가 을미(乙未, 서기 1955) 11월 25일에 수가 겨우 마흔 넷으로 졸하였고, 장성(長城) 북이면(北二面) 송치(松峙) 처사동(處士洞) 향모원(向某原)에 장(葬)하였다.

부인은 울산 김씨 상철(相轍)의 따님이다. 3남을 두었는데, 강환(康煥), 민환(玟煥), 명환(明煥)이고, 딸은 탐진 안병달(安炳達)에게 시집을 갔다.

아, 군은 연원이 깊은 세가(世家)에서 태어나, 어려서부터 가정교육을 받으며 견식이 날마다 높아졌고, 조예가 갈수록 깊어져, 장차 이 세상에서 큰일을 해낼 수 있었지만 명이 그것을 제한하고 말았다.

하늘이여! 돈독하게 자라고 뛰어난 재능을 부여한 그 뜻은 도대체 어디에 있었던가? 흠재공을 부친으로 모셨고 흠재공이 또 군을 아들로 두었으니, 그 부친에 그 아들을 향(鄕)에서나 나라에서나, 모두가 자랑으로 삼았다. 그런데 군의 효성으로 흠재공을 끝까지 모시지 못하였고, 어진 흠재공은 군의 봉양을 천수를 다하도록 끝까지 받아 누리지 못하였구나! 이른 바의 하늘도 믿지 못할 것이고, 이른 바의 도리도 헤아리기 어렵구나!

전에 우리 선군(先君)이 군을 우리 불초자들 앞에서 이렇게 칭찬한 바가 있다. "군이 밖으로 나갔다가 밤중에 돌아오는데, 술이 잔뜩 취한 사람이 길가에 쓰러져 있는 것을 어둠 속에서도 알아보고, 곧 불을 밝히고 사람을 불러, 그 사람을 업어 제 집까지 데려다 주었단다. 너희들도 참으로 이렇게 할 수가 있을까?"

대개 군이 방금 열 살이 되었을까말았을까 했을 때의 일이다. 군은 남달리 총명하였고 사물의 도리를 따질 때에 긍경(肯綮)한 곳에 부딪치게 되어 사람들이 어리둥절하고 있으면, 곧 칼을 들어 대죽을 쪼개듯이 순조롭게 풀어주었는데, 사람들의 상상을 벗어났었다.

사서(史書)에 재능이 있어, 상하 오천 년을 내려오면서 나라의 이란흥체(理亂興替)나 인간의 현우득실(賢愚得失)을 깊이 있게 관통하여, 마치도 자기의 이야기를 하듯이 외워댔다. 그가 편찬한 《조선역사》는 서술가운데에 자기의 관점을 삽입하여, 그 뜻을 기록하였으니, 백년이 지난다고 해도 반드시 그 논법을 숭상하는 사람이 나타날 것이다.

몇 해 동안 병석에 누워 바깥출입을 하지 못하였지만도, 매번 양진(良辰) 길일을 만나거나 명절을 쇠게 되면, 반드시 친구들을 불러 술상을 차렸다. 비록 음식은 들지 못하지만 시(詩)를 지어 분위기를 돋우었으니, 기수(沂水)에 미역을 감고 노래를 부르며 돌아오는 증석(曾晳)을 떠올리게 하였다.

일찍 《논리론(倫理論)》 한 편을 지어, 나에게 보여주면서 "세도가 이렇게 돌아가니, 병든 나는 어쩔 수가 없게 되었습니다."라고 말하였다. 그의 마음은 미소하게 되었고 그의 정서는 참으로 슬프기도 하다.

아! 말세에서 세상은 갈수록 더 어지러워져 인물은 묘연하게 되고 말았다. 만나 볼 수 없는 사람을 이 세상에서 다행으로 만나보기는 하였지만, 이제는 다시는 만날 수가 없게 되었구나.

오호라! 한숨이 나온다. 강환(康煥)이 초고(草稿)를 들고와 정회(正會)에게 차례 순서를 정하고 행장을 적어달라고 부탁하면서, 대를 내려오며 교분이 깊었다고 한다. 정회가 그것을 맡을 적임이 아니라는 것을 알고는 있지만, 군과 오래도록 접촉하면서 깊이 알고 있는 사람은 나를 초월할 사람이 없으니, 내가 이 일을 맡지 않으면 누가 맡을 수 있단 말인가? 이에 드디어 사양을 하지 않고 위와 같이 삭제하고 윤색한다. 세상의 붓을 잡은 군자들이 만약 군의 생평사적을 알고자 하면 아마 여기에서 고증하리라고 믿는다.

月樵史家曺君行狀

君諱秉烈, 字景安, 月樵其自號。欽齋先生悳承長子也。曺氏籍昌寧, 以新羅昌城府院君, 諱繼龍爲上祖。在麗連突, 有八平章、五少監。諱庶, 號淸澗, 仕我朝, 歷官淸顯, 詩登箕雅, 享鼎山祠。傳至諱琛, 見朝著不靖, 南下家牟陽。歷五世, 諱彦徵, 號三吾, 孝友著世, 階嘉善, 官同中樞。守亮、永華、啓聖、炫瑋, 於君爲高祖以上諱也。曾祖諱毅坤, 學于蘆沙奇先生, 配享高山祠, 世稱東塢先生。祖諱錫休, 號無憂。欽齋公娶全義李氏、利川徐氏、驪州李氏、金寧金氏。以隆熙後壬子七月五日擧君于石汀里第。適在無憂公甲年, 視察御史曺公協承名之秉甲而寄愛。及長, 改以今所稱。君氣格淸秀, 才性重慧。甫上學, 不專課讀, 而輒成誦。九歲無憂, 公營兩處先墓石儀, 役在同處。運夫不能辨, 君視石面刻字, 使各運其所。無憂公喜曰: "爾乃吾家千里駒也。" 自是不懈, 益篤於經於史, 無不涉獵, 而尤用力施 史。學有疑處, 便質于趨庭。常慨然於儒敎萎靡, 設講會於先亭, 使絃誦復續。時西潮懷襄, 日政苛業。儒家見壓太甚, 遂出而嘗試諸家學說。觀時察局, 推究論辨, 所謂時官豪吏, 皆囁嚅不能出一語。欽齋公嘗相宅于月山, 田籍爲倭人占, 莫可經紀。君多方周旋, 竟爲我有。堂搆極其輪煥, 以驩親意。巨費餘, 恐水菽不繼, 左右拮据, 竟以思慮得疾, 攝養于木覓、金剛等地。所與遊皆當世豪俊。接之者輒以天才稱。返而修東史, 博蒐古今史書, 綜合折衷, 三年而成。題可朝鮮歷史, 縮家產印以廣其佈。乙酉後, 黨說大熾, 遂晦跡豐沛。爲士友所强, 敎授于北中學校。又未幾, 宿祟復闖, 歸而養于家。雖委病床, 堂上寢膳之問, 未嘗少懈。如是累年, 卒于乙未十一月二十五日, 壽纔四十四, 葬于長城北二面松峙處士洞向某原。夫人蔚山金氏, 相轍女。三男, 康煥、玟煥、明煥。女適耽津安炳達。噫, 君生淵源世家, 早服庭訓, 所見日益高, 所詣日益深, 將大有爲於斯世, 而年命限之。天乎!篤生才儁, 意果安在?以欽齋爲父, 以君爲子, 是父是子, 鄕邦稱頌。而以君之孝, 不克終其養, 以欽齋之賢。不得終受其養。所謂天者不可諶, 而所謂理者亦不可測也。昔我先君, 嘗稱君於不肖等, 曰: "君自外夜歸, 依迷中見泥醉人僵路左。卽治燈起丁, 負而歸其家。汝曹能爲此否?" 盖君年甫十許時事也。君聰明超倫, 遇事理肯綮, 衆所疑眩處, 輒迎刃破竹, 多出人意表。長於史才, 上下五千年, 國之理亂興替、人之賢愚得失, 無不淹貫, 如誦己言。所纂鮮史, 間著論說, 以志其義。百世之後, 必有尙論者矣。病臥數年, 不作門外一步地, 而每良辰勝節, 必置酒速友, 雖口吃不成, 韻而情意藹蔚, 悠然有沂上咏歸之想。嘗著倫理論一篇, 以示余曰：" 世道今如許, 吾病亦不可爲矣。" 其志微矣, 其情戚矣。噫, 叔季日下, 人物眇然。幸見不可見之人於斯世, 而終不可復見。嗚呼！欷矣。康煥以狀草囑正會, 俾序次之, 以世好也。顧正會非其人, 不堪爲役。而知君深且久莫余若, 吾而不任其責, 誰當爲者？遂不辭而刪潤如右, 世之秉筆君子, 欲知君平生, 庶於此攷焉。

유인 설씨 행록(孺人 薛氏 行錄)

설씨(薛氏)의 본관은 순창(淳昌)으로, 고(考)는 광국(光國)이다. 시집오기 전 부친의 집에서는 일찍부터 효순하다고 소문이 났다.

나이 열다섯이 되자, 안동 김씨(安東 金氏) 가문에 시집을 와 처사 재갑(在甲)의 아내로 되었다. 시아버지를 미처 모시지 못한 것을 더없는 한으로 삼고, 정성을 다하여 시어머니를 모셨으며, 군자(君子) 숙경(肅敬)를 마치도 손님을 대하듯이 숙연하며 공경하게 섬기었다.

멀고 가까운 종친들을 간격을 두지 않고 은혜를 베풀고 우애롭게 대하여, 온 가문이 모두 활기에 차 있었다.

처사 공이 일찍 수중다리로 앓았는데, 유인(孺人)은 그 고름을 입으로 빨아내었다.

병이 위독해지자, 이슬을 맞으며 기도를 올리면서, 자기의 몸으로 대신하게 해달라고 빌고 또 빌었다. 대변을 맛보아[26] 병이 어떤가를 살피었고, 손가락을 베어 흐르는 피로 약을 달여, 사흘 동안의 명을 연장하여 주었다. 솜털마저 날리지 않고 물조차 못 넘기자, 혼도한 적이 몇 번이나 되는지 모른다.

그러다가 갑자기 깨달은 바가 있어 "시어머니가 당상에 계시고 따라야 할 아들이 있지 않은가？ 내가 남편을 따라가려고 하는 이 마음을 그들은 정녕 받아들이지 못할 것이다."라고 말하였다.

---

26) 대변을 맛보다：유금려(庾黔婁)가 현령으로 부임한지 열흘이 되지 않아, 갑자기 온 몸이 떨리고 식은 땀이 났다. 집에 일이 발생하였다고 생각하고, 즉시로 벼슬을 버리고 귀향하였더니, 참으로 부친이 병석에서 일어나지 못하였다. 의원이 "병이 어떤가를 알아보려면 환자의 대변을 맛보면 되오. 대변에 쓴 맛이 나면 낫는 거요." 라고 말하였다. 그가 의원의 말대로 귀가하여 부친의 대변을 맛보니 단맛이 났다. 걱정 끝에 그는 밤에 북두성에 절을 올리며 자기가 아버지를 대신하게 하여달라고 빌었었다. 며칠 후 그의 부친은 결국 사망하고 말았다. 이에 그는 부친을 묻은 뒤 삼년 동안 여모를 지켰다고 한다.

미망인으로 세상에 살아갔지만, 슬프고 서러운 얼굴을 시어머니에게 보이지 않았고, 오히려 더 정성을 다하여 시중을 들며 시어머니가 마음을 놓도록 하였다. 부지런하고 검소하게 살림을 꾸리며 원래의 업이 떨어지지 않도록 노력하였다. 시어머니의 상을 당하자, 법에 지나치도록 슬퍼하였다.

아들 넷을 의로운 방도로 가르치고, 마침내 성공을 이룩하게 하였다. 계묘(癸卯) 모일에 졸하니, 태어난 무오(戊午)까지 헤아리면, 수가 예순 여섯이었다. 아산방(雅山坊)오향전록(午向前麓) 부손원(負巽原)에 장(葬)하였다.

장남은 관회(官會), 아래는 성회(盛會), 창회(昌會), 광회(光會)이다.

오호라! 유인(孺人)의 탁월한 행실은 성세(盛世)를 만났더라면 마땅히 정려(旌閭)하여 표창을 받았을 것이지만, 고금이 다르지 않은가? 애석하도다.

비록 그렇다고 하더라도, 그의 언행이 사람들의 이목에 남아있으니, 사족 가문(家門)의 여성들의 본보기로 되기에 충분하다. 이는 가히 무너져가는 퇴폐한 기풍을 경계하고, 새로운 기풍을 세워줄 수 있으니, 유인에게는 무슨 여한이 남아 있을 수가 있으랴!

孺人薛氏行錄

薛氏籍淳昌, 其考光國。在父家夙著孝順, 及笄, 歸安東金氏, 爲處士在甲室。以未逮事舅爲至恨, 盡誠於養姑。奉君子肅敬如待賓, 遠近族戚恩誼洽摯, 以致一門雍睦。處士公嘗患脚瘇, 孺人吮之。及疾病, 露禱願以身代。嘗糞驗劇歇, 裂指注血, 以延三日。縷及不起, 水醬不口, 絶而復蘇者累, 燔然悟曰: "老姑在堂, 所從有子, 不可容吾志。" 爲未亡人, 在世而亦未嘗以惻嗟色見於姑, 加意服勞, 以安其心。克勤克儉, 不墜舊業。及遭姑憂, 致哀過常度。有子四人, 教之以義方, 卒能有以成就之。癸亥某日卒, 其生戊午, 壽六十六, 葬于雅山坊午向前麓負巽原。男長官會, 次盛會、昌會、光會。嗚乎! 孺人卓行, 在盛世則宜蒙旌褒, 而古今有異。惜哉! 雖然言行在人耳目, 足爲士族家婦女模範。此可以警頹樹風矣, 於孺人何憾焉。

효렬부 김씨 행록(孝烈婦 金氏 行錄)

　여성들에게 수여하는 효녀(孝女)와 열부(烈婦)라는 칭호는 얼마든지 남성들에게 수여하는 충신, 효자에 비할 수 있다. 그렇지만 효자와 충신이라고 하면, 온 세상에 혁혁하게 드러나 사람마다 익히 알게 되지만, 여성들의 행실은 규방(閨房)을 벗어나지 않고 있으므로, 특별히 탁월하고 기이한 사람이 아니라고 하면 대부분 매몰되어 드러나지 않게 마련이다. 드러나지 않으면 세상에서는 알 수 없게 되어, 오직 한 동네 한 골목에서 살아오던 사람들을 만나 이야기하면서, 그 실제를 고증하지 않으면 안 되게 된다. 이것이 바로 석정리(石汀里)에 사는 인사들이 고 조병효(曺秉孝)의 아내 김씨(金氏)를 위해 천거(薦擧) 소장을 올린 원인이다.
　효렬부 김씨의 종손 기덕(基德)이 그의 행장을 가지고 나를 찾아와, 글을 적어달라고 청구하므로, 행장의 서문을 아래와 같이 서술한다.
　유인(孺人)은 스물하나에 시집을 와 부도를 굳게 잡고 효성을 다하였다. 그러나 겨우 한해를 채우자, 남편이 병환으로 몸져눕게 되었으므로, 약이(藥餌)로 구호하며 갖은 방법을 다하여 구호하였다. 병이 위급하게 되자, 손가락을 물어뜯어 입에 핏방울을 먹였지만도, 남편은 끝내 깨어나지 못하였다. 그때 고령이신 시어머니가 당(堂)에 계시었고, 배 속에는 유복자(遺腹子)가 들어있었다. 유인은 슬픔과 아픔을 참고, 전반 장례를 유감이 없이 치렀고, 슬프고 답답한 기색을 시어머니에게 드러내지 않았다. 다만 남자아이를 낳기만 고대하고 있었지만, 불행하게도 유산(流産)을 하고 말았다.
　오호라! 더는 바랄 것이 없게 되자, 결연히 남편을 따라갈 마음을 먹었지만, 집안 식구들이 든든히 지키고 있어서 뜻을 이르지 못하였다. 그러다가 갑자기 깨닫는 바가 있어 "제 마음먹은 대로 바로 남편을 따라 가기보다, 시어머니를 모시고 망부가 이루지 못한 효도를 다하는 편이 낫겠다."라고 말하였다.
　그리고는 뜨개질을 하여 살림을 보태면서 늙으신 시어머니가 슬퍼하지 않게 해드리었고, 시어머니가 불쾌해하는 기색을 보이면, 공경을 다하고 효도를 다하면서 그의 안색이 조금 풀어지기를 기다려 물러났다.
　시어머니의 상을 당하자, 많은 일들을 성심을 다하였고, 시어머니를 그리며 서러워하는 마음은 이웃들까지 감동시키며, 삼년을 하루와 같이 지새웠다.
　종자(從子) 윤섭(胤燮)을 아들로 삼아, 남편의 대를 잇게 하였다.

정회(正會)는 신분이 높지 않고 언사가 서툴러서 경중을 가늠하기에는 부족하지만, 약간 취사선택을 하고 다듬어서 훗날 매몰된 것을 고증하는 사람들을 위해 준비를 하여 둔다. 김씨의 적은 안동(安東)이고 부친은 신묵(信默)이다. 조씨의 본적은 창산(昌山)이고, 청간공(淸澗公)의 서후(庶后)이다.

孝烈婦金氏行錄

婦人之孝且烈, 比之忠臣孝子. 然孝子與忠臣, 赫赫著于世, 人得而知之. 惟婦人之行, 不出於閨. 故非有卓節奇異者, 類多湮沒而不章. 惟其不章, 世莫得以知, 惟同巷人見聞所接, 可徵其實矣. 此石汀里人士所以爲故曹秉孝妻金氏述薦狀. 其從孫基德以其狀, 請余文之, 遂按而爲之. 叙曰: 孺人年二十一于歸, 克執婦道, 孝養舅姑, 纔期年, 夫嬰疾, 藥餌救護, 靡不用極. 其革也, 嚼指血口, 竟不回天. 時老姑在堂, 遺血在腹. 孺人忍痛含哀, 使初終无憾, 亦不以慽嗟色見於姑. 惟產男是望, 不幸流產. 嗚乎! 已無望矣, 決意下從. 爲家人嚴守, 所志未遂. 乃燔然曰: "與其徑情直行, 孰若養姑, 以卒亡夫未了之孝." 紅織資生, 使老姑不戚戚, 姑或有不豫色, 起敬起孝, 竢顏色稍解然後退, 及遭憂, 凡百必以誠, 悲慕動隣里. 三年如一日. 子從子胤燮, 以立夫后. 正會人言俱下, 不足爲重輕, 略加檃栝, 以備異日發幽潛者攷焉. 金氏籍安東, 信默其父. 曹貫昌山, 淸澗公庶后.

옥산 김공 행장(玉山 金公 行狀)

　세상에서 효감(孝感)[27]을 이야기한다면, 반드시 왕상(王祥)[28]과 맹종(孟宗)[29]이라고 칭하기는 하지만, 옥산 김공(玉山 金公)은 무자위와 뱀을 끓여 올리고 잉어와 죽순을 사용하지 않고서도 그 아름다움을 이루게 되었다.

　공은 해풍인(海風人)으로 휘는 상득(相得), 자는 장언(長彦)이며, 옥산(玉山)은 그의 호이다. 승국(勝國)의 해풍 부원군(海豐 府院君) 숭선(崇善)을 시조로 한다. 수연(壽延) 대에 이르러, 우리 중묘조(中廟朝)에서 병절교위(秉節校尉)로 있었다. 다시 전하여 희성(希聖)에 이르는데, 이퇴계(李退溪), 정응두(丁應斗)와 동년으로 성균관(成均館)직강(直講)을 역임하였다. 아들 추(秋)는 진사(進士)이다. 아들 휘 득휘(得輝)는 생원(生員)이다. 아들 의연(嶷延)은 서찰방(署察坊)이었다. 아들 상(尙)은 호조좌랑(戶曹佐郎)이었고, 개성(開城)에서 남으로 내려와, 무장(茂長)의 석교(石橋)에 우거하였기에, 자손들이 여기에 자리를 잡게 되었다.

　일곱 대를 지나, 생원 광욱(光郁), 좌승지(左承旨)에 추증된 관후(寬厚), 호참(戶參)에 추증된 창구(昌龜), 영기(永基)는 4세이다.

　외조부는 경주 최병륜(崔炳輪)이다.

　공(公)은 천성으로 효성이 있고, 어려서부터 사랑과 공경을 알았으며, 아침저녁으로 문안을 다니고, 맛있는 음식 대접을 그치지 않았다.

　나이 열둘에 부친이 등창을 앓자 약을 부쳐드리고 고름을 입으로 빨아내었다. 그래도 호전되지 않으니 하늘에 자기를 대신하게 하여 달라고 빌고 빌었다. 그랬더니 꿈

---

27) 효감(孝感): 효로 사물을 감동시킨 일을 가리킴. 동영(董永)은 동한 시기 사람이라고 한다. 소년에 어머니를 여의고 전란을 피하여 안릉으로 이사를 갔는데 부친마저 세상을 떠나게 되었다. 동영은 자기 몸을 팔아 노예로 되었고 그 돈으로 부친의 장례를 지냈다. 하루는 일을 하다가 회나무 그늘 아래에서 한 여인을 만났는데 갈 곳이 없다고 하였기에 두 사람이 부부로 되었다. 여인은 한 달 동안 삼 백 필의 비단을 짜 그것으로 동영의 몸값을 치르고 빚을 갚았다. 돌아오는 길에 여인은 회나무 그늘 아래로 오더니 동영에게 자기는 천제의 딸인데 동영을 도와 빚을 갚아주라는 명을 받고 내려왔다는 말을 남긴 뒤 하늘로 올라갔다. 이리하여 그 회나무 그늘을 효감(孝感)이라고 고쳐 불렀다고 한다.

28) 왕상(王祥): 왕상은 어머니를 여의고 계모 밑에서 컸다. 계모가 앓아 산 잉어를 먹고 싶어 하자 한 겨울에 옷섶을 헤치고 맨살을 얼음 위에 대였다. 이에 얼음이 저절로 녹으며 잉어 두 마리가 뛰쳐나오기에 그것을 계모에게 끓여드리었고 그로 하여 계모의 병이 나았다고 한다.

29) 맹종(孟宗): 중국 삼국 시기 사람이다. 어린 시절에 부친을 여의고 늙으신 어머니를 모시었다. 어머니의 병이 위중하여 의원을 불렀더니 의원이 싱싱한 죽순을 들면 나을 것이라고 하였다. 그때는 한 겨울이라 죽순을 구할 수 없었으므로 그는 대숲에 가서 대죽을 안고 통곡을 하였다. 그때 땅이 갈라지면서 몇 대의 죽순이 돋았음으로 귀가하여 어머니에게 대접하였더니 병이 가신듯이 나았다고 한다.

이 한 노인이 나타나 알려주는 것이었다. "드렁허리를 얻어다가 발라주면 마감에는 나을 것이네." 잠에서 깨어난 그는 아주 신기하게 생각하였다. 그때는 한창 추위가 기승부리는 겨울이라 얼음이 꽁꽁 얼어붙어 얻을 방도가 없었다. 그가 통곡을 하며 한창 서성거리고 있을 때, 갑자기 까마귀가 나무아래에서 마구 울어대는 소리를 듣고, 그곳으로 찾아 갔더니, 대가리 아래와 꽁지 위만 남은 드렁허리 한 마리가 떨어져 있었으므로, 그것을 들고 돌아가 꿈에 나타난 노인의 말대로 붙여드렸더니, 과연 즉각 효과를 보게 되었다.

이번에는 어머니가 몸져누웠다. 꿈에 또 그 노인이 나타나더니 알려주었다. "겨울 뱀을 대접하면 나을 거네." 공이 하늘을 부르며, 땅에 하소연하였더니 뱀 한 마리가 눈 속에서 기여 나왔다. 드디어 대접하였더니 과연 소생하였다.

선후로 양친 부모의 상을 당하여 슬픔을 다하였으니, 참으로 고대의 돈독한 군자의 행실이 보이였다.

공(公)은 고종 경신(庚申,서기1880)에 태어나 수가 일흔 셋으로 순종 후 임진(壬申, 서기1932) 2월 7일에 졸하였으며, 묘는 영광(靈光) 법성면(法聖面) 내마아(內馬牙) 뒤의 향임원(向壬原)에 있다.

배 영광 정씨(靈光 丁氏)는 복여(福汝)의 딸이다. 공보다 먼저 몰하였는데, 1월 27일이 기일이다.

금녕 김씨(金寧 金氏)는 신권(信權)의 딸이다.

5남을 두었는데 병준(炳俊), 병해(炳海), 병윤(炳潤), 병채(炳采), 병조(炳祚)는 김씨의 소생이다.

복규(僕圭), 우규(禹圭), 형규(亨圭)는 병준의 아들이다. 갑규(甲圭), 창규(昌圭)는 병해의 아들이며 면규(冕圭), 인규(仁圭)는 병윤의 아들이며 지규(芝圭), 경규(京圭)는 병채의 아들이며 찬규(燦圭)는 병조의 아들이다.

공의 몰후에, 향의 사람들이 그의 행실을 여러 읍에 알리었기에, 비석을 세우고 누각을 세우는 일이 생기게 되었다. 병해가 나의 벗인 배성수(裵聖洙)를 중간에 세워 나에게 그의 행실을 행장으로 적어달라고 부탁을 하기에, 사양은 하였지만, 뜻대로 되지 않아, 설명을 가하고 행장을 적는다.

숲 속의 드렁허리와 눈 속의 뱀은 효(孝)가 하늘을 감동시켰기 때문이다. 사림(士林)에서 천거하여 표창하게 된 것은 효성이 사람들을 감동시켰기 때문이다. 정성스러운 효라는 뿌리가 천성에 박히고 전신에 퍼지지 않았다고 한다면, 어떻게 이러한 감응이 있을 수가 있겠는가?

아, 그가 회옹보다 늦어 태어나 왕상(王祥)[30]의 무리들과 《선행편(善行篇)에》 나란히 서있지 못하는 것이 애달프구나!

玉山金公行狀

世之道孝感, 必稱王孟, 若玉山金公之鱓蛇, 不使鯉筍, 專其美也。公海豊人, 諱相得, 字長彦, 玉山號也。勝國海豊府院君崇善爲始。至壽延, 我中廟朝爲秉節校尉。再傳希聖, 與李退溪、丁應斗同年, 官成均直講。是生秋, 進士。是生得輝, 生員。是生嶷延, 署察訪。是生尙戶曹佐郎, 自開城移于茂長之石橋, 子孫家焉。七傳光郁, 生員。寬厚, 贈左承旨。昌龜, 贈戶叅。永基。四世也。外祖, 慶州崔炳輪。公性孝, 自幼知愛敬, 晨昏有常, 甘毳無闕。年十二, 父患疽, 藥之吮之。不見其喜, 乃祝天乞代, 夢一老人告曰: "得鱓塗之, 末瘳。" 覺頗異之。時大寒, 氷堅不可得。號泣彷徨, 有烏鵲亂噪林下, 往視之, 有一鱓, 只存頭下尾上者。携而供之, 果得立効。母疾, 又老人夢告, 曰: "冬蛇可已。" 公呼天泣訴, 一蛇忽自雪中出, 遂供進, 得蘇。及前後喪, 易戚備至, 有古篤孝君子之行焉。公生高宗庚辰, 以壽七十三, 卒于純宗後壬辰二月七日, 墓靈光法聖面內馬牙後向壬原。配靈光丁氏, 福汝女。先公圽, 正月二十七日忌也。金寧金氏, 信權女。五男, 炳俊、炳海、炳潤、炳采、炳祚, 金出也。僕圭、禹圭、亨圭, 俊出。甲圭、昌圭海出。 晃圭、仁圭, 潤出。芝圭、京圭, 采出。燦圭, 祚出。公沒后, 鄕人士白其行于列邑, 至有竪碑建閣。炳海介余友裵聖洙, 狀其事行, 辭不獲, 遂按而爲之說。曰: 彼林下鱓、雪中蛇, 孝之感于天也。士林之薦襃孝感于人也。非誠孝之根于性而積于身, 安能致此之感? 噫, 其生也後晦翁, 不得與王祥輩幷列于善行篇, 惜哉。

유인 유씨 행록(孺人柳氏行錄)

유씨(柳氏)의 본관은 고흥(高興)으로, 고려 문하시중(門下侍中)인 문정공(文正公) 탁(濯)을 원조로 한다.

---

30) 왕상(王祥): 앞의 주해를 보라.

조부는 지만(志晚)이고, 통정(通政)으로 있었다. 고(考)는 호기(浩基)이다.

외조부는 밀양 박원현(密陽 朴原鉉)이다.

유인(孺人)은 태어나서부터 현숙하고 온순하며, 효성이 있고, 근신하다고 일찍부터 소문이 났다. 나이 열다섯에 광산 김씨 가문에 시집을 와, 선비 재만(在晚)의 아내로 되었다. 집이 씻은 듯이 가난하기는 하였지만, 시부모의 마음이나 건강을 극도로 보살피며 모시었고, 군자를 손님을 대하듯이 공경하게 섬기었다. 종친들은 그를 화목하게 한다고 칭찬하였고, 동네에서는 본보기로 되었다.

남편이 중병을 앓게 되자 북두성에 자기가 대신하게 하여 달라고 빌고 또 빌었다. 더는 구할 수 없게 되자 슬픔을 머금고 아픔을 맛보며 스스로 염습(殮襲)으로부터 하관(下棺)할 때까지 모든 절차를 예법에 따랐으며, 몸소 여러 가지를 장만하여, 아무런 유감도 남기지 않았다.

고아(孤兒) 하나를 두었는데, 이름은 철현(喆鉉), 나이는 겨우 열일곱이었다. 유인이 "내가 따라야 하는 아들이 있다."라고 말하였다. 미망인으로 되어 세상에 살아가면서 나물을 캐고, 우물을 긷고, 절구를 빻으며 잠시도 쉴 새 없이 바삐 돌며, 찬 겨울, 무더운 여름도 아랑곳하지 않아 손발이 다 터서 피가 날 정도였으나, 힘들다는 말 한 마디 입 밖에 내지 않았다. 의롭게 자식을 가르치며, 남편의 대가 번성하게 하였다. 철현은 어머니의 가르침을 받들고 떳떳하게 행동을 하고 돈후하게 실천을 하여 사람마다 자식답다고 칭찬하였다.

철현은 결혼하여, 4남을 두었는데, 장남은 연재(永載)이고, 아래는 영표(永杓), 영대(永大), 영주(永柱)이다. 난초의 싹은 자라났고, 옥수는 빛을 뿌리며 무성한 숲을 한창 이루고 있다. 하늘의 보답은 여기에서는 거짓이 없었다. 술은 본래 와부(瓦缶)에 붙지 않는 법이니, 어이하여 착한 일을 하는 사람들을 권면하지 않는가?

철 현이 불녕을 찾아와 청을 들며 말하였다. "어머님의 지행의덕(至行懿德)을 민몰(泯沒)³¹⁾되게 할 수는 없습니다. 몇 마디 무거운 말씀을 빌려, 길이 빛나게 하여 주시기를 바라는 바입니다."

불녕이 생각하니, 그렇게 해 줄 수 있는 사람이 아니기는 하지만, 사람들의 훌륭한 행실을 즐겨 이야기하는 것은 병이(秉彝)와 마찬가지이므로, 차마 끝까지 침묵을 지킬 수가 없어, 유인(孺人)의 행실을 대체적인 것들을 간략하게 적어, 후에 오는 입언 군자들에게 알리는 바이다.

---

31) 흔적이 아주 없어짐.

孺人柳氏行錄

柳氏籍高興。高麗門下侍中, 忠正公, 濯其遠祖。祖曰志晩, 逋政。考曰浩基。外祖曰密陽朴原鉉。孺人生而淑婉, 以孝謹夙著。及筓, 適于光山金氏, 爲士人在晩配。一貧如洗, 而養舅姑志體俱極, 奉君子敬待如賓。宗族稱其睦, 鄕里之模楷。夫病, 禱辰乞代。及不救, 含哀茹痛, 自斂及窆, 應用諸節, 躬自辦備, 使無遺憾焉。有一孤, 曰喆鉉, 年纔十七。孺人曰：〝吾所從有子〞, 爲未亡人在世, 採擷井臼, 日不暇給, 不避祁寒暑雨, 手足皸瘃, 而口不作苦楚一語。教子以義方, 以昌夫家之後。喆鉉克遵慈訓, 庸行敦實, 人稱是子。喆鉉娶婦, 生四男。長曰永載, 次曰永杓、曰永大、曰永柱。蘭苗玉輝, 蔚然方興。報施之天, 至是不忒。黃流固不注瓦缶也, 曷不爲爲善者勸哉？喆鉉君請不佞曰：〝母氏之至行懿德, 不可使泯沒。願得一言之重, 以圖不朽。〞不佞顧非其人, 而樂道人之善, 秉彝攸同也。不忍終默, 略敍行治大槩, 以告後之立言君子。

후계 김공 행장(後溪 金公 行狀)

    공의 휘는 재목(在穆), 자는 백언(伯彦)이며, 스스로 호를 후계(後溪)라고 하였다. 김씨는 본관이 광산(光山)으로, 세상에서 칭하는 이른 바의 여덟 평장(平章)이 나왔다는 화려한 문벌가족출신이다. 고려 시기의 명신인 양간공(良簡公) 휘 연(璉)이 가장 명성을 날린 분이다. 대제학 장영공(章榮公)에 이르는데, 그의 휘는 진(稹)이다. 낳은 아들 휘 광리(光利)는 전리판서(典利判書)이다. 낳은 아들 휘 인우(仁雨) 역시 전판(典判)이다. 낳은 아들 휘 승길(承吉)의 호는 사은(沙隱)이고, 함종현령(咸從縣令)을 역임했다. 고려 사직이 무너지자 두문불출하고 스스로 정조를 지켰다. 군기시정(軍器寺正) 휘 오행(五行), 호 매은(梅隱)이 유훈을 따라 남으로 내려와 장사(長沙)에 은둔하였다. 휘 명원(命元)대에 이르러, 부정(副正)을 역임하였다. 낳은 아들 휘 기서(麒瑞)의 호는 돈목재(敦睦齋沙隱)이다. 낳은 아들 휘 경희(景熹)는 호가 노계(蘆溪)이고 생원이다. 낳은 아들 휘 덕우(德宇)는 동중추(同中樞)이고 호는 양촌(良村)이며, 임진왜란에 의병을 창도하였다. 두 번 전하여 휘 여강(汝剛)에 이르는데, 호는 송암(松菴)

이고, 갑자(甲子)년에 이괄(李适)이 변을 일으켰을 때 의병을 일으켰다.

고조의 휘는 희길(熹吉)이고, 증조의 휘는 정택(鼎澤)이고, 조부의 휘는 상희(相喜)이며, 고(考)의 휘는 기풍(箕豊)이고 호는 월암(月庵)이다. 모두 문장과 행실로 소문이 났다.

비(妃) 고흥 유씨(柳氏)는 지면(志勉)이 고(考)이다. 낳은 고(考)의 휘는 기호(箕鎬)이다.

공(公)은 고종 기축(己丑, 서기 1889) 4월 26일에 태어났다. 천성이 순수하고 돈후하다. 어려서부터 절대로 허투루 말하거나 웃지를 않았다. 스승을 모시자, 능히 스스로 고무격려하면서, 같은 또래의 아이들과 휩쓸려 다니며 장난질을 하지 않았다. 어른이나 늙은이들은 그에게 원대한 장래를 기대하였다. 두 가정에 효도를 다하면서, 부모들의 뜻에 따라 움직이었다. 두문불출하고 종적을 감추고 명성을 날리려 하지도 않았고, 벼슬을 구하려고도 하지 않았다. 몸에서는 태만한 기운을 찾아볼 수가 없었고, 입에서는 비속한 말을 들을 수가 없었다. 세상에서 말하는 조씨이고 맹씨이고 하는 것들과 누가 칭찬한다거나 누가 헐뜯는다는 따위의 말들은 강호에 던져 버리고, 완전히 잊어버렸다. 차라리 남이 나를 저버릴지언정, 나는 남을 저버리지 않는다는 것이었다. 더욱이 윤리를 돈독하게 즐기었고, 친척들 간에는 멀고 가까운 관계를 따지지 않고, 하나 같이 화기애애하게 대하였다. 집안에는 아무 것이 깨끗하고 단사표음마저 이어갈 수 없었지만, 언제나 편안한 마음으로 지냈다. 베천으로 몸에 둘러도 귀족이 패옥을 찬 것보다 화려하게 느꼈고, 찬 물을 들이켜도 귀족들의 세발 솥 음식보다 달게 들었으며, 자손들을 가르쳐도 시서(詩書)와 효우(孝友)를 근본으로 삼았으니, 고대의 돈독하다고 하는 군자들에게서 찾아보고 견주어 보려고 해도 참으로 그런 사람이 드물었다. 향년 예순 둘로 2월 10일에 몰하였고, 월계(月溪)의 운월등(雲月嶝) 선영 아래의 침해지천(枕亥之阡)에 장(葬)하였다.

배(配)는 전주 이씨 병섭(炳燮)의 따님이다.

4남을 두었는데, 장남은 수현(壽鉉)이고, 아래는 부현(富鉉), 강현(康鉉), 익현(益鉉)이다.

수현이 영대(永大), 영조(永祚), 영기(永奇), 영오(永晤), 영철(永轍)을 낳았고, 부현이 영구(永球), 영원(永元), 영하(永夏)를 낳았으며, 강현이 영후(永厚), 영식(永植)을 낳았고, 익현이 영섭(永燮)을 낳았다.

손자, 증손자, 외손자, 외, 증손자가 번성하여, 다 기록하지 않는다.

철사(哲嗣) 수현보(壽鉉甫)가 공의 덕을 행장으로 적어 달라고 불녕에게 청구하였는데, 아마 이웃으로 있으면서 누구보다도 공을 잘 알고 있다고 생각하였기 때문일 것이다. 옛날에 이런 말이 있었다. "말에 가지가 뻗기보다도 행실에 가지가 뻗는 편이 낫다." 공이 공으로 될 수 있은 것은 날마다 이륜(彝倫)을 행동에 옮겼기 때문이다. 세상에서 입언(立言)을 하려는 사람들은, 여기에 채집할 것이 있을 것이다.

後溪金公行狀

公諱在穆, 宇伯彦, 自號後溪。金氏貫光山, 世所稱八平章之華閥也。麗朝名臣良簡公, 諱璉爲顯。至大提學章榮公, 諱積。是生諱光利, 典利判書。是生諱仁雨, 亦典判。是生諱承吉, 號沙隱, 咸從縣令。麗社旣屋, 杜門自靖。軍器寺正, 諱五行, 號梅隱, 遵遺訓, 南遁長沙。傳至諱命元, 副正。是生諱麒瑞, 號敦睦齋。是生諱景熹, 號蘆溪, 生員。是生諱德宇, 同中樞, 號良村, 壬辰倡義。再傳諱汝剛, 號松菴。甲子适變, 擧義。高祖諱熹吉, 曾祖諱鼎澤, 祖諱相喜, 考諱箕豐, 號月庵。以文行稱。妣高興柳氏, 志勉其考。生考諱箕鎬。公生高宗己丑四月二十六日。賦性淳厚, 自幼言笑不苟。及就傅, 能自勉勵, 不與群兒遊戲。長老期以遠大。致孝于兩庭, 順適親志, 杜門斂跡, 不求聞達。體不設怠慢之氣, 口不出鄙俚之言。凡世之曰趙曰孟, 誰毀誰譽, 相忘乎江湖。寧人負我, 我不負人。尤篤於倫理, 親無疎遠, 一視同翕。 環堵蕭然, 簞瓢不繼, 而常晏如也。縕布華於珮玉, 飮水甘於列鼎。教子課孫, 以詩書孝友爲本。求之古篤行君子, 罕有其比焉。以享年六十二沒, 于庚寅二月十日, 葬于月溪之雲月嶝先塋下枕亥之阡。配全州李氏, 炳燮女。生四男, 長壽鉉, 次富鉉、康鉉、益鉉。壽生永大、永祚、永奇、永晤。永轍。富生永球、永元、永夏。康生永厚、永植。益生永燮。內外孫曾蘩, 不盡錄。哲嗣壽鉉甫, 囑不佞以狀公德。爲其居接壤, 而知公深也。語曰:言有枝葉, 不若行有枝葉。若公之所以爲公, 在日用彝倫行事之上。世之立言者, 庶於此採撫。

취산 이공 행장(翠山 李公 行狀)

공의 휘는 문순(文順), 자는 장언(章彦), 호는 취산(翠山)이다. 이씨(李氏)는 선원(璿源)에서 연원하는데, 성종대왕의 여덟 번째 아들이며, 익양군(益陽君)인 휘 회(懷), 시호 순평(順平)을 중조로 한다. 아들 휘 수한(壽鸛)은 용천군(龍川君)이다. 아들 휘 걸(傑)은 청성군(靑城君)이다. 아들 휘 경윤(慶胤)은 학림군(鶴林君)이다. 아들 휘 숙(潚)은 학행으로 이름을 냈고, 일찍 사마시(司馬試)에 합격하여, 여러 성(城)의 벼슬을 역임하였는데, 광해군의 조정이 혼탁하였음으로, 멀리 남쪽의 한 구석을 찾았다. 인묘(仁廟)가 개옥(改玉)[32]하여 정사훈(定社勳)에 기록되었다. 병자호란이 일어나자, 장자 교위(校尉)에게 의병(義兵)을 일으키도록, 명(命)을 내리고, 공주(公州)까지 갔다가, 화의(和議)를 하였다는 소식을 듣고, 통분을 참지 못하고 남으로 내려와, 고부(古阜)의 수광산(壽光山)아래의 동막동(東幕洞)에 은둔하여, 두문불출하고 혼자 절개를 지켰기에 사람들은 양정선생(陽井先生)이라고 칭하였다. 금가옥엽(金柯玉葉)으로 충과 효를 세습하였다. 이가 공의 8대조 이상이다.

고조는 휘 가태(嘉泰), 호참(戶參)으로 추증되었고, 증조는 휘 정(檉), 호는 해은(海隱)이며, 수로 동중추로 되었으며, 조부는 휘 호문(好問)이고, 고(考)는 휘 종린(宗麟)이다. 모두 문장과 행실이 있었다.

비(妃)는 의성 김씨 유적(維迪)의 딸이다. 후사가 없었다.

밀양 박씨(密陽 朴氏)는 민승(敏承)의 딸로, 훌륭한 부덕을 갖추었다.

공(公)은 순묘(純廟) 병인(丙寅, 서기 1806) 11월 1일에 종산리(鍾山里) 가택에서 태어났다. 천성이 온화하고 순수하였다. 어려서부터 사랑과 공경을 알아 성인(成人)의 풍도를 지니고 있었다. 부모를 모심에 있어서 즐겁게 해드리고 부드럽고 온순하여 그들의 뜻에 따르기에 노력을 가하였다. 특별한 연고가 없으면 부모의 곁을 떠나지 않았고, 몸소 농사를 하거나 고기잡이를 하거나 땔나무를 하면서 맛있는 음식을 대접하였는데, 아무리 형편이 어렵다고 하여도 그것만은 결여하지 않게 하였다. 집 식구들에게 독의 술이 비지 말게 하라고 경계하였다. 영초를 많이 심어 철에 따라 약을 달

---

[32] 개옥(改玉): 춘추시기 노정공(魯定公) 5년 6월에 계평자(季平子)가 동야로 시찰을 나갔다가 돌아오는 길에 집에 이르지 못하고 죽었다. 가신(家臣) 양호(阳虎)가 제후가 차는 옥돌 번여(璠與)를 계평자의 염습에 사용하고자 하니 중량회(仲梁怀)가 구슬을 내주지 않으면서 개보개옥(改步改玉)이라고 하였다. 계평자는 원래 정공의 신하였으므로 제후의 예로 장례를 치를 수 없다는 뜻이다. 여기서는 중종반정을 말한다.

여 올리었다. 부모가 이렇게 말하였다. "우리를 참 잘 모신다." 어머니의 병환이 위중하게 되자, 손가락을 베어 이레 동안의 명을 연장하였다. 부친이 병환으로 몇 달 동안 몸져눕자, 의원을 불러오고 약을 달이며 구호를 진행하였는데, 남들을 대신하게 한 적이 없으며, 대변을 맛보아 그 위중 정황을 살폈으며 하늘에 그의 수를 연장해 달라고 빌었다. 상을 당하자 발을 구르고 가슴을 치면서 슬픔을 다하였고, 지나치면 지나쳤지 미치지 못한 것은 없었다. 아무리 무더운 여름철에도 수질과 요질을 풀지 않았다. 날마다 두 번씩 묘소를 찾았으며, 죽으로 연명하며 삼년을 지냈기에, 백령(白翎)이 날아와서 둥지를 트는 괴이한 일도 생겨났다. 매번 기일이 되면 목욕재계하고 소식하였으며 제사음식은 반드시 정결하게 하였고 날이 새도록 잠을 이루지 않았다. 형제 세 사람이 한 집에 살면서, 물건은 내 것 네 것이 없었다. 여러 동서들도 그들에게 감화되어 화목하게 지냈고 흥허물이 없었다. 세대가 오랜 원조(遠祖)의 묘에 석의(石儀)를 갖추어주고, 제전(祭田)을 마련하여 주었으며, 이슬과 서리를 밟을 때마다 출척(怵惕)을 하였고, 소나무와 가래나무를 붙잡고 흐느껴 울기도 하였다. 남에게 재간이 있으면 반겨주고, 가까이 하면서 마치도 자기에게 있는 듯이 기뻐하였다. 남의 허물을 한 번도 이야기한 적이 없으며, 겸손하고 공경하며, 자기를 언제나 낮추었고 종래로 자기의 두각을 드러내지 않았다.

오호라! 이것을 가히 덕(德)이 온전하고 행(行)이 겸비하다고 말할 수 있다.

철묘(哲廟) 계축(癸丑, 서기 1853) 1월 14일에 침실에서 세상을 떠났는데, 수는 겨우 마흔 여덟이었다. 부고가 나가자 원근(遠近)의 인사들이 모두 한숨을 쉬며 "인인(仁人)효자가 세상을 떠났다."라고 말하였다. 종산촌 후 부건원(鍾山村後負乾原)에 장(葬)다.

처음에 울산 김씨에게 장가를 들었는데, 그녀의 부친은 이행(履行)이다. 순묘(純廟) 갑자(甲子, 서기 1804)에 태어나서, 계사(癸巳, 서기 1833) 5월 29일에 졸하였으며, 묘는 촌의 남록 경좌(村之南麓庚坐)에 있다.

창녕 성씨(成氏)를 재처(再妻)로 맞아들였는데, 그녀는 대통(大通)의 딸이다. 순묘(純廟) 무인(戊寅, 서기 1818)에 태어나 철묘(哲廟) 신유(辛酉, 서기 1861) 6월 2일에 졸하였다. 묘는 창외동 유원전후(倉外洞酉原前後)에 있다. 모두 부덕을 갖추었다.

3남을 두었는데, 장남은 두룡(斗龍)으로 김씨의 소생이다. 아래의 두옥(斗沃), 두규(斗圭)는 성씨의 소생이다.

두룡의 아들은 규훈(奎薰)이고, 딸은 성산 배병구(裵秉龜)에게 시잡을 갔다. 두옥은 두규의 아들 상훈을 아들로 삼았다. 두규의 아들은 양자로 간 상훈, 용훈(用薰)이다. 규훈의 아들은 동구(東九), 석구(錫九), 혁구(爀九), 남구(楠九)이다.

상훈은 재종제의 아들 동구(同九)를 데려다가, 아들로 삼았다. 용훈의 아들은 양자로 간 동구(同九), 길구(吉九), 공구(公九), 희구(喜九)이다.

현손 은우(殷雨)는 동구의 소생이며, 춘우(春雨), 전우(銓雨), 송우(松雨), 경우(京雨), 연우(年雨)는 석구의 소생이며, 용우(龍雨)는 혁구의 소생이며, 흥우(興雨)는 동구의 소생이며, 형우(亨雨)는 길구의 소생이며, 재우(在雨)는 공구의 소생이며, ○우(○雨)는 희구의 소생이다.

이하는 번성하기에 기록하지 않는다.

절유(竊惟)하여 보니, 효라는 한 마디로 공(公)의 일생을 개괄할 수 있다. 때문에 글을 익히고서도 화려한 언어를 숭상하지 않았다. 급급히 인륜을 찾아들었기에, 그것으로 자기의 몸을 수련하였으며, 그것으로 가정을 다스렸으며, 그것으로 후손들에게 길이 그늘을 드리워주고 있다. 만약 하늘이 그에게 수(壽)를 빌려주었다고 한다면, 그가 거둔 성취를 어떻게 헤아릴 수가 있었겠는가? 오호라! 한숨만이 나온다.

현손 은우가 가장(家狀) 한 통을 들고 와, 불녕에게 공의 덕을 행장으로 적어달라는 청을 내였다. 그 일을 감당할 만한 사람이 아니라고 사양할 수가 없어서, 드디어 위와 같이 서술하면서, 훌륭한 사학자가 짓기를 기다리는 바이다.

翠山李公行狀

公諱文順, 字章彥, 號曰翠山。李氏出自璿源, 成宗大王第八子, 益陽君, 諱懷, 諡順平爲中祖。生諱壽鵬, 龍川君。生諱傑, 淸城君。生諱慶胤, 鶴林君。生諱瀟, 以學行著, 早登司馬, 歷典數城。値光海昏朝, 退擧南陬。仁廟改玉, 錄定社勳。丙子亂, 命長子校慰倡義, 行至公州, 聞媾成, 痛憤南遯于古阜之壽光山下東幕洞, 杜門自靖, 世稱陽井先生。金柯玉葉, 世襲忠孝, 寔公八世以上也。高祖諱嘉泰, 贈戶叅。曾祖諱樫, 號海隱, 壽同樞。祖諱好問。考諱宗麒。皆有文行。妣義城金氏, 維迪女, 無育。密陽朴氏, 敏承女, 甚有婦德。以純廟丙寅十一月一日生公于鍾山里第。賦性溫粹。自幼能知愛敬, 有成人儀度。事親也, 愉婉承順, 務適其意。無故則不離侍側, 躬耕漁樵, 甘旨之養, 不以寠或闕。戒家人使甕釀不匱。多栽靈草, 隨序調藥以進。父母曰:"善事我。"母病裂指, 延七日命。父病數朔, 醫藥救護, 不使人代。嘗糞以驗其症, 祝天以延其壽。遭憂, 哀毀擗踊, 寧過之無或不及。雖盛暑, 不脫絰帶。日再展墓, 啜粥終制, 有白翎來捿之異。每値忌日, 齊沐行素, 粢盛必潔, 達曙不眠。昆季三人, 同處一室, 物無爾我。諸姒娌亦化而雍翕, 庭無間言。世遠墓, 具石儀, 置祭田。履霜露而怵惕，撫松楸而飲泣。見人有才，善好之，若己有。未嘗一言及人短，謙恭自卑，不露圭角。嗚呼！此可謂德之全而行之備也。哲廟癸丑正月十四日考終于寢，壽纔四十八。訃出，遠近人士咸咨嗟，曰：“仁人孝子逝矣。"葬于鍾山村後負乾原。初娶蔚山金氏，父履行。生純廟甲子，卒于癸巳五月二十九日，墓村之南麓庚坐。再娶昌寧成氏，大通女。純廟戊寅，哲廟辛酉六月二日，生卒也。墓倉外洞酉原前後。俱有婦德。三男，長曰斗龍，金氏出。次曰斗沃、斗圭，成氏出也。斗龍男奎薰，女適星山裵秉龜。斗沃子斗圭子相薰。斗圭男相薰出后，用薰。奎薰男東九、錫九、爀九、楠九。相薰取堂弟子同九子之。用薰男同九出后，吉九、公九。喜九. 玄孫殷雨，東出。春雨、銓雨、松雨、京雨、年雨，錫出。龍雨，爀出。興雨，同出。亨雨，吉出。在雨，公出。〇雨，喜出。以下繁不盡錄。竊惟孝之一言，可以蔽公一生。故其爲學，不尙藻饋。急於入倫，以之而身修，以之而家齊，以之而垂諸後昆。天假之以年，則其所成就何可量哉。嗚呼，欷矣！玄孫殷雨，以家狀一通，請不佞以狀公之德。不可以非其人辭，遂叙次如右，以竢良史氏作焉。

신암 김공 행장(新庵金公行狀)

공의 휘는 구현(九鉉)이고, 자는 수경(洙卿)이며, 최면암선생이 '신암(新庵)'이란 호를 하사하였다. 선산 김씨(善山 金氏)는 고려의 개국공신이며 삼중대광, 문하시중, 선주백(善州伯) 시호 순충(順忠), 휘 선궁(宣弓)을 시조로 한다. 대를 이어가며 고관대작을 역임하였다. 휘 숙자(叔滋)는 성균 사예(成均 司藝)로 있었고, 이조판서 겸 지경연(知經筵), 의금부춘추관사, 예문관대제학, 성균관제주(成均館祭酒)를 역임하였으며, 시호는 문강(文康)이다. 휘 종직(宗直)은 형조판서이며 의정부 영의정에 추증되었으며, 시호는 문충(文忠)이다. 세상에서는 강호(江湖) 점필재(佔畢齋) 부자 두 선생이라고 한다. 삼대를 지나, 휘 성철(聲澈)은 예빈사(禮賓寺)참봉이었다. 이가 휘 대휘(大徽)를 낳았다. 이가 휘 예복(禮復)을 낳았는데, 효(孝)로 경기전 참봉(慶基殿 參奉)을 특별히 제수하였고, 사복시정(司僕寺正)에 추증되었다. 이가 휘 명상(明祥)을 낳았는네, 호는 죽우(竹友)이고, 좌승지(左承旨) 추증되었다. 휘 진화(進華), 휘 세성(世成)은 공의 5세조 이상이다.

고조는 성제(聖濟), 증조는 정복(鼎福), 조부는 규집(奎集)으로 학문과 행실이 있었고, 음덕(蔭德)으로 사헌부감찰을 지냈다. 고(考)는 휘가 용(墉)이고, 호는 남은(南隱)이다.

비(妣)는 광산 김씨이고, 문숙공(文肅公) 주정(周鼎)의후손이며, 기연(起淵)이 고(考)이다. 정숙하고 유연하고 온화하였으며 더욱이는 부덕(婦德)이 있었다.

공(公)은 고종 13년 병자(丙子, 서기 1876) 10월 16일에 흥덕(興德) 이남면(二南面) 은정동(銀井洞) 가택에서 태어났다. 천성적으로 영오(英悟)하였다. 사숙(私塾)에 들어 가자 열심히 노력하여 소학(小學)의 절도를 어기지 않을 수 있었다. 주돈이의 《통서(通書)》를 날마다 백행(百行)씩 전수받았으나, 한글자도 틀리지 않고 줄줄 내리 외웠다. 나이 열네댓이 되자, 경전(經傳)을 관통할 수 있었고, 문리에 일찍부터 통달하였다. 약관에 재능 시합에 참가하였는데, 전주(全州)의 감시장(監試場)에서 많은 선비들은 누구나 다 옷섶을 여미고 혀를 차며 말하였다. "참으로 소년 재사(才士)이다."

효성을 다하여 양친 부모를 모시었고, 언제나 밝은 얼굴로 즐거움을 샀으며, 마음으로나 물질적으로 만족을 주었다. 부모의 명으로 포백을 챙기고 면암선생을 배알하였다. 선생은 학문을 배우는 방법이 바로 도(道)에 들어서는 요점이라고 가르치었다. 공(公)은 마음속으로 열복하고, 더욱 분발 노력하여 스스로 고인들을 따라 배우는 것을 자신의 소임으로 삼고, 그 속에 숨어있는 오묘함을 탐색함에 있어서 침식마저 잊을 때가 있었다. 선생은 《반명(盤銘)》에서 '일신(日新)'의 뜻을 취하여 그에게, 호를 하사하여 표창하여 주었다.

귀가하여서는 날마다 동문이며 벗인 송천 예진(松川 高禮鎭), 이주사 원로(李主事 元老), 유참봉 관현(柳叅奉寬鉉)과 도의(導義)로 계(契)를 묶어, 강의하며 탁마(琢磨)하고 서로 면려하였다. 사방의 학자들이 소문을 듣고, 몰려들어 사숙(私塾)에 다 용납할 수 없어, 따로 정자(亭子)를 하나를 세워, 편액을 '운림(雲林)'이라 하여 걸어놓았다. 후진들을 이끌어나가는 것을 자기의 소임으로 간주하고, 끌어주고 당겨주면서, 그들의 재능에 따라 성공하게 하였다. 매달 초하루면 강회(講會)를 하고, 향음(鄕飮)을 행하고, 향중(鄕中)에서 예를 익혔다, 여러 선비들은 공을 강장(講長)으로 추천하였다. 읍양(揖讓)의 예절과 여수(旅酬 : 제를 마치고, 손님들에게 술을 권함-역주)의 범절은 빈빈하게 질서가 있었다. 원근에서 구경하는 사람들은 모두가 마음에 취하여 열복하였다. 시산(詩山)에서 의병을 창의하자, 공을 불러 격서를 전하는 책임을 맡겼다. 공은 기밀 일에 주밀하여 사방 의사들이 호응하여 구름처럼 몰려들었다. 선생이 대마도(對馬島)에 감금되었을 때, 서로 마주보며 통곡을 하고 돌아왔는데, 그가 순국(殉國)하여 관(棺)을 모셔 올 때, 공은 달려가서 상여 줄을 당겼으며, 글을 지어 치전(致奠)[33]하였다. 4년이 지난 기유(己酉, 서기서기 1909)에 태산사(泰山祠)를 세워 선생의 영전을 모시였다.

경술년(庚戌, 서기 1910) 나라가 없어지는 날에, 울분이 병으로 되어 세상과 인연을 끊기로 다짐하고 농부들이나 초부들과 초야에서 방황하였다. 기묘(己卯, 서기 1939)년에 부친의 상을 당하자, 예의를 벗어나며 슬퍼하였으며, 최질(衰絰)을 벗지 않았으며, 여름에는 부채질을 하지 않았고, 겨울에는 이불을 덮지 않으며, 어느 하루 웃음을 지은 적이 없었다. 무오(戊午, 서기 1918)년에 나라에 근심이 생기자, 원근의 남녀노소를 거느리고 태봉(台峯)을 바라보며 통곡을 하였다. 병인(丙寅, 서기1926)년 순종(純宗)이 승하하자, 돌을 캐어 대봉에 비석을 세우고, 제단을 쌓고 통곡을 하였다. 이인(李仁), 이각종(李覺鍾)의 무리들이 성인(聖人)에게 모욕을 가하고, 욕설을 퍼붓자 공은 문장을 지어 그들을 성토하였는데, 언사가 엄엄하고 의기가 발라 감히 범하지 못할 기세였다. 갑술년(甲戌, 서기 1934)에 모친의 상을 당해, 장작처럼 마르더니 결국 몸져누워 다시는 일어나지 못하였다. 향년 여든 하나로 병신(丙申, 서기 1956) 11월 27일에 졸하였고 대봉 북록의 모좌(台峯北麓某坐)에 장(葬)하였다.

배(配) 탐진 안씨(耽津 安氏)는 부친이 재종(在鍾)이다. 공보다 14년 앞선 계미(癸未)에 졸하였고, 묘는 은정 후 선롱 아래의 모좌(銀井後先瀧下某坐)에 있다.

3남을 두었는데, 장남은 태성(泰成)이고 아래는 태응(泰應), 태보(泰輔)이다. 두 딸은 고부 이영택(李永澤)과 파평 윤재근(尹大根)에게 시집을 갔다.

태성의 아들은 봉수(鳳秀), 용수(龍秀), 인수(麟秀), 동수(東秀)이고, 태응의 아들은 진수(眞秀), 준수(俊秀)이며 태보의 아들은 남수(南秀), 만수(萬秀)이다.

병종(炳鍾)과 병옥(炳玉)은 봉수의 소생이고, 병만(炳萬), 병남(炳南)은 용수의 소생이고, 병조(炳祚)는 인수의 소생이며, 병훈(炳勳)은 동수의 소생이다.

손자와 외손자 그리고 증손들이 번성하여 다 기록하지 않는다.

정회(正會)는 후생으로 비록 공의 침상을 배알하지는 못하고, 공의 덕을 목격하지는 못했지만, 다행으로 가까이 살아온 덕분으로 말미암아, 공의 이야기를 풍문으로 들은 것은 오래 전부터이다. 초윤(肖胤) 태성이 공의 행장을 서술하여, 자기 아들 봉수를 시켜, 정회(正會)에게 행장을 부탁하여 왔다. 비천한 내가 남을 빛나게 할 재료가 되지는 못하지만, 전에부터 마음속 깊숙이 경앙하고 있었으므로, 감히 끝까지 침묵을

---

33) 사람이 죽었을 때, 친척이나 벗이 슬퍼하는 뜻을 나타냄. 또는 그런 제식(祭式).

지키지 못하고, 세계(世系)와 행실을 위와 같이 적어 상론(尙論)[34]하는 군자들에게 알리는 바이다.

新庵金公行狀

公諱九鉉, 字洙卿, 崔勉庵先生賜號曰新庵。善山之金, 自高麗開國功臣, 三重大匡, 門下侍中, 善州伯, 諡順忠, 諱宣弓始。歷世簪纓。至諱叔滋, 成均司藝, 贈吏曹判書, 兼知經筵, 義禁府春秋舘事, 藝文舘大提學, 成均舘祭酒, 諡文康。諱宗直, 刑曹判書, 贈議政府領議政, 諡文忠, 世所稱江湖佔畢齋父子兩先生也。三傳諱聲澈, 禮賓寺叅奉。生諱大徵。生諱禮復, 以孝特除慶基殿叅奉, 贈司僕寺正。生諱明祥, 號竹友, 贈左丞旨。諱進華, 諱世成, 於公爲五世以上。高祖曰聖濟, 曾祖曰鼎福, 祖曰奎集, 有學行, 蔭司憲府監察。考曰塽, 號南隱。妣光山金氏, 文肅公周鼎后。起淵其考。貞淑嘉柔, 優有婦德。高宗十三年丙子十月十六日擧公于興德二南面銀井洞第。天賦英悟, 甫上學, 孜孜勉勉, 能不違小學之節。於通書, 日受百餘行, 背誦無一字錯。年十四五, 淹貫經典, 文理夙達。弱冠較藝, 全州監試場中, 多士莫不歛衽樹幡, 曰: "眞少年才士也。" 孝奉二親, 怡愉承歡, 養極志物。以親命, 贄謁勉庵先生。先生敎之, 以爲學之方入道之要。公心焉悅服, 奮發勵志, 自任以古人爲己之學。探索蘊奧, 至忘寢與食。先生取盤銘'日新'之義, 賜號以獎之。及歸家, 日與同門友高松川禮鎭、李主事元老、柳叅奉寬鉉爲道義契, 講劘澤麗, 四方學者聞風叅集, 塾舍不能容, 迺搆一亭, 扁曰雲林。以訓迪後進爲己任, 提撕誘掖, 因其材而成就之。每朔設講會, 行鄕飮, 禮鄕中, 多士推公爲講長。揖讓之禮, 旅酬之節, 彬彬有秩。遠近觀者, 無不心醉而誠服。先生倡義詩山也, 召公任傳檄責。公機事周密, 四方義士, 響應雲集。先生被囚于對馬島, 相向痛哭而還。及其殉國返櫬也, 公往赴執紼, 操文致奠。越四年己酉, 叔建泰山祠, 以爲先生安靈之所。至庚戌無國之日, 憂忿成疾, 絶意世事, 與畊叟樵夫徜徉於草萊中。己卯, 丁外憂, 哀毁逾禮。不脫衰絰, 暑不箑, 寒不裘, 未嘗一日見齒。戊午國恤, 率遠近老少, 望哭于台峯。丙寅純宗昇遐, 伐石樹碑于台峯, 設壇哭之。李仁、李覺鍾輩侮聖詬辱, 公以文聲討, 辭嚴義正, 截然不可犯。甲戌丁內憂, 柴毁致

---

34) 고인(古人)의 언행, 행적 등을 논함.

崇，一臥不起。以壽八十一，卒于丙申十一月二十七日，葬于台峯北麓某坐。配耽津安氏，父在鍾，先公十四年癸未卒，墓銀井後先瀧下某坐。三男，長泰成，次泰應、泰輔。二女適古阜李永澤、坡平尹大根。泰成男鳳秀、龍秀、麟秀、東秀。泰應男眞秀、俊秀。泰輔男南秀、萬秀。炳鍾、炳玉，鳳秀出。炳萬、炳南，龍秀出。炳祚，麟秀出。炳勳，東秀出。內外孫曾繁不盡錄。正會晚生，雖不得拜公之床，覯公之德，而幸壤地密邇，聞其風盖久。肖胤泰成述事行，使其子鳳秀囑正會以狀。顧膚淺，非不朽人者。而夙昔景仰之深，不敢終默，迺序次世系與行治如右，以諗夫尙論之君子。

청계 처사 김공 행장(淸溪處士 金公行狀)

공의 휘는 재운(在運)이고, 자는 상호(尙浩)이다. 김씨는 광산인(光山人)으로 동방의 망족(望族) 출신이다. 열두 평장사(平章事)가 대를 이어가며 혁혁한 공을 세웠다. 승국(勝國)의 명신 양간공(良簡公) 휘 연(璉)이 제일 명성을 떨쳤다. 대제학 장영공(章榮公) 휘 진(稹)에 이른다. 아들은 전리판서(典理判書) 휘 광리(光利)이다. 아들은 휘 인우(仁雨)인데, 역시 전판(典判)이다. 아들 휘 승길(承吉)의 호는 사은(沙隱)이며, 함종현령(咸從縣令)함지냈다. 고려 말기에 사직의 운수가 다한 것을 보고, 의로 정절을 지켰다. 아들 휘 오행(五行)은 호가 매은(梅隱)이며, 군기시정(軍器寺正)을 지냈다. 유훈을 받들고 남으로 내려와 장사(長沙)에 우거하였다. 아들 휘 명원(命元)은 부정(副正)을 지냈다. 아들 휘 기서(麒瑞)는 호가 돈목재(敦睦齋沙隱)인데, 효로 가문을 다스려 광릉참봉에 천거되었다. 아들 휘 경희(景熹)는 호가 노계(蘆溪)이며, 중종(中宗) 갑오(甲午, 서기 1534)의 생원(生員)이다. 아들 휘 덕우(德宇)는 호가 양촌(良村)이며, 임진왜란에 특수한 공훈을 세웠다. 공에게는 10세조이다.

증조의 휘는 경택(慶澤)이다. 상찬(相纘) 송백당(松栢堂), 기복(箕馥) 운파(雲波)는 두 세대의 휘와 호이며, 모두 문장과 행실로 소문이 났다.

비(妃)는 모씨(某氏)이다.

공은 미목이 준수하고 훤하게 생겼으며, 철부지 때부터 마치도 성인들처럼 늠름하게 행동하였다. 지극한 효성과 우애가 있어서 양친 부모의 곁을 떠나지 않았으며, 즐겁게 해드리는데 익숙하였고, 절대로 그들의 뜻을 어기지 않았다. 송사(松沙) 기 선생을 스승으로 모시고, 허투루 말하거나 웃지를 않았으며, 부지런하고 열심히 공부하여 선생은 실공(實工)이라고 극구 칭찬하였고, 동문들은 모두 일을 조관하는 사람으로 추천하게 여념이 없었다. 비록 공부에 전심을 다 기울이지는 않았어도 공과 사, 이과 의의 분별에 대하여서는 가장 많은 힘을 기울이었다. 한가한 겨를이 있으면 학문을 익혔는데, 그 가운데서도 《소학》과 《효경》에 대하여 더욱 많은 정렬을 기울이었다. 문자에 얽매이지 않고 실천하기에 노력을 아끼지 않았다. 상을 당하자 슬픔을 다하였고, 삭망이면 반드시 묘소를 찾아갔는데 비바람이 분다고 해도 아랑곳하지 않았다. 매번 기일이 오면, 반드시 흩어져있는 내외의 친척들을 모두 모여들게 하였다. 스스로 쓰는 것은 적지만, 손님들을 대접할 때에는 음식이 푸짐하였고, 친구들이거나 친척들을 모두 하나같이 충과 신임을 위주로 대해 주었다.

항상 자성들에게 이렇게 말하였다. "효는 백행의 원천으로 된다. 선조들을 잊고 부모를 잊어버린다고 한다면 아무리 하늘에 통하는 학문을 지니고 세상에서 보기 드문 공로를 세웠다고 하더라도 볼품이 없는 것이다."

무진(戊辰, 서기 1928)년 1월 16일에 침실에서 세상을 떴는데, 철종 계해(癸亥, 서기1863)에 태어났으니 수는 예순여섯이다. 선영이 있는 구왕산 구와치 부유지원(駒臥峙負酉之原)에 장(葬)하였다.

부인은 연안(延安) 이래(李錸)의 따님인데, 공보다 이년 앞선 병인(丙寅, 서기 1926)년 9월 15일에 졸하였으며, 공과 합장하였다.

아, 공은 구슬 같은 포부를 품고 있었으나, 세상과 운명이 그의 뜻을 어기어, 품고 있던 포부를 실현하지 못하였다. 그러나 효성과 우애로 가문을 다스리어 선조들의 뒤를 잇고, 후손들을 깨우치고 있어서, 지금 그의 후손들이 순순히 뒤를 이어가며, 자신을 단속하고 고가의 전형을 지켜가고 있으니, 공의 가르침이 바로 여기에 있는 것이 아닌가?

손자 영진군(永振君)이 불녕에게 청을 들며, 공의 덕을 행장으로 적어 달라고 부탁하였다. 사람이 미천하고 글이 옅어서, 이 일을 감당하기가 어렵지만, 대를 내려오면서 믿음으로 사귄 사이이므로, 도리에서 놓고 보더라도 사양할 수가 없었다. 이리하여 삼가 생평의 요점을 서술하여, 작가들이 채집하기를 기다리기로 한다.

淸溪處士金公行狀

公諱在運，字尙浩。金氏光山人，東方望族也。十二平章事，聯世燁奕。勝國名臣、良簡公、諱璉爲最顯。至大提學、章榮公、諱積子，典理判書。諱光利，子諱仁雨，亦典判。子諱承吉，號沙隱，咸從縣令，麗季見 祚運訖，義罔臣僕。子諱五行，號梅隱，軍器寺正，遵遺訓，南下長沙。子諱命元，副正。子諱麒瑞，號敦睦齋，以孝薦光陵叅奉。子諱景熹，號蘆溪，中宗甲午生員。子諱德宇，號良村，壬辰立殊勳。於公十世以上也。曾祖諱慶澤相纘，松栢堂箕馥雲波，二世諱若號，俱以文行著。妣某氏。公眉宇秀朗，齠齔屹如 老成。有孝友至性，不離親側，愉婉洞屬，無或忤旨。師事松沙奇先生，不妄言笑，孜孜不怠，先生亟稱 以實工，同門咸推幹蠱靡暇。雖不專攻，而其於公私利義之別，得力爲多。餘力之學，尤致力於小學、孝經，不尙文辭，惟踐履是篤。遭憂，與易寧戚，朔望拜墓，不以風雨或廢。每忌辰，必致散內外之齊。自奉甚菲，而餉客必以豐。故舊親戚，一以忠信爲主。恒戒子性曰："孝是百行之源。忘先遺親，則雖有通天之學，不世之功，不足觀也。"戊辰正月十六日考終于寢，距其生哲宗癸亥，壽六十六，葬從先塋，九王山駒臥峙負酉之原。夫人延安李銕女。先公二年，丙寅九月十五日卒，祔公墓。噫，公懷抱瑰瑋，世與命違。雖未展其蘊，而惟孝友爲政於一門，于以承先，于以牖後。今其後承循循雅飭，克守故家典型。公之教，在是矣。之孫永振君，請不俴，以狀公之德。人微言淺，不堪爲役。顧累世交孚，義不敢辭，謹叙其生平梗槩，以竢作家之財擇焉。

석계 안공 행장(石溪 安公行狀)

공(公)은 휘가 식환(植煥), 자가 여장(汝章)이며, 호가 석계(石溪)이다. 안씨의 선조는 죽산에서 나왔다. 고려시기의 휘 영의(令儀)가 상서좌복사(尙書左僕射)로 있었다. 우리 국조에 들어서서 관면들이 뒤를 이었다. 휘 계인(季仁)은 세종조의 병조참판(兵曹參判)을 지냈고, 휘 초(沼)는 호조참판(戶曹參判) 겸 홍예문양관제학(弘禮文館提學)을 지내면서 덕(德業)이나 문장(文章)에서 한때 세상을 밝게 하였다. 휘 자전(子

詮)이 남으로 모양(牟陽)으로 내려와 우거하였다. 모양에 안씨(安氏)가 있게 된 것은, 이것이 시작으로 된다. 여러 대를 지나, 휘 지(祉)에 이르러서 파산(坡山) 성문간(成文簡)의 문하에서 있었는데 학자들은 취령은사(鷲嶺隱士)라고 칭하였다. 이가 공에게는 13세조이다.

고조의 휘는 용수(用壽)이다. 만회당(晚悔堂) 영선(韺善), 죽재(竹齋) 구연(龜淵)은 증조와 조부의 휘와 호이다. 고(考)의 휘는 병섭(秉爕)이며, 호는 해산(海山)이다. 성실과 효성은 하늘에 뿌리를 박고 있어 부모가 병환에 몸져눕자 허벅지의 살을 베어내어 약을 달여 목숨을 닷새 동안 연장하였다.
비는 화순 오씨(吳氏)이며, 외조부는 계엽(桂燁)이다.

고종 신묘(辛卯, 서기 1891) 12월 10일에 공은 황산리(黃山里)가택에서 태어났다. 의표가 단아하고 뛰어나게 총명하여, 한번 눈으로 본 것은 평생 잊어버리지 않았다. 여섯 살에 공부하려 들어갔는데, 《통사(通史)》는 가르치자말자 외워대는데, 마치도 숙독이나 한 것 같았다. 제 또래에서 재간둥이라고 불리는 자들도 공을 따를 자가 없었다.

팔, 구세가 될 때, 향교의 시가대회에 참가하여 우승을 하였다. 평심 주석은 "반드시 누구의 손을 빌린 것이다. 동자가 어떻게 이런 작품을 지어낼 수 있단 말인가? 이것은 스스로를 속이고, 남을 기편하는 짓이다."라고 말하고는 그에게 회초리를 가하려고 작정하였다. 그런데 정작 면접하여 보니, 과연 운(韻)을 주기만 하면, 즉석에서 시를 척척 지었는데, 간혹 경구(警句)까지 들어있었다. 평심 주석은 비로소 진실을 깨닫게 되었고, 외히려 배로 상을 내리었다. 좌중에 있던 사람들은 모두 "진짜 친재로군."라고 칭찬을 금하지 못하였다.

열댓이 되지 않은 나이에 연재 송선생(淵齋宋先生) 문하에 들어가서 글을 익혔는데, 사자오경(四子五經)을 깊이 있게 관통하였다. 송선생이 그의 재능과 학식을 극구 칭찬하였다.

열일곱에 해산공(海山公)의 상을 당하여 염습하고 초빈하고 장사하고 제사지내는 모든 일에서, 모두 예의제도에 따랐다. 홀로 남은 어머니를 모시고 얼굴에는 언제나 화색을 띠고, 어머니의 뜻에 따르기만 하였다.

나이 스무 다섯에 우연히 실명(失明)하게 되었지만, 어머니께 아침, 저녁으로 문안을 드리는 예의와 감지(甘旨)를 드리는 일만은 종래로 빠뜨린 적이 없었다.

정축(丁丑, 서기 1877)에 모친의 상을 당하자, 부친의 상을 치를 때처럼 예법을 지켰다.

정성을 다하여 선조의 업을 서술하였고, 먹고 입는 것을 절약하여 옛터에 만회정(晩悔亭)을 세웠다. 먼 선조들의 묘에 석의(石儀)가 없는 것은 어느 하나 남김없이 보충하여 놓았다. 때로는 신을 삼고 삿자리를 엮어 모자라는 경비를 보충하였다.

어진 마음으로 사람들을 맞아주고, 후진들에게는 차근차근 타이르며, 효성과 우애로 농사짓고 글을 읽으라고 면려하였다. 몇 해를 만나보지 못한 사람이라고 하여도 말소리만 듣고도 누가 누구인지를 알아맞혔다. 자상하고 은혜롭고 화기가 돌아 무릇 그와 접촉을 했던 사람들은 누구나 할 것 없이 마음이 도취되어 열복하지 않는 사람이 없었다.

향년 일흔셋으로 정침에서 세상을 떠난 날은 계묘년(癸卯, 서기1903) 5월 21일이다. 부고(訃告)가 나가자, 사군자(士君子)로부터 초부(樵夫)나 목동(牧童)에 이르기까지 모두가 탄식을 하며 "공이 이룩한 착한 행실은 비록 눈이 밝은 사람이라고 하여도 미치지 못할 것이요."라고 말하였다. 황산 후록의 양좌지원(黃山後麓良坐之原)에 장(葬)하였다.

배(配)는 공도봉 학원(孔道峯 學源)의 따님이며, 본은 곡부(曲阜)이다.

4남을 두었는데, 장남은 재덕(載德)이고, 아래는 재문(載文), 재희(載熙), 재구(載昫)이다.

재문의 아들은 백부의 대를 이은 정회(井會), 기회(淇會)이다. 재희의 아들은 인회(仁會)이며 재구의 아들은 진회(津會)이다.

아, 하늘이 총명한 재능과 인후한 덕목을 공에게 부여한 것은 너무나도 우연한 일이 아니기는 하지만, 중년에도 못 미쳐, 그의 밝은 안질을 빼앗아 가서, 그로 하여금 몸에 곤액을 당하게 하고, 그가 갖고 있는 포부를 백에 하나도 실현하지 못하게 하였는데, 이것은 도대체 무슨 원인이란 말인가? 《중용(中庸)》에서 이른 바의 "천지가 아무리 크다고 해도 사람들은 그래도 유감을 갖는 것이 있다."는 것도 아마 이러한 상황을 두고 말한 것이 아닌가?

그리고 또 경술년(庚戌, 서기 1910) 국치(國恥) 후에 뜻있는 선비들이 종적을 감추고, 골짜기에 은둔하여 세상사를 돌보지 않았는데, 하늘이 혹시 그더러 조용히 앉아 전문 안질을 돌보며, 붉은 것이거나 검을 것들의 색상을 보지 않고 파도가 세찬 바다의 파도에 발을 들여 놓지 않으며, 일신에 허물이 없게 하려고 한 것이 아닌가? 어느 것이 나은가?

마음에 거리낌이 없이 방안에서 읊으며, 천고의 인물들과 벗으로 지내며, 나의 하늘을 즐기고 나의 명성을 완전하게 하는 이것은, 하늘이 내린 액화(厄禍)가 아니라 옥돌로 이룩되게 하려는 것이 아닌가?

오호라! 한숨이 난다. 훌륭한 손자 정회(井會)가 행장을 간약하게 적어 나에게 행장을 적어 달라고 간청하였다. 다행으로 공과 이웃으로 살고 있어, 공의 마음과 행동을 익히 알고 있는 내가, 이 글을 쓰지 않으면 누가 이 글을 쓸 수 있단 말인가? 세상에서 붓을 잡은 군자(君子)라고 한다면 아마 이 글에서 믿음직한 고증을 얻을 것이다.

石溪安公行狀

公諱植煥, 字汝章, 號曰石溪。安氏, 其先出自竹山, 在麗有諱令儀, 尙書左僕射。入國朝, 冠冕蟬聯。至諱季仁, 世宗朝文兵曹參判。諱迢, 戶曹參判, 兼弘藝文兩舘提學, 德業文章, 炳燿一世。諱子詮, 司果, 南下牟陽。牟陽之有安氏, 自此始焉。累傳諱祉, 從遊坡山成文簡門, 學者稱鷲嶺隱士。於公爲十三世。高祖諱用壽。晚悔堂齮善, 竹齋龜淵, 曾若祖諱與號。考諱秉燮, 號海山。誠孝根天, 親劑, 刲股和藥, 得甦五日。妣和順吳氏, 外祖桂燁。高宗辛卯十二月十日生公于黃山里第。儀表端雅, 聰明絶人, 覽輒記誦, 平生不忘。六歲課入, 通史隨教隨誦如熟讀, 儕流之頗稱才者莫或追。八九歲參于鄕校詩會, 居魁。主司以爲是"必借手, 童子安能出此聲, 是自欺而欺人。"因加楚焉。旣面試, 果呼韻輒題, 間有驚人句。主司始悟, 反以加賞, 滿座一辭稱曰: "眞天才也。"未成童, 從學于淵齋宋先生門, 四子五經, 無不淹貫。宋先生亟稱才學。十七居海山公喪, 歛殯葬祭, 克遵禮制。奉偏慈, 和顔怡言, 務適其意。年二十五, 偶失明, 而晨昏之節, 甘旨之供, 未嘗或廢。丁丑丁憂, 一如前喪。篤於述先, 縮衣貶食, 築晚悔亭於舊址。世遠先墓, 石儀之闕者, 無不經紀。或捆屨織席, 以補不足。接人以仁, 對後進諄諄然勉以孝友畊讀。隔數歲相見, 聞其音, 辨其爲誰爲某。慈惠和洽, 接之者無不心醉而悅服。享壽七十三, 考終于正寢。癸卯五月二十一日也。訃出, 自士君子以至樵牧, 咸咨嗟嘆曰: "公之百行之善, 雖有目者, 或不能及焉。"葬于黃山後麓良坐之原。配孔道峯學源女, 籍曲阜。四男, 長載德, 次載文、載熙、載昀。文男井會, 系伯父后, 淇會。熙男仁會。昀男、津會。噫, 天以聰明之才, 仁厚之德, 畀賦於公, 甚不偶然。而未及中世, 遽奪其明, 使之厄窮其身, 未展其所蘊之百一者, 抑又何歟? 中庸所謂'天地之大也, 人猶有攸憾。' 亦此類也歟? 抑亦庚戌國恥後, 有志之士宜滅形息影, 隱處邱壑, 不與世相干。天其或者使 之靜坐, 專養目, 不覩赤黑之色, 足不涉風海之波, 與其無疚於身, 孰若？無愧於其心, 嘯咏一室之內, 尙友千古之上, 樂吾天而全吾名, 非天之戹之也, 乃所以玉成之也歟？嗚乎！欷矣。肖孫井會, 略草事行, 懇余以狀德。幸接鄰壤, 稔知其志行, 非余文之而誰爲？世之秉筆君子, 庶考信於此文。

금초거사 김공 행장(錦初居士 金公行狀)

공의 휘는 휴현(烋鉉), 자는 선경(善敬), 호는 금초(錦初)이다. 김씨는 부평(富平)의 세가이다. 지중추부사(知中樞府事) 휘 ○가 을묘(乙卯) 년에 이른 바 "이전의 잘못을 훗날의 경계로 삼는다(懲毖)"는 소란이 있었으므로 오성현(烏城縣)으로 은둔하였기에, 자손들이 여기에 자리 잡게 되었다.

아들 휘 세규(世奎)는 우송선생(友松先生)이라 칭하는데, 도학과 문장으로 세상의 사표로 되었다. 선묘(宣廟) 임오(壬午；서기 1582))년에 사마시(司馬試)에 합격되었는데, 당시의 시험 주관은 석담부자(石潭夫子)였다. 정우복(鄭愚伏), 김선원(金仙源), 이지봉(李芝峯) 제현들과 도의로 사귀었다. 《태극음양심성이기지오묘(太極陰陽心性理氣之奧妙)》를 지었고 문집은 간행되어 세상에 퍼졌다. 사림(士林)에서는 사(祠)를 세워 그를 제 지내었다. 이가 공에게는 11세조이다. 그 후 높은 벼슬을 한 사람들이 뒤를 이었는데, 족보의 기록에서 끊이지 않고 있다.

고조는 휘가 응추(應秋)이고, 호는 양산처사(陽山處士)이며, 처음으로 모양(牟陽)에 우거하였다. 증조의 휘는 봉식(鳳植)이며, 문장과 행실이 있었다. 조부 후송(後松)은 휘가 창환(瑒煥)으로, 노사기선생(蘆沙奇先生)을 스승으로 모시었는데, 박학(博學)으로 칭하였고, 수로 통정(通政)에 올랐다. 고는 휘가 기우(基寓)며, 호는 계은(溪隱)이다. 일찍부터 세상을 제도할 뜻을 품고 있었고, 선조들을 서술하고 후세들을 깨우치는 데에 돈독하였다.

비(妣) 김해 김씨는 희복(喜復)이 그의 고(考)이다. 부드럽고 온순하고 정숙하여 군자의 배필로 되기에 손색이 없었다.

공은 고종 정유년(丁酉, 서기 1897) 7월 19일에 용계리(龍溪里) 가택에서 태어났다. 천성적으로 삼가고 돈후하고 진실하고 순수하였다. 사랑과 공경을 알아 별다른 음식을 얻기만 하면 반드시 먼저 양친 부모에게 올리곤 하였다. 어려서부터 장난을 즐기지 않아 다른 아이들과는 다른 감을 주었다. 어쩌다 잘못을 저지르게 되면 스스로 매를 청하면서 사실을 토 하였다. 어른들은 그를 기이하게 여기였다. 그에게 글을 가르치면 스스로 노력할 줄 알아 감독할 필요가 없었다. 《효경》과 《소학》을 근본으로 삼고, 반드시 그것을 실행할 수 있는 방도를 추구하였다. 부모가 연세가 높아 농사를 짓지 않으면 안 되기 때문에 온갖 고생을 홀로 하면서 자식의 도리를 다하였다. 혼정신성하면서 춥거나 시원한가를 살펴보았고, 그들이 마음 편히 지나도록 모시였었다. 산나물이나 물고기는 아무리 생활이 쪼들린다고 해도 모자라지 않게 하였으며 크고 작은 일들을 가리지 않고 반드시 품한 이후에야 처리하곤 하였으며, 부모의 말씀을 순수히 들었지 언제 한번 어겨본 적이 없었다. 계은공(溪隱公)은 착한 일을 즐기고 선비들을 가까이하여, 벗을 사귐에는 언제나 신발이 가득히 쌓여있었다. 공은 접응에 예절이 밝았다. 언제나 밝은 얼굴로 곁에서 모시었고 즐겁게 하려고 갖은 방법을 다하였다.

모친이 병환으로 몸져눕자 대변을 맛보고 손가락을 베어 사흘 동안 명을 연장하였고, 부친의 상을 당하자 아침저녁으로 반드시 묘소를 찾아 통곡을 하였는데, 무릎을 꿇은 자리에는 구덩이가 패어있었다. 비통이 이웃들을 감동시켜 초부나 목동들까지 서로 노래하는 것을 금지하였다.

무인년(戊寅) 겨울에 계은공이 중병으로 몸져눕자, 집 뒤에 단을 쌓고 엄동설한에 목욕재계하고 식음을 전폐하고 우물을 길어다가 글을 지어 하늘에 빌며 넉 달이라는 명을 연장하였다. 상중(喪中)에 있을 때, 묘소 곁에 여묘(廬墓)를 짓고 피눈물을 흘리며 겨릅대처럼 말라 거의 살 생각을 하지 않은듯하였다. 일찍 양봉(襄奉)을 하였는데, 선천(先阡)에 하관하였다. 그때 오랑캐의 법에서는 개인의 산소를 허락하지 않았다. 동네 사람들은 서로 이렇게 다지었다. "공의 유택(幽宅)인데 절대로 가혹한 법률에 따를 것은 없습니다. 만약 그놈들이 뒤쫓아 와 금지하게 되는 날이면 우리들이 앞장에 서서 송사를 걸고야 말 것입니다." 그리고는 늙은이고 젊은이고 할 것 없이 모두 달려 나가 여묘에 둘러섰다. 일이 이렇게 번지자, 그 놈들은 과연 아무 말도 하지 못했고 어떤 사람은 조문을 오기까지 하였다. 바람이 몰아치는 아침에도, 비가 내리는 저녁에도 울면서 성묘하고 서성거렸다.

이에 신령이 초불을 밝혀 길을 안내하기고 하고, 호랑이가 나타나 지켜주기도 하였다. 친척이나 친구들이 위문을 와서는 역시 소식하였다. 심지어는 까치가 나무에 둥지를 틀고 삼년 동안 떠나가지 않았고, 온 산의 나무들에 송충이 끼였지만 묘의 가래나무에는 범하지 않았다. 대개 역시 이물들이 감응한 것이라고 말하고 있다. 상을 벗은 후에도 매번 제삿날이 돌아오면, 반드시 전날에 목욕재계를 하고 의관을 단정히 차린 다음 날이 샐 때까지 슬퍼하며 그리고 있었는데, 마치도 처음 초상을 당할 때와 마찬가지였다. 날마다 두 동생들과 오순도순 재미나게 이야기를 나누면서 사계절이 바뀔 때에 회식하기로 약속하였다. 이날이 되면 술과 안주를 챙기고 온 집안이 중당(中堂)에 모여 음례(飮禮)를 행하는데 계사(戒辭)를 읽을 때에는 사마온공(司馬溫公)의 거가 의례(居家儀禮)를 따랐다. 항상 이렇게 말하곤 하였다. "한집 식구라고 한다면 반드시 화목하게 지나야 하오. 마음이 편해야 가정의 도가 스스로 이루어지게 되는 법이오."

성심을 다하여 선조들의 뜻을 밝히었고, 마땅히 해야 할 일은 남에게 떠밀지 않고 혼자서 맡아 처리하였다. 종친들이 다화(多化)의 종자(宗子)를 세울 때에, 아직 어리고 의지할 곳이 없었다. 공은 그를 무휼(撫恤)하여 주고, 두 집의 생활을 보살피었으며 논밭의 심고 거두는 일과 그릇들을 장만하는 일에서 먼저 문중을 생각하고 나서야 자기 물건을 챙기었다. 세상의 도가 옛날을 따르지 않는다고 개탄을 하고는 삼림에 뜻을 두고 아무리 가난하다고 하여도 원망하지도 허물하지도 않았다. 해마다 따스한 봄날이거나 서늘한 가을이 오면 건거(巾車)에 올라 산에 오르기도 하고 물가를 찾기도 하면서 시를 읊으며 자적한 생활을 누리면서 답답한 자기의 심정을 털기도 하였다.

신묘(辛卯)년 겨울에 감기에 걸려 시름시름 앓으면서 여러 번 부모의 묏자리를 잘못 썼다고 한스러워하였다. 마침내는 12월 8일에 운명하였으니, 향년 쉰다섯이다. 부고를 듣자 원근의 사람들은 "하늘이 우리의 인인 효자(仁人孝子)를 빼앗아간다."라고 말하며 만사와 뇌문을 들고 뒤를 이어가며 길에 나섰다. 동네의 서편 죽절등 우록 간원(里西竹節嶝右麓艮原)에 묻었다.

배(配) 광산 김씨는 창수(昌洙)의 따님이다. 어질고 규중의 모범이었다.

3남2여를 두었는데, 장남은 원근(源根)이고 다음은 원용(源用), 원태(源太)이다. 무송 유동필(庾東弼), 창녕 조희용은 사위이다.

불녕은 고개 하나를 사이 두고 살았기에, 여러 번 그의 집을 다녀와서, 그가 부모들을 섬기는 일을 목격한 적이 있었다. 《예경》에서 "부모를 모시면 즐겁게 해드려야 하고 병환에 계시면 걱정을 하여야 하며, 상을 당하면 애닳아 하고, 제사를 지내면 공경하여야 한다."고 하였는데, 공이 실제로 그런 사람이 아니겠는가?

온 동네 사람들로 하여금 공의 효성을 위하여 오른 팔을 드러내라고 하면 왼 팔을 드러낼 사람은 반드시 하나도 없을 것이다. 효(孝)라는 것은 백행의 근본으로 되고, 근본이 세워지면, 도가 생기게 된다. 공은 몸가짐을 언제나 바르게 하여 한 점의 바르지 않은 것이 없었고, 공경으로 만사를 처리하여 한 번의 실수도 빚어내지 않았으며 시종 여일하게 표리가 다르지 않았다. 이것은 그의 흉금이 깊고도 조용하며 편안하고 넓다는 것을 말해준다.

사물과 다투지 않고 희노애락을 얼굴에 나타내지 않았다. 사람들과 농을 하지 않았고 어울리며, 화기애애하였으며, 진솔하고 순수한 기운이 마치도 봄기운처럼 물씬 사람들에게 풍기었다. 이로 말미암아 사람들은 가깝거나 멀거나를 아랑곳하지 않고 사랑하고 사모하고 신복하지 않은 사람이 없었다.

처음에 자제들이 농도(農都)를 경영하려고 남의 땅을 샀을 때, 공은 군자는 가난으로도 만족할 줄 알아야 한다고 경계하면서 그 땅을 되돌려주게 하였다.

한 번은 외지로 나갔다가 귀가하는 길에, 두메 길에서 돈주머니를 줍게 되었는데, 공은 그것을 지키고 있다가, 끝내 주인을 기다려 돌려주었다.

외지에 나가서도 급한 사정이 있다고 말하면 주머니를 털어 구제하여주고, 자신은 백리 길을 도보로 돌아오기도 하였다. 다른 사람이라고 한다면 이 세 가지 일만으로도 후세에 충분하게 전할 수가 있을 것이다.

아, 공과 같은 사람을 몇몇만을 얻어 주군에 둔다고 하면 말세에서 비속한 사람을 너그럽게 만들고 야박한 사람을 돈후하게 돌려 세울 수가 있을 것이다.

오호라! 하늘이 그의 명에 인색하였으니 이 세상을 위하여 개탄할 일이다.

효성을 다하는 그의 아들 원근보(原根甫)가 행장을 간단하게 적어 불녕에게 "손을 빌어 서술하고 싶습니다."라고 말하며 행장을 부탁하였다.

생각하여 보니, 공이 자양산(紫陽山)아래에 은거하면서 안풍(安豐)의 지극한 행실이 있었는데, 공에 대한 글을 짓지 않으면 동백의 산수가 흥할 수가 없을 같았다.

애석하구나! 공을 깊이 아는 사람은 나보다 더한 사람이 없는데다가 '인차후(仁且孝)' 석 자를 얻었으므로, 그의 생평의 요점을 서술하여, 입언(立言)할 군자(君子)들이 수집할 근거로 맡긴다.

錦初居士金公行狀

公諱㑇鉉, 字善敬, 號曰錦初。金氏富平世家, 知中樞府事諱〇, 己卯懲毖, 遯于烏城縣, 子孫仍居焉。生諱世奎, 友松先生, 道學文章, 爲世師表。宣廟壬午中司馬時石潭夫子主其試。與鄭愚伏、金仙源、李芝峯諸賢爲道義交。著太極陰陽心性理氣之奧妙, 文集行于世, 士林祠而祭之。寔公十一世。自後圭組相繼, 譜不絶書。高祖諱應秋, 號陽山處士, 始居牟陽。曾祖諱鳳植, 有文行。祖後松, 諱珸煥, 從師蘆沙奇先生, 以博學稱。壽階通政。考諱基寓, 號溪隱, 早有需世之志, 篤於述先牖後。妣金海金氏, 喜復其考, 嘉柔貞淑, 配德無違。以高宗丁酉七月十九日生于龍溪里第。賦性謹厚眞純, 能知愛敬, 得一味, 必獻諸父母, 弱不好弄, 異於凡兒。或有過, 請撻而白具實。長老奇之, 授之讀, 自知劬書, 不煩程替。以孝經小學爲本領, 必求踐履之方。親老躬畊, 百勞皆執, 惟子職是供。定省溫凊, 各適 其宜。山香江鮮, 不以貧或闕。事無巨細, 必稟而後行。承順無一忤。溪隱公樂善好士, 戶屨常滿, 公接應有禮。愉婉侍側, 務盡慰悅之道。母病, 累嘗糞斫指, 以延三日之縷。遭艱, 晨夕展墓而哭, 當膝處成坎, 悲動隣里, 樵牧爲之禁謳歌。戊寅冬, 溪隱公沉疾, 酒築壇屋後, 隆冬雪夜, 齊沐不餐, 汲子井而爲文祝天, 得甦四朔之春。及居憂。廬于墓下, 泣血柴毀如不欲生。甞於襄奉也, 從窆于先阡。而時虜法不許私塋。里人相誓曰: "吾公幽宅, 不可拘於苛法。彼輩如有追禁, 吾等當爭先訟矣。"老幼咸赴而立廬, 彼果無言, 猶有入吊者焉。風晨雨夕, 哭省徊徨。神燭導光, 有虎來衛。親友之致慰者, 亦多行素。而至鵲巢邱木, 三年不雛, 滿山松蝗, 不犯塋楸。蓋亦異感云。免喪値忌日, 必先期齋戒, 正衣冠, 達曙哀慕如袒括。日與二弟, 友于篤摯, 設家中四時會飮。是日也, 備酒餠, 會家衆於中堂, 行飮禮, 而讀戒辭, 用司馬溫公居家儀。恒曰: "一家之人, 務相雍睦, 心地和平, 家道自成。"殫誠於闡先徽, 事之當爲者, 不待餘人而獨擔其力。族黨立多化之宗子, 幼而孤, 公撫恤之, 兼幹兩家事。田疇種穫之力, 與凡器用之辦, 必先宗而後己。慨世道之不古, 固守林樊, 厄窮而無怨尤。每春暄秋涼, 巾車登臨, 嘯泳自適, 以叙壹欝之懷。辛卯冬, 感微疾, 累致恨於親塋之未得吉。竟以十二月八日終, 享年纔五十五。訃聞, 遠近士友咸嗟嘆, 曰: "天奪我仁人孝子矣。"挽誄相屬於途, 葬于里西竹節嶝右麓艮原。配光山金氏, 昌洙女, 賢有壼範, 生三男二女。男長源根, 次源用、源太。茂松庾東弼、昌寧曺喜庸, 壻也。不佞居隔一嶺, 累入其室, 見其事親之節, 盖禮所云: "養則致其樂, 病則致其憂, 喪則致其哀, 祭則致其敬"者, 公實其人也歟? 使一鄕之人爲公之孝而右袒之, 則必無一人左之者矣。夫孝源百行, 本旣立矣, 道以之生。見其持身以正, 無一毫之邪。處事以敬, 無一時之或忽。始終如一, 表裏無間。盖其胸次淵靜夷曠。與物無競, 喜怒不形於色。與人未甞諧笑, 欸洽而和冲, 眞粹之氣, 藹然襲人。是以人無親疎, 無不愛慕 而信服焉。始也, 子弟輩欲營農都, 買人田土。公戒以君子固窮, 使還其土。甞自外來, 見遺金於峽路, 公守而待其主還。且於旅中, 人有告急者, 輒傾橐而賑之, 百里徒步而歸。在他人只此三事, 亦足以 傳後。噫, 得如公幾人糁錯在州郡, 庶末俗爲之寬鄙而敦薄矣。嗚乎!天嗇其年, 爲世路慨恨也。肖胤 源根甫, 艸事行, 請不佞曰:"願有以述之也。"窃念公隱居紫陽山下, 有安豐之至行, 而文公不作, 無以興桐柏山水。惜哉!顧知公之深莫吾如, 間得仁且孝三字, 因叙次其平生梗槩, 以質于立言君子。

연빙헌 김공 행장(淵氷軒 金公行狀)

공은 휘가 선호(璿鎬)이고, 자는 기숙(基淑)이며, 자신의 집을 '연빙(淵氷)'이라고 이름 지었다. 김씨의 선조는 신라 왕자 흥광(興光)인데, 나라가 장차 어지러워질 것을 알고 광산(光山)으로 운둔하였다. 이리하여 자손들이 그곳을 적(籍)으로 삼았다. 고려시기에 이르러, 더욱 빛을 내었는데, 여덟 세대가 뒤를 이어가며 평장사(平章事)로 되었기에, 그 동네의 이름을 '평장(平章)'이라고 부르고 있다. 문안공(文安公) 휘 양감(良鑑)이 비로소 학문을 세우고, 성인(聖人)을 존숭하여 도학(道學)을 창성하게 하였다.

11대를 지나, 휘 자진(子進)은 호가 수산정(首山亭)이었는데, 고려의 사직이 망하자, 스스로 정절을 지켜 우리 강헌왕(康獻王)이 여러 번 불렀으나 부임하지 않았다.

다시 전하여, 휘 숭조(崇祖)는 성묘조(成廟朝)에 문과(文科)에 급제하여 대사헌(大司憲)으로 있었다. 아들 휘 기문(紀文)은 홍문전적(弘文典籍)을 지냈는데, 성품이 곧아 연산(燕山)의 비위를 거슬렸다. 중묘(中廟)에서 개옥(改玉)[35]을 하자, 병을 칭탁하고 벼슬길에 나서지 않았다. 아들 휘 경우(景愚)는 호가 요월정(邀月亭)으로, 사복사

---

35) 개옥(改玉): 춘추시기 노정공(魯定公) 5년 6월에 계평자(季平子)가 동야로 시찰을 나갔다가 돌아오는 길에 집에 이르지 못하고 죽었다. 가신(家臣) 양호(阳虎)가 제후가 차는 옥돌 번여(璠與)를 계평자의 염습에 사용하고자 하니 중량회(仲梁怀)가 구슬을 내주지 않으면서 개보개옥(改步改玉)이라고 하였다. 계평자는 원래 정공의 신하였으므로 제후의 예의로 장례를 치를 수 없다는 뜻이다. 여기서는 중종 반정을 말한다.

정(司僕司正)에 추증되었는데, 김 하서(金 河西), 기고봉(奇 高峯)제현들과 도의로 사귀었다. 이가 공에게는 13대조이다.

휘 우설(友說)은 호가 송백당(松栢堂)으로, 효(孝)로 소문이 나 병조참판(兵曹參判)에 추증되었다. 휘 여흠(汝欽)은 수사(水使)를 보았다. 휘 도광(斗光)은 통덕랑(通德郎)이다. 휘 회선(會選)은 숙묘(肅廟) 신축(辛丑, 서기 1721)에 사마시(司馬試)에 합격하였다. 휘 천익(天翼), 휘 필영(必泳)있었다. 이들이 공의 5세조 이상이다.

휘 창보(昌輔), 휘 원찬(元燦)은 금구(金溝)로부터 이사하여 무송(茂松)의 용전리(龍田里)에 터를 잡았다. 휘 상혁(相赫), 휘 수응(壽應)은 고조와 증조, 조부, 예(禰)의 휘이다. 모두 은덕(隱德)[36]이 있는 분들이다.

비(妣)는 함평 이씨이고, 부친은 포언(宗彦)이다.

진주 강씨(晉州 姜氏)의 부친은 홍엽(洪燁)이다. 강씨는 정숙하고 예절이 발랐다.

강씨는 아들 3형제를 낳았는데, 공이 막내이다.

공은 무오 2월 15일에 태어났다. 공은 키가 크고 구레나룻이었으며, 얼굴은 수레바퀴처럼 둥글었다. 어려서부터 말수가 적고 함부로 웃지를 않았으며 행동거지가 간결하고 장중하여 다른 아이들과 휩쓸려 놀지를 않아 성인다운 맛이 나서 먼 장래가 있다고 칭찬이 자자했다. 사숙(私塾)에 들어가서부터 총명한 자질을 드러내었는데, 한 번 보면 기억하였고 문예는 일찍부터 정통하였다. 사랑과 공경을 알고 있어 양친 부모가 즐길 수 있는 일들은 모든 정력을 부었고 날마다 언제나 곁에 모시고 있었다. 괴롭거나 성난 표정을 얼굴에 나타내지 않았고, 타인을 꾸중하는 소리가 들리지 않았다. 형님들과 우애롭게 지나며 화목으로 즐기었다. 별미를 얻으면 형제가 다 모이지 않으면 먹지를 않았다. 대개 그의 천성이 그렇게 하라고 시킨 것이다. 남을 대할 때에는 온화하고 돈후한 기색이 언사와 얼굴에 넘쳐흘렀다. 재물을 아끼지 않고 베풀기를 즐겨하였으며 사업에 마음을 쓰지 않았다.

일찍 이렇게 말한 적이 있다. "마땅히 남을 받아들일 줄을 알아야 하지 남이 받아들이게 해서는 되지 않는다."

자기의 재간을 남들에게 자랑하지 않았고 남의 허물을 입에 담지를 않았다.

살림을 날 때에도 논밭이나 기물 등 일체를 마다하며 이렇게 말하였다. "형님들은 부모를 섬기므로 밑천이 있어야 하고 선조들을 모시는 예절을 지켜야 하며 손님들도 접대하여야 하지만 경제가 언제나 넉넉하지 않았습니다. 그렇지만 저는 이러한 일들이 없지 않습니까? 그리고 아둔한 사람에게 재산이 많으면 공연히 허물만 더 남게 될

---

36) 남이 모르게 베푸는 은덕

것입니다."

 그리고는 모양산(牟陽山)의 와룡(臥龍)에서 별업을 하며 허술한 집에서 단식표음(簞食瓢飮)하면서도 즐거운 나날을 보내었다. 세상에서 부자간에 재물로 하여 다투고 형제간에 서로 돕지 않은 사람들이 이 소문을 들으면 가히 얼굴이 붉어질 수 있는 일이 아닌가?

 계미(癸未)에 부친의 상을 당하여 초상부터 장례까지 모든 일은 일률로 예의범절에 따랐다. 효성으로 홀로 남은 어머니를 모시고 마음으로도, 물질 상에서도 모두 만족을 주기에 힘을 기울였고, 매사는 반드시 품하였고 절대로 홀로 처리하지 않았다.

 어머니께서 일찍 학질을 앓았는데, 손가락을 베어 흐르는 피로 탕약을 만들어 올려 마침내 완쾌하게 하였다. 상(喪)을 당하자 장례를 치르는 일은 모두 부친의 상을 치를 때와 마찬가지로 해드렸다.

 해마다 기일이 오면, 반드시 전날에 목욕재계를 하고 생전과 마찬가지로 정성을 다 기울이었다. 특히 선조들의 묘소에 많은 정력을 쏟았지만, 화복설(禍福說)에 미혹되어 한 것이 아니라, 정성을 다한 것뿐이다.

 평소에는 단정하게 옷을 입고 관을 쓰며 책상은 언제나 깨끗하고 서적은 정연히 쌓여있었으며, 검소하면서도 구속을 받지 않았고 멋을 차리면서도 화려하게 꾸미지 않아 진세의 기운이 조금도 보이지 않았다.

 만년에는 시국이 날로 어지러워지자, 무송(茂松)의 칠곡(七谷)에 은둔하여 포의 차림으로 나물를 먹으며 한생을 보내었다.

 계유(癸酉) 5월 8일에 세상을 뜨니, 수가 일흔 여섯이었고, 장사(葬事)했다가 다시 영광의 법성면 은산봉 아래의 부술지원(靈光之法聖面隱仙峰下負戌之原)으로 이장(移葬)하였다. 부고가 나자 알든 모르든 모두가 탄식을 하며 덕이 있는 분이라고 칭찬을 하였다.

 배(配)는 진주 하씨(河氏)로 도백(圖伯)이 고(考)이다. 내조에 힘을 기울이었다. 공보다 1년 앞서 태어났고, 공보다 50년을 앞섰으며, 벽사면(碧沙面) 반곡(盤谷)의 앞 산기슭에 장(葬)하였다.

 계비(繼妃)는 수원 백씨 선일(善一)의 딸이다.

 3남을 두었는데, 장남은 원찬(源贊)이고, 하씨의 소생이다. 해철(海轍), 원섭(源爕) 그리고 해주 오병선(吳炳善), 진주 강우영(姜禹永), 홍성 장환규(張煥奎)에게 시집을 간 딸들은 백씨의 소생이다.

 원찬은 해철의 아들 명식(明植)을 아들로 삼았고, 딸은 성노령(成魯齡)에게 시집을 갔다.

　해철은 5남을 두었는데, 장남은 맏이의 대를 이었고, 아래는 영식(英植), 현식(鉉植), 강식(鋼植), 병식(炳植)이고 딸은 청도 김수국(金秀國)에게 시집을 갔다.

　원섭의 딸은 진주 정재도(鄭再燾)에게 시집을 갔다.

　명식의 아들은 희천(熙天), 희동(熙棟)이다.

　나머지는 기록하지 않는다.

　공은 체통이 크고 총명하고 영리하였으며, 목청이 밝고 명랑하였다. 거동 또한 무겁고 말수가 적으며 솔직하고 탄연하여 장자의 풍도를 갖추고 있었다. '여림심여리박(如臨深, 如履薄, 깊은 못에 임하고 엷은 얼음을 건넌다는 뜻–역주)' 여섯 글자를 신부(信符)로 지녔다. 효성으로 부모를 섬겼고, 성심으로 선조를 받들었기에 종친들은 화목하다고 칭찬하였고 친구들은 의리를 믿었다. 일언일행을 모두 깊은 못에 다가서고 엷은 얼음을 건너듯이 조심하였다.

　그가 이렇게 말한 적이 있다. "군자들의 학문은 반드시 말조심으로부터 시작하게 된다." 이것은 비록 간단한 한마디 말이지만, 군자의 삼가고 경계하는 뜻을 남김없이 표현한 것이다.

　해철이 간단한 행장을 적어왔는데, 실없는 과장으로 부모에게 욕될 일을 하지 않았고 또 후세에서 고증을 하여도 믿음직한 것들이다. 그런데 정회(正會)에게 그의 덕목을 행장으로 적어달라고 부탁을 하여왔다. 정회는 학문이 옅고 식견이 좁아 이 일을 맡을 사람이 못되지만 우리 증왕고 만수공(晚睡公)이 망년지우(忘年之友)로 여기고, 서로 믿음과 사랑으로 사귀어 왔고, 공 역시 열복하고 여러 번 오고갔다. 웃대에서부터 돈독하게 지냈으므로, 감히 사양하지 못하고 원본에 근거하여 약간의 윤색을 가하였으니, 붓을 잡은 군자들을 기다리고 있을 따름이다.

淵氷軒金公行狀

公諱璿鎬, 字基淑, 號其軒曰淵氷。金氏, 其先盖出新羅有王子興光, 知國將亂, 遁于光山, 子孫因籍焉。至麗代益彰大。八世相繼爲平章事, 故洞號平章。至文安公諱良鑑, 始建學尊聖, 以昌道學。十一傳至諱子進, 號首山亭, 屋社後罔僕自靖, 我康獻王累徵不起。再傳而諱崇祖, 成廟朝文大司憲。是生諱紀文, 弘文典籍。以直, 忤於燕山。中廟改玉, 托疾不仕。是生諱景愚, 號邀月亭, 贈司僕司正, 與金河西、奇高峯諸賢道義爲交。於公爲十三世祖。諱友說, 號松栢堂, 以孝著, 贈兵曹叅判。諱汝欽, 水使。諱斗光, 通德郞。諱會選, 肅廟辛丑中司馬。諱天翼, 諱必泳, 寔公五世以上也。諱昌輔。諱元燦, 自金溝移居茂松之龍田里。諱相赫, 諱壽應, 高曾若禰, 皆有隱德。妣咸平李氏, 父宗彥。晋州姜氏, 父洪燁, 貞淑有禮。姜氏擧三男, 公其季也。公生戊午二月十五日, 身長豐鬚, 面如車輪。自幼言笑不苟, 動止簡重, 不隨群兒嬉遊, 已有老成之稱, 遠大之望。甫上學才性明敏, 覽輒記誦, 文藝夙就。良知愛敬, 凡所以悅親者, 極其心力, 日常侍側。疾遽之色, 不形於外。叱咤之聲, 不及於物。友于伯仲, 湛翕且樂, 得一美味, 不集不食。蓋其天性然也。待人接物, 和厚之氣, 溢於辭色。輕財好施, 不以事物經其心。嘗曰：「大丈夫當容人, 無爲人所容。」不矜己之長, 不言人之短。及其分居也, 田土與器物, 一切不取。曰：「兄則養親之資, 奉先之節, 與凡賓客酬接, 常患不贍。我則無此等需用, 且愚而多財, 徒益其過也。」別業於牟陽之臥龍, 圭竇瓢飮, 處之晏如。世之子父私貨, 兄弟不相恤者, 聞風而可以知愧矣。癸未, 丁外艱, 初終凡百, 一遵禮制。孝奉偏慈, 志體俱養。每事必稟, 不敢自專。母夫人嘗患癘疾, 裂指注血, 作丸以進, 竟得完瘳。及其遭憂, 送終之節, 一如前喪。每當先忌, 必齊沐越宿, 以致如在之誠。尤殫心於先壠, 而亦不惑於禍福之說, 務盡其道而已。平居整齊永冠, 淨掃几案。儉而不累, 侈而不華, 自無一點塵埃之氣。晚年見時事日非, 遯于茂松之七谷, 衣布咬菜以爲畢生計。以癸酉五月八日卒, 壽七十六, 葬再遷于靈光之法聖面隱仙峰下負戌之原。訃聞, 知不知莫不咨嗟稱德。配晋州河氏, 圖伯其考, 克有內助, 先公一年生, 歾亦先公五十年, 墓在碧沙面盤谷前麓。繼配水原白氏, 善一女。三男, 長源贊, 河氏出。次海轍、源爕, 女海州吳炳善、晋州姜禹永、興城張煥奎, 白氏出。源贊以海轍 子明植子之。女成魯齡。海轍五男, 長後長房, 次英植、鉉植、鋼植、炳植, 女淸道金秀國。源爕女晋州鄭 再熹。明植男熙天、熙棟, 餘不盡錄。公軀幹岐嶷, 聲音流朗, 沉重寡默, 直率坦夷, 儼然有長者之風。如臨深如履薄爲六字符。養親也孝, 奉先也誠, 宗親稱其睦, 朋友信其義。一言一行, 皆從淵氷上過, 其 言曰：「君子之學, 必自愼言始。」此雖寂寥一語, 而君子戒愼之義, 畢露而無餘蘊。肯胤海轍艸事行, 必 不溢美而誣親, 亦可徵信於來後。而屬筆於正會, 俾狀其德。正會學淺識蔑, 不堪爲役。而昔我曾王考晚睡公與公忘年, 而交信愛偏重。公亦悅服而累從之。念先好之篤, 義不敢辭, 祇據原本, 略加櫽栝, 以竢秉筆, 君子有以採擇焉。

연연당문고 권10

전(傳)

감수 : 연정 김경식(淵亭 金璟植)
   (연정교육문화연구소장)
번역 : 박정양(朴正陽)
   (중국: 연변대학 도서관 전 관장 ·
    조선언어문학부 교수)

김의장전(金 義長傳)

　모양현(牟陽縣) 현청에서 서남으로 오리쯤 가면 봉산리(蜂山里)에 의병장의 묘가 있다. 공의 휘는 재화(在華)이며, 자는 복겸(福兼)이다. 상락백 익원공(上洛伯) 휘 사형(士衡)의 후손이며, 현무재(玄武齋) 휘 익철(益哲)의 10세 손이다.

　어려서부터 뜻과 기개가 뛰어나서, 어른을 섬기는 예의인 유의(幼儀)에 머리를 숙이려고 하지 않았다. 매번 사서(史書)를 읽다가 절의(節義)를 위해 목숨을 바친 사람들의 사적을 보기만 하면 마음이 동해 흠모하곤 하였다.

　갑진년(甲辰年; 서기 1904))에 침랑(寢郎)을 제수하였으나, 부임하지 않았다.

　을사년(乙巳年, 서기 1905)에 적신(賊臣)이 권세를 농락하고 섬나라 오랑캐들이 창궐하였다.

　공은 사직이 장차 망하고, 종묘(宗廟)가 불에 타게 되자, 분연히 적들을 토벌하여 나라를 광복하려는 뜻을 지니게 되어, 포고문을 여러 읍에 두루 알렸다. 포고문은 대개 이렇게 되어있다.

　"여섯 나라가 협약을 맺으니, 한 놈이 미쳐 날뛰었고, 다시 오적(五賊)이 합심을 하니, 온 나라가 갈기갈기 찢어지고 있다. 사직(社稷)이 무너지고 종묘(宗廟)가 불에 타니, 신령들은 장차 어디에 의거한단 말인가? 하늘을 팔고 땅마저 팔아버리니, 백성들은 무엇을 우러러보아야 하는가? 이래도 망하고 저래도 망할 것이다. 만고 강상(萬古綱常)을 부축이어야 한다. 그렇게 하여도 죽을 것이고, 그렇게 하지 않아도 죽을 것이다. 천추에 빛날 이륜(彝倫)을 지키자."

　무신(戊申, 서기 1908) 2월 27일부터 의병(義兵)들을 규합하고, 병장기(兵仗器)를 수습하였으며, 군기(軍紀)를 정돈하고, 수하 사람들을 임명하고 나서, 드디어 단(壇)을 세우고 북향하여, 두 번 절을 올린 다음 여럿이 함께 맹서를 하였다.

　"동방의 생치(生齒)[1]들에게 기다린다는 것이 바로 죽음이다. 죽더라도 어찌 명목 없이 죽을 수가 있단 말인가? 진정 왜놈에게 허리를 안 굽히면 단 하루를 살아도 영광이 있을 것이다. 하물며 방책(方策)을 잘 꾸미어 섬나라 오랑캐를 섬멸하고, 희생(犧牲)의 피를 발라 제사를 지내, 청구(靑邱)[2]의 하늘을 맑게 만드는 것이 우리의 본

---

1) 금년에 난 아이, 당세자(當歲子), 여기서는 백성을 말하고 있다.
2) 靑邱(靑丘), 예전에 중국에서 우리나라를 일컫던 말.

분이 아닌가? 우리의 호기(浩氣)³⁾를 숨기지 말고, 떳떳하게 이 일을 마무리 하리라."

이에 여러 사람들은 모두 성복(聖服)하게 되었고, 의병들의 소식은 크게 떨치게 되었다. 사방에서 유지지사들이 소문을 듣고 구름떼처럼 몰려들었다. 이리하여 잔포한 자들을 제거하고, 호령을 엄명하게 하니, 참으로 고대 명장의 풍도(風度)⁴⁾가 있었다.

무장(茂長)에서 군사를 일으키어, 영광(靈光)으로 내려갔으며, 여러 군(郡)으로 순회하게 되었다. 때로는 산에서, 때로는 바닷가에서 의병(義兵)을 주둔하였더니, 거주민들이 소를 잡고 술을 날라 오는 등 반갑게 맞아주고, 위문을 하여주었다.

4월 29일, 노령(蘆嶺)에 진을 치고, 정읍(井邑)에 주둔한 왜병(倭兵)들에게 격서(檄書)를 날려 보냈다. 적들은 성곽을 지키며 나오지 못했다.

30일, 곧게 고창의 고성봉(古城峯)으로 나가 진을 쳤다. 또 본군(本郡)의 수비대(守備隊)에 격서를 전하고, 적들과 격전하였다. 풀을 베어 허수아비 수백 개를 만들어 산정(山頂)에 세워놓고, 가만히 군사들을 남으로 물리었다. 적들은 허수아비를 향해 수백발의 총을 놓았다. 적들의 탄환이 떨어질 때를 기다려 기습을 하려고 하였지만, 그만 적들이 뺑소니를 쳤다.

5월 3일, 남산마을 뒤에서 적의 우두머리 한 명과 전마 한필을 살상하였다.

26일, 납기시(蠟基市)에 이르러, 왜놈과 조우하여 사격하여 적들을 살상하고, 양총 한 자루와 탄환 한 꿰미 그리고 군도(軍刀) 한 자루를 노획하였다.

8월 9일, 월산(月山)에서부터 고막리(古幕里)에 이르렀는데, 왜놈의 스파이 두 놈을 만나 결박하여 끌어와 그의 죄를 꾸짖었다. "네 놈들은 홀로 아동(我東) 오백년의 교양을 받아온 사람 가운데의 한 물건 짝이 아니란 말인가? 지금까지 머리에 털이 자라고 이빨이 생겼으면 저 왜의 종놈들과 삼백년 불공대천의 원수지간이 아니란 말인가? 그런데 네 놈들은 그들의 가죽을 벗기고 살을 씹어 먹지를 못할망정, 차마 원수이고 도적인 저 자들의 끄나풀이 되어, 오히려 적을 토벌하여 나라를 광복하려는 우리 의병들을 해친단 말인가? 가령 네 놈들을 죽이지 않는다고 한다면 어떻게 그 죄를 징벌할 수가 있겠는가?"라고 하고는 총을 놓아 죽여 버렸다.

9월 16일, 배를 타고 부안(扶安)의 모항포(茅項浦)에 이르러, 적들과 대판으로 전투를 하였다. 앞에서 달려오던 적병 둘이 총에 맞아 나뒹굴자 적병들은 진지를 뒤로 물렸다.

---

3) 호연(浩然)한 기운, 호연지기(浩然之氣).
4) 풍채와 태도.

17일, 내소사(來蘇寺)에 들어갔고, 18일에는 실상사(實相寺)에 들어섰으며 또 다음 날에는 부소(釜沼)에 이르렀는데, 모두 승전을 거두었다. 또 그 다음 날에는 해창(海倉)에 이르러 왜선 한 척에 사격하여, 적 세 사람을 죽이고, 포와 포탄 각각 두 문을 노획하였다.
　26일, 청련암(靑蓮庵)에 들어섰는데, 그때 적의 수십 명 기병들이 이르렀다. 첩자가 먼저 이르러, 긴급한 상황을 알리자, 정포(精炮) 삼십 명에게 동구 밖에 매복하였다가 협공을 가하라고 명령을 내렸다. 그러나 겨우 4명을 쏘아 눕히고 나자, 나머지 왜병들이 돌격하여 왔다. 형세는 그 예봉을 막을 수 없이 되었다.
　공은 후군(後軍)을 거느리고 오솔길로 빠져나와, 뒤를 따르는 군사들에게 이렇게 말하였다. "나는 나의 사업을 위한 것이니, 공들은 떠나가시오." 이리하여 초장(哨將) 이복선(李福善) 혼자 그의 뒤를 따랐다. 그들은 각기 천보예(千步銳)를 손에 들고 충연암(忠延巖)에 올랐다. 왜놈들이 비발 치듯 탄환을 퍼부으면서 가까이 다가왔다. 두 사람은 연해연방 총을 놓았지만 끝내 무리를 지은 놈들에 비해 힘이 약하여 함께 순절하였다.
　원근(遠近)의 남녀들은 누구나 애석해 하고 비통을 금치 못하여 "참된 의사이다."라고 말하였다. 영주(瀛州), 줄포(茁浦) 및 천원(川院)으로 도망 간 왜놈들은 서로 축하를 하며 "김 장군이 죽었으니, 우리에게는 근심꺼리가 없어졌다."라고 말하였다.
　그의 동생 재수(在秀)가 포병대에 종군하였었는데, 시체를 수습하여 돌아와 심원(心元)에 매장하였다. 도산(道山)의 선롱(先壟) 아래의 가산과 문첩들이 모두 불에 탔으므로, 다만 통고문(通告文)과 창여일기(倡旅日記)만이 세상에 전해지고 있다.
　공은 고종(高宗) 무인(戊寅, 서기 1878) 8월 26일에 태어나, 전사할 때에는 나이가 겨우 서른 하나였다.
　삼가 설명을 가한다. 춘추의 법에 따르면 군주를 시살한 적들은 사람마다 잡아다가 징벌할 수 있다. 하물며 왜적들은 달콤한 말에 독을 발라 우리의 오백 년 사직을 훼멸하고 삼천리강산을 빼앗아갔다. 저 교목(喬木)이라고 떠들어대던 세신(世臣)들은 군부(君父)를 협제(脅制)하고, 반토를 팔아먹는 자들이 꼬리에 꼬리를 물고 나타났다. 공은 초야에서 짐승 가죽옷을 걸치고서도 앞장에 서서 의병을 일으키고, 오합지졸들을 거느리고 올빼미같이, 독수리같이 날치는 흉악한 도적들을 억제하다가 패전하여 순의하였다.
　오호라! 보잘 것 없는 한 몸으로 무거운 무너지는 천지강상을 부축이었으니, 비록 세상에 산 시간이 서른하나밖에 되지는 않아도 천추만대에 죽지 않고 살아있을 것이다. 천심(天心)은 재화(災禍)를 후회하여 아동(我東)을 보우하여 주었다.

지난 을유(乙酉, 서기 1945)에 원수 놈들이 도망을 쳤다. 비단 이 세상에 사는 사람들이 거꾸로 매어달려 있다가 풀려 나오게 되었을 뿐만 아니라 충혼의백(忠魂義魄)들도 정녕 지하 황천에서 너울너울 춤을 추고 있을 것이다. 아마 오늘날 적들이 물러간 것은 당시 순국하였지만 죽지 않은 영령들이 떨쳐 일어나 우레가 되고 벼락이 되어, 살무사와 물여우들을 몰아내고, 위로는 국치(國恥)를 깨끗이 씻어버리고, 아래로는 충신들의 분노를 쏟아버리게 한 것이 아니라는 것을 어떻게 알 수가 있는가?

남겨놓은 자취는 숭고하지만, 글이 짧아, 그것의 만에 하나도 발휘하지 못하였지만, 훌륭한 사학자(史學者)들이 일어나게 된다면, 여기에서 믿음직한 자료들을 고증하지 않을 수가 없을 것이다.

金義將傳

牟陽治西南五里許蜂山里有義將。曰金公在華, 字福兼。上洛伯翼元公諱士衡后, 賢武齋, 諱益哲之十世孫也。自少志氣卓犖, 不肯屈首於幼儀, 每讀史, 見死節義者, 輒色動而心慕焉。甲辰, 除寢郞, 不就。乙巳, 賊臣弄柄, 島夷猖獗。公見宗社之將亡, 慨然有討復之志。爲文遍告于列邑, 其文略曰:"六國契約, 一膚猖狂。五賊合心, 全邦分裂。毁社毁廟, 神將何依?賣地賣天, 民無所仰?然而亡, 不然而亡。扶綱常於萬古, 然而死, 不然而死。守葬倫於千秋。"云云。自戊申二月二十七日, 糾合義旅, 收拾兵器, 整軍律, 差任屬, 乃登壇, 北向再拜而誓衆, 曰:"東方生齒, 等是死耳。死豈無名?苟不屈於倭, 一日之生亦榮也。況善自方策, 則剿殄島夔, 廓淸靑邱, 分內事也, 願無戕我浩氣, 以允終此事。"衆皆誠服。於是義聲大振, 四方有志之士, 聞風而雲集。禁除侵暴, 號令嚴明, 有古名將風。起兵於茂長, 轉向靈光。巡回于列郡, 駐屯於或山或海, 所居民皆牛酒迎勞。四月二十九日, 留陣蘆嶺, 馳檄于井邑倭駐隊, 賊堅壁不出。三十日, 直向高敞之古城峯留陣。又馳檄于本郡守備倭隊, 與賊交戰。爲草梗數百, 植于山頂, 潛退其右。賊向草梗, 放炮累百。俟其丸盡, 欲襲擊, 賊馳走。五月三日, 殺一倭酋, 馬一匹於南山 村後。二十六日, 至蠟基市, 遇倭炮殺, 得洋炮一柄, 洋丸一串, 軍刀一柄。八月九日, 自月山至古幕里, 遇倭諜者二人, 縛致之, 數其罪, 曰:"汝獨非我東五百年教養中一物乎?

至今戴髮含齒, 與彼倭奴, 孰 非三百年不共戴之讎？而汝縱未能寢其皮而啗其肉, 寧忍爲讎賊之耳目, 反害我討復之義旅乎？ 縱汝不殺, 何以懲之？"乃炮殺之。九月十六日, 乘船抵扶安之茅項浦, 與倭大戰。賊先鋒二人炮死, 賊乃退陣。十七日, 入來蘇寺。明日至實相寺, 又明日至釜沼。皆有義績。又明日至海倉, 炮倭船一隻, 賊三人, 又獲炮丸各二。廿六日, 入青蓮菴, 時數十倭騎至。諜者先到告急, 令精炮三十人伏于洞口, 夾擊, 僅獲四人。餘倭衝突, 勢不能折其鋒, 乃麾後軍從間途出, 顧謂從事諸士, 曰：〝吾爲吾事, 公等其去。哨將李福善獨從後, 各持千步銳, 躡登忠延巖。倭丸如雨, 隨所至, 而兩炮交發, 竟以彼衆我寡, 同時殉節。遠近士女, 莫不痛惜。曰：〝眞義士〞云。亡瀛洲茁浦及川院, 諸倭相慶, 曰：〝金將軍死, 吾無虞矣。〞其弟在秀與從事炮軍, 收屍歸葬于心元。而道山先輩下家産及文牒, 盡入于燒蕩, 惟通告文及倡旅日記傳于世。公生高宗戊寅八月二十六日, 死時年三十一。謹按：春秋之法, 弑君之賊, 人人得而討之。況彼倭賊, 甘言蠆毒, 毁滅我五百年宗社, 攘奪我三千里疆土。彼喬木世臣, 脅制君父, 輸圖販籍者, 踵相接也。公以草野一韋衣, 挺身起義, 驅烏合之旅, 遏鴟張之寇, 兵敗而殉。嗚乎！以眇然之一身, 而扶天地綱常之重。在世者僅三十一, 而其不死者能千秋而萬春矣。天心悔禍, 佑我大東。往歲乙酉, 讎賊逃遁。不惟地上之人如解倒懸, 其忠魂義魄, 亦必舞蹈於泉壤之下矣。抑今日彼賊之退, 亦安知非當時殉國諸公, 不死之英奮然爲雷爲霆, 驅遣虺蜮, 上以刷國恥, 下以洩忠憤也耶？顧跡高文卑, 未能發揮其萬一, 而良史氏作, 亦未必不考信於此也。

백범 김공전(白凡金公傳)

공은 안동인(安東人)이다.

처음의 휘는 창수(昌洙)였는데, 구(龜)로 고쳤고, 후에는 소리가 비슷한 구(九)로 고쳤다. 선후로 휘를 고친 것은 모두 왜(倭)를 피하려는 목적에서 비롯된 것이다.

호를 백범(白凡)이라고 한 것은 아무런 구속도 없는 백의 장정이요, 평범한 사나이라는 뜻에서 나온 것이니, 대체적으로 보면 바로 "귀하고 천하다는 계급이 따로 없이 다 함께 꾀를 꾸미고 힘을 합쳐야 만이 광복(光復)의 대업을 완성할 수 있다."는 말이다.

공은 고종(高宗) 병자(丙子, 서기 1876)에 해주(海州) 기동(基洞)에서 태어났다. 태어나서부터 총명하고 뛰어났으므로 원대한 포부를 품고 있었다. 나이 열일곱에 병서(兵書)를 읽었다.

당시 안중근(安重根) 의사(義士)의 아버지인 진사(進士) 안태훈(安泰勳)은 갑오(甲午, 서기1894)에 의병(義兵)을 일으켜 동비(東匪)토벌을 주도하였는데, 공의 덕망과 의기에 관한 소문을 듣고, 그의 막하로 들여가려 생각하였다. 그때 나이 열아홉 되던 공이 안공(安公)을 찾아가 만났더니, 국사(國士)로 맞아 주었다.

이듬해에 명성왕후(明成皇后)가 왜(倭)에게 화(禍)를 당하였다. 그때 중국(中國)도 왜놈에게 패전(敗戰)을 당한 처지였다. 공은 맨손으로 중국으로 들어갔는데, 수 천리를 도보로 걸어 고생이라는 고생은 다 맛보았다. 동북 삼성(東北 三省)에 있는 통화(通化), 관전(寬甸), 즙안(輯安), 순인(順仁), 임강(臨江) 등의 현(縣)을 지나 삼도구(三道溝)에서, 중국 의용군 장군(中國義勇軍 將軍) 서옥생(徐玉生)의 아들 아무개를 만나게 되었다. 그들은 만나자, 서로 평생을 기약하고 복수할 일을 논의하였는데, 손을 맞잡고 통곡을 하고는 의형제(義兄弟)를 맺고 귀국하였다.

스물 한살에 또 중국으로 가서 서씨(徐氏)와 함께 군사를 일으켜 복수하려고 작정하였으나, 안주(安州)에 이르러 삼남(三南)에서 의병을 일으켰다는 소문을 듣고, 되돌아서서 안악하포(安岳河浦)에 이르렀다. 마침 왜놈 쯔찌다(土田)라는 자를 만나게 되었는데, 사복(私服)한 밀정(密偵)이었다. 그 놈이 바로 우리 모후(母后)를 살해한 놈이었다. 공은 의분(義憤)이 치솟아, 그 놈이 차고 있던 칼을 뽑아, 그의 배를 갈라 그의 간을 씹어 먹었고, 죽인 까닭을 큰 글씨로 적어 벽에 붙여 놓았으며, 자기의 이름과 주소를 명백하게 밝혀 놓았다. 귀가(歸家)하자, 부모들과 친척들은 모두 공(公)에게 어서 피신하라고 권고하였지만, 공은 그 말을 귀전으로 들으며 이렇게 말했다. "국모(國母)를 위하여, 복수를 한 것은 의(義)로운 행동입니다. 어찌하여 구차하게 살아야만 된단 말입니까?" 얼마 되지 않아 체포되어 제물포(濟物浦) 감옥에 감금되었다. 왜(倭)의 공사 임권조(林權 助)가 위협을 가하고 잔혹한 형벌을 가하며, 장차 대형(大刑)으로 처분하려고 달려들었다. 태황제(太皇帝)가 몸소 인천(仁川)으로 전보를 쳐서, 특지(特旨)로 삼년 유예(猶豫)를 판결하였다.

스물둘이 되는 봄에, 파옥(破獄)하여 달아나, 거친 산과 깊은 골에 종적을 감추었다.

스물 넷에, 이동녕(李東寧), 안창호(安昌浩) 제 의사들과 함께 신민회(新民會)를 창립하고, 이동녕을 중국으로 보내 군관학교(軍官學校)를 설립하고, 구국인재(救國人

材)들을 훈련시키게 하였다. 왜놈들이 이 기밀을 알아내고, 전국의 의사(義士)들을 모조리 잡아 죽이려고 대대적으로 사람들을 잡아들이었다. 공(公) 그리고 안중근(安重根)의 동생 안명근(安明根)도 체포되었다. 공은 주리를 트는 등 혹형을 당하였지만, 끝까지 비밀을 한 마디도 누설하지 않았고, 마구 욕설을 퍼부었다. 결국 유기 도형 5년으로 판결을 받았다.

그 후 시골에 몸을 숨기고, 학원(學院)을 꾸려, 농가의 자제들을 키웠다. 마흔 넷이 되던 기미년(서기1919년), 3월 1일에 전국에서 독립만세를 높이 외쳤다.

공은 신중하게 기회를 노리다가, 표연히 상해(上海)로 건너가, 전에 함께 뜻을 같이 하던 동지들과 함께 광복(光復)의 대사(大事)를 꾸미었다.

중망(衆望)으로 임시정부(臨時政府) 경찰국장(警察局長)을 맡았다가, 마흔 여덟에는 내무부장(內務部長)에 부임하였고, 쉰둘에는 국무령(國務領)을 맡아보았다.

상해공원(上海公園)에서 왜(倭)의 장군 시라카와(白川)를 죽이었고, 비밀리에 이봉창(李奉昌)을 일본으로 건너보내, 장량이 박랑파에서 진시황을 죽여 버리려던 옛일[5]을 본받으려고 하였지만, 일을 성사하지 못하였다.

왜적들의 포화가 상해에 미치자 공(公)은 여러 의사들과 함께 중경(重慶)으로 옮겨갔고, 임시정부(臨時政府) 주석(主席)으로 천거되었다.

이에 여러 단체들을 통합하여 한국 독립당(韓國 獨立黨)을 만들어 중앙집행위원장을 맡았다. 같은 해에 한국광복군(韓國光復軍)을 조직하여, 왜(倭)에 전쟁포고문을 내렸다.

을유(乙酉, 서기1945)년에 왜적들이 물러가자, 귀국하여 여러 군(郡)을 순회하였다. 공이 이르는 곳마다 인사들이 다투어가며 돈을 건네며 위문을 하였는데, 돈을 모아놓으면 만으로 헤아리는 어마어마한 숫자였지만, 그 돈을 모조리 거지들에게 나누어주었던 것이다.

그때 나라 강토가 둘로 나누어져 서로 원수 같이 여기었다. 공(公)은 이것을 태산같이 걱정하며, 남북(南北)이 협상하려고 홀몸에 맨손으로 천리 길을 행하였는데, 아무

---

[5] 장량이 박랑파에서 진시황을 죽여 버리려던 옛일: 장량(張良, ?~서기전 189년)은 중국 한(漢)나라의 정치가이자 건국 공신이다. 소하(蕭何), 한신(韓信)과 함께 한나라 건국의 3걸로 불린다. 전국시대 한(韓)의 왕족이었던 그는 나라가 진시황에게 멸망되자 복수를 위해 자신의 전재산을 모두 팔아 자금을 마련하고 창해공(滄海君)이라는 자로 하여금 서기 기원전 218년경 박랑사(현재의 허난 성 양장)를 지나는 시황제의 행차를 노리고 무게가 120근(약 30kg)이나 되는 철퇴를 던져 시황제가 탄 수레를 부수어 시황제를 암살하려 했다. 그러나 철퇴는 시황제의 수레가 아닌 다른 빈수레에 맞아 암살은 실패하고 장량 등은 도망쳤다.

른 근심도 하지 않았으며, 얼마 안 되어 돌아왔다. 일은 비록 성사하지 못하였지만, 의(義)는 천하에 드러났다.

기축(己丑, 서기 1949) 6월 모(某)일에 암살되어, 서울 효창 공원(孝昌公園)에 장(葬)하였다. 치명(治命)을 남겼다. 온 시가지의 남녀들이 뛰쳐나가 통곡을 하니 하늘 땅이 진동하고 먹장구름이 몰려왔다. 백성들은 그의 덕목을 그리었고 군자들은 그의 의리에 열복하였다.

공은 두 아들을 두었는데, 장남 태인(泰仁)은 광복을 위해서 죽었고, 둘째 태신(泰信)은 공군 중장으로 활동하고 있다.

삼가 설명을 가한다. 공의 일생은 나라를 위한 일생으로 가정이란 무엇인지도 모르고 지냈다. 이렇게 평생을 보내다 보니, 한 치의 땅도. 한 자되는 가택도 없었다. 칠십년이란 세월 속에서 천겁 만겁을 겪었지만, 첫째도 의(義)였고 둘째도 의(義)였다. 오늘 우리 삼천리강산과 삼천만 생령(生靈)6)들이 왜놈의 그물에서 벗어나고, 무릇 날거나 물에 잠기거나 하는 동물이나 식물들이 모두 자기의 천성(天性)을 다하게 될 수 있은 것은 도대체 누구의 힘에 의해서인가? 그의 고심(苦心)혈성과 일편단심 즉 이른바 천지(天地)와 함께 서도 끄떡없고 귀신에게 질의해도 의심할 바 없는 것이 아니겠는가?

오호라! 드디어 태산 같은 공신(功臣)이 총탄에 피 흘리며 쓰러지고 말았구나! 그렇다면 이른 바 천도(天道)가 옳은가 그른가?

천년 세월이 지나가고 만년 세월이 다가오고 있으니, 정녕 이를 논할 사람이 있을 것이다. 전에 한위공(韓魏公)이 성대(盛代)에 살면서 곧은 절개로 그때의 재상의 비위를 상하게 하였었는데, 한 자객이 집안으로 숨어들었다가, 코를 골며 잠을 자는 그에게 감히 칼을 박지 못하였었다. 도적에게도 인과 불인(不仁)이 있었는데, 그래 고금(古今)이 다르단 말인가? 오호라! 한숨이 난다. 공이 귀국할 때에 이런 시를 지었다.

"산은 형, 강은 아우, 피는 함께 흐르는데,
국화꽃 피어날 때 개선가를 올리노라.
중경(中京)7)의 달빛 밝아, 운제(雲梯)8)의 길 비춰줄 제,
발해(渤海)의 풍광 속에, 북소리 뱃전 치네.

---

6) 생명. 목숨. 백성.
7) 중경(中京): 서울의 별칭.
8) 높은 사다리,예전에 성(城)을 공격할 때. 썼던 높은 사다리.

닭오리 길 들이려 먼저 학에 다가서고,
교룡을 낚아보자 갈매기와 동반하네.
장사(壯士)야 말을 말라, 귀국이 늦었다고.
엄청난 행장(行裝)이라 챙기기 힘들구나."

白凡金公傳

公安東人, 初諱昌洙, 改以龜, 後又取音相近爲九. 前後皆逃倭也, 號曰白凡, 取義於白丁凡夫, 盖曰:"無貴賤之階, 協謀合力, 然後光復可庶幾也."高宗丙子降于海州基洞. 生而岐嶷, 有遠大志. 年十七, 讀兵書. 安進士泰勳, 義士重根父也. 甲午, 擧義討東匪, 聞公德義, 欲致之幕下. 公時年十九, 往見安公, 待以國士. 翌年, 明成王后被禍於倭. 時中國亦敗於彼. 公以隻手入中國, 徒步數千里, 備嘗艱險, 歷東三省通化、寬甸、輯安、順仁、臨江、等縣, 到三道溝. 遇中國勇將徐玉生子某, 一見相許, 論復讎事, 執手痛哭, 義結兄弟而歸. 二十一歲, 又將往中國, 欲與徐將起兵報仇. 至安州, 聞三南義兵起, 回程到安岳河浦. 有一倭土田者, 便衣密偵. 彼卽殺我母后者, 公義憤所激, 抽彼所佩刀, 刳其腹而 啖其肝, 大書其由, 揭墻壁上, 明記姓名與居住. 歸家, 父母族黨皆勸公避匿. 公不聽, 曰:"爲國母復讎, 義也, 奚苟活爲?"未幾被逮, 囚于濟物浦獄. 倭公使林權助威脅頗酷, 將處以大刑. 太皇帝親電于仁川, 以特旨延期三年. 二十二歲春, 破獄潛走, 遯跡於荒山窮谷間. 二十四歲, 與李東寧、安昌浩 諸義士, 創立新民會, 遣李東寧于中國, 設立軍官學校, 訓鍊救國人材. 彼倭知密計, 欲盡劉全國義士, 遂興大獄事. 公及安明根重根弟在縷拽中. 公受酷箠苛栲, 終不言秘事, 罵不絶口, 處刑五年. 自後隱於農村, 設學院, 教養農家子弟. 四十四歲, 己未三月一日, 全國唱獨立萬歲. 公慎重察幾, 飈然入上海, 與昔日同志士謀光復事. 衆望爲臨政府警察局長. 四十八歲, 爲內務部長. 五十二歲, 爲國務領. 殺倭將白川于上海公園, 密遣李奉昌于日本, 欲放博浪椎而未中. 倭賊砲火及於上海, 公與諸義士移入重慶, 薦爲臨政主席, 統合各團各體, 爲韓國獨立黨, 爲中央執行委員長. 同年, 組織韓國光復軍, 宣布于倭. 乙酉, 倭退後歸國, 巡回列郡, 所到人士爭以貨勞之, 無慮累巨萬, 皆散諸乞丐焉. 時彊土分而爲二, 相視爲仇敵. 公爲是之憂, 欲協商南北, 以單車空挙, 獨行千里, 無所顧忌。未幾而還。事雖未遂, 而義著天下。己丑六月某日, 遇害而死, 葬于京孝昌公園。從治命也。滿城士女, 奔走號哭, 盪天排雲。小民懷其德, 君子服其義焉。公有二子, 長曰泰仁, 死於光復之役。次曰泰信, 今航空中將。

謹按 : 公一生爲國, 不知有家。是以終其身, 乏寸土尺第。七十年間, 經千刦萬灰, 一則義, 二則義。今日我三千里彊土, 三千萬生靈, 脫乎倭網之中。凡飛潛動植之類, 各遂其性者, 伊誰之力？盖其苦心赤腔, 所謂建諸天地而不悖, 質諸鬼神而无疑者, 殆庶幾焉。嗚乎！遂使泰山之功, 轉爲砲丸之血。倘所謂天道是耶非耶。千世在前, 萬世在後, 必有尙論者矣。昔韓魏公盛時以直節忤時宰, 有一刺客入臥內, 見鼻息如雷, 刃不忍加。賊之仁不仁抑或有, 古今異歟？嗚乎！欷矣。公歸國時有詩, 曰 : "山兄水弟血同流, 凱奏堂堂黃菊時。中京月燭雲梯路, 渤海風光缶轉舟。將馴鷄鶩先親鶴, 欲釣蛟龍故伴鷗。壯士莫言歸國晚, 行裝巨大卒難收。

유인 박씨전(孺人 朴氏傳)

을사사건(乙巳事件)에 유명했던 현자 장음정(長吟亭) 나(羅)선생의 후손 상조(相祚)의 아내 박씨는 사우(士友)들의 가정에서 효부이고, 열부(烈婦)라고 칭찬하고 있다. 삼종질 수찬(綏燦)이 많은 정력을 들여 행장(行狀)을 적고, 나에게 전(傳)을 적어달라고 부탁하면서, 이렇게 말하였다. "세상에서 사람들은 불후(不朽)하게 만들어 주는 문장을 짓는 사람들이 많기는 하지만, 우리 가문의 일을 그대만큼 아는 사람이 없네. 이에 감히 부탁을 드리는 바이네." 이에 삼가 설명을 단다.

유인(孺人)은 본이 순천(順天)이며, 부친은 태현(兌鉉)이다. 시집을 때의 나이는 열다섯이었고, 늙으신 시어머니는 한창 기침으로 고생하고 있어서, 바람을 맞아서는 안 되었다. 예식을 마치자마자 신부는 몸소 우물을 길어오고, 절구질 하면서 부지런히 며느리가 응당 하여야 할 직분(職分)을 다하여, 집안에서는 칭찬이 자자하였다.

정사(丁巳) 년에 남편이 병환으로 몸져눕자, 유인(孺人)은 정성을 다하여 간호하며 살려내려고 안간힘을 다하였지만, 남편은 끝내 일어나지 못하고 말았다. 이에 유인은 남편을 따라 가려고 굳게 다짐하였다. 그런데 시어머니가 두 살 박이 어린아이를 안고 흐느끼며, 그를 깨우쳐주었다. 그제야 유인은 정신을 버쩍 차리고 "늙은 이를 모시고, 어린 자식을 키우는 이것이, 돌아가신 우리 낭군님의 마음이시다."라고 말하고서는, 몸을 일으켜 평소와 다름없이 집안 일을 돌보았다.

또 2년이 지나자, 시어머니가 세상을 떴다. 유인의 슬픔은 남편이 돌아갔을 때보다 더 심하였다. 몇 해 동안 연속 상(喪)을 치르다 보니, 집안의 재산은 거의 탕진되어 살아갈 길이 막막하였다. 그는 집집마다 돌아다니며 낮이면 기음을 매여주고, 밤이면 길쌈을 하였다. 이렇게 7년이라는 시간을 지새우고 나서야, 겨우 두옥(斗屋)9)을 장만하였다. 이 때 자식도 점점 자라나게 되어, 집안 살림이 조금 넉넉하게 되고, 새롭게 흥성할 추세를 보이었다.

무자(戊子)년 설날 아침에, 온 가족이 모두 모인 자리에서, 유인은 "나는 팔자가 기막히게 사나와 젊어서 하늘 같이 믿던 남편을 잃어버리고, 외로운 자식을 키워내었다. 지금은 손자가 둘씩이나 있으니, 가히 대(代)를 이어나갈 수 있게 되었구나."라고 입을 열었다.

그 해의 4월 7일에, 병석에 눕더니만 아들을 불러 이렇게 경계하며 "네 어미는 살아온 것이 부끄럽구나. 과부 집 자식이라는 말만 듣지 않아도, 나의 소원을 풀어주는 것이다."라고 말하더니만, 이틀이 지나 졸(卒)하고 말았다. 그가 병신(丙申)에 태어났으니, 수는 쉰셋이었고, 연천등 부원모(鷰泉嶝負某原)에 장(葬)하였다.

경찬(經燦)은 그의 외아들로서, 진주 정휴학(鄭休學)의 따님에게 장가들었다.

손자는 둘로, 기일(基日)과 기아무개(基某)이다.

논평을 가한다.

고인들이 "초(楚)나라의 남쪽에는 천지(天地)의 기운이 사람들에게 모여들지 않고, 바위에 모여들고 있다."고 말한 바가 있다. 아마 기운이 움직이면서 이 바른 기운이 사대부들에게 모여들지 않고, 부인에게 모여든 것이 아닐까? 세상에 소문난 벼슬아치들이거나 명성 높은 진신(搢紳)10)들은 왕왕 인간 윤리를 어기고 강상(綱常)을 망가뜨려 나라를 잊어버리고, 집안을 망친 사람들이 얼마나 많은가? 박씨는 하찮은 일개 부인으로서, 천지 강상의 중임을 떠메고, 시어머니를 명대로 모시었고, 고아를 키워 마침내 문호(門戶)를 세우게 하였으니, 고충과 단심은 신명(神明)에 물어볼 수 있다.

오호라! 죽을 마음을 이겨내고, 세상을 떠난 남편의 천고의 뜻을 이룩한 것을, 어찌 한 순간의 절박한 생각을 참아내지 못하여 문득 세상을 떠나가는 것에 비길 수가

---

9) 아주 작고 초라한 집.
10) 벼슬아치의 총칭. 지위가 높고 행동이 젊잔은 사람.

있겠는가? 몸이 받들리게 되어 명성이 온전하게 되었고, 처음에는 고생을 겪다가 후에는 편안하게 되어, 자손들로 하여금 영원히 그 복을 누리게 하였으니, 착한 일을 하는 사람들에게는 후손이 있다는 것을 권면하기에 너무나도 충분한 일이다. 이후에 《소학》을 이어서 펴낼 사람이 있다고 한다면, 어찌 여기에서 고증을 하지 않을 수가 있을까?

신묘(辛卯)년 중양일(重陽日)에 씀.

孺人朴氏傳

乙巳名賢長吟亭羅先生後孫相祚妻朴氏, 士友家稱孝烈婦之。三從姪綏燦, 萬機狀行治, 徵余立傳, 曰："世之爲不朽業者不乏其人。而知吾家事莫子若, 敢卽圖之。" 謹按：孺人籍順天, 父兌鉉。嫁時年十五, 老姑方崇咳, 不可風。禮畢, 輒躬執井臼, 惟婦職是勤。閨閤之內譽藉甚。丁巳夫嬰疾, 孺人殫誠救護, 冀得回天。而及不起, 矢心下從。姑抱二歲孤而泣喩, 乃幡然悟, 曰："養老育幼, 此吾亡夫心也。"起卽視事如平昔。又二年, 丁姑憂, 哀毁逾晝哭。顧連年喪禍, 物業盡矣, 殆無以資活, 轉轉挾戶, 晝而鋤, 夜而績。如是者積七載, 始艱搆斗屋。而子年漸長, 資斧稍饒, 蔚有方興之勢。歲戊子元朝, 門內咸集, 孺人乃言, 曰："顧吾數奇, 早年喪天, 孑孑育一兒, 今見二孫可以繼後事矣。"遽以是年四月七日疾, 招子戒曰："而母或飫所生, 免爲寡婦子, 吾願也。"再翌卒, 距其生丙申, 壽五十三, 葬于驚泉嶝負某原。經燦, 卽其孤。娶晋州鄭休學女。二孫。基日、基某。

論曰：古人有言, "楚之南, 天地之氣不鍾於人, 而鍾於石。" 抑或運氣動盪, 是氣之正也, 不鍾於士大夫而鍾於夫人歟？世之名簪勝紳, 往往乖倫敗常, 喪邦家者何限。朴氏以眇然一婦人, 任天地綱常之重, 養姑以天年, 終育孤以立門戶, 其苦衷赤胵, 可質神明。嗚乎！忍一死而遂亡夫千古之志, 豈一時崩迫致命之比哉？身否而名全, 始蹇而終泰, 使子孫永享其祿, 足可爲爲善者勸。後有續小學編者, 盍考信於此。

辛卯重陽日

조열부전(曺烈婦傳)

열부 조씨(曺氏)는 강복영(姜福永)의 아내이다. 열아홉에 시집 와, 부도(婦道)를 닦으며 시부모를 편안하게 섬기고, 종친들과 화목하게 지내었다. 글을 알아서 의리를 분별할 수 있으니, 고대의 여사(女士)들을 찾아보아도 그와 짝을 이룰 만한 사람은 없을 것이다. 시집온 지, 만 일 년도 채 되지 않아 복영이 어디론지 사라지고, 병란 속에서 생사존망 소식조차 듣지 못하였다. 여인은 가정살림을 알뜰히 하면서, 시부모를 마치도 남편이 집에 있을 때와 마찬가지로 섬기었다. 사람들은 그의 얼굴에서 슬퍼하는 기색과 행동에서 투정을 부리는 것을 보지도 못하고 듣지도 못하였다. 행동을 가벼이 하지 않고, 웃어도 이를 드러내지 않았으며, 빗질도 하지 않고 단장도 하지 않으면서, 눈물을 삼키고 원망을 속으로 삭이다 보니 얼마 지나지 않아 곧 병이 들게 되었다. 그렇지만 6년 동안 아픈 기색을 드러내지 않았다.

딸 하나를 키웠는데, 이름은 형란(馨蘭)이다. 애비 없는 자식이라고 응석둥이로 키우지 않고 엄하게 가르쳤다.

서모가 있었는데, 여러 번 찾아와 얼리고 달래면서 열부의 마음을 앗아가려고 갖은 유혹을 다 부리었다. 부인은 이 세상에 더는 살지 않겠다고 맹세를 다지고, 드디어 기해 9월 11일에 목을 매여 자진하고 자신의 결백을 고수하였다. 소문을 들은 동네에서는 "착한 여자가 돌아갔구나."라고 혀를 차며 말을 하였다. 당산 선롱 아래의 침미원(枕未原)에 장(葬)하였다.

그때 그의 나이는 29세였는데, 남편이 집을 나간 지는 이미 10년이 지난 때였다. 유서와 《솔과 대죽의 문답(松竹問答)》 한 편이 책궤에서 나왔는데, 언사는 강개하고 음조는 우렁차, 읽는 사람을 모골(毛骨)이 송연(竦然)[11]하게 만들었다.

그의 시아버지 삼계 경흠씨(冏欽氏)가 행장 초고를 만들어 불녕에게 "그대는 어이하여 우리 효부가 후세에 영원하도록 말 몇 마디 적어주지 못 하겠는가?"라고 말하였다. 타고난 천성을 그대로 지키는 사람이라 마음에 울컥 솟구치는 것이 있어, 감히 그 일을 감당할 사람이 아니라고 사양하지 못하였다.

외사씨(外史氏)는 말한다. 《솔과 대죽의 문답(松竹問答)》이라는 한 편의 글에 철석간장이 흘러나오고 있다. 만약 송죽 같은 절조를 평소에 가슴속에 쌓아두고 있지 않았다고 한다면 언사에 표현되는 정서가 이럴 수까지 있었겠는가? 성스러운 임금이

---

11) 두려워 몸을 옹송그릴 정도로 오싹한 느낌이 있다.

계신다고 한다면 정녕 이것을 수집하여 관현악기로 타게 하고, 향과 나라와 천하를 교화하였을 것이다.

  나는 열부의 부친 병연씨(秉淵氏)와 교분이 두텁다. 전에 열부의 혼사를 담론하면서 병연씨가 나에게 "점을 치니 강씨에게 시집을 가면 길하다오."라고 하던 말이 기억난다.

  아, 한창 꽃다운 나이에 비바람을 맞으며 신음하면서 천신만고를 맛볼 대로 다 맛보고 말았으니, 시초(蓍草)를 어찌 믿을 수가 있으며, 거북점 또한 어찌 영험하다고 할 수가 있으랴? 그렇지만도 오늘날 수립한 것이 그처럼 탁월하여 무너지는 인간기강을 부축이고 쓰러지는 풍속을 황하 물을 막아선 저주산인양 거연히 서서 경고하고 있으니, 이것이 바로 이른 바 길한 것이 아니겠는가?

曹烈婦傳

烈婦曹氏，姜福永妻也。年十九而歸，能執婦道，舅姑以安，族黨以睦。有文識辨別義理，求古之女士亦罕其儔。未周歲福永奔竄，兵亂中存沒不相聞。婦克守閫政，養舅姑如夫在時。人不見其戚嗟色，亦不聞其咈戾言。不翔不矧，不櫛不容，忍濡含冤，尋以成疾，殆六年之久而亦不言病。只育一女，名馨蘭，不以父不在而加恩愛，課督必嚴。有庶母數來利誘，欲奪其志。婦誓不在世，遂以己亥九月十一日，縕而自潔。遠近聞者，嘖嘖嘆曰："賢婦逝矣。"葬堂山先隴下枕未原。死時年二十九，距其夫出奔已十年矣。有遺書及松竹問答一篇，自篋藏中出。辭旨慷慨，音調瀏亮，讀之令人毛骨竦然。其舅三溪罔欽氏艸事行，命不佞曰："子盍記一言，使我孝婦不朽於來百。"秉彝攸激，不敢以非其人辭。 外史氏曰：松竹一篇，可謂鐵肝石肺中流出。如非松筠節操，素所蓄積於中，發於辭者，安能如此？聖王作，必此之採，被之管絃，以化于鄉而國而天下矣。余與婦父秉淵交誼既重。記昔婦之論婚也，秉淵謂余曰："卜嫁于姜，吉。"噫，芳年獨閨，風呻雨吟，備嘗萬苦千辛。蓍不可恃，龜亦不靈矣。雖然今日所樹立，若彼其卓卓，扶人紀於既絶，警頹俗於中流，玆非所謂吉者也耶？

열부 박씨전(烈婦朴氏傳) 갑진

근간에 작고한 열부 박씨는 밀성(密城)의 세가출신으로 양오 서봉(陽梧瑞鳳)의 후손이다. 시집오기 전에는 규방의 본보기였다. 광산 (光山) 노계 경희(蘆溪 景熹)의 후손인 광산 김기락(光山 金箕洛)에게 시집을 오자, 시부모는 "우리들을 잘 모신다."라고 말하였고, 종친들은 모두 그가 화목하다고 칭찬을 아끼지 않았다. 제사의 범절에 밝았고 길쌈과 농사에 부지런하였으니, 더 이상 찾아 낼수 없는 부드럽고 얌전한 사람이 아니었겠는가? 남편은 삼 년 동안 병석에 몸져누워 있으면서 반드시 남의 시중을 받아야만 했다. 박씨는 밤이면 남편 대신 자신을 앓게 하여 달라고 하늘에 기도를 올렸고, 낮이면 산에 제사를 지내고, 약을 찾으며 있는 정성을 아끼지 않았다. 그러나 하늘은 끝끝내 열부를 보우해주지 않았다. 열부는 가슴을 치며 통곡을 하면서 더는 살고 싶은 생각이 없어졌다. 얼마 지나지 않아 슬픔을 삼키고 아픔을 참으며 수의 등등을 손수 만들어 입혔다. 그리고는 상복을 입은 이튿날, 사람들이 없는 틈을 타서 부엌에 들어가 목을 매여 자진하였다. 장하구나! 열부로구나!

고종(高宗) 경진(庚辰)년에 성내(省內)의 장보(章甫)[12]들이 예조(禮曹)와 도수(道繡)에게 열부를 천거하였다. 비록 정려(旌閭)로 표창을 받지는 못하였지만, 스스로 백 세대를 내려가면서 공적으로 되는 평론이 있을 것이다. 부녀들이거나 초부 그리고 목동들까지도 마치도 어제 발생한 일인 듯이 열부의 사적을 외우고 있다.

종손 수현보(壽鉉甫)가 추천장을 소매에 건사하고 와서 나에게 전을 적어 길이 빛나게 하여 달라고 부탁을 하였다. 살펴보기는 하였으나, 글에 서툰 내가 어떻게 사람들을 길이 빛나게 할 수 있단 말인가? 열부다운 박씨가 어찌 서툰 나의 붓을 기다려 길이 빛날 수가 있단 말인가? 그렇지만 이것은 풍화(風化)와 교화(敎化)에 관련되고 있으므로, 스스로 외사(外史)에 기탁하여 아래와 같이 논평을 한다.

살아가는 것은 사람마다 바라는 것이고, 죽는 것은 사람마다 꺼려하는 것이다. 바라는 것을 버리고 꺼리는 것을 취한 것은 무엇 때문인가? 자기가 바라는 것을 위하는 데는 자기가 살아가는 것보다 더 대단한 것이 없다. 취하고 버리는 것에 관하여 맹자(孟子)는 웅장과 물고기를 먹고 싶어 한다는 예를 들어서 두루 이야기하였다.

아, 박씨를 놓고 본다면, 여항(閻巷)의 일개 여인에 불과하여, 성인(聖人)들의 대도를 들어보지 못하였다. 그러나 만고에 전하여갈 이 강상(綱常)을 세우고 있으니, 이

---

12) 유생(儒生)을 말한다.

것은 하늘에서부터 타고난 천성을 그대로 지키는 것이 아닌가?

비록 그때 정려로 표창을 받지는 못하였지만, 그에게는 손상이 가는 것이 없는 것이고, 오히려 백 세대를 내려가면서 공적으로 되는 평론이 사라지지 않을 것이며, 또 아득히 먼 세월을 길이 전해 내려갈 것이다.

이른 바의 풍기를 세운다는 것은 바로 여기에 있는 것이지 저기에 있는 것은 아니다.

烈婦朴氏傳　甲辰

近故烈婦朴氏, 密城世家, 陽梧瑞鳳后. 自在家閨範貞秀, 嫁于光山金箕洛, 蘆溪景熹后. 舅姑曰:"善事我." 宗族咸稱其睦, 明於蒸嘗之節, 勤於織鋤之業, 殆所謂棣棣不可選者歟? 夫公病三歲, 起臥須人. 朴氏夜而禱天乞代, 晝而祭山求藥. 靡誠不極, 竟不獲天佑, 號哭擗踊如不欲生. 旣而忍痛茹哀, 送終諸具, 手自裁成. 成服翌日, 候無人, 入空廚自縊而就盡. 壯矣哉! 烈矣哉! 高宗庚辰, 省內章甫累薦于禮曹及道繡矣. 雖未蒙旌褒之典, 而自有百世之公議. 娚孺樵牧, 至于今誦之如昨日事矣. 從孫壽鉉甫, 袖其薦狀, 徵余立傳, 以圖不朽. 顧余文拙, 安能不朽人? 朴氏之烈, 亦豈待余文以不朽哉? 然而此係風化, 竊自托於外史, 而爲之論曰: 生, 人所欲也. 死, 人所惡也. 舍所欲而取惡, 何哉? 爲其所欲, 有甚於生也. 取舍之義, 鄒聖熊魚之論, 備矣. 嗟乎! 若朴氏者, 以閭巷一匹婦, 未聞聖人之大道, 而立此萬古之綱常, 此豈非秉彝之出於天者耶? 當時旌褒之未降, 不足爲損. 而百世公議之不泯, 亦可徵遠. 所謂樹風聲者, 盖在此而不在彼也夫.

효열부 이유인전(孝烈婦 李孺人傳)

바야흐로 도술(道術)로 천하를 위해 하늘을 찢으니, 무정의 산천은 자리를 옮겨 앉게 되었다. 한 가지 절개나 자그마한 행실에서도 퇴폐하는 자들을 경계할 수 있다면, 반드시 수록하여 밝히고 표창하기에 겨를이 없어야 한다. 하물며 이유인(李孺人)은 천만가지 착한 본성(本性)을 한 몸에 모두 지니고 있으니, 말세의 본보기로 되기에 충분하다. 이것이 영성향(靈城鄕)의 장보(章甫)들이 찬양하기에 급히 서두르며, 비석에 새겨 세상의 풍기를 면려하는 원인이다.

그런데 정회(正會)를 하찮게 보지 않고, 한마디로 전(傳)을 적어달라고 부탁하였다. 정회는 그 일을 해낼 사람이 아니라고 사양을 하기는 하였지만, 끝내 허락을 받지 못하였다. 이에 삼가 글을 적는다.

유인(孺人)은 본이 전주(全州)이며, 양도공 천우(襄度公天佑)의 후손으로, 그의 고(考)는 윤회(潤會)이다. 유인은 고종(高宗) 경인(庚寅, 서기1890)년 7월 15일에 태어났다. 총오(聰悟)한 자질을 갖추었고, 게다가 효도하고 삼가는 행실을 지니고 있었다. 어려서부터 규방(閨房)의 규범을 들어왔고, 들으면 반드시 귀담아듣고 실천에 옮기었기에, 그의 부모들은 그를 어질다고 칭찬해마지않았다.

나이 열다섯이 되자, 시집가서 영성(靈城) 정병학(丁炳學)의 아내로 되었다. 정숙하고 공경하고 자상하여 예의범절이 나무랄 데 없었다. 시부모들은 그의 효도에 마음이 편안하였고, 동서들은 화목한 그에 의해 즐거워하였다. 남편을 예로 모시었고, 가내의 일을 처리함에 있어서 순경이거나 역경이거나를 하나같이 대하면서, 기쁨이거나 노염을 얼굴에 담지 않았다. 부지런히 뽕과 마를 가꾸고, 길쌈을 업으로 삼았다. 집에는 한 되의 저축도 없었지만, 종친들이 쌀이 없다고 하면 서슴없이 내어주며 아까워하지 않았다.

시어머니의 상을 당하여, 마음이나 물질적으로 정성을 다하였고, 일률로 고대의 옛법에 따랐다.

홀로 남은 시아버지에게는 더욱 정성을 기울이었다. 을축(乙丑)년에 시아버지가 몸져 눕자, 병시중을 들거나 몸조리하는데 극도의 정성을 보이였다. 병이 위독하자 손가락을 베어 약을 달여 올려 수명을 연장하였다. 상을 당하자 전처럼 장례를 치렀으니, 고대의 상을 당하였을 때 정성을 다하였다고 하는 효자들을 찾아보아도 그의 짝으로 될 만한 사람은 참으로 드물다.

남편이 우연히 고질이 도지자 단(壇)을 쌓고 북두성에 치성(致誠)을 드리며, 남편 대신 자신을 앓게 하여 달라고 빌고 빌었다. 이렇게 삼년을 지나자, 남편은 마침내 병이 완쾌되었다. 사람들은 그를 진정한 열부이며, 격에 알맞다고 칭찬하였다.

정해(丁亥, 서기 1947)년 칠월 초팔일에 유인(孺人)은 병으로 세상을 하직하였다. 이항(里巷)의 남녀들은 젊은이나 늙은이나 가리지 않고 모두 달려 나와, 뢰문(誄文)[13]을 읽고, 곡을 하면서 "어진 여인이 돌아갔다."라고 말하였다."

5남을 두었는데, 장남은 판성(判聲)이며, 그 아래의 대성(大聲)은 양자로 갔고, 홍

---

13) 죽은 사람의 명복을 비는 글이나 말.

성(興聲), 문성(文聲), 관성(官聲)이다.
 손자로서는 종화(鍾和), 종관(鍾涫), 종문(鍾文), 종호(鍾浩), 종희(鍾喜), 종욱(鍾旭)은 장방의 소생이며, 종만(鍾萬), 종철(鍾喆), 종원(鍾願), 종권(鍾權)은 과방(過房)의 소생이며, 종백(鍾伯)은 삼방의 소생이다.
 나머지는 아직 어리다.
 호추나무가 가지를 쳐서 한창 크고 있다. 일생 동안 모진 고생을 맛본 아름다운 절조는 여기에 이르러 보답을 얻게 되었다. 평론하여 이른다.
 사대부로서 성현들의 글을 읽고 성명(性命)을 담론하는 자들은 왕왕 인륜을 어기고 강상(綱常)을 망가뜨리고 있지만, 순수하고 효도하고 뛰어나게 굳센 사람이 외려 여항(閭巷)의 여자나 어린 사람들 속에서 나타나고 있다. 이유인(李孺人)과 같은 사람은 또 뭐라고 말하여야 할 것인가?
 이성(彝性)[14]은 사람마다 동일하게 얻는다고 말하지만, 그것들은 사물의 부림을 당하기 마련이므로, 여기에서 잃어버리기가 일쑤이다. 그렇다면 이것은 외계를 흠모하여 온전하게 얻는 법이 없고, 그가 지니고 있는 자질의 아름다운 도 역시 거짓으로 볼 수가 없다.
 아! 유인(孺人)이 평생에 남긴 자취를 보면, 살아서는 하늘 같이 믿는 남편에게 직분(職分)을 다하였고, 죽어서는 백 세대의 기풍을 세워 놓았다. 나는 이것을 드러내어 훗날 동국(東國) 삼강(三綱)을 편찬하는 사람들에게 알리고 싶다.

孝烈婦李孺人傳

方道術爲天下裂玄黃, 蔑貞山川易位。有一節細行, 可以爲警頹者必收錄, 闡褒之不暇。而況李孺人, 萬善畢集于一身, 足爲叔季模楷。此靈城鄕章甫所以汲汲贊揚, 勒之金石以勵世風也。且不鄙珵會, 囑以一言立傳。珵會辭以非其人, 終不獲命。謹按：孺人籍全州, 襄度公天佑后, 潤會其考。高宗庚寅七月十五日生, 以聰悟之姿, 有孝謹之行。自幼聞閨壼柯則, 必識銘効踐, 父母稱其賢。及笄, 歸爲靈城丁炳學室。肅恭慈祥, 儀不可選。舅姑安其孝, 姒娌樂其睦。奉君子以禮, 處家理內, 夷險一致。不以憂喜形于外, 勤桑麻, 業紡績。家無瓶石之儲, 而族戚告飢者輒賙之, 無吝色。遭姑憂, 情文兩摯, 一遵古制。養舅益致

---

14) 떳떳한 성질, 이성.

其誠。乙丑舅有疾，救治調護，靡不用極。其革也，斫指和藥，以延二日命。遭艱，執制如前喪，求古孝子善居喪者，罕有其儔。夫子偶嬰貞疾，設壇祝斗，乞以身代。如是者三年，竟得快痊。人稱誠烈攸格也。丁亥七月八日，孺人以疾終。里巷男女上下，咸奔走誄哭，曰："賢媛逝矣。"五男，長判聲，次大聲出后，興聲、文聲、官聲。孫男鍾和、鍾涫、鍾文、鍾浩、鍾喜、鍾旭，長房出。鍾萬、鍾喆、鍾願。鍾權，過房出。鍾伯，三房出。餘幼。椒聊蘩衍，方蔚興未艾。其一生苦心綷節，至是而食其報矣。論曰：士大夫讀聖賢，談性命者，往往斁倫敗常矣。而純孝卓烈，反出乎閭巷娸孺。如李孺人，抑又何歟？竊以謂彝性人所同得，而彼以役於物而喪之，此則無外慕而得全之。而其資質之美，亦不可誣也。噫！迹孺人生平生而盡其職於所天，沒而樹風聲於來百。吾欲表而出之，以告夫異日修東國三綱編者。

열부 남유인전(烈婦 南 孺人傳)

 유인 남씨(南氏)는 영의정 재준(在浚)의 후예로 정규(廷奎)의 따님이다. 나이 스물 하나에 시집을 와, 영성 정영혁(靈城 丁永爀)의 계실(繼室)로 되었다. 정씨가 바로 영성군 찬(贊)의 후예이고, 장단부사 호남(好南)의 현손이다. 유인(孺人)은 단아하고 결백하여, 집에 있을 때부터 규중(閨中)의 본보기라는 소문이 일찍부터 돌았다.

 시집을 온 후에는 난수(蘭秀)라는 젖먹이 아들이 있었는데, 전실(前室)의 소생이었다. 유인은 난수를 마치도 자기가 낳은 아이처럼 키우고 이끌어 주었다. 집안 살림이 아주 가난하여 땔나무나 먹을 알곡을 이어댈 수가 없었기에, 유인은 몸소 우물을 길어오고, 절구로 양곡을 빻았는데, 밤에도 쉬지 못했지만, 조금도 원망하는 기색을 얼굴에 담지 않았다.

 한 해가 지난 다음 남아를 낳았지만 불행히도 요절하고 말았다.

 하루는 남편이 아내에게 이런 말을 던졌다. "나는 밖에 나가 글을 가르치고, 당신은 집에서 집안 살림을 맡아보면 어떠하겠소? 아마 10년은 걸릴 거요." 유인은 "네." 하고 주저하지 않고 응낙을 했다.

 이로부터 낮이면 호미를 메고, 기음을 맸고, 밤이면 길쌈을 하며, 바람에 시달리고 비에 젖어가며, 갖은 고생을 다 맛보며, 살림이 조금 넉넉하게 피이도록 하였다.

남편에게는 숙질(宿疾)이 있었는데, 아무리 깊은 벽지에 자라고 있는 약재라고 하더라도 병 치료에 좋다고 한다면 갖은 방법을 다하여 반드시 구해오고야 말았다.

그러나 백방으로 치료를 하였지만, 남편의 운명을 돌려세우지는 못하였다.

남편을 잃은 후로는, 빗질도 하지 않고 기름도 바르지 않았으며, 웃음소리는 규중 밖으로 나가지 않았고, 남의 집으로는 발걸음을 옮기지 않으면서, 예절을 지키며, 남들의 입에 오르는 것을 미리 방비하였으니, 참으로 고대의 여사(女士)의 풍도를 지니고 있었다.

누군가가 그에게 유혹을 하며, 그의 마음을 앗아가려고 시도하면, 유인은 엄하게 꾸짖었다. "만약 내개 개가(改嫁)하게 되면 첫째는 죽은 남편에게 미안하고, 둘째로는 내 정절(貞節)을 더럽히게 되오." 개가하라고 권하던 자들은 모두 그의 의리에 감복되어, 더는 감히 그런 말을 입 밖에 꺼내지 못하였다. 의리로 난수를 가르쳐 종당에는 성공을 이룩하였고, 사우(士友)들 가운데서 명성을 날리도록 하였다.

나에게 글을 지어달라고 부탁한 사람은, 그의 손자 병래(炳來)이다.

외사씨(外史氏)는 말한다. 육척 고아를 부탁 받아, 백 리 땅의 운명을 돌보면서, 절개를 지켜야 할 때에, 마음을 빼앗기지 않는 일은, 군자(君子)라고 하여도 역시 해내기 어려운 일이라고 사람들은 간주하고 있다. 그렇지만 남유인(南孺人)은 그렇게 할 수가 있었다.

젖먹이 고아를 맡아 기르면서 자래우기도 하고, 가르치기도 하여, 마침내 문호(門戶)를 세우도록 하였으니, 이것이 그래 고아를 부탁 받은 것이 아니란 말인가?

간난신고를 겪으며 쪼들리던 살림을 넉넉하게 돌려세우고, 제사의 자금을 마련하고, 생각도 못하는 뜻밖의 일에 대비하고 있었으니, 이른 바 운명을 맡은 것이 아니란 말인가?

남들이 달콤한 말로 유혹을 하여도 예의로 꾸짖으며, 평생 한 몸을 깨끗하게 건사하였으니, 이것이 그래 이른 바 절개를 지켜야 할 때에 마음을 빼앗기지 않은 것이 아니란 말인가?

아, 일개 부인으로서 군자도 해내기 어려워하는 일을 겸하여 해내고야 말았으니, 얼마나 굳센가! 얼마나 굳센가!

烈婦南孺人傳

孺人南氏, 系出 領議政在浚后, 廷奎女也。年二十一歸, 爲靈城丁永燨繼室。丁卽靈城君贊后, 長湍府使好南玄孫。孺人性行端潔, 自在家, 壼譽夙著。其歸也, 有子蘭秀尙乳, 前室産也。撫養提護, 視如己出。家竇甚, 桂玉不繼, 孺人親執井臼, 夜不得休, 少無怨尤色態。越明年生一男, 不幸夭札。一日夫謂婦, 曰:"我在外訓學, 君在內治業, 約以十年。"孺人應曰:"諾。"自是晝鋤夜績, 風拮雨据, 閱千險, 甞萬苦, 資業稍饒。夫有宿疾, 雖僻材罕料, 利於病者, 求必得之。百方救療, 竟不回天。自晝哭後, 不櫛不 容, 笑語之聲, 不出閨外。足不涉他人室, 能以禮自防斬斬, 有古女士風。或有私誘, 欲奪其志者, 孺人嚴責之, 曰:"我如改適, 一則負亡夫, 二則毀吾貞。"勸之者服其義, 不敢復言。教蘭秀以義方, 終能有以成就之, 知名士友間。徵余文者, 之孫炳來其名。外史氏曰:托六尺孤, 寄百里命, 臨大節不奪, 君子亦以爲難矣。而若南孺人者, 可以當之矣。撫育失 乳之孤, 養之教之, 以立門戶, 玆非所謂可托孤歟? 積苦累辛, 轉乏化饒, 以資蒸甞, 以備不虞, 玆非所謂可寄命歟? 人誘以私, 責之以禮, 終其身自潔。玆非所謂臨節不奪歟? 噫, 以一夫人而兼君子之所難, 如其烈如其烈。

유인 이씨전(孺人 李氏傳)

　유인(孺人)은 함풍 이씨(咸豐 李氏)로, 부친은 학모(學模)이다. 나이 열다섯에 밀양 박씨(密陽 朴氏)에게 시집을 와 선비 영해(榮海)의 아내로 되었다. 성정과 행실이 단정하고 결백하였다.
시어머니를 마치도 친정어머니처럼 모시었고, 예(禮)로써 남편을 섬기었으며, 언제나 시아버지를 모시지 못한 것을 평생의 한으로 삼았다.
　선비(先妣)가 일찍 질병을 앓았는데, 유인(孺人)은 매일 밤에 이슬을 맞으며, 남편 대신 자신을 앓게 하여 달라고 치성(致誠)[15]을 올렸다. 병이 위독하게 되자 손가락을

---

15) 신령이나 부처님에게 정성을 다하여 빎.

베어 피를 보였지만, 끝내 구해내지 못하자 남편을 따라 저 세상으로 가려고 마음을 먹었었다. 그렇지만 태기(胎氣)를 느끼자 마음을 고쳐먹고, 억지로 일어나더니 평소와 마찬가지로 집안 일을 보기 시작하였는데, 염습(殮襲)으로부터 장(葬)할 때까지, 모든 예의범절은 삼가고, 성실하게 보아 아무런 유감도 남기지 않았다.

다섯 달이 지나 사내애를 낳았는데, 바로 만기(萬基)이다. 유인은 "박씨 가문의 문호는 이 아이에게 달려 있다."라고 말하고는, 밤이면 길쌈을 하고 낮에는 기음을 매면서도 고달프다는 말은 입 밖에 내지 않았다.

자식을 가르침에 절도가 있었고, 항상 이렇게 경계하여 말하였다. "말을 한 마디 하거나, 한 가지 행동을 할 때에는 반드시 삼가고, 반드시 믿음이 있어야 한다. 가문의 명성을 세우는 것은 너에게서 비롯되어야 한다는 이것이, 이 어미의 소원이다."

임진(壬辰) 3월 2일에 몰하였는데, 향년 여든이다. 정회(正會)는 한 동네에 살면서, 그의 탁행(卓行)을 익히 알고 있었다. 이에 스스로 외사(外史)에 기탁하여 글을 짓는다.

선비(先妣)의 가문은 중도에서 몰락하게 되었는데, 곁에는 힘이 있는 가까운 친척이 없이, 다만 혈혈단신인 선비 혼자뿐이었으나, 그것도 일찍 요절하고 말았다. 후사를 맡길 곳이 없어, 사람들은 모두 "박씨 가문이 위태롭다."라고 걱정을 하였다.

아, 유인은 남편을 따라갈 마음을 먹었었지만, 유복자가 있어 마음을 고쳐먹었다. 다행으로 성인(成人)이 되도록 키워, 마침내 성공을 이룩하고 문호를 세우게 되었다.

만기는 어머니의 가르침을 고이 받들었기에, 사람들은 그를 자식답다고 칭찬하였다. 또한 손자와 증손들이 그득하여 숲을 이루고 있다.

하늘이 베풀어준 보답이 바로 여기에 있는 것이 아닐까? 만약 전에 유인이 자기가 먹은 마음대로 처사하였다고 한다면 누가 열부라고 하지 않겠는가? 그러나 스스로 미망인이라고 칭하고 남편의 가문을 번성하게 하였으니 이것이 참된 열부이고, 어진 행위이다.

孺人李氏傳

李孺人系咸豐, 父學模。及笄, 歸密陽朴氏, 爲士人榮海室。性行端潔, 養姑如母, 奉君子以禮, 常以不承舅顔爲恨。士人嘗遘疾, 孺人每夜露禱, 願以身代。疾革, 斷指注血。竟不能救, 卽欲下從, 而覺有遺腹, 幡然强起, 視事如昔。初終之節, 誠愼無攸憾。五閱月而產男, 卽萬基也。孺人曰:"朴氏門戶之託, 在此兒。"夜以績, 晝以鋤, 口不作苦楚語。教子有節度, 恒戒之曰:"一言一行, 必謹必信。樹家聲自汝始, 是吾願也。"歲壬辰三月二日歿, 享年八十。珵會居同閈, 稔知其卓行。竊自托於外史而爲之言。曰: 士人家, 中世零替, 傍無强近, 惟士人子子一身, 竟早夭。後嗣無托, 人咸謂:"朴氏之門, 危乎殆哉"噫, 孺人下從之計, 以有遺腹改圖。幸以養育, 卒能成就之, 以立門戶。萬基亦克服母訓, 人稱能子。且孫曾蔚然成林, 天之報施, 其在斯歟?向使孺人直遂其志, 夫誰曰不烈?而乃自稱未亡人, 以昌夫家之後, 是眞烈矣哉, 賢矣哉!

열부 설씨전(烈婦 薛氏傳)

고(故) 열부(烈婦) 설씨(薛氏)는 경주최공 병근(慶州崔公 炳根)의 아내이다. 훌륭한 아들 덕균보(德均甫)가 행장을 지니고 와서, 나에게 글을 적어달라고 청구하였다. 나는 그의 지극한 마음에 감동되어, 그의 사적을 정리하여 전을 만들었는데 글은 아래와 같다.

장문(狀文)에서는 간략하게 이렇게 서술하였다. 설씨(薛氏)는 순창인(淳昌人)으로, 부친은 응오(應五)라고 부른다. 집에 있을 때부터 일찍 효성이 있고 부드럽다는 소문이 돌았다. 시집을 와서는 친정부모를 섬기듯이 시부모를 섬기었다. 얼마 지나지 않아 남편이 질환에 걸리자, 열부는 하늘에 남편 대신 자신을 앓게 하여달라고 기도를 올렸으며, 손가락을 베어 피를 보였다. 그러나 더는 구할 길이 없게 되자, 두 줄기의 피눈물을 흘리며 그와 함께 떠나가려고 작심하였다.

이때 남편이 가쁜 숨을 몰아쉬더니, 겨우 알아들을 수 있게 "부모님이 당상에 계시고, 젖먹이 고아가 슬하에 있으니, 하필이면 이렇게까지 자신을 고달프게 하오? 다만 부모님을 고이 모시고, 아들을 잘 키워, 문호를 온전하게 해주었으면 하는 것이 나의 부탁이요."라고 말하더니, 말을 마치자 눈을 감았다.

열부는 남편의 임종 시의 부탁을 잊지 않고, 아픔을 참고 슬픔을 삼키며, 몸을 일으켜 일을 보았다. 염습으로부터 장사(葬事) 때까지 모든 일을 처리함에 지극한 정성을 담지 않은 것이 없었다. 낮이면 베틀에 앉아 실을 뽑고, 밤이면 길쌈을 하며, 입에 맞는 음식들을 이어대었다. 어린 고아를 키워, 그로 하여금 끝내 성공하게 하였다.

오호라! 잠간의 절박한 마음을 참고 평생 곤경을 치르면서 정조를 지켰고, 아들을 잃은 두 노인을 모셨다. 항상 웃는 얼굴로 쓸쓸한 기색을 감추어, 시부모의 마음을 편하게 하여주었으니, 가히 효부(孝婦)라고 이를 수 있다.

죽은 남편의 마음을 자신의 마음으로 삼고, 자신의 마음을 마음으로 삼지 않았으니, 가히 열부(烈婦)라고 말할 수 있다.

아비 없는 고아를 가르치어, 가문을 번창하게 만들었으니, 가히 현모(賢母)라고 칭할 수 있지 않은가?

보잘 것 없는 일신에 삼덕(三德)을 모조리 겸비하고 있어, 향(鄕)과 도(道)에서 엇갈아가며 천거를 하여, 고종(高宗) 계묘(癸卯, 서기1903)년에 정려(旌閭)를 내려 표창하였다. 하늘이 내린 보답은 과연 거짓이 없다.

외사씨(外史氏)는 말한다.

전에 귀진천(歸震川)[16]이 도절부(陶節婦)[17]의 전을 지었는데, 그때 사람들은 천하에 "이러한 기이한 일이 있기 때문에 천하에 이러한 기이한 문장이 나올 수 있었다"고 말하였다.

아! 설씨의 행실을 더듬어보면 가히 세상에 드문 기이한 일이라고 할 수 있지만, 거기에 적합한 문장을 얻지 못하였으니 애석한 일이다. 그렇지만도 평생의 고심과 아름다운 마음씨가 마침내 천총(天聰)[18]에까지 들리게 되었다. 검은 머리와 드러난 맨발이 산천을 훤히 밝혀주었으니, 분명 길이길이 전해갈 것이 분명한데, 왜 하필이면 문장을 지어야 한단 말인가?

烈婦薛氏傳

故烈婦薛氏, 慶州崔公炳根妻也。胤子德均甫以事狀, 求余爲文。余感其至意, 掇其事爲傳。按：狀略曰：薛氏淳昌人, 父曰應五。自在家夙著孝婉。及歸, 以

---

16) 귀진천(歸震川): 귀유광 歸有光(서기1507년~1571년)의 자는 희보(熙甫), 개보(開甫)이며 별호는 진천(震川)이다. 소주부 곤산현(지금의 강소 곤산) 사람으로 명나라 시기 왜적을 물리쳐 전공을 세웠을 뿐만 아니라 유명한 산문가이고 고문가로 당순지(唐順之), 왕신중(王愼中)과 함께 "가정삼대가(嘉靖三大家)"로 불렸다.

17) 도절부전(陶節婦傳): 귀유광의 작품으로 이런 기재가 있다. "얼마 지나지 않아 시어머니가 60여 일 동안 이질을 앓았다. 절부는 주야로 곁을 떠나지 않았다. 때는 처서이라 악취에 견딜 수가 없었으나 늘 그의 속옷과 적삼을 걷어서는 자기가 직접 씻었다."

18) 임금의 총애.

所事父母事舅姑。未幾, 夫嬰疾, 烈婦禱天乞代, 裂指注血。及不救, 血淚雙下, 矢欲俱逝。夫奄奄喉中語曰：“親老在堂, 乳孤在膝, 何自苦如此。惟仰事俯育, 以全門戶, 是吾願也。”言訖而逝。烈婦不忘其夫將終之託, 忍痛茹哀, 起而視事。初終之節, 靡誠不極。晝纑夜織, 以繼甘旨。撫育幼孤, 俾之就將。嗚乎！忍一時崩迫之情, 守終身履艱之貞, 養喪子之二老。以怡色代戚容, 以安其志, 可謂孝婦矣。心亡夫心, 不以己心爲心, 可謂烈婦矣。教無父之孤, 以昌厥家, 可不謂之賢母矣乎。眇然一身, 三德畢備, 以鄕道交薦, 高宗癸卯蒙旌褒。天之報施, 果不誣也。
外史氏曰：昔歸震川傳陶節婦, 時人以爲"有此天下之奇節, 故得此天下之奇文"。噫, 迹薛氏行, 可謂稀世之奇, 而未得其文, 惜哉。雖然一生苦心絜節, 終能達于天聰。烏頭赤脚, 暉映山川, 足以風百世下, 又焉用文爲。

천안 전씨 부부효렬전(天安全氏夫婦孝烈傳)

전에 방망계(方望溪)[19]는 남에게 글을 지어주는 일을 즐겨하지 않았다. 그렇지만 풍교(風敎)[20]에 관련되는 글이라면 서슴없이 붓을 들었다. 아! 말세에 대한 뜻이 아니었던가?

설명을 가한다. 공(公)의 휘는 재철(在哲), 호는 독수당(獨守亭)이다. 그의 선조는 천안인(天安人)으로 고려시기의 명신인 천안부원군(天安府院君)이었던 시호 충민(忠敏)의 후예이다. 휘 득조(得祚)가 그의 고(考)이다. 공은 어려서부터 지극한 마음을 지니고, 사랑과 공경을 알고 있어서 마음으로나 물질적으로 부모를 섬겼다.

부친이 질환으로 고생하자 의원이 말하였다. "거북이를 대접하면 나을 것이오." 그때는 공교롭게도 한창 엄동설한이라 거북이를 얻을 수가 없었다. 공이 목 놓아 울며 아무리 먼 곳이라도 찾아가서 구해보려고 하는데, 갑자기 개가 거부기를 주둥이에 물고 나타났다. 그것을 가져다가 대접하였더니, 부친의 병은 홀연 가신듯이 나았다. 사람들은 효성이 감화시킨 것이라고 칭찬하였다.

---

19) 방망계(方望溪): 방포(方苞, 서기 1668~1749년)는 자가 봉구(鳳九)이고, 호는 영고, 호는 망계(望溪), 안휘 동성(桐城) 사람으로 청재의 문하이며 동성파라고 하는 문학단체를 세웠다.
20) 교육이나 정치의 힘으로 풍습을 잘 교화시키는 일.

그런데 몇 해가 지나자, 부친의 병이 다시 도지어, 어쩔 방도가 없게 되자, 공은 손가락을 베어 수명을 연장하였다.

장례를 치르게 되자, 지극한 정성으로 굉장하게 보내드렸다. 이것이 바로 "모실 때와 앓을 때와 장사와 제사는 각기 정성을 다한다."는 것이다.

배(配) 오씨(吳氏)는 본이 화순(和順)이다. 마치도 친정부모를 모시듯이 시부모를 모시었고, 남편을 예의로 섬기어, 종친에서는 어질다고 칭찬하였다. 남편이 삼년 동안 병석에 몸져누워있자, 북두성에 제를 올리며, 남편 대신 자신을 앓게 하여달라고 빌었으며, 허벅지의 살을 베어 대접하였다. 남편이 더는 일어나지 못하고 물도, 음식도 전폐하게 되자, 남편을 따라 가려고 마음을 굳게 다졌다. 곁에 있던 사람들이 마음을 널리 먹으라고 타일렀더니, 갑자기 생각을 고쳐 "늙으신 시어머니가 당상에 계시고, 어린 것들이 슬하에 있는데, 장차 누가 봉양하고, 기르겠는가? 이것은 돌아가신 남편에게 불효(不孝)라는 무서운 누명을 덮씌우는 것이다."라고 말하고는 드디어 아픔을 참고, 원한을 삭이며 일어나 가내 일을 돌보았다. 염습(殮襲)으로부터 장례(葬禮)를 마칠 때까지 정성을 붓지 않은 것이 없었다. 애오라지 길쌈을 업으로 삼으면서도 시어머니의 입에 맞는 음식을 끊이지 않았고, 의리로 자식을 가르쳐 남편의 후대들이 번성하게 만들었다. 이것이야말로 참된 어짊(仁)이다.

향(鄕)에서와 도(道)에서 천거를 하여, 가선대부(嘉善大夫)에 공조참의(工曹參議)를 추증하였고, 부인도 공의 녹봉(祿俸)을 따르게 되었다.

총손(冢孫) 성주보(性柱甫)가 불녕에게 글을 지어 길이 전하게 하여 달라고 부탁했다.

논평을 가한다. 효자를 남편으로 섬기고, 열부를 아내로 삼아, 한 가문에 한 쌍의 절조(節操)를 지키는 사람들이 나타나 함께 빛을 내니, 훌륭히 잘도 어울리는 배필이다. 이는 고대에 있어서도 찾아보기 드문 인륜(人倫)이다.

하물며 지금 세상이 날마다 쇠진하여 풍속이 화려함을 추구하는데, 단 하나의 탁행무적(卓行茂蹟)이 있어, 가히 망가져가는 자들을 경계할 수 있다면, 누가 즐겨 들으려하지 않고 말하려 하지 않겠는가! 이에 사양하지 않고 붓에 먹을 묻혀, 그들을 스스로 옛 사람들에게 비겨보고 있다.

天安全氏夫婦孝烈傳

昔方望溪不喜作人家文, 至有關乎風敎, 必不辭批筆焉。噫, 衰世之意也歟?

按公諱在哲, 號獨守亭。其先天安人, 高麗名臣、天安府院君謚忠敏后, 諱得祚, 其考也。公幼有至性, 能知愛敬, 養兼志體。親疾, 醫云：“用龜可療。”方隆寒不可得。公號泣祝天, 無遠不求覓, 忽有狗含龜而至取, 取用之立効, 人稱孝感致然, 經數歲, 疾又作至, 不可爲, 則血指延縷。及其送終, 情文備至。是所謂"養病喪祭, 各致其情"者也。配吳氏, 籍和順。事舅姑如事父母, 奉君子以禮, 宗族稱其賢。夫病三載, 祝斗乞代, 刲股進供。及不起, 絕水穀不口, 卽欲下從。左右寬譬, 乃釂曰：“老姑在堂, 幼穉在膝, 將孰養而孰育？是重貽不孝於亡夫。”遂忍痛含寃, 起而視事。初終凡百, 靡誠不盡。惟績紝是務, 甘旨無闕。教子以義方, 以昌夫后。是眞賢矣哉！因鄉道薦, 贈公嘉善大夫、工曹叅議。夫人從公秩。冢孫性柱甫, 囑不佞文之, 以徵諸百世。

論曰：以孝子爲夫, 以烈女爲婦, 一門雙節, 幷美匹休, 在古罕有其倫。矧今江漢日下, 風靡俗渝, 一有卓行茂蹟, 可以警頹者, 孰不樂聞而樂道之哉！亦不辭, 泚筆竊自比於古人。

연연당문고 (11)

부록(附錄)

감수 : 연정 김경식(淵亭 金璟植)
　　　(연정교육문화연구소장)
번역 : 박정양(朴正陽)
　　　(중국: 연변대학 도서관 전 관장·
　　　　조선언어문학부 교수)

가장(家狀)

선생은 휘는 정회(正會), 자는 중립(仲立), 보정(普亭)은 그의 호이다. 우리 김씨(金氏)는 안동(安東)의 예로부터 전해오던 문벌 익원공(翼元公)의 거대한 집안이었다. 몇 대를 전해, 휘 질(質)은 효성으로 소문이 나 천조(天朝)에서 정려(旌閭)로 표창하였고, 사림(士林)에서는 도암사(道巖祠)를 세워 배향하였는데, 선생에게는 14대조로 된다.

고조(高祖)는 휘 양대(養大)로 통정대부(通政大夫)에 용기위부호군(龍驥衛副護軍)으로 있었으며, 성균관(成均館) 진사(進士)였다. 증조(曾祖) 휘 영철(榮喆)은 성균관 생원(生員)이며, 호가 만수당(晩睡堂)이다. 학묵 미재(學默 薇齋), 재중 회천(在鍾 晦泉)은 조부와 녜(禰)[1]의 휘와 호이다. 모두 효행으로 세상에 소문이 자자하였다.

비는 광산 김씨로 추담 우급(秋潭友伋)의 후예인 수형(壽衡)의 따님으로 여사(女士)였다.

선생은 고종 계묘(癸卯, 서기1903) 10월 28일, 고창(高敞) 도산(道山里)에서 태어났다. 용모가 단아하고 기골이 청수하여, 보는 사람마다 선풍(仙風道骨)을 지녔다고 기이하게 여기었다.

좀 자라자 종조(從祖) 항재공(恒齋公)에게로 가서 글을 익히었다. 공은 범상하지 않은 선생의 재예와 남달리 빼어난 덕기(德器)를 기특하게 여겨, 얼리고 달래고 칭찬도 하고 왈기기도 하면서, 선생이 자그마한 성취에 만족하지 못하게 하였다. 그때 선생의 학문은 이미 큰 뜻을 터득하고, 고명하고 넓은 영역으로 진입하였었다.

약관(弱冠)의 나이에 이미 오서오경(四書五經)을 물론이고 백가제자(諸子百家)들의 서적까지 읽어보지 않은 것이 없었고, 사색하지 않은 것이 없었으며, 그것들의 본원(本源)을 거슬러 올라가 깊은 연구를 진행하였고, 그 꽃과 열매들을 저작(咀嚼)하였다.[2]

그렇게 하고 나서 탄식하며 이렇게 말하였다. "깊은 산골에 사는 선비가 제 아무리 날마다 들어보았다고 하더라도 시골뜨기의 말뿐이니 무무하고 고루할 따름이다. 이것은 낡은 것만을 익힌 것이다. 이것만을 지키고 있어보았자, 어찌 고을 안의 케케묵은 유학자(儒學者)라는 칭호를 벗어버릴 수가 있단 말인가? 하물며 시국의 판도(版

---

1) 사당에 모신 아버지.
2) 잘 씹음. 글의 뜻을 잘 연구하여 완미(玩味)함을 이르는 말.

圖)는 이미 전날의 모습이 아니니, 유지(有志)의 사(士)의 행렬에 들어섰다고 하면, 어찌 가만히 앉아서 세월이 흘러가는 것만 바라보면서, 훗날 멀지 않아 광복(光復)의 계(計)를 꾸미지 못하는가!"

이리하여 신미(辛未, 서기 1931)년 봄에, 나래를 펼쳐 북행하여 경사(京師)에서 북학(北學)을 공부하였고, 해내(海內)의 여러 석학(碩學)들과 더불어 밤낮으로 머리를 맞대고 간담을 털어놓았으니, 그의 견문(見聞)은 날로 넓어졌고, 학식(學識)은 날로 높아만 갔다. 이로 말미암아 젊은 나이에 벌써 명성을 경사(京師)나 시골로 널리 떨치게 되었다.

그리고 여가가 있으면, 해강(海崗) 김공 규진(金公 圭鎭)에게서 그림을 배웠다. 얼마 지나지 않아, 선생은 스스로 일가를 이룬 풍죽(風竹) 한 폭을 그렸는데, 이 그림은 국전(國展)에서 일등을 했다. 그렇지만 선생은 이것을 영광으로 여기지 않았다. 그것은 대개 선생이 이미 다른 뜻을 품고 있었기 때문이다.

선생은 소시 적에 벌써 천성적으로 성실과 효도를 지니고 있었다. 부모가 집에 계시면 공경을 다하였고, 부모가 병환에 몸져누우면 근심을 다하였다. 선후로 상(喪)을 당하자, 슬픔으로 몸을 해치며 예의를 넘어섰고, 삭망(朔望)이면 성묘(省墓)를 하였는데, 아무리 비가 오던, 눈이 오던 걸음을 멈춘 적이 없었다. 집에 있을 때면, 반드시 일찍 일어나 세수를 하고, 의관(衣冠)을 단정히 한 다음에야, 가묘(家廟)를 배알하였고, 하루 동안 해야 할 일들을 하나하나 차근차근 처리해 나갔다.

선조의 묘각(墓閣), 예하면 경선재(敬先齋)와 양지재(養志齋) 두 재(齋)를 혼자 힘으로 세웠고, 또 제전(祭田)을 도암사(道巖祠)에 헌납하여, 예의(禮儀)를 회복하게 하였다. 회천정사(晦泉精舍)를 만수당(晩睡堂)의 좌측에 세우고, 조석 간에 선조를 사모하는 뜻을 담았다. 이것은 모두 선생이 지극한 효성을 미루어 넓혀간 것으로 하여 그렇게 된 것이다.

기묘(己卯, 서기 1939)에 큰 흉근이 들어, 숱한 백성들이 기아에 시달리었다. 선생은 곳간을 털어 재난 당한 백성들을 구제하였고, 향(鄕)에서는 그로 하여, 비석을 세워 공덕을 노래하였다.

학교(學校)를 세울 때는, 수천 평이나 되는 땅을 통쾌하게 내어 놓았기에, 지금까지도 사람들은 선생의 은혜를 칭송하고 있다.

일제(日帝)가 임명한 전라북도 지사 김모(金某)가 선생을 한 번 만나 뵙자고 하였는데, 그 속셈은 감언이설로 선생의 마음을 사서, 왜(倭)에 귀화(歸化)시키는 일에 협찬하게 하려는 작간(作奸)이었다. 소식을 접한 선생은 그날로 즉시 삼가 몸을 피해 월담 김재석(月潭 金載石)의 집으로 다녀갔다.

그 후 지사(知事)가 몸소 그의 집을 방문하였기에, 하는 수 없이 나와 영접은 하였지만, 다시는 인사차로 지사의 집을 방문하지 않았고, 지사와 관계를 단절하였다. 그 원인을 따져 보면, 지사가 변절하여 왜놈의 앞잡이로 된 것을 미워하였기 때문이다.

신사(辛巳, 서기 1941)년에 멀리 일본으로 관광을 떠났다. 어떤 사람들은 선생에게 일본 걸음을 하지 말아야 한다고 권고하였다. 그때 선생은 이렇게 말하였다. "내가 무슨 조롱박인가? 그곳의 풍경을 구경하고 민속을 살피고 문화 수준을 둘러보고, 돌아오는데 해가 될 것이 무엇이요?"

세토내해(瀨戸內海)를 구경할 때였다. 선생이 시에서 "바다나라 풍연 속에 으뜸이라 불리는데(海國風光最勝頭)"3)라고 했더니, 왜인은 '바다 해(海)' 자를 '안 내(內)' 자로 고치라는 청을 내였다. 선생이 정색을 하며 엄숙한 어조로 불응하자, 왜인은 기가 죽어, 더는 입을 열지 못하였다. 그날의 '기행시(紀行詩)'는 동아(東亞)신문에 연재되어, 국내의 제유(諸儒)들이 모두 읽어보게 되었으며, 선생의 불요불굴하고 아부하지 않는 기개를 엿보게 되었다.

을유(乙酉, 서기 1945)년 가을에 왜(倭)의 추장이 패하고 항복했다. 소식을 접한 선생은 만면에 희색을 띠고 이렇게 말하였다.

"내 진작 그 놈들이 망할 날이 정녕 있다는 것을 알고 있었네. 이제부터 어찌 우리의 건국사업에 찬획(贊畫)하지 않을 수가 있으랴!"

말을 마친 그는 즉각 행장을 챙겨 서울로 올라가, 여러 친구들을 방문하였다. 전날 그와 가까이 지나던 사람들은 대개 나라에서의 명인 지사들이었다. 이리하여 그들과 함께 이야기를 주고받았으나, 의견에 분기가 있었다. 게다가 주위에서 모두 좌파니, 우파니 떠들면서 파벌로 나누어져 좀처럼 하나로 통합될 수가 없었다. 이에 선생은 며칠 동안 통곡을 하고, 집으로 돌아오더니 이렇게 입을 열었다.

"국론(國論)이 이 상태에 이르렀어도 정해지지 못하고 있으니, 국토(國土)가 둘로 쪼개지고, 동족상잔(同族相殘)의 날이 멀지 않아 눈앞으로 다가올 것이다. 이를 어찌 차마 볼 수가 있단 말인가? 나는 장차 은거(隱居)하겠다."라고 말하였다.

가배절에 다례를 나눈 다음 가노와 시녀 수십 명을 불러 술상을 베풀면서 이렇게 말

---

3) 원문은 이러하다. 제목은 "泛舟嵐山下 京都附近"이고 시는 "海國風煙最勝頭, 雙山對翠一江頭. 扁舟滿載斜陽去, 岳色波聲萬古秋"이다. 만약 '바다 해(海)' 자를 '안 내(內)' 자로 고치면 "본토의 풍광에서 으뜸이라 불리는데(內國風煙最勝頭)"라고 되는데, 이는 한국을 일본국의 부속으로 보는 오해를 줄 수 있다.

하였다. "하늘의 덕분으로 광복을 맞게 되었소. 이제부터는 비단 선비인 우리 집만이 아니라 온 나라 만 사람이 다 자유롭고 평등하게 되었으니, 다시는 윗사람이니, 아랫사람이니 하는 계급을 나누지 않을 것이오. 여러 분은 자기가 살고 싶은 고장을 찾아 떠나가시오." 그리고는 그들의 상황에 따라 땅과 돈을 나누어주었다.

며칠이 지나지 않아 선생은 가산을 버리고 돛배 한 척을 세를 내더니 서해바다로 떠나 왕도(旺島)로 들어갔다.

이듬 해 겨울, 조모(祖母)의 상을 당하자, 본래의 가택으로 돌아와 거주하게 되었다. 장례를 예의에 따라 마친 뒤 이 세상에 대한 미련을 완전히 버리고, 다만 시서(詩書)를 강론하고, 서화(書畫)를 평론하는 사업을 최대의 기쁨으로 삼았다. 상복을 입은 뒤로는 다시 우리 선왕 시기의 관(冠)을 쓰고, 우리 선왕 시기의 옷을 차려입고, 갈건에 죽장을 짚고 꽃동산과 약포 사이를 오가면서 산속의 정자와 물가의 누대(樓臺)를 찾아다니었는데, 무릇 세상의 빈부요 귀천이요 시비요 훼예요 하는 따위에 대해서는 마치도 귀가 절벽이 되어 들은 척도 하지 않았거니와 소경처럼 본 척도 하지 않았다.

때로는 김 고당 규태(金顧堂 奎泰), 김 효당 문옥(金曉堂 文玉), 이 송농 동범(李 松儂 東範) 제공들과 함께 손을 잡고 봉래산과 적벽 등지를 오르내리며, 서로 뜻을 맞추고 문장을 탁마(琢磨)하였다. 그들의 고아한 풍도와 안일한 운치는 사람들로 하여금 그 끝단을 헤아릴 수 없게 하였고, 마치도 뭇 신선들이 진토(塵土) 밖에서 노니는 듯하였다. 이 역시 한때의 성대한 거동이었다.

선생은 비록 스승으로 자처하면서 간판을 걸고 학생들을 받아들이지는 않았지만, 그래도 배우려는 사람들이 찾아들면 거절하지 않았으며, 반드시 실용(實用)할 수 있는 학문을 위주로 하고, 쓸데없고 허위적인 글이거나 문체는 아예 일소해버렸다. 때문에 그가 지은 글들은 대부분 근본에 노력하는 뜻이 깃들어 있고, 들뜨고 화려한 언사가 보이지 않았다. 오늘날 그의 글을 읽고, 그의 시를 읊어보면, 선생을 열에 일곱은 상상할 수 있다.

선생은 천성적으로 호걸답고 시원시원한 성격인데다가 또 유모어를 즐겼다. 때문에 술이 반쯤 되어 입을 열기 시작하면, 좌중의 사람들은 모두 그의 풍도와 운치에 열복하고, 배를 안고 웃지 않으면 쾌재를 부르기가 일쑤였다. 그러나 권세가들과 맞다들면 언건히 자중하면서 닦아세우기를 마다하지 않았다. 그로 말미암아 어떤 사람들을 그를 꺼려하고 심지어 두려워하기까지 하였다. 이 역시 군자(君子)들이 때에 따라서 장이(張弛)[4]되는 도리가 아니겠는가?

---

4) 풀려 느즈러짐과 당겨 켕김.

경술(庚戌, 서기 1970)년 10월 11일에 정침에서 세상을 뜨니, 향년 예순 여덟이었다. 향(鄕)과 성(省)의 사우(士友)들은 모두 경악해하며 차탄하면서 "석학(碩學)이 세상을 뜨시고, 달사(達士)가 떠나가셨으니, 소자(小子) 후생(後生)들은 어디에 가서 덕(德)을 고증하고, 업(業)을 물어야 하겠습니까?"라고 말하였다. 문상(問喪)을 온 수백 명 사람들이 모양성(牟陽城)내로 모여들어, 문인(文人)의 장례를 치르고 그 군(郡)의 월산(月山) 후록 산기슭에 장(葬)하였다. 3년이 지난 후, 장성(長城)의 누태(樓台) 뒤 산기슭의 곤좌지원(坤坐之)에 이장하였다. 선조(先兆)[5]를 따른 것이다.

배(配)는 함평 이씨(咸平 李氏) 효우당(孝友堂) 습(慴)의 후손인 재영(載榮)의 따님인데, 선생보다 2년을 앞서 태어나고, 선생보다 6년 앞서 세상을 떠났으며, 10월 24일에 졸하였고, 묘는 동원(同原)에 합장하였다.

4남을 두었으니, 그들은 병수(丙洙), 만수(滿洙), 덕수(德洙), 길수(吉洙)이며, 4여를 두었는데 이신(李新), 안석환(安碩煥), 이헌용(李憲用)에게 시집을 간 딸들 이외에 딸 하나는 아직 혼례를 치르지 않았다.

손자는 경식(璟植), 명식(明植), 영식(永植), 종식(鍾植), 동식(東植), 용식(用植), 정식(正植) 그리고 기성근(奇聖根)의 아내로 간 딸이 있는데 장방의 소생이다.

나머지는 녹음이 우거지듯이, 한창 무럭무럭 무성하게 자라고 있다. 하늘의 보응을 여기에서도 검증할 수 있다.

아! 선생은 생전에 집 뒤울안에 있는 박달나무 고목을 보물처럼 여기고 항상 어루만지고 쓰다듬어주면서 자기의 몸처럼 가꾸었다. 그런데 선생이 몰후 이듬해 봄에 박달나무 고목은 이파리가 말라들고 꽃도 피지 않았으니, 옛날에도 이러한 정황이 있었는지 알 수 없다. 참으로 이상한 일이다.

신해(辛亥, 서기 1971)년 겨울에, 선생과 함께 노닐던 사람들과 문하인 수십 명이 계(契)를 묶고, 이름을 '동호(同好)'라고 지었다. 계축(癸丑, 서기1973)년 봄에 선생이 강학(講學)하시던 그 자리에 경모비(景慕碑)를 세웠다. 선생의 유풍 여운을 세월이 흐를수록 더욱 잊지 못하는 것이 바로 이러하였다.

선생은 학문이 깊으시고, 행실이 돈독하시며, 재능이 높으시고, 박식하시고, 변설이시어 만약 이 세상에서 손을 펴게 하였더라면 그 은택이 생민(生民)들에게 미치게 되고, 그 빛이 길이 빛날 것은 의심할 바 없으나, 불행히도 어지러운 세상을 만나, 그 재간을 세상에 펴지 못하고, 그 도(道)를 세상에 쓰지 못하고, 공연히 한적한 광야에서, 적막한 물가에서 늙고 말았으니, 어찌 애석하지 않을 수가 있으랴.

---

5) 선조의 묏자리.

재규(在圭)는 선생에게 행렬은 높은 편이지만 나이는 선생보다 어리다. 재규는 어려서부터 오래도록 선생을 스승으로 모시고 학문을 익히었고, 선생도 나를 멀리하지 않았으니, 마치도 가르치면 유망한 전도가 있으리라고 여긴 모양이시다. 그러나 지금 뒤돌아보니, 이 제규는 다른 길에서 헤매다보니, 도(道)에서 그의 기대에 따르지 못하였고, 어느덧 귀밑머리에 백발이 성성하게 되었다.

옛일을 돌이키니, 백감이 갈마든다. 오늘 이 기회를 빌려 선생의 일생을 간략하게 서술하기는 하였지만, 스스로도 식견이 좁고 글이 짧아, 깊은 덕과 아름다운 행실을 만에 하나도 적지 못한다는 것을 알고 있으니, 면괴스러운 점이 적지 않다. 세상의 덕을 아는 군자들이 이것을 수집하여 윤색(潤色)하고, 선생을 길이 빛나게 하여 주기를 바랄 뿐이다.

종숙 재규 삼가 적음

家狀

先生諱正會, 字仲立, 普亭其號也。吾金卽安東舊閥, 翼元巨室。累傳有諱質, 以孝聞, 天朝褒其旌閭, 士林享道巖祠。於先生十四代祖也。高祖諱養大, 通政大夫, 行龍驤衛副護軍, 成均進士。曾祖諱榮喆, 成均生員, 號晚睡堂。曰學默薇齋, 曰在鍾晦泉, 祖禰諱若號也。俱以孝友學行鳴于世。妣光山金氏, 壽衡女, 秋潭友伋后, 有女士行。以高宗癸卯十月二十八日生先生于高敞之道山里第。容貌端雅, 氣骨淸秀, 見者異之以爲仙風道骨之資焉。稍長, 就學于從祖恒齋公。公愛其才藝超凡, 德器過人, 誘之掖之揚之抑之, 俾不自安於小成。而先生之學則已見大意, 而優入於高明昭曠之域矣。年纔弱冠, 五書五經, 姑置勿論, 雖百家諸子之書, 無不俯而讀、仰而思, 溯究其本源, 咀嚼其華實。乃已旣而歎曰:"士生窮鄕, 逐日所聞不過是俗談俚說, 而貿貿焉孤陋之。是習舊態之。是守則安得免林下酸儒之稱耶? 況時局版圖, 非復前日樣相。則其在有志之列, 安可坐視其推移, 而莫之謀後日不遠復之計乎!"迺以辛未之春, 翩然北學於京師, 與海內諸名碩, 日夜磨肌蔓骨, 吐露肝膽, 其見愈高而其識益博。於是妙年盛名洋溢於京鄕間。又以暇日, 學書藝於海崗金公圭鎭。不幾年而自成一家, 以風竹一幅, 入選於國展第一等。顧乃不以爲榮, 蓋其意有在也。先生自孩提, 誠孝出天。居, 致其敬; 病, 致其憂。而前後之喪, 哀毁踰禮。朔望省掃,不以雨雪或廢焉。其居家也，必蚤起盥洗整衣冠，祭謁家廟。而後次第處理其日中行事。先世墓閣，如敬先、養志二齋，獨力營建之。又獻祭田於道巖祠，以復之。築晦泉精舍於晚睡堂之左，以寓朝夕羹墻之慕。此皆先生至孝之推廣者，然矣。至己卯大歉，民多饑餓。則先生傾困倒廩以賑恤之，鄕里立碑頌。之於設學校也，快擲其敷地數千坪。至今人稱其惠焉。日全北道伯金某，要見先生一面，蓋其底意則以甘利之說，買受而使之協贊，歸化於倭也。先生接報，卽日謹爲避之於月潭金公載石之家。其後道伯親爲訪之，迫不得己而迎接焉。不復回謝而絕之，蓋惡其變志節附倭奴也。辛巳，遠遊日本國也，有或諭之以不當往。先生曰："吾豈鮑一瓜也哉！觀其風景，察其民俗、民度而歸，顧何妨之有耶？"及遊瀨戶內海也，先生有詩，曰："海國風光最勝頭"之句。倭人請改'海'字以'內'字，先生正顔色，嚴辭氣而不應，倭人氣沮不復言。當日'紀行詩'，連載於束亞紙上，國內諸儒皆得吟誦，而有以窺先生之氣槪不撓屈、不阿附也。乙酉秋，倭酋敗伏。先生聞則喜見於色，曰："吾已知其亡必有日矣。自是可不贊劃我建國之業乎"卽爲促裝，上京歷訪。前日所善，蓋國中名人志士也。因與之談論，議多不合。而況左右派裂，終難統同，則痛哭數日而歸，曰："國論至此未定，則國土兩斷，同族相殘之日，不遠伊邇。何可忍見乎？吾將遁矣。"嘉俳節行茶禮後，大招家奴門婢數十人，置酒飮之，曰："天降光復，徒非在吾士家。自今萬人皆爲自由平等，何上下階級之有哉？胥其樂土而去措之。"各因量其田財而給之。不幾日而棄置家産，貸一帆船，浮于西海，入旺島。越翌年冬，丁祖母喪，還本第居。喪執禮，遂絕意於當世，惟以講詩禮評書，翥爲至樂焉。自服喪後，復冠我先王之冠，還服我先王之服，翛然以幅巾杖屨，往來乎花階藥圃之間，優遊於山亭水榭之上，凡於世間貧富貴賤，是非毀譽，瞽如也、矇如也。時與金顧堂奎泰、金曉堂文鈺、李松儂東範諸公，携手聯鑣於蓬萊、赤壁等地，相尙以意氣，互磨以文章。其高風逸韻，使人莫得以測其涯涘，而殆若群仙遊於塵塔之表。此亦一時之盛擧也。先生雖不以師道自處而開門納徒，然有學者自遠近來，未嘗拒之，必以實用之學爲主，而虛文僞禮，一例掃如。故其所著多務本之意，而少浮華之辭。今讀其文，誦其詩，則可以想像先生之七分矣。先生性本豪邁，又善詼諧。故每酒半縱談，則一座之人率常敬服其風韻，無不絕倒稱快。而至對權貴者，則偃蹇自重，不少貶損，故有或忌畏之。此亦君子隨時張弛之道耶？以庚戌十月十一日考終于正寢，享年六十八。鄕省士友莫不驚愕嗟歎，曰："碩學逝矣，達士亡矣。小子後生，於何考德而問業焉。"吊者數百人，會同於牟陽城內, 以文人葬葬之權, 窆于同郡月山後麓. 越三年, 移葬于長城之樓台後麓坤坐之原, 從先兆也. 配咸平李氏, 載榮女, 孝友堂憘后. 先先生二年生, 而亦先先生六年, 十月二十四日卒, 墓合兆同原. 擧四男, 曰丙洙、滿洙、德洙、吉洙. 四女, 適李新、安碩煥、李憲用, 一女未行. 孫璟植、明植、永植、鍾植、東植、用植、正植、奇聖根妻, 長房出. 其餘蔭蔚, 興津津未艾. 天之報施, 於此可驗矣. 噫, 先生在世, 恒以堂後老檀爲珍, 撫之摩之, 至以自況. 而先生沒翌春, 葉若憔悴, 花亦不開. 古亦有是例也歟？可異也己. 辛亥冬從遊, 及門人數十人設契, 名以同好. 癸丑春, 竪景慕碑於先生講學之處, 先生之遺風餘韻, 愈久而愈不忘者如是矣. 先生邃學篤行, 高才博辨, 如得施措於一世, 則其澤被生民, 光流來百, 顧何如也. 而不幸遭世不淑, 才 不爲時需, 道不爲世用, 空老於曠閒之野, 寂寞之濱, 豈不可惜也哉！在朋於先生, 行雖高而年則下矣. 幼從學頗久, 而先生亦不鄙余, 若有可教之望焉. 顧乃馳逐於外, 道未有以副其期待, 而居然 兩鬢星星矣. 撫念疇昔, 百感交錯. 今際略叙先生事行也, 自知識淺文短, 不能揄揚其懿德美行之 萬一, 愧負多矣. 世之知德君子, 庶以有採撫潤色, 而圖所以不朽先生也哉.

從叔　　在弓　　謹述

행상(行狀)

보정(普亭)선생 김공(金公)이 세상을 떠난 지도 어느덧 7년이라는 세월이 흘렀는데, 선생의 종숙(從叔) 도강 재규(道岡在居弓)가 선생의 실적 한 통을 들고 찾아와 불녕(不佞)[6]에게 행장(行狀)을 적어달라고 성근하게 부탁하였다. 대개 불녕이 선생의 사적과 행실을 잘 알고 있는 것이 남에 못지않다고 여기었기 때문이다. 어떻게 사양할 수가 있는가?

선생의 휘는 정회(正會), 자는 중립(仲立), 호는 보정(普亭)이다. 안동(安東)의 먼 옛날부터 전해오던 문벌 익원공(翼元公), 휘 사형(士衡)의 후손이다.

영모당(永慕堂) 휘 질(質)은 효성으로 중조(中朝)에 소문이 나 정려(旌閭)로 표창하였고, 도암사(道巖祠)에 배향(配享)하였는데, 선생에게는 14대조로 된다.

---

6) 편지 끝에서 재주가 없는 사람이라는 뜻으로, 자기를 낮추어 일컫는 말.

고조(高祖) 휘 양대(養大)는 성균관 진사(成均館 進士)로 용기위부호군(龍驥衛副護軍)으로 있었다. 증조(曾祖) 휘 영철(榮喆)은 호가 만수당(晩睡堂)이며, 성균관 진사(成均館 進士)이다. 조부는 휘는 학묵(學默)이며, 호는 미재(薇齋)이다. 고(考)의 휘는 재종(在鍾)이며, 호는 회천(晦泉)이다. 모두 효와 우애와 문학으로 세상에 명성을 떨쳤다.

비(妣)는 광산 김씨(光山 金氏)의 수형(壽衡)의 따님인데, 추담 우급(秋潭友伋)의 후예이다. 현숙하여 여사(女士)의 풍도가 있었다.

선생은 고종(高宗) 계묘(癸卯. 서기1903)년 10월 28일에 고창(高敞) 도산리(道山里)에서 태어났다. 어려서부터 총명하고 단아(端雅)하였다. 종조 항재공(恒齋公)이 기이하게 여겨, 매우 귀여워하며, 학문을 배우게 하고 많이 이끌어 주었다.

선생은 부자의 아들로 자라났지만, 사치를 따르지 않을 줄 알아, 때로는 동네의 촌 늙은이들과 함께 앉아 술을 마시며 즐기기도 하였고, 익살도 곧잘 부렸다. 그렇지만 부자이거나 권세가 있다는 귀인들에 대해서는 언사가 엄하고도, 날이 서서 누구도 범할 수 없는 기상을 드러내었다.

나이 31세에 개연히 근세(近世)의 선비나 유생(儒生)들 대부분이 옛 것을 지키면서 새로운 것을 배척하는 것을 위주로 하기때문에 실용적이 되지 못하니 어찌 될 수 일인가고 여기였다. 이리하여 드디어 반궁(泮宮)을 찾아 배움의 길을 떠났고, 새로운 것과 옛것을 통합하고, 그것들의 깊고 넓은 면을 궁구하면서, 실학(實學)을 추구의 대상으로 삼았다.

또 해강 김공(海崗 金公)에게서 서화(書畵)를 배워, 몇 해 되지 않아 김공(金公)의 참된 기교를 얻어, 사방에 명성이 자자하게 되었다. 선생은 그것을 그다지 마음에 두지 않았는데, 그것은 선생의 포부가 멀고도 컸기 때문이다.

고향으로 돌아 온 후, 향(鄕)의 사람들과 더불어 학교(學校)를 세우는 일을 꾸미면서, 서슴없이 자기의 땅을 학교의 기지로 내놓아, 그 일을 성사할 수 있도록 만들어 주었다.

무인(戊寅, 서기 1938)년 겨울에 부친이 돌아가시자, 슬픔이 지나쳐 몸을 해쳤으며, 삼년을 하루 같이 삭망(朔望)에는 꼭 성묘(省墓)를 하였는데, 비가 오나 눈이 오나 종래로 그친 적이 없었다.

일찍부터 선공(先公)의 유지를 계승하여, 먼 선조의 묘각(墓閣) 경선재(敬先齋), 만수당의 묘각 양지재(陽志齋)를 세웠으며, 도암사(道巖祠)에 제전(祭田)을 헌납하여 분밀(芬苾)의 예의를 회복하게 하였다. 또 회천정사(晦泉精舍)를 만수당의 좌측에 세우고, 조석 간에 선조를 사모하는 뜻을 담았다. 집에 있을 때면 반드시 일찍 일어나 의관을 단정히 한 다음에 가묘(家廟)를 배알하고, 가무(家務)를 처리하였는데, 나이가 많아지고 맥이 진하여서야 그만 두었다.

기묘(己卯, 서기 1939)년에 큰 흉년이 들자, 선생은 곳간을 털어 이웃들과 친지들 가운데서 굴뚝에 연기를 내지 못하는 사람들을 두루 구제하였는데, 그 수가 몇 십 호가 되는지 이루 헤아릴 수가 없었다. 향(鄕)에서는 이 일로 하여 비석을 세워 선생의 공덕을 구가하였다.

신사(辛巳, 서기 1941)년에 일본 정부에서 우리나라 유림(儒林)의 영수(領袖)들을 초청하여, 일본 여러 곳의 명승지들을 관광하도록 조직하였다. 선생은 이르는 곳마다에서 시를 읊었지만, 그곳의 경물이나 풍속을 읊었을 따름이다. 그리고 '바다 섬(海島)'이라는 글자를 자주 사용하였다.

세토내해(瀨戶內海)를 구경할 때였다. 선생이 시에서 "바다의 나라(海國) 풍연 속에 으뜸이라 불리는데(海國風光最勝頭)"라고 하였더니, 수행하는 왜(倭)의 관리가 재삼 찬탄을 금하지 않더니, 결국에 가서는 '바다 해(海)' 자를 '안 내(內)' 자로 고치라는 청을 내였다. 선생이 고개만 끄덕여 보였더니, 그제야 본색을 드러내며 억지로 고치라고 강요하였다. 이에 선생이 "시(詩)는 자기의 뜻을 말하기에 귀한 것입니다. 왜관(倭官)께서도 문학이란 무엇인지 알고 계실 터인데, 어떻게 비위에 맞추는 언사를 사용할 수 있겠습니까?"라고 대답을 하였다. 그제야 그 사람은 그 마음을 알아차리고 더는 입을 열지 않았다.

그가 일본으로 관광을 떠나려고 할 때, 국내의 제유(諸儒)들 가운데서 입을 삐죽거리는 사람들이 적지 않았는데, 그 뜻인즉 대개 유람을 가지 말아야 한다는 것이었다. 그 소문을 들은 선생은 "나는 우리 종조 항재공의 '아무리 까마귀와 여우들이 천만으로 헤아리며 득실거린다고 하여도 절대로 나라는 존재가 있다는 것을 잊어서는 안 된다.'는 말씀을 원래부터 지키고 있습니다. 그리고 그들의 개화(開化)로 인한 문명 수평을 살펴보려는 것입니다. 그렇다면 내가 아무리 열 번을 관광 갔다고 치더라도 나를 더럽힐 수가 있겠습니까?"라고 말하였다.

2차 대전이 발발(勃發)하자 선생에게 유학(儒學)의 도를 떨치기 위해, 순회(巡廻) 연설을 하라는 청구가 왔는데, 그 내면은 선생에게 자기들의 정치를 협조해달라는 뜻이 담겨져 있었다. 그러자 공은 태연하게 도강에게 이렇게 말하였다. "저 일본이 망할 날은 멀지 않았습니다. 나는 맹세코 나서지 않을 것입니다." 그리고는 몇몇 친구들과 함께 이십일 동안 금강산(金剛山)을 두루 구경하고 돌아왔다.

전북 지사 김 아무개가 고창을 순시하고자 하며 선생과 한 번 만나 보려고 작정하였다. 소식을 전해들은 선생은 그날로 순창의 산속으로 들어가 월담 재석 김공(月潭 載石 金公)과 함께 며칠 동안 이야기를 나누다가 돌아왔다. 그 후에도 지사는 다시 고창을 둘러본다는 핑계를 대고 선생의 본가를 방문하였다. 선생은 부득이하여 한 번 그의 행차를 맞아주기는 하였지만, 그것은 인사치례였을 뿐 다시 의례에 따라 사의를 표하려 찾아 가지조차 않았다.

을유(乙酉)에 광복(光復)이 되자, 선생은 이렇게 말하였다. "난 이 날이 오기를 기다리고 있었다. 이제는 마땅히 건국 사업을 위해 분신쇄골이 되어야 한다." 선생은 그 즉시로 한사(漢師)로 들어가 옛날의 친구들을 방문하였는데, 그들은 모두 나라의 저명한 인사들이었다. 그들과 이야기를 나누어 보니, 사상이 대립되었고, 좌파와 우파로 나누어져 있었다. 게다가 국토가 두 곳으로 갈라졌다는 소식을 듣고는 통탄을 하며 귀향하였다.

선생은 이렇게 말하였다. "건국(建國)은 망연한 일로 되었으니, 동족상잔(同族相殘)의 참혹한 비극이 바로 코앞으로 다가 왔다. 내 차마 이 꼴은 보지 못하겠다. 나는 장차 은거(隱居)하련다."

이 해의 가배절(嘉排節)에 술상을 차려 하인들과 시녀들 수십 명을 불러놓고 이렇게 말하였다. "오늘 하늘의 덕분으로 다행히 광복을 맞았소. 사람마다 평등하게 되었으니 자네들이라고 어찌 오래도록 다른 사람 아래에서 살고만 있겠소?" 그리고는 그들의 정황에 따라 땅과 돈을 나누어주면서, 각자가 제 가고 싶은 데로. 떠나게 하였다.

시월(十月)에 선생은 가산을 모조리 버리고 돛배 한 척을 빌어 타고 서해바다로 떠나 왕도(旺島에) 은거하였다. 이듬해에 집으로 돌아왔다. 조모(祖母)의 상을 당하게 되자 예의는 전보다 더 엄하게 지키었다.

그때 서울에 있는 친구들이 여러 번 선생을 불렀지만 모두 사절하고 응하지 않았다. 그리고는 만수당(晚睡堂)에 칩거하고 부용꽃을 감상하며, 소요하였고 박달나무가지를 주어들며 송독(誦讀)하였다.

배우려는 사람들이 먼 곳에서 찾아들면 비록 스승으로 자처하지는 않았지만, 그래도 거절한 적은 없었다.

언제나 길일양진이거나 즐거운 명절이 오면, 고우(故友) 몇 사람과 함께 명산대천을 유람하며, 시원하게 속을 털고서야 돌아오곤 하였다.

일찍 술병을 밥상 위에 얹어놓고, 스스로 잔을 기울이거나 혹은 친구들을 불러 함께 들곤 하였는데, 마시면 취하고, 취하면 시가(詩歌)를 읊으면서 초연히 세상만사를 멸시하는 자태를 취하곤 하였는데, 그것으로 마음속의 불평을 토로하였으니, 그의 호걸답게 시원하고, 자기 나름대로 멋대로 하는 기운이 언사(言辭)에서 나타나곤 하였다. 공교롭게도 그때 경인(庚寅, 서기 1950) 전쟁을 겪게 되어 천지가 뒤번져지고, 산하가 참담하게 변하였다. 그렇지만 선생은 홀로 편안한 마음으로 집에 거주하면서, 큰 난리를 피하였다.

난리가 끝나자, 강하(江河)는 소조(蕭條)[7]하고, 인간사는 다변하여 우우(踽踽)[8]하게 어디로 갈 바를 모르고 있었다. 그러나 가까이에 있는 조 경암 용승(曺 敬庵 龍承) 그리고 불녕(不佞), 먼 곳에 있는 김 효당 문옥(金 曉堂 文鈺), 김 고당 규태(金 顧堂 奎泰), 이송농 동범(李 松儂 東範) 등 호중(湖中)[9]의 수십 사람과 함께 늘 지팡이를 나란히 하고, 남에서는 적벽(赤壁)에서 뱃놀이를 하고, 북에서는 봉래산(蓬萊山)을 유람하기도 하였는데, 이것이 아니면 답답한 마음을 풀 길이 없었던 것이다.

갑진(甲辰, 서기 1964)년 여름 6월에 모친(母親)의 상(喪)을 당하여, 상중의 모든 일은 모두 전날에 있은 상례(喪禮)와 같이 하였으며, 늙고 허약해졌다고 하여 조금이라도 소홀히 하지 않았다.

만년에는 가세가 박락(剝落)[10]되어, 전날에 비길 수가 없었지만도 의연히 천연스럽게 "일념이 참다움을 다시 찾게 된다면 제악(諸惡)이 삽시에 사라진다."는 경계를 귀숙처(歸宿處)로 삼았다.

그가 지은 시문(詩文)들은 상자에 차고 넘쳤지만, 손수 버릴 것은 버리고 남길 것은 남기었는데, 합쳐 약간의 권으로 나누어 바야흐로 기궐(剞劂)[11]한다고 한다.

선생은 병이 위독하기 하루전날에 '계아요결(戒兒要訣)' 몇 장을 손수 적으시었다. 그리고는 새 옷으로 갈아입었는데, 다시 일어나지 못한 날이 경술(庚戌, 서기 1970)년 10월 11일이며, 향년 예순 여덟이었다. 부고(訃告)가 전해지자, 사방의 사우(士友)들은 누구나 비통해 하지 않거나 애석해 하지 않는 사람들이 없어, 모양성(牟陽城)으로 모여들어 통곡을 하며 조전(祖餞)[12]하였다. 이것이 소위 문화인장(文化人葬)이다.

---

7) 고요하고 쓸쓸하다.
8) 고독한 모양.외로이 행하여 친근한 사람이 없는 모양.
9) 호남의.
10) 쇠나 돌에 새긴 그림이나 글씨가 오래 묵어 긁히고 깎이어서 떨어짐.
11) 문서를 인쇄에 붙임.
12) 멀리 가는 사람을 전송함.

장사(葬事)한지 3년이 지나, 장성 누대 뒤 산기슭의 선영 아래의 곤원(樓台後麓先塋下坤原)에 이장하였다.

　봄에 선생이 강학(講學)하던 그 자리에 경모비(景慕碑)를 세웠다. 선생의 유풍(遺風) 여운(餘韻)을 세월이 흐를수록 더욱 잊지 못하는 것이, 바로 이러하였다.

　신해(辛亥, 서기 1971)년 겨울에 선생과 종유(從遊)[13]하는 사람들과 문도(門徒) 수십 명이 동호(同好)라는 이름의 계(契)를 결성하였으니, 이는 대개 선생의 유덕(遺德)을 추모한 것이다. 계축(癸丑, 서기1973)년 봄에 사림(士林)에서 의론을 모으고, 만수당(晩睡堂) 앞에 경모비(景慕碑)를 세웠다.

　오호라! 성대(盛大)하구나! 생각하여 보니, 선생이 세상을 하직한 이듬해에, 선생이 생전에 사랑하던 박달나무가 봄이 지나도 꽃이 피지 않았으니, 사람들은 모두 신기하게 생각하였다.

　배(配)는 함평 이씨(咸平 李氏) 재영(載榮)의 따님인데, 선생보다 2년을 앞서 태어나고, 선생보다 6년 앞서 세상을 떠났으니, 갑진(甲辰, 서기1964) 10월 25일에 졸(卒하)였고, 묘는 동원(同原)에 합장하였다.

　남녀를 두었는데 아들은 병수(丙洙)이고, 딸은 전주 이신(李新)에게 시집을 갔다.

　배(配)는 진주 강씨(晉州 姜氏)는 3남3녀를 두었는데, 만수(滿洙), 덕수(德洙), 길수(吉洙)이며, 딸은 안석환(安碩煥), 이헌용(李憲用)에게 시집을 가고, 딸 하나는 아직 혼례를 치르지 않았다.

　손자는 경식(璟植), 명식(明植), 영식(永植), 종식(鍾植), 동식(東植), 용식(用植), 정식(正植)이고, 손녀는 행주 기성근(奇聖根)에게 시집을 갔다.

　증손과 현손들은 한창 무럭무럭 무성하게 자라고 있다.

　오호라! 불녕(不佞)은 선생보다 3년이 어리어, 학교에 들어가서야 보정(普亭)이 일찍 문학(文學)으로 재우(儕友)[14]들 사이에서 이름을 떨치고 있다는 소문을 듣게 되었다. 그의 문장은 노사기선생(蘆沙奇先生)의 글을 많이 읽고, 또 당(唐), 송(宋), 명(明), 청(淸) 제가(諸家)들의 글을 참고로 하였다. 그런데 그가 본보기로 삼은 것은 옛날의 글을 버릴지언정, 차라리 근세(近世)에서 취하는 것이었고, 번잡한 것을 비릴지언정, 차라리 간결한 것에 힘을 기우리는 것이었다. 때문에 그의 자취가 명, 청 시기의 울바자로 달리고 있으니, 그래 위대하지 않은가? 또 필력은 주경(遒勁)[15] 하고, 특

---

13) 학덕이 있는 사람을 좇아 함께 지냄.
14) 동연배의 친구들.
15) 그림이나 글씨 따위에서 붓의 힘이 굳셈.

히 묵죽(墨竹)이 정교하여 남방의 독보로 되고 있으니, 문호주파(文湖州派)[16]와 아주 서로 비슷하여, 마치도 팽성(彭城)에 맡겨 놓은 듯하다.

 선생의 집일 처리나 처세, 자기에 대한 요구나 사물에 응대하는 법은 모두 질서가 정연하고 조리가 있다. 지혜는 가히 미연(未然)의 사물을 밝힐 수 있고, 덕(德)은 가히 후세의 전범(典範)으로 될 수 있다.

 그렇지만 어지러운 세상을 만나, 천리마가 다리를 움츠린 격이고, 붕(鵬;대붕새)이 나래를 거둔 격으로 되었다. 울분이 나고 답답한 마음으로 고생 끝에 묻혀버렸다.

 아! 애석하기도 하고 한숨이 저절로 나온다. 비록 그렇다고는 하지만, 남방의 선비들은 지금까지도 선생을 홍유 석덕(鴻儒碩德)이라고 여기면서, 추모하기를 그치지 않고 있다. 누가 그렇게 하라고 시킨 것인가? 여기에서 선생이 덕을 두텁게 쌓았고 길이 피게 하였다는 것을 검증할 수 있다.

　　　　강릉(江陵) 김 봉문(金 鳳文) 삼가 지음.

行狀

普亭先生金公旣沒之七年，其從叔道岡在弓，抄先生實蹟一通，懇屬不佞以狀之，蓋以不佞，於先生悉其事行，不後於人也。安得辭諸？先生諱正會，字中立，號普亭。系出安東舊閥翼元公諱士衡后。永慕堂，諱質，以孝聞中朝，有襃旌，享道巖祠，於先生十四世祖。高祖諱養大，成均進士，龍驤衛副護軍。曾祖諱榮喆，號晚睡堂，成均進士。祖諱學默，號薇齋。考諱在鍾，號晦泉。俱以孝友文學聞于世。妣光山金氏壽衡女，秋潭友伋后。賢淑有女士風。以高宗癸卯十月二十八日，生於高敞之道山里第。自幼聰明端雅，從祖恒齋公甚奇愛之，使就學而提撕之。先生長於膏紈，而能遺外華靡。時與里老野叟共座飮樂，而好爲諧謔。及對富豪權貴人，則辭氣嚴勵，有不可奪之氣像焉。年二十七，慨然以爲近世士儒，類多以守舊排新爲主，而無適於實用矣可哉。遂遊學于泮宮，綜其新舊，窮其深博，要以實學爲究竟。又學書畵於海崗金公之門，不數年得其眞，聲名噪於遠近。顧先生不以爲屑，以其志在乎遠且大者也。及還鄕，與鄕里人謀

---

16) 문호주파(文湖州竹派): 중국 화가 유파의 하나이다. 호주파라고도 하는데 문동(文同)을 시조로 하기에 문호주파라고 한다. 죽(竹)을 그리기는 당나라 소열(蕭悅)과 오대시기의 정겸(丁謙)을 꼽지만, 전해오는 작품이 없다. 이리하여 북송시기의 문동과 소식을 소조로 한다. 글이 적관이 사천이기는 하지만 벼슬을 호주에서 하였기에 그렇게 이름한 것임.

設學校, 快擲其基地以成之。戊寅冬, 遭外艱哀毀, 三年如一日, 朔望省掃, 不以雨雪或廢。早承先公之遺志, 營建遠世廟閣敬先齋、晚睡堂墓閣養志齋, 獻祭田於道巖祠, 以復芬苾之禮。且建晦泉精舍於晚睡堂之左, 以寓晨夕羹墻之慕。其在家, 每晨起整衣冠, 拜廟而出, 指揮家事, 至年衰老乃廢。己卯大歉, 傾困而周恤鄰親故舊之待以擧火者, 不知其幾十戶。鄉里爲之碑, 頌其功焉。辛巳, 日本政府招請我國儒林領袖, 使之遊覽各處名勝。先生隨處吟詠, 但模寫其風物烟景而已。又多用海島等字, 及遊瀨戶內海也, 有曰: "海國風光最勝頭"之句, 隨行倭官, 再三讚美之後, 請改'海'以'內'字。先生頷之而已, 彼乃强之, 先生曰: "詩貴言志耳, 倭官亦知文學, 何用阿諛辭爲?"彼悟不再言。方其東渡也, 國內諸儒毀者不爲不少, 蓋以其不當遊也。先生聞之, 則曰: "余以吾從祖恒齋公'千萬烏狐中, 勿忘有己。'之訓爲素守, 而且欲觀彼之開化民度也。雖余十遊彼焉, 能浼我乎哉。"二次大戰之勃發也, 請先生以振作儒道, 巡廻講演。而其實使之協於其政也。於是先生從容謂道岡, 曰: "彼日之亡, 將不遠矣, 我誓不出。"卽與數三友人, 入金剛山周遊二旬而返。全北知事金某, 將巡高敞也, 要與先生相面。則接報, 卽日入淳昌山中, 與月潭載石金公講論數日而還。厥后知事, 復巡高敞爲托而來訪於先生之本家, 不得已而一接其儀而已, 不復回謝焉。乙酉光復, 先生曰: "吾待今日有日矣。第當粉碎於建國之役, 不亦可乎。"卽入漢師, 爲訪昔日之交, 皆國中名士也。與之對討, 則思想角立, 左右分裂, 且聞國土兩斷之報, 痛嘆歸鄉, 曰: "不啻建國茫然。同族相殘之慘劇, 迫在目前。吾何忍見乎! 吾將遁矣。"是歲嘉排節, 設酒食而召奴婢數十人, 曰: "今幸天賜光復, 人皆爲平等耳。若等何久於人下乎。"酒給田財, 俾各歸之。十月盡棄家產, 借孤帆浮西海, 隱居旺島, 一年而還。及丁祖妣喪, 執禮愈劇。時屢被京友之招, 而皆謝不應。蟄居晚睡堂, 賞芙蓉而逍遙, 撫老檀以誦讀。且有願學者自遠來, 雖不以師道自居, 而亦未嘗拒之。每良辰佳節, 與故舊數三人, 優遊乎名山大川舒欝結而歸。嘗置壺酒於案上, 或自酌, 或招飮。而飮輒醉, 醉輒歌, 超然藐視一世, 以鳴其不平。其豪爽恣傲之氣, 發於文辭之間。適置庚寅之燹, 天地飜覆, 山河慘淡。而先生則獨晏然居家, 以避其大亂。亂己, 江河蕭條, 人事多變, 踽踽無所可適。而近曺敬庵龍承及不佞, 遠而金曉堂文鈺、金顧堂奎泰、李松儂東範等, 湖中數十人, 往往聯筇, 南浮赤壁, 北遊蓬萊, 蓋非此無以叙涔寂幽欝之懷也。甲辰夏六月, 遭內艱, 居喪執禮, 一如前喪, 不以老衰或弛。及先生晚年, 家勢剝落, 非復前日, 而泰然以'一念復眞, 諸惡頓滅'之意爲歸宿處焉。其所著詩文, 殆盈箱溢糠 而手自刪存, 摠若干卷, 方入劂剞云。先生病革前一日, 手書"戒兒要訣"數章。因換着新衣, 一臥不起, 實庚戌十月十一日也。享年六十八。訃聞遠近士友。莫不悼惜。大會于牟陽城。痛哭祖餞。此所謂文化人葬也。權葬後三年, 移窆于長城樓台後麓先塋下坤原。辛亥冬從遊, 及門徒設同好契, 盖追慕先生之遺德也。癸丑春, 士林合謀, 竪景慕碑於晚睡堂前。嗚乎, 盛矣哉！抑想先生之沒翌年, 所嘗撫愛之檀, 過春不花, 人皆異之。配咸豐李氏載榮女, 先先生二年生, 而亦先先生六年, 甲辰十月二十五日卒, 墓合兆于同原。育男女, 一男丙洙, 女適全州李新。配晋州姜氏, 育男女各三。男滿洙、德洙、吉洙。女, 適安碩煥、李憲容。一女未行。孫男璟植、明植、永植、鍾植、東植、用植、正植。孫女適幸州奇聖根。丙洙出。曾玄蔚 興, 不盡錄。嗚乎！不佞後先生三年, 而乃入泮也, 因聞普亭曾以文學揚名於儕友間矣。盖其爲文也, 多讀蘆沙奇先生之文, 又叅之以唐宋明淸諸家之書。而其模範規矩, 則寧舍古而寧取諸近, 寧袪繁而務諸簡。故其步驟駸於明淸人之藩籬, 不亦偉矣乎哉。且其筆力遒勁, 尤工墨竹, 獨步南方, 頗似文湖州一派, 寄在彭城焉。至於先生之居家, 處世、持己、應物之法, 井井然有條理, 可觀知可以燭於未然, 德足以範於來後。而遭世不淑, 驥不展足, 鵬且斂翰, 幽欝抑塞, 坎壤而沒。吁, 可惜可嘆也。雖然, 南方之士至今以先生爲鴻儒碩德, 而追慕之不已。孰使之然也？以此可以驗先生之所積者厚, 所發者長也云耳。
江陵　　金鳳文　謹撰

묘갈명(墓碣銘)

모양(牟陽)의 도산(道山)은 안동 김씨(安東 金氏)가 세세대대로 내려오며 사는 동네이다. 근간에 보정 김공 정회(普亭 金公 正會)가 시문(詩文)과 서화(書畫)로 이 나라에 명성을 떨쳤다. 그렇지만 더욱이는 이것보다 더 큰 것이 있었다. 경학(經學)에 깊고, 실천하기에 돈독하며, 효성을 다하여 부모를 모시고, 시무(時務)에 밝았으니, 그 뜻은 탁락(卓犖)[17]하여 화복(禍福)으로도 우리 방촌(方寸)[18]을 바꿔놓을 수는 없었다.

---

17) 탁월하다.
18) 사람의 마음은 가슴 속의 사방의 넓이에 깃들어 있다는 뜻으로, 마음을 이르는 말, 흉중(胸中).

내가 일찍 공(公)을 찾아 뵈러 갔는데, 헛걸음을 시키지 않고 반갑게 맞아주셨으니, 참으로 우러러보고 있다. 공이 세상을 떠나신지 8년이라는 세월이 흘렀는데, 그의 종숙 도강 재규(道崗 在圭)가 행장(行狀)을 들고 와, 나에게 묘도(墓道)의 글을 지어달라고 청을 하였다. 글이 서툴고 견식도 좁아, 고여 있는 못물과 같은 사람이 어찌 감히 붓을 들 수 있을까? 굳이 사양하였지만, 허락을 하여 유고(遺稿)를 읽고, 묘갈명(墓碣銘)을 아래와 같이 작성한다.

　공(公)은 자가 중립(仲立)이며, 선조들은 명인들이 많이 나타났다. 고려시기의 충렬공 방경(忠烈公 方慶), 조선조 시기의 익원공 사형(翼元公 士衡), 영모당 질(永慕堂 質)은 바로 그런 분들이다. 진사 부호군 양대(進士 副護軍 養大), 진사 만수당 영철(進士 晚睡堂 榮喆), 미재 학묵(薇齋 學黙) 회천 재종(晦泉 在鍾)은 그의 4세이다.

　비(妣) 광산 김씨(光山 金氏)는 추담 우급(秋潭友汲)의 후예이며, 수형(壽衡)의 따님이다.

　공(公)은 고종(高宗) 계묘(癸卯, 서기 1903) 10월 28일에 태어났다. 천성적으로 자질이 단아하고 순수하였으며 남달리 뛰어나게 총명하였다. 종조 항재공 순묵(恒齋公 純黙)에게서 학업을 전수 받았는데, 항재공은 공을 기이하다고 여겨 귀여워하였다.

　성인(成人)이 되자, 사방에 뜻을 두고 시국과 세상이 변한 이 때에 낡은 규범을 지켜서는 되지 않는다고 생각하고, 반궁(泮宮)[19]으로 배움의 길을 떠나, 낡은 것과 새 것을 종합하고, 견문을 넓히었다.

　또 김 해강 규진(金 海崗 圭鎭)을 스승으로 모시고, 그의 필법(筆法)을 배웠다.

　동지들과 더불어 인재양성에 나서서 학교를 설립하였는데, 서슴없이 자기의 땅을 학교의 기지로 내놓았다.

　기묘(己卯, 서기1939)년에 대흉년이 들자, 곳간을 털어 동네를 구제하였다.

　왜(倭)에서 우리 국내의 유림(儒林)을 초청하여 시찰단을 형성하여 시찰을 하자 공(公)도 역시 참가하였다. 어떤 사람들이 말리었으나 공은 "그들이 비록 원수의 나라라고 하지만, 그 나라의 민정은 살필 수 있다. 어떻게 날 더럽힐 수 있겠는가?"라고 말하였다.

　가는 곳마다에서 시를 읊었는데 '바다 나라(海國)'라는 말을 자주 사용하였다. 그들이 '내국(內國)'이라고 고치라고 하면서, 위협까지 가했지만, 종시 따르지 않았다.

　그가 돌아오자, 본 도의 지사를 맡은 작자가 본 고을을 시찰하면서, 꼭 만나봐야 되

---

19) 성균관(成均館)과 문묘(文廟)를 통틀어 이르는 말이나, 여기서는 성균관의 후신 명륜전문학교(明倫專門學校;성균관대학교 전신)을 가리키고 있다.

겠다는 청을 내었지만, 곧 순창(淳昌) 산속으로 들어가, 기일을 어겼다. 그 후에 지사가 내방(來訪)하였으므로, 한 번 맞아주었을 뿐이고, 끝내 인사치례로 찾아 가지조차도 않았다.

일찍 도강(道崗)에게 "왜놈들이 망할 날이 며칠 남지 않았다."라고 말하였는데, 그의 말이 과연 거짓이 아니었다. 을유(乙酉, 서기 1945)년 광복을 맞자, 세상일을 맡아 자신의 포부를 펴보려고 전날의 친하게 지내던 김 인촌 성수(金仁村 性洙), 백 근촌 관수(白 芹村 寬洙), 여몽양 운형(呂 夢陽 運亨) 제공을 방문하였다. 제공들은 기꺼이 함께 일을 보자고 하였다.

공은 종친들과 더불어 백범 김구(白凡) 김구(金九)의 귀국환영회를 조직하였다.

공(公)의 이름은 장안을 들썩하게 하였다. 그렇지만 남북이 분단을 이루고, 사상 파벌들이 갈라지어, 추세는 통합할 수 없게 되었다. 동족상잔(同族相殘)의 참혹한 비극이 눈앞에 다가온 것을 깊이 느낀 공(公)은 고향으로 돌아왔다.

공(公)은 종들을 풀어주고, 전답과 재산을 나누어 주고는, 배를 타고 바다로 나나 왕도(旺島)에 들어섰다. 일 년이 되지 않아, 조모(祖母)의 상(喪)을 당하여, 본 집으로 다시 귀환하게 되었다.

여러 번 당국에서 불렀지만 모두 나가지 않았다.

선공(先公)의 유지를 계승하여, 선세(先世)의 묘각(墓閣)인 경선재(敬先齋), 양지재(養志齋)등을 세우고, 제전(祭田)을 영모당(永慕堂) 도암사(道巖祠)에 헌납하였다.

나의환(羅毅煥), 변영호(卞榮護), 강정원(姜鼎遠), 이상기(李相基), 조병렬(曹秉烈) 제공들과 함께 《송사기선생년보(松沙奇先生年譜)》를 간행하였다.

회천정사(晦泉精舍)를 만수당 좌편에 세우고, 꽃을 구경하며 시를 읊으면서 여생을 보내었다. 학생들이 찾아오면 비록 스승이라고는 자처하지 않았지만, 거절한 적은 없었다.

워낙 산수를 즐겨 금강산 만이천봉을 구경하고 《동정록(東征錄)》 한 권을 지었다.

또 김 효당 문옥(金 曉堂 文鈺), 김 고당 규태(金 顧堂 圭泰), 이 송농 동범(李 松儂 東範)과 함께 때로는 봉래(蓬萊)와 적벽(赤壁) 사이에서 소요하였다.

일찌기 원사(院祠)의 재건설과 창설을 논하였는데, 실속이 없고 폐단이 있다고 지적하였다.

한자(漢字)를 폐지하고자 할 때, 글을 써서 유력하게 논변하면서, 그것의 부당함을 지적하였다.

윤황후(尹皇后)의 상례 때에 예에 따라 치상하였더니, 그것을 비난하는 사람이 있었다. 이에 곧 "옛 나라의 유민(遺民)으로서 부친의 상은 치르고 모친의 상을 치르지 않는 것이 옳단 말인가?"라고 핀잔하였다.

병이 위중하자 친필로 "요결(要訣)"을 적어 자식들을 경계하였다.

옛날의 의복과 관을 쓰고, 경술(庚戌, 서기1970) 10월 11일에 떠나셨으니, 향년 예순 여덟이었다. 여러 군의 인사들이 크게 몰려들어 조전을 하였다.

무덤은 장성(長城) 현청(縣廳)에서 북으로 되는 누태(樓台)뒤 산기슭의 곤원(樓台後麓坤原)으로 이장하였다.

친구들과 문생들이 동호계(同好契)를 묶고, 경모비(景慕碑)를 세웠다. 공(公)의 덕목이 사람들의 흉금에 스며든 것이 바로 이러하였다.

배(配)는 함평 이씨 재영(咸平 李氏 載榮)의 따님인데, 신축(辛丑, 서기1901)년 생이고 무진(戊辰, 서기 1964) 년 10월 25일에 졸하였고, 남편의 묘에 합장하였다.

일남 일녀를 두었는데, 아들은 병수(丙洙)이고, 딸은 전주 이신(李新)에게 시집을 갔다.

진주 강씨(晉州 姜氏)의 소생으로는 아들 만수(滿洙), 덕수(德洙), 길수(吉洙)이며, 딸들은 안석환(安碩煥), 이헌용(李憲用)에게 시집을 가고, 딸 하나는 아직 성년례를 치르지 않았다.

병수의 아들은 경식(璟植), 명식(明植), 영식(永植), 종식(鍾植), 동식(東植), 용식(用植), 정식(正植)이고 사위는 행주 기성근(奇聖根)이다.

오호라! 공(公)은 화려한 집에서 태어났으나, 어려서부터 교만하지 않았고, 부지런히 배우고 묻기를 즐기었으며, 양친 부모를 모시는데 정성을 다하였다. 선후로 상을 당하였지만 예의에 따르는 데 있어서 갈수록 더욱 근신하였다. 삭망(朔望)에 성묘하고, 아침마다 알묘(謁廟)하는 것을 영원한 가법(家法)으로 삼았다.

공(公)의 글은 노사집(蘆沙集)을 많이 읽고, 명(明), 청(淸)제가들을 참고하였으니, 그들의 번리(藩籬; 범위)를 향해 침침(駸駸)[20]히 들어갔다. 필법은 주경(遒勁)[21]하여, 그것을 얻은 사람은 보물로 간주하였다.

사람과의 접촉에서는 충후하고 곤복하였으며, 술을 즐기고 매우 해학적이었기에, 공이 곳마다에서 풍류(風流)가 온 좌석에 넘쳤다.

마음을 닦아 강의하고 뛰어났으며, 만 사람이 그의 마음을 앗아갈 수 없었다.

유고(遺稿)를 십여 권 남겼는데, 바야흐로 인쇄에 들어가 간행을 기다리는 중이

---

20) 일의 진행이 빠른 모양을 이른다.
21) 서화(書畫)의 필세(筆勢), 또는 문장 등에 힘이 있음을 이름.

다. 《입지설(立志說)》, 《답인문(答人問)》, 《속원인(續原人)》, 《용학강설(庸學講說)》 등 문장은 모두 후학들의 지남으로 된다.

공은 실로 유문(儒門)의 준적(準的)이요 일대의 석덕(碩德)이다.

훗날 이 묘를 지나는 사람들이 누군들 공경을 가하지 않을 수가 있는가? 이에 명(銘)을 짓는다.

어려서 영웅 흉금 지녔었건만
박식한 학문은 쓸 데 없었네.
어이하여 재주를 펴지 못했나?
세상이 어지럽고 도가 상했네.
왜놈의 전북 지사 만나지 않고
놈들의 망할 날을 예언하였네.
산하 비록 광복을 되찾았건만
남과 북은 제각기 분열되었네.
너무나도 명철하고 현명하여서
고향 땅에 굳건히 발을 붙이고,
건곤을 마주보는 호탕한 웃음
풍월 속에 스스로 자유자적네.
번쩍번쩍 빛나는 주옥의 글발
부쩍부쩍 힘이 솟는 건장한 필력
현세에서 유학을 정통한 학자
후세의 본보기로 손색이 없네.
내 감히 서툰 글을 세상에 남겨
정석에 버젓하게 적어놓노라

　　　　　　황주 변 시연(黃州 邊 時淵)　　근찬(謹撰)

墓碣銘

牟陽之道山, 安東氏世庄。近有普亭金公正會, 以詩文書畵揚名於域中。然尤有大焉者。邃於經學, 篤於踐履, 事親盡其孝, 明於時務, 而志義卓犖, 不以禍福易吾方寸。余甞造拜公，亦賜枉，心切欽仰。公之歿八年，公從叔道岡在弓，抱狀顧余，請以墓道之文。不文淺識，如時淵者，烏敢乎哉。竟辭不獲，攷閱遺稿，爲之叙。曰：公字中立，其先多名人，麗而忠烈公方慶，鮮而翼元公士衡永慕堂質，是也。進士副護軍養大，進士晚睡堂榮喆。薇齋學默，晦泉在鍾，其四世。妣光山金氏，秋潭友伋后壽衡女，有女行。公以高宗癸卯十月二十八日生。禀姿端粹，聰明異凡。受業於從祖恒齋公純默，爲其所奇愛。及長，有四方志，自以爲時異世變，不可膠守舊規，乃游學于泮宮，綜新舊而廣聞見。又拜金海岡圭鎭，得其筆法。與同志爲育英，設學校，快擲基地。己卯大歉，發倉賑鄕里。因倭招請國內儒林結團視察，而公亦爲叅。或有挽之者，公曰："彼雖讐國，民情可觀。彼焉能浼我。"隨處吟詠，多用'海國'等字。彼要改以'內國'，至加脅，而不從。及還，任本道者將巡至本邑，而須有相見之請。卽入淳昌山中違其日。其後來訪，則一接而已，竟不回謝。甞謂道岡曰："倭亡不幾日。"其言果不虛矣。及乙酉光復，欲出而展其才。訪前日之交金仁村性洙、白序村寬洙、呂夢陽運亨諸公。諸公喜與同事。公與諸宗設白凡金九歸國歡迎會，公之名重於長安。雖然南北分斷，思想派裂，勢莫統合。深知同族慘劇，迫在目前。乃歸桑梓，放良奴屬，分給田財，浮海入旺島。不幾年，而丁祖母喪，還本第，累被政局之招，皆不出。承先公遺志，建先世墓閣，如敬先、養志諸齋，獻祭田於永慕堂道巖祠。與羅毅煥、卞榮護、姜鼎遠、李相基、曹秉烈諸公，刊松沙奇先生年譜。建晦泉精舍於晚睡堂之左，賞花賦詩，以終餘年。有來學者，雖不以師道自居，亦未甞拒之。素有山水趣，觀金剛之萬二千峯，有東征錄一卷。又與金曉堂文鈺、金顧堂奎泰、李松儂東範，有時逍遙於蓬萊、赤壁之間。甞論院祠之復設、新創，以爲無其實，而有其弊。漢字之廢止也，著說力辨，論其不當。尹皇后之喪，方喪如禮，有或非之者，輒曰："爲舊國遺民，服父而不服母，可乎？"及其病也，手書要訣戒兒輩。以古衣古冠，觀化于庚戌十月十一日，享年六十八。數郡人士大會祖餞，墓移窆于長城治北樓台後麓坤原。知舊門生，設同好契，竪景慕碑。公德義之入人者深，有如是也。配咸豐李氏載榮女，辛丑生戊辰十月二十五日卒，墓祔。有一男，丙洙。一女，女適全州李新。晋州姜氏所生，則男滿洙、德洙、吉洙。女爲安碩煥、李憲容妻。其一，未筓。丙洙男璟植、明植、永植、鍾植、東植、用植、正植，壻奇聖根也。嗚呼！公生長華靡，少無驕矜，能勤學好問，而事二親，盡其色養。前後艱，執禮愈謹。朔望省

부록(附錄) **1717**

掃, 每朝謁廟, 永爲家法。爲文也, 多讀蘆沙集, 叅之以明淸諸家, 駸駸然入其藩籬。筆亦遒勁, 得之者以爲寶。接人也, 忠厚悃愊, 好飮酒, 善諧謔, 所至風流, 傾一座。內修 也, 剛毅牢確, 有萬夫不可奪之氣。遺稿十數卷, 方付印行, 若立志說、答人問、續原人、庸學講說等文字, 皆爲後學之指南。公實儒門準的, 一代碩德。後之過是墓者, 有孰不加敬也。系以銘曰：
早抱雄志, 博學無方。才何未施？時異道傷。不見倭伯, 昌言其亡。山河雖復, 南北分疆。旣明且哲, 篤守梓鄕。笑傲乾坤, 風月自適。斐煥文章, 勁健筆力。當世通儒, 後人柯則。敢將蕪辭, 昭揭貞石。
黃州　邊時淵　謹撰

경모비문(景慕碑文)

단기 사천 삼백 삼년, 남주(南洲)의 작가 김장회 중립(金正會 仲立)이 육십 팔 세에 자택에서 임종하였다. 4년이 지나 누백(累百)을 이루는 동호계(同好契)의 사람들이 경모비(景慕碑)를 세운다. 고택(古宅)은 바른 편에 있고 선정(先亭)은 뒤에 있다. 세상에서 존현(尊賢)하는 관례에 따라 보정 김정회선생(普亭金正會先生)이라는 제사(題辭)를 적는다. 쇠퇴하는 전날의 계에서 정홍채(鄭泓采)가 몇 줄의 글을 뒷면에 적는다.

보정은 영가(永嘉)의 옛 문벌(舊閥)이고, 익원공(翼元公)공의 거실(巨室)의 후손이다. 외모는 단아하였고 피부는 옥 같이 맑았다. 호준하고 운치가 있었으며, 활발하고 유람을 즐겼다. 효우(孝友)는 세습한 것이고, 학문에는 연원(淵源)이 있었다. 태어나 자라면서부터 소봉(素封)[22]으로 더 가할 것이 없었다. 문학(文學)의 명성은 일찍부터 널리 떨쳤지만 자랑하거나 교만하지 않았다. 장하고 용감한 뜻과 기운은 빈궁한 유생(儒生)들 가운데서 빼어졌다. 원수들이 정사(政事)를 볼 때 때로는 신학(新學)을 섭렵하였고, 때로는 바다로 떠다니었다. 그렇지만 천운(天運)이 순환(循環)하여 옛 강산을 광복(光復)하였다. 이리하여 집의 밥을 먹고 책상에 엎드려 초복(初服)을 새롭게 갈아입고자 하였지만 시종 그 시기를 만나지 못하였다. 이로부터 시작하여 그 후로는 잔을 들고 시(詩)를 읊으며, 즐거운 마음으로 세월을 지새우면서 스스로 무회씨(無

---

22) 소봉(素封): 벼슬도 작위도 없으나 군으로 봉을 받은 사람들보다도 부유한 사람을 가리킴.

懷氏)와 갈천씨(葛天氏)의 백성이라고 간주하였다. 저서에서는 거종(巨宗)이요, 서화(書畵)에서는 홍장(鴻匠)이다. 굉장하고 풍부하며 위대하고 아름다운 작품, 난새가 솟구치고 봉황이 나래치는 첩서(帖書), 낮에는 보이고 밤에는 사라지는 탱화(幀畫)는 청구에 따라 아마 가급인족(家給人足)할 수 있어, 무엇을 청구하면 만족시킬 수 있으니 이른 바의 실험을 하지 않아도 다예한 사람이라고 하여 그렇게 된 것인지, 아니면 예술에 몸을 깊이 숨기어 그렇게 된 것인지? 만약 이 사람을 문(文)을 숭상하는 시대에 강림하게 하였더라면, 묘당의 인재로, 보불 차림으로 임금에게 계유를 올릴 수가 있었을 것이다. 하지만 때가 아닌 시기에 태어나 언덕에서, 삼림에서 세상을 마치었다. 오호라, 애석하구나. 명에 이르기를

    남국(南國)의 유생(儒生)으로 어찌 다른 분이 없으랴만
    누가 이분처럼 문장이 성대하고, 학식이 넓었던가?
    스스로 한 몸을 기리니, 믿기 어려운 건 저 하늘이다.
    이 분의 인생은 끝이 있을 때가 없으리라.
    사람은 가고 댁(宅)만 남았으니, 강산은 적막하구나.
    누가 슬퍼하고 속상해 하지 않으랴?
    그의 헤아림(謀)는 불후하리라.
    정민(貞珉)[23]을 여기 세워, 남은 향기 새겨 두네.
    아! 영령이여, 천만 년의 봄철에 양양하게 척강(陟降)[24]하소서.
    단기 사천 삼백 칠년 계축(癸丑) 삼월 일
    하동 정홍채(河東 鄭泓采) 삼가 지음

景慕碑文

檀紀四千三百三年, 南州作家金正會中立, 以六十八歲終于第。越四年, 累百同好之人, 樹景慕碑。古宅在右, 先亭其後。用見世尊賢之例, 題以普亭金正會先生。而衰頹舊契, 有鄭泓采者, 書數行文于陰。以爲普亭永嘉舊閥, 翼元巨室。狀貌端雅, 肌膚玉潔。豪俊有韻致, 活潑好優遊。孝友世襲, 學有淵源。生長素

---

23) 비석을 이르는 말.
24) 오르고 내림.

封而不以加人, 文名早盛而不驕不慢。志氣之壯勇, 拔乎窮儒。其在廱政, 或涉新學, 或浮于海。而天運循環, 江山復舊。乃家食隱几, 履修初服, 而終無其時。自是厥後, 詠觴樂志, 自爲無懷, 葛天之民。而著述爲巨宗, 書肅爲鴻匠。宏瞻偉麗之品, 鸞聳鳳翔之帖, 晝見夜隱之幀, 隨所請而殆家給人足。所謂不試多藝者然歟, 抑大隱於藝術而然歟？若降斯人於右文時代, 則可以作廟堂之材, 而黼黻王猷。而生非其時, 邱林卒世。嗚呼惜哉。銘曰：

南國之儒, 豈無他人？孰如斯人, 文章之盛, 學識之博。自譽其身, 難諶者天。斯人之生, 終無其辰。人亡餘宅, 江山寂寞。孰不悽傷, 爰謀不朽。樹之貞珉, 勒其遺芳。吁嗟英靈, 於萬斯春, 陟降洋洋。

檀紀四千三百七年 癸丑三月 日 河東鄭泓采謹撰

又(又)

歲月이 흐르매도 더욱 새로운 情이 솟게 하며, 萬人으로 하여금 우러러 받들고 싶은 한 平生을 갖기란 쉽지 않다. 여기 後人에게 새로운 情으로 우러러 사모하는 거울이 게 하고자한 어른이 곧 普亭 金正會先生이시다.

先生은 서기 1903年 10月 28日 湖南의 靈山인 方丈山기슭 道山里에서 安東世家로 태어나시니, 위로는 翼元公 諱 士衡과 14世祖에 永慕堂 諱 質과 曾祖에 晩睡堂 諱 榮喆 그리고 父에 晦泉 諱 在鍾을 받들어 이르시다.

幼時시로부터 端雅한 姿態와 英明한 性品은 온 고을의 稱頌을 받으시며, 從祖 恒齋公에게서 經書를 익히시고, 經書子集을 通曉하시다가, 다시 배움터를 京師에 찾아 經學院을 卒業하신 後 成均館 司成과 經學院 講師로 當世碩學들과 講磨交誼하시며, 後學을 일깨우시고 詩文과 書藝에서도 一家를 이루셔, 國內外에 이름을 떨치시고 著書에 庸學講義 등 十五篇과 金剛韻, 赤壁序 등 많은 詩賦箴銘 및 三百餘 金石筆蹟을 남기시다.

富貴와 榮達을 草履같이 여기셔, 오직 正道와 大義로 處世啓導하시고, 居家孝友의 篤行과 撫孤濟急의 善德은 온 고을의 瞻仰이 되시었으며, 林雲泉石에 詩書觴詠으로 樂을 붙이시니, 先生은 學界의 巨宗이오 士林의 規範이 되시었다.

슬프다. 人生은 有限이라, 서기 1970年 10月 11日 享年 68세로 瞑目하시니, 遠近

士友의 嗚咽 속에 牟陽文化人葬으로 永訣하셨으나, 先生의 平生指標와 遺德은 萬世에 길이 그 빛을 더하리라

　오늘날 士林이 다시 先生을 景慕하는 뜻에서, 精誠을 모아 碑를 세우기 欣快히 여겨, 이에 삼가 짧은 銘詞를 더 붙인다.

　先生의 한平生 높은 뜻과 꽃다운 德을 받들고자,

　士林의 精과 誠을 여기 다시 모았거니,

　先生을 後世의 거울로 길이고자 함이라.

1974년 3월 일
문학 박사 이선근(李瑄根) 삼가 지음

발문(跋)

오호라! 이는 보정(普亭) 김공(金公)의 유시문(遺詩文) 한 권인데 도합 10편이다. 공은 총명하고 아름다운 자질을 지니었는데, 절치탁마(切磋琢磨)의 공(工)을 가하여 정주(程朱) 학설을 강론하면서, 그의 정수(精髓)를 파헤쳤고, 한유(韓愈)와 유종원(柳宗元)의 글을 바탕으로 하여 대가를 이루었다. 또 서화(書畵)에 정통하여, 한 세상을 크게 들썩여 놓았다. 당시의 걸출하고 호걸다운 인사들은 누구나 추중하여 경복하지 않은 사람이 없다. 장차 세상에서 큰일을 해내리라고 기대하고 있었는데, 불행하게도 구육(九六)의 사나운 운수를 만나, 가슴속에 품고 있던 재능을 시험해보지도 못하고, 끝내 암혈(巖穴) 사이에서 늙고 말았다. 태사공(太史公)이 말한 천고(千古)의 비애란 바로 이것이 아니겠는가?

오호라! 슬프도다! 그의 가문을 다스린 가모(嘉謨), 처세하는 대절(大節), 평소의 향락과 안거의 의범(儀範)은 제현(諸賢)들이 장갈(狀碣) 등 문장에서 상세하고도 모두 다 이야기하였으므로, 여기에서는 구구히 다시 설명하고자 하지 않는다.

공(公)이 몰후 4년이 되는 계축(癸丑, 서기 1973)에 급문(及門)[25]과 동호(同好)의 제현들이 그의 증왕고 만수당 아래에 비석을 세워 경앙(景仰)의 정성을 담았지만, 유고(遺稿)를 인쇄에 교부하지 못한 것을 유감으로 남겼다.

5년이 지난 무(戊午, 서기 1978)년에 그의 종숙 재규가 차마 그것들을 궤 속에서

---

25) 배우기 위하여 문하에 이른다는 뜻으로, 문하생(門下生), 제자(弟子)가 됨을 이름.

좀이 먹는 것을 그대로 둘 수가 없어, 동호의 제현들인 조병훈(曺秉勳), 김부현(金富鉉), 김원근(金源根), 임한두(林漢斗)와 합모(合謀)하고 협찬(協贊)하여 수민(手民, 인쇄공인, -역주)에게 교부하여, 길이 전하게 하면서 나에게 교감(校監)의 일을 맡기었다.

불녕(不佞)은 어릴 적에 따라 여러 번 종유(從遊)하였는데, 그의 의리를 흠모하고, 그의 문장에 열복한지가 오래므로, 감히 시양하지를 못하고, 삼가 횡설수설을 편말에 두고, 평일에 높이 존경하던 마음을 털어놓고자 한다. 훗날 이 글을 읽는 사람들이 빠뜨린 것이 있다고 해도 널리 용서하여 주면 다행으로 여기고자 한다.

무오년 소춘절에
광산 김영표(光山 金永杓)가 삼가 발문을 적음

跋

嗚呼！此普亭先生金公遺詩文一弓, 凡十編也。公以聰慧瑰瑋之姿, 加以切磋琢磨之工。講程朱之學而盡精微, 體韓柳之文而成大家。又精於書畫, 大鳴一世也。當時傑特豪雋之士, 莫不推重而敬服焉。將以大有爲於世相期之, 不幸運値九六, 未試所蘊輻光鏟彩, 竟老於巖穴之間。太史公所謂有千古悲者, 此耶？嗚呼悲夫！若其齊家之嘉謨, 處世之大節, 平居宴息之儀範, 諸賢狀碣等文字詳而盡之, 不必更贅。而公歿後四年癸丑, 及門與同好諸員, 堅碑於其曾王考晚睡堂下, 以寓景仰之忱, 而以遺稿之未就梓爲抱恨。越五年戊午, 其從叔在房不忍置諸蠹笥, 與同好諸賢曺秉勳、金富鉉、金源根、林漢斗合謀協贊, 付諸手民而壽傳之。屬余以校監之役。不佞自幼時數數從遊, 慕其義, 服其文者, 久矣。今於是役也, 固不敢辭。而謹搆橫竪之說, 置于編尾, 以伸平日高景之私。後之覽是稿者, 或可以恕其潛, 則幸也。

歲戊午之小春節　光山　金永杓　謹跋

또(又)

저울을 잡고 경중을 뜰 때, 저울추가 가운데서 이쪽저쪽으로 기울지 않게 하는 것은, 오직 달사(達士)들만이 할 수 있는 일이다. 그렇다면 이것은 용속한 사람들이 엿볼 것이 못 된다. 우리 보정(普亭)같은 사람이 바로 이러한 사람이 아니겠는가? 선생은 한말(韓末)의 풍운(風雲)이 한창 몰아칠 때 태어나, 강개(慷慨)한 마음으로 큰 포부를 지니고, 그것을 돈독하게 실천해 나가면서, 위로는 공자(孔子)와 주자(朱子)의 깊은 연원(淵源)을 거슬러 올라가 바른 것을 얻었으며, 아래로는 당(唐), 송(宋)시기 대가들의 문장 체재를 본받아 문장을 이루었다. 반궁(泮宮)에 다니면서, 견식을 넓히었고, 서예(書藝)에서 솜씨를 보였으며, 스스로 일가(一家)를 이루었다. 멀리 일본(日本)을 유람하고, 그곳의 민정(民情)을 살피었으며, 나라 없는 한을 마음속 깊이 간직하고 울며 고향으로 돌아와서는 두문불출하고 세상과 인연을 끊었다. 천운(天運)이 순환(循環)하여 광복(光復)을 맞이하자, 개연히 건국(建國) 사업에 뜻을 지니고, 옛날에 교류했던 동지들을 방문하여 동정을 살피었다. 사상이 균열(龜裂)하고, 국토가 남북으로 분단 되자, 화(禍)가 눈앞에 닥쳤다고 생각하고, 결연히 귀향(歸鄕)하여 아랫사람들을 풀어주었다. 송독(誦讀)과 예술(藝術)에 몸을 담고 필생(畢生)의 계책은 꾸미지 않았다. 얼만 지나지 않아, 대난리가 터졌는데, 바로 경인(庚寅, 서기1950)년의 일이었다. 그때 화를 면한 사람은 국내에서 몇몇이 되지 않았지만, 선생만은 탄연(坦然)하게 무사하였다. 그때 사람들은 그를 원우(元佑)시기의 완인(元佑完人)[26]이라고 칭찬하였다. 이로부터 옛 의관 차림을 하고 선정(先亭)을 단단히 지키었다. 가문의 자식이나 조카들 그리고 향(鄕)의 수재들과 함께 도(道)를 논하고, 강학(講學)하면서 《용학강의(庸學講義)》, 《백이설(伯夷說)》, 《답인문(答人問)》, 《계산문답(溪山問答)》《한문철폐설(漢文撤廢辨)》 등과 기타 서, 기, 명, 사(記序銘辭) 수십 편을 저술하였다. 간간히 당시의 호걸다운 선비들 네댓 명과 함께 봉래(蓬萊)와 적벽(赤壁) 사이에서 소요(逍遙)하면서 서리어 있던 답답한 정서를 토로하였다.

오호라! 그의 학문은 끝이 없이 연박(淵博)하였고, 흉금(胸襟)은 드넓어 막히지 않았다. 언사(言辭)에는 화기가 넘치었고, 얼굴에는 순수한 기운이 넘쳤으니, 보기만 하여도 그가 지기 군자(知機君子)임을 알아볼 수 있었으니, 앞에서 이른 바 중(中)을 얻은 달사(達士)가 아닌가?

내가 비록 선생보다 항렬이 높기는 하지만은, 나이나 덕목(德目)에 있어서는 모두 선

---

26) 완인(元佑完人): 원우시기에 살아남은 사람이라는 뜻. 원우 (서기1086-1093) 는 북송 철종 조후(趙煦)의 연호이다. 원풍 8년(서기1085)에 10세도 안 되는 철종이 즉위하자 조모 고태후가 정사를 보면서 왕안석(王安石)의 신법(新法)을 폐지하였고, 수구파인 사마광(司馬光)을 재상으로 발탁하여 신파(新派) 사람들을 배척하였다. 원우 8년 (서기1093) 에 친히 정사(政事)를 보게 된 철종은 다시 신법을 실행하면서 수구파를 배척하였고, 후에 태후가 다시 수구파를 모아 신파를 배척하였다.

생을 존숭(尊崇)하고 있다. 어렸을 때부터 선생에게서 학문을 익히었는데, 선생도 제자들처럼 아끼며 이끌어주었다. 사물과 접촉하고 사건을 처리하는 요점과 가문 내부의 크고 작은 일들을 서로 물어보고, 의견을 나눈 적은 아마 빈 날이 없었을 것이다. 불행하게도 산이 무너지고 들보가 끊어졌으니, 어느 곳에서나 그리지 않을 수 없고, 어느 한 시각이나 태산처럼 우러러 보지 않을 수 없다.

오호라! 슬프도다. 오늘 이 역사(役事)를 벌리면서 눈물이 앞을 가리니, 그 사적(事蹟)을 모조리 다 적지 못하고, 만의 하나라도 간략하게나마 속심을 털어 편말(篇末)에 교부하는 바이다.

무오 소춘절에
종숙 재규가 삼가 발문을 적는다.

又

執權衡量輕重, 得其中而不偏不倚者, 惟達士爲。然非庸夫之所可窺測也。若吾普亭先生, 庶幾其人也歟? 先生生于韓末風雲交會之日, 慷慨有大志, 以踐履之篤, 上溯孔朱之淵源而得其正, 下體唐宋之大家而成其文。遊於泮宮而廣其識, 見工於書藝, 自成一家。遠遊于日本, 察其民情, 深抱無國之恨, 泣歸鄕梓, 杜門謝世。天運循環, 迨及光復。慨然有志乎建國, 訪舊交同志, 察其動靜。思想龜裂, 南北兩斷, 意謂禍在迫頭, 翩然歸鄕。放良奴, 屬以誦讀遊藝。無畢生計。不幾而大亂作, 卽庚寅也。免其禍害者, 域中無幾人焉, 而先生則坦然無事, 時人以元佑完人稱之。自是厥后, 以舊衣舊冠, 固守先亭。與門子姪、鄕秀才論道講書, 著庸學講義、伯夷說、答人問、溪山問答、及漢文撤廢辨、其他記序銘辭數十編。間以當時傑豪之士四五人, 逍遙於蓬萊、赤壁之間, 以叙壹欝之懷。嗚呼! 其學文淵博無涯涘, 胸次爽潤無碍滯。藹乎其辭, 粹乎其色, 望之可知其爲知機君子, 向所謂得中之達士者, 非耶? 余於先生行雖高, 而齒德兼尊。自幼時學於先生, 先生亦提撕之如徒弟。接物處事之要, 門內巨細事, 相問相議, 殆無虛日。不幸山頹樑絕, 無處非羹墻, 無時非山仰。嗚乎悲夫, 今於是役也, 涕淚掩前, 不能悉其實。而略舒其萬一, 以付編末云爾。
歲戊午之小春節
從叔在弓 謹跋

발문(跋文)

 우리 동인계(同人契)는 서기 2013년 가을, 연정교육문화연구소의 소장 보정선생의 초손(肖孫)인 연정 김경식 박사의 제의로 합동하여 보정 김정회(普亭 金正會;서기 1903~1970)선생의 《연연당문고(淵淵堂文稿)》의 한글판을 간행하기로 논의한 바 있습니다.

 연정은 그 뒤 서기 2015년 중국 연변대학 박정양 교수에게 《연연당문고》의 번역을 의뢰하게 되었고, 한 편 문고 제1,2권인 시부(詩賦)는 별도로 국내의 호당 이정길 번역가에 의뢰 서기 2018년 가을 《梅妻를 찾아가네》라는 이름으로 시집을 간행하게 되었고, 아울러 보정선생의 부친이신 회천 김재종 (晦泉 金在鍾: 서기 1880~1938) 선생의 유고인 《회천유고(晦泉遺稿)》도 간행하기로 하였습니다. 그 후 우리 동인계는 두 분의 문집 번역본 간행을 위한 간행기획에 적극적으로 참여 연정을 보필하여 왔습니다.

 회천 선생과 보정 선생 부자분은 그 본관은 안동(安東)이며, 조선조 개국공신 익원공 김사형(翼元公 金士衡)의 후예로, 전북 고창읍 도산리 보도산 자락에서 태어나셨습니다. 회천 선생은 가학(家學)으로 학문의 기초를 닦고, 위정척사를 주장하신 노사 기정진의 손자이며 조선조말 호남 의병장인 송사 기우만(松沙 奇宇萬)에게 학문을 익혀 총애를 받은 문인 이었습니다. 선생은 그 조부인 진사 만수당 김영철(晚睡堂 金榮喆)공을 각별히 모셨음은 물론 부모 역시 심혈을 기우려 받들었습니다. 선생은 학문과 친산(治産)에도 남달랐습니다. 선생은 집안의 자녀들 교육에 항상 마음을 놓지 않고 계도하며, 위선사(爲先事)라면 발 벗고 나섰음은 주위에서 다 아는 사실입니다. 더 나아가 나라가 망한 것을 한탄하시고 민족의 먼 장래를 위하여 민족사학의 설립 및 지원, 민족언론의 창립 지원, 가난한 주위를 위한 구휼 등 재산을 아끼지 않았습니다.

 또한 보정 선생은 노사 선생의 문인인 나주의 후석 오준선 선생에게서 수학한 바 있으며, 그 후 명륜전문학원에서 신구학문 특히나 실학(實學)에 연구를 깊이 하시며, 당대 석학들과 교류하시며, 한편 해강 김규진 선생에 나아가 서예를 익히시고 일가를 이루셨으며, 부친 회천선생의 유업을 이어받으며 특히나 일제 강점기에는 시문으로 또는 몸소 일제에 항거하며 민족애를 발휘하신 분입니다.

 회천, 보정 선생 두 분의 이번 문집 한글판 번역본 간행은 우리 고창에 참으로 태산 하나를 만든 기분입니다. 본 번역본이 한문을 접하지 못한 세대에 읽히어, 두 선생이

지향한 정신이 우리의 주변에 많이 전달되어 각박한 요즈음에 훈훈한 봄바람으로 생기를 불어넣어 준다면 참으로 감사할 일입니다.

  우리 동인계의 계원인 춘강 김종회(전 모양농산 사장), 해운 최규철(전, 경주 동국대학교 총장, 현 대한체육회 고문), 운호 오종대(전 교감, 현 농장 경영), 연정 김경식 박사, 유사(有司) 남원 이형성 박사(전남대 학술연구 교수) 등의 계원을 대표하여 계원들의 그간 문집 번역본 간행기획의 노고를 치하하며, 이에 간단히 발문을 마치고자 합니다.

        서기 2020년 11월　일

                동인계(同人契) 좌장　우송 이공진 씀

淵淵堂文稿 (한글판)
연 연 당 문 고

인쇄일   2020년 11월 30일
발행일   2020년 11월 30일

지은이   보정 김정회
감수   연정 김경식
간행기획   연정교육문화연구소·동인계
발행인   김화인
펴낸곳   도서출판 조은
편집인   김진순
주소   서울시 중구 을지로20길 12, 대성빌딩 405호
전화   (02)2273-2408
팩스   (02)2272-1391
출판등록   1995년 7월 5일 신고번호 제1995-000098호
ISBN   979-11-88146-86-4
ISBN   979-11-88146-85-7(세트)
정가   55,000원

♠ 잘못된 책은 바꾸어 드리겠습니다
♠ 이 책의 내용은 신저작권법에 의하여 국제적으로 보호받고 있습니다.
♠ 전재 및 복재를 할 수 없습니다.